KB166209

Otorhinolaryngology
-Head and Neck Surgery

이비인후과학

두경부 *Head and Neck*

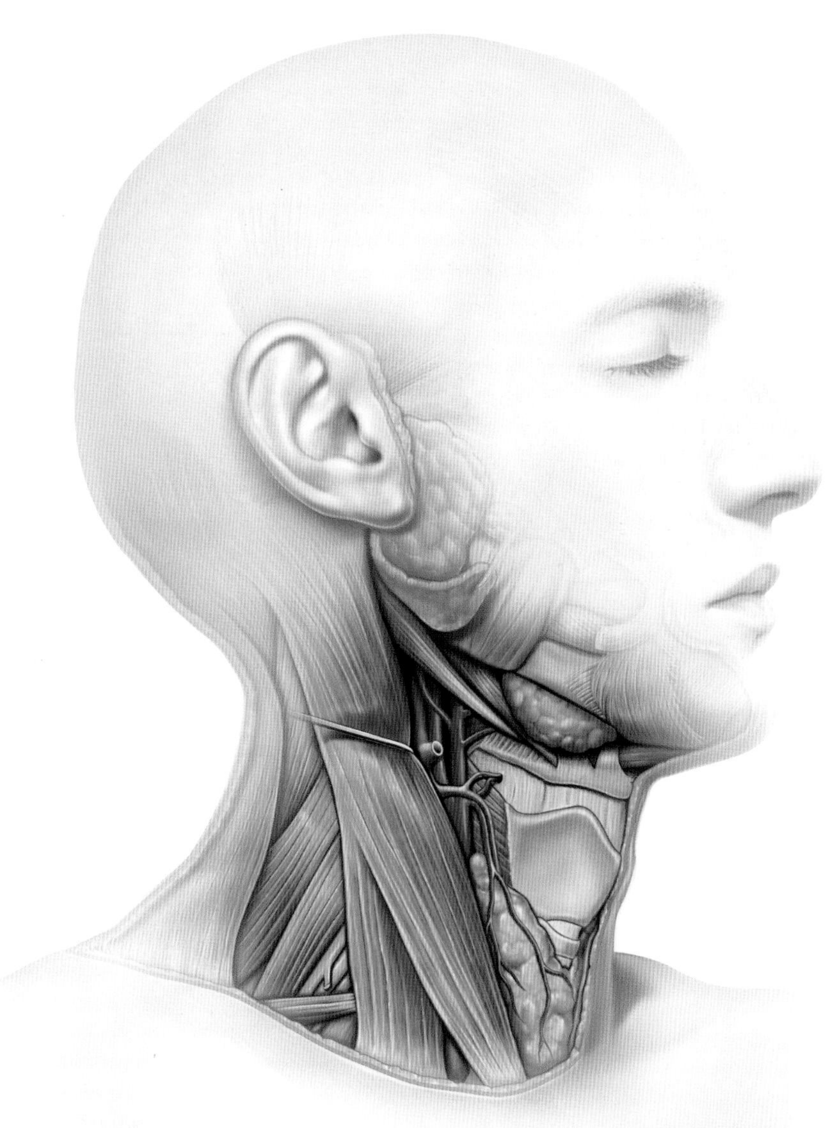

대한이비인후과학회

이비인후과학(두경부)

Otorhinolaryngology - Head and Neck Surgery

첫째판 1쇄 발행 | 2002년 8월 15일
개정1판 1쇄 발행 | 2009년 3월 5일
개정2판 1쇄 인쇄 | 2018년 11월 1일
개정2판 1쇄 발행 | 2018년 11월 16일

지 은 이 대한이비인후과학회
발 행 인 장주연
출판기획 이성재
책임편집 박미애
편집디자인 조원배
표지디자인 김재욱
일러스트 이호현
발 행 처 군자출판사(주)
등록 제 4-139호(1991. 6. 24)
본사 (10881) **파주출판단지** 경기도 파주시 회동길 338(서패동 474-1)
전화 (031) 943-1888 팩스 (031) 955-9545
홈페이지 | www.koonja.co.kr

ISBN 979-11-5955-373-8
979-11-5955-370-7 (set)

정가 170,000원

집필진

편찬위원회

(가나다 순)

● 편찬위원장

김정수 경북의대 경북대학교병원

● 분과위원장

이 과 **조양선** 성균관의대 삼성서울병원
비 과 **김선태** 가천의대 길병원
두경부 **김세헌** 연세의대 세브란스병원

● 위 원

강제구 국립중앙의료원
김한수 이화의대 목동병원
김현직 서울의대 서울대학교병원
박시내 가톨릭의대 서울성모병원
박용호 충남의대 충남대학교병원
백승국 고려의대 안암병원
안순현 서울의대 서울대학교병원
이규엽 경북의대 경북대학교병원
정유삼 울산의대 서울아산병원
정진혁 한양의대 한양대학교구리병원

● 간 사

허성재 경북의대 칠곡경북대학교병원

집필진(두경부)

(가나다 순)

구본석 충남의대 충남대학교병원
권기환 한림의대 강동성심병원
권성근 서울의대 서울대학교병원
권순영 고려의대 안산병원
권택균 서울의대 서울대학교병원
김광현 분당제생병원
김동영 가천의대 길병원
김민식 가톨릭의대 서울성모병원
김상윤 울산의대 서울아산병원
김세헌 연세의대 세브란스병원
김영모 인하의대 인하대학교병원
김재욱 순천의대 순천향대학교병원
김정규 대구가톨릭의대 대구가톨릭대학병원
김진아 연세의대 세브란스병원
김진평 경상의대 경상대학교병원
김진환 한림의대 강남성심병원
김철호 아주의대 아주대학교병원
김한수 이화의대 목동병원
남순열 울산의대 서울아산병원
노영수 한림의대 강동성심병원
도남용 조선의대 조선대학교병원
류준선 국립암센터
박근칠 성균관의대 삼성서울병원원 혈액종양내과
박범정 한림의대 성심병원

집필진

집필진(두경부)

(가나다 순)

박성신 서울의대 서울대학교병원 언어청각장애진료실
박영학 가톨릭의대 여의도성모병원
박일석 한림의대 동탄섬싱병원
박재홍 순천향의대 천안병원
박정제 경상의대 경상대학교병원
박준욱 인제의대 해운대백병원
박준희 조선의대 조선대학교병원
박헌수 동아의대 동아대학교병원
백승국 고려의대 안암병원
백정환 성균관의대 삼성서울병원
봉정표 연세의대 원주세브란스기독병원
서정화 서울의대 서울대학교병원 마취통증의학과
선동일 가톨릭의대 서울성모병원
성명훈 서울의대 서울대학교병원
손영익 성균관의대 삼성서울병원
손진호 경북의대 경북대학교병원
송시연 영남의대 영남대학교병원
심현섭 이화여자대학교 언어병리학과
안순현 서울의대 분당서울대학교병원
안용찬 성균관의대 삼성서울병원
양훈식 중앙의대 중앙대학교병원
엄재욱 인제의대 부산백병원
여창기 계명의대 동산병원
오동렬 성균관의대 삼성서울병원 방사선종양학과
왕수건 부산의대 부산대학교병원
우승훈 경상의대 경상대학교병원
우정수 고려의대 구로병원
우주현 가천의대 길병원
유영삼 인제의대 상계백병원
유찬기 차의과대 분당차병원
유창환 국립암센터
이강대 고신의대 복음병원
이국행 한국원자력의학원
이동진 한림의대 강남성심병원
이병주 부산의대 부산대학교병원
이상준 단국의대 단국대학교병원
이상혁 성균관의대 강북삼성병원
이세영 중앙대의대 중앙대학교병원
이승원 순천향의대 부천병원
이용식 건국의대 건국대학교병원
이윤세 울산의대 서울아산병원
이준규 전남의대 전남대학교병원
이진춘 부산의대 양산부산대학교병원
정광윤 고려의대 안암병원
정만기 성균관의대 삼성서울병원
정성민 이화의대 목동병원
정영호 서울의대 보라매병원
정유석 국립암센터
정은재 서울의대 서울대학교병원
정필상 단국의대 단국대학교병원
정한신 성균관의대 삼성서울병원
조광재 가톨릭의대 의정부성모병원
조재구 고려의대 구로병원
조정해 가톨릭의대 성빈센트병원
주영훈 가톨릭의대 부천성모병원
주형로 하나이비인후과병원
지용배 한양의대 한양대학교구리병원
진성민 성균관의대 강북삼성병원
최승호 울산의대 서울아산병원
최은창 연세의대 신촌세브란스병원
최정석 인하의대 인하대학교병원
최홍식 연세의대 강남세브란스병원
태 경 한양의대 한양대학교병원
하정훈 땡큐서울이비인후과의원
홍기환 전북의대 전북대학교병원
홍현준 가톨릭관동의대 국제성모병원

발간사

대한이비인후과학회 교과서는 2002년 8월 초판이 발간된 후 7년이 지난 2009년 3월에 개정판이 발간되었습니다. 그 후 가이드라인들이 바뀌고, 많은 새로운 지식이 소개되고 기술들이 발전하여 교과서 개정이 필요하게 되었습니다. 따라서, 본 학회에서는 2015년에 교과서 개정위원회를 발족해서 교과서 개정 작업을 시작하였고, 약 4년의 노력 끝에 드디어 결실을 맺게 되었습니다.

대한이과학회, 대한비과학회, 대한갑상선두경부외과학회를 비롯한 많은 분과/유관학회들과 연구회에서 발간한 다양한 교과서들이 있지만, 이비인후과 전문의로서 알아야 할 필수 지식들과 실제 진료에 필요한 정보들을 한 곳에 정리할 필요가 있고, 그러한 요구를 이번 대한이비인후과학회 교과서가 충족시킬 수 있도록 노력하였습니다. 이번 교과서는 이비인후과학을 처음 접하는 의과대학생이 쉽게 이해할 수 있도록 기본적인 내용에 충실했을 뿐만 아니라, 전문가의 역량이 더욱 강조되는 시대적 요구에 부응하고 선도적인 연구의 기틀이 될 수 있는 전문적인 내용을 함께 포함시켰습니다. 날로 발전하고 빠르게 변화해가는 의료지식, 새로운 의료기술을 포함시키면서, 환자 진료를 위해서 꼭 필요한 책이 될 수 있도록 근거위주의 지식들을 이 책에 충분히 담고자 하였습니다.

대한이비인후과학회는 최근 눈부신 발전을 하고 있습니다. 그 발전에 걸맞은 우수한 이비인후과 교과서가 될 수 있도록 많은 노력을 기울였기에, 이 교과서가 대한이비인후과학회뿐만 아니라 많은 회원님들의 학문의 발전과 진료에 큰 도움이 되길 기대합니다.

교과서 개정을 중요한 학회의 사업으로 적극적으로 추진해주신 전임 태경 이사장님과, 4년 동안 많은 노력과 희생을 해주신 김정수 편집위원장님께 감사 드립니다. 또한, 좀 더 좋은 교과서가 발간될 수 있도록 열을 성을 다해주신 김선태, 김세헌, 조양선 분과위원장님을 비롯한 편집위원님들과, 집필에 많은 노력을 기울여주신 저자들께도 깊은 감사를 드립니다.

2018년 10월

대한이비인후과학회 이사장 **이재서**

머리말

2002년 대한이비인후과 교과서가 처음 발간된 후 약 7년이 경과된 2009년에 개정판이 발간되었습니다. 이후 이비인후과 학문 분야의 눈부신 발전으로 새로운 개정판 발간의 필요성이 대두되어 태경 전 이사장님의 결단으로 재개정판의 발간이 결정되었고 2014년 7월에 개정위원회가 발족되었습니다. 각분과위원장으로 이과 조양선, 비과 김선태, 두경부 김세헌 선생님을 주축으로 각 분과에서 세 분을 다시 모셔 총 12명의 개정위원을 구성하였으며, 이후 최근에 안면성형 분야가 이비인후과 분야에서 차지하는 부분이 늘어나 안면성형학회의 추천으로 편집위원을 한 분 추가하여 총 13명의 위원이 교과서 개정방향 설정과 저자 선정 작업에 들어갔습니다.

개정 방향은 기존 교과서를 바탕으로 이비인후과 전문의로서 필요한 지식과 술기를 포함하는 것으로 하였습니다. 이후 좀 더 내용을 튼실히 하고자 분과별로 개정판에 포함될 내용과 양 및 깊이 등에 대한 설문 조사를 하는 등의 노력을 기울였으며, 몇 번의 회의를 거쳐 전체 양을 너무 늘리거나 완전히 새로운 내용으로 개정하는 것은 교재로 활용될 전공의에게 부담이 클 수 있겠다는 태경 전이사장님의 의견을 수렴하여 20~40% 내에서 분량과 내용을 조정하기로 하였습니다.

이전 개정판은 2권으로 구성되어 있어 책이 너무 무겁다는 많은 의견에 따라 분과별로 분권하여 출판하기로 하였습니다. 또한 이전 개정판에는 세 분야의 기초 부분을 한 책에 모았으나 새로운 개정판은 세 분야에 걸쳐 분권으로 출판되는 만큼 각 분권에 기초와 각론을 같이 구성하는 것으로 하였습니다. 각 분과별로 기존 내용에 추가하여 새로운 지식과 술기를 적극적으로 반영하여 이과에선 이식형 청각보조장치, 중심성 현훈 등과 비과에서는 수면과 성형 분야에서 새로운 장을 만들고 두경부에서는 각 영역을 보다 세분화하여 저자를 선정하기로 하였으며, 2015년 초에 각 저자들에게 집필요청서와 집필 주의사항 등을 보낼 수 있었습니다.

전국의 대학병원 및 종합병원의 부교수급 이상을 총망라하여 많은 집필진이 구성된 관계로 저자에 따라 원고 제출이 약 2년에 걸쳐 이루어져, 조기에 원고를 제출하신 많은 저자들은 원고 제출과 출판간의 공백기간으로 최신지견을 다 포함하지 못하는 상황이 발생하여 안타깝게 생각하며, 매끄럽지 않은 진행으로 불편을 드린 저자들께 심심한 사과의 말씀을 드립니다.

개정판 교과서 편찬을 마치며 그 동안 도움을 주신 많은 분들께 진심으로 감사드립니다. 가장 먼저, 바쁜 와중에도 원고 집필을 승낙해 주시고 옥고를 보내주신 여러 교수님들께 감사드리며, 교과서 개정판의 발간을 결정하시고 많은 도움을 주신 태경 전이사장님, 시간에 쫓기지 말고 제대로 된 교과서를 만들어 달라고 격려해주신 노환중 전 이사장님과 이재서 이사장님께도 깊이 감사드립니다.

지난 약 4년간에 걸쳐 함께 해주신 편집위원 조양선 교수, 김선태 교수, 김세헌 교수, 박시내 교수, 박용호 교수, 이규엽 교수, 김현직 교수, 정유삼 교수, 정진혁 교수, 강제구 교수, 김한수 교수, 백승국 교수 안순현 교수와 특히 싫은 소리 하나 하지 않고 모든 업무를 주선하고 처리하여 주신 허성재 교수에게 진심으로 감사를 드리며, 편집위원은 아니나 리뷰에 참여하여 주신 모든 교수님들께도 이 자리를 빌어 감사의 말을 전합니다.

마지막으로 이번에 출간되는 이비인후과 교과서 개정판은 학회의 미래의 주역인 이비인후과 전공의의 학업에 가장 중요한 교재가 될 뿐만 아니라 기존 전문의에게도 이비인후과와 관련된 총괄적인 새로운 지식과 기술을 이해하고 진료에 도움이 되는 매개체가 될 수 있기를 바랍니다.

2018년 10월

편집위원장 **김정수**

목 차

두경부 Head and Neck

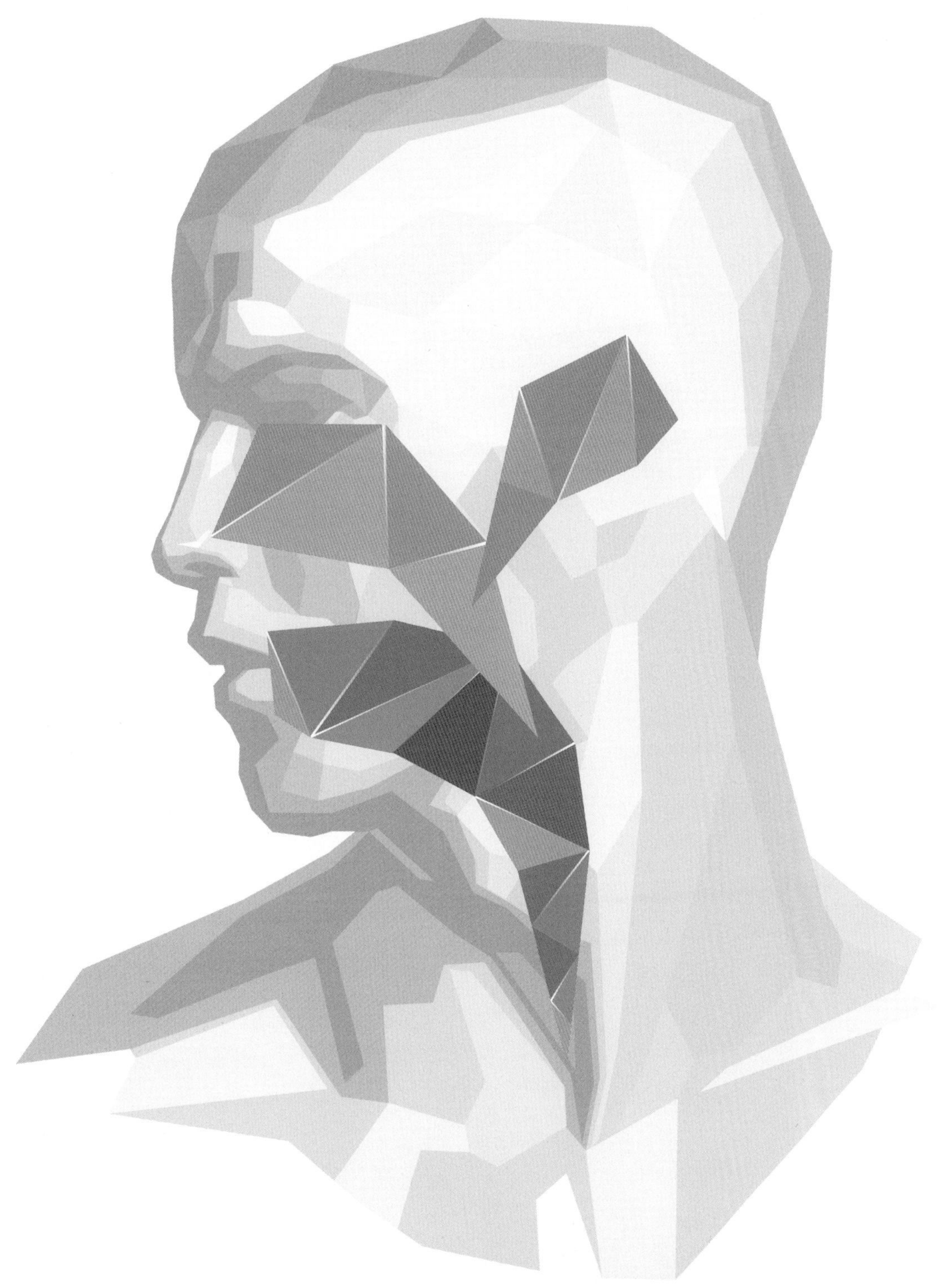

HEAD AND NECK

두경부

CHAPTER

01

구강의 구조와 기능

이비인후과학 Otorhinolaryngology - Head and Neck Surgery

이세영

I 구강의 발생

구강원기(stomatodaeum)라고 알려진 원시구강(primitive oral cavity)은 배아 4주에 열상(slit-like)공간으로 나타나는데 위로는 뇌, 아래로는 심막낭(periair-did sac)으로 이루어진 경계를 이룬다. 협인두막(bucco-pharyngeal membrane)은 원시구강과 전장(foregut)사이에 있는 얇은 중격으로, 나중에 퇴화되면서 구강과 발생 중인 인두가 서로 연결된다(그림 1-1).

새궁(branchialarch)은 인두의 측벽과 기저부에서 중배엽(mesoderm)이 응축(condensation)되면서 나타난다. 새궁 사이로 인두면의 일련의 열(cleft)들은 그에 상응하는 외배엽(ectoderm)의 열들과 마주하게 된다. 이러한 중배엽 응축 과정과 분화가 계속되어 연골 축과 새근육층(branchial musculature), 새궁동맥(branchial arch artery)이 생성된다. 각 궁은 신경과 피부, 근육, 궁의 내배엽(endoderm)으로 주행하는 신경을 포함하고 있으며, 각 궁은 연속된 궁의 신경에서 가지 신경을 받는다.

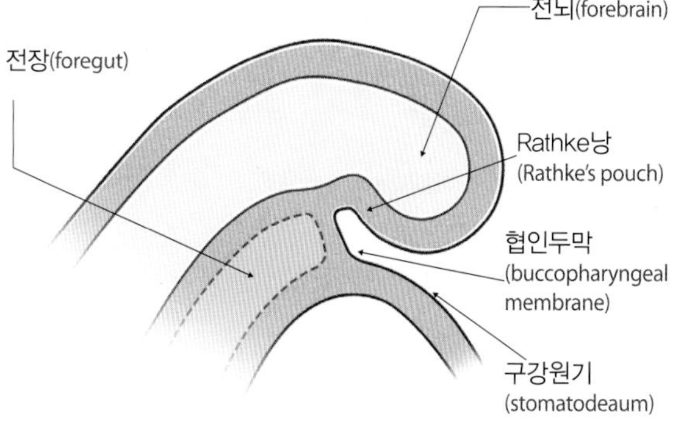

■ 그림 1-1. 구강의 초기 발생과정

하악은 배아 6주까지 발달 중에 있는 두부의 측면에서 발생한 2개의 하악돌기(mandibular process)가 중앙에서 융합되어 형성된다. 상악돌기(maxillary process)는 하악돌기에서 발아하여 안와의 하부에서 전방으로 성장하여 하강 중인 비돌기(nasal process)의 하단부와 만난다(그림 1-2).

상악돌기의 융합은 원시구개(primary palate)를 형성

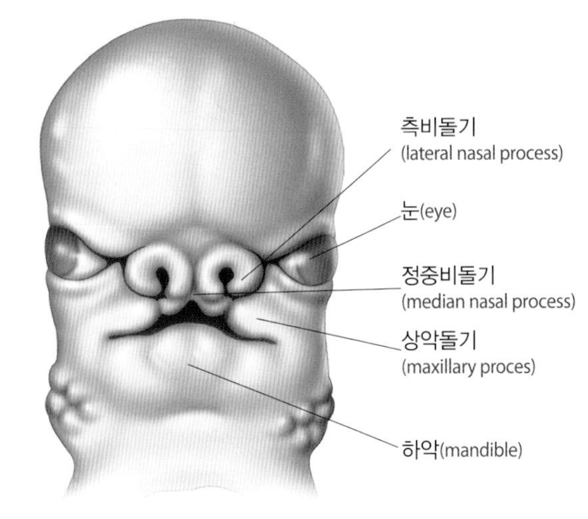

■ 그림 1-2. **안면의 발달(배아기 7주)**

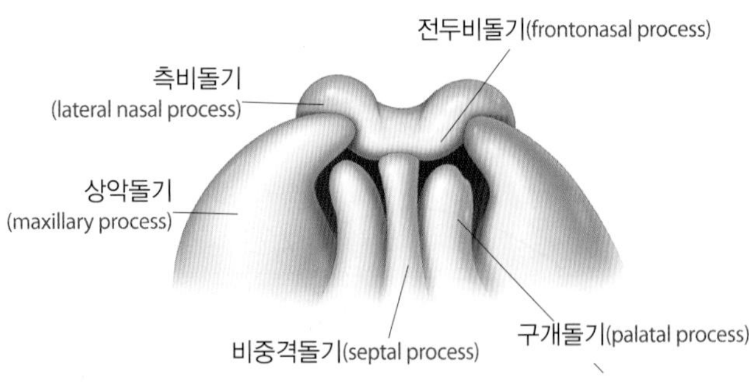

■ 그림 1-3. **구개의 발달(배아기 6주)**

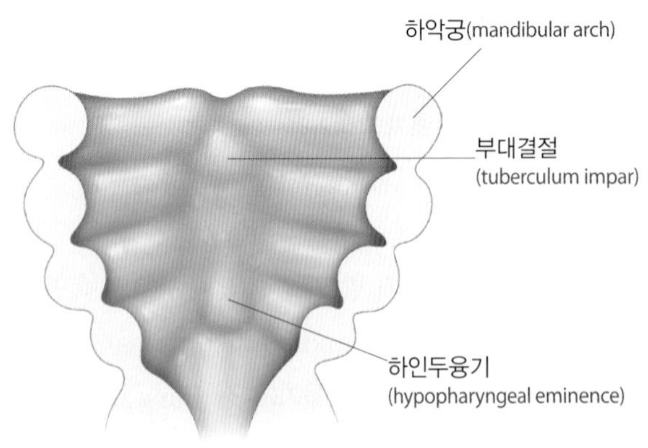

■ 그림 1-4. **혀의 발생(9mm 배아의 구강저)**

하고 원시구강(primitive oral cavity)에서 원시비강(primitive nasal cavity)을 분리시킨다. 각 상악돌기는 내측으로 성장하여 나중에 비중격과 이차구개(secondary palate)를 형성하고 발생 중인 혀가 하강한 후 서로 융합한다(그림 1-3). 혀의 앞부분은 하악궁(mandibular arch)과 중앙 구조물인 구강저의 부대결절(tuberculum impar)로부터 발생하고 뒷부분은 제3 새궁의 하인두융기(hypopharyngeal eminence)로부터 발생한다(그림 1-4). V자형의 분계릉(terminal sulcus)은 혀의 앞부분과 뒷부분이 융합하는 후방에 위치한다. 이 분계릉의 첨부에는 작은 구멍이 있는데 이를 맹공(foramen cecum)이라 하며 이곳에서 갑상선이 발생한다.[3, 7, 12, 19, 25, 23]

II 구강의 해부

구강은 피부와 입술이 접하는 순홍부경계(vermilion border)로부터 위로는 경구개와 연구개의 경계 부위까지이고 아래로는 혀의 유곽유두(circumvallate papillae) 부위까지이다. 구강은 크게 입술, 협점막, 상·하치조롱, 구후삼각, 구강저, 경구개 그리고 혀의 전방 2/3로 구분할 수 있다.[1, 4]

1. 입술

입술은 안으로는 점막으로 덮여있고 밖으로는 순홍(vemilion)으로 덮인 구조물이다. 큐피드의 활(cupid's bow)이라고도 불리는 순홍경계(vermilion border)는 피부와 접하고 있으며, 중앙에서 밑으로 굽은 형태를 띤다. 입술은 중앙 부위에서 가장자리로 진행할수록 넓어지다가 다시 좁아진다. 윗입술의 중앙에서 비교(nasal bridge)까지 움푹 파인 부위를 인중(philtrum), 윗입술과 아랫입술이 만나서 이루는 경계를 구열(rima oris)이라 한다. 입술의 가장자리에는 송곳니가 위치하며, 이를

구순접합선(labial commissure)이라 부른다.[4, 12, 21, 26]

2. 협점막

협점막(buccal mucosa)은 입술이 닿는 구순접합선부터 치조릉(alveolar ridge)과 익돌하악봉선(pterygo-mandibular raphe)까지의 점막을 포함한 뺨과 입술 내부의 모든 점막을 포함한다. 협점막 표면의 노란 과립과 같은 이소성 피지선(ectopic sebaceous gland)을 Fordyce granule이라 한다. 이하선의 개구부는 상악 제2 대구치(molar teeth)의 반대 방향의 협점막에 위치한다. 전구개궁(anterior pillar of fauces) 앞의 점막은 익돌하악봉선을 포함하며 상부 치조(alveolus)에서 하부까지 이른다.[4, 12, 15, 24]

3. 상 · 하치조릉

상악골 치조돌기(alveolar process)와 이를 덮는 점막을 상부치조릉(upper alveolar ridge)이라고 하는데, 이는 상부협치은(upper buccal gingiva) 위의 점막부터 경구개(hard palate) 경계까지 이른다. 하악골 치조돌기와 이를 덮고 있는 점막으로 이루어진 하부치조릉(lower alveolar ridge)은 하부협치은 위의 점막부터 구강저를 이루는 점막까지를 의미하며, 뒤로는 하악지(ramus of mandibule)까지 이르게 된다.[4, 15, 24, 26]

4. 구후삼각

구후삼각(retromolar trigone)은 하악지의 위에 있는 점막이다. 기저부는 하악 제3 대구치의 후면을 구성하고 있고, 첨부는 상악결절(maxillary tuberosity) 외측은 하악골의 사선을 연장한 관골돌기(coronoid process)까지 펼쳐져 있고, 내측은 상악 제3 대구치 설측 첨판(lingual cusp)의 근위부와 관골돌기를 이루는 선이 된다. 구후삼각의 기저부는 외측으로 협치은구(gingivobuccal sulcus)로, 내측으로는 설치은구(gingivolingual sulcus)까지 이어진다. 구후삼각의 외측면은 협점막과 이어지고 내측면은 편도의 전구개궁(anterior pillar)까지 이어진다. 구후삼각의 점막은 골에 치밀하게 부착되어 있어, 이 부위에 발생한 암종은 하악골로 쉽게 침범이 가능하다.[4, 13, 15, 16]

5. 구강저

구강저(floor of mouth)는 하부치조릉 내면에서 시작하여 혀의 하면까지 이르는 반달 모양의 부위로 하악설골근(mylohyoid muscle)과 설골설근(hyoglossus muscle)을 덮고 있다. 구강저의 후방 경계는 편도 전구개궁의 기저부이다. 설소대를 기준으로 양측으로 나누어져 있으며 악하선(submandibular gland)과 설하선(sublingual gland)의 개구부가 이곳에 위치한다.[4, 15, 24]

6. 경구개

경구개(hard palate)는 구개골(palatine bone)의 구개돌기(palatine process)부터 상부치조릉까지 덮는 점막 사이의 반원형 부위로 입천장 전체 길이의 3/4를 차지하고 있다. 경구개는 상부치조릉의 안쪽 면부터 구개골의 뒤쪽면 가장자리까지 위치한다. 경구개 표면에는 골막에 단단히 붙어있는 점막으로 덮여있고, 점막에는 점액을 분비하는 구개선이 분포하고 있다. 일측의 구개골은(L)자 형태를 띠고 있으며, 양쪽에 위치한 구개의 수평판(horizontal lamina)은 중앙에서 만나 이차구개(secondary palate)를 이루고, 수직판(perpendicular lamina)은 상부에서 비강의 후외측 벽을 형성한다. 일차구개(primary palate)는 양측 구개골의 구개돌기가 융합한 것을 일컬으며, 구개골의 수평판에서 골성 구개를 만든다. 일차구개는 전상악골(premaxilla)의 일부분으로, 절치(incisor tooth)를 포함하고 있다. 절치공(incisive foramen)은 경구개의 앞 중앙에 위치하며, 절치와(incisive fossa)가 위치하고 있다. 경구개와 연구개 경계부위의 가쪽에는 2개의 구멍(foramina)이 있는데, 2개 중 큰 구멍을 대구개공(greater palatine foramen), 작은 구멍을 소구개공(lesser palatine foramen)이라 일컫는다. 익구개관(pterygopalatine canal)의 말단은 구멍들과 이어지며, 이 구멍들을 통해 익구개와(pterygopalatine fossa)에서 혈관과 신경이 나와 경구개와 연구개에 분포한다.[1, 13, 14, 20]

7. 연구개

연구개(palatinum molle)는 경구개 후면의 가장자리에서 뒤쪽과 아래쪽으로 돌출하는 섬유근육층이다. 호흡시에는 거의 수직하게 위치하고 있으나, 말을 할 때는 전방 2/3는 경구개보다 올라가게 되며, 후방 1/3은 아래쪽으로 굽어진다. 구개범(Velum palatine)은 연구개의 후방부로 정의되지만, 실제로는 연구개와 동의어로 사용된다. 유두모양의 목젖(Uvula)은 연구개의 정중선의 가장자리에서 아래쪽으로 돌출된 구조물을 일컬으며, 그 옆쪽으로는 구개편도의 앞과 뒤쪽을 감싸며 아래로 주행하는 구개궁(Palatine arch)들이 위치하여 구개협부를 잡아주는 역할을 한다. 연구개에는 경구개 점막에 분포하는 구개선들이 이어져 분포하고 있고, 목젖의 대부분도 역시 이 분비선들로 이루어져 있다. 이 때문에 목젖은 손쉽게 부종이 생기게 된다.

섬유성 조직인 구개건막(Palatine aponeurosis)은 연구개의 가운데 층으로 전방의 경구개에 붙어있고, 이곳에서 구개근들이 이어진다. 근육들은 구개건막의 양쪽 표면에 붙어있어 층을 이루지만, 연구개 전방은 대부분이 막으로 이루어져 있으며 그 이외에 건막과 구개범장근(Tensor veli palatine muscle)의 힘줄로 이루어져 있다. 구개근육의 대부분은 연구개 중간 부분을 차지하고 있으며, 연구개의 후방부에 위치한 근육들은 능동적으로 움직이지 못하고 연구개 중앙부의 근육의 움직임의 결과로 수동적으로 움직이게 된다.[5, 13]

8. 혀

구강부에 속하는 혀(oral tongue)의 전방 2/3는 유곽유두(circumvallate papillae)를 기준으로 혀의 전방부와 구강바닥과 닿고 있는 혀의 배면(ventral surface)까지를 말한다. 혀는 첨부, 외측, 등(dorsal)부위, 배(ventral)부위로 나눌 수 있다. 신경과 혈관이 혀의 등 부위는(V)자 모양을 띤 분계릉(sulcus terminalis)을 기준으로 구강에 속하는 가동부 혀와 구인두에 속하는 부동부 혀로 나뉜다. 유곽유두는 분계릉 바로 앞에 위치하고 있으며, 나머지 등면에는 수많은 백색 원뿔형 실유두(filiform papillae)가 덮고 있다. 잎새유두(folate papillae)는 혀의 후외면을 덮고 있는 유두를 일컫는다. 혀 점막은 혀 몸통과 첨부까지 완전히 둘러싸고 있고 구강저까지 연속적으로 쌓여있다. 설소대(lingual frenulum)는 구강저의 점막을 양측으로 나누고 있으며 설소대가 있는 구강저의 정중앙선 앞쪽 부위에는 점막이 없다. 설소대 양측에는 채상주름(fimbriated fold)이 위치하고 있다. 혀는 점액성과 장액성 샘(mucous and serous glands)을 가지고 있다. 점액성 샘은 혀의 후면과 설편도와(crypts of the lingual tonsil)로 열려있고, von Ebner's gland 라고도 불리는 장액성 샘은 점액성 샘 안쪽이나 유곽유두 안쪽으로 열려 있다.[8, 13, 14]

9. 혀의 근육

혀는 근육, 신경 및 양측의 혈관 사이에 있는 정중선인 설중격(septum linguae)을 기준으로 양쪽으로 대칭을 이루며, 혀의 근육들은 바깥쪽의 외근(extrinsic muscle)과 내근(intrinsic muscle)으로 구분할 수 있다. 혀의 외근은 이설근, 설골설근, 경돌설근, 구개설근으로 이루어져 있다(그림 1-5). 이 근육들 중 두 개의 큰 근육인 이설근

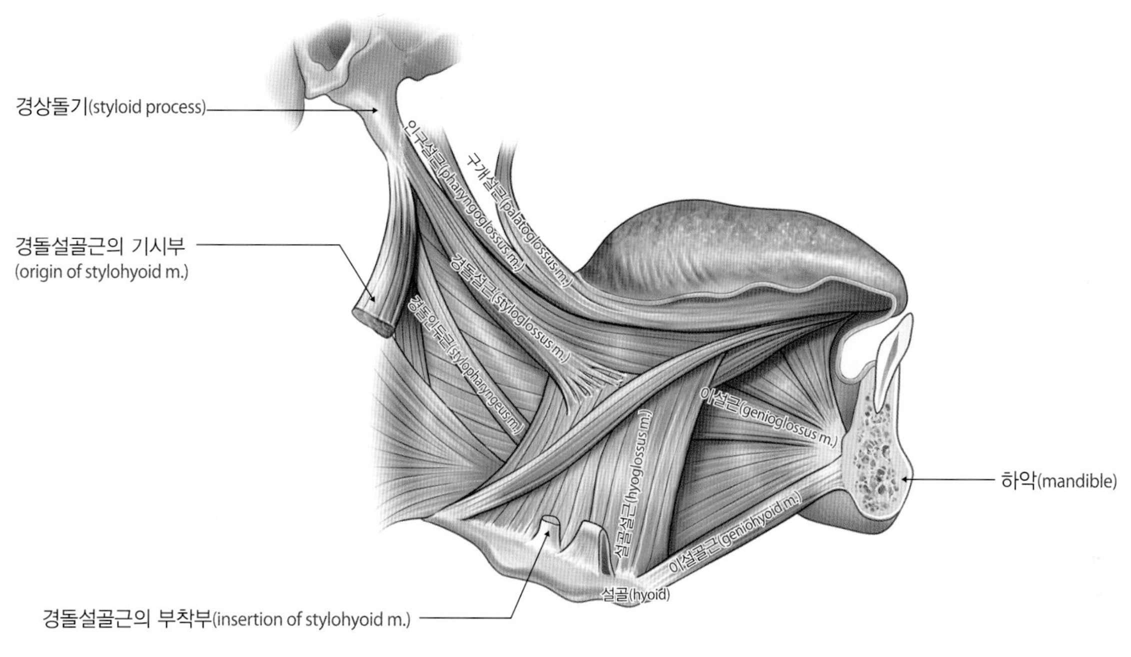

■ 그림 1-5. **혀의 근육**

(genioglossus muscle)과 설골설근(hyoglossus muscle)은 설하 부위에서 혀 위쪽으로 이어져 있으며 경돌설근(styloglossus muscle)과 구개설근(palatoglossus muscle)은 위와 옆에서 혀로 들어가게 된다. 이설근은 부채꼴 모양의 근육으로 이결절(genial tubercle) 윗부분에서 시작하여 혀의 첨부와 기저부까지 이르며 이설근이 수축 시 혀가 돌출된다. 설골설근은 편평한 사각형의 근육으로 설골대각(greater conu of hyoid bone)에서 시작하여 상방으로 주행 후 혀의 측면으로 들어간다. 설골설근이 수축 시 혀의 측면이 하방전위된다. 경돌설근은 경상돌기(styloid process)부터 시작하여 전하방으로 주행 후 혀의 측면으로 들어간다. 경돌설근이 수축 시에는 혀가 상방과 후방으로 전위된다. 구개설근은 연구개 건막(aponeurosis)에서 시작하고 하방으로 주행하여 전구개궁을 형성하는데, 구개인두협부(oro-pharyngeal isthmus)를 좁히고 혀를 위로 올리는 역할을 한다. 구개설근은 부신경(accessory nerve)의 지배를 받으며 그 외 다른 외근들은 모두 설하신경의 지배를 받는다. 혀의 내근은 복잡하게 교차되는 근섬유 다발로 이루어져 있다. 횡근(transverse muscle), 종근(longitudinal muscle), 수직근(vertical muscle)으로 나뉘는데, 이 근육들은 혀의 모양을 바꾸는 기능을 하며 설하 신경(hypoglossal nerve)의 지배를 받는다. 횡근과 수직근이 혀의 부피 중 많은 부분을 차지하고 있다. 횡근은 혀의 설중격에서부터 대각선으로 혀의 가장자리 위쪽으로 주행하고 있고, 수직근은 윗면으로부터 가쪽면으로 주행한다. 내근은 말하기와 삼킴운동과 관련되어 혀의 모양을 변화시키는 데 관여를 하고 있다. 외근의 경우에는 혀의 모양을 변형하는 데 도움을 주고 특히 혀를 전방, 후방, 상방 또는 하방으로 당기는 것을 돕는다.[14, 24]

10. 미각기관

혀 감각의 구심성 신경은 설신경과 설인신경이 담당하

고 있다. 설신경의 신경 섬유는 혀 앞쪽 2/3에 분포하고 있고, 혀 뒤쪽 1/3은 설인 신경의 신경 섬유가 분포한다. 두 신경 모두 촉각, 통각, 온도에 대한 일반 감각과 맛 감각에 대한 섬유를 포함하고 있다. 설신경의 맛감각 섬유는 슬상신경절(geniculate ganglion)에서 유래하며 고삭신경(chorda tympani nerve)으로 합류한다. 설인신경의 맛감각 섬유는 하추체신경절(inferior petrosal ganglion)에서 나온다. 혀의 앞 2/3의 표면을 덮고 있는 폴립유두(fungiform papillae)에는 미뢰(taste bud)가 존재한다. 폴립유두는 원형의 적색을 띄고 있으며 직경이(1~4mm)이며 그 수는 20~60개에 달한다. 실유두(filiform papillae)에는 미뢰가 없으며 살짝 융기된 폴립유두를 둘러싸고 있다. 1개의 폴립유두당 8개 이상의 미뢰가 존재하며, 미뢰에는 압력, 촉각, 온도에 대한 수용체가 위치한다.

혀의 후방 1/3의 경계를 이루는(V)자 모양의 분계릉 표면에는 돌출된 8~20개의 유곽유두(circumvallate papillae)가 존재한다. 유곽유두는 음와(crypt)로 둘러싸여 있으며, 음와의 바닥에는(Von Ebner) 분비선들이 있고, 이 분비선들의 입구에 위치한 섬모는 분비물들을 음와로 배출한다. 일부 미뢰는 혀뿐만 아니라 구개와 입술, 심지어 식도의 상부 1/3 표면에서 발견되기도 한다. 미뢰 수용체들은 음식에 닿을 시 짠맛, 단맛, 신맛, 쓴맛 등 4개의 일차적 자극에 반응하는데, 이 중 단맛에 반응하는 미뢰가 가장 많은 것으로 알려져 있다.[10, 14]

11. 구강의 신경

상악신경(V2)의 안와하신경(infraorbital nerve)은 상구순(upper lip)의 점막과 피부의 감각신경을 담당하고, 하악신경, V3의 협분지(buccal branch)는 구순접합선의 감각신경을 지배하고, 하악신경의 이분지(mental branch)는 하구순의 감각 신경을 지배한다. 안면신경은 입술의 운동을 지배한다. 안면신경 협분지는 협부의 운동신경을 통해 협근(buccinators muscle)을 움직인다. 하악신경의 협분지는 협부 점막의 감각신경을 지배한다.

상악치아는 전상 치조신경(anterior superior alveolar nerve)과 후상 치조신경(posterior superior alveolar nerve)이 감각을 담당하고, 대구개신경(greater palatine nerve)이 전상악골후방부의 설측 점막을, 비구개신경(nasopalatine nerve)은 전상악골(premaxilla)의 설측 점막을, 안와하신경(infraorbital nerve)이 구순측의 치조 점막의 감각을 지배한다. 하악치아 및 치조점막을 담당하는 감각신경은 하악신경이다.

설인신경(glossopharyngeal nerve), 삼차신경으로부터 나온 소구개신경(lesser palatine nerve)이 구후삼각(retromolar trigone)의 감각을 지배한다. 구강저 점막의 감각신경은 설신경(lingual nerve)이 지배하며 하악신경의 분지가 악설골근(mylohyoid muscle)을 담당한다. 대구개신경이 이차구개의 감각을 담당하고 상악신경으로 부터의 분지인 비구개신경은 일차구개의 감각신경을 담당한다.

설하신경(hypoglossal nerve)은 내경동맥과 내경정맥 사이로 나타나며 이 둘의 가쪽 함요부를 통해 내려가 경동맥 분기 바로 위 근처까지 내려간다. 그리고 목신경고리(ansa cervicalis)를 통해 내경동정맥, 외경동정맥 위로 지나게 된다. 그리고 경상설골근(stylohyoid muscle)의 깊은 곳을 지나, 악하삼각의 후방으로 진입하게 되고, 설신경 하방으로부터 악하선 및 설골설근(hypoglossus muscle) 중간을 지나 혀의 근육에 작용하여 운동 작용을 한다. 성곽유두 앞에 위치한 혀의 전방 2/3의 일반감각은 삼차 신경 하악분지의 설신경이, 설인신경이 성곽유두를 포함한 혀 후방 1/3을 지배하게 된다. 혀의 전방 2/3의 맛을 지배하는 신경은 안면신경의 고삭신경(chorda tympani nerve)이고, 후방 1/3은 설인신경이 지배한다.[2, 10]

12. 구강의 혈관

안면동맥으로부터 상·하 구순동맥이 나와 입술에 혈

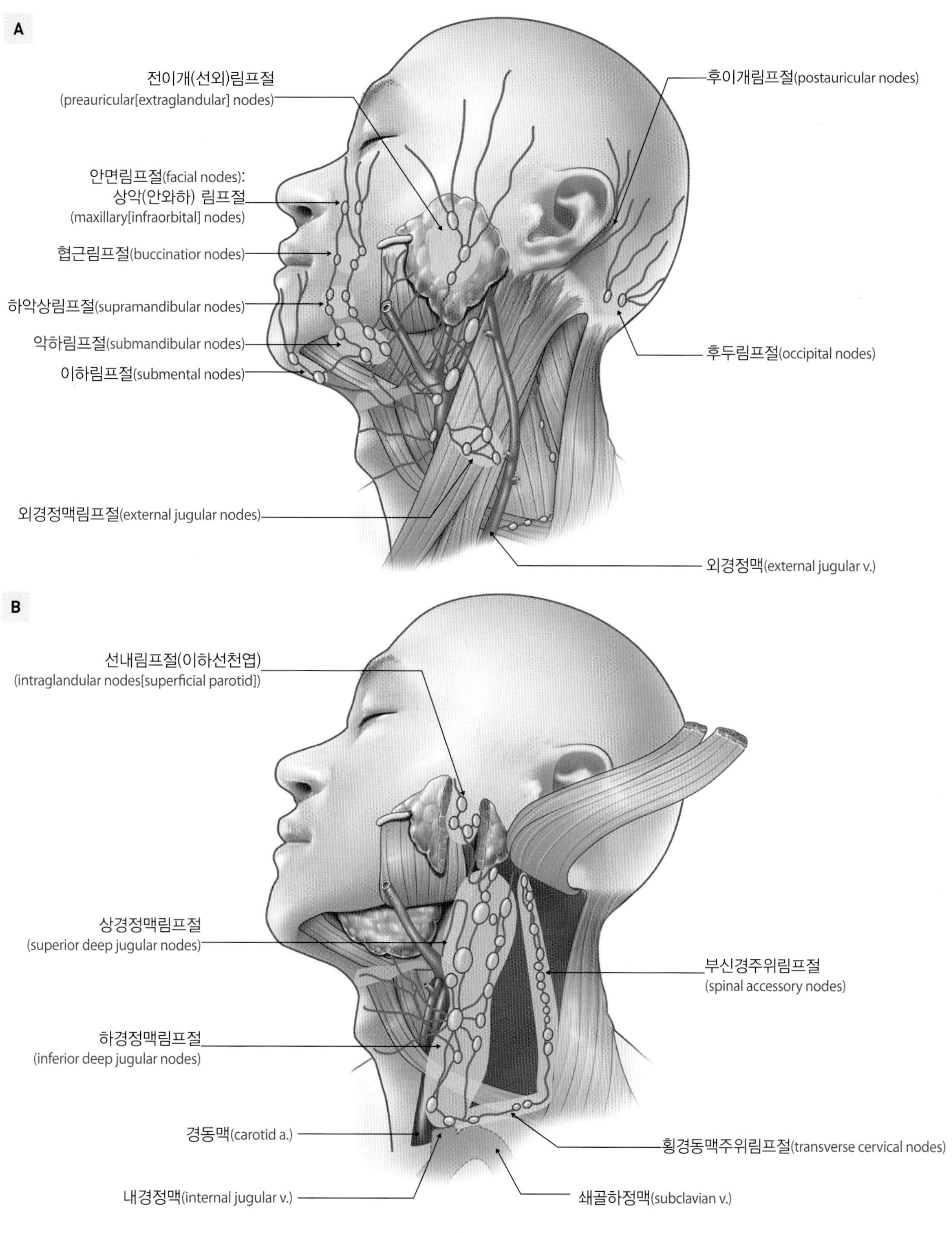
A
전이개(선외)림프절
(preauricular[extraglandular] nodes)
후이개림프절(postauricular nodes)
안면림프절(facial nodes):
상악(안와하) 림프절
(maxillary[infraorbital] nodes)
협근림프절(buccinatior nodes)
하악상림프절(supramandibular nodes)
악하림프절(submandibular nodes)
이하림프절(submental nodes)
후두림프절(occipital nodes)
외경정맥림프절(external jugular nodes)
외경정맥(external jugular v.)
B
선내림프절(이하선천엽)
(intraglandular nodes[superficial parotid])
상경정맥림프절
(superior deep jugular nodes)
부신경주위림프절
(spinal accessory nodes)
하경정맥림프절
(inferior deep jugular nodes)
경동맥(carotid a.)
횡경동맥주위림프절(transverse cervical nodes)
내경정맥(internal jugular v.)
쇄골하정맥(subclavian v.)

■ 그림 1-6. **구강 주변의 림프절.** **A)** 경부와 안변부의 표재성 림프 유출. **B)** 경부의 심부 림프 유출

액 공급을 하고, 전안면정맥(anterior facial vein)이 안면동맥 뒤로 주행하여 입술의 정맥 순환에 기여한다.

안면동맥과 횡안면동맥(transverse facial artery)의 분지가 협점막의 동맥을 담당하며, 안면정맥과 횡안면정맥의 분지가 협점막의 정맥을 담당한다.

상부치조릉에 혈액을 공급하는 혈관은 후상치조동맥과 정맥(postero-superior alveolar artery and vein)이고 설측면은 대구개동맥 및 정맥(greater palatine artery and vein)이 공급하고 하부치조릉은 하치조동·정맥(inferior alveolar artery and vein)이 공급한다.

구후삼각에 혈류를 공급하는 동맥은 안면동맥의 편도분지와 상행구개분지(ascending palatine branch)가 주 혈류 공급원이고 배측 설동맥(dorsal lingual artery), 상행인두동맥(ascending pharyngeal artery), 소구개동맥이 혈류를 공급한다. 정맥은 인두정맥총(pharyngeal plexus of vein) 및 총안면정맥(common facial vein)이 편도와를 통해 담당하게 된다.

설골설근 심부에서 구강으로 유입된 설동맥, 설정맥이 구강저에 혈액을 공급한다. 설기저부는 배측설동맥이, 구강저는 설하동맥(sublingual artery)과 설심부동맥(deep lingual artery)이 혈액을 공급한다.

접형구개동맥과 정맥(sphenopalatine artery and vein)으로부터 분지하는 대구개동맥 및 대구개정맥이 경구개에 혈액 공급을 담당한다.

외경동맥으로부터 분지하는 설동맥(lingual arterty)은 하악각 아래에서 나와 편도 분지를 내고, 설골위를 지나 설하신경의 안쪽으로 주행한다. 이 후 이복근의 후방의 깊은 곳을 지나 설골설근의 후방 경계 깊은 곳으로 사라진다. 이 설동맥은 혀에 동맥을 공급하고, 설동맥은 설골설근 깊은 곳으로 지나며 배측설동맥 2개와 설하동맥 1개로 나뉜다. 정맥은 심부정맥(deep vein)을 통하며, 심부정맥은 설정맥을 통해 내경정맥 혹은 안면정맥으로 들어간다.[1,4,13]

13. 구강의 림프 분포

구강의 림프절 중 대다수가 이하림프절(submental lymph node)과 악하림프절(submandibular lymph node), 경정맥이복근림프절(jugulodigastric lymph node)로 흐른다(그림 1-6). 2개 또는 3개의 이하림프절은 이하삼각(submental triangle)의 이복근(diagastric muscle)의 앞힘살(anterior belly) 사이에 위치한 악설골근(mylohyoid muscle) 위에 자리한다. 6개 이상의 악하림프절(submandibular lymph node)은 이하림프절 보다 크고 많으며, 악하선(submandibular gland)의 앞이나 위경계, 악하선과 하악 사이 안면동맥 부근에 자리하고 있다. 그중 안면동맥이 하악을 지나는 부분에 가장 가깝게 위치한 림프절이 가장 크며, 림프 이동에 많은 역할을 한다.

악하림프절은 주로 아랫입술의 중앙과, 턱, 혀의 앞부분에서의 림프(drainage)를 받는다고 알려져 있다.

하구순의 내측 림프관은 이하림프절로 나가며 외측은 악하림프절로 흐르게 된다. 상구순의 림프관은 전이개림프절(preauricular lymph node), 하이하림프절(infraparotid lymph node), 이하림프절로 흐른다. 하구순과는 다르게 상구순에서는 몇 개의 림프관만 반대편의 림프관과 연결된다.

협점막의 림프관은 이하림프절 및 악하림프절로 흐른다. 상·하치조릉의 협부측 림프관은 이하림프절, 악하 림프절로 흐르고, 설측의 림프관은 직접 상부 경정맥이 복근림프절과 후인두림프절(retropharyngeal lymph node)로 흐른다. 구후삼각의 림프관은 대다수가 경정맥이복근림프절로 흐르고, 몇몇 림프관은 하이하림프절(subparotid lymph node)과 후인두림프절로 흐른다.

구강저 림프관은 표재성 림프계와 심재성 림프계로 나뉜다. 표재성 림프계는 구강저의 앞 부분에서 서로 엇갈리고 동측과 반대측 전악하림프절(preglandular lymph node)로 흐르며, 심재성 림프계는 동측 전악하림프절로 흐른다. 구강저 후방 부위의 림프관은 바로 경정맥이복근 림프절로 흐르게 된다.

혀의 전방 2/3의 림프관은 변연림프관(marginal lymphatics)과 중심 림프관(central lymphatic)으로 나눌 수 있다. 변연림프관은 혀의 윗부분의 가쪽 3분의 1과 아랫면의 림프액 배출에 관여하며, 말단관은 악설골근을 뚫고 동측의 악하림프절로 흐르고, 중심 림프관 중에서 혀 끝에서 시작하는 림프관은 악설골근을 따라 내려와 이하 림프절 또는 설골을 지나 심경부림프계로 흐르게 된다. 나머지 혀의 위 표면으로부터 시작되는 중심관은 이설근(genioglossus muscle) 사이로 내려와 앞부분은 이하림프절로, 뒷부분은 이하림프절을 통과하지 않고 심경부림프절로 흐른다. 혀 후방 1/3의 림프관은 직접 경정맥이복근림프절로 유입된다.[1,4,13]

 구강의 기능

1. 하악개폐반사

하악폐쇄반사(jaw-closing reflex)는 하악폐쇄근육(교근(masseter muscle), 측두근(temporalis muscle), 내익상근(medial pterygoid muscle))이 빠르게 신장(rapid stretching)되면서 발생한 자극이 근방추구심성 신경(muscle spindle afferents)을 통해 하악폐쇄 운동신경(jaw-closing motoneurons)을 흥분시키는 단일연접 반사(monosynaptic reflex)라고 할 수 있다. 근방추 구심성 신경의 세포체는 중뇌삼차신경핵(mesencephalic trigeminal nucleus)에 위치하고 있다. 그러나 하악폐쇄 반사에서는 전형적인 척수신장반사(spinal stretch reflex)에서 관찰되는 길항 운동신경의 억제현상(inhibition of antagonistic motoneurons)은 보이지 않는다. 저작반사는 입안의 자극 부위에 따라서 다양하게 보이는데, 구개를 자극하면 저작력이 약해지고 혀를 자극하면 저작력이 증가한다.

하악개방반사(jaw-opening reflex)는 하악폐쇄반사와는 다른 신경경로를 통해서 나타나게 된다. 하악개방반사는 무통성 자극(non-nociceptive stimuli)으로도 나타날 수 있지만, 침해수용 자극(nociceptive stimuli)에 의해 더욱 크게 유발되어 통증 기전 연구에 많이 이용된다. 하악개구근육(jaw-opening muscle)은 근방추(muscle spindle)가 잘 발달되어 있지 않아 하악폐쇄기(jaw-dosing phase) 동안 하악개방근육이 신장되어도 구심성 신호(afferent signal)가 유발되지 않는다. 대신 치주 인대(periodontal ligament), 혀(tongue), 또는 입안의 다른 연조직에 있는 기계수용체(mechnoreceptor)의 자극으로 하악개방반사가 유발된다. 삼차신경핵과 삼차신경절에 이러한 기계수용체의 세포체들이 있고, 일차 구심성 신경섬유들은 상삼차신경(supratrigeminal nucleus) 부위에서 끝나게 된다. 하악개방반사는 삼차신경복합체에서 양방향 시냅스(bisynaptic)를 이루고 있으므로 하악개방근육이 자극되면 하악폐쇄운동신경이 순차적으로 억제된다. 이러한 양방향 시냅스 기전으로 상악과 하악 치아의 교합(occlusion) 시에 발생할 수 있는 구강내 연조직의 손상을 예방한다.[2,9,11,22]

2. 설반사

설반사(lingual reflex)는 입안의 모든 구심성 신경에 의해 유발될 수 있고, 자극하는 부위에 따라서 혀의 전방(protrusive) 혹은 후방(retractive)운동이 유발된다. Lowe는 '설반사는 저작 운동 시 혀를 보호하고, 연하운동에서 기도를 보호하는 중요한 방어기능을 한다.' 라고 하였다. 혀와 구인두 기계수용체의 설인신경(glossopharyngeal nerve)을 자극할 때 혀의 운동이 일어나며, 설신경(lingual nerve)과 동일하게 설인신경을 자극할 때 혀의 전방, 후방운동 지배 신경(protruder and retractor motoneurons)이 동시에 자극되지만 혀는 주로 후방운동을 한다. 하지만 설인신경의 구심성 신경섬유에도 같이 전기 자극을 주면 복잡한 신경반사 구조에 차폐현상(masking)이 나타난다. 설인신경이 있는 인두 부위를 자극하면 혀는 전방운동을 하고, 설인신경의 혀 수용체(lingual receptor)를 자극하면 혀는 주로 후방운동을 한다. 따라서 혀에 있는 설신경과 설인신경은 상악, 하악이 교합(occlusional phase)되는 시기에 혀를 후방으로 이동시켜 보호하는 역할을 한다.[6, 11]

3. 구강운동 반사

구강운동 반사(oromotor reflex)에는 여러 운동체계가 연관되어 있다. 한 예로, 교근이나 전이복근 신경에 전기 자극을 가하면 이설근(genioglossus)의 운동이 억제되는데 삼차신경이 지배하는 근육으로부터 유발된 고유감각(proprioceptive) 또는 침해수용(nociceptive) 신호가 혀의 전방운동을 억제한다는 것을 나타낸다.

반대로 고양이의 하악을 아래로 당기면 이설근이 활성화되는데 이는 턱을 벌릴 때 혀가 반사적으로 전방으로 운동을 한다는 것을 암시한다. 그리고 설하 신경은 약간의 구심성 신경섬유를 포함하고 있는데 이를 자극하게 되면 저작(하악폐쇄)반사가 억제된다. 따라서 구강운동 반사는 하악이 닫힐 때에는 혀의 후방운동이, 열릴 때에는 전방운동이 유발되는 복합반응으로 사료된다.[6, 11, 18]

4. 자율반사(autonomic reflexes)

저작운동 시에 미각적(gustatory)이나 기계적(mechanical) 자극을 주면 타액이 더 효과적으로 분비된다. 치주인대에 있는 신경을 선택적으로 마취시키면 저작기 동안 침 분비량이 적어진다. 자극하는 방법도 타액 분비와 관련이 있다. 혀 앞부분을 자극하면 설하선, 악하선 타액 분비가 늘어나고 혀 뒤쪽을 자극하면 이하선 타액 분비가 활성화된다.

약한 염(weak salt)이나 설탕물로 자극하는 것보다 신맛이 나는 산(acid)나 쓴맛이 나는 염산 퀴닌(quinine hydrochloride) 같은 물질로 미각 자극을 주면 타액 분비가 더 효과적으로 이루어진다. 동물에서는 단맛 자극이 이하선에서의 아밀라아제(amylase) 분비를 가장 효과적으로 하게 하고 미각수용체를 포도당으로 자극하면 인슐린 분비가 늘어난다. 또 구강으로 수액을 마실 때가 상후두신경(superior laryngeal nerve)의 구인두 수용체(oropharyngeal receptor)가 자극되어 비위관(nasogastric tube)으로 수액을 주입하는 것보다 소변량이 증가하게 된다.[10, 11]

5. 섭취

입과 입 주변에 분포하고 있는 구강감각기는 음식 섭취 조절에서 핵심적인 역할을 한다. 입안의 감각수용체들은 음식의 감각 인지와 저작, 연하의 감각 조절을 담당하고 있다. 음식 섭취는 여러 가지 단계로 이루어지게 된다.

첫 번째 단계는 섭취 단계(ingestion)로 음식을 입으로 넣는 단계이고 두 번째는 음식물이 입 안에서 대구치 사이로 옮겨가는 단계(first intraoral transfer)이다. 이후 세 번째 단계인 저작 단계(mastication)를 거쳐 네 번째 단계로 음식물이 혀 뒤쪽으로 옮겨가게 된다(second intraoral transfer). 다섯 번째로는 연하(deglutition)가 시작된다. 음식물 종류에 따라 유동식일 경우에는 저작 과정 없이 세 단계 과정으로 진행된다. 유동식을 섭취할 때 쓰는 근육은 씹을 때와 같지만 작용은 차이가 있다. 한 예로 구륜근(orbicularis oris muscle)은 고형물을 씹을 때는 이완되지만 유동식 섭취 시에는 새지 않도록 수축하게 된다.[9, 11, 18]

6. 저작

저작운동이 시작되면 처음에 하악이 빠르게 닫히고

(fast closure phase) 치아 사이에서 음식을 인지하면 속도가 느려져 천천히 닫히게 된다(slow closure phase). 이는 치주인대에서의 감각 되먹임 기전(sensory feed-back)과 관련이 있는 것으로 사료된다.

저작운동에서 개구기(opening phase)는 크게 두 가지 과정으로 이루어져 있는데 치아가 최대로 교합(maximal intercuspation)되고 나서 하악이 천천히 벌어지는 느린 개구기(slow-opening phase) 이후에 하악이 빠르게 벌어지는 빠른 개구기로 구성된다(fast-opening phase). 최근에는 느린 개구기와 빠른 개구기 중간에 전이기가 있다고 보고하고 있으며 이 시기에 저작운동이 일시적으로 멈추는 현상이 관찰된다. 정리하면 저작운동은 빠른 폐쇄기, 느린 폐쇄기, 느린 개방기, 빠른 개방기가 연속적으로 이루어지는 과정이라고 볼 수 있다.[9, 17, 27]

7. 연하의 구강기

연하(deglutition)는 음식물이 혀 뒤쪽으로 이동된 후에 시작된다. 연하의 구강기에는 혀가 연구개 방향으로 움직이면서 음식물을 인두 쪽으로 이동시키게 된다. 연하의 인두기를 유발하는 것은 아직 명확히 밝혀지지 않았고 동물 실험에서는 음식물의 양, 음식물이 쌓이는 속도(rate of bolus accumulation) 둘 다 연하를 유발한다고 나타났다. 구강 내의 음식물이 움직이는 속도가 빨라지게 되면 그에 따라 음식물의 양도 많아지게 된다. 또 연하의 협기(buccal phase)와 연관있는 근육은 음식물의 성상에 영향을 받는다고 한다. 원숭이는 유동식 섭취 시와는 다르게 고형식을 섭취할 때에 교근(masseter muscle)과 설골상근육(suprahyoid muscle), 전이복근(anterior digastric muscle), 이설골근(geniohyoid muscle), 악설골근(mylohyoid muscle)이 같이 관여한다. 그리고 삼킴 시에 설골상근육과 이설골근이 작용하게 되는 순서는 개인별로 다양하게 나타난다.

따라서 음식물이 혀 후배부(posterior and dorsal surface)에서 인두 쪽으로 옮겨지는 과정을 연하의 구강기라고 할 수 있다. 구강기 때 근육의 움직임은 음식물, 개인별 특성에 따라 다양하다. 구인두의 감각수용체가 음식물을 인지하게 되면 인두 근육이 수축하게 된다. 저작과정과 비슷하게 연하 과정도 말초 되먹임 기전이 없는 중추 구조의 전기 자극에 의한 것이므로 중추성 조절을 받는다.[5, 11, 17, 18, 27]

참고문헌

1. Archer WH. Oral and Maxillofacial surgery. Philadelphia: WB Saunders, 1978
2. Bell WE. Orofacial Pain, 4th ed. Chicago: Year BOOK, 1989
3. Bhaskar SN. Orban's Oral Histology and Embryology. St. Louis: CV Mosby, 1986
4. Brand RW, Isselhard DE. Anatomy of Orofacial Structures. St Louis: Mosby, 1994
5. Calnan JS. Movements of the soft palate. Br J Plast Surg 5:286, 1953
6. Corbin KB, Harrison F. The sensory innervation of the spinal accessory and tongue musculature in the Rhesus monkey. Brain 62:191, 1939
7. Goose DH, Appleton J. Human Dentofacial Growth. Oxford: Pergamon
8. Ham AW, Cormack DH. Histology, 8th ed. Philadelphia: JB Lippincott, 1979
9. Hekneby M. The load of the temporomandibular joint: physical calculations and analysks. J Prosthet Dent 1974:31:303-312
10. Henkin RI. Taste. In: Hinchcliffe R, Harrison DFN, eds. Schientific Foundations of Otolaryngology. London: Heinemann, 1976, pp.468-483
11. Jenkins GN. The Physiology and Biochemistry of the Mouth. London: Blackwell, 1978
12. Kraus BS, Kitamura H, Latham RA. Atlas of Developmental Anatomy of the Face. New York: Harper & Row, 1966
13. Laskin DM. Oral and Maxillofacial Surgery. St. Louis: CV Mosby, 1980
14. Lavelle CLB. Applied Oral Physiology, 2nd ed. London: Butterworth, 1988,pp.1-21
15. Liebgott, B. The Anatomical Basis of Dentistry. Philadelphia: WB Saunders, 1982
16. Mathog, R. Maxilofacial Trauma. Baltimore: Williams & Wilkins, 1984
17. Matsuo K, Palmer J. Anatomy and physiology of feeding and swal-

lowing: normal and abnormal. Phys Med Rehabil Clin N Am. 2008;19(November(4)):691-707
18. Munro RR. Activity of the digastric muscle in swallowing and chewing. J Dent Res 53:530, 1974
19. Paten BM. Human Embryology. London: McGraw-Hill, 1953
20. Poswillo D. Causal mechanism of craniofacial deformity Br Med Bull 1975;31:101
21. Ranly DM A Synopsis of Craniofacial Growth, 2nd ed. Norwalk: Appleton & Lange, 1988
22. Sarnat BG, Laskin DM. The Temporo-Mandibular Joint. Springfield: CC Thomas, 1976
23. Scott JH. Dento-facial Delvelopment and Growth. Oxford: Pergamon, 1967
24. Scott JH. Symons NB. Introduction to Dental Anatomy, 8th ed. London:churchill Livingstone, 1977
25. Sperber GH. Cranio-facial Embryology, 2nd ed. Bristol: Wright, 1976
26. Van Beek GC. Dental Morphology. Bristol: Wright, 1983
27. Van der Glas H, Van der Bilt A, Abbink JH, et al. Functional roles of oral reflexes in chewing and biting: phase-, task-, and site-dependent reflex sensitivity. Arch Oral Biol. 2007;52(April(4)):365-369

CHAPTER

02

인두의 구조와 기능

우정수

I 인두의 발생

인두는 소화관의 일부로서 구강과 식도 사이에 위치하고 동시에 기도의 일부로서 비강과 후두 사이에 해당한다. 발생은 배(embryo)의 시기에 인두의 양쪽 벽에 위치하는 여러 쌍의 인두낭이 앞뒤 방향으로 형성 및 배열되는 과정을 거친다.[3]

1. 인두궁 새궁(branchial arch)

인두궁 혹은 새궁은 태생 제4주에 신경능선에서 유래한 중간엽에서 발생을 시작한다. 이때 외측판중배엽과 축옆중배엽도 배아(embryo)의 머리와 목 부위로 이동한다. 머리에서부터 꼬리 방향으로 다섯 쌍의 인두궁, 즉 첫째 ~ 넷째, 그리고, 여섯째 인두궁이 형성된다. 다섯째 인두궁은 흔적뿐인 경우가 대부분이다. 태생 제5주 말이 되면 모든 인두궁이 얼굴과 목의 표면에 둥근 융기로 나타난다. 각 인두궁 속에 중간엽조직이 들어 있고 그 겉을 외배엽이 싸고 있으며 그 속면은 내배엽이 덮고 있다. 이웃한 인두궁 사이의 외배엽을 인두열(구)(pharyngeal cleft (groove)) 혹은 새열(branchial cleft)이라고 하며, 각 인두궁 사이의 내배엽을 인두낭이라고 한다. 각 인두궁 속의 중간엽은 발생 이후 연골, 근육, 대동맥궁 등으로 분화되며 뇌신경도 하나씩 포함하는데 이들은 뇌간에서 발생된 5번, 7번, 9번, 10번 뇌신경이다. 인두궁에서 유래한 근육을 지배하는 운동신경섬유가 이 뇌신경들을 통해 전달되며 감각신경섬유도 뇌신경을 통해 인두궁을 덮고 있는 피부와 인두궁의 속면을 덮고 있는 점막에 분포하게 된다. 발생이 더 진행되면 인두궁의 여러 근육들이 처음 발생을 시작하였던 곳에서부터 본래 신경분포를 유지하면서 최종 위치까지 이동한다. 따라서 각 근육의 기원은 신경지배를 기준으로 확인할 수 있다.[3]

2. 인두열

네 쌍의 인두열이 다섯 쌍의 인두궁 바깥면 사이에 위치한다(그림 2-1). 첫째 인두열은 성인 구조물이 발생하는

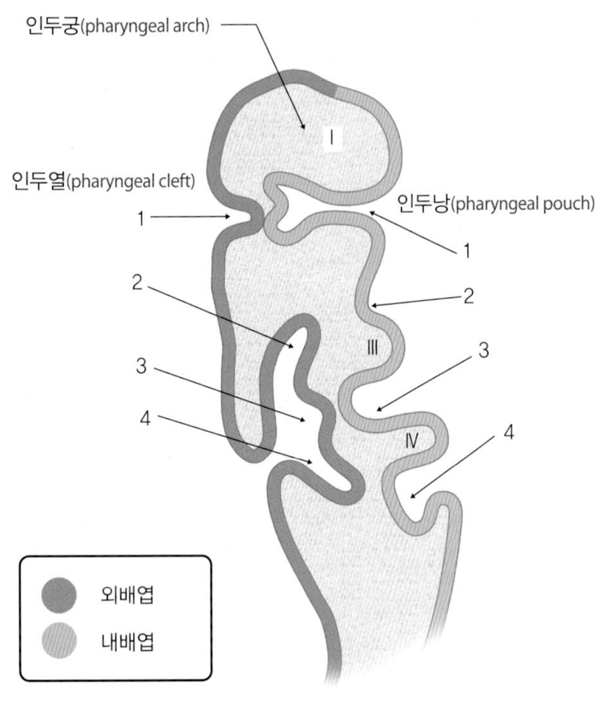

■ 그림 2-1. **인두의 발생**

유일한 인두열로 이곳에서 외이도가 발생한다. 둘째 인두열은 아래쪽을 향해 빠르게 성장하고 커져서 나머지 세 쌍의 인두열을 덮게 된다. 둘째 인두궁으로부터 자라 내려온 조직은 광경근을 포함하며 아래쪽에서 심장을 덮고 있는 심장바깥막 융기와 합쳐진다. 첫째 인두궁에서 연장된 조직에 덮인 둘째부터 넷째 인두열의 잔류물이 His 경부동을 형성하는 경우가 있으나 대부분 퇴화되어 없어진다.[3]

3. 인두낭

인두낭의 발생은 첫째부터 넷째 인두낭의 발달은 뚜렷하나 다섯째 인두낭은 아예 없거나 흔적뿐인 경우가 많다. 제1 인두낭은 이관고실함요가 되며 중이, 즉 고실과 이관은 이 함요에서 유래한다. 제2 인두낭은 구개편도를 형성하며, 제3 인두낭은 하부갑상선과 흉선을 형성한다. 또한 제4 인두낭은 상부갑상선을 형성하고 제5 인두낭은 후새체를 형성하여 나중에 갑상선과 결합한다.[3]

II 인두의 해부

인두는 불규칙한 모양의 관상구조이며 두개저로부터 식도입구까지 연결된다. 상부는 두개저에 단단히 부착되어 있고 하부는 제6 경추 높이에서 식도로 이행된다. 인두는 전방으로 각각 비강, 구강, 및 후두와 통하고 해부학적으로 비인두 또는 상인두, 구인두 또는 중인두 및 인후두 또는 하인두의 세 부분으로 구분된다(그림 2-2). 이들 사이에 엄밀한 해부학적 경계가 있지는 않으나 일반적으로 비인두와 구인두는 연구개의 하연, 구인두와 하인두는 후두개의 상연을 경계로 구분한다.

1. 비인두의 해부

비인두는 두개저에서 연구개에 이르는 입방형의 공간이며 성인의 경우 체적이 4×4×2 cm이다. 비인두는 연구개의 거상과 상인두 수축근의 상부 경계에 위치한 Passavant 융기로 알려진 인두벽의 주름형성에 의해 구인두로부터 완전히 차단된다. 비인두의 상부는 접형골(sphenoid bone)과 후두골(occipital bone)의 하부에 해당하며 상벽이 후벽으로 이행하는 부위는 제1, 2 경추의 체부에 해당한다. 전부는 후비공(choana)에 의하여 비강과 통하며, 전하부는 연구개와 경계하며, 후하부는 인두협부에 의하여 구인두와 통한다.[2]

1) 비인두의 점막

출생 시 비인두의 점막은 위중층섬모원주상피로 덮여 있으나 소아기에 편평상피로 점차 대치된다. 편평상피로의 대치는 담배를 피우는 경우에는 일찍 발생한다. 비인두 점막은 림프조직, 상피조직, 소타액선을 가지고 있으며, 비인두를 형성하는 상피세포의 종류가 다양하기 때문에

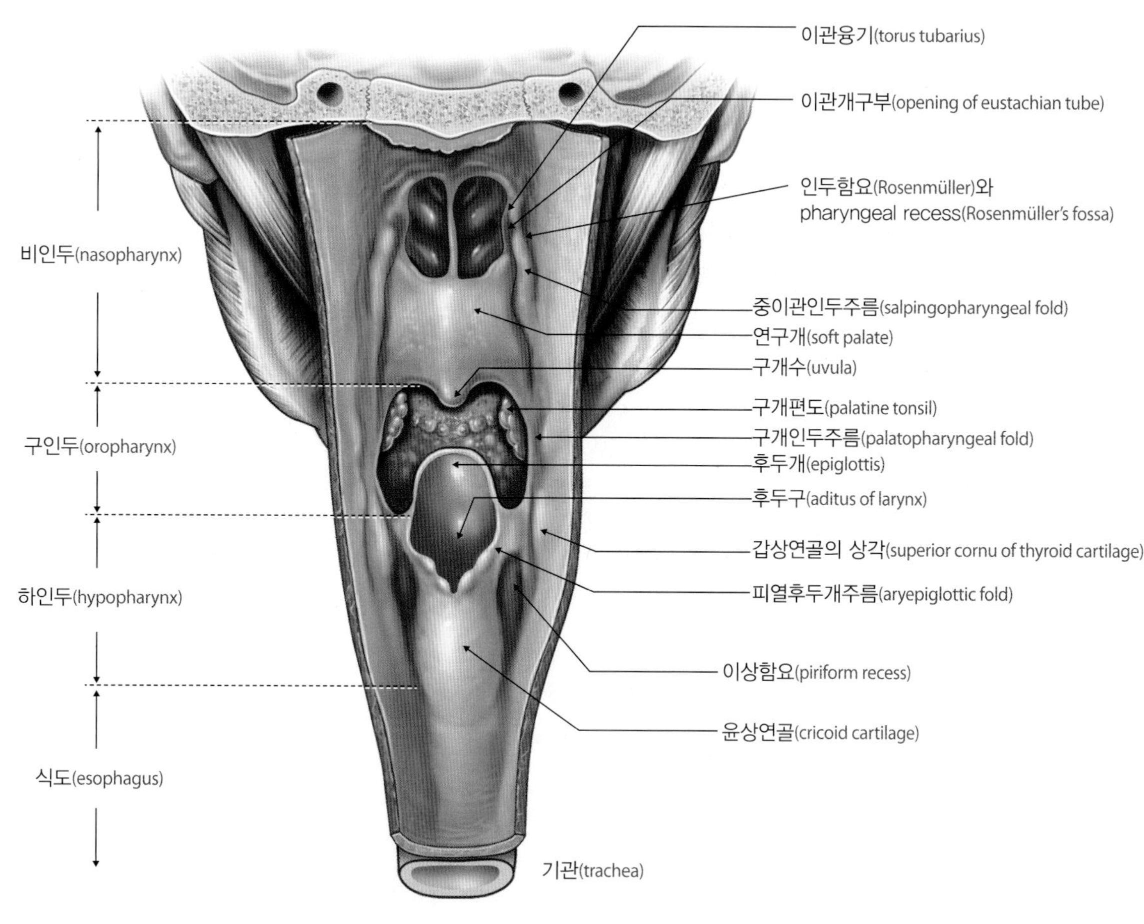

■ 그림 2-2. **인두의구분**

이곳에 발생하는 신생물도 다양하다. 비인두 점막에는 비인두경검사 시 확인해야 할 몇 가지 중요한 부위들이 있다(그림 2-3). 비인두의 상후벽에는 아데노이드 또는 인두편도가 있어서 소아기에는 병적 비대를 가져와 아데노이드증식증을 일으킬 수 있으나 보통 사춘기에 퇴행하여 없어진다. 비인두의 측벽, 대략 하비갑개 후단 높이에 위치한 이관의 인두구 주위에는 이관융기(torus tubarius)가 있다. 이관융기는 이관의 인두구 상부에 있는 융기된 부분으로 이관의 연골부가 커져서 형성된다. 이관 개구부의 가운데에는 구개거근(levator veli palatini muscle)에 의해서 점막이 약간 융기된 부분이 있다. 이관융기의 뒷부분에는 중이관인두근(salphingopharyngeus muscle)이 후하방으로 지나가면서 점막주름인 중이관인두주름을 형성하고, 이 주름의 후방은 인두함요(pharyngeal recess)인, Rosenmuller fossa를 형성한다. 이관 후방의 주름과 인두함요의 점막층에는 림프소절(lymph follicle)군이 산재해 이관편도를 형성하며, 이들 주위에는 림프관이 풍부해 후인두림프절, 후경부림프절, 경정맥 이복근(jugulodigastric) 림프절로 배액된다. 비인강의 상벽은 인두개로서 접형골의 저부와 접형동의 저면으로 이루어지는데 종종 골개의 중앙부위에 함몰된 부위가 있어서 점막의 함요로 인두낭(pharyngeal bursa)을 만들 수 있다. 인두낭을 덮고 있는 점막 주변에 림프소절이 산재해 인두편도를 만든다. 드물게 Thornwaldt 낭과 같은 낭성 종물이

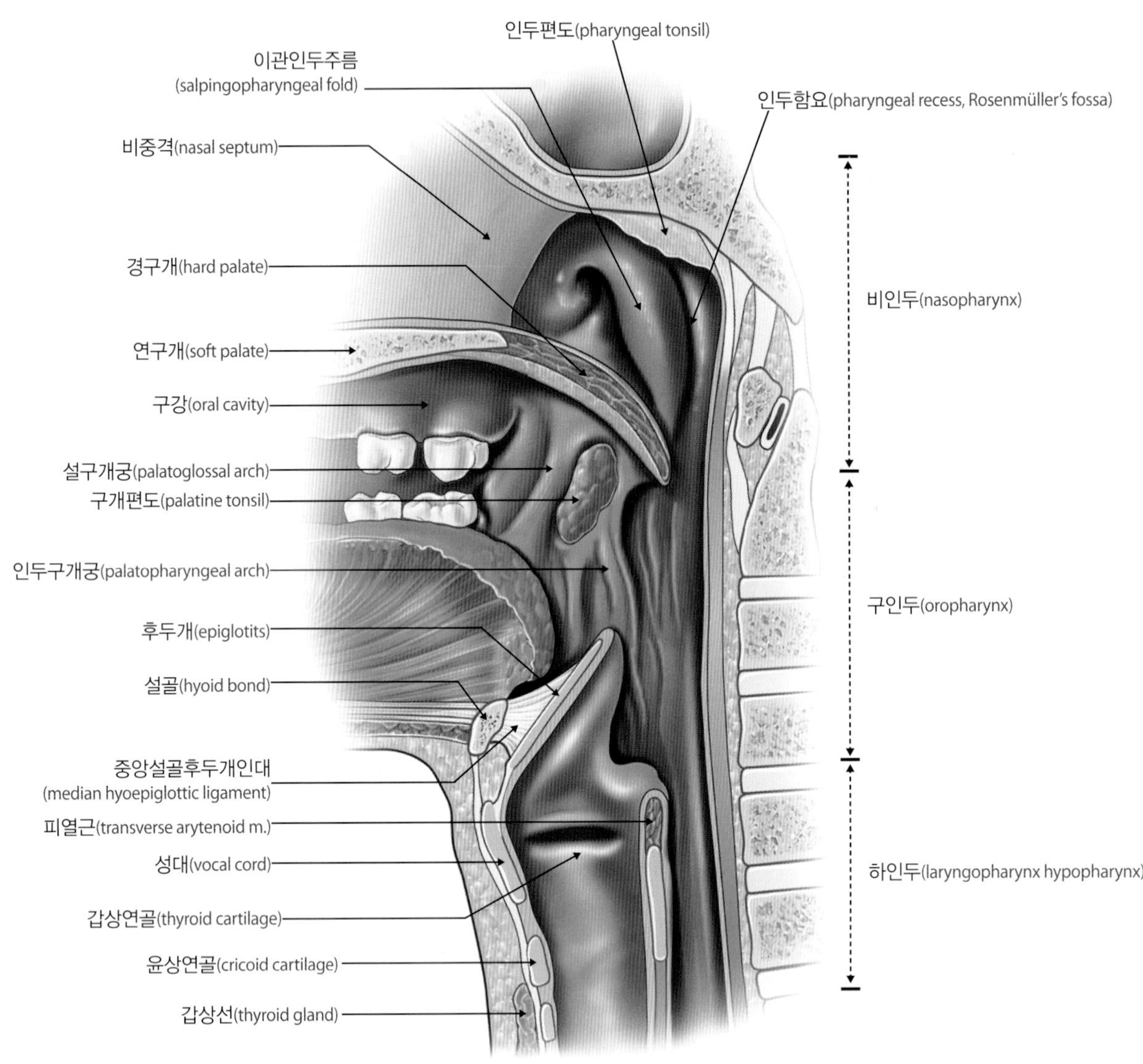

■ 그림 2-3. **인두의 구조물**

발견되는데, 이것은 태생기의 척삭의 두개종말 잔류물로부터 유래되며 나중에 낭종성 변화를 일으킨 것이다. 인두낭의 약간 상부, 비인두 중앙부 위에는 두개인두종(craniopharyngioma)이 발생할 수 있다. 이 종양은 태생기 동안 뇌하수체 전엽의 형성에 관여하는 구도(stomodeum)상부의 팽출외번(evagination), 즉 Rathke낭 또는 두개협낭(craniobuccal cyst)상피의 잔류물로부터 생성된다. 이 낭은 비인두 안의 종괴로 나타나는 것 외에 접형골 안의 낭 또는 안배상낭(suprasellar cyst)으로 발견될 수 있다. 접형골 내에 낭이 형성되는 이유는 두개협낭의 경로가 접형골이 골화되기 전에 접형골의 중간엽 원기(mesenchymal anlage)를 통하기 때문이다.[3,5]

2) 비인두의 근육

인두벽의 근육은 상인두수축근, 중인두수축근, 하인두수축근들의 좌우 쌍으로 이루어져 있다. 인두벽의 근막

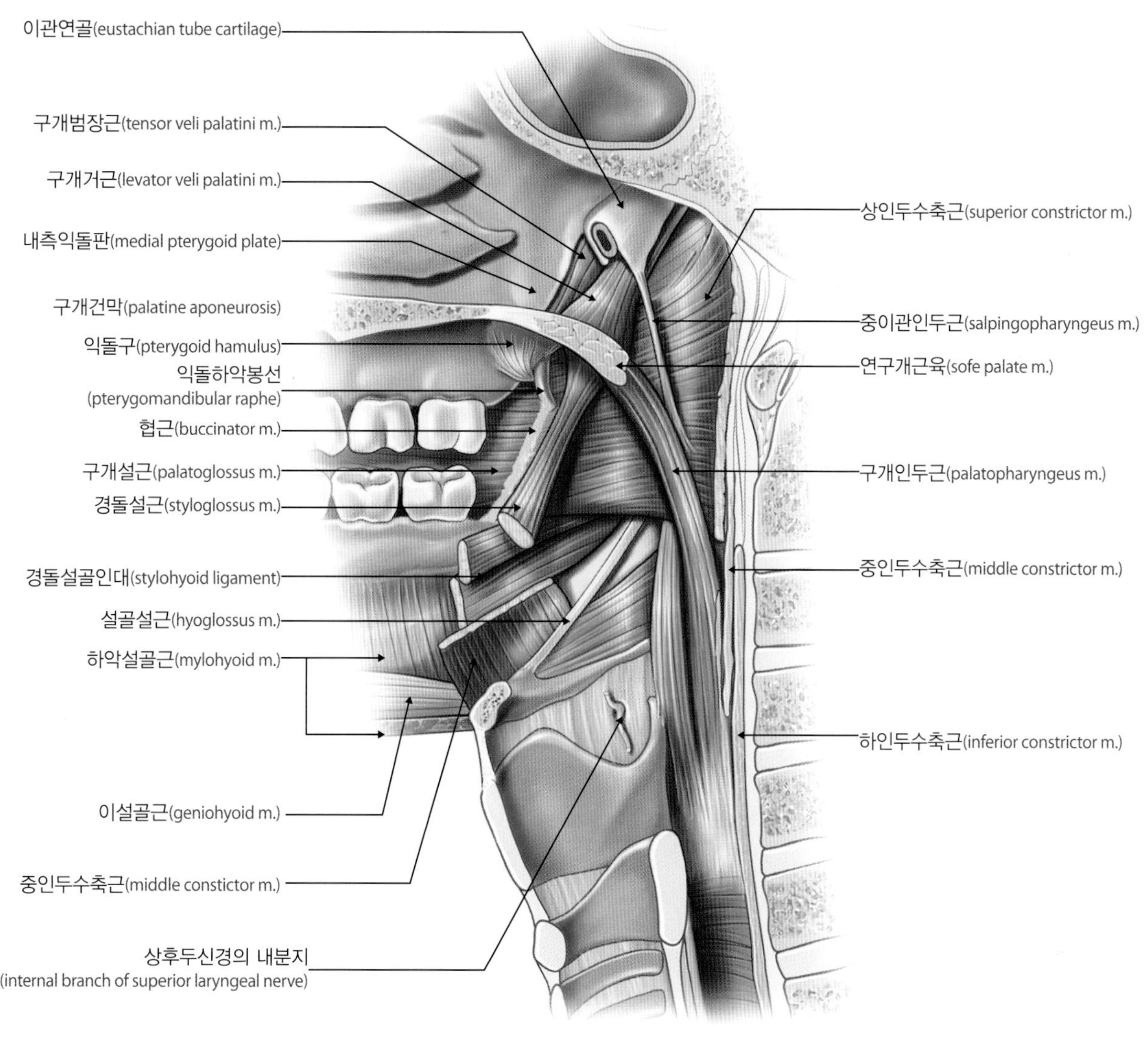

■ 그림 2-4. **인두의 근육**

은 두꺼운 인두뇌저막(pharyngobasilar fascia)과, 인두뇌저막보다 얇은 협인두근막(buccopharyngeal fascia)으로 이루어져 있다. 인두뇌저막은 후두골기저부에서 기원하며 측두골의 추체부를 따라 수평으로 지나 경동맥관에 이른 다음 전방으로 돌아 내측익돌판(medial pterygoid plaste)과 익돌하악봉선(pterygomandibular raphe)에 부착한다. 협인두근막은 심경부근막의 중간층으로 이루어지며 상인두수축근과 협근의 천층이다. 협인두근막은 두개저에서 기원하며 경부로 내려가서 기관전근막(prevertebral fascia)의 경부내장근막(visceral fascia)과 합쳐진다.

상인두수축근은 내측익돌판의 뒤쪽 경계부의 하부 1/3, 익돌구(hamulus pterygoideus), 익돌하악봉선에서 기원하여 근섬유들은 후방, 하방, 상방으로 펼쳐져서 뒤쪽 중앙의 인두봉선에 응축되며, 위쪽으로는 인두결절에 부착된다. 상인두수축근이 두개저에 부착할 때 세 부분,

즉 2개의 익돌구와 인두결절에 각각 부착하기 때문에 인두후벽에 인두뇌저막만으로 구성된 콩 모양의 틈새가 생긴다. 이 틈새에서는 2개의 작은 근육들, 즉 구개범장근(tensor veli palatini muscle)과 구개거근이 있으며, 이들 근육들은 내·외측익돌판 사이의 익돌와에서 기원하여 연구개에 부착한다.

구개범장근은 넓은 띠 모양이며 구개거근은 좀 더 원통형이다. 구개범장근은 접형골로부터 내려와서 상인두수축근의 바깥쪽을 지나 앞쪽으로 진행하여 익돌구와 익돌하악봉선으로 간다. 이 부위에서 익돌구는 구개범장근 건막의 지렛목으로 작용하며 구개범장근의 근육섬유들은 응축되고 꼬이면서 비교적 가느다란 띠가 되어 연구개의 앞쪽에 부착한다. 따라서 연구개의 앞부분은 구개범장근의 수축에 의해 팽팽해진다. 구개거근은 상인두수축근의 위쪽 경계부위를 지나 비인두점막으로 들어가 연구개의 바깥쪽 가장자리로 주행한다. 근섬유들은 구개수 끝에 도달할 때까지 원통형을 유지한다(그림 2-4). 이 구개거근의 수축은 연구개를 거상시키며 비인강을 구인두와 구강으로부터 차단하는 것을 도와준다. 이관의 개구에는 주로 구개범장근이 관여한다고 알려져 있지만 구개거근도 이관개구 기능이 일부 있는 것으로 생각된다. 두개저와 상인두수축근 사이의 틈새로는 이들 2개의 근육 외에도 2개의 동맥, 즉 상행인두동맥과 상행구개동맥이 지나고 있다. 상행인두동맥은 외경동맥에서 분지되며 상행구개동맥은 안면동맥의 분지이다. 이들 동맥들은 구개편도와 주위 점막에 분포한다.[4,7]

3) 비인두의 혈관

인두점막의 동맥은 외경동맥으로부터 공급된다. 외경동맥의 분지인 상행인두동맥과 안면동맥의 분지인 상행구개동맥과 상악동맥의 분지인 하행구개동맥들이 분포하며, 인두수축근에는 상후두동맥과 하후두동맥의 인두분지에 의해서 혈관이 공급된다. 정맥은 인두정맥총과 구개정맥총에 모여 내경정맥으로 유입된다.[4,7]

4) 비인두의 신경

비인두에는 삼차신경의 제2 분지인 상악신경, 구인두에는 설인신경, 하인두는 미주신경의 분지인 상후두신경이 인두의 지각을 담당한다. 인두의 운동신경은 설인신경, 미주신경으로 구성된 인두신경총이 담당하고 있다. 구개범장근을 제외한 연구개의 모든 근육들이 인두신경총에 의해 지배되며, 구개범장근은 삼차신경의 제3분지인 하악신경에 의해 지배된다. 인두신경총은 경돌인두근(stylopharyngeus muscle)에도 분포한다. 미주신경과 설인신경의 두개부분은 미주신경의 인두분지를 통해 상인두수축근, 하인두수축근, 구개근육들에 분포한다. 이 신경섬유들은 인두 및 구개의 근육들이 제4 ~ 6 새궁의 간엽에서 유래되었기 때문에 내장성 원심성 핵인 의핵(nucleus ambiguus)에서 기원한다. 하인두수축근은 미주신경의 반회후두신경에 의해 지배된다(그림 2-5).[3,4,7]

5) 비인두의 림프

인두 상부의 림프관은 협림프절, 인두후림프절로 배액되고 하부 림프관의 대부분은 상심경림프절로 배액된다. 인두후림프절은 소아기에 잘 발달되어 있고 청년기에 들어서면서 소실되나 측벽의 것은 일부 남는다. 소아에서 발생하는 인두후농양은 이 인두후림프절의 화농에 기인한다.[4,7]

6) 비인두의 주위 구조물

인두후벽은 전장에 걸쳐서 척추에 접해 있다. 비인두는 제1과 제2 경추 높이에, 구인두는 제3 경추 높이에, 하인두는 제4와 제5 경추, 식도 입구부는 제6과 제7 경추 높이에 해당된다. 척추 전근막과 내장막 사이에는 잠재적인 공간이 있는데 이를 인두후공간(retropharyngeal space)이라 한다. 이 공간 덕분에 척추의 운동이나 연하운동이 원활해질 수 있다. 임상적으로 노약자에서 이 공간에 있는 림프절이 화농하거나 척추 골저(caries)의 냉농양(cold abscess)이 생길 수 있다. 이 공간은 식도후공간

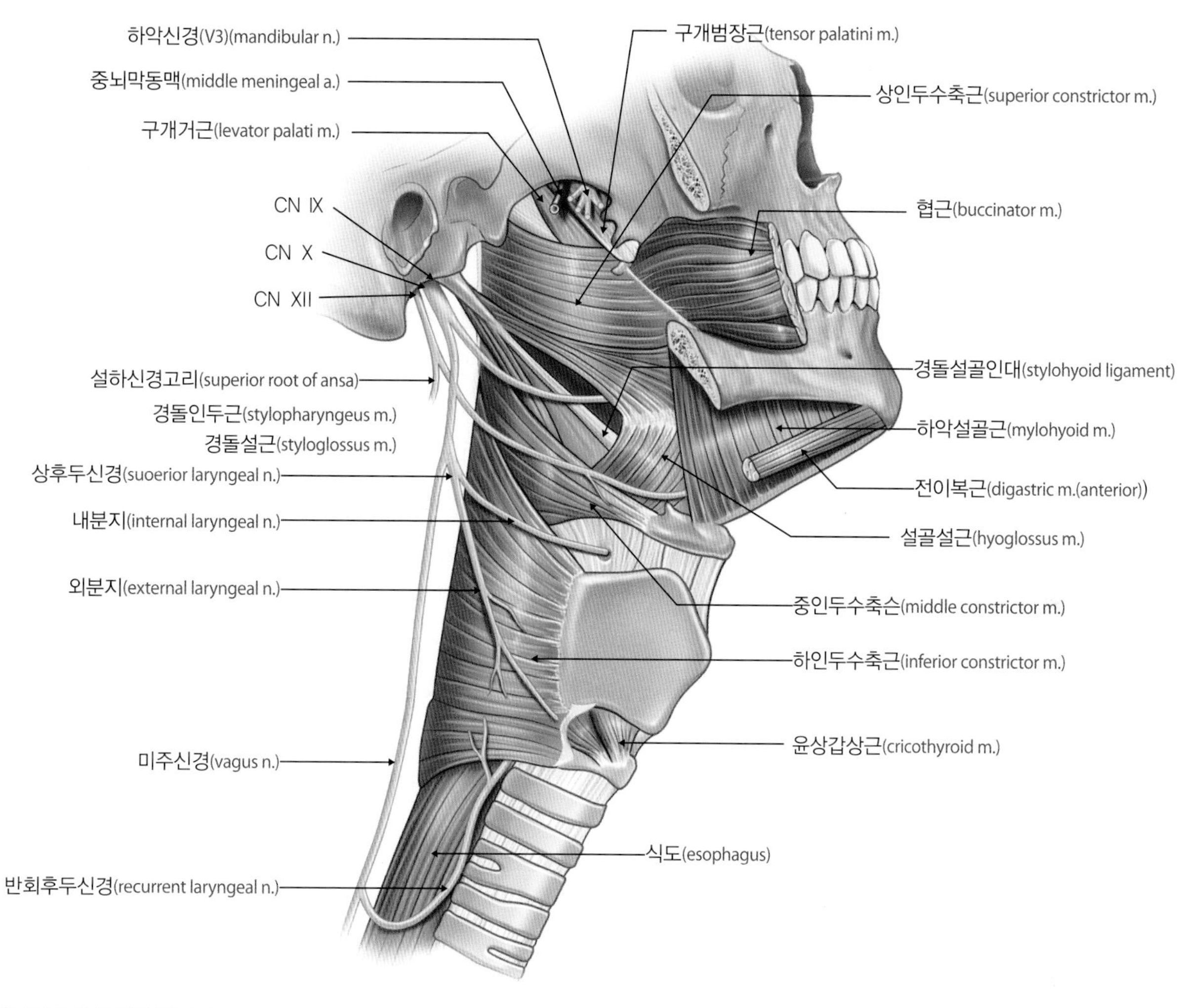

■ 그림 2-5. **인두의신경분포**

과 통하며 종격동과도 연결되므로 인두후공간에 발생한 염증이 이곳까지 파급될 수 있다.

비인두는 여러 뇌신경 및 해면정맥동 등 두개 내 구조물들과 두개저의 난원공, 극공(foramen spinosum), 파열공(foramen lacerum) 등을 통하여 연결될 수 있다. 이관의 골개구부 내측에는 파열공과 파열공의 섬유 연골 및 경동맥관이 있으며, 전방으로는 극공이 있고 좀 더 내측으로는 난원공이 있다. 난원공으로는 삼차신경의 제3 분지인 하악신경이 통과하며 이 부위에서 하악신경은 협신경, 설신경, 하치조신경으로 분지되며 이신경절(otic ganglion)도 이 낭원공 위치에 있다. 이 구멍들은 인두함요에서 발생한 비인강암이 두개 내로 파급되는 경로가 되기도 한다.

또한 비인두는 부인두공간, 측두하와, 이관주위공간, 익돌구개와, 교근공간 그리고 협부공간의 구조와 인접한다. 따라서 비인강암이 측면으로 파급되면 익돌근을 침범하여 부인두공간을 침범하거나 측후방으로 파급되어 이관과 이관주위공간을 침범하고 측두하와로 파급되면 극공, 난원공, 내경동맥의 추체부와 인접하게 된다. 드물게는 후하방으로 파급되어 사대(clivus)를 침습하는 경우도

있다.[2,4]

2. 구인두의 해부

구인두는 구강의 후방에 인접한 인두로서 하부 경계는 설골 대각의 높이에 해당되는데, 대개 설근부로 인정된다. 전방부의 구강으로 통하는 부위는 좁아져서 구협(fauces)이라 한다. 구협의 양측으로 연구개가 전후로 분리되어 전·후구개궁을 만들며, 그 사이의 함몰부는 편도와로서 이곳에 구개편도가 위치한다. 설근부에는 설편도가 존재하고 인두후벽은 경추에 경근막과 소성조직으로 부착되어 있으며, 척추전근막과 내장막, 협인두근막 사이에 만들어지는 잠재적 공간이 후인두공간이다(그림 2-6). 구인두의 점막은 중층편평상피로 되어 있다. 구인두에 해당하는 구조로는 연구개와 구개수, 설근부, 편도, 구개궁, 후두개곡의 측벽과 후벽으로 된 구인두벽 등이 있다.[1,2]

1) 구인두의 근육

인두근육은 내층과 외층으로 구성되며, 내층은 종주근(longitudinal muscle)으로서 인두거상작용을 하고 외층은 윤주근(circular muscle)으로서 인두수축작용을 한다.

(1) 인두거상근

① 경돌인두근

경상돌기(styloid process)에서 시작하여 상·중인두수축근 사이를 통과하여 인두벽에 부착한다.

② 이관인두근

이관연골에서 시작하여 인두외벽에 부착하게 되는데, 이 근육이 점막에 둘러싸여 형성된 점막주름을 인두주름이라 한다.

③ 구개인두근

연구개의 전하방에서 시작하여 하행하면서 구개후방에서 나오는 근육과 모아져 인두구개궁을 형성한 후 인두건

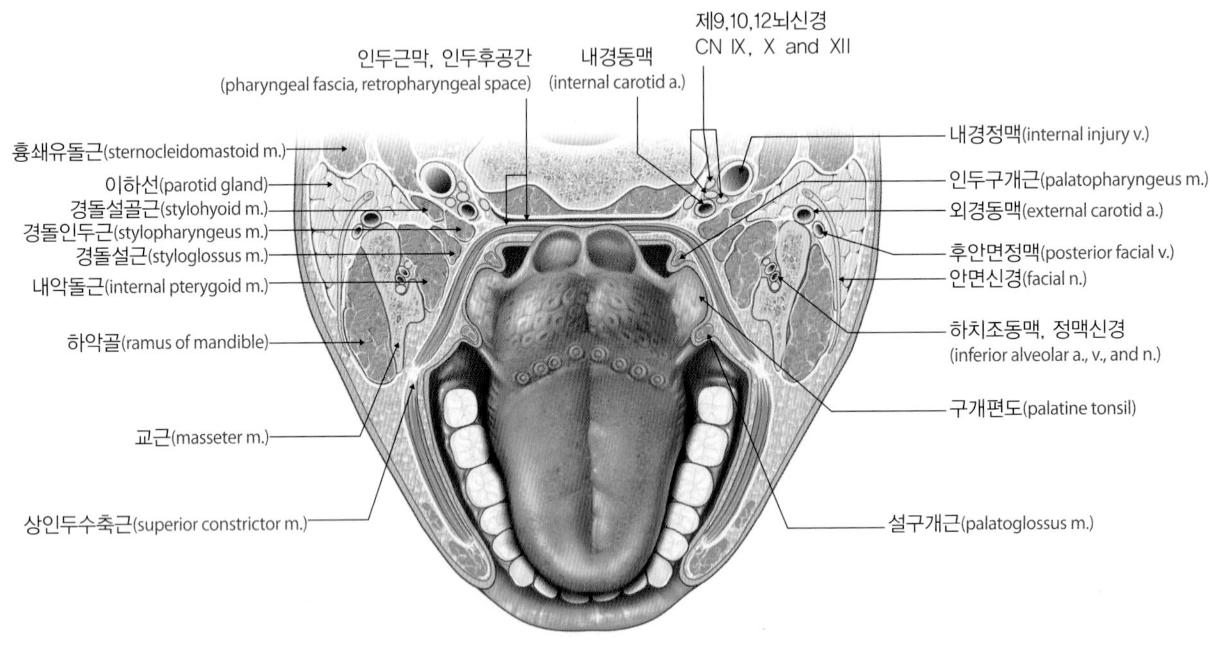

■ 그림 2-6. **구인두의 단면도**

막에 부착된다.

(2) 인두수축근

① 상인두수축근

내익상판, 익돌하악봉선, 혀의 근육, 구개건막, 구강점막과 하악골의 하악설골근선 등에서 나와서 인두봉선에 부착한다.

② 중인두수축근

상부는 상인두수축근을 뒤에서 싸고 있으며, 하부는 하인두수축근으로 둘러싸여 있다.

③ 하인두수축근

3개의 인두수축근 중 가장 크며 상부는 중인두 수축근을 뒤에서 싸고 있고 아래는 식도근층으로 이행한다. 상부는 갑상연골의 외측면에서, 그리고 하부는 윤상연골에서 나와서 인두봉선에 부착한다.[4,7]

2) 구인두의 신경

미주신경과 삼차신경의 하악신경분지가 운동신경을 담당하고 미주신경, 척수부신경, 설인신경과 삼차신경의 상악신경분지가 지각신경을 담당한다. 즉, 설인신경은 경돌인두근, 구개인두근 및 상인두수축근에 분포하고, 미주신경의 인두분지는 상·중인두수축근에 분포한다. 또한 상후두신경의 외지는 하인두수축근을 지배하고 부신경의 내지도 인두에 분포한다. 이러한 신경분지들과 교감신경분지들이 합쳐져서 인두신경총을 형성한다. 한편 편도는 설인신경분지의 지배를 받는다.[2,4]

3) 구인두의 혈관

동맥은 외경동맥의 분지인 상행인두동맥, 안면동맥과 상악동맥의 분지들이 담당하고, 정맥은 인두총과 구개총을 통해서 내경정맥과 총경정맥으로 유입된다.[2,4]

4) 구인두의 림프

인두 상부의 림프액은 협림프절과 후인두림프절로, 하부의 림프액은 대부분 상심경림프절로 유입된다. 후인두림프절은 중앙과 측방으로 나뉘어 있는데, 소아기에 잘 발달하고 청년기에 들어서면 소실되나 측방 일부가 남는다.[2,4]

5) 구인두의 주변 공간

(1) 후인두공간

척추전극막과 내장막 사이의 잠재적인 공간으로서, 식도후강, 종격동과 연결되어 있어서 후인두공간의 염증이 파급될 수 있다.

(2) 부인두공간

편도와의 외벽을 구성하는 인두근육의 바깥쪽에 위치하는 결체조직의 잠재적인 공간으로서, 위쪽으로는 두개저, 아래로는 상종격동으로 통한다. 염증이 편도 주위나 치아에서 이곳으로 파급되면 흉강 등으로 쉽게 확대되므로 임상적으로 중요하다.[4,7]

6) 편도의 해부

편도는 구개편도, 인두편도, 설편도, 그리고 이관편도로 구성되어 있으며 인두점막 속에 발달한 림프세포 여포들의 집합체이다. 이들이 인두의 주변에 마치 고리모양으로 위치하고 있는 모습이라 이를 Waldeyer환(편도환)이라고 부른다. 편도는 유입림프관 없이 오직 유출림프관만을 가지고 있으며 점막으로 덮여 있다. 표면에는 요철부위가 많이 있는데, 볼록한 곳에 여포가 많이 존재하고 오목한 곳은 선와(crypt)라 부른다. 특히 상극에 존재하는 큰 것을 편도상와라고 한다.

(1) 구개편도

구개편도는 편평한 타원형의 형태로 구인두 양측벽 전·후 구개궁에 의해 형성된 편도와 속에 위치한다. 편도의 외측면은 결체조직으로 된 피막으로 덮여 있고, 이를 사이에 두고 외측은 상인두수축근에 접하고 전방은 전구개궁, 후방은 후구개궁에 접한다. 내측은 점막으로 덮여있다(그림 2-7). 편도상극을 덮고 있는 반달모양의 주름을 반

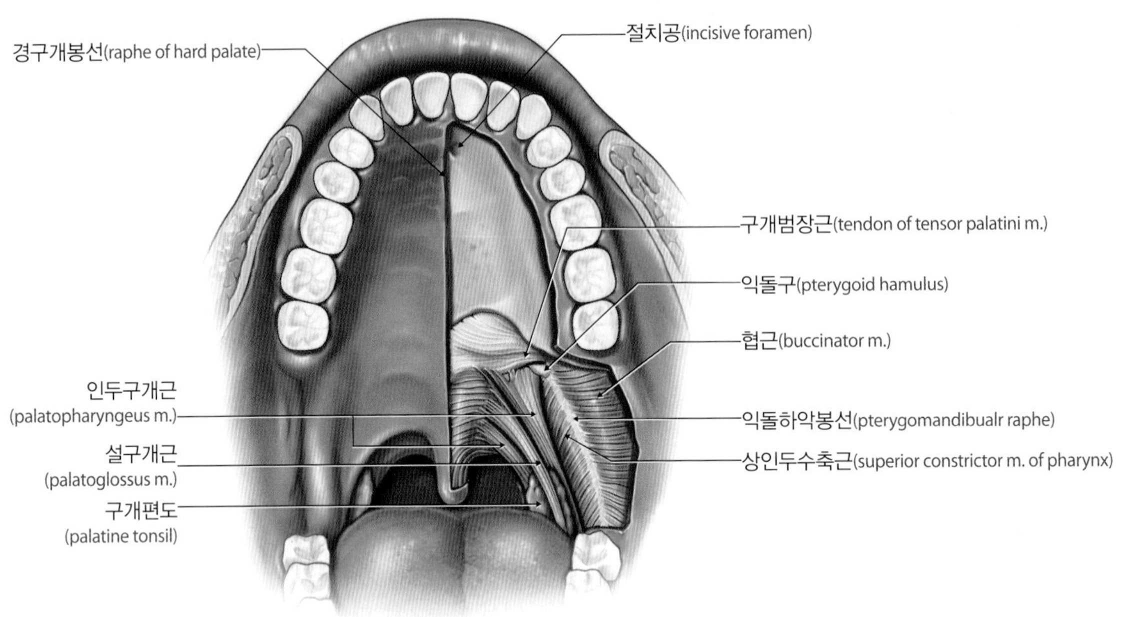

■ 그림 2-7. **구인두와 편도 부위의 주요구조물**

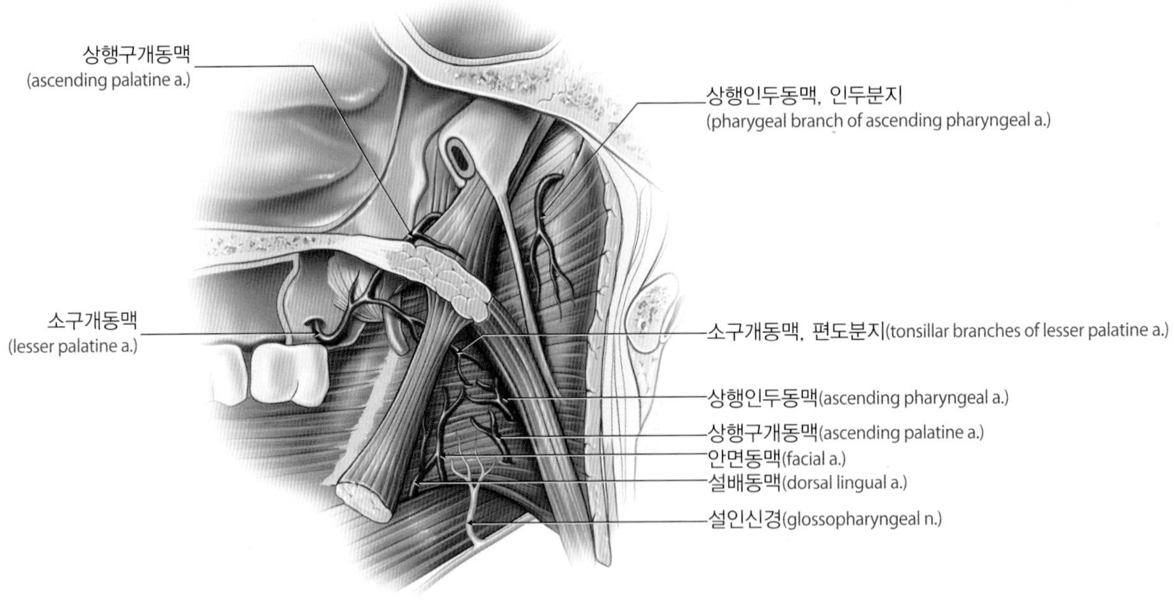

■ 그림 2-8. **편도의 혈액공급**

원주름(plica semilunaris)이라 하고, 전구개궁 후연에서 나와 편도의 아래 1/3 부위를 덮고 있는 점막추를 삼각주름(plica triangularis)이라 하는데, 편도 적출 시 제거하지 않으면 주머니를 형성하여 음식물이 고이게 된다.

① 구개편도의 신경

주로 설인신경과 삼차신경이 편도의 지각신경을 담당하는데, 연구개와 편도 상부는 삼차신경의 익구개신경총으로부터 나오는 분지에 의해 지배되고, 편도하부와 설근부에는 인두신경총을 통해서 설인신경이 분포한다.

② 구개편도의 혈액

주로 안면동맥의 편도분지가 담당하고, 이외에 상행인두동맥, 상행구개동맥, 설배동맥, 하행구개동맥의 편도분지 등이 혈액을 공급한다(그림 2-8).

③ 구개편도의 림프

유입림프관이 없고 유출림프관만 있어 림프액이 피막을 통과하여 상심경림프절로 유출된다.

(2) 인두편도

인두편도는 비인두의 상후벽에 위치하며, 아래로는 이관 입구까지 존재할 수 있다. 점막은 섬모상피로 덮여 있고, 구개편도나 설편도와 달리 선와가 없다. 소아에서 병적으로 증식하면 아데노이드증식증이 되나, 사춘기가 되면 대개 소실된다.

(3) 설편도

설편도는 설근부 표면에 좌우 대칭으로 배열된 원형 또는 타원형의 소형 림프소포들의 집합체를 말한다. 구개편도와 달리 피막으로 싸여 있지 않기 때문에 완전절제는 어려우나, 만약 비대해지면 편도선절제술을 할 때 부분적으로 절제할 수도 있다.

(4) 이관편도

이관편도는 전외측 비인두점막에 있는 인두편도의 림프결절의 연장으로 보이며, 이러한 결절들은 주로 이관과 인두함요(Rosenmuller fossa)에서 발견된다.

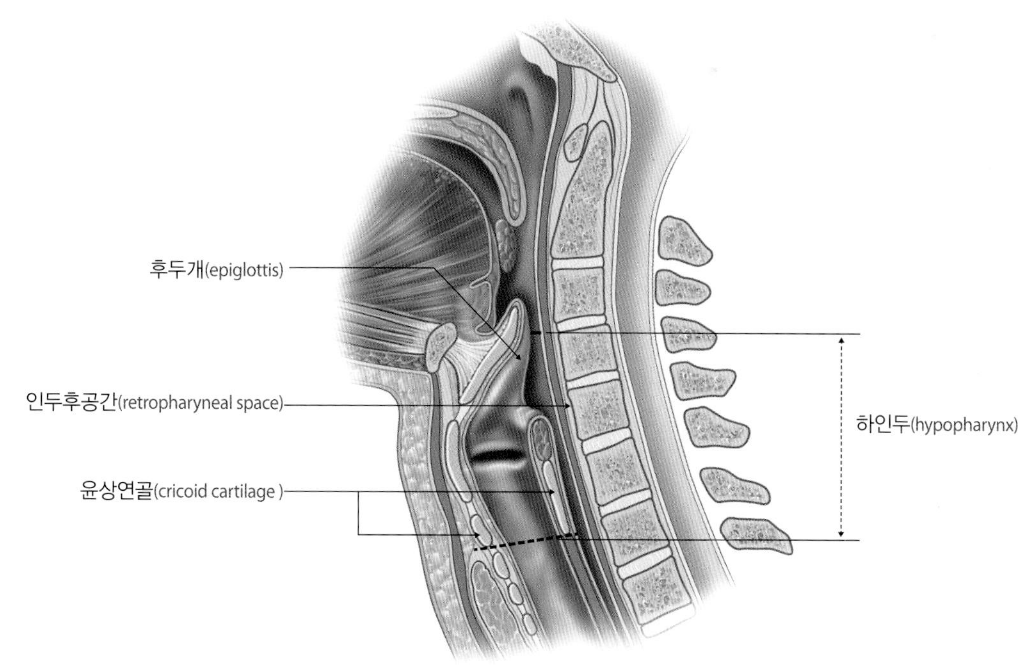

■ 그림 2-9. **하인두의 경계.** 하인두는 설골에서부터 윤상연골 하연까지이다.

3. 하인두의 해부

하인두는 인두의 세 부분 중 가장 길이가 길며 위쪽 경계는 설골 상부, 아래쪽 경계는 윤상연골의 하연까지이고 그 밑으로는 좁아지면서 식도와 연결된다(그림 2-9). 앞쪽에는 중앙으로 후두개와 후두입구 그리고 후두의 후벽이 있으며, 그 측면으로 피열후두개주름, 그리고 더 측면으로는 주로 갑상연골의 내측 점막으로 이루어진 이상와가 존재한다.

점막은 비각질 중층편평상피로 덮여 있으며 점막 아래에 인두수축근이 있고, 이 두 층 사이에 인두기저근막이 존재한다. 인두기저근막은 두개저에 부착되어 있고 비인두 부위에서는 두꺼워서 확인이 가능하나, 하인두 부위에서는 잘 구분되지 않는다. 인두수축근은 협인두근막으로 덮여 있으며, 이 층에서 인두에 분포한 신경과 혈관들이 총(plexus)을 이루고 있다.[1,2]

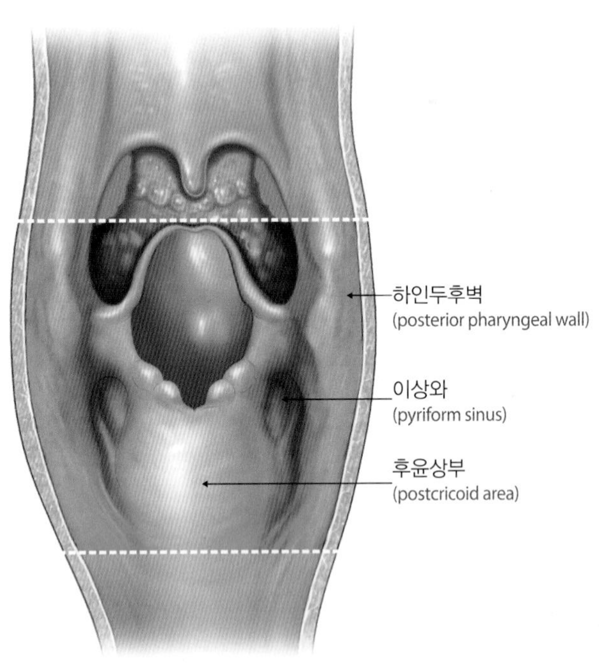

■ 그림 2-10. **하인두의 세 부위.** 하인두는 하인두후벽, 후윤상부, 이상와로 나뉜다.

1) 하인두의 구조

하인두는 하인두후벽, 후윤상부, 그리고 이상와로 나뉜다(그림 2-10).

(1) 하인두후벽

하인두후벽은 상방으로는 후두개의 첨단에 해당하는 부위에서부터 하방으로 윤상인두근 하부에 해당하는 부위까지의 인두후벽을 말하나 확실한 해부학적 경계와 지표는 없다. 외측으로는 설골과 갑상연골, 그리고 이상와의 외측벽에 부착된다.

(2) 후윤상부

후윤상부란 후두의 뒤쪽 중앙부위의 외측 후벽, 즉 피열연골과 윤상연골판을 후방에서 덮고 있는 점막을 말하며 이 역시 확실한 해부학적 경계와 지표는 없다.

(3) 이상와

후두개의 외측에 인두의 구강부와 후두부의 전측방 경계부인 인두후두개주름이 존재한다. 양쪽의 인두후두개주름 하측방으로 갑상연골과 후두 사이를 이상와라 하며, 이는 하방으로 갈수록 좁아져 역피라미드 모양을 띤다. 이상와의 외측 벽은 갑상연골의 내측 점막이며, 내측 벽은 후두의 후외측 점막이 이루고 있다. 역피라미드형인 이상와의 가장 좁은 아래쪽 끝부분을 첨부라 하며, 첨부 위치는 윤상연골보다 아래까지 내려가 있다. 이상와의 전측방 경계는 측인두후두개주름이고 외측 경계는 갑상연골, 내측 경계는 피열후두개주름과 피열연골이다. 이상와의 전저부에 상후두신경 내지가 갑상설골막을 관통하면서 작은 후두신경융기를 형성한다. 후두 국소마취 시 이곳에 마취제를 도포하면 상후두신경을 차단할 수 있다.

때로는 갑상연골의 상연이 이상와 점막에 희거나 노란색의 선으로 보일 수 있다. 일반적으로 이상와의 기형은 극히 드물지만, 가장 흔한 기형은 갑상연골의 상각이 이상와 내의 융기로 나타나는 경우이다. 많은 림프관, 그리고 상후두정맥과 동맥이 이상와 점막하로 주행하기 때문에 후두의 농양이나 부종이 있으면 이상와가 폐쇄될 정도로 점막 부종이 일어날 수도 있다.

2) 하인두의 신경

인두신경총을 통하여 하인두의 운동신경과 대부분의 감각신경이 분포된다. 인두신경총은 설인신경과 미주신경의 인두분지가 내경동맥과 내경정맥 사이를 통과하여 경돌인두근 외측을 지나 중인두수축근의 외측 표면부위에서, 상경부결절에서 나오는 신경과 합쳐지면서 형성된다. 인두신경총의 운동신경은 미주신경에서 나오는데, 이는 연수(medulla oblongata) 내의 미주신경핵인 의핵에서 나와 경정맥공 밖에서 부신경의 두측부(cranial portion)와 합쳐져서 이루어진다. 제5 뇌신경의 하악분지의 지배를 받는 경돌인두근, 그리고 상후두신경의 외지와 반회후두신경의 지배를 받는 윤상인두근의 괄약근 부위를 제외한 인두의 모든 근육들은 인두신경총의 운동신경 지배를 받으며, 감각신경 지배는 인두신경총을 통해 설인신경이 담당한다. 설인신경의 일부는 갑상설골막을 통과하여 상부에서 외이도 감각신경인, Arnold 신경과 문합한다. 따라서 하인두 또는 후두 병변 시 방사통을 유발할 수 있다 (그림 2-11).

3) 하인두의 혈관

(1) 동맥

인두의 혈액공급은 외경동맥의 가장 작은 가지인 상행인두동맥과 상갑상동맥이 담당하나, 하인두는 주로 상갑상동맥에서 혈액을 공급받는다. 하인두의 가장 아래쪽은

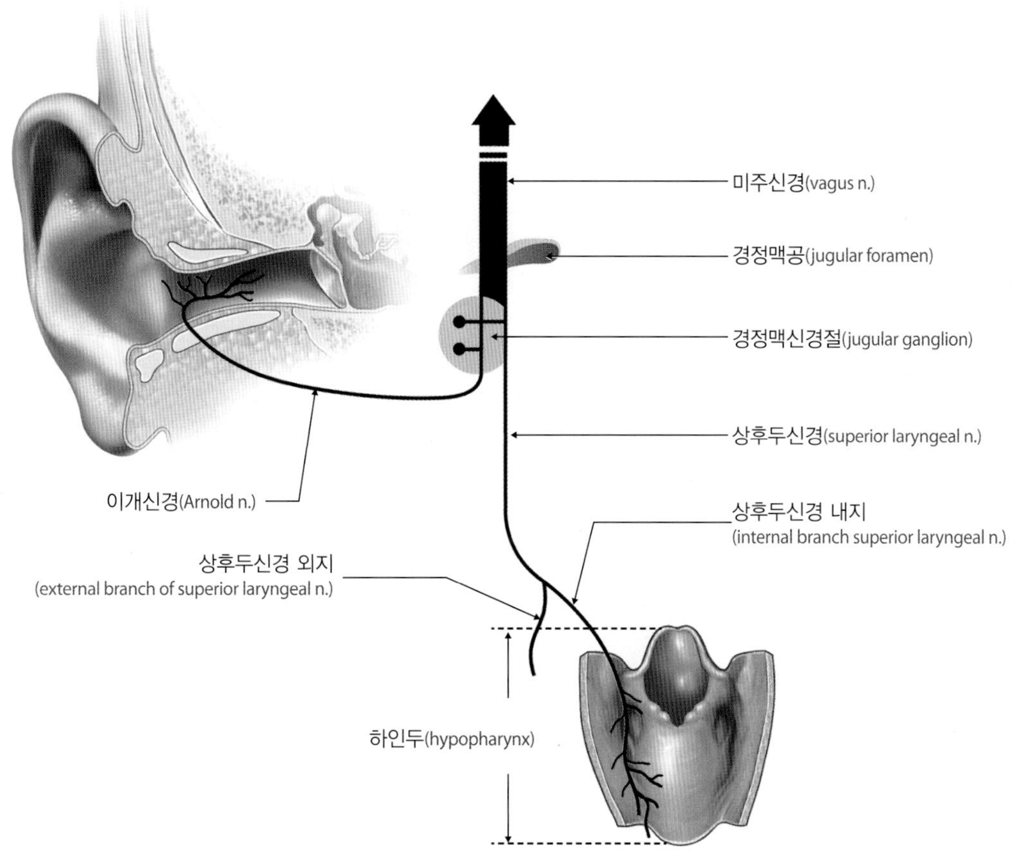

■ 그림 2-11. **연관통의 해부학적 경로**

하갑상동맥에서 공급받기도 한다(그림 2-12).

(2) 정맥

하인두후벽과 점막에는 여러 개의 정맥총이 존재한다. 인두후벽에 있는 정맥총은 위로는 익돌정맥총과 연결되고, 아래쪽으로는 상갑상정맥이나 설정맥 또는 직접 내경정맥으로 배출되기도 한다. 이 정맥총은 후두입구 부위를 둘러싸면서 필요 이상으로 잘 발달되어 있는데 아마도 연하운동 시 압력조절 역할과 관련이 있을 것이라 생각된다. 점막부위에는 전방과 후방에 각각 하나씩 2개의 정맥총이 추가로 존재하며, 이는 혀의 표재성정맥, 상후두정맥, 식도정맥 등으로 배출된다.

4) 하인두의 림프

하인두점막은 아주 잘 발달된 림프계를 가지고 있으며, 이들 대부분은 내경정맥림프절로 배출된다. 하인두의 일차 림프절은 하이복근림프절(subdigastric lymph node)과 상·중심경림프절이다. 하인두후벽은 주로 상심경림프절로 배출되나, 두개저의 인두후림프절과 Rouviere 림프절로 가는 경우도 많다. 하인두 하부의 림프관은 윤상갑상막을 관통한 후, 반회후두신경을 따라 주행하기 때문에 하인두 하부와 경부식도에서는 반회후두신경과 기관주위 림프절로 배출된다. 하인두의 상부는 갑상설골막을 통과하여 상후두동맥을 따라가면서 성문상부에서 나오는 림프관과 합쳐진 후, 일부는 하이복근 림프절로, 나머지는 중심경림프절 또는 총안면정맥 밑에 있는 림프절로 배출된다. 윤상인두근의 경우 인두후림프절을 거친 후, 다시 반회후두신경 림프절, 기관주위 림프절 혹은 식도구의 림프절로 배출될 수 있다(그림 2-13).

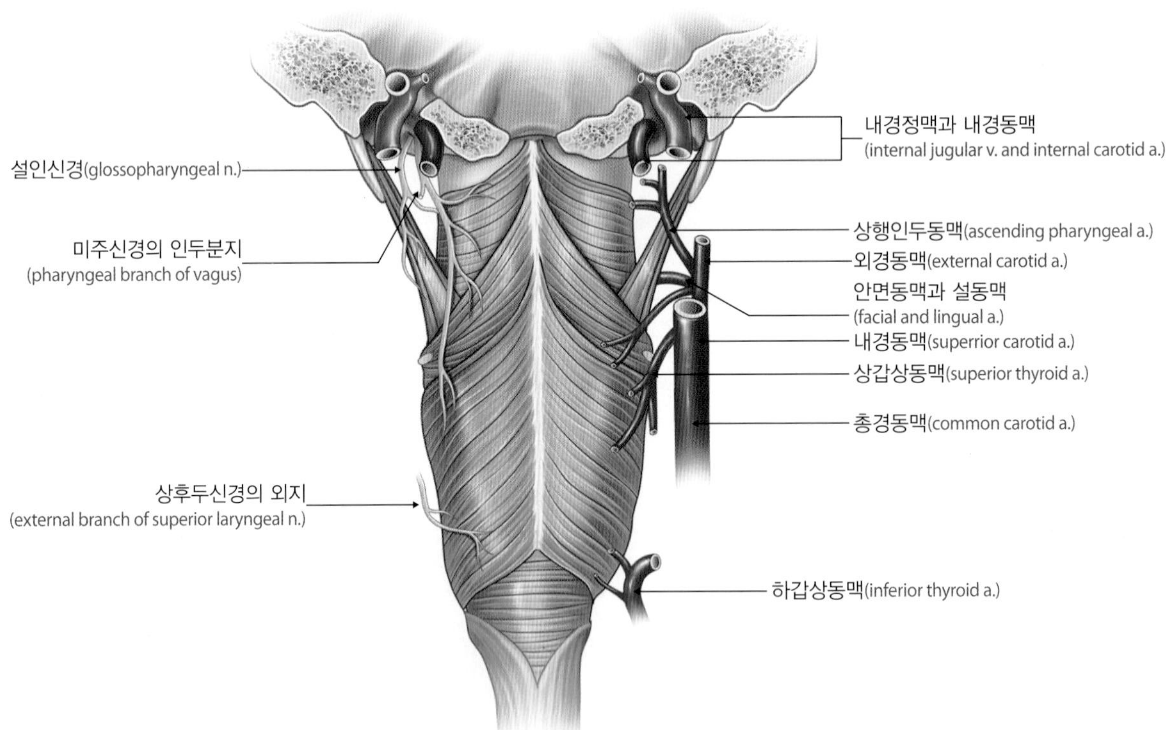

■ 그림 2-12. **인두의 혈액공급**

Ⅲ 인두의 기능

1. 생체의 보호작용

인두점막은 반사작용으로 이물을 배출하며 중화작용을 담당한다.

2. 호흡기류의 통로

상인두는 기도로서의 역할을 하고, 중인두는 기도와 음식물 통로의 역할을 한다. 또한 인두점막은 온도와 습도를 조절한다.

3. 공명작용

인두는 비강, 구강과 더불어 공명작용을 한다. 특히 구개수의 운동은 비강을 차단 또는 개방함으로써 비음과 관계된다.

4. 연하작용

정상 연하는 상부 소화호흡기 각 부위의 약 스물다섯 쌍의 근육이 시간을 정확히 조절하여 상호 협조적으로 작용하여 하부 호흡기를 안전하게 보호하면서 섭취한 고형식이나 유동식을 구강으로부터 인두를 거쳐 식도로 진행시키는 일련의 생리적 과정이다. 이러한 연하기능에 장애가 발생하면 정상적으로 음식물을 섭취할 수 없을 뿐 아니라 하부 호흡기에 흡인을 초래하여 폐렴 등 합병증의 위험에 빠질 수도 있다.[13] 정상 연하의 단계는 일반적으로 수의적 조절이 가능한 구강준비기, 구강기와 불수의적 반

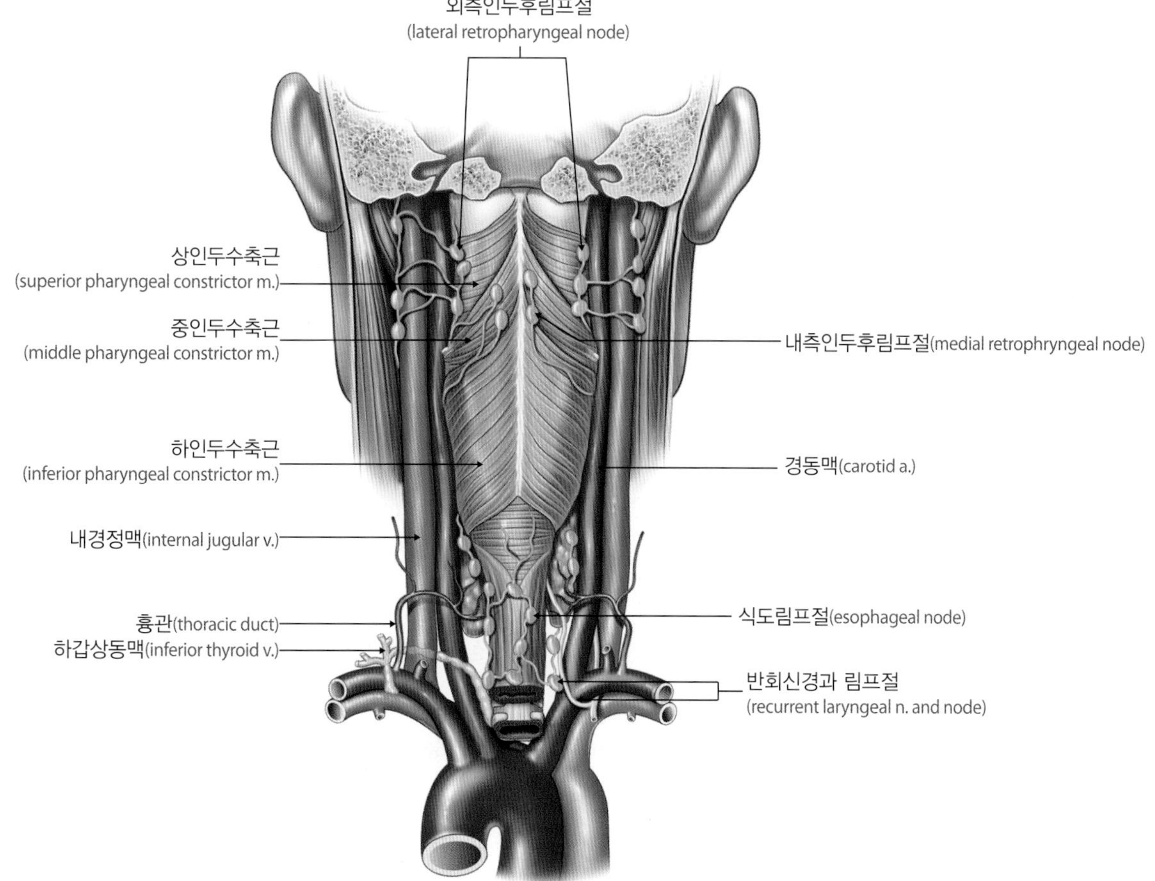

■ 그림 2-13. 인두와 식도의 후방 단면

사에 의한 인두기, 식도기로 분류된다.

1) 연하의 단계

(1) 구강준비기

음식물이 입안으로 들어오면서 시작되며 본격적인 음식물 연하가 시작되기 전 구강 내에서 준비하는 단계이다. 유동식에는 특별한 준비가 필요 없으나 고형식은 이 시기에 저작 등을 통해 적절한 형태의 식괴로 바뀌게 된다. 이 과정은 구순, 구협, 하악, 설운동, 구인두괄약근 폐쇄 등의 운동이 적절한 협동과 조화를 이루어 일어나고 제5, 10, 12 뇌신경이 관여하게 된다. 특히 혀의 외회전 운동이 가장 중요하며, 혀의 운동이 잘 이루어지지 않으면 적절한 저작을 할 수 없게 된다.[10] 이 시기 말기에 식괴를 형성하는데, 혀의 중심부에 고랑을 형성하고 혀의 외연은 경구개와, 설근부는 연구개와 접촉을 유지하는 가운데 폐쇄되어 식괴를 경구개를 향해 유지한 채로 본격적인 연하를 준비한다.

(2) 구강기

구강기는 식괴가 혀와 경구개 사이에 위치하면서 시작되는 기계적 단계로서, 준비된 식괴를 구강의 일부분에서 전구협궁 쪽으로 이동시킨다. 이 시기에도 혀의 운동이 가장 중요한 역할을 하는데, 수축은 설 첨부에서 후방으로 진행되며 구협부 근육의 긴장도도 같이 증가하게 된다. 혀가 수축할 때는 혀의 외연과 경구개가 단단히 접촉하여 구강의 폐쇄가 유지되어야 하며, 압력은 혀에 의해 발생하는데 부피가 클수록 형성되는 압력이 높아진다. 수축이 진행되면 닫혀 있던 구개설괄약근이 이완되고 연구개가 후상방으로 이동하여 식괴가 비강으로 역류되는 것을 차단하고, 혀의 후방 1/3이 전하방으로 하강하면서 음식물이 구인두로 유입되도록 한다. 구강기 말기에는 구강 내 음식 잔류물이 거의 없어지며, 이 시기는 보통 1초 이내에 이루어진다.[10,20]

(3) 인두기

이 시기는 식괴의 앞 끝이 구개궁을 통과할 때 유도되는 연하반사에 의해 일어난다. 연하반사가 유도되는 구심신호 전달은 전구개궁과 설근부에 위치한 기계수용체가 가장 낮은 역치로 반응하여 신호를 연하중추가 있는 뇌간으로 전달한다. 식괴를 식도로 진행시키는 가장 중요한 추진력은 인두 연동운동에 의해 형성되는데, 동시에 인두의 길이가 전체의 1/3인 2 cm 정도 짧아지며 수축한다. 그 외에 두 가지 중요 요소가 있다. 첫째는 설근부의 펌프작용이며, 둘째는 후두의 상승작용으로서, 이 시기에 상부식도괄약근이 이완되고 후두가 전상방으로 이동해 윤상연골기관이 경추로부터 떨어지면서 식도 입구를 개방하여 식괴가 넘어가도록 한다. 이 모든 과정은 보통 1초 이내에 일어나게 된다.[10]

(4) 식도기

이상의 연하과정을 거쳐서 유입된 식괴가 식도하부괄약근을 거쳐 위장으로 유입되는데, 보통 8~20초가 소요된다. 식도의 연동운동은 위에서 아래로 진행되며 보통 약 50 mmHg의 압력을 형성한다. 이러한 일차 연동운동 이외에도 식도 내의 국소적인 팽창에 반응하여 발생하는 이차 연동운동으로 이동이 완료된다. 식도 연동운동은 식도의 하부보다 상부에서 빠르게 진행되는데, 이는 상부에 있는 횡문근의 운동력의 차이에 따른 것이다. 식도하부에는 약 3 cm 길이로 평균 8 mmHg 정도 압력이 높아지는 부위가 있으며 이는 하부괄약근으로 작용한다.[6,8,9,10]

2) 상부 소화기의 밸브기능과 압력 형성

이상의 정상 연하과정을 거치는 동안 상부 소화기는 이러한 기능을 원활히 수행하기 위하여 일련의 밸브를 형성한다. 이러한 밸브기능과 이때 발생하는 압력은 정상 연하 과정에서 상부호흡기가 효율적이고 안전한 수행을 하는 데 필수적이다.[13,17]

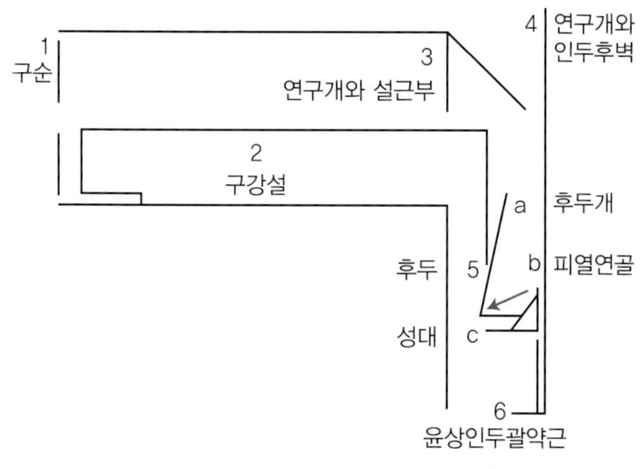

■ 그림 2-14. **연하과정의 6밸브**
연하과정 중에 구순, 혀, 연구개와 설근부, 연구개-인두후벽, 후두, 상부식도괄약근에 의해 6개의 밸브가 형성된다.

(1) 밸브기능

연하과정 중에는 보통 구순, 혀, 연구개와 설근부, 연구개인두, 후두, 상부식도괄약근에 의해 6개의 밸브가 형성된다(그림 2-14).

① 구순

구륜근으로 형성되는 가장 전방의 밸브로서, 구강 내로 들어오는 음식물의 형태에 맞춰서 형성된다. 구순폐쇄로 형성된 압력은 구강 인두기 동안 계속 유지되고 구강기에서 식괴를 밀어내는 힘이 된다.[17]

② 혀

두 번째로 형성되는 밸브로서, 운동성이 가장 많고 음식물의 저작 시 식괴 형성을 돕는다. 구강기에서 혀는 경구개와 접촉하여 식괴를 폐쇄 압축해서 후방의 인두를 향하도록 한다. 구강준비기나 구강기의 혀 운동 조절은 수의적 조절이며, 이러한 운동성에 장애가 발생하면 저작이나 구강 내 음식물 조절, 식괴 형성, 후방 전이가 이루어지지 않는다.[20]

③ 연구개와 혀의 배부

세 번째 밸브로서, 저작과정 도중에는 연구개가 구개설근에 의해 전하방으로 위치하며, 혀의 배부와 접촉하여 구강기 시작까지 식괴를 구강 내에 유지한다. 이러한 구강의 후방밸브 형성으로 식괴가 인두 내로 연하반사가 일어나기 이전에 진행되는 것을 방지하고 비강통기를 증가시킨다.[10,16,17,19]

④ 연구개인두부

네 번째 밸브로서, 인두기가 진행되는 동안 폐쇄되어 음식물이 비강 내로 유입되는 것을 막는다. 이러한 작용은 구개인두근과 구개범거근에 의한 연구개의 상승과 수축이 후인두벽에 형성되는 Passavant 융기와 협력하여 일어난다.[10]

⑤ 후두폐쇄

다섯 번째 밸브로서, 3단계로 일어나며 음식물이 기도 내로 유입되는 것을 막는다. 진성대가 제일 먼저 닫히고, 피열연골의 전방전위가 일어나면서 가성대가 폐쇄되며, 마지막으로 후두개가 기도 입구를 덮는다. 상설골근육들에 의해 설골과 후두의 상승, 전방이동이 일어나면 후두개는 수평면으로 높아지고, 설근부가 수축해 하방으로 이동했다가 설근부의 전방이동을 따라 연골 자체의 탄성으로 0.03~0.06초 이내에 원래의 수직면 위치로 복귀한다. 이러한 기도 상승이나 후두입구 폐쇄가 안 되면 음식물의 흡인이 발생하게 된다.[15,18,19,21]

⑥ 상부식도괄약근

근골격형 괄약근으로서 휴식할 때는 수축해 있으며 윤상인두근과 윤상연골로 구성된다. 상부식도괄약근의 개방은 윤상인두근의 이완, 후두 전상방으로의 상승운동, 식괴의 압력 등이 복합적으로 작용하여 일어난다.[6,8,9,11]

2) 압력의 생성

구강기에는 혀의 가동부가 경구개를 향한 압력을 형성

하여 식괴를 구인두로 밀어내고, 식괴가 구강으로부터 후방으로 진행되면 인두기가 유발되어 인두 내 압력이 형성된다. 인두수축근의 작용으로 외인두벽이 내측으로 이동되고 인두의 내경이 상부에서 하부로 순차적으로 좁아진다. 좁아진 인두 내에서 식괴가 설근부에 도달하면 설근부는 피스톤처럼 작용하여 이를 식도 내로 밀어낸다. 이러한 수축작용이 충분히 일어나지 않으면 연하 후 잔류물이 인두 내에 남게 된다.[8,12,17]

참고문헌

1. 대한이비인후과학회 편. 이비인후과학-두경부외과학. 일조각, 2009, pp.147-162
2. 대한두경부외과학회 편. 두경부외과학, 개정판. 한국의학사, 2005, pp.491-564
3. 박경한 역. 간추린 발생학. 이퍼블릭(법문사), 2006, pp.125-131
4. Clemente CD. Anatomy of the Human Body, 30th ed. Philadelphia: Lea & Febiger, 1985, pp.235-238
5. Daniels E. Embriology of the neck. In: Tewfik TL, Der Kaloustain VM, eds. Congenital Abnomalies of the Ear, Nose and Throat, 1st ed. New York: Oxford University Press, 1977, pp.321-330
6. Dantas RO, Dodds WJ, Massey BT, et al. Manometric characteristics of the glossopalatal sphincter. Dig Dis Sci 1990;35:161-165
7. Hollinshead WH. Anatomy for Surgeons: Vol 1. The Head and Neck, 3rd ed. Philadelphia: Harper & Row, 1982, pp.389-441
8. Jacob P, Kahrilas P, Logemann J, et al. Upper esophageal sphincter opening and modulation during swallowing. Gastroenterology 1989;97:1469-1472
9. Kahrilas P, Dodds W, Dent J, et al. Upper esophageal sphincter action during deglutition. Gastroenterology 1988;95:52-57
10. Kahrilas PJ, Lin S, logemann JA, et al. Deglutive tongue action: volume accomodation and bolus propulsion. Gastroenterology 1993;104:152-156
11. Kahrilas Lin S, Chen J, et al. Oropharyngeal accomodation to swallow volume. Gastroenterology 1996;111:297-299
12. Kahrilas PJ, Logemann JA, Lin S, et al. Pharyngeal clearance during swallow: a combined manometric and videofluoroscopic study. Gastroenterology 1992;03:128-131
13. Logemann JA. Evaluation and Treatment of Swallowing Disorders. San Diego: College Hill, 1983, pp214-217
14. Logemann JA. Uper digestive tract anatomy and physiology In: Bailey BJ, Johnson JT, Pillsbury HC, et al, eds. Head & Neck Surgery: Otolaryngology. Philadelphia: JB Lippincott, 1993, pp.485-500
15. Mansson I, Sadnberg N. Oropharyngeal sensitivity and elicitation of swallowing in man. Acta Otolaryngol 1975;79:140-146
16. Mathew OP, Abu-Osba YK, Thach BY. Influence of upper airway pressure change on respiratory frequency. Resp Physiol 1982;49:223-233
17. McConnell FM. Analysis of pressure generation and bolus transit during pharyngeal swallowing:. Laryngoscope 1988;98:718-724
18. Miller AJ. Characteristic of the swallowing reflex induced by peripheral nerve and brain stem stimulation. Exp Nurol 1972;34:210-222
19. Miller AJ. Significance of sensory inflow to the swallowing reflex. Brain Res 1972;43:147-159
20. Pouderoux P, Kahrilas PJ. Deglutitive tongue force modulation by volition, colume, and viscosity in humans. Gastroenterology 1995;108-1418-1422
21. Wealthall SR. Factor resulting in a failure to interrupt apnea. In: Bosma J, Showacre JF, eds. Development and Function. Washington DC: US Government Printing Office, 1975, pp.212-228

CHAPTER

03

후두의 구조와 기능

이비인후과학 Otorhinolaryngology - Head and Neck Surgery

정유석

후두는 주로 연골로 이루어진 작은 골격과 근육, 점막으로 덮여 있는 섬유탄성막(fibroelastic membrane)으로 이루어진 장기이다. 해부생리학적으로 섬세하게 기능하는 작은 관절, 근육, 신경 근육 단위로 이루어져 있는데, 이는 삼킴과 호흡 과정에서 핵심적 조절 기능을 담당한다. 후두의 적절한 기능은 기본적인 생명 유지를 위해 필수적이다. 하등 육상 동물에서는 원시 후두가 호흡과 기도 보호를 주 목적으로 하는 단순한 수축과 이완 기능 등의 기본적 기능만을 담당했으나, 고등 동물로 진화하면서 발성 기능을 추가로 갖게 되었다.

해부학적으로, 피열후두개주름(aryepiglottic fold), 후두개 첨단, 후연합(posterior commissure)으로 이루어져 있는 후두입구(laryngeal inlet)로부터 윤상연골의 하연까지를 후두라고 한다. 후두는 위로는 갑상설골인대와 근육에 의하여 설골에 부착되어 있고, 설골은 위로 하악골, 혀 그리고 두개저 등과 근육과 인대로 연결되어 있다. 인간에서 후두는 호흡, 기도 보호, 발성 등의 기능을 담당한다. 성대가 열리면 기도가 확보되어 호흡의 통로가 되는 한편, 섬세한 내전, 외전 운동 조절을 통하여 발성을 한다. 성대가 완전히 닫히게 되면 음식을 삼킬 때 기도로 음식물이 넘어가는 것을 방지하여 기도를 보호하는 기능을 함과 동시에 삼킴 과정의 연동운동에 중요한 역할을 한다. 성대를 강하게 닫은 상태에서 흉곽 내 압력을 높이면 기침, 배뇨, 배변, 무거운 물건을 들어 올릴 때 근육 조절에 도움을 준다.

후두에 대한 해부학적 기록은, 기원전 350년대에 Aristotle의 기술이 최초이다. 그 후 2세기경에 Galen, 5세기경에 Leonardo 등 여러 학자들에 의해 연구되었으나, 정확한 기능을 확실히 이해하지 못하다가, 1858년에 와서야 Bernard가 후두의 발성 기능의 개념을 최초로 정립하였다.

계통발생학적으로, 어류가 양서류로 진화하는 과정 중간에 있는 동물인 폐어(lung fish)에서 처음으로 후두와 비슷한 기관이 발견되는데, 이와 같은 원시 후두는 육상 동물에서 호흡의 통로로서의 기능과 연하 시 흡인을 방지하기 위한 단순한 수축과 이완 기능만을 가지고 있었다.

육상동물의 진화가 고도화됨에 따라, 후두의 구조와 기능은 점차 복잡, 섬세하게 발달하였고, 고등동물 및 영장류로 갈수록 발성 기능이 추가적으로 발달하여, 개체 간 의사소통 및 이를 통한 군집 생활에 중요한 역할을 하는 기관이 된다. 후두는 '사회적' 인간에게 중요한 기관이다.

I 후두의 발생과 해부

후두는 상부 소화기관과 호흡기관의 경계 부위에 위치하며 후두의 뒤에는 하인두, 위에는 구인두, 아래에는 기관이 위치한다. 후두의 상부 경계는 후두개 첨단, 피열후두개주름(aryepiglottic fold), 후연합(posterior commissure)으로 이루어져 있는 후두입구(laryngeal inlet)이고 하부 경계는 윤상연골의 하연이다. 발생학적인 관점에서 성문상부(supraglottis), 성문부(glottis), 성문하부(subglottis)의 세 부위로 구분한다. 후두 내부에는 연골골격 구조, 근육, 관절, 인대, 막 등의 구조가 있고, 신경, 혈관, 림프조직 등이 풍부하게 분포한다.

1. 후두의 발생

하등동물은 6개 이상의 새궁(branchial arch)을 가지고 있고 인간의 경우 새궁은 5쌍이 발견되며, 제6 새궁은 배아의 외부에서 실질적으로 확인하기는 어렵다. 인간의 후두는 제3, 제4, 제6 새궁 또는 인두낭(pharyngeal pouch)의 내배엽, 중배엽, 그리고 외배엽에서 발생하고, 후두연골은 새궁 내에 있던 원래의 중배엽을 둘러싸는 신경능세포(neural crest cell)에서 유래한다.[3]

후두의 발생을 전체적으로 보면 두 부분의 원기(anlage)에서 발생하는데, 성문상부는 협인두 원기(buccopharyngeal anlage)로부터 발생하며 성문부와 성문

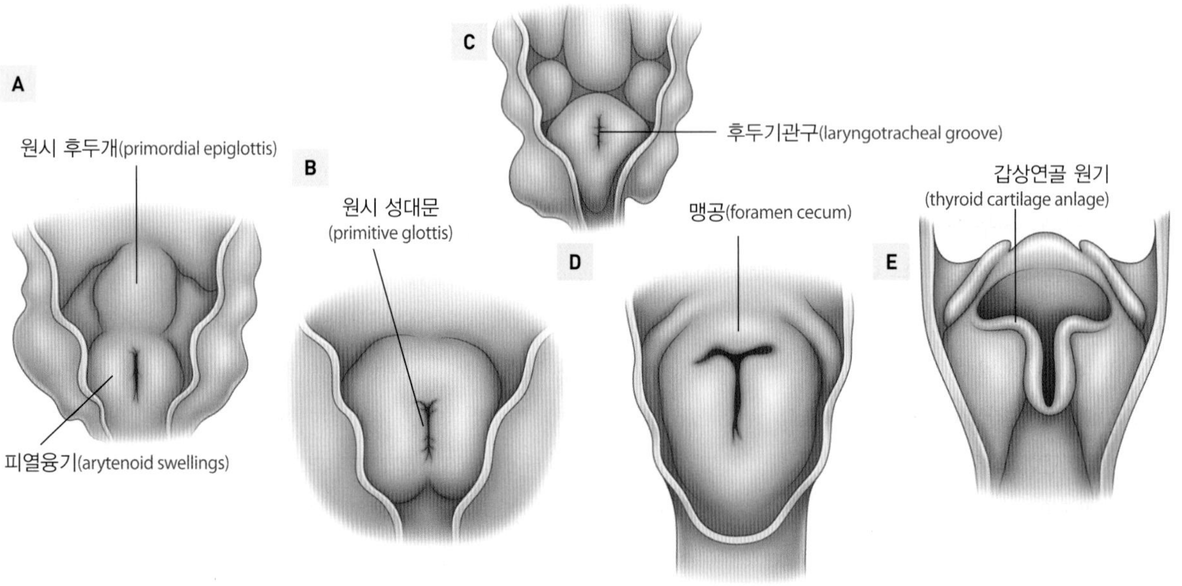

■ 그림 3-1. **후두의 발생.**
A) 태생 4주(5 mm). **B)** 태생 5주(9 mm). **C)** 태생 6주(12 mm). **D)** 태생 7주(16 mm). **E)** 태생 10주(40 mm), 태생 5-10주에 원시 성대문 주위로 원시 후두개와 1쌍의 피열융기가 나타나며, 원시 후두개는 제3과 제4 새궁 배 쪽 끝에 있는 중간엽이 증식하여 생성되는 융기인 새궁하융기로부터 발생한다.

하부는 기관기관지원기(tracheobronchial anlage)로부터 처음에는 분리된 상태에서 발생하여, 발생 말기에 합쳐진다. 이러한 후두 부위에 따른 발생 근원의 차이는 성문암과 성문상부암의 종양학적 특징과 림프절 전이 양상의 차이를 초래하는 근본적 이유이다.

인간의 후두는 태생 3주에 인두에서 돌출되어 작은 내배엽 틈새(endodermal slit)를 형성하고, 3주 말에서 4주에 후두기관구(laryngotracheal groove)를 형성하면서 길게 변한다. 4주에 폐원기(pulmonary primordium)가 후두기관구의 꼬리 쪽에서 좌우로 갈라지고, 기관식도중격(tracheoesophageal septum)에 의해 호흡기와 식도가 분리된다. 태생 5~6주에 원시 성대문(primitive glottis) 주위로 원시 후두개(primordial epiglottis)와 1쌍의 피열융기(arytenoid swellings)가 나타난다. 원시 후두개는 제3 새궁과 제4 새궁의 복부 측 끝에 있는 중간엽(mesenchyme)이 증식함으로써 생성되는 융기인 새궁하융기(hypobranchial eminence)로부터 발생하며(그림 3-1), 새궁하융기에서 구강에 가까운 부분으로부터 점차 혀뿌리가 형성된다. 2개의 피열융기는 혀 쪽으로 성장하여 원시 성대문의 입구를 T자 모양의 후두입구로 변환시키고, 계속적인 후두상피의 급속한 증식으로 인하여 태생 8주까지 후두 내강은 일시적으로 폐쇄된다. 이렇게 일시적으로 폐쇄된 후두 내강이 태생 10주에 다시 열리고, 후두실(laryngeal ventricle)이 되는 외측함요(lateral recesses)가 형성되어 이 함요의 머리 쪽과 꼬리 쪽에 점막주름(mucosal fold)을 형성하는데 후에 이것이 진성대(vocal fold)와 가성대(false vocal fold)가 된다.

한편, 태생 2개월에 제4 새궁의 복부 측 연골 부위로부터 갑상연골원기(thyroid cartilage anlage)가 발생하고, 윤상연골과 피열연골 등은 주로 제5 새궁으로부터 발생한다. 성대인대는 원시 성대 내의 중간엽이 연결되면서 형성된다. 후두 근육은 제4, 제6 새궁의 근모세포(myoblast)에서 발생하기 때문에 대부분 제6 새궁의 주 분포 신경인 반회신경의 지배를 받게 된다. 설골의 대부분을 차지하는 설골의 상부와 설골의 소각(lesser horn)은 제2 새궁에서부터 형성되며, 여기에 연결된 구조인 경상설골인대(stylohyoid ligament), 경상설골근(stylohyoid m.), 후이복근(posterior belly of the digastric m.) 등도 모두 제2 새궁이 근원이다. 설골의 상부와 소각을 제외한 나머지 부위는 제3 새궁으로부터 형성된다.

태생기, 특히 후두와 기관의 발생과 관련이 있는 원시난포기(primordial phase)에 여러 종류의 기형을 유발하는 자극(teratogenic force)이 작용하면 이 기간의 중요한 세포증식, 세포배치, 공동화(cavitation), 형태 형성(sculpturing) 등의 기전을 방해하여, 여러 다양한 형태의 갈퀴막(web), 폐쇄증(atresia), 협착(stenosis) 등의 기형이 초래될 수 있다.

2. 후두의 발달

소아의 후두와 인두는 성인의 단순한 '축소판'이 아니고, 성인과 여러 가지 다른 점이 있는데, 이에 대한 이해

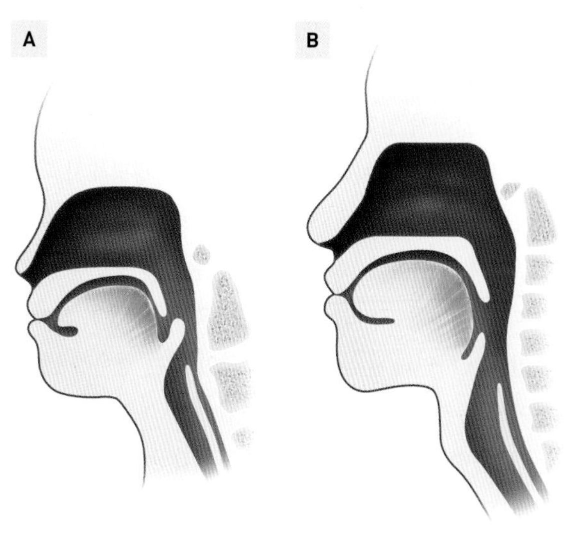

■ 그림 3-2. **신생아 후두와 성인 후두의 위치 비교.**
A) 신생아 후두 위치. **B)** 성인 후두 위치. 신생아에서는 후두개의 끝이 연구개에 닿아 있고 제2 경추체(vertebral body) 높이에 위치해 있으나, 성인에서는 제6 경추체 높이에 위치한다.

가 중요하다. 신생아의 후두는 성인보다 높은 곳에 위치한다. 즉, 후두개의 끝이 연구개와 닿아 있으며, 후두가 제2 경추체(cervical vertebral body) 높이에 위치해 있으나 성인에서는 제6 경추체 높이에 위치하게 된다(그림 3-2).[43] 영아는 후두가 높게 위치하기 때문에, 수유할 때 연구개와 후두개, 피열후두개주름이 함께 닫혀서, 호흡하는 동시에 모유를 빠는 게 가능하다. 모유 섭취 중에도 호흡을 가능하게 하기 위하여, 영아는 강제적으로 비강호흡을 하게 된다(obligatory nasal breather). 따라서 신생아의 양측후비공폐쇄(bilateral choanal atresia) 시에는 심한 호흡곤란이 발생하고 수유가 거의 불가능해질 수밖에 없게 된다. 그러나 일부 영아에서는 비강호흡과 구강호흡을 교대로 할 수 있는 경우도 있어서(predominant nasal breather), 항상 이러한 양상을 보이는 것은 아니다.

생후 9개월까지는 이러한 해부학적 특징을 보이다가, 성장하면서 12~18개월 정도가 되면, 후두가 밑으로 내려가기 시작하여 점차 성인과 비슷한 위치가 된다. 사춘기에 이러한 변화가 가속화되는데, 이 시기에 나타나는 후두의 구조적 변화, 음성 변화 등과 일맥상통한다. 공명 공간의 증가로 발성 기능과 구음 기능이 강화되며 다양해진다.

소아는 성인에 비해 갑상설골막(thyrohyoid membrane)이 짧아져 있고, 갑상절흔(thyroid notch)이 설골보다 오히려 뒤에 위치하기도 하고 모양도 평평해서 외부에서 잘 만져지지 않는다. 소아에서는 갑상절흔 대신 설골전면부와 윤상연골이 촉지가 가능한 유일한 구조물인 경우가 대부분이다. 그리고 갑상윤상막의 폭도 매우 좁아서 갑상연골의 하연과 윤상연골은 맞닿아 있는 경우가 많다. 외부에서 촉지되는 해부학적 지표가 성인과 많은 차이가 있는데, 특히 소아 환자의 기관절개나 갑상선 수술 시 이러한 해부학적 특징을 잘 이해하고 있어야 한다.

영아의 후두개는 Ω 또는 U자 모양이며, 후두연골의 발육 미숙과 비석회화로 인하여 성인보다 훨씬 유연하다. 또한 설골이 성인에 비하여 아래쪽에 위치하므로 혀의 기저부가 후두개를 밀기 때문에 둔각을 이루고 있고, 점연골막(mucoperichondrium)이 느슨하게 연결되어 있다. 그러나, 이와 같은 구조적 특징으로 인하여 영아에서는 후두개염이 발병하면 호흡곤란 증상이 심하게 나타난다.[17] 성인 기도에서는 제일 좁은 곳이 성문 부위이나, 영아에서는 성문하부의 윤상연골궁(cricoid arch) 부위가 제일 좁다. 이때 윤상연골은 깔때기 모양으로, 전후반경은 기관보다 큰 반면 측반경은 더 좁은 모양을 하고 있다. 특히, 성인에 비해 기도의 내경이 좁으므로, 기도 점막의 경미한 부종으로도 성인에 비해 상대적으로 심한 기도폐쇄 증상이 나타날 수 있다.

영아의 성대는 50% 이상이 연골로 이루어져 있으나, 성인의 성대는 2/3 이상이 근육 또는 연조직으로 이루어져 있다. 하등동물의 후두와 인간의 후두를 비교하였을 때에도 이러한 차이점을 볼 수 있는데, 하등동물 또는 영아의 성대에서와 같이 피열연골의 성대돌기가 상대적으로 길수록 호흡 기능에 유리하고, 성인에서와 같이 성대돌기가 짧아지고 막성부위가 상대적으로 길어지면 발성 기능이 향상된다.

즉, 출생 시 후두의 크기는 성인의 1/3에 불과할 정도로 작지만, 쐐기연골(cuneiform cartilage), 피열연골, 성문상부의 점막 등의 크기가 후두의 내경에서 차지하는 비중은 성인에 비해 상대적으로 크다. 소아 성대에서는 성대에서 연골 부위(cartilaginous portion)가 성인보다 상대적으로 길어서, 성대 전체 길이의 1/2 정도를 차지한다. (성인의 경우, 1/7–1/4) 막부분(membranous portion)은 성장기를 거치면서 점차 길이가 길어져서, 사춘기에 급격히 커진다. 후성문부(posterior glottis)는 전체 성대 길이의 35–45%, 성문부 면적의 50–70%를 차지한다. 후성문부는 주로 호흡의 경로이고, 전성문부(anterior glottis)는 발성에 주로 관여하는 부위이다. 그리고 성문하부와 후성문부는 장기간의 기관내 삽관에 의한 압력 손상이 주로 발생하는 부위이기도 하다.

3. 후두의 골격

후두의 골격(laryngeal skeleton)은 갑상연골(thyroid cartilage), 윤상연골(cricoid cartilage), 후두개연골(epiglottic cartilage), 그리고 쌍으로 된 피열연골(arytenoid cartilage), 소각연골(corniculate cartilage)과 설상연골(cuneiform cartilage) 등으로 이루어져 있다(그림 3-3). 연골들은 서로 연결되어 있는 후두 근육, 인대, 그리고 막들에 의해 움직인다. 갑상연골과 윤상연골, 그리고 피열연골의 대부분은 초자연골(hyaline cartilage)로 이루어져 있는데, 이 연골들은 25세를 전후하여 점차적으로 석회화되기 시작하고, 60대에 이르러서는 조혈기관을 포함하는 골수가 있는 뼈로 변하게 된다. 반면, 소각연골과 설상연골, 그리고 후두개연골과 피열연골의 일부는 탄성연골(elastic cartilage)로 이루어져 있고, 따라서 연령이 증가해도 석회화되지 않는다.

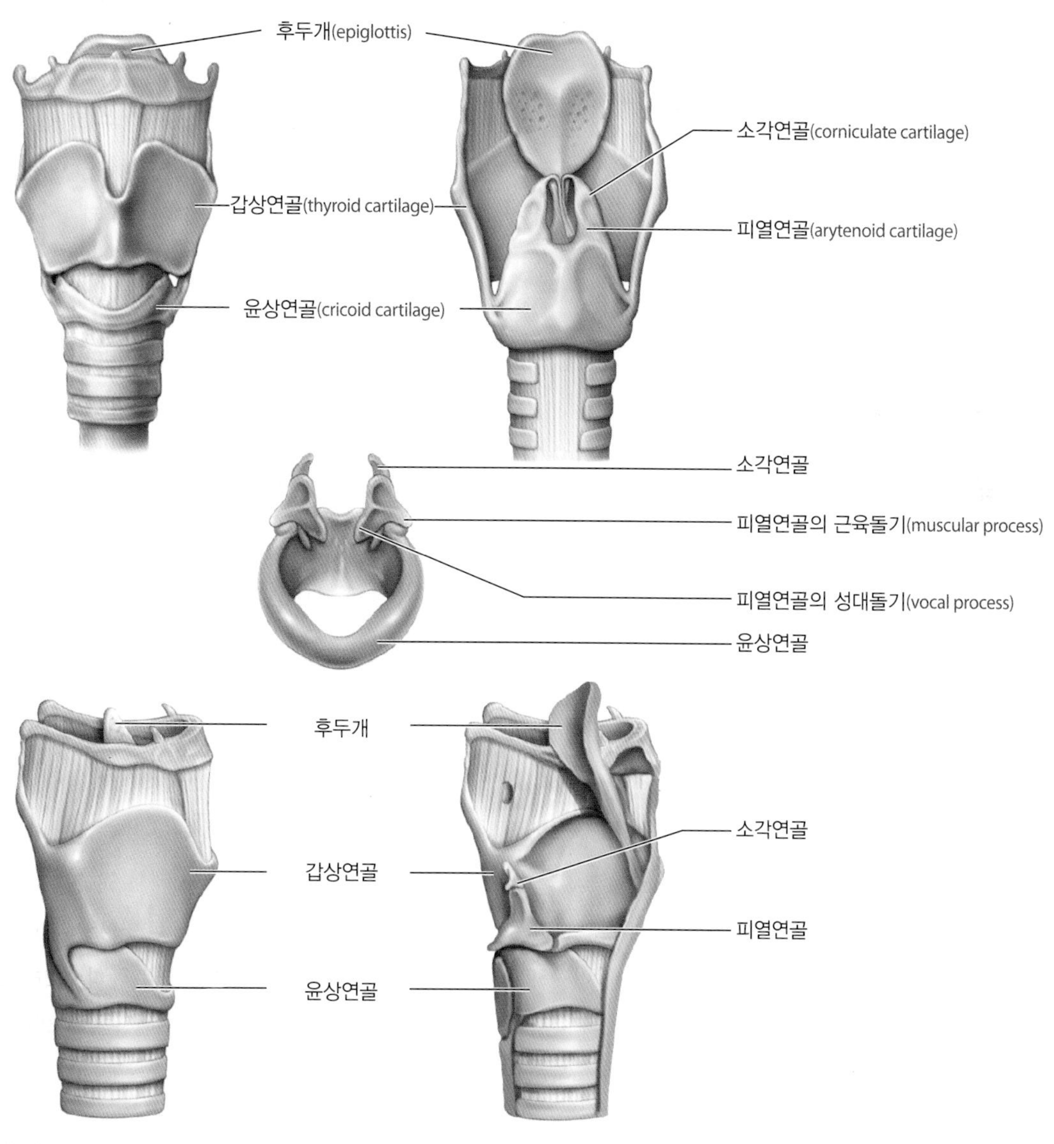

■ 그림 3-3. **후두연골(laryngeal cartilage)**

1) 설골

설골(hyoid bone)은 일반적으로 후두의 골격에 포함하지 않는다. 그러나 후두와 밀접한 관계가 있다. 설골은 체부(body)를 중심으로 외측으로 소각(lesser horn)과 최외측의 대각(greater horn)이 있으며, 후두를 현수하는 중요한 구조물이다. 설골의 상후면은 후두개연골, 갑상연골과 막으로 연결되어 있으며 이를 경계로 하여 후두개전공간(preepiglottic space)이 형성된다. 설골에는 흉골갑상근(sternothyroid m.)을 제외한 대부분의 후두외근(extrinsic laryngeal m.)이 부착하며 이러한 후두외근에 의해 후두의 상하 움직임이 이루어진다.

2) 갑상연골

갑상연골(thyroid cartilage)은 방패 모양으로 후두의 주 골격을 이루고 있다. 갑상연골판(thyroid cartilage lamina)은 성인 남자에서는 90°, 성인 여자에서는 120°의 각도를 이루고 있어 남자에서 더 돌출된 형태를 보이는데 이 부위를 보통 후두융기(Adam's apple)라 부른다. 그러나 사춘기 전에는 남녀 구분 없이 성인 여자의 각도와 비슷하다.[32] 이 갑상연골판이 중앙에서 만나는 부위를 갑상절흔(thyroid notch)이라 한다. 중앙의 갑상절흔과 갑상연골의 하연을 기준으로 그 중간 부위에 성대가 위치한다. 갑상연골에는 외측 갑상설골인대(lateral thyrohyoid ligament)에 의해 설골에 연결되어 있는 2개의 상각(superior horn)과 윤상연골의 후측면과 관절을 이루고 있는 2개의 하각(inferior horn)이 있다. 연골의 상단에는 갑상설골막(thyrohyoid membrane)이 부착하며 하단에는 윤상갑상막(cricothyroid membrane)이 부착한다. 갑상연골판의 외측 후방부에는 상결절(superior tubercle)과 하결절(inferior tubercle)이 있으며 이를 연결하는 융기된 부위를 경사선(oblique line)이라 한다. 이 경사선에 갑상설골근(thyrohyoid m.), 흉골갑상근(sternothyroid m.), 하인두수축근(inferior pharyngeal constrictor m.) 등이 부착한다. 연골의 내면은 편평하며 중앙 부위에 연골막이 붙어있지 않은 작은 융기 부위가 있는데, 이곳에 전연합부건(anterior commissure tendon)이 부착한다. 또한 이 부위의 상부에 후두개경(petiole)이 갑상후두개인대(thyroepiglottic ligament)에 의해 부착한다.

3) 윤상연골

윤상연골(cricoid cartilage)은 후두에서 유일하게 완전한 고리를 이루고 있으며, 후두의 후면 구조를 지지하는 후두의 주된 골격 구조이다. 윤상연골의 전방 부위를 궁(arch), 후방 부위를 후판(posterior lamina) 또는 윤상연골판이라고 하며, 각각의 높이는 5~7 mm, 2~3 cm이다.[8] 후면에는 식도의 종섬유(longitudinal fibers)의 자리인 후정중능선(posterior midline ridge)을 볼 수 있으며, 후상부에는 볼록하면서 타원형인 2개의 관절면을 가지고 있고 후측면의 중간 부위에도 2개의 관절면을 가지고 있다. 이들은 각각 피열연골(arytenoid cartilage) 그리고 갑상연골의 하각과 관절을 이룬다. 측면에서 볼 때, 갑상연골의 하연과 윤상연골궁의 상연이 이루는 각도를 면갑각(visor angle)이라고 한다. 이 면갑각의 각도는 평상시에는 일정하나 발성 시 음성의 높낮이에 따라 변한다.

윤상연골은 인두, 후두, 기관, 식도의 경계 부위에 위치하는 중요한 해부학적 지표이면서 여러 기도 관련 질환이 발생하는 부위이기도 하다. 기도 내에서 유일하게 연골고리(cartilaginous ring)를 이루는데, 상부는 "V"자 모양이고, 하부로 갈수록 "O"자 모양으로 바뀐다. 중간에 위치한 윤상연골의 상부 내강은 타원형의 형태인데, 이러한 특징은 성인보다는 영아에서 더욱 두드러진다. 기관내삽관 시 원형인 기관내관과 타원형인 성문하 내강은 모양이 맞지 않기 때문에 성문하부의 변형이 초래되고, 기관내관의 압력이 주로 후방에 전달되게 된다. 따라서 기관내 삽관이 장기화되는 경우 성문하부의 후방, 즉 후윤상박편(posterior cricoid lamina) 부위에서 괴사나 손상이 주로 발생하게 된다. 신생아에서 성문하부는 기관 내에서 가장 좁은 부위(신생아에서 평균 내경은 6 mm)이므로 기관 내 삽관과 관련된 손상이 가장 빈번히 발생하는 부위이다. 또한, 윤상연골의 미묘한 변형, 점막하 조직의 과증식, 연골부의 비후 등은 모두 성문하부의 내경을 심각하게 줄이는 결과를 초래하여, 선천성 성문하 협착의 원인이 될 수 있다.

4) 피열연골

피열연골은 좌우 두 개로 성문 후방을 지지하고 있으며, 정교하고 신속한 운동이 가능하여, 0.1초 이내에 신속한 내전(adduction) 및 외전(abduction) 운동을 할 수 있는 연골이다. 피열후두개주름(aryepiglottic fold)은 피열연골의 첨단부에 붙어 있으며, 성대주름(vocal fold)은 성대돌기(vocal process)에, 근육들은 근육돌기(muscular process)에 붙어 있다. 피열연골과 윤상연골이 이루는 윤상피열관절(cricoarytenoid joint)은 후두의 기능에 있어서 핵심적인 역할을 하는 부위이다. 피열연골 첨단부에 탄성연골로 이루어져 있는 작은 소각연골이 위치하고, 소각연골 측면의 피열후두개주름 내에 곤봉 모양의 설상연골이 위치하고 있다. 피열연골의 내측면은 편평한 평면으로 되어있으며 성문 점막으로 덮여 있어서 성문부의 뒤쪽 1/3을 차지한다.

5) 후두개연골

후두개연골(epiglottic cartilage)은 나뭇잎 모양의 연골로서 갑상연골의 후면에 갑상후두개인대로 연결되어 있다. 이는 초자연골(hyaline cartilage)인 다른 후두연골과는 달리 탄력연골(elastic cartilage)로 구성되어 있어서 평생 동안 골화(ossification)되지 않고 부드러운 연골 상태를 유지한다. 후두개는 구인두 내 혀의 기저부와 연결되어 있으며, 오목한 모양을 하고 있다. 이런 독특한 모양은 연하 시 후두개가 후방으로 구부러지는 것을 가능하게 한다. 연하 시 혀의 운동과 인두근 수축에 의하여 측면이 동시에 압박(lateral compression)되면서 후두개가 후두를 완전히 덮는 것이 가능해진다. 이 기능은 삼킴 시 후두 보호 기능에 있어서 중요하다(그림 3-4). 후두개연골에는 여러 개의 작은 구멍들이 있으며, 이 부위로 후두개전공간으로 가는 혈관들이 지나간다. 후두개연골의 하연부분은 후두개경이라하여 갑상후두개인대로 갑상연골에 부착되어 있다. 그리고 전상부의 설골과는 중앙 설골후두개인대(median hyoepiglottic ligament)로, 그리고 혀와는 설후두개인대(glossoepiglottic ligament)로 연결된다. 이들 인대 사이의 점막함입부위(mucosal pouch)를 후두개계곡(valleculae)이라고 한다. 후두개의 하부 중앙 부위의 후두개 결절(epiglottic tubercle)이 후두강 내로 돌출되어 있는 경우도 있는데, 이 경우엔 후두 내시경 시에 성

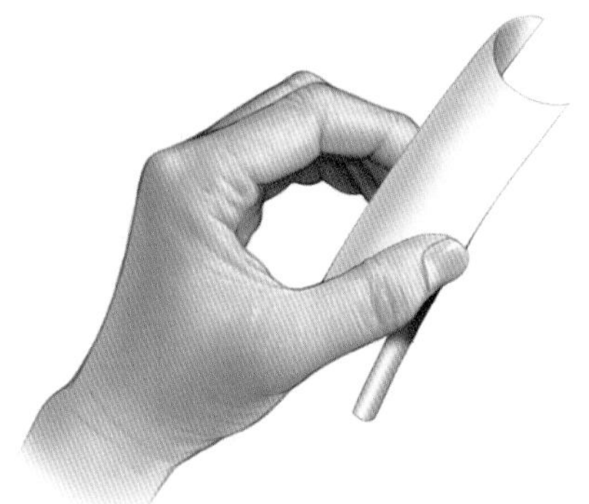

■ 그림 3-4. **연하 시 후두개의 작용.** 연하 시 혀의 운동과 인두수축근의 수축에 의한 측면압박(lateral compression)으로 후두개가 후방으로 밀리면서 후두를 덮는다.

대의 전연합부를 관찰하는 데 방해가 될 수 있다.

6) 소각연골과 설상연골

소각연골과 설상연골은 탄력연골로 이루어져 있으며 소각연골은 피열연골의 첨단부에 위치하며 설상연골은 피열후두개주름 내에 있으면서 피열연골의 전외측부에 부착하며 이 바로 옆에 전정인대(vestibular ligament)가 부착한다.

4. 후두관절

후두에는 윤상갑상관절(cricothyroid joint)와 윤상피열관절(cricoarytenoid joint)의 두 쌍의 윤활관절(synovial joint)이 있다. 이 관절의 미세운동에 의하여 성대의 움직임과 긴장도가 결정된다.

1) 윤상갑상관절

윤상갑상관절은 일치성 윤활관절(congruent synovial joint)로서 갑상연골 하각의 오목한 관절면과 윤상연골 후측면의 비교적 평평한 관절면으로 이루어져 있으며, 관절피막인대(capsular ligament)로 둘러싸여 있다. 갑상윤상근이 수축하면 윤상갑상관절이 윤상연골을 위쪽으로 기울게(upward tilting) 하는 방향으로 움직임으로써, 면갑각에 영향을 주게 되며, 이는 성대의 긴장을 증가시킨다. 또한 갑상연골이 전하방으로 움직여 성대를 길게 하는 역할도 하여, 발성음을 높게 하는 등, 음성의 섬세한 조절에 관여한다.

2) 윤상피열관절

윤상피열관절은 볼록한 윤상연골의 관절면과 오목한 피열연골의 관절면으로 이루어진 안장 모양의 일치성 윤활관절이며, 강한 관절피막인대로 인하여 두 종류의 관절 운동을 한다(그림 3-5).[32] 첫째는 피열연골의 활주성 운동(sliding movement)이다. 이는 피열연골을 윤상연골의 후판에서 윤상연골궁 방향으로, 또는 그 반대로 정중위를 향해 움직이게 한다. 둘째는 피열연골의 윤상연골 상관절면에서의 전후 흔들림 운동(anteroposterior rocking movement)이다. 최근까지는 윤상피열관절의 주 역할은 성대 외전 시 피열연골의 근육돌기(muscular process)와 성대돌기를 시계 방향으로 회전시키고 성대 내전 시에는 시계 반대 방향으로 회전시키는 기능만을 가지고 있는 것으로 기술되었으나, 이러한 개념은 흔들림 운동과 활주성 운동을 고려하지 않은 완전치 못한 개념이다. 이 활주성 운동과 흔들림 운동이 윤상피열관절의 주 기능이고, 회전운동은 오히려 부수적이라 할 수 있다(그림 3-5).[32] 이 관절의 후면에는 강력한 후윤상피열인대(posterior cricoarytenoid ligament)가 있어 피열연골이 후두강 내로 빠지는 것을 방지한다. 이렇듯 안장윤활관절(saddle synovial joint)로서의 섬세한 기능을 가지고 있어서, 본 관절의 손상이 미묘하더라도, 후두 운동의 장애는 크게 나타날 수 있다.

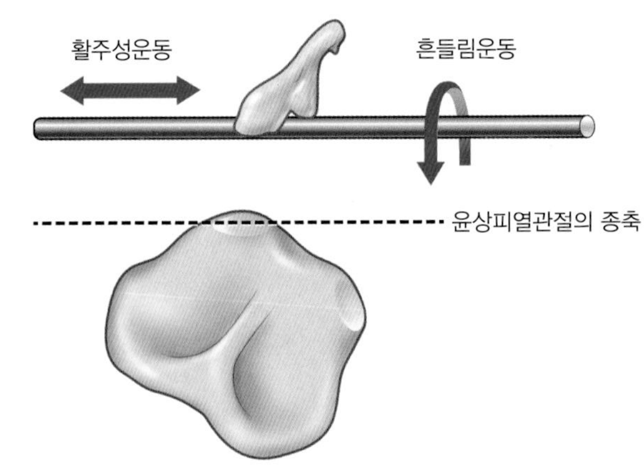

■ 그림 3-5. **윤상피일관절.** 윤상피열관절의 활주성운동과 전후 흔들림 운동.

5. 후두현수 구조물

목에서 후두의 골격은 탄성 구조물들에 의해 위아래로

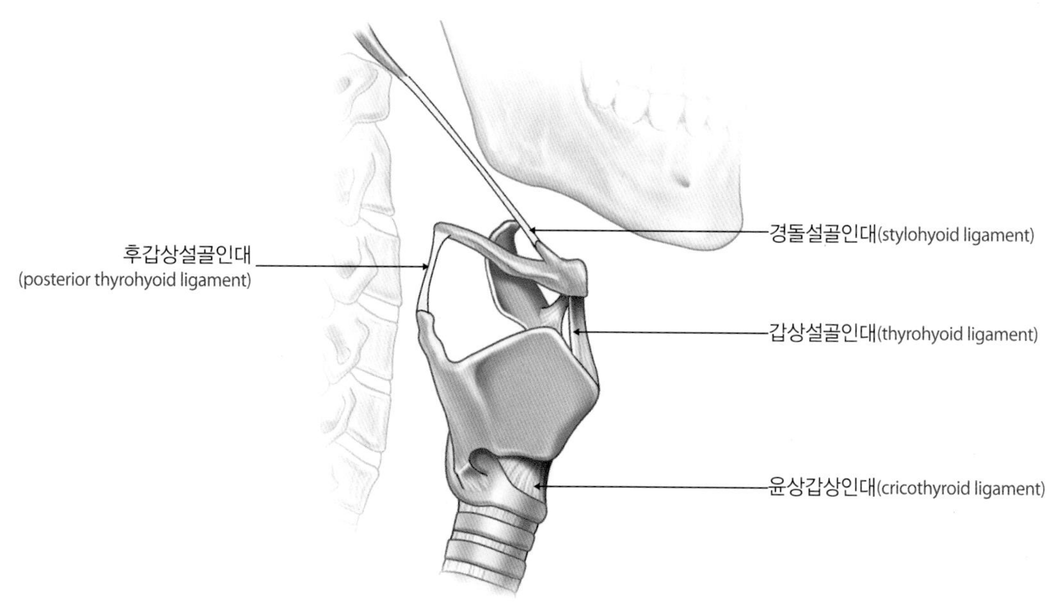

■ 그림 3-6. **후두현수 탄성 구조물**

지지되어 있다. 그중 두개저 측두골에서부터 설골의 소각까지 연결되어 있는 경돌설골인대(stylohyoid ligament)가 가장 중요한 역할을 한다.[6] 설골에는 내측과 외측 갑상설골막(thyrohyoid membrane)이 연결되어 있다. 윤상연골은 내측과 외측 윤상갑상막(cricothyroid membrane)과 관절인대, 그리고 탄성원추(conus elasticus)와 윤상성대막(cricovocal membrane)으로 인해 갑상연골과 연결되어 있다. 그 외의 보조적인 후두현수(suspension of the larynx) 구조물들은 피열연골의 미세 움직임과 관련이 있으며, 피열연골은 후두사각막에 의해 후두개에 매달린 형태이므로 후두의 위아래 운동 시 피열연골의 외측운동에 영향을 줄 수 있다. 또한 후두의 아래에서는 윤상기관막(cricotracheal membrane)에 의해 후두가 기관에 연결되어 있다. 이렇게 연결된 탄성현수막들은 후두의 기능에 영향을 미치므로 후두 기능에 있어서 중요한 요소가 된다(그림 3-6).

6. 후두막

1) 후두사각막

후두사각막(quadrangular membrane)은 후두개의 외측 모서리에서 시작하여 후두개와 피열연골 사이의 공간을 메우고 있다. 후방은 소각연골에서부터 전정인대의 후방부착부까지 연결되어 있으며 전방은 후두개의 높이와 같다. 이 막의 상연은 후두개의 상부로부터 소각연골까지 사선으로 내려온다. 하연은 전정인대(vestibular ligament)를 형성한다.[11] 즉, 후두사각막의 전후면은 고정되어 있으나 상하면은 고정되어 있지 않으며, 상면은 피열후두개추벽(aryepiglottic folds), 하면은 후두전정추벽(laryngeal vestibular fold)을 형성한다(그림 3-7).[28] 후두사각막은 양쪽이 점막으로 덮여있으며 피열후두개추벽을 경계로 하여 내측 점막은 후두전정(laryngeal vestibule)을 이루고, 외측 점막은 이상와(pyriform sinus)의 내측면을 이룬다.

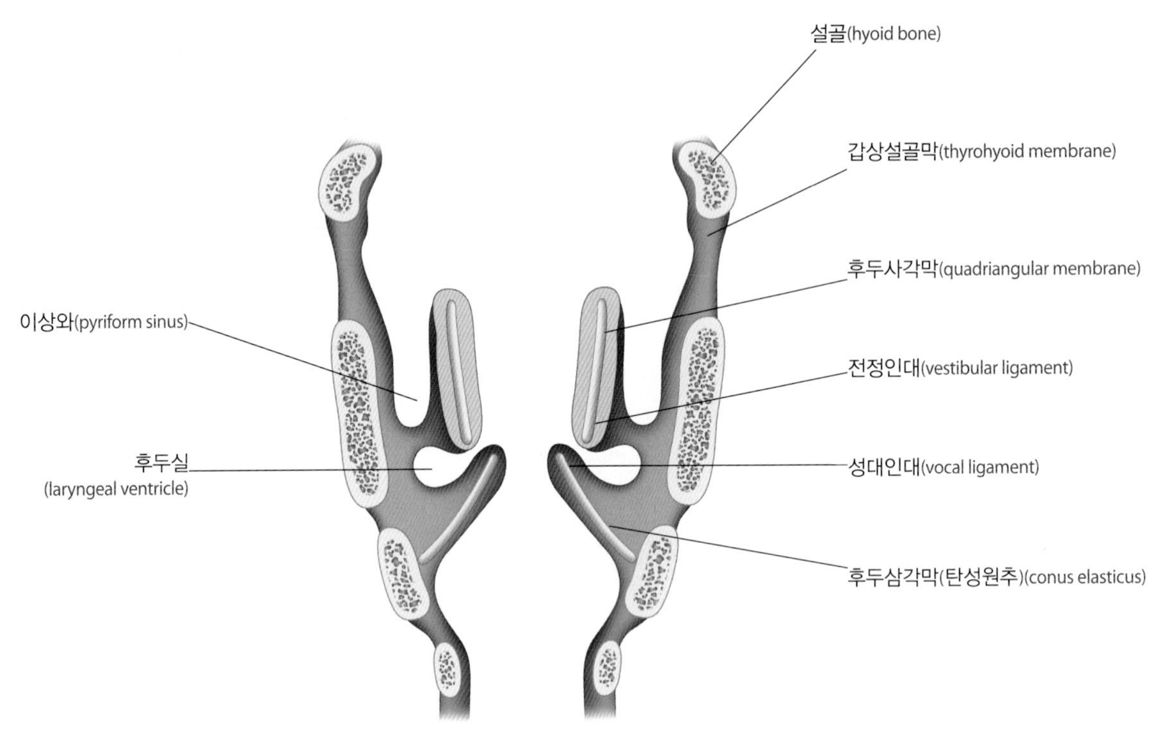

■ 그림 3-7. **후두막(laryngeal membrane)**

2) 후두삼각막 또는 탄성원추

후두삼각막(triangular membrane)은 탄성원추(conus elasticus)라고도 한다. 그의 위쪽 경계는 앞으로는 갑상연골로부터 뒤로 피열연골의 성대돌기에 연결되며, 이 삼각막의 가장자리 자유연이 두꺼워지면서 성대인대(vocal ligament)를 형성한다. 아래쪽 경계는 윤상연골의 상연과 연결되어 있다(그림 3-7).

7. 후두강과 후두내공간

후두강은 수직 위치에 따라, 성문상부, 성문부, 성문하부의 세 부위로 나뉜다. 후두개와 피열후두개주름의 자유연에서부터 후두실까지를 성문상부라 한다. 진성대 사이를 성문열(rima glottis)이라 하고 앞쪽의 2/3는 막양부(membranous portion), 뒤쪽의 1/3은 연골부(cartilagenous portion)로 이루어져 있다. 이 중 막양부의 길이는 여자에서는 8~11 mm, 남자에서는 11~16 mm 정도 된다. 진성대의 자유연에서부터 1 cm 하방까지를 성문부라 부르며, 성문부의 하방 경계로부터 윤상연골 하연까지를 성문하부라 한다. 피열후두개주름의 외측과 갑상연골 내측 사이에는 이상와(pyriform sinus)가 존재한다.[47]

성대를 제외한 후두의 점막은 배상세포(goblet cell)를 포함하고 있는 호흡상피, 즉 위중층 섬모원주상피(pseudostratified ciliated columnar epithelium)로 이루어져 있으나, 성대는 비각질 중층편평상피(nonkeratinizing stratified squamous epithelium)로 이루어져 있다. 피열후두개주름에서 이상와로 내려가면서 호흡상피는 다시 중층편평상피로 바뀌고 이는 인두와 구강점막으로 그대로 연결되게 된다. 후두개는 전면부는 중층편평상피로, 후면부는 위중층섬모원주상피로 싸여 있다.

1) 후두개전공간

후두개전공간은 위로는 설골후두개인대, 앞으로는 갑상설골막과 인대, 그리고 뒤로는 후두개의 전면과 갑상후두개인대로 둘러싸여 있는 역 피라미드형의 공간이다. 이는 외측으로 성대주위공간(paraglottic space)의 상부와 연결되어 있다. 이 공간은 주로 지방조직, 성긴 윤문상조직(loose areolar tissue)으로 이루어져 있다. 림프조직이 풍부하게 분포하며, 종양의 발생 시 경부 림프절로의 전이가 비교적 빈번하다.

2) 성대주위공간

성대주위공간은 외측으로는 갑상연골의 내벽, 하내측은 탄성원추, 내측은 후두실, 상내측은 후두사각막으로 둘러싸여 있다. 이는 위쪽으로는 갑상연골과 설골 사이의 공간과 연결되며, 앞쪽은 후두개전공간과, 하방은 갑상연골과 윤상연골 사이의 공간과 연결되며, 후방은 이상와 점막으로 둘러싸여 있다. 성대주름과 후두실 부위에서는 실질적으로 근육과 인대로 인하여 성문상부와 성문하부로 나뉘어 있다.

3) Reinke 공간

Reinke 공간은 성대의 상피세포층 바로 아래에 존재하며 고유층(lamina propria)의 상층을 말한다. 이 공간의 전방 경계는 전연합, 후방경계는 피열연골의 성대돌기, 내측방 경계는 상피세포층, 외측방 경계는 성대인대로 이루어져 있는 잠재적인 공간이다.[35] 유동성이 풍부한 콜라겐 등으로 이루어져 있는데, 이는 성대점막의 활발한 진동을 통한 발성 기능에 중요하다.

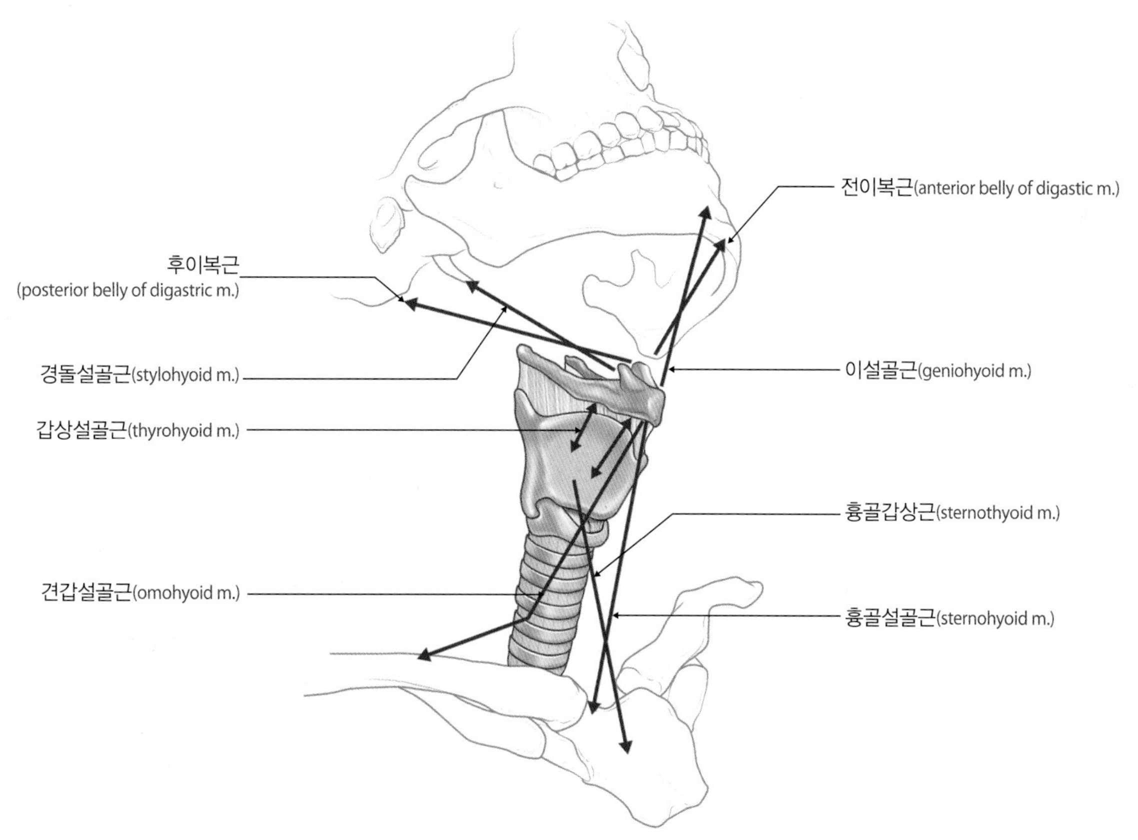

■ 그림 3-8. **후두외근 수축 시 후두의 이동 방향**

8. 후두 근육

1) 후두외근

후두외근(extrinsic laryngeal m.)들을 피대근(strap m.)이라고도 부른다. 후두외근은 설골과의 위치에 따라 설골 위에 존재하는 설골상근(suprahyoid m.)과 설골하근(infrahyoid m.)으로 나눈다.

설골하근은 견갑설골근(omohyoid m.), 흉골갑상근(sternothyroid m.), 갑상설골근(thyrohyoid m.), 흉골설골근(sternohyoid m.)으로 이루어지며, 설하신경고리(ansa hypoglossi)에서 나오는 분지인 하행설하신경(descendens hypoglossi)의 지배를 받는다.

설골상근은 이복근(digastric m.), 경돌설골근(stylohyoid m.), 이설골근(geniohyoid m.), 하악설골근(mylohyoid m.) 등으로 이루어져 있다.[20] 경돌설골근, 이복근의 후복(posterior belly of digastric m.) 등은 설골을 후상방으로, 이설골근과 하악설골근, 그리고 이복근의 전복(anterior belly of digastric m.)은 설골을 전상방으로 끌어올린다. 이와 반대로 흉골설골근, 그리고 견갑설골근은 설골을 하방으로 끌어내린다. 후두는 갑상설골근으로 인하여 상방으로 끌어올려지지만 반대로 흉골갑상근으로 인하여 하방으로 끌어내려진다.

하인두수축근과 중인두수축근 역시 후두외근에 속하나 이 근육들은 주로 연하 작용에 관여하며, 후두 기능에 대한 역할은 미미하다(그림 3-8).

2) 후두내근

후두의 감각은 부위마다 달라 성문부와 성문하부는 반회신경, 성문상부는 상후두신경 내지의 지배를 받는다. 그러나 모든 후두내근(intrinsic laryngeal m.)의 운동신경은 반회신경이다. 후두내근 중 후윤상피열근(posterior cricoarytenoid m.)을 비롯한 외윤상피열근(lateral cricoarytenoid m.), 갑상피열근(thyroarytenoid m.), 사피열간근(oblique arytenoid m.) 등은 좌우로 짝을 이루고 있으나, 정중앙에 있는 횡피열간근(transverse arytenoid m.)만이 짝을 이루지 않고 있다. 각 후두내근의 수축 양상에 따라 성대의 모양과 위치는 다양하게 변화한다. 요약하면, 후두의 내전은 각각 한 쌍의 갑상피열근과 외윤상피열근에 의해 조절된다. 그리고 후윤상피열근이 후두의 외전에 관여한다.

윤상갑상근(cricothyroid m.)은 실제적으로 후두내근

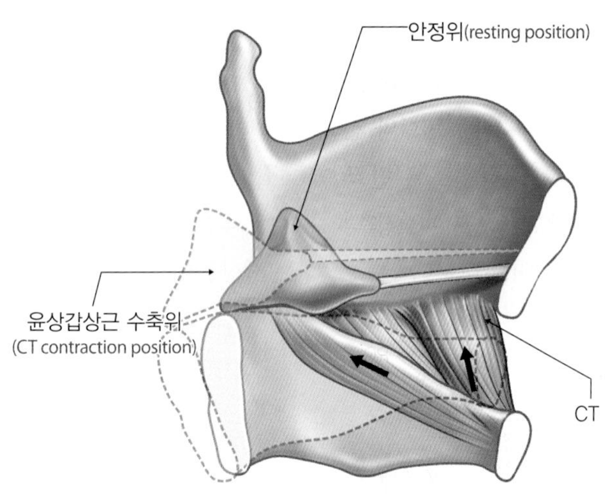

■ 그림 3-9. **윤상갑상근의 기능** 윤상갑근의 수축은 성대의 긴장을 증가시킨다.

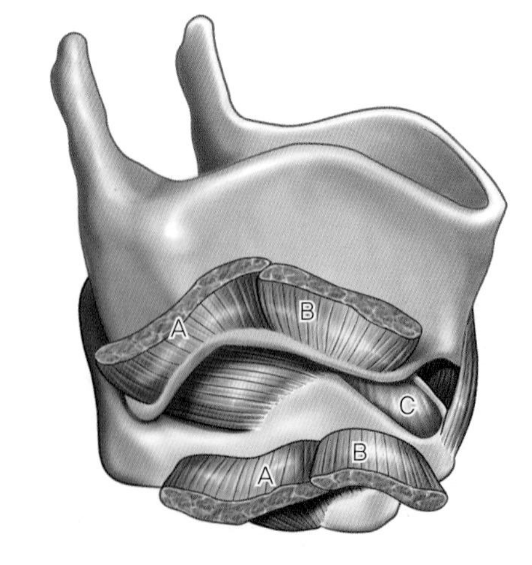

■ 그림 3-10. **우측 윤상갑상근.**
A) 사근복. **B)** 직근복. **C)** 수평근복.

에 속하지는 않는다. 그러나 이 근육은 주로 발성 시 갑상연골과 윤상연골 사이를 좁혀줌으로써 성대의 긴장을 증가시키는 역할을 하기 때문에 후두내근으로 분류하기도 한다(그림 3-9). 윤상갑상근은 세분화된 기능을 가지고 있는 직근복(rectus belly), 사근복(oblique belly), 수평근복(horizontal belly)으로 나뉘어 있다(그림 3-10). 직근복의 주 역할은 갑상연골과 윤상연골 사이를 좁히는, 즉 면 갑각을 줄이는 기능을 하며, 수평근복은 갑상연골과 윤상연골의 전후 활주성 운동(sliding movement)에 주로 관여한다.[39] 이러한 윤상갑상근의 기능들이 호흡과 발성 시 성대 위치의 변화와 긴장도를 유지시키는 데 중요하다. 모든 후두내근들은 반회후두신경의 신경지배하에 있으나, 윤상갑상근만은 상후두신경 외지의 지배를 받는다.

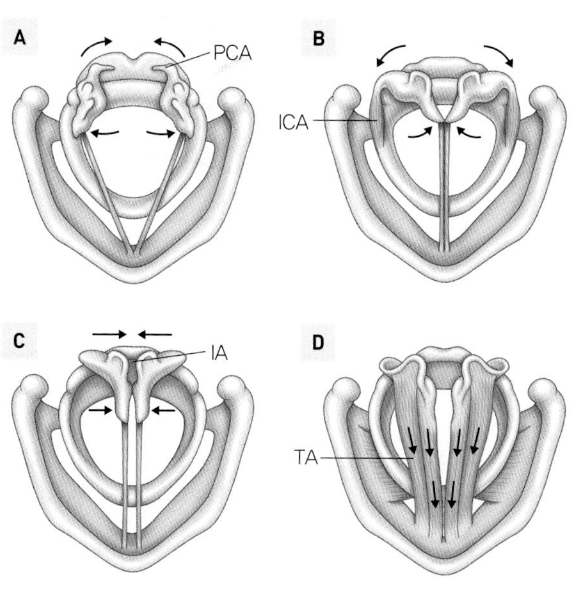

■ 그림 3-11. **후두내근.**
A) 후윤상피열근(PCA, posterior cricoarytenoid muscle)은 성대의 유일한 외전근이다. **B)** 외윤상피열근(LCA, lateral cricoarytenoid muscle)은 피열연골의 성대돌기 부위를 내전시킨다. 그러나 완전한 성대 내전을 위하여는 피열간근의 수축이 필요하다. **C)** 피열간근(IA, interarytenoid muscle)은 피열연골의 몸통 부위를 내전시켜 성대의 후방을 닫히게 한다. **D)** 갑상피열근(TA, thyroarytenoid muscle)은 내갑상피열근과 외갑상피열근으로 나뉘며 성대의 내전근이자 긴장근이다.

(1) 후윤상피열근

후윤상피열근(posterior cricoarytenoid m.)은 윤상연골의 판 후면에서 기시하여 측상방으로 주행해 피열연골의 근육돌기에 부착한다. 이 근육은 성대의 유일한 외전근이다. 후윤상피열근이 수축하면 피열연골의 성대돌기가 외측으로 회전하면서 성대가 열리게 된다(그림 3-11A). 그러나 발성 시에는 이 근육이 다른 내전근의 길항작용을 함으로써 성대의 긴장도를 유지시키는 역할도 하기 때문에, 이 근육의 주 역할은 성대의 외전 운동이지만 부수적으로 성대의 긴장근 역할도 한다.

후윤상피열근은 외윤상피열근과 반대의 역할을 한다. 피열연골의 근육돌기를 내회전시켜 성대를 넓게 여는 역할을 한다. 이러한 기능은 적절한 성문 기도의 확보를 위해 매우 중요하다. 필요한 호흡이 가능하기 위해서는 성문 사이 간격(glottic chink)이 최소 4 mm 이상 확보되어야 하고, 이를 위해서 후윤상피열근의 기능이 특히 중요하다.

후윤상피열근은 각각 다른 기능을 가지고 있는 수직근복(vertical belly)과 사근복(oblique belly), 그리고 수평

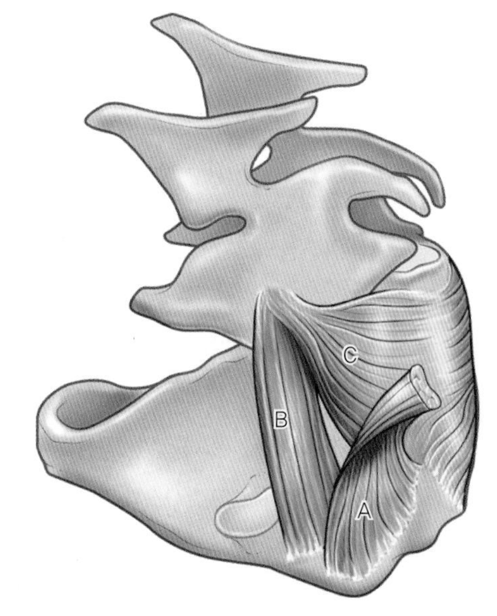

■ 그림 3-12. **좌측 후윤상피열근.**
A) 사근복. **B)** 수직근복. **C)** 수평근복.

근복(horizontal belly)으로 나뉘어 있다(그림 3-12). 수직 근복과 사근복은 흡기 시 수축하여 피열연골의 외측 활주성운동(lateral sliding movement)과 후방 흔들림운동(backward rocking movement)을 하게 함으로써 피열연골 전체를 외전시켜, 결과적으로 성대의 외전 운동에 관여한다. 그러나 수평근복은 피열연골 전체를 외전시키는 것이 아니라 피열연골의 성대돌기만을 외측으로 선회시키므로, 발성 시 갑상피열근 수축으로 인한 성대긴장에 대항하여 피열연골의 위치를 안정시킨다. 즉, 후윤상피열근의 수평근복은 주로 발성 시에 중요한 역할을 한다.[40,51]

(2) 외윤상피열근

외윤상피열근(lateral cricoarytenoid m.)은 윤상연골궁의 외측면 상연에서 기시해 피열연골의 근육돌기의 앞쪽에 부착하는 작은 근육이다. 외윤상피열근은 피열연골의 근육돌기를 전외측으로 당기고, 결과적으로 성대를 내전시킨다. 주로 피열연골의 성대돌기를 내전시키므로 성대막성부(membranous portion)를 닫히게 하지만, 피열간근의 수축 없이는 성대 후방 부위가 열려 있기 때문에 성문에 틈이 생길 수 있다(그림 3-11B). 이 근육의 주 역할은 성대 내전운동이지만, 부수적으로 성대의 긴장근 역할도 한다.

(3) 피열간근

피열간근(interarytenoid m.)은 후두내근 중 유일하게 짝을 이루지 않고, 피열연골의 움직임을 안정화시키고, 피열연골 사이의 거리를 좁히는 역할을 한다. 이는 양쪽 피열연골의 근육돌기와 측면에서 기시하여 중앙을 넘어 반대측 피열연골에 부착되며, 근섬유의 방향에 따라 횡피열간근과 사피열간근으로 나눌 수 있다. 횡피열간근은 주로 피열연골의 몸통 부위를 내전시키므로 성대의 후방, 즉 후연합 부위의 내전에 주로 관여하며, 특히 연하운동 시 중요한 역할을 한다. 횡피열간근은 후두내근 중 유일하게 양측 반회후두신경으로부터 이중신경지배를 받고 있는 특성을 가지고 있다. 사피열간근은 피열후두개추벽 방향으로 올라가면서 피열후두개근(aryepiglottic m).을 이루고 있으며, 이는 연하 시 횡피열간근 및 외윤상피열근과 더불어 후두입구를 완전히 차단하는 괄약근(sphincter) 역할을 한다(그림 3-11C).

(4) 갑상피열근

갑상피열근(thyroarytenoid m.)은 갑상연골의 내면에서 기시하여 피열연골의 전방과 측면에 부착하는데 해부학적으로 세 개의 부위로 나눌 수 있다. 내갑상피열근(vocalis m.), 외갑상피열근 그리고 갑상후두개근(thyro-epiglottic m.)이 그것이다. 내갑상피열근은 후두내전근이긴 하나 성대가 닫히면 성대 자유연의 긴장을 증가시키는 역할도 하며, 고음 발성 시 성대를 얇아지게 하는 등, 성대의 장력을 정교하게 조절하는 역할을 한다. 외갑상피열근은 성대의 주 내전근인데, 피열연골을 내회전시키고 전방으로 당기는(anterior gliding of saddle joint) 역할을 한다. 갑상후두개근은 성대의 길이를 짧게 하는(short-ening) 작용을 하며 성대점막을 이완시킨다(그림 3-11D).

9. 후두의 혈관

후두는 상갑상동맥과 하갑상동맥으로부터 주로 혈액을 공급받으나, 일부는 상갑상동맥의 윤상갑상분지에서 받기도 한다. 상갑상동맥은 외경동맥의 첫 번째 분지이며, 후두 방향으로 주행하면서 갑상연골상각 근처에서 상후두동맥이 분지된 후 중인두수축근(middle pharyngeal con-strictor m.)과 하인두수축근(inferior pharyngeal con-strictor m.)의 외벽을 따라 계속 주행하여 갑상선 상부로 들어간다. 상갑상동맥에서 분지된 상후두동맥은 상후두정맥, 그리고 상후두신경 내지와 함께 갑상설골막 후방 부위에 위치한 열공(hiatus)을 통하여 후두 내로 들어간 후 주로 성대상부의 혈액 공급을 담당한다. 하후두동맥은 쇄골하동맥(subclavian a.)의 갑상경동맥(thyrocervical trunk)에서 나오는 하갑상동맥으로부터 시작되어 상방으로 주행하다 윤상갑상관절 후방에서 Killian-Jamieson 영역을 통하여 후두 내로 들어가 주로 성대하부의 혈액 공급을 담당한다. 하후두동맥은 후두 내로 진입하기 전에 반회신경과 같은 방향으로 주행하게 된다. 따라서, 반회신경 주변의 수술적 처치 시 본 혈관을 확인하거나 결찰하게 된다. 또한 상갑상동맥에서 나오는 작은 윤상갑상동맥이 윤상갑상막을 통해 후두에 혈액을 공급하기도 한다.

정맥은 상·하 후두정맥이 있다. 상후두정맥은 상갑상정맥과 중갑상정맥을 통해, 그리고 하후두정맥은 중갑상정맥을 통해 내경정맥으로 흘러들어가며, 일부는 하갑상정맥을 통해 직접 무명정맥(innominate vein)이나 상대정맥(superior vena cava)으로 합쳐진다(그림 3-13).

10. 후두 림프계

후두의 림프조직 분포에 대한 지식은 후두암의 치료 시 중요하다. 후두의 림프계는 성대의 자유연을 제외하고는 비교적 잘 발달된 편이다. 림프계가 적은 성대의 자유연은 성문상부와 성문하부를 나누는 자연 장벽의 역할을 한다. 후두의 림프계는 표재성(superficial, intramucosal)과 심부(deep, submucosal) 림프계로 나뉘며, 표재성은 성문상부와 하부의 점막 내에 위치하고, 심부는 성문하부의 점막하부 결합조직과 각 공간 내에 위치해 있다. 표재성 림프계는 양쪽으로 자유롭게 연결되어 있으며, 주로 상심경림프절과 중심경림프절로 연결된다. 심부 림프계는 표재성보다는 비교적 좌우 한쪽으로 주로 유출되는 경향이 있으며, 윤상갑상막을 통해 중 또는 하심경 림프절과 기관주위림프절로 연결된다(그림 3-13). 성문상부의 림프조직은 상갑상동맥과 같은 경로의 림프관으로 배액되어 최종적으로 심경부림프계의 전상부(anterosuperior group of deep cervical lymphatics)로 합쳐진다. 성문하부는 이와 달리, 전방으로는 윤상갑상막을 뚫고 Delphian 림프계로 배액되고, 후방으로는 윤상기관막을 통과하여 기관주위림프절(paratracheal nodes)로 합쳐

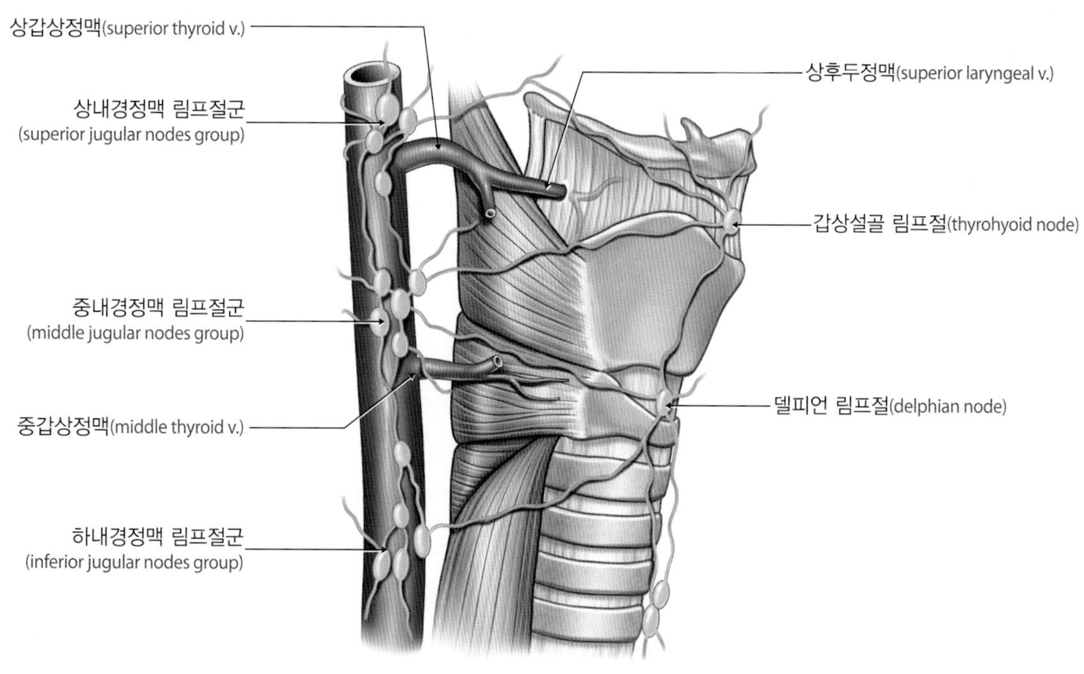

■ 그림 3-13. **후두의 정맥과 림프**

져서 상종격동으로 연결된다.

11. 후두신경

후두신경의 운동신경세포들은 동측 연수(medulla oblongata) 부위에 있는 의핵(nucleus ambiguus), 후안면신경핵(retrofacial nucleus), 미주신경의 배측핵(dorsal nucleus) 등에 존재한다.[10] 의핵 바로 내측방에는 복측 호흡운동신경세포군(ventral respiratory motor neuron group)이 있다. 이 세포군은 의핵 내에서 내측부에 존재하는 유일한 성대외전근인 후윤상피열근의 운동신경세포와 연계되어 호흡 시 성대의 외전 운동을 원활하게 한다. 성대내전근들의 운동신경세포 위치는 주로 의핵 내에서 외측부에 있다. 특이한 것은 협동작용을 할 수 있는 갑상피열근과 외윤상피열근 같은 일부 근육들에서는 두 종류의 다른 근세포가 동일한 신경세포의 지배를 받을 수 있다는 것이다.

1) 미주신경

미주신경(vagus n.)은 후두에 분포하고 있는 모든 운동신경과 감각신경을 포함하고 있으며, 뇌신경 중 제일 길고 많은 부위에 분포한다. 미주신경은 동측 연수 부위에서 기시하여 경정맥공(jugular foramen) 부위에서 제11뇌신경의 두측 부분(cranial portion)과 합쳐져서 완전한 미주신경을 이룬다. 이 미주신경은 경정맥공 내에서 경정맥신경절(jugular ganglion)을 이룬 후 두개골 밖으로 나와 다시 절상신경절(nodose ganglion)을 형성한다. 미주신경의 감각신경세포는 경정맥신경절과 절상신경절에 위치하며, 중추신경계로의 연결은 동측 연수의 고립핵(solitary nucleus)과 미주신경배측핵 등으로 연결된다. 미주신경은 절상신경절 형성 후 하방으로 내려가면서 상후두신경과 반회신경 분지를 낸다.

2) 상후두신경

상후두신경(superior laryngeal n.)은 미주신경의 절상신경절 바로 하방에서 기시한 후, 경동맥 밑을 통과하여 후두로 향한다. 상후두신경은 다시 내지(internal branch)와 외지(external branch)로 나뉘며, 이 중 외지는 주로 윤상갑상근(cricothyroid m.)과 하인두수축근(inferior onstrictor m.)의 운동신경을 담당하고, 내지는 갑상설골막의 후하방부를 관통하여 후두에 분포하며 성문상부, 가성대와 이상와의 감각신경을 담당하고 있다. 내지는 후두 내에서 다시 세 개의 분지로 나뉘며, 이 중 하향분지는 이상와의 내측벽을 따라 내려가 반회신경과 연결되는데 이를 Galen 고리(ansa Galeni)라 한다. 상후두신경 내지에는 후두점막의 분비선에 분포하는 부교감신경도 포함되어 있다. 상후두신경 내지는 갑상설골막의 후하방부를 뚫고 이상와를 지나가게 되는데, 이 부위는 얇은 점막만이 신경을 덮고 있어서, lidocaine 등을 이용한 후두의 국소마취가 효과적으로 시행될 수 있는 부위가 된다.

3) 반회후두신경

반회후두신경(recurrent laryngeal n.)은 모든 후두내근의 운동신경일 뿐 아니라 진성대 점막, 성문하 점막, 그리고 식도주위점막의 감각 및 분비 기능을 담당한다(그림 3-14). 반회후두신경은 흉곽 내의 미주신경에서 나와서 다시 경부로 올라오는 주행을 하는데, 좌우측 반회후두신경은 각각 경로가 다르다. 즉, 우측은 쇄골하동맥 직하부에서 분지하여 이 동맥 뒤편으로 돌아, 기관식도구(tracheoesophagealgroove)를 따라 상행하고, 좌측은 대동맥궁 높이에서 분지하여 동맥관인대(ligmentum arteriosum) 하부를 돌아서 올라간다. 반회후두신경의 말단부분은 하갑상동맥의 후두분지와 같은 경로로 주행하고, 윤상갑상관절의 직후방에 위치하는 하인두수축근(inferior constrictor muscle)의 하연을 지나서, Killian-Jamieson 영역을 통하여 후두 내로 들어간다. 우측보다 좌측반회신경이 더 외측에서 접근하는 경로를 가진다. 반

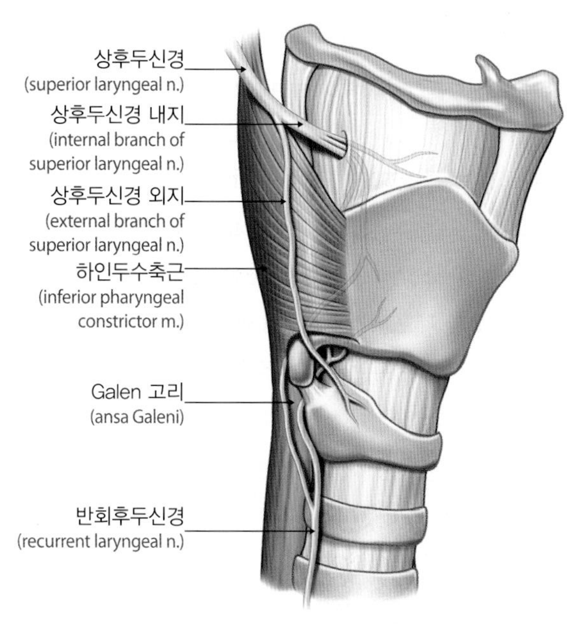

■ 그림 3-14. **후두의 신경분포**

회후두신경은 윤상갑상근을 제외한 모든 후두내근의 운동을 지배하게 된다. 좌우측의 후두내근들은 동측 반회후두신경의 지배를 받으나, 특이하게 피열간근만이 양측 반회후두신경의 지배를 동시에 받고 있다.

후두의 교감신경은 상경부신경절(superior cervical ganglion)에서 담당하고 있다.

12. 후두의 미세구조

1) 연골

후두연골 중 갑상연골과 윤상연골은 초자연골(hyaline cartilage)이며, 후두개연골과 소각연골, 그리고 설상연골은 탄성연골(elastic cartilage)이다. 피열연골은 대부분이 초자연골이나 성대돌기 부분을 포함하여 반대편 피열연골과 닿는 부위는 탄성연골이다.[23] 연골은 연골세포 외에 점액다당황산염(mucopolysaccharide sulfate)과 섬유들로 이루어져 있는 세포간물질로 되어 있다. 초자연골은 조밀한 교원섬유(collagen fiber)로 이루어져 있으며, 탄성연골은 조밀한 탄성섬유(elastic fiber)로 이루어져 있다.

2) 근육

모든 후두내근은 횡문근으로 되어 있다. 횡문근에서는 한 개의 운동세포가 한 개의 근섬유에 분포하는 것이 아니라, 최저 3개에서 최고 3,000개의 근섬유에 분포한다. 이러한 단위를 운동단위(motor unit)라 한다. 근육운동과 긴장도는 하나의 운동단위에 속해 있는 근섬유의 수와 자극빈도에 따라 결정된다. 후두내근의 운동단위는 다른 근육에 비해 비교적 작은 운동단위로 이루어져서, 섬세한 근육운동 조절이 가능하다. 즉, 후두내근에서는 하나의 운동세포가 최소 2–3개에서 최고 250개의 근섬유에만 분포하게 된다.[5] 특히 짧은 수축 시간을 가지고 있는 갑상피열근이나[44] 외윤상피열근은 20개 미만의 아주 적은 운동단위를 가지고 있고,[14] 수축 시간이 비교적 긴 윤상갑상근이나 후윤상피열근은 200–250개의 상대적으로 많은 운동단위를 가지고 있다.[17,18] 이는 각각의 후두내근이 그 역할에 따라 조직학적으로 매우 세분화되어 있음을 의미한다. 후두내근의 또 하나의 특징은 세분화된 역할에 따라 하나의 근섬유에 여러 개의 운동종판(motor end plate)이 연결되어 있다는 것이다. 갑상피열근은 근섬유의 80% 이상, 외윤상피열근은 약 30%, 그리고 후윤상피열근은 근섬유의 5% 미만이 여러 개의 운동종판을 가지고 있으며, 그중 완서수축섬유(slow twitch fiber)인 제1형(type 1) 근섬유의 약 70%, 그리고 고속수축섬유(fast twitch fiber)인 제2형(type 2) 근섬유의 30% 정도가 다수의 운동종판을 가지고 있다.[37] 이러한 현상은 포유류의 외안근이나 후두내근과 같이 고도로 전문화된 근육에서만 나타난다고 한다. 이러한 조직학적 구조는 발성 시 보다 확실한 신경근 전달을 보장하여 고주파의 자극을 감당할 수 있게 하고, 근육의 긴장도를 순간적으로 높일 수 있는 하나의 적응 기전으로 생각된다. 또한, 연하 시, 후두근육의 즉각적이고 섬세한 수축 변화를 통하여, 보다 효과적으로 기도를 보호하는 것이 가능하다.

3) 성대

막양성대의 구조는 발성에 적합한 구조로 이루어져 있으며 하나의 상피세포층과 세 개의 결합조직층, 그리고 근육층으로 이루어져 있는 아주 복잡한 다층구조물이다(그림 3-15).

(1) 상피세포층

발성 시 성대가 진동하는 부위는 비각질 중층편평상피(nonkeratinizing stratified squamous epithelium)로 이루어져 있으며, 그 외 부위는 배상세포(goblet cell)가 포함되어 있는 위중층섬모원주상피(pseudostratified ciliated columnar epithelium)로 이루어져 있다. 이들 상피세포는 얇은 기저막을 통하여 밑에 있는 고유층(lamina propria)과 연결되어 있다.

(2) 상피하결합조직

상피하결합조직(subepithelial connective tissue)은 고유층이라 불리는 3개의 층으로 구별되어 있다. 이 고유층은 세포와 세포외간질(extracellular matrix)로 구성되어 있으며 이 층을 구성하는 주요한 세포들에는 섬유아세포(fibroblast), 근섬유아세포(myofibroblast), 대식세포(macrophage) 등이 있다. 섬유아세포는 세포외간질을 합성하는 세포이고, 근섬유아세포는 고유층의 손상으로부터의 회복에 관여하며, 대식세포는 면역반응을 담당한다. 세포외간질 중 중요한 섬유 단백질에는 교원섬유와 탄성섬유가 있다.

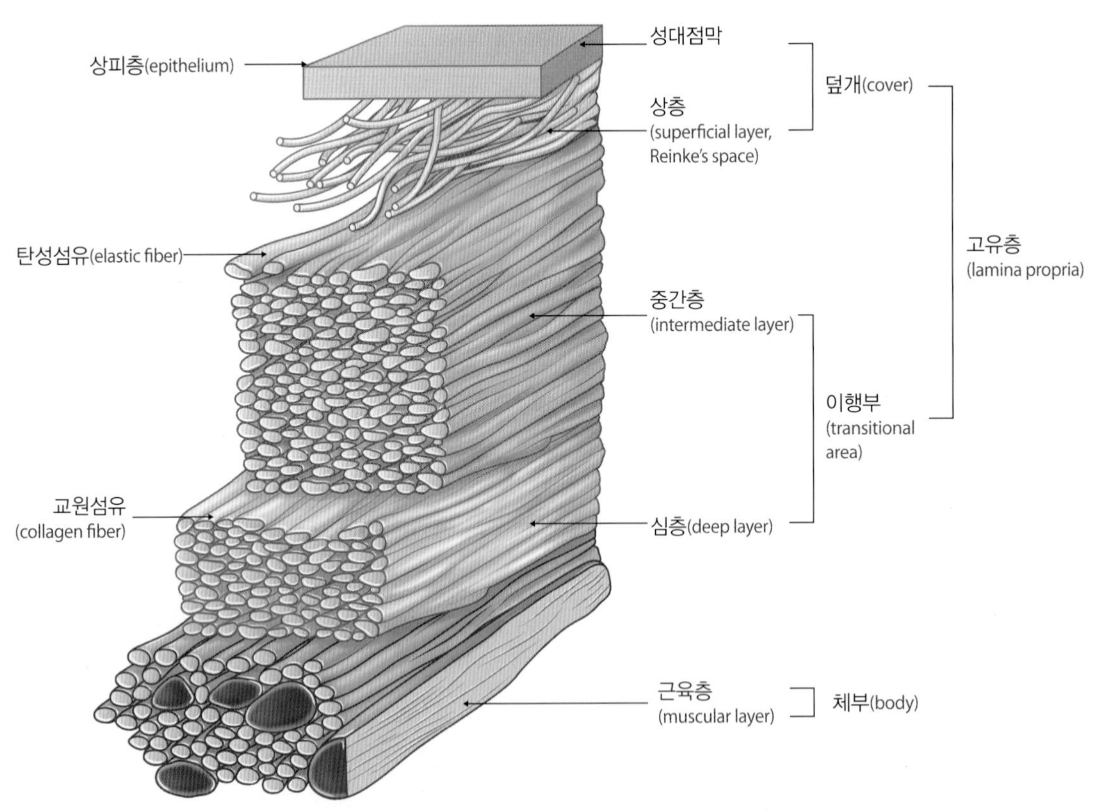

■ 그림 3-15. **성대의 미세층 구조**

① 상층

상층(superficial layer)은 상피세포층 바로 아래에 위치하며 Reinke 공간이라 부르기도 한다. 두께는 약 0.3 mm 정도이며, 탄력섬유와 교원섬유가 느슨하게 연결되어 있어 부드러운 젤라틴과 같다. 발성 시 이 층이 주로 진동하기 때문에 손상을 받을 수 있다.

② 중간층

중간층(intermediate layer)은 교원섬유가 포함되어 있기는 하나 주로 탄성섬유로 이루어져 있으며, 밑에 있는 심층과 더불어 성대인대를 구성한다.

③ 심층

심층(deep layer)은 주로 교원섬유로 조밀하게 이루어져 있으며, 중간층과 함께 성대인대를 구성한다.

(3) 근육층

근육층(muscular layer)에서 갑상피열근의 내측 근섬유들을 성대근(vocalis m.)이라 하며, 이 근섬유들은 성대인대와 평행으로 위치한다.

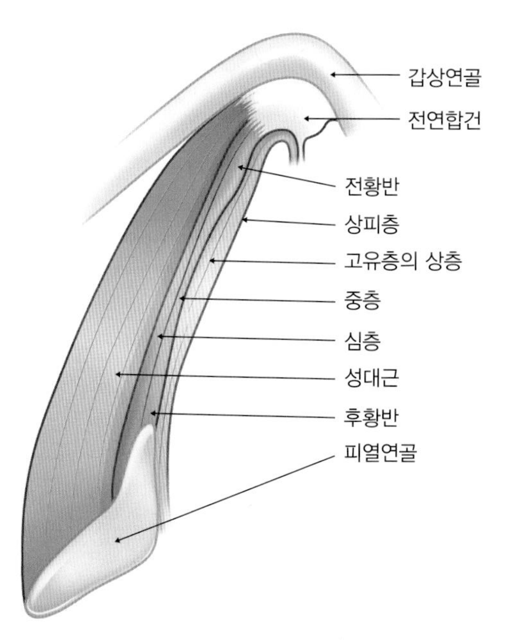

■ 그림 3-16. **성대 구조물의 도해**

상피세포층과 고유층의 상층을 덮개(cover)라 부르며, 성대인대를 이루는 고유층의 중간층과 심층을 이행부(transitional area), 근육층을 체부(body)라 부른다.[17] 성대의 모든 층의 탄성섬유와 교원섬유, 근육, 그리고 혈관 분포도 성대연과 평행하게 위치하여 진동운동에 도움을 주며, 진동에 방해가 될 수 있는 선(gland)은 없다.

성대 앞부분에서 고유층의 중간층이 두꺼워지면서 탄성섬유와 섬유세포, 그리고 기질(stroma)로 이루어진 전황반(anterior macula flava)을 형성하고 있다(그림 3-16). 전황반의 앞에는 주로 교원섬유로 이루어진 전연합건(anterior commissure tendon)이 있으며, 이 전연합건은 앞쪽으로는 갑상연골과 연결되고, 뒤쪽은 고유층의 심층과 전황반으로 연결된다. 성대의 뒷부분에서도 역시 고유층의 중간층이 두꺼워지면서 전황반과 비슷한 후황반(posterior macula flava)을 이루며,[12,27] 이는 탄성연골로 이루어진 피연연골의 성대돌기와 연결된다(그림 3-16). 이러한 구조물들은 발성시 진동에 의한 성대손상을 예방하기 위한 방편이라 생각된다.

4) 기저막

기저막(basement membrane)은 상피세포층과 고유층의 상층인 Reinke 공간 사이에 있으며, 이는 상피세포층을 고유층에 고정시키는 역할을 한다. 상피층의 기저세포(basal cell)는 형질막(plasma membrane)의 부착판(attachment plaque)을 통하여 치밀판(lamina densa)에 연결된다. 투명판(lamina lucida) 내의 고정미세섬유(anchoring filament)는 부착판으로부터 기저하 치밀판(subbasal dense plate)을 통하여 치밀판으로 연결된다. 기저막하 영역(subbasement membrane area)은 고정섬유(anchoring fiber)를 통해 고유층에 고정된다. 기저막의 치밀판은 기저막을 강화시키는 역할을 하며(그림 3-17), 주로 4형 교원질(collagen)로 이루어져 있다.[13] 기저막은 진동력과 전단력(shearing force)에 의해 상층부와의 연결이 손상되거나 기저막 자체가 손상될 수 있다. 이 부위

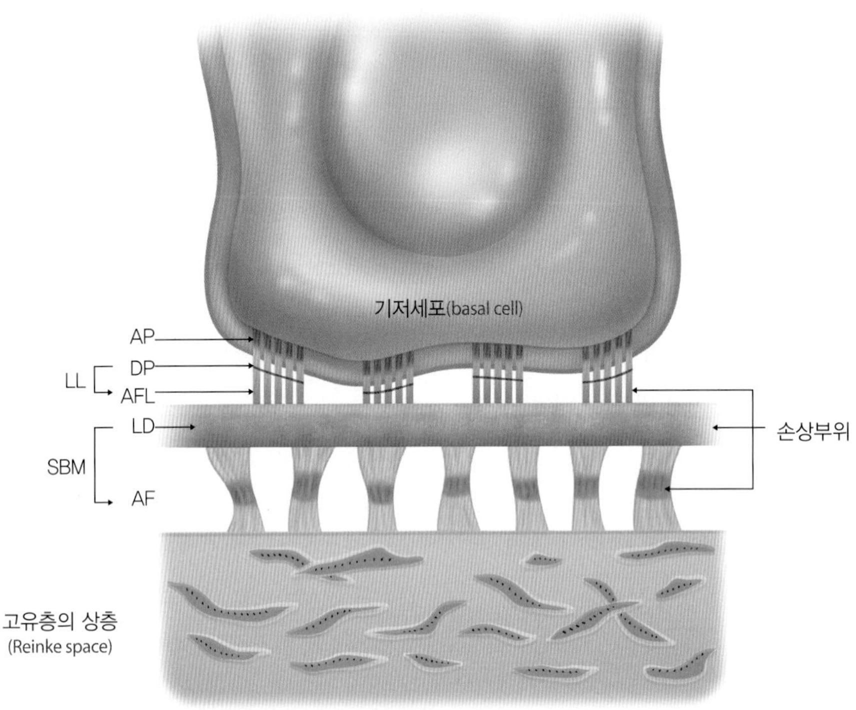

■ 그림 3-17. AP : 부착판(attachment plaque), LL : 투명판(lamina lucida), DP : 기저막하 치밀판(subbasal dense plate), AFL 고정미세섭유(anchoring filament), SBM : 기저막하 영역(subbasement membrane area), LD : 치밀판(lamina densa), AF : 고정섬유(andchoring fiber)

에 손상이 오면 창상 치유에 관여하는 fibronectin에 의해 반흔이 형성될 수 있다. 특이하게도 성대결절에서는 fibronectin이나 4형 교원질이 발견되는 반면에 성대 폴립(vocal polyp)에서는 발견되지 않는다.[14]

5) 신생아의 성대 구조

신생아의 성대는 성인과 비교하여 고유층에서 뚜렷한 차이가 있다. 상피세포층은 비슷하나 신생아의 고유층은 매우 두꺼우며, 성인과 달리 성대인대 구조물을 갖고 있지 않으며 단지 전후로 미숙한 전·후황반만이 있을 뿐이다.

미성숙 성대인대 구조물은 1~4세부터 나타나기 시작하는데, 이 시기에는 탄성섬유층과 교원섬유층의 구별이 없어 고유층의 각 부위가 구별되지 않는다. 성대인대의 탄성섬유층과 교원섬유층이 구별되는 시기는 6~12세이며, 15세 이상에서는 고유층의 세 층이 완전히 구별된다. 성대 구조가 완전히 성숙되는 시기는 사춘기 말 무렵이다.[19]

6) 노인의 성대 구조

나이에 따른 성대 구조의 변화는 개인별 차이가 심하다. 그러나 일반적으로 상피세포층은 별 변화가 없으며, 고유층의 상층에 부종이 나타나면서 섬유세포와 탄성섬유, 그리고 교원섬유의 수가 감소하면서 두꺼워진다. 고유층의 중간층에서는 탄성섬유가 위축과 이완이 되면서 얇아지며, 고유층의 심층에서는 섬유화가 진행되고 교원섬유가 두꺼워지면서 심층 자체가 두꺼워진다. 그리고 근육층은 위축된다. 이러한 변화는 일반적으로 여자에서보다 남자에서 두드러지게 나타난다.[34]

Ⅱ 후두의 생리

1. 후두의 기능

후두의 기능은 기도 보호 기능, 호흡 기능, 발성 기능, 연하 기능 등으로 나눌 수 있다. 초기 후두의 주된 역할은 호흡기관의 관문으로, 하기도(lower respiratory tract)를 보호하고 호흡을 원활하게 하는 것이었다. 그러나 고등 동물로 진화해 옴에 따라, 점차 발성 기능이 발달하게 되고, 구조도 이에 최적화되게 되었다. 이러한 후두의 기본 기능들은 뇌간에서 유발되는 다양한 다접합뇌간반사(polysynaptic brainstem reflexes)에 의해 이루어진다. 기도 보호 기능은 전적으로 불수의적이고 반사적으로 이루어지며 호흡 기능과 발성 기능은 수의적인 조절이 주로 관여한다. 또한 성대를 강하게 폐쇄시킨 후 흉곽 내 압력을 높이면 기침, 배뇨, 배변, 무거운 물건을 들어 올릴 때 도움을 준다.

1) 기도 보호

후두의 원초적 역할은 기도 보호 기능이다. 폐어(lung fish)에서의 후두는 단순 괄약근으로 폐로 물이 흡인되지 않게 하는 역할이 전부였으며, 그 후 진화를 거듭하여 확장근(dilator m.)도 가지게 되면서 역할이 다양해졌다. 그러나 지금도 후두의 여러 기능 중에서 기도 보호 기능이 기본적인 생명 유지를 위하여 가장 중요하다.

기계적 자극이나 암모니아와 같은 화학물질이 후두를 자극하면 호흡기능은 갑자기 정지된다.[22] 이러한 반응은 성문폐쇄반사(glottic closure reflex)에 의해서 이루어지며 이러한 반사 현상은 하기도로 이물질이 흡인되는 것을 방지하기도 하지만, 과도한 경우에는 후두경련(laryngo-spasm) 또는 지속적인 기관지수축(bronchoconstriction)을 유발함으로써 생명을 위협할 수 있다.[16] 특히 신생아에서 영아돌연사증후군(sudden infant death syndrome)은 후두반사에 의한 호흡의 불수의적 억제와 연관성이 있다고 추정되고 있다.[43]

기침(cough) 역시 기도 보호의 중요한 수단이다. 기침은 후두 또는 폐의 수용체(receptor) 자극에 의한 자동반사로 나타나거나, 또는 수의적(voluntary)으로 유발될 수도 있다. 기침반사(cough reflex)는 수면 시 억제되므로, 깊은 수면 시 가벼운 수면 단계로 먼저 각성(arousal)을 시켜야만 기침반사 유발이 가능하다. 기침은 기관과 기관지의 청소와 하기도 유지에 매우 중요하기 때문에, 장애가 있는 경우 심각한 호흡기 문제를 초래할 수 있다.

2) 호흡

후두는 기관(trachea)의 입구에 있으면서 기관의 개폐와 기도저항(respiratory resistance)을 조절함으로써 기도의 기류(airflow) 변화를 조절할 수 있다. 평상적인 호흡 시에 성대의 움직임은 극히 제한적이다. 그러나 최대흡기(maximal inspiration) 시 흉골갑상근(sternothyroid m.)과 흉골설골근(sternohyoid m.), 그리고 기관 등에 의해 후두가 하방으로 이동하게 되고, 가성대는 측방으로 편평하게 펴지며, 진성대는 완전히 외전(abduction)되어 기도를 최대한으로 열어 준다.[7] 피열연골의 외전 운동은 주로 후윤상피열근에 의해 이루어지나, 외윤상피열근과 윤상갑상근도 부수적 역할을 할 수 있으며, 피열연골에 연결되어 있는 후두 사각막의 탄성도 외전운동에 도움을 줄 수 있다. 흡기 시 윤상갑상근의 역할은 이중적이다. 윤상갑상근의 단독 수축은 성대의 긴장 증가와 내전(adduction) 운동을 시키는 반면, 후윤상피열근과 윤상갑상근의 동시 수축은 성대의 길이를 증가시키면서 성대를 외전시키므로 기도저항을 감소시킨다. 즉 후윤상피열근에 의해서 성대가 외전되어 있는 상태에서 윤상갑상근의 수축에 의해 성대의 길이가 길어지게 되면 성문의 면적이 그만큼 넓어지기 때문이다. 윤상갑상근은 평상적인 호흡시에는 별로 작용이 없지만 심호흡을 할 때나 상기도의 폐쇄가 있는 경우에 수축하여 기도의 저항을 줄이는 역할을 하게 된다.

호기(expiration) 시의 성대 내전이 수동적 현상인지 아니면 능동적 운동인지는 아직 논란이 되고 있다. 이는 일정하지 않고 상황에 따라 변하기 때문이다. 수면 시에는 후두근전도(laryngeal electromyography)에서 후두 내전근의 활동이 관찰되지 않는다. 그러나 평상시에는 활동상태에 따라 내전근 활동의 강도의 변화가 심하기 때문에, 호기시의 성대내전운동은 상황에 따라서 범성문 저항(transglottal resistance)의 조절을 가능하게 하므로 호흡 빈도(respiratory rate)에 영향을 줄 수 있다.[36]

3) 발성

인간이 말을 하기 위해서는 구강, 인두, 후두, 폐, 횡격막, 복부와 목 근육의 상호작용을 필요로 한다. 인간의 목소리는 성대의 진동에 의하여 발생된 성대음(glottal tone)이 하인두로부터 입술까지의 성도(vocal tract) 및 비강에서의 공명 과정(resonance)과 조음 과정(articulation)을 거쳐 만들어진다. 목소리를 구성하는 여러 주파수의 소리 중, 양측 성대의 주기적인 여닫힘으로 인해 폐로부터 성문으로 유입되는 공기의 흐름을 진동 맥박(pulse)으로 바꾸어 생성되는 성대음을 기본 주파수(fundamental frequency; Fo)라고 하는데, 이는 목소리를 낼 때 성대의 기본 진동수를 의미한다.[2]

성대의 발성 기전은 최근까지도 명확히 밝혀지지는 않았다. 1950년 Husson[21]에 의해 제기되었던 신경흥분설(neuro-chronaxic theory)은 성대의 진동수가 후두신경의 주기적인 자극(impulse)에 의한 후두내근의 수축수를 반영한다 하였으나 사체의 후두를 떼어내서 성문을 좁게 한 상태로 공기를 통과시켜도 소리가 유발되는 것이 밝혀졌기 때문에 이론적 근거가 없는 것으로 밝혀졌다. 근래에는 공기역학과 후두조직의 근탄성도(myoelasticity)의 조화에 의한 공기역학설[48](aerodynamic theory)이 정설로 인정되고 있다. 이는 양측 성대가 내전된 상태에서 폐로부터 나오는 호기에 의해 성문하 호기압(subglottic pressure)이 형성되고, 이 압력으로 인해 성대의 점막이 서서히 측방으로 전이될 때 호기류가 성문의 좁은 통로를 지나면서 소리가 유발된다는 학설이다. 이때 성대를 닫히게 하는 힘은 성대 자체의 근탄성과 좁은 공간에 빠른 유속이 생겼을 때 발생되는 음압(negative pressure), 즉 베르누이 효과(Bernoulli effect)에 의한 것과 성문하 호기압의 감소에 의한 것으로 여겨지며, 성대가 완전히 닫혀 중간에 이르면 한 주기(cycle)가 형성되고 이러한 주기가 반복된다(그림 10-18). 이렇게 형성되는 주기음이 성대음으로서 목소리의 기본 주파수를 형성한다. 그러나 실제의 발성과정은 매우 복잡하다. 성대음이 균질성의 진동체로부터 발생하는 것이 아닐 뿐 아니라 성대 진동 자체가 3차원적 성격을 띠기 때문이다. Hirano[18]의 cover-body

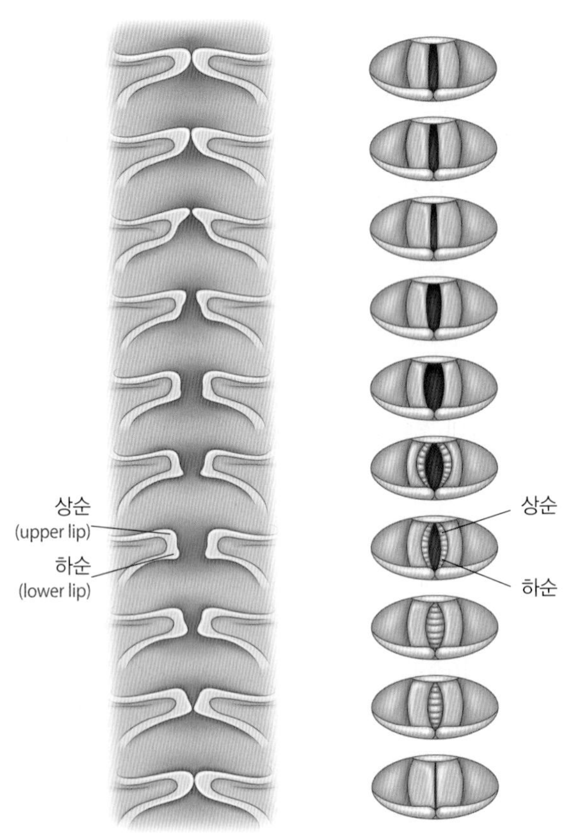

■ 그림 3-18. **성대 진동의 주기.**
성대 유리연의 상연이 하연에 비해 늦게 닫히고 이로 인해 점막의 이통파가 형성된다.

theory에 따르면, 성대의 체부(body)를 이루는 근육과 인대는 발성 시에 계속 내전된 상태로 남아 있는 반면, 그 위에 놓여 덮개(cover) 역할을 하는 점막과 점막고유층의 상층은 발성 시에 생성되는 압력 변화에 의해 주기적인 율동운동을 일으킨다고 하였다. 이는 Ishizaka[15]가 주장한 two-mass model과 함께 성대의 진동 과정을 잘 설명하고 있다. 성대의 상순(upper lip)은 하순(lower lip)에 비해 늦게 닫히므로 성대 덮개(cover)에 밑에서 위로 파급되는 이동파(traveling wave)가 형성되고 이것이 성대음의 기본 주파수가 되는 것이다. 젊은 성인이 보통 높이와 보통 크기로 모음을 발성하는 경우 성대음의 기본 주파수는 남자의 경우 약 100~150 Hz, 여자의 경우 약 200~300 Hz 정도이다. 정상적인 발성에서는 이동파가 일관되게 관찰되지만, 가성(falsetto)에서는 성대가 얇아지고 긴장도가 증가되어 단일체(single mass)로 진동하게 되므로 파동이 관찰되지 않는다.

정상적인 발성을 위해서는 적절한 호흡(호기압), 성대의 위치(양성대의 내전 상태), 성대조직의 진동 능력, 적절한 성대 모양, 성대 길이와 긴장도의 조절 능력 등이 필요하다.

(1) 호기압

발성은 폐내 흡입된 공기, 흉벽과 횡격막의 탄성, 복부와 늑간근의 힘을 필요로 한다. 정상적인 일상 대화를 위해서는 수동적인 호기압만으로 충분하다. 그러나 크게 소리 지르거나 노래를 하기 위해서는 발성 전 흡기를 크게 하여 폐의 호흡량(volume)을 늘리고 호기력을 활성화해야 한다. 기능성 발성장애 시에는 발성 전 흡기가 충분히 이루어지지 않아 적절한 호기 호흡량을 얻기 위해 과도한 성문압이 요구되므로 성대에 손상을 줄 수 있고, 후두마비 시에는 성문부의 폐쇄가 불완전하여 정상적인 호기압의 형성이 어려워 발성 장애가 초래된다.

(2) 성대의 위치

성대의 위치는 발성의 주요 요소 중 하나이다. 성대 간의 간격이 너무 넓으면 발성 시 많은 호기류가 요구되고 발성 효율이 감소한다. 이때 발성음은 기식성(breathy) 또는 무음성(aphonic)이 될 수 있으며, 반대로 성대가 너무 강하게 닫혀 있으면 과도한 호기압이 요구되므로 이때 발성음은 노력성(strained)이 된다.

(3) 성대조직의 진동 능력

성대의 물리적 성상은 진동 방식을 결정하는 중요한 요소이다. 앞서 언급한 바와 같이, 성대의 상피와 근육은 중간에 마치 충격 흡수(shock absorber) 역할을 수행하는 특수한 결체조직인 고유층에 의해 분리되어 있다. 이 결체조직은 상층(Reinke 공간), 중간층, 심층으로 나뉘어 있는데, 주로 탄성섬유와 교원섬유로 이루어져 있다. 이 결체조직의 중간층과 심층이 성대인대를 이루어 성대근육과 함께 성대의 체부(body)를 형성하고, 표층은 성대상피와 함께 덮개(cover)로서 점막이 파동할 때 정적인 운동(static motion)을 담당한다.

(4) 성대 모양

정상적인 점막 파동이 유지되기 위해서는 양 성대가 중간에서 서로 평행되는 구조를 가져야 한다. 만약 한쪽 성대가 위축되었거나 손상이 있는 경우, 성문의 모양이 변하고 발성에 큰 장애가 된다.

(5) 성대 길이와 긴장도의 조절

성대의 길이와 긴장도의 조절은 발성의 기본 주파수를 결정하는 주요 요소이다. 즉, 윤상갑상근의 수축은 성대의 길이와 긴장도를 증가시키게 되고 이때 갑상피열근이 수축하면서 발성 시 음조(pitch) 조절을 한다. 가성(falsetto)에서는 갑상피열근의 수축 없이 단지 윤상갑상근만 수축하여 발성을 하는데, 성대의 길이와 긴장도만 증가하고 성문의 완전한 폐쇄는 일어나지 않는다.

(6) 공명

발성을 위해서는 성대의 주기적인 개폐운동으로 형성된 성대음이 하인두로부터 입까지의 통로, 즉 성도(vocal tract)에서 증폭되고 여과되는 공명(resonance) 과정을 필요로 한다. 일반적으로 성인 남자의 발성로의 길이는 17~20 cm 정도이다. 발성 중 공명강의 일종인 성도의 형태가 변환되어 좁힘점(node)이 형성되면 이 속에서 소리가 선택적인 주파수대에서 증폭되어 전달된다. 성대에서 발생한 성대음은 성도를 통해 특정 주파수대에서 증폭, 여과되는데, 이를 공명에너지 주파수대(formant)라고 한다. 공명 에너지 주파수대는 인두의 모양과 용적, 후두의 상하 움직임, 혀나 턱의 움직임, 비인두와 비강으로 전달되는 음의 양에 따라 변화될 수 있으며, 이로 인하여 서로 다른 소리를 만들어내게 된다.

4) 연하 기능

연하(swallowing) 중에 후두는 폐쇄된다. 후두의 폐쇄는 진성대(true vocal cord), 가성대(false vocal cord), 그리고 피열후두개추벽(aryepiglottic folds)이 닫히면서 후두개가 후두 입구를 덮는 작용이 일어나면서 이루어진다. 이러한 후두폐쇄의 기전 중 후두개의 역할이 제일 미미하며, 진성대의 폐쇄가 제일 중요하다.

2. 후두반사

1) 점막반사(mucosal reflexes)

성문하점막(subglottic mucosa)의 국소마취는 갑상피열근, 윤상피열근, 그리고 후윤상피열근의 활동 저하를 초래한다. 비강을 통한 자연호흡(spontaneous breathing) 중 기관 내 압력변화는 약 -1.5 cmH_2O 정도이며, 이때 후윤상피열근은 최대의 활동을 보인다. 구강호흡(oral breathing)시 기관 내 압력변화는 -1.0 cmH_2O로 떨어지며, 이때 후윤상피열근의 활동도 저하된다. 기관절개술(tracheotomy)의 경우, 후윤상피열근의 활동은 단계적으로 줄어든 후 완전히 소실된다.[30] 기관절개술이 성문하부위와 폐로의 기류를 변화시켜 성문하점막 수용체(subglottic mucosal receptor) 반응을 줄여 후두내근의 활동 저하를 유발한다고 여겨지고 있다.

2) 관절반사(articular reflexes)

윤상갑상관절 신경을 자극할 때 후두내전근(laryngeal adductor m.)들의 급작스런 수축과 외전근인 후윤상피열근의 억제가 동시에 나타난다. 이러한 현상은 윤상갑상관절의 수동운동(passive movement) 시에도 나타나며, 관절막(joint capsule)을 국소마취할 때 소실된다.[25,26] 즉, 후두관절 자극 시 후두폐쇄를 유발할 수 있는 후두내근들의 협조반응(coordinate response)이 나타나며, 이는 관절막에 존재하고 있는 기계적 수용체(mechanoreceptor) 때문이다.

3) 근정지반사(myostatic reflex)

호흡과 발성 시, 무의식적으로 후두내근의 긴장도(muscle tone)를 조절하는 고유감각 수용체(proprioceptive receptor)가 후두내근에 존재한다. 이러한 수용체는 갑상피열근 또는 윤상갑상근이 호흡 또는 발성으로 인하여 수동적으로 신장(stretch)될 경우 지속적인 근정지반사로 인하여 적절한 근긴장도를 유지시킨다. 이러한 근정지반사는 능동적 근수축(active muscle contraction)이 일어나면 소실된다.[38]

4) 성문폐쇄반사(glottic closure reflex)

동측 상후두신경 자극 시 좌측 반회후두신경에서는 18 msec 후에, 우측 반회신경에서는 15 msec 후에 반사방전(reflex discharge)이 관찰된다. 이때에 나타나는 좌우측의 시간 차이는 좌측 반회후두신경이 대동맥궁을 감싸고 올라와 우측보다 길이가 더 길기 때문이다.[24] 사람에 있어서 이러한 성문폐쇄 반사는 다른 동물과는 다르게 반대측으로 교차되지 않는 동측반사만 보이며 성대내전근을 수축함과 동시에 외전근을 억제하여, 하기도 보호에 제일 중요한 역할을 한다. 정상 성인에서 상후두신경 자극 시 발생하는 성문의 폐쇄는 피열후두개추벽, 가성대, 진성대의 세 부분에서 발생한다. 이 중 진성대에 의한 성문의 폐쇄가 이물의 흡인을 방지하기 위한 가장 강력한 방어층의 역할을 수행한다. 성문폐쇄반사는 흡기(inspiratory phase), $PaCO_2$ 증가, PaO_2의 심한 감소, 흉강내압 증가 때 억제되나, 반대로 호기(expiratory phase), $PaCO_2$ 감소, 흉강내압 감소 때에는 촉진된다.[4]

5) 호흡억제반사(reflex inhibition of respiration)

상기도 자극에 의한 호흡억제반사는 주로 미발육(immature) 후두 자극 시 나타나며, 신생아에서의 영아돌연사 증후군과 연관성이 있을 것으로 추정되고 있다. 이는 기계적 자극이나 물 또는 암모니아 같은 물질로 후두를 자극할 때 나타날 수 있다. 실험적으로는 상후두신경을 10 Hz 이하의 저주파로 30초 이상 자극하면 무호흡을 초래할 수 있으며, 2~3분 이상 자극을 지속하면 비가역적인 무호흡증을 초래할 수도 있다.[49]

6) 연하개시반사(reflex initiation of swallowing)

연하반사는 실험적으로 상후두신경을 20~30 Hz로 자극하면 시작된다. 이 반사는 후두개의 후두면과 피열후두개주름, 그리고 후두와 인두 내에 산재해 있는 촉각수용체(touch receptor)와 고유감각수용체, 그리고 압력수용체(pressure receptor)로 인하여 유발된다.[33,46]

7) 호흡반사(respiratory reflex)

상기도의 압력 변화가 호흡 주기에 영향을 미칠 수 있다. 상기도 내에 4 mmHg의 공기 압력을 가하면 호흡 횟수의 감소가 나타나며, 10 mmHg 이상의 공기 압력이 가해지면 호흡이 완전히 중지된다. 그러나 상기도 점막을 국소마취하면 압력 변화에 따른 호흡 리듬의 변화는 소실된다.[45] 상기도에 −1~−20 cmH_2O의 저기압을 가하면 역시 호흡 빈도가 감소된다. 그러나 저기압에 따른 호흡 빈도의 감소는 고기압보다는 덜 심각하다. 이러한 변화의 원인이 되는 수용체는 아직 확실하지 않으나, 상후두신경의 지각종말(sensory ending)이 관여할 것이라 생각된다.

8) 후두분비촉진 반사(laryngeal secretomotor reflex)

상후두신경을 자극하거나 성대나 가성대 또는 후두주위점막에 기계적 자극을 가하면 기관 하부 1/3 부위의 점막하 분비선(submucosal gland)에서 분비물 배출이 매우 활발해진다. 이러한 반사는 후두 내에 침입한 자극성 물질을 희석시키고, 기도 밖으로 배출을 돕기 위한 것으로 생각된다.[10]

9) 자율신경계의 반사(reflex of autonomic function)

상후두신경을 자극하면 심장억제(cardioinhibition)와 혈관확장(vasodilation), 그리고 장운동(intestinal motility)의 증가 등이 나타난다. 이러한 반응들이 직접적인 후두 기능과 관계되어 나타나는 현상인지, 또는 상후두신경 자극으로 인한 호흡에 관련된 변화에 따라 이차적으로 나타나는 것인지는 아직 확실하지 않다.[1,41]

참고문헌

1. Bachoo M, Polossa C. Properties of sympathoinhibitory and vasodilator reflex evoked by superior laryngeal nerve afferent in the cat. (J physiol) 1985;364:183-98.
2. Colton R, Kasper JK. Understanding Voice Problemes. (A physiological perspective for diagnosis and treatment), 2nd ed. Williams & Wilkins, 1996, p58-67.
3. Daniels E. Embriology of the neck. In:Tewfik TL, Der Kalou-stain VM(eds). (Congenital anomalies of the ear, nose and throat), 1st ed. New York: Oxford University Press, 1997, p321-30.
4. Domer AS, Kuhn MA, Belafsky PC. Neurophysiology and Clinical Implications of the Laryngeal Adductor Reflex. Curr Otorhinolaryngol Rep. 2013;1(3):178-82.
5. English DT, Blevins CE. Motor unit of laryngeal muscles. (Arch Otolaryngol)1996;89: 778-84.

6. Fink BR, Demarest RJ. (Laryngeal Biomechanics.) Harvard university press. Cambridge, Massachusetts, and London, England, 1978, p15-43.
7. Fink BR. (The human larynx: a functional study.) New York: Raven Press, 1975
8. Fried MP, Meller SM. Adult laryngeal anatomy. In:Fried MP(ed). (The Larynx.) Boston:Little, Brown, 1988, p41-55.
9. Garett JD, Larson CR. Neurology of the Laryngeal Systeme. (Phonosurgery: Assessment and Surgical Management of Voice Disorders). edited by Ford CN, Bless DM. New York: Raven Press, Ltd., 1991, p43-76.
10. German VF, Ueki IF, Nadel JA. Micropipette measurement of airway submucosal gland secretion: Laryngeal reflex. (Am Rev Respr Dis) 1980;122:413-6.
11. Graney DO, Flint PW. Anatomy of the larynx. In: Cummings CW, Fredricson JM, Harker LA et al. (Otolaryngology-Head and Neck Surgery), Third edition, vol 3. p1823-33.
12. Gray SD, Hirano M, Sato K. Molecular and cellular structure of vocal fold tissue. In:IR Titze(ed). (Vocal fold physiology: frontiers in basic science.) San Diego: Singular Publishing Group, 1993, p1-36.
13. Gray SD, Pignatary SS, Harding P. Morphologic ultrastructure of anchoring fibers in normal vocal fold basement membrane zone. (J Voice) 1994;8:48-52.
14. Gray SD. Basement membrane zone injury in vocal nodules. In:J Gauffin and B Hammarberg(eds). (Vocal fold physiology:acoustic, perceptual, and physiological aspect of voice mechanisms.) San Diego:Singular Publishing Group,1991, p21-8.
15. Hall A, Cobb R, Kapoor K, et al. The instrument of voice: the "true" vocal cord or vocal fold? J Voice. 2017;31:133-4.
16. Heman-Ackah YD, Pernell KJ, Goding GS Jr. The laryngeal chemoreflex: an evaluation of the normoxic response. Laryngoscope. 2009 Feb;119(2):370-9.
17. Hirano M, Kakita Y. (Clinical examination of the voice.) New York: Springer-Verlag 1981, p1-98.
18. Hirano M, Kakita Y. Cover-body theory of vocal fold vibration. In: Daniloff RG. (Speech Science). Sandiego: College-Hill Press, 1985.
19. Hirano M, Kurita S, Nakashima T. Growth, development and aging of human vocal folds. In:DM BLess and JH Abbs(eds). (Vocal fold physiology: Comtemporary research and clinical issues.) San Diego College Hill Press, 1983, p22-43.
20. Hollinshead WH. Anatomy for Surgeons: Vol 1. (The Head and Neck), 3th ed. East Washington Square, Philadelphia, Pennsylvania: Harper & Row Publishers, Inc., 1982, p389-441.
21. Husson R. Etude des phenomenes physiologique et acoustic fondamentaux de la voix chantee, (These Fac Sc Paris), 1950.
22. Johnson P, Salisbury DM, Storey AT. Apnea induced by stimulation of sensory receptors in the larynx. In:Bosma J, Showacre JF(eds). (Development of upper respiratory anatomy and function.) Whasington DC:US Government Printing Office, 1975, p160-83.
23. Kahane JC. Functional histology of the larynx. In: Cummings CW, Fredricson JM, Harker LA et al. (Otolaryngology-Head and Neck Surgery), 3rd ed, vol 3. St Louis:Mosby Year Book, Inc. 1998, p1853-68.
24. Kim YH, Kang JW, Kim KM. Characteristics of glottic closure reflex in a canine model. Yonsei Med J. 2009 Jun 30;50(3):380-4.
25. Kirchner JA, Wyke B. Laryngeal articular reflexes. (Nature (London)) 1964;202:600.
26. Kirchner JA, Wyke BD. Articular reflex mechanisms in the larynx. (Ann Otol Rhinol Laryngol) 1965;74:749-68.
27. Kotby MN, Kamal E, El-Makhzangy A, et al. The posterior glottis: structural and clinical considerations. (Eur Arch Otorhinolaryngol.) 2012;269:2373-9.
28. Lev MH, Curtin HD. Larynx. (Neuroimaging Clin North Am) 1988;8:235-55.
29. Liu M, Chen S, Liang L, et al. Microcomputed tomography visualization of the cricoarytenoid joint cavity in cadavers. (J Voice.) 2013;27:778-85.
30. Ludlow CL, Laryngeal reflexes: physiology, technique, and clinical use. (J Clin Neurophysiol.)2015;32:284-93.
31. Maranillo E, León X, Ibañez M. et al. Variability of the nerve supply patterns of the human posterior cricoarytenoid muscle. (Laryngoscope.)2003;113:602-6.
32. Meller SM. Functional anatomy of the larynx. (Otolaryngol Clin North Am)1984;17:3-12.
33. Miller AJ. Significance of sensory inflow to the swallowing reflex. (Brain Res) 1972;43:147-59.
34. Morrison MD, Rammage LA, Nichol H. Evaluation and management of voice disorders in the elderly. In: Golstein JC, Kashima HK, Koopman CF(eds). (Geriatric Otorhinolaryngology.) Philadelphia: BC Decker Inc, 1989, p64-70.
35. Nakaaki K, Shin T. A three-dimensional reconstructive study of the layer structure of the human vocal cord. (Eur Arch Otorhinolaryngol). 1993;250(3):190-2.
36. Renolleau S, Letourneau P, Niyonsenga T, et al. Thyroarytenoid muscle electrical activity during spontaneous apneas in preterm lambs. (Am J Respir Crit Care Med). 1999;159:1396-404.
37. Rossi G, Cortesia G. Morphological study of laryngeal muscle in man. (Acta Otolaryngol) 1965:59:575-92.
38. Roubeau B, Lefaucheur JP, Moine A, et al. Asymmetry of the laryngeal reflex responses to superior laryngeal nerve stimulation unrelated to the length of the recurrent nerves in the porcine model. (Acta Otolaryngol). 1998;118:882-6.
39. Sanders I, Jacobs I, Wu BL, et al. The three bellies of the canine posterior cricoarytenoid muscle: Implications for understanding laryngeal

function. (Laryngoscope) 1993;103:171-6.

40. Sanders I, Wu BL, Mu L, et al. The innervation of the human posterior cricoarytenoid muscle: Evidence for at least two neuromuscular compartment. (Laryngoscope) 1994;104:880-4.
41. Sang Q, Goyal RK. Swallowing reflex and brain stem neurons activated by superior laryngeal nerve stimulation in the mouse. (Am J Physiol Gastrointest Liver Physiol). 2001;280:G191-200.
42. Sasaki CT. Postnatal descent of the epiglottis in man: a preliminary report. (Arch Otolaryngol Head and Neck Surg) 1977;103:169-74.
43. Scadding GK, Brock C, Chouiali F, et al. Laryngeal inflammation in the sudden infant death syndrome. (Curr Pediatr Rev). 2014;10:309-13.
44. Scheid SC1, Nadeau DP, Friedman O, et al. Anatomy of the thyroarytenoid branch of the recurrent laryngeal nerve. (J Voice.) 2004 Sep;18(3):279-84.
45. Takahashi H, Takezawa J, Nishijima M, et al. Effects of driving pressure and respiratory rate on airway pressure and PaCO2 in rabbits during high-frequency jet ventilation. (Crit Care Med.)1985;13:728-32.
46. Tsujimura T, Kondo M, Kitagawa J, et al. Involvement of ERK phosphorylation in brainstem neurons in modulation of swallowing reflex in rats. (J Physiol.) 2009;587:805-17.
47. Turker HM. (The larynx.) Second edition. New York:Thieme Medical Publishers, Inc., 1993, p1-34.
48. Van den Berg J. Myoelastic theory of voice production. (J Speech Hear Res) 1958:1:227-9.
49. Wealthall SR. Factor resulting in a failure to interrupt apnea. In: Bosma J, Showacre JF, eds. (Developement of upper respiratory anatomy and function). Washington DC: US Government Printing Office, 1975, p212-28.
50. Yin J, Zhang Z. Interaction between the thyroarytenoid and lateral cricoarytenoid muscles in the control of vocal fold adduction and eigenfrequencies. (J Biomech Eng.) 2014;136(11).
51. Zaretsky L, Sanders I. The three belly of the canine cricoarytenoid muscle. (Ann Otol Rhinol Laryngol) 1992;101:3-15.

CHAPTER 04

발성 생리

— 음성의 생성과 음향학적 특징

이비인후과학 Otorhinolaryngology - Head and Neck Surgery

진성민

I 음성과 말소리의 생성 기전

음성(voice)이란 사람이 내는 소리를 의미하며 목소리라고도 한다. 이와 같이 사람이 성대를 이용하여 말하거나, 웃거나, 울거나, 노래할 때 내는 소리들을 음성이라 할 수 있다. 여기서 조금 더 나아가 많은 양의 단어들과 함께 어휘적으로 사람들 간에 의미 있는 소통을 가능할 수 있게 하는 음성언어를 말소리(speech)라 한다.

이와 같은 음성 혹은 말소리가 만들어지기까지는 공기를 밀어내서 성대의 진동을 유발시키는 힘의 근원(power source)으로서의 역할을 하는 호흡기관(breathing apparatus)과 공기의 흐름에 의해 유발된 성대의 진동(vibration, oscillation)을 통하여 소리의 원음을 만들어 내는 발성기관(phonatory apparatus), 그리고 성대로부터 만들어진 원음을 공명(resonance)시키고 여과(filtering)시킴으로써 특징적인 소리의 모양을 갖추는 역할을 하는 조음기관(articulatory apparatus)의 역할이 서로 긴밀하게 상호작용하며 유기적으로 결합되어 있어야 한다.[7]

1. 발성을 위한 힘의 근원인 호흡기관

폐는 성대(vocal folds)와 성도(vocal tract)로 기류를 흘려보냄으로써 소리를 만들어낼 수 있는 힘을 제공하는 역할을 한다. 이와 같은 역할을 위해서는 우선 폐로 공기를 모으는 들숨작용(inspiration action)이 이루어져야 하고, 적절한 폐압을 형성한 후 날숨작용(expiration action)을 통하여 성대의 진동을 유발하고, 성도에서 적절한 소리값이 형성될 수 있도록 일정한 압력의 기류를 흘려보내야 한다.

들숨에 관여하는 주 근육은 횡경막(diaphragm)과 외늑간근(external intercostal muscle)이고, 그 외 대흉근(pectoralis major muscle), 소흉근(pectoralis minor muscle), 전거근(serratus anterior muscle), 흉쇄유돌근(sternocleidomastoid muscle) 등의 근육들이 보조적으로 관여한다.

조용하게 호흡을 할 때의 날숨은 대부분 팽창되었던 흉곽의 복원력에 의해 수동적으로 이루어진다. 그러나 성악발성에서 호흡에 대한 지지(support)를 위해서나 큰 목소리를 내어야 할 때와 같이 큰 압력이 필요한 경우는 능동적인 날숨(active expiration)을 위해 여러 가지 근육들이 작용하게 되는데, 주로 복부근(abdominal muscles; external and internal oblique, rectus abdominus, transverse abdominus)들의 수축작용으로 복압을 증가시켜 횡경막을 위로 밀어올리고, 내늑간근(internal intercostal muscle)의 수축으로 흉곽을 압축시켜 높은 폐압을 형성하게 된다. 날숨작용에 관여하는 복부근들 중 외복사근(external oblique muscle)은 노래나 연극공연에서의 발성에서 호흡을 지지(support)하는 데 가장 중요한 근육이다.[5,8]

2. 원음(source sound)을 만드는 발성기관

우리가 일반적으로 관심을 갖는 발성(phonation)이란 호흡운동과 관계되는 기도 내의 공기 흐름이 기도의 특정 부위에 있는 얇은 막을 진동시켜 내는 소리로, 음성학적 측면에서는 성대의 준주기적인(quasi-periodic) 진동을 통하여 어떤 소리를 만들어내는 과정을 의미한다. 그러나 또 한 가지, 사람이 낼 수 있는 목소리 중에는 성대와 성도를 통과하는 공기의 흐름을 변화시켜서 비주기적인 진동에 따른 잡음을 만들어 내는 발성방법도 있으나 여기서는 성대의 주기적인 진동에 따른 발성에 대하여 알아보고자 한다.

1) 근탄력 공기역학 이론(myoelastic aerodynamic theory)

성대의 진동이 어떻게 시작이 되고 유지되는가를 설명해주는 중요한 이론이 근탄력 이론(myoelastic theory)과 공기역학 이론(aerodynamic theory)이다. 이 두 가지 이론은 분리해서 설명하지 않고 함께 적용해서 성대의 진동에 대하여 설명하고 있다.

18세기 중반까지만 해도 성대는 현악기의 줄과 같이 진동하며 공기 중에서 직접 자극을 받아 떨리게 된다는 것이 일반적인 인식이었다. 1950년대 말에는 Husson에 의해, 중앙신경계(central nervous system)로부터의 운동신호(motor impulse)가 성대근에 전달되어 이들의 수축을 유발시킴으로써 필요한 진동을 생성한다고 주장하는 신경흥분 이론(neurochronaxic theory)이 발표된 바 있다. 그러나 이 이론이 옳지 않음이 밝혀지고, 최근에는 von Helmholtz와 Muller가 발성과 관련하여 주장한 근탄력 공기역학 이론(myoelastic aerodynamic theory)이 정설로 받아들여지고 있다. 이 이론을 공기역학적(aerodynamic) 측면에서 보면 성대 개폐에 따른 진동은 신경신호(nerve impulse)에 의한다기보다는 폐로부터 나오는 공기의 흐름(air stream)에 의해 시작되고 변화된다는 것이며, 근탄력적(myoelastic) 측면에서 보면 성대 진동의 주파수(frequency)의 변화는 성대 근육의 탄성도(elasticity)와 긴장도(tension)의 조절에 의한다는 것이 기본 내용이라 할 수 있다.

1초에 성대가 열고 닫히는 횟수를 성대 진동에서 주파수라 하는데, 이때 생성된 소리 중 가장 낮은 주파수를 기본 주파수(fundamental frequency, fo)라 하며 일반적으로 젊은 남자의 경우 100~150 Hz, 젊은 여성의 경우는 200~250 Hz 정도이다. 이러한 기본 주파수는 특히 성대의 무게(mass)나 길이에 의해 영향을 받지만, 성대가 무겁고 길지라도 성대의 길이를 늘이거나 긴장도를 증가시킴으로써 성대 진동 주파수를 끌어올릴 수 있다. 즉, 근탄력 이론에 따르면, 성대의 근육작용이 성대의 두께나 긴장도의 조절을 통해 성대의 진동 상태를 조절하는 데 중요한 역할을 한다는 것이다. 그러나 이 과정에서도 공기역학적 요소가 성대의 진동 주기를 결정하는 데 빠질 수 없는 중요한 요소이다. 즉, 성대의 근육작용이 성대의 두께나 긴장도의 조절을 통해 성대의 진동 상태를 조절하기는 하지만, 폐로부터 나온 공기압(air pressure)이 각각의 성대 진동 주기 때마다 성대를 열어주고, 성대 고유의 탄성과 공기가 성대를 지나가면서 발생되는 갑작스런 성대 사이의 압력 저하가 각각의 성대 진동 주기마다 성대를 닫히게 하는 과정이 필수적으로 함께해야 한다는 것이다. 이렇게 성대의 계폐 주기와 진동 상태의 조절을 근탄력 이론과 공기역학 이론으로 함께 설명할 수 있다.[5,6]

2) 성문하압(subglottic pressure)

원활한 성대점막의 진동을 통한 유성음(voiced sound)의 목소리를 지속적으로 내기 위해서는 성문하압(subglottic pressure)이 성문 상부압(supraglottic pressure)보다 높은 상태를 유지하고 있어야 가능하다. 만일 성문 상부의 압력이 높아진다면 성문 아래로부터 올라와 성문을 지나면서 성대를 진동시킬 수 있는 기류의 흐름이 만들어지지 않아 성대는 진동을 하지 못 하고 결국 성대점막의 진동을 통한 유성음을 내지 못한다.

약 60 dB 정도의 크기로 일상적인 대화를 하기 위해 필요한 성문하압은 7~10 cmH_2O 정도이면 충분한 것으로 되어 있고, 이렇게 충분한 성문하압이 형성되면 이에 의해 성대가 벌어지면서 성대의 점막 진동이 시작된다. 성대의 진동은 우선 성문하압에 의해 성대 유리연의 하연이 먼저 벌어지고 이 과정은 상연이 벌어질 때까지 진행이 된다. 성대의 상연이 벌어지면 동시에 성대하연이 닫히는 과정이 시작된다. 이와 같은 성대 점막의 종적인 시간적 위상차에 따른 움직임(vertical phase difference)에 의해 성대 점막은 마치 파형과 같은 움직임을 만들어내는데, 일상적인 발성 과정에서 이와 같은 성대 점막의 움직임을 관찰할 수 있다. 그러나 고음역의 가성(high falsetto)발성에서는 성대가 얇아지고 긴장도가 증가되어 성대 점막의 종적인 시간적 위상차에 따른 움직임이 소실되고 단일체(single mass)로 진동하게 된다. 일상적인 발성 과정에서 성대점막의 진동 중 점막이 닫히는 단계(closing phase)는 좁은 공간에 빠른 유속이 생겼을 때 발생되는 음압(negative pressure), 즉 베르누이효과(Bernoulli effect)에 의한 것과 성문하 호기압의 감소, 그리고 성대 자체의 탄성에 의해 시작되는 것으로 생각되고 있으며 성대가 완전히 닫히게 되면 한 주기(cycle)가 완성된 것이고 이러한 주기가 반복적으로 이루어진다(그림 4-1).[5,6]

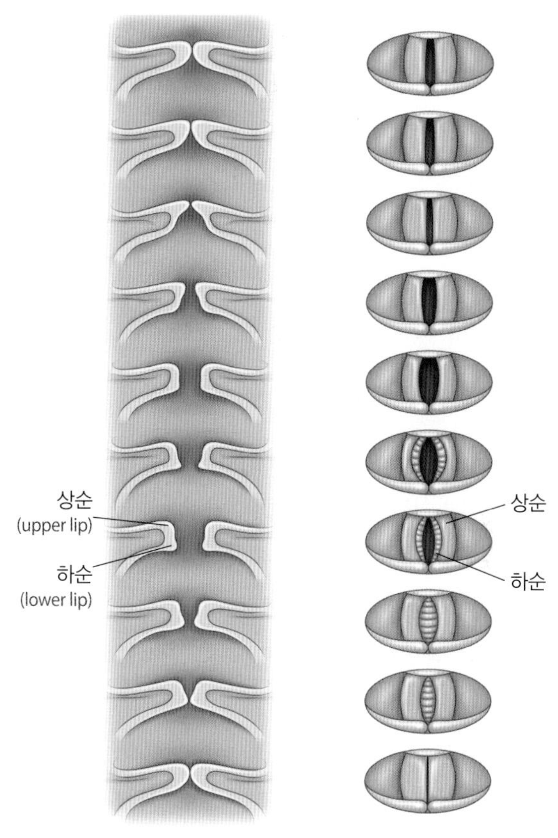

■ 그림 4-1. **성대 진동의 주기.**
성문하압과 베르누이 효과에 의하여 성대의 유리연이 열리는 과정에서는 하연이 먼저 열린 후 상연이 열리고, 성대가 닫히는 과정에서는 하연이 먼저 닫힌 후 상연이 닫히면서 성대 진동의 한 주기가 완성된다.

3) 베르누이 효과(Bernoulli effect)

배르누이의 효과는 18세기 스위스 수학자겸 물리학자인 베르누이가 발견한 것으로 기체나 액체가 어떤 좁아져 있는 공간을 통과할 때 그 속도가 증가하는 것을 관찰하게 된 것에 기초를 두고 있는데, 간단히 말하자면 기체나 액체가 이 좁아진 공간을 통과할 때 이들의 통과 속도가 증가할수록 이들이 흐르는 방향에 대해 수직 방향으로 압력이 떨어진다는 것이고 다음의 수식으로 간단하게 표현할 수 있다.[3,6]

$$P + 1/2\rho v^2 = constant$$

(P: 압력(pressure), v: 속도(velocity), ρ:유체의 밀도(fluid density)

4) 기본 주파수(fundamental frequency, fo)

사람의 목소리는 다양한 주파수가 섞여있는 복합음(complex sound)이다. 그런데, 우리는 어떤 사람의 목소리를 들으면 그 사람 목소리의 음높이(speaker's pitch) 중 가장 낮은 음높이인 기본 주파수를 인지할 수 있다. 이 기본 주파수는 하나의 복합주기 가운데 가장 낮은 주파수의 구성성분으로 가장 낮은 배음(harmonic)을 가리키며, 사람의 목소리에서는 성대의 진동 주파수와 같은 주파수를 가지고 있다.[1] 기본 주파수는 동일한 사람에서도 끊임없이 변화하는데, "확실합니까?"와" 확실합니다"의 문장에서와 같이 올라가는 어조의 문장과 내려가는 어조의 문장을 성대 진동의 기본 주파수를 변화시킴으로써 만들어 낼 수 있다.

앞서 언급한 근탄력 공기역학 이론에 따르면 성대 진동의 주파수는 성대 근육의 탄성도, 긴장도 그리고 무게에 따라 결정된다고 하였다. 따라서 자연스러운 진동 상태에서는 짧고 얇은 성대에 비하여 더 길고 두터운 성대일수록 낮은 주파수로 진동하게 되고, 탄성도와 긴장도가 높은 성대일수록 높은 주파수로 진동하게 된다. 이는 성인 남성의 목소리와 아이의 목소리를 비교해서 생각하면 쉽게 이해가 된다. 그런데, 동일한 사람에서 성대의 길이를 늘이고(stretching), 성대를 좀 더 얇게 하고(thinning), 여기에 성대의 긴장도(tension)까지 높여 준다면 더 높은 기본 주파수로 발성이 가능해진다. 이와 같은 현상에 가장 중요한 역할을 하는 것은 성대 내근 중의 하나인 윤상갑상근(cricothyroid muscle)이며 윤강갑상근의 수축은 성대의 세로 방향의 긴장도(longitudinal tension)를 증가시킴으로써 성대가 높은 주파수로 진동할 수 있도록 만들어 준다. 그 다음으로 성대의 세로 방향의 긴장도에 영향을 주어 성대의 진동 주파수에 영향을 주는 것은 후두외근이다. 이들 중 설골상근(suprahyoid muscle)은 극단적으로 더 높은 음으로 성대가 진동을 하고자 할 때 윤상갑상근의 수축 상태에 부가적으로 함께 수축하여 후두를 위로 올려서 성대의 긴장도를 더욱 높여주는 역할을 한다. 반대로 극단적으로 낮은 음으로 성대가 진동하고자 할때는 설골하근(infrahyoid muscle)이 수축을 하여 낮은 기본 주파수의 발성에 영향을 준다. 또한 성대근(vocalis muscle, thyroarytenoid muscle) 자체의 수축은 그 성대의 길이를 길게 한다기보다는 오히려 짧아지는데 이는 성대 내부의 긴장도를 높이는 작용에 의해 윤상갑상근의 수축과 함께 높은 음으로의 발성을 가능하게 한다. 또한 윤상갑상근과 성대근의 수축은 높은 성문하압을 만들어 강한 고음발성이 가능하게 한다.[6]

5) 발성에서 강도(intensity)와 주파수(frequency)의 관계

다른 요소들은 일정하게 유지시킨 상태로 성문하압만 증가시키면 소리의 강도, 즉 크기가 증가하는 것을 알 수 있다. 그런데 성대의 근육들이 공기의 흐름에 따라 어떤 조절을 위해 인위적으로 적응하거나 지지하지 않도록 한 상태에서 높은 성문하압에 의한 공기의 흐름이 이루어지면 소리의 강도뿐만 아니라 피치(pitch), 즉 음의 높이도 함께 증가하게 된다. 한 예로, 일정한 톤(tone)으로 편안하게 발성을 하게 한 상태에서 가볍게 배를 툭 치면, 소리도 더 커지고 피치도 높아지는 소리를 들어볼 수 있다.

이때 소리의 강도가 커지는 이유는 공기의 흐름에 대한 저항의 증가와 연관이 있다. 높아진 성문하압에 의해 공기의 흐름이 증가하면서 성대의 더 넓은 부분들이 진동에 관여하게 되는데, 이와 같은 과정 중에 각각의 주기마다 강도가 증가된 진동주기를 갖게 되고, 각각의 주기마다 성대가 완전하게 접촉하고 있는 기간(closed phase)이 상대적으로 길어지게 된다. 이로 인해 더 큰 압력을 가진 음파가 형성되면서 소리의 강도가 증가하게 된다. 피치가 높아지는 것은 성대가 갑작스런 성문하압의 증가에 대해 반사적으로 긴장(tensing)을 하기 때문이거나, 성문하압의 증가가 베르누이효과에 기인해서 성대 사이의 압력을 갑자기 낮춤으로써 더 빠르게 성대의 유리연이 닫히게 되는 현상이 발생하기 때문으로 생각하고 있다.[6]

3. 말소리를 완성하기 위한 공명(resonance)과 조음(articulation)

폐로부터 올라온 공기는 성대가 주기적인 진동을 할 수 있도록 해서 소리를 만드는 데 관여하거나, 성대가 열린 상태에서 성대가 아닌 성대의 위쪽 어딘가가 작용을 해서, 예를 들어 /s/ 소리와 같은 소리를 만들어 낼 수 있도록 하는 데 관여하는 에너지원으로서의 역할을 한다. 원음(source sound)이 만들어지는 부분이 성대가 되었든 구강내 어떤 부위가 되었든 이 원음은 성도의 공명에 의해 변형이 된다.

여기서는 성대의 규칙적인 떨림에 의해 만들어진 원음이 성도를 거치면서 공명 등에 의해 변형되는 것을 주로 언급하고자 하고자 한다.

1) 공명(resonance)

물리학에서 이야기하는 공명은 진동계가 그 고유 진동수와 같은 진동수를 가진 외부로부터의 힘을 주기적으로 받아 진폭(amplitude)이 뚜렷하게 증가하는 현상이라 정의 할 수 있는데, 이러한 주파수들을 그 진동계의 또는 시스템의 공명 주파수(system's resonance frequency)라고 한다. 이러한 공명현상을 이해하려면 우선 헬름홀쯔 공명관(Helmholtz resonator)을 생각해 보면 좋을 것이다. 좁은 구멍을 가지고 있는 단단한 공 모양의 통의 입구

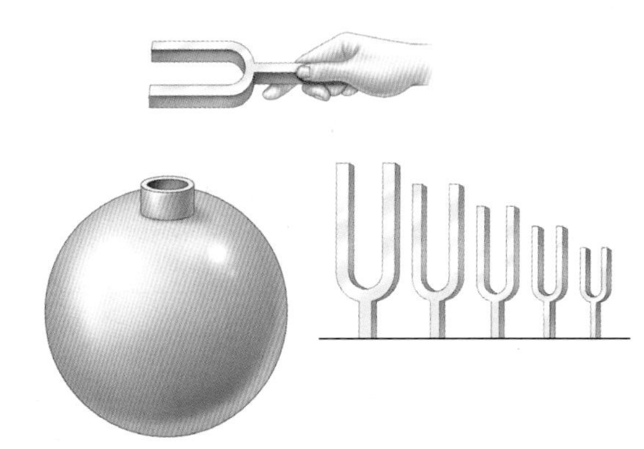

■ 그림 4-2. **헬름홀쯔 공명관(Helmholtz resonator) 실험**

부분에 여러 가지 다양한 파장의 소리굽쇠를 튕겨서 갖다 댈 때, 어떤 때는 통이 울리며 공명하고 어떤 소리굽쇠에는 공명하지 않는 것을 발견하게 된다(그림 4-2). 이는 공명관이 가지고 있는 자연 진동수와 맞는 소리굽쇠 소리의 공기 진동이 공명관 내부의 공기를 공진시킴으로써 발생되는 현상이다.[5]

사람의 성도도 성대에서 만들어진 성문음(glottal sound)이 성도를 통과하면서 특정 주파수들에 대해서는 공명 과정을, 그 외의 주파수들에 대해서는 여과 과정을 거치면서 입술이나 콧구멍 바깥으로 방출되어 말소리를 만들어 낸다.[1,4,5]

(1) 일측 개방 공명관(closed cavity resonance tube)

성도의 공명에 대하여 알아보기 위해서는 튜브를 모델로 튜브 내에서 음파의 간섭현상을 살펴보면 쉽게 이해할 수 있다. 사람의 성도는 성대 쪽은 막혀 있고 입 쪽은 열려 있는 일측 개방 공명관의 형태를 보이므로 튜브도 그와 같은 모양인 것에서 음파의 간섭현상과 공명현상에 대하여 알아보면 된다.[9-11]

사람의 공명관과 같이 일측 개방 공명관의 경우 가장 낮은 공명 주파수는 C/4L에 형성되며, 다음의 공명 주파수들은 Fn=(2n−1)C/4L, n=1, 2, 3, 4 . . .의 수식에 따

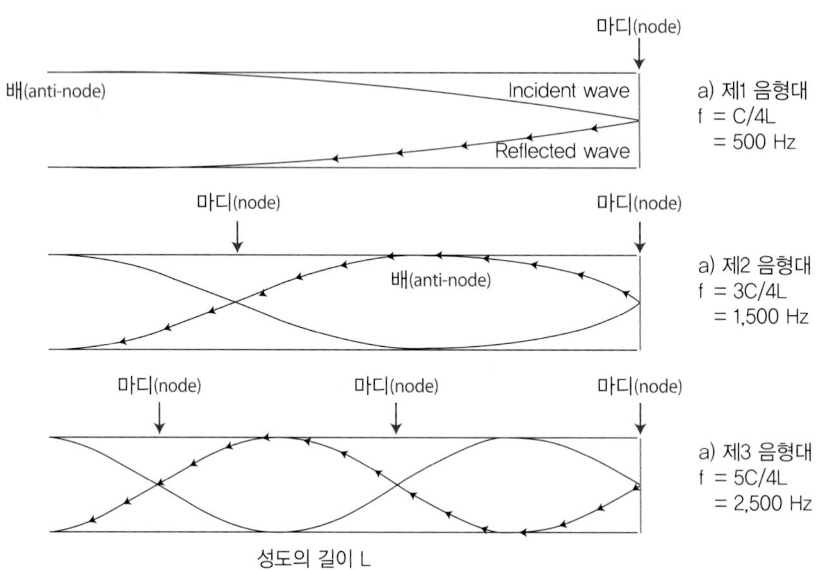

■ 그림 4-3. **성도와 공명 주파수의 형성.**
사람의 성도와 유사한 일측 개방 공명관에서 최저 공명 주파수대는 제1 음형대부터 홀수 배로 제2,제3 음형대가 형성된다.
C: 소리의 속도

라 최저 공명 주파수의 홀수 배에 생긴다. 여기서 F는 공명 주파수, C는 공기 중에서 소리의 속도(340 m/sec)이고 L은 공명관의 길이를 의미한다. 이는 그림 4-3 에서 보면 a) 에서와 같이 관의 첫 번째 공명은 관 길이의 4배에 해당하는 파장을 가진 주파수가 되고, 두 번째 공명 주파수는 b)에서와 같이 최저 공명 주파수의 3배, 세 번째 공명 주파수는 c)에서와 같이 5배의 순으로 높아지는 것을 알 수 있다(그림 4-3).

성인 남자에서의 공명관의 길이, 즉 성대 직상방에서 입술까지의 거리는 약 17 cm이므로 공명관의 단면적이 일정하다고 가정할 때, 수식을 대입해보면, F_1=500 Hz, F_2=1,500 Hz, F_3=2,500 Hz 로 계산될 수 있다. 즉 성인 남자에서 최저 공명 주파수대인 제1 음형대(formant)는 500 Hz에, 제2 음형대는 1,500 Hz에, 제3 음형대는 2,500 Hz에 형성된다는 것을 알 수 있다. 실제에 있어서는 /ㅓ(ʌ)/와 같은 중성모음을 발성할 때 성도가 비교적 균일하게 열려 있으므로 성도의 단면적이 비교적 일정하다고 생각할 수 있으며, 실제의 음형대가 500, 1,500, 2,500 Hz 근처에 형성되는 것을 알 수 있다.[5]

앞의 수식으로부터 우리는 성도의 길이 L을 짧게 하거나 길게 하면 공명 주파수가 변하게 됨을 예측할 수 있다. 실제로 성도의 길이가 성인의 반 정도인 유아(약 8.5 cm)의 경우 공명 주파수는 1,000, 3,000, 5,000 Hz 근처에 형성되며, 여성의 성도는 남성에 비하여 약 15% 짧아서, 남자에 비하여 약 20% 가량 높은 위치인 600, 1,800, 3,000 Hz 부근에 형성된다.[5]

2) 조음(articulation)

조음은 성도를 구성하는 조음기관, 즉 혀, 입술, 턱, 경구개, 연구개, 치경(alveolar), 치아 등의 상호 작용을 통하여 특정 말소리를 만들어 내는 것을 의미하며, 자음과 모음을 만드는 두 가지 유형으로 나눌 수 있다. 소리들 중에 성대를 거친 기류가 성도를 통과하는 과정 중 구강 통로의 중앙부에서 어떠한 장애를 받으면서 생성되는 것이

표 4-1. 우리말의 자음 체계

조음 방법 \ 조음 위치		양순음	치경음	경구개음	연구개음	성문음
파열음	평음	ㅂ	ㄷ		ㄱ	
	긴장음(경음)	ㅃ	ㄸ		ㄲ	
	기식음(격음)	ㅍ	ㅌ		ㅋ	
마찰음	평음		ㅅ			
	긴장음(경음)		ㅆ			
	기식음(격음)					ㅎ
파찰음	평음			ㅈ		
	긴장음(경음)			ㅉ		
	기식음(격음)			ㅊ		
유음			ㄹ			
비음		ㅁ	ㄴ		ㅇ	

자음(consonant)이고 아무런 방해를 받지 않고 생성되는 것이 모음(vowel)이다.

(1) 자음의 산출 과정

자음을 조음 방법적인 측면에서 분류해보면, 파열음(plosive), 마찰음(fricative), 파찰음(affricate), 유음(liquid sound), 비음(nasal sound)으로 나눌 수 있다.

파열음은 후두로부터 올라온 기류가 구강의 어떤 한 부분에서 완전히 폐쇄되었다가 터지면서 산출되는 소리로 위아래 입술, 치경, 연구개가 조음 위치가 된다. 파찰음은 후두로부터 올라온 기류가 구강의 어떤 한 부분에서 완전히 폐쇄되었다가 조음 위치에서 한꺼번에 완전히 터지는 것이 아니라 조금씩 터뜨리면서 벌어진 통로로 마찰된 소리가 산출되고 완전히 구강을 개방하여 기류를 산출하여 만들어지는 말소리이다. 마찰음은 후두로부터 올라온 기류가 구강의 좁은 통로를 지나면서 마찰이 발생하면서 산출되는 소리이다. 그리고 유음은 후두로부터 올라온 기류가 혀의 양옆으로 방출되어 산출되는 소리이며, 비음은 연인두(velopharynx)의 폐쇄가 이루어지지 않고 산출되는 소리를 말한다.

또한 이들 자음을 발성 유형에 따라 분류해보면 평음(lax consonant), 경음 또는 긴장음(tense sound), 격음 또는 기식음(breathy sound)으로 분류할 수 있다(표 4-1).[2]

(2) 모음의 산출 과정

모음은 혀의 움직임으로 체계가 정해진다. 즉 혀의 고저, 전후, 입술의 동글림 정도에 따라 분류할 수 있다. 혀가 앞으로 나와 있으면 전설 모음(frontal vowel), 뒤에 있으면 후설모음(back vowel)이라 한다. 혀가 위치하는 높이에 따라서도 고모음(high vowel), 저모음(low vowel)으로 나눌 수 있고, 입술이 둥글고 좁혀지면서 산출되면 원순모음(round vowel), 입술이 둥글어지지 않으면 평순모음(unrounded vowel)이라고 한다(표 4-2)(그림 4-4).[2]

표 4-2. 우리말의 모음 체계

	전설모음	후설모음	
	평순	평순	원순
고모음	ㅣ	ㅡ	ㅜ
중모음	ㅐ	ㅓ	ㅗ
저모음		ㅏ	

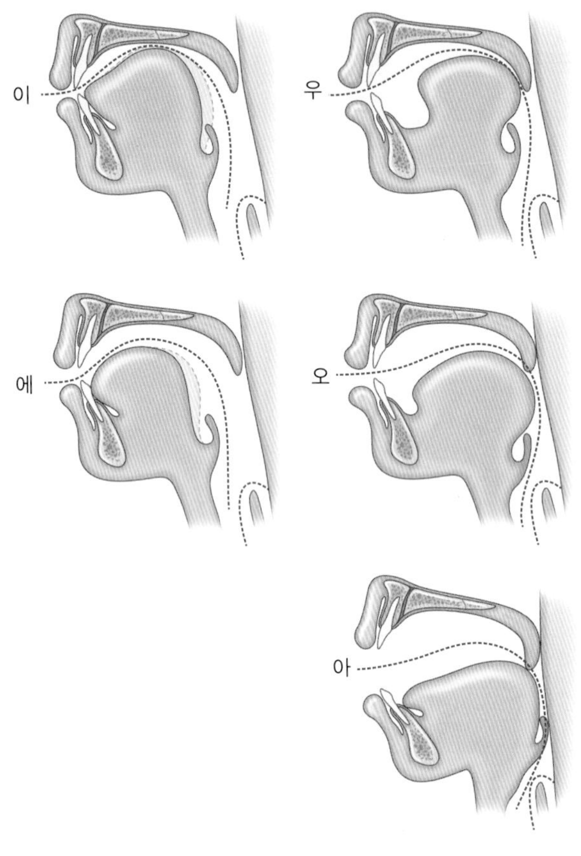

■ 그림 4-4. **우리말 기본 모음의 조음점에 따른 분류.** 모음은 혀의 고저, 전후, 입술의 동글림 정도에 따라 분류할 수 있다.

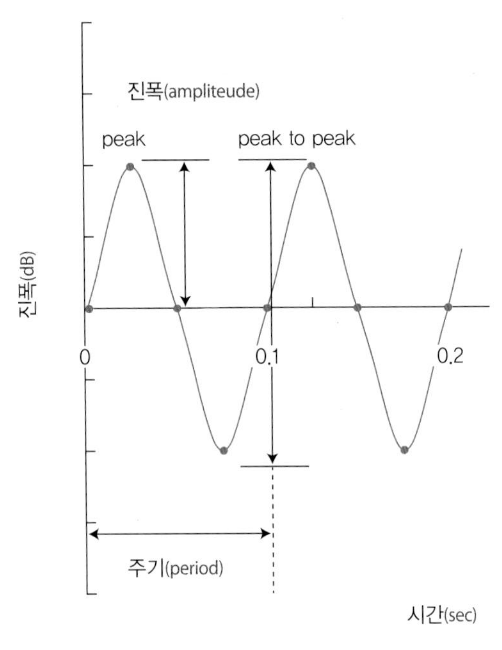

■ 그림 4-5. **단순파(simple wave)**

II 음성의 음향학적 특징

1. 단순파(simple wave)와 복합파(complex wave)

소리를 물리적 측면에서 설명하면, 음원(sound source)으로부터 방사되는 압력파(pressure wave)가 매질(medium) 내에서 전달되는 것이라 정의할 수 있고, 이러한 소리가 일으키는 파동을 음파(sound wave)라 한다.[8] 이때 우리가 주로 듣는 소리는 공기 중에서 전달되기 때문에 매질은 공기가 되고 음원에서 만들어진 압력파는 대기 중에 서로 인접해 있는 공기 분자들로 전달되어 파동을 일으키게 되는데, 소리는 바로 이 파동을 타고 우리 귀에 전달되게 된다.[3,4,8]

음파에는 단순파와 복합파가 있는데 단순파는 음파의 가장 단순한 형태로서 사인곡선(sine wave, sinusoid)이라고도 하며, 일정한 모양이 반복되는 주기파(periodic wave)이고, 주기(period), 주파수(frequency), 진폭(amplitude), 그리고 위상차(phase difference)를 관찰할 수 있다(그림 4-5).[3] 반면, 복합파는 두 가지 이상의 요소가 복합된 형태의 파형으로 사람의 목소리를 비롯하여 대부분 주변에서 들을 수 있는 소리이다. 이는 주기적인 패턴이 반복되는 주기파와 그렇지 않은 비주기파(aperiodic wave)로 나누어 볼 수 있다(그림 4-6). 이때 모든 주기파는 그것이 아무리 복잡한 형태를 보인다 해도 일정 수의 단순파의 합으로 이루어진 것이며, 이들 단순파 각각의 주파수의 최대공약수는 복합파의 주파수가 된다. 즉, 그림 4-6a의 복합파가 각각 250 Hz, 500 Hz, 1,000 Hz, 2,000 Hz, 4,000 Hz의 주파수를 갖는 5개의 단순파들이 합쳐져서 만들어진 복합파라면, 이 복합파의 주파수는 250, 500, 1,000,

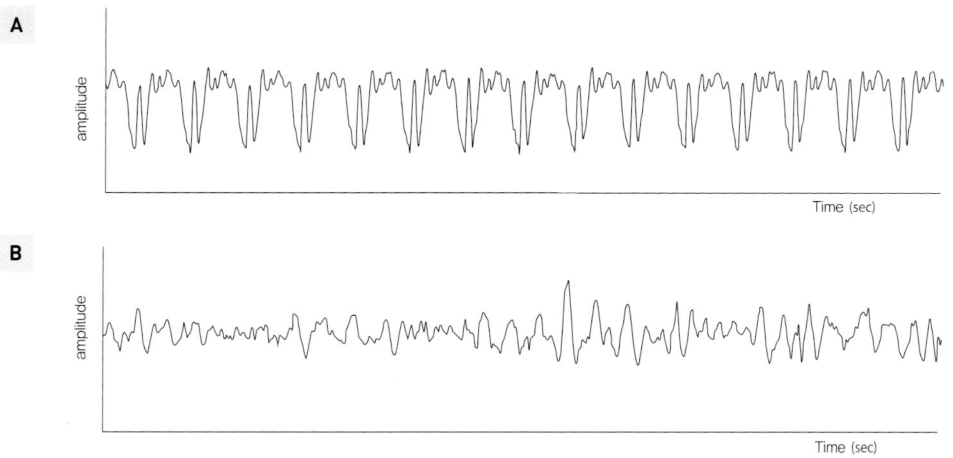

■ 그림 4-6. **복합파(complex wave).**
복합파는 두 가지 이상의 요소가 복합된 형태의 파형으로 주기파와 비주기파(소음)로 나누어 볼 수 있다. a) 주기파 b) 비주기파

2,000, 4,000의 최대공약수인 250 Hz가 된다.[4]

2. 성대의 진동(vocal fold vibration)

사람의 목소리는 세상의 여러 가지 소리들 중에서도 매우 낮은 주파수를 갖는 소리 중의 하나이며, 많은 배음들(harmonics)로 구성이 되어 있기 때문에 앞서 언급한 바와 같이 복합음이라 할 수 있다. 사실, 성대의 진동음은 말하는 사람의 입술에 도달할 때쯤에는 성도에서 이미 변화되어서 도달하기 때문에 실제 성대의 진동음을 들어보기는 어렵다. 만약에 마이크를 성대 근처까지 가까이 위치시켜서 소리를 녹음해서 스펙트럼(spectrum)분석을 한다면 그림 4-7과 매우 유사한 그래프를 얻을 수 있을 것이다(그림 4-7). 이 그래프에서 보면 가장 낮은 주파수에서 그 주파수의 두 배가 되는 지점에 두 번째 배음(2nd harmonic)을, 3배가 되는 지점에 세 번째 배음(3rd harmonic)을 형성시켜 나가는 것을 볼 수 있다. 그런데 여기서 사람 목소리의 특징을 알 수 있는데, 높은 주파수 쪽의 배음일수록 낮은 주파수 쪽의 배음에 비하여 그 강도가 약해진다는 점이다. 따라서 비록 사람의 목소리는 많은 고음역대의 배음들을 가지고 있다고 할지라도 저음역 쪽이 강조되어 들리게 된다. 강도가 약해지는 정도는 주파수가 두 배가 될 때마다, 즉 한 옥타브가 올라갈 때마

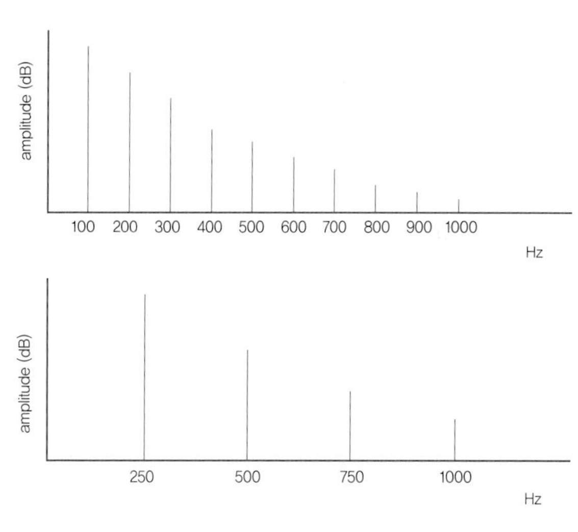

■ 그림 4-7. **성대 진동음에 대한 스펙트럼**
높은 주파수 쪽의 배음일수록 낮은 주파수 쪽의 배음에 비하여 그 강도가 약해지며, 기본 진동수가 100 Hz인 성대 진동음에 대한 스펙트럼에서는 기본 진동수가 250 Hz인 성대 진동음의 스펙트럼에서 보다 더 많은 수의 배음이 관찰된다.

다 12 dB씩 줄어드는 것으로 알려져 있다.[6]

저음의 목소리와 고음의 목소리는 배음의 풍부함의 차이에 의해 우리의 귀에는 다르게 들리게 된다. 이는 그림 4-7을 보면 저음의 목소리가 고음의 목소리에 비하여 얼마나 많은 배음들을 더 만들어 내는지를 비교해 볼 수가 있다. 예를 들어 기본 주파수가 300 Hz인 목소리가 1,800 Hz까지 5개의 배음을 만들어 낸다면, 기본 주파수가 150 Hz인 목소리는 11개의 배음을 만들어 낸다. 그림 4-7은 어른과 아이의 목소리에서 볼 수 있는 스펙트럼의 모양과 유사하다고 할 수 있다.[6]

3. 모음과 음원-필터 이론(source filter theory)

Fant는 성대 진동에 의해 만들어진 음원 에너지가 성도를 거쳐 어떻게 변화되어 입 밖으로 출력되는가에 대한 과정을 음원-필터 이론(source filter theory)을 통하여 단순화하여 설명하였다. 이 이론은 모음 생성에 대한 가장 보편적인 이론으로 받아들여지고 있는데, 성대로부터의 소리가 성도를 거쳐 입술 밖으로 나올 때, 이 소리가 갖는 음향학적 에너지의 변화는 원음이 성도를 통해 지나갈 때 성도의 크기와 모양에 따라 여과와 공명 과정을 거치는 과정 때문이라는 것이다. 성도에서의 소리 에너지가 변화되는 효과를 좀 더 정확하게 비교하기 위해서 음원이 만들어지는 성대의 소리와 마지막으로 소리가 나오는 입술 근처의 소리에 대한 스펙트럼 분석을 하면, 이들 음파 각각의 변화된 상태를 살펴볼 수 있다. 성도가 일정한 모양의 튜브 형태라고 가정하고, 성대원음(glottal source sound)에서 배음이 생성된 후, 성도에서의 여과 및 공명 과정을 거쳐, 소리가 입술 밖으로 나올 때의 방사 효과(radiation effect)가 더해진 후 출력된 소리를 스펙트럼 분석을 통해 비교해 보면 그림 4-8과 같이 변화되는 과정을 볼 수 있다.[6,7]

성대원음에 대한 스펙트럼 분석을 하면 기본 주파수와 그의 배음들을 볼 수 있는데 이들은 앞서 언급한 바와 같이 주파수가 증가할수록 한 옥타브당 12 dB씩 강도가 줄어들고, 이 소리는 마치 벌이 날갯짓하는 것과 같은 소리(buzzing sound)로 들린다(그림 4-8a).

성대원음은 성도를 통과하면서 공명 주파수대인 음형대를 만들게 된다. 즉, 많은 배음들로 구성된 성대원음은 성도의 주파수에 대한 반응에 따라 여과 및 공명되는 과정을 거치게 되는데, 성대원음의 배음이 성도의 공명 주파수와 일치하거나 근접해 있는 경우는 증폭이 되고, 일치하지 않거나 멀리 떨어져 있는 경우는 에너지를 잃거나 감쇠된다(그림 4-8b). 이는 앞서 언급한 헬름홀쯔 공명관의 실험

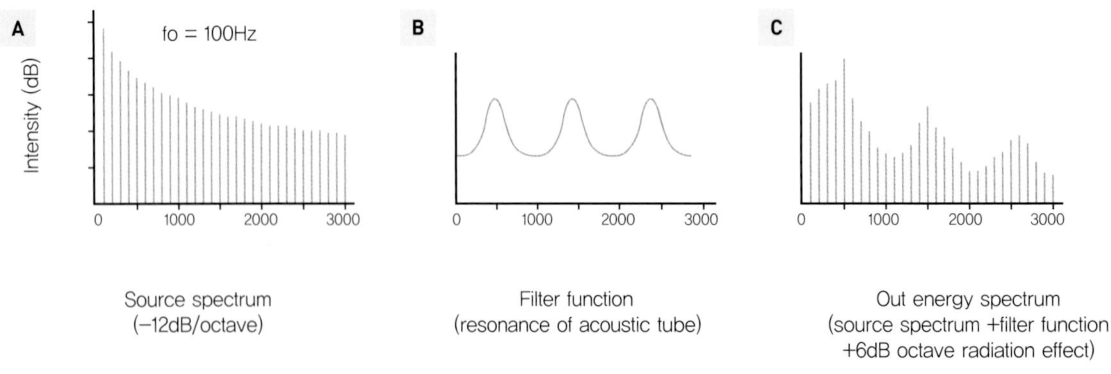

■ 그림 4-8. 음원-필터 이론(source filter theory)의 과정

과 대비해 보면 그 과정을 이해하는 데 도움이 될 수 있다.

입술에 이른 소리는 입 밖으로 배출될 때의 필터 효과 즉, 방사 특성(radiation characteristics)에 의해 그 에너지가 감소하는데, 낮은 주파수대의 에너지 감소가 높은 주파수대의 에너지 감소보다 크게 일어나게 되어 결과적으로는 주파수가 한 옥타브씩 올라갈 때마다 6 dB씩 커지는 에너지 차이를 보이게 된다.

결과적으로, 우리의 귀에 들리는 소리는 성대원음에서 배음의 에너지 변화, 성도에서의 여과 과정과 공명, 입술 밖으로 소리의 방사에 따른 배음 에너지의 변화에 의해 최종적으로 산출된 출력음이며, 그림 4-8c와 같은 스펙트럼을 보이게 된다.[5,6]

4. 모음과 섭동이론(perturbation theory)

말을 할 때 우리는 입술, 혀, 턱 등을 움직여서 매우 다양한 모양과 길이로 성도를 변화시킬 수 있다. 이러한 변화는 그 형태에 따라 성도 내의 각각 다른 공명 주파수의 변화를 유발한다. 즉 사람의 성도는 일정한 모양의 튜브가 아니기 때문에 말을 하는 과정에서 다양한 부분들이 좁아지고 길이의 변화가 생길 때마다 각각 다른 주파수에서 공명이 일어나게 된다는 것이다. 이는 여러 종류의 모음을 발성할 때 성도의 모양, 특히 혀의 위치와 모양에 따라 성도의 일부분이 좁아지거나 넓어져 성도가 다양한 모습을 갖게 되고, 이때 모음의 특성을 결정짓는 성도의 모양에 따라서 그 모음의 음형대 위치가 달라지게 된다. 이와 같이 성도, 즉 공명관을 지나는 기류의 부분적 마찰로부터 음형대 주파수의 변화를 예측하는 것이 섭동이론이다. 이 이론을 요약하면 성도가 모음 발성을 위해 수축을 해서 좁아지는 부분이 생기는데 좁아지는 부분이 마디(node) 근처이면 음형대 주파수가 올라가고, 배(anti-node) 근처가 좁아지면 음형대 주파수가 내려가며, 그 외,

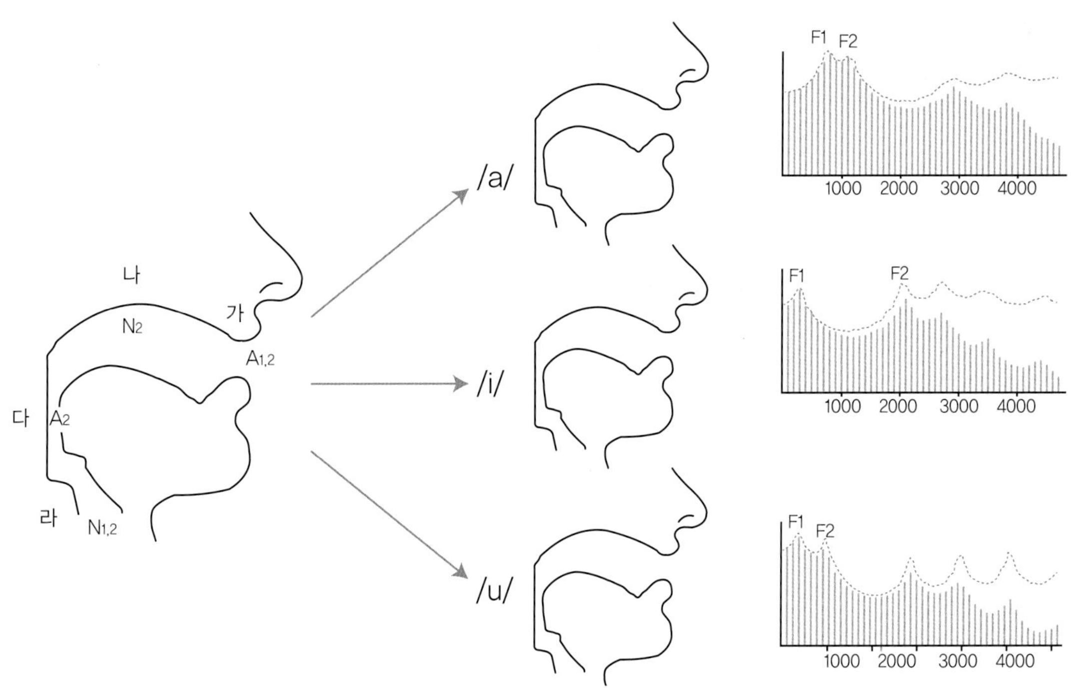

■ 그림 4-9. **모음과 섭동이론(perturbation theory).**
A : anti-node, N : node, F1 : 1st formant, F2 : 2nd formant. A와N 옆의 숫자는 formant의 숫자를 나타냄

입술이 둥글게 모아지거나 성도의 길이가 길어지면 음형대 주파수가 내려간다는 것이다. 이것을 그림 4-9를 참고해서 보면, 성도에서 입술 부위(가)와 인후두 부위(다)는 공명 시 배가 생기는 부분, 구개지역(나)과 성대 근처(라)는 마디가 생길 수 있는 부분이다. 예를 들어 모음 /ㅏ(a)/ 발성 시 인후두 부분의 수축에 의해 낮은 제2 음형대 주파수를 보이고, 모음 /ㅣ(i)/ 발성 시에는 구개지역의 수축에 의해 높은 제2 음형대 주파수를 갖게 된다. 모음 /ㅜ(u)/ 발성 시에는 입술이 수축에 의해 낮은 제1, 2 음형대 주파수를 갖게 된다. 이와 같이 모음의 음향학적 특성은 때때로 제3 음형대의 위치를 포함하기도 하지만, 대부분 제1 음형대와 제2 음형대의 변화에 의해서 그 음향학적 특징을 파악할 수 있다.[5,7]

5. 자음의 음향학적 특징

앞서 우리말 자음의 분류에 대하여 언급한 바가 있다(표 4-1). 이들 중 파열음, 파찰음, 마찰음은 성도에서 공기의 흐름이 일정한 저해를 받으면서 만들어지는 소리로 저해음(obstruents)군으로 분류할 수 있고, 성도 중앙부의 저해를 받기는 하지만 다른 통로가 열려 있어 아무런 장애가 없이 기류가 밖으로 나가는 유음과 비음은 공명음군으로 분류할 수 있다. 여기서 모든 자음과 그들의 모든 위치에 따른 복잡한 음향학적 특징들을 모두 열거하기에는 한계가 있어, 이들 중 음향학적으로 모음과 확연한 차이를 보이는 저해음들의 특징에 대하여 간단하게 알아보고자 한다.

1) 파열음

파열음의 음원은 순간적인 개방에 의해 만들어지는 일정 정도의 폭발 소음이다. 파열음 중 /바(pa)/, /빠(p*a)/, /파(p^{h}a)/를 광대역 스펙트로그램(wide band spectrogram)으로 비교해 보자. 어두 초성에 위치하는 [ㅂ]와 [ㅃ]와 [ㅍ]는 폐쇄되어 있던 입술의 순간적인 개방으로 인해 관찰되는 세로의 수직선(explosive point) 이후에 모음의 음형대가 나타나는 구간(vowel duration) 전까지 일정 정도의 소음 구간이 관찰된다. 이 무성의 소음 구간을 성대 진동 시작시간(voice onset time, VOT)이라 하고, 이는 구강 폐쇄의 개방으로부터 후행하는 모음을 위해 성대가 진동하는 시간 사이의 간격을 의미한다. 성대 진동 시작시간은 대체로 기식성의 정도와 비례해서, /ㅂ(p)/에 비해서 /ㅍ(p^h)/에서 긴 구간을 보이며, 이것은 이들 자음을 구분할 수 있는 음향학적 특징 중의 하나이다(그림 4-10).[3]

2) 마찰음

마찰음의 음원은 기류의 흐름으로 만들어지는 일정 정도의 지속 시간을 가진 소음이다. 따라서 파열음과 유사하게 광대역 스펙트로그램에서 꽤나 긴 소음 구간을 관찰할 수가 있다. 치경 마찰음 중 /사(sa)/와 /싸(s*a)/를 비교해보면, 평음인 /사(sa)/의 경우는 치경부의 마찰에 의해 잡음부 후에 이어지는 모음이 관찰되기 전에 후두의 마찰로 인해 후행 모음의 음형대 구조와 유사한 기식성 잡음이 관찰된다(그림 4-11). 그러나 긴장음인 /싸(s*a)/의 경우는 고주파수 대역의 잡음 후에 바로 모음 음형대로 이어지는 것을 관찰할 수 있다. 성문 마찰음에서 /하(ha)/, /히(çi)/, /후(ɸʷu)/를 비교해 보면 성문 마찰음인 [ㅎ]은 잡음 에너지의 분포가 후행하는 모음 에너지의 분포를 거의 닮아 있다는 것이 특징이다(그림 4-12).

그런데 그림 4-11과 그림 4-12에서 모음이 시작되기 전에 보이는 잡음 구간은 파열음처럼 구강 폐쇄로부터 시작된 경우가 아니므로 엄격히 말하면 성대 진동 시작시간이라 할 수는 없다.[3]

3) 파찰음

파찰음은 파열음과 마찰음이 복합된 소리이다. 따라서 파열음과 마찰음의 광대역 스펙트로그램에서 보이는 세로 수직선, 성대 진동 시작시간, 마찰에 따른 잡음 부위 등이 모두 관찰된다(그림 4-13). 그러나 파찰음에서 관찰되

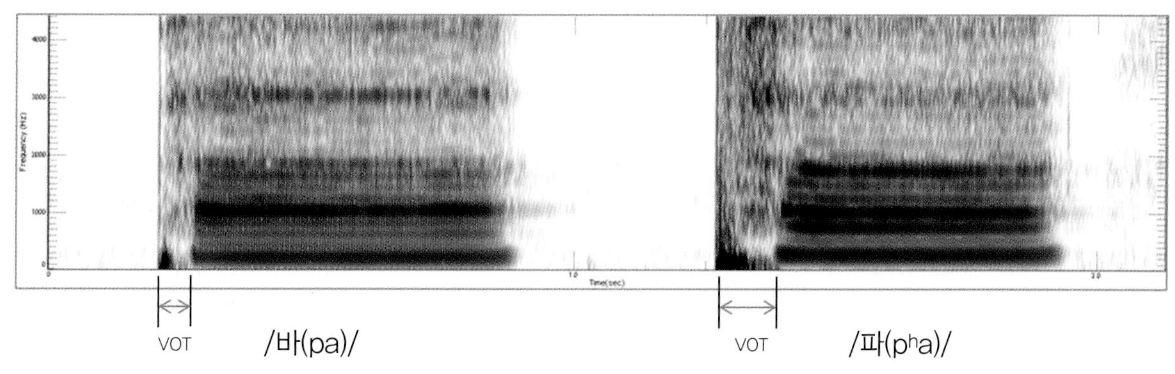

■ 그림 4-10. **우리말 파열음의 /바(pa)/ /파(pʰa)/의 광대역 스펙트로그램**

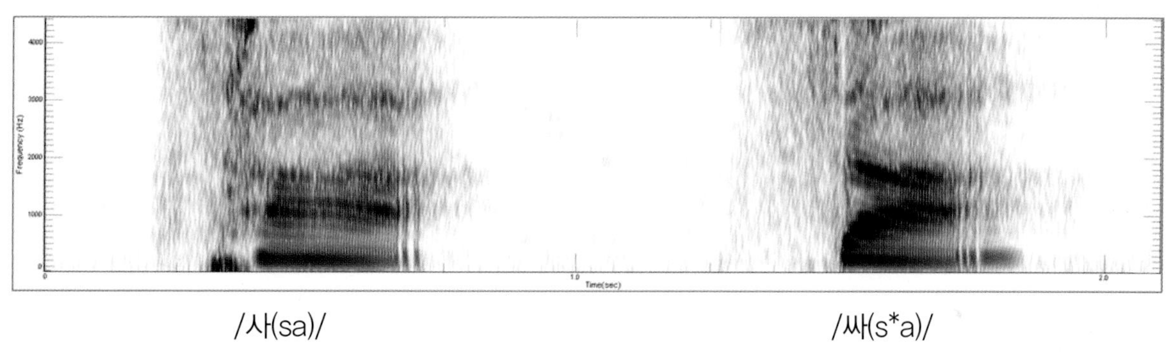

■ 그림 4-11. **우리말 마찰음의 /사(sa)/와 /싸(s*a)/의 광대역 스펙트로그램**

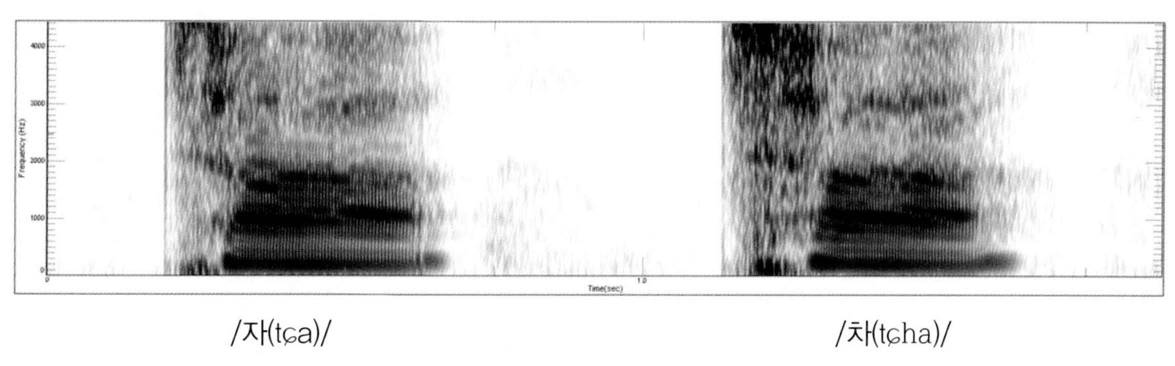

■ 그림 4-12. **우리말 파찰음 /자(tɕa)/와 /차(tɕʰa)/의 광대역 스펙트로그램**

는 성대 진동 시작시간은 파열음에서의 성대 진동 시작시간인 무성의 소음 구간에 마찰 구간이 합쳐져 있기 때문에 다른 의미로 해석해야 한다.[3]

참고 문헌

1. 고도흥 . 후두음성언어의학-대한후두음성언어의학회편-,음향과 공명.서울:일조각; 2012.p.55-69
2. 김수진, 신지영. 조음음운장애.제1판 서울:시그미프레스;2007.p.45-78
3. 신지영. 말소리의 이해. 제2판 서울:한국문화사; 2000.p.125-212.
4. 진성민 후두음성언어의학-대한후두음성언어의학회편-,음향분석.서울:일조각; 2012.p.396 -406
5. 최홍식. 후두음성언어의학-대한후두음성언어의학회편-,발성의 원리.서울:일조각; 2012.p45-54
6. Borden GJ, Harris KS. (Speech science primer). 2nded. Baltimore,London:Williams&Wilkins;1984.p.73-165.
7. Kent RD, Read C. The acoustic analysis of speech. 2nded. Canada:Thomson Learning;2002.P.1-50
8. Sataloff RT. Voice science. San Diego, CA: Plural publishing;2005. p.53-201
9. Sundberg J. Vocal tract resonance. In Satalloff RT. The Professional Voice: The Science and Art of Clinical Care. 2nded. NewYork :RavenPress;1991.
10. Titze IR. Principle of Voice Production, 2nded. NewJersey: Prentice-hall; 2000.
11. Ware C. Basics of vocal pedagogy.USA: McGraw hill company;1998. p.127-140

CHAPTER

05

타액선의 구조와 기능

이비인후과학 Otorhinolaryngology - Head and Neck Surgery

선동일, 유영삼

인간의 타액선은 두 종류의 특징적인 외분비 기관으로 나눌 수 있다. 주타액선(major salivary gland)에는 쌍으로 이루어진 이하선(parotid gland), 악하선(submaxillary or submandibular gland), 설하선(sublingual gland)이 있고 소타액선(minor salivary gland)은 상부 호흡소화기관의 점막에 수백 개가 분포하고 있다. 침샘의 주요한 기능은 타액 분비이며 타액은 윤활 작용, 소화 작용, 면역 작용과 함께 인체 내에서 전반적인 항상성을 유지하는 역할을 한다.

I 타액선의 발생

주타액선과 대부분의 소타액선은 구도외배엽(stomadeal ectoderm)에서 발생하고 비인강과 설근부의 소타액선은 인두내배엽(pharyngeal endoderm)에서 발생한다.[2] 태생 6-7주경에 원시 구강(primitive mouth)에서 상피 세포아(bud)가 만들어짐으로써 시작되어 태생 3개월 말에 각각의 최종 위치에 자리 잡게 된다.[1,41,58] 이 과정에서 곤봉 모양인 상피 세포아의 끝부분이 밑에 있는 중간엽(mesenchyme) 속으로 성장해 들어가며 이 구강 상피가 증식함으로써 타액선의 모든 실질조직이 만들어진다.

주타액선의 발생은 3단계로 구분할 수 있다. 제1 단계는 원기(anlage)의 출현과 분지된 도관아(duct buds)의 형성 단계이고 제2 단계는 초기 소엽(lobule)의 형성과 도관의 관화가 이루어져 기능적 단위가 만들어지는 시기로 태생 7개월까지 지속된다. 제3 단계는 태생 8개월경에 시작되며 선조직의 구조적 성숙이 이루어지고 선포세포(acini cell)와 개재관(intercalated duct)의 분화가 일어나며 간질 결합 조직의 발달이 감소되기 시작한다.[58]

이하선은 가장 먼저 나타나는 타액선으로 태생 6주 초에 원시구강 내측면의 구각(mouth angle) 근처에 있는 외배엽상피(ectodermal lining)에서 싹으로 시작하여[58] 끝이 둥근 끈(cord) 모양으로 하악지(mandibular ramus)를 향해 후방으로 빠르게 성장하고 점차 이 끈은 속이 빈 관이 되어 발생 10주경에는 도관이 된다.[12] 이 상피끈의 둥근 끝 부분은 선포로 발달하여 태생 18주경에는 분비를 시작하나,[1] 기능적인 성숙은 음식 섭취의 영향을 받으므로 출생 후에 완전해진다. 이하선의 피막 형성은 가장 늦게 일어나는데 피막은 주위에 있는 중간엽에서 형성되어 이하선과 림프절을 함께 둘러싸게 되며, 태생 16–21주 사이에는 안면신경도 관통하게 된다.[12] 또한 같은 외배엽 기원인 피지선(sebaceous gland)도 이하선 내에 포함되기도 한다.[38]

악하선은 태생 6주 말에 원시 구강의 바닥에 있는 내배엽 상피아에서 발생한다.[38] 이 싹에서 발생한 단단한 상피세포돌기가 혀의 외측에서 하악각을 향해 구강 저부를 따라 후방으로 성장하여 가지를 내고 분화한다. 발생 12주경에 선포가 형성되기 시작하고 발생 16주경에는 분비활동이 시작된다.[1] 혀 외측에 길쭉한 고랑이 형성되고 이어서 이 고랑의 윗부분이 폐쇄되어 닫히면서 덮개가 만들어져 악하선관을 형성한다. 악하선은 출생 시에 상대적으로 잘 분화되어 있으며 출생 후에도 성장이 계속되어 점액선포를 형성한다.

설하선의 발생은 다른 타액선보다 2주 정도 늦게 8주경에 나타난다. 설하선의 원기는 구강저의 혀주위 고랑(paralingual sulcus)에 있는 10–20개의 내배엽 상피아에서 발생한다.[12] 결합 조직이 설하선으로 침윤되어 피막이 존재하지 않으며, 선내의 림프절과 주 도관이 일반적으로 발생되지 않는다.

상부 호흡 외배엽은 단순한 관상선포 단위(tubuloacinar unit)를 만들게 되는데 태생 12주경에 이것들이 소타액선으로 분화하게 된다.[42]

II 타액선의 해부

1. 이하선

이하선(parotid gland)은 성인에서 평균 중량이 15–30 gm, 크기가 약 5.8×3.4 cm로서 타액선 중에서 가장 크고,[26] 하악의 후면을 따라 전이개 부위에 위치하며 하악지와 유양돌기 사이에서 만져진다. 사람에 따라 크기에 차이가 많으나 동일인에서 좌우 이하선의 크기 차이는 거의 없다.[29] 모양은 잎처럼 생긴 역피라미드 형태로[7] 기저부가 위쪽을, 첨단부가 아래쪽을 향하고 있다.[2]

이하선은 하악지와 외이도 및 유양돌기 전하방의 사이에 형성된 공간인 이하선와(parotid space)에 위치하고 피부 가까이에 있어서 얼굴 표면의 찰과상으로도 쉽게 상처를 받는다. 이하선의 상방에는 협골궁(zygomatic arch)과 측두악관절(temporomandibular joint)이 있고 전방에는 교근(masseter m.)의 후면 위에까지 단단하게 부착되어 있다. 후방에는 외이도와 유양돌기가 있으며 흉쇄유돌근(sternocleidomastoid m.) 상방부 앞면과는 느슨하게 부착되어 있다. 이하선의 심부는 부인두공간(parapharyngeal space)에 매우 근접하여 있고, 저부는 경상돌기(styloid process)와 여기에 부착하는 근육인 경돌설근(styloglossus m.), 경돌설골근(stylohyoid m.), 경돌인두근(stylopharyngeal m.) 등이 있으며 또한 경돌하악인대(stylomandibular ligament)와 경동맥초(carotid sheath)에 포함되어 있는 경동맥과 내경정맥, 그리고 Ⅸ, Ⅹ, Ⅻ 뇌신경, 그 외 환추골(atlas)의 횡돌기 등이 위치하고 있어 피부 위에서 이하선의 하방 부위를 촉진할 때 종양으로 오인되는 경우가 있다(그림 5-1).[36]

이하선 분엽에 대해서는 아직도 이견이 있으나 일반적으로 안면신경의 외측에 있는 이하선 조직을 천엽(superficial lobe)이라고 하고 내측에 있는 보다 작은 부위를 심엽(deep lobe)이라고 하며 그 사이는 선상협부(glandular isthmus)로 연결되어 있어 비대칭적인 아령(dumbbell) 모양을 하고 있다. 이 협착부는 앞쪽으로는 하악지와 교근, 뒤쪽으로는 이복근(digastric muscle)의 후복(posterior belly)과의 사이에 있으며 안면신경은 이 협착부 주위에서 주분지가 나뉜다.[29] 천엽의 대부분은 피부에 가까이 있고 안면 외피와 피막화가 잘 되어 있기 때

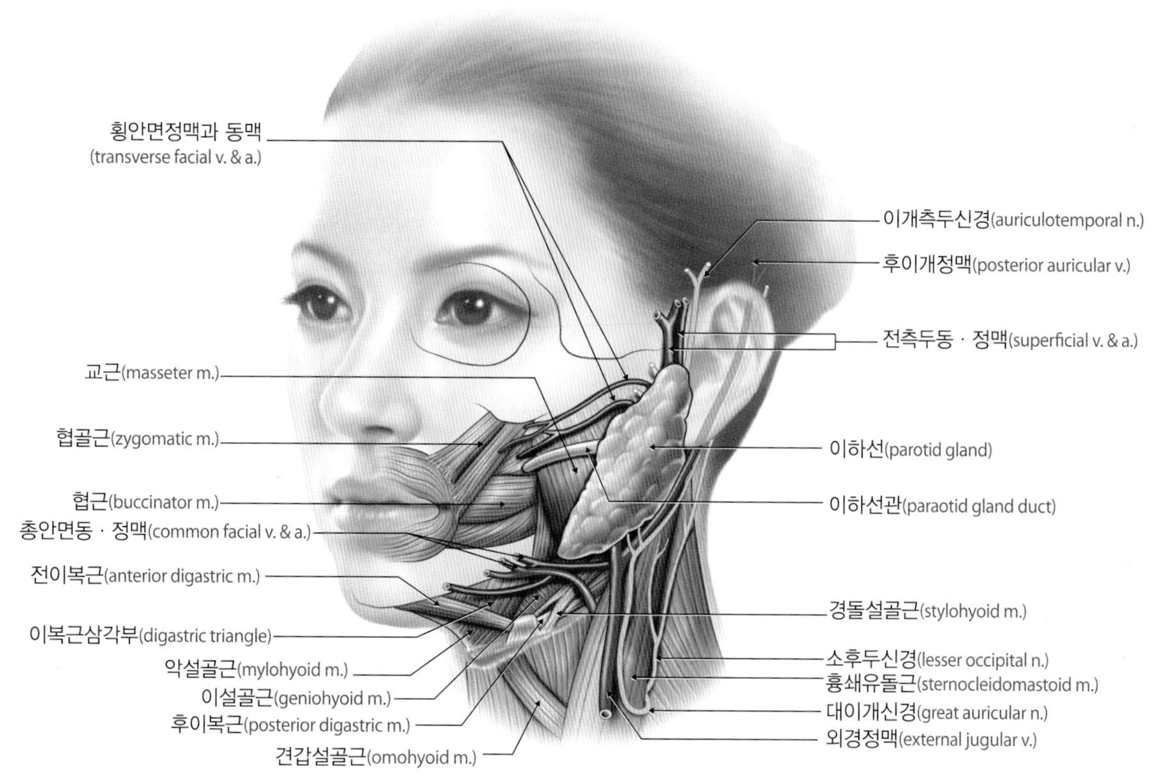

■ 그림 5-1. **이하선과 주변구조울**

문에 이하선이 부어오르면 근막에 현저한 장력을 주어 심한 통증을 일으킨다.[35] 심엽은 대부분 경상돌기와 경동맥초에 인접해 있으므로 종양에 의해 커지면 구개편도가 위치하고 있는 측인두벽에 닿게 되어 임상적으로 편도 주위 종괴로 나타날 수 있다.

가끔 교근 위에서 전방으로 이하선관과 광대뼈 사이에 작은 부이하선(accessory parotid gland)을 가진 경우가 20%에서 발견된다. 부이하선이란 주이하선에서 떨어진 위치에 이하선 조직이 존재하는 것을 말하며 조직학적으로는 부이하선이 장액성 선포세포뿐만아니라 점액성 선포세포를 가지고 있다는 점에서 주이하선 조직과 차이가 있다.[30] 그러나 주이하선에 병적인 변화가 발생한 경우에 부이하선에도 동일한 변화가 일어나며 이곳에서 종양이 발생하는 경우도 있는데 양성 종양으로는 혼합종, 악성 종양으로는 저악성도의 점액표피양암종이 가장 흔하다.[58]

1) 근막

이하선의 표층 쪽은 피부와 근막으로 덮여 있고 하방쪽은 광경근(platysma muscle)의 후연으로 덮여 있다. 이하선의 근막(fascia)은 심경부근막(deep cervical fascia)의 천층(superficial layer)의 연장이며 이하선의 표면을 치밀하게 덮고 있어 피막(capsule)의 형태이다. 이 피막은 두껍고 탄력이 없으며 앞쪽으로 갈수록 점차 얇아진다. 이 막은 이하선뿐만 아니라 교근(masseter muscle)도 감싸고 있으므로 이하선 교근막(parotidomasseteric fascia)이라고도 한다. 따라서 이하선은 교근에는 상대적으로 강하게 결합되어 있으나 흉쇄유돌근의 앞쪽이나 경돌설골근, 그리고 이복근의 후복과는 쉽게 분리된다. 이하선의 근막은 미세한 결합조직으로 구성된 격막을 이하선 각각의 소엽들 사이로 내보내어 수술 시 박리를 어렵게 한다.[11,58] 그러나 이하선의 심부인 경돌하악 부위에서는 이하선 근막이 약하여 이하선의 염증이 측인두강으로 쉽게 파급되는 통로가 된다. 하방으로는 경상돌기와 하악 사이를 연결하는 경돌하악인대(stylomandibular ligament)를 형성하여 악하선의 후방과 이하선의 하부를 분리시키고, 경돌하악인대는 이하선의 천엽에서 발생한 종양이 심부로 확산될 때 울타리 역할을 하여 이하선에 생긴 종양은 인대와 하악에 의해 형성된 터널 때문에 눌려서 아령 모양이 된다.[12]

2) 이하선관

이하선관(Stensen's duct)은 성인에서 약 4–6 cm 정도이고 이하선의 전연에서 나와서 광대뼈의 1 cm 아래에서 나란히 주행하여 이주(tragus)와 상순(upper lip)의 중간부를 연결하는 가상선과 거의 수평을 이루면서 저작근 위를 주행하다 교근의 전방부에 도달하면 관은 내측으로 협근(buccinator muscle)을 관통하여 협측 지방을 뚫고 상악 제2 대구치의 반대편 구강 협부점막의 이하선유두(parotid papillae)에 개구한다.

3) 안면신경

안면신경은 측두골 속을 주행한 후 경상돌기와 유양돌기첨 사이에 있는 경유돌공(stylomastoid foramen)을 통해서 두개저부를 나와서 이하선에 들어가기 전에 경설골근, 후이개근, 그리고 이복근의 후복으로 3개의 운동분지를 낸 후 전외방으로 주행하여 이하선의 실질 내로 들어간다. 피부에서 경유돌공까지의 거리는 약 25 mm이고,[35] 경유돌공은 유양돌기에 부착된 이복근의 앞과 경상돌기의 저부의 직후방에 각각 위치한다. 신경은 고실유돌봉합(tympanomastoid suture)선에서 대개 6–8 mm 정도 전하방에 위치한다.[42] 또한 안면신경이 이하선 내로 들어가는 지점을 찾기 위한 이주연골 지표(tragal pointer)는 이갑개 연골(conchal cartilage)의 돌기이며 이것이 가리키는 부위에 안면 신경의 체간이 있고 안면신경은 이주연골 지표로부터 10–15 mm 정도 내하방에 위치하게 된다. 또한 신경은 이주연골 지표와 이복근의 후복부 사이에 위치하게 된다.

안면신경은 이하선의 후내면으로 들어가 경유돌공에서 13 mm 정도 거리에 위치한[42] 거위발(pes anserinus)에서 상방으로 측두안면지(temporofacial or zygomaticotemporal branch)와 하방으로 경안면지(cervicofacial or cervicomandibular branch)의 2개의 주분지로 나뉜다. 2개의 주분지로부터 이하선 내에 다양한 5개의 분지를 내는데 측두안면지는 보통 측두지(temporal), 협골지(zygomatic), 그리고 협지(buccal)의 3분지를 내고 경부안면지는 하악지(mandibular)와 경지(cervical)의 2분지를 내어 안면부와 경부의 표정근을 지배한다(그림 5-2).

안면신경 분지의 분포 유형에 대해 여러 가지 학설이 있으나, 최근에 Katz와 Catalano[39]는 5가지 유형으로 분류하였다(그림 5-3). 제1 형은 각 분지 사이에 문합이 없는 경우이다. 그러나 협골지와 하악지는 갈라졌다가 다시 접합하는 형태를 보이는 경우도 있으며 약 24%를 차지한다. 제2 형은 협지가 여러 갈래로 나뉘었다가 협골지에 문

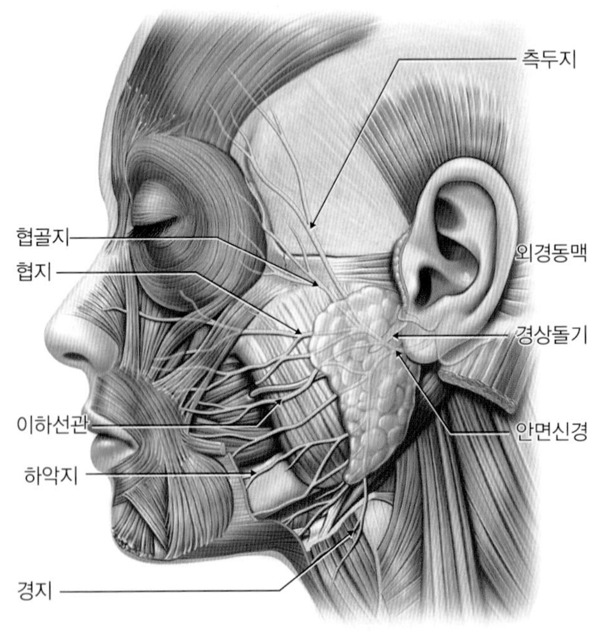

■ 그림 5-2. 이하선과 안면신경의 관계

합하며 14% 정도의 분포를 보인다. 제3형은 협지와 다른 분지 사이에 문합이 있는 경우이며 44%로 가장 많다. 제4형은 각 분지 사이에 복잡한 문합과 가지를 내는 경우로 14%를 차지하고, 제5형은 신경간이 하나 이상인 경우로 3%에 불과하다.

4) 자율 신경계

이하선의 분비운동(secretomotor) 신경섬유인 부교감신경(parasympathetic nerve)은 설인신경(glossopharyngeal nerve)으로부터 기원한다. 설인신경은 측두하와와 측두골을 거치는 경로를 통해 이하선에 분포하여 분비운동기능을 제공한다. 분비운동섬유는 뇌간의 하타액핵(inferior salivary nucleus)에서 시작되어 경정맥공(jugular foramen)으로 나오고 여기서 설인신경의 회귀성 분지인 고실분지(tympanic branch, Jacobsen's nerve)는 하고실 신경소관(inferior tympanic canaliculus)을 통해 중이강으로 들어가 고실신경총(tympanic plexus)을 형성한 후 중이강의 전상방에 위치한 골부를

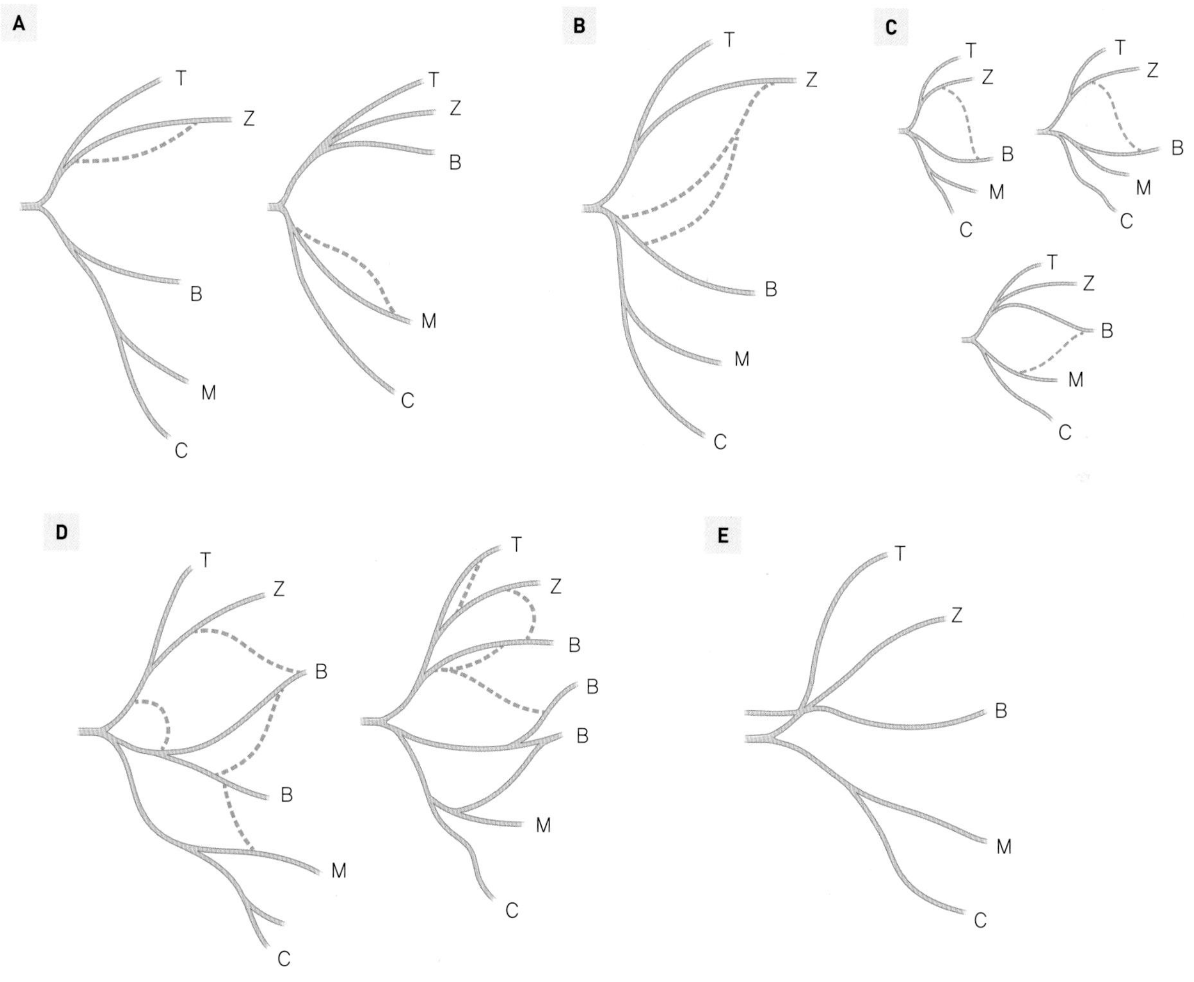

■ **그림 5-3. 안면신경 분지의 유형**

A) 제1형(24%). **B)** 제2형(14%). **C)** 제3형(44%). **D)** 제4형(14%). **E)** 제5형(3%). T : 측두지(temporal branch, Z : 협골지(zygomatic branch), B : 협지(bucca l branch), M : 하악지(mandibular branch), C : 경지(cervical branch)

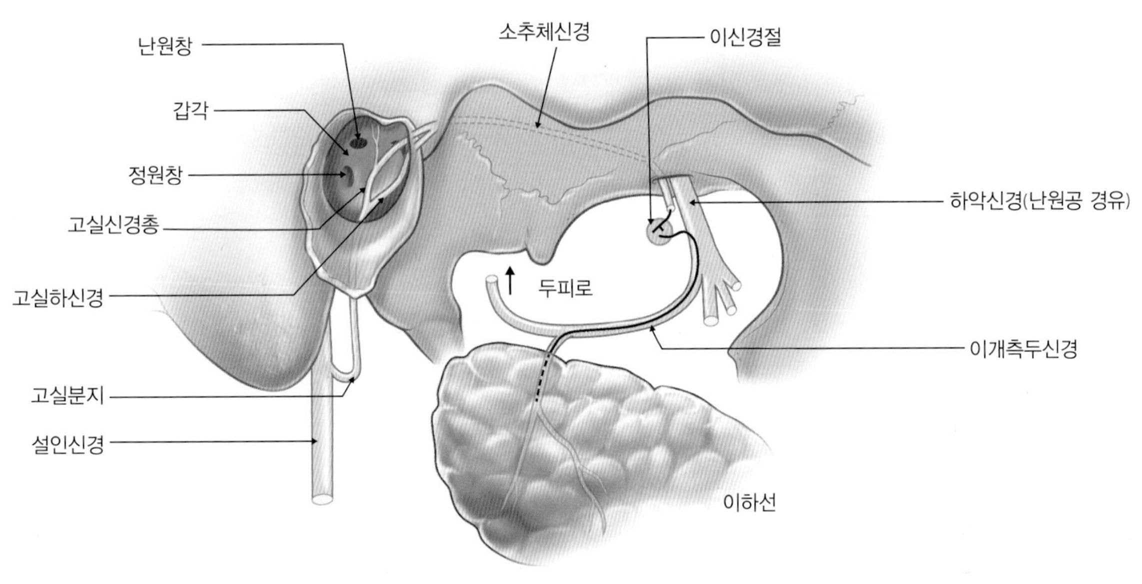

■ 그림 5-4. **이하선의 부교감신경 지배**

뚫고 중두개와의 경막하강으로 들어간다. 추체부 융선(petrous ridge)을 따라 내려가면서 소추체신경(lesser petrosal nerve)이 되어 극공(foramen spinosum)과 난원공(foramen ovale)쪽을 향해 주행하여 삼차신경의 하악분지에 근접한 난원공을 통해서 두개골을 나온다. 이들 섬유는 절전(preganglionic) 부교감신경섬유로서 이하선을 지배하기 전에 제2 뉴론이 축적된 세포체로 이루어진 이신경절(otic ganglion)에서 시냅스를 형성한다. 이신경절로부터 나온 절후(postganglionic) 섬유는 삼차신경의 하악분지의 하나인 이개측두신경(auriculotemporal nerve)과 결합하여 이하선에 도달하여 선내에 분포하여 타액 분비를 자극하게 된다(그림 5-4).

교감신경(sympathetic n.)은 흉부척추절의 상방에 있는 T1과 T2에서 나와 상경부신경절(superior cervical ganglion)을 경유하여 경동맥 신경총을 형성하고 여기서 나온 신경섬유는 이하선에 존재하는 큰 동맥을 따라 분포한다.

아세틸콜린은 부교감 신경과 교감 신경의 신경절 모두에서 신경 전달 물질로 작용한다. 이런 생리적인 이유로 이하선 절제수술 후에 Frey 증후군(Frey's syndrome), (gustatory sweating or auriculotemporal nerve syndrom)이 발생하게 된다. Frey 증후군은 이하선절제술 후 재생되는 부교감신경섬유들이 피부 한선에 분포하는 교감신경과 잘못 접합되어 발생하는 현상으로, 음식을 섭취할 때 부교감신경인 설인신경이 자극되면 이하선 부위의 안면에 있는 한선이 자극되어 발한을 보이는 현상을 말한다.[35]

5) 동맥

외경동맥(external carotid artery)은 이하선의 주된 동맥으로 이하선의 아래쪽에서 상방으로 주행하여 이하선의 후내방측으로 들어와서 후이개동맥(posterior auricular artery)을 분지하고 하악과(mandibular condyle)의 위치에서 두 개의 종말분지인 상악동맥(maxillary artery)과 천측두동맥(superficial temporal artery)으로 나뉜다. 상악동맥은 이하선의 심부에서 나와서 익돌구개와(pterygopalatine fossa)로 들어가기 전에 측두하와(infratemporal fossa)의 여러 구조물에 혈액을 공급한다. 천측두동맥은 이하선의 상극을 나가기 전에 횡안면동맥(transverse facial artery)을 분지하며 이것은 횡안면정맥(transverse facial vein)과 함께 협골궁과 이하선관 사이를 앞쪽으로 주행하여 이하선, 이하선관 그리고 교근에 혈액을 공급한다.

6) 정맥

이하선 안에 있는 정맥계는 이하선의 동맥에 평행으로 주행하며 천엽에 위치한 신경과 심엽에 위치한 동맥 사이에 위치한다. 이하선의 정맥은 천측두정맥(superficial temporal vein)과 익돌근 정맥총(pterygoid venous plexus) 및 측두하와로부터 나오는 정맥들로 구성되어 있다. 상악정맥은 측두하와를 가로지르는 하나의 큰 정맥이 아니라 분지들로 구성되어 있기 때문에 상악동맥보다 길이가 짧다. 상악정맥과 천측두정맥이 합쳐져 이하선 내에서 안면신경보다 심부에서 후하악정맥(retromandibular vein)을 이룬다. 이 정맥이 이하선의 주정맥이 되고 두 개의 전후 분지를 내게 되는데 전방 분지는 후안면정맥(posterior facial vein)과 합쳐져서 총안면정맥(common facial vein)으로 되어 내경정맥(internal jugular vein)으로 유입된다. 이 부위에서 정맥의 문합 양상은 개인마다 다양한 변이를 보이며 한 개인에서도 좌, 우측에 따라 다를 수 있다. 또한 후하악정맥의 후방 분지는 이하선의 하극으로부터 나가서 후이개정맥(posterior auricular vein)과 만나 외경정맥(external jugular vein)으로 유입된다.

7) 림프계

이하선은 태생기에 피막의 형성이 늦어[11] 다른 타액선과는 달리 실질 내와 주위에 많은 림프절이 존재한다. 이하선의 림프절은 이하선과 피막 사이에 있는 표재성 림프절과 실질 내에 존재하는 심부 림프절의 두 층으로 구성되어 있으며 표재성 림프절이 심부 림프절보다 7.6:2.3으로 많이 분포하고 있다.[38] 표재성 림프절은 3–20개의 림프절로 구성되어 있고,[31] 이하선, 외이도, 이개, 두피, 안검, 누선, 협부 등으로부터 유입된다. 심부 림프절은 이하선 조직의 심부에 위치하며 이하선, 외이도, 중이강, 비인두, 연구개 등에서 유입되어 상심경부(upper deep cervical) 림프계로 유출된다.[42]

2. 악하선

악하선(submandibular gland)은 무게가 10–15 gm으로 타액선 중에서 이하선 다음으로 두 번째로 크며 장액성 및 점액성 분비세포를 함께 가지고 있다.[2,38] 모양이 불규칙하고 이복근의 전복과 후복, 그리고 하악의 하연이 만드는 악하삼각(submandibular triangle) 내에 위치한다. 하악지의 하내방에 자리하고 악설골근(mylohyoid muscle)과 설골설근(hyoglossus muscle) 위에 위치하고 있다.

악하선은 천엽과 심엽으로 구분할 수 있다. 천엽은 악설골근에 표재성으로 놓여 있으며 측설하강(lateral sublingual space)에 위치한다.[42] 심엽은 설골설근 위에 위치하고 악설골근의 후연 주위를 감싸고 있으며 단순한 경부촉진 때에는 만져지지 않으나 경부를 압박하면 구강저부에서 만져질 수 있다.[35] 악하선의 상방에는 설신경이, 하방에는 설하신경(hypoglossal n.)과 심설정맥(deep lingual v.)이 있다.[12] 설하신경은 악하선의 내측과 설골설근 사이에 위치하고 앞쪽에서 시작하여 악설골근의 뒷면으로 들어간다. 설신경은 평평한 커브를 이루고 악하삼각의 심부에서 하악의 내측면을 따라 올라가며 악하선관의 기시부와 종말부 근처에서 관과 두 번 교차하게 된다.[35]

1) 근막

심경근막의 천층에서 기인된 근막이 악하선의 피막을 형성하고 이 피막의 천층에 안면 신경의 악하 분지가 존재하므로 수술 시에 신경을 보존하기 위한 주의가 필요하다. 종양학적으로 안전할 경우에 경부 곽청술이나 악하선

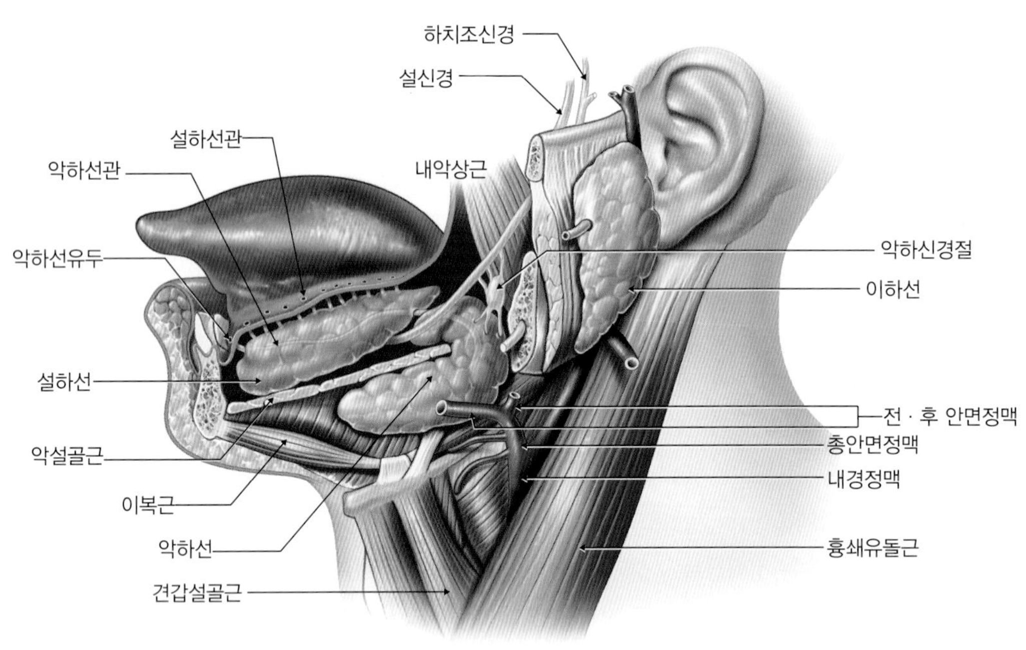

■ 그림 5-5. **악하선과 실하선의 위치와 주변 구조물**

절제술 시행 시 악하선 근막을 박리하는 것이 신경을 보존할 수 있는 방법이 된다.

2) 악하선 관

악하선관(submandibular duct or Wharton's duct)은 여러 개의 지류가 합해져 형성되며 길이는 약 5–6 cm로[12,38] 주행이 불규칙하고 개구부가 관강(lumen)보다 좁다. 악하선 심엽의 내측에서 기원하여 이설근(genioglossus muscle) 위에 있는 악설골근과 설골설근 사이를 주행하여 구강저의 앞쪽에 있는 설소대(lingual frenulum) 측면의 유두에 개구한다. 설신경보다 심부에 존재하며 설하선의 내측으로 주행한다. 때로는 악하선관의 앞부분이 설하선의 외측을 지나면서 설하선 내의 많은 관을 수용하기도 한다(그림 5-5).

3) 설신경

설신경은 하측두와에서 삼차 신경의 하악 분지로부터 분기하여 혀의 전방 2/3의 일반 감각과 미각을 담당한다. 외측으로 하악지와 내측 날개근 사이를 지나며 하악 제3 대구치에서 구강내로 들어가 점막하층으로 구강저를 따라 설골설근을 가로질러 주행한다. 하악 아래로 작은 운동신경 분지를 내어 악설골근을 지배한다.

4) 자율신경계

악하선의 부교감신경계는 안면신경의 분비운동섬유에 의해 지배를 받으며 이는 상타액핵(superior salivatory nucleus)에서 유래한다. 이들 신경 섬유는 뇌간을 나와 내이도 내에서 안면신경과 합쳐져 중이내에서 고실 신경(chorda tympani nerve)으로 분지되어 추체고실열(petrotympanic fissure)을 통해 측두하와로 들어간다. 삼차신경의 하악 분지인 설신경과 합쳐진 후에 구강저까지 도달한 후 다시 설신경을 빠져나가 부교감신경절인 악하신경절(submandibular ganglion)과 시냅스를 형성한다. 악하신경절에서 나온 절후 신경섬유는 악하선을 직접

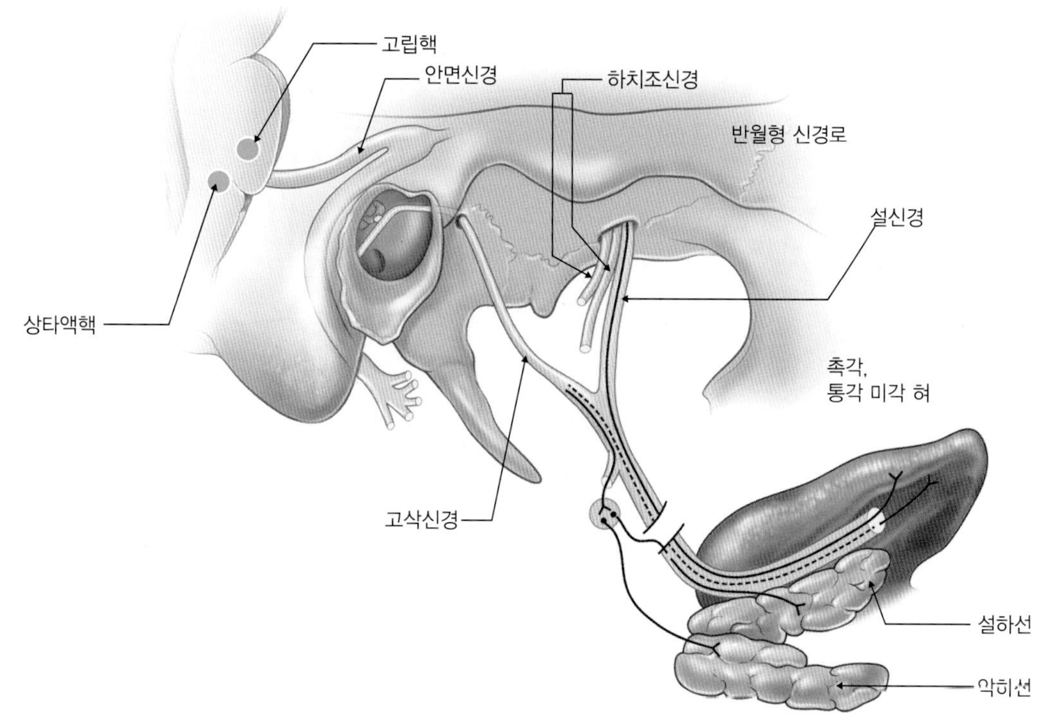

■ 그림 5-6. **악하선의 부교감신경 지배**

자극하여 타액을 만들게 된다(그림 5-6). 교감신경섬유는 상경부신경절(superior cervical ganglion)에서 기원하여 설동맥을 따라 악하선에 도달하게 된다.

5) 동맥

악하선은 외경동맥의 주분지인 안면동맥과 설동맥으로부터 혈액을 공급받는다. 안면동맥은 악하선 혈액 공급의 주동맥이며 이복근의 후복에서 상방으로 진행한 후 악하선의 후방에 도달하여 후연과 상연에 함입되어 있고, 선내에 2-3개의 분지를 낸다.[11] 이후 악하선의 상부 경계와 하악의 하방에서 악하선으로부터 나와 상방으로 주행하게 된다. 악하선 적출 시에 안면 동맥은 두 번 결찰하게 되는데 하악의 하방 경계와 이복근의 후복 상부에서 시행하게 된다. 설동맥은 외경 동맥에서 분지된 후 이복근의 심부로 중간 인두수축근의 외측을 따라서 주행하여 설하설근의 전내측으로 지나게 된다.

6) 정맥

악하선은 주로 전안면정맥으로 유출되는데 악하선의 표면 위를 주행하여 상방에서 안면동맥과 만나며 안면신경의 하악분지가 이 정맥의 바깥쪽에 위치한다. 따라서 악하선 수술 시에 안면신경의 하악분지를 보존하기 위해 이 정맥을 결찰한 후 상방으로 당기는 것이 도움을 줄 수 있다. 총안면정맥은 악하선의 중간 부위에서 전, 후 안면정맥이 합쳐져 형성되고 악하삼각을 빠져나가 내경정맥으로 유출된다.

7) 림프계

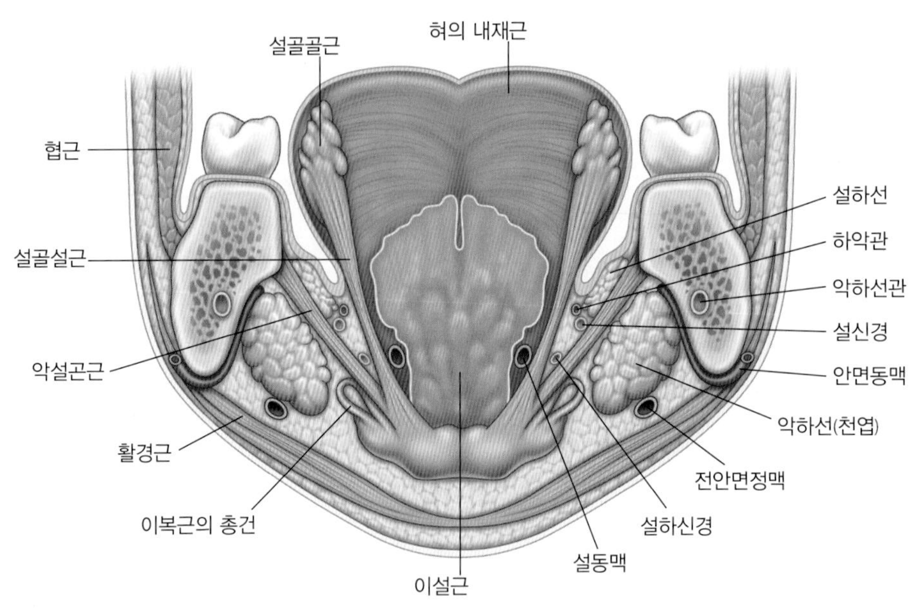

■ 그림 5-7. **악설을근과 설골설근의 주변 구조물**

악하선에서 유출되는 혈관 전, 혈관 후 림프절(pre-vascular, retrovascular lymph nodes)은 악하선과 근막 사이에 존재한다. 이들 림프절은 구강, 특히 협부점막과 구강저에서 발생하는 악성 종양과 밀접한 관련이 있으며 심경부림프절로 유출된다. 경부 곽청술 시에 이들 림프절을 모두 제거하는 것이 중요하고 이때 안면신경의 하악분지를 보존하기 위해 주의를 기울여야 한다.

3. 설하선

설하선은 주타액선 중에서 가장 작고 무게는 2-4 gm 정도이다.[10,38] 점액성 선포 세포를 가지고 있으며 위로는 설하주름과 아래로는 악설골근(mylohyoid m.) 사이에 존재하고 구강 저부의 점막하층에서 편평한 구조로 놓여 있다(그림 5-7). 설하선을 둘러싸고 있는 근막성 피막은 없지만 상부는 구강점막으로 덮여 있다. 약 8-10개의 작은 관(duct of Rivinus)이 설하선의 상방에서 나와[38] 구강 저부의 주름이나 설하주름을 따라 구강 내로 직접 개구하거나 여러 개의 관이 합쳐져 주설하관(Bartholin's duct)을 형성하여 악하선관으로 배출되기도 한다.[42]

설하선의 부교감신경 지배는 악하선과 비슷하지만 차이점은 악하신경절로부터 나온 절후신경절 분비운동섬유가 설신경과 다시 결합하여 구강저 앞쪽으로 주행한 후 설하선을 지배한다는 것이다. 교감신경은 경부신경절에서 기원하여 안면동맥에 있는 신경총을 통해 지배한다. 설하선의 지각은 설신경이 담당한다.

설하선의 혈액 공급은 설동맥의 분지인 설하 동맥(sublingual artery)과 안면동맥의 분지인 이하 동맥(submental artery)이고 정맥은 같은 이름의 정맥이 담당하며 주된 림프관은 악하 림프절로 유출된다.

4. 소타액선

주타액선과 달리 소타액선은 각각의 분비 단위마다 작고 독립적인 분비관을 지니고 있으며 점액과 장액을 동시에 분비하는 혼합선이다. 그 숫자가 약 600-1,000개로서[42] 크기는 1-5 mm 정도이며 대부분 구강과 인두 내에 존재하고 주로 구개, 구순, 협부에 분포한다. 그 외 혀, 편도의 상극(Weber's gland)과 편도구개궁, 부비동, 비강, 후두, 비인두, 기관 및 기관지 등에도 발견된다. 소타액선의 대부분은 설신경으로부터 부교감신경 지배를 받지만 구개의 소타액선은 접구개신경절(sphenopalatine ganglion)에서 나온 구개신경(palatine nerve)의 지배를 받는다. 구강 내의 각각의 위치에 따라 소타액선의 혈액 공급과 정맥 및 림프의 유출이 정해지게 된다. 따라서 이들 부위는 모두 타액선 종양의 기원이 될 수 있다.

III 타액선의 조직학

1. 분비 단위

타액선의 기본 분비 단위는 선포(acinus), 분비관(secretory duct), 집합관(collecting duct)으로 구성된다(그림 5-8). 선포는 장액성, 점액성 및 혼합성의 세 가지 형태가 있다. 장액성 선포(serous acini)는 대략 구형이며 세포외배출(exocytosis)을 통해 분비과립에서 당화되지 않은 수성 단백질을 분비한다. 선포세포는 피라미드 형태이고 조밀한 세포질로 둘러싸인 세포핵이 기저부에 위치하고 최상부에는 분비과립이 풍부하게 분포해 있다. 점액성 선포(mucinous acini)는 분비 과립 내에 점액소(mucin)를 저장하고 있으며 방출될 때 수화되어 점액(mucus)을 만들게 된다. 점액성 선포세포는 단층원주세포이고 기저부에 세포핵이 위치하고 있으며 친수성 과립을 가지고 있다. 혼합성 선포(mixed acini)는 점액성과 장액성을 모두 가지고 있지만 하나의 형태가 우세할 수 있다. 혼합성 선포는 일반적으로 점액성 선포의 모자를 형성하는 장액반달(serous demilune)로 관찰된다.

분비관은 소엽내관(intralobular duct)인 개재관(intercalated duct)과 줄무늬관(striated duct)이 있으며 많은 선포로부터 만들어진 타액은 개재관을 통해 소엽내관과 소엽간관(interlobular duct)으로 수송되고 몇 개의 소엽간관은 한 개의 길고 큰 지름의 집합관으로 간다. 타액선 내에서 타액선 단위의 분비능력과 구조적 형태는 타액선에 따라 다르다. 이하선과 악하선은 몇 개의 소엽간관이 연결되어 하나의 길고 큰 집합관을 형성하는 반면 설하선은 10-12개의 분리된 집합관으로 배출되는 단순한 형태로 되어 있다.[51] 선포와 근위관(proximal duct)은 근상피세포(myoepithelial cell)로 둘러싸인 입방상피(cuboidal epithelium)의 한 층으로 되어 있고 개재관 세포는 비교적 큰 중심핵으로서 몇 개의 소기관(organelle)을 가지고 있으며[12] 근상피세포가 수축하면 타액이 배출

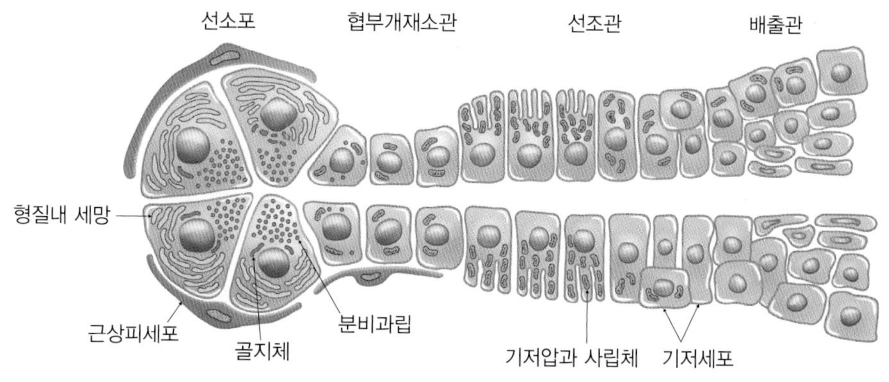

■ 그림 5-8. 타액선의 분비 단위와 도관계

된다.[51,56] 도관계는 나트륨, 칼륨, 염소와 그 외 이온 등을 흡수하거나 분비한다. 소타액선은 소수의 분비 단위를 갖고 있으며 구강의 점막하에 분포되어 있어 집합관은 짧고 구불구불하다.[59] 이하선은 장액성 형태의 선포만으로 구성 되어 있어 점액질이 없는 물 같은 타액을 분비한다. 이에 비해 설하선과 소타액선은 대부분 점액성 형태의 선포를 갖고 있어서 점액성의 타액을 생산한다. 악하선은 장액성과 점액성 선포를 모두 가지고 있기 때문에 혼합성 타액을 분비한다.[11]

2. 분비 과정

과거에는 타액이 혈액의 초여과(ultrafiltration)로 생성된다고 단순히 생각되었지만[16] 현재는 타액선 분비 단위를 통해 발생하는 능동적 수송 과정에서 형성되며 이 과정은 호르몬과 신경원성 신호전달의 복합적인 작용에 의하여 조절되는 것으로 알려져 있다. 즉 선포의 기저측면 부위에 있는 수용체에 결합하는 신경전달물질의 자극에 대한 반응으로 생성된다고 한다.[5] 타액의 분비 과정은 상호 연관된 일차분비(primary secretion)와 관분비(ductal secretion)로 이루어져 있다.[51]

1) 일차분비

일차분비는 선포와 개재관에서 생성되는데 분비과립(secretory granules)에서 분비된 분비액이 선포강(acinar lumen)으로 나온 것으로 분비액의 조성은 혈장과 유사하다.[61] 선포 세포의 조직학적 형태는 다른 단백 분비세포와 유사하고 장액성 선포세포들은 아밀라제와 deoxyribonuclease를 포함하는 분비과립을 생산하는 반면 점액성 세포과립은 점액소를 많이 함유하고 있다.[51] 면역조직화학적 연구에 따르면 아밀라제는 선포세포와 개재관세포에 존재하는 것으로 밝혀졌다.[43] 전기화학적 연구 결과 선포세포는 나트륨, 칼륨, 염소 이온 등의 능동적 수송을 하며 휴지기의 선포세포는 −20−−35 mV의 막전위(membrane potential)를 가지고 있으며[52] 자율신경계에 의해 자극되면 선포세포는 과분극(hyperpolarization)되어 칼륨의 유출과 염소의 유입이 일어나며, 세포내 음성을 나타내게 한다.[46] 이런 과분극을 분비전위(secretory potential)라고 한다.

2) 관분비

일차 분비된 타액이 원위부의 관으로 운반되면서 전해질, 수분, 유기물 등의 분비와 함께 전해질과 수분의 재흡수 과정을 통해 그 조성이 변하게 된다. 원위부의 소관(tubular level)에서 전해질의 농도는 유출률과 밀접한 관계가 있다. 관세포는 나트륨과 염화물(chloride)을 재흡수하고 칼륨과 중탄산염(bicarbonate)을 분비하여 최종 타액이 저장성(hypotonicity)이 되는 데 기여한다.[50] 나트륨과 칼륨의 재흡수는 직접적으로 분비 속도와 관련이 있는데 타액 분비 속도가 증가함에 따라 이들 이온들의 재흡수률이 감소되어 타액의 농도가 증가한다.[61] 일반적으로 관수송의 결과로 나트륨은 감소하고 칼륨 농도는 증가한다.[42] 쥐의 악하선 도관계에서 위치에 따른 삼투압농도와 칼륨 및 나트륨 농도 변화에 대한 Young 등[61]의 연구에 따르면 일차분비에서 나트륨의 농도는 150 mEq/L였으나 개구 부위에서는 5mEq/L로 감소하였고 칼륨은 10 mEq/L에서 40 mEq/L로 증가하였다. 삼투압 농도는 300 Osm/ug에서 100 Osm/ug으로 변화되어 타액의 조성은 위치와 유출률이 직접 연관이 있다고 하였다. 나트륨의 재흡수는 일차적으로 소엽내관에서 일어난다. 매우 느린 유출률에서는 높은 칼륨 농도를 보이나 고유출률에서 농도는 감소한다. 이는 저유출률과 자극의 초기 단계에는 세포내 칼륨이 많이 유리되기 때문이나 자극이 증가하고 유출이 지속되면 세포 내에 저장되었던 칼륨이 고갈되고 혈장과 세포 내 그리고 타액 사이에 안정된 농도가 이루어지기 때문이다.[51]

Ⅳ 타액선의 생리

타액선의 주기능은 타액의 생성이고, 타액은 주타액선인 이하선, 악하선, 그리고 설하선과 구강내 점막에 넓게 분포하는 소타액선에서 연하의 단계 중 구강기(oral stage)때 구강내로 분비된다. 타액은 다양한 기능을 갖고 있는데 음식의 유화와 연하시 윤활작용으로 저작 기능에 관여하고, 알파 아밀라제(α-amylase)에 의한 녹말의 분해로 소화 작용을 돕는다. 또한 호르몬이나 호르몬 유사물질을 생산하고, 미각을 전달하는 역할을 하며,[4] 리소자임(lysozyme), 분비성 면역글로불린 A(secreting IgA), 과산화 효소(peroxidase) 같은 항균물질을 분비하여[42] 구강내 세균 조절과 면역계 기능을 가짐으로써 치아 구조의 보호와 구강 위생 유지뿐만 아니라 전신적인 인체의 방어기전에도 중요한 역할을 하고 있다.[8,11] 타액의 분비기전은 각 타액선의 조직학적 형태와 타액의 조성 때문에 명확히 밝혀지지 않았으나 연수(medulla)에 있는 타액 분비핵에 의해 조절된다. 저작 활동, 미각 자극, 후각 자극과 같은 특별한 인자들에 의해 유발되면 타액 분비핵이 자극되어 타액선으로 가는 부교감신경이 활성화되어 타액 유출이 증가하게 된다. 최근 타액선에서 세포방어물질(cytoprotective substance), 성장인자(growth factor), 항상성 인자(homeostatic factor) 등의 성질을 갖는 생물학적으로 활동적인 폴리펩티드들이 발견되고 있다.[51]

1. 타액선의 자율신경지배

주요 타액선의 신경지배 형태는 종과 종 사이뿐만 아니라 같은 개체에서도 각 타액선에 따라 다르며 같은 선 내에서도 세포 형태에 따라 다르다. 타액선의 생리학적 조절은 자율신경계의 지배를 받기 때문에 타액선에는 교감신경섬유와 부교감신경섬유 모두가 분포되어 자극이 있으면 타액 분비에 관여한다.[3,32] 일반적으로 타액선에서는 부교감신경의 효과가 압도적이어서 부교감신경이 활성화되면 타액선의 혈관 확장과 분비세포로부터의 유출이 생겨 타액을 분비하고 부교감신경이 차단되면 타액선이 위축되나 교감신경이 차단된 경우에는 기능에 거의 영향이 없어 타액의 생성에 일차적인 신경은 부교감신경이고 교감신경은 타액 구성성분의 조절에 주로 관여한다고 알려져 있다.[4] 따라서 타액선에서 자율신경의 자극은 서로 길항적으로 작용한다기보다는 상호보완적이고 때로는 공동작용을 한다고 볼 수 있다.[2]

교감신경이 자극되면 단백질의 분비가 증가되고 근상피세포의 수축, 혈관의 긴장도를 유지하게된다. 부교감신경의 자극으로 타액의 분비량은 증가하고 단백질의 분비는 감소하게 된다.

1) 부교감신경계

반사궁의 구심섬유(afferent fiber)는 혀나 구강점막의 반사대에 있는 말초감각기로부터의 자극을 삼차신경, 안면신경, 설인신경, 미주신경 등을 통해 분비중추인 뇌간의 타액핵으로 전달하고 각 타액핵에서 기원하는 원심섬유(efferent fiber)는 여러 경로를 통해 각각의 타액선에 도달한다.[38]

이하선에 가는 절전 신경섬유는 뇌간의 하타액핵에서 기시하여 설인신경의 고실분지를 따라 고실신경총을 거쳐 소추체신경을 경유하여 이신경절에 도달한다. 이신경절로부터 나온 절후 부교감신경섬유는 이개측두신경과 접합하여 이하선에 분포한다(그림 5-4).

악하선과 설하선의 부교감신경 지배는 상타액핵에서 나온 절전 신경섬유가 중간신경핵을 지나 고삭신경을 통해 설신경에 전달되어 하악신경절에 도달된다. 여기서 나온 절후 신경섬유는 악하선과 설하선을 지배하게 된다(그림 5-6).

절후 부교감신경은 타액선의 근위부에서 아세틸콜린(acetylcholine)을 유리하고 신경전달물질이 수동적으로 확산되어 자극을 유발한다. 아세틸콜린은 부교감신경계의 일차적인 신경전달물질이며 아세틸콜린의 수용체인 콜린성 수용체(cholinergic receptor)는 무스카린 수용체(muscarinic receptor)와 니코틴 수용체(nicotinic receptor)로 나눌 수 있다.[42] 아세틸콜린의 분해를 억제하는 항콜린에스테라제(anticholinesterase)는 수용체에서 아세틸콜린의 작용을 연장시켜 지속적으로 선 분비를 자극한다. 절후 신경섬유 수용체에서 아세틸콜린과 경쟁하는 아트로핀(atropine)은 선 자극을 억제하여 강력한 타액분비 억제작용을 한다.[46] 부교감신경 자극에 의해 생산된 타액은 다량의 물 같은 타액을 지속적으로 분비하므로 교감신경 자극 때보다도 상대적으로 유기질과 무기질 및 단백질이 적은 타액을 분비한다.[51]

2) 교감 신경계

교감신경계의 원심섬유는 흉부척추절의 상부에 있는 T1과 T2에서 기원하며,[11] 상경부 신경절(superior cervical ganglion)에서 나온 절후신경은 경동맥신경총을 경유하여 이하선에 공급되는 큰 동맥을 따라서 이하선의 근상피세포, 개재관, 그리고 선포에 분포한다. 악하선과 설하선의 교감신경 지배도 이하선을 지배하는 원심섬유의 경로와 동일한 주행을 하나, 악하선은 설동맥에 있는 신경총을 따라 분포하고 설하선은 안면동맥에 있는 신경총을 따라 설하선에 분포한다.

교감신경전달물질은 노르에피네프린(norepinephrine)과 에피네프린(epinephrine)으로서 노르에피네프린이 주 신경전달물질이다. 교감신경에 의한 선의 자극은 세포핵과 핵소체의 빠른 팽창, 형질내 세망의 증가, 분비과립의 형성 등을 유도하여 분비를 촉진하고 단백질 합성을 일으켜 무기질과 유기질이 풍부한 소량의 점액성 타액을 분비한다.[33]

2. 수용체

조절수용체(regulatory receptor)들의 대부분은 형질막(plasma membrane)에서 발견되고 일부만이 세포내에 존재하는데,[4] 폴리펩티드 호르몬과 신경전달물질(neurotransmitter)에 대한 수용체는 형질막에 있고 외분비선에 대한 수용체는 분비세포의 기저막이나 측막에 있다.[5] 특정한 조절 분자가 작용하면 수용체 복합체는 세포반응을 일으키는 효과기(effector)를 직접 또는 이차전령계(second messenger)에 의해 활성화시킨다.[9] 타액선 수용체의 분자적 특징은 아직 명확하지 않으나 아드레날린성(adrenergic)과 콜린성(cholinergic) 수용체로 크게 나눌 수 있다.[4,45] Bylund와 Martinez[9]에 따르면 타액선에서 노르에피네프린의 수용체인 아드레날린성 수용체는 알파-아드레날린성(α-adrenergic)과 베타-아드레날린성(β-adrenergic) 수용체로 나눌 수 있고 이들은 각각 α1과 α2, β1과 β2의 두 가지 아형으로 다시 나눌 수 있다. α1과 β1 수용체는 절후 신경에서 효과를 조정하며, β1, β2, α2는 이차전령계인 adenylate cyclase와 연관되어 있다.[46] 콜린성 수용체에는 무스카린 수용체와 니코틴 수용체가 있으며 특히 선포에는 무스카린 수용체만 있으며 여기서 아세틸콜린이 결합하면 phosopholipase C pathway가 활성화된다.

 타액

정상인의 경우 하루 동안 분비되는 총 타액의 양은 평균 1–1.5 L이다. 개인에 따라 차이가 많지만 자극받지 않았을 때의 유출량은 평균 0.1 mL/min 이상이며 자극을 받았을 때는 0.2 mL/min 이상으로 증가한다.[37] 이 중 자극 받았을 때 생성되는 타액량이 하루에 생성되는 타액의 80–90%를 차지한다.

타액은 거의 99.5%가 수분으로 구성되어 있으며 비중은 1.002–1.012 이다. 그 외 무기물과 유기물로 구성되어 있는데, 무기물로는 나트륨, 칼륨, 염화물, 중탄산염, 칼슘, 마그네슘, 인산염, 요소, 암모니아 등이 있고 유기물에는 면역글로불린과 같은 여러 가지 단백질과 요소, 점액소 등이 포함되어 있다.[28,48] 전해질이 대부분인 무기물은 능동적 과정에 의해 타액으로 수송되기 때문에 혈장농도와는 비교적 무관하지만 유기물은 확산에 의해 이동되기 때문에 타액에서의 농도가 혈장의 농도를 반영한다고 할 수 있다.[37]

타액의 산도(pH)는 혈액의 이산화탄소 농도에 따라 직접적으로 변하는데 사람의 경우 정상 산도는 5.75-7.05 정도로 약산성을 띈다. 타액의 유출 속도에 따라 산도는 변하는데 고유출 시에는 산도가 7.8로 증가하나 저유출 시에는 5.3으로 감소한다.[22]

타액의 분비에 영향을 주는 인자들은 일일 주기, 기후, 음식의 섭취, 빛의 영향, 나이와 성별, 그리고 신체활동 등이며 이들은 타액의 구성 성분에도 영향을 준다고 한다. 심지어 개인의 성격과 타액의 흐름 사이에도 상호관계가 있다는 보고도 있다.[58] 타액의 분비 속도는 음식을 먹는 동안 가장 높으며 분비자극이 없으면 낮아지거나 거의 없어진다. 하루에 분비되는 타액의 양은 악하선에서 가장 많으나 식사와 같은 자극을 주면 이하선의 분비량이 악하선의 분비량보다 많을 수도 있다.[25] 타액선의 분비량에 대한 Mandle[48]의 보고에 따르면 자극받지 않은 상태에서 악하선이 71%로 가장 많은 부분을 차지하고 이하선이 25%, 설하선은 3-4%의 분비량을 보이며 소타액선은 아주 미미하다. 자극이 주어진 상태에서는 악하선이 전체 타액 분비량의 60% 이상을 차지한다. 타액의 점도는 자극 후 이하선 1.5 cp, 설하선 3.4 cp, 악하선 13.4 cp로서 악하선의 점도가 가장 높았으며 이 점도는 점액 세포의 점유율과 직접 연관이 있다. 타액의 전해질 농도는 일일 주기(daily rhythm)를 보여준다.[16] 타액의 유출률은 12시간 간격으로 최대 유출률의 차이를 보이고[18] 최저치는 최대치의 약 40-50% 정도이다.[27] 자극받지 않은 이하선에서 유출률은 0.04 ml/min 정도이나 악하선은 더 높아 0.05 ml/min이다.[49] 타액 유출은 수면 중에는 현저히 감소하여 주타액선의 유출은 없으나 소타액선은 자발적인 분비를 계속한다.[53] 자극 후 유출률은 정도에 따라 다르지만 일반적인 미각 자극으로는 0.6 ml/min의 유출률을 보이며 건조함으로 인한 불쾌감은 보통 0.2 ml/min의 유출률까지는 나타나지 않는다.[4]

타액선에서 단백 농도는 자극된 이하선이 악하선보다 높고, 아밀라제의 대부분이 이하선에서 분비된다.[6,48] 포유류의 악하선에서 칼리크레인(kallikrein)이 발견된 이후 많은 수의 폴리펩티드가 분리되거나 정제되었다.[40] 그외에도 신경성장인자(nerve growth factor), 상피성장인자(epidermal growth factor EGF), 레닌(renin) 등이 존재하는 것으로 알려져 있다.[55] 상피성장인자는 이하선과 악하선에서 주로 나타나며 악성 종양이 있거나 발전할 가능성이 높은 위험인자를 가지고 있는 환자에서 타액 내 저농도를 보인다는 보고도 있다.

1. 타액 분비에 영향을 미치는 인자

타액의 분비에 영향을 주는 인자로는 약물, 일일 주기, 기후, 음식의 섭취, 나이, 정신적 요인, 호르몬 등 많이 있으며,[4] 자율신경계에 작용하여 크든 작든 타액선에 영향을 미친다. 이런 물질들은 선포에 직접적으로 작용할 수 있으며 악하선이 이하선보다도 물리적 변화나 대사성 변화에 더 예민하다.[60]

1) 약물

약물은 말초 신경절 또는 중추 단계에서 감각수용체에 영향을 주어 자율신경 전달물질의 약리적 작용과 유사하게 다양한 화학물질에 반응하여 타액 분비를 자극하거나 억제한다. 특히 중추신경 억제 약물과 말초 자율신경 차단제나 신경절 차단제는 타액 분비를 억제한다. 6%의 구연산(citric acid)을 섭취하면 타액 분비를 효과적으로 자극시킬 수 있다고 한다.[25] 삼환계(tricyclic) 항우울증 약물과 phenothiatine계 약물은 타액선 기능을 저하시키는 약물 중의 하나로 구강의 건조가 이 약물의 주된 부작용이다.[12] 또한 구강의 건조는 reserpine과 guanethidine

군을 포함하는 clonidine과 methyldopa 같은 항고혈압제제에서도 나타난다.[58] 중추신경에 작용하는 전신마취제나 barbiturate계 수면제는 타액 분비를 억제하는 반면 morphine과 apomorphine은 타액 분비를 자극한다.[34] 아트로핀과 같은 자율신경 차단제는 수용체에서 아세틸콜린과 경쟁하여 타액 분비를 감소시켜 타액 분비 억제(antisialagogue)약으로 사용된다.[20] 교감신경계 약물의 장기적인 사용은 타액선의 비염증성 종창인 타액선증(sialadenosis)을 일으키며 교감신경성 분무액(aerosol)을 자주 사용하는 만성 천식 환자에게서 종종 발생한다.[8] 또한 isoproterenol의 잦은 사용도 이하선의 비대를 일으킨다고 알려져 있는데 베타-수용체 차단제로 예방할 수 있다.[11]

2) 일일 주기

일간변동(diurnal variation)에 따라 타액 분비가 변하는 데 늦은 오후에는 분비량이 최대이고 밤에 가장 적게 분비된다. 밤에 분비량이 감소하는 것은 주위 환경에서 빛이 감소하는 것, 각성 정도 등과 관계있는 것으로 보인다.[23]

3) 호르몬

타액 분비에 대한 호르몬과 호르몬 유사물질들의 작용은 타액선의 크기와 기능에 영향을 줄 수 있다. 갑상선 제거 수술 후 타액 생산이 감소하고 점도는 증가하나, I-131을 투여하면 갑상선과 이하선의 위축이 관찰된다.[54] 또한 고양이의 양쪽 부신(adrenal gland)이나 뇌하수체를 제거하면 악하선이 위축된다.[51] 사람에서 합성 칼시토닌은 이하선에서 아밀라제의 분비를 증가시키고[21] 위장관 호르몬도 타액 분비에 영향을 줄 수 있다.[58]

4) 정신적 인자

우울과 불안 상태는 자주 구강의 건조를 일으킨다. 그러나 우울의 정도와 구강건조증 정도와는 관련이 없으며, 불안 상태에서 타액 유출이 감소하는 것은 교감신경의 과활동성과 연관되어 타액선에 분포하는 교감신경이 타액 분비에 억제적으로 작용한다고 생각된다. 구강 건조를 유발하는 기전은 연수의 타액핵에 작용하는 고위중추로부터 부교감 신경의 중추억제라는 가설이 일반적으로 인정된다.[51]

5) 나이

연령에 따라 타액 분비가 변하는데 출생 직후부터 3-5세까지 증가하다가 8-10세에는 감소하며 이후 30대까지 서서히 분비가 증가한 후에는 나이가 듦에 따라 다시 감소한다.[2] 구강 건조증이 노인층에서 흔히 호소하는 증상 중의 하나이므로 나이가 타액선의 기능 저하와 관련된 것으로 보인다. 이는 연령의 증가에 따라 지방화와 섬유화가 초래되어 선포가 위축되기 때문이라고 생각된다.[57] 인간에서 이하선의 타액은 전해질과 삼투질 농도가 나이와 함께 감소되며[13] 동물실험에서도 아밀라제와 점액소 같은 단백질이 나이가 들어감에 따라 생산이 감소된다는 것이 밝혀졌다.[18]

6) 음식

음식물은 반사적인 타액 분비 효과를 초래할 수 있는데 타액의 분비량과 조성은 자극의 성질에 따라 다르다. 예를 들면, 고기를 먹으면 입 속에서 점액성의 분비물인 점액소가 풍부하게 나와 연하를 촉진하지만 먹을 수 없는 모래 같은 것이 들어가면 구강을 세척하기 위해 엷고 물 같은 타액이 분비된다.[51] 일반적으로 음식물은 단백이 풍부한 분비를 유발하지만 탄수화물은 타액 속의 단백질이나 아밀라제 농도에 영향을 별로 주지 않는다.[6]

2. 타액의 기능

1) 소화 기능

타액은 음식물이 유화되고 용해되는 과정에서 소화를

돕는 기능을 하며, 이때 미각에도 관여한다. 타액은 음식물을 용해하여 미각 물질을 수용기로 수송할 뿐만 아니라 산을 중화시켜 미각을 느끼는 것을 돕는다. 타액의 가장 중요한 소화효소는 알파 아밀라제인데, 이것은 이하선 타액의 주단백질로서 탄수화물의 소화에 중요하며 위에서 위산에 의해 억제된다. 사람의 하루 아밀라제의 분비량은 0.6 gm 정도로 60%가 췌장에서 분비되고, 40%가 타액에서 분비된다. 악하선 타액에서도 발견되지만 타액 내 분비량의 70% 정도는 이하선에서 분비되는데[3] 그 농도는 타액의 유출률과는 무관하다. 그 외 여러가지 소화효소가 타액에 존재하는데, 그중 적은 양이지만 지질분해효소(lipase)가 이하선 타액에 존재한다.[19]

2) 보호 기능

타액은 감염에 저항하는 몇 가지 물질을 포함하고 있어 구강과 음식이나 공기 중에 있는 감염물질과의 직접적인 접촉 시 방어 작용을 한다. 타액과 타액선의 보호 기능은 크게 세 가지 영역으로 나눌 수 있다. 즉, 기계적 보호 작용, 충치 예방 작용, 항균 작용 등이 그것이다.

(1) 기계적 보호 작용

기계적 보호 작용은 음식물 찌꺼기, 상피조직편, 세균, 분해효소 등을 희석하여 제거하고 이하선의 타액에서 발견되는 당단백(glycoprotein)은 점막의 피복과 윤활 작용으로 구강과 구인두를 보호한다.[15]

(2) 충치 예방 작용

타액에 포함되어 있는 칼슘, 불소, 인산염 같은 무기이온은 미성숙 치아에 결합하여 치아를 성숙시키고, 사기질(enamel)의 용해를 감소시킨다. 타액의 완충 능력은 프라크(plaque)에 축적되는 산을 중화시켜 충치가 생기는 것을 방지한다. 쇼그렌 증후군, 방사선치료, 부교감신경 약물의 장기적 사용 등으로 타액이 감소하면 충치 발생률이 증가하는 것으로 보아 충치와 타액 유출과는 분명한 관계가 있다고 생각된다.[47]

(3) 항균 작용

타액은 감염에 저항하는 몇 가지 항균물질, 즉 면역글로불린 A, 리소자임(lysozyme), 락토페린(lactoferrin), 과산화효소 등을 포함하고 있다.[49] 면역글로불린 A 외에도 면역글로불린 M과 G가 모두 존재하지만 면역글로불린 A가 압도적으로 많은 농도로 존재하여 타액선의 국소 면역 체계에 중요한 역할을 담당한다.[10,58] 리소자임은 세균의 세포벽을 직접 용해시켜 항균 작용을 나타내고 락토페린은 세포가 성장하는 데 필요한 철을 타액에서 제거하는 역할을 한다.[23]

3) 항상성 기능

출혈, 발한, 위장관이나 요로계를 통한 과다한 수분의 손실 또는 수분 섭취의 부족 등으로 인하여 체내 수분이 손실되면 타액선도 타액의 분비가 감소하거나 없어지게 되어 구강의 건조가 생기고 갈증을 유발하여 수분을 섭취하게 된다.[2] 또한 타액을 통하여 체내의 수은, 납, 요오드, 몰핀, 유황, 그리고 몇몇 항생제 등 여러 가지 물질이 배출된다.[51]

4) 혈액응고와 상처 치유 작용

타액은 혈액응고 기능의 일부를 담당하고 있어서 구강 내 손상이나 수술 후의 응고 기능에 도움을 준다. 혈액응고를 촉진하는 것은 lipoprotein thromboplastin(factor Ⅲ)이 타액 내에 있고,[24] 혈소판 활성인자와 함께 혈액응고인자 Ⅶ, Ⅷ, Ⅸ, Ⅻ와 유사한 작용을 하는 단백질이 있기 때문이다.[19] 또한 타액선은 상피성장인자와 신경성장인자 같은 생리학적으로 중요한 펩티드를 갖고 있으며 이들은 상처치유 과정에 관여하여 구강점막의 온전한 유지를 가능하게 한다.[4,44] 또한 타액에는 substance P, encephalin, endorphin 등의 여러 가지 신경펩티드(neuropeptide)가 유사한 면역반응을 하고 있다.[29]

참고문헌

1. 고재승. 인체 발생학. 5판. 서울:정문각, 1993;231-232
2. 백만기. 최신 이비인후과학, 서울:일조각, 1987;277-280
3. Arglebe C. Biochemistry of human saliva. Adv Otorhinolaryn-gol 1981;26:97
4. Bataskis JG. Physiology. In Cummings CW, Fredrickson JM, Harker LA(eds). Otolaryngology-Head & Neck Surgery, 3rd ed. St Louis: Mosby, 1998;1210-1222
5. Baum BJ. Principle of salivary secretion. Annals of the New york Academy of Science 1993;694:195-201
6. Behall K, Kelsay J, Holden J, et al. Amylase and protein in parotid saliva after load doses of different dietary carbohydrates. Am J Clin Nutr 1973;26:17-22
7. Berkovitz BKB, Moxbam BJ. The Textbook of Head and Neck Anatomy. Barcelona: Wolfe publising Ltd, 1988";'164-168
8. Borsanyi SJ, Blanchard CL. Asymptomatic enlargement of the parotid glands due to the use of isoproterenol. Mary-land State med J 1961;10:572
9. Bylund D, Martinez J, Pierce D. Regulation of autonomic receptors in rat submandibular gland. Mol Pharm 1982; 21:27-35
10. Carola R, Harley JP, Noback CR. Human anatomy and Physiology, New York, McGraw-Hill Inc, 1990;687-689
11. Carroll WR, Wolf GT. In Ballenger JJ, Snow Jr JB(eds). Otorhinolaryngology Head and Neck Surgery, 15th ed. Baltimore: Williams & Wilkins, 1996;390-393
12. Cawson R, Gleeson M. Anatomy and physiology of the salivary glands, In: AKew AG, Gleeson M, Stephens D(eds). Scott-Brown's Otolaryngology, 6th ed. London: Butter-worth-Heinemann, 1997;1/9/1-1/9/18
13. Chauncey HH, Feller RP, Kapur KK. Longitudinal age-related changes in human parotid saliva composition. J Dent Res 1987;66:599
14. Chilla R, Arold R. Uber Sekretionsmechanismen der Ohrspei-cheldruse und deren medikamentose Beeinflussung. HNO 1975;23:229
15. Cohen RE, Levine MJ. Salivary glycoproteins. In Tenovuo J, editor. Human saliva. Clincal chemistry microbiology, vol Ⅰ. Boca Raton, Fla; CRC Press, 1989
16. Dawes C, Ong BY. Circadian rhythms in the flow rate and proportional contribution of parotid to whole saliva volume in man. Arch oral Biol 1973;18:1145
17. Dennesen P, van der Ven A, Vlasveld M et al. Inadequate salivary flow and poor oral mucosal status in intubated intensive care unit patients. Crit Care Med 2003 Mar;31(3):781-6
18. Dobrosielski-Vergona K. Age-related changes in the function of salivary glands. Boca Raton, Fla: CRC Press, 1993
19. Doku HC. The thromboplastic activity of human saliva. J Dent Res 1960;39:1210-1221
20. Domino E, Corssen G. Central and peripheral effects of muscarinic cholinergic blocking agents in man. Anesthesiology 1967;28:568-574
21. Drack GT, Koetz HR, Blum AL. Human calcitonin stimulates salivary amylase output in man. Gut 1974;17:203
22. Edgar WM. Saliva and dental health. Clinical implications of saliva: report of a consensus meeting. Br Dent J 1990;169:96-8
23. Elluru RG, Kumar M. Physiology of the salivary glands. In: Cummings CW, Flint PW, editors, Otolaryngology Head & Neck surgery. 4th ed. Philadephia : Mosby : 2005.p.1293-312
24. Emmelin N. Nerve interactions in salivary glands. J Dent Res 1987;66(2):509
25. Enfors B. The parotid and submandibular secretion in man. Acta Otolaryngol 1962;172(Suppl.):1-67
26. Ericson S. Size of the normal parotid gland. Acta Radiol 1972;12:69-75
27. Ferguson DB, Fort A, Elliott AL, et al. Circadian rhythms in human parotid saliva flow rate and composition. Arch oral Biol 1973;18:47-52
28. Ferguson DB. The physiology and biology of saliva. In: Norman JE, McGurk M(eds). Color atlas and textbook of the salivary gland. London: Mosby Wolfe, 1995;40-48
29. Flatau AT, Mills PR. Regional anatomy. In: Norman JE, McGurk M(eds). Color atlas and textbook of the salivary gland. London: Mosby Wolfe, 1995;13-39
30. Frommer J. The human accessory parotid gland: Its incidence, nature, and significance. Oral Surg Oral Med Oral Pathol 1977;43:671
31. Garatea-Creglo J, Gay-Escoda C, Bermejo B, et al. Morpho-logical study of the parotid lymph nodes. J Craniomax-illofac Surg 1993;21:207-212
32. Garrett JR. Recent advances in physiology of salivary glands. Br Med Bull 1975;31:152
33. Garrett JR. The proper role of nerves in salivary secretion. J Dent Res 1987;66:387
34. Goodman L, Filman A. The pharmacologic Basis of Thera-peutics, 3rd ed. New York: The Macmillan Company, 1965; 169-201
35. Graney DO, Jacobs JR, Kern RC. Anatomy. In: Cummings CW, Fredrickson JM, Harker LA(eds). Otolaryngology-Head & Neck Surgery, 3rd ed. St Louis: Mosby, 1998;1201-1209
36. Hollinshead WH. Anatomy for Surgeons, 2nd ed. New York: Hoeber medical division, 1968;347-367
37. Humphrey SP, Williamson RT. A review of saliva : normal composition, flow, and function, J Prosthet Dent 2001;85:162-8
38. Johns ME. The salivary glands: Anatomy and Embryology. In: Work WP, Johns ME(eds). The Otolaryn-gologic Clinics of North America, Philadelphia: WB Saunders comp, 1977; 261-272
39. Katz AD, Catalano P. The clinical significance of the various anatomic branches of the facial nerve. Arch Otolaryngol Head Neck Surg 1987;113:959-962
40. Kimura K, Moriya H. Enzyme and immunohistochemical localiza-

tion of kallikrein. The human parotid gland. Histo-chemistry 1984;80:367

41. Kirikae I, Nomura Y. Modern Oto-Rhino-Laryngology. 8th ed. Tokyo: Nanzando comp, 1992:367-383
42. Kontis TC, Johns ME. Anatomy and physiology of the salivary glands, In: Bailey BJ, Calhoun KH, Deskin RW(eds). Head & Neck Surgery-Otolaryngology, 2nd ed. Philadelpia: Lippincott-Raven, 1998;531-539
43. Kraus F, Mestecky J. Immunohistochemical localization of amylase, lysozyme and immunolgobulins in the human parotid gland. Arch Oral Biol 1971;16:781-789
44. Lefkowitz RJ, Caron MG, Stiles GL. Mechanisms of membrane-receptor regulation:biochemical, physiological, and clinical insights derived from studies of the adrenergic receptors. N Engl J Med 1984;310:1570-1577
45. Lefkowitz RJ. Structure and function of β-adrenergic receptors:regulation at the molecular level. Adv Cyclic Nucleotide Res 1984;1-19
46. Lundberg A. Electrophysiology of salivary glands. Physiol Rev 1958;38:21-40
47. Mandel ID. Relation of saliva and plaque to caries. J Dent Res 1974;53:246-66
48. Mandel ID. Sialochemistry in diseases and clinical situations affecting salivary glands. Crit Rev Clin Lab Sci 1980;12: 321-366
49. Mandel ID. The functions of saliva. J Dent Res 1987;66[spec issue]:623
50. Martinez JR. Ion transport and water movement. J Dent Res 66 Spec No;638, 1987
51. Nachlas NE, Johns ME. Physiology of the salivary glands, In: Paparella MM, Shumrick DA, Gluckman JL(eds). Otolaryngology. 3rd ed. Philadelphia: WB Saunders, 1991;391-405
52. Petersen OH, Gallacher DV. Electrophysiology of pancreatic and salivary acinar cells. Annu Rev Physiol 1988;50:65-70
53. Plewe G, Jahn R, Immelmann A, et al. Specific phosphorylation fo a protein in calcium accumulation endoplasmic reticulum from rat parotid glands following stimulation by agonists involving cAMP as second messenger. FEBS Lett 1984; 166:96-103
54. Pointon S, Banerjee S. Beta adrenergic and muscarinic cholinergic receptors in rat submaxillary glands. Effects of thyroidectomy. Biochem Biophys Acta 1979;583:129-132
55. Polak J, Bloom S. Neuropeptides in salivary glands. J His-tochem Cytochem 1980;28:871-873
56. Riee DH. The salivary glands: Anatomy and Embryology, In: Work WP, Johns ME(eds). The Otolaryngologic Clinics of North America. Philadelphia: WB Saunders comp, 1977";" 273-285
57. Scott J, Flower EA, Burns JA. A quantitative study of histological changes in the human parotid gland occurring with adult age. J Oral Pathol 1987;16:505-510
58. Seifert G, Miehlke A, Haubrich J, et al. Diseases of the salivary glands. New York: Thieme Inc, 1984;1-43
59. Williams JA. Regulatory mechanisms in pancreas and salivary acini. Ann Rev Physiol 1984;16:361-368
60. Wu AJ, Ship JA. A characterization of major salivary gland flow rates in the presence of medications and systemic disease. Orl Surg Med Oral Pathol 1993;76:301-309
61. Young J, Fromter E, Schogel E, et al. Micropuncture and perfusion studies of fluid and electrolyte transport in the rat submaxillary gland. In: Schneyer L, Schneyer C(eds). Secretory Mechanisms of Salivary Glands. New York: Acade-mic Press, 1967

CHAPTER

06

경부의 발생과 해부

주형로, 유찬기

I 경부의 발생

두경부의 발생에서 커다란 특징은 물고기의 아가미와 비슷한 기관인 새궁(branchial arches) 혹은 인두궁(pharyngeal arches)이 인간 배아(embryo)에 존재하는 것이다.[12,13] 새궁은 중배엽 조직이 여러 쌍 쌓인 가로막대 모양으로 나타나고, 그 새궁 사이에 깊게 들어간 새열(branchial cleft) 혹은 인두열(pharyngeal cleft)이 나타나며 그와 동시에 새궁과 새열의 내측에 인두낭(pharyngeal pouch)이 발생한다. 이런 인두기관(pharyngeal apparatus) 혹은 새기관(branchial apparatus)은 발생 과정에서 나타나는 일시적 구조물로 이들의 발달 과정에 이상이 생기면 선천기형을 일으킨다.

1. 새궁

태생 4주에서 5주에 다섯 또는 여섯 쌍의 새궁(branchial arch)이 배아의 얼굴과 목으로 분화할 부위에 나타나며 점차 외측을 향하여 뚜렷하게 증식하고, 외부로부터 함입되는 새열(branchial cleft)에 의하여 구분된다(그림 6-1).[2] 새궁의 내부는 중배엽(mesoderm)과 외배엽에서 이

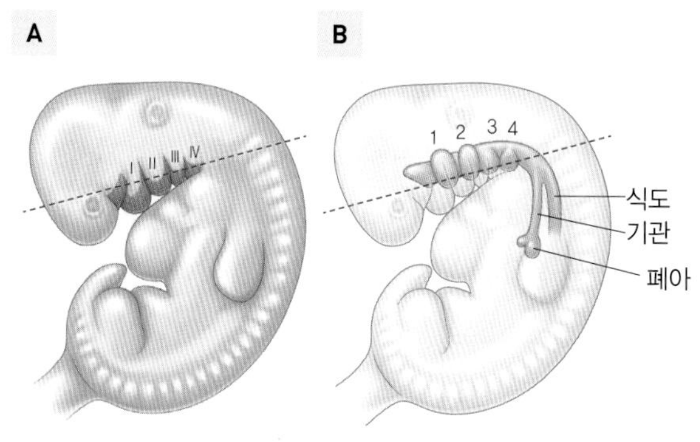

■ 그림 6-1. **A)** 새궁(branchial arch). **B)** 인두낭(pharyngeal pouch).

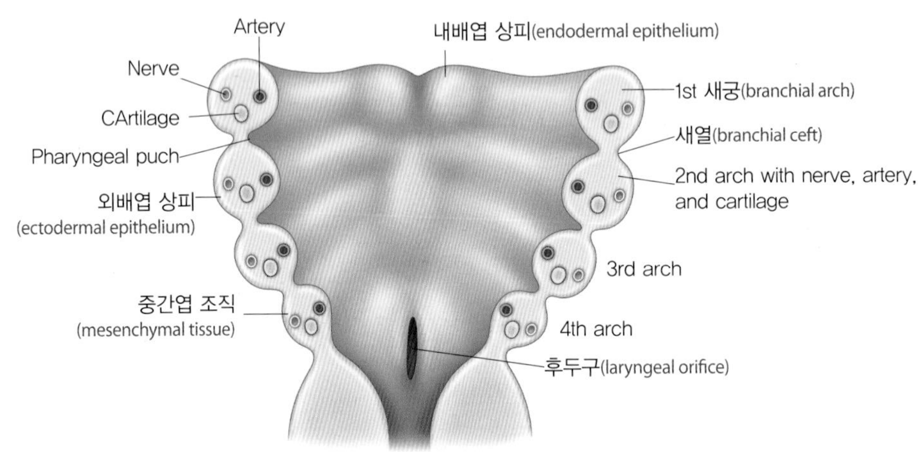

■ 그림 6-2. **새궁(branchial arch), 새열(branchial ceft)및 인두낭(pharyngeal pouch)의 관계.**

주해온 신경능선세포(neural crest cell)로 구성되며, 바깥쪽은 외배엽(ectoderm) 안쪽은 내배엽(endoderm)에 의하여 싸여 있다. 이 신경능선세포는 각 새궁에서 뼈대 성분(skeletal component) 형성에 관여하고, 각 새궁의 중간엽은 얼굴과 목 근육의 기원이 된다. 각 새궁마다 하나씩의 연골성분, 근육성분외에 신경, 동맥이 포함되어 있으며 이후 다양한 구조물로 분화한다(그림 6-2).

1) 제1 새궁

제1 새궁은 하악궁(mandibular arch)이라 불리며, 눈부위 아래에서 등쪽 부분인 상악융기(maxillary process)와 하악연골(Meckel's cartilage)를 포함하는 배쪽 부분인 하악융기(mandibular process)로 이루어져 있다. 이후 발생 과정에서 하악연골은 대부분 퇴화되고 등쪽 끝만 남아 추골(malleus)과 침골(incus)을 형성한다. 상악융기(maxillary prominence)의 중간엽에서 상악골(maxilla), 관골(zygomatic bone), 측두골(temporal bone)의 인부(squamous part)가 형성된다. 제1 새궁의 근육으로는 측두근(temporalis muscle), 교근(masseter muscle), 내익돌근(medial pterygoid muscle), 외익돌근(lateral pterygoid muscle), 하악설골근(mylohyoid muscle), 고막장근(tensor tympani muscle), 구개범장근(tensor veli palatini muscle), 이복근의 전복(anterior belly of digastric muscle)등이 발생한다. 제1 새궁에서 삼차신경(trigeminal nerve), 안면동맥(facial artery)이 발생하고, 제1 새궁의 중간엽으로부터 얼굴 부분의 진피가 형성되므로 얼굴 피부의 감각은 삼차신경의 눈신경(opthalmic nerve), 상악신경(maxillary nerve), 하악신경(mandibular nerve)이 담당한다.

2) 제2 새궁

제2 새궁 혹은 설골궁(hyoid arch)에서 등골(stapes), 경상돌기(styloid process), 설골(hyoid bone)의 소각(lessor horn), 설골 체(body)의 상부가 형성된다. 제2 새궁의 근육으로는 안면표정근(facial expression muscle), 이복근의 후복(posterior belly of digastric muscle)과 등골근(stapedius muscle), 경돌설골근(stylohyoid muscle) 등이 있고, 이외에 안면신경(facial nerve)과 설동맥(lingual artery)도 발생한다.

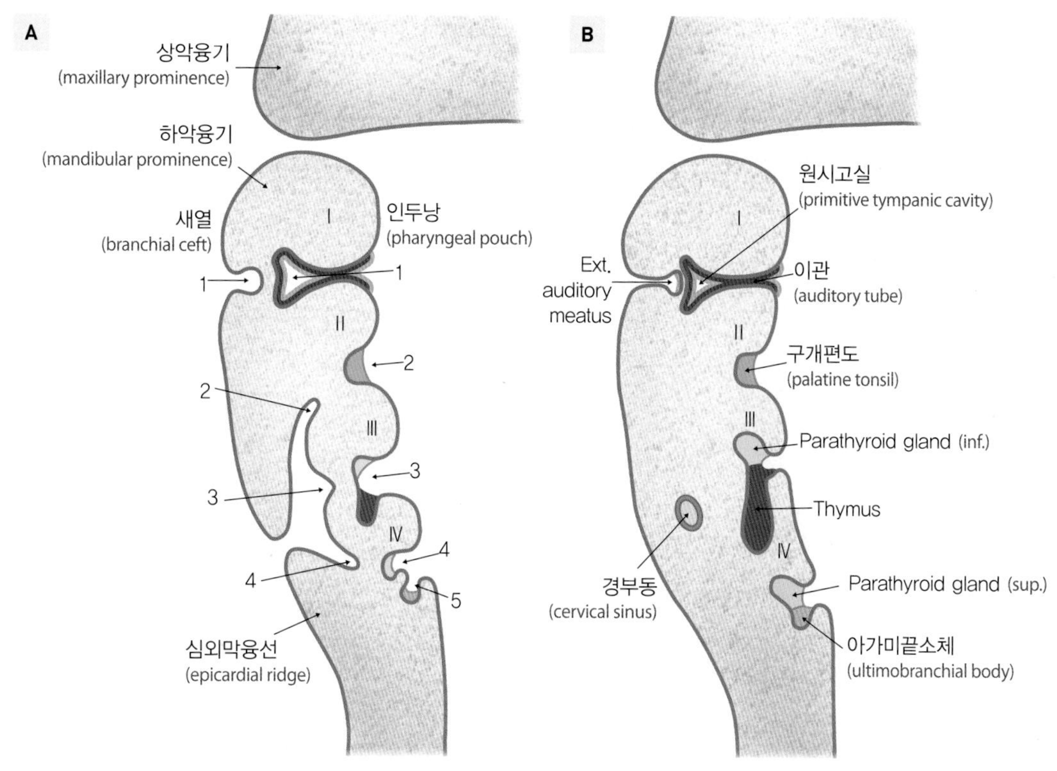

■ 그림 6-3. **A)** 인두낭(pharyngeal pouch)과 새열(branchial ceft)의 분화. **B)** 경부동(cervical sinus)의 형성.

3) 제3 새궁

제3 새궁에서 설골의 대각(greater horn of hyoid bone)과 설골 체(body of hyoid bone)의 하부가 형성된다. 근육은 경돌인두근(stylopharyngeus muscle)뿐이며 제3 새궁의 신경인 설인신경(glossopharyngeal nerve)의 지배를 받는다. 발생하는 동맥은 총경동맥(common carotid artery)과 내경동맥(internal cartotid artery)이 있다.

4) 제4 및 이하 새궁

제4 및 이하 새궁의 연골성분이 합쳐져서 갑상연골(thyroid cartilage), 윤상연골(cricoid cartilage), 피열연골(arytenoid cartilage), 소각연골(corniculate cartilage)과 설상연골(cuneiform cartilage)을 형성한다. 제4 새궁의 근육인 윤상갑상근(cricothyroid muscle), 구개거근(levator veli palatini muscle), 인두수축근(pharyngeal constrictor muscle)은 미주신경 상후두분지(superior laryngeal branch of vagus nerve)의 지배를 받는다. 제6 새궁에서는 후두의 내근(intrinsic muscle)이 반회후두분지(recurrent laryngeal branch of vagus nerve)의 지배를 받는다. 동맥으로는 제4 새궁에서 좌측 총경동맥과 쇄골하동맥(subclavian artery) 사이에 있는 대동맥궁(aortic arch)과 우측 쇄골하동맥 근위부가, 제6 새궁에서 우측 폐동맥 근위부와 동맥관(ductus arteriosus)이 발생한다.

2. 인두낭

인두낭은 네 쌍이 있고 다섯 번째는 흔적만 보이며, 인두낭의 내배엽에서 중요한 여러 장기가 발생한다. 인두낭

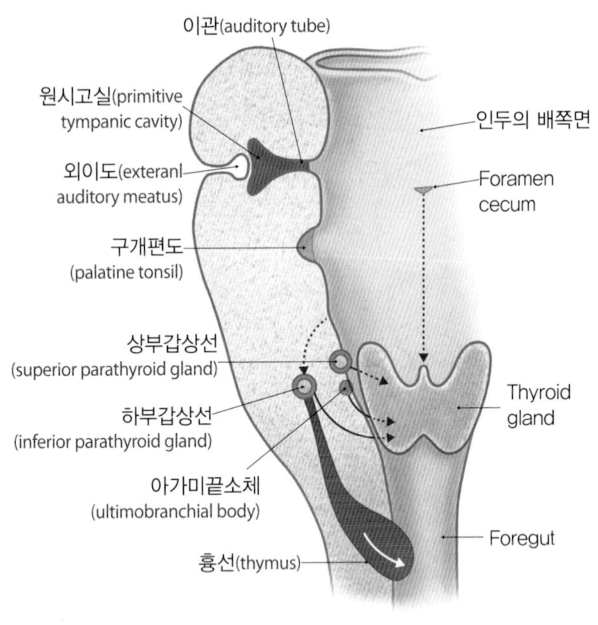

■ 그림 6-4. **흉선, 부갑상선, 아가미끝소체의 이동 과정**

은 앞창자(foregut)의 가장 머리쪽 부분인 인두창자(pharyngeal gut)의 바깥쪽 벽을 따라 주머니 모양으로 나타나서, 머리쪽으로는 원시구강(primitive mouth)과 연결되고 꼬리쪽으로는 식도와 연결된다. 인두낭은 점차 주위 중간엽을 밀고 들어가 새궁 사이에 위치하게 되고 새열의 외배엽과 접촉하여 새막을 형성한다(그림 6-2).

1) 제1 인두낭

제1 인두낭은 줄기 모양의 이관고실함요(tubotympanic recess)를 형성하는데, 이것의 말단 부위가 넓어져 고실(tympanic cavity)과 유양동(mastoid antrum)이 발생하고, 시작 부위는 점차 길어져서 인두와 연결된 이관(auditory tube)이 된다. 고막은 확장된 이관고실함요의 말단부가 제1 새열과 접촉하여 발생한다(그림 6-3).

2) 제2 인두낭

제2 인두낭은 대부분 폐쇄되어 구개편도(palatine tonsil)가 되며, 일부는 남아서 편도와(tonsillar fossa)를 형성한다(그림 6-3). 제2 인두낭의 내배엽은 증식하여 주위의 중간엽으로 침투하여 자라서 편도음와(tonsillar crypt)를 형성하며 태생 3개월에서 5개월 사이에 편도음와 주변의 중간엽은 림프조직(lymphoid tissue)으로 변화한다. 따라서 편도의 인두 측 표면의 상피에서는 내배엽에서 유래한 편평상피세포(squamous epithelial cell)가, 편도음와 안의 상피에서는 내배엽에서 유래된 상피세포(epithelial cell)와 중간엽에서 유래된 림프구(lymphocyte)가 섞인 양상을 보인다.[3]

3) 제3 인두낭

제3인두낭은 각 말단 부위가 등쪽날개(dorsal wing)와 배쪽날개(ventral wing)로 나뉘어 분화하며 인두와 연결된 부분은 가는 관 모양으로 변화해 퇴화한다. 태생 5주에 등쪽날개의 상피는 하부갑상선(inferior parathyroid gland)으로, 배쪽날개의 상피는 흉선(thymus)의 원시장기(primordia)로 분화한다. 흉선과 하부갑상선의 원시장기는 인두의 벽에서 분리되고, 흉선이 점차 꼬리쪽 및 안쪽으로 이동하여 반대측 흉선과 만나 융합하게 된다. 하부갑상선은 흉선과 함께 점차 꼬리 부분으로 이동하여 제4 인두낭에서 기원한 상부갑상선(superior parathyroid gland)보다 더 아래쪽에 자리 잡고 후에 흉선과 분리되어 갑상선의 등쪽에 위치하게 된다(그림 6-4).

4) 제4 인두낭

제4 인두낭의 등쪽날개는 상부갑상선으로 분화한다. 상부갑상선은 인두의 벽에서 분리될 때 꼬리쪽으로 이동하는 갑상선에 붙어서 결국 갑상선 등쪽에 위치하는 상부갑상선이 된다. 제4 인두낭의 배쪽날개는 아가미끝소체(ultimobranchial body)로 분화하여 갑상선과 합쳐지는데 여기서 칼시토닌(calcitonin)을 분비하는 부여포세포(parafollicular cell)가 형성된다(그림 6-4).

3. 새열

태생 4~5주에 배아의 경부에 나타나는 새열(branchial cleft)은 안쪽으로 함입하여 새궁을 분리한다. 제1 새열은 외이도와 고막 외층을 형성하지만, 제2, 3, 4 새열은 His 경부동(cervical sinus of His)으로 발달한다. 태생 5주에 제2 새궁이 급격히 발달하여 심외막융선(epicardial ridge)과 융합하여 제3과 제4 새궁 위로 크게 자라기에 제 2, 3, 4 새열은 외배엽으로 덮여 함몰된다. 이렇게 형성된 경부동은 태생기 2개월 말에 유착되어 완전히 폐쇄되고 흡수된다. 이때 형성되는 경부동이 출생 후에도 남아 있거나 외배엽으로 완전히 덮이지 않으면 새열낭(branchial cleft cyst)이나 새열누공(branchial cleft fistula)이 생기게 된다. 태생 7주 말에는 제2에서 제4 새열과 경부동이 폐쇄되므로 경부 윤곽이 평탄해진다(그림 6-3).

4. 새막

태생 4주에 배아의 경부에 있는 새열의 바닥에서 새열과 인두낭의 상피가 만나서 새막(branchial membrane)을 형성한다. 새막은 사람 배아에서 나타나는 일시적인 구조물로 인두낭의 내배엽과 새열의 외배엽은 중배엽(mesoderm)에 의하여 분리된다. 제1 새막만이 성인의 구조 형성에 관여하여 내배엽과 외배엽 사이에 중배엽이 존재하는 고막을 형성한다.

II 경부의 해부

경부의 두드러진 경계지표(landmark)는 설골(hyoid bone), 갑상연골(thyroid cartilage), 기관(trachea)과 흉쇄유돌근(sternocleidomastoid muscle) 등이며, 경부를

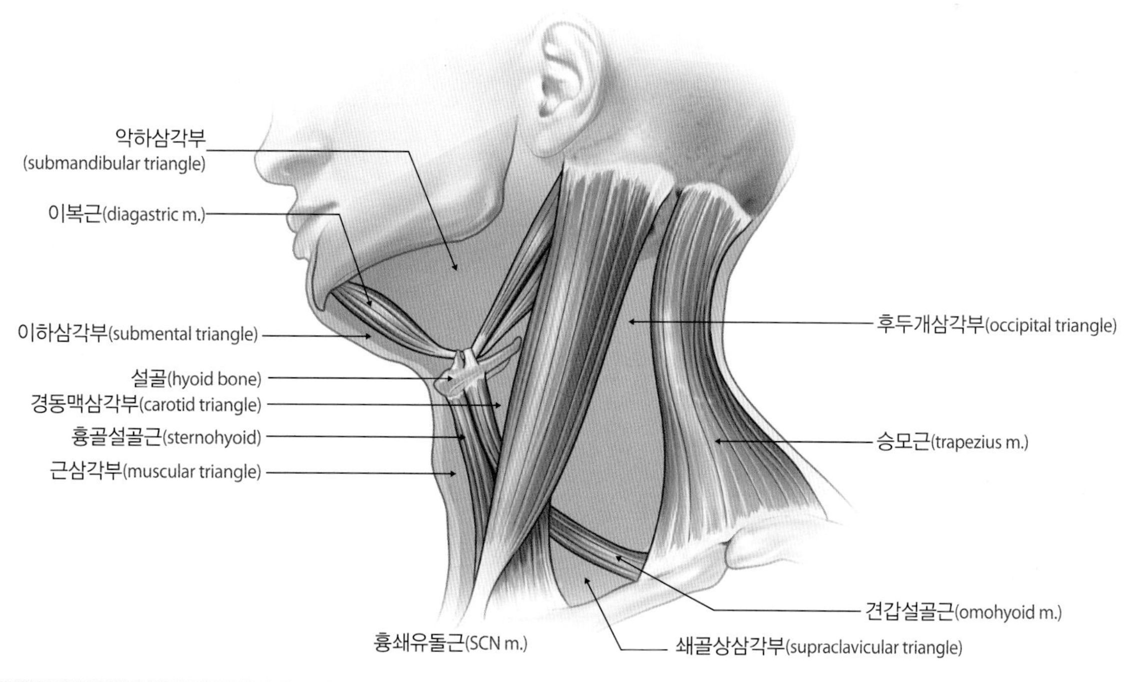

■ 그림 6-5. 경부의 삼각

해부학적으로 구분할 때 흔히 흉쇄유돌근을 기준으로 전삼각(anterior triangle)과 후삼각(posterior triangle)으로 분류한다. 전삼각의 경계는 흉쇄유돌근의 후연, 하악의 하연, 경부의 정중선이며, 후삼각의 경계는 흉쇄유돌근의 후연, 승모근(trapezius)의 전연과 쇄골(clavicle)이다. 전삼각에서 설골 상부의 설골상삼각(suprahyoid triangle)은 이복근의 전복(anterior belly of digastric muscle)에 의해 악하삼각(submandibular triangle)과 이하삼각(submental triangle)으로 나누어지며 설골 하부의 설골하삼각(infrahyoid triangle)은 견갑설골근의 상복(superior belly of omohyoid)에 의해 근삼각(muscular triangle)과 경동맥삼각(carotid triangle)으로 나누어진다. 후삼각의 경우 견갑설골근을 기준으로 상부를 후두삼각(occipital triangle), 하부를 쇄골상삼각(supraclavicular triangle)으로 구분한다(그림 6-5).

1. 후삼각

후삼각에는 경부신경총(cervical plexus)의 운동 및 감각신경가지, 척추부신경(spinal accessory nerve), 갑상경동맥간(thyrocervical trunk)에서 분지되는 2개의 동맥과 이 부위의 정맥, 그와 연관된 많은 림프절 등이 있다.

1) 경부신경총

경부신경총(cervical plexus)은 C1부터 C4까지의 척수신경의 배쪽가지(ventral rami)에 의해 구성되고 감각, 운동, 교감신경섬유를 갖고 있다. 경신경고리(ansa cervicalis)의 상근(superior root)은 C1, C2 가지를 포함하며 설하신경(hypoglossal nerve)과 합쳐져서 후두동맥(occipital artery) 위치까지 주행한 후 갈라져 외측 아래

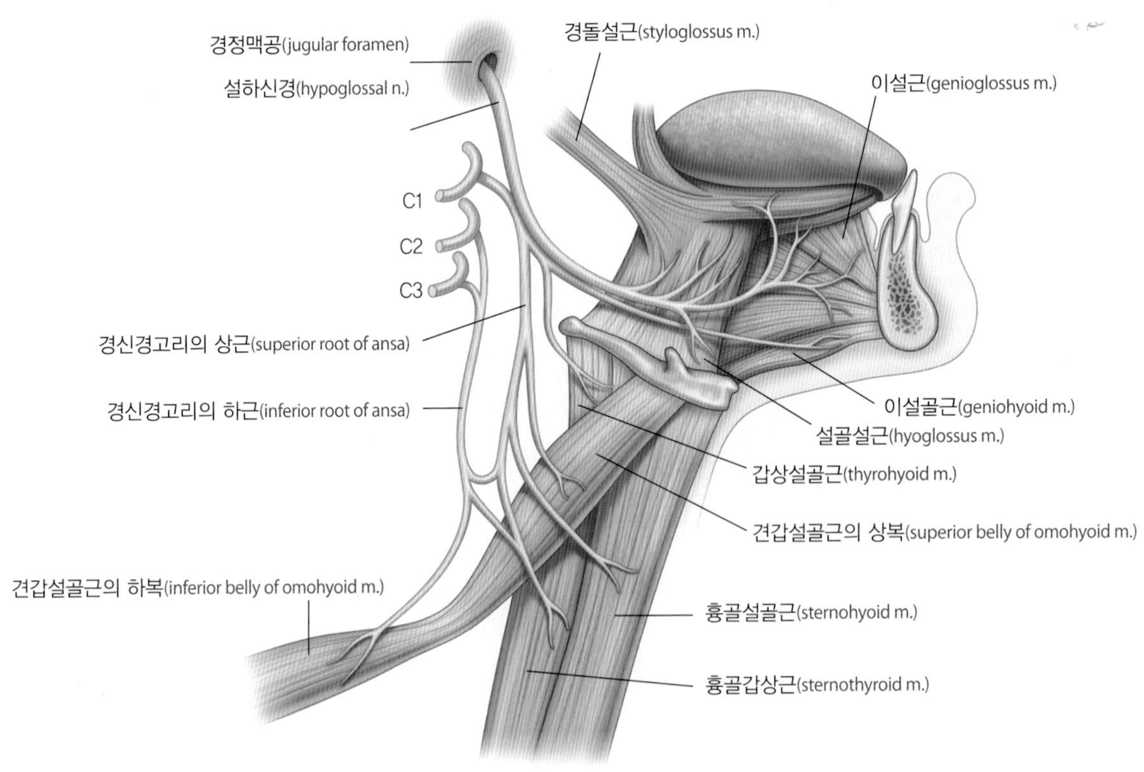

■ 그림 6-6. 경부경고리와 설하신경의 분포

로 주행한다. 경신경고리 하근(inferior root)은 C2에서 C3가지가 만나서 형성한 고리에서 시작되어 경동맥초(carotid sheath)의 내경정맥(internal jugular vein)표면을 따라 아래로 주행하다가 상근과 합쳐진다. 상하근이 합쳐져 이루어진 경신경고리는 C1~C3에서 나온 신경섬유가 포함되며 견갑설골근, 흉골설골근(sternohyoid muscle), 흉골갑상근(sternothyroid muscle) 같은 설골하근육(infrahyoid muscle)의 운동을 지배한다(그림 6-6).

경부신경총의 4개의 감각신경분지들은 흉쇄유돌근 후연 중간의 신경점(nerve point)에서 나타나며 후방 두피에서 상견갑 부위에 이르는 두경부의 피부 감각을 담당한다. 이 감각신경 분지는 척수신경 C2와 C3에서 기원하는 소후두신경(lesser occipital nerve), 대이개신경(great auricular nerve), 전방감각신경(anterior cutaneous nerve)과 C3와 C4에서 기원하는 쇄골상신경(supraclavicular nerve)으로 이루어져 있으며, 각각의 감각 영역을 가진다(그림 6-7). 각 신경들은 우측 경부를 기준으로 소후두신경은 11시 방향, 대이개신경은 12시 방향, 전방감각신경은 3시 방향, 쇄골상신경은 3~4개의 가닥이 5시와 7시 방향 사이에 위치한다.

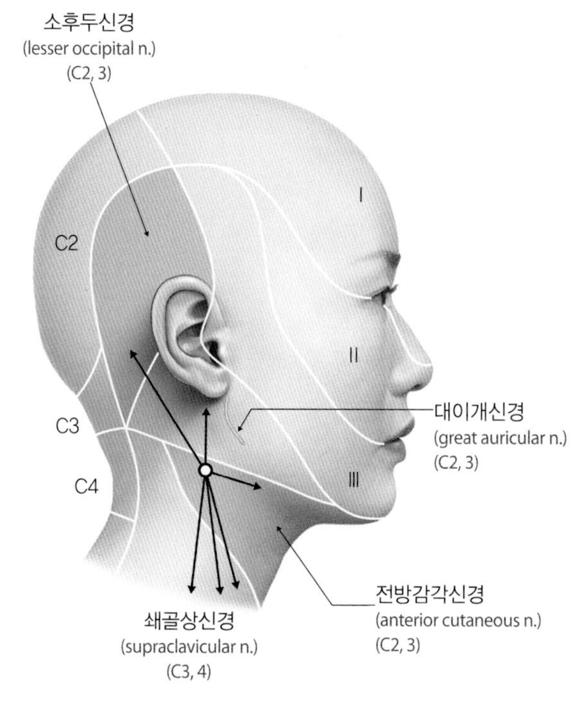

■ **그림 6-7. 경부신경총 감각신경 분지의 분포**

경부신경총은 운동신경인 경신경고리와 후삼각에 위치하는 경부 감각신경총 이외에도, C3와 C4에서 시작되어 견갑거근(levator scapulae muscle)의 운동을 지배하는 신경과 C3와 C4 또는 C5에서 기원하여 횡격막의 운동과 횡경막 중심건(central tendon) 부위의 감각신경을 담당하는 횡격신경(phrenic nerve)이 있으며 이 두 신경 모두 전척추근막(prevertebral fascia) 심부에 위치한다.

2) 척추부신경

척추부신경은 주로 흉쇄유돌근과 승모근의 운동을 담당한다. 신경의 주행은 경정맥공을 나와 내측에서 외측으로 진행하며, 70%는 내경정맥의 외측을 가로질러 주행하나 27%는 내측으로 3%는 관통하기도 한다. 이후 82%는 흉쇄유돌근을 관통하여, 18%는 흉쇄유돌근보다 깊게 후하방으로 내려가며 견갑거근을 따라서 후삼각을 가로질러 승모근으로 들어간다.[10] 경부수술 시 척추부신경은 어깨관절 기능의 심각한 장애를 방지하기 위하여 가능하면 보존해야 한다. 신경이 손상된 경우에는 어깨처짐, 견갑골(scapular)의 회전장애, 어깨의 외전(abduction) 감소, 승모근의 위축과 견갑관절(glenohumeral joint) 유착에 의한 둔통(dull pain)등의 증상이 발생한다. 경부 수술 시 척추부신경을 찾는 방법에는 첫째, 제1 경추의 높이에서 내경정맥의 상단과 척추부신경이 교차하는 지점, 둘째, 대이개신경이 흉쇄유돌근의 후연을 따라나오는 부위에서 1~1.5 cm 상방 심부, 셋째, 쇄골 2~4 cm 상방에서 승모근으로 들어가는 곳, 넷째, 유양돌기(mastoid process)의 하방 4 cm에서 흉쇄유돌근의 내측으로 척추부신경이 들어가는 곳에서 확인할 수 있다.[10] 후삼각부 척추전근막의 심부에는 심부경부근의 운동신경, 횡격신경(phrenic nerve), 상완신경총(brachial plexus) 등이 위치한다.

3) 동맥 분지

후삼각의 동맥에는 갑상경동맥간(thyrocervical trunk)의 분지와 쇄골하동맥의 셋째 부분, 후두동맥(occipital artery) 일부분이 포함된다. 쇄골하동맥에서 전사각근(scalenus anterior muscle)의 내연을 따라 갑상경동맥간이 분지하고, 견갑상동맥(suprascapular artery)과 횡경동맥(transverse cervical artery)이 다시 여기서 분지한다. 갑상경동맥간의 끝가지는 상행경부동맥(ascending cervical artery)과 하갑상동맥(inferior thyroid artery)이 된다. 견갑상동맥은 전사각근, 횡격신경, 쇄골하동맥의 셋째 부분, 상완신경총을 가로질러 쇄골 뒤를 지나 견갑골(scapula) 뒷부분의 근육에 혈액을 공급한다. 횡경동맥은 상행가지(ascending branch)와 하행가지(descending branch)로 나뉘는데, 하행가지는 다시 표층가지와 심층가지로 분지하여 표층가지는 척추부신경과, 심층분지는 능형근(rhomboid muscle)을 지배하는 신경과 평행하게 주행한다(그림 6-8).

2. 전삼각

악하삼각, 이하삼각, 경동맥삼각, 근삼각으로 세분되는 전삼각에는 4개의 뇌신경(CN IX, X, XI, XII)과 경신

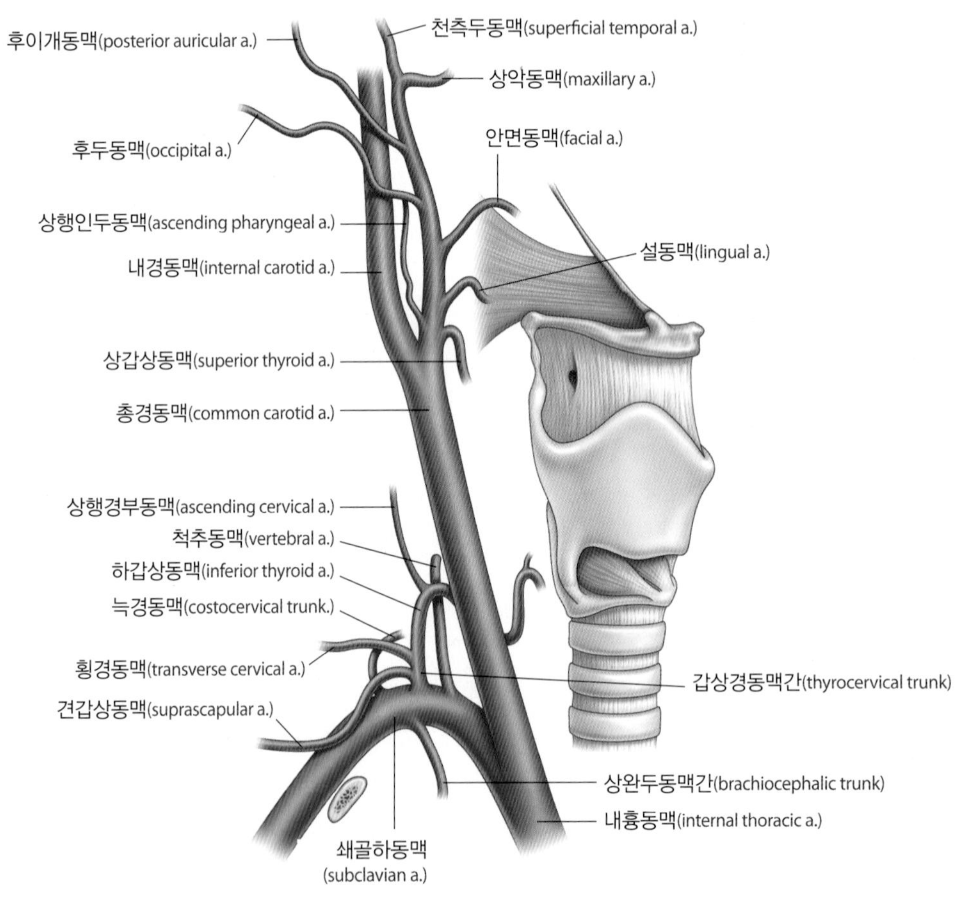

■ 그림 6-8. **쇄골하동맥과 경동맥의 분지**

경고리, 경동맥과 그 분지들, 이 부위의 정맥 및 그와 연관된 많은 림프절 등이 있다.

1) 경동맥삼각

경동맥삼각은 이복근의 후복, 견갑설골근의 상복과 흉쇄유돌근의 중간 부위에 의해 경계 지어지는 혈관 영역이다. 외측은 심재성 경근막(deep cervical fascia)의 천층(superficial layer)이 덮고 있으며, 내측은 척추의 전척추근막(prevertebral fascia)과 인두와 후두를 싸고 있는 장기근막(visceral fascia)에 의해 이루어진다. 경동맥삼각의 신경혈관구조는 경동맥초(carotid sheath)에 싸여 있다. 경동맥초 안쪽 구조물로 내측에는 총경동맥(common carotid artery), 외측에는 내경정맥(internal jugular vein), 후방에는 10번 뇌신경인 미주신경(vagus nerve)이 위치하여 경동맥초의 전장에 걸쳐 경동맥과 내경정맥 사이로 주행한다. 위쪽에서는 총경동맥이 내경동맥으로 바뀐다. 9번 뇌신경인 설인신경의 주된 가지는 경동맥초에서 나와 혀의 뒤쪽 1/3 부위로 들어가 혀와 인두에 분포하며, 일부가 경동맥초 내에 남아 경동맥동(carotid sinus)을 신경지배한다.[7] 경동맥동은 내경동맥이 총경동맥에서 분지하기 시작하는 부위에 있는 약간 팽대된 구조이다. 이는 동맥 혈압의 변화에 반응하는 압력수용기(baroreceptor)로 경동맥동이 자극을 받으면, 반사작용으로 심박동이 느려지고 혈압이 저하된다. 경동맥체(carotid body)는 총경동맥이 갈라지는 부위의 안쪽인 경동맥동 근처에 위치한 화학수용기(chemoreceptor)로 혈액 내 산소 농도를 감지한다. 산소 농도가 낮아지면 경동맥동이 자극을 받아 반사작용으로 호흡이 깊고 빨라지며 심박동과 혈압이 증가한다. 경동맥동과 경동맥체는 모두 설인신경의 분지인 경동맥동신경(carotid sinus nerve)과 미주신경에 의해 신경지배를 받는다. 11번 뇌신경인 척추부신경은 경동맥초의 상부에서 이복근의 후복이 흉쇄유돌근과 만나는 부위에서 경동맥초를 탈출하여 흉쇄유돌근을 향해 통과하면서 주행한다. 12번 뇌신경인 설하신경은 설하신경관을 나와서 내경동맥과 내경정맥 사이를 지나 경동맥 분기부 근처에서 이복근 후복의 내측과 설골설근(hyoglossus muscle)의 외측면을 통해 악하삼각으로 들어간다. 혀 근육을 지배하는 이 신경은 이 과정에서 경신경고리상근과 이설골근(geniohyoid muscle)에 가지를 낸다(그림 6-6). 경동맥삼각에서 경신경고리는 주로 경동맥초의 앞부분에 위치하고 심부경부림프절은 경동맥초와 내경정맥을 따라 존재한다.

경동맥의 가지들은 경동맥삼각에서 중요한 해부학적 지표가 된다(그림 6-8). 내경동맥은 경부에서 가지를 내지 않고 상행하지만, 외경동맥(external carotid artery)은 여러 개의 가지를 낸다. 1개의 분지는 안쪽에서 상행인두동맥(ascending pharyngeal artery)으로, 2개의 분지는 뒤쪽에서 후두동맥(occipital artery)과 후이개동맥(posterior auricular artery)으로, 3개의 분지는 앞쪽에서 아래에서 위로 가면서 상갑상동맥(superior thyroid artery), 설동맥(lingual artery), 안면동맥(facial artery)으로 갈라져 나온다. 이러한 6개의 분지 외에 머리쪽으로 올라가는 끝가지로 상악동맥(maxillary artery)과 천측두동맥(superficial temporal artery)이 있다. 이들 분지의 변이로 설동맥과 안면동맥이 아래쪽 공동가지(common stem)에서 나오거나 위쪽 외경동맥에서 하나의 가지로 나올 수 있으며, 상갑상동맥과 설동맥이 공동가지에서 나오는 경우가 있다. 주의할 변이로 상갑상동맥이 총경동맥에서 분지하는 경우가 있는데, 이런 경우에 외경동맥 결찰 시 상갑상동맥을 지표로 삼으면 자칫 총경동맥을 결찰할 위험성이 있다. 후두동맥은 흉쇄유돌근에 혈액을 공급하는 작은 흉쇄유돌근 분지를 내는데, 이 동맥의 기시부는 설하신경이 전하방으로 주행을 시작하는 곳에서 갈고리 모양으로 설하신경을 감싸므로 이 신경을 구분하는 데 도움이 된다. 또한 흉쇄유돌근동맥(sternocleidomastoid artery)은 척추부신경이 흉쇄유돌근으로 들어가는 부위 근처에서 들어가기 때문에 이 신경의 위치를 찾는 데도 도움이 될 수 있다.[5]

3. 경부근저

경부근저(root of the neck)는 흉부와 경부 사이의 연결 부위이다. 경부근저의 하방 경계면은 흉곽의 입구에 해당하는 부위로 흉골병(manubrium)에서 외측으로 제1번 늑골을 따라 후상방으로 C6의 횡돌기(transverse process)에 이른다. 경부의 정중선을 중심으로 좌우 피라미드 모양의 공간을 형성하게 되며 외측으로 전사각근, 아래로 제1 늑골, 내측으로 기관식도가 경계를 이룬다. 경부근저의 구조물로 종격동(mediastinum)에서 올라오는 쇄골하동맥, 총경동맥, 상완두정맥(brachiocephalic vein), 미주신경, 교감신경간(sympathetic trunk)과 흉관(thoracic duct) 등이 있다. 큰 경부 혈관들은 종격동에서 흉관 입구를 통과하면서 주행하는 위치가 전사각근에 의해 나누어진다. 쇄골하정맥은 전사각근의 앞쪽으로 지나가는 반면, 쇄골하동맥은 전사각근과 중사각근(scalenus medius muscle)의 갈라진 면 사이로 주행한다. 쇄골하동맥은 사각근을 중심으로 근위부를 제1 부위, 사각근의 아래에 위치하는 부위를 제2 부위, 제1 늑골까지의 원위부를 제3 부위로 구분하는데 여기에서 나뉘는 주된 혈관들은 대부분 제1 부위에서 기시한다. 쇄골하동맥의 제1 부위에서 시작하는 첫 가지는 척추동맥(vertebral artery)으로 경부근저에서 상행하여 전사각근과 경장근(longus colli muscle) 사이로 주행하여 C6의 횡돌기공(foramen of transverse process)으로 들어간다. 아래쪽으로 주행하는 가지는 내흉동맥(internal thoracic artery)으로 쇄골하동맥의 앞아래면에서 시작되고 아래 안쪽으로 주행하여 흉부 속으로 들어간다. 다음 가지는 갑상경동맥간(thyrocervical trunk)으로 정상적으로 4개의 가지를 낸다. 하나는 척추전근에 혈액을 공급하는 작은 상행경부 가지(ascending cervical branch)이고, 다음은 하갑상동맥(inferior thyroid artery)으로 갑상선의 하부로 들어간다. 나머지 2개의 가지는 후삼각에서 언급된 횡경동맥과 견갑상동맥이다(그림 6-8). 그리고 쇄골하동맥의 제2 부위에서는 늑경동맥(costocervical trunk)이 제3 부위에서는 견갑배동맥(dorsal scapular artery)이 나온다.

흉관(thoracic duct)은 좌측 경부에서 갑상경동맥간의 앞쪽으로 올라온다. 흉관은 좌측 내경정맥과 쇄골하정맥 교차부위에서 유미(chyle)를 정맥혈관계로 흘려보내는 통로이다.

경부근저에는 미주신경, 횡격신경, 교감신경간(sympathetic trunk)과 같은 3쌍의 중요 신경이 있다. 우측에서 미주신경이 경동맥초에 싸여 혈관들의 후면을 따라 아래로 주행하다가 제1 늑골 부위에서 반회후두신경분지(recurrent laryngeal branch)를 낸다. 이 가지는 쇄골하동맥의 외측에서 내측으로 돌아서 기관식도구(tracheoesophageal groove)를 따라 주행한다. 좌측에서는 대동맥궁에서 분지하여 동맥인대(ligamentum arteriosum) 뒤로 돌아서 들어간 후 종격동을 지나 기관식도구를 주행하여 윤상갑상막(cricothyroid membrane)에 이르러 후두 안으로 들어간다.

경부근저의 최후방, 경장근 부위에는 교감신경간이 종격동에서 전척추공간(prevertebral space)을 따라 상경교감신경절(superior cervical sympathetic ganglion)이 위치하는 C2 위치까지 이른다. 하경신경절(inferior cervical ganglion)은 C7에 위치하며, 때때로 중교감신경절(middle sympathetic ganglion)이 C4 위치에 존재하기도 한다. 경부교감신경절의 손상은 안검하수(ptosis), 축동(miosis)과 무한증(anhydrosis)을 보이는 Horner 증후군을 유발한다. 이 부위는 근치적 경부청소술을 시행할 때 특히 중요하다. 경부청소술에서 심부 박리(deep dissection)는 흉쇄유돌근이 쇄골과 흉골에 접합된 부위에서부터 시작되어 경동맥초와 그 구조물을 노출시키고 전삼각과 후삼각을 열어 박리하고 내경정맥을 제거하고 경동맥을 보존하게 된다. 흉쇄유돌근과 내경정맥을 en block으로 걷어 올릴 때 전척추근막을 보존하는 것이 중요하다. 전척추근막은 상완신경총, 횡격신경, 교감신경간과 심경부근육의 운동신경을 보호하는 막으로, 노출되는 경우 전사각근과 두장근(longus capitis muscle)이 척추신경의 중요한 지표가 된다. 각 척추신경은 추간공(intervertebral foramen)에서 나와서 경추 횡돌기 위의 구(groove) 위로 주행한다. 경부 수술의 시야에서 볼 때 척추신경들은 전척추근육을 통과하고 전척추근막을 통과하여 경부신경총으로 나타나게 된다. 이때 각 척추신경은 경부 근육을 기준으로 확인할 수 있는데, C1에서 C4는 두장근의 바깥 가장자리에서, C5에서 T1은 전사각근의 바깥 가장자리에서 확인할 수 있다.

4. 두경부 림프계

인체에는 약 800개의 림프절이 존재하는데 이 중 300개 정도가 두경부에 분포한다. 이들 경부림프절은 심재성 경근막의 천층을 기준으로, 천층의 외측에 있는 표재성 림프절과, 내측에 있는 심재성 림프절로 구분한다.

1) 표재성 림프절

안면과 후두부(coccipital area)의 두피(scalp)에서 오는 림프는 목의 얕은 층에서 오는 림프와 함께 대부분 외경정맥(exteranl jugular vein)을 따라 존재하는 표재성 림프절로 유입되고, 이후 아래쪽 심재성 림프절로 흐른다. 두피에서 시작된 수입림프액은 천측두혈관(superficial temporal vessel)을 따라 하방으로 흘러 이하선 주위의 이하선림프절에 이른다. 이하선림프절에서 나오는 수출림프관은 하방으로 안면정맥(facial vein)을 따라 주행하여 심재성 림프절인 상경정맥림프절과 척수부신경림프절에 연결된다. 귀 후방에 있는 후이개림프절(retroauricular lymph node)도 심재성 림프절과 연결되고, 후두림프절(occipital lymph node)은 척추부신경을 따라 배출된다.[1] 안면림프절인 외안각(lateral cantus)근처의 협골군(malar group)과 안면정맥을 따라 주행하는 비구순군(nasolabial group), 협부군(buccal group) 등의 림프절은 아래쪽으로 이하선림프절, 이하림프절(submental lymph node), 악하림프절(submandibular lymph node)로 배출된다. 설하절(sublingual node)은 구강저 전방부에서 설하선(sublingual gland)과 악하선관(Wharton's duct) 전방부에 위치하여 안면의 앞쪽 부위, 특히 하구순(lower lip)과 설첨(tip of tongue)으로부터 수입림프관(afferent lymphatics)을 받아 경부의 표면을 통하여 견갑설골근 위치에 있는 심재성 림프절에 이른다. 일반적으로 안면부의 림프액 흐름은 앞쪽은 빠르게 경부의 하방으로 배액되는 반면, 뒤쪽은 림프액의 배액이 느린데, 이는 앞쪽의 림프관에 비하여 뒤쪽 부위의 림프절과 림프관이 복잡하고 많이 형성되어 있어 흐름에 더 많은 시간이 소요되기 때문이다.

2) 심재성 림프절

심재성 림프절의 주요 그룹은 내경정맥을 따라 림프사슬을 형성하여 흉쇄유돌근 심부에서 경정맥림프절(jugular lymph node)을 이루며, 위치에 따라 이를 상, 중, 하경정맥림프절로 구분한다. 그리고 일부의 심재성 림프절은 척수부신경을 따라 경부를 가로지르며 내려가는 척수부신경림프절(spinal accessory lymph node)을 이룬다. 이들 중 내경정맥이 이복근의 후복과 교차하는 부위의 경정맥이복근 림프절(jugulodigastric node)과, 견갑설골근이 내경정맥과 교차하는 부위의 경정맥견갑설골근 림프절(jugulo-omohyoid node)이 특히 크기가 큰 림프절들이다. 다른 심재성 림프절은 후두전림프절(prelaryngeal lymph node), 기관전림프절(pretracheal lymph node), 기관주위림프절(paratracheal lymph node), 후인두림프절(retropharyngeal lymph node)이 있다. 심재성 림프절에서 나오는 림프관은 경림프간(jugular lymphatic trunk)를 형성하여 왼쪽에서는 흉관을 통해 내경정맥과 쇄골하정맥이 만나는 지점으로 들어가고, 오른쪽에서는 우측림프관(right lymphatic duct)을 통해 들어간다.

3) 경부림프절의 분류

두경부 원발암으로 경부절제술을 받은 환자들에 대한 여러 후향적 연구를 바탕으로 두경부암의 원발부위에 따른 경부림프절의 전이 양상이 오랜 기간 연구되어 왔다.[8,15] 이들 연구에 의해 원발암에 따른 전이 양상을 예측할 수 있게 되었으며, 이는 또한 원발불명(unknown primary) 경부 전이암에서 원발 부위를 추적하는 단서를 제공한다.[18]

두경부암에서 전이 위험성이 있는 림프절은 위로 두개저(skull base)와 하악부터 아래로 쇄골까지, 외측으로 후삼각에서 중심부의 목의 내장(viscera)과 반대편 목까지 경부 전체에 퍼져있다. 이런 경부림프절은 여러 학자들에 의해 그룹별로 분류되었는데, 1981년 Memorial Sloan-Kettering Group은[14] 이전 분류를 단순화하여 보다 체계적인 경부림프절의 분류법을 제안하였다(그림 6-9). 이 분류에 따르면, 구역 I은 이하림프절(submental lymph node)과 악하림프절(submandibular lymph node), 구역 II는 상심경림프절(upper jugular lymph node), 구역 III는 중심경림프절(mid-jugular lymph node), 구역 IV는 하심경림프절(lower jugular lymph node), 구역 V는 후삼각림프절(posterior triangle lymph node), 구역 VI는 전경부림프절(anterior compartment lymph node), 구역 VII는 상부종격동림프절(superior mediastinum lymph node)이다. 각 구역의 경계를 살펴보면, 구역 I은 이복근의 전복과 후복으로 이루어진 이하삼각과 악하삼각을 포함하며, 하방으로는 설골, 상방으로는 하악이 경계를 이룬다. 구역 II, III와 IV는 연결된 공간으로 두개저에서 쇄골에 이르는 경부에서 흉쇄유돌근 내측에 존재하는 심경부 림프절들을 분류한 것으로 구역 II와 III는 임상적으로는 설골, 수술해부학적으로는 경동맥 분기부(bifurcation)가 경계이며, 구역 III와 IV는 임상적으로는 윤상연골, 수술해부학적으로는 견갑설골근이 경계이다. 구역 V의 전방경계는 흉쇄유돌근의 후연이며, 후방경계는 승모근의 전연으로 이루어진다. 구역 VI는 양측 경동맥초 사이에 위치하며 상방은 설골, 하방은 흉골상절흔(suprasternal notch)에 의해 경계 지어지며 갑상선주위림프절, 기관주위림프절, 윤상연골전림프절(Delphian node)이 포함된다. 구역 VII은 위로는 흉골상절흔, 아래로 대동맥궁 상방까지, 좌측은 총경동맥, 우측은 무명동맥(innominate artery)으로 경계지어진다. 이후 2001년 미국이비인후과학회(American Academy of Otolaryngology-Head and Neck Surgery (AHNS))에서 생물학적 중요성을 바탕으로 구역 I, II와 V를 각각 구역 A, B로 나누어 사용하기를 권고한 이래 현재 이 분류법이 일반적으로 사용되고 있다. 이 분류법에 따르면 구

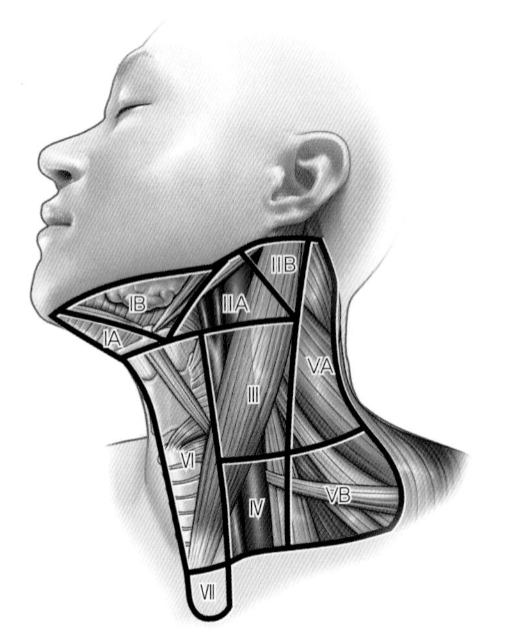

■ 그림 6-9. **경부림프절의 분류.** IA-이하림프절(submental lymph node), IB-악하림프절(submandibular lymph node), II-상심경림프절(upper jugular lymph node), III-중심경림프절(mid-jugular lymph node), IV-하심경림프절(lower jugular lymph node), V-후삼각림프절(posterior triangle lymph node), VI-전경부림프절(anterior compartment lymph node), VII-상부종격동림프절(superior mediastinum lymph node)

역 I은 이복근의 전복, 구역 II는 척추부신경, 구역 V는 윤상연골을 기준으로 구역 A, B로 세분하였다(그림 6-9).[11]

이 분류에 포함되지 않은 림프절 군으로는 후이개림프절, 후두림프절, 이하선림프절, 후인두림프절(retropharyngeal lymph node) 등이 있다. 후이개림프절은 이개 후면, 외이도 및 인접 두피의 림프액이 유입되며, 이개 후방의 피부암에서 전이될 위험성이 높다. 후두림프절은 구역 VA 림프절의 머리쪽 표재성 연결 부위로 두피 뒷면의 림프액이 유입되며, 후두부(occipital area)에 발생하는 피부암에서 림프절 전이를 보인다.[6] 이하선림프절은 주로 안면신경의 외측에 위치하며, 전두측두부의 두피(frontotemporal scalp), 이개, 비근부(root of nose), 안검(palpebra), 외이도, 고막 등에서 배출되는 림프액이 모이는 부위이다.[9] 이하선과 달리 악하선은 피막 내 림프절이 없다.[16] 후인두림프절은 임상적으로 비부비동, 비인두, 구인두, 하인두 및 경부식도암의 전이에서 임상적으로 매우 중요한 림프절이다.[4,17]

참고문헌

1. Agur AMR, Dalley AF, II. Grant's atlas of anatomy. 14th ed. Philadelphia: Wolters Kluwer; 2016. p.721-81.
2. Chen EY, Sie KCY. Developmental Anatomy. In: Flint PW, Haughey BH, Lund VJ, editors. Cummings Otolaryngology—Head and Neck Surgery. 6th ed. Philadelphia: Elsevier Saunders; 2015. p.2821-30.
3. Choi G, Suh YL, Lee HM, et al. Prenatal and postnatal changes of the human tonsillar crypt epithelium. Acta Otolaryngol Suppl 1996;523:28-33.
4. Ferlito A, Shaha AR, Rinaldo A. Retropharyngeal lymph node metastasis from cancer of the head and neck. Acta Otolaryngo 2002;122:556-60.
5. Graney DO, Sie KCY. Developmental Anatomy. In: Cummings Otolaryngology-Head and Neck Surgery, 4th ed. St Louis: Elsevier Mosby, 2005, p.3938-51.
6. Gregoire V, Ang K, Budach W, et al. Delineation of the neck node levels for head and neck tumors: a 2013 update. DAHANCA, EORTC, HKNPCSG, NCIC CTG, NCRI, RTOG, TROG consensus guidelines. Radiother Oncol. 2014;110:172-81.
7. Hollinshead WH. Anatomy for Surgeons, 3rd ed. Philadelphia: Harper & Row, 1982. p.443-526.
8. Linberg R. Distribution of cervical lymph node metastasis from squamous cell carcinoma of the upper respiratory and digestive tracts. Cancer 1972;29:1446-49.
9. McKean ME, Lee K, McGregor IA. The distribution of lymph nodes in and around the parotid gland: An anatomical study. Br J Plast Surg 1985;38:1-5.
10. Richmon JD, Roediger FC, Eisele DW. Complications of Neck Surgery. In: Flint PW, Haughey BH, Lund VJ, editors. Cummings Otolaryngology—Head and Neck Surgery. 6th ed. Philadelphia: Elsevier Saunders; 2015. p.1862-71.
11. Robbins KT, et al: Pocket guide to neck dissection classification and TNM staging of head and neck cancer. In Robbins KT, editor: American Academy of Otolaryngology, Alexandria, 2001, Virginia.
12. Sadler TW. Langman 's Medical Embryology. 13th ed. Lippincott Williams & Wilkins/Wolters Kluwer Health, Inc.; 2014. p.278-305.
13. Schoenwolf GC, Bleyl SB, Brauer PR, Francis-West PH. Larsen's human embryology. 5th ed. Philadelphia: Elsevier Churchill Livingstone; 2015. p.429-72.
14. Shah JP, Strong E, Spiro RH, et al. Surgical grand rounds. Neck dissection: Current status and future possibilities. Clin Bull 1981;11:25-33.
15. Shah JP. Patterns of cervical lymph node metastasis from squamous carcinomas of the upper aerodigestive tract. Am J Surg 1990;160:405-9.
16. Spiro JD, Spiro RH. Submandibular gland tumors. In: Schockley WW, Phllsbery III HC, eds. The Neck. Diagnosis and Surgery. St Louis: Mosby, 1994, pp.295-306.
17. Teymoortash A, Werner JA. Current advances in diagnosis and surgical treatment of lymph node metastasis in head and neck cancer. Laryngo Rhino Otologie, 2012, 91.1: S102.
18. Werner JA, Dunne AA. Value of neck dissection in patients with squamous cell carcinoma of unknown primary. Oncologie 2001;14:16-20.

CHAPTER

07

갑상선과 부갑상선의 구조와 기능

이비인후과학 Otorhinolaryngology - Head and Neck Surgery

구본석

I 갑상선의 구조와 기능

그리스어로 방패모양(Thyroides)의 분비선이라는 어원을 가지고 있는 갑상선(Thyroid)은 비록 정확한 의학지식을 바탕으로 한 기술은 아니었으나, 고대 중국, 인도, 이집트, 그리스의 문헌과 그림에서 발견할 수 있다. 근현대에 이르러서야 비로소 수술적 치료를 시도한 기록이 있으나 초기 갑상선 수술은 사망률이 매우 높아 위험한 수술로 기피되었다. 19세기 말 Theodor Bilroth와 Emil Theodor Kocher는 안전한 마취술, 소독방법과 적절한 수술 기구를 이용하여 갑상선을 안전하게 수술하게 되었으며, 갑상선 생리에 대해서 많은 연구를 하였고, 그 공로를 인정받아 Kocher는 1909년 노벨상을 수상하였다. 그 외 여러 선구자들의 연구를 통해 20세기에 들어서 현재까지 갑상선에 관련하여 내과적/외과적으로 비약적인 발전이 있었다.[15]

1. 갑상선의 발생과 선천적 기형

1) 갑상선의 발생

갑상선은 발생 과정 중 처음으로 나타나는 내분비기관으로 태생 4주경에 그 원기(anlage)가 관찰된다. 제1, 2 새열(branchial cleft) 사이의 인두 중앙 기저부 내배엽의 상피가 두꺼워지면서 갑상선 게실(diverticulum)로 알려진 낭을 형성하며, 이것이 설기저부(tongue base)의 설맹공(foramen cecum)에서 점차 확장하여 기관-기관지아(tracheobrnochial bud) 앞까지 도달하여 갑상설관(thyroglossal duct)을 형성한다. 추후 갑상설관은 태생 6주경 근위부가 퇴화되면서 소실되고 7주경 본래의 모양을 가지고 성인과 같은 위치에 도달하며, 경우에 따라서 하부의 구조물이 추체엽(pyramidal lobe)으로 남는 경우가 있다. 갑상선이 하강하는 동안 원기는 양엽(bilobe)의 형태로 변화하게 되며, 4번째와 5번째 인두낭(pharyngeal pouch)은 접촉하여 융합된다. 갑상선의 하강 과정이 정상적으로 이루어지지 않고 중간에 멈추게 되면 이소성 갑상선이 된다.[15,22]

갑상선은 여포세포(follicular cell)와 부여포세포(parafollicular cell)로 이루어지며, 여포세포는 티로글로불린(thyroglobulin), 부여포세포는 칼시토닌(calcitonin)을 분비한다. 갑상선의 여포는 엽이 발생할 때부터 관찰되지만 티로글로불린을 생산하는 능력은 태생 약 1개월에 완성된다. 태생 3개월이 되면, 요오드 축적과 T4를 생산할 수 있다. 부여포세포는 투명세포(clear cell) 혹은 C 세포(C-cell) 등으로 불리며, 혈중 칼슘 농도를 조절하는 칼시토닌을 분비한다. 부여포세포는 4번째 인두낭의 신경능(neural crest)에서 발생하여, 갑상선 상부 2/3 지점의 외측과 후면에서 갑상선 내로 이동하여 실질 안에 분포하게 된다.[9]

2) 갑상선의 선천적 기형

(1) 갑상설관낭종과 누공

갑상선의 발생 과정 중의 문제로 발생하는 질환으로 갑상설관낭종(thyroglossal duct cyst, TGDC)과 누공(fistula)이 있다. 정상적으로 갑상설관은 설골이 형성되면서 퇴화하여 없어지지만 퇴화하지 않고 잔유 조직이 남아있는 경우 갑상설관낭종이나 누공이 생기게 된다. 대부분 설골이나 갑상설골막(thyrohyoid membrane) 부위에 가장 많이 발생하지만 설기저부(1~2%)에서 상흉골절흔(suprasternal notch)까지 어디에나 발생할 수 있으며, 대부분 몸의 중앙부에 발생한다(그림 7-1).[15,22] 수술적 치료 시 재발 방지를 위해 설골의 중앙부를 포함하여 제거하는

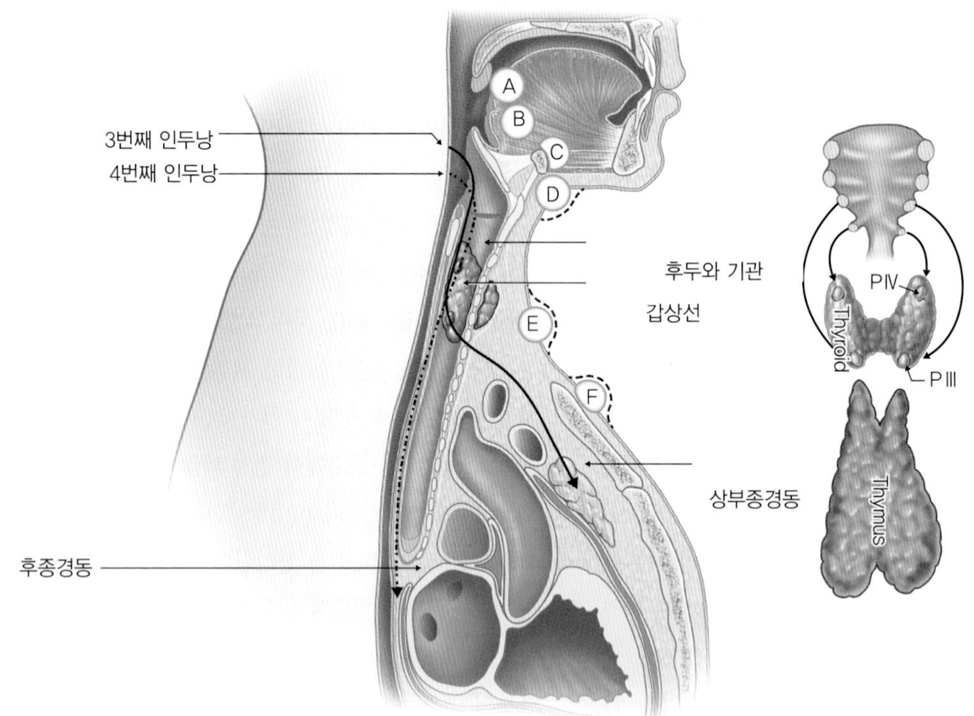

■ 그림 7-1. **갑상설관낭종과 이소성 부갑상선의 발생.** 갑상설관낭종은 설기저부 (A), 설골상부 (B), 설골부(C), 설골하부 (D), 갑상선부 (E), 상흉골부 (F)에 발생할 수 있다. 3번째 인두낭에서 하부갑상선이 발생하며 4번째 인두낭에서 상부갑상선이 발생한다. 하부갑상선은 위치의 변이가 심하여 상부 종격동에서 발견될 수 있다(화살표). 이소성 상부갑상선은 드물지만 식도 주위에서 발견될 수 있다(화살표).

(From Weber CJ, McGarity WC: Anterior Neck. In: Wood WC, Skandalakis JE (eds): Anatomic basis of tumor surgery. 1st ed. St Louis, Quality Medical Publishing, 1999, p61)

Sistrunk 술식이 권장되며, 1% 이하이지만 악성종양이 동반되는 경우가 있다.

(2) 이소성 갑상선(ectopic thyroid)

1869년 Hickman에 의해 처음 보고된 갑상선의 선천성 질환으로 갑상선이 기관 앞의 정상 위치에 존재하지 않는 경우를 총칭하며 발생 과정에서 갑상선의 원기의 정상적인 하강에 문제가 생겨 발생한다. 설맹공(foramen cecum) 부위에서 가장 많이 발생하지만(90%) 그 외에도 설골주위, 상부 종격동, 악하선 및 식도 주위 등에서 발생할 수 있다.[17] 특히 설맹공 주위에 있는 이소성 갑상선을 설갑상선(lingual thyroid)이라고 한다. 이것이 커지는 경우 호흡곤란, 연하장애, 출혈을 유발할 수 있으며, 드물게 악성화되기도 한다.[15,22] 이소성 갑상선이 있는 경우 정상적 위치에 갑상선이 없을 수 있으므로, 수술 계획 시 주의를 요한다. 그러나 드물게 경부의 정상 갑상선 조직과 공존할 수 있는데 아주 작은 조직에서 일엽 혹은 정상 갑상선에 이르기까지 다양하다.[23]

(3) 갑상선 무형성증(agenesis)

양측 정상 위치에 갑상선이 존재하지 않는 갑상선 무형성증은 이소성 갑상선과 동반되는 경우가 많으며, 이소성 갑상선이 없이도 일측 갑상선 무형성증(hemiagenesis)이 발생할 수 있다. 이는 갑상선이 될 원기로부터의 발생 과정에서 좌우 양엽으로 자라나지 못한 것으로 생각되며, 갑상선 기형 중 가장 드문 형태이다. 이러한 경우 여성이 남성보다 3배 정도 많으며, 좌측엽의 무형성증이 우측엽보다 4배 정도 많은 것으로 알려져 있다.[6]

2. 갑상선의 해부

주로 H자나 U자 모양이며, 15~25g 정도의 무게를 가지며, 혈관이 매우 풍부한 내분비기관이다. 성인에서는 길이 4 cm, 폭 1.5 cm, 두께 2 cm 정도이며, 양측엽은 위아래로 길쭉하게 상극과 하극으로 구성되어 있다.[22] 상극은 갑상연골의 사선(oblique line)까지 올라가며 하극은 제5 혹은 제6 기관연골 부위까지 내려갈 수 있다. 협부는 양측엽의 중앙을 연결하며, 윤상연골(cricoid cartilage) 혹은 기관연골의 전면에 위치하지만, 드물게 협부가 존재하지 않아 갑상선이 두 개의 독립된 엽으로 존재하는 경우도 있다. 40~50%에서 추체엽이 존재하는데 이는 갑상선이 하강한 이후 갑상설관 하부가 남아서 분화한 것으로 생각된다. 설골에서 갑상선 협부나 추체엽을 연결하는 섬유조직 또는 근육이 있을 수 있는데, 이를 갑상선 거근(levator thyroideae)이라 한다.[4]

갑상선은 심경근막(deep cervical fascia)의 중간층(middle layer)인 기관전근막(pretracheal fascia)에 의해 기관과 단단히 붙어 있어 침을 삼킬 때 움직이므로 전경부에 호발하는 새열낭종이나 유피낭종과 구별된다. 갑상선을 둘러싸는 얇은 막은 실질적으로는 근막의 일부로 가성갑상선피막이다. 갑상선 실질과 연결되는 섬유 조직의 피막이 있는데, 이는 가성 갑상선 피막과 후외측에서 합쳐서 갑상선을 기관연골에 단단히 부착시키는 현수인대(ligament of Berry, suspensory ligament)가 된다.[15,22] Zuckerkandle 결절(Tubercle of Zuckerkandle)은 1902년 Zuckerkandle에 의해 명명된 해부학적 구조로, 갑상선의 측면 경계에서 외측 후방으로 가장 돌출된 부위를 지칭하며, 주로 우측에서 더 많이 관찰된다. Zuckerkandle 결절의 두측(cranial portion)에 상부갑상선이 위치하는 경우가 많고 내측으로 반회후두신경이 지나가는 경우가 많아 갑상선 수술에서 중요한 해부학적 지표가 되기도 한다.[13]

1) 혈관 분포

갑상선은 2개의 상갑상선 동맥과 2개의 하갑상선 동맥에 의해 주로 혈액을 공급받는다(그림 7-2). 일부에서 최하갑상선 동맥이 관찰되는데 이 동맥은 반대측과 많은 교통을 한다. 갑상선은 혈관의 분포가 매우 많은 기관으로 수

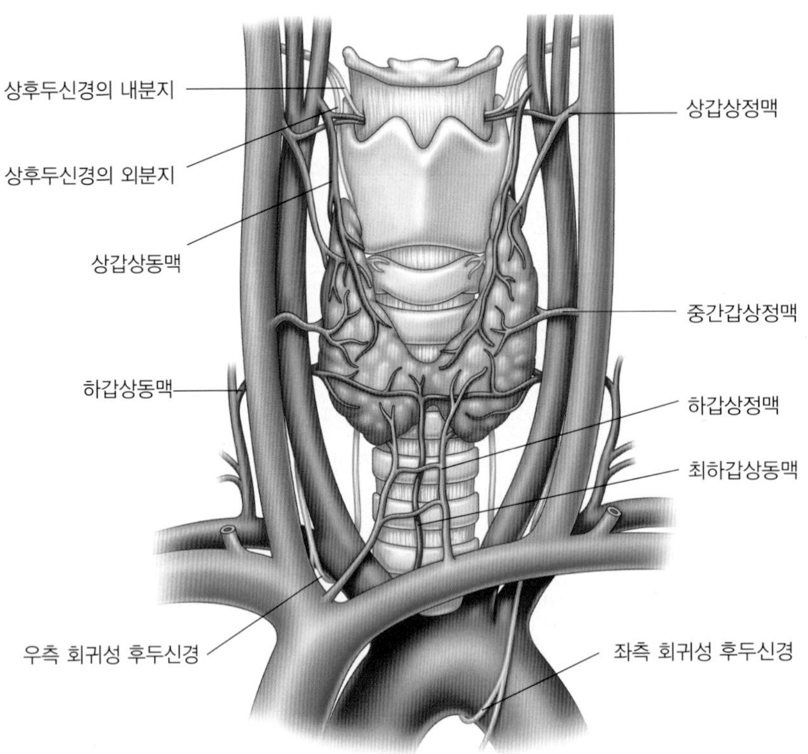

■ 그림 7-2. **갑상선의 혈관 분포**

술을 시행하기 전에 혈관에 대한 해부학적 지식이 매우 중요하다. 또한 후두를 지배하는 신경이 동맥과 연관성이 많으므로 혈관 결찰 시 신경이 손상되지 않도록 많은 주의가 필요하다.

(1) 상갑상동맥(superior thyroid artery)

경부에서 외경동맥(external carotid artery)의 첫 번째 분지이지만 드물게 총경동맥(common carotid artery)이 외경동맥과 내경동맥으로 나누어지기 직전에 총경동맥으로부터 분지되기도 한다(5~45%). 분지 후 하인두수축근(inferior constrictor muscle)을 따라 상갑상정맥(superior thyroid vein)과 같이 갑상선의 상극을 향해 내려온다. 상갑상동맥의 후외측에서 상후두신경의 외분지(external branch of superior laryngeal nerve)가 같이 주행하여 갑상선의 상극 부위의 내측에서 상갑상동맥과 교차한다. 갑상선 상극에서 상갑상동맥은 전분지(anterior branch)와 후분지(posterior branch)로 나뉘어 갑상선과 상부갑상선에 혈액을 공급한다.

(2) 하갑상동맥(inferior thyroid artery)

쇄골하동맥(subclavian artery)의 첫 번째 분지인 갑상경동맥간(thyrocervical trunk)에서 분지된 후, 총경동맥의 뒤에서 수직 방향으로 조금 상행하다가 내측으로 선회하여 기관식도구(tracheoesophageal groove)로 주행하여 갑상선에 분포한다. 하갑상동맥은 여러 개의 분지를 형성하여 갑상선 하부와 하부갑상선에 혈액을 공급하면서, 상갑상선동맥과 연결되고 상부갑상선에도 공급한다. 기관식도구에서 갑상선에 분포하기 전에 반회후두신경과 교차하는데, 반회후두신경은 하갑상동맥의 분지 뒤면, 앞면, 또는 분지 사이를 지날 수 있다.[15,22]

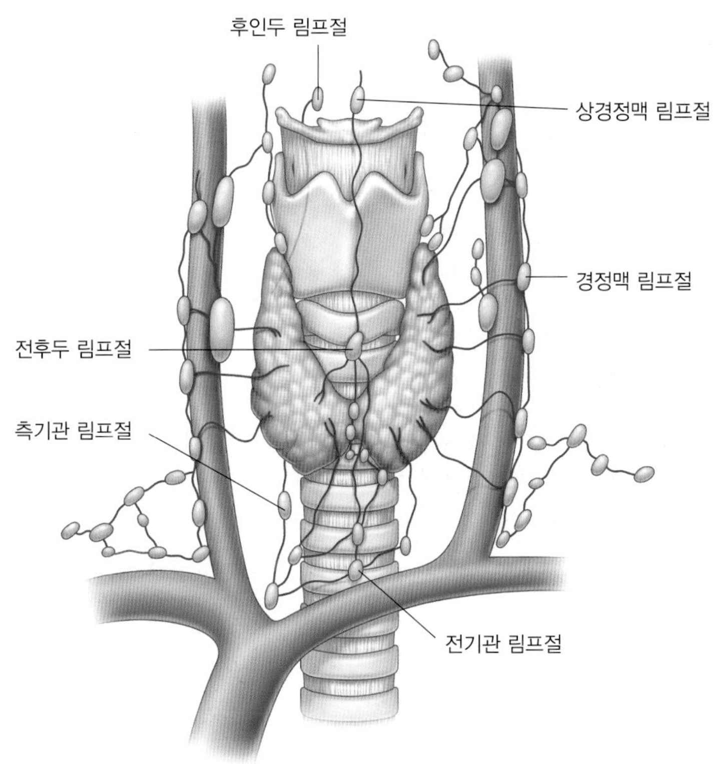

■ 그림 7-3. **갑상선의 림프계**

(3) 최하갑상동맥(thyroid ima artery)

5~15.2%의 빈도로 존재하는 것으로 알려져 있으며, 무명동맥(innominate artery), 우측 총경동맥(carotid artery), 또는 대동맥궁(aortic arch)에서 기원하여 갑상선의 협부에 분포할 수 있다. 최하갑상동맥이 존재하는 경우 갑상선절제술, 기관절개술 후 예상하지 못한 출혈의 원인이 될 수 있어 유의해야 한다.[20,22]

(4) 정맥

2쌍으로 이루어진 동맥과는 달리 갑상선의 정맥은 3쌍으로 이루어져 있다. 상갑상정맥(superior thyroid vein)은 갑상선 상부의 앞면에서 상갑상동맥과 같이 주행하며 내경정맥으로 배액된다(그림 7-2). 중간갑상정맥(middle thyroid vein)은 갑상선의 측면 방향에서 바로 내경정맥으로 연결된다. 하갑상정맥(inferior thyroid vein)은 갑상선 하부의 전면에 위치하고 있으며 수직 방향으로 아래로 향하여 완두정맥(brachiocephalic vein)으로 연결된다.[15,22]

2) 신경 분포

우리 몸의 대부분의 기관(organ)과 마찬가지로 갑상선에도 교감신경과 부교감신경이 분포한다. 교감신경은 상, 중, 하경신경절(sympathetic ganglion)로부터 분지되고, 부교감신경은 미주신경으로부터 분지되며, 갑상선의 혈액 공급과 관련이 있을 것으로 생각된다. 혈류의 변화가 호르몬 분비 속도의 변화를 유발하지는 않지만, 갑상선 자극호르몬(thyroid stimulating hormone(TSH)), 요오드화물(iodide), 대사 기질(metabolic substrates) 등의 운반에 영향을 미치기 때문에 결국 갑상선의 기능과 성장에 영향을 주게 된다.[3]

3) 림프계(lymphatic system)

갑상선의 림프관은 피막의 바로 아래에 위치하며, 갑상선 전반에 걸쳐 풍부하게 위치한다. 배액은 모든 방향으로 될 수 있고, 일측의 림프계가 협부를 통해 반대편과 연결될 수 있다. 갑상선에서 외부로 일차적으로 배액되는 림프절은 중심경부림프절(central compartment lymph nodes; level VI)로 이에는 전기관림프절(pretracheal lymph node), 기관주위림프절(paratracheal lymph node), 전후두림프절(prelaryngeal lymph node, Delphian node) 등이 포함된다(그림 7-3). 이차적으로 갑상선의 위쪽 1/3의 전면과 후면, 상부 협부, 그리고 추체엽은 상갑상동맥을 따라 상 또는 중 경정맥림프절로 배액된다. 위쪽 1/3의 후면 갑상선에서는 후인두림프절로 배액된다. 갑상선의 아래쪽 전면과 후면 그리고 협부 하부는 중심경부림프절을 따라 상부 종격동과 경정맥 림프절로 배액된다(그림 7-3).[36] 그 외에 후경부 림프절로도 배액될 수 있으며, 반대측을 포함하여 양측으로 배액되는 경우도 빈번하다.[15,22]

유두상암종이나 수질암종에서는 림프절 전이의 빈도가 매우 높아 림프절 전이에 대한 세심한 검사가 필요하다. 특히 수질암종에서는 갑상선 수술을 시행할 때 중심경부림프절에 대한 예방적 경부절제술을 반드시 고려해야 한다.[15,22]

4) 갑상선과 반회후두신경(recurrent laryngeal nerve)

반회후두신경은 미주신경의 분지로 갑상연골과 윤상연골 하방에 위치하며, 심경근막 아래 기관/식도 위에 위치한다. 우측의 경우 쇄골하동맥, 좌측은 대동맥궁을 앞에서 뒤로 돌아 기관식도구를 따라 상행하여 후두 내근의 운동과 상부 기관과 성문하 부위의 감각을 담당한다. 우측 반회후두신경은 기관식도구를 따라 상행할 때 좌측에 비해 외측에서 약간 내측으로 더 기울어져서 주행한다.[32] 특히 갑상선의 하극 부위에서는 기관식도구의 외측으로 1 cm 이내에 존재한다. 반회후두신경은 기관식도구를 따라 상행하면서 하갑상동맥과 교차하는데, 교차 방법은 하갑상동맥의 2개의 큰 분지 뒤로 주행하는 경우,

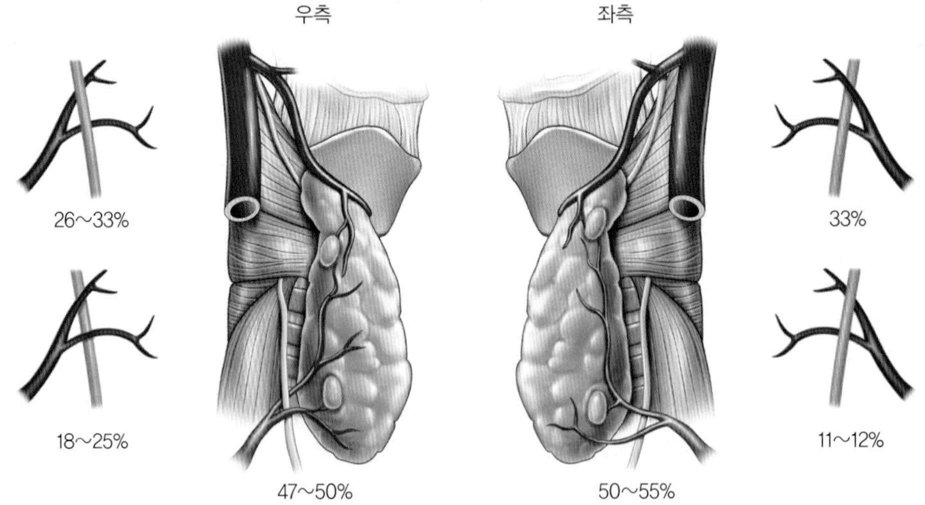

■ **그림 7-4. 반회후두신경과 하갑상동맥과의 관계.**
우측 반회후두신경은 우측 하갑상동맥의 분지 사이로 주행하는 경우가 많으나, 좌측 반회후두신경은 좌측 하갑상동맥의 분지 뒤에서 주행하는 경우가 많다.

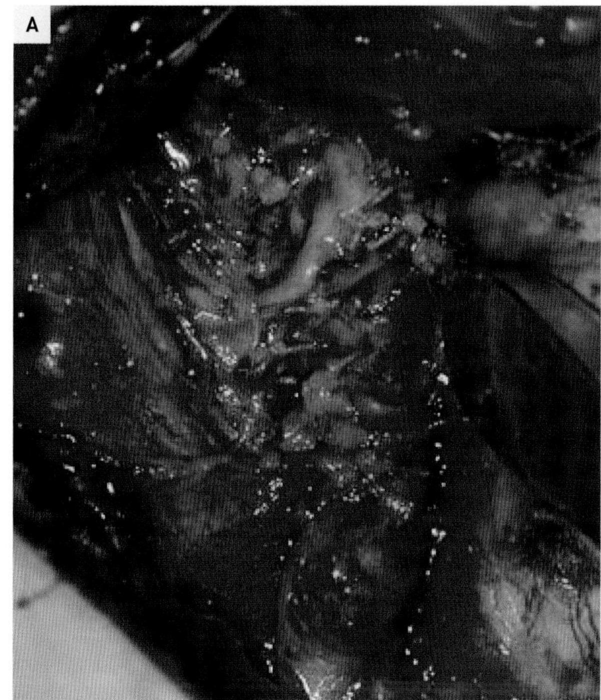

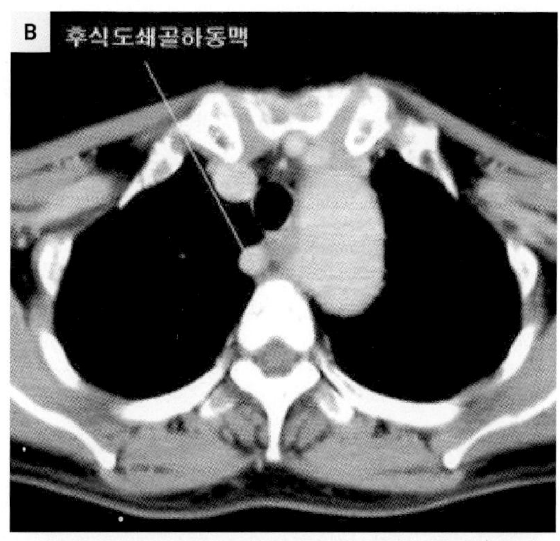

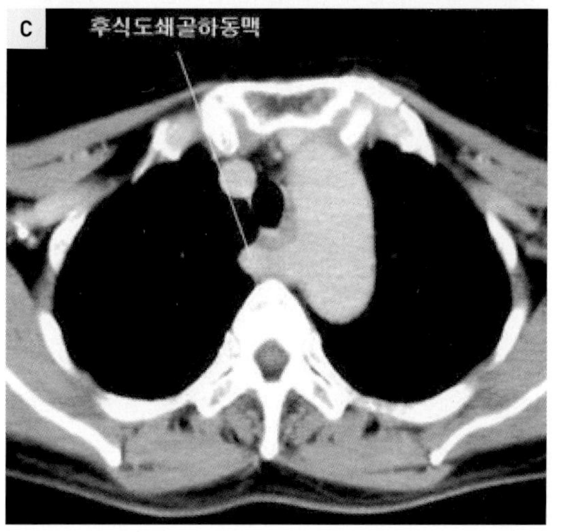

■ 그림 7-5. **비반회 후두신경.**
A) 우측 비반회 후두신경의 수술 소견. **B, C)** 같은 환자에서 동맥궁에서 분지된 후식도쇄골하동맥이 관찰된다.

분지 사이로 주행하는 경우, 분지 앞으로 주행하는 경우가 있다. 우측 반회후두신경은 우측 하갑상동맥의 분지 사이로 주행하는 경우가 많으나, 좌측 반회후두신경은 좌측 하갑상동맥의 분지 뒤로 주행하는 경우가 많다(그림 7-4).[4,26,37] 간혹 반회후두신경이 후두로 들어가기 전에 1~2번째 기관륜 부위에서 후두내근의 운동을 담당하는 운동신경인 전분지와 후두의 감각을 담당하는 지각신경인 후분지로 분지되는 경우가 있다.[31] 그러나 모든 반회후두신경의 분지는 운동신경일 가능성이 있으므로 수술 시 작은 분지라도 손상을 주지 않도록 주의해야 한다. 현수인대 근처에서는 반회후두신경이 현수인대의 뒤로 지나는 경우가 많으나 사이나 앞으로 또는 실질 사이로 지나는 경우가 있어 수술 시 주의해서 신경을 확인해야 한다.

반회후두신경이 비정상적 발생으로 인해 비반회성(non-recurrent) 경로를 취하기도 한다. 비반회후두신경은 0.5%–1.5%의 빈도로 우측에서 주로 발견된다.[15,16] 특히 수술 전에 영상학적 검사에서 후식도쇄골하동맥(retroesophageal subclavian artery)이 관찰되는 경우 비반회 후두신경을 예측하여 수술시 고려해야 한다. (그림 7-5).[30] 드물게는 비반회 후두신경과 반회후두신경이 동시에 있는 경우도 있다. 우측과 좌측 반회후두신경의 주행상의 차이점은 (표 7-1)과 같다.

표 7-1. **우측과 좌측 반회후두신경의 비교**

	우측 반회후두신경	좌측 반회후두신경
회귀 구조물	우측 쇄골하동맥	대동맥궁
기관식도구에서 주행	외측에서 내측으로 경사져서 주행	우측보다 내측에 위치
하갑상동맥과의 관계	하갑상동맥의 분지 사이로 주행하는 경우가 많다.	하갑상동맥의 분지 뒤에서 주행하는 경우가 많다.
비회귀성 후두신경	0.5-1.5%에서 발생	0.04%에서 발생
현수인대와의 관계	현수인대의 뒤로 주행하는 경우가 많으며 우측과 좌측의 차이는 없다.	

5) 갑상선과 상후두신경(superior laryngeal nerve)

상후두신경의 외분지는 윤상갑상근(cricothyroid muscle)(성대를 신장시켜 고음을 만드는 후두근)에 분포하는데 갑상선의 상극 부위에서 상갑상동맥과 교차하게 된다. 교차하는 방식에 따라서 상후두신경의 외분지와 상갑상동맥이 교차하는 부위가 갑상선 상극보다 1 cm 이상 위에서 혈관 뒤로 교차하는 경우 (1형), 상극 위 1 cm 내에서 혈관 뒤로 교차하는 경우 (2형), 상극하방에서 혈관 뒤로 교차하는 경우(3형), 상극 바로 위에서 상갑상동맥의 작은 가지의 앞으로 교차하는 경우(4형)로 구분된다(그림 7-6).[19] 1형에 비해 2형, 3형, 4형인 경우 갑상선 수술 시 신경 손상의 가능성이 있어, 수술 시 상갑상동맥을 결찰할 때, 가능한 갑상선에 가깝게 붙여서 결찰해야 한다. 특히 갑상선 종양의 크기가 큰 경우 3형의 비율이 높아질 수 있어 이 경우 상후두신경의 보존에 유의해야 한다.[8,12]

상후두신경의 외분지가 손상될 경우 윤상갑상근에 장애가 발생하여 양측 성대의 긴장도에 불균형이 발생할 수 있고, 이로 인해 특히 고음의 발성이 영향을 받게 되어 임상적으로 중요하다.

3. 갑상선의 생리

인체의 내분비계는 우리 몸의 항상성을 유지하는 데 중요한 역할을 하며, 호르몬을 혈액으로 분비하는 역할을 한다. 갑상선 호르몬 합성의 기본 성분은 티로신과 요오드이며, 요오드의 결합 개수에 따라서 티록신(thyroxin(T4,

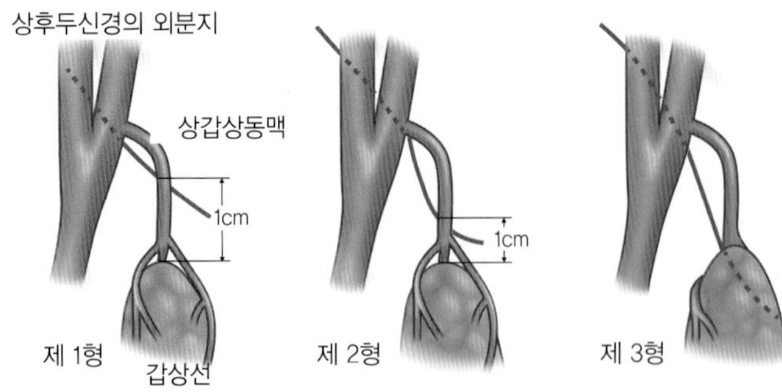
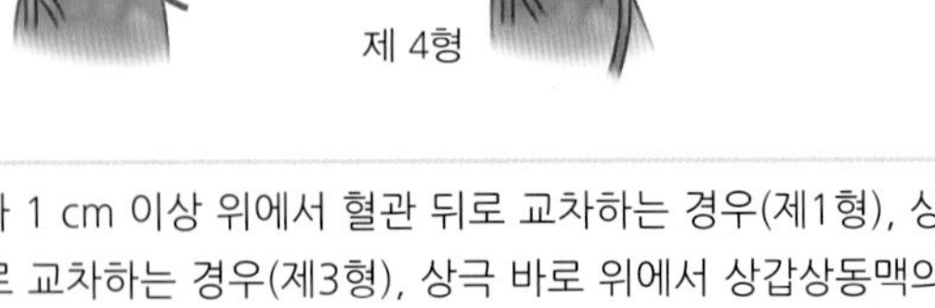

■ 그림 7-6. **상후두신경의 외분지와 상갑상동맥과의 관계.** 갑상선 상극보다 1 cm 이상 위에서 혈관 뒤로 교차하는 경우(제1형), 상극 위 1 cm 내에서 혈관 뒤로 교차하는 경우(제2형), 상극하방에서 혈관 뒤로 교차하는 경우(제3형), 상극 바로 위에서 상갑상동맥의 작은 가지의 앞으로 교차하는 경우(제4형)로 구분할 수 있다.
(From Kierner AC, Aigner M, Burian M; The external branch of the superior laryngeal nerve: its topographical anatomy as related to surgery of the neck. Arch Otolaryngol Head Neck Surg. 1998;124:301-3)

tetraiodothyroine))과 삼요오드 티록신(triiodothyroinine (T3))으로 구분되며 모두 여포세포에서 생산하고 분비한다. 또한 부여포세포에는 칼시토닌을 분비하며, 이는 혈중의 칼슘 농도를 조절한다고 알려져 있다.[3]

1) 요오드(iodine) 대사와 이동

요오드는 인체에 필요한 미량원소의 하나이며, 인체 내에서는 갑상선 호르몬의 합성에 이용되는 것이 유일한 경우이다. 말초 조직에서 필요한 갑상선 호르몬을 생산하고 분비하기 위해서는 매일 약 100 μg 이상의 요오드가 필요하다. 정상적인 갑상샘 기능을 나타내는 성인 남녀의 갑상샘 내 평균 요오드 축적량이 96.5 μg/d, 91.2 μg/d로 제시됨에 따라 이를 근거로 미국의 Food and Nutrition Board에서는 성인의 요오드의 평균 필요량을 95 μg/d로 산정하였으며, 미국, WHO/UNICEF/ICCIDD, 한국 등 여러 나라들도 이 자료를 근거로 이 값에 안전치를 가산하여 19세 이상 성인의 경우 권장 섭취량을 150 μg/d로 설정하였다. 전 세계에서 적어도 10억 정도의 인구가 요오드가 부족한 지역에 살고 있기 때문에 풍토성 갑상선종과 크레틴병을 포함하는 요오드 결핍 질환이 가장 흔한 갑상선 관련 질병이며 세계적으로 가장 흔한 내분비 질환이다.[3] 요오드 함량이 풍부한 음식물을 많이 소비하는 일본에서는 하루 요오드 섭취량이 수 mg이며 우리나라의 경우 1mg 내외를 섭취하는 것으로 알려져 있다. 미국에서는 요오드가 포함된 식염 등에 의해 평균 500μg을 섭취한다.[3]

음식물을 통해 섭취된 요오드는 30분에서 1시간 사이에 소장에서 90%이상 흡수되며 체내에서 대부분(90%) 갑상선 내에 존재하며, 갑상선 내에서 요오드는 단백과 결합하거나 미리 형성된 갑상선 호르몬의 형태로 저장되고 나머지 10%는 혈액 내에서 iodide(I^-)의 형태로 존재한다. 위장관에서 흡수된 요오드는 세포외액 내 무기요오드풀(inorganic iodide pool)로 들어가며 갑상선으로 능동적으로 이동하여 호르몬 합성에 이용된다. 주로 신장을 통해 배설되지만 피부, 타액, 호흡을 통해서도 일부 배설된다.[3]

요오드의 능동적인 운반은 갑상선 세포의 기저막(basal membrane)에 있는 수송 단백질(sodium/iodide symporter (NIS))에 의해서 일어나며[25], 그로인해 갑상선 요오드 농도는 세포외액에 비하여 20~40배 정도 높으며, 이는 약 40 mV의 전위차를 형성한다. 그에 비해 갑상선 세포에서 여포내강(follicular lumen)으로의 요오드 이동은 전기화학적 경사에 의해 이루어지며, 갑상선 세포의 극세포막(apical cell surface)에 있는 펜드린(pendrin)이라는 단백질이 관여한다.[29] Pendred 증후군은 펜드린을 조절하는 유전자 이상에 의해 발생하는 유전질환으로 갑상선저하증, 갑상선 종대 및 청력 감소 등의 증상을 동반한다.[27]

요오드의 이동은 갑상선 자극호르몬 (요오드 운반증가)과 갑상선 내 요오드의 농도에 의해서도 영향을 받는다. 갑상선은 호르몬 생산에 필요한 양 만큼의 요오드만을 섭취하는 자가조절능력이 있다.[1,3]

2) 갑상선 호르몬

(1) 티로글로불린(thyroglobulin, Tg)

갑상선 호르몬의 전구물질로 660 kD의 분자량을 가지는 큰 당단백질이다. 유전자는 사람에서 8번 염색체에 존재하며, 2,750개의 아미노산으로 구성된 2개의 동일한 폴리펩티드(polypeptide)로 구성되며, 10%는 탄수화물이고, 0.1~1%가 요오드이다.[27]

조면소포체(rough endoplasmic reticulum)의 표면에서 티로글로불린 단백질이 합성되어 골지체(golgi complex)로 이동한 후 탄수화물과 결합이 완성된다. 티로글로불린은 소포(vesicle)에 의해 갑상선 여포세포의 극세포막 부위로 이동한다(그림 7-7).[27]

(2) 갑상선 호르몬의 합성

갑상선 호르몬의 합성에서 가장 먼저 일어나는 과정은

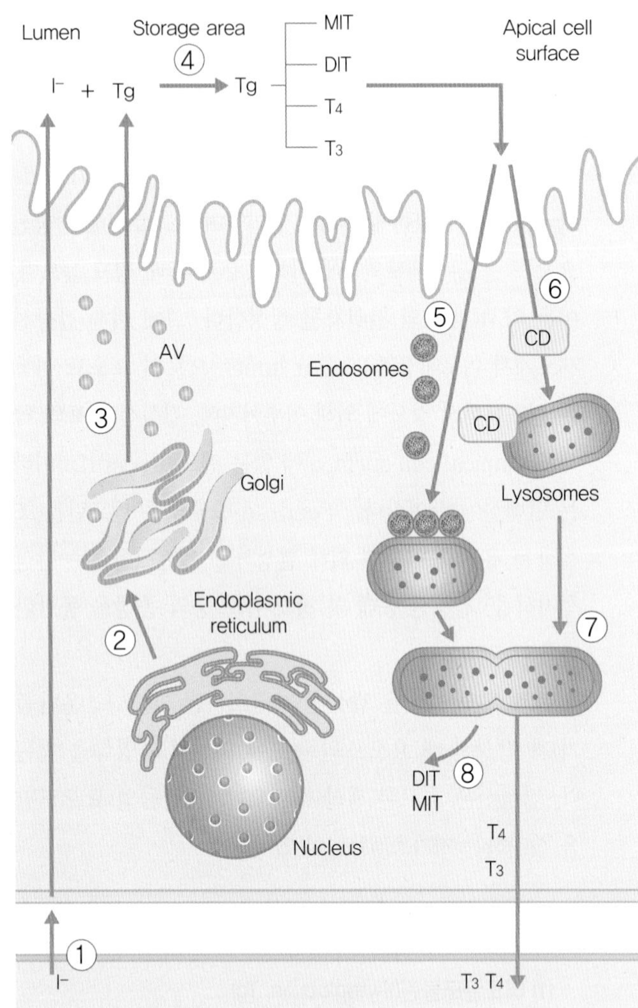

■ 그림 7-7. **갑상선 호르몬의 생성과 분비.**
① 요오드(I-)는 갑상선 세포의 기저막에 있는 수송 단백질에 의해 능동적으로 갑상선세포로 이동하고, 갑상선 세포에서 여포강으로의 이동은 전기화학적 경사에 의한다.
② 티로글로불린(Tg)은 조면세포체의 표면에서 합성된 후 조면세포체 안으로 이동한다. 탄수화물과 결합하여 형태학적 변화가 발생하며, 골지로 이동하여 탄수화물과의 결합이 완성된다.
③ 요오드와 결합하지 않은 티로글로불린은 작은 소포(AV)에 의해 갑상선 여포세포의 극세포막 부위로 이동한다.
④ 티로글로불린은 여포강에서 갑상선 과산화효소에 의해 요오드티로신, T3, T4를 합성한다.
⑤ 여포강에 저장된 갑상선 호르몬은 미세 세포흡수작용에 의해 세포내로 이동하여 엔도좀과 리소좀을 거치면서 단백질이 분해되어 호르몬이 분비된다.
⑥ 다른 경로로 여포강에 저장된 갑상선 호르몬은 거대 세포흡수작용에 의해 콜로이드형태의 작은 방울(colloid droplets, CD)로 리소좀으로 이동한다.
⑦ 리소좀에서 단백분해 후 분비된 갑상선 호르몬 T3와 T4가 혈중으로 분비된다.
⑧ 요오드티로신은 탈요오드화효소에 의해 탈요오드화되며, 이러한 과정에서 방출된 요오드는 재순환된다
(From Dunn AD: In Pellitteri PK, editor: Endocrine surgery of the head and neck, New York, 2003, Delmar Publishing, p50).

요오드의 산화(oxidation)이다. 요오드 이온은 여포세포의 극세포막에서 갑상선과산화효소(thyroperoxidase, TPO)와 과산화수소(hydrogen peroxide; H2O2)에 의하여 I^0로 산화되고 산화된 요오드는 역시 갑상선과산화효소에 의하여 갑상선글로불린(thyroglobulin)내의 티로실기(tyrosyl residue)에 부착되어 일요드화티로신(monoiodotyrosine; MIT), 이요드화티로신(diiodotyrosine; DIT)을 형성한다. 이 과정은 무기요오드가 유기화되는 것이므로 유기화(organification)라 하며 갑상선글로불린의 요오드화라고도 한다. 아직 비활성 물질인, 이 두 개의 요오드티로신은 각각의 조합으로 결합(coupling reaction)하여, 활성 물질인 T4와 T3를 형성한다. 즉, 두 개의 DIT가 결합하여 T4를 합성하고, DIT와 MIT가 결합하여 T3를 합성하는데 이 과정에도 TPO가 관여한다.[3]

티로글로불린의 티로신기는 134개 정도 되나 이 중 일부에서만 요오드와 결합하여 요오드티로신이 된다. 갑상선 호르몬을 합성하기 위해서는 요오드티로신이 다른 요오드티로신과 접합(conjugation)하여야 하는데 이러한 접합은 특정 위치에서 빈번하게 발생한다. 다른 이요오드티로신이 주로 접합하는 T4 수용기 티로신(T4 acceptor tyrosine)은 아미노말단(amino-terminal)에서 제5번 잔기이며, 티로글로불린 내 T4의 약 50%를 차지한다. 주

T3 형성 위치는 카르복시말단(carboxyl-terminal)에서 3번째 티로신 잔기이며 T3의 50% 이상이 이곳에서 생성된다.[3,15,27]

요오드의 유기화 및 요오드화티로신의 결합에 관여하는 TPO의 선천적 결핍은 갑상선 기능 저하증을 유발한다. 그레이브스병과 같이 갑상선 중독증이 있는 경우에 많이 사용되는 항갑상선제는 TPO의 기능을 억제하여 갑상선 내로 섭취된 요오드가 티로글로불린의 티로신기에 결합하는 것을 억제한다. 또한 고농도의 요오드에 의해서도 TPO가 억제되어 갑상선 호르몬의 분비가 감소한다. 이러한 것을 Wolff-Chaikoff 효과라고 한다. 정상 갑상선에서는 이러한 억제 현상이 일어나지 않아 요오드 유기화가 유지되지만 자가면역성 갑상선 질환을 가지고 있는 환자에서는 과도한 요오드에 의한 억제 작용이 발생할 수 있다.[3,15,27]

(3) 갑상선 호르몬의 분비

위의 과정에서 만들어진 T4, T3는 티로글로불린에 붙어 있는 채로 여포강 내의 콜로이드에 저장되어 있다가 TSH의 자극에 의해 여포강 내에 있는 갑상선 호르몬이 세포내이입(endocytosis)을 거쳐 세포질 내에서 콜로이드 방울을 형성하는 것으로 갑상선 호르몬 분비는 시작된다. 이러한 세포내이입 방법에는 극세포막에 있는 위족(pseudopod)에 의한 거대 세포흡수작용(macropinocytosis)과 극세포막의 표면에 있는 작은 소포(vesicle)에 의한 미세 세포흡수작용(micropinocytosis)이 있다.[14] 두 가지 방법 모두 TSH에 의해 조절되며 사람에서는 미세 세포흡수작용이 주로 관여하는 것으로 알려져 있다. 이렇게 만들어진 세포내이입 소포(endocytic vesicle)들이 리소좀과 융합하며, 티로글로불린은 리소좀의 산성 상태에서 활성화되는 카텝신(cathepsins B, D, L)과 같은 단백분해효소에 의해 분해된다. 티로글로불린에서 분해되어 나온 T4, T3는 혈액 내로 분비된다. 티로글로불린과 분해된 요오드티로신은 탈요오드화효소(iodothyronine deiodinase)에 의해 탈요오드화되며, 방출된 요오드는 재순환된다. 일부 T4는 탈요오드화효소에 의해 T3로 변화된 후 분비되기도 한다.[3,15,27]

3) 갑상선 호르몬의 조절

시상하부-뇌하수체-갑상선 축에 의한 음성되먹임(negative feedback) 기전이 갑상선 기능을 조절하는 가장 중요한 인자이나 요오드의 섭취량에 의한 자율조절기전 또한 작용한다.

(1) 갑상선 자극 호르몬(thyroid-stimulating hormone, TSH)

갑상선 호르몬의 합성과 분비에 가장 중요한 기능을 하는 것이 TSH이다. TSH는 갑상선 세포의 성장과 분화, 요오드의 흡수, T3와 T4의 합성과 분비에 관여한다. 또한 갑상선암의 성장에도 일부 관여한다고 알려져 있다. TSH는 뇌하수체 전엽에서 분비되는 28kD의 당단백으로서 2개의 폴리펩티드 사슬로 구성되어 있다. 알파사슬 구조는 황체형성 호르몬(luteinizing hormone), 난포자극호르몬(follicle stimulating hormone), 융모막생식선자극 호르몬(chorionic gonadotropin)의 알파사슬과 구조가 같으나 베타사슬의 구조가 서로 달라 갑상선 자극 호르몬의 고유의 기능을 갖는다.[34]

TSH은 갑상선 세포막에 위치하는 G 단백(guanine nucleotide-binding protein) 연관 수용체인 TSH 수용체를 통해 작용한다. G 단백과 결합된 TSH 수용체는 7개의 막-회전 영역(transmembrane-spanning domains)을 가지고 있는데, TSH 수용체가 자극되면 cyclic AMP 생성이 증가되어 요오드 수송, 티로글로불린 생성, TPO의 생산, 갑상선 호르몬의 분비 등을 증가시킨다. 또한 TSH는 포스포리파제 C(phospholipase C)를 활성화시켜 과산화수소 생성을 촉진한다.[3,27]

TSH의 생성을 조절하는 것은 갑상선자극호르몬분비호르몬(thyrotropin-releasing hormone, TRH)와 T3이다. 시상하부에서 분비되는 TRH는 뇌하수체의 전엽 세포의 TRH 수용체에 작용하여 TSH의 분비를 증가시킨다. T3는 뇌하수체에 전엽 세포에 작용하여 시상하부에서 분비되는 TRH에 대한 수용체의 수를 감소시켜 TSH의 분비를 감소시킨다(negative feedback).[3,27]

(2) 갑상선 자가 조절

갑상선은 호르몬 생산에 필요한 양만큼의 요오드만을 섭취하는 자가조절능력이 있다. 요오드가 충분한 경우에는 갑상선 세포에서 요오드 흡수를 억제하고 요오드가 부족하면 요오드 흡수를 촉진한다. 또한 과도한 요오드 양은 Wolff-Chaikoff 효과에 의해 갑상선 호르몬의 합성을 억제한다.[3,15]

(3) 기타

카테콜라민(catecholamine) 계열 중 특히 에피네프린(epinephrine)이 갑상선 호르몬의 생성과 분비를 증가시킨다. 임신 중에 생성되는 융모막생식선자극 호르몬(chorionic gonadotropin) 또한 갑상선 호르몬의 합성을 증가시킨다. 융모막생식선자극 호르몬이 증가하는 일부 악성종양에서 갑상선 호르몬의 수치가 높은 경우가 있다. 반면, 부신피질 호르몬은 갑상선 호르몬의 생성을 억제하는 기능이 있다.[1,3]

4) 갑상선 호르몬의 혈액 내 운반

갑상선 호르몬은 비수용성이므로 단독으로는 극히 적은 양(T4의 0.03%, T3의 0.3%)만이 혈액 내에 유리형(free form)으로 존재할 수 있고, 대부분 결합단백에 붙어 존재한다.[9] 유리형의 호르몬이 세포막을 통과하여 세포 내에서 작용하므로 생물학적으로 활성화된 호르몬이다. 단백질과 결합한 결합형과 유리형은 서로 평행 상태를 유지하고 있으며 필요에 따라 수시로 결합형에서 유리형으로 전환된다. 갑상선 호르몬과 결합하는 결합단백은 일종의 갑상선 호르몬 저장고 역할을 하여, 혈류 내의 호르몬 농도를 일정하게 유지하고, 말초 조직 내에 호르몬의 배분을 일정하게 하는 기능을 한다. 결합단백 중 대표적인 것이 티록신결합글로불린(thyroxine binding globulin; TBG), 티록신결합프리알부민(thyroxine binding prealbumin, transthyretin; TBPA, TTR), 알부민의 3가지이고 극히 소량이 리포단백(lipoprotein)에 의하여 운반된다.[10]

티록신결합글로불린의 혈중 농도는 1-2 mg/dl로 다른 결합 단백에 비해 상대적으로 적은 양이 존재하지만 T4나 T3와의 친화력(affinity)이 다른 결합단백보다 높아서 결합된 호르몬의 약 70-80%를 운반한다. T4에 대한 친화력이 T3보다 크다. 티록신결합알부민은 TBG에 비해 친화력이 떨어지며, T4의 약 10%을 운반하지만 T3는 거의 운반하지 않는다고 알려져 있다.[10] 알부민은 갑상선 호르몬에 대해 가장 낮은 친화력을 보이지만 혈청 내 농도(3.5 g/dl)가 높아 T4의 10%, T3의 30%까지 결합하여 운반한다.

T3의 반감기는 8-12시간, T4의 반감기는 7일이다. 그러므로 T3의 혈장 농도는 급격하게 변화할 수 있으나 갑상선 호르몬의 변화는 천천히 발생한다.[15] 혈액 내 농도는 분비 속도, 혈장 단백질과 결합력, 말초 대상 등의 요인에 의해 조절된다.[4,15]

5) 갑상선 호르몬의 대사

갑상선 호르몬의 대사는 주로 탈요오드화를 거쳐 요오드가 하나씩 제거되며 활성이 없는 요오드화티로닌(iodothyronine)으로 전환되어 제거되는 것이며, 이외에도 메틸화, 황결합, 글루쿠론산화, 에스테르 결합의 파괴 등을 통하여 수용성이 증가되면 그대로 소변이나 담즙으로 배설된다.

(1) T4로부터 T3와 역 T3(reverse T3; rT3)의 생산

통상적으로 갑상선에서 만들어져 말초로 분비되는 것은 주로가 T4의 형태이므로 순환혈액 중의 T3는 80-90%가 말초에서 T4로부터 T3로 전환된 것이며 갑상선 내에서 직접 만들어져 분비된 것은 매우 적다. 대개 성인의 갑상선에서 생산되는 T4의 30-40% 정도가 5' 탈요오드화(바깥쪽 페놀환)에 의하여 T3로 전환되며 40% 정도는 5 탈요오드화(안쪽 페놀환)에 의하여 rT3 (T3의 이성체로 생물학적 활성이 없음)로 전환된다. 따라서 혈청 내 T3의 양은 주로 말초에서 T4로부터의 전환에 의하여 이루어지므로 이 과정에 장애가 생기면 갑상선 자체의 이상이 없어도 T3 농도의 변화가 나타난다. 말초에서 T4가 T3로 전환되는 장소는 주로가 간이며 rT3로의 전환은 주로가 신장에서 일어난다.[3]

(2) 탈요오드화(deiodination)

갑상선 호르몬의 대사 중 가장 중요한 과정이며, 이를 매개하는 효소인 탈요오드화효소(deiodinase)에는 3가지 형태가 있다. 제1형 탈요오드화효소는 혈중 T3의 중요 원천으로 주로 간, 신장, 갑상선에 분포한다. 갑상선 호르몬에 의해 조절되며 단식, 전신 질환이나 propylthiouracil, propranolol, amidarone, glucocorticoid 등의 다양한 약물에 의해 억제된다. 제2형 탈요오드화효소는 뇌하수체, 뇌, 피부, 태반, 갑상선에 분포하며, 국소적으로 T3를 생산하는 기능을 한다. 제2형 탈요오드화효소는 갑상선 호르몬에 의해 반대로 조절되어 갑상선기능저하증이 있는 경우 이 효소의 활성이 증가되어 뇌와 뇌하수체에서 T4가 T3로 전환이 촉진되며, 프로필치오우라실 등의 약물에 의해 조절되지 않는다. 성인의 뇌, 피부, 태반, 태아 조직에 높은 농도로 분포하는 제3형 탈요오드화 효소는 T4와 T3를 비활성화시키며 rT3을 생성한다.[10]

6) 갑상선 호르몬의 작용 기전

갑상선 호르몬은 핵 내에 있는 갑상선호르몬 수용체(thyroid hormone receptors, TRs)에 결합하여 작용한다. T3는 T4에 비해 TRs에 대한 결합력이 10배에서 15배 높고, 생물학적 활성도가 높다. TRs는 부신피질호르몬 수용체와 같은 종류이다. TRs는 알파와 베타 2가지의 형태가 있으며, 대부분의 조직에서 발현되지만 발현되는 정도는 기관들마다 다양하다. TRs 알파는 뇌, 신장, 생식기, 근육, 심장에 풍부하고, TRs 베타는 뇌하수체와 간에서 상대적으로 높다. TRs의 발현은 혈장 갑상선 호르몬의 농도에 의해 조절된다. 혈장 갑상선 호르몬의 저하는 보상 작용으로 TRs의 수를 증가시킨다.[7,27]

갑상선 호르몬은 발생, 성장, 대사에 중요한 기능을 한다.[27] 특히 태아의 성장 및 발육, 특히 뇌와 골격계의 발육에 필수적이다. 태아기의 갑상선 기능 저하증은 정신 지체, 난청, 성장 장애 등의 증상을 보이는 크레틴병을 유발한다.[27] 또한 갑상선 호르몬은 뇌, 비장, 고환을 제외한 전신의 모든 조직에서 산소 소모량을 증가시키기 때문에, 갑상선 호르몬의 과잉 상태에서는 기초 대사율이 증가하고 결핍 상태에서는 감소된다.[1] 갑상선 호르몬은 심장의 수축 및 박동수를 증가시킨다. 그러므로 갑상선 기능 저하증에서는 서맥, 심박출량의 감소, 심근 수축 및 이완의 지연이 나타나고 갑상선 기능 항진증에서는 그 반대 현상이 나타난다. 순환계에 미치는 갑상선 호르몬의 효과는 카테콜아민에 의한 효과와 매우 유사하다. 심근세포 내의 카테콜아민 수용체 수를 증가시키고 또한 수용체 결합 후의 과정에도 영향을 미쳐 카테콜아민의 감수성을 높인다.[1] 갑상선 호르몬은 적혈구 생성을 증가시켜 조직 내 산소 공급을 원활하게 해 준다.[1] 또한 갑상선 호르몬은 연골의 성장과 분화에 필수적으로 작용한다. 갑상선기능항진증에서는 뼈의 성장이 촉진되며 저하증에서는 성장이 늦어진다.

7) 갑상선의 기능 검사

(1) 갑상선 자극 호르몬 측정

유리 T3와 T4의 변화에 따라 갑상선 자극 호르몬 농도가 변하기 때문에 갑상선 기능 검사에서 제일 먼저 시행되는 가장 민감한 검사는 혈청 갑상선 자극 호르몬의 측정이다.[3,15] 갑상선 자극 호르몬 농도가 정상이면 대부분 갑상선 기능에 일차적인 이상이 없음을 의미하며, 억제되어 있으면 갑상선기능항진증으로 진단할 수 있고 증가되어 있으면 원발성 갑상선기능저하증으로 진단할 수 있다.

갑상선 자극 호르몬은 방사면역계수법(radioimmunometric assay)으로 측정하는데, 정상 범위의 하한과 갑상선 중독증시 나타나는 갑상선 자극 호르몬 억제를 식별할 수 있을 만큼 민감하여, 0.004 ml/L 이하의 갑상선 자극 호르몬 농도를 감지할 수 있다.[3,27]

(2) T3, T4의 측정

방사선 면역 측정법으로 혈청 총 T3와 총 T4를 측정한다. 총 T3와 총 T4는 결합단백질과 결합하고 있는 호르몬과 유리 호르몬 모두를 말한다. T3와 T4는 단백결합력이 높고, 질병, 약물, 유전적 요인 등 다양한 인자들이 단백결합에 영향을 미치므로 생물학적 활성을 가진 유리 호르몬을 측정하는 것이 유용하다. 유리 T3나 유리 T4를 직접적으로 측정하는 초여과법(ultrafiltration)과 평형투석법(equilibrium dialysis)이 있으나 실제적으로 적용하기가 어려워 총 T3와 총(T4) 농도와 갑상선 호르몬의 결합 비를 이용하여 유리 T3 지수 또는 유리 T4 지수를 측정한다. 갑상선 호르몬의 결합비는 검체에서 흡착 레진(resin)과 결합되지 않은 갑상선 호르몬 결합단백 사이에 방사선 표지화 T3의 분포를 측정하는 T3-레진흡수율 검사를 통해 계산된다. 방사표지된 T3를 시료인 혈청과 반응시키면 혈청 내의 결합단백 중 갑상선 호르몬과의 결합이 없는 여백의 부위에 방사표지된 T3가 결합되고 남은 방사표지 T3는 반응계 내의 고형상인 레진에 결합하게 된다. 이 고형상에 결합된 방사표지된 T3의 양, 즉 측정되는 방사능의 양은 결합단백 중 갑상선 호르몬과 결합되지 않은 부분의 정도와 반비례 관계를 보인다. 결합되지 않은 단백질 결합 부위가 감소할 때(예, TBG 결핍) 또는 검체 내 총 갑상선 호르몬이 증가된 경우 표지화된 T3가 레진에 결합하는 정도가 증가된다. 유리 T4의 양이 증가하는 경우에는 갑상선 호르몬과 결합하지 않은 단백질이 적다는 것으로 표지화된 T3 레진 흡수율이 증가한다. 유리 T4의 양이 감소한다는 것은 많은 양의 표지된 T3가 레진과 결합하여 T3 레진 흡수율은 감소한다. 총 T4 와 T3 레진 흡수율로부터 유리 T4를 추정하는 것이 유리 T4지수이다.[3,15]

T3와 T4는 결합단백에 대한 결합능이 같지 않다. 그래서 유리 T4지수를 방사선표지된 T4 레진 흡수율을 이용하여 측정하는 것이 이상적이나 아직 실용화가 되지 않아 T3 레진 흡수율을 이용하여 측정하고 있다.

(3) 갑상선 자가 항체(thyroid autoantibody)

그레이브스병, 하시모토씨병 등 자가면역성 갑상선질환은 항갑상선과산화효소 항체(anti-thyroperoxidase antibody)나 항티로글로불린 항체(anti-thyroglobuline antibody)를 측정함으로써 쉽게 진단할 수 있다. 한 가지만 측정한다면 항티로글로불린 항체만 있는 경우는 드물기 때문에 항갑상선과산화효소 항체를 측정하는 것이 좋다.

항갑상선과산화효소 항체는 그레이브스병의 95% 이상에서 발견되고, 하시모토씨병 환자의 95-100%에서 발견되며, 산후 무통성 갑상선염 환자의 90% 이상에서 발견된다.[3,27]

항티로글로불린 항체는 330kD의 펩티드로 정상 갑상선 기능을 보이는 여성의 30% 이상에서, 남성의 5% 이상에서 검출되며, 그레이브스병의 40-60%에서, 하시모토 갑상선염의 90% 이상에서 검출된다. 그리고 갑상선절제술이나 방사성 요오드 치료 후 발생한 갑상선기능저하증에서도 높은 역가로 검출된다. 항체의 역가는 갑상선 내 림프구 침윤과 비례하나 임상 증상과는 무관하다.[3,27]

위 두 가지 자가 항체 측정의 임상적 유용성은 다음과 같다.[3] 첫째, 갑상선 질환의 원인 규명에 도움이 된다. 갑상선 기능에 이상이 있는 환자에서 자가 항체의 역가가 높으면 자가면역성 갑상선 질환일 가능성이 높다. 둘째, 갑상선 자가항체가 발견되면 매년 5%에서 갑상선기능저하증으로 이행하므로 앞으로 병의 발생을 예측할 수 있다. 셋째, 갑상선에 딱딱한 결절이 있는 경우 갑상선 암으로 생각하기 쉬우나 세침흡인세포검사에서 림프구가 관찰되고 자가항체의 역가가 높으면 자가면역성 갑상선염일 가능성이 많다. 넷째, 분만 후 발생할 수 있는 갑상선 질환의 위험도를 예측할 수 있다. 다섯째, 임신 초기에 갑상선 자가항체가 검출되면 태아가 발육하는데 환경이 좋지 않음을 의미하는 일종의 경고로 유산의 위험도를 예측할 수 있다. 여섯째, 다른 자가면역성 질환에서 자가면역성 갑상선 질환의 동반 여부를 선별하는 데 도움이 된다.

그 외에, TSH 수용체 항체(TSH receptor antibody)는 764개의 아미노산으로 구성되어 있는데, 갑상선 세포를 자극하는 자극형 항체와 갑상선 세포의 기능을 억제하는 차단형 항체 두 가지 종류가 있으며, 자극형 항체는 그레이브스병 환자의 90% 이상에서 발견된다.[3,27]

(4) 티로글로불린 측정

혈중의 티로글로불린이 상승되는 경우는 여러 원인의 갑상선종과 갑상선기능항진증이 있는 경우, 갑상선의 염증(아급성 갑상선염, 무통성 갑상선염)에 의한 조직 손상이 있거나 암의 전이가 있는 경우 등이다. 이와 같이 대부분의 갑상선 질환에서 혈청 티로글로불린이 증가할 수 있으므로 진단적 가치는 없다.[3] 그러나 분화된 갑상선암의 수술 후 잔여 갑상선 조직을 방사선 요오드 등으로 제거한 상태에서 재발 여부를 추적할 때는 임상적 의미가 있는데, 정상 갑상선 조직이 없으므로 혈중 티로글로불린은 측정치 (1-2 ng/ml) 이하로 유지되어야 하는데, 갑상선 호르몬의 투여를 중단한 상태에서 티로글로불린치가 상승되면 이는 어딘가에 갑상선암의 병소가 있는 것을 의미하기 때문이다.[27] 혈중에 존재하는 항티로글로불린 항체는 혈중 티로글로불린 농도를 측정하는 데 영향을 미쳐 실제보다 높게 혹은 낮게 측정되게 한다.[3] 또한 분화성 갑상선암에서 티로글로불린의 증가 없이 항티로글로불린이 증가되어 있는 경우에도 암의 재발을 의심할 수 있기 때문에 티로글로불린을 측정할 때 일반적으로 항티로글로불린의 측정이 함께 요구된다.[21]

(5) 칼시토닌 측정

갑상선의 부여포세포에서 분비되는 호르몬으로 칼슘의 대사에 관여한다. 갑상선 수질성 암종은 부여포세포에서 유래된 암종으로 혈중 칼시토닌이 증가하기 때문에 수술 후 추적관찰에 매우 중요한 검사이다. 제2형 다발성 내분비 종양(multiple endocrine neoplasia)의 가족력이 있는 환자의 경우에도 칼시토닌의 추적관찰이 중요하다. 그러나 모든 갑상선 종양에서 칼시토닌을 이용하여 수질성 암종의 선별검사를 하는 것은 비용 대비 유용하지 않다.[15]

(6) 갑상선 스캔

갑상선은 요오드의 방사성 동위원소 (^{123}I, ^{127}I, ^{131}I)와 ^{99m}Tc pertechnetate를 선택적으로 흡수할 수 있으므로 갑상선을 촬영하면 방사성 표지자 흡수 분획을 정량적으로 계산할 수 있다. 갑상선 결절 내에 방사선 동위원소의 섭취가 없거나 현저히 감소되어 나타나는 경우를 냉결절(cold nodule)이라 하는데, 갑상선의 낭종성 변성, 양성종양, 악성종양, 갑상선염, 갑상선의 섬유와 또는 석회화, 선종성 갑상선종 등에서 나타날 수 있다. 그래서 냉결절은 갑상선 결절이 악성인지 혹은 양성인지를 감별할 수 없다. 정상 갑상선 조직에 비해 결절 부위의 방사능 섭취가 상대적으로 더 증가되는 경우를 온결절(warm nodule) 또는 열결절(hot nodule)이라고 한다. 이러한 온결절 또는 열결절은 냉결절에 비해 악성종양일 가능성이 매우 낮다.[3] 그러나 최근 세침흡인세포검사가 널리 이용되면서 갑상선 결절의 단일 진단방법으로 갑상선 스캔을 이용하는 빈도가 감소되었다.

최근 갑상선 스캔은 주로 갑상선암의 추적검사로 사용된다. 갑상선 전절제술과 ^{131}I를 이용한 갑상선 제거 후에는 갑상선의 방사성 요오드 섭취율이 감소되므로 요오드 운반능이 있는 잔여 전이성 갑상선 암을 검출할 수 있다. 갑상선 호르몬 투여를 중단하거나 인간 유전자 재조합 갑상선 자극 호르몬을 투여하여 갑상선자극호르몬을 증가시킨 후에 3-5 mCi의 ^{131}I를 투여하여 전신 스캔을 시행하여 갑상선암의 잔여 병소 및 재발, 전이 유무를 확인할 수 있다.[15]

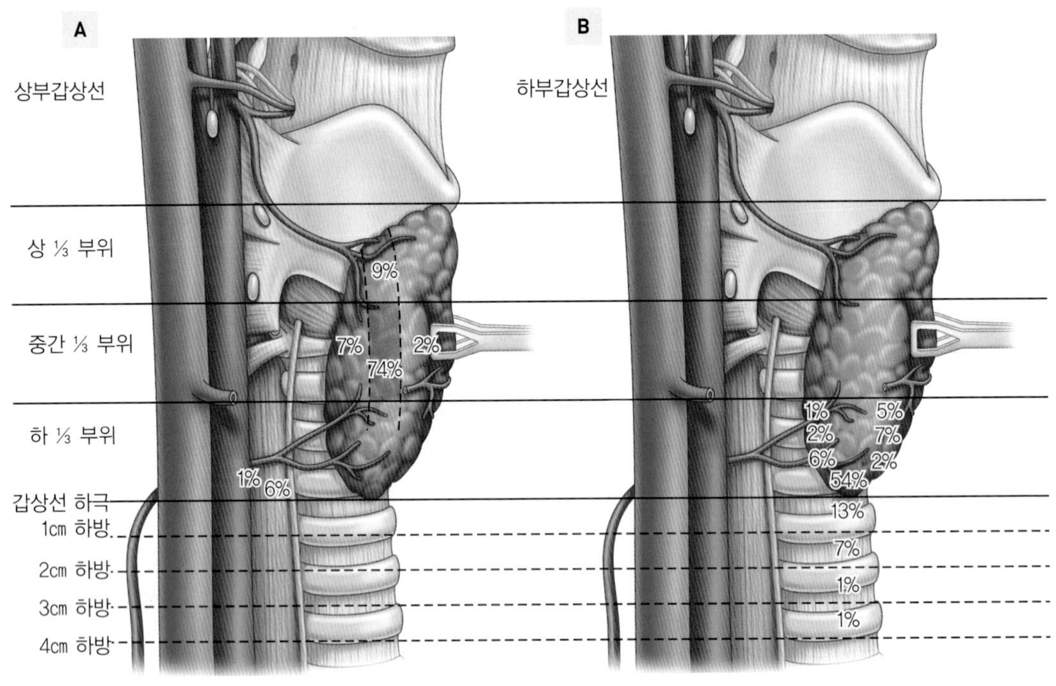

■ 그림 7-8. **부갑상선의 위치.** **A)** 상부갑상선의 위치, **B)** 하부갑상선의 위치

Ⅱ 부갑상선의 구조와 기능

1. 부갑상선의 발생

부갑상선은 3번째와 4번째 인두낭에서 기원한다. 3번째 인두낭에서 기원한 하부갑상선(inferior parathyroid gland)은 흉선과 같이 이동하므로 이동 경로가 길고 위치 변이가 심하다(흉선이 이동하는 경로를 따라 어디든 존재 가능). 따라서 하부갑상선은 갑상선의 하극(lower pole) 주위에 가장 많이 위치하나 드물게 경동맥초(carotid sheath)와 종격동 내부에 존재하는 경우도 있다. 반면에, 4번째 인두낭에서 기원하는 상부갑상선(superior parathyroid gland)은 하부갑상선에 비해 이동거리가 짧아 위치변이가 적은데, 대부분 갑상선 후면의 상부에 위치한다.[15,22] 상부갑상선은 Zuckerkandl 결절의 상부에 위치하는 경우가 많고 내측으로 반회후두신경이 지나가는 경우가 많아 Zuckerkandl 결절은 상부갑상선과 반회후두신경의 해부학적 지표가 된다.[13] 상부갑상선의 위치에 변이가 있는 경우 상부종격동보다는 식도 주위에 있는 경우가 많다(그림 7-1).[15,22]

2. 부갑상선의 해부

부갑상선은 암갈색으로 대부분 타원형이나 원형의 형태를 가지며, 높이는 약 3–6 mm, 너비는 약 2–4 mm, 두께는 약 0.5–2 mm, 평균 크기는 5 × 3 × 1 mm이며, 주위에 지방 조직과 같이 있다. 부갑상선의 수는 좌우에 각각 상, 하 부갑상선이 있어 4개인 경우가 대부분(84%)이며, 3개가 있는 경우가 3%, 그리고 5개 이상인 경우가 13%이고, 5개 이상인 경우는 주로 흉선에 존재한다.[5] 부갑상선의 혈액 공급은 주로 하갑상동맥에 의해 이루어진다. 때로는 상갑상동맥 또는 상갑상동맥과 하갑상

표 7-2. 상부갑상선과 하부갑상선의 비교

	상부갑상선	하부갑상선
발생 기원	4번째 인두낭	3번째 인두낭
공급 혈관	하갑상동맥 또는 상갑상동맥과 하갑상동맥의 연결 혈관	하갑상동맥
주 위치	반회후두신경과 하갑상동맥 교차점 위 1 cm의 윤상갑상접합부	갑상선 하극과 갑상흉선인대
위치 변이의 빈도	비교적 적다	비교적 많다
위치 변이시 주 위치	식도 주위	흉선, 상부 종격동,
좌우측의 대칭성	80%에서 양측이 같은 위치	70%에서 양측이 같은 위치

동맥의 연결 혈관에 의해 이루어진다.

상부갑상선의 위치는 비교적 일정하여 약 80%에서 반회후두신경과 하갑상동맥이 교차하는 부위에서 1 cm 상부의 윤상갑상접합부(cricothyroid junction)에 존재하며, 다음으로 흔히 위치하는 부위는 상극갑상선 후면, 후인두부위의 순이다(그림 7-8A).[26,33] 하부갑상선은 흉선의 발생과 밀접한 관계를 가지고 있으므로 위치의 변이가 많다. 50% 이상에서 갑상선의 하극에 존재하며, 28%에서는 갑상흉선인대(thyrothymic ligament) 주위 또는 상부종격동의 흉선 내에 존재한다.[28] 그 외에 갑상선의 하극의 표면 부위, 하극의 외측(juxtathyroidal) 등에 이소성으로 존재한다(그림 7-8B).[28,35] 갑상선 내에 부갑상선이 존재하는 갑상선내 부갑상선(intrathyroidal parathyroid gland)의 빈도는 0.5–3%로 보고되고 있다.[18,35] 이러한 갑상선내 부갑상선은 주로 상부갑상선이라는 보고가 많으나 하부갑상선 부위에서도 발생한다.[18,35] 상부갑상선은 약 80%, 하부갑상선은 70%에서 대칭적으로 위치하며, 상, 하부갑상선이 모두 대칭인 경우는 60%이다.[4] 상부갑상선과 하부갑상선을 차이점을 비교하면 (표 7-2)와 같다.

3. 부갑상선의 생리

부갑상선 호르몬(parathyroid hormone, PTH)은 부갑상선으로부터 분비되는 호르몬으로 혈액과 세포외액에서 이온화된 칼슘의 수치를 분 단위로 조절하는 폴리펩티드 호르몬이다.

1) 부갑상선 호르몬의 합성과 대사

부갑상선 호르몬은 84개의 아미노산을 가지며 9.5kD의 선상의 폴리펩티드이다. 부갑상선 호르몬은 115개의 아미노산으로 구성된 pre-pro-PTH라고 불리우는 더 큰 전구물질로부터 합성된다. 이것에서 25개의 아미노산이 제거되어 90개의 아미노산으로 구성되는 pro-PTH가 되고, 다시 6개의 아미노산이 아미노말단에서 제거되어 84개의 아미노산으로 이루어진 PTH가 만들어져 분비과립에 저장된 후 분비된다. 부갑상선호르몬의 정상 혈장 수치는 10–55 pg/ml이며 반감기는 약 10분 내외로, 분비된 부갑상선호르몬은 빠르게 간에서 대사된다.[2,14] 부갑상선호르몬은 아미노말단에 위치하고 있는 34개의 분획에서 모든 생물학적 기능을 가지고 있으며 중간 분획과 카르복시말단 분획은 생물학적 기능이 없는 것으로 알려져 있다.[2,14]

2) 부갑상선 호르몬의 작용

(1) 칼슘과 인산 대사

칼슘, 인산, 마그네슘은 인체의 뼈를 구성하는 가장 중요하고 기본적인 물질이다. 특히 칼슘은 1,000g 정도 체내에 있으며 인체에서 5번째로 풍부한 원소이지만, 식이로만 보충할 수 있는 필수 영양물질이다. 전체 몸의 칼슘의 99%는 뼈와 치아에 존재하고 있으며, 단지 1%만이 체

표 7-3. 칼슘 조절 호르몬의 작용

호르몬	뼈	신장	소장	부갑상선
부갑상선 호르몬	칼슘과 인산의 흡수를 증가	$1,25(OH)_2D$ 생성을 촉진 칼슘의 재흡수 증가 인산의 재흡수 억제	직접적인 작용 없음	
$1,25(OH)_2D$	칼슘이동을 증가	칼슘의 재흡수 억제	칼슘과 인산의 흡수를 증가	부갑상선호르몬의 합성을 억제
칼시토닌	칼슘과 인산의 흡수 억제	칼슘과 인산의 재흡수를 억제	작용 없음	

외칼슘과 교체되면서 세포내액과 외액에 균등하게 분포한다.[24] 혈중에 존재하는 칼슘 중 약 50%가 알부민과 글로불린과 결합하며 나머지 50%가 이온화 칼슘으로 존재한다.[24] 이러한 세포외액 칼슘은 뼈와 연골의 주요 원천이 되며, 여러 가지 효소의 보조인자(cofactor)로서 작용을 한다. 세포내의 칼슘은 주로 미토콘드리아에 존재한다. 인산은 86%만이 뼈와 치아에 존재하고, 14%는 세포내에 존재하며, 단지 0.03%만이 세포외액에 존재한다. 세포외액에 존재하는 인산의 13%만이 단백질과 결합되어 존재하며

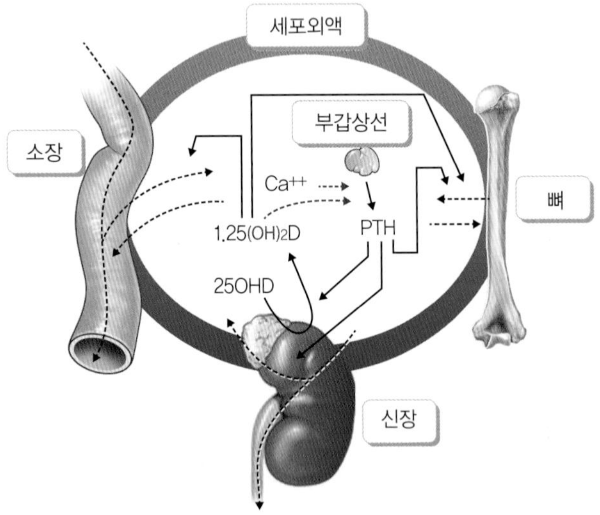

■ 그림 7-9. **부갑상선호르몬과 비타민 D의 칼슘에 대한 작용.** 검은 실선은 자극하는 경로를 의미하며, 붉은 점선은 억제하는 경로이다. 검은 점선은 칼슘의 이동을 의미한다.

50%에서 이온화된 인산으로 존재한다.[24]

음식으로 흡수된 칼슘은 소장에서 흡수되어 뼈, 신장, 세포내로의 칼슘 이동에 의한 세포외액 칼슘의 교환으로 일정한 농도로 유지되며, 칼슘의 혈중 농도 변화는 인산과 반비례 관계에 있다. 칼슘의 농도를 조절하는 중요한 물질은 부갑상선 호르몬, 비타민 D, 칼시토닌이며, 이들 작용은 (표 7-3)에서 요약하였다.[1,24,33]

(2) 부갑상선 호르몬

부갑상선 호르몬은 직접적으로 뼈에 작용하여 골 흡수를 촉진시킨다. 칼슘 이온의 이동을 증가시켜 혈청 칼슘을 증가시킨다. 신장에서는 인산의 재흡수를 억제하여 혈청 인산의 농도를 낮추나, 원위세뇨관에서 칼슘 이온의 재흡수를 촉진시킨다. 또한 신장의 근위곡세뇨관(proximal convoluted tubule)에서 1α-hydroxylase를 자극하여 비타민 D의 활성 물질인 $1,25(OH)_2D$을 생성을 촉진시켜 장에서 칼슘의 흡수를 증가시킨다(그림 7-9).[14,23,33] 이러한 작용은 부갑상선 호르몬이 신장과 뼈에 있는 부갑상선 호르몬 수용체에 결합하여 adenylate cyclase를 활성화시켜 세포내의 cAMP의 생성을 증가시키는 기전으로 일어난다.[2]

(3) 비타민 D

비타민 D는 음식으로 섭취하지 않아도 자외선에 의해 피부에서 생성되므로 엄밀한 의미에서 비타민이라기보다는 내분비 기능뿐만 아니라 자가분비(autocrine)와 측분

비(paracrine)기능을 가지는 호르몬으로 볼 수 있다. 구조적으로 스테로이드 호르몬의 9-10번 탄소 결합이 끊어져 변형된 세코스테로이드(secosteroid)이다.[24,33] 비타민 D는 D1, D2, D3의 세 종류가 있지만 사람에게는 에르고칼시페롤(비타민 D2)과 콜레칼시페롤(비타민 D3)만 존재한다. D2는 주로 식물에 의해서 합성되고, D3는 주로 자외선 B에 노출되었을 때 피부에서 만들어진다

음식물이나 자외선에 의해 피부에서 형성된 비타민 D는 간의 미토콘드리아와 마이크로솜에 존재하는 cytochrome P450 효소인 25-hydroxylase에 의해 25(OH)D로 전환된다. 25(OH)D는 생물학적으로 활성이 없으나 혈액에 가장 많은 농도로 존재하는 비타민 D이다. 25(OH)D는 신장의 근위곡세뇨관(proximal convoluted tubule)의 마이크로솜에 존재하는 1α-hydroxylase에 의해 수산화되어 활성 호르몬인 $1,25(OH)_2D$로 전환된다.[14,24,33]

$1,25(OH)_2D$는 장의 칼슘 흡수를 조절하는 가장 중요한 호르몬으로 장에서 칼슘 흡수를 증가시키고, 뼈에서 부갑상선 호르몬과 독립적으로 파골 세포에 의한 골 흡수를 증가시킨다. 또한 $1,25(OH)_2D$는 혈청 칼슘의 농도를 증가시켜 부갑상선 호르몬의 합성과 생성을 억제시킨다 (그림 7-9).[14,24,33]

(4) 칼시토닌

칼시토닌은 32개의 아미노산으로 이루어진 폴리펩티드로, 뼈에서 파골 세포에 의한 골 흡수를 억제하는 것으로 알려져 있다.[11] 폐경기 여성에서 칼시토닌은 감소하는 경향을 보이며, 이때 여성 호르몬을 투여하면 증가한다.[28] 갑상선 수질성 암종은 부여포세포에서 유래된 암종으로 혈중 칼시토닌이 증가하나 저칼슘증을 유발하지는 않는다.[28]

3) 부갑상선 호르몬의 분비 조절

부갑상선 호르몬은 혈청 칼슘 농도에 의해 엄격하게 조절된다. 혈청 칼슘 농도에 따라 부갑상선 호르몬은 음성되먹임(negative feedback) 기전으로 급격하게 S자 형태로 농도가 변하고 정상 혈청 칼슘 농도 범위에서 가장 민감하게 변한다. 혈중 칼슘의 저하는 부갑상선호르몬의 생성과 분비를 촉진한다. 또한 부갑상선 세포의 수와 크기를 증가시킨다. 따라서 이차적인 부갑상선비대증(secondary parathyroid hypertrophy and hyperplasia)이 발생할 수 있다. 혈중 칼슘이 높을 경우에는 부갑상선호르몬 분비는 억제되고 칼슘은 뼈에 침착된다.

$1,25(OH)_2D$는 직접적으로 부갑상선에 작용하여 pre-pro-PTH의 mRNA를 감소시킨다. 따라서 비타민 D 유사체가 이차성 부갑상선 기능항진증 치료제로 이용된다.

칼슘뿐만 아니라 고마그네슘혈증은 부갑상선 호르몬 분비를 억제하고 중등도 이상의 저마그네슘혈증은 부갑상선 호르몬 분비를 자극한다.

혈중 인산의 증가는 혈중 칼슘을 감소시키고 $1,25(OH)_2D$의 형성을 억제시킴으로서 부갑상선호르몬의 분비를 자극한다.[2]

참고문헌

1. 대한내분비대사학회. 갑상선의 구조와 기능. 임상이비인후과 1998;9:189-197.
2. 대한내분비학회. 갑상선의 구조와 기능. 내분비대사학. 제 2판. 군자출판사; 2010. p109-117
3. 민헌기, 최영길, 고창순 등. 갑상선. 내분비학. 제 1판. 서울: 고려의학; 1999. p243-269
4. 태경. 갑상선과 부갑상선의 해부와 생리. 대한두경부외과연구회편. 두경부외과학. 제2판. 서울. 한국의학사; 2005. p909-918.
5. Akerstrom G, Malmaeus J, Bergstrom R: Surgical anatomy of human parathyroid glands. Surgery 1984;95:14-21.
6. Bergami G, Barbuti D, Di Mario M. Echographic diagnosis of thyroid hemiagenesis. Minerva Endocrinol 1995;20:195-8.
7. Brent G: The molecular basis of thyroid hormone action. N Engl J Med 1994;331:847-853.
8. Cernea CR, Nishio S, Hojaij FC: Identification of the external branch of the superior laryngeal nerve (EBSLN) in large goiters. Am J Otolaryngol 1995;16:307-311.
9. Copp D, Cockeroft D, Kuch Y: Calcitonin from ultimobranchial glands of dog, fish and chickens. Science 1967;158:924-925.
10. Dillman WH: Thyroid. In: Goldman L, Ausiello D (eds): Cecil Textbook of Medicine, 22nd edition, Philadelphia, WB Saunders, 2004,

p1391-1411.

11. Friedman J, Raisz LG: Thyrocalcitonin: inhibitor of bone resorption in tissue culture. Science 1965;150:1465-1467.
12. Friedman M, LoSavio P, Ibrahim H: Superior laryngeal nerve identification and preservation in thyroidectomy. Arch Otolaryngol Head Neck Surg 2002;128:296-303.
13. Gauger PG, Delbridge LW, Thompson NW, et al: Incidence and importance of the tubercle of Zuckerkandl in thyroid surgery. Eur J Surg 2001;167:249-254.
14. Gauger PG, Doherty GM: Parathyroid gland. In Townsend Jr CM, Beauchamp RD, Ever BM, Mattox K (eds): Sabiston Textbook of Surgery, 17th ed, Philadelphia, Saunders, 2004, p985-999.
15. Hanks JB: Thyroid. In Townsend Jr CM, Beauchamp RD, Ever BM, Mattox K (eds): Sabiston Textbook of Surgery, 17th ed, Philadelphia, Saunders, 2004, p947-983.
16. Henry JF, Audiffret J, Denizot A, et al: The nonrecurrent inferior laryngeal nerve: review of 33 cases, including two on the left side. Surgery. 1988;104:977-984.
17. Huang TS, Chen HY. Dual thyroid ectopia with a normally located pretracheal thyroid gland: case report and literature review. Head Neck 2007;29:885-8.
18. Katz AD, Hopp D: Parathyroidectomy: Review of 338 consecutive cases for histology, location, and reoperation. Am J Surg 1982;144:411-415.
19. Kierner AC, Aigner M, Burian M: The external branch of the superior laryngeal nerve: its topographical anatomy as related to surgery of the neck. Arch Otolaryngol Head Neck Surg 1998;124:301-303.
20. Kitagawa W: Arterial supply of the thyroid gland in the human fetuses. Nippon Ika Daigaku Zasshi 1993;60:140-155.
21. Kucuk ON, Aras G, Kulak HA, et al: Clinical importance of antithyroglobulin auto-antibodies in patients with differentiated thyroid carcinoma: comparison with 99mTc-MIBI scans. Nucl Med Commun 2006;27:873-876.
22. Lai SY, Mandel SJ, Weber RS: Management of thyroid neoplasms. In: Cummings CW, Flint PW, Harker LA, Haughey BH, Richardson MA, Robbins KT, Schuller DE, Thoma JR (eds): Cumming 's Otolaryngology Head and Neck Surgery , 6th ed. Philadelphia, Mosby, 2014, p1884-1900.
23. Macchiarini P, Ostertag H: Uncommon primary mediastinal tumours. Lancet Oncol 2004;5:107-118.
24. Marx SJ: Mineral and bone homeostasis. In: Goldman L, Ausiello D (eds): Cecil Textbook of Medicine, 22nd edition. Philadelphia, WB Saunders, 2004, p1542-1547.
25. Myrup B, Bregenfard C, Faber J: Primary haemostasis in thyroid disease. J Intern Med 1995;238:59-63.
26. Page C, Foulon P, Strunski V: The inferior laryngeal nerve: surgical and anatomic considerations. Report of 251 thyroidectomies. Surg Radiol Anat 2003;25:188-91.
27. Pellitteri PK, Ing S: Disorders of the thyroid gland. In: Cummings CW, Flint PW, Harker LA, Haughey BH, Richardson MA, Robbins KT, Schuller DE, Thoma JR (eds): Cumming 's Otolaryngology Head and Neck Surgery , 6th ed. Philadelphia, Mosby, 2014, p1901-1928.
28. Pellitteri PK, Sofferman RA, Randolph GW: Surgical management of parathyroid disorders. In: Cummings CW, Flint PW, Harker LA, Haughey BH, Richardson MA, Robbins KT, Schuller DE, Thoma JR (eds): Cumming 's Otolaryngology Head and Neck Surgery, 6th ed. Philadelphia, Mosby, 2014, p1929-1956.
29. Royaux IE, Suzuki K, Mori A, et al: Pendrin, the protein encoded by the Pendred syndrome gene (PDS), is an apical porter of iodide in the thyroid and is regulated by thyroglobulin in FRTL-5 cells. Endocrinology 2000;141:839-845.
30. Saito T, Tamatsukuri Y, Hitosugi T, et al: Three cases of retroesophageal right subclavian artery. J Nippon Med Sch 2005;72:375-382.
31. Schweizer V, Dorf l J: The anatomy of the inferior laryngeal nerve. Clin Otolaryngol Allied Sci 1997;22:362-369.
32. Shindo ML, Wu JC, Park EE: Surgical anatomy of the recurrent laryngeal nerve revisited. Otolaryngol Head Neck Surg 2005;133:514-519.
33. Spiegel AM: The parathyroid glands, hypercalcemia, and hypocalcemia. In: Goldman L, Ausiello D (eds): Cecil Textbook of Medicine , 22nd edition. Philadelphia, WB Saunders, 2004, p1562-1571.
34. Vassart G, Dumont JE. The thyrotropin receptor and the regulation of thyrocyte function and growth. Endocr Rev 1992;13:596-611.
35. Wang C: The anatomic basis of parathyroid surgery. Ann Surg 1976;183:271-275.
36. Weber CJ, McGarity WC: Anterior Neck. In: Wood WC, Skandalakis JE (eds): Anatomic basis of tumor surgery. 1st ed. St Louis, Quality Medical Publishing, 1999, p60-103.
37. Yalcxin B: Anatomic configurations of the recurrent laryngeal nerve and inferior thyroid artery. Surgery 2006;139:181-187.

CHAPTER

08

기관, 식도의 구조와 기능

이비인후과학 Otorhinolaryngology - Head and Neck Surgery

박정제

I 기관

1. 기관의 발생

인간의 발달은 출생전기(prenatal period)와 출생후기(postnatal period)로 나누어진다. 출생전기는 배아기(embryonic period)와 태아기(fetal period)로 세분화된다. 태내발달의 제2 단계인 수정 후 약 2주부터 8주, 즉 배아기에 두미주름형성(cephalocaudal folding)과 외측주름(lateral folding)에 의해 내배엽으로 덮인 난황낭의 일부에서 원시창자(primative gut)가 발생한다. 머리주름(cephalic fold)과 꼬리주름(caudal fold)에 의해서, 내배엽은 앞쪽과 꼬리부위에서 맹관으로 된 앞창자(foregut)와 뒤창자(hindgut)를 형성한다.[21] 발생 4주에 앞창자와 인두장관(pharyngeal gut) 경계부의 배쪽 벽에서 능의 형태로 보이는 호흡기곁주머니(respiratory diverticulum), 즉 허파싹(lung bud)이 4번째와 6번째 새궁(branchial arch) 사이에서 돌출되며 나타난다.[15] 호흡기곁주머니는 식도에서 분리되어 발생 26일에 우측과 좌측의 기관지싹(Bronchial bud)으로 분리가 된다.[15] 후두와 기관, 기관지, 폐의 속을 덮는 상피(epithelium)는 허파싹

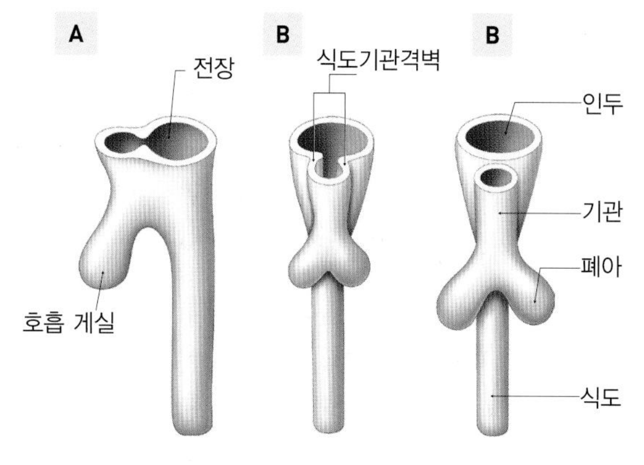

■ 그림 8-1. **기관의 발생.**
A) 전장과 인두장관 경계부의 복측에서 폐아가 나타나 아래로 자라면서 게실이 된다. **B)** 이 게실이 식도기관격벽에 의해 전장의 배부로부터 분리된다. **C)** 전장의 복측은 호흡 원기가 되고 길어지면서 후두기관관이 된 후 하부호흡기를 형성한다.

의 내배엽에서 형성된다. 기관, 허파의 연골과 근육, 결합 조직은 앞창자를 둘러싸고 있는 내장쪽중배엽(splanchnic mesoderm)에서 유래한다.[20] 내장쪽중배엽은 내배엽층(endodermal layer)들이 자체적으로 감싸면서 관(tube)을 형성하도록 한다. 두개의 배 허파싹은 점차적으로 깊어짐과 동시에 외측 능에서 인두하방꼬리 쪽으로 성장하면서 곁주머니(diverticulum)가 된다. 이 곁주머니는 식도기관사이막(esophagotracheal septum)에 의해 앞창자의 배부로부터 분리되어, 결국 앞창자의 복측은 호흡원기(respiratory primordium)가 되고 점차로 길어지면서 후두기관관(laryngotracheal tube)이 발생된 후, 이것이 뒤에 하부호흡기가 된다. 복측과 분리된 앞창자의 배부는 식도를 형성한다.(그림 8-1)[23] 인두로 연결되는 후두기관관의 개구부는 후두 입구(laryngeal aditus)가 된다. 인두기관관과 주위 내장 간엽(splanchnic mesenchyme)이 인두, 기관, 기관지, 폐가 되며 인두기관관의 중간 부위의 내배엽이 상피와 기관의 샘이 되고, 간엽 잔류물은 기관튜브로 둘러싸인다.

태생 8주에는 16~20개로 구성된 기관연골이 형성되며, 태아 10주가 되면 두부 쪽으로는 연골을 형성하고 꼬리 쪽으로는 길어지게 된다. 이와 함께 연골 사이의 간엽으로부터 기관벽의 섬유탄성조직이 발생한다. 뒤쪽은 배아고리(embryonic ring)의 민무늬근육(smooth muscle) 사이에서 발생한다. 기관 상피세포의 섬모는 태아 10주에 발현되고 태생 12주에 이르면 점액선이 관찰되고 미부와 두부 쪽으로 자란다. 태생 20주 말에 성숙한 세포의 전자현미경적 구조가 관찰된다. 임신 7개월까지 세기관지는 더욱더 작은 관으로 계속 분리되며 혈관의 분포도 지속적으로 증가한다. 그리고 호흡 세기관지의 입방상피세포들이 얇은 편평세포로 바뀌며 호흡이 가능해지며 이것이 원시 허파꽈리가 된다. 출생 후의 신생아의 기관 형태는 성인의 것과 동일하다.[20]

2. 기관의 해부

기관(trachea)은 후두에서 폐로 연속되는 기관(organ)으로 연골과 막으로 구성되며 모양 및 기능이 생리적, 임상적으로 매우 중요한 단일 구조물이다. 연골로 구성되어 있어 연조직에 비해 탄력성이 없고 딱딱하며, 길이가 짧다. 또한 주요 심혈관 조직에 근접해 있어 외과적 치료가 어려운 해부학적 특징을 가지고 있다.

기관은 제6번 경추 높이에 해당하는 윤상연골(cricoid cartilage)의 아래 경계에서 시작하여 수직으로 식도의 앞으로 하강하여 흉골각(sternal angle) 높이에서 종격동(mediastinum)으로 들어가며 제5번 흉추의 위 경계에 해당하는 기관 분기부(carina)까지 이르게 된다. 기관의 총 길이는 10~13 cm로 평균 길이는 11 cm이며, 경부기관의 길이는 6~7 cm, 흉부기관의 길이는 5~6 cm로서 위쪽 상절치(incisor)부터 분기부까지는 약 25 cm이다. 타원형 내경은 2~2.5 cm(전후는 약 1.8 cm, 좌우는 약 2~3 cm)이며, 영아에서는 앞뒤 방향의 길이가 더 길지만, 성인에 다가갈수록 점점 좌우 길이가 길어지고 가동성도 떨어진다. 기관의 크기는 남성이 여성에 비해 대부분의 경우 큰 편으로 성인 남성의 경우 최대 관상면과 시상면의 지름이 25 mm, 27 mm이며, 여성의 경우 21 mm, 23 mm이다.

기관륜(tracheal ring)은 유리연골(hyaline cartilage)로 구성되어 있고, 평균 개수는 18~22개이다. 'C' 또는 'U' 자 형태로 기관을 지지하며 기관이 개방된 상태를 유지하게 한다. 식도와 연접하는 후방부에는 기관륜이 없으며, 이러한 연골 소실부에는 평활근이 존재하여 기관륜의 양 끝이 연결된다. 연골로 이루어진 기관륜은 1 cm 당 2개 이하이며, 각 연골륜 사이는 윤상인대(annular ligament)로 연결되어 신축과 만곡이 어느 정도 자유롭다.[2,3,14,26] 2개 층으로 이루어진 윤상인대는 탄성섬유조직으로 구성되어 있으며 바깥 층이 안쪽 층보다 더 두껍다. 두 층은 연골 상하의 끝부분에서 합쳐져 단층의 막을 형성하여 기관륜들을 서로 부착해주는 역할을 한다. 식도와 접촉하는 후방부에서도 2층의 섬유막은 하나로 합쳐진다.

기관의 벽은 탄성이 없지만 부착 양상으로 인해 수직 운동이 이루어질 수 있다. 기관의 후방 경계는 식도와 접해 있는데, 이 부위는 연골이 없어 편평하고 탄력성이 있다. 기관근(trachialis muscle)은 두층의 평활근으로 구성되며 내측은 윤상의 근육이고, 외측은 종근육으로 되어 있다. 들숨과 날숨 시에 이 두 근육의 운동에 따라 기관의 모양과 내강의 크기가 달라진다. 빠르고 깊은 들숨 때에는, 흉부 기관은 열리고 경부 기관은 좁아져 흡기성 천명(inspiratory stridor)이 생길 수 있다. 특히 기관벽이 성인에 비해 단단하지 못하고 직경이 더 작은 소아에서 호흡곤란이 발생하면 기관이 구조를 유지하지 못하여 더 위험해질 수 있다. 외부의 압력과 불안정한 막부의 함몰로 인해 기관의 내경은 원래 크기의 약 1/10까지 줄어들 수 있다. 그러므로 흡기성 천명으로 기관절개를 시행할 때는 수술 전에 기관지경이나 기관내삽관으로 기도 내경을 유지하는 것이 특히 중요하다.[2,11] 경부 신전 시에는 기관의 50% 이상이 경부에 위치하나, 굴곡 시에는 대부분의 기관이 흉부 내에 위치하게 된다.[26] 나이가 들수록 기관벽의 유연성이 감소하고 40세 이후에는 기관연골의 석회화가 점진적으로 이루어지기 때문에 기관의 가동성이 점점 떨어지게 된다.[2]

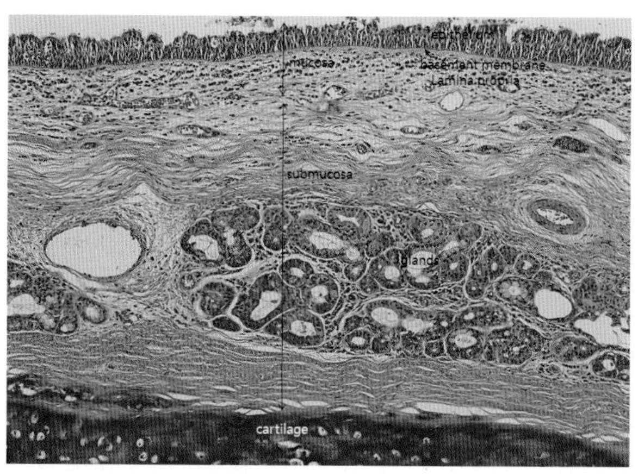

■ 그림 8-2. **기관 내벽의 조직학적 구조.**
잘 발달된 바닥막(basement membrane)과 바닥막에 부착된 거짓중층원주상피(pseudostritified columnar epithelium)를 확인할 수 있다. 상피세포 사이에는 배상세포(goblet cells)가 존재한다. 얇은 고유층(lamina propria)과 점막밑조직(submucosa), 그리고 연골(cartilage)이 관찰된다.

기관 내벽은 거짓중층섬모원주상피와 점막하조직으로 구성되고, 상피세포들 사이에는 배상세포들(goblet cells)이 위치한다(그림 8-2). 배상세포는 점액을 형성하여서 흡입된 공기의 가열 및 가습 작용을 하며, 공기 중의 이물질을 제거하는 역할을 한다. 각 세포당 200개 정도의 섬모를 지니며, 길이는 0.5 μm 정도이다. 섬모의 주변에 있는 점액들은 당단백질로 구성되며 얇은 막을 형성하고 있다.[2,3,11] 이와 같은 당단백질은 표면 상피세포인 배상세포와 점막하분비선에 있는 점액세포(mucous cell)에서 만들어진다. 점막하조직은 관상포상선(tubuloacinar gland), 혈관, 림프조직과 신경말단을 포함한다. 막부의 점막하조직은 더 두껍고 구조가 성기다. 막부에서는 주위의 평활근이 수축해서 세로축으로 주행하는 주름을 형성하기 때문에 분비 전달이 전반부 또는 측부에서의 분비 전달보다 더 빠르게 진행되며, 이러한 현상은 기관지경으로도 관찰할 수 있다.[26]

섬유근조직은 2개의 근육층으로 이루어지는데, 내측에는 윤상근육층이, 외측에는 종근육층이 있어 식도의 근조직 분포와 유사하다. 기관 내경이 좁아지는 것은 기관의 신장 및 근 수축의 동시 작용에 의한 것으로, 윤상근이 수축해서 일어나는 것은 아니다. 따라서 기관의 윤상근은 수축근으로서의 역할은 하지 못한다. 기관의 평활근은 식도근육과 달리 들숨 시에는 활동하지 않고 날숨 시에 활동이 증가한다.[4]

기관의 앞에는 갑상선이 위치하고, 2, 3, 4번째 기관륜의 앞에는 갑상선협부(thyroid isthmus)가 위치한다. 갑상선의 좌, 우엽은 제6 기관륜까지 내려와 있고, 그 아래쪽에는 하갑상정맥, 기관지 림프절, 피대근(strap muscle)이 위치한다. 오른쪽에는 기정맥(azygos vein), 우측 미주신경, 우측 늑막이, 왼쪽에는 대동맥, 좌측 반회후두

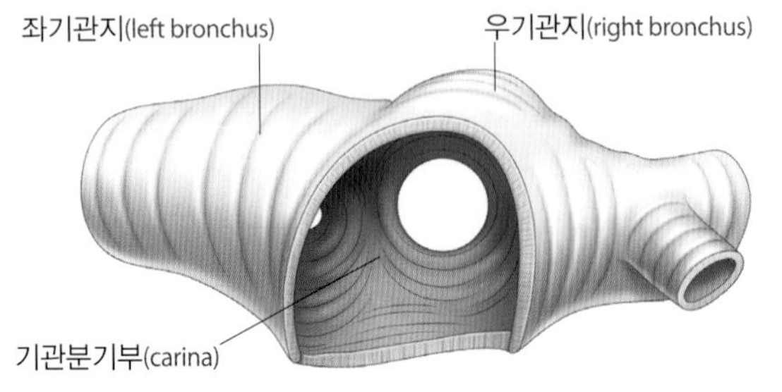

■ 그림 8-3. **기관분기부와 기관지.** 우측 기관지는 좌측 기관지 보다 굵고, 몸의 중심축과 이루는 각도도 좌측보다 더 작다. 따라서 기관 이물은 주로 우측 기관지에 호발한다.

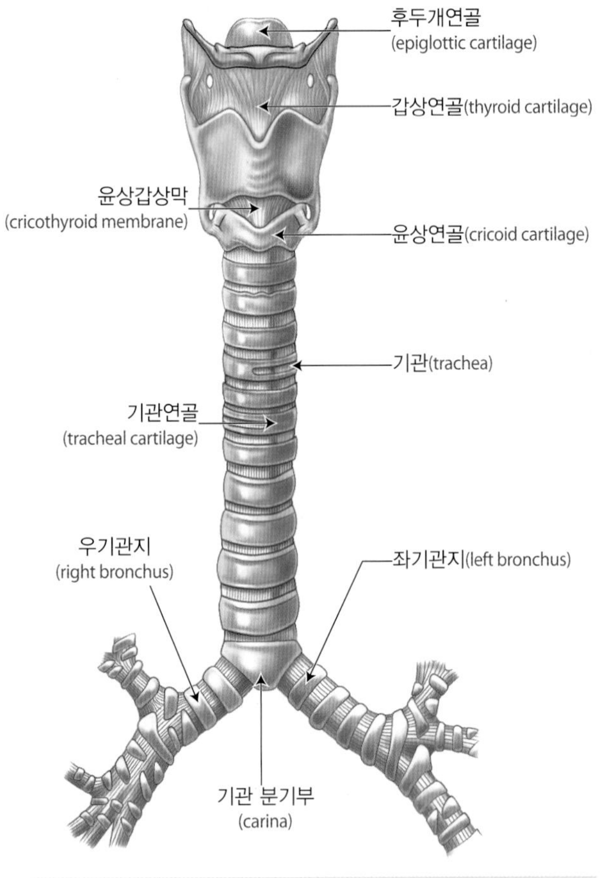

■ 그림 8-4. **기관과 기관지.** 우측 주기관지는 상엽, 중엽, 하엽의 3개의 엽기관지로, 좌측주기관지는 상엽, 하엽의 2개의 엽기관지로 분기된다.

신경, 쇄골하동맥이 위치한다. 이 외에 갑상선의 분엽, 대혈관이 위치하고 무명동맥이 흉골(sternum)의 바로 뒤에서 사선으로 기관을 가로지르며,[1] 소아에서는 복장뼈 상부에서 가로지른다.[12] 주행은 척추를 중심으로 하여 기관이 위에서 아래로 이동함에 따라 오른쪽으로 치우치는 경우가 빈발한다.

기관의 하단은 기관분기부(tracheal carina)로 4번과 5번 흉추 높이에 위치하며, 좌우 2개의 주기관지(main bronchus)로 나뉘며, 흉골 윗부분으로부터 약 6 cm 거리이다.[3,12,26] 65세 이상이 되면 제6번 흉추 부위에서 주기관지로 나뉘게 되며[12] 융골 하각(subcarinal angle) 또한 나이가 들수록 감소한다. 이 부위는 기관지경으로 관찰하면 약간 융기되어 보인다(그림 8-3). 주기관지의 길이는 오른쪽이 약 2.5 cm, 왼쪽이 약 5 cm이며, 내경은 오른쪽이 15~16 mm로 왼쪽 10~12 mm보다 크고, 몸의 중심축과 이루는 각도는 오른쪽이 30~40°로 왼쪽 40~60°보다 더 작다. 즉 오른쪽 기관지가 왼쪽보다 굵고, 짧으며, 중심축과의 각도가 크다. 그러므로 오른쪽 기관지는 마치 기관의 연장선같이 보이며, 또한 기관 이물 역시 왼쪽에 비해 자주 발생한다. 왼쪽 주기관지는 식도의 앞을 가로지르고, 이는 식도를 압박하여 식도에 협부(isthmus)를 생성한다.

주기관지는 엽기관지(lobar bronchus)로 분기되는데, 엽기관지의 수와 폐엽의 수가 일치하므로 오른쪽은 상엽, 중엽, 하엽의 3개의 엽기관지, 왼쪽은 상엽과 하엽의 2개의 엽기관지로 분기된다. 엽기관지는 구역기관지(segmental bronchus)로 나눠진 뒤, 다시 소구역기관지(subsegmental bronchus)로 분기되고, 세기관지(bronchioles)를 거쳐 종말 세기관지(terminal bronchiole), 호흡세기관지(respiratory bronchiole)가 된다(그림 8-4). 분지 횟수가 증가함에 따라 기관지의 갯수가 늘고 전체 표면적이 늘어나 궁극적으로 기체교환이 일어나는 면적이 넓어지게 된다.

혈관분포는 구획별로 나뉘어진다. 상부기관은 하갑상동맥의 분지에서 혈액을 공급받고, 하부기관은 내경동맥의 분지인 전종격동맥(arteriae mediastinal ventralis),

대동맥궁의 분지인 기관, 기관지 동맥(bronchial artery)과 내유동맥(internal mammary artery)에서 분절 형태로 양측에서 혈액을 조달받는다. 이 부위를 수술할 때에는 혈관 손상이 기관협착을 유발할 수 있으므로 조심스럽게 시행해야 한다.[11,14,16] 오른쪽 주기관지의 주된 동맥은 우측 폐동맥이며, 왼쪽 주기관지는 대동맥과 안쪽 폐동맥으로부터 혈액을 공급받는다. 정맥은 기관과 기관지의 외막을 뚫고 부대갑상선정맥총(plexus thyroideus impar)으로 모여서 상·하갑상정맥으로 유입된다. 오른쪽 주기관지의 정맥은 기정맥과 우폐정맥 등이고 왼쪽 주기관지의 정맥은 좌폐정맥이다.[14] 기관의 측면으로 혈관이 주행하여, 기관의 전면과 후면에는 혈관이 없다. 이러한 이유로 기관은 광범위한 가동성을 보일 수 있다.[8]

림프관은 분지부의 상·하 기관지림프관들이 모여 기관지세로칸림프관줄기(bronchomediastinal trunk)을 형성하는데, 오른쪽은 우림프관(right lymphatic duct), 왼쪽은 가슴림프관(thoracic duct)으로 유입된다.[1,11]

기관과 주기관지의 신경지배는 미주신경에서 유래된 부교감신경과 교감신경절에서 유래된 교감신경이다. 부교감신경과 신경절전(preganglionic) 신경들이 기관벽에 있는 신경절로 섬유를 보내며, 신경절이후(postganglionic)교감신경절은 경부신경절과 2~4개의 흉부신경절로부터 지배받는다. 부교감신경절이후신경과 교감신경이 평활근, 장액점액성 분비와 혈관을 지배하며 상피에는 미주신경에서 유래된 감각신경이 분포한다. 따라서 부교감신경을 자극하였을 때 기관의 평활근이 수축되고 장액점액성 분비가 증가한다. 그러나 일부 척추동물에서는 교감신경계가 억제작용에 중요한 역할을 하기도 한다. 또한 비아드레날린성 신경 조절 체계가 있다는 연구 결과가 있으며, 신경세포 내의 vasoactive intestinal peptide (VIP), substance P, gastrin releasing peptide (GRP), neuropeptide Y (NPY) 등이 그 예이다. Histamine, bradykinin, prostaglandin 등은 상피 내의 감각신경을 자극하고 미주신경 반응을 유발하여 기관지 수축을 일으킨다.[4]

3. 기관의 생리

호흡기는 형태적으로 폐와 기도로 나뉘며 기능별로는 전도 구역과 호흡 구역으로 나뉜다. 전도 구역은 상기도에서 종말 세기관지까지이며 공기가 전달되는 통로 역할을 하지만, 기체 교환은 일어나지 않는다. 기관부터 세기관지까지는 하기도로서 전도 구역에 속한다.[4] 전도 구역을 통과한 들숨은 종말세기관지, 호흡세기관지, 폐포관 등을 거쳐 폐포에서 가스교환이 일어난다.

호흡 동안에 공기의 이동 속도는 기관에서 평균 0.9~1.5 m/s, 최대 10 m/s이고, 기침 시에는 15~35 m/s로 매우 빨라진다. 기관지 내의 압력은 안정호흡과 노력호흡 사이에 상당한 차이가 있어서 최대 100~149 mmHg까지 차이가 나며, 날숨 시에는 기압보다 80 mmHg까지 올라가고, 들숨 시에는 60 mmHg 정도의 음압이 발생하며, 기침 직전에는 200 cmH_2O에 이르는 높은 압력이 발생할 수 있다.[11] 기류는 성문부의 열린 정도와 들숨 및 날숨에 따라 달라지며, 기관 내 압력의 변화에 영향을 받아서 들숨 시 기관의 상부에는 와류(turbulent flow)가 생기고 하부에는 층류(laminar flow)가 발생한다.

상부 및 하부 기도는 공기를 가온, 가습, 정화하는 기능이 있다. 공기는 코와 인후두, 기관을 지나는 동안 가온과 가습이 되어 폐포에 이르러서는 체온과 비슷한 온도가 되고 습도 또한 높아진다. 찬 공기로 과다환기를 하게 되면 말단 기관지의 온도가 내려가 반사작용에 의해 세기관지가 수축하여, 기침이 유발된다.[4] 점막에 있는 호흡상피가 정화기능을 하며, 호흡상피 섬모는 분비물과 이물을 말초에서 기관으로 배출함과 동시에 외부로부터의 유해물질의 침입을 반사적으로 방지 또는 배출하는 기능을 한다. 이와 같은 기도의 보호기능은 기관과 후두의 동시 작용으로 보다 상승 효과를 갖는다.[11] 섬모는 분당 1,000회 이상 움직여서 이물 및 분비물을 상부 후두를 향해 배출하는 운동을 하며, 일반적으로 섬모운동은 최단 거리를 취하는 운동을 하지만, 때로는 우회 운동도 관찰된다. 임상적으로 기관지경을 사용하여 이 현상을 관찰할 수 있는데, 점액의 이동 속도는 5분 동안 5~10 mm 전후이며, pH 7 이상으로 상승하면 촉진, 그 이하의 환경에서 감소된다.[4]

정상 상태에서 기관 분비물은 24시간 동안 10 mL 이하로, 면역학적 기능, 단백질 분해 및 포식세포의 기능을 한다고 보고되고 있다. 점액의 양은 기계적 또는 화학적 영향에 따라 증감되며 기관지선은 미주신경에서 유래한 부교감신경의 활동으로 분비가 증가하고, 교감신경 활동으로 감소한다.[11,26]

기관과 기관지는 호흡운동에 관련된 신전과 수축 운동 및 관내 점막섬모운동과 같은 능동운동과, 심장과 대동맥에서 오는 박동 혹은 식도의 연하운동 등의 영향을 받아 일어나는 수동운동의 영향을 받는데, 이들은 호흡운동을 도움과 동시에 반사적으로 조절된다.[11]

점막 손상 시에는 재생은 하루 동안 1 mm의 속도로 발생하며, 감염, 괴사, 이물 등에 의해 재생은 방해를 받는다. 일단 기관고리는 손상이 발생하면 점막과는 달리 연골은 정상적으로 재생되지 않고 석회화 및 섬유화로 대체된다.[14]

II 식도

1. 식도의 발생

식도는 음식물을 이동시키는 통로로 작용하며 인두와 식도를 연결하는 근육으로 구성된 관상 구조이다. 이 구조와 기능은 아주 복잡하고 정교할 뿐만 아니라, 식도 질병과 상태를 이해하는 데 있어 식도의 해부와 생리의 철저한 이해는 반드시 필요하다.

태생 4주에 앞창자의 배부가 분화하여 식도를 형성하며, 발생 초기의 식도 길이는 짧지만 폐와 심장이 생성된 후 하방으로 이동하면서, 그리고 머리 부위가 뒤굽이가 발생하며 빠른 속도로 길어진다. 태생 7주경 장관이 점차로 길어지면서 V자 모양의 고리를 이루며, 이것이 배측으로 돌출하여 탯줄로 탈장되며 이 시기에 위, 소장이 구별된다. 태생 3주에 앞창자의 측벽에서는 기관지 용골의 상부 방향으로 식도와 기관의 분리가 시작되어, 기관식도사이막에 의해 태생 5~6주에는 완전히 분리된다.[20]

초기의 식도는 내배엽의 성장에 의해 내강이 막혀 있지만 태생 후기에는 내배엽이 퇴화하며 관상 구조가 형성된다. 식도의 상부 2/3는 미부의 새궁 간엽에서 발생하고 미주신경에 의해 조절되며, 하부 1/3은 내장 간엽에서 발생하고 내장신경얼기(splanchnic plexus)에 의해 조절된다. 초기에는 전체 식도가 평활근으로 구성되지만 점차적으로 상부의 1/3에서 횡문근이 나타나기 시작하여 태생 5개월째에 정상적으로 배열하여 상부 2/3가 횡문근이 된다.

식도상피는 발생 초기에는 중층섬모상피지만 태생 5개월부터는 중층편평상피가 식도하부에서 나타나기 시작하여 점차 상부로 대체된다. 근육은 환상근이 태생 6주에, 종축근이 태생 9주에 나타나기 시작한다.[20]

2. 식도의 해부

식도는 점막으로 덮인 가동성이 있는 관으로, 근육으로 이루어져 있으며 섭취한 음식물을 입과 인두에서 위로 이동시킨다.[3,5,24] 제6번 경추 높이에 있는 윤상연골의 아래 경계에서 시작되어 척추의 전방으로 수직으로 주행한 후 종격동을 통과하여 제10~11번 흉추 부위에서 횡격막을 뚫고, 식도열공을 지나 위의 들문(cardia)에 이르는 약 18~26 cm의 관이다.[11] 신생아의 경우 식도의 길이는 약 10~11 cm의 길이로 성인의 절반 수준이다. 식도는 평소 내강이 협착된 상태로 존재하나, 삼킴 동작 시 전후로 약 2 cm, 좌우로 약 3 cm까지 확장이 가능하다.

위치에 따라 식도는 3개 부분으로 나누어지는데 경부식도는 윤상인두근에서 흉골상절흔(suprasternal notch)까지로 제6 경추에서 제1 흉추에 해당하며 길이는 약 5~6 cm이다. 흉부식도는 흉골상절흔에서 횡격막 열공까지로 제2 흉추에서 제10 흉추에 해당하며 약 16~18 cm이다. 횡격막 아래쪽의 복부식도는 횡격막 열공에서 위의 들문부까지로 제11과 12 흉추에 해당하고 길이는 약 2~3 cm이며 간의 좌엽 후면의 식도구에 위치한다. 앞니(incisor)의 중심으로부터 위의 들문까지 전체 길이는 약 40 cm에 이른다.[5,11,24]

일반적으로 위식도 접합부라고 말할 때에는 다음과 같은 세 가지 정의가 혼재한다. 첫째, 식도점막의 편평상피에서 원주상피로 이행하는 부위, 둘째, 식도의 연동운동이 끝나는 부위, 셋째, 내경이 좁은 식도와 내경이 넓은 위가 접하는 부위를 지칭한다.

식도는 경부 하부에서 시작하여 종격동을 통과하여 전체 흉부를 가로질러 복강에 이른다.[12] 거의 수직으로 기관과 척추 사이에 위치하나 점차 좌측으로 치우쳐서 흉곽 입구부에서 기관보다 좌측으로 나와 기관 분지부에서는 완전히 좌측에 위치하게 된다.[11]

경부 식도의 앞쪽은 대부분 기관의 뒷벽에 접해 있지만 일부는 총경동맥(common carotid artery)과 접해 있다. 양측에는 갑상선, 하갑상동맥, 경동맥초(carotid sheath)가 있다. 반회후두신경은 식도와 기관 사이에 있는 기관식도고랑에 위치하며, 흉관은 제6 경추 높이에서 식도의 왼쪽에 위치한다. 흉부의 상종격동에서는 식도가 기관과 척추 사이에서 정중선으로부터 약간 왼쪽으로 치우쳐 위치한다. 이후 대동맥궁의 오른쪽 후방을 지나 후종격동으로 들어가면서 하행대동맥의 오른쪽으로 주행하다 대동맥의 앞을 지나 약간 왼쪽으로 치우쳐 주행하면서 복부로 들어간다. 오른쪽 미주신경은 식도 뒷쪽으로, 왼쪽 미주신경은 앞쪽으로 주행한다.[12,24]

흉부식도의 전방에는 기관, 왼쪽기관지, 심장막(pericardium), 왼쪽미주신경(left vagus), 가로막(diaphragm) 등이 있고, 뒤로는 척추(vertebral column), 긴목근(longus colli muscle), 가슴림프관(thoracic duct), 오른 미주신경(right vagus), 대동맥(descending thoracic aorta) 등이 자리 잡고 있다. 흉부식도의 왼쪽에는 대동맥활(aortic arch), 왼쇄골하동맥(left subclavian artery), 가슴림프관(thoracic duct), 가슴막(pleura), 내림대동맥(descending aorta) 등이 있고, 오른쪽에는 홀정맥(azygos vein), 가슴막, 오른 미주신경 등이 있다. 복부식도의 오른쪽 가장자리는 위작은굽이(lesser curvature)에 연속되고, 왼쪽 가장자리는 들문패임(cardiac notch)을 경계로 이어진다. 식도의 아래끝 부분에는 식도괄약근이 있어서 식도와 위 경계를 이룬다.[30]

식도의 근위부를 상부 식도조임근(UES)라고 하며 해부학적으로는 하인두수축근과 윤상갑상근으로 구성되는경계이자 기능적 단위이다.[6] 하부 식도조임근(LES)는 횡격막 열공에 위치하며 약 2~4 cm 길이의 환상 평활근으로 이루어져 있으며 호흡에 의해 약 1~3 cm 정도 하강한다.[6,24]

식도는 안쪽에서 바깥쪽 순으로 점막층, 점막하층, 근육층, 외층의 4층으로 된 구조를 갖고 있으며 두께는 약 3~4 mm이다(그림 8-5).

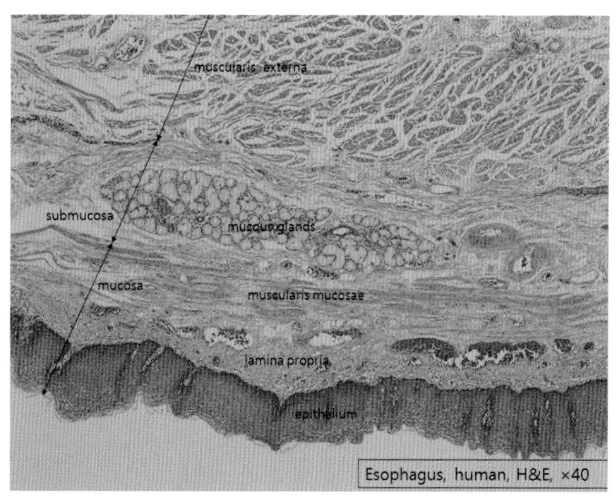

그림 8-5. 식도의 조직학적 구조.
식도는 근육층(muscularis externa), 점막하층(submucosa), 점막층(mucosa)으로 구분된다. 근육층은 바깥쪽은 종으로, 안쪽은 윤상으로 주행하는 근육으로 이루어진다. 점막하층은 불규칙치밀결합조직으로 되어 있으며 혈관, 신경, 샘을 포함한다. 점막층은 중층편평상피(epithelium)와 고유판(lamina propria) 및 점막근육판(muscularis mucosae)으로 구성되어 있다.

점막층은 식도의 가장 내층으로, 두꺼운 비각화성 중층편평상피, 점막고유층, 점막근육층으로 구성된다. 식도 점막은 중층편평상피로 덮여 있으나 하단부 약 2~3 cm는 위장과 같은 단순원주편평상피로 되어 있으며, 편평상피에서 원주상피로 이행하는 경계를 Z-line이라고 한다.[23] 점막과 점막하층 사이에 종행으로 배열된 한 겹의 근섬유층이 존재하며 이 층이 점막근육층이다. 식도의 림프 배액은 점막고유층에서 시작된다.

점막하층은 높은 밀도의 아교질 결합조직과 망상조직으로 구성되며, 다수의 점액선, 점막하 신경얼기인 마이스너 신경얼기(Meissner's plexus), 점막근, 혈관 및 림프계를 포함하고 있다.[6,11] 점막하 신경얼기(Meissener's plexus)는 점막근과 윤상근 사이에 위치하며, 인간에서는 발달이 미미한 것으로 알려져있다.

근육층은 총 2개의 층으로 구성되는데 가쪽은 종으로, 내쪽은 윤상으로 주행하는 근육으로 구성되어 있으며 종근이 윤상근보다 보통 두껍다.[16] 가쪽의 종행근은 상부에서 3개의 다발로 각각 있다가 아래로 이동하면서 하나로 합쳐진다. 이 중 하나는 전방에 있는 것으로 반지연골의 후연에서 시작한다. 나머지는 양측에 1개씩 있으며 인두근으로 연속된다. 윤상근은 하인두 수축근의 연장으로 상부와 하부에서는 횡방향이지만 중간 부위에서는 비스듬하게 주행한다. 근육의 성분을 보면 상부 5%는 수의근인 횡문근이 주성분이며, 하부 50-60%는 불수의근인 평활근이 주성분이다. 가운데 35-40%는 횡문근과 평활근이 혼재한다. 윤상인두근의 상부 약 5 cm 지점에서 횡문근과 평활근의 비율은 각 각 절반으로 근육의 구성이 바뀌기 때문에 생리적으로 압력이 가장 낮게 유지된다. 식도에는 미주신경 지배를 받는 평활근 사이에 부교감신경절 세포로 이루어진 아우어바흐 신경얼기(Auerbach plexus)가 있다.[26]

외층은 식도를 둘러싸는 바깥 섬유층으로 미세혈관, 림프관, 신경조직을 포함하는 성긴 섬유조직으로 이루어져 있으며 주변의 구조들과 접한다.

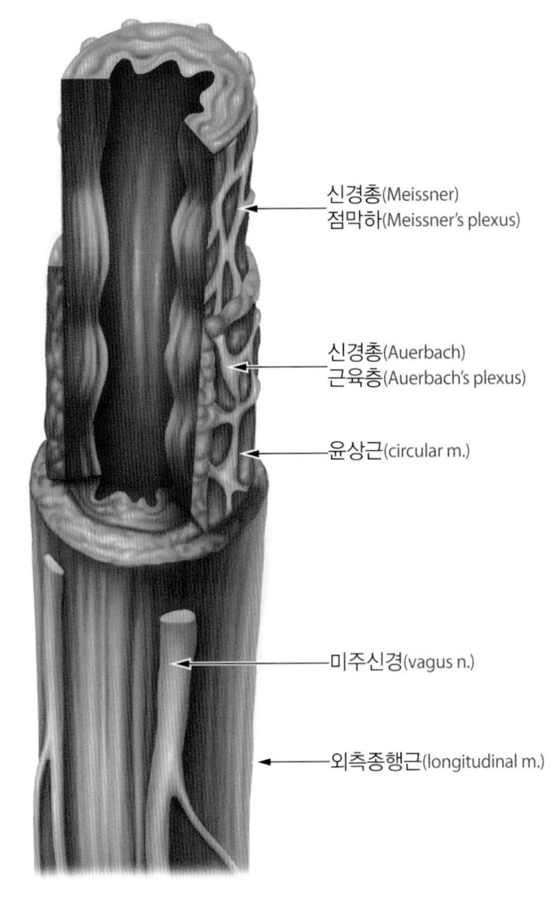

■ 그림 8-6. **식도의 횡단면**

식도에는 장막이 없으나, 흉곽 내 하부의 극히 일부분과 복강 내에서는 흉막과 복막에서 유래한 장막으로 싸여 있다(그림 8-6).[1,5]

식도에는 자연 협착부가 있는데, 이들 부위는 식도 이물이나 부식제를 흡입하였을 때 주로 손상이 발생하는 부위가 되므로 임상적으로 중요하다.[11] 제1 협착부는 상부식도괄약근으로 윤상인두근과 반지연골에 해당한다.[5] 대략 제6번 경추의 높이이고 식도 중 가장 좁은 부위로 식도 입구부이며, 위쪽 중심앞니로부터의 거리는 약 15 cm이다.[11] 제2 협착부는 대동맥궁과의 교차부에 해당하며 위쪽중심앞니에서 약 22.5 cm의 거리에 있다. 제3 협착부는 기관지 협착부로 좌측 기관지가 식도를 압박하여 생기

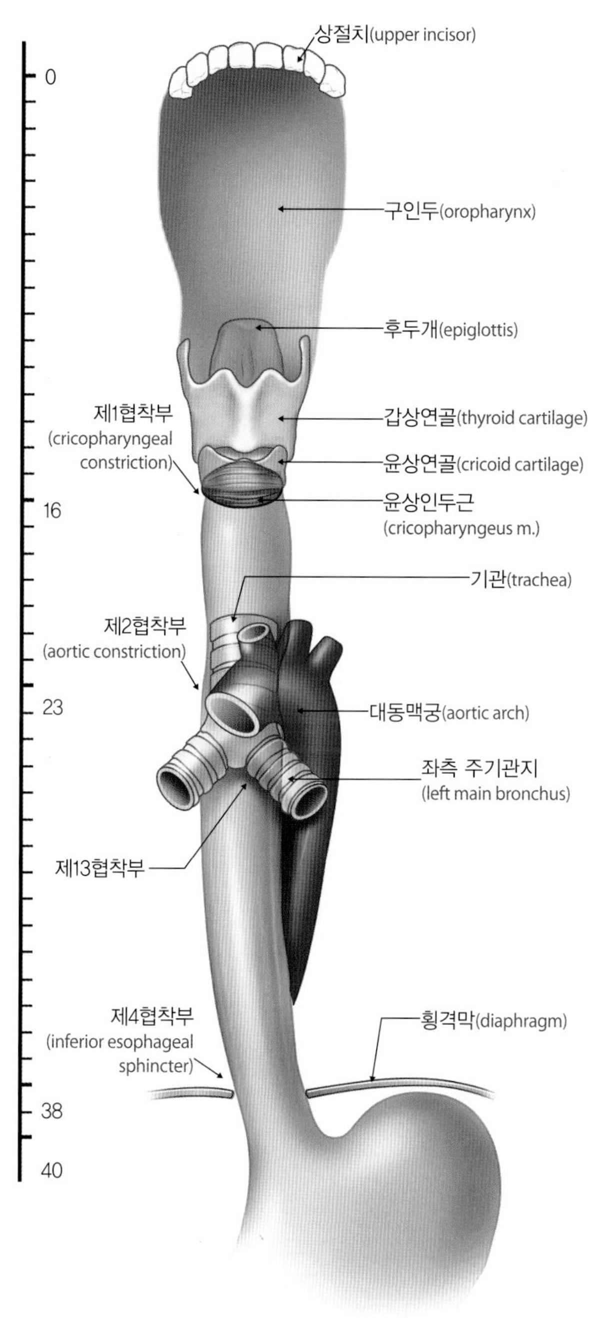

■ 그림 8-7. **식도의 자연 협착부.** 제1 협착부는 상부식도 괄약근으로 윤상인두근과 윤상연골에 해당하며, 제2 협착부는 대동맥궁과의 교차부에 해당한다. 제3 협착부는 좌측 기관지가 식도를 압박하여 생기며, 제4 협착부는 횡격막 식도열공에 해당한다.

며, 제5번 흉추 높이에 해당하고 위쪽 중심앞니로부터의 거리는 약 27 cm이다.[11] 제4 협착부는 횡격막 식도열공에 해당하고 식도 하단을 폐쇄하는 역할을 하며 위쪽 중심앞니에서 약 40 cm 거리에 위치한다. 식도의 세 협착부 사이는 내경이 넓은데, 제1과 제2 협착부 사이를 상부 확장부, 제2와 제3 협착부 사이를 하부 확장부라고 부른다(그림 8-7).[20]

식도에는 식도벽을 따라 선천적으로 약한 곳이 존재한다. 첫 번째는 Zenker 게실이 생기는 Killian 열개이다. 비스듬하게 주행하는 갑상인두근, 즉 갑상연골에서 기시하는 하부 인두수축근의 하단과 횡으로 주행하는 윤상인두근 사이의 잠재적 공간이다.[23] 식도벽에서 두 번째로 저항에 약한 부위가 윤상인두근 직하부의 삼각부로서, 종으로 주행하는 식도근이 양 옆으로 갈라져 반지연골에 부착하면서 윤상으로 주행하는 식도근이 노출된 곳인데, 이를 Laimer 삼각부(Laimer's triangle or Laimer–Haeckermann triangle)라 한다.[23] 또 약한 부위로 혈관과 신경 통과하는 Killian–Jamieson 부위가 있는데, 윤상인두근과 윤상으로 주행하는 식도근 사이의 측면 결손 부위로 되돌이후두신경과 혈관이 통과하는 곳이다(그림 8-8).[2]

식도 혈액 공급은 구획화되어 있다.[5] 경부식도는 주로 쇄골하동맥의 분지인 하갑상동맥에서 혈액을 공급받고 나머지 일부는 갈비사이동맥(intercostal artery)으로부터 혈액을 공급받는다. 흉부식도는 흉부대동맥에서 직접 나온 분지에서 혈액을 공급받는다. 복부식도는 좌위동맥(left gastric artery)의 식도분지와 좌하횡격막동맥에서 나온 분지로부터 혈액을 공급받는다. 식도의 정맥 유입 또한 구획화되어 있는데, 경부 1/3은 하갑상정맥을 통해 갑상경동맥간(thyrocervical trunk)과 쇄골하동맥으로 유입되고, 흉부 1/3은 정맥얼기를 통하여 좌측에 있는 반기정맥(hemiazygos vein)으로, 복부에서는 좌위정맥(left gastric vein)을 통하여 문맥으로 유입된다.[23]

식도 림프계는 풍족하나 구획화되어 있지는 않다. 경부식도의 림프관은 식도 주위 기관 림프절로서, 상기관림프절에서 나온 수출림프관은 하심경부 림프절로 들어가거나 직접 정맥계로 들어간다. 흉부식도 상부에서 나온

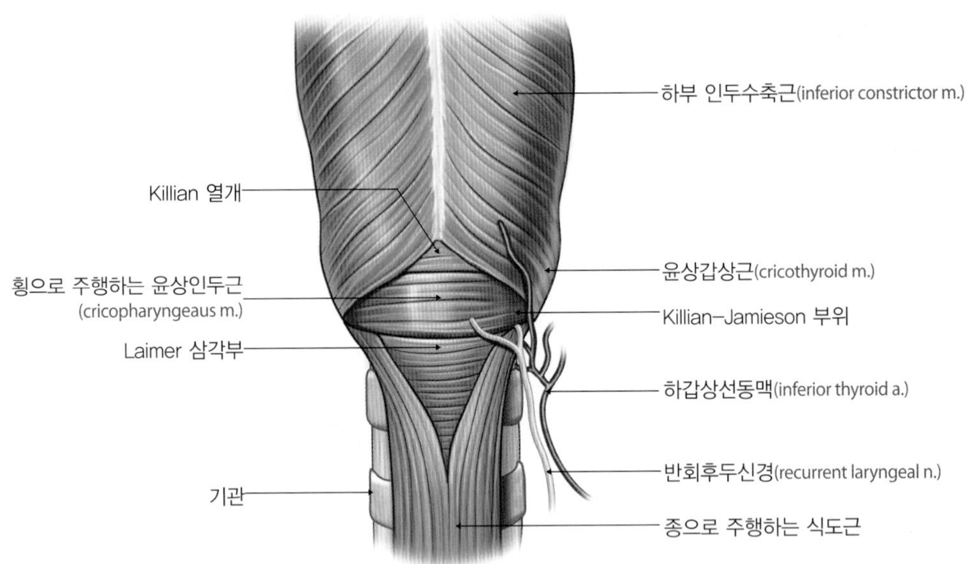

■ 그림 8-8. **식도의 선천적 연약부.** Killian 열개는 하부 인두수축근의 하단과 횡으로 주행하는 윤상인두근 사이의 잠재적 공간이며, Laimer 삼각부는 윤상인두근 직하부의 윤상으로 주행하는 식도근이 노출된 곳을 말한다. 또한 Killian-jamieson 부위는 윤상인두근과 윤상으로 주행하는 식도근 사이의 측면 결손 부위를 지칭한다.

림프관은 주로 기관과 기관지 림프절 혹은 뒤-가슴세로칸 림프절로 들어가고, 이후 상행하여 쇄골상 림프절 혹은 직접 정맥계로 들어간다. 식도 중간부의 림프액은 상부와 후부의 가슴세로칸절(mediastinal nodes)로 들어간다.[27] 식도의 림프관은 식도벽을 따라 종주하다가 근육층을 통해 지역림프절과 연결되는데, 식도암 발생 때 중요한 의미가 있다.[11]

신경지배는 구심성과 원심성 섬유를 가진 교감신경과 부교감신경의 지배를 받는다.[5] 경부식도는 되돌이후두신경, 복부식도는 미주신경이 얽혀서 식도 신경얼기를 만든다.[5,11] 식도는 골격근과 평활근 부위가 별개의 기전으로 조절을 받는다. 골격근으로 구성된 식도 부위는 전적으로 흥분성 미주신경의 지배를 받고, 이 부위의 연동운동은 머리에서 꼬리쪽으로 운동단위(motor unit)의 연속적 활성화에 의해 유발된다. 이 부위의 연동운동 조절은 구강인두부 근육을 조절하는 연수의 연하중추의 조절을 받는다. 평활근은 자율신경이 지배하는데, 부교감신경지배로는 미주신경의 식도가지들이 식도 주위에서 식도신경얼기(esophageal plexus)를 형성하며, 교감신경은 제4 흉추나 제5 흉추에서 비롯된 교감신경절에서 기시하고 일부는 큰내장신경(greater splanchnic nerve)으로부터 온다. 원심성신경섬유는 인두식도신경을 경유하여 경부 식도에 이르며, 조직학적 연구를 통해 원심성 미주신경섬유는 골격근의 신경근접합부에 직접적으로 시냅스하는 것으로 알려져 있다. 미주신경은 결절신경절(nodose ganglion)에 세포체를 가지고 있는 상후두신경(superior laryngeal nerve)을 경유해서 경부식도의 감각신경을 지배하고 있다. 식도의 나머지 부위에서 감각섬유는 반회후두신경을 거치거나 식도 최말단부에서는 미주신경식도분지(esophageal branches of vagus nerve)를 경유한다. 조직학적 연구에서 많은 자유신경종말(free nerve endings)이 점막, 점막하 및 근육층에서 관찰된다.[25]

흉부식도는 흉추의 좌측 앞에 위치하고, 세 곳의 패어들어간 부위가 존재한다.[24] 이 부위는 대동맥궁, 좌측 주

기관지, 좌심방에 의해 만들어진다.[6]

식도는 음식물의 연하에서 단순히 피동적인 역할을 하는 것이 아니라, 아주 세밀한 조화 기전에 의해 음식물을 인두에서 위로 운반하는 능동적인 장기이다. 식도의 양쪽 말단에는 조임근이 있어 위 또는 식도의 내용물이 상부로 역류되는 것을 방지하는 역할을 한다.

상부식도조임근은 윤상인두근과 하인두수축근의 수평근들로 구성된다. 계측검사에서 압력이 상승된 부위의 길이는 평균 3 cm이고, 휴지기압은 상부식도조임근에서 100 mmHg, 흉곽 내에서 −5 mmHg이다.[5] 상부식도조임근의 압력이 높은 이유는 윤상인두근의 지속적인 수축 이외에도, 수동적인 인자로서 윤상인두근의 좌우 비대칭과 주변 연골과 뼈에 의한 경부 조직의 탄력성 때문이다. 그러므로 윤상인두근의 신경이 차단되어 연동운동이 소실 되더라도 어느 정도의 압력은 유지된다. 상부식도조임근의 지속적인 수축 상태가 정상 호흡 주기 동안 공기의 유입을 막아준다.

미주신경은 부교감신경과 일부 교감신경을 갖고 있다. 교감신경은 경부 척추와 척추 인접에서 유래된 신경으로 혈관 구조물들과 함께 나란히 분포한다. 근육 중 횡문근에는 미주신경만이 관여하고, 평활근에는 미주신경 및 교감신경이 분포한다. 점막하층과 근육층 사이에는 신경절 세포로 구성된 내인성 신경지배계가 있다. 식도열공의 상부에서 식도 미주신경얼기가 합쳐져 단일 신경줄기가 되어 왼쪽 미주신경은 식도의 앞쪽을 지나고 오른쪽은 식도의 뒤쪽으로 주행한다. 연하가 시작되면 뇌간에 있는 연하 중추의 명령으로 운동단위 활성도(motor unit activity)가 감소하여 조임근의 일시적 풀림이 발생하여 음식물이 통과하게 되며, 통과 후에는 다시 긴장을 유지하는데, 이에 필요한 총 시간은 1초 미만이다. 식도가 산에 노출되거나 부피가 변하면 상부식도의 압력은 상당히 증가하며, 이러한 반사가 역류와 오연을 방지한다. 조임근의 풀림 동안 음식물은 식도로 내려가고 첫 번째 식도 연동운동이 시작되는데, 이때 제5, 7, 9, 10, 12 뇌신경에서 발생된 신호가 필요하다.[5]

하부식도조임근은 위 내용물의 역류를 방지하는 역할을 한다. 식도와 위가 만나는 부위에는 근육이 두꺼워진 부위가 존재하며, 오른쪽 하방에서 왼쪽 상방으로 비스듬하게 주행하는 부위가 관찰된다. 이 부위의 오른쪽은 완만한 반면, 왼쪽은 급격하게 각을 이루어 His 절흔(His incisura) 또는 각(angle of His)을 만든다. 이 각이 없으면 역류가 일어나는데, 대부분 신생아는 이 각이 없어서 역류가 쉽게 발생한다. 이 부위는 횡격막 바로 위에서 아래로 1~2 cm까지 내려와 있다.[12] 하부식도조임근은 아세틸콜린(acetylcholine)과 가스트린(gastrin)의 상호작용으로 조절된다. 하부식도 조임근의 길이는 2~4 cm, 정상 휴지기압은 10~40 mmHg로 식도나 위의 내압보다 높게 유지된다.[5] 이 고압대는 위식도 역류를 방지하는 중요한 역할을 하는데, 역류를 방지하려면 고압대의 압력과 복부 압력에 노출된 고압대의 길이가 정상적으로 유지되어야 한다. 고압대의 압력이 감소하거나 길이가 짧아지면 역류가 발생하게 된다. 평소에는 수축해 있는데, 이는 신경지배와는 무관하고 근원성(myogenic) 능력 때문이다. 이완에는 미주신경이 관여하는데, 내인성 신경지배계는 뇌간에 있는 연하중추의 배측 운동핵(dorsal motor nucleus)에서 오는 부교감신경과 척수에서 오는 교감신경이 함께 신경얼기를 이루어 분포한다. 이는 또한 신경전달물질, 호르몬 및 약제의 영향을 받는다.[29]

3. 식도의 생리

기능적으로 식도는 위식도조임근, 식도체부, 아래식도조임근의 세 가지로 구분된다. 이들의 조화로운 작용은 음식물을 인두에서 위까지 이동시키는 데 있어 필수적이다.

식도의 기능은 영양분 이동, 기관 내로의 흡인 방지, 위장에서 역류한 물질의 제거, 위에서 생기는 과잉기체의 환기 등이다.[5] 이러한 기능을 하는 식도 주변에는 구인두, 위장과 함께 중추신경계, 심장, 폐 등이 있으며, 이러한 해부학적 주변관계는 식도의 기능에 많은 영향을 미친다. 식도는 분비 기능이 미미하고 흡수하는 능력도 거의 없다.[12]

성인은 하루에 600회 정도 연하를 하는데, 깨어있을 때는 시간당 35회, 잠잘 때는 시간당 약 6회의 연하가 발생한다.[23] 음식물을 삼킬 때는 시간당 약 190-200회의 연하를 한다.

연하는 3단계로 나누어지며, 수의운동으로 구강에서 인두로 음식물을 운반하는 구강기와, 인두에서 식도로 향하는 반사적 불수의운동을 하는 인두기, 식도에서 연하운동을 하는 식도기로 분류한다.[5,10]

구강기 이전 구강 내 준비 단계에서는 고형식을 연하에 적절한 음식물 형태로 변형시킨다. 이때 구순, 구협, 하악, 혀의 운동, 구인두괄약근 폐쇄 등의 적절한 협동운동이 발생한다. 혀는 외회전 운동을 하여 저작을 도우며 후각, 미각, 저작, 타액분비와 같은 기능에 의해 음식물은 침과 섞이고 연하에 적당한 크기가 된다.[23,24]

구강기에 음식물을 구강에서 인두로 이동시킬 때는 입을 다물어서 하악을 고정하고, 악설골근이 수축하여 혀를 구개로 밀어 올려 구강 내압이 상승하게 된다. 음식물이 인두로 이동하면 구개거근과 구개긴장근이 수축해 연구개가 상승하여 긴장한다. 구강기는 약 1초 이내에 이루어지며, 구강기 말기에 구강 내에 음식 잔류물은 거의 남아있지 않다.[11,23,24]

인두기는 반사적 불수의운동으로서 음식물이 전구개궁을 통과할 때 생기는 연하반사에 의해 일어나며, 음식물이 코로 유입되는 것을 막기 위해 연구개 인두부가 막힌다. 이때 전구개궁과 설근부에 위치한 기계적 수용기가 연하중추가 있는 뇌간으로 신호를 전달한다. 인두의 연하운동이 일어나며 음식물이 인두로 유입되고 인두의 길이가 2 cm 정도로 단축된다. 기도를 보호하기 위해 후두가 닫히는데, 진성성대가 가장 먼저 닫히고, 피열연골의 전방전위가 일어나면서 거짓성대가 폐쇄되며, 마지막으로 후두개가 기도 입구를 덮는다. 즉, 상이두근이 수축되면서 비인두가 폐쇄되고, 설골은 이설골근과 악설골근에 의해 전상방으로 이동하며, 갑상설골근의 수축에 의해 후두가 상승한다. 식도구가 크게 열리기 전에 중인두수축근과 하인두수축근이 수축하여 인두내압이 빠르게 올라가고, 상부식도괄약근이 이완되고 후두가 상승하여 식도 입구가 열려 음식물의 역류를 막는다.[11,29]

식도기는 약 8~20초가 걸려 위장까지 음식물이 이동하는 것을 이르며, 연하압과 중력, 식도의 연동운동이 관여한다. 연하 시 식도는 상하운동, 즉 후두의 상승에 따라 기관과 함께 피동적으로 상승하며, 계속 일어나는 연동운동으로 식도 일부가 수축하므로 하부식도가 당겨진다. 이러한 일차 연동운동 이외에 식도 내의 국소적인 팽창에 반응하여 발생하는 이차 연동운동도 일어난다.

일차성 식도연동운동은 삼킬 때 인두 내용물에 의한 팽창으로 연동운동이 발생, 식도를 훑어내려가 식도를 비운상태로 유지하게 된다. 이차성 식도연동운동은 위로부터 역류된 물질을 위로 다시 배출시키는 역할을 한다.[13] 삼차 연동운동은 삼킴 직후 혹은 자발적으로 일어나는 이연동성 수축을 의미한다.[29]

연동운동은 하부보다 상부에서 빠르게 진행되는데, 이는 상부에 있는 횡문근의 운동력의 차이에 따른 것이다.[23,24] 상부 식도에서 연동운동의 평균 속도는 3.0-3.5 cm/s 이며 하부 식도로 진행할수록 이 속도는 점점 증가하다가 마지막 2-3 cm부위 에서는 2.0 cm/s로 감소한다.[18]

연하는 음식물의 특성, 자세의 변화, 온도, 나이의 영향을 받는다. 예를 들면 건조 상태의 음식물(dry bolus)보다 액상의 음식물(liquid fodd bolus)을 삼킬 시에 연하의 수축 강도가 증가하며, 저온의 음식보다 고온의 음식 연하 시, 앙와위(supine)보다 직립(upright)상태로 연하 시, 수축 강도가 증가한다.[18] 노인이 되면 식도의 운동이 정상적으로 이루어지지 않게 되는데, 상부식도조임근이 기능이 떨어지면, 연동운동의 수가 줄거나, 때로는 삼차 수축이 일어나기도 한다. 또한 하부식도 조임근의 기능 이상으로 조임근이 열리지 않으면 위로 음식물의 배출이

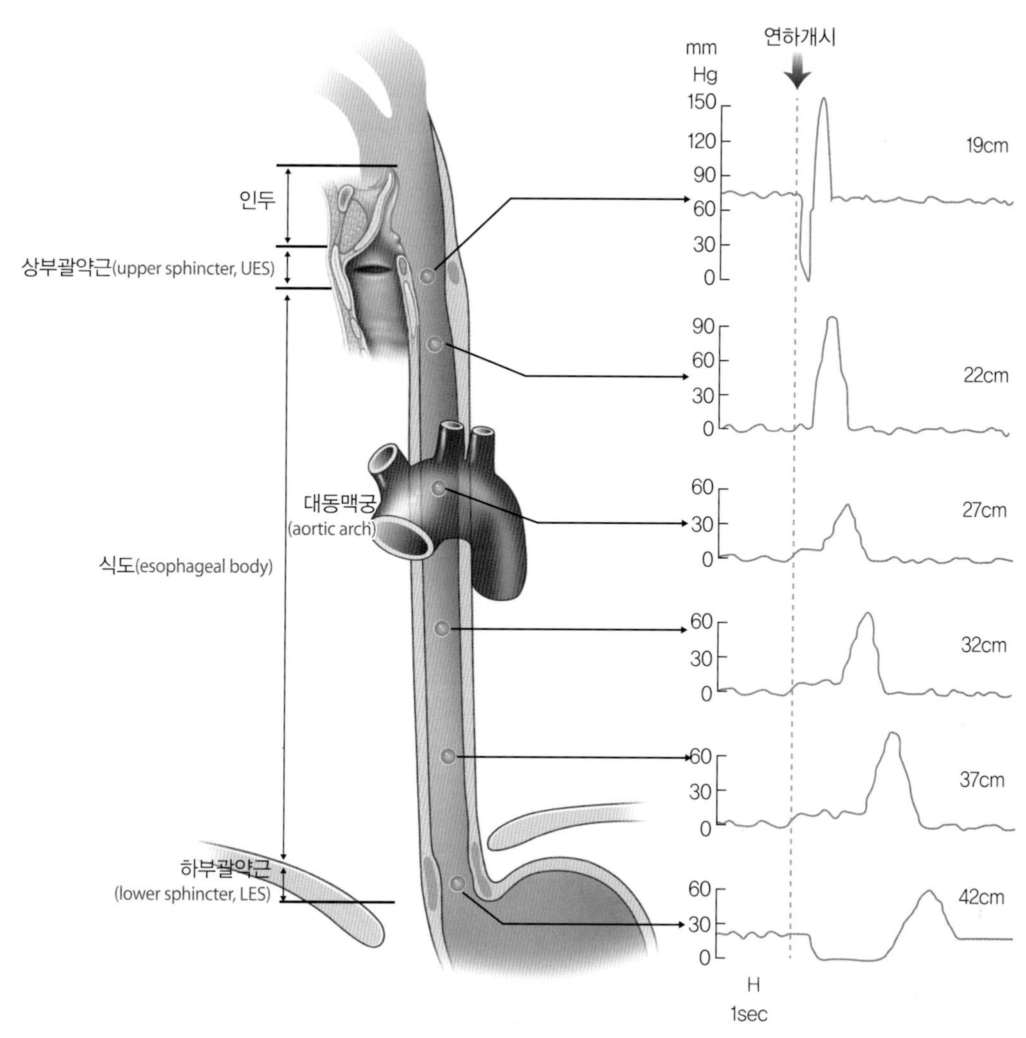

■ 그림 8-9. **정상 식도의 연동운동(peristalsis)**

지연되기도 한다. 손상된 운동 기능은 종종 인두식도의 부적절한 기능과 관련이 있으며, 이로 인해 식도가 팽대되어 노인성 식도가 나타난다. 이러한 원인은 신경절 세포의 감소와 연관이 있는 것으로 보고되고 있다.[16]

식도운동은 반사적, 불수의적이며 연동성이 있다. 식도의 들문부(cardiac portion)는 평상시에 폐쇄되어 있고, 연하 시에는 평활근의 수축으로 위액의 역류를 막게 된다. 음식물이 위로 이동하는 것은 위에서 더 강한 연동운동이 속발하여 일어나기 때문이다. 식도의 연동운동은 연하에 의해 일어나지만, 이미 생긴 연동운동은 새로운 연하에 의해 오히려 억제된다(그림 8-9).

식도의 근육층과 장막층에서 유래하는 미주들신경(vagal afferent)은 근육의 신장에 민감하며, 점막층에서 유래하는 미주들신경(vagal afferent)은 산과 같은 화학 자극, 고온 혹은 저온 자극, 내강의 기계적 자극 등 다양한 자극에 민감하게 반응한다. 확장이나 근육 경련과 같은 강한 자극에 의한 통증은, 전흉부나 복장뼈상와로 방사되며, 열감이 동반될 수 있다. 경부식도 영역에서는 고형물에 대한 정류감이나 이물감이 비교적 정확하나, 흉부 식도 이하에서는 부정확하므로 이물이 걸려 있는 곳을 지각으로 추측하기는 매우 어렵다.[4]

참고문헌

1. 강두희. 생리학, 3판. 신광, 1988.
2. 노관택. 이비인후과-두경부외과학, 1판. 일조각, 1995.
3. 도남용. 두경부외과학. 한국의학사, 2005.
4. 백만기. 최신이비인후과학, 3판. 일조각, 1987.
5. Allen MS. Surgery of the Trachea. Korean J Thorac Cardiovasc Surg. 2015;48(4):231-7.
6. Ben Pansky TRG. Lippincott's Concise Illustrated Anatomy: Thorax, Abdomen & Pelvis. Wolters Kluwer/Lippincott Williams & Wilkins, 2013.
7. Drevet G, Conti M, Deslauriers J. Surgical anatomy of the tracheobronchial tree. J Thorac Dis. 2016 Mar;8(Suppl 2):S121-9
8. Eckardt V, LeCompte P. Esophageal ganglia and smooth muscle in the elderly. The American journal of digestive diseases 1978; 23:443-448.
9. Fass R. Sensory testing of the esophagus. J Clin Gastroenterol, 2004; 38: 628–41
10. G. Vantrappen JH. Diseases of the Esophagus. Springer Science & Business Media,, 2012.
11. Grillo H, Marthisen D. Disease of the trachea and bronchi. In: MM P, DA S, JL G, eds. Otolaryngology. Philadelphia: WB Saunders, 1991:2385-2386.
12. Hollinshead W. Anatomy for Surgeons: The Head and Neck. Philadelphia: Harper & Row, 1982.
13. John F, Patrick S. Anatomy and physiology. Ear Nose and Throat J 1984; 63:10-20.
14. Karabulut N. CT assessment of tracheal carinal angle and its determinants. Br J Radiol 2005; 78:787-790.
15. Laura-Jane Smith JB, Jennifer Quint. Eureka: Respiratory Medicine. JP MEDICAL PUBLISHERS, 2015.
16. Lee K. Essential Otolaryngology. New York: Medical Examination Publishing Company, 1999.
17. Longitudinal Muscle Dysfunction in Achalasia Esophagus and Its Relevance Ravinder K Mittal, Su Jin Hong, Valmik Bhargava J Neurogastroenterol Motil. 2013;19(2):126–136.
18. Lucius Hill, The esophagus; medical and surgical management, W.B.Saunders company, 1988
19. Moore, Keith L, 무어 임상해부학, 서울;바이오사이언스, 2013
20. Pansky B. Review of Medical Embryology. New York: Macmillan, 1982.
21. Sadler T. Langman's Medical Embryology. Baltimore: Lippincott Williams & Wilkins, 1995.
22. Screening for Barrett's Esophagus Massimiliano di Pietro, Daniel Chan, Rebecca C. Fitzgerald, Kenneth K. Wang Gastroenterology. Gastroenterology. 2015;148(5): 912–923.
23. Seiden A. Esophageal disorders. In: MM P, DA S, JL G, eds. Otolaryngology. Philadelphia: WB Saunders, 1991.
24. Shockley W, Rose A. Esophageal disorders. In: BJ B, ed. Head and Neck Surgery: Otolaryngology. Philadelphia: Lippincott Williams & Wilkins, 2001:649-650.
25. Snell RS. Clinical Anatomy: An Illustrated Review with Questions and Explanations. Lippincott Williams & Wilkins, 2004.
26. Sniezek J, Burkey B. Airway Control and Laryngotracheal stenosis in Adults. In: JJ B, JB S, eds. Otolayngology Head and Neck Surgery. Hanilton: BC Decker, 2003:1152, 1164.
27. Vollweider J, Vaezi M. The esophagus: anatomy, physiology, and diseases. In: CW C, PW F, BH H, eds. Otolaryngology Head and Neck Surgery. Philadelphia: Elsevier Mosby, 2005:1835-1836.
28. Weinstock L, Clouse R. Esophageal physiology. Am J Gastroenterology 1987; 82:399-405.
29. Yamada T. Textbook of Gastroenterology. John Wiley & Sons, 2011.
30. Yang J, Deutsch E, Reilly J. Bronchoesophagology. In: JJ B, JB S, eds. Otolaryngology Head and Neck Surgery. Hamilton: BC Decker, 2003:1562-1563.

CHAPTER

09

두경부 질환의 영상진단

이비인후과학 Otorhinolaryngology - Head and Neck Surgery

김진아

두경부 질환의 영상진단에는 전산화단층촬영술(computed tomography, CT), 자기공명영상(magnetic resonance imaging, MRI), 초음파(ultrasonography) 등의 영상기법이 기본적으로 사용되며 각 장기와 부위에 따라 특수한 영상기법을 사용할 수 있다.

CT와 MRI는 두경부의 해부학적 구조를 파악하고 두경부 종양의 진단과 병기결정에 있어서 매우 유용하며 상호보완적인 역할을 한다. 즉, CT는 골 구조물을 관찰하는 데 더 용이하므로, 종양에 의한 골 파괴나 석회화 침착 등을 잘 관찰할 수 있으며 후두처럼 정상적으로 움직임이 있는 구조물의 영상에 유리하다. 반면 MRI는 연조직 대조도가 우수하여 비인두나 두개저 병변의 평가에 있어서 유리하다.

CT는 환자가 누운 상태에서 경구개에 수평으로 축상면 단층 영상을 얻는다. 두개저에서 상종격동까지 연속적으로 촬영하며 절편 두께는 보통 2–3 mm 간격으로 얻는다. 두경부 질환의 평가에 있어서 요오드화 조영제 정맥주입을 통한 조영증강은 필수적이다. 조영제는 보통 1.5–3 ml/s의 속도로 총 100 ml를 정맥내 주사하고 영상은 조영제 주입 후 40–60초에 얻는 것을 권장한다. 최근에 사용되고 있는 다중검출기 전산화단층촬영술(multidetector row computed tomography, MDCT)은 기존의 CT보다 더욱 짧은 시간 내에 촬영이 가능하며 얇은 절편 두께의 고해상도 영상을 제공한다. 따라서 환자의 움직임으로 인한 인공물(artifact)을 최소화할 수 있으며, 다평면 재형성(multiplanar reformat) 기법을 이용해 영상의 질 저하 없이 시상면이나 관상면 영상을 얻을 수 있으므로 병변의 입체적 구조를 파악하는 데 유용하고 축상면 영상만을 평가함으로써 발생하는 진단의 오류를 줄일 수 있다. 또한 자세 잡기가 어렵거나 협조가 안 되는 소아 환자의 촬영 시에 유용하고, 단층 영상을 컴퓨터 처리한 3차원 재구성(three-dimensional reconstruction) 영상은 안면골, 피부, 혈관, 기관 등의 입체구조를 형상화하여 수술을 준비하는 외과의에게 좋은 지표를 제공할 수 있다.

MRI는 환자가 CT 촬영 시와 동일한 자세를 취하도록

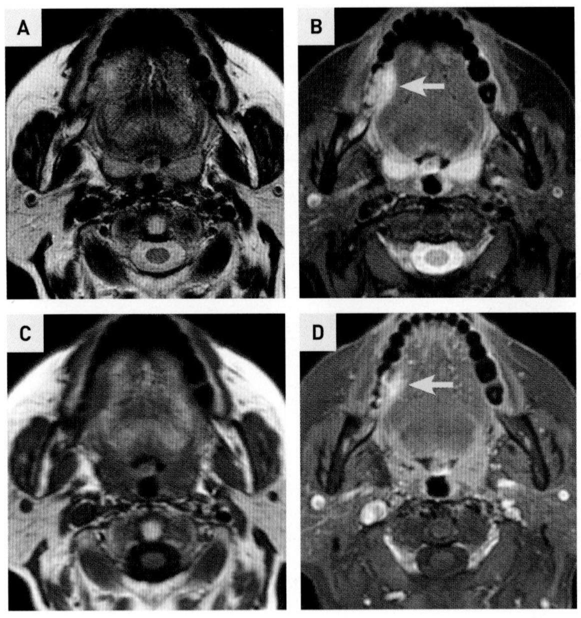

■ 그림 9-1. **두경부 MRI 프로토콜.**
A) T2강조영상. **B)** 지방신호억제 T2강조영상. **C)** T1강조영상. **D)** 조영증강 T1강조영상. 두경부 MRI 검사에서 지방신호억제는 얼굴과 경부 피하지방층의 고신호강도를 억제하여 병변의 발견을 용이하게 한다. 혀의 오른쪽 측면에 위치한 종괴(화살표)가 지방신호억제영상에서 더 잘 관찰된다.

하며 경부 영상에 적합한 코일을 사용하여 5 mm 절편 두께로 T1, T2강조영상과 조영증강후 영상을 얻는 것이 일반적이다(그림 9-1). T1강조영상은 종괴와 주변 해부학적 구조물의 공간적 관계에 대한 정보를 제공하고 T2강조영상은 종양과 주변조직을 정확히 구분해 준다. 따라서 정상 해부와 종양의 특징을 정확히 평가하고 최대한의 정보를 얻기 위해서는 적절한 펄스연쇄(pulse sequence)와 영상 단면을 선택하는 것이 중요하다. 다만 호흡이나 연하운동, 경동맥의 박동 등으로 움직임에 의한 인공물이 발생하는 것이 MRI의 단점이다. 또한 두경부에서는 피하 지방층과 골수 지방에 의한 고신호강도를 인위적으로 억제하는 지방신호억제(fat suppression) 기법을 보통 함께 시행한다. 확산강조영상(diffusion-weighted imaging(DWI))은 농양을 감별하는 데 이용할 수 있으며 종양의 악성도 평가에도 활용할 수 있다. MRI는 가돌리늄(gadolinium) 조영제를 사용하는데, 조영증강영상은 두경부 종양을 평가하는 데 있어서 추가적인 정보를 제공하며 염증성 또는 종양성 병변의 두개내 파급, 부비동내 분비액과 종양의 구별, 종양의 신경주위 파급 등을 평가하는 데 특히 유용하다.

두경부 영상을 평가하고 해석하기 위해서는 두경부의 정상 단층 영상해부학과 두경부 연조직 공간에 대한 이해가 필수다. 따라서 이 장에서는 경부의 근막과 연조직 공간의 영상해부학을 이해하고 각각의 경부 연조직 공간에서 발생하는 질병의 영상 소견에 대해 설명하기로 한다.

I 두경부의 근막과 연조직 공간

경부 근막은 전통적으로 표층과 심층으로 나뉜다. 표층 경부근막(superficial cervical fascia)은 실제 근막이라기보다는 주로 피하지방층으로 이루어진 결합조직을 칭하며, 피부와 심층 경부근막 사이에 위치한다. 얼굴과 목 전체를 덮고 있으며, 내부에는 넓은목근(platysma muscle)과 얼굴의 근육, 전경정맥(anterior jugular vein)과 외경정맥(external jugular vein)을 포함한다. 심층 경부근막(deep cervical fascia)은 표층 경부근막보다는 얇지만 좀 더 치밀한 구조물로서 두개저의 하방에서 하악골과 경부의 주요 근육층들을 둘러싼다.

심층 경부근막은 다시 표층, 중간층, 심층의 세 층으로 나뉘면서 경부의 주요 공간들을 형성한다. 심층 경부근막의 표층(superficial layer)은 경추의 극상돌기(spinous process)에서 시작하여 양측으로 목을 완전히 둘러싸는 얇은 근막층으로서, 설골 상부에서는 저작공간과 이하선공간을 둘러싸며 설골 하부에서는 strap muscle, 흉쇄유돌근(sternocleidomastoid muscle), trapezius muscle을 둘러싸고, 경동맥초(carotid sheath)의 일부를 구성한다. 심층 경부근막의 중간층(middle layer)은 매우 복잡

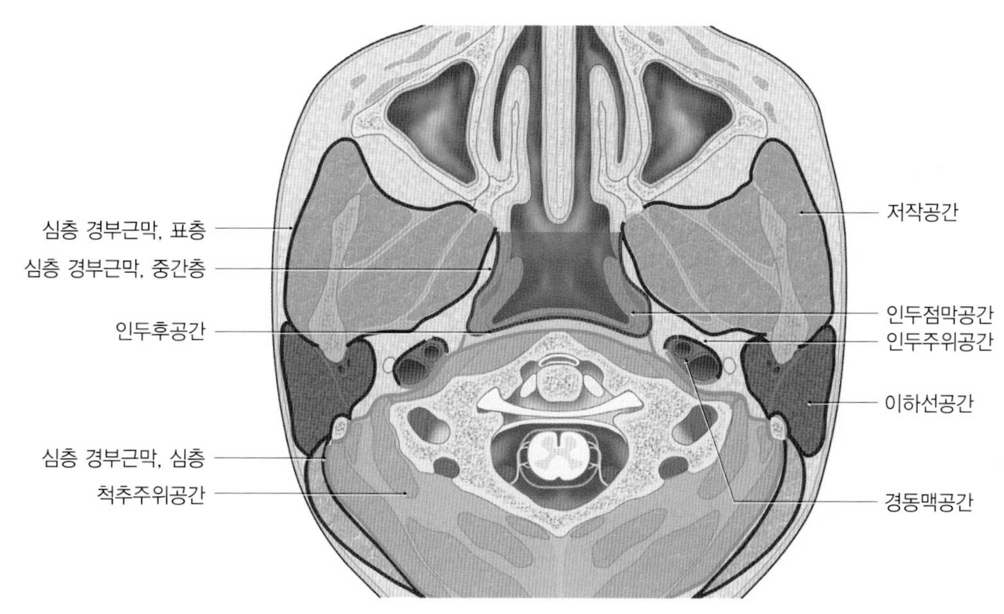

■ 그림 9-2. **경부의 근막과 연조직 공간에 대한 축상면 모식도(비인두 높이의 설골 상부)**

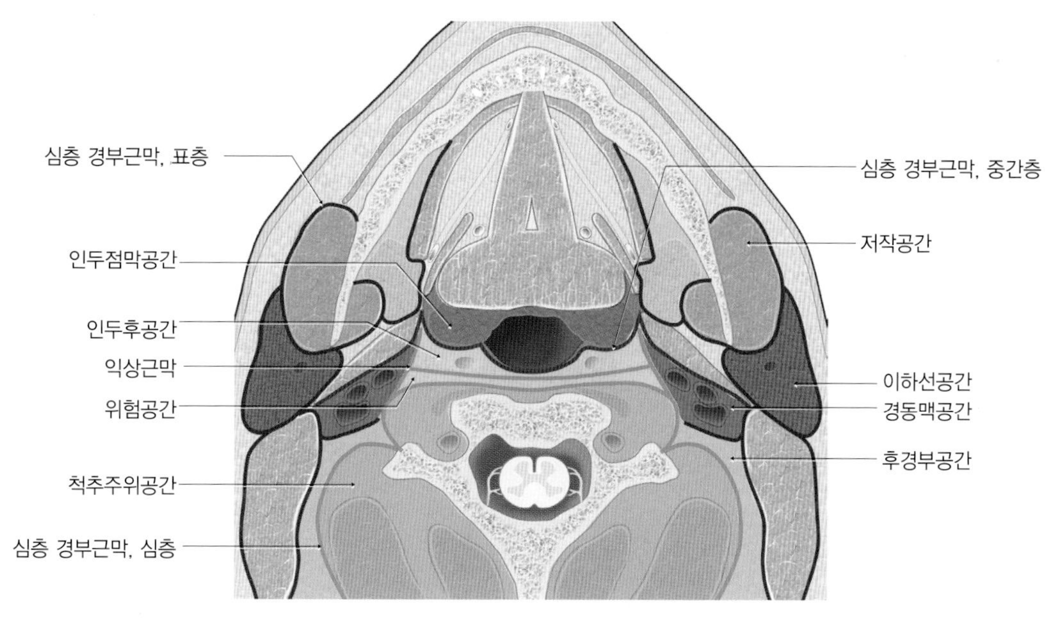

■ 그림 9-3. **경부의 근막과 연조직 공간에 대한 축상면 모식도 (구인두 높이의 설골 상부)**

하게 구성되어 있으며 명칭과 구성에 대해서 저자에 따라 이견이 많은 편이다.[1,25] 설골 상부에서는 일반적으로 인두의 근육층에 단단히 붙어서 인두점막공간의 심부 경계를 형성하는 visceral fascia 혹은 buccopharyngeal fascia를 칭한다. 반면 설골 하부에서는 인두와 식도의 근육층에 붙어 있는 visceral fascia와 sternothyroid

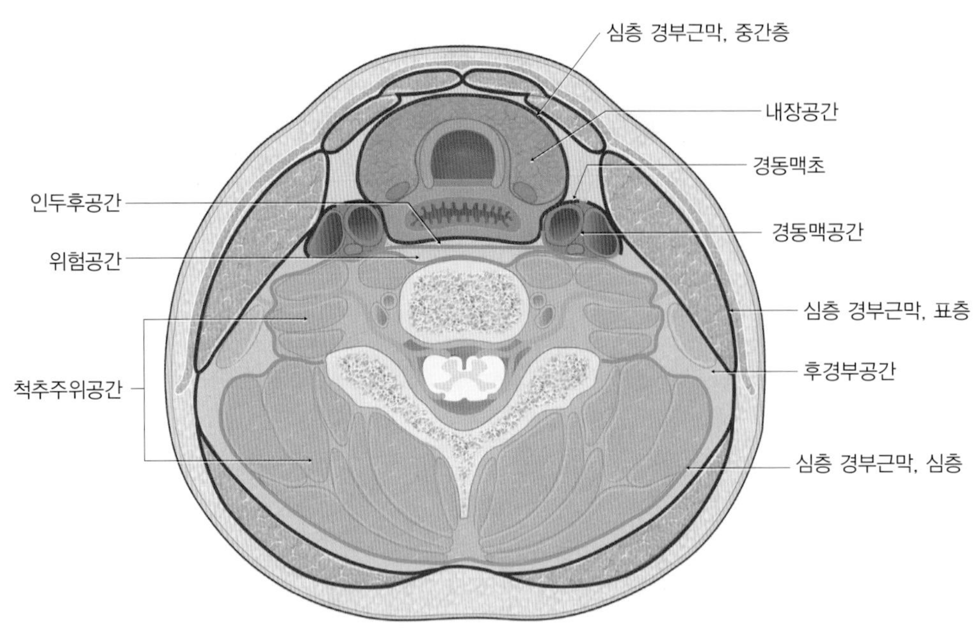

■ 그림 9-4. **경부의 근막과 연조직 공간에 대한 축상면 모식도 (설골 하부)**

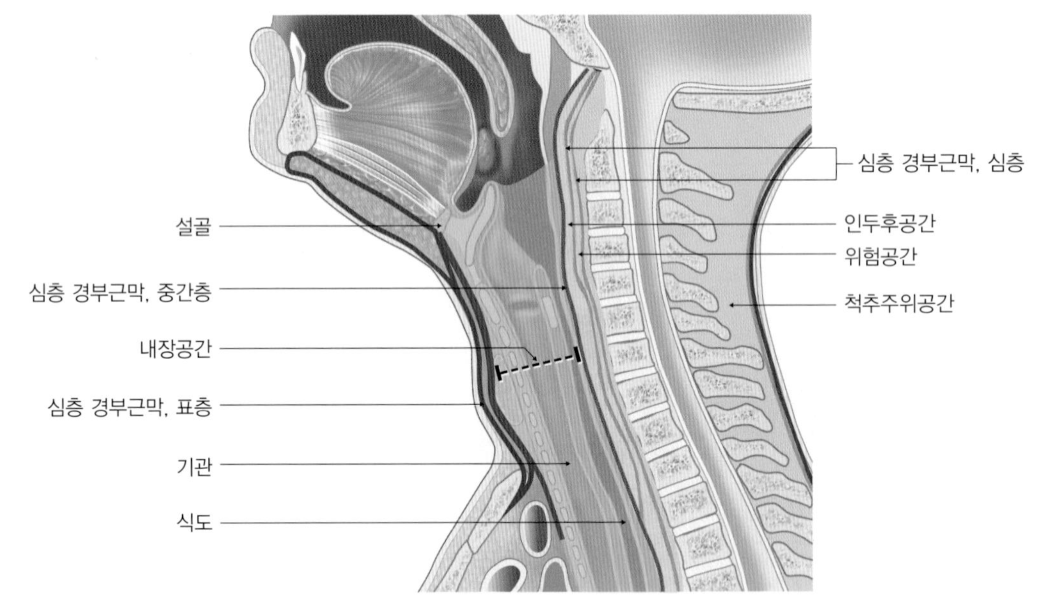

■ 그림 9-5. **경부의 근막과 연조직 공간에 대한 시상면 모식도**

muscle 및 thyrohyoid muscle의 근막으로 이루어진 pretracheal fascia를 각각 나누어 설명하곤 한다. 또한 중간층은 인두후공간의 앞벽을 형성한다. 심층 경부근막의 심층(deep layer)은 표층과 마찬가지로 경추의 극상돌기에서 기시하여 설골 상부와 하부에서 공통적으로 척추주위공간을 둘러싼다. 심층은 경추의 앞쪽에서 두 겹으로 갈라지는데, 익상근막(alar fascia)과 척추앞근막(prevertebral fascia)으로 나뉜다. 앞쪽의 익상근막은 인두후공간의 뒷벽을 형성하며, 두개저에서부터 아래쪽으로 연장되어 6번 경추와 4번 흉추 사이의 높이에서 앞쪽 심층 경부근막의 중간층과 만나 합쳐지며 끝난다. 뒤쪽의 척추앞근막은 두개저에서 미골(coccyx)까지 이르며, 익상근막과 척추앞근막 사이의 공간을 위험공간(danger space)이라 한다.

이러한 경부근막에 의해 두경부를 몇 개의 연조직 공간으로 나눌 수 있는데, 이러한 연조직 공간들은 특정 해부학적 구조물들을 포함하면서 감염이나 종양의 파급을 어느 정도 제한하는 역할을 한다(그림 9-2~5).[1,12,25] 또한 두경부에 발생하는 여러 가지 종괴를 평가할 경우, 각 연조직 공간에 포함된 해부학적 구조물에 대한 이해는 감별진단을 해 나가는 데 필수적이다. 다만 각 경부근막의 정의 자체가 혼란스러운 데다가 연조직 공간의 해부학적 경계를 저자마다 다르게 정의한다는 것을 감안할 필요가 있다. 이 장에서는 이해하기 쉽고 두경부 영상의학 분야에서 일반적으로 받아들이고 있는 경부근막과 연조직 공간의 분류를 바탕으로 설명하며, 이를 통해 두경부에서 발생하는 종괴의 감별진단과 질병의 파급 양상을 좀 더 잘 이해할 수 있을 것이다.[11,12]

두경부의 연조직 공간 역시 설골을 기준으로 상부와 하부를 나누는 것이 일반적이며, 설골 상부에 인두주위공간(parapharyngeal space), 저작공간(masticator space), 이하선공간(parotid space), 경동맥공간(carotid space), 인두후공간(retropharyngeal space), 척추주위공간(perivertebral space)이 존재하고, 설골 하부에는 내장공간(visceral space), 후경부공간(posterior cervical space), 경동맥공간(carotid space), 인두후공간(retropharyngeal space), 척추주위공간(perivertebral space)이 존재한다. 이 장에서는 인두주위공간, 인두점막공간(pharyngeal mucosal space), 저작공간, 이하선공간, 경동맥공간, 인두후공간, 척추주위공간을 나누어 살펴보겠다.

II 각 연조직 공간에서 발생한 질환의 영상 소견

1. 인두주위공간(parapharyngeal space)

인두주위공간은 설골 상부에 국한된 연조직공간으로, 경부의 깊은 곳에 위치하기 때문에 이 공간에서 발생한

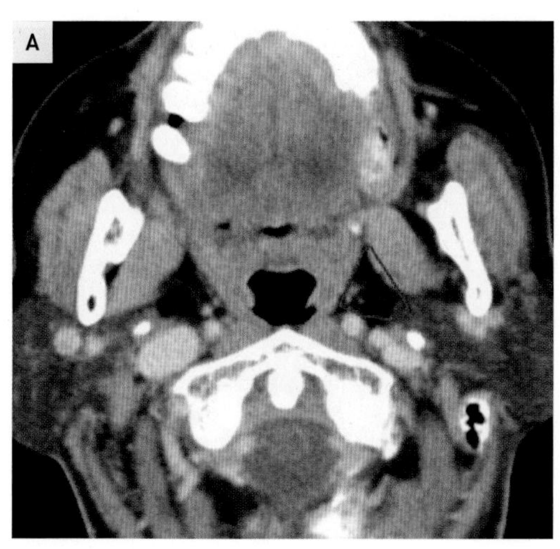

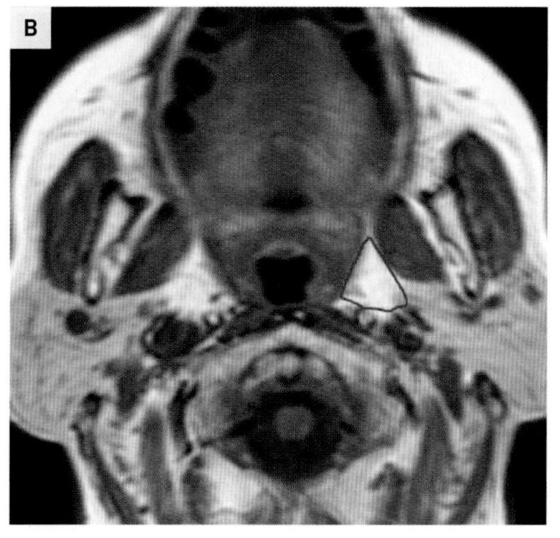

■ 그림 9-6. **인두주위공간의 영상 해부** **A)** 설골 상부 경부의 축상면 조영증강 CT. **B)** T1강조 MRI. 인두주위공간은 인두점막공간, 저작공간, 이하선공간, 경동맥공간에 의해 둘러싸여 있는 삼각형 모양의 공간이다. 이 공간은 주로 지방 조직으로 차 있다.

종괴는 증상이 늦게 나타나고 촉진도 어려운 것이 특징이다. 인두주위공간은 주변으로 인두점막공간, 저작공간, 이하선공간, 경동맥공간에 의해 둘러싸여 있으며, 이 공간 내부에는 지방 조직 외에 특별한 해부학적 구조물을 포함하지 않기 때문에 영상 검사에서 지방 조직의 전위 소견을 보고 경부 종괴의 발생 위치를 추정하는 데 매우 유용한 공간이다(그림 9-6).[24] 아래쪽으로는 이 공간을 제한하는 특별한 근막이 존재하지 않아 턱밑공간(submandibular space)과 연결된다.

실제로 인두주위공간 자체에서 발생하는 질환은 매우 드물며, 주변의 이하선공간이나 경동맥공간에서 발생한 종양이 인두주위공간에 종괴를 형성하는 경우가 더 흔하다. 특히 이하선의 심엽(deep lobe)에서 발생한 침샘 종양이 인두주위공간의 종괴로 관찰되는 경우가 많은데, 이때 이 종양이 이하선 심엽 기원인지, 아니면 이하선과 연결 없는 인두주위공간의 작은침샘 기원인지를 영상에서 판단하는 것은 수술적 접근 방법을 결정할 때도 매우 중요하다.[4,16,18] 다형성선종(pleomorphic adenoma)이 가장 흔하며, 경계가 좋은 종괴로 관찰되고 크기가 커짐에 따라 소엽상(lobulated) 또는 아령(dumbbell) 모양을 보이며 낭성 변화, 괴사, 출혈, 석회화 등이 관찰될 수 있다(그림 9-7). 그 밖에 신경원성 종양(neurogenic tumor), 2차 아가미틈낭(branchial cleft cyst) 등이 발행할 수 있다.

인두주위공간의 감염은 인접한 공간에서 시작해 이차적으로 파급되는 경우가 대부분이며, 그 중에서도 구개편도염이 원인인 경우가 가장 흔하고 영상에서 농양 형성 여부를 확인하는 것이 중요하다.

2. 인두점막공간(pharyngeal mucosal space)

인두점막공간은 설골 상부와 하부에 모두 걸쳐 있는 연조직 공간으로, 이비인후과 의사가 시진(inspection)으로 평가하는 것이 용이한 부위다. 경부근막에 의해 둘러싸인 실제 연조직 공간으로 보긴 어렵지만, 영상을 평가하는 데 있어서 종괴의 기원을 확인하고 기술하는 데 유용한 역할을 한다.[19] 인두는 점막과 근육으로 둘러싸인 관 모양의 상부 호흡 및 소화기관으로, 비인두, 구인두, 하인두의 세 구역으로 나뉘며 인두점막공간에는 인두의 점막과 림프조직, 작은침샘 등이 포함된다. 위쪽으로는 pharyngobasilar fascia를 따라 두개저와 연결된다. 인두 점

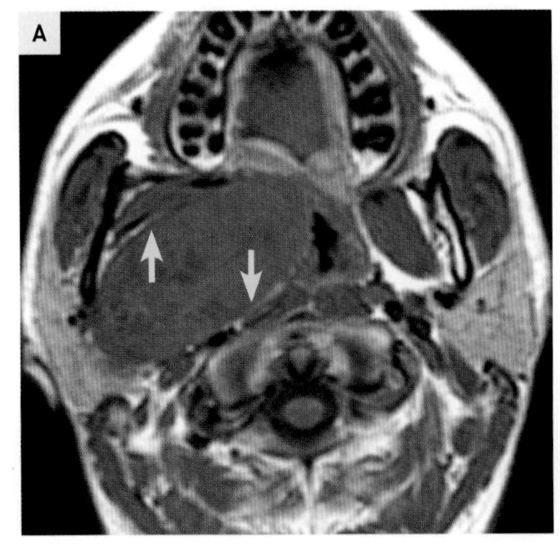

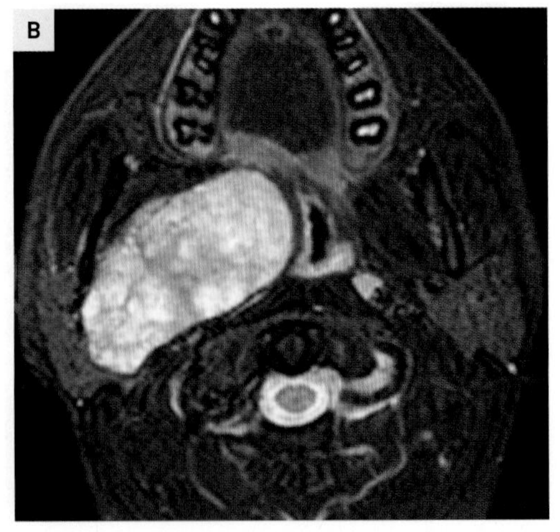

■ 그림 9-7. **인두주위공간의 다형성선종(pleomorphic adenoma).** **A)** 축상면 T1강조 MRI. **B)** T2강조 MRI. 우측 인두주위공간에서 경계가 좋은 종괴가 관찰되며 인두주위공간의 지방조직(화살표)이 종괴의 앞과 뒤로 밀려있는 소견이 보인다.

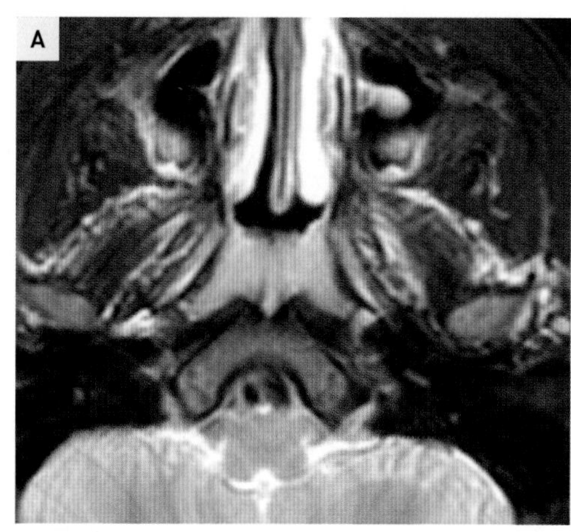

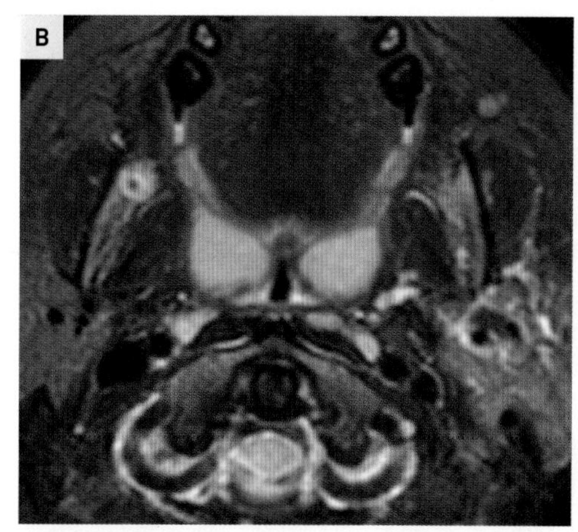

■ 그림 9-8. **인두점막공간의 림프 조직. A, B)** 축상면 지방신호억제 T2 강조 MRI. 인두점막공간에서 림프조직의 증식에 의해 커진 아데노이드와 양측 구개편도가 관찰된다.

막의 림프조직은 아데노이드(adenoid), 구개편도(palatine tonsil), 설편도(lingual tonsil) 를 포함하는 세 가지 구성요소를 말한다.

영상을 해석할 때 주의할 점은 인두점막공간에서 림프조직의 증식으로 커진 아데노이드와 편도를 종양으로 오인하지 말아야 하며(그림 9-8), 분비액 저류, 저류낭(retention cyst), 비대칭적 아데노이드 증식 등으로 인해 비인두의 외측인두함요(lateral pharyngeal recess)가 정상인에서도 비대칭적으로 보일 수 있다는 것을 알아두는 것이 좋겠다.

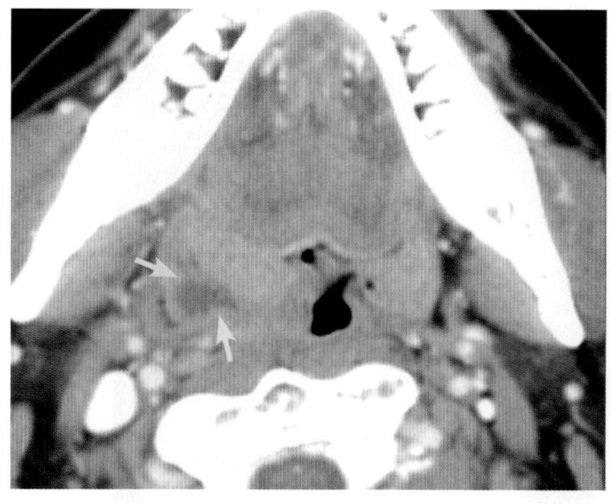

■ 그림 9-9. **구개편도염과 편도주위 농양.** 축상면 조영증강 CT에서 양측 구개편도의 크기 증가와 조영증강 소견이 관찰되며 우측 편도의 외측에서 저음영을 보이는 편도주위 농양(화살표)이 보인다.

인두의 염증성 혹은 감염성 질환은 대부분 급성 또는 아급성 화농성 세균 감염이며, 구개편도염의 형태로 흔히 나타난다. 영상에서 양측 구개편도의 크기가 커지고 편도가 좌우 줄무늬(striped) 형태를 보이며 정상보다 강한 조영증강을 보이는 것이 급성 편도염의 특징적인 소견이다(그림 9-9). 염증이 진행되면 편도주위 농양을 형성하는데, 배농술이 필요한 편도주위 또는 편도 농양의 유무 및 파급 범위를 진단하는 것이 영상진단의 역할이다.[21,26]

많은 두경부암이 임상적으로 쉽게 확인되지만, 최근 정확한 병기 결정, 치료 방법 선택, 치료 반응 평가 등을 위해서 CT 및 MRI 등을 통한 영상검사의 역할이 점점 증대되고 있다. 비인두 악성 종양의 70%는 편평세포암종이 차지하고, 20%는 림프종, 나머지 10%는 침샘 종양, 선암종(adenocarcinoma), 횡문근육종(rhabdomyosarcoma) 등 기타 종양이 차지한다. 반면 구인두암과 하인두암은 편평세포암종이 95% 이상을 차지한다. 비인두암은 Rosenmüller fossa에서 가장 호발하는데, 인두주위공간, 두개저, 부비동을 침범하며 두개저의 구멍들을 따라

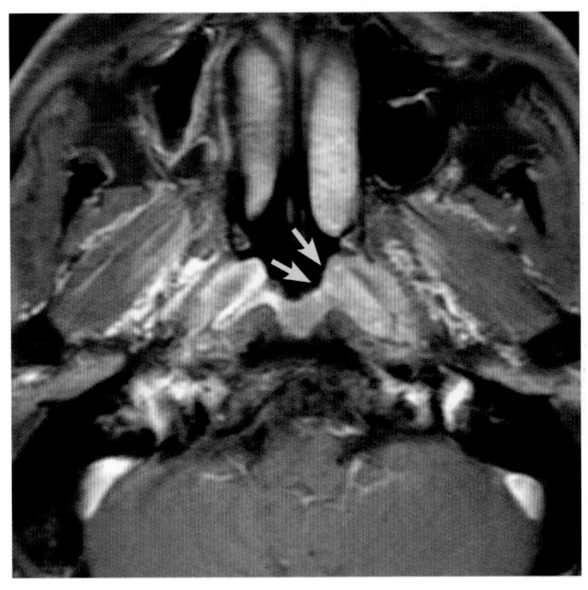

■ 그림 9-10. **인두점막공간에서 발생한 비인두암.** 축상면 조영증강 T1 강조 MRI에서 좌측 Rosenmüller fossa에서 기원하여 점막층에 국한되어 있는 종양(화살표)이 관찰된다.

뇌신경과 두개강 내로 파급된다(그림 9-10). 구인두암과 하인두암은 종양의 최대 크기에 따라 병기가 결정되며 영상검사에서 주변 조직으로의 침습 여부를 판단해야 한다.

비인두와 구인두에 발생하는 림프종은 인두 점막의 림프조직에서 발생하며, 림프절외 침범이 흔한 비호지킨림프종(non-Hodgkin lymphoma)이 대부분이다. 크고 균질한 종괴의 형태를 보이는 경우가 많으며 괴사를 동반할 수 있다(그림 9-11).[15] 편평세포암종과의 감별이 중요하지만, 영상소견만으로는 구분이 어려운 경우가 많다.

작은침샘은 구강, 구개, 부비동, 인두, 후두, 기관 및 기관지 등 상부 소화호흡기계의 점막 하에 널리 분포되어 있는데, 특히 구개에 제일 많이 분포한다. 침샘에서 발생하는 모든 종양이 작은침샘에서도 발생할 수 있으며, 악성 종양으로는 선양낭성암종(adenoid cystic carcinoma), 점액표피양암종(mucoepidermoid carcinoma)이 흔하다(그림 9-12).

3. 저작공간(masticator space)

저작공간은 하악골과 이를 둘러싸는 교근(masseter muscle), 측두근(temporalis muscle), 내측익돌근(medial pterygoid muscle), 외측익돌근(lateral pterygoid muscle) 등 4개의 근육, 그리고 하악신경, inferior

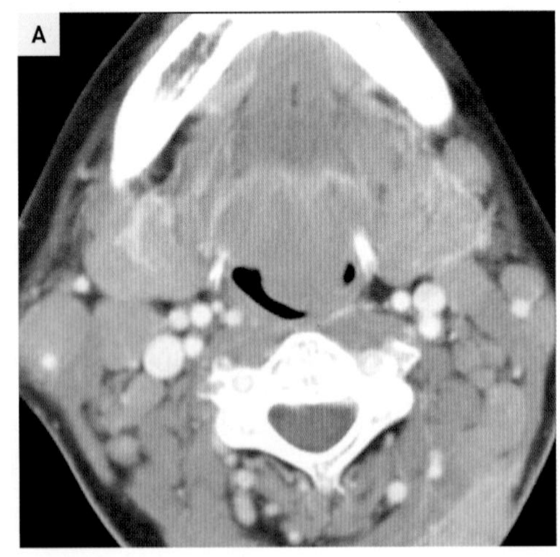

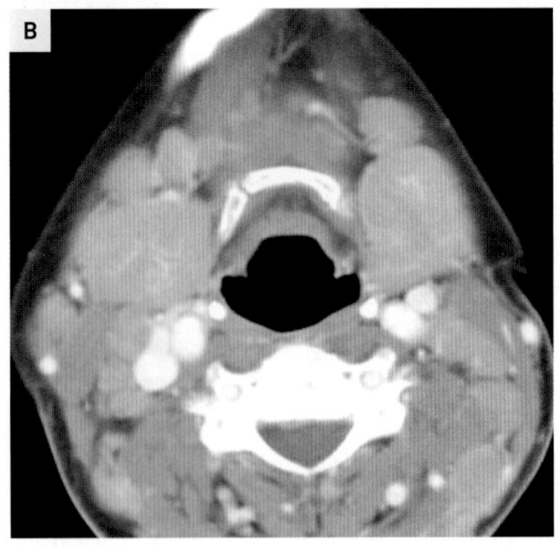

■ 그림 9-11. **구인두 점막의 림프 조직을 침범한 악성 림프종.** **A, B)** 축상면 조영증강 CT. 구인두의 설기저(tongue base)에서 크고 균질한 종괴가 관찰되며 양측성 경부 림프절 비대 소견이 보인다.

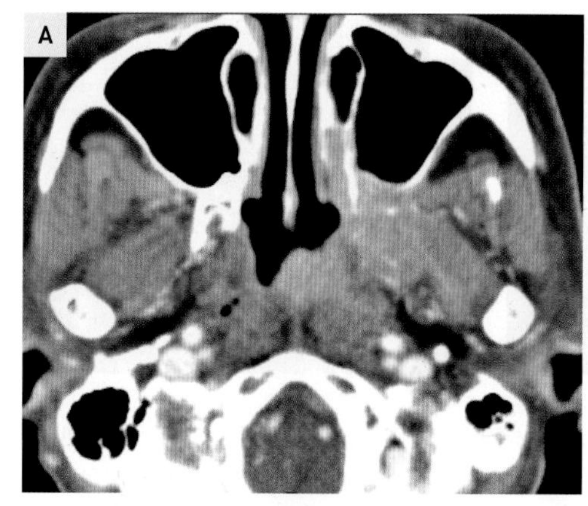

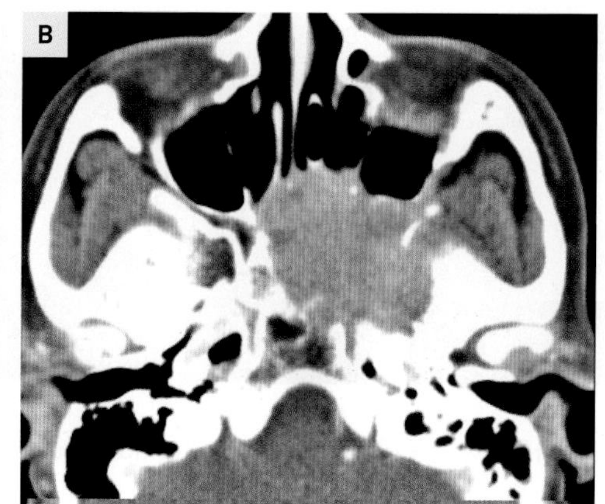

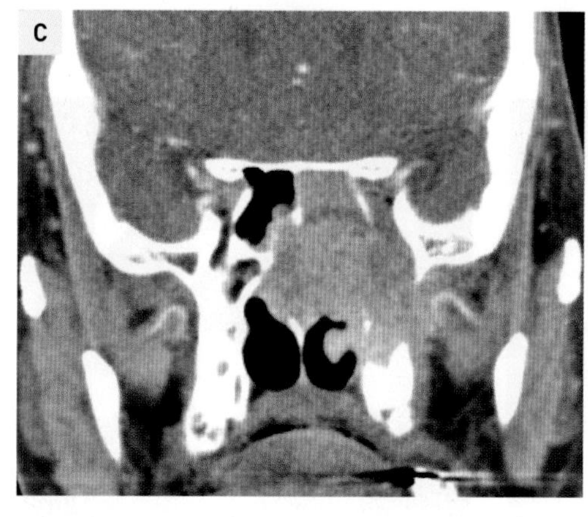

■ 그림 9-12. **인두점막공간에서 발생한 선양낭성암종(adenoid cystic carcinoma). A-C)** 축상면과 관상면 조영증강 CT. 좌측 인두점막공간에서 기원한 종양이 저작공간, 부비동, 날개구개오목(pterygopalatine fossa)을 침범하면서 두개저 파괴 소견을 보인다.

alveolar nerve, pterygoid venous plexus 등을 포함한다. 측두근을 따라 관골궁(zygomatic arch) 상부까지 뻗어 있는 공간으로, 설골 상부에 국한된 공간이다.

저작공간을 침범하는 질환은 감염성 질환이 압도적으로 많으며 거의 대부분 치성(odontogenic) 감염을 의심해야 하기 때문에 조영증강 CT를 우선적으로 시행하고 합병증으로 하악골의 골수염이 의심되는 경우 MRI를 시행하여 그 범위를 확인할 수 있다.[22] 저작공간에서 발생하는 종양은 하악골 또는 연조직에서 기원한 육종(sarcoma)이 가장 흔하다. 대개 연조직 음영의 팽창성 종괴로 나타나고 인접한 하악골 파괴가 흔히 관찰된다. 또한 하악신경에서 기원한 신경원성 종양(neurogenic tumor)이 저작공간에서 발생할 수 있으며, 구강암이 진행하여 이차적으로 저작공간을 침범할 수 있다.[28] 한편 저작공간의 pterygoid venous plexus가 조영증강 영상에서 익돌근 내부와 주

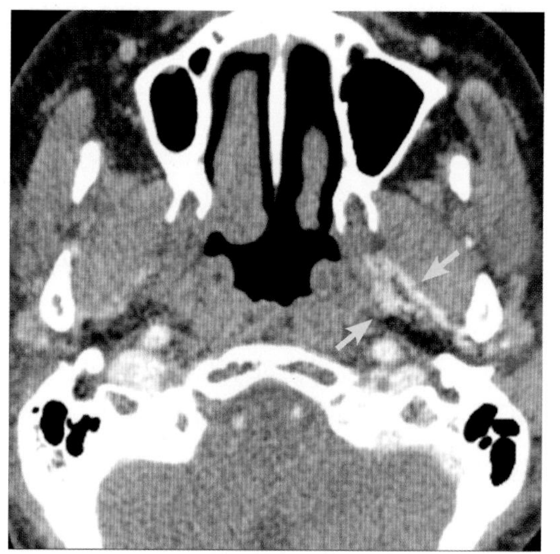

■ 그림 9-13. **저작공간의 pterygoid venous plexus.** 축상면 조영증강 CT에서 좌측 외측익돌근(lateral pterygoid muscle)의 내측으로 좌측 pterygoid venous plexus(화살표)가 비대칭성 조영증강을 보이는데, 정상적으로 관찰될 수 있는 소견이다.

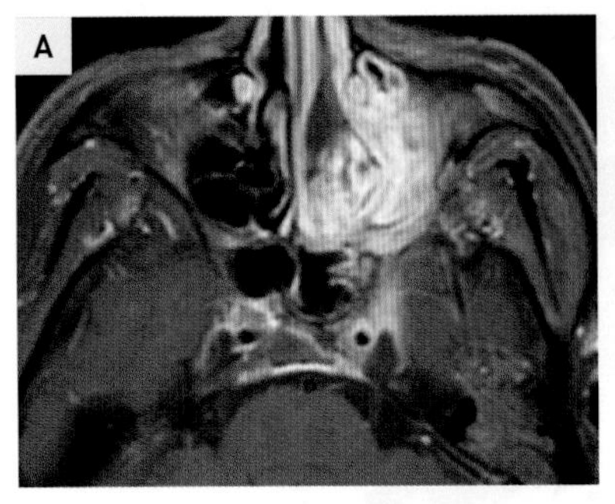
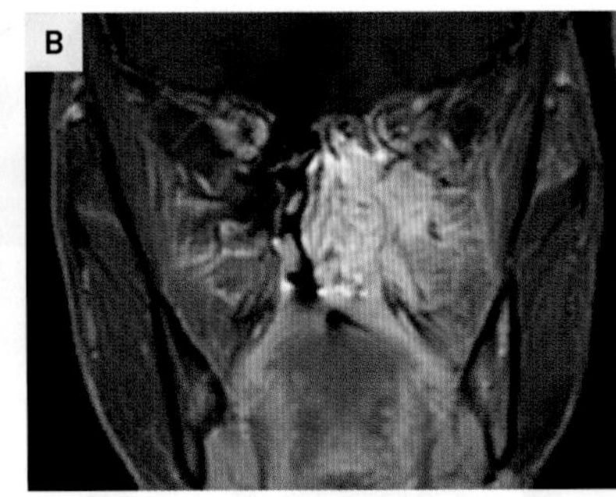
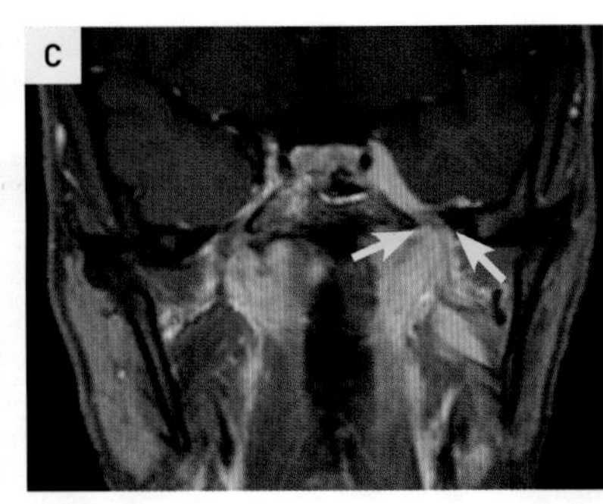

■ 그림 19-14. **저작공간의 하악신경 경로에 따른 perineural tumor spread.** **A)** 축상면 및 **B,C)** 관상면 조영증강 T1 강조 MRI. 좌측 저작공간과 날개구개오목(pterygopalatine fossa)을 침범한 선양낭성암종(adenoid cystic carcinoma)이 좌측 하악신경을 따라 타원구멍(화살표)을 통해 해면정맥동 침범을 보인다.

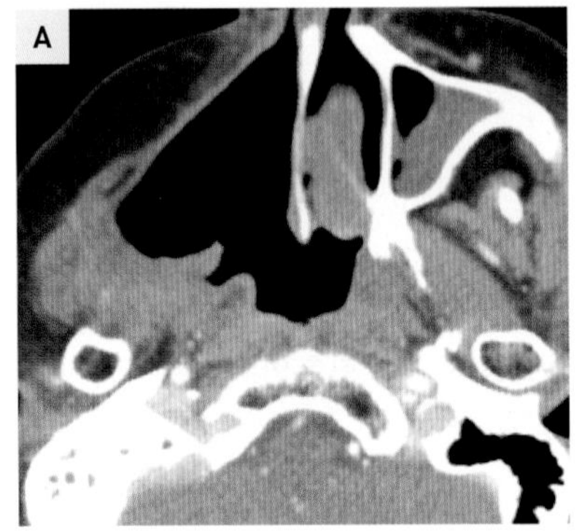
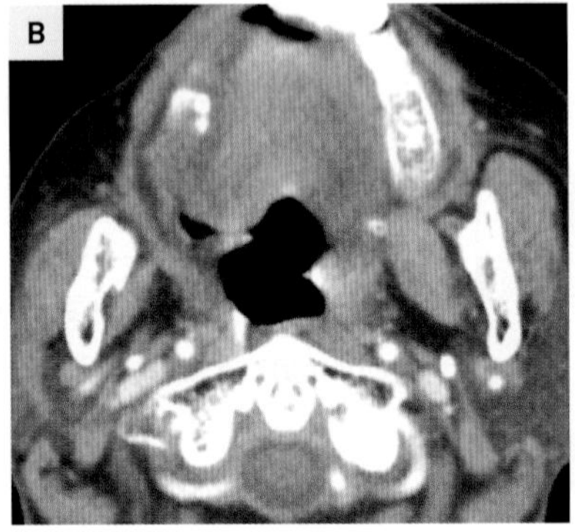
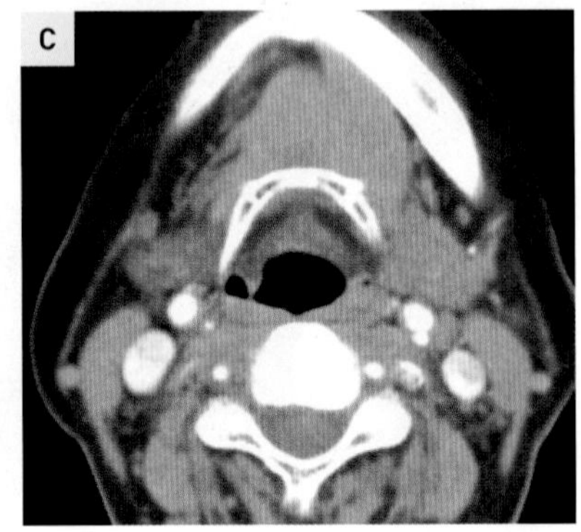

■ 그림 19-15. **하악신경의 탈신경위축(denervation atrophy).** **A-C)** 축상면 조영증강 CT. 우측 상악절제술(maxillectomy) 후 하악신경 손상에 의해 저작공간의 근육 및 두힘살근(digastric muscle) 전복(anterior belly)의 위축과 지방 침착이 관찰된다.

변으로 관찰될 수 있으며, 개개인에 따라 다양한 크기로 관찰되기 때문에 이를 질환으로 오인하지 않도록 주의한다(그림 9-13).

삼차신경의 세 번째 분지인 하악신경은 저작공간에서 외측익돌근의 내측으로 주행한다. 저작공간에 악성 종양이 존재할 경우, 하악신경이 두개강내 perineural tumor spread의 통로가 될 수 있으며, 위쪽으로 타원구멍(foramen ovale)을 통해 종양이 두개저로 파급된 후 Meckel cave 내의 gasserian ganglion까지 침범할 수 있다(그림 9-14). Perineural tumor spread 여부는 악성 종양 환자의 치료와 예후 예측에 매우 중요한 영향을 미치므로 가능성이 있는 환자들은 의심하고 세심하게 관찰하는 것이 중요하다. Perineural tumor spread는 반드시 조영증강 MRI로 평가한다.[9]

또한 하악신경은 저작공간의 근육, 두힘살근(digastric muscle)의 전복(anterior belly), 하악설골근(mylohyoid muscle), tensor veli palatini muscle의 운동을 지배하기 때문에 하악신경의 손상은 이 근육들의 위축과 지방 침착을 초래한다(그림 9-15).[8,10] 이러한 탈신경위축(denervation atrophy)은 신경 손상 후 약 2개월째부터 관찰된다.

4. 이하선공간(parotid space)

이하선공간은 이하선이 공간의 대부분을 차지하고 있으며, 그 밖에 안면신경, 외경동맥의 분지, 이하선 내 림프절 등을 포함하는 설골 상부에 국한된 연조직 공간이다. 이하선은 전통적으로 안면신경을 기준으로 표재엽(superficial lobe)과 심엽(deep lobe)을 나누는데, 하악골의 심부에 위치하는 심엽이 전체 이하선의 약 20%를 차지한다. 영상에서는 안면신경이 보통 관찰되지 않기 때문에 경상유돌기 구멍(stylomastoid foramen)과 후하악정맥(retromandibular vein)의 외측 경계를 잇는 가상의 선으로 표재엽과 심엽을 나눈다.[3]

이하선의 단면 영상에서 하악골 가지(ramus)의 뒤쪽으로 외경동맥과 후하악정맥이 나란히 관찰되는데, 후하악정맥이 외경동맥의 외측에서 더 큰 직경을 보이며 관찰된다(그림 9-16). 안면신경은 경상유돌기 구멍으로부터 나와 이하선 내로 주행하며 후하악정맥의 외측을 따라 앞쪽으로 주행한다. Stenson duct는 이하선의 앞쪽에서 나와 교근의 외측을 따라 주행하며 두 번째 상대구치(upper molar tooth)의 맞은편 볼점막(buccal mucosa)으로 개구한다.

이하선은 가장 큰 침샘으로서 발생학적으로는 가장 먼저 형성이 시작되지만 피막형성(encapsulation) 과정은 다른 침샘보다 늦어 피막형성 이전에 형성이 시작된 림프절이 정상적으로 이하선 내부에 존재한다. 정상적으로 한

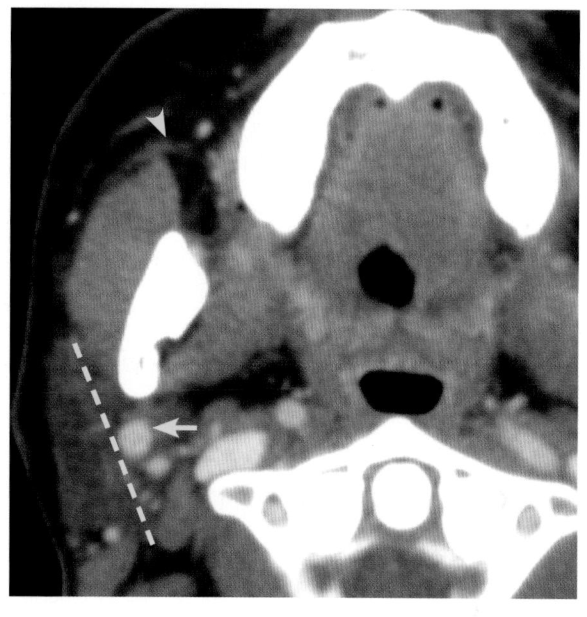

■ 그림 9-16. **이하선의 정상 해부.** 축상면 조영증강 CT에서 이하선을 지나는 외경동맥과 후하악정맥(retromandibular vein)(화살표) 및 Stenson duct(화살촉)가 관찰된다. 이하선은 보통 영상에서 경상유돌기 구멍(stylomastoid foramen)과 후하악정맥의 외측 경계를 잇는 가상의 선(점선)으로 표재엽과 심엽을 나눈다.

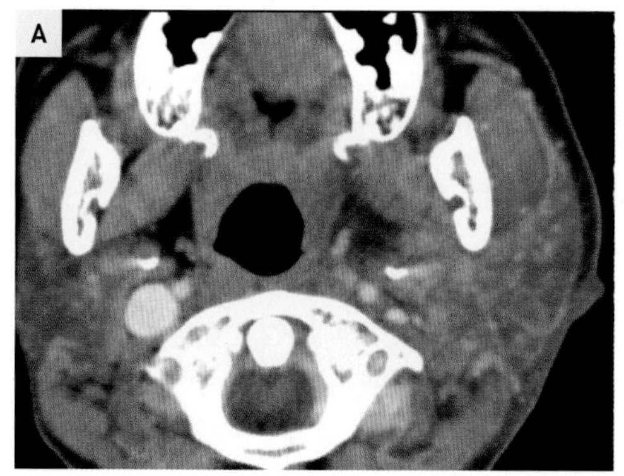

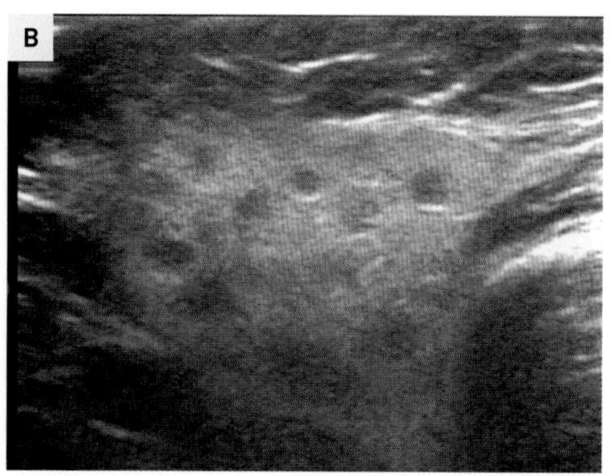

■ 그림 9-17. **급성이하선염.** **A)** 축상면 조영증강 CT에서 좌측 이하선의 부종, 음영 증가, 미만성 조영증강 소견이 관찰된다. **B)** 초음파에서 이하선 내 작은 다발성 저에코 부위들이 관찰된다.

쪽 이하선 내에 약 20개의 림프절을 포함한다. 따라서 이하선공간의 종괴를 평가할 때는 림프절과 림프절에서 기원한 종양을 포함해 감별해야 할 필요가 있다. 와르틴종양(Warthin tumor), 림프종, 전이성 종양 등이 해당되며, 특히 이하선 내 림프절은 두피, 외이도, 안면부에서 발생한 악성 종양의 1차 림프 배액로가 되므로 주의 깊게 관찰해야 한다.[13]

급성이하선염은 주로 바이러스성 또는 세균성 감염에 의해 발생하며 CT에서 이하선의 부종, 음영 증가, 미만성 조영증강 등의 소견이 보인다(그림 9-17). 이하선에서 발생하는 침샘 종양의 80%는 양성이며, 다형성선종(pleomorphic adenoma)이 가장 흔한 침샘 종양으로서 전체의 60–70% 정도를 차지한다. 악성 변성(malignant degeneration)의 가능성이 있어 수술로 제거하는 것을 원칙으로 하되, 종양 유출(spillage)에 의한 국소 재발의 가능성이 높아 superficial parotidectomy 또는 total parotidectomy를 시행한다. 3 cm 미만의 작은 종양은 경계가 좋은 균질한 종괴로 관찰되는 반면, 3 cm 이상의 종양은 낭성 변화, 출혈 등에 의해 다양하고 비균질적 음영을 보인다(그림 9-18). 와르틴종양은 두 번째로 흔한 이하선 종양으로서 림프절에서 기원하는 것으로 생각되며 이하선에서만 발생한다. 경계가 좋은 종괴로 내부에 낭성 변화가 흔히 관찰되며 약 10% 정도에서 양측성으로 발생하기 때문에 반대측 이하선까지 확인하는 것이 필요하다(그림

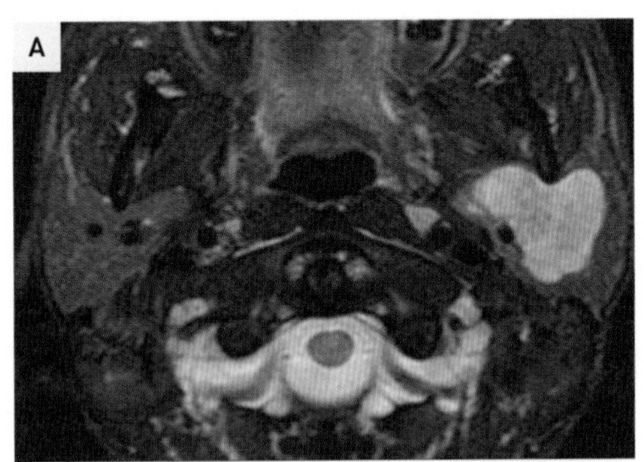

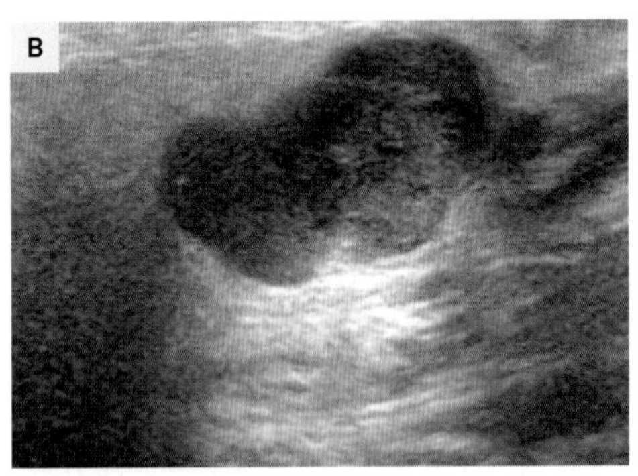

■ 그림 9-18. **이하선의 다형성선종(pleomorphic adenoma).** **A)** 축상면 지방신호억제 T2강조 MRI에서 좌측 이하선 내에 경계가 좋은 고신호강도의 다엽성 종괴가 관찰된다. **B)** 초음파에서 종괴는 비교적 균질한 저에코를 보인다.

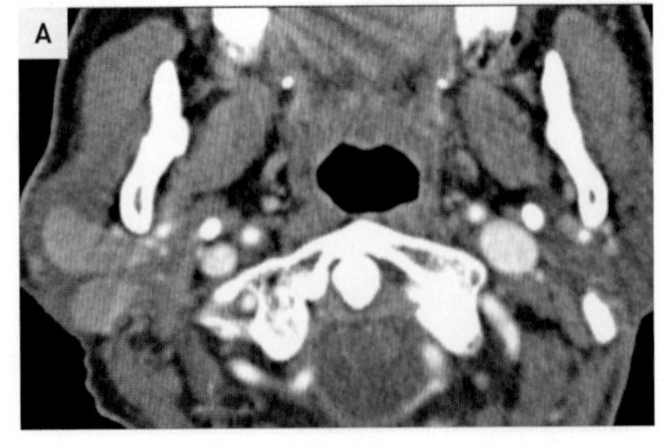

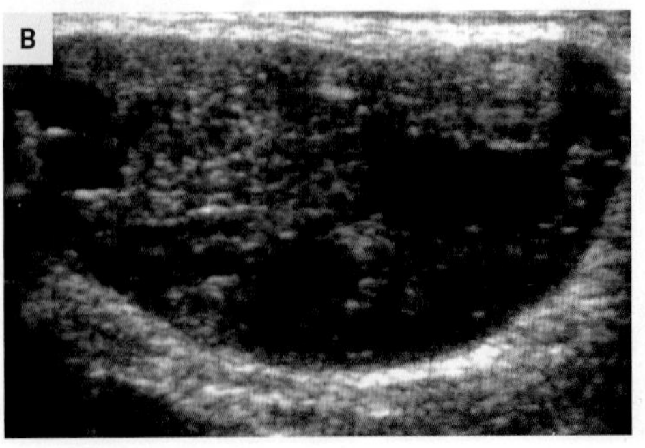

■ 그림 9-19. **이하선의 와르틴종양(Warthin tumor).** **A)** 축상면 조영증강 CT에서 우측 이하선 내에 경계가 좋고 강한 조영증강을 보이는 다발성 종괴가 관찰된다. **B)** 초음파에서 종괴는 저에코를 보이며 내부에 낭성 변화가 관찰된다.

9-19).[5,14] 이하선에서 가장 흔한 악성 종양은 점액표피양암종(mucoepidermoid carcinoma)이다. 악성 종양은 비균질적 음영을 보이며 다각형(polygonal) 모양을 보이는 경향이 있으나 영상 소견만으로는 양성과 악성 종양의 구분이 어렵다. 불분명한 경계와 주변 조직 침범은 악성을 시사하지만, 분명한 경계가 저등급(low grade) 악성 종양에서도 관찰될 수 있으므로 반드시 양성을 시사하는 소견은 아니다. 낭성 변화는 와르틴종양에서 흔히 관찰되지만 악성 종양에서도 관찰될 수 있는 소견이며, perineural tumor spread는 악성 종양을 시사하는 소견이다.

5. 경동맥공간(carotid space)

심층 경부근막의 세 층에 의해 구성된 경동맥초(carotid sheath)로 둘러싸인 공간으로 설골 상부와 하부에 걸쳐 있다. 경동맥과 내경정맥, 뇌신경 9-12번을 포함한다. 일부 저자들은 해부학적으로 인두주위공간을 tensor-vascular-styloid fascia를 경계로 하여 전외측의 prestyloid 구획(compartment)과 후내측의 retrostyloid 구획으로 나누는데, 인두주위공간의 retrostyloid 구획이 경동맥공간에 해당한다.[6,27] 따라서 경동맥공간에서 발생한 종괴는 경상돌기(styloid process)를 전외측으로 전위시킨다.

신경원성 종양은 경동맥공간에서 발생하는 종양 중 17-25% 정도를 차지하는 가장 흔한 종양으로, 신경초종(schwannoma)이 대부분이다. 미주신경(vagus nerve)에서 기원한 신경초종이 가장 흔하고, 다음으로 설인신경(glossopharyngeal nerve), 상교감신경총(superior

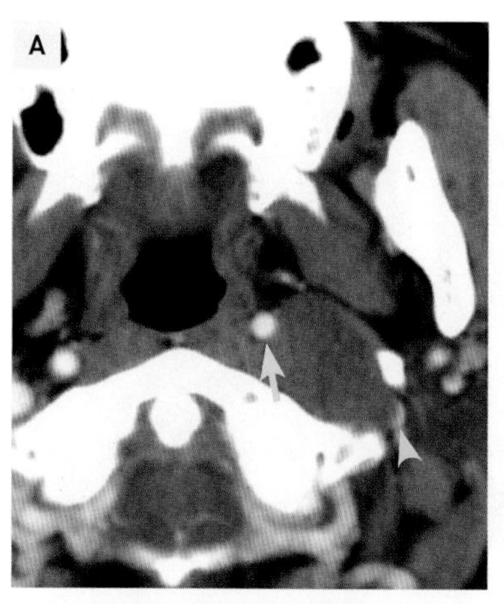

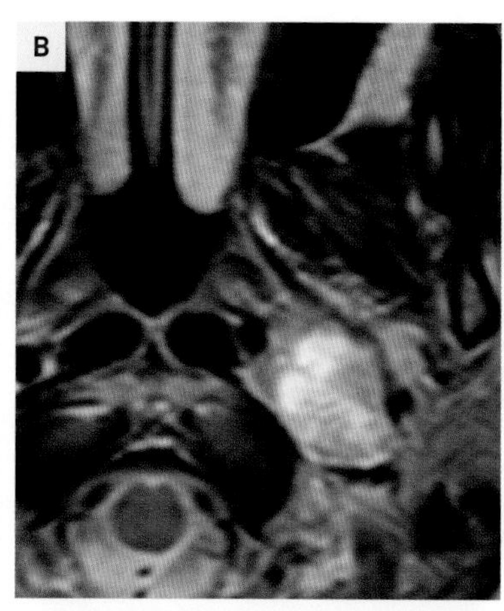

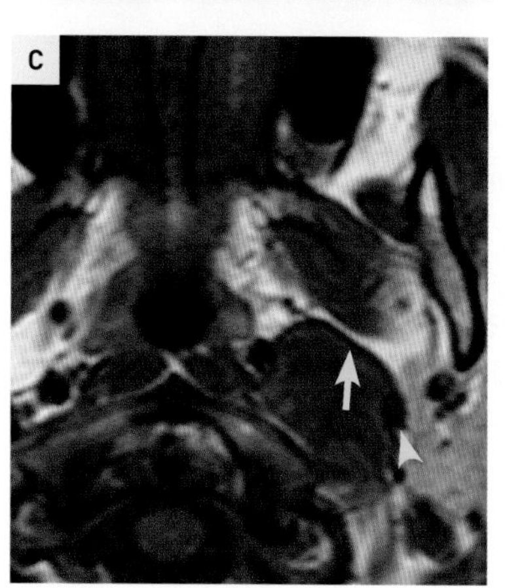

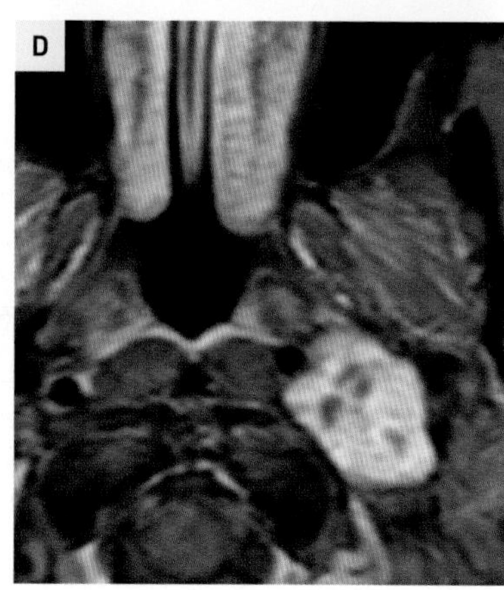

■ 그림 9-20. **경동맥공간의 신경초종.**
A) 축상면 조영증강 CT에서 좌측 경동맥공간에 위치한 경계가 좋은 저음영 종괴가 관찰된다. 종괴는 내경동맥(화살표)을 전내측으로, 내경정맥(화살촉)을 후외측으로 전위시킨다. **B)** 축상면 지방신호억제 T2강조 MRI에서 종괴 내부의 낭성 변화가 관찰된다. **C)** T1강조 MRI에서 인두주위공간의 지방조직(화살표)이 종괴의 앞으로 밀려있는 소견이 보이며, 종괴에 의한 경상돌기(styloid process)(화살촉)의 전외측 전위가 관찰된다. **D)** 조영증강 T1강조 MRI에서 종괴는 비균질한 조영증강을 보인다.

sympathetic nerve plexus) 순이다. 신경초종의 경우 크기가 커지면서 이차적으로 괴사와 출혈에 의한 변화를 보일 수 있으며, 신경섬유종(neurofibroma)과 영상학적 소견이 동일하여 구분이 매우 어렵다(그림 9-20). 영상에서 신경 줄기와 연결되는 모양을 찾으면 확신을 갖고 진단할 수 있으나 흔히 관찰되는 소견은 아니다. 또한 종괴와 연관된 신경학적 증상이 동반되는 경우 침샘 종양과의 구별이 좀 더 용이할 수 있다. 경동맥공간의 미주신경에서 발생하는 신경원성 종양의 경우, 특징적으로 내경동맥이나 총경동맥을 전내측으로 전위시키고 내경정맥을 후외측으로 전위시킨다. 반면 교감신경총에서 기원한 신경초종은 내경동맥을 외측으로 전위시킨다.[20]

부신경절종(paraganglioma)은 경동맥공간에서 발생하는 종괴의 10–15%를 차지하며 위치에 따라 미주신경의 결절성신경절(nodose ganglion)에 위치하는 paraganglionic cells에서 생기면 미주신경구종양(glomus vagale tumor), 경동맥 분기(bifurcation)에 위치하는 carotid body cells에서 생기면 경동맥소체종양(carotid body tumor), 미주신경의 경정맥신경절(jugular ganglion)에서 생기면 경정맥구종양(glomus jugulare tumor)이라고 한다. 미주신경구종양, 경동맥소체종양, 경정맥구종양 순으로 발생 빈도가 높다. 산발성 또는 가족성으로 나타날 수 있는데, 다발성(multicentric) 종양의 발생 빈도는 가족성에서 높다. 양측 경정맥구종양이 산발성에서는 5–14%, 가족성에서는 26–33% 정도 관찰된다. 과혈관성 종양으로서 MRI에서 종양 내부의 신호소실(signal void)이 보이며, 출혈 또는 느린 혈류에 의한 salt-and-pepper appearance를 관찰할 수 있는데 이러한 소견은 종양이 2 cm 이상으로 큰 경우에 잘 관찰된다(그림 9-21).[2,23] 역동적(dynamic) CT에서 부신경절종은 초기

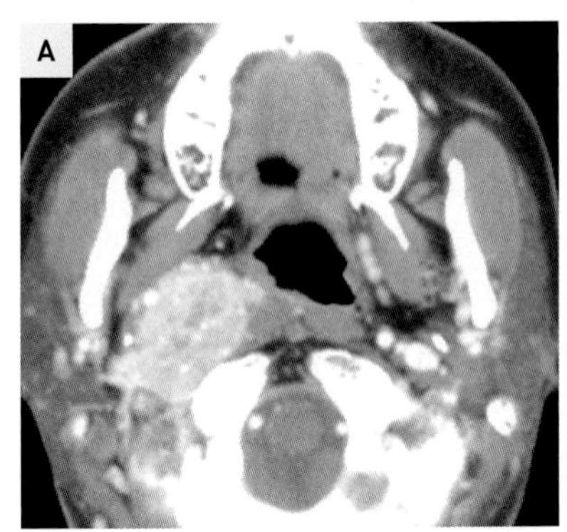

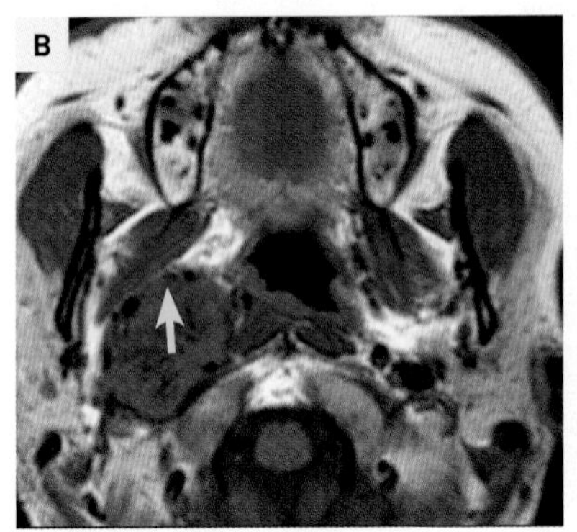

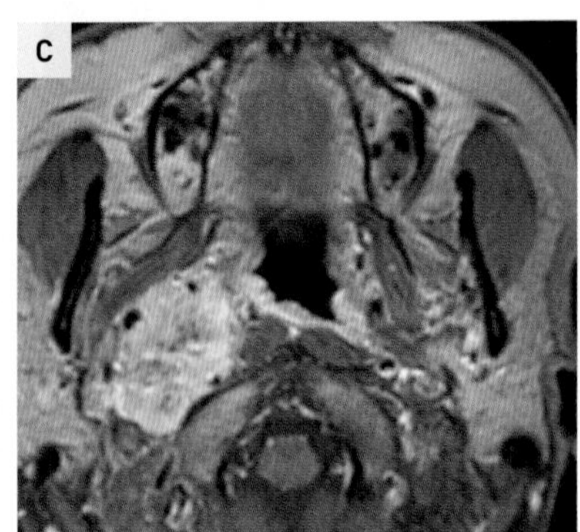

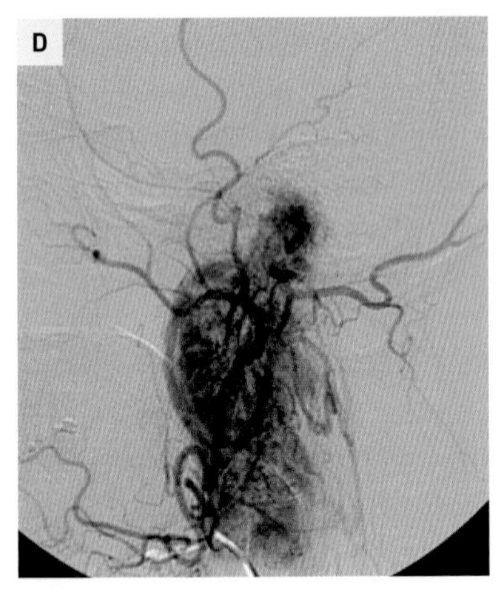

■ 그림 19-21. **경동맥공간의 미주신경구 부신경절종(glomus vagale paraganglioma).** **A)** 축상면 조영증강 CT에서 우측 경동맥공간에 위치한 과혈관성 종괴가 관찰된다. **B)** 축상면 T1강조 MRI에서 종괴에 의해 우측 인두주위공간의 지방조직(화살표)이 앞으로 밀려있는 소견이 보인다. **C)** 조영증강 T1강조 MRI에서 종괴는 강한 조영증강을 보이며 종양혈관에 의한 신호소실(signal void)이 종양 내부에서 관찰된다. **D)** 외경동맥 조영술 측면 사진에서 강한 종양염색(tumor stain)을 관찰할 수 있다.

에 빠르게 조영증강되는 소견을 보이기 때문에 신경초종과 감별하는 데 도움이 된다.

이 외에 경동맥공간에서는 다양한 혈관 기원 병변들이 발생할 수 있으며 경동맥의 비틀림(tortuosity), 박리(dissection), 가성동맥류(pseudoaneurysm), 혈전증(thrombosis), 그리고 내경정맥의 비대칭성, 혈전증, 혈전정맥염(thrombophlebitis) 등이 관찰될 수 있다. 따라서 CT와 MRI가 상호 보완적으로 사용되며 경우에 따라 CT 혈관조영술 또는 자기공명혈관조영술이 필요하다.

6. 인두후공간(retropharyngeal space)

두개저로부터 종격동에 이르기까지 인두의 뒤쪽, 경추의 앞쪽에 존재하며 상하로 길게 설골 상부와 하부에 모두 걸쳐있는 공간이다. 아래쪽 경계는 6번 경추와 4번 흉추 사이에 위치한다. 일부 저자들은 심층 경부근막의 두 층인 익상근막(alar fascia)과 척추앞근막(prevertebral fascia) 사이의 공간인 위험공간(danger space)을 인두후공간에 포함시키기도 한다. 척추앞공간(prevertebral space)과 위험공간은 지방 조직을 많이 포함하고 있지 않아 영상에서 각각의 공간을 구별하는 것이 용이하지 않으며, 질환이 침범했을 경우에만 관찰되는 잠재 공간이다.[7] 다만 위험공간에서 감염성 질환 등이 발생할 경우 질환이 아무런 저항 없이 후종격동을 따라 횡격막 직상부까지 파급될 수 있다는 것을 기억해 두면 좋겠다.

인두후공간에는 내외측 인두후 림프절과 지방 조직 외에 특별히 존재하는 구조물이 없으므로 이 공간을 침범하는 질환으로는 림프절을 침범하는 감염과 종양이 주요 감별 대상이다. 특히 인두후 림프절은 눈으로 관찰하거나 이학적 검사를 통해 확인하기 어려운 구조물이므로 영상검사의 역할이 중요한 부위로서 특히 두경부암 환자의 영상 평가에서 주의 깊게 관찰해야 하는 구조물이다.

인두후 림프절은 CT보다 MRI에서 관찰하는 것이 용이하다. 척추앞근(prevertebral muscle)의 외측, 내경동

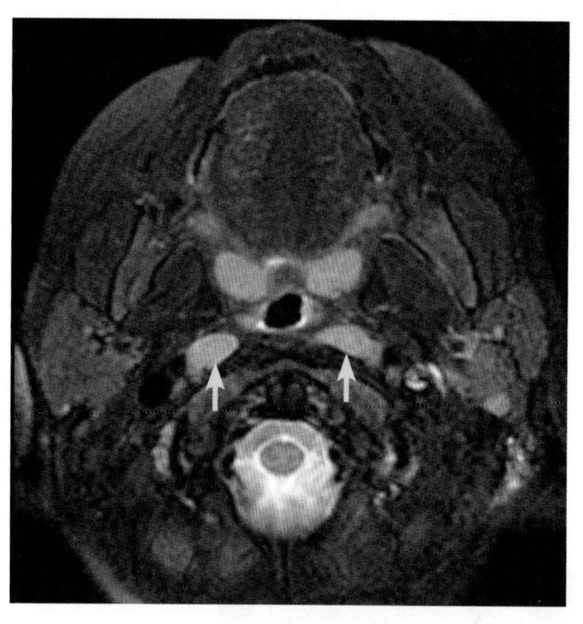

■ 그림 9-22. **인두후공간의 림프절.** 3세 소아 환자의 축상면 지방신호억제 T2강조 MRI에서 척추앞근(prevertebral muscle)의 전외측, 내경동맥의 내측에서 인두후 림프절(화살표)이 잘 관찰된다.

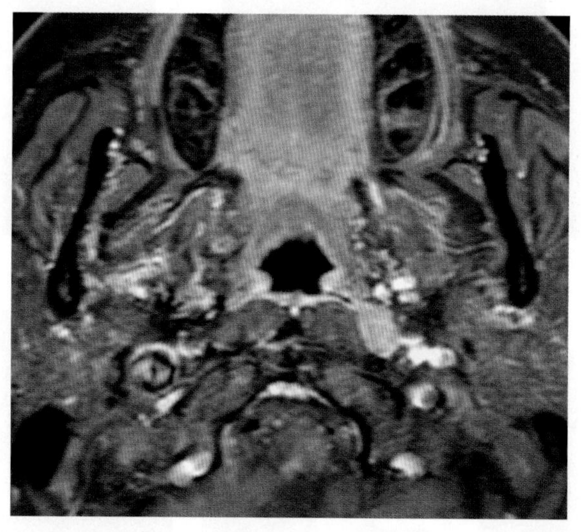

■ 그림 9-23. **편도암의 인두후 림프절 전이.** 축상면 조영증강 T1강조 MRI에서 척추앞근(prevertebral muscle)의 외측, 내경동맥의 내측에서 좌측 인두후 림프절의 비대칭적 비대가 관찰된다.

맥의 내측에 존재하므로 내경동맥의 내측을 상하로 따라가면서 확인한다. 성인에서는 정상적으로 5 mm 이하의

크기를 보이며, 소아에서는 인두후 림프절이 더 크게 잘 관찰된다(그림 9-22). 비인두암을 비롯한 두경부암 환자에서 인두후 림프절의 크기가 8 mm 이상일 때는 림프절 전이의 가능성을 염두에 두고 주의 깊게 관찰한다(그림 9-23).

7. 척추주위공간(perivertebral space)

척주(vertebral column)를 둘러싸는 공간으로서 두개저에서부터 상종격동까지 상하로 길게 설골 상부와 하부에 모두 걸쳐있는 공간이다. 심층 경부근막의 심층(deep layer)이 전체적으로 이 공간을 둘러싸는데, 근막이 경추의 가로돌기(transverse process)에 붙으면서 척추주위공간을 prevertebral component와 paraspinal component로 나눈다. Prevertebral component에는 척추앞근(prevertebral muscle) (longus colli & capitis), 사각근(scalene muscle) (anterior, middle, posterior), 상완신경총(brachial plexus)의 뿌리(roots), 횡격신경(phrenic

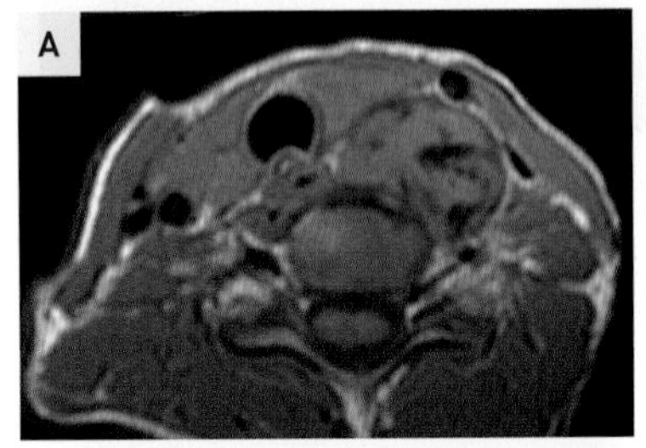

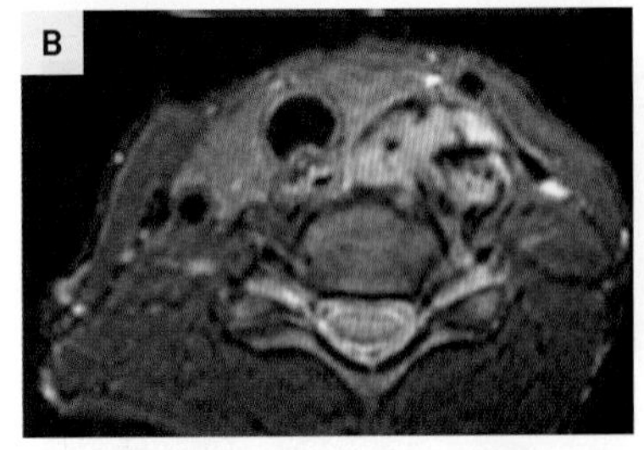

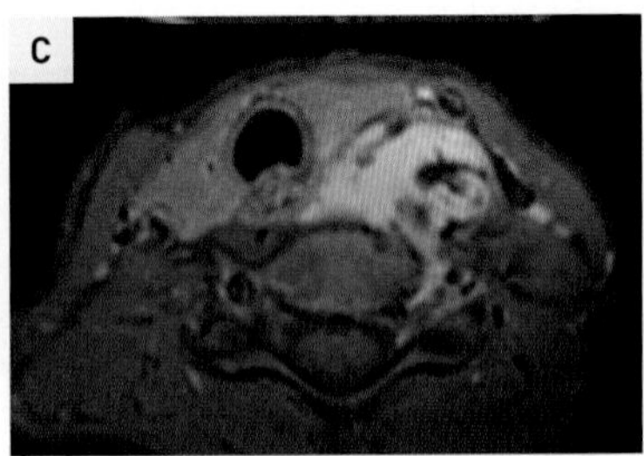

■ 그림 9-24. **척추주위공간의 섬유종증(fibromatosis).** **A)** T1강조 MRI **B)** 지방신호억제 T2강조 MRI **C)** 조영증강 T1강조 MRI. 좌측 척추앞근(prevertebral muscle) 부위에서 기원한 종괴에 의해 갑상선과 좌측 총경동맥이 앞쪽으로 밀린 것이 관찰된다. 종괴는 비균질한 조영증강을 보인다.

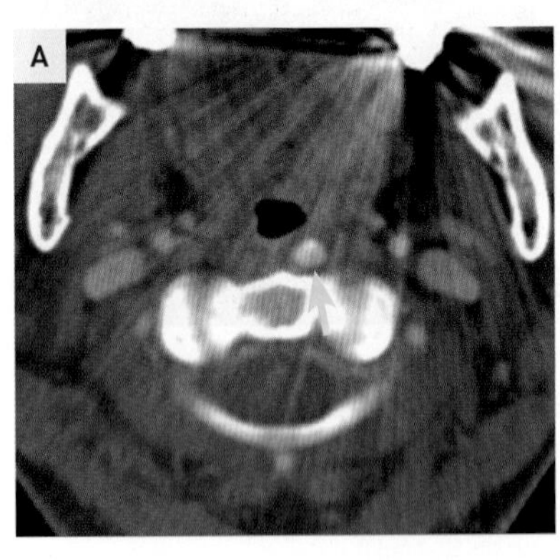

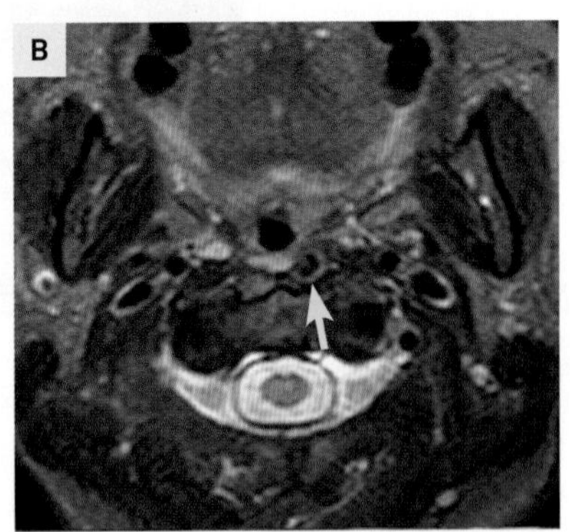

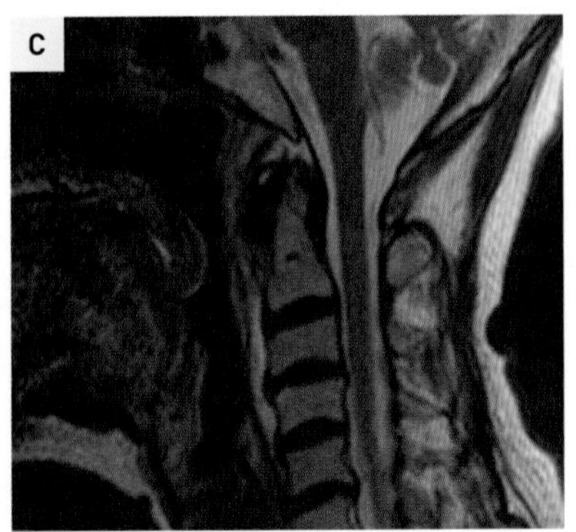

■ 그림 19-25. **Acute calcific longus colli tendonitis.** **A)** 축상면 조영증강 CT 및 **B)** 지방신호억제 T2강조 MRI에서 좌측 prevertebral space의 석회화(화살표)가 관찰된다. **C)** 시상면 T2강조 MRI에서 atlantoaxial joint의 전하방, longus colli muscle의 위쪽에서 저신호강도를 보이는 석회화가 관찰되며 그 아래쪽으로 prevertebral tissue의 부종이 보인다.

CHAPTER 10

두경부 종양의 기능적 영상진단

이비인후과학 Otorhinolaryngology - Head and Neck Surgery

김상윤, 이윤세

서론

예전부터 사용되어온 CT, MRI, Ultrasonography 같은 영상의학적인 평가방법을 이용해서 두경부 종양의 위치와 형태를 파악하였다. 최근 들어 이러한 형태학적인 평가방법을 넘어서 종양이 가지는 특징과 성향을 평가하기 위한 방법이 사용되고 있다. 이러한 생각은 기능적인 영상(functional imaging)이라는 개념으로 정립되어 fluorodeoxyglucose (FDG)-PET/CT로 대표되는 기능적 영상평가 방법이 보편화되고 있다.[31] 두경부 종양에 대한 기능적인 영상을 이용해서 종양 혈관분포, 혈액흐름, 및 림프액 흐름 같은 기능이나, 당분해(glycolysis)같은 대사상태, 또는 세포의 증식이나 특정 수용체의 발현 같은 분자생물학적인 현상을 평가한다. 이러한 정보는 초기 진단 및 병기설정과 더불어 치료 후 재발을 찾아내거나 초기 치료에 대한 반응을 평가하고 예후를 예측하는 데 유용한 정보를 제공한다. 최근에 개발된 이러한 기능적 영상 진단방법을 소개하고 진단적, 예후적 가치를 방법별로 기술하고자 한다.

II 양전자 방출 단층촬영술 및 컴퓨터 단층촬영(PET/CT)

1. 기본 원리

기존의 영상의학적인 방법은 해부학적인 구조 이상을 알 수 있었다면 양전자 방출 단층촬영(positron emission tomography; PET)은 구조물의 대사상태를 포함한 기능적인 형태를 반영한다. 정맥 내로 다양한 양자를 방출하는 방사성 동위원소를 주입한 뒤, 각 장기나 병변에서 이루어지고 있는 동위원소의 반응을 검출기로 확인하여 핵의학적인 영상을 얻는 방법이다. 현재 동위원소가 포함된 약제는 ^{11}C-CO, ^{13}N-NH$_3$, 2-deoxy-2-(^{18}F) FDG가 있으며 ^{18}F-FDG가 가장 많이 사용되고 있다. 이 밖에도 종양세포의 증식을 파악하기 위해서 18-fluorothymidine (FLT), 종양의 성장과 연관된 단백질의 합성이나 apoptosis를 파악하거나 epidermal growth factor receptor (EGFR)의 발현을 알기 위해 18-fluoroethyltyrosine (FET)가 사용될 수 있다. 방사성 동위원소의 양자는 원자로부터 방출되어 나오며 전자를 만나서 급격히 소멸되면서 두 개의 511-KeV photon을 형성시키며 이를 검출하면서 영상신호를 얻게 된다. 이러한 신호를 얻기 위해서 PET scanner가 필요하다. 조직 내부에 위치한 양전자의 신호가 약화되는 과정과 이때 발생하는 신호의 잡음을 줄여주는 교정 방법을 통해 정상 해부학적인 구조와 이상 조직을 구분할 수 있게 된다.

사용되는 약제에 따라서 혈액순환 상태, 당질과 각종 단백질의 대사상태, 수용체의 상태를 알수 있다. 반감기가 두 시간 미만의 ^{18}F-FDG는 다양한 용도로 사용되고 있는데 핵의학적 진단에 사용되는 원리는 다음과 같다. 종양에서 유전자의 돌연변이 같은 이상 소견이 발견되는 경우가 흔하다. 이러한 유전자의 변이가 세포내의 대사와 연관되는 경우가 흔하고 당분해(glycolysis) 같은 대사 과정이 증가한다. 2-deoxy-2-FDG는 포도당의 유사체(glucose analogue)이기 때문에 증가된 당분해 과정을 충족시키기 위해 다른 포도당과 같이 흡수가 증가되어 있다. 정상 포도당처럼 2' hydroxyl (-OH)기가 있어야 세포내로 흡수된 후 당분해 과정을 통해 분해되지만 ^{18}F-FDG에는 2' hydroxyl기가 없기 때문에 ^{18}F-FDG의 2-deoxy-D-glucose 때문에 세포내로 흡수만 되고 분해되지 못하고 방사성 붕괴과정을 통해 없어질 때까지 세포내에 남아서 신호를 방출하게 된다. 그러므로 살아있는 종양세포의 수가 많을수록 세포내로 FDG가 흡수되는 양이 꾸준히 증가되고 PET scanner를 통해 종양의 FDG의 신호가 정상 세포조직과의 구분이 명확해진다. 악성종양에서 주로 이러한 당분해 대사가 증가되어 있지만 일부 양성종양(Warthin's tumor), 염증 조직 및 림프절, 뇌와 같은 정상조직에서도 증가되어 있다. 세포내에서 방사성 붕괴가 일어나면 인체에 무해한 동위원소가 되고 이산화탄소와 물로 분해된다. 체내에 주입된 ^{18}F-FDG의 일부는 세포내로 흡수되기 전에 신장을 통해 배출되기 때문에 정상 신장과 방광에서 증가된 영상신호가 많이 잡힌다(그림 10-1). 두경부 영역에서는 염증이 산재해 있는 구개편도과 이하선, 악하선, 설하선 같은 침샘에서 흡수가 증가되어 있으며 갑상선, 혀의 경우에는 정상적으로 흡수가 증가되는 경우가 많기 때문에 해부학적인 구조를 염두해 두고 판독을 해야 하며 CT와 융합한 PET/CT를 시행할 경우 정상 염증으로 인한 비특이적인 흡수를 감별해낼 수 있다.[19]

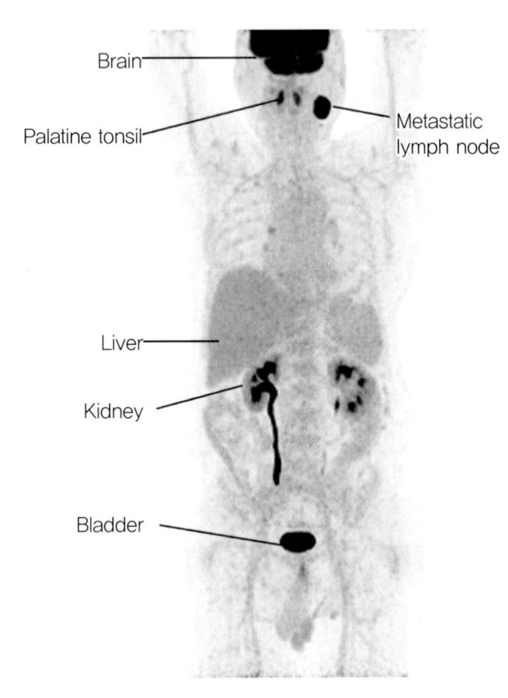

■ 그림 10-1. **^{18}FDG-PET에서 좌측 림프절 전이가 확인됨.** 정상적으로 뇌, 편도, 신장 및 방광에서 흡수되는 소견을 확인할 수 있음. 간에서 흡수되는 SUV를 기준으로 증가 혹은 감소된 소견을 구분할 수 있다.

2. 검사 과정

다른 포도당의 흡수로 인한 간섭을 막기 위해 6시간에서 12시간 정도의 금식이 필요하고 대신에 요로계에 과도

한 침착을 막기 위해 물을 많이 마시도록 하며, 안면과 목 근육에서 포도당이 많이 소모되는 것을 막기 위해 얼굴을 많이 움직이지 않도록 한다. 체내로 ^{18}F-FDG 약물이 주입되고 30-60분 뒤에 발생하는 영상신호를 30-60분에 걸쳐서 몸 전체를 scan한다.

3. 두경부 암에 대한 분석 및 적용분야

최근에는 정성적인 분석뿐만 아니라 정량적으로 영상신호를 분석해서 종양의 상태를 평가하고자 한다. 반정량적(semiquantitative) 측정 방법으로 standardized uptake value (SUV)가 있다. 단일 시점에서 주사된 방사성 활성 농도와 조직에서의 방사성 활동 농도(단위: MBq/kg)를 측정하고 그 비율을 방사성 붕괴 지수(decay correction factor)를 곱해서 산출하는 방법이다. 활동의 정도는 체중 혹은 체표면적에 따라 달라지며 관심지역(region of interest; ROI)의 설정과 종양의 크기가 그 결과에 영향을 미친다. 다양한 변수로 인해 발생하는 오류를 줄이려는 노력이 많이 진행되고 있다. 악성 종양에서 SUV는 증가되며 치료에 반응해서 악성 종양의 세포가 감소할 경우 그 신호 또한 동시에 감소되는 경향을 보인다.[10] 악성과 양성 종양을 구분하는 SUV의 기준값 (cut-off value)은 구하기 어려운 상태이며 2.5에서 3.0 정도를 여러 논문에서 사용하기도 한다.

하지만 PET만으로는 정확한 해부학적인 위치를 알아내기가 어려웠기 때문에 PET과 컴퓨터 단층촬영(computerized tomography; CT)이나 자기공명영상(magnetic resonance image; MRI)와 영상 정보를 융합시키는 소프트웨어가 개발되었다. 이러한 융합방법을 통해 병변의 해부학적인 위치와 기능적인 상태를 파악할 수 있게 되었지만 PET과 CT 혹은 MRI를 동시에 촬영하는 것이 아니고 소프트웨어에 의해서 임의적으로 합친 영상을 얻기 때문에 세세한 구조를 파악하고 기능을 비교하기에는 한계가 있다. 현재는 PET과 CT의 조합인 PET/CT가 가장 많이 적용되고 있다. 처음 병기를 설정하는 데 도움을 줄 수도 있고 재발하였을 경우 병기의 재설정이나 치료에 대한 반응을 평가하는 데 유용하게 사용할 수 있다.

1) 진단 및 병기 설정

두경부의 편평상피암종은 대부분 대사가 증가되어 있기 때문에 원발병소를 찾는 데 FDG-PET/CT이 다른 영상의학적 방법보다 우월하고 내시경적인 방법과 비슷한 효과를 보인다. 하지만 점막 표면에 국한되고 병변이 아주 작을 경우에는 CT나 MRI처럼 원발부위를 찾기가 쉽지 않기 때문에 이러한 경우에는 내시경을 이용한 조직검사가 더 유용하다고 할 수 있다. PET의 경우 해부학적인 위치를 파악하기가 쉽지 않기 때문에 점막하 병변을 찾아내더라도 주위 조직으로의 침범 정도를 정확하게 파악하는데 한계가 있다. 그러므로 CT나 MRI가 이러한 경우에는 도움이 될 수 있다. 구강암을 진단하고 종양의 부피를 측정할 때 CT나 MRI의 경우 치아 보철물로 인한 간섭현상이 발생해서 정확하게 평가하기 어려운 경우가 많다. PET을 이용하면 이러한 간섭현상에도 불구하고 종양의 부피를 비교적 정확하게 평가할 수 있다.[8] 원발부위 이외에 전이된 림프절 병변에 대해서 평가할 때 유용하다. 구강암의 경우 경부 림프절 전이가 만져지지 않았는데도 림프절 전이를 발견하는 민감도가 ^{18}FDG-PET이 40% 정도로 다른 CT나 MRI의 20% 내외의 민감도 보다 더 높았다.[20] 발견되지 않을 경우 특히 원발불명암(carcinoma of unknown primary)의 경우에 원발부위를 찾는 데 큰 도움이 될 수 있다(그림 10-2). 전이된 림프절을 찾을 때 MRI에서 사용되는 확산강조 자기공명영상(diffusion weighted MRI)과 직접적인 비교는 흔하지 않아서 결론을 내리기는 어렵지만 ^{18}FDG-PET의 민감도는 CT나 MRI보다 우수하거나 비슷한 것으로 알려져 있다. 하지만 임상적으로 림프절 전이를 찾을 수 없거나 1 cm 미만의 전이성 림프절을 찾는 데는 PET/CT 와 기존의 영상의학적 진단방법 모두 곤란을 겪고 있다. 이러한 경우에는 경

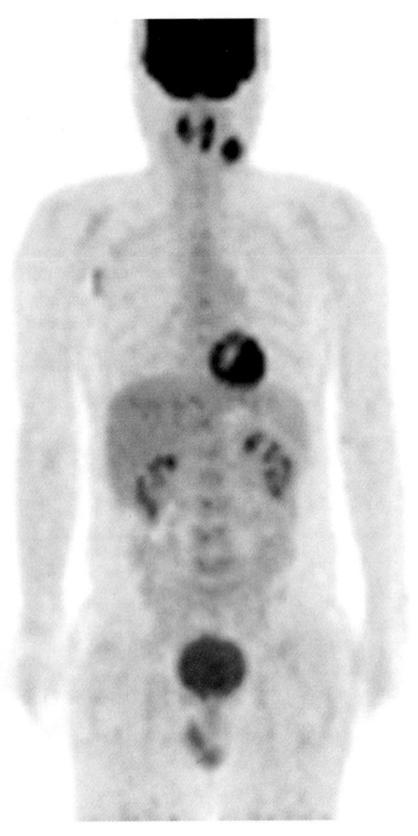

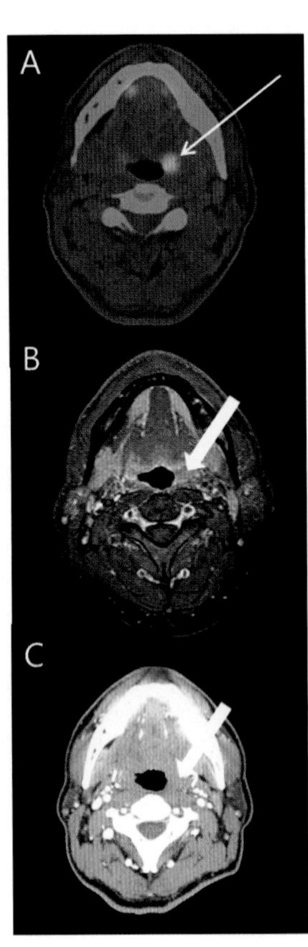

■ 그림 10-2. **림프절 전이가 있을 경우 원발부를 찾기 위해서 PET, PET/CT가 유용성.** 림프절 전이만 보이는 원인불명암(carcinoma of unknown primary) 환자이다. 좌측의 PET영상에서 좌측 림프절 전이의 소견과 좌우 구개편도의 비대칭이 관찰된다. **A)** PET/CT에서 좌측 편도의 하방에서 흡수가 증가된 소견(SUVmax; 5.6)을 보인다. **B)** T1 조영 MRI에서 구개 편도의 종양의 소견이 명확하지 않다. **C)** 조영 CT에서 또한 편도의 이상소견이나 다른 원발부위가 관찰되지 않는다.

험이 많은 의사들에 의한 초음파 영상이 도움이 될 수 있다.[27] 원격 전이이나 이차암을 찾을 때에도 PET/CT는 유용하게 사용될 수 있다(그림 10-3).[33] 두경부 영역에서 이차암의 발생은 1.2–18.2%까지 보고되고 있으며, 이러한 병변이 있을 경우 예후가 좋지 않기 때문에 처음 치료를 시작하기 전 이들의 존재를 확인하는 것이 중요하다.[12] 원발부위를 찾거나 이차암을 찾는 데는 ^{18}FDG –PET/CT가 가장 유용하다. 진행된 N2 또는 N3병변의 경우에 14% 정도에서 원격전이나 이차암이 PET/CT에서 발견되는 것으로 알려져 있다. 하지만 위양성 또한 있기 때문에 PET/CT 후 원격전이나 이차암을 확인하기 위한 부가적인 검사 또한 필요하다.[3]

악성 종양을 감별하고 위치를 찾기 위해서 시행되는 PET/CT의 진단적인 능력을 평가한 메타 분석에서는 89.3%의 민감도와 89.5%의 특이도를 가지는 것으로 알려져 있으며 조직검사와 유사한 정도의 정확도를 가지고 있으며 침습적이지 않다는 장점을 보인다고 할 수 있다. 기존의 영상의학적 방법이 대략 72%의 민감도와 78%의 특이도를 보인다는 점을 고려해보면 PET/CT가 진단의 도구로서 충분한 역할을 할 수 있다고 설명할 수 있다.[25] 게다가 전이된 병변을 찾는 민감도는 89%, 특이도는 95% 정도이기 때문에 치료를 시작하기 전 PET/CT를 시행할 충분한 근거가 될 수 있다. 하지만 특이도와 양성 예측률은 종양에 따라서 변화가 많기 때문에 위양성을 줄이기 위해서 다른 검사 방법과 같이 비교하거나 종양 내부의 대사 정도를 반영하는 측정치들을 비교하는 것이 좋다.[34] 그래서 초기 병기 설정을 위해서 CT나 MRI 와 더불어 PET/CT를 같이 시행하는 것이 좋다. PET/CT의 정밀도 때문에 두경부 편평상피세포암 환자에 대한 치료를 좀 더 선별적으로 시행할 수 있다. 예를 들면, 전이성 림프절을

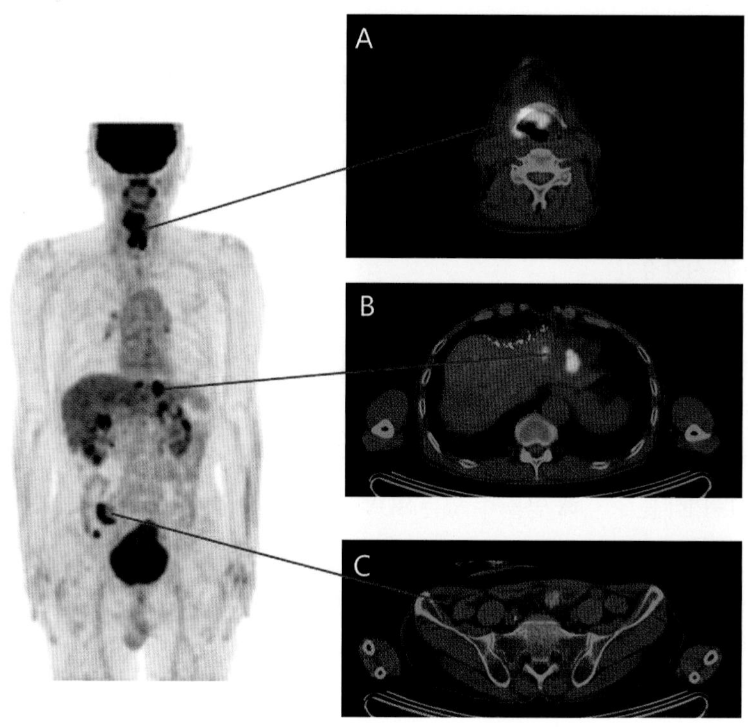

■ 그림 10-3. **PET/CT를 통한 원격 전이 및 이차암의 발견.** **A)** 우측 설근부와 성문상부암의 소견(SUVmax; 14.2)이 관찰된다. **B)** 횡격막 하부에 전이성 병변(SUVmax; 10.7)이 관찰된다. **C)** 좌측 상행결장의 흡수율이 증가되어 있고 (SUVmax; 4.1) 추후 대장내시경의 통해 이차암을 발견하였다.

제거할 때 기존의 광범위한 경부청소술을 대신해서 좀 더 선택적인 경부청소술을 시행할 수 있을 것이다. 그리고 PET의 결과를 바탕으로 방사선 치료 시 방사선 조사 부위를 결정할 수도 있다.

2) 재발 병소 발견

재발한 두경부암을 일찍 발견할수록 구제수술 (salvage surgery)이 용이하고 진행된 재발 병변에 비해서 좋은 치료 결과를 기대할 수 있다.[13] 그렇기 때문에 재발한 병변을 조기에 정확하게 찾아내는 것이 중요하다. 정기적인 신체검사 및 영상의학적 검사를 통해 재발 여부를 확인하려는 노력을 하고 있으나 수술이나 방사선 치료를 받은 곳은 해부학적인 구조가 변경된 경우가 많고 섬유화 같은 반흔조직, 부종, 괴사 같은 소견이 혼재된 경우가 많아서 정상 조직, 치료 후 변형 조직, 재발한 종양을 서로 감별하기가 쉽지 않다. 이러한 경우에도 ^{18}FDG-PET/CT을 통해서 높은 포도당대사의 소견을 보이는 재발 병소와 괴사 또는 반응적으로 증식된 정상 조직을 구분할 수 있다.[16] 두경부의 부위마다 약간의 차이는 보이지만, 잔존한 병변이나, 재발, 그리고 원격전이를 정확하게 진단하는 데 도움을 준다. 비인강암에서 PET의 민감도는 95%였으며 CT(76%), MRI(78%)보다 높고, 특이도도 PET(90%)가 CT(59%), MRI(76%)보다 더 높았다.[17] 다른 진단방법으로 찾지 못했던 재발 병소를 찾을 때, 민감도는 92-100%, 특이도는 64-100% 정도 분포하였다.[2] 또한 양성 예측률은 64-100%이며 음성 예측율은 92-100%이고 전반적인 진단의 정확성은 90%였다.[16,27,28] 그렇기 때문에 기존의 영상의학적 방법이나 신체 검진보다 더 효과적인 것으로 생각된다. 치료 후 ^{18}FDG-PET의 문제는 감염에 의한 위양성이다. 위양성은 방사선 치료 종료 후 6개월 이내에 주로 발생하고 구개편도와 침샘 그리고 저작근과 후두내근육, 수술 후 반응적으로 커지는 림프절, 수술 부위의 염증 (flare phenomenon) 부위에서 증가하는 흡수신호를 재발 혹은 잔존 종양과 감별해야 한다. PET 단독이 아니라

PET/CT처럼 융합된 영상을 통해서 해부학적인 구조를 파악한다면 이러한 위양성률을 낮출 수 있다. 또한 소프트웨어를 통해서 교정된 영상을 대신해서 교정되기 전의 영상을 이용하면 좀 더 명확하게 구분할 수 있다.[15] 염증성 병변의 경우에는 ^{18}FDG의 흡수가 시간이 지날수록 감소하거나 비슷한 데 비해서, 종양이 재발할 경우 시간경과에 따라 성장하고 좀 더 잘 발견되기 때문에 기간이 많이 경과할수록 민감도가 증가한다. PET/CT scanner의 해상도가 보통 10 mm 내외이기 때문에 종양의 신호가 증가되더라도 이보다 작은 병변은 찾기가 어렵다.[15] 그렇기 때문에 초치료 종료 후 2–3개월 이후에 ^{18}FDG–PET을 촬영하면 민감도가 증가할 수 있다.

3) 방사선 치료범위 예측

정밀한 방사선 치료 방법이 도입됨에 따라서 PET/CT를 이용하여 치료범위를 설정하려는 노력이 있다. PET/CT를 이용해서 종양의 경계를 만든 후 방사선 조사량을 소위 "dose painting"이라는 방법을 통해 결정하는 방법이다.[26] 아직까지는 종양의 경계를 짓는 방법이 명확하게 정립되지 않아서 이러한 방법이 널리 사용되고 있지는 않지만 앞으로 특정 부위에만 방사선을 조사하기 위한 방법으로 사용될 수 있을 것이다.

4) 치료 반응 평가

항암방사선치료를 시행한 뒤 발생하는 종양괴사와 실제로 살아 있는 종양을 감별하는 데 도움이 될 수 있다. 유방암에서 처음 연구가 진행되었는데, ^{18}FDG–PET을 통해 얻을 수 있는 SUV, influx constant Ki 같은 지표는 종양이 치료에 반응할 경우 대부분 감소한다(그림 10-4). 이렇게 치료에 대한 반응을 정량적으로 분석하면서 치료에 대한 반응과 함께 예후를 예측할 수 있게 되었다. 이러한 사실을 바탕으로 치료에 대한 반응을 평가하는 방법으로 PET response criteria in solid tumors (PERCIST) criteria가 사용되었다.[32] ROI의 크기를 설정하는

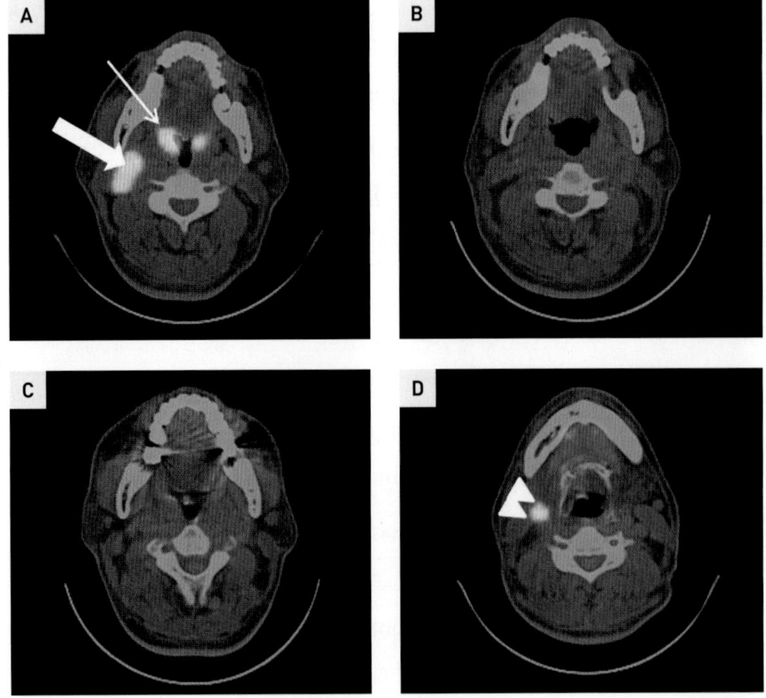

■ 그림 10-4. **PET/CT를 통한 치료 반응의 확인.** **A)** 우측 편도암(가는 화살표, SUVmax; 15.8)의 경부림프절전이(굵은 화살표. SUVmax; 13.8)로 동시항암방사선치료(concurrent chemoradiation therapy) 시행받았다. **B)** 치료 종료 후 3개월에 시행한 PET/CT에서 완전 관해 소견이 보였다. **C)** 치료 종결 후 8개월 뒤에는 원발부위에서는 완전 관해가 유지되고 있지만, 경부림프절(화살표 머리, SUVmax; 12.7)의 재발 소견이 보였다. 이후 구제수술에서 전체 13개의 림프절 중 1개의 림프절에서 전이가 확인되었다.

것이 중요하기 때문에 다른 측정치보다는 큰 부위를 평가할 수 있는 SUVmax를 기준으로 해서 평가하는 경우도 있고 환자의 체중에 의해 교정된 SUL (SUV corrected for lean body mass)에 의해 평가하는 경우도 있다. 1999년 EORTC criteria는 SUV가 15-25% 감소할 경우 치료에 대해 반응을 보인다고 하였지만 측정 방법에 따라서 수치의 변화가 있기 때문에 임상적으로 사용되기에 불충분한 점이 있다. 2009년에 제시된 방법으로 표적이 되는 병변의 SULpeak(SUV normalized to body weight and lean body mass)가 30% 이상의 감소를 보일 경우를 부분 관해, 간에서 보이는 방사성 활성도보다 작거나 흡수가 보이지 않을 때 완전 관해로 정의하였다.[32] 기존에 사용되던 response evaluation criteria in solid tumors (RECIST) criteria보다는 PERCIST criteria가 완전 관해나 질병의 진행을 찾아내는 데 더 효과적이라고 할 수 있다.

5) 예후 예측

PET/CT에서 평가할 수 있는 종양의 대사 정도가 종양의 예후를 예측하는 데 도움을 줄 수 있다. 대부분의 두경부암에서 대사가 증가되어 있으면 나쁜 예후를 가지고 있는 것으로 알려져 있다. 종양 내부의 방사선학적 활성도를 평가하기 위해 최대 SUV값(SUVmax)이 가장 잘 사용되고 있지만 이는 종양 내 ROI의 가장 높은 ^{18}F-FDG의 강도(intensity)만 나타낼 뿐이지 종양 전체의 흡수율을 나타내지 못한다. 그리고 SUV는 세포의 분열이 증가하거나 종양의 괴사가 진행될수록 증가하는 경향을 보인다. 이를 보완하기 위해 total lesional volume (TLV), metabolic tumor volume (MTV) 같은 측정값이 있다. 이들을 계산하는 방법은 다음과 같다.[6,24] MTV와 SUVmean은 역치(threshold)에 의해 구분되는 외부 경계를 이용하여 측정하는 값으로 소프트웨어를 이용한 작업이 필요하다. 그리고 나서 MTV와 SUVmean을 곱하면 TLV값이 되는 것이다. MTV 높은 환자들은 낮은 환자들에 비해 예후가 나쁘며, TLG가 높을 경우에도 마찬가지로 재발이나 생존률이 나쁘다.[21] 두경부 종양은 발생 부위마다 종양의 진행 성질이나 치료 방법에 대한 반응도가 다양하지만 전반적으로 종양 내부의 대사가 증가된 상태에 이르면 비교적 예후가 나쁘다고 할 수 있다. 예후를 측정하기 위해 사용되는 절대적인 값은 문헌마다 차이가 있지만 SUVmax의 경우는 2.5-3.0, MTV는 7.7-45 cm^3, TLG는 55-330 정도를 기준으로 사용되었다. 이렇게 종양의 부피와 대사 활성도에 중점을 준 방법을 이용해서 환자의 예후를 평가할 수 있다.

III 양전자 방출 단층촬영술 및 자기공명영상(PET/MR)

치료를 시작하기 전 임상적인 병기를 결정하는 데 조직검사와 더불어 두경부 단면을 검사하는 조영제를 사용한 CT, diffusion weighted MRI (DW MRI), 초음파 검사 등이 중요한 역할을 한다. 앞에서 언급한 PET/CT와 MRI의 기술이 지속적으로 발전해서 영상의 질과 영상 획득의 속도가 향상되었다. 종양의 대사상태와 형태학적인 정보를 얻을 수 있기 때문에 PET/CT는 진단적 가치와 함께 예후를 예측하는 데 도움을 주고 있다.[5] DW MRI와 perfusion 영상처럼 MRI는 전신 영상과 기능적인 영상을 함께 획득할 수 있는 방향으로 기술이 발전되고 있지만 해부학적인 복잡성과 다양한 종양의 형태로 인해 두경부 영역의 MRI는 판독하기가 쉽지 않다.

PET/CT와 MRI를 통해 얻은 정보는 서로 보완적이며 이를 통합하려는 노력이 지속되어 왔지만 상당히 복잡한 algorithm을 거쳐야 한다는 점에서 많은 어려움이 있었다. 그리고 기존의 PET/CT, DW MRI 또는 이들의 조합을 통한 진단 방법보다 PET/MRI이 어떠한 점에서 우위에 있는지 발견하기 어려웠다.[22] PET과 MR에서 각각 얻은 영상을 서로 겹쳐지게 해서 해부학적인 구조물과 이상소견을 보이는 정도를 동시에 파악하도록 하고 있다. 아직은 초기 단계라서 많은 결과를 얻을 수는 없지만, PET/CT보다 PET/MRI가 좀 더 명확한 선명도를 얻을 수 있으며 MRI에서 관찰할 수 있는 범위가 CT보다 작아서 넓은 영역은 관찰하기는 어렵다.[9] 대부분의 연구는 PET/CT와 비교해서 열등하지 않다는 연구가 주로 진행되고 있으며 대체로 영상의 질, 조합의 질감, 병변 경계의 선명도, 해부학적인 위치, 발견된 병변의 수 등에서 큰 차이를 보이지 않았다.[23] 단점은 환자의 움직임에 따라서 영상의 질의 차이가 많이 날 수 있다는 점과 아직 두 가지 영상 방법을 병합하는 소프트웨어의 발달이 완벽하지 않아서 정상 크기의 림프절 전이를 발견하는 데 어려움을 겪을 수도 있다.[30]

Ⅳ 확산 강조 영상(Diffusion weighted image; DWI)

자기공명영상(MRI)에서 확산강조영상(DWI)은 더 높은 자기장을 이용하여 이상 소견을 보이는 병변을 찾는 방법이다. DWI는 조직에 위치한 물분자가 확산되는 정도를 영상으로 표현하는 기법이다. 물분자의 확산은 세포의 밀도, 구조와 조직에 의해 영향을 받는다. 종양처럼 세포의 밀도가 높거나 핵과 세포질의 비가 높을 때 확산이 제한되어 DWI 영상에서는 고신호 강도로 보이고 apparent diffusion coefficient (ADC)는 감소한다. 따라서 DWI를 이용하여 구한 ADC를 정량적으로 평가하여 양성과 악성 종양을 구분하는 데 적용할 수 있다. 낮은 수치를 보일 때 악성인 경우가 많고 높은 수치일 때는 양성을 시사한다. 대부분의 암종들이 비슷한 기준값을 가지고 있는데 대략 0.98 × 10^{-3}mm^2/s 정도로 종양의 종류마다 큰 차이를 보이지 않는 것으로 보아서 종양의 밀도와 구조가 상당히 유사하다는 것을 알 수 있다.[1] 림프절 전이를 찾을 때에는, 낮은 ADC 수치(〈 1.0 × 10^{-3}mm^2/s) 를 단독으로 사용하기보다는 MRI를 통해서 얻을 수 있는 크기와 형태 이상 소견 등 악성을 시사하는 소견과 함께 고려한다면 림프절 전이를 찾을 수 있는 중요한 방법으로 사용할 수 있다.[11] 치료 전 PET/CT에서 SUVmax 같은 대사상태를 나타내는 지표가 높을수록 예후가 나쁘듯이 치료 전 ADC의 수치가 낮을수록 예후가 나쁘다.[14] 항암치료나 방사선 치료 후 ADC의 수치는 증가하며 수치의 증가가 좋은 예후와 연관되어 있다. 악성종양이 진행함에 따라서 물의 확산이 더 제한이 되고 이는 ADC가 낮아짐을 의미한다. 이러한 변화는 세포의 성장과 살아있는 악성 조직의 부피를 반영하는 FDG 흡수와 연관되어서 ADC와 SUVmax 간의 역의 상관관계가 성립되는 것으로 생각되며 암종의 구조적, 기능적 변이가 유사하게 진행된 것을 짐작하게 한다.[18] 최근에는 치료후 1주일 후에 시행한 DWI MRI에서 치료의 반응을 평가할 수 있다고 한다. PET/CT와 마찬가지로 원발부위의 종양, 림프절 전이를 찾는 것 이외에도 재발한 병변을 찾는 데도 도움이 된다.[29] 높은 SUVmean 또는 SUVmax가 낮은 ADC를 이용해서 두경부 악성종양을 감별할 수 있다.[31] 하지만 두경부 영역에서 DWI를 판독하는 데 어렵고 표준화하지 못했다는 점이 한계다.

방사성핵종(radionuclide)을 이용한 영상

1. 침샘과 갑상선

섬광조영술 scintigraphy는 두경부 영역 중 침샘이나 갑상선의 병변을 평가하는 데 사용되고 있다. 침샘의 경우 technetium-99m (^{99m}Tc)-pertechnetate가 주로 사용되고 있으며 자가면역 질환과 다른 염증성 질환이 침샘을 침범할 경우 침샘의 기능을 평가할 때 사용되고 있다. Warthin 종양, oncocytoma를 진단할 때도 도움이 될 수 있지만 침샘 내부에서 위치를 파악하기는 어렵기 때문에 최근에는 단일 광자 방출 컴퓨터 단층촬영(single photon emission computed tomography-computed;

SPECT-CT)과 같이 사용해서 위치에 대한 정보를 얻고 있다. ^{99m}Tc-pertechnetate를 이용해서 갑상선 전체의 영상을 얻어서 내부의 결절이 hot nodule인지 cold nodule인지 감별할 수 있다. 수질암은 ^{99m}Tc-DMSA를 이용해서 발견할 수 있다. 부갑상선의 위치를 확인하기 위해서는 thallium-201(Tl-201) 영상에서 갑상선 전체를 나타내는 ^{99m}Tc-pertechnetate 영상을 차감하면 부갑상선종의 위치와 개수를 파악할 수 있지만 최근에는 ^{99m}Tc-sestamibi를 이용해서 직접 찾아내고 있다. 유방암을 치료할 때 파수꾼 림프절 전이를 찾기 위해 사용되는 섬광조영술이 두경부 영역에서도 적용되고 있다.

2. 파수꾼 림프절(Sentinel lymph node scintigraphy)

앞에서 언급하였듯이 림프절 전이를 발견할 때 FDG-PET의 민감도와 특이도는 80-90% 정도이다. 하지만, 다른 영상의학적 검사에서 림프절 전이의 소견을 보이지 않는, 즉 임상적 림프절 병기가 0인 경우cN0에서는 민감도가 50%정도까지 감소한다. 그리고 대략 20% 정도에서 양측으로 림프절 전이를 일으키거나 넘김 전이(skip metastasis)를 보이는 경우가 있다. 이러한 전이부위를 찾아내는 데 두경부 편평상피세포암에 대해서 파수꾼 림프절 섬광조영술(sentinel lymph node scintigraphy)은 진단적 가치를 가지고 있다. 사용되는 약제는 ^{99m}Tc-sulphur colloid, ^{99m}Tc-nanocolloid, ^{99m}Tc-antimony trisulphide가 있으며 이 약제를 주사 후 gamma camera를 이용해서 영상을 얻도록 한다. 수술직후 15분경 영상을 얻고 16-20시간 안에 수술을 진행해서 흡수가 증가된 림프절에 대해서 조직검사를 시행하도록 한다. 구강암에 대한 진단 정확도는 66-100% 민감도는 93%, 특이도는 100%까지 보고되고 있다.[4] 구강저암mouth floor cancer에서 진단의 정확도를 제외하고는 대부분의 경우 우수한 결과를 보인다고 할 수 있다. 하지만 파수꾼 림프절을 검사하는 개수가 적을수록 정확도가 감소한다는 단점이 있고 최소 3개 정도의 림프절을 검사해야 진단적 타당성을 확보할 수 있다.[7] SPECT-CT와 융합한 림프섬광조영술(lymphoscintigraphy)를 이용할 경우 정확한 위치를 확인하는 데 도움이 된다. 잠복전이를 치료할 때 초음파 유도 생검이나 파수꾼림프절 전이의 생검이 우수한지에 대한 연구 결과는 아직 논란이 되고 있지만 두 가지 방법 모두 치료 후 재발을 찾아내는 데 큰 도움이 될 수 있다.

참고문헌

1. Abdel Razek AA, Soliman NY, Elkhamary Set al. Role of diffusion-weighted MR imaging in cervical lymphadenopathy. European radiology 2006; 16:1468-77.
2. Abgral R, Querellou S, Potard Get al. Does 18F-FDG PET/CT improve the detection of posttreatment recurrence of head and neck squamous cell carcinoma in patients negative for disease on clinical follow-up? Journal of nuclear medicine : official publication, Society of Nuclear Medicine 2009; 50:24-9.
3. Al-Ibraheem A, Buck A, Krause BJet al. Clinical Applications of FDG PET and PET/CT in Head and Neck Cancer. Journal of oncology 2009; 2009:208725.
4. Alvarez Amezaga J, Barbier Herrero L, Pijoan del Barrio JIet al. Diagnostic efficacy of sentinel node biopsy in oral squamous cell carcinoma. Cohort study and meta-analysis. Medicina oral, patologia oral y cirugia bucal 2007; 12:E235-43.
5. Argiris A, Karamouzis MV, Raben Det al. Head and neck cancer. Lancet 2008; 371:1695-709.
6. Arslan N, Miller TR, Dehdashti Fet al. Evaluation of response to neoadjuvant therapy by quantitative 2-deoxy-2-[18F]fluoro-D-glucose with positron emission tomography in patients with esophageal cancer. Mol Imaging Biol 2002; 4:301-10.
7. Atula T, Shoaib T, Ross GLet al. How many sentinel nodes should be harvested in oral squamous cell carcinoma? European Archives of Oto-Rhino-Laryngology 2008; 265:19-23.
8. Baek CH, Chung MK, Son YIet al. Tumor volume assessment by 18F-FDG PET/CT in patients with oral cavity cancer with dental artifacts on CT or MR images. Journal of nuclear medicine : official publication, Society of Nuclear Medicine 2008; 49:1422-8.
9. Boss A, Stegger L, Bisdas Set al. Feasibility of simultaneous PET/MR imaging in the head and upper neck area. European radiology 2011; 21:1439-46.
10. Brouwer J, Hooft L, Hoekstra OSet al. Systematic review: accuracy of imaging tests in the diagnosis of recurrent laryngeal carcinoma after

radiotherapy. Head & neck 2008; 30:889-97.

11. de Bondt RB, Hoeberigs MC, Nelemans PJet al. Diagnostic accuracy and additional value of diffusion-weighted imaging for discrimination of malignant cervical lymph nodes in head and neck squamous cell carcinoma. Neuroradiology 2009; 51:183-92.
12. Erkal HS, Mendenhall WM, Amdur RJet al. Synchronous and metachronous squamous cell carcinomas of the head and neck mucosal sites. J Clin Oncol 2001; 19:1358-62.
13. Goodwin WJ, Jr. Salvage surgery for patients with recurrent squamous cell carcinoma of the upper aerodigestive tract: when do the ends justify the means? Laryngoscope 2000; 110:1-18.
14. Hatakenaka M, Nakamura K, Yabuuchi Het al. Pretreatment apparent diffusion coefficient of the primary lesion correlates with local failure in head-and-neck cancer treated with chemoradiotherapy or radiotherapy. International Journal of Radiation Oncology* Biology* Physics 2011; 81:339-45.
15. Kapoor V, Fukui MB, McCook BM. Role of 18FFDG PET/CT in the treatment of head and neck cancers: posttherapy evaluation and pitfalls. AJR Am J Roentgenol 2005; 184:589-97.
16. Kitagawa Y, Nishizawa S, Sano Ket al. Prospective comparison of 18F-FDG PET with conventional imaging modalities (MRI, CT, and 67Ga scintigraphy) in assessment of combined intraarterial chemotherapy and radiotherapy for head and neck carcinoma. Journal of nuclear medicine : official publication, Society of Nuclear Medicine 2003; 44:198-206.
17. Liu T, Xu W, Yan WLet al. FDG-PET, CT, MRI for diagnosis of local residual or recurrent nasopharyngeal carcinoma, which one is the best? A systematic review. Radiother Oncol 2007; 85:327-35.
18. Nakajo M, Nakajo M, Kajiya Yet al. FDG PET/CT and diffusion-weighted imaging of head and neck squamous cell carcinoma: comparison of prognostic significance between primary tumor standardized uptake value and apparent diffusion coefficient. Clinical nuclear medicine 2012; 37:475-80.
19. Nakamoto Y, Tatsumi M, Hammoud Det al. Normal FDG distribution patterns in the head and neck: PET/CT evaluation. Radiology 2005; 234:879-85.
20. Ng SH, Yen TC, Chang JTet al. Prospective study of [18F]fluorodeoxyglucose positron emission tomography and computed tomography and magnetic resonance imaging in oral cavity squamous cell carcinoma with palpably negative neck. J Clin Oncol 2006; 24:4371-6.
21. Pak K, Cheon GJ, Nam HYet al. Prognostic value of metabolic tumor volume and total lesion glycolysis in head and neck cancer: a systematic review and meta-analysis. Journal of nuclear medicine : official publication, Society of Nuclear Medicine 2014; 55:884-90.
22. Pichler BJ, Kolb A, Nagele Tet al. PET/MRI: paving the way for the next generation of clinical multimodality imaging applications. Journal of nuclear medicine : official publication, Society of Nuclear Medicine 2010; 51:333-6.
23. Platzek I, Beuthien-Baumann B, Schneider Met al. PET/MRI in head and neck cancer: initial experience. European journal of nuclear medicine and molecular imaging 2013; 40:6-11.
24. Rahim MK, Kim SE, So Het al. Recent Trends in PET Image Interpretations Using Volumetric and Texture-based Quantification Methods in Nuclear Oncology. Nucl Med Mol Imaging 2014; 48:1-15.
25. Rohde M, Dyrvig AK, Johansen Jet al. 18F-fluoro-deoxy-glucose-positron emission tomography/computed tomography in diagnosis of head and neck squamous cell carcinoma: a systematic review and meta-analysis. Eur J Cancer 2014; 50:2271-9.
26. Schinagl DA, Span PN, van den Hoogen FJet al. Pathology-based validation of FDG PET segmentation tools for volume assessment of lymph node metastases from head and neck cancer. European journal of nuclear medicine and molecular imaging 2013; 40:1828-35.
27. Stoeckli SJ, Haerle SK, Strobel Ket al. Initial staging of the neck in head and neck squamous cell carcinoma: a comparison of CT, PET/CT, and ultrasound-guided fine-needle aspiration cytology. Head & neck 2012; 34:469-76.
28. Terhaard CH, Bongers V, van Rijk PPet al. F-18-fluoro-deoxy-glucose positron-emission tomography scanning in detection of local recurrence after radiotherapy for laryngeal/ pharyngeal cancer. Head & neck 2001; 23:933-41.
29. Vandecaveye V, De Keyzer F, Nuyts Set al. Detection of head and neck squamous cell carcinoma with diffusion weighted MRI after (chemo)radiotherapy: correlation between radiologic and histopathologic findings. International journal of radiation oncology, biology, physics 2007; 67:960-71.
30. Vargas MI, Becker M, Garibotto Vet al. Approaches for the optimization of MR protocols in clinical hybrid PET/MRI studies. Magma 2013; 26:57-69.
31. Varoquaux A, Rager O, Lovblad KOet al. Functional imaging of head and neck squamous cell carcinoma with diffusion-weighted MRI and FDG PET/CT: quantitative analysis of ADC and SUV. European journal of nuclear medicine and molecular imaging 2013; 40:842-52.
32. Wahl RL, Jacene H, Kasamon Yet al. From RECIST to PERCIST: Evolving Considerations for PET response criteria in solid tumors. Journal of nuclear medicine : official publication, Society of Nuclear Medicine 2009; 50 Suppl 1:122S-50S.
33. Xu GZ, Guan DJ, He ZY. (18)FDG-PET/CT for detecting distant metastases and second primary cancers in patients with head and neck cancer. A meta-analysis. Oral Oncol 2011; 47:560-5.
34. Yao M, Smith RB, Hoffman HTet al. Clinical significance of postradiotherapy [18F]-fluorodeoxyglucose positron emission tomography imaging in management of head-and-neck cancer-a long-term outcome report. International journal of radiation oncology, biology, physics 2009; 74:9-14.

CHAPTER

11

두경부암의 분자생물학적 병인 및 유전

이비인후과학 Otorhinolaryngology - Head and Neck Surgery

김철호

두경부암은 구강, 인두, 후두 등 상기도 소화관에 발생하는 암종으로 편평세포암이 95% 이상을 차지한다. 전체 암 중에서 6번째로 흔하며, 매년 전 세계적으로 약 600,000명 이상의 새로운 환자가 발생하고, 350,000명 이상의 환자가 사망하여 5년 생존율이 40–50% 정도이다. 두경부암은 종양의 위치에 따라 다양한 조직형과 분화를 가지고 있으며 주로 음주와 흡연이 주요 병인으로 알려져 왔으나 최근에는 구인두암 중심으로 사람유두종바이러스(human papillomavirus; HPV) 감염이 위험인자와 예후인자로 중요하게 보고되고 있다. 비인강암의 경우 엡스타인–바 바이러스(Epstein–Barr virus, EBV)가 병인으로 알려져 있으며, 드물게는 Fanconi anemia 등의 질병이 원인이 되기도 한다. 두경부암은 기존의 암발생에 중요한 유전적 변형과 후성유전적(epigenetic) 변화 외에도 이러한 바이러스가 암 발생에 중요한 영향을 미친다.

유전자 변성이 단계적으로 축적되면서 양성 선종이 악성 종양으로 진행한다는 선종–암종 순서설(adenoma–carcinoma sequence)은 대장암뿐만 아니라 두경부암의 발생 기전 또한 설명 가능하다. 암은 세포변형을 일으키는 유전자 변성이 단계적으로 축적되어 변형된 세포클론이 과증식되어 발생된다고 생각되는데 이 이론에는 세 가지 원리가 뒷받침된다. 1) 종양은 종양억제유전자의 비활성화와 전암유전자의 활성화의 결과로 발생한다. 2) 암의 표현형을 발생시키는 유전자 변성이 순차적으로 이루어진다. 3) 유전자 변성의 순서는 변화가 가능하지만 이 변성의 축적으로 악성표현형이 결정이 된다.[20] 유전자 변성은 내적 원인이나 바이러스, 화학물질과 같은 외적 원인에 의해 정상 세포균형 기전이 손상되어 염색체 및 DNA가 변성되어 일어나게 되며 이러한 유전자 변성의 결과 비정상적 단백질이 생성된다. 유전자 변성이 누적되면 정상조직과는 다른 종양의 생물학적 특성, 즉 세포의 성장과 세포사, 세포의 운동성, 면역성 그리고 침습성 등이 다양하게 변한다. 또한 누적된 유전자 변성은 신생혈관 형성(angiogenesis)과 정상 면역반응에도 영향을 줄 수 있다. 유전자 변성 후 두경부 편평세포암종이 발생하기까지는

20여 년 이상의 기간이 필요하며, 이 기간 동안 흡연이나 알코올 등의 발암물질에 반복적으로 노출되면 두경부 편평세포암종으로 진행하는 데 필요한 특이 유전자 변성이 발생한다. 두경부암 발생 모델에서 유전자 변성은 초기의 변성과 후기 변성으로 구분을 할 수 있는데 이 초기 유전자 변성을 확인하면 현재 조직병리학적으로 정상이어도 추후 암유발 가능성이 예측 가능하고, 이에 따라서 치료 방침을 결정할 수 있는 기회를 가질 수 있다. 일단 두경부암의 진행 후에는 예방적인 치료가 어려우므로 분자생물학적 조기 진단 및 치료가 두경부암의 생존율을 높이는 데 매우 중요할 것으로 생각된다.

I 두경부암의 발생

암은 암세포 고유의 생물학적 특성이 유전자 변화에 의해 유발되는 유전적 질환으로서 암세포에서 관찰되는 다양한 세포유전학적 변화를 분석함으로써 정상 세포가 암세포로 순차적으로 변화하는 과정을 이해할 수 있다. Califino 등[8]은 두경부 편평세포암종의 발병 기전으로 유전 진행 모델(genetic progression model)을 발표하였다. 이 이론에 따르면 세포의 성장, 생존 혹은 세포주기 억제 등과 관련된 단백질의 유전자가 있는 염색체좌(loci)에서 다수의 특이한 유전자 변이가 일어나 두경부 편평세포암종이 발생하게 되는데, 이러한 종양발생과정(tumorigenesis)에서 중요한 것은 유전자 변이의 순서(sequence)가 아니라 누적된 양(total accumulation of alteration)이다.

1. 세포 유전학적 변성

최근 발전한 분자생물학적 진단도구인 차세대염기서열분석(Next generation sequencing, NGS)을 이용하여 정상, 전암병변, 암조직에서 수천 개의 유전자를 처리하여 유전자의 돌연변이여부를 확인할 수 있고, 대 염색체 전위(large chromosomal translocation), 결손(deletion), 증폭(amplification)과 같은 핵형 변성(gross karyotypic alterations)과 같은 두경부암 발생에 특이적 유전적 변성의 상관관계를 확인할 수 있었다.

염색체의 획득과 증폭이 관찰되는 부위에 전암유전자(protooncogene)가 위치할 것으로 추측되며, 반대로 종양억제유전자(tumor suppressor gene)는 염색체 결손이 관찰되는 부위에 위치할 것으로 생각된다. 전암유전자는 유전자의 변이(mutation), 증폭 등에 의해 활성화되어 악성 종양의 표현형으로 발현할 수 있는 정상 세포의 유전자이다.

종양억제유전자는 정상 세포에서 무제한적인 성장, 세

표 11-1. 두경부암에서 빈번히 관찰되는 암유전자 변성 위치

염색체 위치	유전자
Tumour-suppressor genes	
3p14	FHIT
3p21	RASSF1A
8p23	CSMD1
9p21	CDKN2A
9p23	PTPRD
10q23	PTEN
17p13	TP53
18q21	SMAD4
Oncogenes	
3q25	CCNL1
3q25	PARP1
3q26	PIK3CA
3q26	TP63
3q26	DCUN1D1
7p11	EGFR
7q31	MET
8q24	MYC
8q24	PTK2
11q13	CCND1
11q13	CTTN
11q13	FADD

포사의 결여, 그리고 침습과 같은 암세포의 특성이 발현되는 것을 억제한다. 인체에 발생하는 악성 종양에서 가장 흔히 변이되는 종양억제유전자는 p53이다. 전암유전자의 과발현과 종양억제유전자의 억제의 조합으로 변형된 단백질의 과발현이 유발되며 이로 인하여 악성종양의 표현형은 세포증식, 침습, 전이, 변화된 면역유전적 특징, 치료 저항성, 유전적 불안정성 등의 특징이 발생하게 된다. 두경부암에서 빈번히 관찰되는 암유전자 변성 위치는 다음과 같다(표 11-1).

1) 초기변성(Normal to dysplasia)

두경부암의 발생 과정을 유전적 변화에 따라 관찰해보면 처음에 염색체 3p21.3(RASSF1A)의 변화를 시작으로, 9p21(cyclin-dependent kinase inhibitors) 그리고 17p13(TP53)의 이형접합소실(loss of heterozygosity; LOH)이 일어나게 된다.[7] RASSF1A는 다양한 암에서 발견되는 종양억제유전자이지만, 두경부암에서는 유전학적 연관관계 확인을 위한 더 많은 연구가 진행 중이다. 염색체 9p21의 소실은 두경부암에서 70~80%에서 발견된다. 9p21에서 두 개의 기능적, 구조적으로 다른 세포주기 조절 단백질 p16(INK4a)와 p14(ARF)이 발현되며 이는 전암성병변의 이형성증의 중등도를 증가시키는 EGFR (Epidermal growth factor receptor)의 과발현과 관련이 있다.[24] 9p21이 소실되면 p16(CDKN2/ MTS1)으로 불리는 세포주기를 조절하는 유전자가 발현되지 않는다. p16은 cyclin CDK 복합체의 중요한 억제인자로서 G1기 세포주기정지(cell cycle arrest)를 유도한다. p16가 억제되면 Cyclin CDK 복합체는 세포가 S기로 진행하는 것을 억제하는

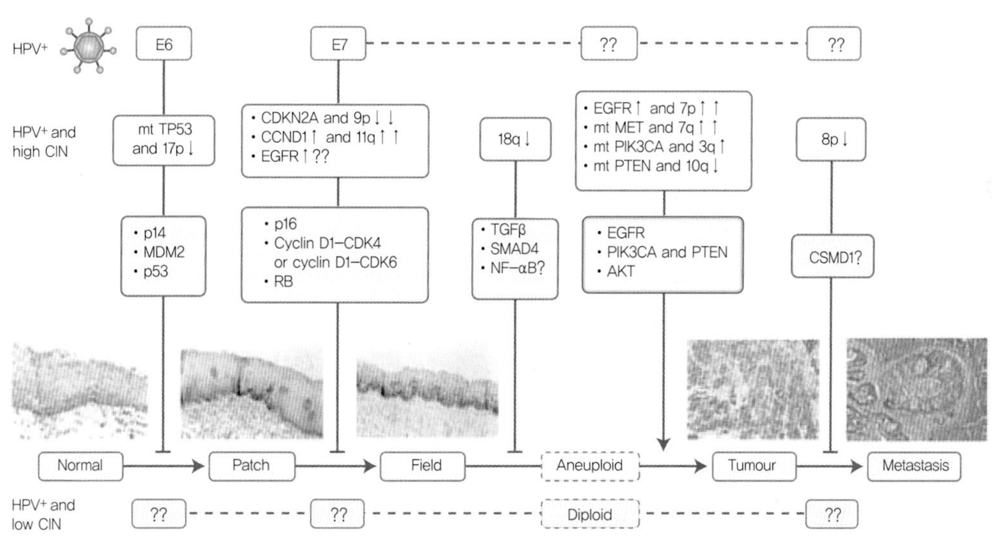

■ 그림 11-1. **두경부 편평상피세포암의 분자 암화기전 모델.**
두경부 편평상피세포암의 다단계 암화(multistep carcinogenesis)을 설명한 가설적 모델로서 정상 점막세포에서 이형성(dysplasia)와 같은 암 전암병변, 초기암, 중기암, 전이를 동반한 진행암에 각각 기여하는 유전자와 신호전달계를 설명하고 있다. 종양 주위 정상조직에서 구역암화(field cancerization)에 의해 암으로 진행할 수 있다. 세 가지 주요 단계를 포함한다. 먼저, 단일 점막줄기세포의 돌연변이를 통해 조그만 암성조각을 만들고 형질전환(transformation)을 거쳐 침습, 전이를 보이는 암종으로 발달하게 된다. HPV 양성암과 음성암의 암화기전에 많은 차이를 보인다. HPV 음성암은 염색체 불안정성(chromosomal instability)이 흔히 발견되나 불안정성을 동반하지 않은 HPV 음성암은 이와 같은 다단계 암화과정에 맞지 않을 수 있다. P53, EGFR, MET, PTEN-PI3K-AKT 등 유전자와 분자들이 각 단계별로 주로 관여하고 있다.

Rb단백을 인산화시켜 불활성화함으로써 G1/S 이행단계 세포주기 검문지점(cell cycle checkpoint) 조절에 이상을 초래하여 세포 증식을 유발하게 된다. p14는 p53을 억제하는 MDM2 억제인자로서 p14가 발현되지 않으면 세포 증식이 유발된다. p16 변이는 두경부암의 50%에서 발현된다.[7]

17p13의 이형접합소실은 후기 이벤트로 일어난다. p53이 위치하는 염색체 17p의 소실은 두경부 편평세포암종에서 가장 많이 발견되는 유전적 변이 중에 하나이다. 두경부에 발생한 침습형 종양의 45%에서 조직학적 중증도에 따라 p53 돌연변이가 증가되는 현상이 관찰된다. p53 단백은 세포주기, DNA 복구, 그리고 세포자멸사(apoptosis)와 같은 다양한 생리기능 조절에 관여한다. P53의 변이가 많을수록 세포주기의 복구가 일어나지 않아 조직형의 중증도가 올라간다(그림 11-1).

2) 후기변성(Dysplasia to Cancer)

Dysplasia에서 두경부암으로 진행하는 과정의 염색체변화는 11q13 증폭, PTEN(10q23.3) 비활성화, 그리고 13q21, 14q32, 6p, 8p, 4q27에서의 이형접합소실이 포함된다. 11q13 증폭에 의한 cyclin D1(PRAD1, CCD1)의 증폭은 두경부 편평세포암종의 약 1/3 에서 관찰된다. DNA 분석에 의하면 11q13에 위치한 Cyclin D1은 Rb (retinoblastoma protein)를 인산화시켜 세포주기를 G1기에서 S기로 이행하도록 한다. 종양억제유전자인 p16은 cyclin D1을 억제하여 Rb의 인산화를 하향조절(downregulation)한다. Cyclin D1이 증폭된 두경부 편평세포암종 환자에서는 진행된 조직병리학적 소견이 관찰되고 무병생존율이 감소한다고 보고되어 있다.[9] PTEN 유전자 변성은 두경부암의 5-10%, PTEN 소실은 30%에서 관찰된다. PTEN 소실은 불량한 예후를 예측할 수 있는 인자로 이용될 수 있다.

두경부 편평세포암종과 관련이 있을 것으로 생각되는 전암유전자인 p40/p63/AIS/CUSP은 염색체 3q27-29에 위치한다. 이 유전자는 p53과 상동(homologue)이며, 세포주기 조정(cell cycle modulation)과 DNA 손상반응(DNA damage response)에 관여하는 것으로 생각되며 일부 두경부 편평세포암종에서 증폭된 것이 확인되었다.

2. 구역암화

침습형 편평세포암종 주위의 상피세포를 조직병리학적으로 연구한 결과 상피내암종(carcinoma in situ), 이형성(dysplasia), 과각화(hyperkeratosis), 과증식(hyperplasia) 등의 전암성 병변을 관찰하였고 이로 인하여 원발성암을 제거한 이후에 이차암이나 국소재발이 높았다.[50] 또한 두경부 편평세포암종 환자들에서 이차 원발 두경부암, 폐암, 식도암의 유병률이 증가하는데, 이 결과를 바탕으로 구역암화(field cancerization)를 발암원(carcinogen)에 지속적으로 노출된 전체 구역이 암 또는 전암성 병변(premalignant lesion)으로 발전하는 현상으로 정의하였다. 구염암화를 설명하기 위하여 현미부수체 검사(microsatellite analysis)와 X-chromosome 비활성화를 이용한 연구로 원발 암세포 common cellular clone에서 이시성(metachronous)및 동시성(synchronous) 부위가 발생함을 확인하였다. 두경부암 전암성병변을 조직검사한 결과 현미부수체 손실(microsatellite loss) 패턴의 축적을 확인할 수 있었다. 이러한 연구들에 따르면 원발 암세포클론에서 기원한 종양이 시간이 흐르며 다양한 유전학적 변성이 축적되며 다양한 유전학적 특징을 가지는 암으로 발현됨을 알 수 있다. 이에 따라 재발암의 경우 강하게 연관되어 있으나 이차구역암의 경우 중등도로 연관되고, 이차암의 경우에는 원발 클론은 연관되어 있지 않을 수도 있다.

3. 사람유두종바이러스(Human papillomavirus)

최근 두경부 종양의 주요 원인이 사람유두종바이러스

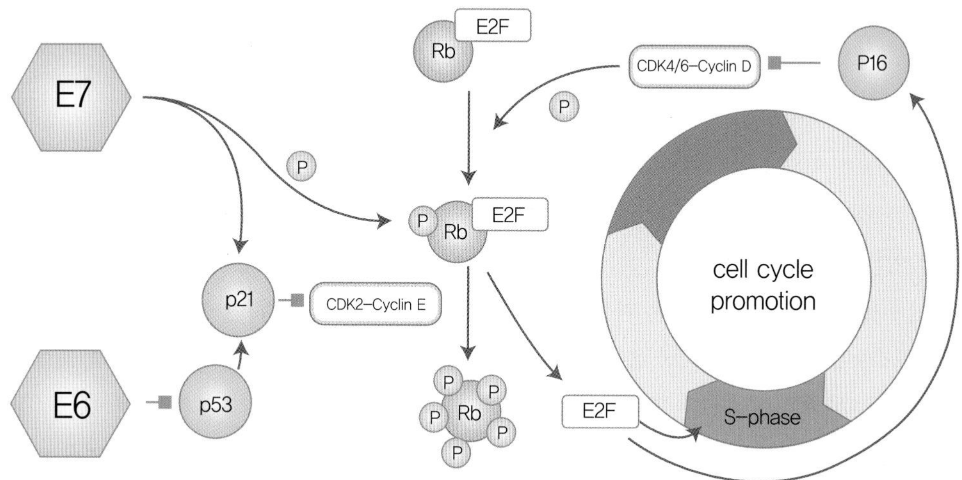

■ 그림 11-2. **HPV 암유발 메커니즘-세포주기에서 cyclin/CDK 복합체와 Rb 단백질의 역할.**
E6는 종양억제유전자인 p53을 억제하고, E7은 p21을 자극하여 CDK/cyclin 복합체를 억제하거나 종양억제유전자 Rb를 억제하게 된다. 정상 세포에서 p-Rb는 전사요소(transcription factor)인 E2F와 결합되어 세포 주기의 진행을 억제한다. 그러나 다양한 cyclin/CDK 복합체에 의해 인산화(phosphorylation)되어 p-Rb가 비활성화되면 E2F가 유리되고 세포 주기는 G1기에서 S기로 진행하여 DNA 합성이 일어난다. P16과 p53 같은 종양억제유전자의 발현에 장애가 생기면 cyclin/CDK 복합체가 활성화되어 DNA 복제와 세포분열이 촉진된다.

(Human papillomavirus; HPV)임이 밝혀지면서 HPV infection에 의해 발생한 종양과 다른 원인에 의해 발생한 종양이 서로 다른 종양적 특성을 가지는 것이 확인되었다. HPV 양성종양의 경우 환자군이 더 젊고 이전에 흡연력이나 음주력의 비율이 낮으며 경제적 수준이 높고 구강성교와 연관이 있다고 알려져 있다.[51] 전체 두경부암의 20~25%가 HPV 양성이며 특히 구인두암에서 HPV 16형은 절반 이상에서 관찰되고 HPV 16형에 대한 항체의 역가가 증가되어 있으면 구인두 편평세포암종의 발생 위험성이 14배 증가하며, 평균 8년 뒤 편평세포암종으로 진행한다고 알려져 있다.

HPV 16형과 18형의 E6와 E7 유전자 산물은 p53과 Rb를 비활성화해 두경부 편평세포암종을 유발할 수 있으며, E6는 또한 텔로머레이스(telomerase)를 활성화한다. Rb는 E2F와 결합하여 S기의 진행을 막는 역할을 하는데 E7에 의하여 Rb가 비활성화되면 E2F와 더 이상 결합을 하지 못하고 E2F가 S기를 촉진시켜 세포의 증식과 분화가 이루어지게 된다. 또한 E7은 비정상적인 세포분열과 이배수체 그리고 유전적 불안정성을 유발하게 되어 암발생을 증가시킨다(그림 11-2).

4. 암 줄기세포(Cancer stem cell)

암의 발생과 재발에 비정상적 줄기세포가 위계적으로(hierarchical model) 관여한다는 암줄기세포(cancer stem cell) 이론은 근치적 절제술 후 암의 재발과 항암제 내성의 원인을 설명하고 새로운 암 치료 방향을 제시하고 있는 새로운 연구 분야이다. 암 줄기세포는 무제한 재생능력(self-renewal)을 가진 암세포로서 면역억제 쥐에 주입하였을 때 고효율적으로 종양을 생성할 수 있으며 그 형성된 종양에서는 원발종양이 가지고 있던 고유의 이질성(heterogeneity)이 잘 표현되었을 때 비로소 암 줄기세포로 정의될 수 있다. 암 줄기세포가 새로운 암종괴를 형성할 수 있기 때문에 암 줄기세포가 아닌 종양 세포들을 수술로 완전히 제거하고 항암 방사선 치료를 시행해도 암 줄기세포가 남아있으면 암은 다시 재발하게 된다는 이론이다. 따라서 암을 완전하게 치료하기 위해서는 암 줄기세포를 제어할 수 있는 방법을 알아야 한다.

암 줄기세포는 종양 형성에 대한 새로운 기전으로 설명되고 있으며 잠재적으로 두경부암에 대한 좀 더 효과적인 치료법을 개발하기 위한 연구의 새로운 영역을 제공할 것으로 생각된다. 두경부암에서 암 줄기세포는 2007년 Prince[42]에 의해 처음으로 알려졌는데, 그들은 면역억제 마우스를 이용한 실험에서 CD44 high 세포를 5,000개 정도만 주입해도 종양을 형성시키는 반면 CD44 low 세포는 10^6개 이상을 주입해도 종양이 형성되지 않는 것을 보고하였다.

두경부암에서 침습 및 전이의 세포 기전을 이해하는 것이 새로운 진단 및 치료 방법을 개발하는 데 필수적이다. Davis 등[16]은 in vitro 및 in vivo 실험을 통해 두경부암 CD44 high 세포는 CD44 low 세포와 비교하여 이주(migration), 침습 및 전이 능력이 좋다고 보고하였다. 결과적으로 암 줄기세포는 두경부암 전이의 치료에 있어서 새로운 임상적 표적이 될 수 있다. 하지만 암 줄기세포가 두경부암의 전이에 결정적인 역할을 한다는 증거가 부족하고 기전 또한 명백히 밝혀지지 않아 이에 대한 연구가 선행되어야 한다.

II 두경부암의 성장

유전자 변성의 축적과 후성유전학적 환경변화의 결과로 발생한 악성 종양의 성장은 자율 증식을 위한 신호 체계의 획득(self-sufficiency in growth signals), 성장억제 신호의 정지(insensitive to anti-growth signals), 세포자멸사로부터의 회피(evasion of apoptosis), 불멸성(limitless replicative potential, immortalization), 신생혈관 생성(sustained angiogenesis), 그리고 조직 침습(tissue invasion)과 전이(metastasis) 등의 과정을 통하여 이루어진다. 이번 장에서는 이에 관여하는 생체표지자(biomarker)에 대하여 알아보고자 한다.

1. 자율 증식을 위한 신호 체계의 획득

세포가 증식하기 위해서 필요한 성장신호(growth signal)는 세포 내로 확산해 들어갈 수 있는 성장인자(growth factor), 세포 외 기질 성분(extracellular matrix component), 혹은 세포 간 접착 혹은 상호작용을 하는 분자(cell-to-cell adhesion/interaction molecules)와 같이 다양한 형태로 존재한다. 일반적으로 성장신호들은 세포 표변의 막 횡단 수용체(transmembrane receptor)에 결합한 후 다양한 세포 내 신호전달경로(intracellular signaling pathways)를 통해 핵(nucleus)에 전달된다. 암은 세포의 비정상적인 성장으로 이루어지며, 두경부 편평세포암종에서도 다양한 성장인자와 성장인자 수용체(receptors)의 비정상적인 발현이 관찰된다.[23]

1) Epidermal Growth Factor (EGF) (EGF-R, c-erb 1-4, Her-2/neu)

표피성장인자(epidermal growth factor, EGF)는 가장 많이 연구된 성장인자 중의 하나이다. EGF 수용체 EGFR는 세포 내 영역에 타이로신 키나아제(Tyrosine kinase) 효소활성을 지닌 부분을 가지는 170kDa의 막 횡단 단백질(transmembrane protein)로서, 세포 외 리간드 결합 영역(extracellular ligand-binding domain), 막 횡단 영역(transmembrane domain), 세포 내 단백질 활성효소 영역(intracellular protein kinase domain), SH2 결합 영역(SH2-binding domain) 등으로 구성된다. EGF 수용체군은 ErbB1 (EFGR/Her1), ErbB2 (Her2/

c-Neu), ErbB3 (Her3), ErbB4 (Her4)로 구성되며, 흔히 HER family로 불린다. 이 중 EGFR은 가장 먼저 밝혀진 ErbB1 수용체다. EGFR을 통한 신호 전달 과정은 종양의 분화 상태와 장기에 따라 다양한 효과를 나타내며, 종양 세포 분화 과정에서 중요한 역할을 한다. 그 외에 세포 이동, 혈관형성, 성장, 침습, 세포자멸사 등에 관여하며, 종양의 성장과 진행에 결정적인 역할을 하는 것으로 알려졌다.[58] EGFR 과발현은 재발과 예후를 예측하는 중요한 인자로서,[15] 전암성병변에서 EGFR의 과발현이 함께 관찰되어 암발현의 유전학적 초기변성임을 짐작할 수 있다. 또한 EGFR은 악성으로의 변화 과정 및 치료에 대한 반응으로 나타나는 표현형의 변화를 확인할 수 있는 좋은 지표가 된다.

EGFR은 대부분의 두경부 편평세포암종에서 과발현되며 후두암 환자를 대상으로 한 연구 결과 정상 점막에 비해 분화도가 나쁜 종양에서 특정적으로 EGFR이 과발현되어 있었다. 이 연구에서 EGFR이 음성인 환자의 경우 2년 생존율은 82%인 반면, EGFR 양성 환자의 경우 2년 생존율이 58% 였다. 다변량분석(multivariate analysis) 결과 EGFR의 존재 유무와 후두 내 종양의 위치가 후두암에서 중요한 독립 예후인자임이 확인되었다. EGFR의 활성화는 구강편평세포암을 포함하여 표피세포에서 유래하는 암종의 악성도와 관련된다는 보고도 있다.[14] 또한 대표적인 종양억제 유전자인 p53의 조절기전의 이상, EGFR 유전자 1번 인트론의 다형성(polymorphism) 또는 EGFR 유전자의 증폭으로 인하여 EGFR의 mRNA의 발현이 증가하는 것이 알려져 있으며, 이는 암세포의 성장, 전이, 항암방사선 치료에 대한 저항성 및 예후와 관련되어 있다고 알려져 있다.[49] 따라서 EGFR 억제는 효과적인 분자생물학적 표적치료로서 현재 많은 임상연구와 시도가 이루어지고 있는 분야이다. 최초의 EGFR 단클론성 항체인 cetuximab은 국소진행성 두경부 편평상피암종을 대상으로 한 Bonner 등[5]의 연구와 재발성 및 전이성 두경부 편평상피암종을 대상으로 한 EXTREME trial의 연구 결과에 의해서 미국 FDA에서 항암방사선요법에 반응이 없었던 환자들을 대상으로 단독요법으로의 사용이 허가된 약제이다. 그러나 최근에는 EGFR 억제에 대한 저항성이 발견되어 그 기전에 대한 연구들이 이루어지고 있으며, 이를 극복하기 위하여 EGFR 이외의 ErbB 수용체를 비롯하여 다양한 표적에 대한 연구를 통해 병합표적치료(combinational targeted therapy)의 개념이 대두되고 있다.

2) Signal Transducers and Activators of Transcription Proteins (STATs)

STATs는 EGFR의 tyrosine kinase, c-Src family kinase, JAK, nicotinic 수용체, interleukin (IL) 수용체, erythropoietin 수용체에 의해 활성화되어 DNA promoter에 결합 후 유전자의 발현을 조절하는 전사 인자(transcription factors)이다. 두경부 편평세포암종에서 STAT3와 STAT5는 EGF/TGF를 매개로 종양의 성장을 자극하고 종양의 세포자멸사를 억제하여 종양의 진행에 중요한 역할을 하는 것으로 생각된다. STATs는 두경부암에서 증가된 소견을 보이며, 세포주기진행, 세포자멸사, 혈관신생을 조절하며 면역 체계를 변화시킨다 유전자를 활성화시킨다. STAT3를 억제하였을 때 항암효과가 관찰되는 여러 연구들이 진행되었다.

3) RAS

Ras proto-oncogene은 GTP binding protein을 통하여 세포 표면에서 세포질 내로 세포분열신호(mitogenic signal)를 보내는 데 관여하며 두경부암에서는 이러한 ras oncogene family 중 일부가 과발현되는 것으로 보고되고 있다. 예를 들어 담배에 의한 구강암의 경우 K-ras 활성변이와 관련이 있다.

4) Nuclear Factor Kappa B (NF-kB)

NF-kB는 면역과 염증반응에 관여하는 유전자를 조

절하는 전사 인자로, 정상 세포에서 NF-kB는 IkB라 불리는 억제단백질(inhibitor proteins)과 결합해 비활성 상태로 세포질 내에 존재하며, 자극을 받으면 IkBs이 분해되면서 NF-kB가 활성화된다.[22] 최근 NF-kB는 악성 종양의 발달과 진행 과정에서 보이는 암의 고유한 특성, 즉 세포의 비정상적인 증식(cyclin D), 주위 조직의 침습(MMP-9) 그리고 신생혈관 형성(interleukin-8) 등과 관련됨이 확인되었다. 또한 NF-kB는 다양한 세포자멸사 억제단백질 즉, c-FLIP, TRAF1, TRAF2, cIAP1, c-IAP2, A1/vfl-1, Bcl-XL, IEX-1, xIAP의 전사를 조절하여 세포자멸사를 억제한다.[2] NF-kB가 활성화되면 p53에 의한 세포자멸사가 감소하게 된다.[56]

5) Hepatocyte Growth Factor Axis / cMET

HGF (Hepatocyte growth factor)는 여러 가지 유형의 세포에서 다양한 생물학적 기능을 보이는 헤파린에 결합된 당단백질(heparin-binding glycoprotein)로서 c-Met의 리간드로 종양미세환경에서 과발현된다.[28] 두경부암에서 EGFR이 FDA에서 승인받은 유일한 표적인자이지만 그 치료 효과에 제한점이 있어서 EGFR과 상호작용하는 HGF/Met에 대한 연구가 활발하게 이루어지고 있다. Dong 등[19]의 보고에 따르면 두경부 편평세포암종에서 HGF/Met는 MEK 와 PI3K pathway의 조절인자로서 IL-8(proangiogenic cytokines)과 vascular endothelial growth factor (VEGF)를 상향 조절(upregulation)하여 신생혈관 생성에 관여한다. c-Met 은 두경부암의 유전적 돌연변이를 활성화하며, HGF의 증가는 암세포의 증식과 침습, 전이를 일으키는 데 영향을 준다.

2. 성장억제 신호의 정지

두경부암에서 중요한 성장억제 기전은 transforming growth factor-beta (TGF-β)와 연관이 있다. TGF-β에 의하여 SMAD2, SMAD3, SMAD4 등을 통해 세포 내 신호 전달이 이루어지며 세포 증식을 억제하고 세포자멸사를 증가시킨다. TGF-β 억제는 NF-KB를 증가시켜 세포의 생존을 유지하게 한다. 세포주기를 따라 분열하면서 세포의 증식이 일어날 때 성장인자 등에 의한 지속적인 세포 증식 자극이 종양 발생에 필수적이지만, 이것만으로 정상세포가 암세포로 전환(oncogene transformation)되지는 않는다. 다양한 조절인자들이 복잡한 상호작용으로 세포주기에 영향을 주며, 세포주기를 통해 DNA 복제와 세포 분열이 일어난다. 세포주기는 cyclin, cyclin-dependant kinase (CDK)와 cyclin-dependent kinase inhibitor (CDKI) 같은 세포주기 조절단백의 상호작용에 의해 조절된다. CDK는 cyclin과 결합하면 활성화되고 CDKI와 결합하면 억제된다. CDKI는 CDK와 cyclin의 결합을 방해하여 세포주기 진행을 억제하고 무제한적인 세포증식을 억제하는 기능을 하며, INK4 (p15, p16, p18, p19)와 CIP /KIP (cyclin dependent kinase interacting protein/kinase inhibitor protein, p21, p27, p57)가 이에 속한다. Cyclin, CDK, CDKI 에 영향을 주는 인자들은 세포의 비정상적인 성장을 초래하는 발암유발인자로 작용할 수 있다.

1) 망막모세포종유전자(Retinoblastoma Gene; Rb)

Rb 유전자와 이의 단백 산물인 pRb는 세포주기의 관문이라 명명될 정도로 세포주기에서 중요한 역할을 한다. 정상 세포에서 인산화되지 않은 pRb는 전사 요소(transcription factor)인 E2F와 결합되어 S phase로의 진행을 억제한다. 그러나 다양한 cyclin/CDK 복합체에 의해 인산화(phosphorylation)되어 pRb가 활성화되면 E2F가 유리되고 세포주기는 G1기에서 S기로 진행하여 DNA 합성이 일어난다. 이처럼 Rb는 세포주기를 억제하는 중요한 역할을 하기 때문에 두경부편평세포암종뿐만 아니라 다양한 악성 종양과 연관된다. pRb의 과발현이 무병생존률을 감소시키는 것으로 알려져 있으며,[27] Soni 등은 구강편평세포암에서 pRb 발현이 소실되는 것이 암종의 공격성과 관련되어 있으며, 나쁜 예후와도 관계 있다고 보고하였다.[52] 돌연변이나 HPV의 E7에 의하여 Rb가 비활성화되면 세포분열이 일어나며 세포 증식이 일어나게 된다.

2) p53

17번 염색체의 단완(short arm)에 위치한 p53은 악성종양에서 가장 흔히 변이되는 종양억제 유전자로 이전의 연구에서는 두경부암의 50%에서 p53의 변이가 일어나는 것으로 알려졌으나, Balz 등[3]이 exon 2–11 씨퀀싱을 통하여 분석해본 결과 두경부암의 79%에서 변이를 관찰할 수 있었다. p53은 방사선, 화학 발암물질 또는 다른 원인에 의한 DNA 손상 시 세포를 보호하는 역할을 한다. 즉, 세포 내의 DNA가 손상을 입으면 정상 세포주기를 차단하는 p53의 발현이 증가되어 비정상적인 세포가 증식하기 전에 DNA가 복구되게 된다. 또한 DNA의 복구가 성공적이지 못하면 세포자멸사(programmed cell death, apoptosis)가 일어난다. P53에 변이가 발생하면 손상된 DNA의 수복이 제대로 안 되고, 세포가 자멸하지 않아 유전적으로 불안정하게 되어 돌연변이가 축적되어(mutation accumulation) 암세포로 전환될 수 있으며[11], 방사선치료나 항암 치료에 저항을 보일 수 있다. p53의 비정상적인 발현율은 정상 상피세포에서 19%, 과증식(hyperplastic) 병변에서 29%, 이형성(dysplastic) 병변에서 45% 그리고 침습형 암종에서는 58%로 증가하여 종양의 진행과 연관되는 것으로 생각된다.[48] 이러한 p53의 과발현은 국소진행성 암종에서 더 많이 발견될 뿐만 아니라, 여러 암종의 좋지 않은 예후와 관련되어 있다고 알려져 있다. HPV의 E6 유전자 산물은 p53을 비활성화한다.[53]

3) Cyclin D1

암세포는 지속적으로 세포주기와 관련된 주된 물질에서 유전학(genetic) 또는 후생유전학(Epigenetic)적인 변화를 겪게 된다. Cylcin D는 세포주기 중 G0/G1기에서 S기로 진행할 때 발현되는 세포주기 단백질로 특히 세포분열이 cyclin D1의 농도에 의해 결정되는 것으로 알려져 있으며, 동시에 종양유전자(Oncogene)로 알려져 있다. Cyclin D1은 종양의 진행에 가장 많은 영양을 주는 세포주기 조절인자이다. 많게는 두경부 편평세포암종의 64%에서 cyclin D1이 증폭되었다고 보고되었다.[4] Bova 등[6]은 148명의 설암 환자 중 68%에서 cyclin D1의 발현이 증가했으며, 이러한 환자에서는 무병생존율을 포함하여 전체적으로 생존율이 유의하게 낮았다고 보고하였다. 그리고 설암 환자에서 cyclin D1의 과발현과 림프절 전이가 연관이 있다는 보고도 있다.[40] 후두 편평세포암종의 37%에서 cyclin D1의 증폭이 관찰되었고, 이는 종양의 국소침습, 국소재발 및 조직학적 병기와 연관이 있었다.[26] 또한 하인두암에서 cyclin D1의 발현이 증가한 경우에 경부 림프절 전이가 유의하게 증가하였고, cyclin D1이 음성인 환자에게 다중치료(multimodal treatment)를 시행하면 좋은 예후를 얻을 수 있었다.[39] 두경부 편평세포암종에서 cyclin D1의 과발현은 재발의 독립적인 예후인자라는 보고도 있다. Jayasurya 등은 p16의 발현 감소와 cyclin D1의 과발현이 동반될 경우 좋지 않은 임상 양상과 관련된다고 보고하였다.[27] 이와 같은 보고들은 cyclin D1이 두경부 편평세포암종의 발병기전에서 중요한 역할을 담당하고 있음을 시사한다.

3. 세포자멸사로부터의 회피

예정된 세포자멸사(programmed cell death)는 정상적인 세포의 항상성(homeostasis) 유지를 위해 세포막의 용해(membrane dissolution), 핵 붕괴(nuclear breakdown), 세포질 골격 붕괴(cytosolic skeletons-breakdown), 염색체 분해(chromosomal degradation), 그리고 핵의 분쇄(nuclear fragmentation)와 같은 생화학적인 과정을 통해 일어난다. 이는 세 가지 과정으로 요약해 볼 수 있다. 1) 세포 외 또는 세포 내 신호에 의해 세포자

멸사장치(machinery)가 가동을 개시하는 시작 또는 신호 단계이다. 2) 세포자멸사의 실질적 과정으로, 다양한 물질들에(effector molecules)의 신호 전달에 의해 세포 파괴인자인 caspases가 유리되는 단계이다. 3) 형태학적 변화(morphologic changes)가 나타나는 단계이다. 이러한 세포자멸사의 과정에는 다양한 조절물질과 작용물질들(multiple regulatory and effector molecules)이 관여하므로, 이들에 변이가 발생하면 세포의 생존력이 증가하여 종양발생(tumorgenesis)의 중요한 요인이 된다.

1) 세포자멸사 유발 및 억제 신호

세포자멸사는 세포외(extracellular) 혹은 세포내(intracellular) 경로를 통해 시작된다. 세포외 경로에 관여하는 세포자멸사의 억제인자들은 Fas, tumor necrosis factor receptor, TRAMP, TRAIL-R1, TRAIL-R2, DR-6과 같이 세포 표면에 존재하는 수용체(cell surface receptors, death receptors)에 결합하는 리간드들이다. 세포자멸사를 유도하는 세포 내 물질 중에서 p53이 가장 많이 연구되었으며, Bax/Bcl-2 비율, cyclin D1의 발현 정도도 세포자멸사와 관련이 있다.

2) Caspase

Caspase는 세포자멸사와 관련된 단백질 분해효소(protemase)로 세포자멸사 신호를 세포 밖에서 세포 내로 매개하는 역할과 세포 내 단백질을 직접 분해하는 등 다양한 기능을 한다. Caspase는 기능에 따라 세포자멸사에서 특별한 역할을 하지 않는 nonapoptotic caspases (caspases-1, -4, -5, -11, -12, -13), caspase가 작용하는 일련의 과정에서 개시 및 증폭에 담당하는 initiator caspases (caspase-8, -9, -10), 그리고 세포자멸사 과정에서 중추적인 역할을 담당하는 effector caspases (caspase-2, -3, -6, -7)로 나눌 수 있다. 항암제 중 5-FU는 caspase-1, -3, -8을, cisplatin은 caspase-3, -8, -9의 발현을 증가시켜 세포자멸사를 유도하여 항암 효과를 나타낸다.

3) Bcl-2 family members

Bcl-2 family는 세포사멸을 조절하는 단백질군으로 사립체 mitochondria에서 cytochrome-C의 유리를 조절하는 분자인 Bcl-2, Bcl-XL, Bfl-1와 같은 항세포사멸(anti-apoptotic) 단백질 또는 Bax, Bak, Bid과 같은 전세포사멸(proapoptotic molecules) 단백질이 포함되며, 이러한 세포사멸 조절 단백질의 균형을 통해 세포의 생존 또는 죽음이 결정된다.[10] 두경부 편평세포암종에서 Bcl-2의 발현이 증가되거나 혹은 Bax가 발현되지 않으면 예후가 불량하다고 알려져 있다.[60]

4) Survivin

Survivin은 세포 사멸 억제인자로 정상 점막에서는 일반적으로 발견되지 않지만, 두경부암에서는 과발현되는 특이적인 표지자이며, Lo Muzio 등은 구강편평세포암에서 survivin이 암세포의 공격적이고 침습적인 성향을 대변하는 분자표지자이며, 이의 발현을 통하여 진단 당시 치료 계획을 세우는 데 도움을 받을 수 있다고 보고하였다.[34]

4. 불멸성(Immortality)

암세포에서 핵심적 세포기능은 노화를 극복하고 세포주기를 조절하여 무한히 복제되는 불멸성이다. 텔로미어(telomere)는 염색체의 말단에 존재하는 반복적인 염기서열 부위(TTAGGG)로 염색체의 안정성을 높이고 세포에 유해한 유전자의 재조합을 방지하는 기능을 하여 protective caps이라고도 불린다. 세포가 분열할 때마다 50~100개의 염기가 소실되면서 텔로미어는 점점 짧아지게 된다. 결국 세포의 노화에 따라(cell senescence) 텔로미어가 소실되면 염색체의 말단은 더 이상 보호되지 않아 염색체 융합(chromosomal fusion)과 비정상적인 핵형(karyotypic abnormalities)이 유발되어 세포는 죽게 된다. 그러나 정상 세포와 달리 암세포는 텔로머레이스 활성화를 통해 텔로미어를 지속적으로 유지하여 끊임없이 분열할 수 있는 불멸성을 획득한다. 두경부에 발생한 침습형 편평세포암종의 90%에서 텔로머레이스의 활성이 검출된다고 보고되었다.[37] 텔로머레이스의 활성도는 종양의 분화 정도, 치료 반응률과 연관성이 있으며, 종양의 T병기가 높아질수록 텔로머레이스가 증가한다는 보고도 있다.[13] 두경부암에서 세포주기를 조절하여 불멸성을 유발시키는 중요한 유전자는 p53과 RB에 관련된 단백질을 만들어낸다. P53 돌연변이는 텔로머레이스 역전사인자와 결합하여 cyclin D1의 과발현을 일으켜 불멸성을 일으킴을 실험으로 밝혀냈다.

Ⅲ 두경부암의 침습과 전이

다른 종양과 마찬가지로 두경부암은 임파선전이가 일어나며 치료와 예후에 매우 중요하다. 양성 종양과 달리 악성 종양은 숙주 고유의 방호벽(natural host barrier)을 파괴하고 주위 조직에 침습하는 성질을 가지고 있다. 종양의 침습과 전이 과정은 정상 세포의 부착능력 소실, 기저막과 세포외기질의 파괴, 종양세포 이동의 자극, 신생혈관 생성 등을 포함하는 능동적 과정이라 할 수 있다(그림 11-3).

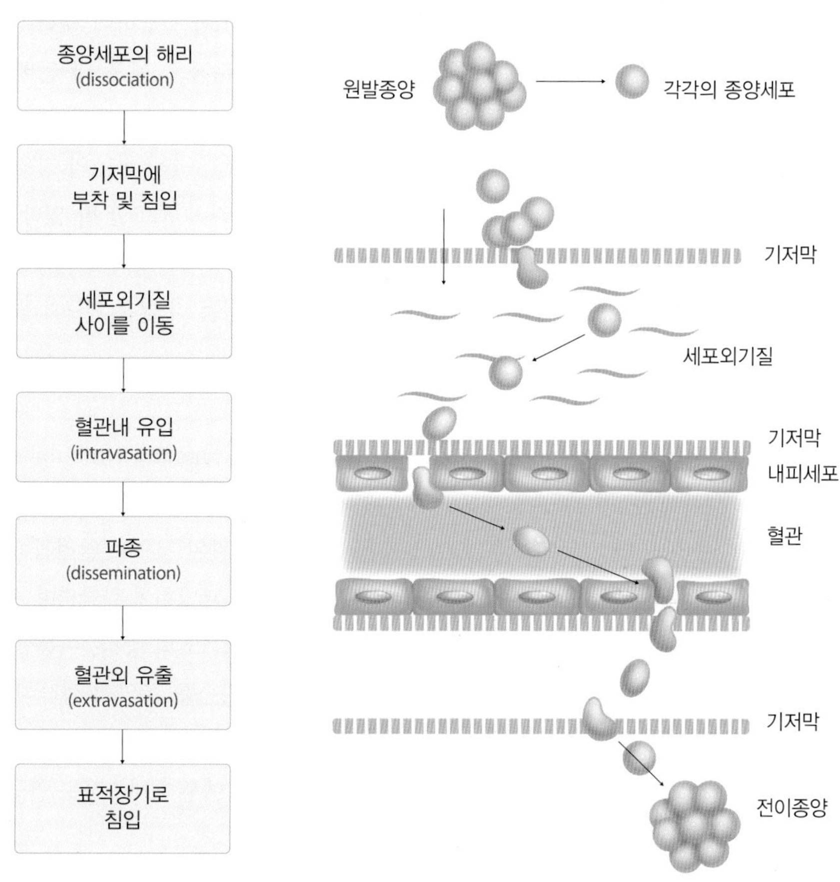

■ 그림 11-3. 일련의 종앙전이 과정 전이 과정은 원발암 조직에서 종양세포가 떨어져 나가면서 시작된다(dissociation). 각각의 종양세포는 기저막(basement membrane); BM에 부착된 후 기저막을 통해 adhesion and invasion, 세포외기질 사이 extrace //u/ar matrix; ECM를 이통한다(migration). 그 후 혈관 혹은 림프관 내로 유입된 후(intravasation) 원격부위로 피종된다(dissemination). 혈관 밖으로 유출(ext ra vasati on)된 후 표적장기로 침입하여 전이종양을 형성한다.

1. 기저막 부착

편평상피세포 아래에 있는 기저막(basement membrane)은 종양세포의 침습에 대한 자연 방어벽이다. Collagen type IV, laminin, collagen type VII, heparan sulfate, proteoglycan 등이 상피 기저막을 이루고 있다.

1) Integrins

Van Waes 등은 두경부 편평세포암종 세포에 대한 단클론성 항체를 이용하여 A9라는 종양표현 항원을 분리하였으며, 이 항원은 a6ß4 integrin과 동일하였다.[55] Integrin은 세포 부착 분자(cell adhesion molecules)군이며, a6ß4 integrin은 특히 laminin에 부착하는 것으로 알려져 있다. 정상 편평상피세포와 두경부 편평세포암종 검체를 이용한 면역조직학적 연구에서 a6ß4 integrin은 종양에서 좀 더 광범위하게 발현되며 a6ß4 integrin의 발현은 조기 재발과 전이와 관련된다.

2) Cadherin

세포 간 부착과 관련된 당단백질로 표피세포에서는 주로 세포의 결합대(zona adherens)에 분포하는 E-cadherin 복합체가 중요하며, 그 외에도 P-cadherin 등 약 20여 가지의 종류가 알려져 있다. E-Cadherin은 세포가 서로 접촉을 유지(cell-cell contact)하도록 도와주는 세포 표면에 존재하는 수용체 분자(receptor molecule)이다. 각질세포에서 E-cadherin은 세포-세포의 연결부위에 많이 존재하며, P-cadherin은 주로 기저 부위의 세포에서 많이 발현된다. 편평상피세포의 분화(differentiation와 E-cadherin)의 발현 정도와는 연관성이 있다. 이러한 결합 단백질들의 발현이 감소하는 것은 종양세포의 이동, 침습, 파종에 중요하다. 잘 분화되지 않은 종양(poorly differentiated tumors)에서는 발현이 감소되고, 잘 분화된 종양(well-differentiated tumor)에서는 발현이 증가된다.[59] 구강편평세포암에서 P-cadherin의 감소가 낮은 전체 생존율과 관련된다고 보고되어 있으며, E-cadherin의 경우 그 발현과 예후의 통계적인 유의성은 없는 것으로 보고되었지만,[32] E-caherin에 의해서 조절되는 SIP1의 경우 구강편평세포암에서 무병생존율을 낮추는 것으로 알려져 있다.[36] 두경부 편평세포암종 환자에서 E-cadherin의 발현 정도와 종양의 크기 혹은 병기는 서로 연관성이 없으나, E-cadherin의 발현이 증가된 환자의 생존율이 좀 더 낫다. E-cadherin 발현의 감소는 두경부 편평세포암종의 전이에 중요한 역할을 할 것으로 생각된다.[46]

3) Catenins

E-cadherin과 결합하여 세포 간 신호 전달에 중요한 역할을 하는 분자로 세포 내 단백질군(cytoplasmic proteins)이 세포들 간의 접촉을 유지하는 데 관여한다. Ueda 등은 β-, γ-catenin의 경우 구강편평세포암에서 나쁜 예후인자라고 보고한 바 있다.[54] catenin이 림프절 전이의 중요한 분자생물학적 예측인자라는 보고도 있으나, 이에 대해서는 더 많은 연구가 필요할 것이다.

4) Versican

Versican은 chondroitin sulphate proteoglycan 계열의 세포외기질의 중요한 구성물질로 다양한 생물학적 상호작용과 연관된 것으로 알려져 있다.[43] 다양한 암종에서 Versican의 과발현이 관찰되며, 암세포의 부착을 억제하고 동시에 암세포의 증식, 이동을 촉진하며, 신생혈관 형성에 관여하는 등, 종양의 성장에 중요한 역할을 한다. 구강편평세포암 환자에서는 암조직의 기질에 Versican이 과발현될 경우 예후가 나쁘다는 연구 결과가 있다.[43]

2. 단백질 분해와 이동

종양이 세포외기질 단백질을 분해하는 과정은 주위 조직을 침습하기 위해 중요한 단계이기에[33] 이에 관여하는 여러 종류의 단백분해 물질이 연구되었고, 종양의 조직 침습과 국소 전이에서 단백분해 효소(proteolytic enzymes)가 중요한 역할을 한다고 보고 되었다.

1) Matrix Metalloproteinases (MMPs)

MMPs는 침습적인 암종 또는 근처의 기질에서 분비되며 아연(zinc)과 같은 금속이온을 필요로 하는 펩티드 내부 분해효소(endopeptidases)의 한 종류로, 발생, 염증, 조직수복, 종양침습 등 여러가지 상황에서 laminin, fibronectin 그리고 type IV collagen과 같은 세포외기질과 기저막의 모든 구성 요소를 분해할 수 있다. MMPs는 유방암, 대장암, 전립선암 등 많은 종양에서 침습과 전이에 관여하는 중요한 물질로 알려져 있다.

두경부 암에서 MMP-13이 많이 발현되며 종양의 침습과 연관이 있음이 잘 알려져 있다. 두경부암 환자를 대상으로 시행한 연구에서 MMP-13의 발현 정도가 생존기간과 관련이 있다는 연구도 있다.[35] MMP-2는 72-kDa type IV collagenase라고도 불리며, MMP-2의 발현은 구강암 환자에서 경부 림프절 전이와 림프관 및 혈관 침습과 관련이 있다.[30] MMP2 또한 전이암에서 많이 발현되며 더 진행되고 예후가 안 좋은 것과 연관이 있다. 두경부 편평세포암종과 92-kDa type IV collagenase로 알려진 MMP-9도 관련되어 있다. 구강암에서 MMP-9 활성도의 증가와 종양의 침습성 사이에 관련이 있다고 보고되었다.[25] MMP-9 항체에 의하여 두경부암의 침습성이 억제됨이 확인되었다.[45] MMP-9 발현도 안 좋은 예후와 연관이 있다. 경부림프절전이가 없는 낮은 병기의 구강편평세포암에서는 MMP-9이 좋지 않은 예후와 관련된 것으로 보고되었다.[17] Riedel 등[45]은 MMP-9의 발현은 미세혈관 밀도(microvessel density)의 증가와 VEGF의 상향조절(upregulation)과 관련된다고 보고하였다. 이러한 현상은 MMP-9와 VEGF가 두경부 편평세포암종의 신생혈관형성 과정에서 상호작용을 함을 의미한다. Stromelysin-1으로 알려진 MMP-3는 두경부 편평세포암종의 약 50%에서 발현이 증가되었다고 보고되었으며, 경부림프절전이가 있는 구강편평세포암에서는 MMP-7과 MMP-14가 좋지 않은 예후인자임이 보고된 바 있다.[18]

MMPs는 다양한 세포 내 분자들에 의해 조절되는데, TIMPs (tissue inhibitors of metalloproteinases)는 MMPs를 억제하는 가장 중요한 인자로 알려져 있다. MMPs의 발현이 높을수록, TIMPs의 발현이 낮을수록 림프절 전이가 증가한다.[25]

이러한 두경부암의 침습성과 MMP과의 관계 때문에, MMP는 암의 진행을 예측하는 좋은 표지자로 사용될 수 있다. 또한 향후 MMP 기능에 필수적인 아연에 결합하는 chelators를 통한 치료법이 기대되고 있다.

2) CD44

CD44는 히알루론산(hyaluronic acid), 성장인자, 세포외기질단백질과 결합하는 막통과 당단백질로 세포이동, 부착, 침습과 같은 세포와 세포, 세포와 세포외기질 간의 상호작용에 중요한 것으로 알려져 있다. 구강설암에서 CD44의 저발현이 나쁜 예후와 관련이 있다고 알려져 있으며, 구순암에서 CD44의 발현이 안되는 것이 생존율을 단축시킨다는 연구 결과도 있다. 또한 Kosunen 등은 구강편평세포암에서 불규칙한 발현의 CD44가 무병생존율뿐만 아니라, 전체 생존율 또한 낮춘다고 보고하였다.[29]

3. 신생혈관 형성

종양의 성장은 종양의 내부 물질과 부산물을 제거하기 위해 산소와 영양분의 공급을 요하기 때문에 종양에 공급하기 위한 신생혈관의 발생(angiogenesis)을 촉진시키는 VEGF 등의 성장인자를 요한다. 신생혈관 형성은 종양의 성장, 침습, 전이에서 중요한 과정이다. 종양 세포들은 생존을 위해 필수 영양소와 가스 교환이 필요하며, 혈관이 적절히 형성되지 않으면 1 mm^3 이상의 종양은 괴사한다. 대부분의 종들은 내피세포 증식과 신생혈관 형성을 자극하여 이런 장애를 극복한다. 여러 단계의 과정(multistep process)을 거쳐 신생혈관 형성이 일어나는데, 자극(stimulation)과 억제(inhibitory) 인자들이 신생혈관 형성을 조절한다.[21]

1) 신생혈관 형성 유발인자(positive regulators of angiogenesis)

(1) Vascular endothelial cell growth factor (VEGF)

VEGF는 혈관내피세포의 증식, 분화, 이동을 촉진하는 혈관신생 사이토카인으로, 혈관의 투과성을 올리고, 혈관내피세포의 사멸을 억제하여 내피세포를 유지하는 역할을 한다. VEGF는 내피세포의 분열을 촉진하는 것 이외에도, 세포 생존(cell survival), 세포 운동(cell motility), 내피세포 조직화(endothelial cell organization)와 내피세포 단일층(endothelial cell monolayers)을 통한 투과성을 높인다.[21] VEGF 과발현은 구강편평세포암에서 무병생존율을 감소시키는 것으로 보고된 바 있으며, VEGF의 과발현이 나쁜 생존율과 관련된다는 것이 확인되었다.[12]

(2) Basic fibroblast growth factor (bFGF)

bFGF는 내피세포 분열 촉진인자로, 내피세포의 이동성과 생존율을 증진한다. 또한 bFGF는 세포 단백용해제(tissue proteases)인 MMP-1의 생성을 상향 조절한다.

(3) Platelet derived-endothelial cell growth factor (PD-ECGF)

PD-ECGF는 생체 내(in vivo)에서 신생혈관 형성에 관여하는 내피세포 분열촉진인자로, 구강 및 구인두의 암세포에서 발현율이 높다고 보고되었다.[1]

(4) Interleukin-8

IL-8은 혈관신생능(angiogenic activity)이 있는 cytokine으로 보고되고 있으며, 두경부 편평세포암 조직의 내피세포에 IL-8 수용체가 있다고 보고되었다.

(5) Endoglin (CD105)

Endoglin은 TGF-β를 조절하는 것으로 알려져 있으며, 세포분열, 분화, 이동을 조절함으로써 혈관신생에도 관여한다고 보고되었다. CD105의 발현을 통해 간접적으로 혈관신생을 확인하는 것은 구강편평세포암에서 재발과 관련이 있으며, 나쁜 예후인자임이 보고된 바 있다.[38]

(6) Eph receptor tyrosine kinase (Ephs)

Erythropoietin-producing human hepatocellular carcinoma receptors (Ephs)는 세포막에 존재하는 tyrosine kinase receptor의 일종으로, 세포막에 붙어있는 ephirin ligand를 통해 세포와 세포 사이를 연결하여 양방향으로 신호를 주고받을 수 있도록 한다. 이러한 Eph receptor/ephrin 시스템은 배아의 발생뿐만 아니라, 발암 과정에도 관련되는 것으로 알려져 있으며, 특히 이를 통해 암종의 공격성 및 침습성이 관련되는 것으로 생각되고 있다.[57] 또한 Eph receptor는 혈관신생에도 관련된 것으로 최근 알려지고 있으며, Shao 등은 EphA2의 과발현이 구강설암에서 좋지 않은 생존율과 관련되는 것으로 보고하였다.[47]

2) 신생혈관 형성 억제인자(negative regulators of angiogenesis)

(1) Interferons (IFNs)

IFN-a와 IFN-ß는 내피세포 증식과 이주를 억제한다. IFN-ß의 발현이 감소하면 미세혈관밀도와 신생혈관 형성이 증가되고, IL-8, bEGF, MMPs의 발현이 하향 조절된다.[44]

(2) Thrombospondins (TSPs)

TSPs는 세포 증식, 유착(adhesion), 이주(migration) 등을 조절하는 고분자량의 당단백으로 5종류의 아형이 있다. 이 중 TSP-1과 TSP-2이 신생혈관 형성을 억제한다고 알려져 있다.[31] TSP-1는 혈관 내피세포의 자멸

(apoptosis)을 유도하여 신생혈관 형성을 억제한다.[41]

(3) NO

최근의 연구에 의하면 nitric oxide와 PTEN/MMACl 유전자는 신생혈관 형성을 억제하는 기능이 있다고 보고 되고 있다.

(4) PTEN

PTEN은 10q23.3에 위치한 종양억제유전자로 여러 유형의 종양 형성 과정에서 중요한 역할을 한다. 구강 설암의 면역조직화학적 연구에서 종양의 병기, 림프절 전이 유무와 비교해 볼 때 PTEN의 발현이 결여되면 예후가 불량하다.

Ⅳ 분자생물학적 연구의 미래

진행성 두경부 편평세포암의 치료는 아직까지 연구가 활발히 이루어지고 있다. 높은 병기의 두경부암은 현재로서는 치료에 별다른 선택의 여지가 없다. 그러므로 항암 방사선 치료에 대한 반응을 예측할 수 있는 분자생물학적 인자를 찾아내어 각각의 환자들에게 개인화된 맞춤형 치료를 시행하는 것이 시급하다. 그 외 치료의 한 방법으로 유도 항암 치료를 시행하는 것이 있다. 유도 항암 치료에 반응이 좋으면 수술을 안 할 수도 있으며 반응이 좋지 않더라도 수술적인 치료가 남아있기 때문이다. HPV양성 종양이 항암 치료에 반응이 좋다는 연구결과들이 보고되고 있으며 같은 병기에서 예후가 더 좋다고 알려져 있다. HPV 양성 종양에 대해서는 보존적인 치료를 시도해볼 수도 있다는 주장이 있다. 항 EGFR 치료를 시작으로 다양한 분자생물학적인 표적치료가 시도되고 있다. 아직까지 항 EGFR에 선택적으로 반응하는 결과에는 부작용이나 제한점이 있지만, 두경부암의 신호 전달 과정의 변화에 대한 연구를 바탕으로 분자생물학적인 치료가 제시되고 있다. 현재까지는 분자생물학적인 표적치료에 제한점이 발견되고 있다. 분자생물학적인 연구의 궁극적 목적은 진행성 암종의 치료보다는 전암 단계에서 조기 발견에 도움이 되거나 수술 후 재발이나 이차성 암의 발생을 막는 방향으로 가야 할 것이다. 표적치료는 HPV, EGFR, TP53의 돌연변이 등으로 더더욱 예측성이 증가될 것이다. 앞으로는 이러한 분자생물학적인 인자들을 음주력 과 거력처럼 개인화된 치료를 위하여 이용하게 될 것이다.

참고문헌

1. Alcalde RE, Terakado N, Otsuki K, et al. Angiogenesis and expression of platelet-derived endothelial cell growth factor in oral squamous cell carcinoma. Oncology 1997;54:324-8.
2. Baldwin AS. Control of oncogenesis and cancer therapy resistance by the transcription factor NF-kappaB. J Clin Invest 2001;107:241-6.
3. Balz V, Scheckenbach K, Gotte K, et al. Is the p53 inactivation frequency in squamous cell carcinomas of the head and neck underestimated? Analysis of p53 exons 2-11 and human papillomavirus 16/18 E6 transcripts in 123 unselected tumor specimens. Cancer Res 2003;63:1188-91.
4. Bartkova J, Lukas J, Muller H, et al. Abnormal patterns of D-type cyclin expression and G1 regulation in human head and neck cancer. Cancer Res 1995;55:949-56.
5. Bonner JA, Harari PM, Giralt J, et al. Radiotherapy plus cetuximab for locoregionally advanced head and neck cancer: 5-year survival data from a phase 3 randomised trial, and relation between cetuximab-induced rash and survival. Lancet Oncol 2010;11:21-8.
6. Bova RJ, Quinn DI, Nankervis JS, et al. Cyclin D1 and p16INK4A expression predict reduced survival in carcinoma of the anterior tongue. Clin Cancer Res 1999;5:2810-9.
7. Cairns P, Polascik TJ, Eby Y, et al. Frequency of homozygous deletion at p16/CDKN2 in primary human tumours. Nat Genet 1995;11:210-2.
8. Califano J, van der Riet P, Westra W, et al. Genetic progression model for head and neck cancer: implications for field cancerization. Cancer Res 1996;56:2488-92.
9. Callender T, el-Naggar AK, Lee MS, et al. PRAD-1 (CCND1)/cyclin D1 oncogene amplification in primary head and neck squamous cell carcinoma. Cancer 1994;74:152-8.
10. Camisasca DR, Honorato J, Bernardo V, et al. Expression of Bcl-2 family proteins and associated clinicopathologic factors predict survival outcome in patients with oral squamous cell carcinoma. Oral Oncol 2009;45:225-33.

11. Chari NS, Pinaire NL, Thorpe L, et al. The p53 tumor suppressor network in cancer and the therapeutic modulation of cell death. Apoptosis 2009;14:336-47.
12. Chien CY, Su CY, Hwang CF, et al. High expressions of CD105 and VEGF in early oral cancer predict potential cervical metastasis. J Surg Oncol 2006;94:413-7.
13. Curran AJ, St Denis K, Irish J, et al. Telomerase activity in oral squamous cell carcinoma. Arch Otolaryngol Head Neck Surg 1998;124:784-8.
14. da Silva SD, Cunha IW, Nishimoto IN, et al. Clinicopathological significance of ubiquitin-specific protease 2a (USP2a), fatty acid synthase (FASN), and ErbB2 expression in oral squamous cell carcinomas. Oral Oncol 2009;45:e134-9.
15. Dassonville O, Formento JL, Francoual M, et al. Expression of epidermal growth factor receptor and survival in upper aerodigestive tract cancer. J Clin Oncol 1993;11:1873-8.
16. Davis SJ, Divi V, Owen JH, et al. Metastatic potential of cancer stem cells in head and neck squamous cell carcinoma. Arch Otolaryngol Head Neck Surg 2010;136:1260-6.
17. de Vicente JC, Fresno MF, Villalain L, et al. Expression and clinical significance of matrix metalloproteinase-2 and matrix metalloproteinase-9 in oral squamous cell carcinoma. Oral Oncol 2005;41:283-93.
18. de Vicente JC, Lequerica-Fernandez P, Santamaria J, et al. Expression of MMP-7 and MT1-MMP in oral squamous cell carcinoma as predictive indicator for tumor invasion and prognosis. J Oral Pathol Med 2007;36:415-24.
19. Dong G, Chen Z, Li ZY, et al. Hepatocyte growth factor/scatter factor-induced activation of MEK and PI3K signal pathways contributes to expression of proangiogenic cytokines interleukin-8 and vascular endothelial growth factor in head and neck squamous cell carcinoma. Cancer Res 2001;61:5911-8.
20. Fearon ER, Vogelstein B. A genetic model for colorectal tumorigenesis. Cell 1990;61:759-67.
21. Fidler IJ, Kumar R, Bielenberg DR, et al. Molecular determinants of angiogenesis in cancer metastasis. Cancer J Sci Am 1998;4 Suppl 1:S58-66.
22. Ghosh S, May MJ, Kopp EB. NF-kappa B and Rel proteins: evolutionarily conserved mediators of immune responses. Annu Rev Immunol 1998;16:225-60.
23. Grandis JR, Tweardy DJ. The role of peptide growth factors in head and neck carcinoma. Otolaryngol Clin North Am 1992;25:1105-15.
24. Grandis JR, Tweardy DJ. Elevated levels of transforming growth factor alpha and epidermal growth factor receptor messenger RNA are early markers of carcinogenesis in head and neck cancer. Cancer Res 1993;53:3579-84.
25. Ikebe T, Shinohara M, Takeuchi H, et al. Gelatinolytic activity of matrix metalloproteinase in tumor tissues correlates with the invasiveness of oral cancer. Clin Exp Metastasis 1999;17:315-23.
26. Jares P, Fernandez PL, Campo E, et al. PRAD-1/cyclin D1 gene amplification correlates with messenger RNA overexpression and tumor progression in human laryngeal carcinomas. Cancer Res 1994;54:4813-7.
27. Jayasurya R, Sathyan KM, Lakshminarayanan K, et al. Phenotypic alterations in Rb pathway have more prognostic influence than p53 pathway proteins in oral carcinoma. Mod Pathol 2005;18:1056-66.
28. Jiang W, Hiscox S, Matsumoto K, et al. Hepatocyte growth factor/scatter factor, its molecular, cellular and clinical implications in cancer. Crit Rev Oncol Hematol 1999;29:209-48.
29. Kosunen A, Pirinen R, Ropponen K, et al. CD44 expression and its relationship with MMP-9, clinicopathological factors and survival in oral squamous cell carcinoma. Oral Oncol 2007;43:51-9.
30. Kusukawa J, Sasaguri Y, Shima I, et al. Expression of matrix metalloproteinase-2 related to lymph node metastasis of oral squamous cell carcinoma. A clinicopathologic study. Am J Clin Pathol 1993;99:18-23.
31. Lawler J. The functions of thrombospondin-1 and-2. Curr Opin Cell Biol 2000;12:634-40.
32. Lim J, Kim JH, Paeng JY, et al. Prognostic value of activated Akt expression in oral squamous cell carcinoma. J Clin Pathol 2005;58:1199-205.
33. Liotta LA, Rao CN. Tumor invasion and metastasis. Monogr Pathol 1986:183-92.
34. Lo Muzio L, Farina A, Rubini C, et al. Survivin as prognostic factor in squamous cell carcinoma of the oral cavity. Cancer Lett 2005;225:27-33.
35. Luukkaa M, Vihinen P, Kronqvist P, et al. Association between high collagenase-3 expression levels and poor prognosis in patients with head and neck cancer. Head Neck 2006;28:225-34.
36. Maeda G, Chiba T, Okazaki M, et al. Expression of SIP1 in oral squamous cell carcinomas: implications for E-cadherin expression and tumor progression. Int J Oncol 2005;27:1535-41.
37. Mao L, Fan YH, Lotan R, et al. Frequent abnormalities of FHIT, a candidate tumor suppressor gene, in head and neck cancer cell lines. Cancer Res 1996;56:5128-31.
38. Marioni G, Marino F, Giacomelli L, et al. Endoglin expression is associated with poor oncologic outcome in oral and oropharyngeal carcinoma. Acta Otolaryngol 2006;126:633-9.
39. Masuda M, Hirakawa N, Nakashima T, et al. Cyclin D1 overexpression in primary hypopharyngeal carcinomas. Cancer 1996;78:390-5.
40. Mineta H, Miura K, Takebayashi S, et al. Cyclin D1 overexpression correlates with poor prognosis in patients with tongue squamous cell carcinoma. Oral Oncol 2000;36:194-8.
41. Nor JE, Mitra RS, Sutorik MM, et al. Thrombospondin-1 induces endothelial cell apoptosis and inhibits angiogenesis by activating the

caspase death pathway. J Vasc Res 2000;37:209-18.

42. Prince ME, Sivanandan R, Kaczorowski A, et al. Identification of a subpopulation of cells with cancer stem cell properties in head and neck squamous cell carcinoma. Proc Natl Acad Sci U S A 2007;104:973-8.

43. Pukkila M, Kosunen A, Ropponen K, et al. High stromal versican expression predicts unfavourable outcome in oral squamous cell carcinoma. J Clin Pathol 2007;60:267-72.

44. Riedel F, Gotte K, Bergler W, et al. Expression of basic fibroblast growth factor protein and its down-regulation by interferons in head and neck cancer. Head Neck 2000;22:183-9.

45. Riedel F, Gotte K, Schwalb J, et al. Expression of 92-kDa type IV collagenase correlates with angiogenic markers and poor survival in head and neck squamous cell carcinoma. Int J Oncol 2000;17:1099-105.

46. Schipper JH, Unger A, Jahnke K. E-cadherin as a functional marker of the differentiation and invasiveness of squamous cell carcinoma of the head and neck. Clin Otolaryngol Allied Sci 1994;19:381-4.

47. Shao Z, Zhang WF, Chen XM, et al. Expression of EphA2 and VEGF in squamous cell carcinoma of the tongue: correlation with the angiogenesis and clinical outcome. Oral Oncol 2008;44:1110-7.

48. Shin DM, Charuruks N, Lippman SM, et al. p53 protein accumulation and genomic instability in head and neck multistep tumorigenesis. Cancer Epidemiol Biomarkers Prev 2001;10:603-9.

49. Silva SD, Perez DE, Alves FA, et al. ErbB2 and fatty acid synthase (FAS) expression in 102 squamous cell carcinomas of the tongue: correlation with clinical outcomes. Oral Oncol 2008;44:484-90.

50. Slaughter DP, Southwick HW, Smejkal W. Field cancerization in oral stratified squamous epithelium; clinical implications of multicentric origin. Cancer 1953;6:963-8.

51. Smith EM, Ritchie JM, Summersgill KF, et al. Age, sexual behavior and human papillomavirus infection in oral cavity and oropharyngeal cancers. Int J Cancer 2004;108:766-72.

52. Soni S, Kaur J, Kumar A, et al. Alterations of rb pathway components are frequent events in patients with oral epithelial dysplasia and predict clinical outcome in patients with squamous cell carcinoma. Oncology 2005;68:314-25.

53. Syrjanen SM, Syrjanen KJ. New concepts on the role of human papillomavirus in cell cycle regulation. Ann Med 1999;31:175-87.

54. Ueda G, Sunakawa H, Nakamori K, et al. Aberrant expression of beta- and gamma-catenin is an independent prognostic marker in oral squamous cell carcinoma. Int J Oral Maxillofac Surg 2006;35:356-61.

55. Van Waes C, Kozarsky KF, Warren AB, et al. The A9 antigen associated with aggressive human squamous carcinoma is structurally and functionally similar to the newly defined integrin alpha 6 beta 4. Cancer Res 1991;51:2395-402.

56. Webster GA, Perkins ND. Transcriptional cross talk between NF-kappaB and p53. Mol Cell Biol 1999;19:3485-95.

57. Wimmer-Kleikamp SH, Lackmann M. Eph-modulated cell morphology, adhesion and motility in carcinogenesis. IUBMB Life 2005;57:421-31.

58. Woodburn JR. The epidermal growth factor receptor and its inhibition in cancer therapy. Pharmacol Ther 1999;82:241-50.

59. Wu H, Lotan R, Menter D, et al. Expression of E-cadherin is associated with squamous differentiation in squamous cell carcinomas. Anticancer Res 2000;20:1385-90.

60. Xie X, Clausen OP, De Angelis P, et al. The prognostic value of spontaneous apoptosis, Bax, Bcl-2, and p53 in oral squamous cell carcinoma of the tongue. Cancer 1999;86:913-20.

CHAPTER 12

두경부암의 방사선치료

안용찬, 오동렬

I 방사선종양학이란?

전통적으로 두경부암의 치료에 있어 방사선치료(radiation therapy, RT)는 수술, 전신 항암화학요법과 함께 매우 중요한 역할을 담당해 왔다. 방사선치료는 X-선으로 대표되는 전리방사선(ionizing radiation)이 인체 조직을 투과하면서 전리현상(ionization)을 일으켜 DNA 손상을 초래하고, 이후에 암세포의 세포분열 실패 및 세포사멸을 유발하는 것에 주로 의존한다. 방사선종양학(radiation oncology)은 암의 방사선치료와 관련되는 임상의학의 한 전문분야이며, 크게 임상종양학(clinical oncology), 방사선물리학(radiation physics), 그리고 방사선생물학(radiation biology)의 세 가지 영역을 포함한다. 방사선종양학 의사(radiation oncologist)는 두경부암의 진단과 치료에 관여하는 모든 진료과 의사들과 협력하여 방사선치료를 담당한다.

II 방사선치료의 방법과 간단한 역사적 고찰

방사선치료의 역사는 1895년 Roentgen에 의한 X-선의 발견과 1898년 Curie에 의한 라디움의 발견으로 거슬러 올라간다.[6] 이후 30년가량 경과한 1928년도에 두경부암 환자에 분할방사선치료를 적용함으로써 완치를 얻었다는 학술논문이 다른 어떤 종류의 암에서보다 먼저 보고되었다. 제2차 세계대전 이후부터 방사성 동위원소인 코발트에서 나오는 감마선을 이용하는 코발트 치료기와 고에너지 X-선을 발생하는 선형가속기가 개발되었고, 이들 장비를 이용하는 현대적인 방사선치료도 시작되었다. 이후 1990년대까지는 표준화된 입사 각도에서 방사선을 조사하는 전통적인 2차원적 방사선치료법(2-dimensional radiation therapy, 2D-RT)이 널리 사용되었다. 2D-RT 방식에서는 방사선량의 분포 양상을 방사선 조사영역의 중심부 단면에서만 2차원적으로 계산하여 평가하였다. 입체적인 방사선량 분포의 평가가 불가능했기에 종양 주변 정상조직의 방사선조사와 이로 인한 부작용, 후유증의 위험을 어느 정도 감수하여야 했으며, 종양 완치를 위한 적극적인 고선량의 방사선조사가 쉽지 않았다. 1980년대 후반 무렵부터는 방사선치료의 대상이 되는 표적의 모양과 크기에 부합하도록 여러 다양한 방향에서 방사선을 조사하는 방식의 3차원 입체조형 방사선치료(3-dimensional conformal radiation therapy, 3D-CRT)가 보편화되었다. 전통적인 2D-RT에 비해 훨씬 복잡한 3D-CRT를 가능하게 한 주요 원동력으로 (1) 방사선치료 장비의 개선과 발전, (2) 3차원적인 방사선량 분포의 계산과 평가가 가능한 전산 장비의 고급화, 그리고 (3) 전산 제어 기술의 발전 등이 있다. 세기조절 방사선치료(intensity modulated radiation therapy, IMRT)는 3D-CRT의 특수한 형태로 X-선을 이용하는 방사선치료 방법 중 가장 진보된 방법이다. X-선이 아닌 가속된 양성자(proton)와 탄소(carbon) 등을 이용하는 입자방사선 치료법(particle beam therapy)도 근래에 들어 임상적용이 점차 활발해 지고 있다.

Ⅲ 세기조절 방사선치료(Intensity modulated radiation therapy (IMRT))

1980년도에는 다엽 콜리메이터(multi-leaf collimator, MLC)가 개발되었고, 1988년도부터는 MLC의 장점을 살리는 세기조절 방사선치료(intensity modulated radiation therapy, IMRT)가 임상에 적용되기 시작하였다. IMRT는 3D-CRT의 특수한 치료방법인데, 종양과 주변 정상 조직의 위치 관계를 감안하여 치료 목적에 맞도록 MLC를 이용하여 방사선의 세기를 다양하게 조절할 수 있는 기술이다. IMRT의 핵심은 MLC를 이용하여 방사선조사 영역을 작은 세부영역으로 나누고, 이를 통해 전달되는 방사선의 세기를 목적에 맞게 적절히 조절하는 것이다[1].

IMRT의 기술에는 몇 가지 변형이 있는데, 장비에 따라 선형가속기 방식과 토모테라피(Tomotherapy) 방식이 있다(그림 12-1). 선형가속기 방식에는 방사선조사 영역의 고정 여부와 MLC 개폐 방식에 따라 정지(static) MLC 방식(step-and-shoot)과 동적(dynamic) MLC 방식(sliding window)이 있으며, 특히 후자는 최근 용적조절 호형치료(volumetric modulated arc therapy, VMAT)의 형태로 발전하였다. Tomotherapy 방식은 마치 전산화 단층촬영장치(computed tomography, CT)처럼 소형 선형가속기를 연속 회전하도록 특별히 제작하였으며, 방사선치료의 대상을 여러 개의 작은 구간으로 나누어 순차적으로 치료하는 방식이다. 이러한 몇 가지 IMRT 방식들은 나름의 장점과 단점을 모두 지니며, 해당 장비의 보유 여부와 방사선량 분포의 적절성, 정밀도, 소요 시간 등을 종

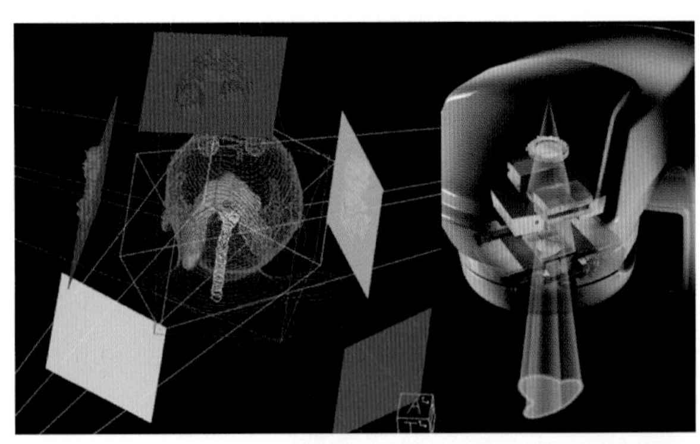

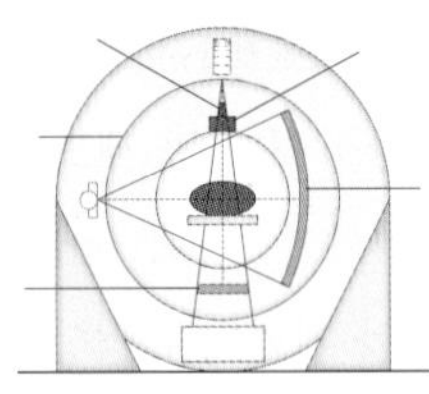

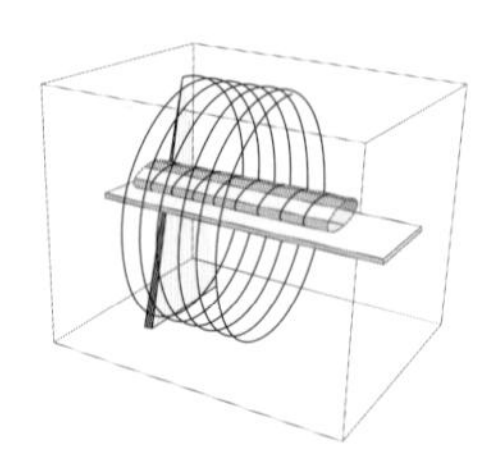

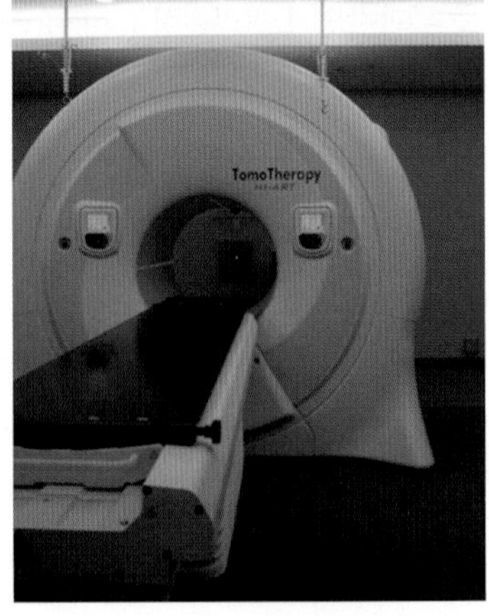

■ 그림 12-1. **세기조절 방사선치료(Intensity modulated radiation therapy, IMRT).** 선형가속기 방식(위)과 토모테라피 방식(아래).

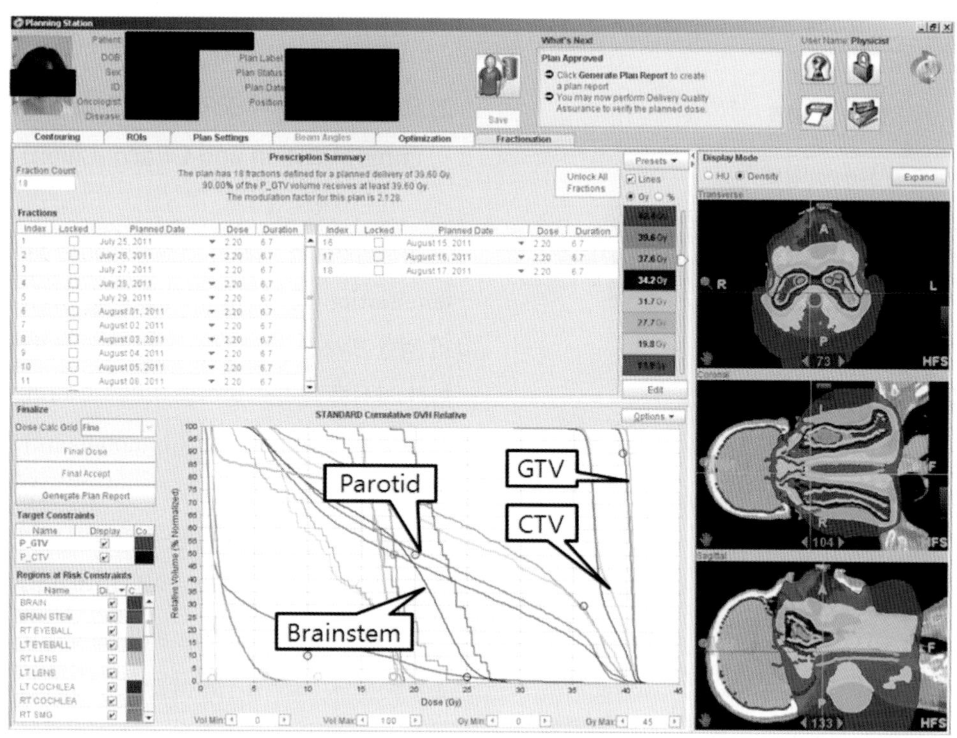

■ 그림 12-2. **토모테라피 방식에 의한 세기조절 방사선치료의 방사선량 분포도의 예.** 두 가지 이상의 표적에 방사선량을 선택적으로 차등 조사하는 동시통합추가치료가 가능하다.

합적으로 감안하여 선택하는 것이 요망된다. IMRT 치료법을 이용하면 방사선치료의 표적용적을 두 가지 이상으로 나누어 설정하고 각 표적용적에 방사선량을 선택적으로 차등 조사할 수 있는 동시통합추가치료(simultaneous integrated boost) 적용이 용이하다(그림 12-2).

두경부암의 방사선치료는 경부 림프절에 대한 방사선치료를 흔히 포함하여 목 근육과 피부의 위축과 경직을 초래하며, 점막과 타액선의 손상은 건조증과 치아우식증으로 연결되어 환자의 삶의 질 저하를 흔히 초래한다. IMRT는 다른 치료법에 비해 비교적 안전하게 고선량의 방사선을 조사할 수 있으며 두경부암 환자들의 삶의 질 향상에도 기여할 수 있는 매우 효과적인 치료법이다. 그러나 성공적인 IMRT 수행을 위해서는 높은 정밀도가 요구되며 고도로 훈련된 방사선종양학 전문의는 물론 의학물리학자, 방사선 치료사로 구성된 팀워크가 필수사항이다. 우리나라에서는 2012년도부터 두경부암의 방사선치료에 IMRT 방식이 건강보험 급여화가 시작되었다.

 IV 방사선치료의 과정

1. 환자면담 및 방사선치료 여부 결정(Initial evaluation and therapeutic decision)

모든 방사선치료의 첫 단계는 방사선종양학 의사와 환자와의 직접 면담과 진찰로부터 시작한다(그림 12-3). 방사선종양학 의사는 대상 환자에 해당하는 모든 임상검사 자

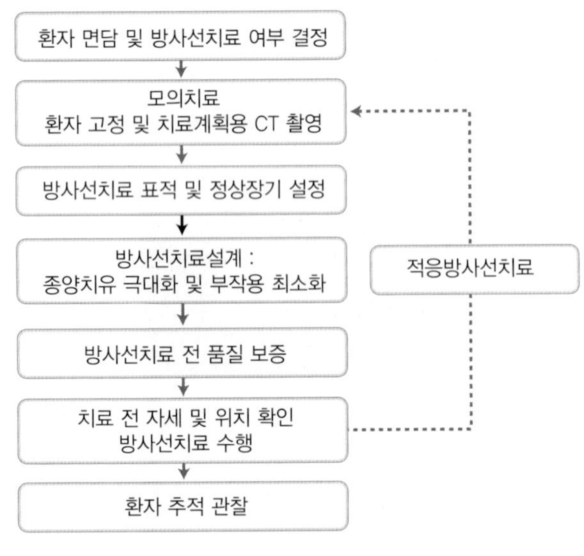

■ 그림 12-3. **방사선치료의 과정**

료를 사전에 면밀하게 검토하여야 함은 물론, 환자와 보호자를 직접 만나 문진하고 진찰하여 환자의 질병과 해결을 요하는 문제에 대한 대책으로 방사선치료를 포함하여 어떠한 조치가 요구되는지 여부를 신중하게 판단하여야 한다. 일단 방사선치료의 적용이 도움이 된다는 판단에 이르면 방사선종양학 의사는 환자 및 보호자에게 방사선치료로 예상되는 치료 효과와 부작용 위험 등에 대해 충분히 설명하고 동의를 얻은 후, 방사선치료의 과정과 일정에 대해 상의하여 결정한다.

2. 모의치료: 환자 고정 및 CT 촬영(Simulation: immobilization and CT acquisition)

방사선치료의 적용이 결정되면 모든 환자는 모의치료(simulation)의 과정을 거치게 된다. 모의치료 때에는 미리 정한 방사선치료 기간 동안 반복되는 방사선치료에 적합한 자세를 환자로 하여금 취하도록 하며, 이 자세가 비교적 쉽게 재현되도록 고정(immobilization)한다. 방사선치료의 대상 부위에 따라 다르지만 대부분의 두경부암 환자들은 반드시 누운 자세를 취하도록 하며, 환자 개별적으로 머리, 목, 어깨 등을 받치는 고정기구와 열가변성 플라스틱 마스크를 만들어 안정적이면서도 재현성이 높도록 고정을 한다. 경우에 따라서는 환자가 엎드리거나, 옆으로 누운 자세를 취하기도 한다. 방사선치료의 직접 목표 부위의 정상 조직 손상을 최소화하기 위해 환자로 하여금 경추 신전을 유지하기도 하거나 마우스피스를 입에 물리기도 한다(그림 12-4). 방사선치료의 목적에 맞는 자세를 결정하여 고정기구를 만든 이후에 방사선치료 계획용 컴퓨터단층촬영(CT for planning, Planning CT)을 시행한다. 필요에 따라서는 Planning CT를 얻은 것과 동일한 조건 및 자세에서 자기공명영상(magnetic resonance

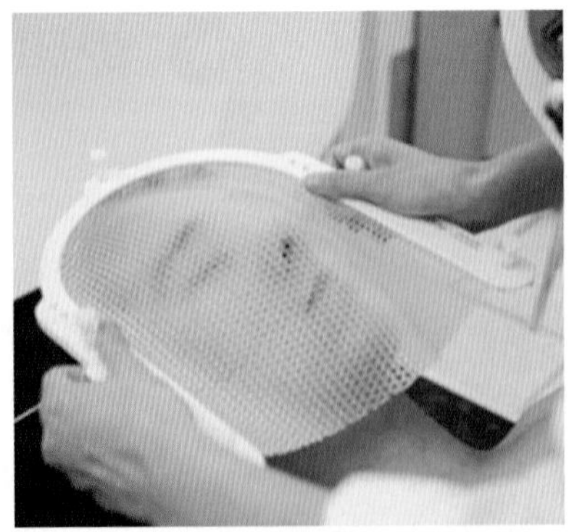
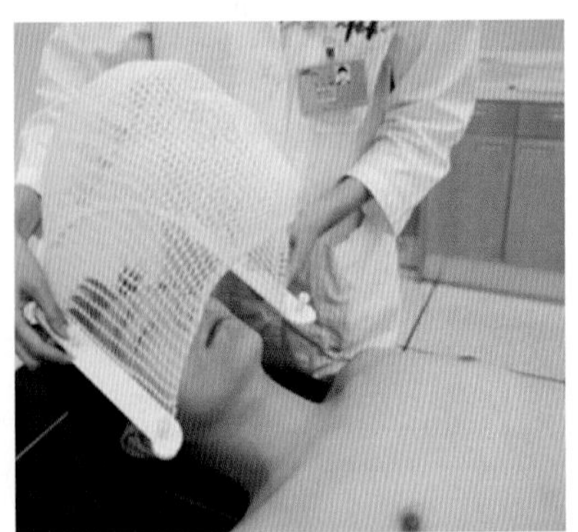

■ 그림 12-4. **두경부 암환자의 모의치료: 열가변성 플라스틱 마스크(thermoplastic mask)를 활용한 고정의 예**

용어	정의
육안적 종양 용적 (Gross tumor volume; GTV)	지찰이나 영상검사 등으로 확인이 가능한 종양 용적.
임상적 표적 용적 (Clinical target volume; CTV)	육안적 종양 주변에 있을 수 있는 현미경적 종양 침범을 포함한 표적 용적
내부 표적 용적 (Internal target volume; ITV)	호흡운동 등 생리현상에 의한 움직임을 감안한 표적 용적.
계획 표적 용적 (Planning target volume; PTV)	방사선치료의 도중 또는 치료 간에 생길 수 있는 부정확한 자세 재현이나 내부 장기의 움직임을 감안한 표적 용적
위험 장기 (Organs at risk; OAR)	어느 수준 이상으로 방사선조사를 받을 경우 손상이 초래될 수 있는 정상 장기

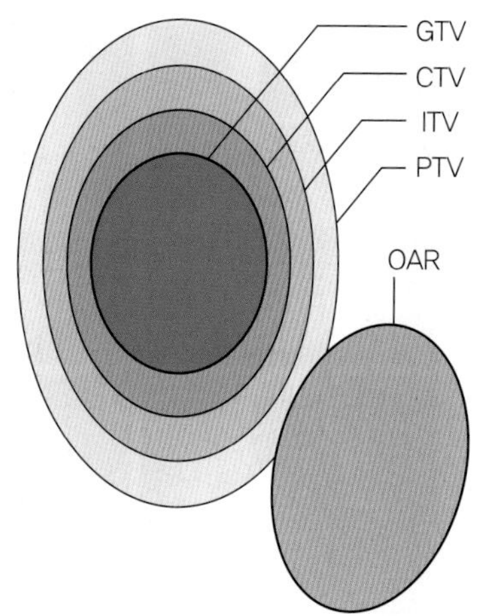

■ 그림 12-5. **방사선치료의 표적용적과 정상장기 용어의 정의와 도시**

image for planning, Planning MR)을 추가로 얻어 이를 영상을 융합하기도 한다.

3. 방사선치료 표적 및 정상장기 설정(Delineation of targets and organs at risk)

각 환자에게서 이미 얻은 모든 임상검사 정보를 모두 동원하여 해당 환자에게서 얻은 Planning CT (+/- Planning MR)에 방사선치료의 대상이 되는 표적용적과 정상장기 등을 설정한다. 방사선치료의 표적 및 정상장기와 관련한 용어는 International Commission on Radiation Units and Measurements 보고서의 국제적인 정의와 권고를 사용한다(그림 12-5). 육안적 종양 용적(gross tumor volume, GTV); 임상적 표적 용적(clinical target volume, CTV); 내부 표적 용적(internal target volume, ITV); 계획 표적 용적(planning target volume, PTV); 위험 장기(organs at risk, OAR). GTV는 진찰 소견과 CT, MRI, 양전자방출단층촬영 등 최신 진단 영상들에 의해 확인된 실제 종양을 의미하며 정확한 GTV 설정을 위해 두 가지 이상의 진단 영상을 융합하는 경우가 많다. CTV는 진단영상으로는 구체적으로 파악이 되지 않지만 GTV의 주변에 있을 수 있는 임상적, 현미경적 종양 침윤까지를 포함하며, 적절한 CTV 설정을 위해서는 방사선종양학 의사에 의한 임상적 특성에 대한 깊은 이해와 경험이 필수적이다. 인체 내의 모든 장기와 조직은 호흡운동, 혈관의 맥박, 주변 장기의 생리적인 상태에 따라 시시각각 그 위치와 모양이 조금씩 변화할 수 있는데, ITV는 이런 변화 가능성까지를 포함하는 개념이다. 정확한 ITV 결정을 위해 호흡주기에 따르는 내부 장기의 위치 변화를 평가하기 위해 4차원적 CT 촬영이 활용되기도 한다. 정적인 진단영상을 기준으로 GTV, CTV, ITV를 적절히 설정하였다 하더라도 매 치료 시마다 예측하기 어려운 내부 장기의 움직임과 환자 자세고정의 재현성에 편차가 있을 수 있다. 이러한 변화들로 인해 미리 계획한 방사선량의 분포와 다르게 방사선이 조사되는 경우도 있을 수 있으며, 이는 방사선치료 실패의 원인이나 주변 정상 장기의 과도한 방사선손상의 원인이 되기도 한다. PTV는 이러한 오차까지 감안한 개념이다. (그림 12-6)은 비인두암 환자의 IMRT 치료계획 수립을 위해 GTV와 CTV 및 주변의 침샘, 척수신경, 뇌 등의 OAR을 설정한 예이다.

4. 방사선치료 설계(RT dose planning)

성공적이고 안전한 방사선치료를 위해서는 국소 종양

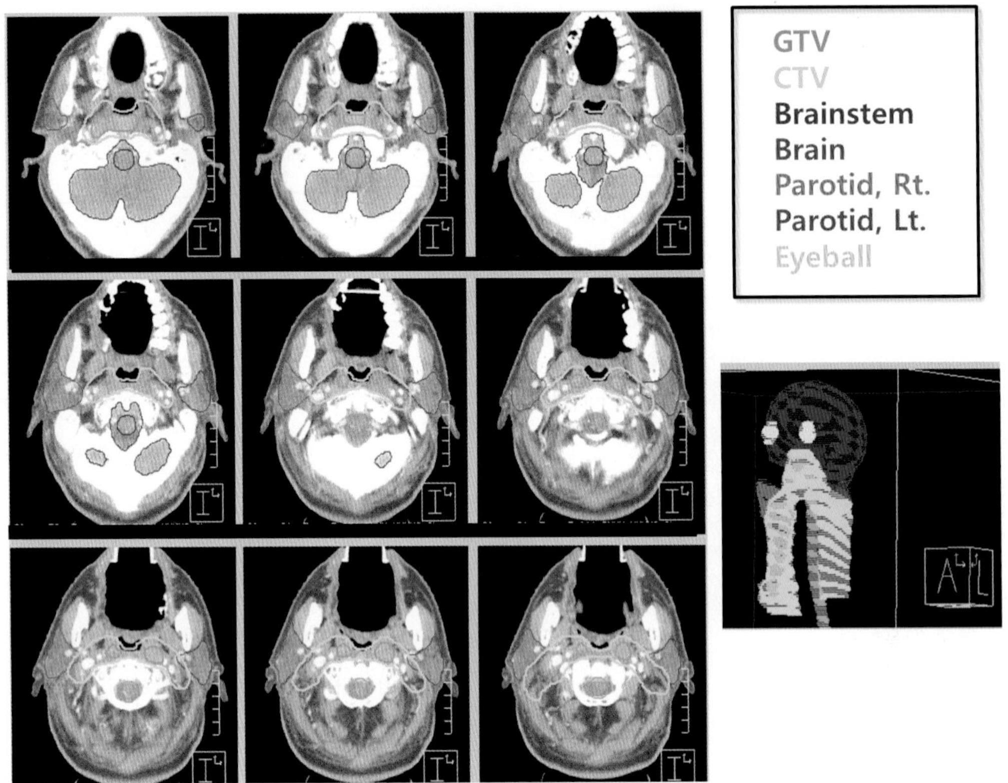

■ 그림 12-6. **비인강암 환자에서 표적 체적과 위험 장기의 설정 예시**

치유 확률(local tumor control probability)을 극대화시키면서 동시에 OAR의 심각한 부작용 확률(normal tissue complication probability)을 최소화하도록 적절한 방사선량을 선택하여야 한다(그림 12-7). 이 목적의 달성을 위해서 여러 가지 새로운 방사선치료의 기술과 방사선치료의 효과를 돕거나 방사선 부작용의 위험을 낮추기 위한 보조치료법들이 끊임없이 연구 개발되었다. 임상상황 별로 방사선량에 따르는 종양 치유의 확률과 함께 OAR의 방사선 견딤 선량이 널리 연구되어 있다. 방사선치료 설계는 방사선치료의 표적 내부에 미치는 방사선량이 모자라거나 OAR에 과도한 양의 방사선이 쪼여지지 않도록 미리 준비하는 작업이다. 즉 충분하고 균일한 양의 방사선이 대상 표적에 정확하게 전달되면서 동시에 견딜 수 있을 만큼의 방사선만 OAR에 미치도록 방사선종양학 의사는 방사

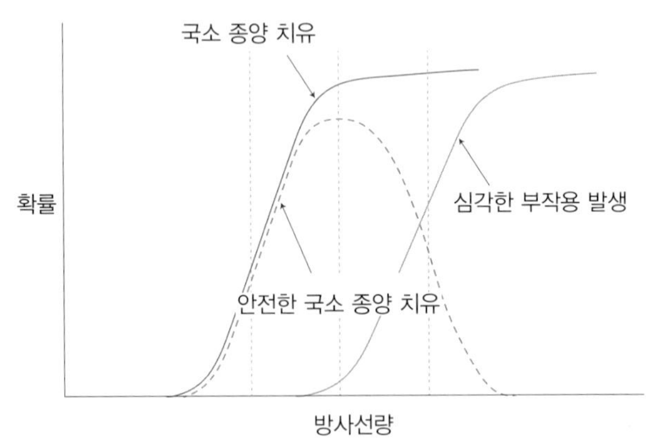

■ 그림 12-7. **방사선량과 확률 관계 곡선.** A 선량을 선택할 경우 심각한 부작용 발생 확률은 매우 낮으나 국소 종양 치유 확률이 높지 않으며, C 선량을 선택할 경우 국소 종양 치유 확률은 매우 높으나 심각한 부작용 발생 확률도 상당히 높은 편이므로, 안전한 국소 종양 치유 확률이 가장 높은 B 선량을 선택하는 것이 바람직함.

선치료 설계용 전산 시스템을 이용하여 위에 설명한 방사선치료의 방법 중 가장 적합한 방사선치료 방법을 구사하여 설계한다. 두경부암은 대부분 방사선치료의 표적이 OAR에 의해 둘러 싸여 있는 해부학적인 특성상 최소한 3D-CRT 수준의 방사선치료 기술의 적용이 강력히 추천되며, 특히 IMRT의 적용이 유리한 경우가 많다.

5. 방사선치료 전 품질보증, 자세 및 위치 확인(Quality assurance and verification of setup)과 방사선치료의 수행(Actual RT delivery)

이상의 과정까지 수립된 방사선치료의 설계는 실제 대상 환자에게 적용하기 전에 철저한 품질보증(quality assurance)의 과정을 거쳐야 하며, 이는 있을지도 모를 계산상 오류의 가능성을 최대한 사전에 배제하고자 함이다. 더불어 실제 환자에게 방사선치료를 수행하기 직전에 사전에 계획한 자세와 위치의 재현이 정확한지 여부도 확인(verification of setup)하여야 한다. 방사선치료에 적절한 사전 확인작업이 마무리되면 실제 방사선치료를 수행한다. 방사선치료의 전과 도중에는 자세와 위치 확인을 위해 흔히 X-선 투시촬영, KV 콘빔(cone beam) CT, MV-CT 등의 영상촬영을 하기도 하며 이들을 총칭하여 영상유도 방사선치료(Image Guided RT, IGRT)라 한다. (그림 12-8)은 두경부암 환자에서 MV-CT 를 이용하여 실제 방사선치료 직전에 자세의 정확성을 확인하는 실례이다.

6. 적응 방사선치료(Adaptive RT)

통상 두경부암에 대한 근치목적의 방사선치료는 주 5회씩 평균 6주 내외의 분할 방사선치료가 흔히 적용된다. 이 기간 동안 환자의 체형에 변화가 흔히 나타나게 되는데, 주된 원인으로는 방사선치료 기간 동안 나타나는 종양 크기의 감소와 방사선부작용으로 인한 환자 체중의 감

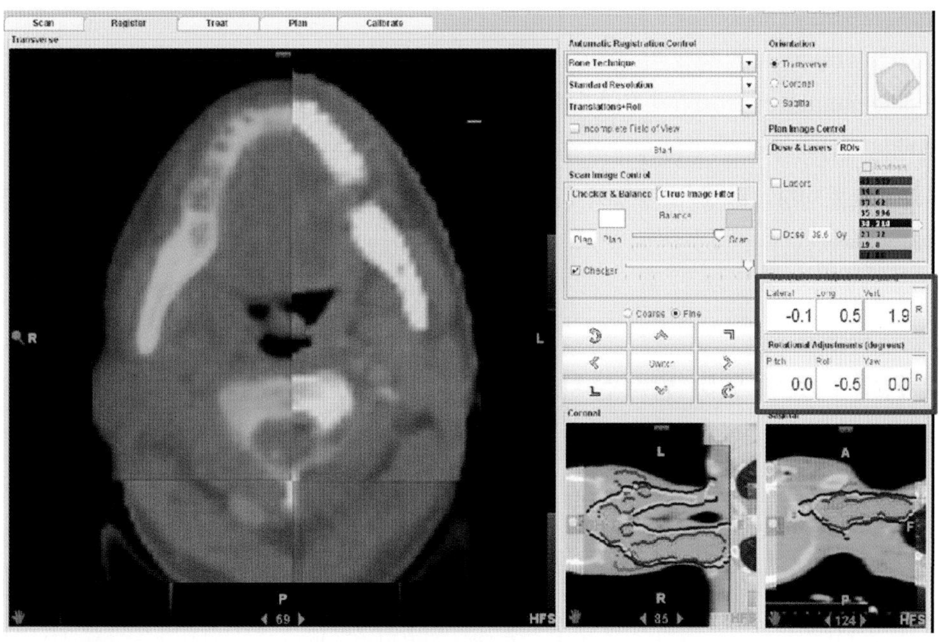

■ 그림 12-8. **MV-CT 를 활용한 영상유도방사선치료.** 치료를 위해 시행한 모의치료 CT 영상과 치료 직전 환자를 고정하고 시행한 MV-CT를 영상 융합하여 비교한 후(왼쪽 영상) 오차 범위를 확인하고(빨간색) 이를 치료 전에 교정한 후 치료를 진행하여 오차를 최소화함.

소와 체형의 변화 등이 있다. 이와 같은 변화가 있는 채 애초에 수립한 방사선치료의 설계 내용대로 방사선치료를 진행하게 되면 실제 방사선량 분포에 있어 다소간 편차가 생길 수 있으며, 이는 종종 종양 치유확률의 감소와 원치 않는 부작용의 초래로 연결될 수 있다. 이러한 악영향을 최소화하기 위한 방법으로 적응 방사선치료(adaptive RT)를 흔히 적용한다. 적응 방사선치료의 적절한 시기나 빈도 등에 대해서는 아직 일치된 의견은 없으나 통상 두경부암의 근치적 방사선치료 과정 중에 한 번 이상의 적응 방사선치료 계획을 수립하게 된다.

 V 다학제적 접근(Multi-disciplinary approach)

실제 모든 두경부암 환자의 치료방침은 질병 특성과 병기는 물론 각 치료법의 장단점, 환자의 병력과 상태 등을 종합적으로 고려하여 결정하는 것이 요망된다. 최적의 치료방침 결정을 위해서는 두경부암의 진단과 치료에 관여하는 모든 진료과의 담당의사들이 모여서 의논하여 결정하는 다학제적 접근(multi-disciplinary approach)이 중요하다. Multi-disciplinary approach에 참여가 요망되는 주요 전공분야는 진단에 도움을 주는 영상의학과, 핵의학과, 병리과와 치료를 담당하는 방사선종양학, 두경부외과, 혈액종양내과 등이다.

 VI 두경부암의 치료에 있어 방사선치료의 적응증

일반적으로 방사선치료의 목적은 크게 근치적 목적(curative aim)과 고식적 목적(palliative aim)으로 구별한다. 두경부암의 병기와 환자의 전신상태 등을 종합적으로 고려하여 암의 완치와 함께 환자의 장기생존이 가능한 경우에는 근치적 목적(curative RT)의 방사선치료를 추천하며, 이와 반대로 이미 원격전이가 수반되어 있어 완치의 가능성이 없거나, 원격전이는 없더라도 환자의 전신상태가 적극적인 국소치료를 견뎌내기 어려울 것으로 판단되는 경우에는 일시적인 증상완화와 삶의 질 개선을 목적으로 하는 고식적 방사선치료(palliative RT)를 추천한다. 근치적 방사선치료를 적용하는 경우에는 종양의 치유 목적 달성을 높이기 위해 고선량의 방사선을 조사하여야 하며, 동시에 암 치유 이후 환자의 삶의 질 저하를 최소화하도록 방사선치료 방법의 결정에 있어 보다 신중을 기해야 한다. 반면에 고식적 방사선치료를 고려하는 경우에는 환자의 고통을 초래하는 방사선치료의 대상이 되는 병변을 완전히 없애버리기는 어렵더라도 방사선치료로 인해 환자에게 추가적인 부작용의 고통이 가중되지 않도록 방사선량과 방사선치료의 방법을 적절하게 결정하여야 한다.

두경부암(Head/Neck cancer)은 중추신경계를 제외한 쇄골보다 상부에서 발생하는 거의 모든 부위의 다양한 암을 모두 포함한다. 두경부에는 후각, 시각, 청각, 미각, 촉각 등 소위 오감(五感)에 해당하는 모든 감각을 담당하는 구조물과, 공기와 음식물의 통로와 호흡과 삼킴 기능을 담당하는 구조물, 그리고 각종 분비물을 생성하는 침샘, 눈물샘, 갑상샘 등이 있다. 두경부암은 그 자체로 흔히 환자에게 외형의 변화와 여러 가지 기능 이상, 그리고 대인관계와 사회생활에 있어서의 자존감 상실을 초래할 수 있다.

전통적으로 방사선치료는 수술과 함께 두경부암의 대표적인 국소치료법이며 이 두 가지 국소치료법의 장점과 단점은 상호보완적인 측면이 있다. 방사선치료에 비해 수술이 가지는 장점들은 원발병소를 포함하여 종양 크기가 큰 부위에서의 국소 치유 확률이 높다는 점과 국소치료의 대상 부위를 암 발병부위에 국한한다는 점, 치료에 소요되는 기간이 짧은 점, 방사선치료에 의한 급성 및 지연 부작용과 2차암 발생의 위험이 적다는 점들이다. 반대로 수술에 비해 방사선치료가 가지는 장점들은 임상적으로 확인이 불가능하지만 잠재 전이가 있을지 모르는 부위에도

표 12-1. 두경부암 치료에 있어서 방사선치료의 역할 요약.

	초기 병기	국소 진행 병기	원격전이 병기
단독 치료	근치적 방사선치료		고식적 방사선치료
항암화학요법과의 병용	-	근치적 동시병용, 방사선-항암화학요법*	-
수술과의 병용			
저위험 요소	-	수술 후 방사선치료	-
고위험 요소	-	수술 후 동시병용, 방사선-항암화학요법*	-

* 환자의 전신상태가 수술이나 동시병용 방사선-항암화학요법을 견디기 어려운 경우에는 방사선치료 단독 적용을 추천함.

비교적 안전하게 추가 방사선조사를 수행할 수 있다는 점과 수술이나 마취와 관련되는 사고와 위험이 없는 점, 치료 후 생리기능과 외형의 측면에서 유리한 점들이다. 각 국소치료법의 단점은 비교 대상 국소치료법의 장점과 반대이며 역시 상호보완적인 측면이 크다.

일반적으로 초기 병기의 두경부암은 수술이나 방사선치료의 단독치료 적용만으로도 충분히 좋은 치료성적을 얻을 수 있으므로 주가지 국소치료법의 장단점을 충분히 비교하여 치료 후 예상되는 환자의 삶의 질 변화와 개별 환자의 특수 상황에 유리하고 적합한 단독 치료법을 선택하는 것이 요망된다. 그러나 국소진행된 병기의 두경부암은 한 가지 국소치료법의 단독 적용보다는 두 가지 치료법의 장단점을 상호보완하는 병용치료법이나 방사선치료와 항암화학요법을 병용하는 치료방침이 흔히 추천된다. 두경부암에 대한 적극적인 국소치료의 적용은 종종 치료 후 심각한 외형의 변화와 삶의 질 저하로 연결되는데, 방사선치료는 광역절제수술로 대표되는 수술치료법에 비해 장기보존과 기능 및 외형 유지의 측면에서 유리함이 크다. 근래에는 방사선치료의 과정 중에 항암화학요법 약제를 방사선 민감제(radiation sensitizer)로서 동시에 투여하는 동시병용 방사선-항암화학요법(concurrent chemo-radiation therapy, CCRT)이 보편화되면서 이전 방사선치료 단독이나 수술 후 방사선치료 병용치료의 시대에 비해 암치료 성공률과 환자의 삶의 질은 월등하게 개선 및 향상되었다.[12]

이처럼 방사선치료 기술의 발전에 힘입어 두경부암의 치료에 있어 방사선치료의 역할은 나날이 커져 왔고, 방사선치료의 적응증도 넓어져 왔다. 이러한 발전에 힘입어서 두경부암의 방사선치료 적응증은 (1) 초기 병기에서 근치목적의 방사선치료 단독(definitive RT alone), (2) 국소진행 병기에서 근치목적의 병용치료(+/- 항암화학요법(definitive RT alone or concurrent chemo-radiation therapy, CCRT), +/- 수술(postoperative RT alone or CCRT)), (3) 전이암의 고식적치료(palliative RT) 등으로 요약할 수 있겠다(표 12-1). 아울러 두경부 영역에서의 국소재발암의 경우 구제치료법(salvage therapy)으로 방사선치료가 흔히 고려되는데, 구체적인 치료방침 결정의 일반 원칙은 원발암 병기에 준하는 재발암의 병기와 환자의 과거 방사선치료 병력과 전신상태 등을 감안하여 결정하여야 한다.

Ⅶ 방사선 분할조사법

1. 통상 분할조사(conventional fractionation)

통상 분할조사란 하루에 한번 1.8-2.0 Gy씩 주 5회 치료하는 방법을 말한다. 일반적으로 근치적 목적의 방사선치료의 경우 66~70 Gy 수준의 고선량의 방사선조사가 요구되며, 약 7주간에 걸쳐 33~35회의 분할조사를 시행하게 된다. 이런 분할조사 방법은 주로 미국을 중심으로 널리 사용되어, 현재 가장 보편적으로 사용되고 있다.

2. 과분할 조사(hyper-fractionation)

과분할 조사란 통상 분할조사보다 1회당 방사선량을 줄이고 하루에 2회 이상 조사하여, 총 분할 회수를 늘리면서 전체 방사선치료의 기간을 통상 분할조사의 경우와 비슷하도록 하는 방식이다. 이를 통해 조사되는 총 방사선량은 대개 10%~20% 정도 증가시킬 수 있어 종양 제어율은 향상시키고, 1회당 조사되는 방사선량을 줄임으로써 정상 장기의 만기 부작용의 위험을 낮출 것을 의도하였다. 여러 임상 연구가 진행되었고, 메타 분석 연구 등에서 진행성 두경부암의 방사선 단독치료에서 과분할 조사의 방식은 통상 분할조사 방식에 비해 국소제어율 및 5년 생존율의 유의미한 향상을 나타냈다.[3,4] 부작용 측면에서는 급성기 부작용은 증가하였으나, 만기 부작용의 증가는 없었다. 하지만 진행성 두경부암에서 동시병요 항암-방사선치료가 표준치료로 사용되면서, 이 경우 과분할 조사방식의 임상적용은 보편화되지 못하였다.

3. 가속분할 조사(accelerated fractionation)

가속분할 조사란 암세포의 가속 재증식(accelerated repopulation)을 극복하기 위해 방사선치료의 기간을 단축하고자 하는 의도로 몇 가지 방식이 있다. 초기에 시도된 방식은 방사선치료의 총 목표선량을 유지하면서 하루에 2회 이상의 방사선을 조사하는 방식인데, 급성 부작용의 위험부담으로 더 이상 임상에 적용되지 않고, 몇 가지 변형된 방식들로 명맥을 유지한다. 통상의 주 5회보다 많은 6~7회의 분할치료를 하는 방법으로 DAHANCA 6 & 7 [11] 임상연구를 통해 두경부 편평상피세포암에서 방사선치료 단독 시 통상 분할조사에 비해 종양제어율의 유의미한 증가를 보여주었다. 또 다른 방식으로 동시 추가조사 방법으로(concomitant boost)통상 분할조사를 시행하다가 방사선치료 기간 후반부에 주로 종양 부위에 일부 선량을 추가 조사하여 전체 치료 기간을 줄이는 방법이다. 이러한 가속분할 조사는 메타분석 연구에서 방사선치료 단독치료법에서 통상 분할조사에 비해 종양제어율을 향상시키고, 5년 생존율을 유의미한 생존율 증가를 보여주었다.[3,4] 하지만 역시 진행성 두경부암에서 동시병용 항암-방사선치료(concurrent chemo-radiation therapy, CCRT)가 표준치료로 사용되면서, 가속분할 조사법의 사용은 보편화되지 못하였다.

4. 소분할조사(hypo-fractionation)

소분할조사는 일회 조사량이 통상 분할조사보다 큰 경우, 다시 말해 2 Gy보다 큰 치료 방법이다. 여러 임상 연구에서 조기 성문암의 방사선치료 시 통상적 분할조사에 비해 2.2 Gy 이상의 약간의 소분할조사가 국소제어율의 향상을 보여주었다. 또한 최근에는 세기조절방사선치료의 발전으로 일종의 방사선량 페인팅(dose painting)이 가능해지면서, GTV 혹은 고위험 CTV에 동시에 2 Gy보다 큰 방사선량을 조사하는 동시통합 추가치료(simultaneous integrated boost, SIB) 기법이 임상에서 많이 적용되고 있다. 그리고 두경부암에 고식적 방사선치료에 소분할조사 방식이 널리 적용되고 있다(30~40 Gy/10-16회, 20~25 Gy/4-5회 등). 이는 짧은 기간 동안 비교적 효과적인 방사선량을 조사하여, 종양 반응을 기대하고, 환자의 증상을 경감시키는 데 목적이 있다.

Ⅷ 방사선치료의 부작용

일반적으로 방사선치료 후 발생하는 부작용은 방사선

치료 범위에 포함되는 구조물 및 이에 조사되는 방사선량에 따라 달라진다. 두경부에는 후각, 시각, 청각, 미각, 촉각 등 소위 오감(五感)에 해당하는 모든 감각을 담당하는 구조물과, 공기와 음식물의 통로와 호흡과 삼킴 기능을 담당하는 구조물, 그리고 각종 분비물을 생성하는 침샘, 눈물샘, 갑상샘 등이 포함되어 있어, 두경부암의 방사선치료 후 다양한 부작용이 나타날 수 있다. 이러한 부작용은 방사선치료에 대한 환자의 순응도를 떨어뜨려 성공적인 방사선치료에 나쁜 영향을 끼치고, 간혹 심각한 장애를 초래하며, 장기적으로는 두경부암이 완치되었다 하더라도 심각한 환자의 삶의 질 저하를 초래할 수 있다. 하지만 최근 들어 방사선치료 기술의 발전으로 이러한 정상 장기에 조사되는 방사선량 및 용적을 낮출 수 있어, 두경부환자의 장기적인 삶의 질 개선에 도움을 주고 있다.

1. 구강점막염(oral mucositis)

구강 점막염은 방사선치료로 인해 구강 점막 기저세포(basal cell)의 세포사로 인해 발생한다. 임상 양상은 일반적으로 방사선치료 시작 2-3주 후부터 증상이 나타나기 시작하며, 환자는 점막의 발적, 부종, 통증으로 인해 흔히 음식물을 삼키기 어려운 불편감을 호소하기 시작다. 증상의 중증도는 방사선 조사량, 조사 범위, 항암 화학요법의 병행 유무 등과 같은 치료와 관련되는 인자와 환자의 전신수행도, 영양 상태, 구강 청결도, 음주 혹은 흡연 유무 등의 환자와 관련되는 인자 등에 따라 달라진다. 일반적으로 방사선치료 종료 후 약 2~3주 이상 경과하면서 회복이 되지만, 항암치료를 병행한 경우 등과 같이 급성부작용의 정도가 심했던 경우에는 회복 기간이 다소 길어질 수 있다. 일반적으로 증상을 관리하는 대증치료로 충분하며, 금연 및 금주와 충분한 영양 섭취, 그리고 철저한 구강 위생 관리 등에 대한 환자 교육이 필요하다. 통증의 경감을 위해서는 적절한 진통제의 사용이 필요하다. 예방을 위해서 방사선치료 계획 수립 시에 구강에 조사되는 방사선량과 구강점막의 부피를 줄이도록 노력해야 하고, 벤지다민(benzydamine) 가글액의 사용을 일반적으로 추천한다. 그러나 클로르헥시딘(chlorhexidine) 가글액 및 예방적 항생제는 사용하지 않는 것이 추천된다.[10]

2. 미각변화(altered taste) 및 입마름증(xerostomia)

미각 세포의 손상으로 인해 두경부암 방사선치료 후 85%~95%의 환자들이 미각변화를 호소하게 된다. 미각변화는 환자의 충분한 영양 섭취를 어렵게 하여 체중 감소를 초래하고, 단 음식의 과다섭취를 유발하여 삶의 질을 저해시킨다. 대개 방사선치료 시작 후 수일 이내부터 나타나며, 방사선치료 종료 후 수개월에 걸쳐 호전되나, 일부에서는 1년 넘게 지속된다. 효과적인 치료법은 알려져 있지 않아, 방사선치료 계획 중 가능하면 구강과 혀 점막의 방사선조사량 및 조사용적을 줄여 최대한 예방하는 것이 추천된다.

침샘의 손상으로 인한 입마름증 역시 두경부암 방사선치료 후 60%~80%의 환자들이 경험하는 흔한 증상으로, 침 분비의 저하에 따라 미각 변화, 삼킴 기능 및 말하기 기능의 저하, 충치, 치주염 등의 여러 가지 이차적인 변화를 초래하여 현저한 삶의 질 저하를 초래하게 된다.[13,15]

대개 방사선치료 시작 첫 주간에 50%~60%의 타액분비 감소가 나타나고, 방사선선량이 증가할수록 침샘 기능은 더욱 저하된다. 이러한 기능 저하는 방사선치료 종료 후 수개월 이후에도 지속적으로 진행하기도 하며, 영구적인 손상을 가져올 수 있다. 상당수의 환자들이 방사선치료 후 1년 이상 경과하여도 심한 입마름증을 호소하기도 한다. 입마름증의 예방을 위해서는 침샘에 조사되는 방사선량 및 용적을 줄이기 위해 IMRT의 적용을 통해 양측 이하선에 평균선량 26 Gy 이하가 조사되도록 권고된다. 방사선보호제인 아미포스틴(amifostine) 등의 약제를 사용하는 여러 가지 전향적 무작위 연구 및 메타분석연구가 발표되었는데,[7] 많은 연구에서 환자의 입마름증 증상을 경감시키고, 침샘의 분비 저하를 막을 수 있음을 보고하였으나, 일부 다른 연구에서는 특정 기간에서 증상 호전을 보이나, 그 이후에는 차이가 없었음을 보고하였다. 아미포스틴은 방사선치료 전 매일 정맥 주사로 투여해야 하고, 저혈압, 오심 및 구토 등의 증상으로 환자의 순응도가 떨어져서 임상에서 사용하는 데 현실적인 어려움이 있다. 이에 최근에는 피하 주사(subcutaneous injection)에 대한 연구 결과들이 발표되기도 하였다.[2] 이 외에는 침샘 분비를 자극하는 필로카핀(pilocarpine)과 같은 cholinergic parasympathomimetic agent의 사용해 볼 수 있다. 필로카핀은 여러 무작위 연구 및 메타분석연구에서 입마름증의 중증도를 감소시키는 효과를 보여주었다.[16] 또한 구강 윤활제나 인공 타액을 사용하여 환자의 증상을 경감시킬 수 있겠다.

3. 피부 독성(skin toxicity)

방사선 피부염(radiation dermatitis)는 고선량의 두경부암 방사선치료 후 흔히 나타나는 증상이며, 일반적으로 삼출물을 동반하는 표피 낙설(wet desquamation) 이상의 중등도 이상의 방사선 피부염은 10%~25%가량 보고된다. 방사선 피부염은 두경부암 일회 조사량, 방사선 총 조사량, 방사선 빔의 종류 및 에너지 등과 분할조사 방법 및 동시병용 항암치료의 여부 등에 따라 다양한 정도로 나타난다. 방사선 피부염은 대개 방사선치료 후 3~4 주경부터 나타나기 시작하여 방사선치료가 진행하면서 점차 증상의 정도가 심해졌다가, 방사선치료 종료 후 2~4주 지나면서 차차 호전된다. 증상은 처음에는 피부가 건조해지고, 붉어지며(erythema), 심해질수록 피부가 벗겨지거나(dry desquamation), 삼출물을 동반하거나(wet desquamation) 피부 궤양(ulceration)이 나타나기도 한다. 자연적으로 피부가 접히는 부위(이륜 부위나 쇄골 상부 등)에서는 볼루스 효과(bolus effect)로 인해 피부에 미치는 방사선량이 필요 이상으로 높아질 수 있어 피부반응이 가장 심하게 나타난다. 방사선 피부염의 만성 변화(late change)는 대개 방사선치료 후 10주 이상 경과하면서 나타나며, 건조증(xerosis), 피부 위축(atrophy), 모세혈관 확장증(telangiectasia), 피하 섬유화(subcutaneous fibrosis) 등을 보인다. 현재까지 방사선 피부염을 예방할 수 있는 효과적인 치료는 없으며, 피부를 청결히 하고, 자극이 적은 로션 등을 자주 바르는 등 충분한 보습을 하며, 물리적인 피부 자극을 피하는 등의 조치를 추천한다. 삼출물을 동반하거나, 피부 감염이 의심되는 경우에는 드레싱 및 항생제의 사용 등 적절한 처치가 필요하다.

4. 방사선 골괴사(osteoradionecrosis)

방사선 골괴사는 방사선치료 후 발생할 수 있는 가장 심각하고 중요한 부작용 중 하나로 잔존암이나 재발암의 증거가 없음에도 불구하고 주로 상악골(maxilla)이나 하악골(mandible) 등의 골조직이 수개월 이상 치유되지 않고 괴사상태로 진행하는 경우이다. 방사선 골괴사의 가장 중요한 선행인자로 발치 등 구강 내 외과적 시술로 인한 점막 손상(mucosal injury)이나 감염 등이 있는 경우가 흔하나 드물지만 뚜렷한 선행인자가 없이 저절로 발생하기도 한다. Clayman 등의 보고에 따르면 방사선 골괴사의 빈도는 방사선치료의 기술이 발전하면서 근래에는 3.1%~3.5% 수준으로 많이 감소하였다.[5] 방사선량 역시 중요한 인자이며, 50 Gy 이하에서는 거의 발생하지 않는다. 대개 상악골보다는 하악골에서의 발생이 더 많이 보고되었다. 방사선치료 전 충치 등의 치과적 문제가 있을 경우 방사선 골괴사의 위험 요소가 될 수 있으므로, 방사선치료 전에 문제를 일으킬 만한 치아에 대해서는 발치를 포함한 적극적인 치과적 치료의 선행을 고려하여야 한다.[14] 만약 방사선치료 전 발치를 하게 되면 발치 후 대개 10~21일 정도 경과하여 잇몸의 상처가 충분히 아문 후에 방사선치료를 시작하도록 권고한다. 방사선치료 종료 후에는 환자에게 구강 위생에 대한 교육을 철저히 하여 발치 후 발생할 수 있는 골괴사를 예방하여야 한다. 방사선치료 후 발치로 인한 골괴사의 위험은 시간이 경과할수록 차차 낮아진다는 보고가 있기는 하나 골괴사의 위험은 여전히 있으므로, 항상 침습적인 치료를 할 경우에는 세심한 주의를 기울여야 한다. 비침습적인 조치가 우선적으로 고려되어야 하며, 만약 침습적인 치료가 불가피할 경우에는 적극적인 괴사조직의 제거(debridement)와 세심한 상처관리 및 예방적 항생제 사용의 검토 등이 요구된다. 이미 발생한 방사선 골괴사의 치료로는 고압산소요법, 알파토코페롤 투여 등이 알려져 있으나, 이들 치료법의 효과에 대해서는 이견이 있다. 중증의 방사선 골괴사는 수술적 치료를 통해 괴사된 골조직을 제거하고, 조직 이식 및 재건술 등의 조치가 필요하다.

5. 뇌신경 장애(cranial neuropathy)

두경부암 환자의 고선량 방사선치료 후 만성합병증으로 뇌신경 장애가 나타날 수 있으며, 병변이 두개기저부와 가까운 비인두암 환자에서 많이 보고된다. 대개 IX~XII 뇌신경 등의 하부 뇌신경 손상의 빈도가 높으며 발성 및 연하장애가 나타날 수 있다. 고선량의 방사선치료 후 신경 조직의 직접 손상이나 주변 조직의 섬유화가 원인이 된다고 알려져 있다. 임상적으로 두개 기저부위 등 뇌신경 경로 주위의 재발로 인한 신경압박 증상과 감별해야 한다.

6. 망막 손상(retinopathy) 및 시신경 손상(optic neuropathy)

비강암이나 부비동암 등과 같이 안와 주변의 방사선치료 후에 나타날 수 있는 부작용으로 대개 방사선치료 종료 수개월~수년 이후에 나타나는 만성 합병증이다. 망막 손상은 대개 45~50 Gy 수준의 방사선량에서 나타나기 시작하며, 방사선량이 증가할수록 위험도는 크게 증가한다. 일부 오래된 연구에서는 안구에 조사되는 방사선량이 60 Gy 이상일 경우에는 50%에서 망막 손상이 나타나며, 70~80 Gy에서는 85%~95%에서 나타난다고 보고하였다.[8] 하지만 3D-CRT 및 IMRT가 보편적으로 적용되면서 망막에 조사되는 방사선량 및 방사선용적을 크게 줄일 수 있게 되어 위험을 크게 낮출 수 있게 되었다. 방사선으로 인한 시신경 손상 역시 만성 합병증이며, 비강이나 부비동암 및 두개기저부를 침범하는 비인두암의 방사선치료 후 나타날 수 있다. 통상분할 방사선치료를 시행하는 경우 일반적으로 60 Gy 이상의 방사선량에서 보고되어, 여러 임상연구 프로토콜에서는 시신경에 미치는 방사선량을 55 Gy 이하로 낮추도록 권고한다. 시신경 손상의 위험도는 시신경 및 시신경교차(optic chiasm)에 조사되는 방사선량 및 환자의 나이, 동시 항암치료 여부, 당뇨 등의 기저 질환 등에 따라 달라진다.

7. 내분비 기능 장애(endocrine dysfunction)

두개 내 침범이 있는 국소진행 비인두암에서 시상하부-뇌하수체 축 부위에 고선량의 방사선이 조사될 때 내분비 기능 장애가 나타날 수 있다.[9] 이로 인해 여성 환자에서 무월경증(amenorrhea)과 유루증(glactorrhea)의 발생이 가장 흔하게 보고된다. 또한 경부 방사선치료로 인해 갑상선 기능저하가 나타날 수 있다. 30%~40% 정도의 환자에서 경부 방사선치료 수개월~수년 이후에 갑상선 기능저하가 나타날 수 있다. 때문에 장기 생존자에서 뇌하수체 및 갑상선 기능을 정기적으로 평가하는 것이 추천된다.

참고문헌

1. 안용찬. 세기조절 방사선치료 기술의 소개. J Korean Med Assoc 2011;54(11):1172-8.
2. Bardet E, Martin L, Calais G, et al: Subcutaneous compared with intravenous administration of amifostine in patients with head and neck cancer receiving radiotherapy: final results of the GORTEC2000-02 phase III randomized trial. J Clin Oncol 29:127-33.
3. Bourhis J, Overgaard J, Audry H, et al: Hyperfractionated or acceler-

ated radiotherapy in head and neck cancer: a meta-analysis. Lancet 368:843-54, 2006

4. Budach W, Hehr T, Budach V, et al: A meta-analysis of hyperfractionated and accelerated radiotherapy and combined chemotherapy and radiotherapy regimens in unresected locally advanced squamous cell carcinoma of the head and neck. BMC Cancer 6:28, 2006
5. Clayman L: Clinical controversies in oral and maxillofacial surgery: Part two. Management of dental extractions in irradiated jaws: a protocol without hyperbaric oxygen therapy. J Oral Maxillofac Surg 55:275-81, 1997
6. DeVita VT Jr, Rosenberg SA. Two hundred years of cancer research. N Engl J Med 2012;366(23):2207-14.
7. Gu J, Zhu S, Li X, et al: Effect of amifostine in head and neck cancer patients treated with radiotherapy: a systematic review and meta-analysis based on randomized controlled trials. PLoS One 9:e95968, 2014
8. Jeganathan VS, Wirth A, MacManus MP: Ocular risks from orbital and periorbital radiation therapy: a critical review. Int J Radiat Oncol Biol Phys 79:650-9, 2011
9. Lam KS, Ho JH, Lee AW, et al: Symptomatic hypothalamic-pituitary dysfunction in nasopharyngeal carcinoma patients following radiation therapy: a retrospective study. Int J Radiat Oncol Biol Phys 13:1343-50, 1987
10. Moslemi D, Nokhandani AM, Otaghsaraei MT, et al: Management of chemo/radiation-induced oral mucositis in patients with head and neck cancer: A review of the current literature. Radiother Oncol 120:13-20, 2016
11. Overgaard J, Hansen HS, Specht L, et al: Five compared with six fractions per week of conventional radiotherapy of squamous-cell carcinoma of head and neck: DAHANCA 6 and 7 randomised controlled trial. Lancet 362:933-40, 2003
12. Pignon JP, le Maître A, Maillard E, et al. Meta-analysis of chemotherapy in head and neck cancer (MACH-NC): an update on 93 randomised trials and 17,346 patients. Radiother Oncol 2009;92(1):4-14.
13. Porter SR, Fedele S, Habbab KM: Xerostomia in head and neck malignancy. Oral Oncol 46:460-3, 2010
14. Wahl MJ: Osteoradionecrosis prevention myths. Int J Radiat Oncol Biol Phys 64:661-9, 2006
15. Wijers OB, Levendag PC, Braaksma MM, et al: Patients with head and neck cancer cured by radiation therapy: a survey of the dry mouth syndrome in long-term survivors. Head Neck 24:737-47, 2002
16. Yang WF, Liao GQ, Hakim SG, et al: Is Pilocarpine Effective in Preventing Radiation-Induced Xerostomia? A Systematic Review and Meta-analysis. Int J Radiat Oncol Biol Phys 94:503-11, 2016

CHAPTER

13

두경부암의 항암화학요법

○ 이비인후과학 Otorhinolaryngology - Head and Neck Surgery

박근칠, 손진호, 여창기

매년 개정되는 NCCN (National Comprehensive Cancer Network)의 두경부암 진료 지침의 2016년 개정판에 따르면, 상악동 및 타액선을 제외한 모든 원발 부위의 진행성 편평상피세포암에서 동시 항암화학-방사선 요법 또는 유도 항암화학 요법이 초치료의 선택 사항 중 하나로 포함되어 있으며,[26] 특히 기능적 보존이 중요한 구인두와 후두, 하인두의 경우는 그 임상적 적용이 점차 늘어나고 있는 추세이다. 이에 따라 주 치료로서의 항암 치료의 역할 역시 점차 늘어나고 있으며, 비록 수술을 주로 담당하는 두경부 외과의도 이러한 최신 지견을 이해하고 진료에 참고하는 것이 환자의 치료 성적과 삶의 질 모두를 향상시킬 수 있는 매우 중요한 부분으로 생각된다.

두경부에 발생할 수 있는 암의 세포 형태는 상피세포암에서부터 육종, 림프종에 이르기까지 매우 다양하지만 이번 장에서는 이비인후과 의사들이 주로 다루게 되는 두경부 편평상피세포암종과 관련된 항암 치료에 대해 주로 기술하고자 한다.

I 항암화학요법의 기본 원리

1. 항암제의 작용기전

항암제란 세포 내의 DNA에 직접 결합 작용하여 DNA의 복제(replication), 전사(transcription), 해독(translation)을 차단하거나, 핵산 합성의 대사 경로에 개입하여 핵산 합성을 방해하고 세포분열을 저해함으로써 암세포에 대한 세포독성을 나타내는 약제를 총칭한다.

항암화학요법(anticancer chemotherapy)은 단일 또는 다수의 항암제를 여러 차례에 걸쳐 주기적으로 병용투여하여 종양세포의 수를 줄여가는 치료법이다. 대부분 치료가 종료되기 전 치료 효과를 판정하여 그 반응 정도에 따라 치료의 지속 여부를 결정하고 효과가 없는 경우 다른 치료 방법을 선택하여 불필요한 독성을 피할 수 있도록 한다.

최근에는 암조직의 생물학적 표지자(biologic marker)에 대한 분자 표적 치료제(molecular target agents)들이 개발되어 두경부 종양에서도 부작용이 적으면서 효과적인 치료를 기대하고 있다.

2. 항암제의 분류

항암제는 작용 기전에 따라 다음과 같이 분류할 수 있으며 두경부 종양에서 흔히 사용되는 항암제는 아래와 같다.[14,17,34]

① 알킬화제(alkylating agents)
cisplatin (Platinol), carboplatin (Paraplatin), ifosfamide (Ifex)

② 대사 길항제(antimetabolites)
fluorouracil (5-FU), gemcitabine (Gemzar), methotrexate

③ 항암성 항생물질(anticancer antibiotics)
bleomycin

④ Topoisomerase inhibitors irinotecan

⑤ 유사분열 억제제(antimicrotubule agents)
paclitaxel (Taxol), docetaxel (Taxotere)

3. 항암화학요법의 분류

악성종양에서의 항암화학요법은 적용 방법에 따라 아래와 같이 3가지로 분류된다.

1) 고식적 화학요법(palliative chemotherapy)

다른 대체 치료 방법이 없는 진행성 암환자에서 일차적인 치료 방법으로 화학요법을 시도하는 경우이다. 완전 관해보다는 환자의 증상을 개선시켜 삶의 질을 향상시키고 생명을 연장시키는 데 일차적인 목적이 있다.

2) 보조 화학요법(adjuvant chemotherapy)

원발부위의 암을 외과적 절제 혹은 방사선 치료 등 다른 치료 방법으로 조절한 후 시행하는, 추가적인 치료로서의 화학요법으로, 잔류 암의 임상적, 방사선학적, 병리학적 증거가 없는 환자에서 발견되지 않는 미세 전이암을 제거하여 재발을 줄이는 데 목적이 있다.

3) 선행 화학요법(neoadjuvant chemotherapy or induction chemotherapy)

국소 진행암 환자에서 외과적 절제 혹은 방사선 치료 등 국소 주 치료를 시행하기 전에 시행하는 화학요법이다. 보다 보존적인 국소 치료의 이익을 얻고자 할 때 시행하며 특히 두경부 암에서는 장기 보존과 원격전이로 인한 치료 실패 가능성을 줄이는 효과를 기대할 수 있다.

4. 항암화학요법의 효과 판정 기준(response criteria)

치료 효과의 판정은 일정한 기준에 따라 시행되므로 서로 간의 비교가 가능하다. 현재 효과 판정 기준으로 널리 상용되는 방법으로는 WHO 기준[24]과 RECIST 기준[38]이 있다.

1) 완전 반응 또는 완전 관해(complete response, complete remission, CR)

신체 검진 및 영상학적 검사를 통해 임상적으로 측정 또는 평가 가능한 병변 및 종양에 의한 이차적 병변이 모두 소실되고 새로운 병변의 출현이 없는 상태가 4주 이상 지속되는 경우를 말한다.

2) 부분 반응 또는 부분 관해(partial response, partial remission, PR)

하나 또는 그 이상의 측정 가능한 종양의 최대 직경과 그 수직선의 곱의 합이 50% 이상 감소하거나(WHO 기준) 측정 가능한 병변의 최대 직경의 합이 30% 이상 감소하고(RECIST 기준), 동시에 평가 가능한 병변 및 종양에 의한 2차적 병변의 악화가 없고 새로운 병변의 출현이 없는 상태가 4주 이상 지속되는 경우를 말한다.

3) 안정 병변 또는 불변(stable disease, no change, SD)

측정 가능한 병변의 최대 직경과 그 수직선의 곱의 합이 50% 미만에서 축소되었거나, 25% 이내에서 증가된 경우(WHO 기준) 또는 측정 가능한 병변의 최대 직경의 합이 30% 미만에서 축소되었거나, 20% 이내에서 증가된 경우(RECIST 기준)와 동시에 종양에 의한 2차적 병변의 악화가 없으며 새로운 병변이 나타나지 않는 상태가 적어도 4주 이상 지속되는 경우를 말한다.

4) 진행 병변(progressive disease, PD)

모든 측정 가능한 종양의 최대 직경과 그 수직선의 곱의 합이 25% 이상 증가(WHO 기준) 또는 측정 가능한 병변의 최대 직경의 합이 20% 이상 증가(RECIST 기준)하였거나 혹은 다른 병변의 악화나 새로운 병변이 생긴 경우를 말한다.

5. 항암화학요법의 부작용

1) 골수 기능 억제(bone marrow suppression)

백혈구 감소, 혈소판 감소, 빈혈 등으로 나타나는 항암제의 골수 기능 억제는 가장 흔한 용량 제한 독성(dose-limiting toxicity)으로 일반적으로 치료 후 10–14일 사이에 최저점에 도달하며 3–4주가 되면 정상으로 회복된다. 따라서 대부분의 항암화학요법은 3–4주의 주기로 시행된다. 그러나 nitrosoureas, mitomycin C 등의 일부 항암제는 회복 기간이 더 긴 경우가 있다.

2) 오심과 구토(nausea and vomiting)

오심과 구토는 항암화학요법의 주 부작용 중의 하나로 그 예방이 매우 중요하다. Cisplatin은 가장 강력한 구토 유발성 약제(emetogenic drug)이다. 이러한 부작용의 예방과 치료에 사용되는 약제로는 최근 많이 사용되는 선택적 항세로토닌제인 ondansetron, granisetron 등이 있으며 dexamethasone이 병용될 수 있다. 그 외 phenothiazine, metoclopramide, lorazepam 등의 benzodiazepine, diphenhydramine 등이 같이 사용된다.

3) 탈모(alopecia)

항암화학요법에 의한 탈모는 일부 환자에게는 가장 괴로운 부작용이다. 탈모는 모낭에 대한 항암제의 직접적인 세포 독성에 의하며, 치료가 종결되면 회복된다. 특히 탈모 부작용이 심한 약제는 cyclophosphamide, doxorubicin, paclitaxel, docetaxel, vincristine 등이다.

4) 특이 장기에 대한 독성(specific organ toxicity)

항암제에 따라서는 앞에서 언급된 일반적인 독성 이외에도 특이 장기에 독성을 나타낼 수 있는데, 대표적인 예로 cisplatin과 methotrexate가 신장 독성을 보이며, 5-fluorouracil, methotrexate, anthracycline 등이 구내염과 설사 등의 소화기 독성을, methotrexate가 간 독성을, anthracycline과 cyclophosphamide가 심장 독성을, bleomycin이 폐 독성을 일으킨다. 그 외에도 vincristine, cisplatin 등이 말초신경계 독성을 보이고, alkylating agents, vinblastine 등은 생식기관에 독성을 나타낼 수 있다. 또 5-fluorouracil과 bleomycin은 피부에 색소 침착을 유발할 수 있고, cyclophosphamide와 ifosfamide는 출혈성 방광염을 초래할 수 있으며, anthracycline과 vinca alkaloid는 정맥 투입 시 정맥 밖으로 새는 경우 피부괴사를 일으킨다.

6. 항암화학요법 결정 시 고려할 사항

항암치료를 계획할 때 치료의 목적으로 염두에 두어야 할 사항은 생존 기간과 삶의 질 두 가지이다. 따라서 치료 계획을 수립할 때 질병의 진행 정도를 병기를 이용하여 평가하는 것 이외에 환자의 생리적 상태(physiologic status)를 운동수행능력(performance status)으로써 평가하는 것 또한 매우 중요하다. 운동수행능력 정도는 항

표 13-1. Karnofsky와 Eastern Cooperative Oncology Group (ECOG)의 운동수행능력 척도

정의	Karnofsky scale(%)	ECOG scale
무증상 정상 활동	100	0
증상이 있으나 거동 가능	80 - 90	1
증상이 있고 일상 생활 중 50% 이하의 침상 생활 가끔 보조가 필요	60 - 70	2
증상이 있고 일상 생활 중 50% 이상의 침상 생활 가끔 보조가 필요	40 - 50	3
100% 누워서 지냄 심한 무력 상태	20 - 30	4

Adapted from Haskell CM: Principles of cancer chemotherapy. In Haskell CM(eds): Cancer treatment, 4th ed. Philadelphia, WB Saunders, 1995, p55

암요법의 반응 정도와 예후에 중요한 영향을 미치는 인자가 된다.[17] 운동수행능력의 평가 방법에는 Karnofsky 척도와 ECOG (Eastern Cooperative Oncology Group) 척도가 있다(표 13-1). 일반적으로 Karnofsky 척도 70 이상이거나 ECOG 척도 2 이하이면 항암 치료를 견딜 수 있을 정도의 신체 상태를 가진다고 보며, 이는 매 주기의 항암 치료마다 새롭게 평가되어야 한다.

실제 임상에서는 운동수행능력뿐만 아니라 환자의 기저 질환 및 항암치료 전 혈액검사 결과에 따라 약제 및 용량 조절이 필요한 경우가 빈번하게 발생하기 때문에 이에 대한 고려도 반드시 포함되어야 한다. 일반적으로 두경부 항암 치료의 가장 흔한 약제인 cisplatin의 경우 신장을 통해 배설되어 신독성이 있기 때문에, 항암 치료 전 신기능 검사에서 사구체 여과율(glomerular filtration rate, GFR)이 60 mL/min보다 낮을 경우에는 그에 따른 용량 조절이 필요하다.

또한 매 항암 치료 전 일반 혈액검사를 시행하여 호중구 1,500 혈색소가 〈 10 g/dL, 혈소판 100,000 /L 의 기준을 만족하지 못하면, 1주 연기 및 20%의 용량 감소가 필요하다.

II 치료 상황별 항암화학요법의 적용

항암화학요법과 방사선 치료의 병용 치료 방법으로는 항암화학요법과 방사선 치료를 동시에 시행하는 방법(concurrent chemoradiotherapy), 순차적으로 시행하는 방법(sequential or neoadjuvant chemoradiotherapy), 그리고 교대로 시행하는 방법(alternating chemoradiotherapy)의 세 가지 방법이 있다.

1. 주 치료로 시행되는 동시 항암화학방사선 치료에서의 항암화학요법

방사선 치료와 항암화학요법의 병용(combined modality therapy)은 국소 진행성 두경부 악성종양환자의 치료 효과를 향상시킬 수 있는 가장 기대되는 전략 중 하나이다.[10,44] 항암제가 방사선 효과를 증강시키는 기전은 방사선에 의한 세포 손상 회복의 방해, 산소 결핍 세포의 감작(hypoxic cell sensitization), 세포의 동기화(cell-cell synchronizaton) 등에 의한다고 알려져 있다. 즉 방사선에 저항성을 보이는 암세포도 항암제의 존재 시에는 방사선에 대한 저항성이 극복될 수 있을 것으로 기대된다. 이러한 이론적 사실에 근거하여 국소 진행성 두경부

악성종양에서 방사선 치료와 항암화학요법의 병용을 시도해 왔는데 cisplatin, platinum analogues, 5-FU, bleomycin, hydroxyurea, mitomycin, methotrexate 등이 단독 혹은 복합으로 투여되었다.

방사선 치료 단독에 비해서는 항암화학요법을 방사선 치료와 병용(동시 혹은 교대 적용)한 경우에 대다수에서 완전반응률, 국소 재발률, 생존율 등의 향상을 도모할 수 있다. 또한 가장 흔한 부작용인 점막염도 방사선 단독요법의 경우에 비해 유사한 정도로 보고되었다. 최근에 발표된 MACH-NC (meta-analysis of chemotherapy on head and neck cancer)의 meta-analysis의 결과를 보면 방사선 치료 단독보다 방사선 치료에 항암화학요법을 추가하는 것이 두경부 종양으로 인한 사망률을 12% 낮출 수 있고 5년 생존율을 4% 향상시킬 수 있다고 하였으며,[29,41] 특히 항암화학요법과 방사선 치료를 동시에 시행하는 방법이 방사선 단독 치료보다 19%의 사망률 감소와 8%의 5년 생존율 증가를 보여 주었다.[28] 또한 2009년에 발표된 MACH-NC의 추가 결과에 따르면, 동시 항암화학-방사선요법은 유도 항암화학요법 후 방사선 치료를 추가하는 방법에 비하여서도 전체 생존율, 무병 생존율, 국소 재발율 등에 있어서 모두 우수한 치료 성적을 갖는 것으로 확인되었다.[30] 항암화학요법의 약제에 있어서는 MACH-NC 연구에서 platinum을 근간으로 하는 동시 항암화학-방사선요법이 platinum을 포함하지 않는 치료보다 더 효과적인 것으로 나타났지만, 항암제를 두 가지 이상 사용하는 복합 화학요법은 단독 화학요법보다 더 좋은 결과를 보여 주진 못하였다. 이러한 연구들을 바탕으로 가장 최근의 NCCN 두경부암 진료 지침에서는 동시 항암화학-방사선요법에서 고용량의 cisplatin (100 mg/m^2)을 방사선 치료를 받는 기간 동안 3주 주기로 3차례 주사하는 것이 동시 항암화학-방사선요법의 가장 표준적인 방법으로 권장하고 있다.[26]

최근 들어 두경부 악성종양에서 taxane 계열의 항암제가 반응률이 좋고 유도 항암화학요법에서 사용되고 있기 때문에 방사선과의 병용 요법에도 시도되고 있다. 하지만 taxane과 방사선 치료를 병용할 경우 독성이 심하게 나타날 수 있고, taxane을 근간으로 하는 동시 항암화학-방사선요법이 방사선 단독보다 우월하다는 3상 연구가 없으며, platinum 단독의 동시 항암화학-방사선요법과 비교한 연구도 없기 때문에 아직까지는 platinum, 특히 고용량 cisplatin을 사용하는 항암화학-방사선요법이 가장 널리 인정받고 있다.

EGFR (epidermal growth factor receptor)에 대한 단클론 항체인 cetuximab을 방사선 치료와 병용하여, 이를 방사선 단독요법과 비교한 3상 연구에서, cetuximab과의 병용요법이 국소 재발율을 감소시키고 3년 생존율을 향상(57% vs. 44%) 시키는 데 보다 더 효과적이라는 결과를 보여 주었다.[3,8] 이 연구는 방사선 치료의 물리학적 표적에 생물학적 표적치료를 병용함으로써 보다 효과적이고 부작용이 적은 치료 방법이 될 것이라는 이론적 배경을 뒷받침하였고, 향후 다른 EGFR이나 VEGFR(vascular endothelial growth factor receptor) 억제제와의 병용요법에 대한 임상 연구를 진행하는 데 도움을 줄 것이다. 하지만 cetuximab + 방사선 치료의 조합이 동시 항암화학-방사선요법에서의 기존 표준 조합인 cisplatin + 방사선 치료의 조합을 대체할 수 있느냐에 대해서는 아직까지 회의적인 결과들이 보고되고 있으며, 2014년에 발표된 메타 분석에서도 cisplatin 계열의 항암약제에 기반을 둔 동시 항암화학-방사선요법이 cetuximab + 방사선 치료의 동시 치료보다 생존율 및 국소 재발률에서 모두 우수한 결과를 보였다.[27] 따라서 여전히 국소진행성의 두경부암에서 완치 목적으로 시행되는 동시 항암화학-방사선요법에서의 항암약제는 고용량의 cisplatin 계열이 가장 효과적인 것으로 인정받고 있다.[9,27] 다만, 2009년에 발표된 메타분석에 따르면 동시 항암화학-방사선요법에 따른 독성 증가에 비교적 취약한, 그리고 두경부 암 이외의 다른 질환으로 인한 사망의 빈도가 상대적으로 큰 71세 이상의 고령의 경우 이러한 동시 항암화학-방사선요법의 이득이 상대적으로 적거나 상쇄되어 버리기 때문에,[30] cisplntin 계열의 항암약제에 대한 부작용을 견디기 힘들 것으로 생각되는 고령 또는 기타 전신질환을 갖고 있는 환자의 경우에는 그 대체 방법으로 cetuximab + 방사선 치료 조합의 동시 치료를 고려해 볼 수 있겠다.[9]

2. 수술 또는 방사선 치료 전 시행되는 유도 항암화학요법

1) 이론적 배경

수술이나 방사선 치료 후 혈관 손상이 온 뒤에 항암제를 투여하는 것보다 수술이나 방사선 치료 전에 항암화학요법을 시행하면 종양 부위로의 항암제의 전달이 용이하고, 환자의 내성(tolerance)과 순응도(compliance)를 높여 충분한 양의 항암제를 사용할 수 있으며, 종양의 크기를 줄여 수술 등에 의한 완치 가능성을 높일 수 있다는 것이 이론적 배경이다.[34,44] 또한 이론적으로는 유도 항암화학요법에 반응한 환자는 방사선요법에 잘 반응하고, 그렇지 않은 경우는 방사선요법에도 반응하지 않기 때문에 유도 항암화학요법의 치료 반응 확인을 통해 보다 적절한 치료 방법의 선택이 가능해진다는 장점도 있다. 하지만, 반대로 주 치료 이전에 항암화학 요법을 시행함으로써 수술이나 방사선 치료와 같은 주 치료의 시기가 늦어진다는 단점도 있으며, 유도 항암화학요법이 뒤따르는 주 치료의 합병증을 증가시킬 수 있다는 점 역시 고려해야 될 사항들이다.

2) 유도 항암화학요법의 항암약제 선택

이전 수십 년 동안 두경부 암에서의 항암 치료의 표준은 cisplatin과 5-FU 조합이었으며, 이는 유도 항암화학요법에서도 적용되어 왔다. 하지만 최근 taxane계 약물이 소개되면서 taxane, cisplatin, 5-FU (TPF)을 이용한 3제 유도 항암화학요법이 연구되었는데, 90% 이상의 반응률과 50% 이상의 완전 반응률을 보여 이전의 cisplatin과 5-FU를 이용한 2제 요법보다 더 효과적이고 투여가 용이한 유도 항암화학요법 조합으로 주목받았다.[20,31] 이후 TPF 유도 항암화학요법을 확립하게 된 연구라고 할 수 있는 TAX 323 연구(TPF 또는 PF 유도 항암화학요법 + 뒤이은 방사선 치료 단독)와 TAX 324 연구(TPF 또는 PF 유도 항암화학요법 + 뒤이은 동시 항암화학-방사선요법) 모두에서 TPF 조합의 유도 항암화학요법 결과가 PF 조합의 경우보다 우수한 치료 성적을 보였으며, 치료 순응도 및 환자의 삶의 질에 있어서도 TPF 조합에서 더 나은 결과를 보였다.[32,41] 이러한 바탕으로 진행된 여러 후속 연구에서도 기존의 PF 조합을 넘어선 TPF 조합의 유도 항암화학요법의 이득이 확인됨에 따라 현재 유도 항암화학요법의 표준은 TPF 조합으로 인정받고 있다.

3) 동시 항암화학요법 단독과 유도 항암화학요법에 뒤이은 동시 항암화학-방사선요법(순차적 동시 항암화학-방사선요법)의 치료 성적 비교

지난 수십 년 동안 항암화학 요법에 대한 연구가 활발히 진행되면서 그 역할 및 이득에 대한 개념 역시 순차적으로 확립되고 있다. 이를 간략히 정리하여 보면 아래와 같이 요약할 수 있을 것으로 생각된다.

- 국소 진행성 두경부 암에서 항암화학요법(동시 또는 유도 항암화학요법 모두 포함)을 방사선 치료에 추가하는 것은 방사선 치료 단독에 비해 우수한 치료 성적을 갖는다.
- 동시 항암화학-방사선요법에서의 항암 약제는 고용량(100 mg/m^2) cisplatin 단독이 기타 약제의 조합보다 치료 성적 및 합병증 측면에서 선호된다.
- 유도/선행적 항암화학요법에서의 항암 약제는 TPF 조합을 사용하는 것이 PF 조합이나 고용량 cisplatin 단독을 사용하는 경우에 비해 우수한 치료 성적 및 순응도를 갖는다.

위의 3가지 큰 개념을 바탕으로 생각하였을 때 한 가

지 더 확인해야 할 것은, 그렇다면 동시 항암화학–방사선요법에 선행적으로 유도 항암화학요법을 추가하는 것이 과연 동시 항암화학–방사선요법 단독에 비해 우수한 치료 성적을 갖느냐는 부분이다. 이러한 문제에 답하고자 진행된 여러 연구 중 대표적인 무작위 3상 연구 결과가 바로 PARADIGM 연구와 DeCIDE 연구이다.[8,16] 145명의 3기 또는 4기 두경부암 환자를 대상으로 한 PARADIGM 연구에서 동시 항암화학–방사선요법만을 시행한 군과 유도 항암화학요법 후 순차적 동시 항암화학–방사선요법을 시행한 군의 3년 생존율은 각각 78%와 73%으로 차이가 없었으며, 원격 전이율은 각각 11%와 7%로, 유도 항암화학요법을 추가한 환자군에서 조금 낮은 수치를 보였으나, 그 통계학적 의미는 없었다.[16] 280명의 4기 두경부암 환자를 대상으로 한 DeCIDE 연구에서는 원격 전이율에서 동시 항암화학–방사선요법만을 시행한 군에서는 19%인 반면, 유도 항암화학 요법 후 순차적 동시 항암화학–방사선요법을 시행한 군에서는 10%로 통계학적으로 유의하게 (p=0.025) 유도 항암화학 요법을 추가한 군에서 낮은 원격 전이율을 보여주었으나, 치료 성적에 있어 가장 중요한 지표인 생존율(3년)에 있어서는 추적 관찰 3년 시점에서 양군에서 73%과 75%로 통계학적 차이가 없는 것으로 확인되어, 낮은 원격 전이율이 실제 환자의 의미 있는 생존율의 증가로 이어지지는 않는 것으로 나타났다.[8] 2014Hitt 등에 의해 시행한 절제가 불가능한 두경부암 환자를 대상으로 한 open label 연구에서도 동시 항암화학–방사선요법만을 시행한 환자군과 동시 항암화학–방사선 요법 이전에 유도 항암화학요법을 추가한 순차적 항암화학요법을 시행한 환자군에서 유의한 생존의 차는 확인되지 않았다.[19] 다만 연구에서 계획한 치료를 수행한 환자군(per protocol population)만을 대상으로 한 분석에서는 유도 항암화학요법을 추가한 환자군에서 통계학적으로 유의하게 높은 무진행 생존율(progression–free survival)을 보였는데, 이는 동시 항암화학–방사선요법만을 시행하는 경우보다 공격적이고 심한 부작용이 예상되는 유도 항암화학요법 + 동시 항암화학–방사선요법의 치료를 견딜 수 있는 일부 환자군에서는 동시 항암화학–방사선요법에 비해 유도 항암화학요법 + 동시 항암화학–방사선요법이 이득을 가질 수 있음을 시사하는 소견이라고 할 수 있다.[19]

상기의 내용들을 바탕으로 현재까지 연구된 유도 항암화학요법 + 동시 항암화학–방사선요법의 의미 및 적응에 대해 정리하면 아래와 같다.[5,13]

- 주 치료 이전에 시행되는 유도 항암화학요법은 원격 전이에 의한 치료 실패의 가능성을 줄일 수 있다.
- 하지만 이러한 유도 항암화학요법의 원격전이의 감소 효과가 동시 항암화학–방사선요법 단독과 비교하였을 때 생존율에서의 추가적인 이득으로 이어지는지는 분명치 않다.
- 다만 동시 항암화학–방사선요법만을 시행하는 경우에 비해 공격적이고 심한 부작용이 예상되는 유도 항암화학요법 + 동시 항암화학–방사선요법을 견딜 수 있고, 원격전이의 가능성이 높은 잘 선택된 환자들에게 있어서는 이러한 유도 항암화학요법의 추가가 생존율의 증가에 도움이 될 수 있다.
- 따라서 유도 항암화학 요법은 환자의 전신상태를 고려하여 그에 뒤이은 주 치료의 치료 순응도를 떨어트리지 않는 범위 내에서, 원격전이의 가능성이 상대적으로 높은 크거나 하경부에 위치한 림프절 전이가 있는 경우(N3), 치아 치료나 전신 질환의 교정이 선행되어야 하는 등의 문제로 방사선 치료가 지연되는 경우, 그리고 공격적인 비수술적 치료로 장기 보존의 이득을 기대하는 경우 주로 적용될 수 있으며, 이러한 경우 그에 수반되는 독성을 넘어서는 이득을 기대할 수 있을 것으로 생각된다.

3. 수술 또는 동시 항암화학-방사선요법 후 시행되는 보조적 항암화학요법

수술 후 시행되는 추가 치료의 경우 방사선 치료가 주

된 보조 치료이기 때문에, 방사선 치료 없이 항암화학요법 단독으로 사용되는 경우는 없으며, 술 후 조직검사 결과에서 예후가 불량한 소견이 확인되었을 경우 방사선 치료에 항암화학요법을 추가하여 동시 항암화학-방사선요법을 시행하게 된다. 여기서 예후가 불량한 인자라 함은 원발 부위에 따라 조금씩 달라질 수 있으나, 일반적으로 림프절 전이의 피막 외 침범, 양성 절제 경계, T3 또는 T4 병기, N2 또는 N3 병기, 신경주위 침범, 림프-혈관 침범의 소견이 존재할 때이다. 2015 NCCN 진료 지침에 따르면 이중 림프절 전이의 피막 외 침범이나 양성 절제 경계가 존재할 때는 반드시 술 후 동시 항암화학-방사선요법을 권장하고 있으며, 그 이외의 예후가 불량한 소견을 보일 때는 각 환자의 상황에 따라 방사선 치료 단독과 동시 항암화학-방사선요법 중 선택할 수 있다.[26]

일차 치료로 시행된 동시 항암화학-방사선요법에서 방사선 치료가 종료 된 후 항암화학요법만을 추가로 더 시행하는 것(유지 항암화학요법, consolidation chemotherapy)은 비인두암의 경우를 제외하고는 효과가 입증된 바 없으며, 여러 주기의 항암화학요법에 따른 부작용의 위험만 증가하는 것으로 보고되고 있기 때문에 일반적으로 권장되지 않는다. 다만 비인두암의 경우 일차 동시 항암화학-방사선요법 후 cisplatin/5-FU 또는 carboplatin/5-FU 조합의 보조적 항암화학요법을 추가하는 것이 도움이 될 수 있으며, 일반적으로 동시 항암화학-방사선요법 후 추가로 3 cycle을 더 시행하게 된다.[2,45]

4. 재발 또는 전이성 두경부 악성종양에서의 고식적 항암화학요법

완치가 불가능한 재발 또는 전이성 두경부 악성종양에서의 고식적 항암화학요법의 목적은 삶의 질 향상 및 생존 기간의 연장이다. 특히 재발 또는 전이성 두경부암의 경우 대부분은 그와 관련된 통증이나 언어, 연하, 호흡과 관련된 증상을 동반하게 되므로, 비록 완치가 되지 않는다고 하더라도, 혹은 생존 기간을 연장시키지 못한다 하더라도 적극적인 항암화학요법을 통해 국소 반응을 도모함으로써 이러한 증상을 완화시키고자 하는 노력이 필요하며, 이는 환자의 생존 기간 동안 삶의 질을 향상시킬 수 있다는 점에서 매우 중요하다.

1) 단일 항암화학요법(single-agent chemotherapy)

1978년 cisplatin이 미국의 FDA 승인을 받기 전까지는 methotrexate와 bleomycin이 가장 널리 사용되었고, 1980년대 이후에는 methotrexate, cisplatin, fluorouracil 등이 두경부 편평세포암종에 널리 사용되었으며, 그 중에서도 cisplatin의 경우 현재도 두경부암의 항암치료의 표준 약제으로 인정받고 있다. 가장 최근에 개발된 taxane 계열의 항암제는 재발 또는 전이성 두경부암에서 다른 약제보다 좋은 치료 성적을 보고하고 있어 새로운 표준 항암제의 하나로 주목받고 있으나, 이전에 cisplatin 계열의 항암화학 요법을 시행받은 환자에서 taxane 계열의 단일 요법의 치료는 여전히 만족스럽지 못한 결과를 보여주고 있다. 재발 또는 전이성 두경부 악성종양에서 단일 요법으로 사용할 수 있는 항암제를 (표 13-2)에 정리해 놓았다.

(1) Cisplatin과 유도체

Cisplatin은 두경부 종양의 치료에서 가장 중요한 항암제로 대부분 80-100 mg/m^{2}의 용량을 3-4주 간격으로 사용한다. 반응률은 14-41%로 용량과 반응률 사이의 비례관계는 아직 확인되지 않았으나,[4] 한 비교연구에서 60 mg/m^{2}와 120 mg/m^{2}의 용량을 사용했을 때 반응률이나 생존율의 차이는 없었지만,[43] 일반적으로 단일 항암화학요법으로 사용될 때는 1차 치료의 동시 항암화학-방사선요법 때와 마찬가지로 100 mg/m^2 용량을 3주 간격으로 주입하게 된다. Cisplatin의 대표적인 독성은 신독성으로, 충분한 정맥 내 수액 공급과 furosemide, mannitol의 투여에 의한 염류 이뇨로 예방할 수 있다. 또한 cispl-

표 13-2. 재발 또는 전이성 두경부 악성종양에서 사용될 수 있는 단일 항암화학요법

약제	전체 반응률 (%)	전체 생존 기간(개월)
Cisplatin (100 mg/m²/3weeks)	10 - 17	5.7 - 8
5-FU (1000 mg/m²/d,5days/3weeks)	13	-
Methotrexate (40 mg/m²/week)	3.9 - 16	5.6 - 6.7
Paclitaxel (80 mg/m²/week)	43	8.5
Docetaxel (40 - 100 mg/m²/3weeks)	6 - 42	6 - 11.3
Cetuximab (4000 mg/m² 이후 250 mg/m²/week)	10 - 13	5.2 - 6.1

표 13-3. 재발 또는 전이성 두경부 악성종양에서 사용될 수 있는 복합 항암화학요법

복합 약제	전체 반응률 (%)	전체 생존 기간 (개월)
Cisplatin (100 mg/m²/3weeks) + 5-FU (1000 mg/m²/d)	20 - 32	5.7 - 8.7
Cisplatin (75 mg/m²/3weeks) + paclitaxel (175 mg/m²/3weeks)	26 - 36	
Cisplatin (75 mg/m²/3weeks) + docetaxel(75 mg/m²/3weeks)	33 - 54	9.6 - 11
Cisplatin (100 mg/m²/3weeks) + cetuximab (400 mg/m²이후 250mg/m²/week)	10 - 26	8 - 9.2
Cisplatin (100 mg/m²/3weeks) + 5-FU (1000 mg/m²/d) + cetuximab (400 mg/m² 이후 250 mg/m²/week)	36	10.1

atin은 오심, 구토의 위장장애가 가장 심한 약제로 항세로토닌제, dexamethasone 등의 진토제(anti-emetics)를 필요로 한다. Cisplatin은 골수억제는 적지만 반복 투여하면 말초신경합병증(peripheral neuropathy), 고주파 청각 상실 등도 나타날 수 있다.

Carboplatin은 cisplatin에 비해 신독성, 이독성, 신경독성 및 위장장애의 부작용이 적지만 골수억제는 보다 흔하게 나타나며 반응률은 14-30%로 다소 낮다.

(2) 5-fluorouracil (5-FU)

5-FU는 pyrimidine 유사체 대사길항제로 초기에는 재발한 두경부 종양의 2, 3차약으로 사용되어 0-33%의 반응률을 보였다. 당시에는 투여 방법이 일시주사법(bolus injection)으로, 이 경우 용량 제한 독성(dose-limiting toxicity)은 골수억제였다. 이후 1970년대 5-FU의 지속정주요법(continuous infusion)이 등장하였는데 이 경우의 용량 제한 독성은 점막염이며 골수억제는 현저히 줄일 수 있었다.[21] 이러한 지속정주요법은 일시주사법에 비해 두경부 편평 상피암에서 보다 치료 성적이 우수하고 cisplatin과 상승효과가 있을 뿐만 아니라 leucovorin과 병용 시 세포 독성을 더욱 증가시키는 것으로 알려져 있다.[34] 단일 항암화학요법으로 사용될 때는 1,000 mg/m²/일을 5일 동안 지속적으로 주입하며, 3주 간격으로 반복하게 된다.

(3) Methotrexate

Methotrexate는 purine 대사에 관여하는 대사길항제로 두경부 악성종양의 치료에 가장 처음으로 사용된 약제이다. 보통 40 mg/m²/week의 용량으로 시작하여 60 mg/m²/week 정도의 용량까지 증량할 수 있으며 고용량에서 반응률이 높은 경향을 보이나 생존율에는 차이가

없다.[12,35]

Methotrexate는 신기능 장애, 간기능 장애 등의 독성이 있다. 환원형 엽산인 leucovorin의 투여로 세포독성을 줄여줄 수 있는데 주로 methotrexate 투여 20-24시간 후부터 leucovorin 구제를 시작한다.

(4) taxane 계열

Paclitaxel (Taxol)과 docetaxel (Taxotere)은 taxane 계열의 약제로 모두 침엽수의 껍질 또는 잎에서 추출된 약물이며, 새로운 작용기전을 이용한 항암제이다. Paclitaxel은 250 mg/m^2 24시간 지속정주요법으로 40%의 반응률을 보였고, docetaxel은 100 mg/m^2 1시간 투여요법으로 32-35%의 반응률을 보였다고 보고되어 있다. 하지만 그 독성이 강하여 이후에 독성을 감소시키기 위한 많은 연구들이 진행되었고 현재에는 용량을 줄이면서 주입 시간을 짧게 하는 방법을 택하고 있다. 일반적으로 주로 사용되는 방법은 docetaxel 75 mg/m^{2}을 3주 간격으로 주입하는 것이며, 주입 횟수는 환자의 전신상태 및 치료 반응에 따라 다양하게 적용할 수 있으나, 일반적으로 6 cycle을 넘기지는 않는다.[7,15,25]

Paclitaxel이나 docetaxel은 과민반응의 부작용이 나타날 수 있으므로 dexamethasone, diphenhydramine, H2-blocker등으로 전처치한다. 또한 cisplatin과 같이 사용하는 경우 paclitaxel이나 docetaxel보다 cisplatin을 나중에 투여하는 것이 골수억제 등의 부작용을 줄일 수 있다.

(5) cetuximab

최근 분자 생물학의 발달로 암세포 표면에 많이 존재하는 생물학적 표지자들이 발견되었고 이것을 표적으로 하는 약제들이 개발되어 임상에서 실제로 사용되고 있다. 이러한 생물학적 표지자 중에서 가장 많이 알려진 것이 상피세포 성장인자 수용체(epidermal growth factor receptor;EGFR)로 두경부 편평세포암종 환자의 90% 이상에서 과발현(overexpression)되는 것으로 보고되고 있으며, 암세포 표면에 EGFR이 과발현되어 있을 경우 그 예후가 좋지 않다.

Cetuximab은 EGFR에 대한 단클론 항체(monoclonal antibody)로서 EGFR에 결합하여 세포 내 신호전달(signal transduction)을 억제함으로써 항암 효과를 나타낸다.

다양한 항암 치료 실패에 실패한 환자들을 대상으로 단일 요법의 cetuximab을 사용한 연구를 살펴보면, 첫 번째 주입 시 400 mg/m^2, 그리고 이후 매주 250 mg/m^2 로 cetuximab을 투여하였을 때 13%의 환자에서 반응을 나타내는 것으로 확인되었으며, 주된 부작용도 대부분 경도의 설사와 피부 관련 반응으로, 기존의 항암 치료에 반응을 보이지 않는 환자군의 일부에서는 cetuximab이 대안으로 활용될 수 있음을 보여주었다.[42] 또한 2008년에 cetuximab과 관련된 3개의 phase 2 연구들을 종합하여 분석한 연구에 따르면, 이전 항암 치료에 실패한 환자에서 cetuximab 치료를 시행한 경우 일반적인 보존적인 치료만은 시행한 군에 비해 생존 기간이 2개월 가량 연장되는 것을 확인할 수 있었다.[39]

또한 최근 국소 진행성 두경부 암에서 방사선요법 단독 치료군과 cetuximab 및 방사선요법을 병행하여 치료한 군을 비교한 3상 연구 결과 cetuximab 병용 치료 군에서 생존율의 증가를 보여 cetuximab을 방사선요법과 동시에 병행할 경우 상승효과가 있음이 알려졌다.[3]

2) 복합 항암화학요법(combination chemotherapy)

복합 항암화학요법의 원칙은 작용 기전과 부작용이 서로 다른 약제를 병합하여 독성은 증가시키지 않으면서 항암 효과는 증대시키는 것으로, 앞서 언급된 두경부 종양에서 단독 사용 시 효과를 보였던 약제를 복합하여 사용함으로써 치료 성적을 더 높일 수 있다.

(1) Cisplatin과 5-FU의 복합 항암화학요법

1984년 Kish 등은 cisplatin과 5-FU의 96시간 지속

정주요법을 시행하여 70%의 전체반응률(완전반응률 27%)을 보고하였다.[23] 이후 여러 임상연구에서 cisplatin과 5-FU의 지속 정주요법을 시도하였을 때 11%-71%의 다양한 반응률(평균 반응률 50%)이 보고되어 있으며,[6,34] 국내에서도 48%의 반응률이 보고된 바 있다.[1] 이 요법의 효과는 이후의 많은 연구에서도 확인되어 현재까지도 두경부 악성종양의 항암화학치료에서 표준요법 중 하나로 간주되고 있다.

(2) Cisplatin과 taxane 계열의 복합 항암화학요법

Paclitaxel 또는 docetaxel의 경우 platinum 계열 약제와 독성이 겹치지 않기 때문에, 운동 능력이 좋은 환자들을 대상으로 paclitaxel과 cisplatin, paclitaxel과 carboplatin, docetaxel과 cisplatin의 복합 화학요법에 대한 연구가 많이 진행되었다. 그 결과 반응률은 27-53%이었고 중앙 생존율은 5-13개월로 나타났다.[25] Taxane과 platinum의 복합 항암화학요법은 이전의 5-FU와 cisplatin의 복합 항암화학요법에 비해 반응률과 생존율에 뒤지지 않기 때문에 이 두 종류의 복합 항암화학요법을 비교하는 3상 연구들이 진행되었지만 두 군 사이에 반응률이나 생존율에 있어서 유의한 차이는 없었다.[11,14,21,22]

이전에 치료받았던 두경부 편평상피세포암 환자를 대상으로 한 최근의 연구에서 Taxane, platinum, ifosfamide 또는 5-FU의 3제 복합요법이 60%의 반응률과 15%의 완전 관해율을 보였다.[22,30,36,37,45] 이들 연구에서 중앙생존율은 9-11개월로 두 가지 약제의 복합요법보다 더 좋은 결과를 보여주긴 했지만, 독성이 강하여 실제로 3제 요법이 이러한 환자들에 있어서 2제 요법보다 이득이 많을지는 3상 연구를 통해 확인되어야 할 과제이다.

(3) Cisplatin과 cetuximab

Herbst 등[18,25] 이 이전에 cisplatin을 포함한 항암요법에 반응하지 않는 재발성 또는 전이성 두경부 악성종양 환자를 대상으로 한 연구에서, cetuximab과 cisplatin을 이용한 복합항암화학요법을 2차 약제로 사용하였을 때 반응률 20%와 중앙생존율 6개월을 보여주면서 독성이 적어 향후 기대되는 치료제로 보고하였다.[18] Cisplatin 단독과 cisplatin + cetuximab을 비교한 초기 3상 연구에서도 반응율은 10%에서 26%로 향상되는 결과를 보였으나, 생존 기간에 있어서는 8-9개월 가량으로 양군에서 차이가 없었다.[4] 2008년에는 EXTREME trial로 불리우는 cisplatin 또는 carboplatin + 5-FU + cetuximab의 복합 항암화학요법 6회 및 이후 cetuximab 유지치료를 시행한 환자군과 cisplatin 또는 carboplatin + 5-FU만을 시행한 환자군을 비교한 3상 연구에서는 cetuximab을 추가한 경우 치료 반응률이 20%에서 36%로 향상되는 것을 확인할 수 있었으며($p<0.001$), 생존 기간 역시 7.4개월에서 10.1개월로 통계학적으로 유의하게 증가하였다($p=0.004$).[40] 이 연구 이후 현재까지 cisplatin 또는 carboplatin + 5-FU + cetuximab 조합의 3자 복합 항암화학요법이 전신상태가 양호한 재발성/전이성 두경부암 환자의 표준 치료로 인정받고 있다.[25,33]

참고 문헌

1. 이재훈이, 윤성수, 강윤구 등. 원격전이 및 재발된 두경부 악성종양(편평상피암)에 대한 5-FU infusion 및 cisplatin(FP) 복합화학요법. 대한암학회지. 1988;20:67-72.
2. Al-Sarraf M, LeBlanc M, Giri PG, Fu KK, Cooper J, Vuong T et al.) Chemoradiotherapy versus radiotherapy in patients with advanced nasopharyngeal cancer: phase III randomized Intergroup study 0099. J Clin Oncol. 1998;16:1310-7.
3. Bonner JA, Harari PM, Giralt J, Azarnia N, Shin DM, Cohen RB et al. Radiotherapy plus cetuximab for squamous-cell carcinoma of the head and neck. N Engl J Med. 2006;354:567-78.
4. Burtness B, Goldwasser MA, Flood W, Mattar B, Forastiere AA. Phase III randomized trial of cisplatin plus placebo compared with cisplatin plus cetuximab in metastatic/recurrent head and neck cancer: an Eastern Cooperative Oncology Group study. J Clin Oncol. 2005;23:8646-54.
5. Busch CJ, Tribius S, Schafhausen P, Knecht R. The current role of systemic chemotherapy in the primary treatment of head and neck cancer. Cancer Treat Rev. 2015;41:217-21.

6. Catimel G. Head and neck cancer: guidelines for chemotherapy. Drugs. 1996;51:73-88.
7. Catimel G, Verweij J, Mattijssen V, Hanauske A, Piccart M, Wanders J et al. Docetaxel (Taxotere): an active drug for the treatment of patients with advanced squamous cell carcinoma of the head and neck. EORTC Early Clinical Trials Group. Ann Oncol. 1994;5:533-7.
8. Cohen EE, Karrison TG, Kocherginsky M, Mueller J, Egan R, Huang CH et al. Phase III randomized trial of induction chemotherapy in patients with N2 or N3 locally advanced head and neck cancer. J Clin Oncol. 2014;32:2735-43.
9. Cripps C, Winquist E, Devries MC, Stys-Norman D, Gilbert R. Epidermal growth factor receptor targeted therapy in stages III and IV head and neck cancer. Curr Oncol. 2010;17:37-48.
10. Dimery IW, Hong WK. Overview of combined modality therapies for head and neck cancer. J Natl Cancer Inst. 1993;85:95-111.
11. Forastiere AA, Leong T, Rowinsky E, Murphy BA, Vlock DR, DeConti RC et al. Phase III comparison of high-dose paclitaxel + cisplatin + granulocyte colony-stimulating factor versus low-dose paclitaxel + cisplatin in advanced head and neck cancer: Eastern Cooperative Oncology Group Study E1393. J Clin Oncol. 2001;19:1088-95.
12. Forastiere AA, Metch B, Schuller DE, Ensley JF, Hutchins LF, Triozzi P et al. Randomized comparison of cisplatin plus fluorouracil and carboplatin plus fluorouracil versus methotrexate in advanced squamous-cell carcinoma of the head and neck: a Southwest Oncology Group study. J Clin Oncol. 1992;10:1245-51.
13. Georges P, Rajagopalan K, Leon C, Singh P, Ahmad N, Nader K et al. Chemotherapy advances in locally advanced head and neck cancer. World J Clin Oncol. 2014;5:966-72.
14. Gibson MK, Li Y, Murphy B, Hussain MH, DeConti RC, Ensley J et al. Randomized phase III evaluation of cisplatin plus fluorouracil versus cisplatin plus paclitaxel in advanced head and neck cancer (E1395): an intergroup trial of the Eastern Cooperative Oncology Group. J Clin Oncol. 2005;23:3562-7.
15. Guardiola E, Peyrade F, Chaigneau L, Cupissol D, Tchiknavorian X, Bompas E et al. Results of a randomised phase II study comparing docetaxel with methotrexate in patients with recurrent head and neck cancer. Eur J Cancer. 2004;40:2071-6.
16. Haddad R, O'Neill A, Rabinowits G, Tishler R, Khuri F, Adkins D et al. Induction chemotherapy followed by concurrent chemoradiotherapy (sequential chemoradiotherapy) versus concurrent chemoradiotherapy alone in locally advanced head and neck cancer (PARADIGM): a randomised phase 3 trial. Lancet Oncol. 2013;14:257-64.
17. Haskell CM, ed. Principles of cancer chemotherapy. In Haskell CM(eds): Cancer treatment. 4th ed ed. Philadelphia: WB Saunders; 1995.
18. Herbst RS, Arquette M, Shin DM, Dicke K, Vokes EE, Azarnia N et al. Phase II multicenter study of the epidermal growth factor receptor antibody cetuximab and cisplatin for recurrent and refractory squamous cell carcinoma of the head and neck. J Clin Oncol. 2005;23:5578-87.
19. Hitt R, Grau JJ, Lopez-Pousa A, Berrocal A, Garcia-Giron C, Irigoyen A et al. A randomized phase III trial comparing induction chemotherapy followed by chemoradiotherapy versus chemoradiotherapy alone as treatment of unresectable head and neck cancer. Ann Oncol. 2014;25:216-25.
20. Hitt R, Paz-Ares L, Brandariz A, Castellano D, Pena C, Millan JM et al. Induction chemotherapy with paclitaxel, cisplatin and 5-fluorouracil for squamous cell carcinoma of the head and neck: long-term results of a phase II trial. Ann Oncol. 2002;13:1665-73.
21. Jacobs C, Lyman G, Velez-Garcia E, Sridhar KS, Knight W, Hochster H et al. A phase III randomized study comparing cisplatin and fluorouracil as single agents and in combination for advanced squamous cell carcinoma of the head and neck. J Clin Oncol. 1992;10:257-63.
22. Janinis J, Papadakou M, Xidakis E, Boukis H, Poulis A, Panagos G et al. Combination chemotherapy with docetaxel, cisplatin, and 5-fluorouracil in previously treated patients with advanced/recurrent head and neck cancer: a phase II feasibility study. Am J Clin Oncol. 2000;23:128-31.
23. Kish JA, Weaver A, Jacobs J, Cummings G, Al-Sarraf M. Cisplatin and 5-fluorouracil infusion in patients with recurrent and disseminated epidermoid cancer of the head and neck. Cancer. 1984;53:1819-24.
24. Miller AB, Hoogstraten B, Staquet M, Winkler A. Reporting results of cancer treatment. Cancer. 1981;47:207-14.
25. Molin Y, Fayette J. Current chemotherapies for recurrent/metastatic head and neck cancer. Anticancer Drugs. 2011;22:621-5.
26. NCCN. NCCN Guidelines Head and Neck Cancers. NCCN. 2016.
27. Petrelli F, Coinu A, Riboldi V, Borgonovo K, Ghilardi M, Cabiddu M et al. Concomitant platinum-based chemotherapy or cetuximab with radiotherapy for locally advanced head and neck cancer: a systematic review and meta-analysis of published studies. Oral Oncol. 2014;50:1041-8.
28. Pignon JP, Baujat B, Bourhis J. [Individual patient data meta-analyses in head and neck carcinoma: what have we learnt?]. Cancer Radiother. 2005;9:31-6.
29. Pignon JP, Bourhis J, Domenge C, Designe L. Chemotherapy added to locoregional treatment for head and neck squamous-cell carcinoma: three meta-analyses of updated individual data. MACH-NC Collaborative Group. Meta-Analysis of Chemotherapy on Head and Neck Cancer. Lancet. 2000;355:949-55.
30. Pignon JP, le Maitre A, Maillard E, Bourhis J. Meta-analysis of chemotherapy in head and neck cancer (MACH-NC): an update on 93 randomised trials and 17,346 patients. Radiother Oncol. 2009;92:4-14.
31. Posner MR, Glisson B, Frenette G, Al-Sarraf M, Colevas AD, Norris

CM et al. Multicenter phase I-II trial of docetaxel, cisplatin, and fluorouracil induction chemotherapy for patients with locally advanced squamous cell cancer of the head and neck. J Clin Oncol. 2001;19:1096-104.

32. Posner MR, Hershock DM, Blajman CR, Mickiewicz E, Winquist E, Gorbounova V et al. Cisplatin and fluorouracil alone or with docetaxel in head and neck cancer. N Engl J Med. 2007;357:1705-15.
33. Sacco AG, Cohen EE. Current Treatment Options for Recurrent or Metastatic Head and Neck Squamous Cell Carcinoma. J Clin Oncol. 2015;33:3305-13.
34. Schants SP, Harrison LB, Forastiere AA, eds. Cancer of the head and neck. In Devita VT Jr, Their SO (eds): Cancer: principle and practice of oncology. 7th ed ed. Philadelphia: Lippincott-Raven; 2005.
35. Schornagel JH, Verweij J, de Mulder PH, Cognetti F, Vermorken JB, Cappelaere P et al. Randomized phase III trial of edatrexate versus methotrexate in patients with metastatic and/or recurrent squamous cell carcinoma of the head and neck: a European Organization for Research and Treatment of Cancer Head and Neck Cancer Cooperative Group study. J Clin Oncol. 1995;13:1649-55.
36. Shin DM, Glisson BS, Khuri FR, Ginsberg L, Papadimitrakopoulou V, Lee JJ et al. Phase II trial of paclitaxel, ifosfamide, and cisplatin in patients with recurrent head and neck squamous cell carcinoma. J Clin Oncol. 1998;16:1325-30.
37. Shin DM, Khuri FR, Glisson BS, Ginsberg L, Papadimitrakopoulou VM, Clayman G et al. Phase II study of paclitaxel, ifosfamide, and carboplatin in patients with recurrent or metastatic head and neck squamous cell carcinoma. Cancer. 2001;91:1316-23.
38. Therasse P, Arbuck SG, Eisenhauer EA, Wanders J, Kaplan RS, Rubinstein L et al. New guidelines to evaluate the response to treatment in solid tumors. European Organization for Research and Treatment of Cancer, National Cancer Institute of the United States, National Cancer Institute of Canada. J Natl Cancer Inst. 2000;92:205-16.
39. Vermorken JB, Herbst RS, Leon X, Amellal N, Baselga J. Overview of the efficacy of cetuximab in recurrent and/or metastatic squamous cell carcinoma of the head and neck in patients who previously failed platinum-based therapies. Cancer. 2008;112:2710-9.
40. Vermorken JB, Mesia R, Rivera F, Remenar E, Kawecki A, Rottey S et al. Platinum-based chemotherapy plus cetuximab in head and neck cancer. N Engl J Med. 2008;359:1116-27.
41. Vermorken JB, Remenar E, van Herpen C, Gorlia T, Mesia R, Degardin M et al. Cisplatin, fluorouracil, and docetaxel in unresectable head and neck cancer. N Engl J Med. 2007;357:1695-704.
42. Vermorken JB, Trigo J, Hitt R, Koralewski P, Diaz-Rubio E, Rolland F et al. Open-label, uncontrolled, multicenter phase II study to evaluate the efficacy and toxicity of cetuximab as a single agent in patients with recurrent and/or metastatic squamous cell carcinoma of the head and neck who failed to respond to platinum-based therapy. J Clin Oncol. 2007;25:2171-7.
43. Veronesi A, Zagonel V, Tirelli U, Galligioni E, Tumolo S, Barzan L et al. High-dose versus low-dose cisplatin in advanced head and neck squamous carcinoma: a randomized study. J Clin Oncol. 1985;3:1105-8.
44. Vokes EE, Athanasiadis I. Chemotherapy of squamous cell carcinoma of head and neck: the future is now. Ann Oncol. 1996;7:15-29.
45. Wee J, Tan EH, Tai BC, Wong HB, Leong SS, Tan T et al. Randomized trial of radiotherapy versus concurrent chemoradiotherapy followed by adjuvant chemotherapy in patients with American Joint Committee on Cancer/International Union against cancer stage III and IV nasopharyngeal cancer of the endemic variety. J Clin Oncol. 2005;23:6730-8.

CHAPTER

14

두경부 질환의 레이저 치료

이비인후과학 Otorhinolaryngology - Head and Neck Surgery

이상준

I 레이저의 원리와 특징

1. 레이저의 원리

원자는 에너지가 가장 낮은 상태(바닥상태)에서 외부의 에너지를 흡수하게 되면 에너지가 높은 상태(들뜬상태)가 된다. 이때 낮은 궤도에서 회전하는 전자가 높은 궤도로 올라가서 회전한다. 전자가 다시 높은 궤도에서 낮은 궤도로 이동하게 되면 들뜬상태와 바닥상태 사이의 에너지 차이를 빛의 에너지로 방출하게 되는데, 이 과정은 자발방출(spontaneous emission)과 유도방출(stimulated emission)의 두 가지가 존재한다. 자발방출은 들뜬상태의 원자가 일정한 시간이 지나면 저절로 바닥상태로 변하면서 빛을 내는 것으로 방출되는 빛의 방향과 위상이 일정하지 않다. 이에 반해 유도방출은 들뜬상태의 원자에 외부의 빛이 입사될 때 이 빛에 의하여 유도되어 들뜬상태에서 바닥상태로 변하면서 빛을 내는 과정으로, 입사한 빛에 대하여 2배 증폭된 광자를 방출하게 되고, 이 과정이 되풀이되면 많은 수의 광자가 방출되어 광증폭 현상이 일어나게 된다(그림 14-1). 이러한 유도방출에 의한 빛은 입

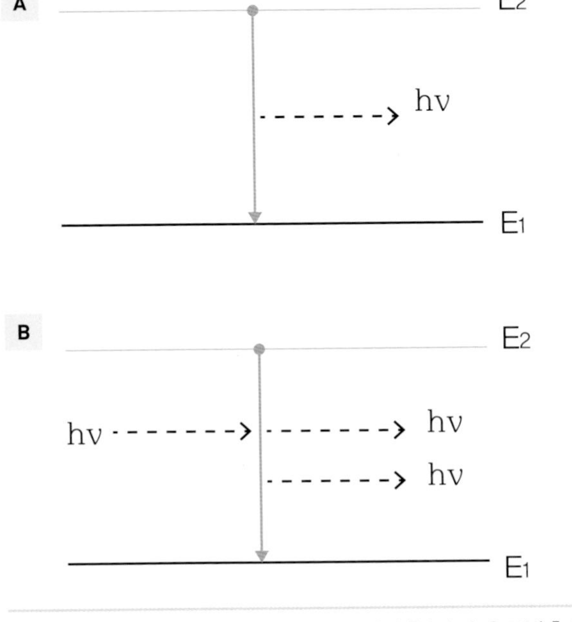

■ 그림 14-1. **레이저의 발생 원리** 자발방출(A)과 유도방출(B)

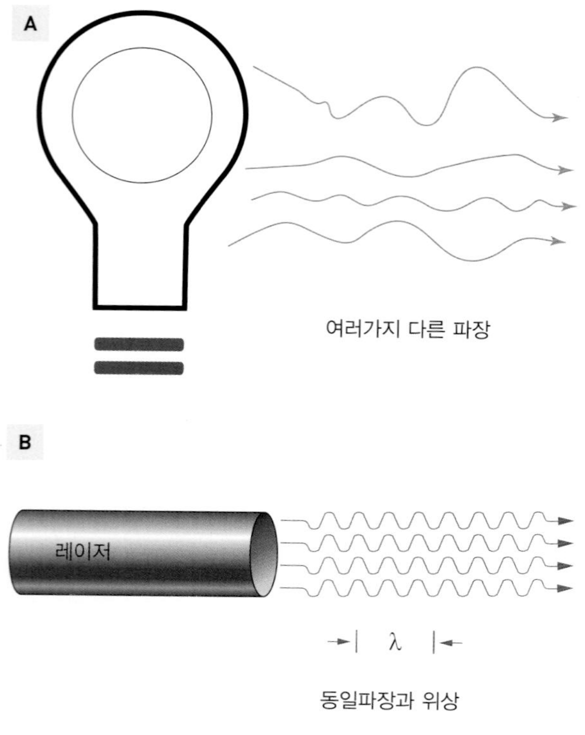

■ 그림 14-2. **일반광과 레이저의 차이.** 일반광(A)은 많은 종류의 파장이 혼합되어 있는 반면 레이저(B)는 동일한 파장을 가지며 진행 방향과 위상이 일정하다.

사된 빛과 방향과 위상이 일치하게 된다. 우리가 일상생활에서 접하는 거의 모든 빛은 자발방출에서 기인한다. 그러나 레이저는 유도방출을 이용하여 발생된 빛이다(그림 14-2).

2. 레이저의 특징

레이저(laser)는 영어 문자의 Light Amplification by Stimulated Emission and Radiation의 머리문자로 구성되어 있는 단어이다. 이는 레이저의 발생 원리를 나타내는 의미를 가진 단어들의 요약인 셈이다. 즉 레이저란, 유도방출에 의하여 증폭된 빛의 복사라는 것이다. 레이저의 특성은 단색성(monochromatic), 직진성(collimated), 가간섭성(coherence)의 3가지로 요약이 된다.

1) 단색성

보통의 빛은 많은 종류의 파장이 혼합되어 있는 반면에 레이저는 단일파장 또는 몇 개의 파장만을 가지고 있다. 이러한 단일 파장은 선폭을 매우 좁게 만들 수 있는 장점이 있다.

2) 직진성

보통의 빛은 진행 방향이 일정하지 않고 여러 방향으로 퍼지게 되는 데 반하여 레이저는 모든 광선들의 진행 방향이 일정하다. 이러한 직진성은 볼록렌즈를 이용하면 빛을 모으면 높은 에너지를 한 점에 집속할 수 있다. 또한 광학 현미경의 분해능을 능가하는 공 초점 현미경(confocal microscope)에도 응용이 되어 1 μm 이하의 3차원 물체의 미세한 관측도 가능해진다.

3) 가간섭성

보통의 빛은 매우 다양한 위상을 가지고 있어서 서로 간섭이 잘 생기지 않으나 레이저는 위상이 모두 같은 값을 가지고 있기 때문에 간섭성이 매우 뛰어나다. 광가간섭단층촬영(optical coherence tomography)은 레이저의 높은 가간섭성을 이용하여 생체 조직을 고해상도로 촬영할 수 있다.

3. 레이저 장치의 구성

레이저장치는 기본적으로 세 가지 구성요소를 갖추고 있다. 첫째는 공진기(oscillator)라고 하는 마주 보는 한 쌍의 거울로 입사광을 각각 전반사, 부분반사 한다. 둘째는 마주한 거울 사이에 위치하는 기체, 액체, 고체의 레이저 매질이며 두 거울 사이에서 빛이 왕복하여 증폭되도록 한다. 셋째는 고에너지 준위에 전자가 많이 존재하도록 외부에서 에너지를 가하는 펌핑 장치이다. 고체 레이저의 경

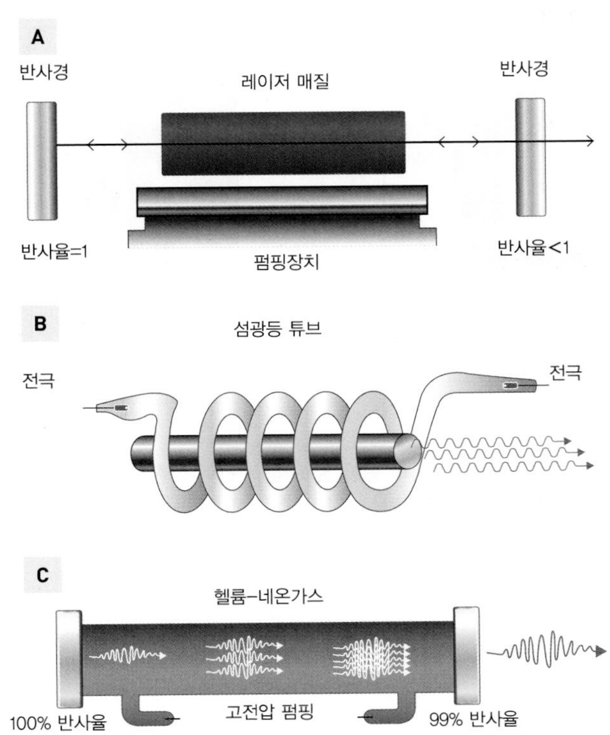

■ 그림 14-3. **레이저 장치의 구성.** 레이저 장치는 한 쌍의 거울로 이루어진 공진기, 레이저 매질 및 펌핑장치로 구성된다. 펌핑장치는 레이저 매질에 따라 여러 형태가 존재한다.

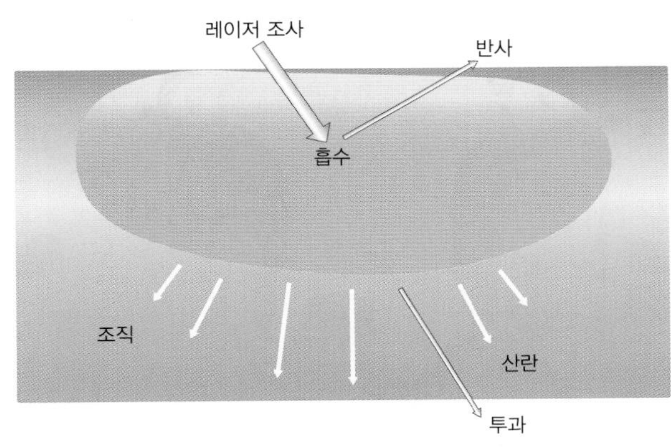

■ 그림 14-4. **레이저의 조직 반응.** 레이저가 매질에 조사되면 조직 내의 발색단에 의해 레이저가 흡수되며, 일부는 반사가 되며 일부는 조직 내에서 불규칙하게 이동하는 산란 현상을 보이고, 일부는 투과된다. 흡수, 반사, 산란, 투과의 정도는 레이저의 종류 및 조직의 특성에 따라 다르다.

우 펌핑 장치는 주로 섬광 램프가 사용되며 직선 형태가 주종을 이루나 나선형으로 레이저 매질을 둘러싼 형태도 있다. 기체 레이저는 주로 전기 방전시키는 방법으로 펌핑을 한다(그림 14-3).

4. 레이저의 조직 효과

레이저를 포함한 전자기파가 매질에 조사되면 일반적으로 흡수(absorption), 반사(reflection), 산란(scattering) 및 투과(transmission)가 일어난다(그림 14-4). 레이저광에 의해 발생하는 조직 효과(tissue effect)는 크게 광열 효과(photothermal effect), 광화학 효과(photochemical effect), 광역학 효과(photomechanical effect)가 있다. 광열 효과는 열에너지에 의한 조직 반응으로 레이저 수술에서 가장 흔히 이용되는 기전이다. 레이저는 조직의 발색단(chromophore)에 흡수되는데 파장에 따라 흡수되는 정도가 다르다. 파장이 10,600 nm인 CO_2 레이저는 물에 가장 흡수가 잘 되며, 585 nm 파장의 PDL, 532 nm의 KTP 레이저, 1,060 nm의 ND:YAG 레이저는 혈색소에 비교적 흡수가 잘된다. 광화학 효과는 조직 내의 발색단과 작용하여 화학적 반응을 일으키는 것으로 광감작제(photosensitzer)가 레이저를 흡수하여 활성화 되어 세포독성을 일으키는 광역학 치료가 그 예이다. 광역학 효과는 레이저가 충격파를 발생시켜 조직의 기계적 파괴를 일으키는 것으로 문신이 예이다.

CO_2 레이저에 의한 생체 조직의 열 손상은 특징적인 모양의 창상을 만든다. 레이저에 의한 광열 효과로 조직의 온도가 60~65℃로 증가하면 단백질이 변성된다. 조직의 온도가 100℃에 이르면 세포 내의 수분이 증발되어 조직의 수축이 일어난다. 조직의 온도가 섭씨 수백 도에 도달하면 탄화가 발생한다. 따라서 CO_2 레이저 창상의 중앙부는 조직의 증발 및 탄화가 발생하고, 다음에 열에 의해 괴

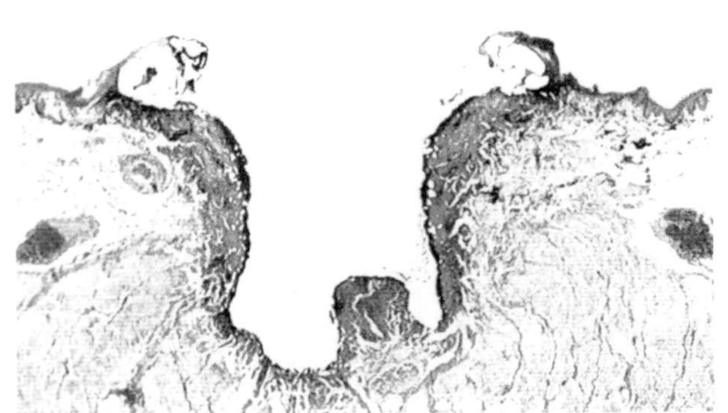

■ 그림 14-5. **분화구의 수직횡단면의 광학현미경 소견**

사된 응고 괴사층이 있으며 이어서 정상 조직으로 이행된다(그림 14-5).

5. 외과적 이용을 위한 레이저의 특성

레이저를 외과적인 수술에 이용하기 위해서 레이저의 세기(power), 초점의 크기(spot size), 노출 시간(exposure time)에 대한 이해가 필요하다. 세기는 watt로 표시되며 세기가 클수록 조직 손상이 증가한다. 하지만 동일 세기라 하더라도 레이저가 조사되는 면적에 따라 조직 손상의 정도가 달라진다. 따라서 단위면적당 세기를 의미하는 복사조도(irradiance) (watt/cm^2)가 레이저광의 세기에 대한 더 유용한 지표가 된다. 초점의 크기를 조정함으로써 레이저의 조직 효과를 변화시킬 수 있다. 레이저빔의 직경을 반으로 줄이면 레이저가 닿는 표면적은 1/4로 줄어들며 복사조도는 4배 증가한다. 반대로 레이저빔의 직경을 두 배로 하면 표면적은 4배 늘어나며 복사조도는 1/4로 줄어든다. 따라서 레이저의 초점을 최대한 작게 하면 단위 조직에 전달되는 에너지를 최대로 할 수 있어 정확한 절제가 가능하다. 반면에 탈초점하면 단위 조직에 대한 에너지의 세기가 약해져 조직이 기화되지 않고 응고 괴사가 일어나게 된다. 또한 노출 시간을 조정함으로써 조직에 전달되는 에너지양을 조절할 수 있다. 플루언스 (fluence) (J/cm^2)는 단위시간당 단위면적에 조사된 레이저의 세기를 의미한다. 플루언스는 노출 시간과 직접 관련이 된다. 단속 방식(pulsed mode)와 연속 방식(continuous mode)이 있으며 조직 손상의 깊이가 달라진다(그림 14-6).

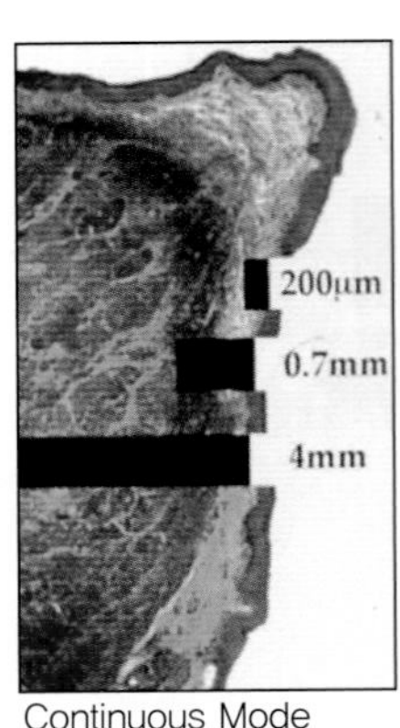

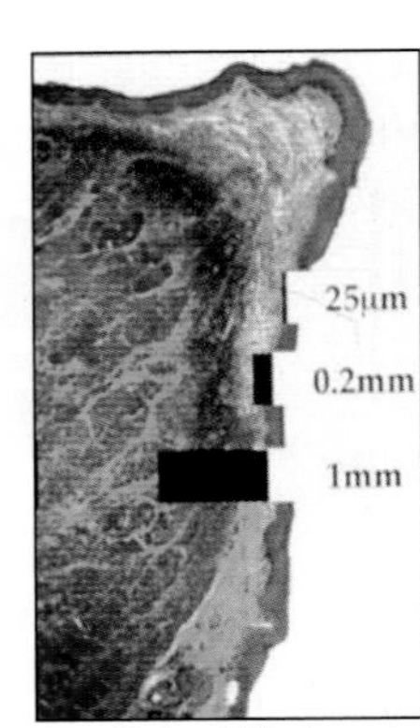

■ 그림 14-6. **레이저의 종류 및 노출 시간에 따른 조직 투과 정도.** 연속 방식이 단속 방식에 비하여 조직 투과 정도가 깊다. 또한 CO_2레이저는 주변 조직으로의 열 손상이 적으나 Nd:YAG 레이저는 조직 투과가 깊다.

Irradiance = power/area = watts/cm^2

Fluence = (power x time)/area = (watts x s)/cm^2 = J/cm^2

Ⅱ 이비인후과 영역 레이저의 종류와 특성

이비인후과 영역에서는 CO_2 레이저가 가장 많이 이용되며, 이외에도 Nd:YAG, KTP, Ho, Argon, PDL 등이 있으며 특성에 따라 각기 다른 질환에 사용되고 있다. 레이저의 물리적인 특성은 (표 14-1)에 정리하였다.

1. CO_2 레이저

CO_2 레이저는 파장이 10,600 nm의 자외선 영역으로 눈에 보이지 않기 때문에 헬륨-네온 레이저를 유도광선

표 14-1. 레이저의 종류 및 물리학적 특성.

	CO_2	Nd:YAG	KTP	Diode
종류	기체	고체	고체	반도체
Pulsed/continuous	pulsed/cont.	continuous	pulsed/cont.	continuous
파장(nm)	10,600	1,064	532	800/900
색조	적외선	근적외선	녹색	근적외선
흡수	매우 강함	낮음	중간	낮음
흡수 부위	물	물, 색소성 조직	혈색소	세포 조직
산란	거의 없음	강함	낮음	중간/강함
반사	3%	55%	10%	25%
광선 유도	거울	파이버	파이버	파이버
침투깊이(mm)	0.01	4.6	0.39	2.9/3.5
응고깊이(mm)	0.01	3.1	0.15	0.86/1.35

(aiming beam)으로 사용한다. CO_2 레이저는 흡수 스펙트럼상 수분 함량이 높은 모든 생체 조직에서 잘 흡수된다. 조직 내에서 반사나 산란은 거의 없으며, 흡수 정도는 조직의 색과 관련이 없다. 또한 목표 이외의 주위 조직에 열 효과가 적어 이비인후과 영역에서 많이 이용이 된다.

CO_2 레이저는 광파이버를 통한 전달 효율이 낮기 때문에 관절 경통 형태로 제작되며, 레이저를 수술 부위까지 보내는 도광로와 레이저 빔의 방향을 조정하는 미세조작기(micromanipulator), 핸드피스(handpiece), 수술현미경용 연결기(adaptor) 등으로 구성된다. CO_2 레이저는 핸드피스를 이용하거나 수술현미경, 또는 기관지경에 부착하여 사용된다. CO_2 레이저는 직선으로 전달되기 때문에 관절경(articulated arm)을 가진 도광로를 통해 빔의 방향을 전환하여 목표 조직에 조사하게 된다. 초점의 직경은 미세조작기를 사용하면 400 mm 초점거리에서 약 200 μm까지 초점을 줄일 수 있다.

Sharplan (현재 Lemenis) Acuspot® 710 (현재 712, 그림 14-7) 이후 미세조작기 모델에서 색선별 거울(dichroic mirror)을 사용하면서 He 가이드빔과 CO_2 레이저빔을 정확히 일치시키고, 수술 정밀도가 크게 개선되었다.

그러나 CO_2 레이저의 불편한 점으로는 미세조작기 부착과 본체의 관절이 현미경 움직임을 제한, 현미경 밸런스를 맞추기 힘든 점 등이며, 이 때문에 파이버 타입(그림 14-7D)을 선호하는 술자도 있다. CO_2 레이저 옵티칼 파이버 기술이 네이처, 사이언스에 보고되면서, 현재 Omni-guide Beampath®, Lumenis FiberLase®와 같은 파이버 타입의 CO_2 레이저도 시판되고 있다.[12,21]

2. Nd:YAG (neodymium:yttrium-aluminum-garnet) 레이저

파장이 1,064 nm의 근적외선(near infrared) 영역이며 물에는 흡수가 약하게 되며 흡광길이(extinction length)가 60 mm로 주위 조직을 응고시키는 성능이 뛰어나 주로 물로 차있는 방광이나 전립선비대증 등에 적용이 용이하다. Nd:YAG 레이저의 주된 단점은 조직 투과 깊이를 예상할 수 없는 것으로, 생체 조직에서는 주위 조직으로 4 mm까지 열 응고나 조직 괴사를 유발할 수 있기 때문에 정밀한 수술에는 적용이 어렵다. 이비인후과 영역

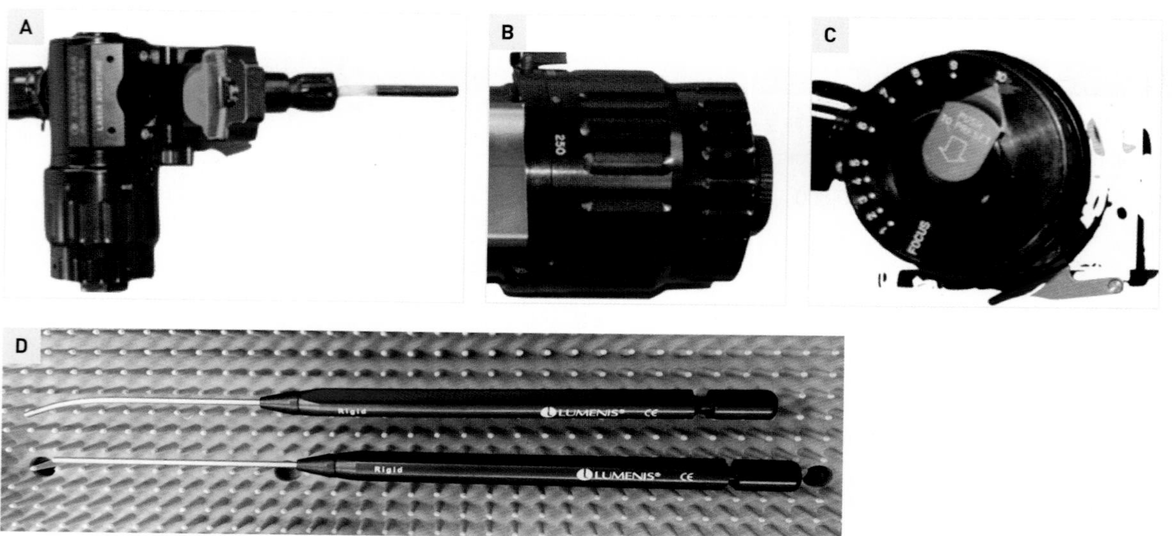

■ 그림 14-7. **미세조작기(Micromanipulator)에서 탄점 크기의 조절.**
A) Sharplan Acuspot® 712 CO_2 laser micromanipulator
B) Working distance knob. 적색 위치에 현미경 작동 거리를 일치시킨 다음 걸쇠로 고정한다.
C) Focusing Knob. 청색 화살표를 Focus ~10까지 탈초점해서 탄점 크기를 증가시키면 복사조도가 낮아진다.
D) 파이버 타입 CO_2 레이저 핸드피스 Lumenis Microlaser® handpiece for Fiberlase® CO_2 laser optical fiber

에서는 기관지나 식도의 폐쇄성 병변, 두경부의 혈관이나 림프관 기형의 광응고에 적용이 된다. 접촉형 Nd:YAG 레이저는 구강이나 구인두의 악성종양의 제거에 이용될 수 있다. 특히 지혈능력이 우수하여 출혈의 위험성이 높은 기도 병변에 많이 사용된다. Nd:YAG 레이저는 굴곡형 내시경 시스템을 통해 전달이 가능하여 강직형 기관지경뿐만 아니라 굴곡형 기관지경에도 사용이 가능하다.

3. PDL (pulsed-dye laser)

PDL 레이저는 585 nm 파장으로 조직 내의 발색단(chromophore) 중 주로 산화혈색소(oxyhemoglobin)에 흡수된다. 따라서 PDL 레이저는 혈관성 병변에 선택적으로 흡수가 되어 유두종, 성대의 출혈성 용종, 성대의 모세혈관 확장증에 좋은 적응증을 가지고 있다. 또한 굴곡형 내시경에 연결하여 사용이 가능하므로 후두 병변의 외래 통원 수술 치료가 가능한 장점이 있다. CO_2 레이저는 병변을 주로 소작하는 데 반하여 PDL은 병변을 즉시 제거하기보다는 혈액 공급을 차단하여 병변의 퇴축을 유발한다.

4. KTP (KTiOPO: potassium-titanyl-phosphate) 레이저

파장이 1,064 nm인 Nd:YAG 레이저의 출력부에 KTP 결정을 삽입하면, 진동수가 두 배가 되어 파장이 532 nm인 가시광선 영역의 초록색광을 얻을 수 있는데 이 레이저를 KTP 레이저라 부른다. 따라서 Nd:YAG 레이저와 KTP 레이저는 쉽게 전환이 가능하다. 이과 영역에서는 중이염에서 염증이 있는 점막의 제거나 등자골(stapes)의 상부 구조물의 제거에 사용되며, 비과 영역에서는 핸드피스를 사용하여 비부비동염의 내시경 수술 및 기타 비내 수술에 사용된다. 대부분 연속 방식(continuous mode)으로 사용되지만 최근에는 단속 방식(pulsed mode)으로도 사용 가능하여 주위 조직에 열 손상을 줄일 수 있다. 두경부 영역에서는 특히 후두의 혈관성 병변에서 많이 사용되며 굴곡형 내시경에 삽입하여 사용이 가능하다.

5. Argon (Ar) 레이저

청초록색의 파장이 488 ~ 514 nm인 기체 레이저로 방사광의 90%가 흡수되는 데 필요한 물의 두께인 흡광길이(extinction length)가 80 m에 달한다. 따라서 레이저광 에너지가 액체 성분에서 쉽게 투과가 가능하여 안과 영역에서 많이 이용된다. 주로 혈색소나 색소가 침착된 조직에 흡수가 되어 조직 응고를 유발하므로 혈관종, 모세혈관 확장증 등의 치료에 이용된다.

6. Diode 레이저

반도체를 이용한 diode 레이저는 파장이 800 ~ 940 nm의 근적외선 영역의 레이저로 비용이 저렴한 장점이 있다. 주로 혈색소 및 멜라닌에 흡수가 잘된다. Nd:YAG 레이저와 유사한 특성을 보이며, Nd:YAG 레이저와 비교하면 투과 깊이는 3 ~ 4 mm로 약간 투과가 덜 되며, 조직 흡수가 더 높고, 산란이 적은 특성을 보인다. 굴곡형 파이버를 통해 레이저광의 전달이 가능하며, KTP 레이저보다 조직 응고 범위가 넓어 지혈 효과가 좋다.

7. 저출력 레이저 (low-power laser)

레이저는 출력에 따라 고출력(high-power)과 저출력(low-power) 레이저로 구분이 되는데 의학 분야에 있어서 고출력 레이저는 주로 외과적인 수술 과정에서 조직을 절개하는 데 사용되며 주로 열에 의한 작용이다. 이에 반하여 저출력 레이저는 mW 단위의 세기를 가지며 주로 세포를 자극하는 효과를 나타내며 열을 발생하지 않는다. 저출력 레이저 광선을 흡수한 세포들은 광 에너지를 세포의 손상을 치유하는 화학적 에너지로 전환시키게 되는데 이러한 현상을 생체 촉진 효과(biostimulation effect)라고 한다. 저출력 레이저는 여러 가지 생화학적, 생리적 효과를 유발할 수 있는데, 세포 분화를 촉진하거나 콜라겐 합성을 증가시키거나 세포 성장인자의 발현을 증가시킬 수 있다. 저출력 레이저에 의한 대표적인 생체 촉진 효과들은 항염증 효과, 면역 억제 효과, 혈관 확장, 혈행 촉진, 진통 효과, 항 부종 효과, 상처 치유 효과, 신경 재생 효과 등이 알려져 있다. 따라서 저출력 레이저의 임상적인 적용분야는 매우 광범위하여 향후 여러 분야에서 유용하게 사용될 가능성이 있다.[1]

III 레이저의 외과적 이용

1. Handpiece를 이용한 레이저 수술

Handpiece를 손에 쥐고 수술용 칼이나 전기소작기 대용으로 육안적으로 수술을 시행하는 방법이다. 초점의 직경은 handpiece를 사용하면 1 mm 정도이며, 레이저광을 초점면에서 조직의 표면을 따라 천천히 이동시키면 조직의 절개가 가능하며 초점보다 멀리하여 조사하면 단위 면적당 에너지가 감소하여 조직 응고가 가능하다. 종양의 절제 시에는 초점을 상황에 따라 조절하여 절개와 응고를 적절히 전환하여 사용하는 것이 수술의 효율성을 높일 수 있다.

양성종양의 경우 병변에 따라 레이저로 절제할 수도 있고, 기화 소멸시켜 종양을 증발시킬 수도 있다. 예를 들어 혀에 생긴 양성종양은 절제연을 레이저로 표시하고 겸자나 실로 잡아당기면서 절제할 수 있다. 수술 후 절개창을 봉합할 필요 없이 그냥 놓아두면 3주 전후에 자연 치유된다. 악성종양의 경우 종양의 변연부에서 1.5 ~ 2 cm 떨어져 절제연을 정하여 레이저로 표시한 다음, 여러 개의 견인사를 종괴 주변 절제연에 봉합하여 종괴를 당기면서 레이저로 절제한다. 절제된 종양은 상하좌우 방향을 표시하여 병리조직검사를 보내며 안전역이 불충분한 경우 그 부위를 다시 레이저로 절제한다. 설암 이외에도 경구개, 연구개, 구개수, 편도, 구강저등 조기 구강 및 구인두암에서 선택적으로 적용 가능하다. 하지만 Handpiece를 이용한 육안적 레이저 수술은 다음과 같은 제한점이 있다. 첫째, 동맥은 0.5 mm, 정맥은 1 mm까지는 지혈되어 무혈 수술이 가능하나 이보다 더 큰 혈관의 경우 고식적인 지혈 방법을 사용해야 한다. 둘째, 조직을 절개하는 데 시간이 훨씬 더 걸린다. 셋째, handpiece의 유연성에 제한이 있어 구강의 깊은 부위는 수술하기가 불편한 단점이 있다.[5]

2. 현미경을 이용한 레이저 수술

레이저 후두미세수술은 수술현미경을 통해 CO_2 레이저를 조사할 수 있는 미세조정기(micromanipulator)와 미세수술 도구의 발달로 다양한 후두 질환의 치료에 사용되고 있다. 후두 영역에서는 CO_2 레이저가 가장 흔히 사용되지만 pulsed dye laser (PDL), Potassium-titanyl-phosphate (KTP) 레이저도 이용이 된다. 적용 가능한 질환으로는 첫째, 성대용종, 라인케 부종, 육아종, 재발성 호흡기 유두종증 등의 양성 후두 병변, 둘째, 후두백반증과 같은 전암성 병변, 셋째, 조기 후두암 넷째, 기도폐쇄를 유발하는 각종 후두 질환들, 즉 후두격막, 성문하 협착, 양측성대마비에서 적당한 기도를 확보하기 위하여 사용된다. CO_2 레이저는 10.6 μm의 파장을 가진 적외선 레이저로 열에너지를 가지며 거울을 통해 그 에너지를 전달할 수 있다. CO_2 레이저는 물에 쉽게 흡수되는 특성을 가지고 있어 조직에 흡수된 CO_2 레이저 에너지는 열로 전환되는데, 생체 조직의 대부분은 수분 함량이 매우 높기 때문에 에너지 흡수율이 높아 조직을 절개할 때 잔존 조직에 대한 열 손상이 적은 것이 특징이다. 초점의 직경은 미세조정기를 사용하면 400 mm 초점거리에서 약 200 μm까지 초점을 줄일 수 있다. 최근에는 굴곡형 섬유(flexible fiber)를 통하여 전달할 수 있는 장치도 개발되었다. 585 nm 파장의 PDL과 532 nm의 KTP 레이저는 혈색소에 흡수가 잘 되기 때문에 혈관 응고 능력이 좋으며, 굴곡형 내시경에 연결하여 사용할 수 있어 반복적인 수술이 필요한 재발성 호흡기 유두종증 환자에서 전신마취 없이 외래 시술이 가능한 장점이 있다.

성공적인 후두 미세수술을 위해서는 수술 술기가 정교해야 하고 적절한 마취 방법이 필요하며 미세수술을 위한 도구가 잘 갖추어져야 한다. 후두 레이저 수술 시 가능한 마취 방법은 기도삽관(레이저용 마취튜브), 무삽관 마취가 있고 고압환기장치(Jet ventilation)가 사용되기도 한다. 무삽관 마취는 마취튜브에 가려 수술 시야의 확보가 어려운 경우에 환자의 산소포화도가 100%인 상태에서 마취튜브를 빼고 수술을 진행하다가 산소포화도가 떨어지면 바로 마취튜브를 후두경을 통하여 집어넣고 마취를 유지하는 방법으로 대개 2-3분 정도 가능하다. 후두의 뒤쪽에 있는 병변을 제거하기 위해서는 마취튜브의 뒤로 후두경을 삽입하여 수술 시야를 확보할 수도 있다.

3. 레이저 안전

레이저의 위해로부터 인체를 안전하게 보호하기 위하여 레이저의 파장, 출력 등의 특성에 따라 안전도를 등급으로 분류하고 피폭방출한계(accessible emission limit)와 최대 허용 노광량 등의 기준치가 설정되어 있다. 최대 허용 노광량은 눈이나 피부가 레이저에 노출되었을 때 위험한 영향이나 부작용이 발생하지 않을 정도의 레이저광 방사 수준을 뜻한다. 레이저의 등급은 등급 1이 위험수준이 가장 낮고 등급 4는 위험 수준이 가장 높다(표 14-2).[4] 의료용으로 주로 사용되는 레이저는 일반적으로 등급이 3B와 4로 레이저빔이나 산란광에 노출되는 것을 피해야 한다.

표 14-2. **레이저 등급(Adapted from 의료용레이저 안전지침서)**

등급	설명	파장	출력(mW)
1	인체에 레이저광을 조사하여도 위험하지 않다.	가시광선 영역, 비가시광선 영역	-
1M	광학기기로 레이저광을 보거나 조사하면 위험하다.	가시광선 영역	〈1
2	눈에 레이저광이 조사될 때 0.25초의 눈 깜박임으로 보호될 수 있다.		
2M	광학기기로 레이저광을 보거나 조사하면 위험하다.	가시광선 영역, 비가시광선 영역	〈1
3R	눈에 레이저광이 직접 조사되면 위험하다.	가시광선 영역, 비가시광선 영역	1-5
3B	인체에 레이저광이 직접 조사되면 위험하다.	가시광선 영역, 비가시광선 영역	5-500
4	인체에 레이저광이 직접 또는 반사되어 조사되면 위험하다.	가시광선 영역, 비가시광선 영역	〉500

1) 눈에 대한 안전

400 nm ~ 1,400 nm 파장의 레이저는 망막에 영향을 미친다. Nd : YAG, Argon, KTP, Krypton 레이저와 같이 눈에 보이는 레이저는 망막에 손상을 주어 암점(blind spot)을 만들거나, 망막와나 시신경에 손상을 주게 되면 심각한 시력장애를 가져올 수 있다 400 nm 이하나 1,400 nm ~ 1 mm 영역의 레이저는 각막, 수정체 및 유리체와 같이 눈의 앞쪽에 흡수되어 각막 손상이나 백내장을 유발할 위험성이 있다. 400 nm 이하의 자외선 영역의 레이저는 광각막염(photokeratitis)이나 백내장을 유발한다. 1,400 nm ~ 3,000 nm 파장의 중적외선 영역의 레이저는 방수흐림(aqueous flare), 백내장, 각막화상을 일으킬 수 있으며, CO_2 레이저와 같은 3,000 nm ~ 1 mm 원적외선 레이저는 각막화상을 유발한다.

안구 손상의 위험을 줄이려면 레이저를 사용할 때마다 측방 보호막이 있는 보안경을 사용해야 하며, 레이저의 종류와 파장에 따라 다른 보안경을 착용하여야 한다. 이것은 내시경을 사용할 때도 같다. 환자의 눈도 생리식염수로 젖은 거즈나 금속 눈 덮게 또는 적절한 보호안경으로 보호해야 한다(그림 14-8).

2) 피부에 대한 안전

피부도 레이저에 노출되면 피부에 국부적인 화상을 입힐 수 있다. 하지만 눈의 손상과는 달리 영구적인 손상은 거의 발생하지 않는다. 레이저의 파장, 노출 시간, 광선의 밀도와 피부의 색깔에 따라 국소적인 발적부터 탄소화까지 반응은 다양하다. 280 ~ 400 nm의 자외선 영역의 레이저에 과도하게 노출되는 경우 홍반, 피부 노화 및 피부암의 위험성이 있다. 700 nm ~ 1 mm의 자외선 영역은 일차적으로 피부 화상을 유발할 수 있다.

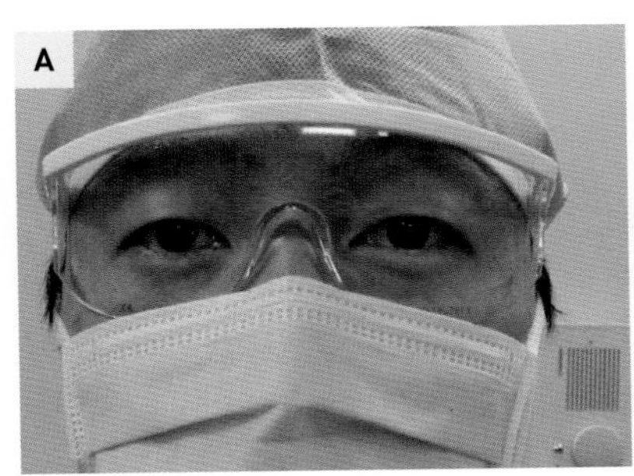

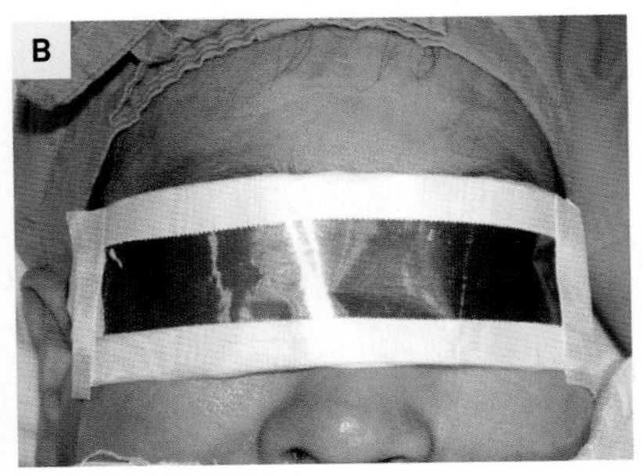

■ 그림 14-8. **눈에 대한 안전**
수술실내 인력(A) 및 환자(B)의 눈 보호

3) 레이저 연기(plume)

레이저로 발생하는 연기는 독한 냄새가 나고 작은 입자들로 구성되어 있어 세기관지(bronchiole), 폐포(alveoli)에까지 이르러 석면이나 담배로 인한 변화와 비슷한 피해를 입힌다. 연기에의 노출은 눈, 코와 목구멍에 자극을 주며, 오심과 만성 기침도 일으킬 수 있다. 레이저 연기에서 인유두종 바이러스 등이 발견될 수 있으므로 레이저 사용 시에는 연기를 철저히 흡입하여 연기 노출을 막는 것이 중요하다.[6] 연기 흡입기를 레이저 사용 부위 2~5 cm 이내에 두고 사용한다. CO_2 레이저를 사용 중인 방에서는 항상 레이저 마스크(0.3 μm filteration)를 착용하여야 한다.[7]

4) 수술실 안전 관리

레이저를 사용하는 수술방은 항상 외부와 차단되어야 하며 유리창은 빛이 통과하지 않도록 가려야 하고 출입문 밖에 레이저 사용 중이라는 표지판을 설치하고 수술방에 들어오는 사람을 위해 보호안경을 출입문 밖에 비치하여야 한다. 레이저를 사용하는 수술방은 항상 환기가 잘 되도록 유지하여 레이저 연기가 필터를 거쳐 밖으로 나가도록 하여야 한다.

5) 기도 화재

기도 화재는 매우 드물며 가장 최악의 합병증이라 할 수 있다. 이는 발화원, 연료, 산소의 세 가지 요소가 갖추어지면 발생하여 확산될 수 있다. 화재의 연료가 되었던 것들은 기도삽관튜브, 수술용 소독포 및 타월이 가장 많았으며 드물지만 알코올 함유 용액, 가제 스펀지, 환자의 모발 및 피부, 전기 수술 장비 끝을 싸고 있는 절연체, 기관절개튜브, 편도절제술용 스펀지, 흡인튜브, 코트노이드(cottonoid), 고무도관 등도 연료가 되었다.[26]

기도 화재를 예방하기 위해서는 방화재에 싸여있고, 기낭(cuff)에 메틸렌블루가 함유된 용액이 들어있는 레이저 수술용 튜브를 사용하여야 한다. 또한 레이저 사용 시 산소분압을 30% 이하로 유지하여야 한다.[27] 젖은 코트노이드 거즈와 같이 가연성을 줄인 도구들을 이용하여 수술하는 것이 도움이 된다(그림 14-9).

레이저 사용 중에 화재 예방에 필요한 모든 조치를 취하였더라도 기도 내의 화재가 발생할 수 있다. 화재가 일단 발생하면 재빠른 조치가 이환율과 사망률을 줄일 수 있다. 기도 화재가 발생하면 즉시 삽관튜브, 거즈와 같은 가연성 물질들을 제거하도록 하고, 산소 공급을 중단하여야 한다. 기도 안에 남아 있는 물질들에 의해 화재가 계속될 수 있으므로 생리식염수를 분사하여 진화하여야 한다. 진화가 된 후에는 기관 내 삽관을 다시 할 수 있을 때까지 100% 산소로 마스크 환기를 해준 후 가능한 한 빨리 재삽관을 해주어야 한다. 기도와 폐에 대한 손상은 고온뿐만 아니라 연기와 독성 냄새와 화재로 발생한 조직 파편으로부터 생긴다. 가능한 한 빨리 기관 내시경을 시행하여 후두와 기관지 내 열 손상의 정도와 범위를 평가

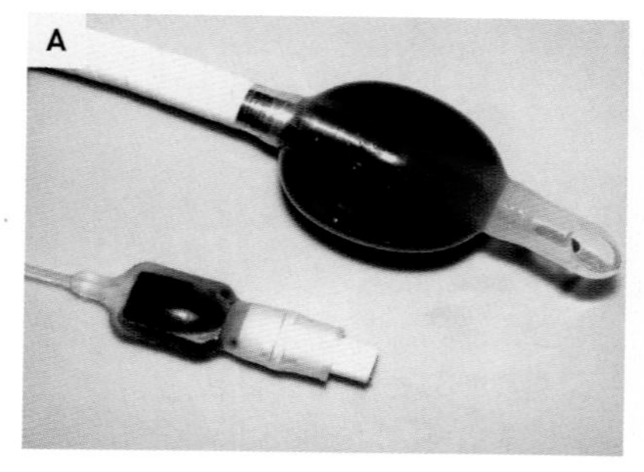

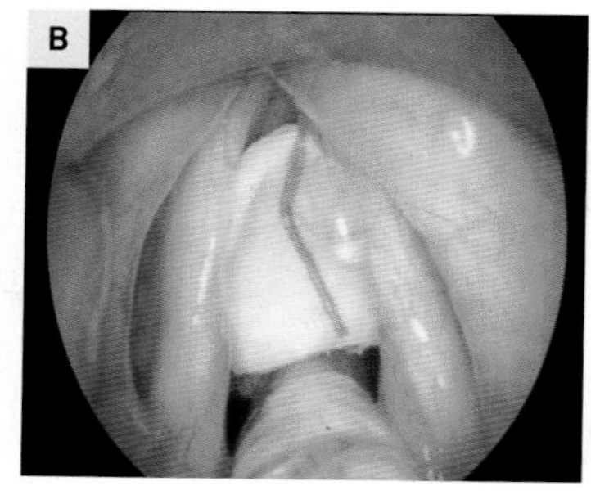

■ **그림 14-9. 레이저 수술 시 삽관튜브의 보호.** 레이저 수술용 튜브를 사용해야 하며 기낭에는 메틸렌블루가 함유된 용액을 넣어 터지는 경우 조기에 발견할 수 있게 하여야 하며(A), 생리식염수를 적신 코트노이드로 기낭을 보호한다(B).

하고 탄소화된 괴사 조직을 제거하도록 한다. 기도 세척은 조직 파편을 기관지에 더 깊이 밀어 넣을 수 있으므로 피하는 것이 좋다. 기계 환기보조(mechanical ventilation), 기관 확장제, 항생제를 투여해야 하며, 고용량의 스테로이드도 도움이 된다.[3] 기관 내 튜브 (특히 PVC)의 발화 시에는 독성연기를 방출한다. 폐포의 피해와 성인성호흡곤란증후군(adult respiratory distress syndrome)이 발병할 수 있다. 기관 내의 화재는 상상을 초월하는 비극이니 모든 예방적 조치를 취함이 최상의 치료이다. 기도 화재의 급성기 치료가 잘 이루어지고 난 14주 이후에 기관 협착이 발생하였다는 증례 보고도 있어 급성기 치료 이후에도 6개월까지는 정기적인 추적관찰이 필요하다.[20]

 두경부 영역의 레이저

1. 후두의 양성 병변의 치료

후두의 양성 병변에 대해 레이저를 사용하게 됨으로써 수술 방법에 많은 변화가 생겼다. 레이저 후두 수술의 여러 장점에도 불구하고 레이저를 이용한 절개는 항상 조직에 열 손상을 유발하는 문제로 인하여 음성수술에 있어서 아직까지 다소 논란이 있지만 점차 기술적인 보완이 되고 있으며, 후두유두종 같은 일부 성대 양성 종양이나 후두협착증의 치료에 있어서는 주된 치료법으로 자리 잡았다.

1) 성대용종(vocal fold polyps)

성대용종은 흔히 편측이며 성대의 자유연에서 기원한다. 원인으로는 무리한 성대의 사용이나 지속적인 음성남용이다. 성대용종은 대부분 수술적 치료가 필요하다. 후두경을 거치한 후 점막을 보호하기 위하여 젖은 거즈를 하방에 위치시킨다. 용종을 겸자로 잡아 내측으로 견인하면 성대의 긴장도가 발생하며 성대인대를 관찰할 수 있다. 점막을 레이저로 절개하여 용종을 제거한다. 용종으로 가는 혈관이 관찰되면 혈관을 먼저 레이저로 응고시키는 것이 좋다.

2) 라인케부종(Reinke' s edema)

후두내시경상 발적이 없는 성대조직의 부종을 볼 수 있고 이러한 부종은 광범위해서 진성대는 마치 물주머니처럼 보인다. 보존적 치료로는 흡연을 삼가도록 하고 음성남용을 억제하도록 음성치료를 한다. 수술적 치료를 하는 경우에는 비가역적으로 목소리가 고음으로 변하며, 술 후 일시적으로 음성장애가 악화될 수 있으며, 상기 병변은 목소리가 완전히 회복되지 않음을 술 전에 환자에게 설명해야 한다. 수술방법은 CO_2 레이저를 이용하여 낮은 출력에서 성대의 상부 외측에 종절개를 가한다. 미세수술용 겸자로 내측 점막 피판을 당기고 라인케 공간 내의 점액물질을 제거한다. 레이저로 조심스럽게 여분의 점막을 제거한 후 점막을 다시 제자리로 돌려놓는다. 만일 점막이 찢어져서 성대인대의 노출이 있는 경우에는 반대측 성대는 수술 부위가 회복될 때를 기다려서 이차로 수술을 시행하는 것이 좋다.

3) 성대의 육아종(vocal fold granuloma)

접촉성 육아종은 발성 시 피열연골의 내측 면의 반복적인 외상으로 인하여 발생하며, 인후두역류증 또한 원인 인자로 알려져 있다. 보존적 치료로는 음성휴식과 양전자펌프억제제를 사용할 수 있다. 삽관육아종은 후두수술이나 기관지경 검사, 또는 기관내 삽관술 후에 잘 발생한다. 주로 피열연골의 성대돌기 부위의 점막손상이 생기고 이 손상 부위가 육아종으로 치유된다. 삽관육아종은 양측성으로 오는 경우가 많다. 치료는 음성휴식과 스테로이드 분부가 있으며 육아종이 자라는 동안에는 항생제가 도움이 된다. 보존적 치료에도 육아종이 없어지지 않으면 후두미세수술기구나 CO_2 레이저를 이용하여 절제술이 필요

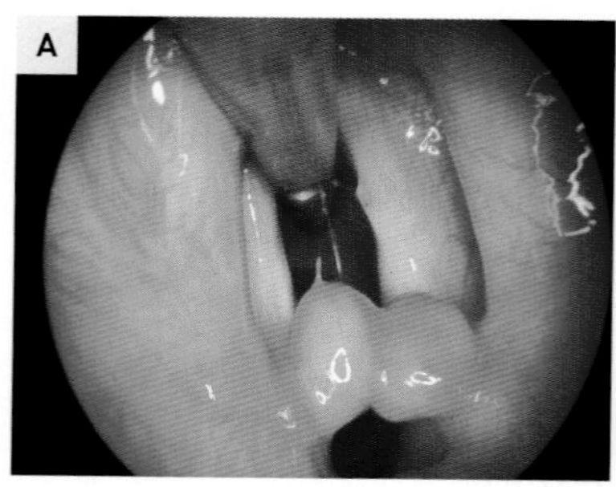

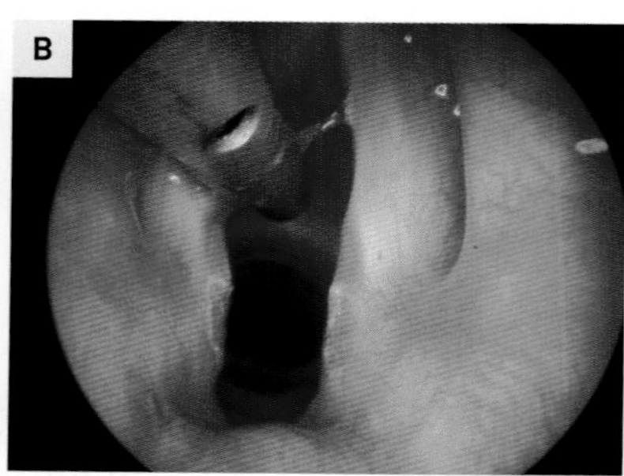

■ 그림 14-10. **고압환기장치.** 삽관육아종 환자에서 시야 확보를 위해 고압환기장치를 이용하여 마취를 유지하고(A) 레이저 수술로 병변을 제거하였다(B).

하다. 수술 시 시야확보를 위하여 고압환기장치(jet ventilation)를 이용하거나(그림 14-10), 삽관을 한 경우에는 삽관튜브를 앞으로 밀고 시행하거나 삽관튜브를 임시로 제거한 상태에서 산소포화도를 확인하며 무삽관하에서 시행할 수 있다. 이 경우 발화가능성을 줄이기 위해 산소 분압을 0.3 이하로 조절하여야 한다. CO_2 레이저를 이용하면 출혈이 없이 정확하게 절제할 수 있으며 이때 연골에는 손상을 주지 않도록 주의하여야 한다.

4) 재발성 호흡기 유두종증(recurrent respiratory papillomatosis)

재발성 호흡기 유두종증은 후두의 가장 흔한 양성종양으로 인유두종 바이러스 감염(HPV type 6, 11)이 원인이다. 발생부위는 주로 성대이며 성문상부와 성문하부로 파급되어 있는 경우가 많고 때로는 기관점막이나 인후두까지 파급되는 경우도 있다. 재발성 호흡기 유두종은 재발률이 높아 치료가 어렵다. 그러나 현재까지 치료방법 중에서 CO_2 레이저를 이용하여 수술 현미경하에서 유두종을 절제하는 방법이 가장 일반적이다. 병변이 광범위한 경우에는 유두종을 절제하는 방법과 동시에 레이저의 열로 기화시키는 방법을 이용한다. 레이저는 약간 초점을 흐리게 하고 출력을 낮추어 사용해야 하며 유두종이 존재하는 점막만을 국한해서 절제해야 한다. 또한 병변 사이의 정상점막은 보존해야 한다. 수술적 치료의 목적은 점막하 조직은 보존하면서 표면의 유두종을 제거하는 것이다. 특히 후두전연합부위의 격막이나 유착을 방지하기 위하여 일차 수술에서 유두종을 다 제거하려고 하지 않고 일부 남기고 이차 수술에서 제거할 필요도 있다. 소아에서는 병변이 더 광범위하고 재발을 빨리 하므로 자주 내시경적 수술을 시행함으로써 호흡곤란을 예방하고 기관절개술을 피할 수 있다. 재발성 호흡기 유두종증의 치료에는 CO_2 레이저가 가장 흔히 사용되지만, 532 nm 파장의 KTP 레이저나 585 nm 파장의 PDL도 이용된다. KTP 레이저나 PDL은 혈색소에 흡수가 잘 되기 때문에 혈관 응고 능력이 좋으며, 얇은 광섬유를 통해 전달이 되므로 성인형 재발성 호흡기 유두종증에서 전신마취 없이 외래 시술이 가능하다.[8,24]

5) 혈관종(Hemangiomas)

후두에 발생하는 혈관종은 소아에서 주로 발생하는 모세혈관종(capillary hemangioma)과 성인에서 주로 발생하는 해면상 혈관종(carvenous hemangioma)으로 나눌 수 있다. 소아의 혈관종은 대개 선천성으로 출생 후 수개월 이내에 흡기성 천명을 증상으로 나타나게 된다. 내시경 소견상 성문하부에 경계가 명확하며 붉은빛의 종창을 보인다. 혈관종은 저절로 없어지는 경우가 흔하지만 호흡곤란을 유발하는 경우에는 기관절개술을 시행하거나 레이저 수술을 시행하게 된다. 우선 0도나 30도 내시경을 이용하여 다른 혈관종이 있는지를 확인한다. 혈관종은 레이저 출력을 낮추어 조금씩 제거하게 되면 모세혈관에서 출혈이 없이 병변을 응고시킬 수 있다. 혈관종이 양측으로 존재하는 경우에는 한쪽을 먼저 제거하고 반대쪽은 나중에 제거하는 것이 좋다. 어린 소아의 경우에는 술 후 1-2일 정도 삽관을 유지하고 스테로이드를 투여한다. 만일 삽관튜브를 제거한 후 지속적으로 천명이 나타나면 전신마취하에 다시 후두경을 삽입하여 수술부위의 섬유성막 (fibrinous membrane)이나 육아종을 제거해야 한다.

성인의 경우에는 주로 해면상 혈관종(carvenous hemangioma)으로 후두실, 피열후두개주름, 이상와에 주로 발생한다. 혈관종이 유경형(pedunculated type)이거나 성문상부에 위치하면 CO_2 레이저를 이용하여 제거할 수 있다. 혈관종에 공급되는 굵은 혈관이 있으면 박리하여 전기소작기로 지혈하거나 클립을 이용하여 결찰하여야 한다.

2. 후두의 악성병변의 치료

1) 성문암

1978년 Vaughan이 처음으로 성문암 환자에서 CO_2 레이저를 이용하여 성대절제술을 소개한 이래 1990년대에 많은 발전이 있었고 현재는 후두암의 중요한 치료 방법으로 정립되었다. 레이저 성대절제술에서 종양을 절제하는 방법은 일괴로 절제하는 En bloc 절제술과 종양을 여러 조각으로 나누어 절제하는 blockwise 절제술이 있다. 종양이 작고 표면에 국한되어 있을 때는 En bloc 절제술이 유용하고 종양이 크고 침윤이 많을 때에는 blockwise 절제술이 유용하다(그림 14-11). CO_2 레이저를 이용하여 암조직을 통과하여 절제하여도 레이저의 열에 의해 절제면의 암세포가 기화하고 임파조직과 혈관이 막히므로 암의 전이를 일으킬 위험은 없다고 보고되고 있다. 절제연은 일반적으로 종양변연으로부터 2 mm를 가지나 성대의 전연합부에서는 병변의 정확한 구별이 어려워 갑상연골막이나 갑상연골의 절제까지도 고려하여야 한다. 상후두나 인두부에서는 암의 변연부와 정상 조직 간의 전암성 병변의 이행 부위가 있어서 정상 조직을 1 cm 이상 포함하여 절제하여야 재발을 막을 수 있다.[10]

후두암에서 레이저 절제술의 장점은 첫째로 후두경하에서 수술하기 때문에 외부에 상처가 남지 않고 술 후 이환율이 적고 회복이 빠르다. 둘째로 비교적 큰 종양의 경우에도 현미경하에서 절제함으로써 절제 범위를 축소시켜 후두 기능의 보전이 용이하다. 셋째로 수술 현미경을 사용하기 때문에 암 조직을 더 정확하게 절제할 수 있으며 점막 병변의 관찰이 용이하다. 넷째로 기관절개술이 필요치 않으며 회복 기간이 빠르다.

레이저 성대절제술의 결과를 객관적으로 분석하고 비교하기 위하여 European Laryngologic Society에서는 레이저 성대절제술을 5단계로 분류하였다(그림 14-12).[9] 최근, Remarcle 등은 전연합부를 침범한 후두암의 경우 새로운 레이저 성대절제술을 제시함으로써 분류 체계를 수정하였다(표 14-3).[14] Damm 등은 Tis군에서 레이저 성대절제술, 성대박피술(cord stripping), 방사선 치료를 시행하여 각각 1%, 12%, 7%에서 후두전적출술을 시행한 결과를 보고하였다.[15] 레이저 성대절제술의 성적은 T1-2의 조기 성문암의 경우 90-100%의 국소치료율과 후두보전율을 보인다.[16] 이 결과는 방사선 치료나 갑상연골절개를 통한 성대절제술과 비슷한 치료 성적이다. 국내 보고로는 레이저 성대절제술을 시행한 T1과 T2 조기성문암 환자 202명의 치료 결과에서 5년 생존율은 98.4%, 5년 무병생존율은 84.9%였고 97% 환자에서 후두 보존이 가능하였다.[23] 레이저 성대절제술의 경우 방사선 치료나 후두부분절제술보다 재발의 발견이 쉽고, 따라서 다시 레이저 성대절제술로 치료할 수 있는 가능성이 있어 조기 후두암의 일차 치료로 권장되고 있다. 제1형이나 제2형, 일부 제3형 레이저 성대절제술을 시행한 경우에 수술 직후에는 음성이 방사선 치료보다 나쁘지만 6개월 경과 후에는 동등한 음질을 보인다. 특히 레이저 성대절제술의 음성 결과는 전연합부의 절제에 의한 유착이나 술 후 치유 과정 중에 생기는 반흔 조직에 크게 영향을 받는다.[11,19]

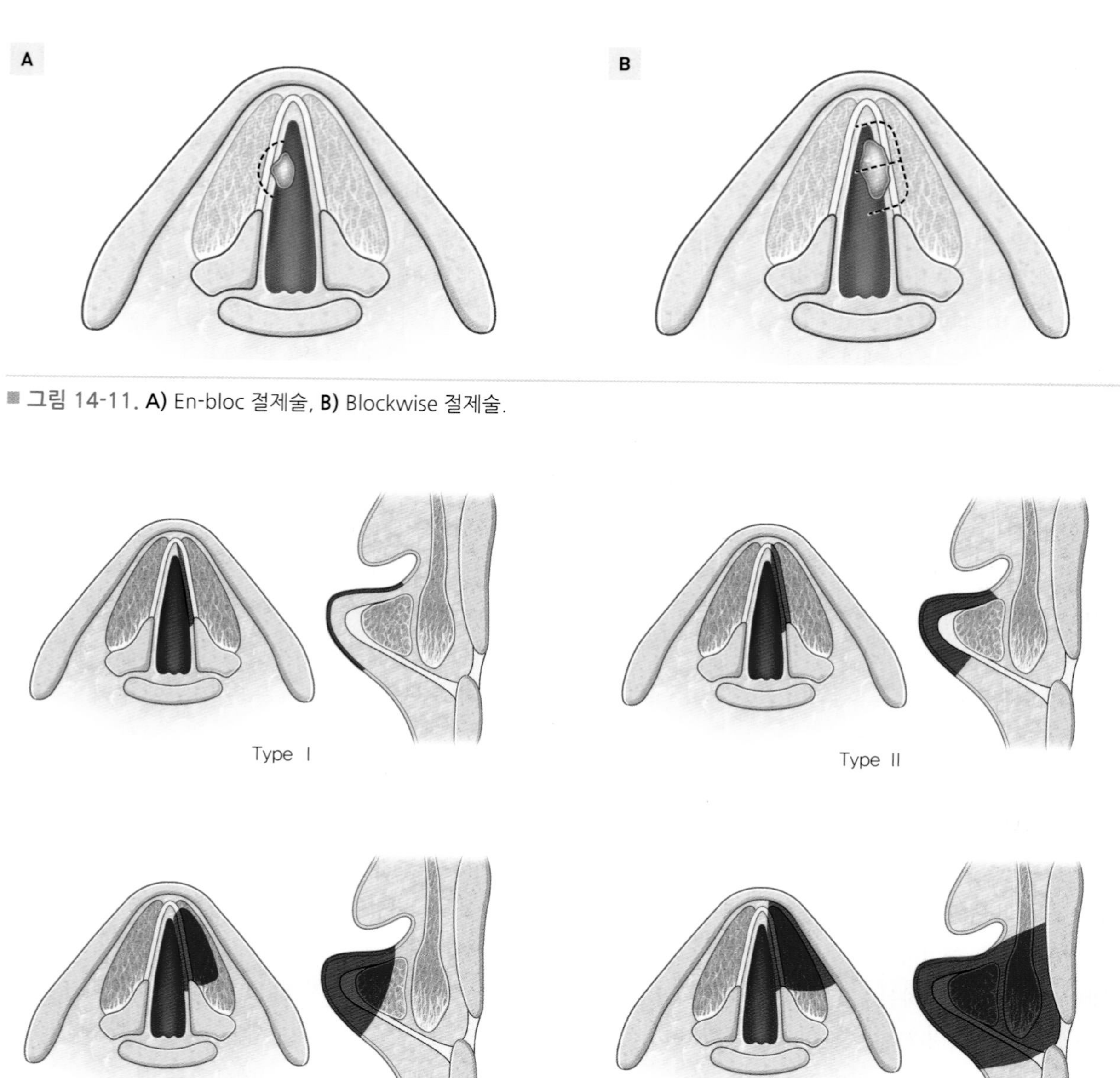

■ 그림 14-11. **A)** En-bloc 절제술, **B)** Blockwise 절제술.

■ 그림 14-12. **레이저 성대절제술의 분류(유럽후두과학회의 분류)**

2) 성문상부암

성문상부암에 대한 경구강 레이저 성문상 후두부분절제술은 고식적인 수술이나 방사선 치료에 비해 후두의 기능 보존, 짧은 술 후 경과, 낮은 합병증 발생률, 저렴한 비용 등 여러 우수한 장점들이 있다. 현재 성문상부암에 대한 레이저 수술의 적응증은 일반적으로 T1, T2 그리고 후두개 전공간의 일부를 침범한 초기의 T3 성문상부암 환자에서 활용되고 있다. 성대 수술을 위해 고안된 후두경을 경구강 레이저 성문상 후두부분절제술에 사용할 수 있으나 수술 시야를 확보하기에 가늘어 en bloc 절제가

표 14-3. 레이저 성대절제술의 분류(유럽후두과학회의 분류)

분류	절제 범위
상피하 성문절제술(type I) (subepithelial cordectomy)	성문의 점막 상피
인대하 성문절제술(type II) (subligamental cordectomy)	점막 상피, 레인케 공간, 성문 인대를 제거하고 성문 인대와 성문근 사이가 절제
경근 성문절제술(type III) (transmuscular cordectomy)	점막 상피, 고유층전부와 성문근을 일부 제거하고 성문돌기와 전교련부 사이가 절제
전 성문절제술(type IV) (total or complete cordectomy)	성문돌기와 전교련부 사이가 절제 절제의 깊이는 갑상연골의 내연골막까지
반대측 성문을 포함하는 확장 성문절제술(type Va) (extended cordectomy encompassing the contralateral vocal cord)	전교련부포함한 반대측 성문 절제 절제의 깊이는 갑상연골의 내연골막까지
피열연골을 포함하는 확장 성문절제술(type Vb) (extended cordectomy encompassing the arytenoid)	동측의 피열연골 포함 절제의 깊이는 갑상연골의 내연골막까지
후두실을 포함하는 확장 성문절제술(Vc) (extended cordectomy encompassing the ventricular fold)	후두실을 포함 절제의 깊이는 갑상연골의 내연골막까지
성문하부를 포함하는 확장 성문절제술(type Vd) (extended cordectomy encompassing the subglottis)	성문 1 cm 하방까지 포함 절제의 깊이는 갑상연골의 내연골막까지
전방 양측 성대절제술 및 전교련절제(type VI) (anterior bilateral cordectomy and commissurectomy)	전교련부를 포함하여 양측 성대 전방 절제

어려울 뿐 아니라 수술 시 후두경의 위치를 여러 번 바꾸어야 하는 불편함이 있다. 성문상부암의 수술 시에는 후두경의 끝부분을 벌릴 수 있는 후두경이 넓은 시야를 제공하며 기구 조작을 용이하게 한다.

성문암의 레이저 수술과 다른 점은 성문상부암에서는 출혈 시 레이저만으로는 지혈이 어렵다. 따라서 응고겸자(coagulation forcep), 흡인보비(suction bovie)를 이용한 전기 소작술, 혈관 클립(vascular clip) 등이 필요하다. 다른 방법으로는 수술을 시작하기 전에 중앙 및 양측의 설후두개주름(glossoepiglottic fold)를 미리 전기 소작을 하여 출혈을 예방하기도 한다. 성문상부암의 레이저 수술 시 출혈은 잠재적으로 생명을 위협할 수 있다는 것을 항상 염두에 두어야 한다.[22]

3. 광역학 치료

광역학 치료는 광감작제의 종양 내 축적과 빛에 의한 광감작제의 활성에 의해 세포가 파괴되는 기전을 이용한다. 광감작제는 종류에 따라 정맥, 경구, 또는 피부에 바르는 국소적으로 사용될 수 있다. 광감작제는 종양 조직의 산성도, 종양 주변 간질 조직의 혈관의 투과성 증가, 지질의 증가 등은 정상 조직과 구별되는 특징으로 인하여 종양에서 상대적으로 많이 축적되며, 종양 주변의 대식세포에 의한 광감작제의 섭취 또한 선택적 축적에 일조한다. 축적된 광감작제는 종양 조직의 저밀도지단백과 결합한 후 세포 내 사립체, 세포막, 세포질세망 등에 축적되고 빛에 의해 활성화되면 사립체에 축적된 광감작제는 세포고사(apoptosis)를 유도하고 세포막에 축적된 광감작제는 괴사(necrosis)를 유도한다.[18] 광역학 치료는 세 가지 기전에 의해 종양을 파괴하는 것으로 생각되고 있다. 첫째는 활성산소(reactive oxygen species)가 광역학 치료에 의해 생성되어 직접 종양세포를 죽이는 것이고, 둘째는 광역학치료가 종양과 관련된 혈관에 손상을 주는 것이다. 마지막으로 광역학 치료는 종양세포에 대한 면역체계를 활성화시킬 수 있다.

광감작제는 크게 2가지 종류로 나뉘는데 이미 각국에서 허가를 받아 사용되고 있는 1세대 광감작제는 photofrin (QTL, 630 nm, Canada), photogem, photosan (630nm, Germany)이 있으며 이 중 photogem이 식약청의 허가를 얻어 시판 중이다. 2세대는 흡수파장이 길어 투과성이 높으며, 종양선택적 축적성을 높이고 피부의 광독성을 줄인 것으로 체내에서 강력한 광감작제인 protoporphyrinⅨ (PpⅨ)로 변환되는 aminolevulanic acid (ALA)와 국내에서 개발된 9-hydroxyphenophorbide-α(9-HpbD-α)9)등 8~9 가지 종류가 있다.[2]

광역학 치료의 주된 전신 부작용은 광과민성이 4-6주간 지속되는 것으로 이 기간 동안 환자는 직사광선을 피하고 실내에서도 부분 조명을 취하는 것이 바람직하다. 빛에 노출이 과하게 되면 피부 화상, 물집 등이 생길 수 있다. 또한 약간의 통증, 미열, 배뇨 횟수의 증가가 발생할 수 있다. 광민감성 환자나 중증의 간, 신장애 환자에서는 사용을 하지 말아야 한다. 광감작제는 40 cc 생리식염수에 섞어 분당 15-20방울 정도 천천히 주사하고 15-20분쯤, 처음 10 cc를 넣은 뒤 멈추어 환자의 이상 반응이 있는지를 확인해야 한다. 광역학 치료의 장점은 통증이 거의 없으며 수술, 항암 치료, 방사선 치료 전후 혹은 동시에 시행될 수도 있다. 또한 광감작제 주사나 레이저 조사의 횟수에 제한이 없어 반복적으로 시술이 가능하다.

두경부의 조기암에서의 광역학 치료 성적은 1985년 Keller 등[17]이 3예의 구강암에서 완전 관해를 보고한 이후 총 171례에서 치료가 시행되어 145례(85%)에서 완전 관해를 보였다. 조기 후두암에서의 결과는 1990년 Freche 등이 32례의 T1중 25례(78%)에서 완전 관해를 보고하였다. Biel 등은 25례의 상피내암 및 T1 모두에서 완전관해를 보고하였고, 이 중 17례가 방사선 치료 후에 재발한 경우였다.[13] Schweitzer 등은 10례의 상피내암, T1, T2중에서 8례에서 완전 관해를 보고하였다. 10례 중 6례는 재발암의 경우로, 이 중 2례는 레이저 성대절제술 후에 재발한 T1으로 치료 후 모두 완전 관해를 보였고 4례는 방사선 치료 후에 재발한 T1이 1례, T2가 3례였고 치료 후 3례는 완전 관해를 보였지만 T2 1례에서 재발하였다.[25]

두경부 종양의 광역학 치료는 많은 연구가들에게 큰 흥미를 주었지만, 아직까지 임상적 시도가 많이 이루어지지 않았다. 현재의 연구들은 두경부의 특정 해부학적 부위의 광역학 치료 효과에 대해 보여 주고 있다. 특히 후두의 T1, CIS 암은 광역학 치료가 매우 효과적인 것으로 보여지고 있다. 이것은 기존 방사선 치료에 실패한 T1 후두암에 적절한 치료 방법이 될 수 있음을 보여 준다. 아직까지 광역학 치료가 1차적인 치료로 이용될지의 여부는 미지수이나 앞으로 더 많은 증례가 축적되고 치료 결과에 대한 표준화된 연구가 이루어진다면 광역학 치료는 기존 치료의 보조 요법 및 고식적 요법에 국한되지 않고 두경부 암의 초치료 및 재발암의 치료에 있어 유용한 수단이 될 것으로 기대된다.

참고문헌

1. 김영호, 박희곤, 이정구 등. 저출력 레이저를 이용한 골절 치유 촉진 효과에 대한 연구. 대한의학레이저학회지 2004;1:40-50.
2. 김지선, 정필상, 이상준, 등. 5-Aminolevulinic Acid(ALA)를 이용한 광역학 치료: in vitro, in v ivo에서의 항암효과에 관한 연구. Korean Journal of Otolaryngology-Head and Neck Surgery 2005;48:234-240
3. 박병건, 이상준, 정필상. 레이저를 이용한 후두 수술의 합병증. 대한후두음성언어의학회지 2011;22:30-33
4. 식품의약품안전청. 의료용 레이저 안전지침서. [서울]: 식품의약품안전청, 2005.
5. 안회영. 이비인후과질환의 레이저치료. 대한이비인후과학회 편. 이비인후과학-두경부외과학, 1권. 일조각, 2009. pp.398-415.
6. Abramson AL, DiLorenzo TP, Steinberg BM. Is papillomavirus detectable in t he plume of laser-treated laryngeal papilloma? Arch Otolaryngol Head Neck Surg 1990;116:604-607
7. Ahmed F, Harrison M, Jackson SR, et a l. Laser safety in head and neck cancer surgery. Eur Arch Otorhinolaryngol 2010;267:1779-1784
8. Akst LM, Anderson RR, Broadhurst MS, et al. Office-based 532-nm pulsed KTP laser treatment of glottal papillomatosis and dysplasia. Ann Otol Rhinol Laryngol 2006;115:679-685.

9. Antonelli A, Brasnu D, Chevalier D, et al. Endoscopic cordectomy. A proposal for a classification by the Working Committee, European Laryngological Society. Eur Arch Otorhinolaryngol 2000;257:227-231
10. Ambrosch P, Kron M, Steiner W. Carbon dioxide laser microsurgery for early supraglottic carcinoma. Ann Otol Rhinol Laryngol 1998;107:680-688
11. Bastian RW, Delsupehe KG, Lejaegere M, et al. Voice quality after narrow-margin laser cordectomy compared with laryngeal irradiation. Otolaryngol Head Neck Surg 1999;121:528-533
12. Benoit G, Fink Y, Hart SD, et al. Wavelength-scalable hollow optical fibers with large photonic bandgaps for CO2 laser transmission. Nature 2002;420:650-653.
13. Biel MA. Photodynamic therapy and the treatment of head and neck neoplasia. Laryngoscope 1998;108:1259-1268
14. Bradley P, Chevalier D, de Vicentiis M, et al. Proposal for revision of the European Laryngological Society classification of endoscopic cordectomies. Eur Arch Otorhinolaryngol 2007;264:499-504
15. Damm M, Eckel HE, Sittel C, et al. Transoral CO2 laser for surgical management of glottic carci noma in situ. Laryngoscope 2000;110:1215-1221
16. de Vincentiis M, Fiorella ML, Gallo A, et al. CO2 laser cordectomy for early-stage glottic carcinoma: a long-term follow-up of 156 cases. Laryngoscope 2002;112:370-374
17. Doiron DR, Fisher GU, Keller GS. Photodynamic therapy in otolaryngology-head and neck surgery. Arch Otolaryngol 1985;111:758-761
18. Dougherty TJ, Henderson BW. How does photodynamic therapy work? Photochem Photobiol 1992;55:145-157
19. Eckel HE, Eschenburg C, Sittel C. Phonatory results after laser surgery for glottic carcinoma. Otolaryngol Head Neck Surg 1998;119:418-424
20. Falter F, Ilgner J, Westhofen M. Long-term follow-up after laser-induced endotracheal fire. J Laryngol Otol 2002;116:213-215
21. Fink Y, Hart SD, Joannopoulos JD, et al. External reflection from omnidirectional dielectric mirror fibers. Science 2002;296:510-513.
22. Hong JC, Lee KD. Transoral laser surgery for supraglotic carcinoma. Med Laser 2013;2(1):1-7.
23. Kim KH, Sung MH, Baek CH, et al. Treatment outcome and prognostic factors of CO2 laser cordectomy for early glottic cancer. Med Laser 2013;2(1):24-8.
24. Koufman JA, Halum SL, Postma GN, et al. Patient tolerance of in-office pulsed dye laser treatments to the upper aerodigestive tract. Otolaryngol Head Neck Surg 2006;134:1023-1027.
25. Schweitzer VG. PHOTOFRIN-mediated photodynamic therapy for treatment of early stage oral cavity and laryngeal malignancies. Lasers Surg Med 2001;29:305-313
26. Smith LP, Roy S. Operating room fires in otolaryngology: risk factors and prevention. Am J Otolaryngol 2011;32:109-114
27. Werkhaven JA. Microlaryngoscopy-airway management with anaesthetic techniques for CO2 laser. Paediatr Anaesth 2004;14:90-94

CHAPTER

15

전신질환의 이비인후과적 발현

우승훈

I 전신질환 환자에서 후두와 기관의 양상

후두와 기관에 영향을 미칠 수 있는 전신질환들은 다양하다. 이들의 증상은 가벼운 쉰 목소리에서 기도폐쇄까지 다양하지만, 다행히 대부분 증상은 쉰 목소리로 나타난다. 후두나 기관의 이상을 호소하는 환자의 평가에 있어 악성 여부는 반드시 감별해야 한다. 그러나 악성이 아닌 경우에도 악성과 유사한 특징을 보이는 경우가 많아, 조직검사로 확인되기 전까지 악성 여부를 확정하는 것은 쉬운 일이 아니다. 따라서 이비인후과 의사는 후두나 기관의 악성 가능성에 대해 고려하면서 동시에 다양한 질환을 염두에 두어야 한다. 그러므로 후두에 영향을 미치는 전신질환에 대해 기본적으로 이해하는 것이 반드시 필요하다. 이 장에서는 후두와 기관의 장애를 일으키는 전신질환 및 감염질환에 대한 요약과 병인, 진단, 치료에 대해 기술한다.

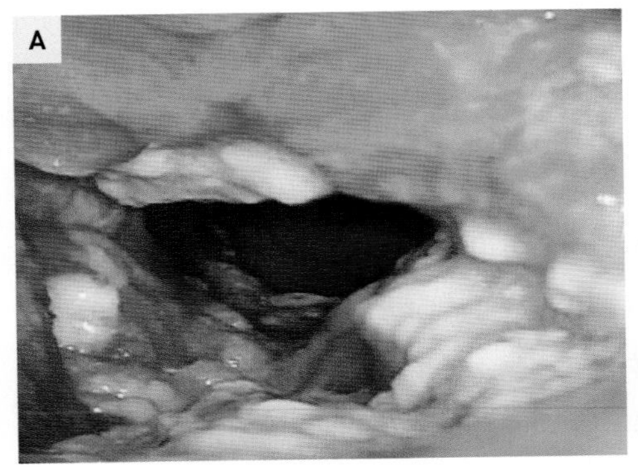

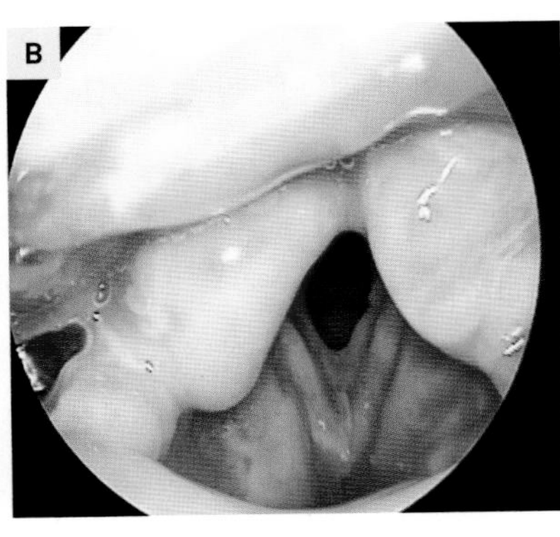

■ 그림 15-1. **베게너 육아종증.** **A)** 후두를 덮고 있는 가피(crust)들과 성문하부협착이 주된 특징이다. **B)** 치료 시작 후 1주일째, 가피들이 감소하는 모습을 보이고 있다.

1. 베게너육아종증(Wegener granulomatosis)

베게너육아종증(WG)은 괴사성 육아종과 소동맥, 세동맥, 모세혈관 및 세정맥의 괴사성 혈관염을 특징으로 하는 전신 염증성 질환이다.[2,148] 주로 상부 및 하부 기도와 후두, 기관 그리고 신장을 침범하며,[2] 다른 부위로 구강, 피부, 관절, 안와가 포함된다.[2] 기도에서는 성문하부와 기관이 주로 영향을 받는다(그림 15-1).

보통 전신질환이 있을 때 기도 증상이 일어나지만, 때로는 기도 증상이 질병의 유일한 징후일 수도 있다. 특히 베게너육아종증 환자의 10~20%는 성문하부에 발병하여 협착이 진행돼서야 진료를 받는 경우가 많다.[2,138,190] 결과적으로 stridor가 wheezing으로 오인되어 천식으로 오인될 수 있다. 후두가 침범되면 음성 변화가 나타난다. 대부분의 베게너육아종증 환자는 antineutrophil cytoplasmic anti-body (ANCA) 검사에서 양성으로 나타나며, C-ANCA가 P-ANCA보다 양성으로 나타나는 경우가 많다. 그러나 호흡기를 침범한 경우에도 환자의 20% 이상에서 ANCA 검사에 음성을 보일수 있다.[148]

기도를 침범한 베게너육아종증의 일반적 증상은 쉰 목소리, 기침, 객혈, 호흡곤란, stridor이다. 그 중에서도 점차로 심해지는 호흡곤란과 stridor가 기도 침범의 첫 번째 증상이다.[148] 폐 기능 검사에서 flow-volume loops의 이상소견이 폐 실질 병변과 성문하부 협착 같은 흉곽 외 병변을 구분하는 데 도움이 된다. 베게너육아종증의 경우 흡기, 호기 모두에서 평탄한 모양을 보이는 것이 전형적인 소견이다.[148]

베게너육아종증의 치료는 복잡하고 다양한 접근을 필요로 한다. 전신증상은 질환의 정도에 따라 전신 스테로이드와 다른 면역 조절제를 사용한다. 초기 치료는 스테로이드에 Cyclophosphamide를 병용하는 것이다.[138,148] 증상이 완화되면 methotrexate 또는 azathioprine를 사용한다.[148] 그러나 기도를 침범한 베게너육아종증은 종종 전신 질환과 달리 단독적으로 진행하므로 치료가 복잡해진다. 전신 증상과 별개로 빈번하게 기도 침범 증상이 나타나면 환자의 증상에 따라 치료를 조절해야 한다.

급성 기도폐쇄가 발생하면 기관절개술이 필요하다. 그러나 최근 내시경 기술이 발달하면서 많은 환자에서 기관절개술을 시행하지 않아도 치료가 가능하게 되었다.[138,190,204] 비록 술자마다 차이는 있겠지만, 협착 부위 내로 스테로이드를 주입하여 협착 부위의 진행을 억제하는 것이 주 치료이다. 협착 부위를 확장한 후, 국소적으로 mitomycin C를 사용한 경우도 보고되고 있다.[162] 협착의 정도에 따라 경성 확장기(rigid dilators) 또는 풍선 확장술(ballon dilatation)이 적용된다.[138,148,190] CO_2 레이저는 성문하부의 협착을 치료하기 위해 주로 사용된다.[162] 협착을 해결하기 어려운 환자는 스텐트나 기관절개술을 고려한다. 마지막으로 협착 부위를 제거하기 위해 절제 및 재문합 수술을 고려할 수 있는데 이 단계는 완전한 협착이 발생하거나 치료에 반응이 없는 경우에만 선택적으로 적용할 수 있다.

2. 재발성 다발연골염(Relapsing polychondritis)

재발성 다발연골염은 신체의 연골 구조에 일시적인 다발성 염증을 일으키는 드문 질환으로 병인은 미상이다.[113] 주로 귀, 코, 눈, 후두, 기관, 흉곽의 연골과 관절 부위를 침범한다(그림 15-2). 성별에 따른 차이는 없으며 연간 백만 명 중 3.5명에서 발병한다.[75] 모든 연령에서 발병할 수 있으나 40대와 50대에 가장 많으며, 환자의 약 14%만 기도 증상으로 진료를 받는다. 그러나 환자의 50-55%에서 기도 증상이 존재한다.[113] 가장 흔한 증상은 양측 외이의 연골염이며 호흡기 침범은 일반적이지는 않으나, 발생한다면 증상이 심하다. 재발성 다발연골염 환자의 25-35%에서는 자가면역질환이 먼저 나타난다.[74,75]

호흡기로 침범되면 심각한 결과를 초래할 수 있다. 전형적으로 환자는 쉰 목소리, 기침, 숨막힘, wheezing, 운동 시 호흡곤란, stridor 또는 후두 골격의 통증을 주소

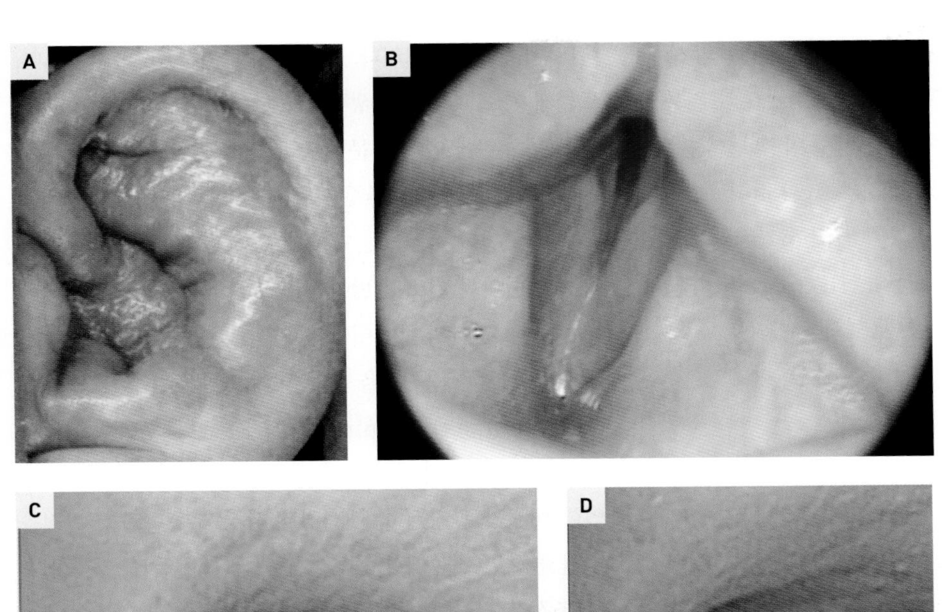

■ 그림 15-2. **재발성 다발연골염.** A) 재발성 다발연골염으로 진단된 환자의 이개 연골염 소견. B) 후두경 검사에서 피역연골 부위는 정상으로 유지되나 흡기 시 심하게 좁아지는 성문부의 소견. C) 기관지 내시경 소견에서 관찰되는 기관 점막의 비후 및 특징적 연골 모양의 소실. D) 흡기 시 관찰되는 기관의 함몰 소견.

로 내원한다.[40,75,113] 후두 및 기관을 침범한 경우 사망률은 10–50%로 보고되고 있다.[75] 기도 침범은 다양한 수준으로 나타나 치료에 어려움이 있다. 상부 기도폐쇄는 후두 침범 시 발생하며, 진행하여 말초 기도까지 영향을 받으면 기관 및 기관지가 막히기도 한다. 호흡곤란은 1) 후두나 기관 연골의 파괴 또는 섬유화에 의해 발생하는 중심 기도의 폐쇄, 2) 염증 및 반흔성 섬유화로 인한 말초 기도의 폐쇄의 두 가지 기전 중 하나에 의해 발생한다.[55] 증상이 심한 경우 환자의 기도 안정을 위해 기관절개술을 시행해야 하는 경우도 있다.

영상 검사는 재발성 다발연골염을 진단하는 데 도움을 줄 수 있다. 단순 촬영 영상은 비침습성 관절병증의 확인에 도움이 되며, 기도 조영술(airway fluoroscopy)은 호기 동안 기도의 폐쇄를 평가하는 방법이 된다.[40,55] MRI와 CT 영상은 진단에 보조적인 역할을 한다. 전형적 CT 소견으로 성문하부 협착, 기관–기관지 내강의 협착, 기관 연골의 석회화와 비후, 말초 기관지 협착 및 기관지 확장증을 들 수 있다.[55] 흔한 소견은 기도 벽의 조영 증가와 비후 소견이다.[55] MRI 영상은 연부조직 염증을 보는 데 매우 민감하여 T2 강조 영상에서 hyperintense하게 나타나며 조영제를 사용한 T1 강조 영상에서는 조영이 증가하는 소견을 보인다.[75]

조직학적으로 진행 단계에 따라 다형 핵 백혈구, 림프구, 형질세포 및 호산구로 구성된 혼합된 염증 세포가 침윤된 연골염의 소견을 보인다.[40,113] 연골막의 염증 반응에 이은 기저 점막 다당류의 손실이 주요 변화 소견이다.[139]

수술적 처치 이후에 재발성 다발연골염은 고용량의 스테로이드로 관리한다. 유지 치료는 methotrexate와 저용량 스테로이드로 구성된다. 치료에 반응이 없을 경우 azathioprine, cyclophosphamide, cyclosporine, dapsone 처방을 시도하기도 한다.[75] tumor necrosis factor-α를 억제하는 데 사용되는 infliximab이 다른 치료에 실패한 경우 시도된 사례도 보고되어 있다.[164]

3. 유육종증(Sarcoidosis)

유육종증은 만성 육아종성 질환으로 병인은 알려져 있지 않다. 유육종증은 비건락 육아종 형성을 특징으로 하는 결절들이 모여있는 병변이 특징이며 신체 내 어느 장기에도 영향을 미친다.[51,115] 두경부 증상은 환자의 9%에서 보고되며, 후두에 발생한 유육종증의 발병률은 1%-5% 정도로 드물지만 후두 증상이 병의 유일한 증상일 수도 있다.[51]

증상은 일반적으로 광범위한 조직 침범이 있어도 심하게 나타나지 않는다. 병의 진행은 느리며 재발과 관해를 반복하는 특징을 보인다.[115] 후두를 침범한 경우, 쉰 목소리, 호흡곤란, 천명음, 연하곤란, 기침 증상이 전형적으로 나타난다.[45,51,178] 그러나 무증상을 보이는 경우도 있으며, 드물게 기도 폐쇄가 발생하기도 한다.

성문하부에 이어 성문상부도 자주 영향을 받으며 양측 성대로도 파급된다. 후두개가 가장 빈번하게 침범당하는 부위이며 이어 피열연골, 피열후두개 덮개, 가성대 주름에도 침범한다.[51] 기도 침범이 의심되면 후두경을 통해 확인하는 것이 진단의 핵심이다.

유육종증에 영향을 받은 후두의 고전적인 모습은 "turban-like thickening"으로 표현된다(그림 15-3).[115] 이환된 후두개는 창백한 분홍빛을 띠며, 경화와 부종으로 인한 비후가 관찰된다. 내시경 검사상 부종, 홍반, 반점을 가진 결절, 종물, 궤양 등의 소견이 관찰될 수 있다.[51] 병변의 조직검사 시 림프구의 침습과 비건락성 상피성 육아종 소견을 보인다.[51] 병리 소견은 다른 육아종성 질환의 증상과 혼동이 있을 수 있어 추가적인 검사 및 배양 검사가 필요하다.[51]

유육종증의 후두 증상의 치료로 전신 스테로이드를 사용할 수 있다. 전신 스테로이드를 사용할 수 있으나 국소적 병변 내 주입을 하기도 하며,[51,178] 기도 폐쇄 부위가 명백하다면 CO_2 레이저나 microdebrider를 이용하여 절제하는 것이 좋다. 기관절개술을 요할 정도로 기도 폐쇄

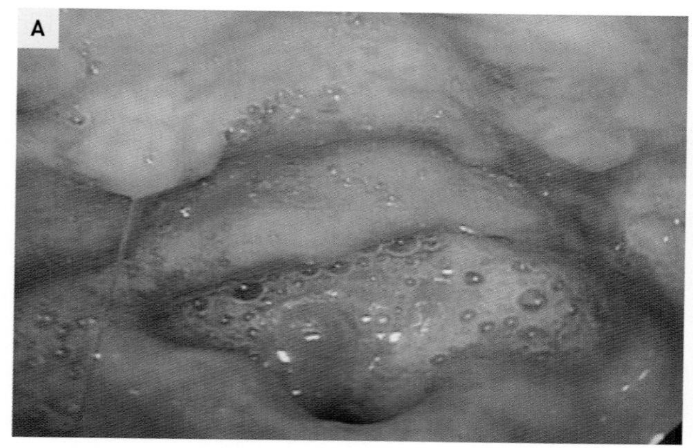

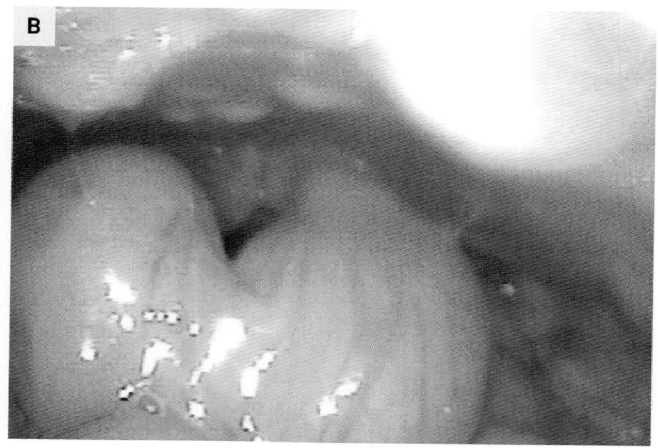

■ 그림 15-3. **후두 유육종증의 소견.** **A)** 곳곳에 궤양의 소견이 보이고(후인두벽) **B)** 후두개는 부어있는 전형적인 turban 모양의 비후를 보인다.

가 진행하지 않았을 때 치료하는 것이 좋다.[178] 후두 침범의 위험 때문에 유육종증 환자는 기도 증상이 있으면 반드시 후두에 대한 검진이 필요하다.[115]

4. 아밀로이드증(Amyloidosis)

아밀로이드증은 세포외 조직에 용해되지 않는 미세섬유 단백질이 축적되는 특발성 질환이다. 이러한 미세섬유 단백질은 정상적으로 용해되는 단백질의 변형에서 기인한다. 이러한 현상은 1842년 Rokitansky에 의해 처음 알려졌으며, 후두에 발생한 경우는 1873년 Borow에 의해 처음 기술되었다.[150] 이후 아밀로이드증은 드물게 후두에 침범하는 질환으로 알려졌고 후두의 양성 종양 중 0.2%를 차지한다.[195] 그러나 후두에 아밀로이드가 축적되는 것은 두경부 침범의 가장 일반적 형태이며 상부, 하부 기도 및 식도부 어디서나 발생할 수 있다.[150]

아밀로이드증은 다음 세 가지 조건에 따라 분류된다. 1) 축적되는 미세섬유 단백질 2) 아밀로이드 단백질의 전구 단백질 3) 동반된 질환의 임상상에 따라 일차성, 이차성, 동반 골수종, 가족성, 혈액 투석이 동반된 아밀로이드증으로 구분된다.[150] 후두의 아밀로이드증은 일반적으로 국소적이며 일차성이다. 그러나 다발성 골수종 같은 기저 질환과 동반된 형태로 발견되기도 한다.[150]

증상은 아밀로이드 축적된 정도에 따라 다양하다. 후두 내에 가장 흔한 아밀로이드 축적 부위는 성대, 가성대와 후두실이다.[46] 주로 쉰 목소리와 기침을 호소하지만 만약 아밀로이드의 축적이 심하다면 호흡곤란, wheezing이 나타날 수도 있다.

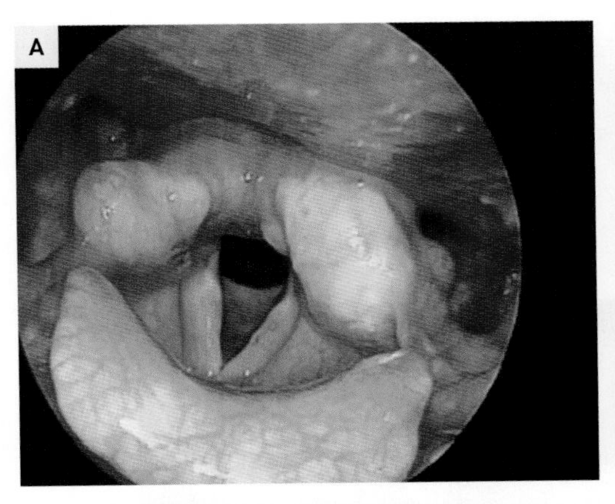

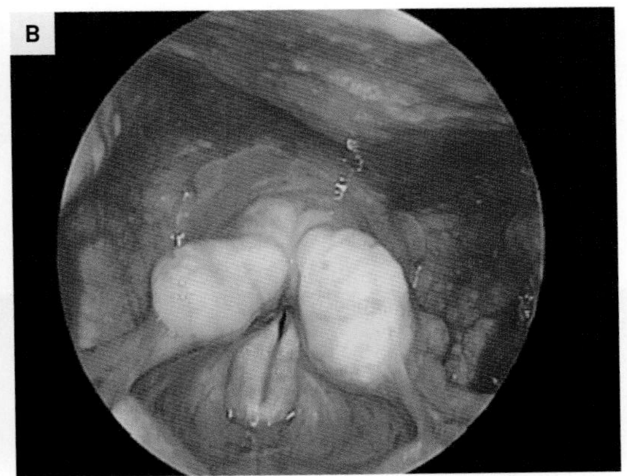

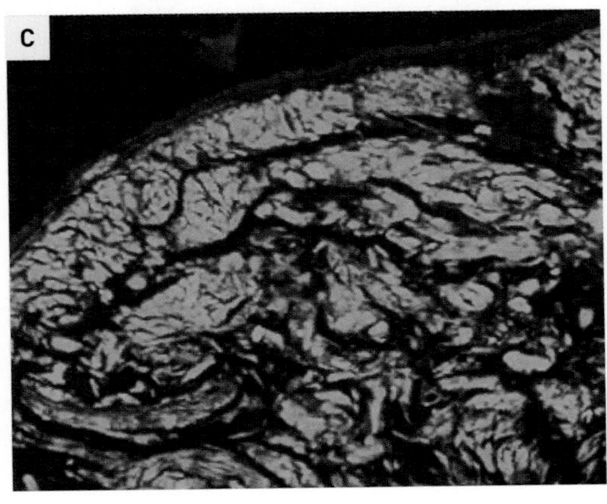

■ 그림 15-4. **후두 아밀로이드증.** **A, B)** 후두 상부에 양측으로 황색으로 변색된 돌출된 종물이 관찰된다. **C)** Congo red 염색에서 특징적인 녹색의 복굴절 양상이 관찰된다.

진단을 위해 병변의 조직 검사는 필수적이다. 광학 현미경에서 아밀로이드는 H&E 염색에서 무세포, 비정형, 균질한 양상의 호산성을 나타낸다.[150] Congo red 염색 후에 편광 현미경에서 밝은 녹색의 복굴절 양상을 보이는 것이 고전적인 소견이다(그림 15-4). 다른 진단 검사로 CBC, 간 기능검사, 신장 기능 검사와 뇨검사에서 Bence-Jones 단백질이 검출되면 진단에 도움이 된다.[150] 또한 다발성 골수종과 동반 여부를 확인하기 위해 혈액종양내과의 진료를 받는 것이 필요하다.

치료는 기도를 유지하고 음성에 미치는 영향을 줄이면서 쉰 목소리를 개선하는 데 중점을 둔다.[46,150] 기본적인 치료는 후두 현수경하에 병변 부위를 절제하는 것이다. 최근엔 microdebrider나 CO_2 레이저를 사용한다. 아밀로이드 축적은 잘 재발하며, 이럴 경우 절제술을 반복 시행이 필요하며, 드물게 기관절개술이 필요하다.

5. 류마티스 관절염(Rheumatoid arthritis)

류마티스 관절염은 관절 조직에 염증을 일으키는 자가면역질환이다.[71] 여성에서 2-3배 많이 발생하며 후두를 침범하는 경우는 25-30% 정도이다. 증상은 쉰 목소리에서 연하 곤란, 목의 이물감, 천명까지 다양하다.[223]

후두를 침범한 류마티스 관절염은 두 가지 형태를 보인다. 활동형은 후두를 침범하여 급성 통증과 홍반을 보인다. 후두경 상, 피열 부위의 발적, 부종이 관찰된다(그림 15-5).[186] 만성형은 전형적으로 반지연골과 피열연골 접합부를 침범하여 강직 증상을 야기한다.[186] 이로 인해 양측 성대의 움직임에 장애를 초래하여 응급으로 내과적, 외과적 치료가 필요할 수 있다.[87,132]

관절 침범에 더해 성대에 점막하 결절이 발생할 수 있는데 신체 다른 부위에 발생하는 류마티스성 결절과 조직학적으로 유사하다. 종종 결절에 의해 쉰 목소리가 발생하고 제거하면 음성은 호전된다.[223] 그 밖에도 후두에 거대한 류마티스성 결절이 발생하여 기도폐쇄가 발생한 예에서 methotrexate로 치료한 사례가 보고된 바 있다.[71,186]

6. 천포창(Pemphigus)

천포창은 피부와 점막을 침범하는 드문 자가면역질환

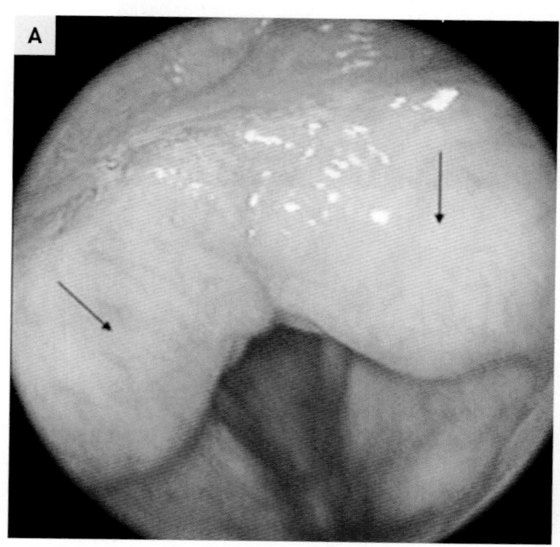

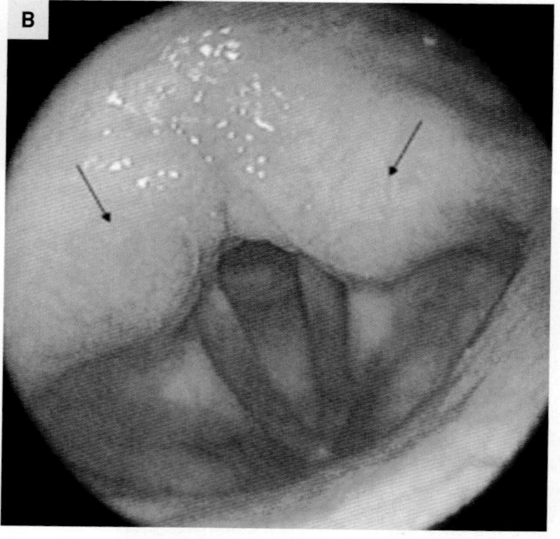

■ 그림 15-5. **류마티스 관절염의 후두경 소견.** **A), B)** 흡기 시와 발성 시 양측 성대의 내전이 제한되고 양측 피열연골의 점막에 부종(화살표)이 있다.

이다. 표피와 진피의 결합을 느슨하게 하여 특징적인 수포를 형성한다. 이 질환은 주로 피부과에서 진료를 보게 되지만 후두 증상도 흔히 발생하며 비강을 침범하기도 한다.[72] 천포창이 후두에 국한되는 경우도 있지만 드물며,[212] 대부분의 경우 구강과 비강의 증상이 먼저 발생한다. 후두 증상은 대부분 쉰 목소리이며 wheezing이나 호흡곤란이 첫 증상으로 발생하는 경우도 있다.[165] 후두 내시경 검사상 성문 상부의 후두개의 후두쪽 면, 피열후두개 부위, 피열 점막 부위를 주로 침범한다. 후두에서는 음식을 삼키며 표피가 탈락하기 때문에 수포 소견이 관찰되지는 않으나 홍반과 주위의 황갈색의 섬유소 기저를 확인할 수 있다(그림 15-6).[165,218] 구강의 점막에서 이런 소견을 관찰한다면 비강 내 다른 병변을 확인해 보아야 한다.[72] 염증 반응에 의해 반흔이 발생할 수 있고 성문 상부의 협착을 유발할 수 있다.

진단은 조직생검을 통해 이루어진다. 점막이 쉽게 손상되므로 내시경으로 주의하여 관찰하며 조직검사를 시행한다. 조직학적으로 상피 내 극세포가 고전적 소견이다.[165,218] 천포창은 일반적으로 기저막과 표피하 조직에 극세포 병변이 존재한다. 직접 면역형광검사에서는 세포 내 형태를 확인할 수 있고 간접 면역형광검사에서는 순환하는 항체의 양을 측정할 수 있으며 이는 질환의 심각도와 상관관계가 있다.[212]

치료는 구강 스테로이드를 사용한다. 초기에는 고용량을 사용하며 이후 유지 용량까지 감량한다. 천포창에 대한 유지 치료로 azathioprine, cyclophosphamide, cyclosporine도 사용된다.[165,212]

7. 결핵(Tuberculosis)

후두 결핵의 임상 양상은 다양하다. 일반적으로 후두 결핵은 심한 폐결핵이 있을 때, 이차적으로 균을 포함한 분비물에 의해 발생한다고 알려져 왔다.[97] 그러나 현재 대부분의 환자는 폐결핵의 증상이나 폐결핵의 병력이 없이 원발성으로 발병한다. 따라서 혈액이나 림프선을 통한 전파가 원인이라는 이론이 제시되고 있다.[160,173] 후두 결핵은 일반적으로 쉰 목소리가 첫 번째 증상이다.[160,173,219] 다른 증상으로 연하 곤란, 기침, 체중 감소가 있다.[160,219] 폐를 침범하는 경우는 적지만, 정제된 단백질 유도체로 시행한 검사에서 대부분 양성 소견을 보인다.[88,137]

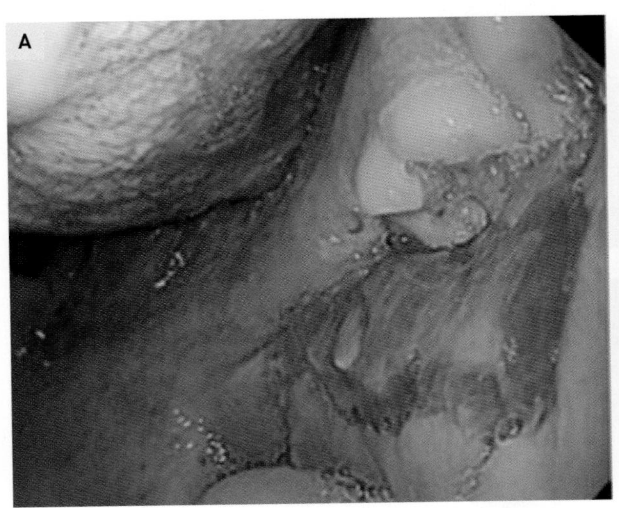

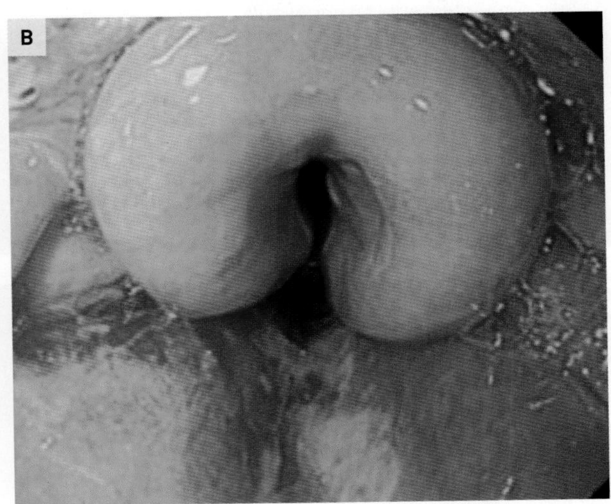

■ 그림 15-6. **천포창 병변.** **A)** 구강 내의 점막 손상 병변, **B)** 후두 부종과 점막 병변

시간에 따라 후두 내의 발병한 위치도 변한다. 흔히 후방 성문을 침범하지만 성대, 후두실, 피열후두개 주름과 후방성대 같은 다양한 위치에도 자주 발생한다.[97,219] 병변은 결절양, 외장형 또는 궤양형으로 나타날 수 있으며, 그 양상으로 인해 때때로 평편세포암종으로 오진되기도 한다(그림 15-7).[88,97,137,219]

후두 결핵의 진단을 위해 일반적으로 객담 배양 검사, 조직검사, 항산성 양성 검사, 흉부 단순 촬영 검사를 시행한다.[219] 약물 치료는 증상을 완화하고 쉰 목소리의 개선을 촉진할 수 있다. 후두 결핵에 대한 정밀 검사를 할 때에는 반드시 동시 감염의 발생률이 높은 인간면역결핍바이러스에 대한 검사도 시행해야 한다.

8. 히스토플라스마증(Histoplasmosis)

히스토플라스마증은 이형 곰팡이(*Histoplasma capsulatum*)에 의해 발생한다.[63,217] 급성, 만성 폐 감염이나 전신 증상을 나타내는 급성, 만성 파종성 감염을 보일 수 있다.[63] 폐 감염이 있는 경우, 일반적으로 인간면역결핍바이러스 같은 면역 저하가 동반된 경우가 아니라면 자가 면역에 의해 대부분 억제된다.[63,217] 급성 파종성 히스토플라스마증은 대부분의 경우 치명적이며, 만성 파종성 질환에서는 일반적으로 국소 파괴적인 병변이 나타난다.[63,66,217] 일반적으로 점막 침범이 발생하며 평편세포암종이나 결핵 병변과 육안적 소견이 유사하다.[18,48,183] 조직검사에서 대식세포, 다핵 거대 세포와 경계가 불확실한 육아종성 병변을 보일 수 있다.[18,63] Periodic acid-Schiff (PAS) 나 Grocott-Gomori methenamine-silver nitrate (GMS) 염색에서 세포 내 H. capsulatum이 관찰될 수 있다.[18,48,183] 궤양은 편평한 플라크 양상의 무통성 병변이 돌출되면서 발생하고 궤양 후에는 통증이 동반된다.[48] 치료는 정맥 amphotericin B를 사용하는 것이다(그림 15-8).

9. 효모균증(Cryptococcosis)

효모균증은 두꺼운 다당류 외피를 가진 효모양 진균

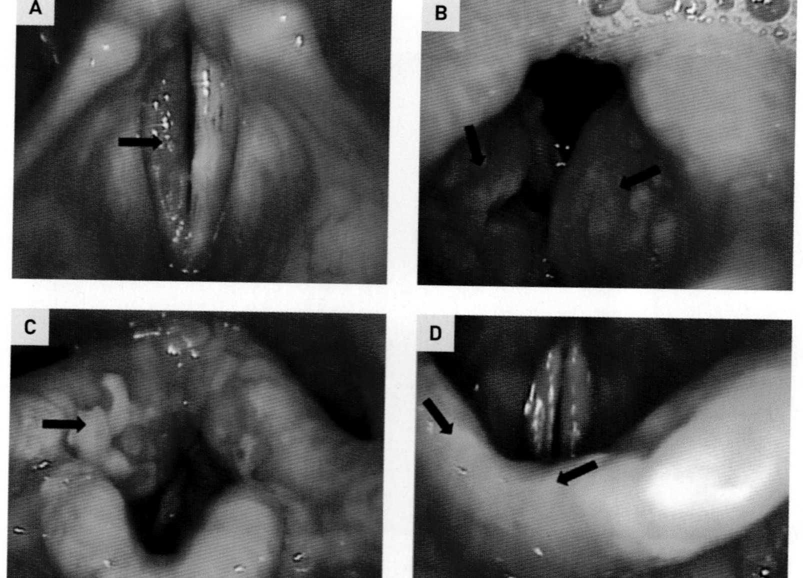

■ 그림 15-7. **후두 결핵의 후두경 소견.** **A)** 우측 성대 표면에 붉고 편평한 병변 - 비특이적인 염증 병변과 유사하다. **B)** 후두 육아종 모양의 병변. **C)** 피열연골주름과 피열연골의 궤양성 병변. **D)** 우측 후두개의 병변.

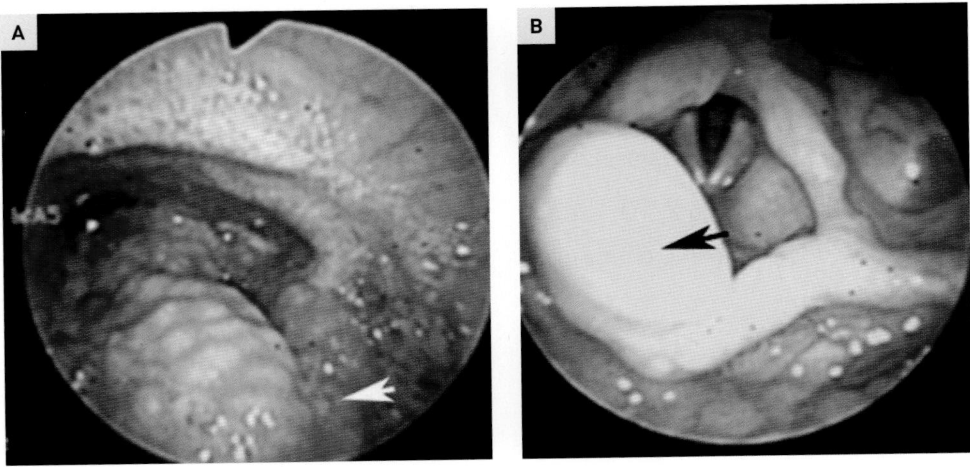

■ 그림 15-8. **히스토플라즈마증의 후두경 소견.** **A)** 후두경 소견상 병변으로 인해 후두개(흰 화살표)의 부종과 표면의 결절 등이 관찰되고 기도는 거의 막혀 있다. **B)** 치료 시작 후 병변(검정 화살표)은 육아종양의 병변으로 바뀌었으며, 성대가 관찰되기 시작한다.

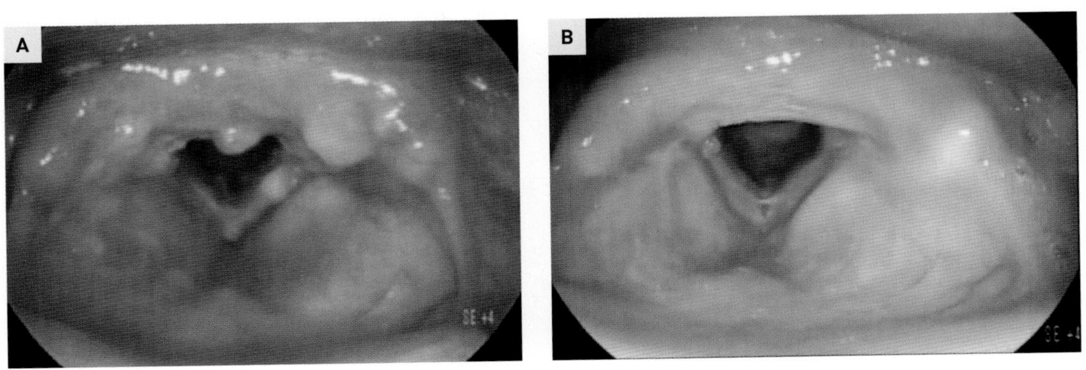

■ 그림 15-9. **효모균증의 후두경 소견.** **A)** 후두경 소견상 흰색의 돌출 병변들이 성문 상부와 하부에 걸쳐 광범위하게 나타난다. **B)** fluconazole 사용 7주 후 병변들이 사라졌다.

*Cryptococcus neoformans*에 의해 전신감염이 일어나는 질환이다.[217] 비둘기 배설물로 오염된 지역에서 발생하며,[217] 감염은 포자를 흡입하여 일어난다. 정상 면역을 가진 환자에서 폐가 침범되어도 대부분 증상을 나타내지 않는다. 그러나 면역 저하 환자에서는 전신침범이 발생하여 대부분에서 수막염을 일으키며 중추신경계가 침범받는다. 후두의 침범은 대부분의 경우 면역 저하 환자에서 일어난다. 그러나 드물지만 면역이 정상이라도 발병한 경우가 보고되어 있다.[79,217] 침범된 유일한 부위가 성대인 경우 쉰 목소리를 유발한다. 조직검사에서 발아한 효모균을 관찰할 수 있으며 거짓 상피종 증식이 보이기도 한다. 감염의 심각도에 따라 amphotericin B나 fluconazole로 치료한다(그림 15-9).[79,217]

10. 방선균증(Actinomycosis)

방선균증은 특징적인 유황 과립을 포함하는 농의 배출을 특징으로 하는 만성 화농성 감염 질환이다.[217] *Actino-*

*myces israelii*가 원인으로 혐기성 또는 미세 호기성, 비항산성, 그람양성 균주이다. 이 균은 구강 내에 증식하며 우식 치아, 플라크, 편도와에서 발견된다.[217] 전체 감염증의 50–60%는 경부 및 안면부 감염이며 후두와 기관을 침범한 경우도 보고되어 있다.[76,217] 치료는 장기간 항생제를 투여하는 것으로 주로 페니실린이 사용되며, clindamycin이 사용되기도 한다.[76,217]

11. 칸디다증(Candidiasis)

후두에 영향을 주는 칸디다증은 구강과 식도도 침범하는 경향이 있다. 화학요법이나 후천성면역결핍증후군으로 인해 면역이 저하된 환자에서 주로 발생한다. 특히 흡입성 스테로이드를 사용하는 환자에서 후두 칸디다증이 잘 발생한다.[64,197,201] 병변은 일반적으로 흰색의 고착성 플라크와 주위 홍반이 동반된 형태로 나타나며 궤양 형태로 발생한 경우도 보고된 바 있다.[197] 치료는 흡입성 스테로이드제 같은 유발 약물을 제거하고 fluconazole 같은 항 진균 약물을 추가하여 사용한다.[61,197] 또한 기관, 식도를 천공하여 삽입한 음성 보형물이 실패한 경우에도 칸디다의 과증식이 동반될 수 있다(그림 15-11).

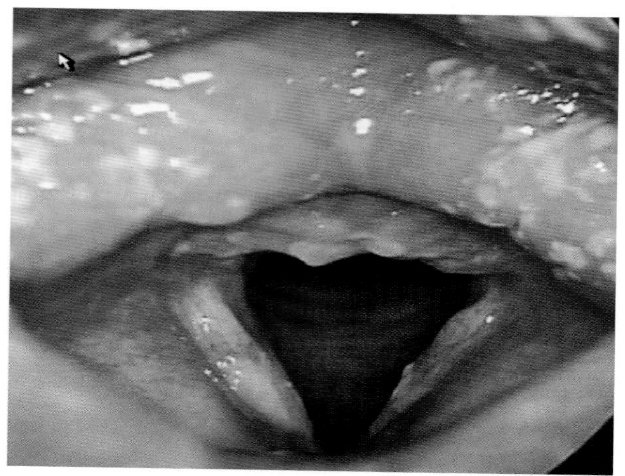

■ 그림 15-11. **후두 칸디다증과 스테로이드 흡입에 의한 후두염.** 칸디다 감염의 특징적인 점막 부종, 비대와 흰색의 패치가 보인다.

Ⅱ 전신질환 환자에서 구강의 양상

구강은 생리적으로 중요한 역할을 한다. 음식물의 섭취, 대화, 유해 물질로부터의 보호가 구강의 세 가지 주된 기능이다. 표정을 나타내는 근육, 저작근, 혀를 포함한 연하에 관여하는 근육과 함께 머리, 목, 구강에 있는 다양한 조직들이 이러한 중요 기능을 위해 진화해 왔다. 구강 점막, 치아 및 치주 조직, 침샘, 미각과 후각 수용체가 대표적 예에 해당된다. 적절한 영양의 섭취, 유해한 물질에 대한 정보 제공, 상부위장관 보호를 위해 이 조직들은 지속적으로 작용하며 일생 동안 이런 과정은 계속 유지된다. 그러나 많은 전신질환과 약물, 수술, 두경부의 방사선 조사, 화학요법 같은 치료에 의해 구강 건강에 손상이 발생할 수 있다. 이는 통증 유발, 영양실조, 감염, 의사소통의 손상을 야기하며, 나아가 삶의 질 저하로 이어질 수 있다.

여러 전신질환은 초기에 구강 내 병변의 형태로 나타나며, 이는 비침습적 검사로 확인할 수 있다. 타액과 치주인대(치아와 잇몸을 연결하는 조직)에서 발생한 삼출물은 진단적 가치가 많아 향후 혈청 검사를 대체할 수 있을 것으로 기대되며, 협부 상피세포로 전신질환을 진단할 수 있을 것이다. 구강 상태의 정상 여부를 확인하여 많은 전신질환의 예방, 진단, 전파 및 가능한 치료에 도움을 받을 수 있다. 구강 치료가 필요한 전신 상태는 표 15-1에 정리하였다. 건강 관리를 위하여 의사와 치과 의사를 포함한 종합적인 접근이 반드시 요구된다.[1]

1. 심장 질환(Diseases of the heart)

허혈성 심장 질환, 심근 경색, 고혈압 같은 심장 질환

표 15-1. **구강 치료가 필요한 전신 상태**

전신상태	원인	고려해야 할 구강상태	고려해야 할 전신상태
응고장애	항응고제 치료 항암제 치료 간경화 신장 질환	출혈 위험성 높음	항응고제 치료 변경 치과 치료 제한 국소적 항응고제 사용
면역억제	알코올성 간경화 항암 치료 당뇨 약 복용 장기 이식 신장 질환	세균 감염	적절한 항생제 치료
관절 치완술	사고 골관절염 류마티스 관절염	치완된 관절의 후기 감염 가능성	항생제 전처치
방사선치료 상흔	두경부 방사선 치료	침샘 기능저하 점막염 골괴사 충치 발생 연하곤란 미각상실 저작 장애 세균 감염 틀니 보전 장애	정기적인 불소 사용 침대용제 사용 및 자극 적극적인 구강 위생 및 의학적 검진 통증 관리
스테로이드 치료	자가면역질환 장기 이식 치료	세균 감염 부신 기능 저하 가능성 상승	적절한 항생제 사용 치과 치료를 위해 스테로이드 치료
판막 질환/심잡음	후천적 심장 결손 선천적 신장 결손 판막 이식	아급성의 세균성 심내막염 가능성 증가	예방적 항생제

은 사망 원인의 상위를 차치하고 있다. 이들 질환은 고령의 환자에서 일반적인 만성 질환이며 구강 증상 발생 및 치료에 영향을 미친다. 향후 노년층의 인구가 점차로 늘어나면서 이 질환들은 더욱 큰 문제가 될 것이다.

일부 심혈관 질환은 구강 또는 안면부에 증상을 나타내며, 따라서 구강 치료도 함께 고려해야 한다. 협심증의 통증은 목, 쇄골, 하악의 연관통이나 하악과 치아에 국한된 통증으로도 나타날 수 있다. 그러므로 감별진단을 위해 충치나 치주질환 같은 치과적 원인, 턱 관절(TMJ) 질환, 연관된 근골격계의 통증, 중추 또는 말초 신경계 통증, 심근 경색을 종합적으로 고려해야 한다.

심장 혈관 질환에 사용되는 약물들 중 구강에 해로운 영향을 미치는 경우도 있다. 예를 들면, 항고혈압제는 타액분비 부전(이뇨제, 칼슘 채널 차단제, 베타 수용체 차단제), 치은 비대(칼슘 채널 차단제), 태선양 점막 반응(thiazide 이뇨제), 미각 교란(안지오텐신 전환 효소 저해제, 칼슘 채널 차단제) 같은 증상을 유발할 수 있다. 이를 고려해 적절하게 약제를 선택하는 것이 필요하다.[23]

심장 이식을 받았거나 수술 후 면역 억제 약물 투여 중인 환자들은 반드시 구강 합병증 가능성을 고려해야 한다. 면역억제요법은 단순 포진 바이러스(*HSV*)의 재활성이나 칸디다 알비칸스(*C. albicans*)의 과증식 같은 기회 감염의 발생을 증가시킨다. Cyclosporine같이 자주 사용되는 면역억제약물은 환자의 13–85%에서 치은 비대를 일으킨다고 보고된 바 있다.[141]

구강의 국소마취하 수술은 환자의 심박수 및 혈압을 증가시킬 수 있지만, 적절하게 불안감, 통증을 조절한다면 허혈성 심질환 환자도 안전하게 사용될 수 있다.[28] 에피네프린을 혼합한 국소마취제는 심박수, 1회 박출량, 심 박출량을 증가시키는 효과가 있어 심장 질환 환자의 치료에 사용할 때 문제가 될 수 있다. 그러나 낮은 용량의 에피네프린은 이러한 전신적인 효과가 거의 나타나지 않는 것으로 알려져 있어 안정적인 심혈관질환 환자에서는 안전하게 사용할 수 있다. 심장 병력이 의심되는 환자에서 에피네프린은 0.04 mg(1:100,000으로 혼합된 국소마취제 1.8 ml 앰플)이 최대 용량이다. 반면 불안정한 심장 질환 환자는 가능하면 에피네프린 단독으로 사용해야 한다.

2. 악성종양(Malignant neoplasms)

구인두암은 연구개, 편도, 설근부, 후두개곡을 포함하며 매년 미국에서 약 35,000명의 새로운 환자가 진단된다. 구강 및 구인두 암은 미국 내 모든 종양의 3.9%를 차지하며 구강 건강과 기능에 직접적, 영구적으로 해로운 영향을 미친다. 과거 남성에서 구인두암 발생이 매우 높았으나 현재 성비는 남성:여성=2:1 정도이다. 유병률과 구강암 사망률은 연령에 따라 증가하며, 예방 가능한 위험 인자는 흡연과 과도한 알코올 섭취다.[28]

일반적인 증상은 지속되는 가피 형성, 궤양성 백반, 홍반 병변을 포함하며, 항상 통증이 발생하는 것은 아니다. 병변이나 붓기가 2~3주 내에 호전되지 않을 경우 진단을 위해서 이비인후과 진료를 받아야 한다.

두경부 악성종양의 10%는 침샘 종양 또는 림프종이다. 또한, 쇄골 아래에서 유래한 종양의 약 1%는 머리와 목으로 전이된다.[136] 따라서 머리와 경부의 시진 및 촉진 시 림프절, 저작근, 안면 운동의 근육과 침샘을 확인해야 한다. 두경부와 구강의 잘 호전되지 않는 모든 병변에 대해서 조직검사가 필요하다.

초기 단계의 종양을 가진 환자는 이미 전이가 일어난 후기 단계의 암에 비해 훨씬 나은 생존율을 보이므로 구강 암은 조기 발견이 중요하다. 예를 들어 작고 국소화된 암(stage I and II)과 림프절 침범과 전이가 발생한 구강암(stage III and IV)의 5년 생존율은 각각 70.7%와 36.%이다.[181] 따라서 1980년 이후, 미국 암 협회는 20–39세는 3년마다, 40세 이상은 매년 암 관련 검진을 받도록 권장하고 있다.[9] 노인 인구, 특히 무치아의 노인은 더 자주 병원을 방문하는 것이 요구된다.

대부분의 암의 치료는 직간접적으로 구강 건강과 기능에 영향을 미친다. 구인두 암의 치료는 병기와 전이 정도에 따라 수술, 방사선 치료, 항암화학요법을 포함한다. 종양과 전이된 림프절의 광범위한 제거로 인해 심한 안면 변형, 연하 곤란, 음성 변화, 저작과 개구 장애, 감각이상, 침샘의 기능장애 및 목과 어깨의 운동장애가 발생할 수 있다.

항암화학요법은 가역적인 구강 내 점막염, 구내염, 타액 분비 부전, 후각과 미각의 장애를 일으키고 구강 내 미생물 감염을 증가시킨다. 임상적으로 유의한 영양 결핍과 탈수가 일어나며 심한 구강 및 인두의 점막염과 반복적인 미생물 감염이 나타나게 된다. 항암 치료로 인해 이환율, 사망률이 증가하므로 주기적인 장기간의 추적 관찰이 필요하다.

두경부의 방사선 치료는 주로 수술 후 잔여 병변과 미세 병변의 치료를 위해 사용된다. 그러나 방사선 치료도 심각한 부작용을 일으킬 수 있다. 점막염, 구내염, 연하곤란, 영구적인 침샘의 기능 장애, 냄새와 맛의 변화, 구강 미생물 감염(예를 들어 *HSV*의 재활성화, 수두–대상포진 바이러스(*VZV*) 및 칸디다 알비칸스 감염) 및 골 방사선 괴사의 위험도가 증가한다.

중요한 것은 수술, 항암화학요법, 방사선요법에 의한 구강 내 후유증을 최소화하기 위해 치료 시작 전에 구강에 대한 평가를 반드시 시행해야 한다. 수술 후에는 치아 여부에 상관없이 꼼꼼히 구강 위생을 챙겨야 하며 골 방사선 괴사, 구강 세균 감염 및 다른 구강 내 병변의 위험을 줄이기 위해 치과에서 정기적인 진료를 받는 것이 필요하다.

3. 뇌혈관질환(Cerebrovascular diseases)

뇌혈관질환과 동반된 운동, 감각, 인지 변화는 구강 건강과 기능에 해로운 영향을 미친다. 뇌혈관 손상 시 영구적 운동 및 감각 손상으로 인해 혀와 입술 기능의 저하, 섭식 장애, 의치의 부적절한 사용, 부정적 사회적, 심리적 장애가 발생할 수 있다.[227]

뇌혈관 손상 위치에 따라 구강 안면의 손상 여부가 결정된다. 왼쪽 대뇌 피질의 병변은 우측 마비 및 청각, 기억, 발성, 언어, 연하의 장애를 야기한다. 오른쪽 피질의 병변은 좌측 마비 및 흡인 위험을 동반한 인두의 기능 부전, 기억 손상 및 칫솔질 같은 간단한 일상생활을 수행하는 데 불편함을 야기한다. 구강 안면 운동 및 감각 장애는 치아 손상과 의치의 위생 상태 불량 및 치열, 협부 공간, 혀 하방의 음식물의 잔류 및 축적을 일으킨다. 결과적으로, 치아 및 치주 질환, 구강 세균 감염으로 이어지며 환자의 인지 감각의 손상에 의해 악화된다. 일부 환자들은 의사소통, 판단, 기억에 문제가 발생하고 이는 정확한 환자 의료 기록, 주 증상을 파악하는 데 어려움을 일으키고 가정 간호 지침에 따른 환자의 관리에도 악영향을 끼친다.

뇌졸중 후 표준 예방 치료로 항응고요법이 시행된다. 이로 인해 모든 구강 점막 조직의 출혈, 점상 출혈, 반상 출혈, 자반을 일으킬 수 있다. 와파린을 복용 중인 환자도 INR (international normalized ratio)이 3 이하인 경우, 구강(치과) 치료는 안전하게 받을 수 있다. 그러나 과도한 구강 내 수술이 계획되어 있다면 입원하여 저분자량 헤파린 또는 헤파린 투여로 바꾸는 것을 권장한다. 아스피린은 심장 혈관 혈전증 위험이 있는 성인에서 흔히 처방되며 저용량 아스피린은 우수한 예방 효과를 보인다. 그러나 아스피린은 항혈소판 제제로 구강 치료 후 출혈의 위험이 증가할 수 있다. 구강에 수술적 치료를 받는 대부분의 환자에서 국소 지혈이 가능한 보존적인 수술을 시행하는 경우 아스피린의 중단은 필요하지 않을 수 있다.[25]

4. 폐질환(PULMONARY DISEASES)

구강 건강과 만성 폐쇄성 폐질환(COPD), 기관지염, 천식, 폐기종 같은 폐질환과 연관된 요인은 흡연이다. 흡연은 구강암의 예방 가능한 두 원인 중 하나로 니코틴성 구내염, 구강 진균 감염 같은 양성 구강 점막 병변과도 연관된다. 구강 건강에 만성 폐쇄성 폐질환이 미치는 직접적인 영향에 대해서는 일부가 알려져 있다. 만성 폐쇄성 폐질환의 치료를 위해 사용되는 스테로이드는 치아 우식을 증가시키는 등 구강에 영향을 미친다.[194] 또한 만성적으로 전신 및 흡입 스테로이드를 사용하는 경우 구강 진균 감염이 나타날 수도 있다.

흡인성 폐렴은 위 또는 구인두 분비물의 흡인에 의해 발생한다. 특히 면역이 저하된 입원 중인 노인에서 발생하기 쉽다. 신경근육질환, 뇌혈관질환, 쇠약, 타액선 기능 저하, 약물 같은 원인에 의한 구인두 연하 장애는 빈번하게 흡인성 폐렴을 일으키는 요인이다. 구강 내 그람 음성 간균의 집락 형성은 세균성 폐렴을 일으킨다.[8] 혐기성 미생물 감염을 유발하는 주요 원인 치은 틈새이다. 또한 불결한 구강 위생과 치주질환은 세균의 집락 형성을 증가시킨다. 따라서 위험 요인이 있는 환자는 정기적으로 구강 진료를 받고 구강 위생에 주의를 기울여야 한다.[151] 항생제 사용의 확대로 인해 구강 진균 감염과 항생제 내성이 발생할 위험이 증가하더라도 광범위 항생제는 폐렴의 표준 치료이다.

전 세계적인 주요 건강 문제인 결핵은 균의 체내 전파로 인한 구강 증상도 자주 일으킨다. 고전적인 구강 점막 병변은 통증을 유발하고, 혀의 배부에 불규칙한 궤양을 일으킨다. 이런 증상은 구개, 입술, 협부 점막, 잇몸에서도 발생할 수 있다.[86] 또한 결핵균은 경부와 하악부의 림프절에 감염될 수 있으며 주요 침샘에도 존재할 수 있다.

구강 결핵 병변은 감염된 구강 부위를 통해 파급 가능성에 대한 교육과 함께 진단, 적절한 항생제 관리가 필요하다. 결핵 환자의 타액, 우식 병변 및 틀니 플라크 샘플에서 결핵균이 검출된 최근의 조사는 환자의 구강 감염의 가능성을 보여준다.[60] 흥미롭게도 중합 효소 연쇄 반응(PCR) 기술을 이용하여 구강 내 결핵균의 검출 빈도는 89%–100%로 기존 배양 방법을 이용한 검출 빈도가 0%–17%인 것에 비해 상당히 높게 나타난다.[50]

5. 내분비질환과 외분비질환(Endocrine and exocrine disorders)

1) 당뇨(Diabetes mellitus)

당뇨 유무와 당 대사 조절 정도에 따라 당뇨와 연관된 구강질환의 수준과 심각성은 크게 영향을 받는다. 당뇨가 잘 조절되는 환자는 조절되지 않는 환자에 비해 구강 문제가 적다. 당뇨 환자에서 볼 수 있는 가장 일반적인 구강 질환은 치주질환이다.[203]

당뇨 환자는 감각 및 말초 신경 병증에 쉽게 걸린다. 통증 지각이 억제되고 미각과 후각 손상 같은 화학적 감각의 결핍이 일어난다.[158] 이러한 감각의 저하는 적절한 식이를 유지하는 능력을 억제해 혈당 조절을 불량하게 만든다. 또한 당뇨병을 가진 사람들은 혀의 통증 및 구강 작열감(burning mouth syndrome)이 증가하며 구강건조증에 의한 불편이 증가한다고 알려져 있다. 그러나 혈당 조절과 침샘의 기능 장애 사이의 관계는 입증되지 않았다.

2) 부신질환(Adrenal diseases)

일차성 부신 기능 부전 또는 부신저하증에 의해 유발되는 애디슨병의 구강 증상 중 하나는 피부와 점막의 색소 침착이다. 그러나 이차성 부신 기능 부전, 만성 스테로이드 투여에 따른 이러한 증상의 발현은 보고된 바 없다.

부신질환이나 장기간 고용량의 스테로이드 복용으로 인한 부신 저하증 또는 쿠싱병으로 진단된 사람들은 종종 달 모양의 얼굴(moon-shaped face)로 병원을 방문한다. 이러한 환자에서 구강 증상으로 칸디다증과 같은 감염에 대한 감수성 증가와 말하기, 섭식, 연하 곤란 증상을 보이는 근육 약화가 포함된다.

3) 뇌하수체질환(Pituitary diseases)

말단 비대증으로 인한 만성적인 성장호르몬의 과다 분비는 뼈와 연부 조직의 과성장을 유발하여 구강 안면부의 심각한 변형을 초래한다. 상악과 하악의 치조 비대로 인해 치아가 분리되고 부정 교합이 발생할 수 있다. 구강 외의 안면 특징으로 안면 돌출, 비골의 비대, 하악의 전방 돌출, 부비동의 확대가 포함된다. 연부 조직의 증식은 구강 점막과 침샘 조직, 혀, 입술에 발생할 수 있다.

4) 갑상선질환(Thyroid diseases)

대설증은 갑상선 기능 저하증에 의한 주요 구강 증상이다. 갑상선 기능 저하증은 종종 만성 자가 면역 갑상선염(하시모토 갑상선염)에 의해 발생하거나 수술, 방사선, 약물로 인해 이차적으로 발생한다. 진단되지 않은 선천성 갑상선 기능 저하증을 가진 소아는 대설증, 두드러진 입술, 부정교합으로 인한 치아 분화의 지연 같은 증상을 보일 수 있다.

갑상선 기능 항진증 또는 갑상선 중독증은, 일반적으로 그레이브스 질환, 자가면역질환에 의해 발생한다. 얼굴과 피부 증상으로 눈꺼풀의 부종, 안구 돌출과 후퇴, 색소 침착, 피부의 홍반이 포함된다.

5) 부갑상선질환(Parathyroid diseases)

부갑상선 기능 항진증의 특징으로 뼈조직의 탈염(demineralization) 이후 섬유조직의 대체로 인한 뚜렷한 낭성 방사선 투과성이 발생할 수 있다. 또한 치아 동요, 치조 백선 손실, 골다공증도 나타날 수 있다.

특발성 부갑상선 기능 저하증은 다발성 내분비선의 결핍, 피부 점막 칸디다증, 악성빈혈이 동반되는 획득성 자가면역질환이다. 거짓 부갑상선 기능 저하증은 부갑상선 호르몬에 말단 장기가 반응하지 않아 발생하는 유전질환이다. 달 모양 얼굴, brachymetacarpalism이 특징이다. 이러한 징후는 부갑상선 기능 저하로 인한 만성 저칼슘혈증에 의한 피부와 손톱의 영양 변화, 점막 건조, 구순구각염 및 에나멜 형성 부전과 함께 나타날 수 있다.

6. 콜라겐-혈관질환과 육아종성질환(Collagen-vascular and granulomatous disorders)

1) 쇼그렌 증후군(Sjogren syndrome)

쇼그렌 증후군은 상피 조직의 염증이 동반되는 전신 자가면역질환이다. 구강건조증과 타액 분비 부전을 보이는 환자에서 가장 일반적으로 의심할 수 있다. 쇼그렌 증후군은 2002년에 일차성과 이차성으로 재분류되었다.[216] 일차성 쇼그렌 증후군은 침과 눈물의 감소와 관련된 타액선과 눈물샘 질환을 포함한다. 이차성 쇼그렌 증후군은 류마티스성 관절염, 전신 홍반성 루푸스, 피부 경화증, 다발성 근염, 결절성 다발 동맥염과 같은 다른 자가면역질환과 동반되어 발생하는 경우가 해당된다.

외분비 조직 안에 분포하는 관 주위로 국소적인 단핵세포의 침투와 anti-Ro (SS-A), anti-La (SS-B), rheumatoid factor 같은 자가 항체의 존재가 쇼그렌 증후군의 특징이다. 타액선과 눈물샘에 침투하여 증상을 일으키는 세포는 소량의 B 세포, 대식세포, 비만 세포와 함께 주로 T 세포(CD4 + T helper cells)로 구성된다.[33] 타액 분비 부전에 의해 임상적으로 입술이 갈라지거나 궤양이 발생하며 구강 점막 조직의 건조, 진균 감염, 충치 발생 또는 재발, 치은염, 연하곤란, 이동식 보철물(틀니)의 사용 곤란, 구강 건조 및 이로 인한 발성장애 등의 증상이 발생한다. 쇼그렌 증후군 환자 중 1.8%에서 B세포 림프종으로 전환이 일어난다.[230] 따라서 환자들은 구강, 두경부 영역의 검사를 정기적으로 받아야 한다.

2) 전신 홍반성 루푸스(Systemic lupus erythematosus)

루푸스 환자의 약 25%는 구강 병변을 가지고 있다.[43] 일반적으로 홍반을 둘러싼 표피의 궤양이 나타난다. 병변은 입술과 모든 구강 점막 표면에 발생할 수 있으며 편평태선이나 백반증과 구별이 어려울 수 있어 병리 조직학적 진단이 필요하다. 병변의 면역 형광 소견은 면역 글로불린과 보체가 진피-표피 접합부의 기저막에 염색된 소견을 보인다. 전신성 홍반성 루푸스의 다른 증상은 치주질환, 구강건조증, 타액분비 저하증이 포함된다. 이런 증상은 독립적으로 일어나거나 쇼그렌 증후군과 연관되어 이차적으로 발생할 수 있다.[57]

3) 피부경화증(Scleroderma)

피부경화증의 구강 증상은 조직에 콜라겐이 축적되거나 신경과 혈관 주위에 콜라겐이 축적되어 유발된다. 저작에 관련된 근육이 섬유화되어 입을 벌리는 데 어려움이 발생하고 혀의 움직임이 제한된다. 이로 인해 연하장애가 일어난다. 구강 증상은 대부분 확장된 치주 인대 공간과 치주염에 의해 나타난다.[105] 피부경화증은 쇼그렌 증후군이나 CHEST 증후군(calcinosis cutis, Raynaud phenomenon, esophageal dysfunction, sclerodactyly, telangiectasia)과 동반되어 발생한다. 이러한 환자들은 동반된 구강건조증으로 인한 불편감을 호소한다.

4) 유육종증(Sarcoidosis)

유육종증은 혀, 입술, 하악, 상악에 종물과 함께 나타날 수 있는 전신 육아종성 질환이다. 조직검사상 구강 외에서 발생하는 증상과 일치하는 비건락성 육아종 소견을 보인다. 전염성 육아종, 베게너 육아종, 치아중심선 육아종 같은 다른 육아종성 질환과 히스토플라스마증, 분아균증 같은 감염성 육아종성 질환 그리고 림프종과 감별진단해야 한다.

5) 베게너육아종증(Wegener granulomatosis)

베게너육아종증은 조직학적으로 육아종성 염증과 혈관염이 특징인 드문 질환이다. 구강에 발생한 육아종성 염증은 점상 출혈을 동반한 검붉은 치은 병변으로 나타난다. 치아동요로 인해 발치를 유발하기도 하며, 구강 내 상처 발생 시 치유되지 않은 경우도 있다. 다른 장기를 침범하기 전에 장기간 구강에 국소적으로 한정되어 있기도 한다. 구강 생검은 질환의 조기 진단과 합병증을 방지하기 위해 매우 중요하다.

7. 감염성 질환(Infectious diseases)

1) 바이러스질환(Viral diseases)

단순포진바이러스(*HSV-1*), 수두대상포진바이러스(*VZV*)는 구강 안면 영역의 가장 일반적인 바이러스 감염의 원인이다. 구순포진이나 포진성 치은구내염(*HSV-1*) 또는 급성 통증을 동반한 구강안면병변(*VZV*)으로 발생할 수 있다. 초기 바이러스 감염은 보통 어린 시절에 발생한다. 그러나 감각신경절에 휴면해 있던 바이러스는 면역억제, 외상, 스트레스, 햇빛, 위장관 장애, 동시 감염 같은 요인에 의해 이차적으로 재활성화할 수 있다. 전구 기간이 지나면 *HSV-1*로 인한 수포는 파열되어 딱지를 형성하며 1~2주가 지나면 회복된다. 어린 시절 감염된 *VZV* 재활성화는 피부와 점막에 수포로 나타난다. 일반적으로 일측의 삼차 감각신경의 안분지, 상악, 하악 분지를 따라 분포한다. 실명, 안면 마비, 청각 손상, 어지럼은 대상 포진 후 신경통의 잠재적 후유증이다. Acyclovir와 관련 항 바이러스제 치료는 *HSV-1*의 예방 및 치료에 효과가 입증되었고 진단이나 발병이 의심될 때 바로 투여해야 한다.[64]

간염(Hepatitis) 역시 구강 안면 증상을 일으키며, 특히 황달 증상이 있는 단계에서 저명하다. 임상적으로 구강 점막, 눈, 피부에 황갈색의 색조가 나타난다. 만성 C형 간염은 편평태선을 유발할 수 있고 자가 항체에 의한 림프구성 침샘염도 발생할 수 있다.[29]

인간면역결핍바이러스(HIV) 질환 및 후천성면역결핍증후군(AIDS) 환자는 이들의 면역 상태 때문에 구강 합병증이 광범위하게 나타난다. 하지만 단백질 분해 효소 억제제의 사용과 조합 요법으로 AIDS로 진행하는 인간면역결핍바이러스 감염자의 수는 기하급수적으로 감소하였다.[35] AIDS로 진행한 환자의 경우 칸디다증, 카포시 육종, 모발성 백반증 같은 구강 합병증이 발생하며 이는 면역이 억제된 정도를 나타내기도 한다. HIV나 AIDS 환자에서 아프타성 궤양, HIV 치주질환(선형 치은 홍반과 괴사성 궤양 치주염), 침샘 질환, 비호지킨 림프종, 림프병증 같은 질환도 일반적으로 나타난다. 거대 세포 바이러스에 동시 감염은 HIV 환자의 경우 90%에서 발생하는데 구강 궤양, 식도염, 망막염의 원인이 된다. 또한 HIV에 감염된 환자에서 *Epstein-Barr* 바이러스 재활성화에 의해 혀의 측면, 복부 표면에 모발성 백반증이 발생하기도 한다.

2) 진균질환(Fungal diseases)

가장 흔한 구강의 진균 감염은 칸디다 알비칸스(*C. albicans*)에 의한 감염이다. 칸디다 알비칸스의 구강 인두에서 과증식은 다양한 병인에 의한 경우가 많다. 내분비장애(당뇨병 등), 면역억제, 영양 결핍, 약물(특히 항생제와 장기간 면역억제제 사용), 침샘의 기능 저하, 이동식 치과 보철, 구강 위생 불량 같은 요소들이 이에 해당된다. 칸디다증의 구강 증상에는 많은 변이가 있다. 위막성 형태(흰색, 쉽게 제거되는 패치), 급성 홍반이나 위축성 병변(홍반이나 미란성 병변), 만성 증식/의치 구내염(일반적으로 틀니 아래에서 발견되는 증식성 병변), 구각염(입술 교련 부위의 홍반, 손상되거나 균열이 생긴 병변) 같은 증상이 생길 수 있다.[156] 구각염은 종종 무치악, 뇌졸중 또는 기타 신경 근육 질환의 결과로 침을 흘리는 증상에 의해 이차적으로 유발되기도 한다.[206]

3) 세균성 질환(Bacterial diseases)

구강을 통해 구강과 인두에 감염을 일으키는 다양한 균들이 침입한다. *Porphyromonas gingivalis* 나 *Treponema denticola*는 종종 치주질환에 관여한다. *Staphylococcus aureus*나 *Streptococcus viridans*는 타액선 감염을 일으키는 것으로 알려져 있다. *Streptococcus mutans*나 *Lactobacillus species*는 충치를 일으키는 주요 원인이 된다. 치아를 통해 치과 감염이 기저골까지 확산되면 치아치조 농양이 발생할 수 있다. 치조골의 감염이 진행되어 구강 안면 부종과 비대칭이 발생하면 생명에 위협이 될 수도 있다(예를 들어, Ludwig angina). 결핵균 감염은 건강한 사람에서 드물며 주로 면역 저하 환자에서 볼 수 있다.

임균과 매독균에 의한 성병은 구강질환의 원인이 될 수 있다. 임질 감염은 악하 림프절 병증, 임균성 구내염(궤양과 점막 조직의 홍반), 인두 임균성 감염(가벼운 목의 통증)을 일으킨다. 매독에서 구강 병변은 병의 단계를 보여준다. 1기 매독은 구순 하감이 발생하며 2기 매독은 구진 병변, 홍반성 또는 회백색 미란, 인두염, 림프절 병증, 이하선 비대와 연관되어 있으며 이 시기의 점막과 피부 병변은 전염성이 높다. 선천성 매독은 Hutchinson incisors, mulberry molars 같은 치아의 이상을 유발한다.

8. 관절염과 골질환(Arthritides and bone disorders)

1) 류마티스 관절염(Rheumatoid arthritis)

류마티스 관절염(RA)은 TMJ를 포함한 관절과 관절 주위 구조물의 점진적 파괴를 야기한다. TMJ 병변을 가진 환자에서 여러 징후와 증상들이 발생한다. 클릭음, 고정, 염발음, 외이 촉지 시 통증, 하악 운동 시 통증, 부종, 과두 침식에 따른 상악, 하악 사이의 변화가 포함된다. 여기에 더해 질환이 진행되면 저작 시 통증이 발생하고 이는 전신 영양 상태에 문제를 일으키다.[229] RA는 흔히 쇼그렌 증후군 같은 다른 자가면역 결합조직질환과 동반된다.

류마티스 관절염과 기타 관절염 증상의 약물 관리는 구강 건강과 치과 치료에 심각한 부작용을 가질 수 있다. 금 화합물, 페니실라민, 메토트렉세이트, 기타 고용량/만성 면역억제약물은 급성 구내염과 구강 칸디다증이나 HSV 감염 재발 같은 미생물 감염을 유발할 수 있다. 새로 개발되는 항염증 생물학적 제제도 구강의 미생물 감염을 증가시키는 경향이 있다.[83]

RA 치료에 사용되는 비스테로이드성 항염증 약물, 살리실산염, 면역억제 약물 같은 약물은 구강 수술 중이나 수술 후, 과도한 출혈의 위험을 증가시킬 수 있다. 장기간의 면역억제요법은 부신 기능 부전을 초래한다. 그리고 광범위 구강 치료가 필요한 경우, 치료 전 글루코 코르티코이드 보충이 요구된다. 따라서 구강 위생을 매일 점검하는 것이 구강 건강을 유지하기 위해 필요하다.

2) 라이터 증후군(Reiter syndrome)

라이터 증후군은 결막염, 비대칭 하체 관절염, 비임균성 요도염, 환형 귀두염, keratoderma blennorrhagica 같은 특징을 보이는 재발성 관절염 질환이다. 구강 병변은 구강 점막, 잇몸, 입술에 구진과 궤양으로 나타난다. 혀에 병변은 지도상 혀와 비슷한 소견을 보인다.

3) 파제트병(Paget disease)

파제트병은 과잉 골 흡수가 발생하는 후천성 질환으로, 두개굴과 상악골을 자주 침범한다. 상악의 광범위한 확대와 변형이 일어나 치아 간 간격이 발생하고 치아 동요가 일어난다. 임상 소견은 침범한 뼈의 다발성의 방사선 투과, 불투과 병변이 존재하는 것으로 영상검사로 확인된다.

4) 유잉육종(Ewing sarcoma)

유잉육종은 때때로 하악을 침범하는 드문 뼈의 종양이다. 임상적으로 턱과 입술의 감각이상 증상이 발생할 수 있다. 방사선 영상과 핵의학 영상 검사, 조직검사 후 진단한다. 감별진단할 질환으로 육아종성 질환, 파제트병, 랑게르한스 세포 조직구증 및 부갑상선 기능 항진증이 포함된다.

9. 피부질환(Dermatologic conditions)

1) 편평태선(Lichen planus)

편평태선은 유전적 소인, 감정 스트레스, 약물, 음식, 치과 재료에 대한 과민 반응 같은 다양한 요인에 의해 유발되는 만성적인 피부 점막의 자가면역질환이다.[4] 플라크양, 수포성, 위축, 망상(Wickham striae로 알려진 레이스 모양의 흰 선), 미란형(주변의 선과 동반된 궤양 병변) 같은 다양한 임상 양상을 보인다. 병변은 주로 구강 점막, 치은, 혀에 발생하고 입술과 구개에 발생하기도 한다. 조직 병리 검사는 다른 일반적인 피부 점막 구강 병변(예를 들어, 아프타성 구내염, 천포창, 유천포창, 루푸스)과 편평태선의 감별진단에 유용하다. 이러한 다양한 구강 피부 점막 자가 면역 조건의 치료 목적은 구강 통증과 염증을 감소시키는 것이다. 구강 병변의 정도에 따라, 국소 면역억제제(일반적으로 연고와 젤 형태의 스테로이드)가 환자의 불편감 감소와 병변의 악화 예방에 도움이 된다. 국소 치료가 병변을 제어하는 데 불충분하면, 전신성 면역 요법이 고려되어야 한다. 일부 편평태선 병변이 악성으로 전환된다는 증거가 있어 특히 궤양성 병변을 가지는 환자는 정기적인 진료를 받도록 권유된다.

2) 심상성 천포창(Pemphigus vulgaris)

심상성 천포창은 desmoglein 3에 대해 생성된 항체에 의해 야기되는 자가면역질환이다. 기저층 상부에서 표피와 해리가 일어나고 가시세포분리(acantholysis)가 동반된다. 임상적으로 소포가 발생하고 파열되어 통증, 출혈을 동반한 궤양으로 진행하는 수포성 병변의 양상을 보인다. 병변은 구강, 안구의 점막과 피부에 발생하며 치료 후 2주 정도에 완화된다. 구개, 잇몸 협부 점막, 혀의 구강 점막은 가장 일반적으로 침범되는 위치이다.[179] 구강 점막에 약간의 압력을 가했을 때, 새로운 병변이 생겨나는 Nikolsky sign 양성일 때 진단할 수 있다. 조직 병리 검사와 직접 면역 형광 검사도 필요하다. 심상성 천포창의 치료는 편평태선과 유사하다. 그러나 병변이 광범위한 범위에 발생이 가능하므로 반복적 감염, 전해질 불균형, 인두, 후두, 식도 내로 확산에 의한 연하 곤란 같은 이차적 합병증을 예방하기 위해 전신성 스테로이드와 면역 억제제를 사용하는 경우가 더 많다. 심상성 천포창의 변형으로, 부종양 천포창은 기존 종양에 동반되어 발생하는 자가면역 수포성 질환으로 주의 깊은 다학제 치료가 필요하다.[167]

3) 점막 유천포창(Mucous membrane pemphigoid)

점막 유천포창은 상피 기저에 위치한 항원에 의해 표피 박리와 피하 수포 형성이 일어나는 질환이다.[214] 천포창과 유사하게 초기에 홍진과 수포가 구강에 발생하고 파열되어 위막성 궤양을 초래한다. 구강 내에서 종종 치은 조직에 발생하여 박리성 치은염을 일으키고 이후 흉터의 원인이 된다.[15] 안구 합병증으로 각막 손상과 결막 점막에 흉터를 남겨 실명을 일으킬 수 있다. 따라서 정확한 진단이 중요하고 이후 여러 분야에서 종합적으로 치료하는 것이 필요하다.

4) 다형 홍반(Erythema multiforme)

다형 홍반은 일반적으로 구강과 피부에 수포성 병변을 일으키는 급성, 재발성, 자연히 회복되는 자가면역질환이다. 이는 제 III형 과민반응, 약물 알레르기, 헤르페스 감염에 의해 유발되는 것으로 보인다. 증상은 협부 점막, 입술, 구개, 혀에 수포가 생성되고 파열되어 통증을 동반한 궤양이 유발된다. 피부 병변은 특징적인 과녁 모양 또는 bull's eye 형태로 발생하여 치료를 시작하게 되며 입술은 붓고 출혈과 가피를 동반할 수 있다. 스테로이드, 항 바이러스 요법이나 약물을 사용하면 약 14일 뒤 증상이 호전된다. Stevens-Johnson syndrome은 이 질환의 심한 형태로 일반적으로 감염보다 약물에 의해 유발되며 구강 및 기타 피부와 점막 표면을 침범한다.[182]

10. 위장관질환(Gastrointestinal disorders)

1) 크론병과 궤양성 대장염(Crohn disease and ulcerative colitis)

염증성 장 질환, 크론병, 궤양성 대장염 환자는 구강 재발성 아프타성 궤양이 발생할 수 있다.[175] 궤양성 대장염처럼 아프타성 궤양은 자주 홍채염, 관절염, 결절성 홍반 같은 다른 점막질환과 연관된다. 궤양성 대장염은 또한 화농구내염, 진행성 괴사와 구강 점막 조직의 염증과 연관되기도 한다. 구강 아프타성 궤양 외에, 크론병은 결절성 부종, 점막의 조약돌 모양 형태 및 깊은 육아종 형태의 궤양과 연관된다.

2) 베체트 증후군(Behcet syndrome)

베체트 증후군은 반복적 구강과 생식기의 궤양, 관절염, 그리고 눈과 소화기의 염증성 질환으로 구성된 특발성 질환이다. 구강 궤양은 반복적 아프타성 궤양으로 대부분의 환자에서 발생하며 다른 부위를 침범하기 전에 먼저 나타난다.

3) 위식도 역류질환(Gastroesophageal reflux disease)

위식도 역류질환은 산에 의해 구강의 점막과 치은의 미란성 염증성 병변을 일으킨다. 역류가 장기간 지속되면 치아 에나멜질의 미란도 발생할 수 있다.

4) 흡수장애질환(Malabsorption diseases)

비타민과 영양소의 흡수장애를 유발하는 소화기 요인의 과다하면 이는 구강질환을 유발할 수 있다. 글루텐에 민감한 장질환 또는 복강질환은 재발성 아프타성 궤양으로 나타낼 수 있다. 비타민 A 결핍은 피부와 점막의 이각화성 변화, 구각염(입술 교련의 곰팡이 감염) 그리고 치아의 상아질, 에나멜층에 손상을 일으킨다. 비타민 B2(리보플라빈) 결핍은 구각염과 입술, 입, 혀의 타는 듯한 통증과 연관된다. 비타민 B12와 엽산의 결핍 또한 재발성 아프타성 궤양을 생성 할 수 있다. 니아신 결핍증(pellagra)은 혀가 붓고 치열을 압박하면서 혀와 기타 구강 점막 조직에 영향을 미칠 수 있다.

괴혈병 또는 비타민 C 결핍은 혈관 손상, 치은 증식, 구내염에 의해 모낭 주위 출혈, 구강의 점상 출혈과 연관된다. 치아는 느슨해지고 침범된 치은 조직은 구취의 원인이 될 수 있다. 비타민 D는 칼슘 흡수를 위해 필요하기 때문에 비타민 D 결핍증은 칼슘 대사를 교란시킨다. 칼슘 결핍은 하악골 감소증, 특히 무치악 하악의 골다공증뿐 아니라 만성 저칼슘 혈증에 의한 법랑질 형성 부전에도 연관될 수 있다. 비타민 K 결핍은 종종 구강 출혈성 수포로 발생하여 출혈 경향을 나타내기도 한다. 엽산과 철분 결핍은 사상 유두의 위축으로 인한 위축성 설염을 일으키고, 구각염이나 때때로 구강 점막의 과각화증을 일으킨다. 아연 결핍은 미각의 변화를 주어 음식의 섭취에 변화를 유발할 수 있다.

11. 신경계질환(Neurologic diseases)

1) 치매(Dementia)

치매가 진행되면서 환자는 점차적으로 스스로를 돌볼 수 있는 능력을 상실한다. 자신을 돌보지 못하고 인지 능력의 하락 그리고 운동 능력이 줄어들면서 적절한 구강위생을 실행할 수 없게 된다. 이러한 문제는 치매의 정도가 심해지면서 나타나게 된다. 치매의 가장 일반적인 형태인 알츠하이머 질환을 가진 개인은 구강 위생이 불량하면서 구강 건강에 손상을 입는다. 나이와 성별이 같은 정상인과 비교해서 치석, 치은 출혈이 크게 증가한다. 그리고 약을 복용하지 않더라도 침샘 기능의 저하가 일어나게 된다.[176]

인지장애를 가진 노인은 오래된 의치나 정상인에 비해 비교적 위생이 불량한 의치를 가지고 있다. 불량한 구강 위생의 또 다른 후유증은 충치의 증가 경향이다. 이는 치매가 심해짐과 동시에 동반되어 나타난다. 대부분의 구강 질환은 치매의 약물 치료에 의한 결과이다. 항우울제 같은 항콜린성 부작용을 가지는 약물이 치매 치료에 자주 사용되는데 타액분비 부전의 원인이 되고, 궁극적으로 여러 구강인두질환의 원인이 된다. 이들 환자의 대부분은 정상적인 인지 능력이나 구강 감각을 가지고 있지 못하므로 구강 통증, 감염, 병리 증상을 적절하게 표현할 수가 없다. 그러므로 병이 진행됨에 따라 더 자주 구강 건강 검진을 받아야 한다. 치매가 악화될수록 보호자는 매일 구강 위생을 관리하고 구내질환을 인지하고 치과 치료를 받도록 관리해야 한다.[107]

2) 파킨슨병(Parkinson disease)

파킨슨병 환자의 뇌에서 아세틸콜린의 증가는 식도의 운동장애와 연하 곤란을 일으킬 수 있다. 입을 다무는 능력이 손상되어 결과적으로 침을 흘리고 입술 교련의 진균 감염으로 구순염이 발생한다. 일반적으로 파킨슨 증상의 치료를 위해 사용되는 levodopa, selegiline 같은 항콜린성 약물은 타액선 기능을 저하시켜 구강 건조증을 유발한다. levodopa를 장기간 사용했을 때, 입맛다심, 얼굴 찌푸림, 혀 움직임 같은 비자발적인 구강 안면의 움직임을 특징으로 하는 tardive dyskinesia가 부작용으로 나타난다. 무표정, 저작의 어려움, 느린 말, 머리, 입술, 혀의 떨림 같은 증상은 병의 중증도에 따라 증가하는 일반적인 증상이다.[12]

3) 중증 근무력증(Myasthenia gravis)

아세틸콜린 수용체의 손실이나 기능장애로 인한 자가면역질환인 중증 근무력증은 일시적 근육의 약화를 일으킨다. 구강 안면 증상은 질식, 비강 역류, 음성 변화를 동반한 연하곤란으로 나타난다.

4) 벨 마비(Bell palsy)

벨 마비로 알려진 편측 안면마비는 7번 뇌신경의 손상으로 인해 발생한다. 표정을 나타내는 근육이 조절되지 않으면서 얼굴 모양이 왜곡된다. 영향을 받은 쪽의 입술과 뺨의 기능이 손실되어 자가 정화 능력이 감소되고 적절한 구강 위생을 유지하지 못하면서 편측의 충치가 발생할 수 있다.

5) 다발성 경화증(Multiple sclerosis)

다발성 경화증 환자는 긴 신경의 탈수초화로 인해 근육의 기능이 손실된다. 이는 구강 건강에도 나쁜 영향을 미친다. 혀의 기능이 약화되고 상지의 움직임이 소실되어 치아 손상과 치과 보철물, 틀니의 위생을 불량하게 만든다. 안면과 입술, 혀 같은 부위에 접촉했을 때 입술과 잇몸, 턱의 극심한 편측성 통증이 발생하는 삼차 신경통이 일반적으로 나타난다.

6) 근긴장성 근위축증(Myotonic muscular dystrophy)

근육 약화와 근긴장성 근이영양증으로 인해 구강 기능과 건강이 심각하게 손상받는다. 수축 후 근육을 이완하는 기능이 손상되어 씹는 것, 입술 오무림, 머리를 돌리는 데 어려움을 겪게 된다. 안면 근육이 침범되어 의치를 착용하는 기능이 억제된다. 근긴장성 근이영양증을 치료하는 데 사용되는 약물(quinine)은 구강 건조증과 구강 점막 부종을 야기하는 것으로 알려져 있다. 벌어진 앞쪽 치아와 구호흡은 일반적으로 안면근육 약화와 지방 침착으로 인한 혀의 비대로 인해 나타난다.

12. 기관과 분비샘의 질환(Diseases of organs and glands)

1) 신장질환(Renal diseases)

신장 장애나 신부전은 최종적으로 복막 투석이나 혈액 투석을 필요로 한다. 이런 환자들은 여러 구강질환에 노출되기 쉽다. 타액분비 기능 저하, 상처 치유 장애, 재발성 구강 점막 감염, 치아 우식증, 치은염, 치주염 같은 질환들이 이에 해당된다.[15,134] 이런 문제들은, 특히 미생물 감염이 있는 경우, 장기간 스테로이드 및 다른 면역억제제를 복용하는 경우에 발생한다. 요독증 구내염은 투석을 받는 환자에서 전형적으로 발생하며 위막 형성, 궤양성 병변, 치은과 점막의 출혈, 반상 출혈과 함께 홍반성 협부 점막의 비후가 증상으로 나타난다. 이들 병변의 발생은 종종 혈액 요소 질소 농도의 증가에 연관되며 요독 상태가 해결되면 자발적으로 치유된다.[215]

구강 점막 표면의 출혈은 혈소판 응집능 저하와 혈소판 인자 III 감소에 기인한다. 혈액 투석 환자는 혈소판 파괴로 인한 출혈 경향을 경험한다. 출혈 문제가 있을 때, 구강 증상은 점상 출혈과 반상 출혈이다. 일반적으로 신부전에서 관찰되는 골 변화는 치조백선 소실, demineralized bone, 방사선 투과성 턱 병변(치아 변위가 발생하고 중앙 거대 세포 육아종 생성), widened trabeculations 같은 증상을 포함한다.[215] 이런 골 용해성 병변은 부갑상선 기능 항진증의 결과이다. 투석하는 동안 혈액 응고를 막기 위해 헤파린이 투여되기 때문에 구강 치료는 투석이 없는 날에 시행해야 하며 치료 시 과량의 출혈이 발생하지 않도록 주의해야 한다.

신장 이식은 말기 신부전 환자의 치료방법 중 하나이다. 이식 후, 환자는 장기간 면역억제제를 투여받아야 한다. 이로 인해 사이클로스포린에 의한 치은 증식, 스테로이드에 의한 구강 진균 감염 같은 다양한 구강 후유증이 발생한다. 신장 이식 수여자는 칸디다증, 백반증, 이형성증, 입술의 암 같은 구강 병변이 크게 증가한다고 보고되었다. 이들 환자에 있어 신장 이식 전, 구강 평가와 치료 그리고 이식 후 구강 건강과 기능을 유지하기 위해 정기적 진료를 받는 것이 요구된다. 그렇게 함으로서 면역 저하 환자에서 구강 감염이 전신적으로 퍼지는 것을 막을 수 있다.[11]

복막 투석 환자는 구강 관리에 있어 추가적인 문제는 없지만, 혈액 투석을 받는 환자는 감염성 심내막염의 위험이 존재한다. 혈액 투석을 받는 환자 중, 감염성 심내막염이 발생한 경우의 약 10~17%는 구강의 미생물(예를 들어 *S. viridans, Lactobacillus spp.*)에 의해 유발된다.[118] 그러므로 침습적인 구강 치료 시 동정맥 shunt/graft를 통한 혈액 투석 환자에서 예방적 항생제를 신중히 고려할 것이 제안된다.[161]

2) 만성 간질환과 황달(Chronic liver diseases and cirrhosis)

불량한 구강 위생, 충치, 치주질환은 만성 알코올 중독 환자에서 빈번한 구강질환이다. 하지만 적당한 알코올을 소비하는 경우에도 치주질환에 걸릴 위험이 증가하는 것으로 보고되었다. 아마도 알코올이 호중구, 대식세포, T 세포에 미치는 해로운 효과 때문으로 보인다. 알코올 중독과 구강질환의 결과로 영양 장애가 유발되고 이는 구강 점막 표면과 입술의 교련 부위(구각염) 진균 감염의 재발에 더하여 설염과 혀 유두의 손실을 초래할 수 있다. 과도한 알코올 섭취와 흡연은 구강암의 주요 위험 요인이다. 따라서 알코올 중독 환자의 구강 검사 시 구강 바닥의 앞부분, 혀의 측면부, 구강인두의 후방 같은 위험도가 높은 부위를 반드시 확인해야 한다.

구강 미생물 감염과 상처 치유능 손상은 간경화 환자에서 알코올로 인한 면역억제에 의해 발생하는 가장 흔한 합병증이다. 구강 감염 증가에 대한 감수성은 환자가 간 이식과 수술 후 면역억제요법을 받을 때 증가한다. 이런 환자들은 구강염의 위험을 줄이기 위해 치과에서 면밀한 관찰을 받아야 한다. 후각과 미각의 감소로 인해 영양 섭취가 억제되고 이하선 비대로 인해 가역적으로 타액선 기능이 저하되는 증상이 간경화 환자에서 보고된 바 있다.

응고질환은 간 기능 장애가 있는 환자에서 발생한다. 이런 환자는 구강 내 수술 후 출혈이 발생할 위험이 있다. 응고장애가 있을 때 점막의 점상 출혈과 반상 출혈, 자발적 치은 출혈이 발생할 수 있다. 잇몸, 치주 및 치조골 수술 전에는 혈액 응고 검사가 필요하며 적절한 지혈을 위한 조치가 필요할 수도 있다.

13. 혈액학적 질환(Hematologic disorders)

1) 출혈질환(Bleeding disorders)

뇌졸중과 심방 혈전 예방을 위한 항응고요법을 시행 중인 환자는 출혈 질환을 가질 수 있다. 항응고제(헤파린, 와파린, 비타민 K 길항제, thrombin inhibitors), 항혈소판제(아스피린, adenosine diphosphate, adenosine diphosphate receptor blockers)와 혈전 용해제(1세대, streptokinase; 2세대, alteplase; 3세대, reteplase)는 점상 출혈이나 반상 출혈, 자반 같은 구강 점막 병변의 출혈을 야기할 수 있다.

선천성 혈소판질환과 응고장애는 출혈을 일으킬 수 있다. 가장 흔한 유전성 출혈질환은 7번 보조인자(von Willbrand factor) 결핍에 의해 유발되며 혈소판 응집이 불량하여 발생한다. 가벼운 경우에는 수술이나 외상 후에 정상적 출혈을 보이지만, 심각한 경우에는 혈우병과 유사하게 구강 점막에서 자발적 출혈이 생길 수 있다. 혈우병은 선천성 응고질환으로 Ⅷ 인자의 결핍 또는 결함에 의해 발생한다. 혈우병에서 출혈의 빈도와 심각성은 VIII 인자의 혈중 농도와 직접 연관된다. 심한 경우, 구강, 입술, 관절에서 과도하게 자연적인 출혈이 발생할 수 있다. X-염색체 관련, 열성 유전질환인 Wiskott-Aldrich 증후군에서 면역 결핍에 의해 피부와 구강 점막의 출혈, 자반증 증상과 재발성 감염, 습진, 만성 혈소판 감소증이 발생할 수 있다.

혈소판 수의 감소는 혈소판 감소성 자반증을 일으킨다. 일차성 특발성 혈소판 감소증은 자가면역 과정에 의한 것으로 생각된다. 반면 이차성 혈소판 감소증은 약물이나 백혈병과 같은 전신질환에 의해 발생할 수 있다. 구강 점막의 점상 출혈과 출혈성 수포가 구강 증상으로 나타난다.

2) 백혈구질환(White blood cell disorders)

백혈병과 그 치료는 구강에 지대한 영향을 미친다. 출혈과 궤양, 점상 출혈, 치은 증식 같은 구강 점막의 변화는 백혈병의 초기 증상일 수 있다.[225] 면역이 억제된 상태이기 때문에 환자는 세균, 곰팡이, 바이러스 감염 위험에 노출되어 있다. 화학요법은 점막염 및 점막 궤양을 일으킬 수 있다.[143] 불량한 구강 위생으로 인해 잇몸 염증, 출혈, 점막 궤양, 치주질환이 발생할 수 있다. 그러나 이러한 경구 후유증은 충분한 구강 위생, 정기적인 치과 진료, 항균 치료에 의해 감소될 수 있다. 이식편대숙주질환은 공여자 세포에 대한 항원의 숙주 반응으로 골수 이식 후 일반적인 현상이다. 구강 후유증은 점막 궤양, 점막염, 구강 건조증, 연하곤란을 포함한다.[39]

무과립구증에서 생산되는 백혈구의 급성 감소는 화학요법이나 면역질환에 의해 유발될 수 있다. 구강 증상은 점막, 인두, 피부의 괴사성 및 궤양성 병변을 포함한다. 반복적인 세균 감염, 구강 궤양, 치주 질환은 Chediak-Higashi syndrome의 일반적인 증상이다. 과립구의 리소좀 막에 발생하는 이 유전질환을 가진 사람들에게서 종종 비호지킨 림프종이 발생한다.

빈혈로 인한 경구 증상은 혈액의 산소 운반 능력의 저하의 원인과 연관된다. 창백한 구강 점막, 혀 유두의 손실과 동반된 통증, 구각염은 비타민 B12 및 철 결핍성 빈혈의 특징이다. 심한 철 결핍성 빈혈을 가진 환자는 구강 통증, 연하곤란 증상을 호소하며, 구강 및 인두암에 대한 위험도가 증가한다. 또 Plummer-Vinson syndrome으로 진행할 수 있다. 겸상 적혈구 빈혈증을 가진 사람의 피부와 점막에는 황달이 나타날 수 있다. 그리고 골다공증과 골수의 변화를 방사선 영상의 골 소견에서 발견할 수 있다.

14. 여성의 구강 건강과 질환(Women's oral health and disease)

여성에서만 나타나는 구강 증상 대부분은 호르몬의 변화에 의해 유발되거나 악화되는 것으로 생각된다. 여성의 일생 중, 특정 기간의 호르몬 변화로 인해 다양한 구강 병변이 유발된다(예를 들어, 사춘기, 월경, 임신, 폐경).

1) 사춘기(Puberty)

사춘기에 발생하는 섭식장애는 구강 소견을 통해 초기에 알아볼 수 있다. 신경성 폭식증이나 신경성 거식증에서는 일반적으로 스스로 구토를 유도하거나 위 내용물이 만성적으로 역류하여 상악의 전치부에서 설측 에나멜의 침식을 일으킬 수 있다. 이 질환의 다른 구강 증상으로 구강 및 인두 점막 조직 손상, 구각염, 탈수, 이하선 비대가 포함된다.[85]

2) 임신(Pregnancy)

홍반성 치은과 치간 조직의 병변을 보이는 임신 치은염은 모든 임신의 2/3에서 나타난다. 일반적으로 임신 1분기에 나타나 임신 기간 동안 지속된다. 국소 자극에 대한 반응이 증가하여 유발된 염증성 치은 증식은 화농성 육아종으로 불리는 점막 상태로 진행될 수 있다. 이는 임신 종양, epulis gravidarum 또는 임신 육아종으로 불리기도 한다. 임신의 10% 미만에서 발생하지만 상악 전치부에서 치간 조직에 단일 종양상의 증식이 발견될 수 있다. 완전한 제거를 위해서는 외과적 절제가 필요하다.

3) 폐경과 폐경 이후(Menopause and postmenopause)

폐경은 stomatodynia, stomatopyrosis 또는 구강작열감증후군, 구강건조증 같은 구강 불편감과 동반된다. 병인은 명확하게 밝혀지지 않았다.[193] 구강작열감증후군의 경우 항우울제 치료를 시작하기 전에 구강 미생물 감염, 침샘 이상, 그리고 치아 치조 질환, 영양 결핍, 대사 장애를 배제하기 위해 광범위한 평가가 필요하다.[187] 폐경기와 폐경 후 구강 점막의 변화는 창백, 건조하고 광택이 있으며 쉽게 출혈이 발생하는 잇몸 조직을 특징으로 하는 폐경기 치은구내염을 포함한다.

4) 비스포스포네이트 경구약(Oral Bisphosphonates)

경구, bisphosphonate는 골다공증 치료를 위해 처방된다. 항암 목적으로 정맥 투여하는 형태와 달리 경구, bisphosphonate는 드물지만 뼈의 괴사를 유발한다. 이 병의 과정을 osteonecrosis of the jaws라고 명명하고 있으며 괴사된 뼈를 제거하여 치료한다.[114]

5) 유전성 선천성 질환(Inherited and congenital disorders)

다수의 선천성 기형에서 머리, 목, 구강에 다양한 증상을 보인다. 치열에 영향을 주는 다양한 질환 중, 일반적인 것 중 하나는 영구치가 발생하는 동안 테트라사이클린이나 과도한 불소 섭취로 인한 착색, 얼룩이 진 치아이다. 선천성 매독은 앞니의 이상(notched edges, Hutchinson teeth)과 어금니의 이상(dome-shaped or mulberry molars)을 일으킨다. 골형성부전증으로 인한 부서지기 쉬운 뼈질환은 치조골과 상아질에 영향을 미친다. 치아는 유백색으로 동요가 발생하고 안면골의 병적 골절이 발생할 수 있다. 상아질 부전증으로 인해 에나멜질과 상아질 사이의 접합이 손상되어 골절과 치아 우식에 민감한 결과를 초래한다. 치아의 잘못된 형성이나 과잉 치아는 쇄골두개형성부전증 같은 다른 골격계 질환에서 발견된다.[174]

정상보다 높은 구개의 높이를 보이는 구개의 이상은 터너증후군에서 흔하게 나타난다. 높은 아치형의 연구개와 밀집된 치아, 그리고 흔하지는 않으나 구순열과 구개질환은 Marfan Syndrome에서 나타난다. Oral-facialdigital syndrome 또는 orodigitofacial dysostosis는 짧은 상순과 입술과 혀 사이의 설소대의 비대, 그리고 경구개, 연구개의 구개열을 특징으로 하는 질환이다. 대설증과 구개열 또는 높은 아치형 구개는 다운증후군에서 관찰 할 수 있다. 상악의 형성 부전과 치아 결손 또는 무치아증이 동반된다. 이런 환자들은 초기 괴사성 치은구개염과 치주염에 더 민감하다.

비정상적인 구강 점막 색소 침작은 많은 질환에서 나타난다. Sturge-Weber syndrome (encephalofacial angiomatosis)에서 구강 점막에 다수의 혈관종이 보일 수 있으며 편측 삼차 신경의 분포에 따라 얼굴 피부와 구강 점막의 포트 와인 색의 색소침착을 보일 수 있다. 입술과 구강 점막 표면의 모세혈관확장증은 어린 시절 발생하여 몇몇 심각한 질병에서 나이에 따라 증가할 수 있다. Rendu-Osler-Weber syndrome, hereditary hemorrhagic telangiectasia, Fabry disease (angiokeratoma corporis diffusum universale)가 이에 해당되며 이 질환들은 환자의 나이가 증가하면서 혀, 구강, 비강 점막의 모세혈관확장증이 명확해지게 된다. 치은의 흑색증은 흑인에서 정상적 변이로 발생하지만, 위장관에서 철분 흡수가 증가하는 상염색체 우성 질환인 혈색소 침착증에서도 발생할 수 있다. Albright disease (polyostotic fibrous dysplasia)은 치은 조직의 흑색증, 안면 피부의 cafe-au-lait spots ("coast of Maine" spots) 그리고 섬유 이형성증이 턱뼈를 침범하면서 치아의 이동과 동요가 일어난다. 입 주위 피부와 치은 조직의 흑색증은 Peutz-Jeghers 증후군에서도 존재한다. 지질 단백질 대사 질환인 Tangier disease는 노란색 편도나 연구개의 회색 반점에 황백색을 나타내는 pathognomonic xanthomas와 연관되어 있다.

상악, 하악, 혀의 섬유종은 적어도 다음에 열거된 5개의 전신 증후군과 연관성이 있다. 1) congenital von Recklinghausen disease는 피부와 뼈의 다발성 신경 섬유종, 피부의 cafe-au-lait spots, 구강 흑색증을 보이는 상염색체 유성 질환이다. 2) 내분비 선종증 type 3은 혀와 입술의 신경 섬유종과 관련된다. 3) Cowden 병은 얼굴, 팔, 구강 점막에 사마귀 모양의 구진 발생이 특징인 우성 유전질환이다. 4) 결절성 경화증과 neurocutaneous syndrome은 cafe-au-lait spots과 구강 내 섬유종과 연관된 질환이다. 5) Melkersson-Rosenthal syndrome은 편측 안면 마비, 눈 주위 피부의 부종과 조직검사에서 섬유종으로 진단되는 유두상 돌기를 보이는 균열설을 특징으로 하는 발달 이상 질환이다.

상악과 하악의 뼈 병변을 일으키는 몇몇 선천성 질환들이 있다. Langerhans cell histiocytosis, Letterer-Siwe disease, Langerhans cell eosinophilic granuloma, Hand-Schuller-Christian disease 모두 조직구증식에 의해 뼈의 침윤성 파괴 증상을 보이는 질환이다. 이는 치은종, 치아 동요, 점막 미란으로 나타날 수 있다. Gaucher disease는 lipid-laden histiocytes의 축적으로 인해 정상 cerebroside가 파괴되어 감소하는 것을 특징으로 하는 질환이다. 이 질환은 턱 방사선 투과성 병변을 초래한다. 골 화석증은 하악과 상악의 골형성 과다로 인해 발생하며, 파제트병, 섬유 이형성증, X 조직구증, 말단 비대증의 증상과 유사하게 나타난다.

Ⅲ 면역 저하 환자의 두경부 질환

상부 호흡소화관은 미생물이 들어가는 통로로 두경부 영역의 감염을 막고 하부 호흡기, 위장관으로 병원균이 유입되는 것을 방어하기 위한 면역 체계가 필요하다.[44] 면역결핍이 있는 환자에서 정상인과 같은 방어 기전이 존재하지만 더 큰 영향을 받게 된다.[185] 면역결핍 환자가 노출되는 감염은 주로 구강, 귀, 측두골, 부비동, 경부 림프절을 침범한다. 이에 더해 염증이나 암 같은 면역 기능에 변화를 주는 질환이 면역결핍 환자에서 더 많이 발생한다. 면역결핍 환자가 두경부 영역에서 겪게 되는 감염질환에 대해 요약했다(표 15-2).

1. 침샘질환(Salivary gland disease)

1) HIV 감염 환자와 이식 환자에서의 구강건조증

HIV 양성 환자와 이식 수여자에서 구강건조증이 많이 발생한다. 구강건조증의 유병률은 HIV 양성 환자의 2–10%, 줄기세포 이식 환자에서는 40% 이상으로 보고되고 있다.[77,135] 구강 건조증은 만성 이식편대숙주질환(GVHD)에서 많이 발생한다. 혈연적 관련이 없는 기증자로부터 이식을 받은 환자의 40–70%에서 증상이 나타나고 GVHD 환자의 80%는 구강건조증을 호소한다.[3,24,196] HIV 환자의 경우 일부는 HAART (Highly Active Anti-Retroviral Therapy), 항우울제 및 다른 약물의 사용에 의해 발생하기도 하나, 부비동질환이나 아데노이드 비대로 인한 만성 구호흡에 의해서도 유발되며, 침윤성 림프구 증후군과 연관된 경우도 있다. HIV 환자와 이식 환자에서 타액 유량이 감소하면 치아 우식증과 삼킴 장애의 발생이 증가하게 된다.[99,130,135] 타액 대체제, 식염수 린스, 침분비 촉진제가 이러한 문제를 완화하는 데 도움이 된다. 치아 우식은 불소로 예방할 수 있다.

2) HIV 환자에서 침샘의 병변

타액선 병변은 HIV 양성 환자에서 일반적이다. 특히 소아에서 잘 발생하며 18% 이상에서 이하선 종물로 진료를 받는다.[106,211] 이런 병변은 비호지킨성 림프종이나 카포시육종 같은 AIDS와 연관된 악성 종양, 미만성 침윤성 림프구 증후군(DILS), 매우 드물지만 이하선 지방 종증에 의해서 발생할 수도 있다. 그러나 HIV 양성 환자에서 침샘 종물의 대부분은 양성 림프 표피 낭종(BLEC)으로 알려진 양성 병변이다.[38,106,159] BLECs는 경부 림프 병증과 동반되어 지속적이고 무통증의 비대를 보인다.[41] HIV에 감염된 성인의 3–6%, 소아의 1~10%에서 발생한다.[119] 비록 HIV 감염이 병인이지만 HIV 음성 환자에서 발생이 보

표 15-2. 면역결핍 환자에서 나타나는 일반적인 두경부 증상

감염 증상	비감염 증상
구강	침샘 질환
칸디다증	신경병증
단순 포진	난청
아프타성 궤양	HIV와 연관된 안면 지방위축증
구강 모발성 백반증	
비부비동	**악성종양**
급성 부비동염	AIDS-defining malignancies
만성 부비동염	카포시육종
침습성 부비동염	비호치킨성 림프종
귀와 측두골	Non-AIDS-defining malignancies
중이염	호치킨성 림프종
유양돌기염	이식 후 림프구증식성 질환
림프절	피부외 편평세포암
경부림프병증/림프절염	비흑색종성 피부암

고된 바도 있다.[94] 침샘관의 폐쇄와 타액선 팽창을 일으키는 림프 조직의 증식이나 이하선 내 림프절에 림프 증식에 의해 발생한다고 생각되며,[82] 분비 상피가 림프절 내로 함입되어 낭성 확대를 유발한다.[169,226] 농축된 분비물이 타액관 폐쇄로 이어져 타액선염과 통증을 일으킬 수 있다. 이러한 병변은 낭포 성분과 고체 성분의 비율이 다양하다. 임상 증상은 주로 편측으로 나타나는 반면 방사선학적 평가에서는 양측성 변화 소견이 주로 관찰된다.[177,184,188] BLECs는 조직학적으로 증식 및 화생된 편평 상피로 둘러싸인 낭종 벽의 소견을 보이며, 전체적인 림프 증식이 관찰된다.[41] 대부분은 이하선에서 발생하나 일부는 턱밑샘에서 발생하며 드물지만 구강, 갑상선, 췌장 같은 다른 위치에서도 발견될 수도 있다.[119] 낭성 이하선 병변의 감별진단은 쇼그렌 증후군, 낭포성 와르틴 종양과 새열낭종을 포함한다. 와르틴 종양의 국소 결절이나 BLECs에 동반된 림프병증의 유무에 기초해서 영상학적으로 양측 낭성 와르틴 종양과 BLECs는 구별할 수 있다.[184]

타액선의 종물을 주소로 내원한 HIV 양성 환자의 평가에 있어 증상 여부, 종물의 크기 증가 속도, 통증 같은 동반증상 등에 초점을 맞추어 병력 청취를 해야 한다. 체중 감소, 발열, 야간 발한 같은 증상도 조사해야 한다. 이러한 증상은 림프종이나 결핵(TB)의 가능성을 시사한다. 신체 진찰은 양측 종물 여부를 확인하여 BLECs의 일반적인 특징에 초점을 두어야 한다. 그리고 경부에서는 림프절 병증을 확인해야 한다. 검사자는 경화, 통증, 고정, 안면마비 같은 증상이 있을 경우 악성종양을 의심하고 확인해야 한다.

FNA는 침샘 종물의 진단에 유용하다. 편측 종물이나 악성이 의심되는 경우 FNA를 시행해야 한다. HIV 양성인 환자의 99개의 이하선 FNA 결과를 보면 75%에서 BLECs와 일치했고 14%는 염증이나 감염이었다. 그리고 6%는 신생 종양이었다. 신생 종양의 경우 모두 악성이었고 NHL 3례, 다발성 골수종 1례, 폐에서 전이된 선암종 1례, 피부의 기저세포암종이 직접적으로 확장된 경우가 1례였다. 6%의 환자에서는 FNA로 진단되지 않았다.[31] HIV 양성인 환자의 침샘 종물에서 시행한 FNA에 대해 큰 규모로 시행된 최근 연구에서는 34%가 반응성 림프병증, BLECs 23%, 그리고 23%는 감염(거의 대부분 *Mycobacterium*)에 의한 질환으로 나타났다. 또한, 환자의 7%는 다형선종, 림프종, 카포시육종, 편평세포암종과 횡문근육종 같은 신생 종물성 질환이 포함되었다.[119] 투명 세포암종도 HIV 양성 환자에서 보고된 바 있다.[101] BLECs의 FNA 소견에서는 이종성 림프 조직, 산재된 거품양 식세포와 무핵의 편평 세포가 관찰되었다.[41] 배 중심, 관 상피의 화생을 나타내는 근상피 섬과 낭성 관 팽창으로 림프종과 BLECs를 감별할 수 있다.[180]

BLECs 환자를 위한 다양한 치료방법이 있다. 모든 환자에서 HAART 치료가 초기 치료일 필요는 없다. 이런 병변들은 항바이러스 치료로도 감소할 수 있기 때문이다.[109,124,199] 심한 미용상의 문제가 없는 경미한 증상의 환자는 단독으로 경과 관찰을 하는 것이 최선이다. 저용량 방사선 치료 시, 병변의 크기가 50% 이상 감소한다는 보고가 있으나 이러한 효과의 지속 기간은 일반적으로 10개월 미만이다.[17] 일부 환자에서 세침 흡인을 시행할 수 있으나 반복적으로 시행해야 하므로 차선책이라 하겠다. 세침 흡인과 doxycycline이나 tetracycline을 이용한 경화요법으로 상당한 크기를 감소시킬 수 있다.[49,104,198] 100 mg/6 mL doxycycline solution이 쓰이며 낭종을 흡인한 IV 카테터를 통해 주입한다. 대부분의 환자는 작은 잔류 섬유성 종물만 남는다. 하지만 이 치료의 장기 결과는 알려져 있지 않다.[104,198] 경화 요법에 쓰이는 다른 약물로 sodium morrhuate, 에탄올 및 bleomycin이 있다.[21,110,117,123] BLECs의 치료 시 항상 안전 기준을 따르며 주의를 기울이는 것이 중요하다. 혈청에서 바이러스가 검출되지 않는 환자에서도 낭종 흡인액에서 HIV 코어 항원과 RNA가 확인되었기 때문이다.[207]

HIV와 연관된 BLECs는 일반적으로 이하선 절제술이 필요하지 않다. 그러나 병변이 빠르게 성장하거나, 외관

손상, 압박에 의한 증상이 발생하면 이하선 절제술이나 종물 제거술을 고려할 수 있다. 이에 더해 수술은 큰 병변을 해결할 수 있을 뿐 아니라 매우 낮은 재발률을 보인다.[58,168,191] 이하선 절제술을 시행해야 하는 다른 적응증으로 FNA상 신생 종물, 고형 성분이 우세한 편측 종물, 악성 종양이 우려되는 경우가 있다. BLECs의 악성 변화는 보고된 바 없다.[41]

3) 미만성 침윤성 림프구 증후군(Diffuse infiltrative lymphocytosis syndrome)

1980년대에 HIV 양성 환자에서 건조증 증상과 동반된 이하선 증대가 알려졌다. Itescu와 동료들은 1990년에 분리된 개체로 미만성 침윤성 림프구 증후군(DILS)을 처음 분류하였다.[14] DILS는 HIV 환자에서 순환하거나 장기 내 CD8 림프구 증가가 동반되는 침샘의 종대를 특징으로 한다. 종종 경부 림프병증과 동반되고 60% 이상의 환자에서 구강건조증, 안구건조증을 보이는 sicca syndrome이 보고된다.[81,108] DILS에서 샘 이외의 질환은 림프구성 간질성 폐렴 또는 신장 기능 장애를 포함 할 수 있다.[81] 백인에 비해 흑인 환자에서 두 배 정도 발병률이 높다.[89,112] 소타액선 조직검사에서 림프구 침윤을 보이거나 조직검사가 불가능하다면 gallium-67 scintigraphy 양성이면 진단할 수 있다.[82] DILS은 침샘의 비대, 건조증 증상, 침샘의 조직학적 소견상 쇼그렌 증후군 표현형과 유사하다. 그러나 이하선 부종이 DILS에서는 보편적으로 발생하나 쇼그렌 증후군 환자에서는 1/3 이하에서만 발생한다.[82] 더해서 DILS은 더 빈번한 침샘외 림프구 침윤, 림프구 집계에서 CD8 세포 우위(대조적으로 쇼그렌 증후군은 CD4 우위), 드물게 혈청 자가 항체가 존재하는 것 같은 특징을 가진다.[81,82] 치료는 일반적으로 지지 치료를 시행하고 ART에 초점을 둔다. HAART 시행 이전 시기에는 DILS가 대략 HIV 양성 환자의 3-4%에서 발생했으나 HAART 치료가 시행된 이후에는 유병률이 1% 미만으로 대폭 감소했다.[81]

2. 면역결핍 환자의 경부 종물에 대한 진단(Diagnostic approach to neck masses in immunodeficient patients)

1) HISTORY AND PHYSICAL EXAMINATION

이비인후과 의사는 종종 면역결핍 환자의 경부 종물에 대한 평가를 요청받게 된다. 진단을 위해 먼저 철저한 병력 청취와 신체검사를 시행한다. 임상의는 최근의 질병, 개나 고양이와의 접촉, 결핵에 노출 같은 경부 병증을 유발하는 감염 위험 요인에 대해 질문을 해야 한다. 그리고 담배나 알코올 사용 같은 두경부암의 위험 요인도 확인해야 한다. 병력과 신체 검진에서 특이점이 발견된다면 림프절 종대는 병적일 가능성이 높다.

비록 특정한 증상 그 자체로 감염이나 악성종양의 감별할 수는 없지만, 알려진 원인이 없이 증상을 보인다면 추가적인 조사가 필요하다. 면역결핍 환자에서 림프종에 의한 경부 림프 병증은 환자의 50% 정도에서 B symptoms이 동반된다.[94,95,147,209] 경부림프절의 분포, 크기, 이동성은 감염이나 악성 종물 여부를 알려줄 수 있는 단서일 수 있다. 경부림프절이 2 cm 이상의 크기, 편측, 통증 동반, 심부, 비대칭 같은 양상이면 육아종 질환이나 림프종 같은 병인을 의심해야 한다.[170] 압통성 병증은 세균 감염에 이차적으로 발생할 가능성이 높아 화농성 림프절염이나 결핵을 의심해야 한다. 반면에 비압통성 림프절 비대는 악성종양일 가능성이 있다.[27] 철저한 두경부 검진을 통해 감염 또는 악성종양을 감별할 수 있다.

2) 감별 진단(Differential diagnosis)

HIV 양성 환자에서 경부 병증의 유병률에 대한 객관적인 자료는 아직 부족하다. 그러나 한 연구에서 비후된 림프절에 대한 FNA 결과, 모든 HIV 양성 환자 중 54%는 경부림프절을 침범했다고 보고했다.[157] 림프절 병증을 가진 HIV 양성 환자 중 대략 40%는 양성 반응성 림프병증이었고 20-30%는 결핵 병인을 가지고 있었다.[52,120,149]

그러나 림프 병증을 가진 경우 다른 감염이나 신생 종물이 병인일 가능성도 존재한다. 진균감염, *Pneumocystis jiroveci* (formerly *Pneumocystis carinii*) 감염, 림프종, 카포시육종, 일반인에서도 발병하는 다른 질환들이 여기에 포함된다.[52,120,157] 악성종물은 최대 10%에서 존재한다. 전체 인구에서도 여러 병리학적 과정에 의해 이와 같은 경향이 나타날 수 있고 많은 임상적인 소견으로만 판단하는 것은 민감성이 낮기 때문에 종종 림프절 조직의 미생물학적 및 조직학적 평가를 수행하는 것이 필요하다(표 15-3). 기회감염의 병력, CD4 개수, 바이러스 양에 의해 확인되는 환자의 면역 상태는 경부 병증에 대한 감별진단에 도움이 될 수 있다. 비록 비호지킨성 림프종과 *mycobacteria* 감염은 더 심한 면역억제 상태일수록 가능성이 높지만, CD4 개수만으로는 감염과 악성을 배제하는 것은 효과적이지 못하다.[20,22,163]

표 15-3. 면역결핍 환자에서 경부종물의 감별진단

1. 미만성 침윤성 림프구증가 증후군 (HIV 양성 환자)
2. 특발성
3. 감염성
세균성 림프절염 또는 구강구인두 감염에 속발된 농양
Cat-scratch disease (*Bartonella henselae*)
마이코박테리움 림프병증: 결핵 또는 비결핵성 항산성균
뉴모시스티스 림프절염 또는 갑상선염
톡소플라스마 림프절염
바이러스 림프절염: *cytomegalovirus, Epstein-Barr virus*
4. 이하선의 림프표피낭종 (HIV 양성 환자)
5. 신생물
카포시육종
림프종(이식 후 림프구증식성 질환 포함)
비호치킨성
호치킨성
전이성 암
전이성 흑색종
침샘 종양
갑상선 종양

폐외 결핵은 HIV 양성 환자에서 양성 반응성 림프병증에 이은 림프절 종대의 두 번째 가장 흔한 원인이다.[52,120,157] 결핵은 HIV 양성 환자에서 여전히 중요한 사망 원인이지만 효과적인 치료법이 알려져 있기에 신속한 진단과 치료의 시작이 중요하다. HIV 양성 환자에서 폐외 결핵 의 가장 일반적인 부위는 림프절이다. 하지만 후두, 구강, 입술, 그리고 이하선을 포함한 다른 두부 및 경부 부위도 침범한다.[78,84,102,122,133,154,157] 장기 이식 수여자가 결핵에 감염되면 폐외 증상을 보일 가능성이 높다. (환자의 10-20%) 경부가 포함되는 경우도 6%로 보고되었다.[30] 이식 수여자에서 결핵 감염 시 침범되는 두경부 부위는 경부림프절, 후두, 중이가 포함한다.[53,80,84,202] 비결핵성 *mycobacteria* 감염 역시 면역 저하 환자에서 발생하는데 종종 폐 감염, 경부림프절염, 궤양성 피부 병변을 일으키고 측두골까지 침범한 경우가 보고되어 있다.[155]

3) 진단검사(Diagnostic workup)

FNA는 경부 종물에서 초기에 병리 표본을 얻을 수 있는 우수한 방법이다. 채취한 시료에서 세포 분석과 호기성 및 혐기성 세균, *mycobacteria*, 진균을 확인하기 위해 배양과 염색을 시행해야 한다. 림프종도 감별 대상이므로 셀 블록도 준비해야 한다. 이것은 flow cytometry 같은 추가적인 진단평가를 할 수 있게 하여 림프종의 반응 조직을 감별할 수 있고, 림프종을 분류하여 치료를 결정할 수 있게 한다. 주사기에 흡인 여부와 별도로 세침을 수 차례 이동하는 식으로도 FNA의 진단율을 높일 수 있다. 초음파는 촉진이 어려운 림프절의 진단율을 증가시킨다. 시료 채취 오류, 세포 병리학 슬라이드의 부적절한 준비, 세포학적 특징에 대한 오해로 인해 위음성 결과가 발생할 수 있다. 최근 연구에서 HIV 양성 환자의 FNA에서 불충분한 샘플의 비율은 10% 미만으로 보고되었다.[119,120] 림프종 환자의 경우 FNA로 진단하면 조직 유형을 확인하기에는 부적절하므로 개방 생검이 고려되어야 한다. 신선한 생검 표본은 바로 병리과로 보내고 림프종의 가능성을 알려야 한다. 감염이나 악성이 의심되는 경우 FNA에서 음성이거나 결론 내리기에 적합하지 않다면 진단 목적의 개방 생검을 시행해야 한다.[27,42] 림프절 크기 2 cm 이상이며 크기가 증가하는 경우, 낮은 CD4 개수, 비대칭 편측 또는 국소화된 림프 병증, 원인불명의 전신 증상, 종격동 병증, 간비 종대 같은 요인이 있을 경우 개방 생검이 필요하다. 다만 전이성 암종이 의심되는 경우 개방 생검은 피하고, 가능하면 FNA로 진단한다. 전이성 암이 진단되면, 원발종양을 찾기 위해 상부 호흡소화관의 철저한 검사가 시행되어야 한다.

4) 구강(Oral cavity)

HIV에 감염되었거나 이식을 받은 많은 환자에서 구강 질환이 발생한다. 가장 흔한 질환은 구강 칸디다증이며 이어 구강 모발성 백반증이다.[140,189,200] 다른 질환은 카포시육종, 치주와 치은 감염, 아프타성 궤양, 헤르페스 구내염, 구강 건조증이 포함된다. 이식 수여자는 면역억제 약물을 복용해야 하므로 구강 합병증의 위험성이 있다. 그리고 일부 환자들은 줄기세포 이식 전에 전신 방사선 조사의 부작용으로 구강질환을 경험한다.[144]

가장 널리 사용되는 HIV 감염에 의한 구강 병변 분류 체계는 HIV 감염과 동반된 중증도에 따라 분류하는 것이다(표 15-4).[34] 2002년 국제 워크숍에서 이 분류 체계를 유지하도록 결론 지었다. 하지만 2009년 the Oral HIV / AIDS Research Alliance (에이즈 임상 시험 그룹의 일부)에서 이 체계를 병인에 따라 병변을 분류하는 식으로 개정하도록 제안하였다(표 15-5).[142,172] 비록 일부 자료에서 장기간의 HIV 감염(>10년)의 경우 구강 병변의 위험도와 CD4 개수 간의 관계가 약화된다고 하였으나, HIV와 관련된 구강 병변의 위험도는 낮은 CD4 개수와 상관관계가 있다.[189] 비록 소아를 대상으로 한 소규모 연구에서는 유의할 만한 결과가 나오지 않았지만, HAART의 사용 이후, HIV 관련 구강질환은 10–50%까지 감소했다.[60]

표 15-4. HIV와 연관된 구강 병변의 HIV 연관강도에 따른 분류

1. HIV 감염과 강하게 연관된 병변
a. 칸디다증 b. 구강 모발성 백반증 c. 카포시육종 d. 비호치킨성 림프종 e. 치주 질환 Linear gingival erythema 괴사성 궤양성 치은염 괴사성 궤양성 치주염
2. HIV 감염과 일반적으로 덜 연관된 병변
a. 마이코박테리아 감염(전형적 그리고 비전형적) b. 흑색종성 과색소침착증 c. 괴사성(궤양성) 구내염 d. 침샘 질환 구강건조증 침샘 비대 e. 혈소판감소자색반 f. 바이러스 감염 단순 포진 인간 유두종 바이러스 *Condyloma acuminatum* 심상성 사마귀 수두 대상포진 바이러스
3. HIV 시 관찰되는 병변
a. *Actinomyces israelii*, *Escherichia coli*, 또는 *Klebsiella pneumoniae* 감염 b. Cat-scratch disease(*Bartonella henselae*) c. Epithelioid (bacillary) angiomatosis d. 진균 감염(칸디다증 포함) *Cryptococcus neoformans* *Histoplasma capsulatum* *Mucoraceae* *Aspergillus flavus* e. 재발성 아프타성 구내염

HAART 치료를 받은 HIV 양성 환자의 약 20–35%에서 구강 합병증이 생긴다.[140,153,200] 카포시 육종과 비호지킨성 림프종이 구강과 인두에 발생하는 가장 일반적인 악성종양이다. 그러나 에이즈 환자의 평균 수명이 증가하면서 다른 악성종양 발생 위험도 고려해야 한다. 그러므로 임상의

표 15-5. HIV와 연관된 구강 병변의 병인별 분류

1. 진균 감염
위막성 칸디다증 홍반성 칸디다증 구각 구순염
2. 바이러스 감염
구강 모발성 백반증 구강 사마귀 구순 포진 재발성 구내 단순포진 감염
3. 특발성 원인
재발성 아프타성 구내염 분류되지 않은 궤양/괴사성 궤양성 구내염
4. 세균 감염
괴사성 궤양성 잇몸염 또는 치주염
5. 신생물
구강 카포시육종 구강 비호치킨성 림프종 구강 편평세포암종

는 다음과 같은 점을 항상 염두에 두어야 한다. 1) 일반적으로 환자에서 발생하는 구강 병변을 잘 알아야 하고, 2) 짧은 기간 동안의 경험적 치료에 반응이 없는 경우 가능한 모든 병변을 의심하고 조직검사를 수행한다. 3) 여러 병변이 같은 발병 기전을 가지고 있다고 가정하지 않는다.

5) 진균감염(Fungal infections)

(1) 구강 칸디다증(Oral Candidiasis)

칸디다 감염은 성인 및 소아에서 HIV 감염에 의한 가장 흔한 구강 증상이다.[145] HAART는 구강 칸디다 감염(Oral Candidiasis)의 발생에 큰 영향을 미친다. HAART를 받지 않은 환자의 10–24%, 받은 환자의 2–10%에서 구강 칸디다증이 발생한다고 보고되었다.[91,208,228] CD4 개수가 200 cell/μL 이하일때, HAART를 받지 않은 환자의 유병률은 39%까지 증가되었다.[208] 구강 칸디다증은 이식 수여자의 경우 25% 이상에서 발병하며, 이는 정상인에 비해 10배 높은 비율이다.[69,70,144,224] *C. albicans*가 일반적으로 원인이며 HIV 양성 환자의 40–60%에서 구강 내 *C. albicans*의 집락이 존재한다.[47,103,224] 이식 수여자에서는 무증상 감염 비율은 증가하지 않으나 무증상의 비 *C. albicans* 집락은 증가한다.[144] 구강 칸디다증은 기회감염이며 CD4 개수, 높은 바이러스 부하, 흡연 등과 강하게 연관되어 있다.[116] HAART를 받은 환자에서 구강 칸디다증의 발병은 면역과 바이러스 통제에 실패했음을 예측할 수 있게 한다.[103,121]

구강 칸디다증의 세 가지 일반적인 형태는 위막성 칸디다증, 홍반성 칸디다증, 구각염이다. 위막성 칸디다증(아구창)은 어느 점막 표면에나 발생할 수 있는 부드러운 흰색 또는 코티지 치즈 같은 플라크로 나타난다. 플라크를 걷어 내면 홍반성 기저를 남긴다. 흰 플라크가 묻어나온다는 점에서 구인두의 다른 흰 병변과 구별될 수 있다. 홍반 칸디다는 경미하거나 중간 정도의 홍반성 패치를 보여준다. 구각염은 구순 교련에 부드러운 홍반성 균열 및 궤양을 나타낸다(그림 15-12).[34] 구강 칸디다증과 감별할 질환은 백반증, 상피내암이 있다. 구강 칸디다증은 경험적 항진균제에 반응 여부에 따라 진단할 수 있다. 더욱 확실한 진단은 병변을 scraping하여 수산화칼륨 제제 또는 그람 염색하거나 생검하여 periodic acid–Schiff stain을 시행하는 것이다. 칸디다 종은 또한 면역 저하 환자의 후두개에 괴사성 병변을 일으키는 것으로 보고된 바 있다.[166,171]

CD4 개수가 200 cells/μL 이상인 구강 칸디다증 환자는 국소 항진균제로 성공적으로 치료된다. nystatin suspension (100,000 U/mL) 5 mL을 하루 4회 또는 clotrimazole troche 10 mg을 하루 5회, 총 14일 복용한다.[10] CD4 개수가 200 cells/μL 이하인 환자는 fluconazole이나 itraconazole이 권고된다.[146] ketoconazole도 선택 가능하다. 다른 azole계 약물에 반응이 없을 경우 Posaconazole이 효과적이다.[213,222] 비록 예방적 fluconazole이 일시적 구강 칸디다증을 예방하는 효과를 보이지만, 내성균주, 비용 문제, 생존상 이익 부족을 이유로

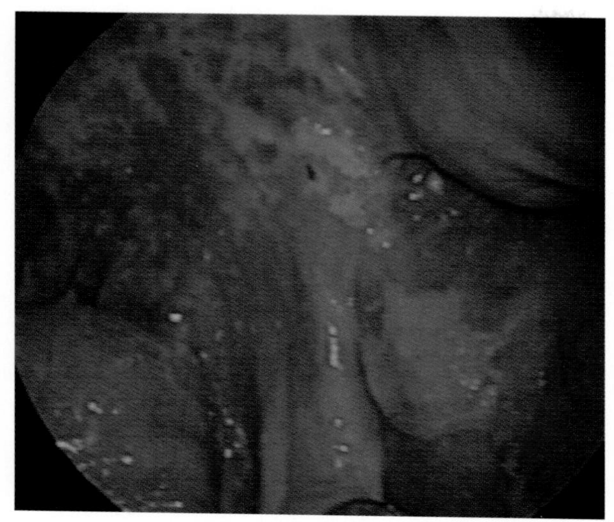

■ 그림 15-12. **위막성 칸디다증.** 좌측 구강 협부에 생긴 위막성 칸디다증. 이 부드러운 흰색 플라크는 쉽게 점막에서 벗겨지며 홍반이나 출혈성 기저가 드러난다.

인해 예방적 사용은 권유되지 않는다.[65]

(2) **구강 히스토플라스마증**(Oral Histoplasmosis)

히스토플라스마증는 *Histoplasma capsulatum*에 의한 진균 육아종성 질환으로 발생 시 AIDS를 의심해야 한다.[220] *Histoplasma capsulatum*는 북미, 중미, 남미 지역과 아시아와 아프리카 지역에서 발병하는 풍토병이지만, 전 세계에서 발견된다.[221] 풍토병이 발병하는 지역의 성인 중 50-80%가 감염될 수 있지만, 대부분 무증상이다.[100] 면역 능력이 정상인 경우에도 구강 병변이 발생할 수 있지만, 경구 히스토플라스마증(OH)은 HIV 감염을 강하게 시사한다. 풍토병 지역에서 OH의 유병률은 HIV 감염 환자에서 3%, 비감염 환자에서 0.1% 미만이다. 따라서 OH가 발생한 환자 진료 시에는 HIV 검사를 시행해야 한다.[205,220] 히스토플라스마 감염의 전신증상은 급성 또는 만성 폐질환 또는 파종 질환으로 나타난다.[205] 피부 점막 침범은 대부분의 경우 파종된 히스트플라스마증에서 일어나지만 고립된 경우에도 발생할 수 있다.[220] HIV 양성 환자에서 히스토플라스마증은 비강과 이하선에도 영향을 미친다고 보고되었다. 그리고 면역억제된 장기 이식 수여자에서도 또한 발생할 수 있다.[56,126,210] 구강 히스토플라스마증은 CD4 개수가 50 cells/μL 아래인 경우 발생하며 구강 증상 없는 파종성 히스토플라스마증 환자에 비해 6개월 이내 사망률이 더 높다.[36,37]

구강 히스토플라스마증 증상은 위점막을 가진 증식성 육아종성 병변으로, 이로 인한 통증과 홍반성 패치를 보인다.[220] 동반된 경부 병증도 존재할 수 있다.[59] 진단은 체액에서 항원 검사를 하거나 생검을 통한 조직검사나 *H.capsulatum* 배양 검사로 이루어진다.[100] 파종성으로 발생한 구강 히스토플라스마증은 병의 중증도에 따라 치료가 달라진다.[221] 심각한 증상을 가진 AIDS 환자는 amphotericin B deoxycholate (0.7 mg/kg/day) 또는 liposomal amphotericin B (3 mg/kg/day)를 사용하고 이어 평생 경구 itraconazole (200-400 mg/day)을 복용하도록 권장된다. 증상이 가볍거나 중등도인 경우 경구 itraconasole 단독요법이 효과적이다. CD4 개수가 150 cells/μL 아래인 환자나 다른 면역억제 환자에서 반복적 질환을 가지면 예방적으로 매일 itraconazole을 복용한다(그림 15-13).

6) 침습성 진균감염(Invasive Fungal Infection)

일반적으로 부비동을 침범하지만, HIV 양성이거나 다른 면역억제 환자에서 구강, 인두, 후두에도 침습성 진균감염이 발생한다.[7,13,32,62,93,125,129,131] 이러한 침습성 감염의 진단과 치료를 위해 질환을 의심하고 신속히 치료를 시행하는 것이 요구된다. 한 증례 보고에 따르면 질환의 조절을 위해 후두전절제술이 필요하기도 했다.[96]

7) 바이러스 감염(Viral infections)

(1) **구강 모발성 백반증**(Oral Hairy Leukoplakia)

구강 모발성 백반증(OHL)는 *EBV*에 의한 주름과 모발형태의 표면을 가진 흰색 병변이다. 소규모 연구에서 대조

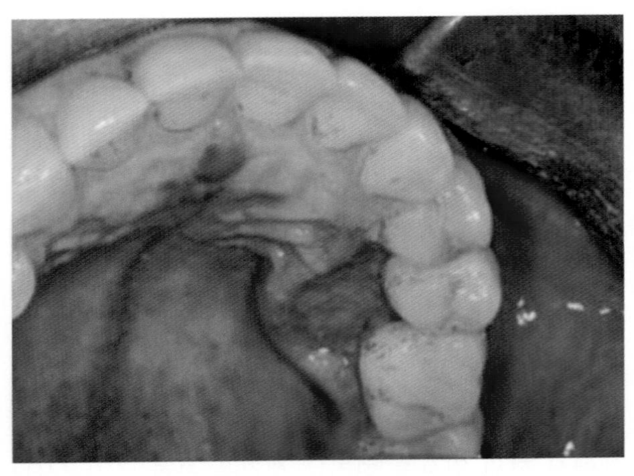

■ 그림 15-13. **구강 히스토플라스마증.** 좌측 치아와 경구개 사이의 병변이 보인다.

군의 타액 샘플에서는 20%에서 바이러스가 검출된 것에 비해, *HIV* 양성 환자의 80%에서 *EBV*가 검출된다고 보고했다.[5] 이 결과는 면역 저하 환자에서 OHL의 유병률이 높은 것을 설명할 수 있다. OHL은 주로 혀의 측면에서 발생한다. *HIV* 양성 환자의 3–12%에 영향을 미치고 이식 수여자 또한 2–13%에서 발생한다.[54,68] 소아에서는 드물게 나타나 단지 3–4%에서만 발견된다.[211] 무증상 환자에서 OHL가 존재하는 것은 *HIV* 감염에 의해 중등도에서 심각한 수준으로 면역이 억제되었다는 것을 의심하게 하는 강력한 지표가 된다. OHL의 위험 인자로 낮은 CD4 개수, 높은 바이러스 부하와 구강 칸디다증의 존재가 포함된다.[54,111,127] 구강 칸디다증이 발생하는 것과 비교할 때, OHL이 발생한 것이 심한 면역 저하와 바이러스 관리의 실패를 의미하는 것은 아니다.[121]

구강 병변이 항칸디다 치료에도 불구하고 지속되는 경우나 악성 또는 전 암성 병변을 배제하기 위한 경우 조직검사가 필요하다. OHL의 감별진단에는 백반증, 세포내암, 비후성 칸디다증 및 편평태선이 포함된다. OHL은 조직에서 과다 각화, 극세포화, 이상이 없거나 또는 가벼운 염증을 보이는 상부 가시 세포층에 "balloon cells"이 존재하는 것으로 진단할 수 있다. 그리고 기저 상피 세포에서 EBV가 존재한다.[67] 진단이 이루어지면 추가적인 치료는 거의 필요치 않다. OHL은 종종 무증상이며 악성 전환을 하지 않기 때문에 적극적인 치료 권고를 할 만한 증거가 불충분하다. podophyllin 또는 retinoin 같은 국소 치료제의 효과에 대해 시험했으나 일반적으로 재발되었다. 한 소규모 연구에서는 podophyllin 크림에 acyclovir를 추가하여 12개월에 완전 관해되었다고 보고한 바 있다.[128] 전신 항바이러스제(desciclovir, valacyclovir, acyclovir, ganciclovir, foscarnet, and famciclovir)를 이용한 치료 시도가 보고된 바 있으나, 치료의 효능을 뒷받침할 근거가 부족하다.[10]

(2) 단순포진바이러스(Herpes Simplex Virus)

HIV 감염의 모든 단계에서 단순포진바이러스(*HSV*)에 의한 구강의 감염 빈도는 증가한다. *HSV*에 대한 혈청 양성 반응은 *HIV* 양성군에서 대략 95%에 이른다.[19] 일반 인구에서는 80%에서 양성이다. HSV 병변의 유병률은 HAART 치료가 도입된 이후 감소하여 최근 유병률은 2–3 %로 보고된다.[142,211] CD4 개수가 100 cells/μL 미만일 때, 특히 포진 병변은 지속된다. *HSV* 관련 구내염은 이식 수여자에서 증상이 있는 구강 병변의 가장 흔한 원인이다.[144] 구순 포진은 구강의 단순 포진 감염의 가장 흔한 증상이다. *HIV*에 감염된 환자에서 구강 병변이 발생하는 경우, "fever blister"는 일반적으로 더 크고 더 많으며 오래 지속되고 일반 인구에 비해 더 자주 재발한다. *HSV*에 의한 구강 감염은 일반적으로 경구개와 잇몸, 혀의 배부에 각화 및 부착된 점막에 영향을 미친다. 특징적인 모양은 홍반성 halo 없이 작은 원형 궤양을 보인다. 다발 궤양은 저작과 연하에 상당한 불편감을 유발하여 영양 상태에 나쁜 영향을 미친다. *HIV*에 감염된 환자에서 *HSV* 감염은 오래 지속되고 덜 국소화된 형태로 나타날 가능성이 높다.

HSV 감염은 일반적으로 특징적인 병변의 출현에 의해 경험적으로 진단한다. 7일간 경구 famciclovir, valacy–

clovir, acyclovir를 처방하여 치료한다.[19] 하지만 심한 병변은 IV acyclovir가 필요할 수 있다. 적절한 치료 후 지속되는 병변은 기저에서 세포를 채취하여 민감도 검사를 위해 배양을 시행한다. acyclovir에 내성을 보이는 HSV 감염에서는 IV foscarnet을 치료제로 선택한다. 심하게 자주 재발하는 환자에서는 매일 경구 acylovir, famciclovir, valacyclovir 복용하는 억제 치료를 고려해야 한다.

(3) 인간유두종바이러스(Human Papillomavirus)

인간유두종바이러스(*HPV*)는 구강이나 성기의 사마귀 발생 원인이 될 수 있다. 다른 *HIV* 관련 구강 병변과 유사하게 낮은 CD4 개수와 연관된다.[98] *HIV* 양성 환자에서 경구 사마귀의 발생 빈도는 1.6%이나 무증상 감염은 최대 40%에 이른다.[16,92,192] 흥미롭게도, 구강 사마귀의 발생 빈도는 낮은 바이러스 부하에서 증가한다.[6,10] 이런 현상은 면역재구성염증(immune reconstitution inflammatory syndrome, IRIS)과 유사한 메커니즘에 의해 설명되기도 하나 불분명하다. 구강 *HPV* 감염 비율은 HAART 치료가 시작된 이후에도 감소하지 않았다. 실제로 증가했을 수도 있다. 이식 수여자 역시 일반 인구보다 구강 사마귀 가능성이 더 높다. 무증상 구강 *HPV* 감염은 18-20%로 보고된다.[144] 구강 린스 샘플에서 *HPV* 검사를 시행하는 것이 점막이나 편도선에서 솔로 샘플을 채취하는 것보다 훨씬 진단 수율이 높은 것으로 밝혀졌다.[192] *HIV* 감염 인구에서 이러한 병변의 최적 관리를 조사한 연구는 거의 없다. 하지만 수술은 증상이 있는 병변에 대한 가장 일반적인 치료다. 대체 요법은 cidofovir, bleomycin, cimetidine, podophylin 또는 병변 내 인터페론 주입이 포함된다.

8) 아프타성 궤양(Aphthous ulcers)

아프타성 궤양은 세 가지 유형이 있으며, 모든 유형에서 구강 점막에 영향을 미친다. 헤르페스양 아프타성 궤양은 지름이 0.2 mm보다 작으며 자연 치료된다. 마이너 아프타성 궤양은 홍반성 halo와 함께 경계가 분명하고, 통증이 있는 지름 6 mm보다 작은 형태로 나타난다(그림 15-14). *HIV*에 감염된 환자에서 궤양은 큰 병변을 형성하며 합쳐지는 모습을 보이며 약 2주 정도 지속된다. 메이저 아프타성 궤양(Sutton disease)은 직경은 6 mm보다 크며 고통스럽고 1주간 지속되며 구강을 통한 영양 섭취를 어렵게 한다. 악성종양과 구별하기도 어렵다. 아프타성 궤양의 발생 빈도는 1-8% 정도이다.[73,142,152] 치료는 악성을 배제하고, 증상을 완화하며 영양 상태를 점검하는 데 초점을 맞추어야 한다. 궤양의 가장자리에서 생검을 하여 조직 병리 검사를 시행하여 림프종 및 SCC를 감별진단한다. 메이저 아프타성 궤양에서 크기, 만성도, 예민한 동통에 의해 구강 섭취가 여려워 영양이 부족하다고 여겨지면 환자의 몸무게를 점검하고 다른 방법으로 영양 공급을 지원한다. 작은 궤양의 초기 치료는 국소 보호제와 진통제가 권고된다.[90] 큰 궤양이나 잘 낫지 않는 작은 궤양 병변에서는 thalidomide (200 mg/ day)가 효과를 보인다.[10] 하지만 재발 방지에는 효과가 없다. 병변 내 스테로이드 주입 또는 전신 스테로이드는 효과적인 것으로 밝혀졌다.[93]

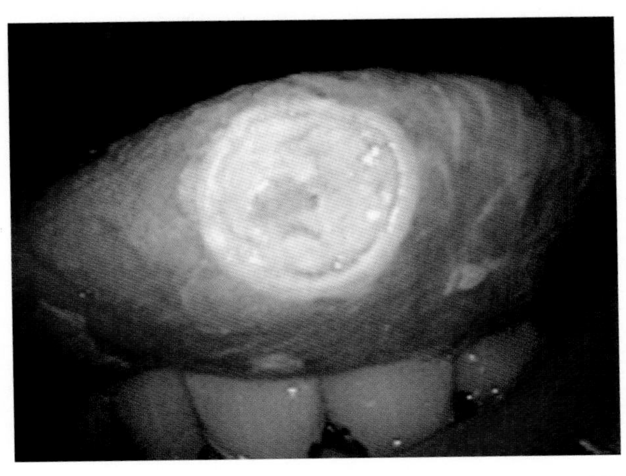

■ 그림 15-14. **혀의 첨부에 발생한 아프타성 궤양.** 이런 병변은 림프종이나 편평세포암과 감별이 어려워 조직검사를 시행해야 한다.

9) SUMMARY

HIV 감염의 치료 방법이 발달하고 장기 이식, 줄기세포 이식의 성공률이 증가하면서 면역결핍 환자도 오랫동안 건강하게 삶을 영위하게 되었다. 이에 면역결핍 환자에서 발생하는 두경부 질환의 유병률과 사망률을 낮추기 위해 질환에 대한 진단과 치료가 중요하게 되었다. 비록 임상의에게 이러한 환자의 치료는 쉽지 않으나, 면역 저하 환자에서 두경부질환이 발병하는 기초 병리기전에 대해 명확히 이해함으로써 질환을 효과적으로 평가하고 치료하는 것이 가능하다.

참고문헌

1. Ai JY, Smith B, Wong DT. Bioinformatics advances in saliva diagnostics. *Int J Oral Sci.* Jun 2012;4(2):85-87.
2. Alaani A, Hogg RP, Drake Lee AB. Wegener's granulomatosis and subglottic stenosis: management of the airway. *J Laryngol Otol.* Oct 2004;118(10):786-790.
3. Alborghetti MR, Correa ME, Adam RL, et al. Late effects of chronic graft-vs.-host disease in minor salivary glands. *J Oral Pathol Med.* Sep 2005;34(8):486-493.
4. Al-Hashimi I, Schifter M, Lockhart PB, et al. Oral lichen planus and oral lichenoid lesions: diagnostic and therapeutic considerations. *Oral Surg Oral Med Oral Pathol Oral Radiol Endod.* Mar 2007;103 Suppl:S25 e21-12.
5. Amornthatree K, Sriplung H, Mitarnun W, Nittayananta W. Effects of long-term use of antiretroviral therapy on the prevalence of oral Epstein-Barr virus. *J Oral Pathol Med.* Mar 2012;41(3):249-254.
6. Amornthatree K, Sriplung H, Mitarnun W, Nittayananta W. Impacts of HIV infection and long-term use of antiretroviral therapy on the prevalence of oral human papilloma virus type 16. *J Oral Pathol Med.* Apr 2012;41(4):309-314.
7. Athanassiadou F, Kourti M, Papageorgiou T, Danielidis J. *Invasive aspergillosis of the larynx in a child with acute lymphoblastic leukemia. Pediatr Infect Dis J.* Feb 2005;24(2):190-191.
8. Awano S, Ansai T, Takata Y, et al. Oral health and mortality risk from pneumonia in the elderly. *J Dent Res.* Apr 2008;87(4):334-339.
9. Baatenburg de Jong RJ, Hermans J, Molenaar J, Briaire JJ, le Cessie S. Prediction of survival in patients with head and neck cancer. *Head Neck.* Sep 2001;23(9):718-724.
10. Baccaglini L, Atkinson JC, Patton LL, Glick M, Ficarra G, Peterson DE. Management of oral lesions in HIV-positive patients. *Oral Surg Oral Med Oral Pathol Oral Radiol Endod.* Mar 2007;103 Suppl:S50 e51-23.
11. Baker KA. Antibiotic prophylaxis for selected implants and devices. *J Calif Dent Assoc.* Aug 2000;28(8):620-626.
12. Bakke M, Larsen SL, Lautrup C, Karlsborg M. Orofacial function and oral health in patients with Parkinson's disease. *Eur J Oral Sci.* Feb 2011;119(1):27-32.
13. Barnes C, Berkowitz R, Curtis N, Waters K. Aspergillus laryngotracheobronchial infection in a 6-year-old girl following bone marrow transplantation. *Int J Pediatr Otorhinolaryngol.* May 31 2001;59(1):59-62.
14. Basu D, Williams FM, Ahn CW, Reveille JD. Changing spectrum of the diffuse infiltrative lymphocytosis syndrome. *Arthritis Rheum.* Jun 15 2006;55(3):466-472.
15. Bayraktar G, Kazancioglu R, Bozfakioglu S, Ecder T, Yildiz A, Ark E. Stimulated salivary flow rate in chronic hemodialysis patients. *Nephron.* Jun 2002;91(2):210-214.
16. Beachler DC, Weber KM, Margolick JB, et al. Risk factors for oral HPV infection among a high prevalence population of HIV-positive and at-risk HIV-negative adults. *Cancer Epidemiol Biomarkers Prev.* Jan 2012;21(1):122-133.
17. Beitler JJ, Vikram B, Silver CE, et al. Low-dose radiotherapy for multicystic benign lymphoepithelial lesions of the parotid gland in HIV-positive patients: long-term results. *Head Neck.* Jan-Feb 1995;17(1):31-35.
18. Bennett DE. Histoplasmosis of the oral cavity and larynx. A clinicopathologic study. *Arch Intern Med.* Oct 1967;120(4):417-427.
19. Benson CA, Kaplan JE, Masur H, Pau A, Holmes KK. Treating opportunistic infections among HIV-infected adults and adolescents: recommendations from CDC, the National Institutes of Health, and the HIV Medicine Association/Infectious Diseases Society of America. *MMWR Recomm Rep.* Dec 17 2004;53(RR-15):1-112.
20. Beral V, Peterman T, Berkelman R, Jaffe H. AIDS-associated non-Hodgkin lymphoma. *Lancet.* Apr 6 1991;337(8745):805-809.
21. Berg EE, Moore CE. Office-based sclerotherapy for benign parotid lymphoepithelial cysts in the HIV-positive patient. *Laryngoscope.* May 2009;119(5):868-870.
22. Biggar RJ, Jaffe ES, Goedert JJ, Chaturvedi A, Pfeiffer R, Engels EA. Hodgkin lymphoma and immunodeficiency in persons with HIV/AIDS. *Blood.* Dec 1 2006;108(12):3786-3791.
23. Bondon-Guitton E, Bagheri H, Montastruc JL. Drug-induced gingival overgrowth: a study in the French Pharmacovigilance Database. *J Clin Periodontol.* Jun 2012;39(6):513-518.
24. Brand HS, Bots CP, Raber-Durlacher JE. Xerostomia and chronic oral complications among patients treated with haematopoietic stem cell transplantation. *Br Dent J.* Nov 14 2009;207(9):E17; discussion 428-429.

25. Brennan MT, Wynn RL, Miller CS. Aspirin and bleeding in dentistry: an update and recommendations. *Oral Surg Oral Med Oral Pathol Oral Radiol Endod.* Sep 2007;104(3):316-323.
26. Brook I. The bacteriology of salivary gland infections. *Oral Maxillofac Surg Clin North Am.* Aug 2009;21(3):269-274.
27. Burton F, Patete ML, Goodwin WJ, Jr. Indications for open cervical node biopsy in HIV-positive patients. *Otolaryngol Head Neck Surg.* Sep 1992;107(3):367-369.
28. Cancer Incidence Counts by Primary Site and Race and Ethnicity. 2010; http://apps.nccd.cdc.gov/uscs/cancersby raceandethnicity.aspx.
29. Carrozzo M, Gandolfo S. Oral diseases possibly associated with hepatitis C virus. *Crit Rev Oral Biol Med.* 2003;14(2):115-127.
30. Chen CH, Lian JD, Cheng CH, Wu MJ, Lee WC, Shu KH. Mycobacterium tuberculosis infection following renal transplantation in Taiwan. *Transpl Infect Dis.* Sep 2006;8(3):148-156.
31. Chhieng DC, Argosino R, McKenna BJ, Cangiarella JF, Cohen JM. Utility of fine-needle aspiration in the diagnosis of salivary gland lesions in patients infected with human immunodeficiency virus. *Diagn Cytopathol.* Oct 1999;21(4):260-264.
32. Cho H, Lee KH, Colquhoun AN, Evans SA. Invasive oral aspergillosis in a patient with acute myeloid leukaemia. *Aust Dent J.* Jun 2010;55(2):214-218.
33. Christodoulou MI, Kapsogeorgou EK, Moutsopoulos HM. Characteristics of the minor salivary gland infiltrates in Sjogren's syndrome. *J Autoimmun.* Jun 2010;34(4):400-407.
34. Classification and diagnostic criteria for oral lesions in HIV infection. EC-Clearinghouse on Oral Problems Related to HIV Infection and WHO Collaborating Centre on Oral Manifestations of the Immunodeficiency Virus. *J Oral Pathol Med.* Aug 1993;22(7):289-291.
35. Coogan MM, Challacombe SJ. Oral health and disease in AIDS. Introduction. *Adv Dent Res.* Apr 2011;23(1):3.
36. Couppie P, Clyti E, Nacher M, et al. Acquired immunodeficiency syndrome-related oral and/or cutaneous histoplasmosis: a descriptive and comparative study of 21 cases in French Guiana. *Int J Dermatol.* Sep 2002;41(9):571-576.
37. Cunha VS, Zampese MS, Aquino VR, Cestari TF, Goldani LZ. Mucocutaneous manifestations of disseminated histoplasmosis in patients with acquired immunodeficiency syndrome: particular aspects in a Latin-American population. *Clin Exp Dermatol.* May 2007;32(3): 250-255.
38. Cunningham AL, Taghi AS, Singh GK, Sandison A, Cohen CE, Grant WE. Surgical management of bilateral parotid lipomatosis in a patient with HIV. *Head Neck.* Sep 2013;35(9):E264-266.
39. da Fonseca MA. Dental care of the pediatric cancer patient. *Pediatr Dent.* Jan-Feb 2004;26(1):53-57.
40. Damiani JM, Levine HL. Relapsing polychondritis--report of ten cases. *Laryngoscope.* Jun 1979;89(6 Pt 1):929-946.
41. Dave SP, Pernas FG, Roy S. The benign lymphoepithelial cyst and a classification system for lymphocytic parotid gland enlargement in the pediatric HIV population. *Laryngoscope.* Jan 2007;117(1):106-113.
42. Davidson BJ, Morris MS, Kornblut AD, Macher AM. Lymphadenopathy in the HIV-seropositive patient. *Ear Nose Throat J.* Jul 1990;69(7):478-480, 483-476.
43. De Rossi SS, Glick M. Lupus erythematosus: considerations for dentistry. *J Am Dent Assoc.* Mar 1998;129(3):330-339.
44. De Vincentiis GC, Sitzia E, Bottero S, Giuzio L, Simonetti A, Rossi P. Otolaryngologic manifestations of pediatric immunodeficiency. *Int J Pediatr Otorhinolaryngol.* Dec 2009;73 Suppl 1:S42-48.
45. Dean CM, Sataloff RT, Hawkshaw MJ, Pribikin E. Laryngeal sarcoidosis. *J Voice.* Jun 2002;16(2):283-288.
46. Dedo HH, Izdebski K. Laryngeal amyloidosis in 10 patients. *Laryngoscope.* Oct 2004;114(10):1742-1746.
47. Domaneschi C, Massarente DB, de Freitas RS, et al. Oral colonization by Candida species in AIDS pediatric patients. *Oral Dis.* May 2011;17(4):393-398.
48. Donegan JO, Wood MD. Histoplasmosis of the larynx. *Laryngoscope.* Feb 1984;94(2 Pt 1):206-209.
49. Echavez MI, Lee KC, Sooy CD. Tetracycline sclerosis for treatment of benign lymphoepithelial cysts of the parotid gland in patients infected with human immunodeficiency virus. *Laryngoscope.* Dec 1994; 104(12):1499-1502.
50. Eguchi J, Ishihara K, Watanabe A, Fukumoto Y, Okuda K. PCR method is essential for detecting Mycobacterium tuberculosis in oral cavity samples. *Oral Microbiol Immunol.* Jun 2003;18(3):156-159.
51. Ellison DE, Canalis RF. Sarcoidosis of the head and neck. *Clin Dermatol.* Oct-Dec 1986;4(4):136-142.
52. Ellison E, Lapuerta P, Martin SE. Fine needle aspiration (FNA) in HIV+ patients: results from a series of 655 aspirates. *Cytopathology.* Aug 1998;9(4):222-229.
53. Ergun I, Keven K, Sengul S, et al. tuberculous otitis media in a renal transplant recipient. *Am J Kidney Dis.* Jun 2004;43(6):e1-3.
54. Eyeson JD, Tenant-Flowers M, Cooper DJ, Johnson NW, Warnakulasuriya KA. Oral manifestations of an HIV positive cohort in the era of highly active anti-retroviral therapy (HAART) in South London. *J Oral Pathol Med.* Mar 2002;31(3):169-174.
55. Faix LE, Branstetter BFt. Uncommon CT findings in relapsing polychondritis. *AJNR Am J Neuroradiol.* Sep 2005;26(8):2134-2136.
56. Felix F, Gomes GA, Pinto PC, Arruda AM, da Penha Costa Marques M, Tomita S. Nasal histoplasmosis in the acquired immunodeficiency syndrome. *J Laryngol Otol.* Jan 2006;120(1):67-69.
57. Fernandes EG, Savioli C, Siqueira JT, Silva CA. Oral health and the masticatory system in juvenile systemic lupus erythematosus. *Lupus.* 2007;16(9):713-719.
58. Ferraro FJ, Jr., Rush BF, Jr., Ruark D, Oleske J. Enucleation of parotid

lymphoepithelial cyst in patients who are human immunodeficiency virus positive. *Surg Gynecol Obstet.* Nov 1993;177(5):524-526.

59. Ferreira OG, Cardoso SV, Borges AS, Ferreira MS, Loyola AM. Oral histoplasmosis in Brazil. *Oral Surg Oral Med Oral Pathol Oral Radiol Endod.* Jun 2002;93(6):654-659.
60. Flint SR, Tappuni A, Leigh J, Schmidt-Westhausen AM, MacPhail L. (B3) Markers of immunodeficiency and mechanisms of HAART therapy on oral lesions. *Adv Dent Res.* 2006;19(1):146-151.
61. Forrest LA, Weed H. Candida laryngitis appearing as leukoplakia and GERD. *J Voice.* Mar 1998;12(1):91-95.
62. Fuqua TH, Jr., Sittitavornwong S, Knoll M, Said-Al-Naief N. Primary invasive oral aspergillosis: an updated literature review. *J Oral Maxillofac Surg.* Oct 2010;68(10):2557-2563.
63. Gerber ME, Rosdeutscher JD, Seiden AM, Tami TA. Histoplasmosis: the otolaryngologist's perspective. *Laryngoscope.* Sep 1995;105(9 Pt 1):919-923.
64. Glenny AM, Fernandez Mauleffinch LM, Pavitt S, Walsh T. Interventions for the prevention and treatment of herpes simplex virus in patients being treated for cancer. *Cochrane Database Syst Rev.* 2009(1):CD006706.
65. Goldman M, Cloud GA, Wade KD, et al. A randomized study of the use of fluconazole in continuous versus episodic therapy in patients with advanced HIV infection and a history of oropharyngeal candidiasis: AIDS Clinical Trials Group Study 323/Mycoses Study Group Study 40. *Clin Infect Dis.* Nov 15 2005;41(10):1473-1480.
66. Goodwin RA, Jr., Shapiro JL, Thurman GH, Thurman SS, Des Prez RM. Disseminated histoplasmosis: clinical and pathologic correlations. *Medicine (Baltimore).* Jan 1980;59(1):1-33.
67. Greenspan D GJ, Schiodt M. AIDS and the mouth. Copenhagen: Munksgaard; 1990.
68. Greenspan D, Gange SJ, Phelan JA, et al. Incidence of oral lesions in HIV-1-infected women: reduction with HAART. *J Dent Res.* Feb 2004;83(2):145-150.
69. Gulec AT, Demirbilek M, Seckin D, et al. Superficial fungal infections in 102 renal transplant recipients: a case-control study. *J Am Acad Dermatol.* Aug 2003;49(2):187-192.
70. Gulec AT, Haberal M. Lip and oral mucosal lesions in 100 renal transplant recipients. *J Am Acad Dermatol.* Jan 2010;62(1):96-101.
71. Haben CM, Chagnon FP, Zakhary K. Laryngeal manifestation of autoimmune disease: rheumatoid arthritis mimicking a cartilaginous neoplasm. *J Otolaryngol.* Jun 2005;34(3):203-206.
72. Hale EK, Bystryn JC. Laryngeal and nasal involvement in pemphigus vulgaris. *J Am Acad Dermatol.* Apr 2001;44(4):609-611.
73. Hamza OJ, Matee MI, Simon EN, et al. Oral manifestations of HIV infection in children and adults receiving highly active anti-retroviral therapy [HAART] in Dar es Salaam, Tanzania. *BMC Oral Health.* 2006;6:12.
74. Hansson AS, Holmdahl R. Cartilage-specific autoimmunity in animal models and clinical aspects in patients - focus on relapsing polychondritis. *Arthritis Res.* 2002;4(5):296-301.
75. Heman-Ackah YD, Remley KB, Goding GS, Jr. A new role for magnetic resonance imaging in the diagnosis of laryngeal relapsing polychondritis. *Head Neck.* Aug 1999;21(5):484-489.
76. Hughes RA, Jr., Paonessa DF, Conway WF, Jr. Actinomycosis of the larynx. *Ann Otol Rhinol Laryngol.* Sep-Oct 1984;93(5 Pt 1):520-524.
77. Hull KM, Kerridge I, Schifter M. Long-term oral complications of allogeneic haematopoietic SCT. *Bone Marrow Transplant.* Feb 2012;47(2):265-270.
78. Ilyas SE, Chen FF, Hodgson TA, Speight PM, Lacey CJ, Porter SR. Labial tuberculosis: a unique cause of lip swelling complicating HIV infection. *HIV Med.* Oct 2002;3(4):283-286.
79. Isaacson JE, Frable MA. Cryptococcosis of the larynx. *Otolaryngol Head Neck Surg.* Jan 1996;114(1):106-109.
80. Ishikawa K, Hoshinaga K, Maruyama T, Izumitani M, Shiroki R. Mycobacterium tuberculosis infection of bilateral cervical lymph nodes after renal transplantation. *Int J Urol.* Nov 2001;8(11):640-642.
81. Itescu S, Winchester R. Diffuse infiltrative lymphocytosis syndrome: a disorder occurring in human immunodeficiency virus-1 infection that may present as a sicca syndrome. *Rheum Dis Clin North Am.* Aug 1992;18(3):683-697.
82. JD R. Rheumatic manifestations of human immunodeficiency virus infection. In Harris ED. Philadelphia,: Elsevier Science (USA); 2005.
83. Jevsevar DS, Abt E. The new AAOS-ADA clinical practice guideline on Prevention of Orthopaedic Implant Infection in Patients Undergoing Dental Procedures. *J Am Acad Orthop Surg.* Mar 2013;21(3):195-197.
84. Jha V, Kohli HS, Sud K, et al. Laryngeal tuberculosis in renal transplant recipients. *Transplantation.* Jul 15 1999;68(1):153-155.
85. Johansson AK, Norring C, Unell L, Johansson A. Eating disorders and oral health: a matched case-control study. *Eur J Oral Sci.* Feb 2012;120(1):61-68.
86. Kakisi OK, Kechagia AS, Kakisis IK, Rafailidis PI, Falagas ME. Tuberculosis of the oral cavity: a systematic review. *Eur J Oral Sci.* Apr 2010;118(2):103-109.
87. Kamanli A, Gok U, Sahin S, Kaygusuz I, Ardicoglu O, Yalcin S. Bilateral cricoarytenoid joint involvement in rheumatoid arthritis: a case report. *Rheumatology (Oxford).* May 2001;40(5):593-594.
88. Kandiloros DC, Nikolopoulos TP, Ferekidis EA, et al. Laryngeal tuberculosis at the end of the 20th century. *J Laryngol Otol.* Jul 1997;111(7):619-621.
89. Kazi S, Cohen PR, Williams F, Schempp R, Reveille JD. The diffuse infiltrative lymphocytosis syndrome. Clinical and immunogenetic features in 35 patients. *AIDS.* Apr 1996;10(4):385-391.
90. Kerr AR, Ship JA. Management strategies for HIV-associated aph-

thous stomatitis. *Am J Clin Dermatol.* 2003;4(10):669-680.

91. Khatibi M, Moshari AA, Jahromi ZM, Ramezankhani A. Prevalence of oral mucosal lesions and related factors in 200 HIV+/AIDS Iranian patients. *J Oral Pathol Med.* Sep 2011;40(8):659-664.
92. King MD, Reznik DA, O'Daniels CM, Larsen NM, Osterholt D, Blumberg HM. Human papillomavirus-associated oral warts among human immunodeficiency virus-seropositive patients in the era of highly active antiretroviral therapy: an emerging infection. *Clin Infect Dis.* Mar 1 2002;34(5):641-648.
93. Kingdom TT, Lee KC. Invasive aspergillosis of the larynx in AIDS. *Otolaryngol Head Neck Surg.* Jul 1996;115(1):135-137.
94. Kreisel FH, Frater JL, Hassan A, El-Mofty SK. Cystic lymphoid hyperplasia of the parotid gland in HIV-positive and HIV-negative patients: quantitative immunopathology. *Oral Surg Oral Med Oral Pathol Oral Radiol Endod.* Apr 2010;109(4):567-574.
95. LaCasce AS. Post-transplant lymphoproliferative disorders. *Oncologist.* Jun 2006;11(6):674-680.
96. Lapointe A, Parke RB, Kearney DL, Morriss MC, Krance RA, Friedman EM. Laryngectomy for fungal abscesses of the larynx. *Otolaryngol Head Neck Surg.* Dec 2004;131(6):1007-1008.
97. Levenson MJ, Ingerman M, Grimes C, Robbett WF. Laryngeal tuberculosis: review of twenty cases. *Laryngoscope.* Aug 1984;94(8):1094-1097.
98. Lilly EA, Cameron JE, Shetty KV, et al. Lack of evidence for local immune activity in oral hairy leukoplakia and oral wart lesions. *Oral Microbiol Immunol.* Jun 2005;20(3):154-162.
99. Lin AL, Johnson DA, Stephan KT, Yeh CK. Alteration in salivary function in early HIV infection. *J Dent Res.* Sep 2003;82(9):719-724.
100. LJ W. Endemic mycoses. . 2nd ed. Edinburgh: Mosby; 2004.
101. Lopez-Quiles J, Ferreira E, Jimenez-Heffernan JA, Del Canto M. Clear cell carcinoma of the major salivary glands in an HIV-infected patient. *Int J Oral Maxillofac Surg.* Jul 2011;40(7):760-763.
102. Lui SL, Tang S, Li FK, et al. Tuberculous infection in southern Chinese renal transplant recipients. *Clin Transplant.* Dec 2004;18(6):666-671.
103. Luque AG, Biasoli MS, Tosello ME, Binolfi A, Lupo S, Magaro HM. Oral yeast carriage in HIV-infected and non-infected populations in Rosario, *Argentina. Mycoses.* Jan 2009;52(1):53-59.
104. Lustig LR, Lee KC, Murr A, Deschler D, Kingdom T. Doxycycline sclerosis of benign lymphoepithelial cysts in patients infected with HIV. *Laryngoscope.* Aug 1998;108(8 Pt 1):1199-1205.
105. Maddali Bongi S, Del Rosso A, Miniati I, et al. The Italian version of the Mouth Handicap in Systemic Sclerosis scale (MHISS) is valid, reliable and useful in assessing oral health-related quality of life (OHRQoL) in systemic sclerosis (SSc) patients. *Rheumatol Int.* Sep 2012;32(9):2785-2790.
106. Magalhaes MG, Bueno DF, Serra E, Goncalves R. Oral manifestations of HIV positive children. *J Clin Pediatr Dent.* Winter 2001;25(2):103-106.
107. Mancini M, Grappasonni I, Scuri S, Amenta F. Oral health in Alzheimer's disease: a review. *Curr Alzheimer Res.* Jun 2010;7(4):368-373.
108. Mandel L, Kim D, Uy C. Parotid gland swelling in HIV diffuse infiltrative CD8 lymphocytosis syndrome. *Oral Surg Oral Med Oral Pathol Oral Radiol Endod.* May 1998;85(5):565-568.
109. Mandel L, Surattanont F. Regression of HIV parotid swellings after antiviral therapy: case reports with computed tomographic scan evidence. *Oral Surg Oral Med Oral Pathol Oral Radiol Endod.* Oct 2002;94(4):454-459.
110. Marcus A, Moore CE. Sodium morrhuate sclerotherapy for the treatment of benign lymphoepithelial cysts of the parotid gland in the HIV patient. *Laryngoscope.* Apr 2005;115(4):746-749.
111. Margiotta V, Campisi G, Mancuso S, Accurso V, Abbadessa V. HIV infection: oral lesions, CD4+ cell count and viral load in an Italian study population. *J Oral Pathol Med.* Apr 1999;28(4):173-177.
112. Mbopi-Keou FX, Belec L, Teo CG, Scully C, Porter SR. Synergism between HIV and other viruses in the mouth. *Lancet Infect Dis.* Jul 2002;2(7):416-424.
113. McAdam LP, O'Hanlan MA, Bluestone R, Pearson CM. Relapsing polychondritis: prospective study of 23 patients and a review of the literature. *Medicine (Baltimore).* May 1976;55(3):193-215.
114. McClung M, Harris ST, Miller PD, et al. Bisphosphonate therapy for osteoporosis: benefits, risks, and drug holiday. *Am J Med.* Jan 2013;126(1):13-20.
115. McLaughlin RB, Spiegel JR, Selber J, Gotsdiner DB, Sataloff RT. Laryngeal sarcoidosis presenting as an isolated submucosal vocal fold mass. *J Voice.* Jun 1999;13(2):240-245.
116. Mercante DE, Leigh JE, Lilly EA, McNulty K, Fidel PL, Jr. Assessment of the association between HIV viral load and CD4 cell count on the occurrence of oropharyngeal candidiasis in HIV-infected patients. *J Acquir Immune Defic Syndr.* Aug 15 2006;42(5):578-583.
117. Meyer E, Lubbe DE, Fagan JJ. Alcohol sclerotherapy of human immunodeficiency virus related parotid lymphoepithelial cysts. *J Laryngol Otol.* Apr 2009;123(4):422-425.
118. Michalowicz BS, Hodges JS, DiAngelis AJ, et al. Treatment of periodontal disease and the risk of preterm birth. *N Engl J Med.* Nov 2 2006;355(18):1885-1894.
119. Michelow P, Dezube BJ, Pantanowitz L. Fine needle aspiration of salivary gland masses in HIV-infected patients. *Diagn Cytopathol.* Aug 2012;40(8):684-690.
120. Michelow P, Meyers T, Dubb M, Wright C. The utility of fine needle aspiration in HIV positive children. *Cytopathology.* Apr 2008;19(2):86-93.
121. Miziara ID, Weber R. Oral candidosis and oral hairy leukoplakia as

predictors of HAART failure in Brazilian HIV-infected patients. *Oral Dis.* Jul 2006;12(4):402-407.

122. Miziara ID. Tuberculosis affecting the oral cavity in Brazilian HIV-infected patients. *Oral Surg Oral Med Oral Pathol Oral Radiol Endod.* Aug 2005;100(2):179-182.
123. Monama GM, Tshifularo MI. Intralesional bleomycin injections in the treatment of benign lymphoepithelial cysts of the parotid gland in HIV-positive patients: case reports. *Laryngoscope.* Feb 2010;120(2): 243-246.
124. Morales-Aguirre JJ, Patino-Nino JA, Mendoza-Azpiri M, et al. Parotid cysts in children infected with human immunodeficiency virus: report of 4 cases. *Arch Otolaryngol Head Neck Surg.* Apr 2005; 131(4):353-355.
125. Morelli S, Sgreccia A, Bernardo ML, Della Rocca C, Gallo A, Valesini G. Primary aspergillosis of the larynx in a patient with Felty's syndrome. *Clin Exp Rheumatol.* Jul-Aug 2000;18(4):523-524.
126. Motta AC, Galo R, Lourenco AG, et al. Unusual orofacial manifestations of histoplasmosis in renal transplanted patient. *Mycopathologia.* Mar 2006;161(3):161-165.
127. Moura MD, Grossmann Sde M, Fonseca LM, Senna MI, Mesquita RA. Risk factors for oral hairy leukoplakia in HIV-infected adults of Brazil. *J Oral Pathol Med.* Jul 2006;35(6):321-326.
128. Moura MD, Guimaraes TR, Fonseca LM, de Almeida Pordeus I, Mesquita RA. A random clinical trial study to assess the efficiency of topical applications of podophyllin resin (25%) versus podophyllin resin (25%) together with acyclovir cream (5%) in the treatment of oral hairy leukoplakia. *Oral Surg Oral Med Oral Pathol Oral Radiol Endod.* Jan 2007;103(1):64-71.
129. Nagasawa M, Itoh S, Tomizawa D, Kajiwara M, Sugimoto T, Kumagai J. Invasive subglottal aspergillosis in a patient with severe aplastic anemia: a case report. *J Infect.* Apr 2002;44(3):198-201.
130. Nagler RM, Nagler A. The molecular basis of salivary gland involvement in graft--vs.--host disease. *J Dent Res.* Feb 2004;83(2):98-103.
131. Nakahira M, Matsumoto S, Mukushita N, Nakatani H. Primary aspergillosis of the larynx associated with CD4+ T lymphocytopenia. *J Laryngol Otol.* Apr 2002;116(4):304-306.
132. Nanke Y, Kotake S, Yonemoto K, Hara M, Hasegawa M, Kamatani N. Cricoarytenoid arthritis with rheumatoid arthritis and systemic lupus erythematosus. *J Rheumatol.* Mar 2001;28(3):624-626.
133. Nasti G, Tavio M, Rizzardini G, et al. Primary tuberculosis of the larynx in a patient infected with human immunodeficiency virus. *Clin Infect Dis.* Jul 1996;23(1):183-184.
134. Naugle K, Darby ML, Bauman DB, Lineberger LT, Powers R. The oral health status of individuals on renal dialysis. *Ann Periodontol.* Jul 1998;3(1):197-205.
135. Navazesh M, Mulligan R, Barron Y, et al. A 4-year longitudinal evaluation of xerostomia and salivary gland hypofunction in the Women's Interagency HIV Study participants. *Oral Surg Oral Med Oral Pathol Oral Radiol Endod.* Jun 2003;95(6):693-698.
136. Neville BW, Day TA. Oral cancer and precancerous lesions. *CA Cancer J Clin.* Jul-Aug 2002;52(4):195-215.
137. Nishiike S, Irifune M, Doi K, Sawada T, Kubo T. Laryngeal tuberculosis: a report of 15 cases. *Ann Otol Rhinol Laryngol.* Oct 2002; 111(10):916-918.
138. Nouraei SA, Obholzer R, Ind PW, et al. Results of endoscopic surgery and intralesional steroid therapy for airway compromise due to tracheobronchial Wegener's granulomatosis. *Thorax.* Jan 2008;63(1): 49-52.
139. O'Connor Reina C, Garcia Iriarte MT, Barron Reyes FJ, Garcia Monge E, Luque Barona R, Gomez Angel D. When is a biopsy justified in a case of relapsing polychondritis? *J Laryngol Otol.* Jul 1999;113(7):663-665.
140. Ortega KL, Vale DA, Magalhaes MH. Impact of PI and NNRTI HAART-based therapy on oral lesions of Brazilian HIV-infected patients. *J Oral Pathol Med.* Jul 2009;38(6):489-494.
141. Pakosz K, Zakliczynski M, Krol W, et al. Association of transforming growth factor beta1 (TGF- beta1) with gingival hyperplasia in heart transplant patients undergoing cyclosporine-A treatment. *Ann Transplant.* Apr-Jun 2012;17(2):45-52.
142. Patton LL, Phelan JA, Ramos-Gomez FJ, Nittayananta W, Shiboski CH, Mbuguye TL. Prevalence and classification of HIV-associated oral lesions. *Oral Dis.* 2002;8 Suppl 2:98-109.
143. Peterson DE, Bensadoun RJ, Roila F. Management of oral and gastrointestinal mucositis: ESMO Clinical Practice Guidelines. *Ann Oncol.* May 2010;21 Suppl 5:v261-265.
144. Petti S, Polimeni A, Berloco PB, Scully C. Orofacial diseases in solid organ and hematopoietic stem cell transplant recipients. *Oral Dis.* Jan 2013;19(1):18-36.
145. Pienaar ED, Young T, Holmes H. Interventions for the prevention and management of oropharyngeal candidiasis associated with HIV infection in adults and children. *Cochrane Database Syst Rev.* 2006(3):CD003940.
146. Pienaar ED, Young T, Holmes H. Interventions for the prevention and management of oropharyngeal candidiasis associated with HIV infection in adults and children. *Cochrane Database Syst Rev.* 2010(11):CD003940.
147. Poluri A, Shah KG, Carew JF, et al. Hodgkin's disease of the head and neck in human immunodeficiency virus-infected patients. *Am J Otolaryngol.* Jan-Feb 2002;23(1):12-16.
148. Polychronopoulos VS, Prakash UB, Golbin JM, Edell ES, Specks U. Airway involvement in Wegener's granulomatosis. *Rheum Dis Clin North Am.* Nov 2007;33(4):755-775, vi.
149. Prasad HK, Bhojwani KM, Shenoy V, Prasad SC. HIV manifestations in otolaryngology. *Am J Otolaryngol.* May-Jun 2006;27(3):179-185.

150. Pribitkin E, Friedman O, O'Hara B, et al. Amyloidosis of the upper aerodigestive tract. *Laryngoscope.* Dec 2003;113(12):2095-2101.
151. Raghavendran K, Mylotte JM, Scannapieco FA. Nursing home-associated pneumonia, hospital-acquired pneumonia and ventilator-associated pneumonia: the contribution of dental biofilms and periodontal inflammation. *Periodontol 2000.* 2007;44:164-177.
152. Ramirez-Amador V, Esquivel-Pedraza L, Sierra-Madero J, Anaya-Saavedra G, Gonzalez-Ramirez I, Ponce-de-Leon S. The Changing Clinical Spectrum of Human Immunodeficiency Virus (HIV)-Related Oral Lesions in 1,000 Consecutive Patients: A 12-Year Study in a Referral Center in Mexico. *Medicine (Baltimore).* Jan 2003;82(1):39-50.
153. Ramirez-Amador V, Ponce-de-Leon S, Anaya-Saavedra G, Crabtree Ramirez B, Sierra-Madero J. Oral lesions as clinical markers of highly active antiretroviral therapy failure: a nested case-control study in Mexico City. *Clin Infect Dis.* Oct 1 2007;45(7):925-932.
154. Rangel AL, Coletta RD, Almeida OP, et al. Parotid mycobacteriosis is frequently caused by Mycobacterium tuberculosis in advanced AIDS. *J Oral Pathol Med.* Aug 2005;34(7):407-412.
155. Redaelli de Zinis LO, Tironi A, Nassif N, Ghizzardi D. Temporal bone infection caused by atypical mycobacterium: case report and review of the literature. *Otol Neurotol.* Nov 2003;24(6):843-849.
156. Reichart PA, Samaranayake LP, Philipsen HP. Pathology and clinical correlates in oral candidiasis and its variants: a review. *Oral Dis.* Mar 2000;6(2):85-91.
157. Reid AJ, Miller RF, Kocjan GI. Diagnostic utility of fine needle aspiration (FNA) cytology in HIV-infected patients with lymphadenopathy. *Cytopathology.* Aug 1998;9(4):230-239.
158. RG S. The chemical senses in diabetes mellitus. In Getchell TV, editor: Smell and Taste in Health and Disease. New York: Raven Press; 1991.
159. Rizos E, Drosos AA, Ioannidis JP. Isolated intraparotid Kaposi sarcoma in human immunodeficiency virus type 1 infection. *Mayo Clin Proc.* Dec 2003;78(12):1561-1563.
160. Rizzo PB, Da Mosto MC, Clari M, Scotton PG, Vaglia A, Marchiori C. Laryngeal tuberculosis: an often forgotten diagnosis. *Int J Infect Dis.* Jun 2003;7(2):129-131.
161. Robinson DL, Fowler VG, Sexton DJ, Corey RG, Conlon PJ. Bacterial endocarditis in hemodialysis patients. *Am J Kidney Dis.* Oct 1997;30(4):521-524.
162. Roediger FC, Orloff LA, Courey MS. Adult subglottic stenosis: management with laser incisions and mitomycin-C. *Laryngoscope.* Sep 2008;118(9):1542-1546.
163. Roithmann S, Tourani JM, Andrieu JM. AIDS-associated non-Hodgkin lymphoma. *Lancet.* Oct 5 1991;338(8771):884-885.
164. Saadoun D, Deslandre CJ, Allanore Y, Pham XV, Kahan A. Sustained response to infliximab in 2 patients with refractory relapsing polychondritis. *J Rheumatol.* Jun 2003;30(6):1394-1395. 160
165. Saunders MS, Gentile RD, Lobritz RW. Primary laryngeal and nasal septal lesions in pemphigus vulgaris. *J Am Osteopath Assoc.* Jul 1992;92(7):933-937.
166. Sengor A, Willke A, Aydin O, Gundes S, Almac A. Isolated necrotizing epiglottitis: report of a case in a neutropenic patient and review of the literature. *Ann Otol Rhinol Laryngol.* Mar 2004;113(3 Pt 1):225-228.
167. Shah KR, Boland CR, Patel M, Thrash B, Menter A. Cutaneous manifestations of gastrointestinal disease: part I. *J Am Acad Dermatol.* Feb 2013;68(2):189 e181-121; quiz 210.
168. Shaha AR, DiMaio T, Webber C, Thelmo W, Jaffe BM. Benign lymphoepithelial lesions of the parotid. *Am J Surg.* Oct 1993;166(4):403-406.
169. Shanti RM, Aziz SR. HIV-associated salivary gland disease. *Oral Maxillofac Surg Clin North Am.* Aug 2009;21(3):339-343.
170. Shapiro AL, Pincus RL. Fine-needle aspiration of diffuse cervical lymphadenopathy in patients with acquired immunodeficiency syndrome. *Otolaryngol Head Neck Surg.* Sep 1991;105(3):419-421.
171. Sharma N, Berman DM, Scott GB, Josephson G. Candida epiglottitis in an adolescent with acquired immunodeficiency syndrome. *Pediatr Infect Dis J.* Jan 2005;24(1):91-92.
172. Shiboski CH, Patton LL, Webster-Cyriaque JY, et al. The Oral HIV/AIDS Research Alliance: updated case definitions of oral disease endpoints. *J Oral Pathol Med.* Jul 2009;38(6):481-488.
173. Shin JE, Nam SY, Yoo SJ, Kim SY. Changing trends in clinical manifestations of laryngeal tuberculosis. *Laryngoscope.* Nov 2000;110(11):1950-1953.
174. Ship JA KH. Extrinsic and intrinsic causes of tooth discoloration. eMedicine Journal [serial online]. 2001. Available at http:// www.emedicine.com/derm/contents.htm. 2001.
175. Ship JA, Chavez EM, Doerr PA, Henson BS, Sarmadi M. Recurrent aphthous stomatitis. *Quintessence Int.* Feb 2000;31(2):95-112.
176. Ship JA. Oral health of patients with Alzheimer's disease. *J Am Dent Assoc.* Jan 1992;123(1):53-58.
177. Shugar JM, Som PM, Jacobson AL, Ryan JR, Bernard PJ, Dickman SH. Multicentric parotid cysts and cervical adenopathy in AIDS patients. A newly recognized entity: CT and MR manifestations. *Laryngoscope.* Jul 1988;98(7):772-775.
178. Sims HS, Thakkar KH. Airway involvement and obstruction from granulomas in African-American patients with sarcoidosis. *Respir Med.* Nov 2007;101(11):2279-2283.
179. Sirois D, Leigh JE, Sollecito TP. Oral pemphigus vulgaris preceding cutaneous lesions: recognition and diagnosis. *J Am Dent Assoc.* Aug 2000;131(8):1156-1160.
180. Smith FB, Rajdeo H, Panesar N, Bhuta K, Stahl R. Benign lymphoepithelial lesion of the parotid gland in intravenous drug users. *Arch*

Pathol Lab Med. Jul 1988;112(7):742-745.

181. Smith RA, Cokkinides V, Eyre HJ. American Cancer Society guidelines for the early detection of cancer, 2003. *CA Cancer J Clin.* Jan-Feb 2003;53(1):27-43.
182. Sokumbi O, Wetter DA. Clinical features, diagnosis, and treatment of erythema multiforme: a review for the practicing dermatologist. *Int J Dermatol.* Aug 2012;51(8):889-902.
183. Solari R, Corti M, Cangelosi D, et al. Disseminated histoplasmosis with lesions restricted to the larynx in a patient with AIDS. Report of a case and review of the literature. *Rev Iberoam Micol.* Jun 2007;24(2):164-166.
184. Som PM, Brandwein MS, Silvers A. Nodal inclusion cysts of the parotid gland and parapharyngeal space: a discussion of lymphoepithelial, AIDS-related parotid, and branchial cysts, cystic Warthin's tumors, and cysts in Sjogren's syndrome. *Laryngoscope.* Oct 1995;105(10):1122-1128.
185. Sorensen P. Manifestations of HIV in the Head and Neck. *Curr Infect Dis Rep.* Apr 2011;13(2):115-122.
186. Sorensen WT, Moller-Andersen K, Behrendt N. Rheumatoid nodules of the larynx. *J Laryngol Otol.* Jun 1998;112(6):573-574.
187. Spanemberg JC, Cherubini K, de Figueiredo MA, Yurgel LS, Salum FG. Aetiology and therapeutics of burning mouth syndrome: an update. *Gerodontology.* Jun 2012;29(2):84-89.
188. Sperling NM, Lin PT. Parotid disease associated with human immunodeficiency virus infection. *Ear Nose Throat J.* Jul 1990;69(7):475-477.
189. Sroussi HY, Villines D, Epstein J, Alves MC, Alves ME. The correlation between prevalence of oral manifestations of HIV and CD4+ lymphocyte counts weakens with time. *J Acquir Immune Defic Syndr.* Aug 1 2006;42(4):516-518.
190. Stappaerts I, Van Laer C, Deschepper K, Van de Heyning P, Vermeire P. Endoscopic management of severe subglottic stenosis in Wegener's granulomatosis. *Clin Rheumatol.* 2000;19(4):315-317.
191. Steehler MK, Steehler MW, Davison SP. Benign lymphoepithelial cysts of the parotid: long-term surgical results. *HIV AIDS (Auckl).* 2012;4:81-86.
192. Steinau M, Reddy D, Sumbry A, et al. Oral sampling and human papillomavirus genotyping in HIV-infected patients. *J Oral Pathol Med.* Apr 2012;41(4):288-291.
193. Steinberg BJ. Women's oral health issues. *J Dent Educ.* Mar 1999;63(3):271-275.
194. Stensson M, Wendt LK, Koch G, Nilsson M, Oldaeus G, Birkhed D. Oral health in pre-school children with asthma--followed from 3 to 6 years. *Int J Paediatr Dent.* May 2010;20(3):165-172.
195. Stevenson R, Witteles R, Damrose E, et al. More than a frog in the throat: a case series and review of localized laryngeal amyloidosis. *Arch Otolaryngol Head Neck Surg.* May 2012;138(5):509-511.
196. Storek J, Gooley T, Siadak M, et al. Allogeneic peripheral blood stem cell transplantation may be associated with a high risk of chronic graft-versus-host disease. *Blood.* Dec 15 1997;90(12):4705-4709.
197. Sulica L. Laryngeal thrush. *Ann Otol Rhinol Laryngol.* May 2005;114(5):369-375.
198. Suskind DL, Tavill MA, Handler SD. Doxycycline sclerotherapy of benign lymphoepithelial cysts of the parotid: a minimally invasive treatment. *Int J Pediatr Otorhinolaryngol.* Apr 15 2000;52(2):157-161.
199. Syebele K, Butow KW. Comparative study of the effect of antiretroviral therapy on benign lymphoepithelial cyst of parotid glands and ranulas in HIV-positive patients. *Oral Surg Oral Med Oral Pathol Oral Radiol Endod.* Feb 2011;111(2):205-210.
200. Tami-Maury I, Willig J, Vermund S, et al. Contemporary profile of oral manifestations of HIV/AIDS and associated risk factors in a Southeastern US clinic. *J Public Health Dent.* Fall 2011;71(4):257-264.
201. Tashjian LS, Peacock JE, Jr. Laryngeal candidiasis. Report of seven cases and review of the literature. *Arch Otolaryngol.* Dec 1984;110(12):806-809.
202. Tato AM, Pascual J, Orofino L, et al. Laryngeal tuberculosis in renal allograft patients. *Am J Kidney Dis.* Apr 1998;31(4):701-705.
203. Taylor GW, Burt BA, Becker MP, Genco RJ, Shlossman M. Glycemic control and alveolar bone loss progression in type 2 diabetes. *Ann Periodontol.* Jul 1998;3(1):30-39.
204. Taylor SC, Clayburgh DR, Rosenbaum JT, Schindler JS. Clinical manifestations and treatment of idiopathic and Wegener granulomatosis-associated subglottic stenosis. *JAMA Otolaryngol Head Neck Surg.* Jan 2013;139(1):76-81.
205. TG M. Systemic fungi. 2nd ed. Edinburgh: Mosby; 2004.
206. Turner M, Jahangiri L, Ship JA. Hyposalivation, xerostomia and the complete denture: a systematic review. *J Am Dent Assoc.* Feb 2008;139(2):146-150.
207. Uccini S, D'Offizi G, Angelici A, et al. Cystic lymphoepithelial lesions of the parotid gland in HIV-1 infection. *AIDS Patient Care STDS.* Mar 2000;14(3):143-147.
208. Umadevi KM, Ranganathan K, Pavithra S, et al. Oral lesions among persons with HIV disease with and without highly active antiretroviral therapy in southern India. *J Oral Pathol Med.* Mar 2007;36(3):136-141.
209. Vaccher E, Spina M, Tirelli U. Clinical aspects and management of Hodgkin's disease and other tumours in HIV-infected individuals. *Eur J Cancer.* Jul 2001;37(10):1306-1315.
210. Vargas PA, Mauad T, Bohm GM, Saldiva PH, Almeida OP. Parotid gland involvement in advanced AIDS. *Oral Dis.* Mar 2003;9(2):55-61.
211. Vaseliu N, Carter AB, Kline NE, et al. Longitudinal study of the

prevalence and prognostic implications of oral manifestations in romanian children infected with human immunodeficiency virus type 1. *Pediatr Infect Dis J.* Dec 2005;24(12):1067-1071.

212. Vasiliou A, Nikolopoulos TP, Manolopoulos L, Yiotakis J. Laryngeal pemphigus without skin manifestations and review of the literature. *Eur Arch Otorhinolaryngol.* May 2007;264(5):509-512.

213. Vazquez JA, Skiest DJ, Tissot-Dupont H, Lennox JL, Boparai N, Isaacs R. Safety and efficacy of posaconazole in the long-term treatment of azole-refractory oropharyngeal and esophageal candidiasis in patients with HIV infection. *HIV Clin Trials.* Mar-Apr 2007;8(2):86-97.

214. Venning VA, Taghipour K, Mohd Mustapa MF, Highet AS, Kirtschig G. British Association of Dermatologists' guidelines for the management of bullous pemphigoid 2012. *Br J Dermatol.* Dec 2012;167(6):1200-1214.

215. Vesterinen M, Ruokonen H, Leivo T, et al. Oral health and dental treatment of patients with renal disease. *Quintessence Int.* Mar 2007;38(3):211-219.

216. Vitali C, Bombardieri S, Jonsson R, et al. Classification criteria for Sjogren's syndrome: a revised version of the European criteria proposed by the American-European Consensus Group. *Ann Rheum Dis.* Jun 2002;61(6):554-558.

217. Vrabec DP. Fungal infections of the larynx. *Otolaryngol Clin North Am.* Dec 1993;26(6):1091-1114.

218. Wallner LJ, Alexander RW. PEMPHIGUS OF THE LARYNX. *Laryngoscope.* Apr 1964;74:575-586.

219. Wang CC, Lin CC, Wang CP, Liu SA, Jiang RS. Laryngeal tuberculosis: a review of 26 cases. *Otolaryngol Head Neck Surg.* Oct 2007;137(4):582-588.

220. Wheat J, Sarosi G, McKinsey D, et al. Practice guidelines for the management of patients with histoplasmosis. Infectious Diseases Society of America. *Clin Infect Dis.* Apr 2000;30(4):688-695.

221. Wheat LJ, Freifeld AG, Kleiman MB, et al. Clinical practice guidelines for the management of patients with histoplasmosis: 2007 update by the Infectious Diseases Society of America. *Clin Infect Dis.* Oct 1 2007;45(7):807-825.

222. Winslow DL. Posaconazole for azole-refractory candidiasis in patients with HIV infection. *AIDS Alert.* May 2007;22(5):59-60.

223. Woo P, Mendelsohn J, Humphrey D. Rheumatoid nodules of the larynx. *Otolaryngol Head Neck Surg.* Jul 1995;113(1):147-150.

224. Wu CJ, Lee HC, Yang YL, et al. Oropharyngeal yeast colonization in HIV-infected outpatients in southern Taiwan: CD4 count, efavirenz therapy and intravenous drug use matter. *Clin Microbiol Infect.* May 2012;18(5):485-490.

225. Wu J, Fantasia JE, Kaplan R. Oral manifestations of acute myelomonocytic leukemia: a case report and review of the classification of leukemias. *J Periodontol.* Jun 2002;73(6):664-668.

226. Wu L, Cheng J, Maruyama S, et al. Lymphoepithelial cyst of the parotid gland: its possible histopathogenesis based on clinicopathologic analysis of 64 cases. *Hum Pathol.* May 2009;40(5):683-692.

227. Wu T, Trevisan M, Genco RJ, Dorn JP, Falkner KL, Sempos CT. Periodontal disease and risk of cerebrovascular disease: the first national health and nutrition examination survey and its follow-up study. *Arch Intern Med.* Oct 9 2000;160(18):2749-2755.

228. Yang YL, Lo HJ, Hung CC, Li Y. Effect of prolonged HAART on oral colonization with Candida and candidiasis. *BMC Infect Dis.* 2006;6:8.

229. Yilmaz HH, Yildirim D, Ugan Y, et al. Clinical and magnetic resonance imaging findings of the temporomandibular joint and masticatory muscles in patients with rheumatoid arthritis. *Rheumatol Int.* May 2012;32(5):1171-1178.

230. Zenone T. Parotid gland non-Hodgkin lymphoma in primary Sjogren syndrome. *Rheumatol Int.* May 2012;32(5):1387-1390.

CHAPTER

16

구강과 구인두의 양성 질환

박범정

구강 점막의 질환은 다양한 양상으로 나타난다. 다양한 병변과 증상을 일률적으로 분류하기는 어려우며 원인별, 발생 부위별, 증후별 등을 혼합하여 분류할 수 있으며 비감염성 및 감염성 병변과 종양성 병변으로 나누어 살펴보기로 한다.

 비감염성 병변

1. 재발성 아프타성 입안염(recurrent aphthous stomatitis)

재발성 아프타성 입안염(recurrent aphthous stomatitis)은 전 인구의 20% 정도에서 발생할 만큼 매우 흔하며 10-20대에 호발하고 일반적으로 여성에 많으며 병변의 종류나 전신 상태에 따라서 차이가 있지만 대개 1~3개월 간격으로 재발한다.

원인은 아직 밝혀져 있지 않으나 여러 가지 요인들이 단독 또는 복합적으로 관여하는 것으로 알려져 있으며 환자의 약 1/3에서 가족력을 발견할 수 있다. 급성이나 만성

표 16-1. 급성과 만성 아프타성 궤양의 감별진단

재발성 아프타성 입안염(원인 미상)
• 약물유발 : 고정약진, 선상 IgA 수포성 피부병, 약물유발성 수포성 유천포창
• 자가면역질환 : 크론씨병, 베체트병, 편평태선
외상
• 혈액질환 : 빈혈, 중성구결핍증, 호산구증가증후군
• 열성 증후군 : 순환성 호중구감소증
• 대소수포성 질환 : 심상성 천포창, 선상 IgA병, 다형 홍반
• 영양 결핍 : 철, 엽산, 아연, B1, B2, B6, B12
• 바이러스성 : Cosackie A, herpes simplex, herpes zoster
• 세균성 : 결핵, 매독
• 진균성 : Coccidioides immitis, Cryptococcus neoformans, blastomyces dermatitidis
• 유전성 : 수포성 표피박리증, 만성 육아종성 질환
• 기타 : MAGIC 증후군, 호르몬 장애, 악성종양, 흡연, 생리

표 16-2. **소아프타성 입안염, 대아프타성 입안염과 포진형 입안염의 임상적 특성**

	소아프타성 입안염	대아프타성 입안염	포진형 입안염
성비	동등	동등	여성 우세
호발 연령	10대	10대	20대
호발 부위	입술, 볼, 혀, 구강저	입술, 연구개, 인두	구강의 모든 점막
개수	1-5	1-10	10-100
크기	〈10 mm	〉10 mm	1-2 mm
지속 기간	4-14일	6주 이상	30일 이내
반흔	거의 없음	2/3에서 발생	흔하지 않음

으로 아프타성 궤양이 발생하는 여러 가지 질환이 있어 이를 감별하는 것이 중요하다(표 16-1).

1) 임상 양상

구강 및 구인두점막에 노란색의 위막 바탕의 홍반성 테두리를 가진 재발성, 통증을 동반하는 얕은 구형의 궤양을 보인다. 대개 입술, 볼, 혀의 측하부, 구강저, 연구개, 편도궁과 같은 비각질(nonkeratinizing) 점막 표면에 소포(vesicle)나 수포(blister) 없이 통증을 동반한 발적이 나타난 후 24시간 이내 궤양이 발생한다. 병변의 진행 양상을 4단계로 나눌 수 있고 전구기(premonitory stage)에는 임상적으로 변화는 나타나지 않으며 저리거나 후끈거리거나 다소 통증이 있거나 감각과민 같은 증상이 있을 수 있다. 일부 환자에서는 전구기가 나타나지 않을 수 있으며 대개 24시간까지 지속된다. 전궤양기(preulcerative stage)에는 임상적으로 경결을 동반한 반점이나 구진으로 아프타가 시작되며 3일까지 지속될 수 있으며 통증이 동반된다. 궤양기(ulcerative stage)는 1~16일간 지속되며, 심한 통증이 나타나며 반점과 구진이 궤양으로 발전하고 궤양 발생 후 4-6일 정도에 최대 크기로 된다. 회복기(healing stage)를 거쳐 치유되며 4일에서 35일까지 지속될 수 있으며 일반적으로 전신 증상은 동반되지 않는다.[44]

2) 분류

궤양의 크기에 따라 소아프타성 입안염(minor aphthous stomatitis), 대아프타성 입안염(major aphthous stomatitis), 포진형 입안염(herpetiform stomatitis)의 세 가지로 분류되며 각각의 특성을 분류할 수 있다(표 16-2).[16]

(1) 소아프타성 입안염

아프타성 입안염의 약 70%를 상회하며, 대개 몇 개(1-5)의 10 mm 이하의 궤양이 구강 전방부의 비각질 점

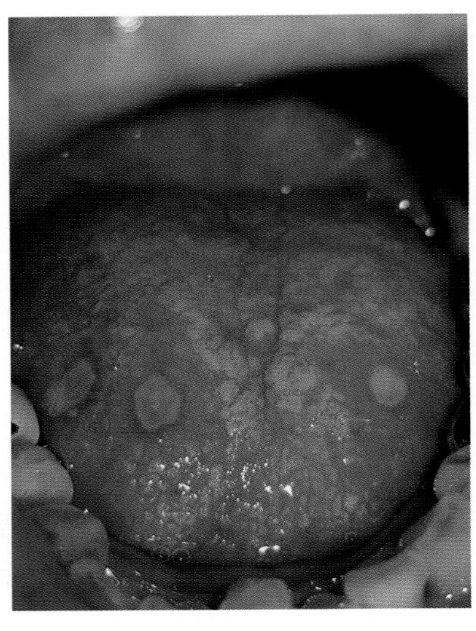

■ 그림 16-1. **소아프타성 입안염의 궤양.** 주위와 경계가 분명하고 변연에 홍반성 테두리가 있으며 궤양의 중앙부는 노란색의 위막이 있다.

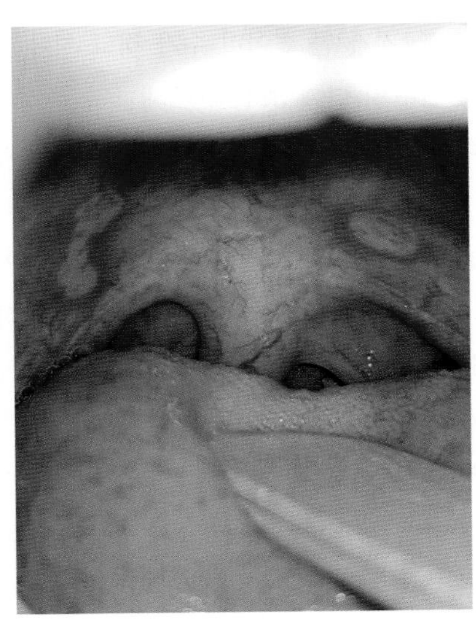

■ 그림 16-2. **대아프타성 입안염의 궤양.** 크고 깊은 궤양이 연구개에 발생한다.

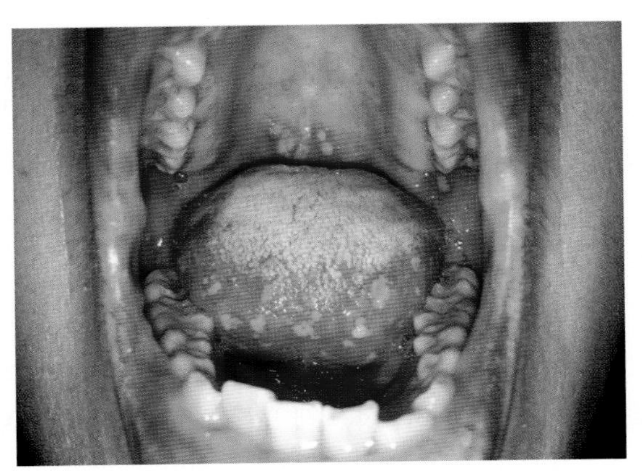

■ 그림 16-3. **포진성 입안염의 궤양.** 작고 많은 궤양이 군집으로 나타난다.

막(입술, 볼, 혀)에 주로 발생한다. 궤양은 주위와 경계가 분명하고 변연에 홍반성 테두리가 있으며 궤양의 중앙부는 노란색을 띠는 위막이 있다(그림 16-1). 보통 7~14일 이내에 반흔 없이 치유되나 궤양이 있는 동안 통증이 심하고 특히 매운 음식을 먹을 때 증상이 심해 일상생활에 불편을 준다.

(2) 대아프타성 입안염

아프타성 구내염의 약 10%를 차지하며 10 mm 이상의 크고 깊은 궤양이 연구개나 구인두 점막에 주로 발생한다. 심한 통증과 연하통을 동반하고 궤양이 6주 이상 지속되며 치유 후에 반흔이 남는 경우가 많다(그림 16-2).

(3) 포진형 입안염

재발성 단순포진(recurrent herpes simplex)과 모양은 유사하지만 헤르페스 바이러스 감염이 원인은 아니며 초기에 수포 없이 궤양이 바로 나타난다는 점이 다르다. 1~2 mm 크기 내외의 10~100개의 많은 작고 깊은 궤양이 군집하여 나타나며 때론 서로 합쳐지면서 불규칙한 모양의 커다란 궤양으로 보이기도 한다(그림 16-3). 구강의 모든 점막에서 재발성으로 생기며 발생 후 30일 이내에 치유되며 1/3 정도에서 치유 후 반흔을 남기게 된다.

3) 진단

조직 생검에서 단지 비특이성 궤양 소견만을 보이기 때문에 임상적으로 신체검사 및 병력 소견으로 진단한다. 감별해야 할 질환으로는 헤르페스 바이러스 감염, Behçet 증후군, 외상성 궤양, 암종성 궤양, 영양 결핍성 궤양 등 다양한 질환이 있다.

4) 치료

재발성 아프타성 입안염의 치료의 목표는 통증을 완화하고 궤양이 치유될 수 있도록 도와주고 재발을 방지하는 것이다. 치료방법은 국소적 치료와 전신적 치료로 나눌 수 있다. 국소적 치료의 목표는 중복감염을 예방하고 존재하는 궤양을 보호하고 통증 및 염증반응을 감소시키고 급성 궤양을 치료하는 것이다. 방법으로는 10% lidocaine 구강 분무액을 살포하고, 구강을 청결히 하며 tetracycline 용액(250 mg/5 ml, qid) 또는 chlorhexidine (0.2%) 함수액으로 함수(gargle)하는 것이 좋다. 통증완화를 위해 diclofenac 3% 함수액으로 함수할 수도 있다.

국소 스테로이드연고(betamethasone, fluocinonide)도 치료에 도움을 줄 수 있으며 궤양 주위에 triamcinolone 같은 주사제를 국소 주입하기도 한다. 전신적 치료는 증상이 심하거나 대아프타성 입안염인 경우에 고려해 볼 수 있으며 전신 스테로이드(prednisone, 20~40 mg/일)를 단기간 투여하거나 항생제도 고려해 볼 수 있으며 창상의 재상피화와 치유를 돕기 위해 아연(Zinc)제제가 도움이 될 수 있으며 sucralfate suspension 등이 점막 보호를 위해 사용되고, colchicine, 비타민 C, prostaglandin E_2 등도 유효하다.

2. Behçet 증후군

Behçet 증후군은 전신성 혈관염으로 1937년 터키의 피부과 의사인 Behçet가 반복적인 구강 궤양, 외음부 궤양, 전방 축농성 포도막염(hypopyon uveitis)과 결절성 홍반(erythema nodosum)이 특징인 증례를 보고하면서 이들 증상을 하나의 독립된 증후군으로 정의하였다.[11] 전세계적으로 발생하나 특이한 지역적 차이가 있어 터키 같은 과거 비단길에 속한 나라에서 발병률이 높고 20대에 호발하며 젊은 남자에서 좀 더 심한 임상 양상을 보이는 것으로 알려져 있다.

정확한 병인은 모르나 유전적인 질병 감수성이 있는 환자에서 환경적인 자극으로 유발된다는 설이 지지를 받고 있다. 유발 자극은 바이러스 감염부터 환경오염까지 다양하며 스트레스, 정서적 혼란, 초여름과 가을철, 여성의 생리 기간, 자극성 음식, 과로 등이 거론되고 있다. 주요 표적 기관은 소혈관이며 전신적으로 여러 기관에 혈관염과 혈전을 일으킨다.

주 증상으로는 구강 점막의 아프타성 궤양, 홍채염, 포도막염, 생식기 궤양 등이 있으며 부증상으로 결절성 홍반양 발진 같은 피부 질환, 관절염 증상, 소화기 증상, 비뇨기계 증상, 혈관염 증상, 호흡기계, 중추신경계 증상 등이 있을 수 있다. 거의 전례에서 아프타성 구강 점막 궤양이 동반되고 크기가 큰 편이며 수가 적고 치유 후 반흔이 남을 수 있으며 일 년에 3회 이상 재발하는 경우에 진단할 수 있다.[20] 증상은 재발과 호전을 반복하는데 주기는 정기적이지 않다.

임상 양상이 다양하고 아직까지 진단적 가치가 있는 검사가 없으나 재발성 구강 궤양이 있으면서 생식기 궤양, 안구 병변, 피부 질환과 피부 반응 검사(pathergy test) 중 두 가지 이상이 있으면 진단할 수 있다. 피부 반응 검사는 피부를 주사침으로 가볍게 찔러 자극을 받은 부위가 24~48시간 후에 발적 또는 소농포를 형성하면 양성으로 간주한다.

구강 점막 병변의 치료는 아프타성 구내염의 치료와 동일하며, 다른 증상의 치료에는 스테로이드를 사용하고, 심한 경우에는 cyclosporine, FK506, azathioprine, cyclophosphamide 등의 면역억제제 또는 interferon-α, 항응고제, 항바이러스제 등도 사용된다.

환자의 2~4%가 사망할 수 있고 중추신경계 증상 또는 혈전성 혈관염을 동반하는 경우에는 예후가 나쁘다.

3. 백반증

백반증(leukoplakia)은 점막에 생기는 무통성의 암으로 발전할 수 있는 전암성 백색 또는 회백색의 각화성 병변으로 WHO (2005)에서는 암으로의 발전될 위험이 없다고 알려진 질환 및 질병을 제외하고 의심스러운 위험도를 가진 백색반(white plaque)이라고 정의하였다.[49] 암으로 발전할 가능성이 적은 이미 알려진 질환 및 질병으로는 칸디다증, 편평 태선 등이 있다(표 16-3).

원인으로는 국소적 요인과 전신적 요인이 모두 관여한다. 국소적 요인으로는 만성적인 자극이 주 요인으로 담배와 알코올에 의한 만성적 자극이 가장 큰 원인이며 이외에 들쭉날쭉하거나 부서져서 날카로운 치아나 잘 고정되지 않은 보철물이나 의치 등이 알려져 있다. 담배는 흡연보다는 씹는 담배가 더 큰 원인이 된다고 알려져 있으며

표 16-3. **백반증 양상을 보이는 백색 병변**

질환	진단적 특징
백색해면상모반(white sponge nevus)	어린 나이, 가족력, 생식기 등 광범위 발생
마찰각화증(frictional keratosis)	외상 관련, 원인 제거 후 호전
습관성 씹힘(morsicatio buccarum)	습관적 볼, 입술 씹음, 불규칙한 백색 병변
화학적손상	화학적 자극, 통증을 동반, 빠른 회복
급성위막성칸디다증	위막이 쉽게 벗겨지고 홍반성 표면이 남음
백색부종	양측성, 볼 점막에 호발, 잡아당기면 소실됨
편평태선	다른 편평태선과 관련됨
태선양 반응	약물, 특히 아말감과 밀접한 관련
원판상홍반성낭창	중심부 홍반과 백색의 방사선의 원판형 병변
피부 이식	피부 이식의 병력
털백반증	양측성 혀각화증
니코틴성 백색각화증	흡연, 회백색의 구개

sanguinaria라는 식물성 추출물이 함유된 구강청정제 혹은 치약에 의한 발생도 보고되었다. 전신적 요인으로는 비타민 A, B의 결핍, estrogen의 결핍, 고콜레스테롤혈증, 매독 등이 있을 수 있다.

40세 이상 고령자에서 많이 볼 수 있으며, 성별에 의한 발생 빈도는 논란이 많으며 지역적으로 씹는 담배 등의 습관이 있는 곳에서는 남성에서 발생 빈도가 높으나 유럽과 몇몇 나라에서는 여성에서 발생 빈도가 높다고 알려져 있다. 구강저, 혀, 볼 점막, 잇몸 등에 호발하며, 구강저나 혀의 측부에 발생한 경우 악성 전환의 위험이 높아 각별한 주의를 요한다(그림 16-4).

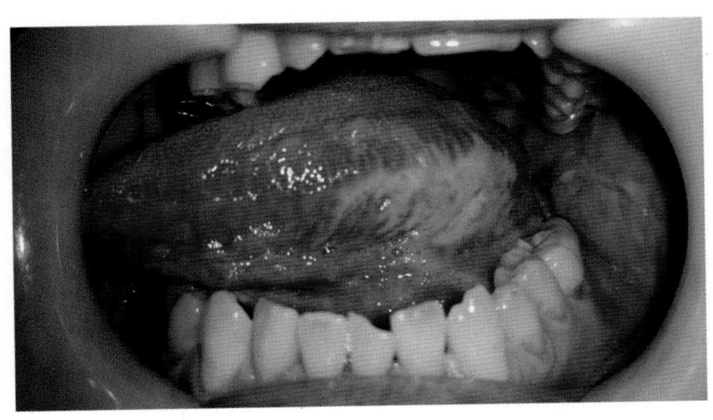

■ 그림 16-4. **백반증의 병변.** 혀의 측부에 발생한 경우는 악성 전환의 위험이 높다.

병변의 양상에 따라 균질형(homogeneous)과 비균질형(nonhomogeneous)으로 구분할 수 있으며 균질형은 다시 편평형(flat), 골판형(corrugated), 주름형(wrinkled), 부석형(pumice)으로 나뉘고 비균질형은 우상형(verrucous), 결절형(nodular), 궤양형(ulcerated), 홍색백반증형(erythroleukoplakia)으로 나뉜다.

진단은 임상적으로 백색반이 관찰되면 유사한 백색 병변을 보이는 감별 질환을 배제하고 진단할 수 있으며 뚜렷한 자극 원인이나 유발 요인을 제거한 후에도 병변이 치유되지 않는 경우에는 경과 관찰과 함께 반복적인 조직검사를 시행할 수 있다. 병리조직학적으로는 상피층의 이상각화증(parakeratosis), 과각화증(hyperkeratosis), 극세포증(acanthosis)이 나타나며 이형성 세포 출현 등의 소견이 관찰된다. 점막상피의 이형성(dysplasia) 정도가 중요한 지표로서 상피층 내에 얼마나 이형성을 보이는가에 따라 경도, 중등도, 중증으로 나눈다. 중등도 이상의 이형성은 상피 내 암종(carcinoma in situ)이 되었다가

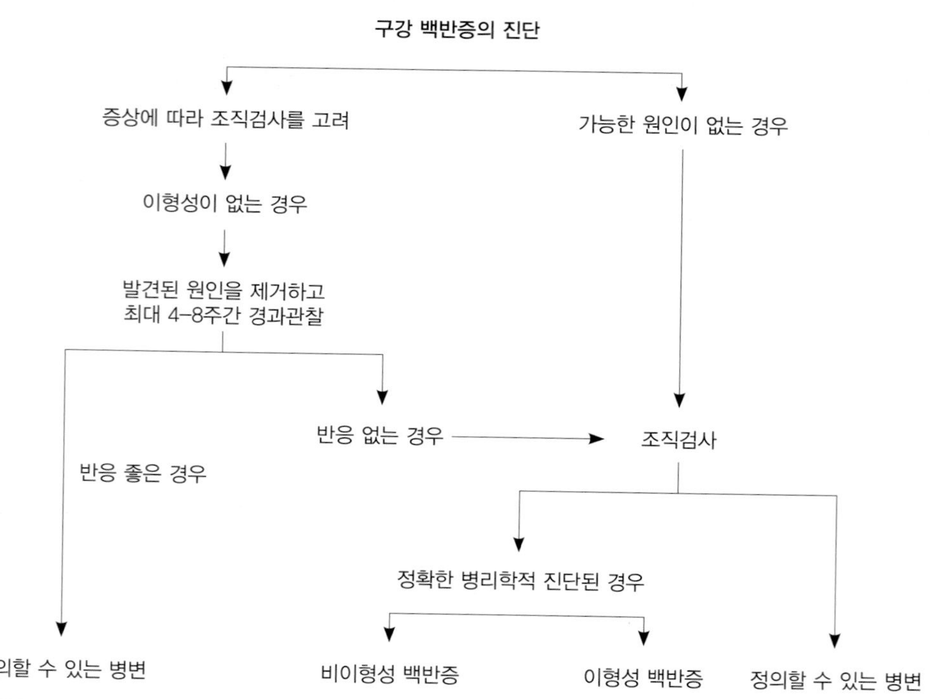

■ 그림 16-5. **구강 백반증의 진단과 치료 계획**

침윤성 암종(invasive carcinoma)으로 변환될 수 있다.

백반증의 악성 전환율은 0.13–17.5%까지 보고되고 있으며 흡연 경력이 없는 여성에서 발생한 경우, 50세 이상의 고령, 혀의 측부와 구강저에 발생한 경우, 비균질형의 얼룩덜룩한 반점상(speckled)의 결절형과 홍색백반증형에서처럼 붉은색을 띠는 병변이 혼재하는 경우, 병변의 크기가 200 mm^2 이상인 경우에서 악성 전환율이 높다고 알려져 있다.

치료는 원인을 제거하고 경과를 관찰하는 것에서부터 외과적 절제까지 다양하다. 백반증의 60% 정도가 흡연과 관련이 있으며 흡연을 중지하면 대부분 1년 이내에 정상으로 회복된다. 조직검사에서 경도의 이형성을 보인 경우에는 병변을 절제하지 않고 주기적인 관찰을 할 수 있지만 중등도 이상의 이형성을 보이는 경우에는 절제가 필요하다. 최근에는 retinoids, antioxidants, cyclooxygenase (COX)–2 억제제 등을 사용하여 전암성 병변에서 암으로 진행하는 것을 예방하기 위해 노력하고 있다. 구강 내 백색 병변은 그림과 같은 방식으로 진단과 치료를 시행할 수 있다(그림 16-5).

4. 편평태선

편평태선(lichen planus)은 주로 전완(forearm)과 대퇴부 내측(medial thigh)에 가려운 보랏빛 구진(papule)을 동반하는 비감염성 염증성 면역 매개 피부 질환이다. 구강 내 백색의 망상 혹은 미란성 병변으로 나타날 수 있고 피부 병변과 병발하거나 피부 병변 없이 구강에만 발생할 수 있으며 구강 미란을 일으키는 구강 내 피부 질환 중 가장 흔하다. 구강 병변은 양측 볼 점막에 가장 흔히 나타나고 혀, 잇몸에 호발한다. 구강 편평태선은 구강 병변만 나타날 수도 있으나 구강 편평태선 환자의 20%에서 생식기와 병발할 수 있고 15%에서 피부 병변과 병발할 수 있다고 알려져 있으며 역으로 피부 편평태선 환자의 70–77%에서 구강 병변이 나타날 수 있다고 알려져 있다.

발생 빈도는 인구의 약 0.1–4%로 여성에서 흔하고 30–70세에 주로 발생하고 0.4–1.5%에서 악성종양으로 전환될 수 있다.[8] 원인은 아직 잘 알려져 있지 않지만 점막 표면의 상피세포층에서 T림프구 매개 면역반응으로 인한 만성 염증반응이 원인으로 여겨지며 그 이유로 세포독성 CD8+ T 림프구가 기저각질형성세포의 세포자멸사를 유발하는 것으로 알려져 있다.[8] 유발 요인으로 유전적 요인, 정신적 스트레스, 외상, HCV감염, 고혈압, 당뇨, 갑상선 기능 이상 등이 지적되고 있다.

다양한 임상 양상에 따라 망상성(reticular), 미란성(erosive), 위축성(atrophic)으로 분류할 수 있으며 이 중 망상성과 미란성이 가장 흔하고 드물지만 구진성(papular), 수포성(bullous), 반상유사성(plaquelike) 등이 포함될 수 있다.[8,39] 호발 부위는 볼 점막으로 80% 정도에서 발생하는데 특히 교합면에 대응하는 볼 점막에 양측으로 많이 발생하며 혀, 잇몸, 구개 등에도 나타난다(그림 16-6).

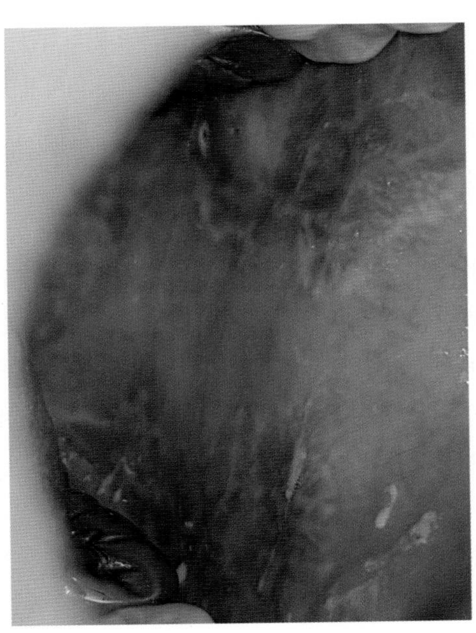

■ 그림 16-6. **편평 태선의 구강 병변.** 홍반성 바탕에 그물망사성 백색 병변으로 나타난다.

전형적인 망상성 편평 태선은 양측 볼 점막에 발생하며 각화구진(keratotic papule)이 나타나고 이어서 폭 1~2 mm의 가는 백색선(Wickham striae)이 가지를 치고 있는 레이스 또는 그물망상(interlacing network)의 병변이 발생한다. 병변이 아래로 퍼져 잇몸, 입술, 혀 측면에도 나타나나 주관적인 자각증상은 없다. 시일이 경과됨에 따라 붉은색을 띠거나 모양이 변화한다. 때로는 소수포가 발생하기도 하고, 미란 또는 궤양을 형성하거나 만성적인 예에서는 암갈색의 색소침착을 보이기도 한다.

표 16-4. 구강 편평태선과 태선양 병변의 진단 기준

임상적 기준
• 양측성 대칭적 병변의 존재
• 살짝 돋은 회백색의 선으로 이루어진 레이스 같은 망상의 존재(망상형)
• 구강 점막에 망상형 병변의 존재하에 미란성, 위축성, 수포성, 반상성은 아형으로 인정
• 언급된 기준에 부합되지 않지만 구강 편평태선과 유사한 경우에 '임상적으로 부합된다'로 표현함.
조직병리학적 기준
• 결체조직의 천층부에 국한된 주로 림프구로 구성된 명확한 선형의 세포침습영역의 존재
• 기저세포층의 액화변성의 징후
• 상피이형성의 부재
• 조직병리학적 특성이 명확하지 않으면 '조직병리학적으로 부합된다'로 표현함.
구강 편평태선과 태선양 병변의 최종 진단
• 최종적으로 진단하려면 임상적 및 조직병리학적 진단 기준을 만족시켜야 한다.
구강 편평태선
• 구강 편평태선의 진단은 임상적 및 조직병리학적 진단 기준을 모두 충족시켜야 한다.
구강태선양 병변
• 구강태선양 병변은 다음의 상태에 쓰인다.
1. 임상적으로는 전형적인 구강 편평태선이나 조직병리학적으로는 부합되는 경우
2. 조직병리학적으로는 전형적인 구강 편평태선이나 임상적으로는 부합되는 경우
3. 임상적으로나 조직병리학적으로나 모두 부합되는 경우

미란성 편평태선은 동통을 동반한 궤양이 특징으로 궤양 표면에 가성막(pseudomenbrane)이 형성되어 섬유소 반이 달라붙고 주변에 백색선이 나타나는 병변이다. 드물게 수포성 편평태선이 발생할 수 있는데 수포가 터져 통증을 동반한 궤양이 볼 점막에 발생한다.

위축성(atrophic) 혹은 홍반성(erythematous) 편평태선은 주로 잇몸에 광택이 나는 홍반성 부종으로 동통이 있고 표면의 각화(keratinization)가 소실되어 쉽게 출혈하기 때문에 구강 위생이 나빠져 결국 세균막이 형성되는 병변이다. 위축성 혹은 미란성 병변에서 악성 종양으로의 전환이 더 흔히 발생하므로 주의를 요한다. 구강 편평태선의 경우 25~30%에서 구강 칸디다증을 동반할 수 있다.

편평태선의 진단을 확인하기 위해서는 특히 피부 병소가 없는 경우에는 절개 생검이 필요하다. 병리조직학적으로 상피 표면에 과각화증(hyperkeratosis), 이상각화증(parakeratosis)이 나타나며 극세포층이 얇아지고 기저층이 퇴화되어 공포(vacuole)를 형성해 상피가 톱니(sawtooth) 모양을 보인다. 면역형광염색을 하면 섬유소(fibrin)가 기저층을 따라 축적되어 있다. WHO에서는 임상적 병리조직학적 진단 기준을 1978년에 제시하였으며 이후 2003년에 진단 기준을 보완하였다(표 16-4).[8] 추적 관찰 중에 모양의 변화, 결절, 미란, 궤양이 나타나면 조직검사를 통해 악성 변화 여부를 꼭 확인해야 하고 간혹 경화성 담도염(sclerosing cholangitis), 홍반성 루푸스(lupus erythematosus), Sjögren병 등 전신 질환이 발생할 수 있다고 알려져 있으므로 이에 대한 검사가 필요할 수도 있다. 위축성 칸디다증(atrophic candidiasis), 원판상 홍반성 루푸스(discoid lupus erythematosus), 태선양 이형성(lichenoid dysplasia) 등은 망상형과 감별해야 하며 위축형과 미란형은 심상성 천포창, 다형홍반의 수포성 병변과 감별해야 한다.

증상이 없는 망상형 병변의 경우에는 치료가 필요 없으나 경과 관찰의 필요성을 환자에게 잘 설명해주어야 한다. 위축성이나 미란성 병변에는 동반된 증상을 완화하고 악성 종양으로의 전환을 감소시키기 위해 치료가 필요하다. 우선 원인이 될 요소를 제거하고 부작용이 적은 국소 제제가 선호된다. 국소 스테로이드제가 가장 흔히 쓰이고 최근에는 tacrolimus를 사용하기도 한다. 잘 치료되지 않은 국소 병변부에 triamcinolone 같은 스테로이드제를 주사하기도 하고 광범위한 병변에는 전신 스테로이드제, hydroxychloroquine, azathioprine, retinoids 등을 사용하기도 한다.

5. 적색반

적색반(erythroplakia)은 전암성 적색 병변으로 1978년에 WHO에서 정한 정의에 의하면 임상적으로나 병리학적으로나 그 어떤 알 수 있는 상태로 특정화되지 않는 선홍색을 띠는 벨벳반상(velvety plaque)으로 나타나는 구강 점막 병변으로 정의된다. 유병률은 0.02-0.2%로 백반증보다 드물게 발견되는 질환이지만 상피의 이형성률이 높아 악성화할 가능성이 백반증보다 훨씬 높은 질환으로 60~70대에 호발하고 남자에서 많이 발생한다.

대부분의 경우 원인을 알 수는 없으나 만성적인 국소 염증, 부적합한 의치에 의한 만성적인 자극, 의치성 구내염, 칸디다증, 흡연, 음주 증이 유발 요인으로 알려져 있다.

구강저에 호발하며 볼 점막, 연구개, 잇몸에서도 관찰된다. 육안으로는 경계가 비교적 뚜렷하며 약간 함몰되어 있거나 평활하고 광택이 있는 선홍색의 홍반성 병소를 보이며 백반증과 혼재(erythroleukoplakia)할 수도 있다. 상피가 위축되어 얇아져서 각질이 결핍되어 바닥의 미세혈관이 비쳐져 선홍색을 띠게 되며 기구로 긁으면 다소 출혈하는 경향이 있고 일부는 궤양, 소과립상을 보일 수 있다.

촉진 시 경결은 없으며 자극통을 동반하고 작열감을 호소하기도 한다. 소염요법으로는 병변이 축소 또는 퇴색되지 않으며 전암성 병변이므로 반드시 조직검사를 시행하여 악성 병변으로의 이행 여부를 확인해야 한다. 조직

검사에서는 이형성, 다핵세포의 출현, 핵분열상의 증가, 세포내부종 등의 소견을 보인다.

치료로는 상피내암, 국소성 침윤암종의 이행 가능성 또는 혼재의 가능성이 높아서 수술적 절제를 시행하는 것이 좋고 병변의 크기가 80 mm^2 이상인 경우엔 재발의 위험이 크다.[50] 술 후 최소한 3개월마다 주기적으로는 약 2년간은 관찰해야 한다.

6. 천포창

천포창(pemphigus)은 자가면역질환군의 하나로 상피세포 간 접합물의 변성으로 인해 극세포분리(acantholysis)로 피부나 점막의 상피 내(intraepithelial, suprabasilar)에 수포가 형성되는 질환이다. 매년 인구 10만 명당 0.1~0.5명 정도 발생하는 드문 질환이지만 생명을 위협할 수도 있는 치명적인 질환이다. 여성에서 약간 더 호발하고 유전적으로 특정한 유태인 가문에서 호발하는 것으로 알려져 있다.[4,23,34]

각질세포의 세포 간 접합에 대한 자가항체가 활성화되어 세포를 분리하거나 극세포분리를 초래한다. 면역글로불린G가 세포 접합 분자로 알려진 desmoglein을 공격하는 것으로 알려져 있다. 유천포창이 기저막층에서 기저 상피세포를 분리시키는 데 반하여 천포창은 상피세포의 상피세포 간 접합에 작용하여 분리시킨다.

임상적으로 심상성 천포창(pemphigus vulgaris), 낙엽상 천포창(pemphigus foliaceus), 종양 연관성(paraneoplastic) 천포창과 IgA 천포창으로 구분할 수 있다.[4,23,45]

구강 내 병변은 심상성 천포장과 종양 연관성 천포창에서 흔하고 구강 병변이 피부 병변에 선행하게 된다.

1) 심상성 천포창

피부에선 접착분자(adhesion molecules)인 desmoglein 1과 3이 모두 발현되지만 구강상피에는 desmoglein 3만이 주로 발현된다. 심상성 천포창은 desmoglein 3에 대한 자가면역질환으로 Dsg 3에 대한 자가항체가 세포 간 결합을 파괴하여 상피가 분리된다.[23,37,45] 구강 내에서 주로 볼 수 있는 아형이며 피부 병변에 선행해 나타난다. 30~50대에 주로 호발하며 여성에게 많다. 환자의 70%에서 상기도나 구강의 점막에 병변이 나타난다.

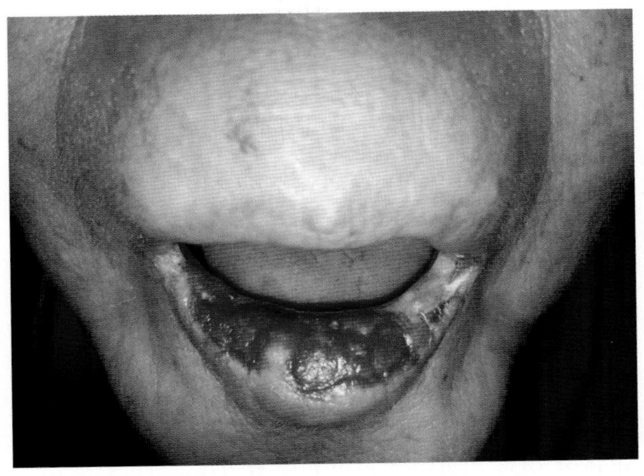

■ 그림 16-7. **천포창의 구강 병변.** 아랫 입술에 극세포분리로 수포가 발생하고 터져 궤양을 형성한다.

수개월에 걸쳐 서서히 진행하여 주로 볼 점막, 혀, 구개, 아랫입술에 발생하고 잇몸에 발생하는 경우는 유천포창처럼 흔하지는 않다(그림 16-7).

작은 증상이 없는 수포가 발생하고 얇은 피막이 압력이나 외상에 의해 쉽게 파열되어 회색 위막과 통증을 동반한 출혈성의 미란과 궤양을 형성한다. 밀면 쉽게 박리되어 출혈성 미란이 생기는 Nikolsky 징후와 손상되지 않은 수포에 압력을 가할 경우 주위로 확장되는 Asboe-Hansen 징후를 관찰할 수 있다.[4]

2) 종양 연관성 천포창

1990년대에 처음 기술되었고 대개 기저 종양성 질환과 연관되어 발생한다. 만성 림프구성 림프종과 비호치킨성 림프종 환자에서 주로 발생하고 그 외에 암종이나 육종,

양성 종양 중에 흉선종이나 캐슬만병에서도 발생할 수 있다.

자가면역항체가 세포 간 단백질을 공격하여 발생하고 desmoglein 1과 desmoglein 3, plakin계 단백질, 수포성 유천포창 항원 1(BP230) 같은 항원이 발현되며 주로 plakin계의 plakin과 periplakin이 가장 특징적이다.[23]

임상적으로 통증을 동반한 발그레한 구강 미란과 궤양이 나타나고 구강 외에 결막, 생식기, 인두, 식도, 비인두, 후두와 주로 안면 피부 등에도 다발적으로 병변이 발생하여 종양 연관 자가면역 다기관 증후군(paraneoplastic autoimmune multiorgan syndrome)이라고도 한다. 폐에도 나타날 수 있으며 폐쇄성 세기관지염(bronchiolitis obliterans)을 야기할 수 있다.

진단은 면역형광검사가 가장 정확한 진단방법으로 거의 모든 환자가 각질형성세포 표면에 IgG 침착을 보이며 간접 면역형광검사에서 90%의 환자가 혈청에 자가항체를 가지고 있다.[23,45] 그 외에 조직검사와 Tzank 검사로 진단할 수 있다.

반흔성 유천포창(cicatrical pemphigoid), 홍반성 루푸스(lupus erythematosus), 다형홍반(erythema multiforme), 수포성 평편태선(bullous lichen planus) 등과 감별해야 하고 구강 내 다발성 궤양이 만성적으로 지속되는 경우 천포창일 가능성이 높으므로 생체 조직검사를 하는 것이 좋다.

심상성 천포창의 경우에 스테로이드제(prednisone 1 mg/kg)를 전신 투여의 치료를 하기 전에는 사망률이 90%에까지 이르는 치명적인 질환이었으나 장기간 스테로이드제 사용으로 인해 사망률이 10% 이내로 낮아졌다.

스테로이드제제 외에 면역억제제로 cyclosporine, cyclophosphamide, azathioprine, dapsone 등을 투여할 수 있고, 혈장교환술을 시행할 수 있다.

이차 감염에 대한 항생제 치료와 광화학 치료(photochemotherapy), γ-globulin, proteinase inhibitors 등을 시도해 볼 수 있다.

7. 점막유천포창(mucous membrane pemphigoid, MMP)

유천포창(pemphigoid)은 면역 매개의 점막이나 피부의 상피하 또는 표피하에 만성적으로 수포를 형성하는 질환으로 비가역적인 합병증을 야기할 수 있는 질환이다. 점막이 주로 병발하는 부위로 점막유천포창으로 알려져 있고 구강 점막에서 가장 호발하고 안구결막, 비인두, 항문성기부, 후두와 식도에서 발생할 수 있다. 구강 병변은 잇몸과 구개에 가장 호발하고 입술, 혀, 잇몸에도 드물게 발생할 수 있다. 인구 백만 명당 1.3–2.0명 정도 발생하고 여자에서 더 호발하고 50–70대에 주로 발생하는 것으로 알려져 있다.[34]

기저막층의 상피-결체조직 접합부에 대한 자가항체 IgG가 보체인자 C3와 함께 선상으로 침착하는 자가면역 질환의 하나로서 피부와 점막에 수포를 형성하여 상피의 기저막층 접합부를 분리한다. 그러나 병리조직학적으로 천포창과 달리 극세포분리는 볼 수 없다.

임상적으로 점막유천포창(mucous membrane pemphigoid), 수포성 유천포창(bullous pemphigoid)과 임신 유천포창(pemphigoid gestationis)으로 분류된다. 반흔성 유천포창(cicatricial pemphigoid)은 주로 안구와 구강 점막에 반흔을 남기는 질환으로 점막유천포창의 일종으로 분류되고 결막에 반흔을 남겨 실명을 초래할 수 있고 후두나 식도의 반흔으로 생명에 치명적일 수도 있다.

진단은 임상 소견과 조직검사에 의한 병변 조직의 조직병리학적 소견 및 병변 주위 조직의 직접 면역형광법(DIF; direct immunofluorescence)으로 할 수 있다. 결과가 모호할 경우에는 간접 면역형광법(IIF; indirect immunofluorescence)과 ELISA가 보조적으로 쓰일 수 있다.

구강 편평태선, 천포창, 다형홍반, Stevens-Johnson 증후군 등과 감별이 필요하다.

치료는 구강을 청결히 하고 증상 경감을 위한 대증요법을 시행한다. 경미한 경우에는 국소 스테로이드제로 도포

표 16-5. 다형홍반을 야기하는 약물들

Associated drugs	Highly suspected drugs
Antibacterial	Antibacterial
Sulfonamides (trimethoprin-sulfamethoxazole, quinolones, tetracyclines)	Sulfonamides (trimethoprin-sulfamethoxazole)
Anticonvulsants	Anticonvulsants
Phenobarbital, phenytoin, carbamazepine, valproic acid	Phenobarbital, phenytoin, carbamazepine, valproic acid
NSAID	NSAID
Oxicam (piroxicam, tenoxicam)	Oxicam (piroxicam, tenoxicam)
Antifungals	
Imidazole	
Other categories	Other categories
Allopurinol, chlormezanone, acetaminophen, systemic cortico steroids	Allopurinol, chlormezanone

하거나 병변 내 주사 치료를 할 수 있지만 병변이 결막, 구강, 후두, 식도 점막에 빠르게 진행할 때는 prednisone과 같은 전신 스테로이드제와 cyclophosphamide의 전신 면역억제요법을 사용하기도 한다. 이 외에 tacrolimus, tetracyclines, Dapsone, 저용량의 methotrexate 등을 사용할 수 있다.

8. 다형홍반(Erythema multiforme)

다형홍반(erythema multiforme)은 급성 또는 재발성으로 점막이나 피부에 특징적인 표적 혹은 홍채 모양의 병변(target or iris lesion)을 야기한다. 구강에는 주로 입술 점막에 홍반, 수포와 궤양으로 나타나고 병변은 반(macular), 대수포(bulla), 딱지 형성(sloughing), 가성막(pseudomembranous), 치유(healing)의 단계를 거친다. 20대의 젊은 남성에서 더 흔히 발생한다.

임상적으로 병변의 양상과 특징에 따라 소다형홍반(EMm; erythema multiforme minor), 대다형홍반(EMM; erythema multiforme major), Stevens–Johnson 증후군, 독성표피융해(toxic epidermal necrolysis)로 나눈다.[3,37] 소다형홍반과 대다형홍반은 대개 감염병에 의해 촉발되며 Stevens–Johnson 증후군과 독성표피융해는 약물에 의해 촉발되는 것으로 알려져 있다.

소다형홍반은 급성, 자연 치유되는 질환으로 재발할 수 있으며 주로 피부에 표적 모양의 병변을 야기하나 구강 침범은 드물고 경미하다. 대다형홍반은 피부와 점막을 다 침범하며 감염병에 의해 촉발되나 병변은 자연 치유된다. Stevens–Johnson 증후군은 다소 증상이 심한 상태로 체표면의 약 10%까지 침범하고 50% 정도에서 약물로 촉발된다. 독성표피융해는 세표면의 30% 이상 침범하며 표피의 탈락이 일어나고 95%에서 약물로 촉발되고 감염으로부터 유발된 경우 치사율이 70%로 높을 수 있어 주의를 요한다.

다형홍반을 촉발하는 가장 대표적인 감염병은 단순포진바이러스감염으로 HSV–1과 HSV–2 모두 관여하고 그 외에도 Mycoplasma pneumoniae, 간염바이러스, Epstein–Barr 바이러스 등과 수두나 인간유두종바이러스에 대한 예방접종제제가 관여될 수 있다. 다형홍반을 촉발하는 약물은 연관된 약물(associated drugs)과 매우 의심스러운 약물(highly suspected drugs)로 구분할 수 있다(표 16-5).[3]

원인을 찾아 제거하는 것이 가장 중요하며 불필요한 약제의 투여를 중지하고 수액을 충분히 공급하며 영양 관리를 해준다. 경증인 경우 병변이 대개 2~3주 이내에 자연 소실되어 치료가 필요 없으나 심할 때는 6주 정도 지속되기 때문에 증상 호전을 위해 스테로이드제를 사용하기도 한다. 농포와 위막 형성으로 이차 감염이 의심되는 경우에는 적절한 항생제를 선택하여 투여하고, 구순에는 건조하지 않게 스테로이드가 함유된 부드러운 연고나 안연고를 도포하면 효과적이다.

9. 지도혀(Geographic tongue)

지도혀는 만성 염증반응으로 혀의 배부에 주로 발생하는 불규칙한 모양의 무통성 홍반성 병변이다(그림 16-8). 홍반성 병변은 혀의 실유두(filiform papillae)가 위축된 부분이고 가장자리로 실유두가 재생되면서 각질로 인해 백색으로 나타나 지도 모양의 병변이 발생하고 병변의 모양이 수시로 바뀌기 때문에 양성 이주성 혀염(benign migratory glossitis)이라 불리기도 한다.

발생률은 1.0–2.5% 정도로 소아에서 호발하는 것으로 알려져 있으며 나이가 들면서 감소하는 경향이 있다.

원인은 명확하지 않으나 스트레스 같은 심리적 요인이 작용하며 아토피, 알러지, 건선, 고랑혀, 위축성 편평태선 등의 질환과 연관이 있다고 알려져 있다.[23]

대개 무증상이나 혀의 미각이상이나 작열감 등을 호소하기도 한다. 진단은 임상적으로 가능하나 종종 감별진단과 악성종양을 배제하기 위한 조직검사가 필요할 수 있다.

치료는 대부분의 경우 필요하지 않고 자연적으로 회복되나 유발 인자를 제거하거나 증상이 있는 경우 대증치료를 할 수 있다.

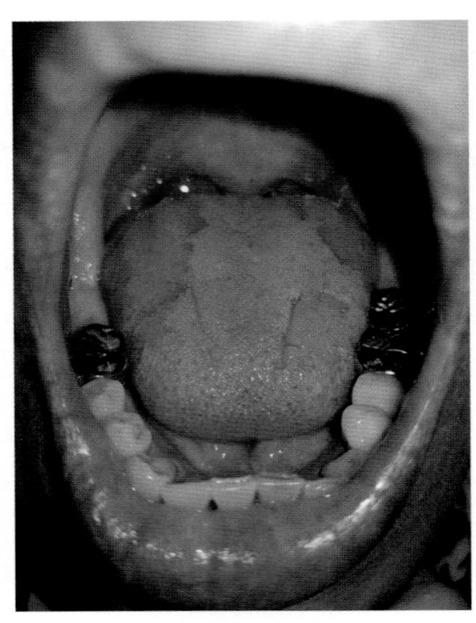

■ 그림 16-8. 지도혀는 혀의 배부에 발생하는 불규칙한 모양의 홍반성 병변이다.

10. 고랑혀(Fissured tongue)

혀의 배부에 고랑이 나타나 균열된 모습으로 보이는 상태로 때로 가족성의 선천성 변형으로 발생할 수도 있으나 대개는 나이가 듦에 따라 만성 외상이나 비타민 결핍과 동반되어 발생한다. 혀의 배부 표면에 균열상의 홈을 많이 가지고 있어 고랑혀(fissured tongue)라고 하며 구상설(grooved tongue) 혹은 음낭설(scrotal tongue)이라고도 한다. 정상인의 10%에서 발생할 만큼 흔한 구강 내 병변이다(그림 16-9).

악성빈혈, 비타민A 결핍, 당뇨, Down 증후군, 자가면역질환 등에서 발생할 수 있으며 특히 Melkersson–

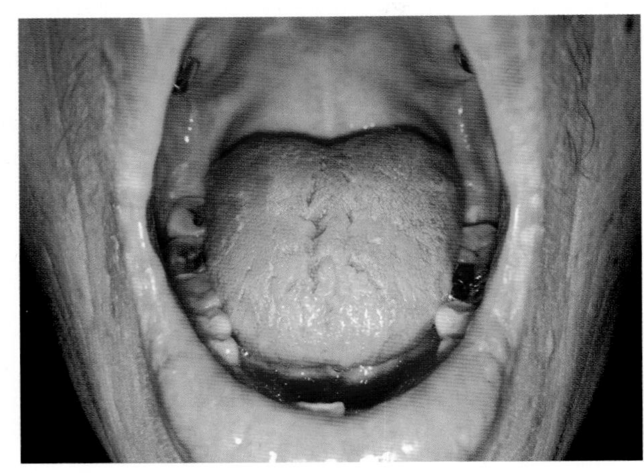

■ 그림 16-9. 고랑혀는 혀의 배부 표면에 균열상의 홈으로 나타난다.

Rosenthal 증후군의 한 증상으로 나타날 수 있고 건선이나 지도상혀(geographic tongue)와 동반이 흔하다.[24]

균열의 형태는 매우 다양하여 일정한 모양 없이 배열되기도 하고 균열의 길이와 수, 깊이도 다양하게 관찰되지만 전체적인 크기, 탄성, 형태는 정상이다.

대개 자각증상은 없으나 이차 감염이 되면 동통이나 미각이상이나 작열감을 호소하는 경우가 있다. 특별한 치료는 필요하지 않으나 자극을 피하고 깊은 홈 부분에 음식물이 끼어 염증을 유발하지 않도록 청결을 유지하고 감염을 방지한다.

11. 백색부종

백색부종(leukoedema)은 구강 점막 특히 볼 점막에 발생하는 회백색 병변으로 흑인 성인에서 흔히 볼 수 있다. 다양한 백색 병변과 감별을 요하고 백반증과의 차이는 병변 부위의 유연성의 소실이 없다는 것이고 편평태선과의 차이는 병변부를 설압자로 당기면 사라졌다가 풀면 다시 나타난다. 이 외에도 백색해면모반(white sponge nevus), 만성적인 외상에 의한 반응성 각화증(reactive keratosis), 습관적인 볼 씹힘으로 인한 백선(linea alba), 유전성 상피 내 이상 각화증(hereditary benign intraepithelial dyskeratosis)과 감별할 필요가 있어 조직 생검을 하는 경우도 있다.[26] 조직 소견에서 상피세포 유극층(stratum spinosum)에 당원(glycogen)이 풍부한 공포(vacuole)가 많은 것이 특징적이고 농축된 핵(pyknotic nuclei)이 보인다. 악성 병변으로 진행하지는 않아 치료는 불필요하다.

12. 백선(Linea alba)

볼 점막에 양측성으로 백색의 돌출된 선상 병변이 치아 자국처럼 보이는 것으로 치아에 의한 압력과 마찰 또는 습관적으로 씹힘에 의한 외상으로 발생하게 된다(그림 16-10). 대개 증상은 없으며 치료를 요하지도 않아 환자에게 설명하고 안심시키면 된다.

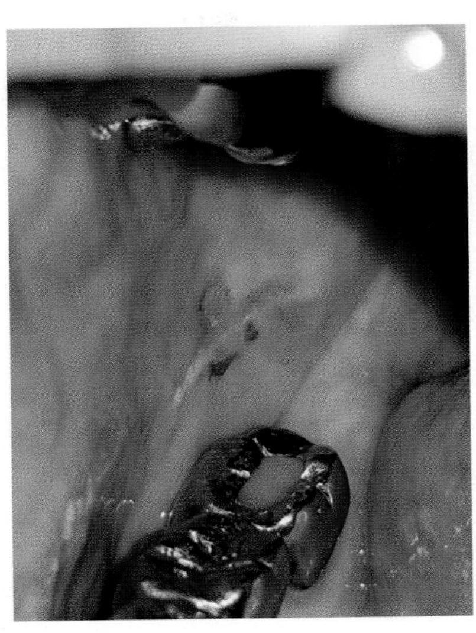

■ 그림 16-10. 백선은 볼에 치아가 맞물리는 부위에 백색의 돌출된 선상 병변으로 나타난다.

13. 맥관부종(angioedema)

맥관부종(angioedema)은 피부, 피하조직, 때로는 점막에서 볼 수 있는 일과성, 국한성의 부종으로 안면과 구강, 생식기, 사지말단, 복강 내 위장간 점막에 발생할 수 있다. 혈관운동신경의 기능적 변조, 즉 국소적 흥분에 의하여 모세혈관 투과성이 항진되고 조직 간에 누출액이 나와서 발생하며 유전적, 후천적 또는 원인불명으로 발생하며 구강, 구인두 및 후두 부종으로인해 생명을 위협하는 상태를 야기하기도 한다.[47]

유전적인 경우 C1억제제(C1-INH) 결핍과 관련된 상염색체 우성 형질로 나타나고 혈액응고인자XII의 돌연변이로 인한 정상 C1-억제제인 경우와 원인불명으로 발생하는 경우가 있다. 후천적인 경우는 C1-억제제 결핍, 비알러지성 앤지오텐신전환효소억제제(angiotensin converting enzyme inhibitor; ACEI) 관련성, 그리고 원인 미상의 히스타민성 또는 비히스타민성으로 발생하게 된다. 유발 요인으로는 ACEI, aspirin, penicillin, NSAID 등의 약물, 음식, 곤충 자상(insect bite), 수혈, 감염, 물리적 자극, 외상, 생리, 감정적 스트레스 등이 거론되고 있다. 전구증상으로 두통, 권태, 식욕부진, 점막의 이상감각이 선행하는 수가 있으나 일반적으로 피부와 피하조직, 점막에 광범위하고 부드러운 무통성의 부종이 갑자기 생기고 수 시간 내지 수일간 계속된 후 사라지며 안면, 구강, 인두가 모두 영향을 받을 수 있다. 자각증상으로는 간혹 가벼운 소양감, 작열감 등이 있을 수 있고 혀, 목젖, 후두를 침범하면 호흡곤란이 일어나며, 위, 장 등의 소화기 점막에 발생하면 복통, 구토, 설사 등의 증상이 나타난다.

치료는 항히스타민제나 항플라스민제의 단독 또는 병용요법이 유효하며 중증인 경우에는 스테로이드제를 사용하면 효과를 볼 수 있다.

14. 육아종성 입술염(granulomatous cheilitis)

육아종성 입술염(granulomatous cheilitis)은 희귀한 염증성 질환으로 무통성의 입술의 비대가 나타난다. 병리조직학적으로는 비괴사성 육아종의 형태를 보이고 부종, 림프관확장증 및 혈관 주변으로 림프구 침윤을 보인다. 주로 젊은 성인에서 나타나고 안면신경마비와 고랑혀와 병발하는 Melkersson-Rosenthal 증후군의 불완전한 형태로 인식되기도 한다.[48]

입술의 일부가 무통성으로 종창되고 그 범위가 차차 넓어지는 경향을 보이며 심하면 볼까지 파급되기도 한다. 입술에 대순증(macrocheilia)이 나타나고 피부는 굳어지며 암적색으로 변하지만 증상은 거의 없다. 종창은 수개월에서 수년간 지속될 수도 있지만 촉진하면 통증은 없다.

치료는 스테로이드제를 병변 내 또는 전신적으로 사용할 수 있고 triamcinolone (10 mg/mL)을 병변 내 주사할 수 있다. 입술이 심하게 비대해진 경우에는 외과적으로 입술 성형술을 시도하기도 한다.

15. 외상성 궤양(traumatic ulcer)

구강의 외상성 궤양은 드물고 대개는 자연적으로 소실되는 질환으로 혀, 볼 점막이나 입술에 돌출된 단단한 경계를 가진 단독의 궤양으로 나타나고 50-60대에 흔하다. 호산구 침윤이 많아 호산구성 궤양(eosinophilic ulcer), 기질내 호산구증가증을 동반한 외상성 궤양성 육아종(tranumatic ulcerative granuloma with stromal eosinophilia; TUGSE), 궤양성 호산구성 육아종(ulcerative eosinophilic granuloma), 또는 소아에서는 Riga-Fede병이라고도 한다.[41]

출혈, 발적, 파괴나 손상 때문에 궤양이 발생하며 심한 통증을 유발하게 되고 외상을 받았던 구강 점막에서 외상성(호산구성)육아종(traumatic (eosinophilic) granuloma)이 발생할 수 있다. 이차 감염되어 염증이 파급될 수 있으나 대부분의 경우 국한성이다. 몇 주나 몇 달간 지속될 수 있으나 대개 자연 치유되지만 지속적인 외상이 제거되지 않으면 재발을 잘하고 몇 달간 지속된다면 구강건조증, 면역결핍 등의 질환 여부와 악성종양, 매독, 결핵, 진균증 등 다른 질환과의 감별을 위해 조직검사가 필요할 수 있다.

Riga-Fede병은 유소아에서 설하면, 설소대 또는 설첨부 등에 하나의 불규칙한 궤양이 발생하는 질환이다. 하악 절치(incisor)부에 비정상적으로 돌출한 신생치가 자극을 가해 궤양이 생기며 진행되면 궤양성 육아종 같은 섬유성 종물로 나타날 수 있다. 주로 남자 유아에서 2배 정도 많으며 소아에서도 반복적으로 혀를 내미는 버릇을 가진 아이나 가족성 자율신경이상증을 가진 아이에서도 발생할 수 있다. 유아에서 통증으로 인한 섭취 불량이나 탈수로 입원 치료를 요할 수도 있다. 원인이 되는 치아를 연마하여 더 이상 혀를 자극하지 않으면 호전된다. 심한 경우에는 발치를 해야 한다.

16. 방사선유발 점막염(Radiation induced mucositis)

정상적인 구강 점막이 이온화된 방사선에 손상을 받아 발생하는 방사선 유발 점막염(radiation induced mucositis)은 두경부 영역의 악성종양의 치료를 위해 방사선을 조사받는 모든 환자에서 발생하고 대개 방사선 조사 후 2주 전후로 나타나기 시작한다.[25] 방사선의 조사량, 노출률, 조사 범위, 흡연, 구강 위생 상태 등이 발생과 증상의 정도에 영향을 줄 수 있다.

방사선 조사를 시작하면 바로 초기 염증기가 되고 염증 매개 물질이 혈관투과성을 증가시킨다. 이어 치료 시작 후 4–5일이면 혈관분포가 증가하여 홍반이 발생하고 상피의 위축이 발생하는 상피기로 상피의 재생 능력이 감소하여 상피의 탈락이 발생하여 궤양을 유발하게 된다. 치료 시작 후 일주일 이내에 궤양기에 접어들면 상피가 소실되고 삼출물로 인해 궤양에 위막이 형성된다. 이 시기에 그람음성균이나 효모균에 의한 염증이 발생할 수 있어 증상이 심해진다. 방사선 치료를 중단하면 2–4주 내에 자연적으로 증상이 호전되는 치유기가 된다.[25]

구강 내 통증과 연하곤란으로 인한 체중 감소 등에 의해 입원 치료를 요할 수도 있으며 방사선치료를 중단에 포기하는 원인이 될 수 있다.

방사선 조사를 중지하는 것이 이상적이기는 하나 암종의 치료를 위하여 방사선 조사를 반드시 해야 하는 경우가 대부분이기 때문에 사실상 곤란하다. 방사선치료 전에 치아 관리를 통해 구강 위생을 청결하게 유지하는 것이 중요하다. 방사선치료가 시작되고 점막염이 발생한 후에도 구강 청결이 가장 중요하고 식염수나 chlorohexidine으로 구강세척을 통해 수분을 유지하여 통증을 조절하고 염증을 예방한다. 국소도포제가 통증 완화와 수분 유지에 도움을 줄 수 있고 sucralfate, magnesium aluminum hydroxide, hydroxypropyl cellulose 같은 제제와 천연 알로에나 꿀이 사용되기도 한다. 구강건조증이 심한 경우에는 인공타액제가 도움을 줄 수 있다. 통증이 심한 경우에는 국소마취제가 포함된 2% lidocaine 점성액, diphenhydramine, magnesium aluminum hydroxide와 모르핀 구강 세척제가 도움이 된다. 전신요법으로 스테로이드제제를 사용할 수 있으며 pilocarpine 같은 콜린성 촉진제로 타액 분비를 유도하거나 2세대 항히스타민제인 Azelastine은 항염증 및 항산화 효과로 쓰이기도 한다. 2차 감염에 의한 항생제, 항진균제나 항바이러스제가 필요할 수도 있다.

17. 색소침착성 병변

구강 점막에 나타나는 색소침착성 병변은 크게 내인적 원인 멜라닌(melanin), 혈색소(hemoglobin), 혈철소(hemosiderin), 카로틴(carotene)과 외인적 원인(이물

표 16-6. 구강 점막의 색소침착성 질환

특발성-멜라니 세포성	주근깨(국소적) 모반(경계성, 복합성, 청색, 국소성) 흑색종과 흑색종 전구 상태
후기 염증성(광범위)	
증후군과 관련	Peutz-Jegher 증후군(국소) Laugier-Hunziker 증후군(국속) McCune-Albright 증후군(미만성) 신경섬유종증neurofibromatosis(미만성) Cushing 증후군(미만성) Addison병(국소 혹은 미만성)
약물 관련(광범위)	Minocycline Clofazimine Chloroquine, antimalarials Axidothymidine Chlorpromazine Heavy metal-containing drugs Quinidine Cyclophosphamide
외인적	아말감 문신(amalgam tattoo) 외상성 착색(traumatic implantation)

(foreign body)으로 나눌 수 있다(표 16-6).[22] 다양한 원인으로 색소침착이 발생하기 때문에 환자의 병력에 대한 상세한 문진이 필수적이다. 흡연이나 음주 등의 습관과 복용중인 약물도 세심하게 확인해야 하고 구강이나 전신적인 신체검사도 중요하며 진단검사나 조직검사가 필요할 수도 있다.

병변의 발생 시기와 양상을 구분하여 원인을 알아낼 수 있으며 병변이 미만성 혹은 양측성인지 국소적인지에 따라 나눌 수 있다. 미만성 혹은 양측성인 경우에는 어린 나이에 발생하였는지 성인에게서 발생하였는지에 따라 원인을 확인할 수 있고 성인인 경우에는 전신증상의 유무에 따라 원인을 알아낼 수 있다. 국소적으로 나타나는 경우에는 병변의 색깔이 자주빛인지 푸른 회색빛인지 아니면 갈색빛을 띠는지에 따라 원인을 구분할 수 있으며 자줏빛인 경우에는 압력을 가했을 때 병변이 소실되는지 여부에 따라 확인할 수 있다(그림 16-11).[22]

병변이 미만성이고 양측성인 경우에 어린 나이에서 발생한 경우엔 생리적 색소침착이나 Peutz-Jeghers 증후군을 생각해 볼 수 있다.

생리적 색소침착(physiologic pigmentation)은 인종적 색소침착(racial pigmentation)이라고도 하고 아프리카, 아시아와 지중해 연안의 인종에 흔히 나타난다. 멜라닌세포의 수가 증가보다는 활성의 증가가 원인이 되며 대개 10대에 갈색의 띠 같은 색소침착이 잇몸에 주로 나타나고 볼점막, 경구개, 입술이나 혀에도 나타날 수 있다. 증상은 없으며 치료도 요하지 않는다.[19]

Peutz-Jeghers 증후군은 드문 유전질환으로 19번 염색체의 LKB1 유전자의 돌연변이로 발생하고 피부 점막의 색소침착된 반점, 창자의 과오종성 용종과 많은 장기의 악성종양의 발생 위험도의 증가를 특징으로 한다. 반점은 작고 다발성이며 매우 뚜렷한 구형의 반점이 주로 입술에 나타난다. 구강의 반점은 특별한 치료를 요하지 않고 악성흑색종과의 연관성도 없으나 질병의 특성으로 다른 내부장기의 악성종양 여부를 확인해야 한다.

미만성이고 양측성 병변이 성인에서 나타고 전신증상이 있으면 Addison씨 병, 중금속 색소침착, Kaposi씨 육종을 감별해야 한다.

Addison씨 병은 원발성 부신기능저하증으로 자가면역질환, 감염 또는 악성종양으로 인해 부신피질이 점진적으로 양측성으로 파괴되어 발생한다. 부신피질호르몬의 결

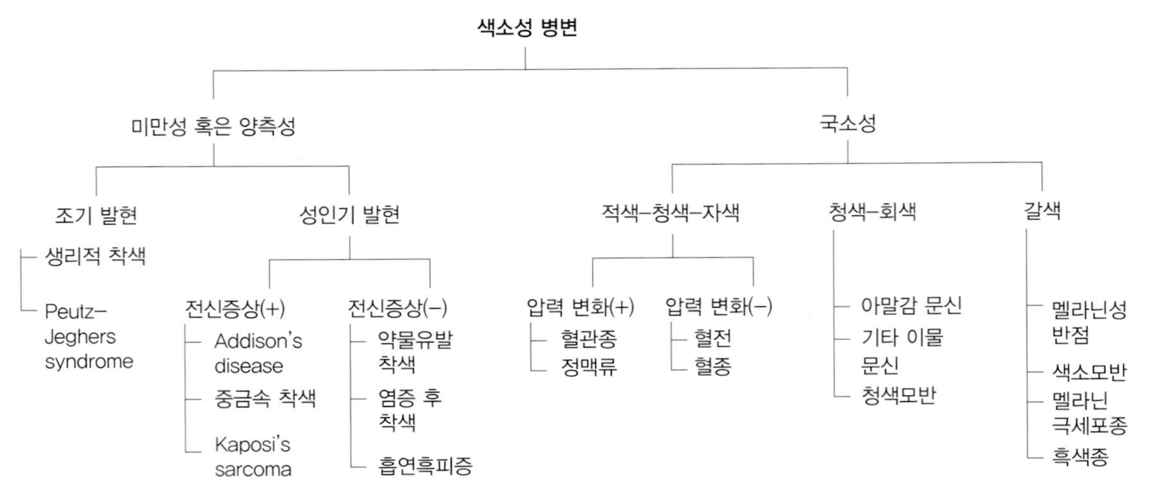

■ 그림 16-11. 구강 내 색소성 병변의 진단

핍은 부신피질자극호르몬(ACTH)의 분비를 촉진하여 이로 인한 멜라닌세포자극호르몬의 분비가 유발되어 피부나 구강 점막에 갈색의 미만성 색소침착을 초래한다. 구강 내에서는 잇몸, 볼 점막, 구개와 혀에 주로 나타난다. 전신쇠약, 구역질 및 구토, 복통, 변비나 설사, 체중 감소와 저혈압 같은 전신증상이 동반되어 이에 대한 부신피질호르몬을 보충하는 치료를 요한다.

중금속 색소침착은 체내에 납, 창연(bismuth), 수은, 은, 비소, 금 같은 중금속이 축적되어 구강 점막의 변색을 초래하는 것이다. 주로 중금속 증기에 노출된 직업을 가진 성인에서 흔하고 치료 목적으로 중금속이 함유된 약물을 복용하는 경우에도 나타날 수 있다.[22] 잇몸의 변연을 따라 푸르스름한 검은 띠 모양의 색소침착이 나타난다. 심각한 전신 독성을 해소하기 위한 원인에 대한 치료를 요한다.

Kaposi씨 육종은 후천성면역결핍환자에서 주로 나타나는 다발성 혈관성 악성종양이다. 경구개, 잇몸, 혀 등에 납작하고 약간 융기된 갈색에서 자주빛이 도는 색소침착이 양측으로 나타난다.[22] 병변이 진행하면서 궤양을 형성하고 출혈을 유발하고 괴사되기도 한다. 명확한 진단을 위해선 조직검사가 필요하다.

전신증상이 없는 경우에는 검은혀(black hairy tongue), 약물유발성 색소침착(drug-induced pigmentation), 염증 후 색소침착(postinflammatory pigmentation), 흡연자 흑피증(smoker's melanosis)이 있다.

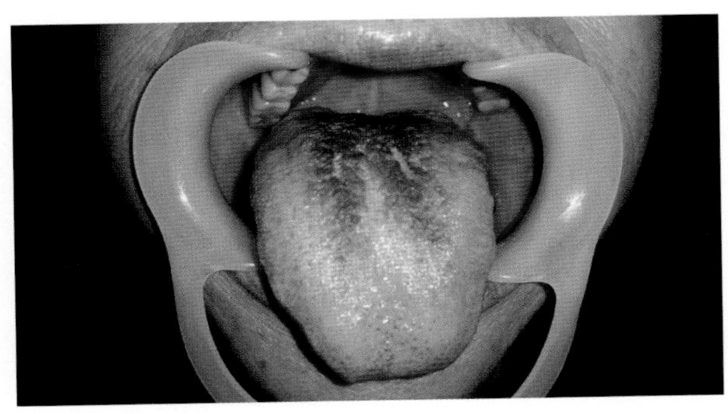

■ 그림 16-12. 검은혀는 혀의 배부에 검은 양탄자 같은 모양으로 나타난다.

검은혀(black hairy tongue, coated tongue)는 흑모설이라고도 하고 혀의 배부에 중간과 후방 중앙부에 발생하는 흑색 점막 병변으로 색소가 침착된 혀의 실유두(filiform papillae)가 탈락되지 않고 과증식하여 양탄자 모양으로 나타나는 것이다(그림 16-12).

대개 나이 많고 구강 위생 상태가 불량하며 흡연과 음주를 하고 항생제나 항정신성 약물을 복용 중인 남성에서 나타나기 쉽다. 증상은 없고 자연적으로 소실되나 미용적으로 불결해 보이고 미각이상이나 작열감 등의 증상을 호소하기도 한다. 구강 세척제 등으로 구강 청결을 유지하고 병력을 상세하게 확인하여 원인이 될 만한 음주나 흡연, 복용하는 약물 등의 요소를 차단하는 것이 필요하다. 칫솔이나 혀긁개(tongue scraper)로 과증식된 돌기를 제거할 수도 있다. 세균이나 진균에 의한 이차 감염의 치료가 필요한 경우도 있을 수 있다.

약물에 따라 구강 점막에 색소침착을 유발하는 경우가 있다. 약물에 의해 멜라닌세포가 축적되거나, 약물이나 약물 대사 물질이 침착되거나, 색소가 합성됨으로 인해 구강 점막에 변색이 나타나게 된다. 항말라리아제인 chloroquine이나 quine계 제제는 대개 경구개에 푸른빛의 회색이나 검은색의 변색을 유발한다. 재발성 심상성좌창인 여드름의 치료제인 minocycline도 치조골의 회색의 변색을 유발하여 얇은 잇몸을 통해 변색을 확인할 수 있으며 때론 혀에도 발생하기도 한다. 이 외에도 clofazimine, azidothymidine, chlorpromazine, cyclophosphamide 등의 약물이 구강 점막의 변색을 야기할 수 있다.

염증 후 색소침착은 편평태선 같은 특별한 질환의 장기간의 구강의 염증성 질환으로 인한 점막 색소침착으로 짙은 피부색을 가진 사람에서 흔히 나타나고 다발성 갈색빛의 검은 색소침착이 나타난다.

흡연자 흑피증은 피부색이 옅은 사람에서 주로 나타나

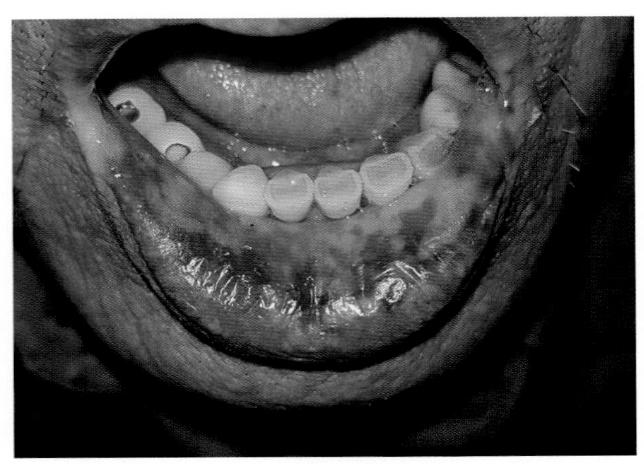

■ 그림 16-13. 흡연자 흑피증은 주로 아랫입술에 갈색의 색소 침착이 발생한다.

고 흡연에 의한 멜라닌세포의 생성 증가로 인해 발생한다. 흡연자의 21.5%까지 발생한다고 알려져 있으며 흡연의 기간과 양과 관련이 있다. 갈색빛의 검은 병변이 입술에 연한 잇몸에 주로 나타나고 볼 점막에서도 보이기도 한다. 금연하게 되면 대개 3년 내에 사라진다(그림 16-13).

국소적으로 나타나는 색소침착성 병변은 자줏빛 계열의 혈관성 병변이 있으며 푸른빛의 회색 계열의 아말감 문신, 기타 이물 문신, 청색모반(blue nevus)이 있으며 갈색계열의 멜라닌성 반점(melanotic macule), 색소모반(pigmented nevus), 멜라닌극세포종(melanoacanthoma), 점막흑색종(mucosal) (melanoma)이 있다.

혈관성 병변에는 압력에 소실되는 양상으로 나타나는 혈관종과 정맥류가 있으며 압력을 가해도 소실되지 않는 병변으로는 혈전이나 혈종에 의한 색소 병변이 있을 수 있다.

아말감이나 다른 이물로 인한 색소침착은 구강 내의 대표적인 색소침착의 주 원인이다. 치과 치료용 물질인 아말감에 의한 자극으로 주로 잇몸과 치조 점막에 푸른빛을 띠는 회색 병변이 발생하고 구강저나 볼 점막에도 발생할 수 있다.[32] 종종 어린아이에서 흑연 연필에 의한 손상으로 경구개에 흑회색의 반점이 나타나는 경우도 있다.

멜라닌성 반점(melanotic macule)은 주로 아랫입술에 1 cm보다 작은 경계가 명확한 갈색 반점이 단발성 혹은 다발성으로 나타나는 것으로 젊은 여성에서 주로 나타나고 잇몸, 볼 점막, 구개에도 나타날 수 있다. 흑색종과 감별을 위해 조직검사가 필요할 수가 있다.

색소모반은 구강 내에 발생하는 경우는 매우 드물며 갈색이나 푸른색으로 나타난다. 모반세포가 상피의 기저층이나 결체조직에 침착되어 나타나고 경계모반(junctional nevus), 피부내모반(intradermal nevus)이나 점막내모반(intramucosal nevus), 복합모반(compound nevus) 및 청색모반(blue nevus)으로 구분할 수 있다. 점막내모반의 경우에 볼 점막에 흔히 나타나고 병변의 악성전환의 근거는 없지만 흑색종과의 감별과 모반의 악성의 전조 병변의 가능성을 고려하여 외과적으로 절제하는 것이 권고된다.

멜라닌극세포종(melanoacanthoma)은 매우 드문 양성 색소성 병변으로 젊은 흑인 여성의 볼 점막에 짙은 갈색이나 검은색의 병변이 납작하거나 살짝 융기된 양상으로 나타나고 급속도로 커지는 특성도 있으나 만성 자극에 대한 반응성 병변으로 악성전환은 없다. 조직검사 후에 소실되기도 하고 문제가 되는 자극을 제거하면 사라지기도 한다.

구강 점막흑색종(mucosal melanoma)은 매우 드물어 구강 내 악성종양의 약 1% 정도로 갈색에서 검은색의 병변이 약 40%에서 구개에 발생하고 이어 잇몸에 주로 발생한다. 30대에서 60대의 남성에서 호발하고 때론 색이 옅은 무멜라닌성 흑색종도 있을 수 있다. 변연을 포함한 수술적 절제가 필요하고 점막흑색종은 피부흑색종보다 악성도가 커서 5년 생존율이 15% 정도로 보고되고 있다.

18. 전신질환에 동반된 구강 내 점막 병변

구강은 우리 몸의 창과 같아서 혈액질환, 면역질환, 내분비질환, 영양질환, 전신 감염병 등의 여러 전신질환에서 나타나는 증상이나 징후가 구강을 통해 처음 발현되는 경우가 많아 구강 내 병변의 상태를 세심히 관찰하는 것이 전신질환의 조기 진단이나 예방 및 병을 치료하는 데 도움이 될 수 있다.[21]

1) 빈혈

빈혈은 철, 엽산이나 비타민B12 등의 결핍으로 인한 혈액의 산소 운반 능력의 감소로 인한 이상으로 그 원인을 불구하고 창백, 피로, 호흡곤란, 빈맥, 혀염, 혀 통증 및 입안염을 야기하고 구강 소견이 질환의 초기 현상일 수 있어 주의를 요한다.

철 결핍성 빈혈(iron deficiency anemia)이 가장 흔하고 불충분한 식이나 철 흡수 부전, 만성 실혈, 용혈 및 임신이 원인이 될 수 있다. 빈혈에 보이는 증상 외에 숟가락형 손톱(koilonychia)이 특징적이고 잇몸이나 입술의 창백한 점막, 구각 구순염과 위축성 혀염 등의 구강 증상이 나타날 수 있다.[21,28] 혀의 실유두와 용상유두의 소실로 인한 위축성 혀염으로 인해 혀 통증, 작열감이나 연하곤란을 호소할 수도 있고 구강 칸디다증을 유발하기도 한다.

철 결핍성 빈혈, 연하곤란, 식도유착이나 막을 특징으로 하는 Plummer-Vinson 증후군이 있으며 구강과 인두의 악성종양의 위험도를 증가시키므로 중년 여성에서 혀염, 혀 통증, 구각 구순염과 숟가락형 손톱의 증상이 있으면 주의를 요한다.

악성빈혈(pernicious anemia)은 위점막 세포가 위축되어 내인자(intrinsic factor)의 분비가 감소되거나 결핍되어 비타민 B12(covalamin) 흡수 부전에 의해 생긴 거대적아구성 빈혈이다. 동양인에서는 드물고 60세 전후에 호발하며 남녀 차이는 없다. 빈혈의 일반적인 증상 외에 소화기 증상과 기억력 감소, 불안, 우울증과 치매 같은 신경증상이 특징적으로 나타날 수 있다. 구강 증상으로는 구강 작열감과 점막의 위축으로 인한 국소 또는 미만성 홍반을 보이며 혀에 주로 나타나고 자홍색 혀(magenta tongue)라고 한다.

골수의 조혈모세포 생성 기능이 저하되어 적혈구, 백혈구, 혈소판 등의 감소를 초래하는 재생불량성 빈혈(aplastic anemia)은 초기 증상으로 피로, 코피, 잇몸 출혈과 쉽게 멍이 드는 현상이 나타난다. 구강 증상은 잇몸 출혈, 잇몸 증식증, 점상 출혈 및 단순포진성 궤양이 나타난다.

2) 적혈구증가증

골수 증식성 질병군(myeloproliferative disorders)으로 적혈구계 줄기세포(stem cells)가 비정상적으로 증식하여 생긴 원발성 또는 진성 적혈구증가증(polycythemia vera)과 발한이나 탈수 등으로 인한 혈액의 농축, 스트레스, 산소가 적은 고지대, 심질환, 폐질환, 신질환 등에 의해 이차적으로 적혈구가 증가하는 속발성 적혈구증가증(secondary polycythemia)으로 나뉜다. 구강 내 증상은 주로 진성 적혈구증가증에서 나타나고 중년 이후 남자에게 많다.

높은 적혈구 수치와 산소를 함유한 혈색소로 인해 구강 점막은 적색을 띠고 잇몸은 충혈성으로 종창되거나 출혈, 반상 출혈이나 혈종을 형성할 때도 있다. 초기 증상으로 두통, 기면, 호흡곤란, 시력장애, 감각이상, 비출혈, 전신 가려움증(특히 더운물로 목욕할 때), 결막충혈 등이 있으며, 대부분의 경우 비종대(splenomegaly)가 동반된다.

치료로 정맥절개술(venesection)과 골수억압(marrow suppression)을 시행한다.

3) 혈소판감소증

혈소판감소증에서는 혈소판의 감소로 인해 구강 내에 잇몸 출혈이 칫솔질이나 치실질 같은 경미한 자극에도 발생하며 이는 혈소판감소증의 초기 증상으로 나타난다. 그 밖에 연구개와 볼 점막에 점상 출혈과 반상 출혈이 저작이나 연하 등의 경미한 자극에도 쉽게 나타나고 검붉은 색의 수포가 발생하기도 한다.[28,38]

4) 특발성 혈소판감소성 자반증(idiopathic thrombocytopenic purpura)

특발성 혈소판감소성 자반증(idiopathic thrombocytopenic purpura)은 면역학적 기전에 의하여 혈소판의 파괴가 항진되어 일어나는 후천성 자가면역질환으로 면역 혈소판감소성 자반증(immune thrombocytopenic purpura)이라고도 한다. 유병 기간에 따라 급성형과 만성형으로 나누고 급성형은 대부분 소아에서 발생하여 6개월 이내에 치료 없이도 회복되나 만성형은 50-60대의 성인에서 혈소판 자가항체에 의하여 일어나며 선행 질환 없이 돌발적, 자발적으로 출현하고 자연 완화도 없다. 증상으로 피부와 점막에 점상 출혈, 반상 출혈, 잇몸 출혈, 비출혈 등을 보이며 소화관 출혈, 혈뇨, 월경과다 등도 간혹 볼 수 있다. 급성형은 예후가 양호하여 치료 없이도 자연 완화되지만 만성형은 스테로이드제를 투여해야 하고 완고한 경우에는 비장적출술을 시행하거나 면역억제제를 투여한다.

5) 유전성 출혈모세혈관확장증(hereditary hemorrhagic tclangiectasia; HTT)

혈관의 구조적 기형을 초래하는 유전질환으로 Oster-Weber-Rendu병이라고도 한다. 잦은 코피로 평균 12살경에 시작하고 40살까지 100%에서 병발한다. 위장관 및 구강, 비강과 눈의 점막에 혈관확장증이 특징적 소견으로 1-2 mm의 작은 점상 출혈이 입술, 혀와 볼 점막에 주로 나타난다.[28] 병변 부위를 유리판으로 누르면 거의 사라지는 소견을 보인다.

6) Sturge-Weber 증후군

두개 내 혈관 기형과 동측 안면의 검붉은 모반(port wine stain), 녹내장, 경련과 정신지체와 구강 내 동측의 잇몸의 혈관종이 특징적으로 나타나는 질환으로 삼차신경의 분지의 분포를 따라 편측성으로 나타나므로 뇌삼차신경 혈관종증(encephalotrigeminal angiomatosis)이라고도 한다. 중추신경 기능장애는 연수막혈관종(leptomeningeal angiomatosis)과 관련이 있고 삼차신경의 제1 분지 영역의 안면 피부에 검붉은 모반이 발생하고 삼차신경의 제2, 제3 분지가 이환된 경우 구강 내 혈관종이 나타나는데 잇몸, 입술, 혀와 구개 등에 주로 발생하며 경미한 자극에도 출혈을 야기하기도 한다.

7) 혈우병

혈우병(hemophilia)은 X염색체에 있는 유전자의 선천성, 유전성 돌연변이로 인해 응혈인자가 결핍된 상태로 결핍된 응혈인자의 종류에 따라 제Ⅷ 인자의 결핍은 혈우병 A, 제IX 인자의 결핍은 혈우병 B로 분류하고 대부분 남아에서 발현된다.[28] 혈우병 A는 5,000명당 1명, 혈우병 B는 30,000명당 1명꼴로 발생하고 약 30%에서는 자연적으로 발생한 돌연변이로 가족력 없이 발생하며 구강의 임상 양상은 유사하다.[28]

대부분 생후 3개월에서 1세 사이에 이상출혈로 발현되는데 증상이 가벼우며 성인이 될 때까지 모르고 지내는 경우도 있다. 구강에서는 영유아기에 입술, 설소대, 혀 등에서 궤양과 반상 출혈을 보이는 경우가 많고 좀 더 커서 유치교환기에는 잇몸 출혈과 발치 후의 출혈이 많다.

8) 백혈병(leukemia)

백혈병은(leukemia)에 나타는 구강 소견은 경구개의 후방과 연구개의 점상 출혈과 자발적 잇몸 출혈이 주로 나타난다.[21] 그 외에 점막 궤양이 발생할 수 있으며 면역 저하로 인한 구강 칸디다증이나 단순포진 등의 감염병의 발생이 흔하다.[28] 백혈병세포가 모여서 형성된 과립구성 육종으로 불리는 잇몸의 비대가 나타나기도 한다.

9) 전신성 홍반성 낭창(SLE; systemic lupus erythematosus)

전신성 홍반성 낭창(systemic lupus erythematosus)은 다기관을 침범하는 복합적인, 전신성 자가면역질환으로 여성에서 주로 나타난다. 환자의 약 5–25%에서 구개, 볼 점막과 잇몸 등의 구강 내 병변이 나타난다. 아랫입술을 침범하는 루푸스 입술염도 발생할 수 있다. 구강 증상은 궤양, 통증, 홍반 및 과각화증이 있을 수 있고 그로 인한 구강통, 미각이상, 구강건조증, 칸디다증 및 지추질환이 발생할 수 있다.[21]

원판상 홍반성 낭창(discoid lupus erythematosus)은 피부에 국한된 경우로 만성 피부성 홍반성 낭창(chronic cutaneous lupus erythematosus)이라고도 하며 비교적 젊은 여성에서 호발하고 광과민증을 보이는 경우가 많다. 구강 병변은 궤양성, 위축성, 홍반성으로 나타나며 편평태선과 유사하게 백색의 가는 방사선으로 둘러싸인 중심부를 볼 수 있다.

10) Sjögren 증후군

Sjögren 증후군은 자가면역질환으로 안구건조증(xerophthalmia)과 구강건조증(xerostomia)이 주 증상인 원발형(primary type)과 전신성 홍반성 루푸스, 류마티스양 관절염(rheumatoid arthritis), 공피증(scleroderma), 피부근염(dermatomyositis) 등과 같은 다른 자가면역질환(autoimmune diseases)과 동반하는 속발형(secondary type)으로 나뉜다.[21,27] 일반적으로 속발형보다 원발형 Sjögren 증후군에서 타액선의 침범이 많다. 50대 이상의 여성에서 많이 나타난다.

구강 증상으로는 구강건조증을 일으켜 혀의 표면이 현저하게 건조해지고 설유두가 위축되어 편평해져 균열과 궤양을 형성할 수 있다. 음식물을 섭취할 때나 대화할 때 기능장애를 초래하고 입술이 말라 터지는 입술염(cheilitis)이 발생할 수 있다. 볼점막 건조증으로 인한 이차적 칸디다증이나 치석이 증가하여 치아 손상이 많이 발생할 수 있다. B형 림프종의 발생이 정상인에 비해 40배 증가한다고 알려져 있다. 전신적 병변에 대하여 각각의 치료를 실시하며 구강 병변에 대해서는 구강 내 수분을 유지하고 청결에 주의하며 침분비촉진제(sialogogue)로 효과를 볼 수 있다.

11) 후천성 면역결핍증

HIV (human immunodeficiency virus)감염으로 인해 후천성 면역결핍증(acquired immunodeficiency syndrome; AIDS) 환자로 발전하면 각종 기회감염, Kaposi씨 육종, 신경계 질환이 나타나며 비특이성 병변으로 피부에 지루성 피부염, 건선, 구진성 병변 등이 발생한다. 30–80%의 환자에서 구강 병변이 나타나는데 가장 흔한 증상은 감염증으로서 칸디다증, 구순포진, 입안털백반증(oral hairy leukoplakia), 선상잇몸홍반(linear gingival erythema), 괴사성 궤양성 잇몸염(necrotizing ulcerative gingivitis)이 발생한다.[13] 피부에 Kaposi 육종이 있는 환자의 약 50%는 구강 내에서도 육종이 발견되는데 초기에는 붉은색의 납작한 무증상의 반점으로 나타나고 진행되면서 불규칙하고 결절성 종물로 나타나며 색이 진해지고 외상이나 감염으로 인해 증상을 동반한 궤양성 병변으로 된다.

12) 치매

치매(dementia)가 진행될수록 자아 상실과 의식 및 움직임이 둔화되면서 스스로 몸을 돌보기가 어려워져 구강위생이 나빠지는데 이는 치매의 정도에 비례하여 심해진다. 게다가 치매의 가장 흔한 유형인 알츠하이머병이 있는 사람들은 같은 연령대와 비교했을 때 구강이 청결하지 못하여 치석, 잇몸 출혈이 잘 발생한다.[33] 또한 제대로 치료받지 못한 사람들의 경우 악하선의 침샘 분비에 장애가 올 수 있다. 구강이 깨끗하지 못할수록 치관대 및 치아 뿌리의 치아우식증이 증가하며 이것은 치매의 정도와 비례한다. 구강 질환의 많은 부분은 치료제와도 관련되는데 항콜린 작용이 있는 약제는 침샘 기능을 떨어뜨리고 궁극적으로는 구강 및 인두 질환을 야기할 수 있다.

13) 파킨슨병(Parkinson's disease)

파킨슨병(Parkinson's disease)은 자발적 운동을 조절하는 뇌 부위 신경이 퇴화해 점진적 운동장애가 일어나는 신경이상 질환으로 뇌의 흑질에 있는 신경원에 장애가 생겨 발생한다. 근본적으로 운동장애를 야기하는 질환이지만 이로 인해 다양한 구강 증상을 일으킬 수 있다. 대부분의 질환을 앓고 있는 사람들은 운동장애, 무관심, 우울증과 치매 등으로 인해 구강 위생이 취약하여 잇몸염과 충치의 발생이 높다. 침분비과다로 인해 침흘림이 발생하고 입술교련부의 곰팡이 감염이 증가한다. 안면 및 구강 운동장애로 얼굴 표정을 잘 못 짓고 불수의적 입 벌림과 삼킴장애도 나타난다. 역으로 입마름도 발생할 수 있으며 구강안면통 및 구강작열감 증후군과 이갈이도 병발할 수 있다.

14) 영양 장애와 관련된 구강 병변

구강은 점막 상피세포의 빠른 대사회전으로 인해 전신 질환과 영양 결핍의 임상 증상이 처음으로 나타나는 곳일 수 있다.

비타민A 결핍과 영양실조 및 심한 대사성 질환 후에 10살 이전의 어린 아이에서 주로 나타나는 수암(noma)은 구강 내 정상 세균총에 의한 기회감염으로 잇몸에 괴사성 궤양성 잇몸염으로 시작해서 주위 조직을 파괴한다. 비타민B 복합체 결핍의 대표적 증상은 혀염으로 나타나고 혀유두의 파괴로 인해 혀에 고랑과 위축을 특징으로 한다. 사람이 합성하지 못하고 섭취하여 보충하여야 하는 비타민C의 결핍은 잇몸의 부종과 쉽게 상처받기 쉽고 홍반성의 치간 유두와 연약한 치아가 특징적이다. 초록잎 채소와 콩에 많이 함유된 비타민K는 혈액응고인자 합성에 중요한 역할을 한다. 따라서 결핍되면 볼 점막이나 구개의 점상 출혈을 동반한 자발적인 혹은 외상으로 인한 점막하 및 잇몸의 출혈을 야기한다.

철 성분의 부족은 철 결핍성 빈혈을 야기하고 이로 인한 구강 증상으로 혀염과 구각 구순염 등을 야기할 수 있다.[38]

위장간 질환으로 인한 흡수 장애로 구강 병변이 발생하기도 하며 염증성 장 질환인 궤양성 대장염(ulcerative colitis)과 크론병(Crohn's disease)에서도 다양한 구강 병변이 나타난다. 궤양성 대장염에서는 증식성 화농성 입안염(pyostomatitis vegetans), 괴저성 농피증(pyoderma gangrenosum), 아프타성 입안염(aphthous stomatitis), 모발성 백반증(hairy leukoplakia), 구취(halitosis) 등이 발생할 수 있고 크론병에서는 미만성 혹은 결절성 부종, 자갈 모양(cobblestone appearance)의 점막, 잇몸염 등이 나타나기도 한다.[29]

19. 여성의 구강 건강과 질병

여성은 남성에 비해 일생 동안 성호르몬의 변화가 심하고 그로 인한 특유의 구강 증상들이 많다. 사춘기를 지나 가임기에 매달 생리를 하고 임신과 육아를 거쳐 폐경에 이르러 갱년기를 지나면서 다양한 여성만의 구강 증상을 보인다.[31]

1) 사춘기

사춘기에 여성에선 에스트로겐과 프로게스테론의 수치가 증가하면서 잇몸 조직에 혈류가 늘어나 잇몸이 붓고 충혈되어 통증을 느낄 수도 있으며 치석이나 음식물로도 쉽게 자극을 받고 구강 내 미세균주의 변화로 잇몸염 및 잇몸 출혈과 치주 질환을 야기한다. 초경 전의 소녀에서는 이를 잘 닦지 않아도 별 증상을 야기하지 않으나 초경을 시작하면서 잇몸 증상을 야기하기 때문에 사춘기에 접어든 소녀들은 구강 위생 관리를 철저히 해야 한다.[31]

2) 생리기

생리 주기 동안 잇몸 조직의 부종이나 발적, 아프타 궤양의 발생, 헤르페스 입술염의 활성화, 구강 수술 시 지연성 출혈, 침샘의 부종과 구취 등이 나타날 수 있다.

3) 임신기

임신 기간에는 잇몸에 혈관분포가 늘어나고 잇몸이 과

증식되며 붓게 된다. 에스트로겐 분비가 증가하여 잇몸 출혈이 발생할 수 있고 잇몸 출혈과 잇몸염이 임산부의 60–75%에서 나타나는 가장 대표적인 구강 질환이고 구강의 전면의 잇몸에 주로 나타난다.[31] 임신 기간 중에 식욕의 증가로 충치도 발생할 수 있으며 입덧으로 인한 구역과 구토로 치아의 에나멜층이 부식되기도 한다. 염증성 잇몸 증식은 국소적인 자극으로 시작되어 후에 화농성 육아종(pyogenic granuloma)으로도 발전할 수 있다. 화농성 육아종은 임신 기간에 발생하여 임신성 종양(pregnancy tumor)으로도 불리며 약 10%에서 발생하고 상악의 입술에 면한 부분의 치관조직에 종양으로 보이는 증식으로 발견될 수 있다. 저작 장애나 통증으로 인해 완전 치료를 위해서는 수술적 절제가 필요하나 대개 분만 후 12주 내에 사라진다.

4) 폐경기

폐경기(menopause)에 여성들은 흔히 치주 질환에 취약하게 되고 폐경성 잇몸입안염으로 쉽게 출혈을 야기한다(그림 16-14). 창백하고 건조하여 광택이 나게 보인다. 구강 통증과 불편감을 호소하는 구강 작열감 증후군이 폐경기 여성에서 흔히 나타나고 혀의 첨부가 가장 흔히 호고하는 부위이다. 치주 질환과 골다공증으로 인한 골조직의 소실로 치아의 소실이 유발되기도 한다.

20. 구강 작열감 증후군

구강 작열감 증후군(burning mouth syndrome)은 구강 내에 뚜렷한 병변이 없이 만성적으로 타는 듯한 통증을 호소하는 질환이다. 유병률은 0.7–4.6%로 나이가 많을수록 증가하는 양상으로 갱년기 여성에 호발하는 것으로 알려져 있다.

구강 작열감 증후군은 임상적 구강 이상 소견이나 검사 소견 없이 혀나 구강 점막에 타는 듯한 통증을 적어도 4–6개월 이상 지속적으로 호소하는 질환이다(그림 16-15). 원발성(primary) 혹은 속발성(secondary)으로 구분을 하기도 하며 대개는 그 원인이 명확하지 않은 원발성이며 속발성은 국소적 또는 전신적 요인에 의한 이차적으로 발생하는 것으로 선행 요인을 치료하면 증상이 호전될 수 있다. 임상 양상에 따라 구분을 하기도 하는데 1형은 아침 기상 시에는 통증이 없다가 점차적으로 통증이 심해지는 양상으로 35% 정도를 차지하며 대개는 영양 결핍 등의 전신적인 질환과 연관이 있다. 2형은 하루 종일 지속적인 통증을 호소하고 수면을 이루기도 어려운 경우로 55% 정도를 차지하며 대개는 정신적인 질환과 관련이 있다. 3형은 증상이 간헐적이고 비정형적이며 약 10% 정도를 차지하며 구강 점막에 민감한 특별한 인자와의 접촉에 의해 발생한다고 여기고 있다.[36]

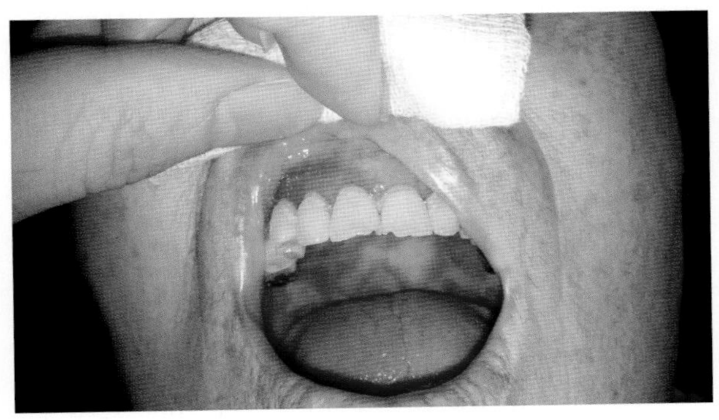

■ 그림 16-14. 폐경기 여성에서 나타나는 폐경성 잇몸입안염으로 쉽게 출혈을 야기한다.

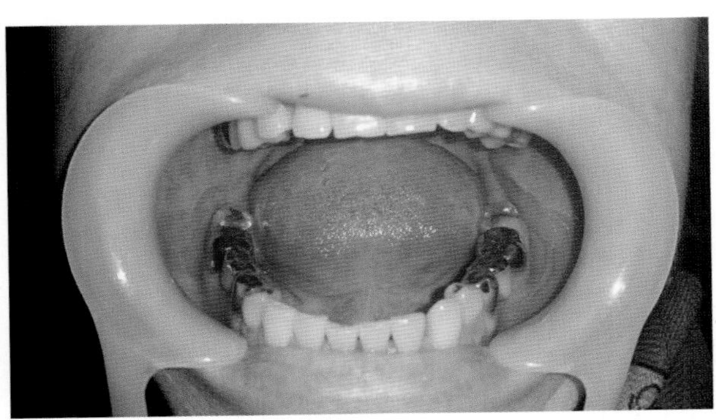

■ 그림 16-15. 구강작열감증후군에서는 구강 내 특이한 병변은 보이지 않는다.

표 16-7. 구강 작열감 증후군의 원인 인자

국소적	잘 안 맞는 보철 치과 치료 이상 기능 활동–이 악물기, 이 갈기 알레르기성 접촉 구내염 미각이상 감염–세균성, 진균성, 바이러스성 구강건조증
전신적	내분비–갑상선기능저하증, 폐경, 당뇨 결핍–철, 비타민 B 복합체, 아연 빈혈 약물 Sjögren's 증후군 역류성인후두염
정신적	불안 우울증 강박장애 암공포증
원인불명	

표 16-8. 구강 작열감 증후군의 진단

병력 청취	통증의 기간, 정도, 위치, 심화 및 해소 요소 미각이상, 구강건조증 유무 고혈압, 당뇨 등 현재의 건강 상태 복약 여부
검사 항목	구강 검진 저작근의 촉진 치과적 검진 측두하악관절 검진 혈액검사–CBC, glucose, TFT, nutritional factors, autoimmune panel 구강 배양 검사–진균, 바이러스, 세균 알레르기 검사 타액 분비율 검사 영상 검사–MRI, CT, 핵의학 검사

구강 작열감 증후군의 발생 빈도는 0.7–4.6% 정도로 30대 이전에는 드물고 5,60대의 여성에서 흔한 것으로 알려져 있다.[36] 여성과 남성에서 발생 비율은 3:1에서 16:1로 여성에서 많이 나타나고 특히 폐경한 여성에서 발생률이 높은 것으로 알려져 있다.

구강 작열감 증후군의 원인에 대해서는 명확하게 알려진 바는 없으나 다양한 국소적, 전신적, 그리고 스트레스, 불안감, 우울증과 같은 정신적 요소들과 타액선의 분비감소 등이 중요한 역할을 한다고 알려져 있으며 폐경과 관련이 있을 것으로 생각된다.

다양한 요소가 구강 작열감 증후군의 병인으로 여겨지고 있으며 국소적, 전신적, 그리고 정신적으로 나눌 수 있다(표 16-7). 국소적인 요인으로는 잘 맞지 않는 보철이나 Candida albicans에 의한 진균감염 등이 대표적이고 구강건조증이나 미각이상이 종종 동반된다. 전신적인 요인으로는 비타민이나 아연 결핍과 빈혈이나 호르몬 변화, 당뇨, 갑상선기능저하증 등이 있을 수 있다. 정신적 요소로는 불안, 우울증, 인격장애나 암공포증이 영향을 줄 수 있다.[31]

작열감이 가장 호발하는 구강 내 부위는 혀의 전 2/3 부위, 경구개 전면과 하구순의 점막이며 종종 구강건조증과 미각이상과 같은 증상과 동반되기도 한다.

구강 작열감 증후군의 진단에는 세심한 병력 청취가 가장 중요하다. 아울러 다른 원인에 의한 이차적 증상을 감별하기 위하여 혈액검사, 측두하악관절 검사 및 각종 영상검사 등이 필요하다(표 16-8).[1]

원인이 속발성인 경우에는 정확한 진단을 통해 그 원인을 치료하면 증상이 호전된다. 반면에 원발성인 경우에는 원인이 명확하지 않기 때문에 증상의 해소를 위해 다양한 방법의 치료가 시도되고 있다. 통증의 완화를 위해 국소적, 전신적, 혹은 행동중재(behavioral intervention)적 치료를 시행한다(표 16-9).[1]

국소적 치료로는 1 mg clonazepam을 하루에 세 번씩 2주에 걸쳐 입안에 물고 점막으로 흡수되도록 하여 전신적인 부작용 없이 증상을 완화시킬 수 있다. 오히려 capsaicin을 국소 도포하여 작열감을 야기하는 과민반응을 탈감작 시키기도 하며 마취 성분이 있는 lidocaine gel을 국소 도포하여 증상을 완화시키기도 한다. Aloe vera gel을 이용하여 구강 점막을 보호하여 증상을 완화시키기도 한다.

표 16-9. 구강 작열감 증후군의 치료

국소 치료	Clonazepam 1 mg 2% Lidocaine gel 0.025% Capsaicin cream Aloe vera gel 0.15% Benzydamine hydrochlorate
전신 치료 • 중추신경계 약물	 Amitriptyline 10–75 mg/day Paroxetine 20 mg/day Amisulpride 50 mg/day Clonazepam 0.25–2 mg/day Gabapentin 300–2400 mg/day
• 항산화제	Alpha-lipoic acid 200 mg tid
• 탈감작제	Capsaicin 0.25% capsules tid
• 호르몬 치환계 치료	estradiol based therapy
행동중재	인지적 행동 치료

전신적 치료로는 저용량의 항우울제, 항정신병약, 항전간제 등의 중추적으로 작용하는 약물과 진통제 등이 사용된다. 저용량의 amitriptyline과 nortriptyline과 같은 삼환계 항우울제, paroxetine과 sertraline과 같은 선택적 serotonin 억제제, gabapentin 같은 항전간제도 효과를 보인다. 항산화제인 alpha lipoic acid도 효과를 보인다고 알려져 있으며 estradiol을 기본으로 하는 호르몬 치환계 치료(hormone replacement therapy)도 효과가 있다고 알려져 있다.

치료에 있어 이 질환이 심각한 것이 아니고 암도 아니기 때문에 환자를 안심시키는 것이 중요하다. 경우에 따라 어떠한 치료에도 증상의 호전이 없는 경우에는 인지적 행동 치료(cognitive behavior therapy)를 할 수도 있다.

II 감염성 병변

1. 구강 칸디다증

구강에 발생한 칸디다 감염으로 표재성 칸다디증 (candidiasis)의 일종이다. 칸디다는 원래 구강 내에 존재하는 병원성이 약한 균으로 건강한 영아의 45–65%, 건강한 성인의 30–55%에서 존재한다고 알려져 있으며 (Candida albicans)가 가장 흔한 균주이다.[6] 건강인에서는 칸다디증이 생기는 경우가 거의 없으나 의치를 사용하거나 스테로이드 흡입제나 구강건조증이 있는 국소적 요인이나 조절되지 않는 당뇨병이나 면역 저하와 같은 전신 질환, 항암제 투여나 방사선치료 및 광범위항생제를 투여받는 경우 등과 같은 상황에서 구강 내 정상 균주가 달라져 기회감염이 일어날 수 있고 AIDS 환자에서 가장 흔한 구강 증상으로 나타나기도 한다.

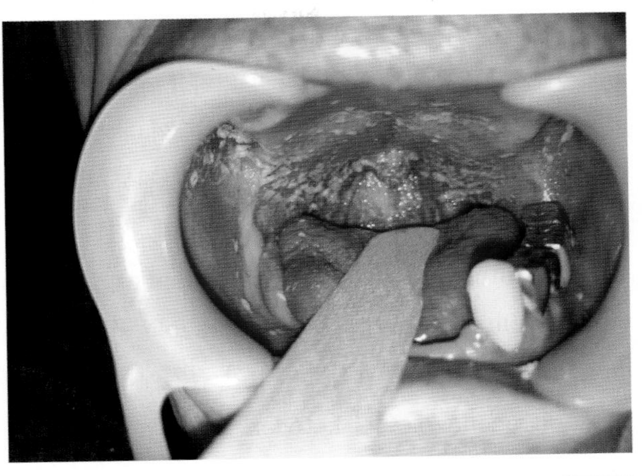

■ 그림 16-16. 구강 칸디다증의 구강 병변

진단은 병력과 신체검사로 쉽게 진단할 수 있다(그림 16-16). 병변부를 나무설압자로 찰과(scraping)하여 도말한 후 KOH (10% potassium hydroxide)을 떨어뜨리거나 PAS (periodic acid–Schiff) 혹은 GMS (Gomori methenamine silver) 염색을 하면 특징적인 유격균사 (septate hyphae)를 가진 진균 집락을 확인하거나 출아효모(budding yeast)와 가성균사(pseudohyphae)를 관찰할 수 있다. 때로 진균 배양을 통해 진단하기도 한다.

구강 칸디다증의 치료에 있어 가장 중요한 요인은 원인요소나 위험 인자를 제거하고 치료하는 것이다. 만일 구강 칸디다증이 광범위 항생제를 장기 복용하여 발생하였다면 투약을 중단하고 좀 더 효과적인 항생제를 선택하여 사용해야 하고 의치가 원인이라면 의치를 청결하게 관리해야 하고 구강건조증이 있으면 침샘자극제나 무설탕 구내정 등을 쓸 수 있다. 약물 치료로는 항진균제인 국소 nystatin 현탁액(500,000~600,000units, 1일 4회 또는 5회), nystatin 구강정제(Mycostatin pastilles, 200,000~400,000units, 1일 4회), Clotrimazole 구강정제(10 mg, 1일 5회) 등이 효과적이며 심한 감염에는 fluconazole, itraconazole이나 ketoconazole을 전신투여하기도 한다.

임상적으로 백색 병변과 홍반성 병변으로 나타나고 백색 병변으로는 가장 대표적인 위막성 칸디다증과 증식성 칸디다증이 있으며 홍반성 병변으로는 급성 위축성 칸디다증, 만성 위축성 칸디다증, 정중능형설염(median rhomboid glossitis), 구각입술염(angular cheilitis), 선형치은홍반(linear gingival erythema)이 있다.

1) 위막성 칸디다증(pseudomembranous candidiasis) · 아구창(thrush)

위막성 칸디다증은 아구창이라고도 하며 칸디다증의 가장 흔한 유형으로 융합성 백색반이 혀, 볼 점막, 경구개, 연구개와 구인두에 다발성으로 나타난다. 반점은 문지르면 쉽게 벗겨지고 그 밑으로 쉽게 출혈하는 홍반성 또는 궤양성 점막이 보인다. 유아나 면역 기능이 갑자기 저하된 환자, 스테로이드 흡입제를 사용하는 환자나 후천성 면역결핍증 환자에서 급성 표층부 점막 감염으로 발생한다. 환자는 대개 무증상이나 심한 경우 작열감을 호소하며 방치하면 구강 구인두 점막과 식도 점막으로 확산될 가능성이 높다.

2) 증식성 칸디다증(hyperplastic candidiasis)

증식성 칸디다증은 경계가 명확하고 살짝 융기된 백색반이 볼 점막에 주로 발생하고 구각 부위까지 침범하기도 한다. 혀의 측면이나 구개에는 흔히 나나타지 않으며 위점막성 칸디다증과 다른 점은 측방으로 힘을 가해도 벗겨지지 않는다는 것이다. 증식성 칸디다증은 백반증과 감별을 요한다.

3) 급성 위축성 칸디다증(acute atrophic candidiasis)

급성 위축성 칸디다증은 백색의 위막과 일정 기간 동안 위축성을 가지며 궤양을 동반하는 동통을 동반한 홍반성 반점으로 나타나며 주로 구개에 호발한다. 광범위항생제, 스테로이드제 또는 면역억제제를 투여받는 환자에서 주로 나타나고 조직학적으로는 표층부에서 소수의 균사를 가진 위축성 상피와 고유층에서 급성 염증성 침윤을 관찰할 수 있다.

4) 만성 위축성 칸디다증(chronic atrophic candidiasis)

만성 위축성 칸디다증은 대개 의치를 쓰는 환자에서 발생한다. 잘 맞지 않는 의치가 구강 점막을 막아 침의 흐름을 저해하여 칸디다의 과증식을 유발하여 발생하고 의치 주변의 구강 점막에 홍반성, 부종성 병변이 나타난다. 대개 통증이 없으나 환자에 따라서는 구강 건조증 또는 작열감을 호소한다. 조직학적으로 위축된 상피와 일부 궤양이 관찰되고 염증성 침윤이 점막 고유층뿐만 아니라 상피에서도 나타난다.

5) 정증능형혀염(median rhomboid glossitis)

정증능형혀염은 대칭적으로 홍반성 마름모 모양의 반점이 혀의 유곽유두(circumvallate papillae) 전방으로 배부의 정중앙에 발생한다.[42] 병변은 사상유두의 위축으로 표면에 윤이 나고 부드럽다. 스테로이드 흡입제와 흡연과 연관이 있을 수 있다. 대개 자각증상이 없어 우연히 발견되나 균열된 부분에 염증이 유발된 경우 촉진하면 동통이 있을 수 있다.

6) 구각입술염(angular cheilitis)

구각입술염(angular cheilitis)은 홍반성 균열된 반점이 구각(oral commissure)으로 확산되는 것이 특징적 소견이다. 대개 출혈 소견이 없는 적색의 궤양성 또는 증식성 병변이 양측성으로 구각부의 피부 표층에 한정되어 나타나고 통증을 동반할 수 있다.

2. 단순포진

단순포진은 주로 단순포진바이러스 1형(Herpes simplex virus I; HSV-1)에 의한 감염으로 감염된 병변이나 침 같은 체액에 직접적으로 접촉함에 의해 감염된다. 단순포진바이러스 1형은 주로 구강에, 2형은 생식기에 발현하는 것으로 알려져 있으나 최근에는 2형에 의한 구강 감염도 늘어나는 추세고 구강에 발생하는 단순포진을 수포성 잇몸입안염(herpetic gingivostomatitis)이라고 한다.[4,12]

원발 감염은 소아와 젊은 성인에서 발생하며 대부분의 성인의 약 70-80%가 바이러스를 보유하고 있다고 알려져 있다. 대부분의 원발 감염에서는 증상이 없거나 매우 경미하여 병에 이환된지 모르고 지나가는 경우가 많고 단 10% 정도에서 감염 후 약 1주일 정도의 잠복기를 거쳐 전신쇠약이나 근육통 같은 증상이 나타난다. 이어 1-3일 후에 피부와 점막에 소수포성 발진이 나타나는데 구강 내의 혀, 입술, 잇몸, 볼점막과 구개에 1-2 mm 크기의 작은 물집이 발생하고 바로 터져서 얕고 통증을 동반한 작고 불규칙한 궤양을 형성한다(그림 16-17). 궤양은 노란빛을 띠는 회색의 위막으로 덮여 있고 가장자리로 홍반성 테두리를 보인다. 대개 2주 내에 반흔 없이 치유된다.[4] 구강 외 증상으로는 발열, 무기력, 식욕감퇴, 과다침분비, 짜증, 두통 및 양측성 경부 림프절병이 나타날 수 있고 소아에서는 섭취 불량으로 인한 탈수로 입원 치료를 요할 수 있다.

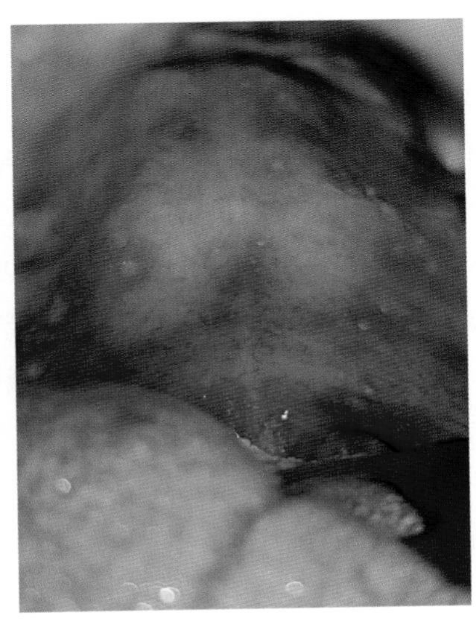

■ 그림 16-17. 단순포진의 1-2 mm 크기의 작고 다발성 수포성 병변은 바고 터져서 궤양을 형성한다.

재발성 단순포진은 잠복성 감염으로서 단순포진바이러스(Herpes simplex virus)가 숙주의 삼차신경절에 잠복해 있다가 스트레스, 독감 같은 바이러스 감염, 자외선, 피로, 발열, 외상, 생리, 면역억제 등의 유발 요인으로 인해 활성화되어 발생한다.[4,17] 주로 입술의 피부점막이행부(lip vermilion)에 주로 발생하는 경우를 입술포진(herpes labialis)이라고 하고 단순포진바이러스 1형 혈청양성자의 20-40%에서 발생한다. 병소가 발생하는 부위에 수시간 동안 감각이상, 압통, 통증, 작열감이나 가려움 등의 전구증상이 나타나면서 직경 3 mm 이하의 소수포가 다발성으로 나타나며 수일 내로 농포화되고 파괴되어 미란과 가피를 형성한다. 대개 2주 내에 자연적으로 치유된다.

재발성 수포성 잇몸입안염은 입술포진보다 흔하지 않으며 대개 4개 이하의 1 cm보다 작은 병변이 각화상피로 싸인 경구개와 잇몸에 주로 나타나 재발성 아프타성 입안염이나 대상포진과 감별을 요한다.[4] 건강한 성인에서는 드물고 면역력이 저하된 환자나 전신질환을 앓고 있는 환자에서 심한 증상으로 나타날 수 있어 세심한 진단이 필요하다.

단순포진은 비록 자연적으로 소실되지만 고식적 치료와 이차 감염의 예방이 치료의 근간을 이루는데, acyclovir 5% 크림이나 penciclovir 1% 크림을 사용할 수 있고 면역저하 환자에서는 acyclovir (100~200 mg, 1일 5회), famcyclovir, valacyclovir 등과 같은 항바이러스제를 주사하기도 한다.[11] 스테로이드제는 급성기에는 피하고 미란이나 궤양이 심한 경우에만 선택적으로 투여한다.

3. 대상포진

대상포진은 수두대상포진바이러스(varicella zoster virus)가 일차감염으로 수두를 야기하고 전 신경축을 따라 신경절 뉴런에 나이가 들거나 면역력이 저하될 때 바이러스가 재활성화되면서 대상포진을 야기하게 된다. 반 이상에서 흉부에 발생하고 안면, 경부, 요천추부의 순으로 호발한다.[12]

임상적으로 전구기, 급성기, 만성기로 진행하며 처음엔 발열, 전신쇠약과 편측으로 침범된 감각신경을 따라 통증이 나타난다. 수일 내에 침범된 신경이 분포하는 피부나 점막에 선상의 구진성 또는 수포성 발진이 나타나고 수포가 터진 후에 치유기가 시작된다. 약 10%에서 전구기가 없이 발생하고 발진 없는 대상포진(zoster sine herpete)이라 하고 이런 경우에 갑자기 발생하는 심한 통증과 지각과민증이 동반된다.[40]

구강을 침범한 경우 삼차신경의 분지를 따라 발생하고 볼점막, 구개, 인두에 1–4 mm 크기의 수포를 형성하고 터져서 얕은 궤양을 형성하게 된다.[40] 아프타성 궤양과 유사하지만 통증이 적다. 3~4주 정도 후 치유되나, 피부 색소침착, 반흔 형성, 포진 후 신경통(postherpetic neuralgia), 운동신경마비 등의 후유증을 남기기도 한다. 면역 기능이 떨어지지 않은 경우 특별한 치료는 필요 없으나 통증 완화와 이차 감염의 방지를 목적으로 약제를 투여할 수 있다. 휴식과 안정을 취하고, 항생제, 소염제, 선택적 스테로이드제, 국소 항바이러스제로 치료할 수 있다. 경구로 valacyclovir (1 g, 1일 3회 7–10일간), acyclovir (800 mg, 1일 5회 7–10일간) 등을 투여하면 포진 후 신경통을 줄일 수 있다. 면역결핍 환자의 경우 정맥주사로 acyclovir (10–15 mg/kg, 8시간마다 10–14일간)를 투여할 수 있다. 대상포진 통증이 염증과 연관되어 있어 단기간 스테로이드도 유용할 수 있고 경구로 prednisolone (1 mg/kg 5–7일간)을 항바이러스제와 병용하여 투여할 수 있다.

4. 포진성 구협염

포진성 구협염(herpangina)은 수족구병과 마찬가지로 Coxsackievirus A16과 Enterovirus 71이 주된 원인이며 여름과 가을에 발생하는 유행성 질환이다.[12]

유·소아에 많이 발생하고 2~4일의 잠복기 후 고열, 인두통, 경부통과 함께 두통, 설사, 구토 등의 전신증상을 동반한다. 구강 내에서 연구개, 목젖, 구개궁, 인두후벽 등의 발적을 보이고 좌우 대칭상으로 10~20개의 소수포가 생기며 2~3일 내에 파열되어 붉은 테의 작은 궤양이 생긴다. 이 궤양은 대개 1주 이내에 사라지나 고혈이 계속되는 경우도 있다. 수족구병과 다른 점은 손과 발의 병변이 없으며 구강 병변이 주로 구강의 뒤쪽에 발생한다.

5. 수족구병

수족구병(hand–foot–mouth disease)은 주로 영아나 소아에서 발생하는 바이러스성 전염병이다. 주로 Coxsackievirus A16 (CV–A16)과 Enterovirus 71 (EV–A71)의 두 종류의 Enteroviruses가 원인으로 발열과 함께 수포성 발진이 피부의 특정 부위(손, 발, 둔부)와 구강 내 구개, 혀, 볼 점막에 나타나며 6–8월에 유행한다.[7,12]

초기 증상으로 미열, 권태감, 기침, 인후통, 식욕부진, 설사 등과 함께 복통, 두통, 경부림프절 비대가 함께 나타나며 이후에 수포를 동반한 구진 같은 발진이 시작되고 결국 궤양을 형성한다. 구강 병변은 환자의 약 90%에서 나타나지만, 약 15%에서는 손, 발의 수포 없이 구강 병변만 보이기도 하는데 이때는 포진성 구내염(herpetic gin–

givostomatitis)과 감별해야 한다. 3~6일간의 잠복기 후 발열을 동반하는 수포와 구진이 손, 발바닥, 구강에 생기며 수포는 잘 파열되지 않는다. 구강 내에 나타나는 병소는 포진성 구협염보다 광범위하며 수포는 주로 구개, 혀, 볼 점막 등에 호발한다.[7]

수포가 구강 점막에만 국한된 경우 포진성 치은구내염과 감별하기가 곤란하며, 질병 급성기에 바이러스 배양이나 혈청의 항체 측정으로 진단할 수 있다.

특별한 치료는 필요하지 않고, 스테로이드 연고는 피하는 것이 좋다. 경과는 양호하며 대개 1주일 전후에 자연 치유되나 EV-A71바이러스에 의한 경우에는 무균성 뇌수막염, 뇌염, 소아마비양 마비, 신경원성 폐부종과 급성 마비증후군으로 사망에 이를 수도 있다.

6. 방선균증

방선균증(actinomycosis)은 그람양성 혐기성 균인 방선균에 의한 감염증을 지칭하고 방선균은 갈라진 실 모양의 세균으로 구강에 정상 균무리로 존재하는 것으로 알려져 있다. 방선균은 정상적인 구강 점막을 침입하지 못하기 때문에 대부분의 경우 구강 위생이 불량한 환자에서 점막이 손상됐을 때 감염을 일으키며 국소적으로 파괴적인 화농성 육아종성 염증을 유발하며 유황과립(sulfur granules)을 함유한 특징적인 농양을 형성한다.[46] 가장 흔한 원인균은 Actinomyces israeli이며 대부분 30-40대의 남성에게 호발한다. 일반적으로 치조골염의 증상이 선행하며 전형적인 경우 협부에 섬유화로 인해 판상 경결을 형성하고 저작근에 미치면 개구장애(trismus)를 초래한다. 경결은 부분적으로 연화하여 차례로 다발성 소농포를 형성하는 것이 특징이다. 구강 누공을 형성하는 방선균증은 치수염 또는 치주염 등의 병소와 감별하기 힘들며 세균 배양과 조직검사로 유황과립과 균이 증명되면 확진할 수 있다.[46]

치료로 penicillin 제제가 유효하고 clindamycin, tetracycline, erythromycin 등을 사용할 수 있다. 병소의 육아조직 또는 소농포는 적극적으로 소파(curette)해 준다.

7. 구강 결핵

결핵균(Mycobacterium tuberculosis)에 감염되어 일어나는 질환으로 최근에는 화학요법의 발달로 인해 드문 질환이다. 폐결핵이 대부분이고 폐 이외의 장기에 발생하는 경우는 25% 정도로 그중 10-35%에서 두경부에 발생한다.[14] 특히 구강 점막은 결핵균에 대한 저항력이 강하여 그 빈도는 전 결핵 환자의 0.5-5% 정도이다. 대부분이 폐결핵으로 인한 이차 감염이며 혀, 구개, 입술에 연장자에서 발생한다. 일차 감염인 경우 연소자에서 잇몸, 발치와, 잇몸볼 이행부, 볼 점막, 입술 등에 발생하기도 한다.

이차 감염으로 인한 구강 결핵은 다양한 양상을 보이는데, 회황색 태로 덮여 있고, 궤양저는 작은 과립상이며 주위에 경결을 동반하지 않는 궤양성 결핵이 가장 많다

그 외에 광범위한 경결을 동반하는 연하성 결핵과 점막 아래에 선홍색 혹은 회백색 결절이 생기는 심상성 낭창을 보이는 경우가 있다. 일차 병소를 찾는 데 주력하고 객담, 타액, 국소 병변 도말 검사와 조직생검을 하여 진단한다. 항결핵제의 투여가 치료의 근간이며, 안정, 식이요법, 구강 점막 위생이 필요하다.

8. 구강 매독

매독은 나선상 세균인 Treponema pallidum에 감염되어 생기는 성매개감염으로 인한 질환으로 성관계 중에 병변에 직접적으로 접촉되거나 태반을 통하거나 분만 중에 산도에서 노출되거나 문신이나 수혈로 인해 감염되기도 한다. 쉽게 감염되어 감염된 자와 직접적인 접촉을 하면 약 50%에 이르기까지 병이 발생한다고 알려져 있다. 임상 증상과 경과에 따라 제1기, 2기, 3기 매독과 선천성

매독으로 구분하고 피부, 점막, 내부 장기에 다양한 병변이 발생하고 구강 병변도 동반할 수 있다.[18]

제1기 매독(primary syphilis)에서의 구강 병변은 구강성교나 입맞춤 등으로 인해 발생하고 생기기외 발생으로는 가장 흔하다. 직접적으로 균이 접종된 부위에 경성하감(chancre)이 발생한다. 경성하감은 구진으로 시작하여 통증이 없는 궤양으로 발전하며 대개 2-8주 내에 치료 없이 소실된다. 약 80%에서 인접 림프절에 무통성 종창이 발생한다.[18]

제2기 매독(secondary syphilis)은 제1기 매독 후 3~5주에 나타나며 피부의 2기진에 상당하는 구강 점막의 매독진이 생긴고 호발 부위는 입술, 경구개, 혀, 볼 점막 등이다. 병변은 경계가 선명한 침윤성 경결로 홍반으로 둘러싸인 회백색의 위막으로 덮인 다발성 점막반으로 나타난다.[18]

제3기 매독(tertiary syphilis)에서는 연구개, 경구개, 설배부 등에 고무종(gumma)을 형성하고 혀에는 매독성 미만성 경화성 설염이 발생할 수도 있다.[18]

선천매독(congenital syphilis)은 태반혈행으로 감염되거나 분만 중에 산도에서 직접 접촉으로 감염되며 구각부를 중심으로 입 주위에 깊은 균열상의 반흔을 형성하는 열구(parrot's furrow)와 Hutchinson 치아를 볼 수 있다.[18]

치료로 penicillin계의 전신성 매독 치료 항생제를 투여 하고 보조적으로 구강을 청결하게 유지한다.

Ⅲ 종양성 병변

1. 점액종

점액종(mucocele)은 이름 그대로 점액으로 가득 찬 공간으로 외상이나 기타 원인으로 소타액선관(minor salivary gland duct)이나 부타액선관(accessary salivary gland duct)에서 타액이 주위 결체조직으로 빠져나오거나 관의 폐쇄로 인하여 관자체가 늘어나 저류낭을 형성하여 발생하는 것으로 알려져 있다.[10] 무통성의 작은 낭성 종물로 소아나 30세 미만의 젊은 연령에 주로 발생한다. 구강 내 어디에나 생길 수 있으나 아랫입술과 볼 점막, 구강저, 혀의 복부에 흔히 발생하고 구강저에 발생한 것을 하마종(ranula)이라 부른다(그림 16-18).

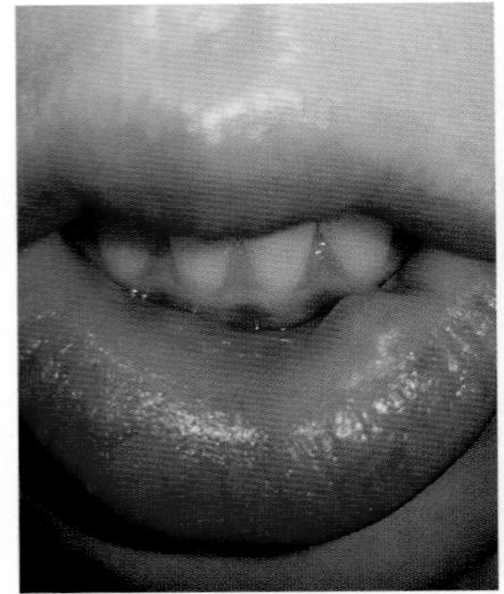
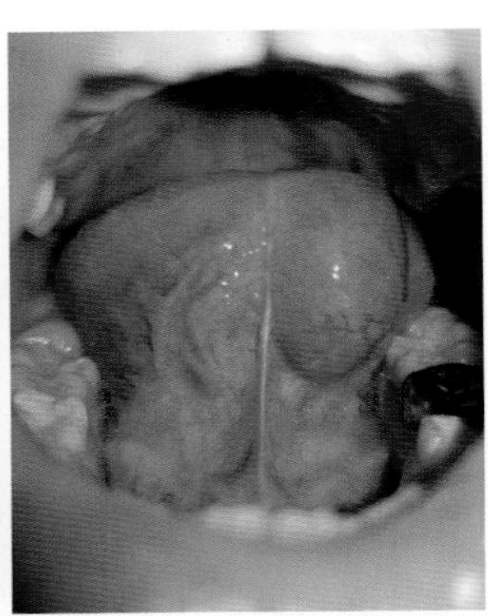
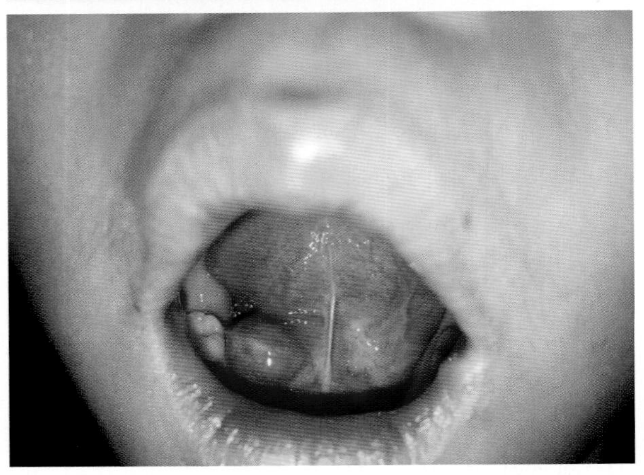

■ 그림 16-18. **구강에 발생하는 다양한 형태의 점액종.** 구강저에 발생한 경우 하마종이라 불린다.

진단은 육안적 관찰로 비교적 쉽게 할 수 있으며 대개 부드럽고 푸른빛을 띠며 투명한 낭성 부종으로 나타난다. 치료를 하지 않으면 커지다 터져 크기가 줄었다 다시 커지기를 반복하게 된다.

치료는 조대술(marsupialization)만으로는 재발할 수 있으므로 완전 절제가 필요하다. 수술할 때 아랫입술에 발생한 경우에는 근육층에 다다를 때까지 제거해야 재발률을 줄일 수 있고 하마종일 경우에는 구강저의 Wharton관이나 설신경 등을 손상하지 않도록 주의하여 손상된 설하선을 충분히 제거해야 하며 그렇지 못한 경우에 수술 후에 인접한 부위에 새로운 낭종이 발생할 수도 있다.

2. 섬유종

구강에 발생하는 섬유종(fibroma)은 만성적으로 자극을 받거나 상처로 인해 발생하는 것으로 국소적 섬유조직의 과성장(focal) (fibrous hyperplasia)이다.

약 2/3의 경우에서 10대에서 40대 사이에 발생하며 여성에서 더 빈발한다. 점막으로 덮여 있고 병변의 외형이 매끈하며 색조는 연분홍색으로 촉진 시 단단하다(그림 16-19).

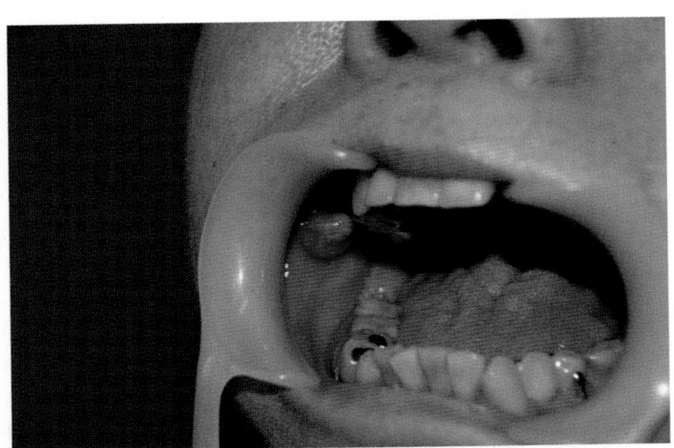

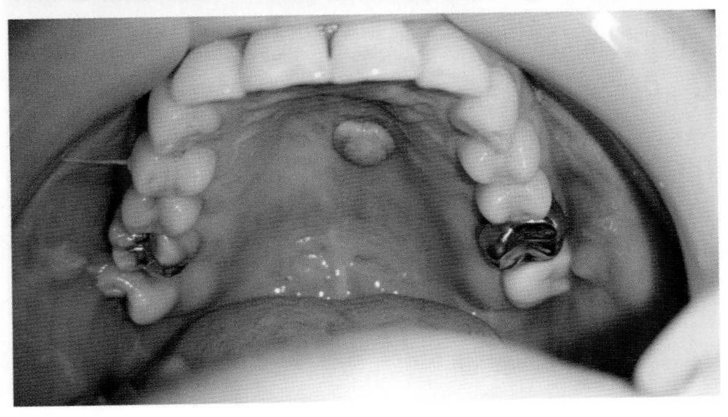

■ 그림 16-19. **볼 점막과 경구개에 발생한 섬유종**

크기와 모양은 다양하며 병변의 기저부가 병변보다 넓은 경우도 있으며 유경부(peduncle)를 관찰할 수도 있으며 대부분 1 cm 이하로 2 cm보다 큰 경우는 드물다. 호발 부위로는 저작할 때 만성적으로 씹히게 되는 저작선(bite line) 주변의 볼 점막, 혀의 배부, 치아가 없는 잇몸과 구개 등이다.[123] 치료는 자극 요인을 제거하고 수술로 절제한다.

3. 상피성 낭

상피성 낭(epithelial cyst) 중 표면 상피의 함입으로 발생하는 상피세포로 둘러싸인 양성 낭성 병변이다. 전신에 발생할 수 있으며 특히 발생학적으로 융합선을 따라 안면, 두피, 경부, 흉부, 등의 상부에 호발하고 약 7%에서 두경부에 위치하고 구강 내에 발생하는 경우는 1.6% 정도로 알려져 있으며 구강에 발생하는 모든 낭종 중에 0.01%도 채 안 된다고 알려져 있다. 구강 내에서는 주로 구강저, 혀, 입술, 연구개, 볼 점막, 잇몸 등에 발생할 수 있다(그림 16-20).

낭종의 표면은 편평상피세포로 구성되나 낭종을 구성하는 내용물에 따라 세 가지로 나뉜다. 유표피낭종(epider-

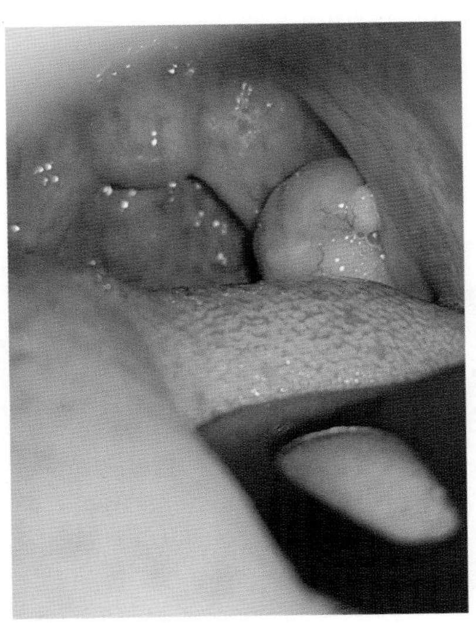

■ 그림 16-20. **편도와에 발생한 상피성낭**

moid cyst)은 낭속에 진피부속기가 없이 탈락한 각질로만 구성되고 유피낭종(dermoid cyst)는 머리카락, 모공, 피부 기름샘, 땀샘 등의 진피부속기가 존재하고 기형낭(teratoid cyst)는 세 가지의 배엽층에서 기원한 근육, 연골, 뼈 등의 조직이 존재하는 경우이다. 치료로는 외과적 수술로 피막을 온전하게 완전 절제하면 대개 재발이 없다.

4. 유두종

유두종(papilloma)은 가장 흔히 나타나는 구강 내 양성 병변 중의 하나로 사마귀나 양배추(cauliflower) 모양으로 중심에 혈관핵(vascular core)을 가진 특징을 보이는 과증식된 상피의 외성장성 병변이다(그림 16-21). 구강, 인두, 후두 등에 흔히 발생하며 인간유두종바이러스(human pupilloma virus) 감염과 연관이 있으며 환자의 약 1/3에서 인간유두종바이러스가 검출되고 가장 흔히 검출되는 바이러스는 HPV 6형으로 알려져 있다.[15] 구강과 구인두에서는 연구개, 구개수, 편도 주위, 혀와 입술에 흔히 발생한다. 환자 자신이 발견하거나 또는 구강 검진 시에 우연히 발견된다. 사마귀 모양의 종물이 단일 또는 다발성으로 발생하며 경도의 과각화증을 동반한다. 크기는 대개 1 cm 이내이며 악성 변이는 거의 하지 않는다.

병소 조직이 남지 않게 병변이 붙어있는 점막 상피에서 절제생검하면 진단과 치료를 겸할 수 있다. 레이저 수술이 권장되며 재발은 흔하지 않다

5. 지방종

지방종(lipoma)은 가장 빈발하는 연조직 간엽성 종양(mesenchymal tumor)으로 15–20%에서 두경부에 발생하고 그중 1–4%만이 구강 내에 발생하는 것으로 알려져 있다. 주로 40세 이상의 성인에서 관찰되고 촉진해보면 매우 부드럽다(그림 16-22).

표면에 미세한 혈관이 있으며 옅은 황백색을 띠고 압력을 가하면 붉은 혈관은 하얗게 변한다. 표재성인 경우 경계가 명확하고 자유로운 가동성을 보이지만 심부조직 속에 있으면 정상적인 분홍색 점막으로 덮여 있고 촉진으로 그 경계를 알 수 없다.

대개 단발성이고 증상이 없으며 가장 흔히 발생하는 부위는 볼 점막, 혀, 구강저와 입술 등이다. 치료로는 외과적 절제로 제거해준다.

6. 혈관 병변

구강 내에 혈관종(hemangioma), 정맥기형(vascular

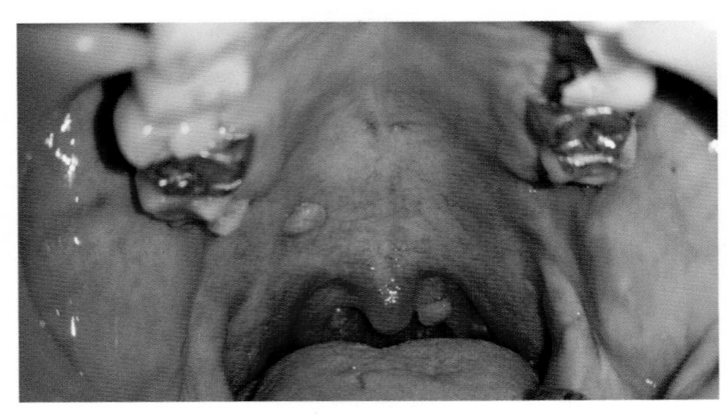

■ 그림 16-21. **연구개에 발생한 다발성 유두종**

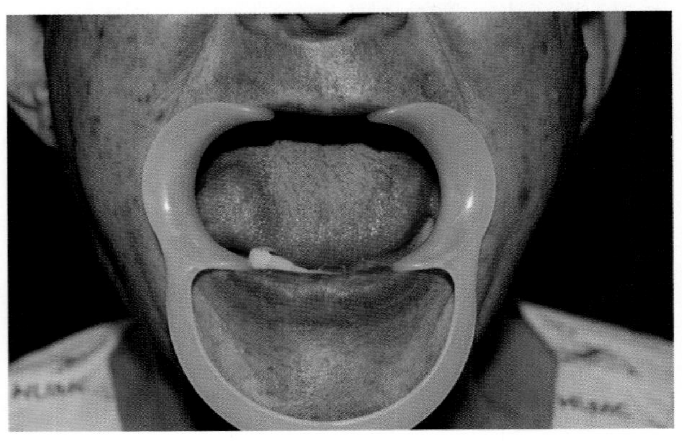

■ 그림 16-22. **혀에 발생한 다발성 지방종증**

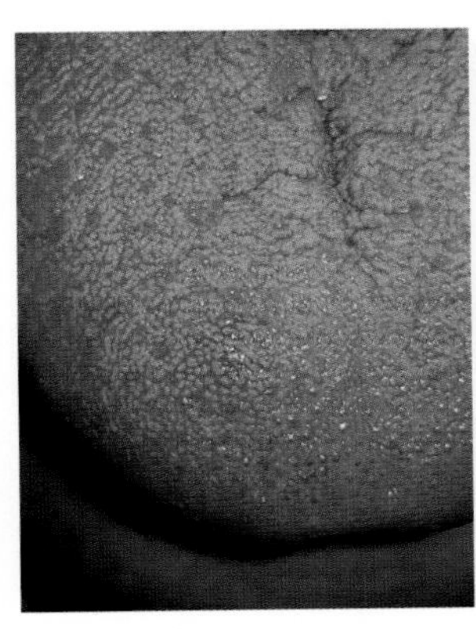
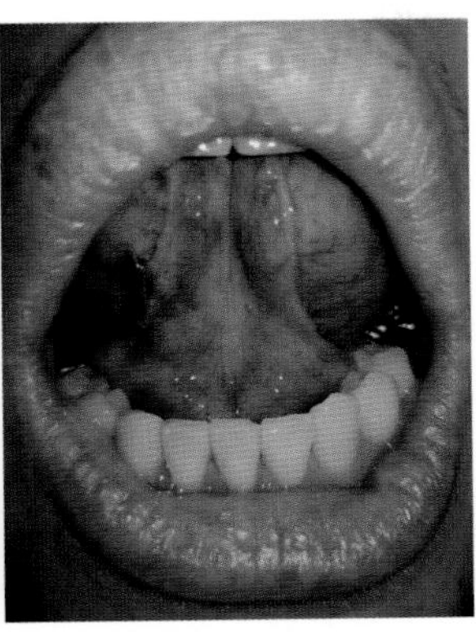

■ 그림 16-23. **혀에 발생한 혈관종과 정맥류**

malformation)과 정맥류(varix) 같은 혈관성 병변이 발생할 수 있다(그림 16-23). 혈관종은 영유아에서 발생하는 가장 흔한 양성 종양의 하나로 혈관내피세포의 증식으로 발생한다. 대개 생후 1-4주경에 나타나고 생후 1년간 급속도로 증식하다 5살 경에 50%가 7살 경에 70%가 자연적으로 사라지는 증식, 퇴축, 소실의 세 단계로 나타나는 경우가 많다.[30] 정맥기형은 혈관의 발생학적 구조적 기형으로 인하며 동맥이나 정맥 또는 모세혈관으로 구성된다. 대개 출생과 동시에 나타나고 신체가 성장과 동반하여 크기가 커지게 되고 자연적으로 작아지거나 사라지지는 않는다. 정맥류는 노화에 의한 혈관 조직의 약화와 정맥압의 상승으로 야기되며 60대에 주로 나타난다.

혈관종에서는 혀의 복부, 아랫입술, 협부 점막에 주로 발생하고 정맥기형에서는 윗입술, 협부점막, 아랫입술에 주로 발생한다. 정맥류는 혀의 복부에 다발성으로 나타난다.

혈관종과 혈관기형에서의 치료로는 환자의 나이, 병변의 위치와 크기에 따라 치료방법을 고려해야 하고 경화치료, 전신적 스테로이드, interferon-α, 레이저, 색전술, 냉동술 및 외과적 절제술 등이 있다. 정맥류는 대개의 경우 치료를 요하지 않는다.

7. 치은종(epulis)

치은종(epulis)은 국소적 자극, 외상 또는 호르몬 불균형으로 잇몸에 발생하는 반응성 잇몸 과증식으로 양성 섬유성 조직의 증식 또는 육아종을 보이는 모든 질환을 총괄하여 부르는 용어이다.[35] 종양은 부드러우며 쉽게 출혈을 야기하고 적색에서 백색에 이르는 다양한 색을 띠며 표면은 평활하다.

가장 흔히 볼 수 있는 치은종은 섬유성 치은종(fibrous epulis)으로 구강 전면의 두 개의 치아 사이의 잇몸에 발생하고 무경성 혹은 유경성 종물로 나타나는 섬유성 육아종성 조직이다.[35] 종물은 단단하고 고무 같으며 창백한 분홍빛을 띤다. 시간이 경과하면서 골화되는 경우엔 변연성 골화성 섬유종(peripheral ossifying fibroma)이라고 한다. 때론 거대 세포로 구성되는 육아종이 발생할 수도 있으며 이는 변연성 거대세포 육아종(peripheral giant cell grnauloma)이라고 한다. 틀니가 잘 맞지 않아 만성적으로 잇몸을 자극하고 상처를 입혀 결체조직의 섬유성 과증식이 발생하는 균열치은종(epulis fissuratum)은 아래턱의 입술 쪽 잇몸에 주로 발생한다. 종종 발치한 후 잇몸의 홈에 육아종이 발생하기도 하는데 이를 육아종성 치은종(epulis granulomatosa)이라고 한다. 임신 중에 잇몸에 육아종성 병변이 발생하기도 하는데 주로 임신 후기에 나타나고 임신 종양(pregnancy tumor) 혹은 임신 육아종(granuloma gravidarum)이라 한다. 드물게 신생아에서도 태어나면서 잇몸에 육아종성 종양이 있는 경우가 있다. 선천성 치은종(congenital epulis)은 연조직의 양성 종양이며 아래턱에 호발하고 여아에서 다소 많이 발생한다.

잇몸에 발생하는 다양한 형태의 치은종의 치료는 소파술을 통해 육아종을 제거하고 발치하여 주위를 평활하게 해준다. 관련된 치아나 치주골을 포함하여 종양을 완전히 제거해야 재발하지 않는다.

8. 화농성 육아종

잇몸에 발생하는 치은종과 유사한 화농성 육아종(pyogenic granuloma)은 소엽성 모세혈관성 혈관종(lobular capillary hemangioma)으로 불리기도 하는 혈관병성 질환으로 구강 내 조직검사의 1.5–2% 정도에서 보고되고 있다.[2] 주로 잇몸에 발생하고 다른 부위로는 혀, 볼 점막, 입술 등에 호발한다.[2] 적색의 부드러운 표면을 가진 단일 결절성 병변으로 빠르게 자라 구강암으로 오인되기 쉬운 병변으로 11–40세 사이에 주로 나타난다.

원인은 명확하지 않으나 외상이나 감염, 호르몬의 영향으로 발생하는 염증반응으로 알려져 있으며 반응성 비대의 형태로 나타난다. 종양의 표면에 상처에 의한 궤양이 주로 형성되어 저작할 때 출혈을 야기할 수 있다. 호르몬의 영향으로 임신한 여성의 잇몸에 종종 발생할 수 있어 임신성 종양이라 불리기도 한다.

자연적으로 사라지지 않기 때문에 외과적으로 완전 절제가 필요하다.

9. 호산구성 육아종

호산구성 육아종(eosinophilic granuloma)은 반복적인 구강 점막의 외상과 관련이 있다고 알려져 있어 외상성 육아종(traumatic granuloma) 혹은 기질 내 호산구증가증을 동반한 외상성궤양성 육아종(traumatic ulcerative granuloma with stromal eosinophilia; TUGSE)이라고도 하고 소아에서는 Riga-Fede병이라고도 한다.[41] 60% 정도에서 혀에 발생하고 입술, 구개, 잇몸, 전정 점막, 구강저 등에 발생하기도 한다. 어느 연령층에서나 발생할 수 있고 남녀의 차이는 없다. 궤양을 동반한 양상으로 나타나며 점막하 종물 양상으로도 나타나기도 한다. 조직학적으로 주변 조직으로 호산구가 풍부한 염증성 침윤을 관찰할 수 있다. 편평세포암종으로 오인할 수 있어 감별해야 하며 일반적으로 자연 치유되므로 수술적 조작은 필요 없으나 통증이 있는 경우에는 대증적 치료를 할 수 있다.

10. 림프관종

림프관종(lymphangioma)은 림프관계의 선천성 기형으로 인한 양성 종양으로 두경부 영역에 주로 발생하나 구강 내 발생은 드물다. 약 절반에서 태어나면서 병변이 나타나고 90%가 2살 이전에 나타난다. 구강 내에 발생한 경우에는 혀의 배부, 구개, 잇몸, 입술에 주로 나타난다. 주로 혀에 발생한 경우에 혀가 커지면서 연하 및 저작 곤란, 조음장애, 기도폐쇄 등의 증상을 초래하여 치료를 요하게 된다. 치료로는 기능을 유지하면서 수술적 부분 절제를 할 수 있으며 최근에는 고주파절제술(radiofrequency ablation)이 효과를 보고 있다.

11. 신경성 종양

신경초종(neurilemmoma)은 Schwannoma라고도 불리우며 Schwann세포라는 말초신경초에서 기원하여 서서히 자라는 피막에 잘 싸여있는 양성 신경성 종양이다. 전신에 어디에도 발생할 수 있으며 25–40%에서 두경부 영역에 발생하고 그중 1%에서 구강 내에 발생한다고 알려져 있다. 구강에서는 혀에서 가장 호발하고 구강저, 구개, 잇몸, 입술 등에서 발생할 수 있다.

영상학적 진단으로는 자기공명영상(MRI)에서 특징적으로 T2 조영증강에서 균일한 강력한 신호로 나타나고 T1 조영증강에서는 근육 정도의 음영으로 나타난다.

악성 전환의 위험이 8–10% 정도로 보고되므로 경구강적 절제술로 완전 제거가 필요하다.

12. 다형선종

다형선종(pleomorphic adenoma)은 침샘에 발생하는

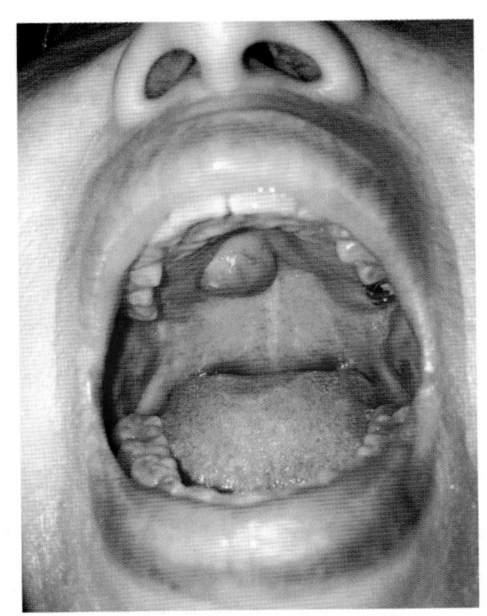

■ 그림 16-24. **경구개에 발생한 다형선종**

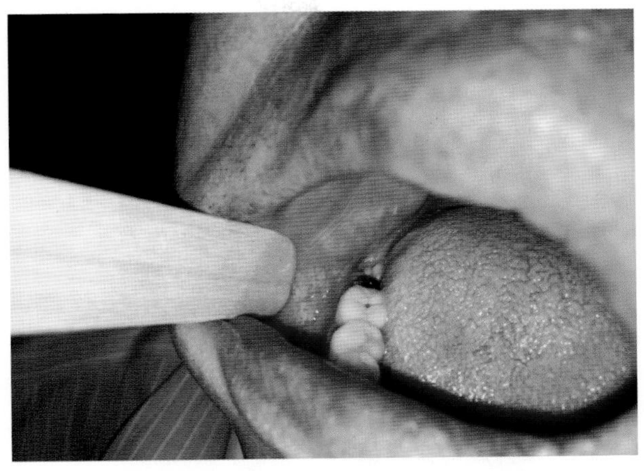

■ 그림 16-25. **볼점막에 나타난 Fordyce반**

양성 혼합종으로 침샘종양의 약 60%를 차지한다. 80%에서 귀밑샘에 발생하고 10%에서 턱밑샘, 그리고 나머지가 구강 등 기타 부위에서 발생할 수 있다.[43] 구강에서는 드문 편이나 소침샘이 많이 분포한 경구개의 후외측방에서 빈발(50–60%)하고 입술(15–20%), 그리고 볼 점막(8–10%) 순으로 발생한다. 다른 부위의 혼합종양과는 달리 피막이 없고 30–50살 사이에 많이 발생하고 여성에서 다소 더 빈발하는 편이다. 비교적 견고한 종물이 점막하부에 위치하며 보통 증상이 없거나 골이 파괴될 수 있다(그림 16-24). 정상 조직을 포함하여 수술적 절제로 치료한다.

13. 비순낭

비순낭(nasolabial cyst)은 비루관(nasolacrimal duct) 상피세포의 잔류 조직에서 유래된 낭으로 상악안면부에 발생하는 낭종의 약 0.7%정도이고 비치성 낭종의 2.5% 정도로 드물게 발생한다. 비전정, 비구순구(nasolabial fold), 상악의 치은협이행부(mucobuccal fold) 등에 자주 생기고 30–40대의 여성에서 주로 나타난다. 낭이 크면 상악골을 파괴하는 경우도 있다. 조직학적으로 편평상피세포, 호흡상피세포 등으로 표면이 덮인 낭으로 나타나며 분비세포가 낭 내에서 관찰되는 경우도 있다. 치성(odontogenic) 낭과 감별을 요하며 대개 경구강으로 낭을 제거하고 완전 적출술을 시행하면 재발은 없다.

14. Fordyce반

피부의 부속기관인 피지선이 본래 있을 위치가 아닌 생식기나 안면 및 구강 점막에 존재하는 상태로 선(gland)의 구조가 피부 모근부에 있는 피지선과 유사하다. 발생 빈도는 비교적 높아 성인의 80%에서 볼 수 있는데 유아기에서 3살 무렵부터 나타나 사춘기에 증가하여 성인에서 발현율도 높아지고 황반의 수도 늘어난다. 구강에서 주로 발생하는 부위는 볼 점막, 후구치 점막과 윗입술점막이며 윗입술의 노출된 붉은 부위가 가장 흔한 부위이다(그림 16-25). 약간 융기되어 있으나 표면이 매끈하고 투명하게 보이는 1~3 mm의 작은 황백색의 반점들이 몇 개 있는 것부터 다양한 크기의 황반이 수백 개에 이르는 경우도 있다. 대부분 특별한 증상이 없고 병적인 의의가 전혀 없으므로 치료는 필요 없으며 환자에게 충분히 설명하여 안심시키는 것으로 충분하다.

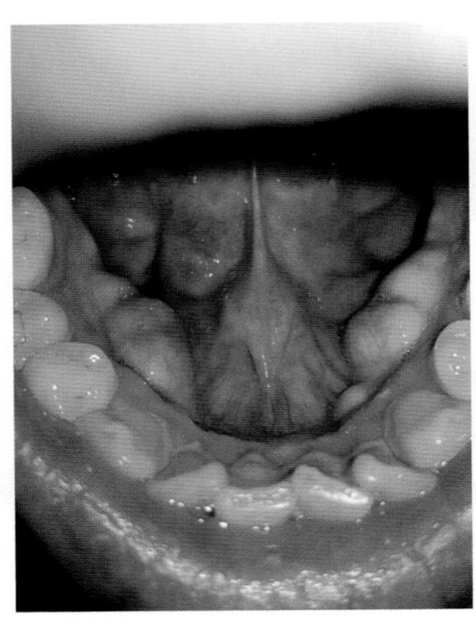

■ 그림 16-26. **하악융기.** 양측으로 대칭적으로 나타난다.

15. 구개융기와 하악융기

구개나 하악골에 무경성(sessile)의 골성 종괴를 이룬 것으로 표면은 얇은 점막으로 덮여 있다. 일반인의 3~56%에서 발견되고 여성에게 흔한 병변이다(그림 16-26).

구개융기(torus palatinus)는 구개 정중앙부에 무경성의 작은 결절에서 큰 미만성 종창까지 다양한 크기와 모양으로 나타나며 소타액선 종양과 감별해야 한다.

하악융기(torus mandibularis)는 하악골 설면(lingual surface)에 견치에서 소구치 사이에 양측성으로 나타난다. 모양과 크기가 다양하며 주로 여러 개가 대칭적으로 나타나며 외골증(exostosis)의 하나로 여겨진다. 골융기를 덮고 있는 점막이 손상되지 않는 한 자각증상은 없다.

대개는 증상이 없으나 대부분의 환자들이 종양으로 오인하여 내원하게 되고 우연히 검진 중에 발견하는 것이 보통이다. 모양이 특징적이므로 시진으로 바로 진단이 가능하며 보통 조직검사가 필요 없다. 특별한 치료가 필요 없으나 반복적인 점막 손상으로 궤양이 자주 발생하거나 치아가 없는 환자에서 의치를 착용하는 데 문제가 있다면 수술로 절제할 수 있다.

16. 설갑상선

설갑상선(lingual thyroid)은 이소성 갑상선의 90%를 차지하고 태생기 7주 무렵에 갑상선 원기(primordium)가 맹공(foramen cecum)에서 하방으로 내려오지 않고 혀뿌리(base of tongue)에 남아있는 발생학적 이상이다. 혀의 유곽유두와 후두개 사이의 중앙 부위에서 위치하며 100,000명에서 300,000명에 한 명 꼴로 발생하고 주로 여성에서 많이 나타난다. 3~8 cm 크기의 종물이 설배부 뒤쪽에서 관찰되며 점막은 혈관이 풍부해 보인다. 대부분의 경우 증상이 없지만 구인두 폐쇄를 야기하여 연하곤란, 발성장애, 이물감, 호흡장애, 만성 기침이나 수면무호흡을 호소할 수 있다. 약 60%에서 갑상선 기능저하증과 연관이 있다는 보고가 있으며 악성화는 드물다. 약 80%의 환자에서 설갑상선이 유일한 갑상선 조직이기 때문에 초음파 등의 영상 검사로 정상 위치의 갑상선의 유무를 확인해야 하고 진단과 치료에 유의해야 한다.

증상이 없다면 절제하지 않고 보존하고 증상이 있으면 치료하는데 우선 갑상선 호르몬 억제요법을 써보고 호전되지 않으면 완전 제거 후 갑상선 호르몬을 투여하면 된다.

17. 설소대단축증

설소대단축증(ankyloglossia tongue tie)은 설유착증, 설단축증으로도 불리며 짧고 섬유화된 설소대(linguala frenulum)로 인하여 혀의 운동 제한으로 설첨이 하절치 아래로 내려가지 못하는 상태를 말한다(그림 16-27).

대개는 선천성으로 발육 과정의 부조화로 인해 발생하며 신생아의 4%에서 16%까지도 나타나고 남아에서 좀 더 흔히 발생하는 것으로 알려져 있으며 후천성은 수술이나

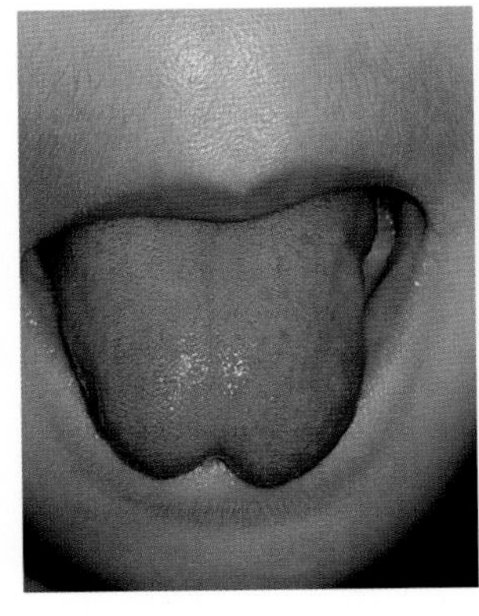
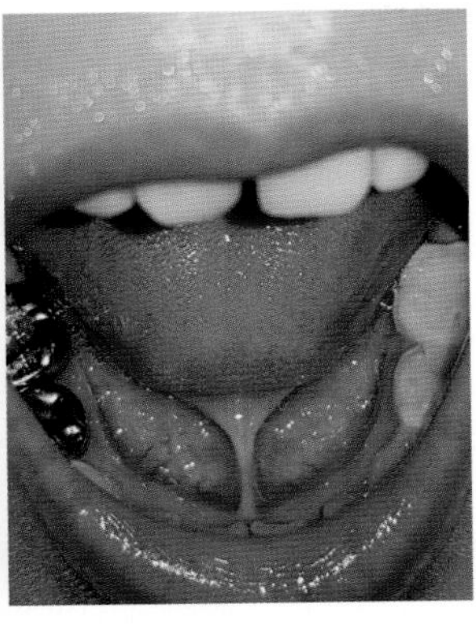

■ 그림 16-27. **설소대단축증.** 혀의 끝이 하트 모양으로 아랫입술 밖으로 나가지 못한다.

외상으로 인해 발생한다.

혀의 운동장애로 인한 유아기의 수유장애, 절치로 인한 설하면의 궤양 형성, 저작 또는 연하장애 등이 발생할 수 있으며 성장하면서 발음장애, 특히 '다'와 '라' 발음의 장애가 나타날 수 있다.

설소대의 단순 절개만으로는 반흔으로 인한 재발로 13%에서 재수술이 필요할 수 있어 Z-성형술을 응용한 설소대성형술이 권장된다.[9]

참고문헌

1. Aggarwal A, Panat SR. Burning mouth syndrome: A diagnostic and therapeutic dilemma. J Clin Exp Dent. 2012;14(3):e180-5
2. Akyol MU, YalÇiner EG, Dogan AI. Pyogenic granuloma(lobular capillary hemangioma) of the tongue. Int J Pediatr Otorhinolaryngol. 2001;58:239-41
3. Al-Johani KA, Fedele S, Porter SR. Erythema multiforme and related disorders. Oral Surg Oral Med Oral Pathol Oral Radiol Endod. 2007;103:642-54
4. Arduino PG. Oral complications of dermatologic disorders. Atlas Oral Maxillofacial Surg Clin N Am. 2017;25:221-8
5. Arduino PG, Porter SR. Herpes simplex virus type I infection: overview on relevant clinico-pathological features. J Oral Pathol Med. 2008;37:107-21
6. Arendorf TM, Walker DM. The prevalence and intra-oral distribution of Candida albicans in Man. Arch Oral Biol. 1980;25:1-10
7. Aswathyraj S, Arunkumar G, Alidjinou EK, et al. Hand, foot and mouth disease(HFMD): emerging eidemiology and the need for a vaccine strategy. Med Microbiol Immunol. 2016;205:397-407
8. Au J, Patel D, Campbell JH. Oral lichen planus. Oral Maxillofacial Surg Clin N Am. 2013;25:93-100
9. Baker AR, Carr MM. Surgical treatment of ankyloglossia. Operat Tech Otolaryngol. 2015;26:28-32
10. Baurmash HD. Mucoceles and ranulas. J Oral Maxillofac Surg. 2003;61:369-78
11. BehÇet H. Über rezidivierende aphthöse, durch ein Vinus vernsachte Geschw ü re am Mund, am Auge und an den Genitalien. Dermatol Monatsschr 1937;105:1152-7
12. Clarkson E, Mashkoor F, Abdulateef S. Oral viral infections: diagnosis and management. Dent Clin N Am. 2017;61:351-63
13. Cowan GM, Lockey RF. Oral manifestations of allergic, infectious, and immune-mediated disease. J Allergy Clin Immunol Pract. 2014;2(6):686-96
14. de Souza BC, de Lemos VMA, Munerato MC. Oral manifestation of tuberculosis: a case-report. Braz J Infect Dis. 2016;20(2):210-3
15. Don à MG, Pichi B, Rollo F, et al. Mucosal and cutaneous human papillomaviruses in head and neck squamous cell papillomas. Head Neck. 2017;39(2):254-9
16. Edgar NR, Saleh D, Miller RA. Recurrent aphthous stomatitis: A review. J Clin Aesthet Dermatol. 2017;10(3):26-36
17. Femiano F, Gombos F, Scully C. Recurrent herper labialis: efficacy of topical therapy with penciclovir compared with acyclovir(aciclovir). Oral Diseases. 2001;7:31-3
18. Ficarra G, Carlos R. Syphilis: The renaissance of an old disease with oral implications. Head and Neck Pathol. 2009;3:195-206
19. Gaeta GM, Satriano RA, Baroni A. Oral pigmented lesions. Clin Dermatol. 2002;20(3):286-8
20. International Study Group for BehÇet's Disease. Criteria for diagnosis of BehÇet's disease. Lancet 1990;335:1078-80
21. Islam NM, Bhattacharyya I, Cohen DM. Common oral manifestations of systemic disease. Otolaryngol Clin N Am. 2011;44:161-82
22. Kauzman A, Pavone M, Blanas N, et al. Pigmented lesions of the oral cavity: reviews, differential diagnosis, and case presentations. J Can Dent Assoc. 2004;70(10):682-3g
23. Magliocca KR, Fitzpatrick SG. Autoimmune disease manifestations in the oral cavity. Surg Pathol. 2017;10:57-88
24. Mangold AR, Torgerson RR, Rogers R. Diseases of the tongue. Clin Dermaltol. 2016;34:458-69
25. Maria OM, Eliopoulos N, Muanza T. Radiation-induced oral mucositis. Front Oncol. 2017;22(7):89-101
26. Martin JL. Leukoedema: a review of the literature. J Natl Med Assoc. 1992;84(11):938-40
27. Mays JW, Sarmadi M, Moutsopoulos NM. Oral manifestations of

systemic autoimmune and inflammatory diseases: diagnosis and clinical management. J Evid Based Dent Pract. 2012;12(3 Suppl):265-82
28. McCord C, Johnson L. Oral manifestations of hematologic disease. Atlas Oral Maxillofacial Surg Clin N Am. 2017;25:149-62
29. Mejia LM. Oral maqnifestations of gastrointestinal disorders. Atlas Oral Maxillofacial Surg Clin N Am. 2017;25:93-104
30. Mulliken JB, Glowacki J. Hemangiomas and vascular malformations in infants and children: a classification based on endothelial characteristics. Plast Reconstr Surg. 1982;69(3):412-22
31. Neissen LC, Gibson G, Kinnunen TH. Women's oral health: why sex and gender matter. Dent Clin North Am. 2013;57(2):181-94
32. Perusse R, Blackburn E. Differential diagnosis of pigmented lesions of the oral cavity. J Can Dent Assoc. 1984;50(10):783-7
33. Ribeiro GR, Costa JL, Leles CR, et al. Oral health of the elderly with Alzheimer's disease. Oral Surg Oral Med Oral Pathol Oral Radiol. 2012;114(3): 338-43
34. Sankar V, Noujeim M. Oral manifestations of autoimmune and connective tissue disorders. Atlas Oral Maxillofacial Surg Clin N Am. 2017;25:113-26
35. Savage NW, Daly CG. Gingival enlargements and localized gingival overgrowths. Aust Dent J. 2010;55(s1):55-60
36. Scala A, Checchi L, Montevecchi M, et al. Update on burning mouth syndrome: overview and patient management. Crit Rev Oral Biol Med. 2003;14(4):275-91
37. Schifter M, Yeoh S-C, Georgiou A. Oral mucosal diseases: the inflammatory dermatoses. Aust Dent J. 2010;55(Suppl 1):23-38
38. Schlosser BJ, Pirigyi M, Mirowski GW. Oral manifestations of hematologic and nutritional diseases. Otolaryngol Clin N Am. 2011;44:183-203
39. Scully C, Carrozzo M. Oral mucosal disease: lichen planus. Br J Oral Maxillofac Surg. 2008;46:15-21
40. Shah S, Singaraju S, Einstein A, et al. Herpes zoster: A clinicocytopathological insight. J Oral Maxillofac Pathol. 2016;20(3):547
41. Sharma B, Koshy G, Kapoor S. Traumatic ulcerative granuloma with stromal eosinophilia: A case report and review of pathogenesis
42. Singh A, Verma R, Murari A, et al. Oral candidiasis: an overview. J Oral Maxillofac Pathol. 2014;18:S81-5
43. Spiro RH. Salivary neoplasms: Overview of 1 35-year experience with 2,807 patients. Head Neck Surg. 1986;8:177-84
44. Stanley HR. Aphthous lesions. Oral Surg 33:407-16, 1972
45. Stoopler ET. Sollecito T. Oral mucosal diseases: Evaluation and management. Med Clin N Am. 2014;98:1323-1352
46. Thukral R, Shrivastav K, Vidhi M, et al. Actinomyces: a deceptive infection of oral cavity. J Korean Assoc Oral Maxillofac Surg. 2017;43:282-5
47. Triggianese P, Guarino MD, Pelicano C, et al. Recurrent angioedema: occurrence, features, and concomitant diseases in an Italian single-center study. Int Arch Allergy Immunol. 2017;172-63
48. van der Waal R, Schulten E, van de Scheur M, et al. Cheilitis granulomatosa. JEADV. 2001;15:519-23
49. Warnakulasuriya S, Johnson NW, van der Waal I. Nomenclature and classification of potentially malignant disorders of the oral mucosa. J Oral Pathol Med. 2007;36:575-80
50. Yang S-W, Lee Y-S, Chang L-C, et al. Outcome of excision of oral erythroplakia. Br J Oral Maxillofac Surg. 2015;53:142-7

CHAPTER

17

편도질환

박일석

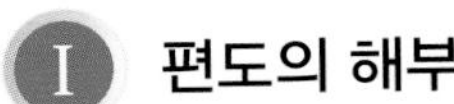

I 편도의 해부

1. Waldeyer환

Waldeyer환(Waldeyer's ring)은 전방의 설편도(lingual tonsil), 측방의 구개편도(palatine tonsil), 후상벽의 인두편도(pharyngeal tonsil)로 구성된 편도 주위에 존재하는 고리 모양의 림프조직으로 점막연관림프조직(mucosa-associated lymphoid tissue)의 하나로, 상피로부터 직접 항원이 들어오며 분비성 IgA를 비롯한 다양한 면역 조절 인자들이 존재한다.[12] 인두측삭(lateral pharyngeal band), 산재된 림프 여포(lymphoid follicle), 이관 주위의 결절들도 이에 포함된다(그림 17-1). Waldeyer환은 면역조직의 특성상 약 8–9세까지는 크기가 증가하다가 11세 이후에는 점차 그 크기가 감소한다.

2. 구개편도

구개편도(palatine tonsil)는 구인두의 양외측에 한 쌍의 융기된 타원형 구조이며 구개설근(palatoglossus muscle)으로 이루어진 전구개궁(anterior pillar)과 구개인두근(palatopharyngeus muscle)으로 형성된 후구개궁(posterior pillar) 사이에 위치한다. 가장 외측인 편도와(tonsil fossa)는 상인두수축근(superior pharyngeal constrictor muscle)이 이루고 있다.

편도의 표면은 비각화중층편평상피세포로 이루어져 있고 편도조직 내로 확장되어 맹관(blind tubule)을 형성하며 10~30개의 음와(crypt)와 연결된다. 음와는 편도가 인두 쪽으로 노출되는 표면적을 증가시킨다. 구개편도의 심부는 설편도와 인두편도와는 다르게 인두결절근막(pharyngobasilar fascia)의 일부인 피막(capsule)으로 싸여 있고 편도의 내부로 이어지는 격막(septa)을 통해 신경, 혈관, 유출성 림프관이 편도 내로 연결된다. 편도의 피막과 외측의 인두근육 사이는 성긴 결합조직(loose connective tissue)으로 구성되어 있어 편도절제술 시 이 공간을 박리하면 편도를 쉽게 제거할 수 있다. 그러나 편

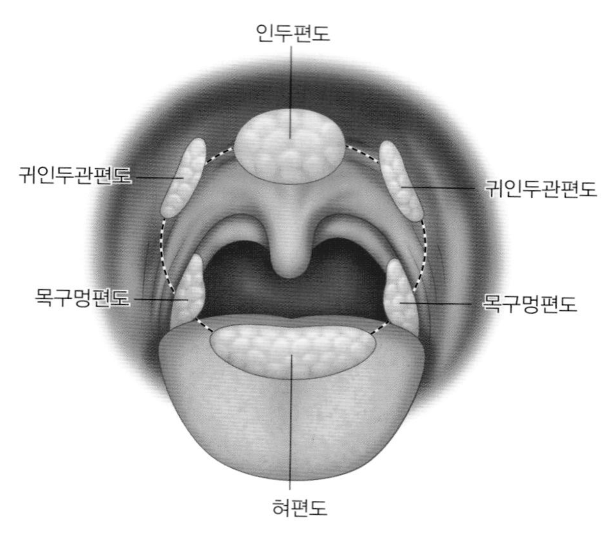

■ 그림 17-1. Waldeyer 환

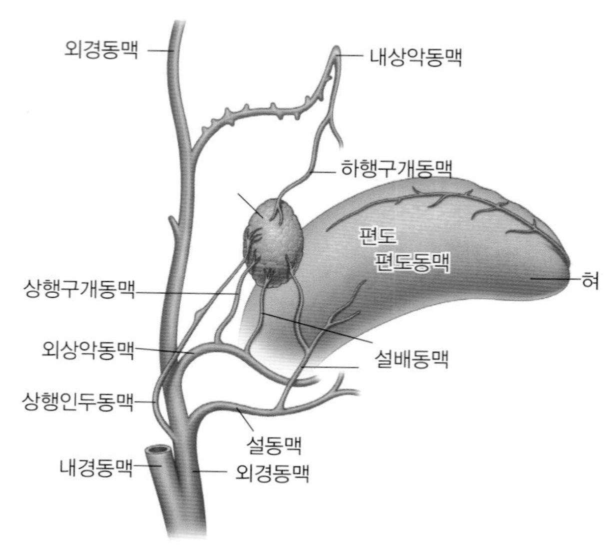

■ 그림 17-2. 편도에 혈액을 공급하는 혈관분포

도염과 편도주위염이 자주 발생하거나 편도 주위 농양이 있었던 경우에는 결합 조직 및 피막의 염증 반응으로 인해 조직의 재배열이 일어나 피막이 두꺼워지면서 상인두근에 유착되어 박리가 어려워질 수 있으며 술 중 출혈이 더 일어날 수도 있다. 편도 피막의 외측 및 구개편도의 상극에는 소타액선인 웨버씨선(Weber's gland)이 모여있으며 편도 주위 농양이 발생할 수 있다.[36] 편도의 상극을 덮는Plica semilunaris와 하부를 덮는 Plica triangularis는 수술 시 제거되지 않으면 음식물이 고일 수 있어 환자가 불편감을 호소할 수 있다.

편도의 혈액 공급은 주로 하극(inferior pole)을 통해 이루어지며 전방에 설배동맥(dorsal lingual artery)의 편도분지, 후방에 안면동맥의 분지인 상행구개동맥(ascending palatine artery), 그 사이로 안면동맥의 편도분지가 유입된다. 상극에서는 후방의 상행인두동맥(ascending pharyngeal artery)과 전방의 소구개동맥(lesser palatine artery)이 가장 대표적인 혈관이다. 내경동맥이 편도의 후외측 2 cm에 위치하기 때문에 수술 시 적절한 박리면을 유지하며 손상을 피해야 한다. 정맥

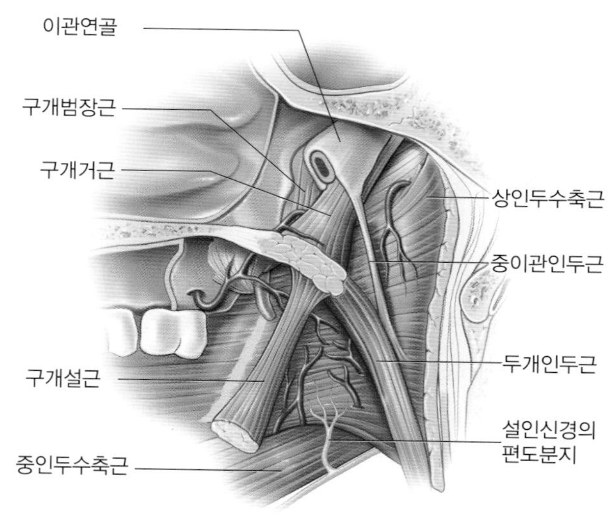

■ 그림 17-3. 편도외측벽의 근육과 신경 분포, 설인신경의 주행

은 편도 주위 정맥총으로 유출되어 설정맥과 인두정맥을 통해 내경정맥으로 유입된다(그림 17-2).

편도의 림프 흐름은 유입림프관 없이 유출림프관만 있으며 주로 상경정맥이복근림프절(upper jugulo-digastric lymph node)과 악하각 후방에 위치한 편도림프절(tonsillar node)로 유입된다.

편도의 지각신경은 설인신경의 편도분지가 상부를 지배하며 소구개신경의 하행분지가 하부를 지배한다. 편도의 외측벽은 상방의 상인두수축근, 전하방의 경돌설근(styloglossus muscle)과 중간인두수축근에 의해 이루어진다. 이 근육층은 비교적 얇으며 외측에는 설인신경이 있어 편도절제술 후에 신경의 자극 또는 손상으로 일시적인 혀 후방 1/3의 미각 감퇴나 연관성 이통이 발생할 수 있다(그림 17-3). 그 외의 지각신경으로는 미주신경, 삼차신경의 대, 소구개신경의 지배를 받는다.

3. 설편도

설편도(lingual tonsil)는 혀의 후방 1/4 지점의 맹공(foramen cecum)에서 후두개 사이에 위치한다. 중층편평상피로 싸여 있으며 구개편도와 달리 피막이 없어 설근부에 노출되어 있다. 혀와는 섬유조직으로 연결되어 있어 쉽게 분리되지 않는다. 설편도의 림프여포(lymphoid follicle)는 30~100개 정도로 개인마다 숫자나 모양, 밀집된 위치가 다양하다. 음와가 존재하며 혈액 공급은 외경동맥의 설분지로부터 받으며 림프액의 흐름은 구개편도와 같다.

4. 인두편도

인두편도(pharyngeal tonsil) 또는 아데노이드(adenoid)는 비인두의 상벽과 후벽에 위치한 소엽상의 림프조직이다. 표면은 중층 또는 위중층상피세포로 싸여 있으며 구개편도와 달리 피막과 음와가 없다. 인두편도에 염증이 발생하면 외측에 있는 이관에 기능적, 기계적 폐색을 유발하여 환기 문제를 일으킬 수 있으므로 삼출성 중이염과 같은 중이질환의 중요한 발생 원인이 되며, 어린 소아의 경우 아데노이드 비대와 만성 염증은 재발성 만성 부비동염 및 알레르기 비염 발생과도 밀접한 관련이 있다.

혈액공급은 외경동맥의 분지인 상행인두동맥, 상행구개동맥을 통해 받으며, 부분적으로 내상악동맥과 안면동맥의 분지에서도 공급받는다. 지각은 설인신경과 미주신경의 지배를 받으므로 염증 및 수술 후에는 이통이나 인후통과 같은 연관통이 동반될 수도 있다.

유출림프관의 림프액은 후인두림프절(retropharyngeal lymph node)과 인두상악공간(pharyngomaxillary space)의 림프절로 배출된다.

II 구개편도와 아데노이드의 면역학

구개편도와 아데노이드는 상부 호흡소화기관의 주요 면역학적 기관으로 국소 면역 기능과 함께 면역 감시 기전(immune surveillance)을 통해 신체 방어 체계도 동시에 담당하고 있다. 비강을 통하여 아데노이드로 유입되는 세균, 바이러스, 공기 중 입자들과 구강을 통해 구개편도로 들어오는 음식물 등이 급성 또는 만성 항원으로 인지되어 국소 또는 전신적인 항체 형성, 혈청 및 국소 면역글로불린 수치 증가에 관여한다. 구개편도와 아데노이드에서는 B림프구가 전체 림프구의 60%를 차지하며 IgA를 생산하고, T림프구가 40%를 차지한다.

구개편도와 아데노이드는 인체의 다른 림프절과 달리 유입 림프관이 없고, 외부 항원이 편도 음와를 통해 직접적으로 림프여포로 전달되어 항원 제시 및 처리가 이루어지고, 이에 대한 T세포와 B세포 반응에 의해 면역글로불린 생성, 기억 클론(memory clone)의 확대, 국소 면역조절인자(immunomodulator) 생성 등의 면역 반응이 일어나게 된다.[34] 특히 편도 내의 배중심(germinal center)에서 B림프구를 생산하는 것이 편도의 면역학적 기능 중 가장 중요한 부분이다.[39] 편도는 면역학적으로 4~10세에 가장 활발하게 기능하며, 15–17세에 퇴화하여 B림프구의 수가 감소하지만 B림프구의 활동성은 80세까지도 이어진다.[6] 재발성 편도염에서는 음와상피의 염증으로 면역세포들이 탈락, 소실되어 점막 면역 체계(mucosal immuune system)의 변화가 일어나 항원 전달 기능이 감소하고 편도음와는 중층 상피세포로 대체된다.[20,31] 그 결과 국소 B 림프구의 활동과 항체 생성이 감소하여 B세포와 배중심의 수도 감소된다.[5]

편도와 아데노이드절제술이 면역 기능에 미치는 영향에 대해서는 논란이 있지만 수술로 인해 중대한 면역 결핍은 발생하지 않는 것으로 알려져 있다.[4] 그러나 편도와 아데노이드가 상부 호흡소화기관의 점막 면역을 강화하는 면역 기관이라는 보고들이 있으므로 절제술을 시행하기 전에 이를 고려하여 임상적으로 적응증이 될 때 시행하는 것이 바람직하다.

Ⅲ 구개편도와 아데노이드의 미생물학

상기도의 정상 세균총(normal flora)은 출생 시에 형성되는데 *Actinomyces, Fusobacterium, Nocardia*가 생후 6~8개월에 발견되고, *Bacteroides, Leptotrichia, Propioni-bacterium, Candida* 등도 구강 정상 세균총을 형성하게 된다.[12] *Fusobacterium*은 치아 발육에 영향을 받으며 생후 1세 경에 가장 많아진다.[12] 편도의 표면과 중심부에서 동정되는 세균은 약 280여 종으로 알려졌으나 최근 배양-독립방법(cultivation-independent molecular methods)을 이용한 결과 600종가량이 동정되었다. 편도염을 유발할 수 있는 다양한 병원균이 검출될 수 있는데 재발성 염증이 있는 편도와 아데노이드는 호기성 및 혐기성 세균총의 복수균(polymicrobial) 감염을 보이며 이 중 *Haemophilus influenzae*가 가장 흔한 것으로 알려져 있다.[8,47] 그러나 점막 표면에서 채취된 임상 검체의 복수균 감염에 대해 공생균과 병원균을 감별하고 감염에 대한 기여도를 분석하는 것은 개인마다 차이가 있으며 검체 채취에 따른 결과의 변동성이 크기 때문에 어려운 경우가 많다. 한편 재발성 편도염에서는 염증이 없는 편도에 비해 β-lactamase 합성 균주가 많기 때문에 페니실린에 저항성을 가지는 경우가 많다.[8] 또한 혼합감염으로 인해 항생제 치료 시 사멸해야 할 A군 β-용혈성 연쇄상구균(group A β-hemolytic *Streptococcus*; GABHS)이 포도상구균(*staphylococcus*)에 의해 형성된 β-lactamase에 의해 보호받을 수 있다.[17]

편도염에서 가장 중요한 균은 A군 β-용혈성 연쇄상구균으로 성인 인두염의 경우 약 10%에서 균이 발견되고 류마티스 심질환과 사구체 신염의 원인이 될 수 있다. A군 β-용혈성 연쇄상구균의 60% 정도에서는 편도음와 내에서 분리되므로 편도 표면을 따라 검체를 채취하면 균이 검출되지 않을 수도 있다.[46]

편도 표면과 심부에서 채취한 검체 간에 미생물총의 차이가 있는지에 대해서는 논란이 있다. 편도 표면보다 심부에서 병원균이 많이 검출된다는 보고들이 있는가 하면, 편도의 표면과 심부에서 검출되는 미생물총 간에 거의 차이가 없다는 보고도 있다. 또한 반복되는 편도염 환자군과 편도비대 환자군에서 편도 표면의 세균총을 비교한 연구들도 일관된 차이를 보이지 않는다.[47]

만성 편도염에서 바이러스의 역할은 세균보다 낮지만 점막 염증 유발, 음와 폐쇄, 점막 궤양에 따른 구조적 변화가 이차 세균 감염 등을 일으켜 급성 염증을 활성화할 수 있다. 또한 상기도의 바이러스 감염이 있으면 그람음성 세균과 *Staphylococcus aureus*의 수가 증가하는 것으로 보고되고 있다.[37] 한편 Ebstein-Barr 바이러스 감염은 심각한 급성 인두염과 편도염을 유발하여 기도폐쇄에 이르게 할 수 있다.

Ⅳ 비종양성 편도 질환

편도 및 편도 주위의 염증은 호기성 세균, 혐기성 세균, 바이러스, 진균, 기생충 등 다양한 미생물에 의해 발생한다. 감염성 미생물 중 일부는 구강인두의 정상 세균총

(normal oral pharyngeal flora)에 속하며 그 외 다른 미생물들은 상부 호흡기로 유입된 외부의 병원체이다. 구인두에는 많은 종류의 미생물이 공생하고 있으므로, Waldeyer환의 감염은 대부분 복수 미생물 감염(polymicrobial infection)의 형태로 나타난다.

1. 편도염

1) 급성 편도염

급성 편도염(acute tonsillitis)은 흔한 편도 감염성 질환으로 감염균의 독성과 환자의 저항력에 따라 다양한 임상 양상을 보인다. 가장 흔한 균주는 A군 β–용혈성 연쇄상구균이고 직접 접촉 전파보다는 비말감염으로 전파되며 이외에도 포도상구균, 폐렴구균, *Haemophilus*와 혐기성 균주 등이 원인이 된다. 또한 인플루엔자 바이러스(*influenza virus*), 파라인플루엔자 바이러스(*parainfluenza virus*), 단순포진 바이러스(*herpes simplex virus*), 콕사키바이러스(*coxsackievirus*), 에코바이러스(*echovirus, respiratory syncytial virus*)와 같은 바이러스도 원인이 될 수 있다. 보통 학동기 전에는 바이러스에 의한 편도염이 흔하고, 학동기에는 세균에 의한 편도염이 흔하다.

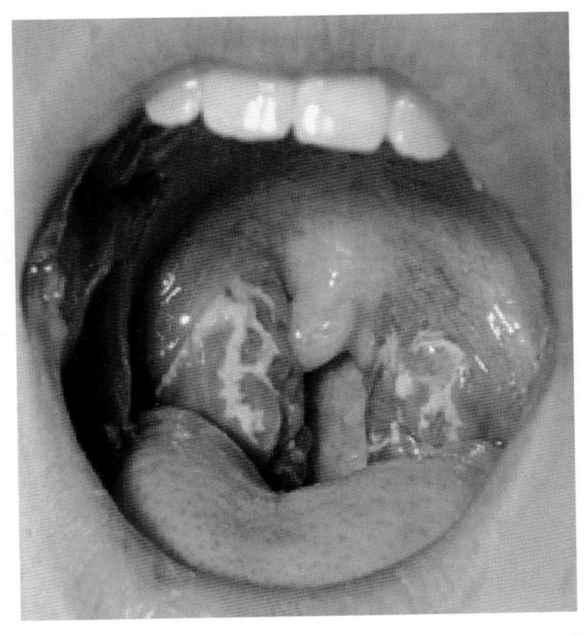

■ 그림 17-4. 급성 편도염의 구강 내 소견

급성기에는 인두 건조감, 권태감, 발열, 인두 충만감, 구취, 연하통, 연하곤란, 이통, 두통, 사지 통증과 요통, 경부 림프절병증, 오한 등의 증상이 나타난다. 인두 검사에서 홍반성의 비대한 편도와, 희고 노란 삼출액이 편도의 표면을 부분적으로 덮고 있는 소견을 보인다. 편도 음와를 자세히 관찰하면 농축된 물질이 음와를 막고 있는 것을 확인할 수 있다(그림 17-4). 일부의 경우에는 구개편도가 서로 맞닿아 있는 모습도 관찰된다.

급성 편도염을 진단하는 검사법으로 인두 배양(throat culture)이나 신속연쇄상구균 항원시험(rapid streptococcus antigen test)을 이용할 수 있다. 확진을 위한 전통적인 방법은 인두 배양이지만 결과를 얻기까지 18~48시간이 걸려, 편도염의 적절한 치료가 지연된다는 문제점이 있다. 또한 A군 연쇄상구균성 편도염을 초기에 치료하면 전염성(communicability) 기간이 감소하므로 배양 결과가 나오기 전에 치료를 시작해야 한다. 이러한 측면에서 A군 연쇄상구균 항원에 대한 신속연쇄상구균항원시험이 유용하게 사용되기도 한다. 이 검사법은 짧은 시간(수 분) 안에 결과를 알 수 있으며, 배양에 비해 특이도는 높지만 민감도가 떨어진다.[15,19]

급성 편도염의 치료로는 충분한 수분 섭취, 휴식, 청결한 위생 등이 매우 중요하며, 3% 과산화수소액과 따뜻한 식염수로 구강을 세척하게 하고 진통제와 항생제를 투여한다. A군 연쇄상구균으로 인한 급성 편도염에는 penicillin이 일차 항생제로 추천된다. A군 β–용혈성 연쇄상구균 편도염 치료의 목적은 화농성 부작용과 류마티스열을 예방하고 감염성을 낮추는 것이다. 대부분 3~4일이 지나면 치료 없이도 증세가 호전되기 때문에 질병 초기에 치료해야만 효과적으로 증세를 호전시킬 수 있다. Penicillin 치료에 반응이 없는 경우 β-lactamase 생성 균주를 의심해야 하며 amoxicillin-clavulanic acid와 같은 β-lactamase 억제제를 함께 사용하거나 cephalosporin 등을 고려할 수 있다. 또한 재발성 편도염의 경우 편도염 합병증의 주요 원인이 되는 혐기성 세균이 원인이 될 수 있으므로, clindamycin 또는 erythromycin과 metronidazole의 복합제를 사용할 수도 있다. 항생제 사용은 화농성 합병증을 최소화하며 급성 류마티스성 열의 가능성을 감소시킨다.[11] 항생제 사용 기간은 약제에 따라 다르지만 대부분 10일 동안 사용하는 것이 보편적이며 이는 항생제 사용 시작 후 증상이 수일 안에 완화되었더라도 10일간 유지해야 한다.[11] 10일 미만으로 항생제를 사용한 경우에는 10일 동안 항생제 치료를 받은 군에 비해 재발이 많다는 보고가 있다.[14]

2) 재발성 급성 편도염

재발성 급성 편도염(recurrent acute tonsillitis)은 1년에 6회 이상 반복되는 편도염이 있을 때, 2년에 5회 이상, 3년에 3회 이상 연속해서 발병할 때로 정의된다.

3) 만성(지속성)편도염

만성 인두통 또는 무증상의 감염으로 지속적 염증이 있을 때, 연하곤란(dysphagia), 악취 호흡(malodorous breath), 과도한 편도 찌꺼기(tonsillar debris), 편도결석(tonsilloliths), 편도 주위 홍반(peri-tonsillar erythema), 지속적인 압통성 경부 림프절병증이 있는 경우 다른 원인이 없다면 만성 편도염(지속성)(chronic (persistent) tonsillitis)으로 진단할 수 있다.

2. 아데노이드염

1) 급성 아데노이드염

급성 아데노이드염(acute adenoiditis)은 전신성 바이러스 상기도 감염(generalized viral URI) 혹은 세균성 비부비동염과 증상이 비슷하여 감별하기 어렵다. 비루, 비폐색, 발열, 기침 등의 증상과 함께 중이염이 발생하는 경우가 많으며, 비인강 거울(nasopharyngeal mirror)이나 내시경 검사를 통하여 충혈되고 삼출액으로 덮인 종대된 아데노이드를 관찰함으로써 진단할 수 있다. 급성 감염기에 평소에는 없던 시끄러운 코골이가 발생하고, 급성기 이후 사라지면 아데노이드 감염일 가능성이 크다. 소아에서는 경과가 좀 더 장기적이며 전형적인 바이러스성 상기도 감염일 때보다 환자가 더 아파 보인다. 적절한 수분 섭취와 휴식, 구강 청결, 진통제나 해열제 등의 보존적 치료가 도움이 되고, 증상에 따라 점막 수축제나 항히스타민제, 항생제 등을 적절히 사용하면 특별한 합병증이 없다면 수일 내로 증상이 사라진다.

2) 재발성 급성 아데노이드염

재발성 급성 아데노이드염(recurrent acute adenoiditis)은 6개월 동안 4회 이상의 급성 아데노이드염이 있을 때로 정의된다. 재발성 급성 부비동염(recurrent acute sinusitis)과 재발성 급성 아데노이드염은 대부분 증상이 비슷하기 때문에 임상적으로 감별하기는 매우 어렵다. 그러므로 비인두경(nasopharyngoscopy) 또는 부비동 방사선 사진을 포함하는 이비인후과적 검사가 필요할 수 있다. 특히 2세 이하의 소아에서는 위산이 식도 외부로 역류하여 유발된 아데노이드염(extraesophageal reflux-induced adenoiditis)을 고려해야 하므로 이에 대한 자세한 문진 및 이학적 검사가 필요하다.[9]

3) 만성 아데노이드염

지속적인 비루, 악취 호흡, 후비루, 만성적 비충혈 등의 증상은 만성 아데노이드염(chronic adenoiditis)에 의해 발생할 수 있다. 이 증상들은 만성 부비동염과도 관련되어 있어 두 질환을 감별하는 것이 임상적으로 중요하다. 중이염이 동반되면 만성 아데노이드염일 가능성이 더 많으며, 이 경우 중이염 환아의 아데노이드 조직에 항생제

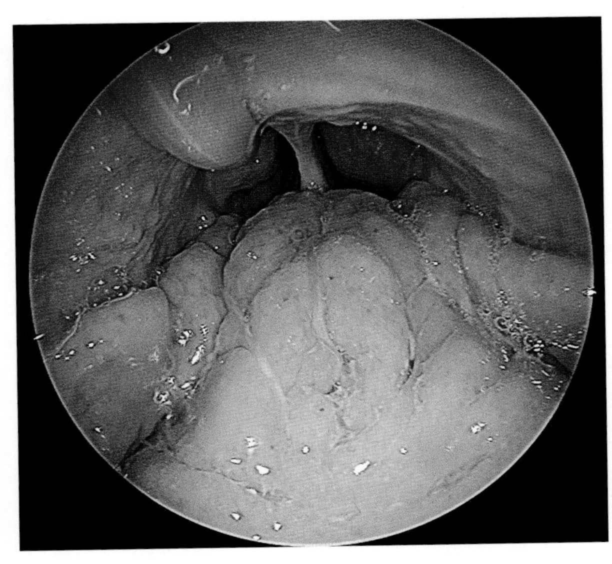

■ 그림 17-5. **만성 아데노이드 비대의 내시경 소견**

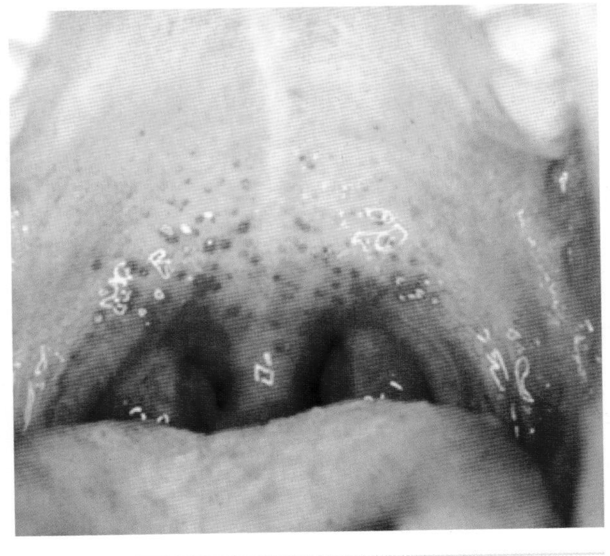

■ 그림 17-6. **전염성 단핵구증의 점상출혈**

내성균이 존재할 가능성을 고려해야 한다. 감염으로 인한 재발성 또는 만성 아데노이드염은, 특히 지속적 또는 재발성 중이염 또는 부비동염을 동반할 때에는 처음부터 β-lactamase 생성 균주에 효과적인 항생제를 사용해야 하며 대개 수술로 아데노이드를 절제하면 증상이 호전되는 것을 볼 수 있다(그림 17-5).

3. 전염성 단핵구증

전염성 단핵구증(infectious mononucleosis)은 주로 젊은 성인에게 고열, 전신 피로, 연하곤란, 연하통, 발적을 동반한 커진 구개편도, 후경부 림프절병증, 간비장비대 등의 임상 증상을 나타낼 수 있다. 연구개와 경구개의 접합부에 있는 점상 출혈(petechia)은 *Epstein-Barr virus* (EBV) 감염을 강력하게 시사한다. 가장 흔한 전파 경로는 경구 접촉이다(그림 17-6).

원인균의 80~95%가 EBV이며, 그 외 *cytomegalovirus, Toxoplasma gondii, rubella, hepatitis A virus, human immunodeficiency virus* (HIV) type 1, *adenovirus* 등도 원인 바이러스가 될 수 있다.

진단은 혈액검사에서 10% 이상의 비정형 림프구를 동반한 50% 이상의 림프구증을 보이면 EBV 감염으로 판단할 수 있다. 경도 또는 중등도의 간효소 수치 증가도 흔하게 볼 수 있다. 혈청 이종친화성 항체(heterophile antibody)가 확인되면 확진하는데 보통 Mono-Spot 검사에서 양성으로 나타나며 Paul-Bunnell-Davidsohn 검사나 Ox-cell 용혈 검사를 통해 진단할 수도 있다. 이 검사에서는 초기에 음성 반응을 나타낼 수 있으나 임상적으로 감염이 의심될 경우 1~2주 후에 재검사하면 양성으로 나타나는 경우도 많다. 전염성 단핵구증 환자의 60%가 발생한 지 첫 2주일 이내에 양성을 보이고 1개월 후에는 90%가 양성을 보인다.[13] 10세 이하 어린이에서 발병 초기에, 그리고 원인이 EBV가 아닌 경우에는 음성으로 나올 수 있다. 지속적으로 이성항체가 음성으로 나오지만 EBV 감염을 의심하는 경우 EBV viral capsid antigen (VCA)에 대한 IgM과 IgG 항체 검사를 할 수 있다. 일차 감염의 조기에는 EBV nuclear antigen (EBNA)에 대한 항체가 보통 검출되지 않는다. 감염 2~3개월 후 VCA에

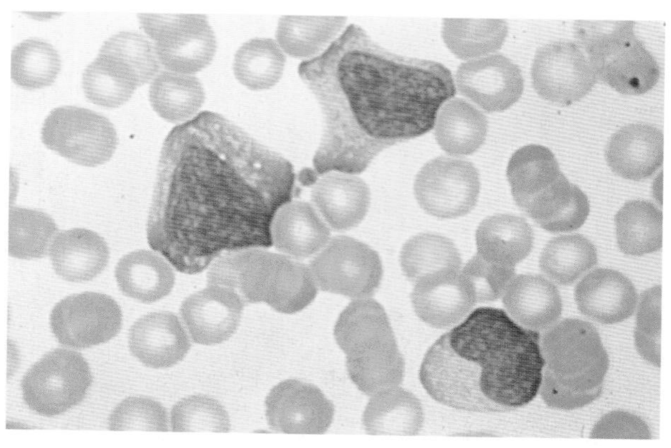

■ 그림 17-7. **전염성 단핵구증의 혈액 도말 소견**

대한 IgM 항체는 사라지며 VCA에 대한 IgG 항체와 anti-EBNA 항체는 평생 동안 지속된다. 최근 분자생물학적 기술의 발달로 EBV-encoded polypeptide sequence를 포함하는 단백질을 이용한 검사법이 개발되어 이용되고 있다. 이 검사는 혈청학적 검사보다 바이러스 검출에 더 민감하다(그림 17-7).[21]

치료는 휴식과 적절한 수액 공급 등을 시행한다. 회복에는 수주가 걸리고 이차 세균감염 예방을 위해 항생제를 사용하는 것이 좋다. Ampicillin은 피부 발진을 유발할 수 있으므로 피한다. 간비장비대는 증상 발생 2~4주에 가장 두드러지며 비대된 비장의 파열은 이 질환의 심각한 합병증이므로 이 기간 동안의 격렬한 운동 및 신체 접촉은 피해야 한다. 심한 편도비대로 상기도 폐쇄로 인한 호흡곤란이 발생하면 즉시 비인두기도(nasopharyngeal airway)를 삽입하고 단기간 고용량 스테로이드 요법을 시도한다. 이 방법으로도 폐쇄가 지속되고 경감되지 않으면 편도절제술이나 기관절개술을 고려해야 한다.

4. 칸디다

칸디다증은 면역력이 약한 사람이나 항생제 치료를 받고 있는 경우에 심한 인두염을 일으킬 수 있다. 구강 인두 점막에 백색의 판(plaques)을 형성하고 이를 제거하면 쉽게 출혈이 발생한다. 치료는 nystatin gargle이나 심한 경우 항진균제인 fluconazole을 사용한다.

5. 디프테리아

과거에는 *Corynebacterium diphtheriae*가 급성 인두염의 흔한 원인균이었지만, 최근에는 예방접종이 보편화되면서 드물어진 질환이다. 디프테리아는 비말, 누액 또는 피부 병변에서의 분비물 등을 통하여 전파되며, 구인두에서 시작한 염증이 편도, 구개, 후두까지 파급될 수 있다. 이러한 염증은 인두 점막을 괴사시키고, 인두나 편도 점막 표면에 견고하고 단단하게 붙어 있는 진회색의 두꺼운 위막(pseudomembrane)을 형성하여, 심할 경우 기도를 폐쇄할 수 있다. 위막을 제거하면 출혈이 생기는 것이 디프테리아 감염의 특징이며, 외독소가 혈관에 침범하면 심장이나 신경에 영향을 주어 Guillian-Barre 증후군이나 소아마비 같은 신경학적 합병증이 생길 수 있어 조기 진단과 치료가 중요하다.[32] 그람 염색이나 배양 검사에서 그람양성 호기성 간균인 Kleb-Loffler 간균(*C. diphtheriae*)이 관찰되면 진단할 수 있다. 진단이 되면 무증상이라도 48시간 이내에 외독소(exotoxin)를 중화시키기 위해 항독소를 투여해야 하며, 기도 부종 및 폐쇄가 있을 시 기관절개술을 해야 한다. 고용량 Penicillin이나 erythromycin 같은 항생제는 감염된 환자나 무증상 보균자에게 사용할 수 있다. 배양 검사상 연속적으로 2회에 걸쳐 음성인 경우에 완치된 것으로 판단한다.

6. Vincent's angina

사람이 많이 모인 곳에서 흔하게 발생하는 질환으로 구강과 치아 위생 상태가 불량하거나 면역력의 저하, 비타민 C 부족으로 *Spirochaeta denticulata*와 *Treponema vincentii*에 감염되어 발병한다. 보통 고열, 두통,

인후통과 경부 림프절 비대 등의 증상을 호소하게 되고, 회색의 괴사성 위막이 인두 점막이나 편도 점막을 덮고 있다. 원인균이 구강에 존재하는 정상 세균총이기 때문에 진단을 위한 배양 검사보다는 임상적 증상이 더 중요하다. 하지만, 배양 검사와 메틸렌 블루 염색으로 *Spirochaeta denticulata*와 *Treponema vincentii*를 확인해 볼 수 있다.

증상이 사라지고 회복되는 데 7~10일 정도 걸리며 penicillin이나 구강청결제 등을 통한 보존적 치료가 도움이 된다. 참호 구강염(trench mouth)은 Vincent's angina와 같은 병원균에 의해 발병하지만, 구강 궤양이 잇몸과 구강 점막에까지 생긴다. 치료는 Vincent's angina와 같다.

7. Agranulocyte angina

Aminophylline, sulfonamide, 항암제를 복용하는 사람에게서 갑자기 고열과 전신 쇠약 증상이 동반되며 편도 내 궤양과 암갈색의 위막이 관찰될 시 Agranulocyte angina를 의심해 볼 수 있다. 진단은 혈액 검사상 WBC 감소, granulocyte 감소 소견을 통해 내릴 수 있으며, 치료는 관련 약물을 중단하고 이차 감염 방지를 위해 ampicillin, cephalosporine 등을 투여해 볼 수 있으며 궤양치료를 위해 steroid를 사용할 수 있다.

8. 편도염의 합병증

편도염의 합병증에는 비화농성 합병증으로 성홍열(scarlet fever), 급성 류마티스 열(acute rheumatic fever), 연쇄상구균성 사구체신염(poststreptococcal glomerulonephritis) 등이 있으며 화농 형성의 결과로 편도주위농양, 부인두농양, 인두후농양 등의 화농성 합병증이 발생할 수 있다.

1) 비화농성 합병증

국소병소감염(focal infection)은 구강이나 편도의 감염이 대부분의 전신질환과 연관되어 있다는 개념이지만 지금은 일부 편도의 만성 염증과의 연관성이 논의되고 있다.[30]

상기도와 편도, 치아를 포함하는 구강은 항상 세균에 노출되어 있기 때문에 반복 감염, 정상 세균총의 변화 등이 표면 항원성의 변화를 일으킬 수 있다. 표면 항원성의 변화는 면역 감시 체계를 자극하여 자가항체를 생산하게 된다. 편도에서 생성된 자가항체는 혈관으로 들어가 체순환계를 통해 신체의 각 부위를 순환하며, 원격 부위의 표면 항원에 침착하여 항원-항체반응을 일으킨다. 이 경우 Arthus형의 조직 손상이 발생하면서 전신적으로 발현되는 이차 질환이 발병한다.

한편 세포매개성 면역반응으로 편도 표면의 변형된 상피항원에 의해 감작된 림프구가 세포독성 때문에 원격부위에서 이차 질환을 일으킬 수 있다. 이와 같이 만성 염증이 있는 편도는 병소 감염의 형태로 피부, 관절 뼈, 신장 등의 전신적인 이차 질환을 유발할 수 있다.

(1) 급성 류마티스열

급성 류마티스열은 A군 β-용혈성 연쇄상구균(group A β-hemolytic *Streptococcus*)의 감염으로 인한 자가면역반응으로 발생하며, 상기도의 β-용혈성 연쇄상구균 감염 후 약 0.3%에서 발생하며 피부 감염 후에는 발생하지 않는 것이 특징이다. 류마티스열의 증상은 β-용혈성 연쇄상구균 감염 1~3주 후에 나타나기 시작하며, 주로 심장, 관절염, 중추신경, 피부 등에 이환된다. 급성기에는 이동성 다발관절염(migratory polyarthritis), 발열 등이 발현될 수 있으며, 심내막염으로 인한 사망까지 초래할 수 있다. 이 질환은 인두감염 후 재발하는 경향이 있으며, penicillin 치료로 예방할 수 있지만, 예방 효과가 없을 경우 편도절제술과 아데노이드절제술을 시행하기도 한다.

(2) 성홍열

성홍열은 A, B, C형 외독소를 생산하는 연쇄상구균의 상기도 감염에 이차적으로 발생한다. 급성기에는 홍반성 발진, 인후통과 함께 심한 경부 림프절병증, 구토, 두통, 발열, 빈맥 등이 나타난다. 구강 진찰 시 편도와 인두는 심하게 충혈되고, 연구개와 구개수 위에 반상 출혈이 산재하며, 점액농성 삼출액이 편도, 인두, 비인두를 덮고 있는 모습을 보이며 편도를 덮고 있는 막은 보통 디프테리아 감염에서 볼 수 있는 위막보다 쉽게 벗겨진다. 처음에 혀는 붉게 부은 유두와 함께 두꺼운 흰색 막으로 덮이며, 2~3일이 지나면 흰 딸기혀(white strawberry tongue)가 된다. 4~5일째에는 혀에 덮인 막이 벗겨지고, 부드러워지며, 선홍색의 유두가 두드러지는 붉은 딸기혀(red strawberry tongue)가 된다. 피부 발진은 인두염 증상이 시작된 날 또는 다음날 시작되며 몸통에서 시작해 손바닥 및 발바닥을 제외한 사지로 확산된다. 발진은 작은 구진(papules)으로 시작되며 6-9일 후 회복되면서 손바닥과 발바닥의 표피 박리(desquamation)가 일어난다. 진단은 인두 배양과 희석된 연쇄상구균 독소를 피 내 주입하는 Dick 검사로 하며, 치료로는 penicillin V를 10일간 복용하거나 Benzathine penicillin G를 근육주사한다.[43]

(3) 연쇄상구균성 사구체신염

연쇄상구균성 사구체신염은 급성 류마티스열과는 다르게 인후 감염과 피부 감염 후 모두에서 발생할 수 있다. A군 β-용혈성 연쇄상구균 중 사구체 신염 유발 균주(nephritogenic strains)에 노출된 후 약 24%에서 발병하며 인후 감염에는 12형, 피부 감염에는 49형이 흔하다. 이 균주는 인두 전체 세균총의 1% 미만이다.[43] 연쇄상구균성 사구체신염의 평균 발병 연령은 7세이고, 남아에서 흔하다. 임상적 질병과 불현성 감염은 대개 1:4 정도로 추정된다. 전형적으로 연쇄상구균에 감염된 지 1~2주 후에 급성 사구체신염으로 발전한다. 증상은 혈뇨, 체액저류에 의한 부종, 고혈압, 두통, 무력감 등이 나타난다. Penicillin은 급성 류마티스열의 발생을 감소시킬 수 있지만, 연쇄상구균성 사구체신염은 예방하지 못한다. 대부분 보존적 치료로 호전된다. 감염의 근원을 제거하기 위해 편도절제술이 필요할 수도 있다.

(4) 수장족저 농포증

수장족저 농포증(palmoplantar pustulosis)은 편도의 병소 감염으로 생기는 가장 흔한 이차 질환이다. 손바닥과 발바닥에 만성적으로 재발하는 질환이며, 표피 내에 무균성의 작은 농포가 다발성으로 나타나는 것이 특징이다. 발병 기전으로 Arthus형의 면역복합체에 의한 조직 손상뿐만 아니라 세포독성도 관련이 있는 것으로 알려지고 있다. 치료는 스테로이드 요법과 병소 감염의 이론에 근거한 편도절제술이다.[26] 그 밖에 편평건선(psoriasis vulgaris)도 같은 기전으로 발생하는 것으로 알려져 있으며 편도절제술이 효과가 있는 것으로 많이 보고되고 있다.[41]

(5) IgA 신병증

IgA 신병증(nephropathy)은 전 세계적으로 가장 흔한 사구체신염으로 면역복합체에 의해서 발생하는 사구체신염으로 알려져 있다. 편도절제술의 효과에 대해서는 아직 이견이 있다. 초기 단계에서는 편도절제술을 받은 환자의 96%에서 요검사 소견이 호전되었으나 진행 단계에서는 편도절제술이 효과가 적은 것으로 보고되고 있다.[29]

(6) 흉늑쇄골 과골증

흉늑쇄골 과골증(sternocostoclavicular hyperostosis)은 만성 관절염으로 편도염뿐만 아니라, 상기도의 만성 염증과 관련이 있다. 임상적으로 흉골 및 쇄골 중간 부위에 과골증과 첫 번째, 두 번째 늑골을 포함한 흉쇄관절의 골유합증(synostosis), 그리고 흉골 너비의 증가와 비후 등이 특징이다. 기전은 명확하지 않으나 편도절제술 후 증상의 호전이 보고된 바 있다.[24]

(7) 연쇄상구균 감염과 관련된 소아 자가면역 신경정신질환(PANDAS, Pediatric autoimmune neuropsychiatric disorders associated with streptococcal infections)

PANDAS는 패혈성 인두염이나 성홍열 같은 연쇄상구균 감염에 걸린 후 강박증이나 틱장애, 뚜렛증후군이 심해진 경우를 말하고 갑작스럽게 "하룻밤사이"에 틱장애, 강박증이나 뚜렛증후군이 발생하고 기분장애, 짜증, 분리불안증을 동반하기도 한다. PANDAS의 진단은 연쇄상구균감염의 확진과 동반된 정신질환의 악화 시 의심해 볼 수 있고 원인은 불명확하지만 신경계의 자가면역질환으로 추정되고 치료 역시 예방적으로 증상 악화를 방지하기 위해 항생제를 처방할 수 있다.[35,42]

2) 화농성 합병증

(1) 편도주위농양

편도주위농양은 구개 편도의 급성 염증이 주위 결체 조직으로 이루어진 편도 주위강에 파급되어 농양을 형성하는 질환으로, 경부 심부 감염증의 가장 흔한 형태이다.

편도주위공간(peritonsillar space)은 전후구개궁과 내측의 편도피막, 외측의 상인두수축근을 경계로 한다. 편도주위농양(peritonsillar abscess)은 적절한 치료를 받지 못한 만성 편도염 환자나 재발성 급성 편도염 환자에서 염증이 편도피막(capsule) 밖으로 진행하여 편도 주위 공간에 농이 형성되어 축적되는 질환이다. 또한 편도와의 근육과 편도피막 사이에 위치한 편도 주위 소타액선(peritonsillar minor salivary gland, Weber's gland)의 이차 감염이 원인이 될 수 있다.

모든 연령에서 발생할 수 있지만, 청소년과 젊은 성인에서 더 흔하다. 감염의 대부분은 90% 이상에서 편도의 상극(superior pole)에서 발생하지만 편도의 중간 부위와 하극(inferior pole)에서 발생하는 경우도 있다. 원인균은 연령에 따라 차이가 있지만 많은 경우(*Fusobacterium necrophorum*)과 같은 혐기성과 A군 β-용혈성 연쇄상구균 등 호기성 세균의 혼합 감염이 가장 흔하다.[26] 전형적인 증상으로 발열, 일측성 인후통, 연하통, 침흘림(drooling), 'hot potato' 발음(muffled voice), 동측 귀의 이통, 개구장애 등이 있다. 개구장애는 농의 형성과 염증으로 인한 익돌근(pterygoid muscle)의 기능에 영향을

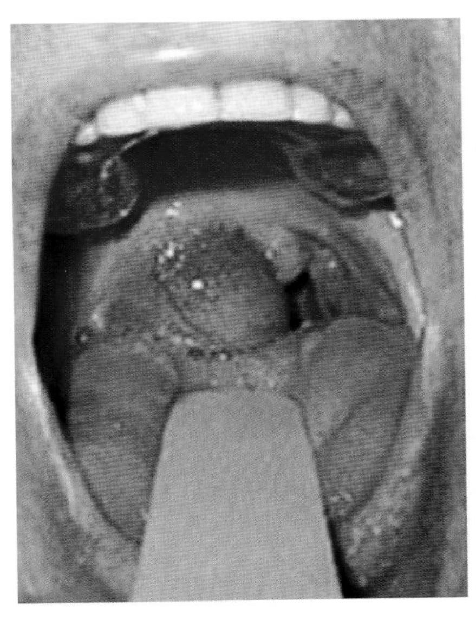

■ 그림 17-8. **편도주위농양의 구강 내 소견**

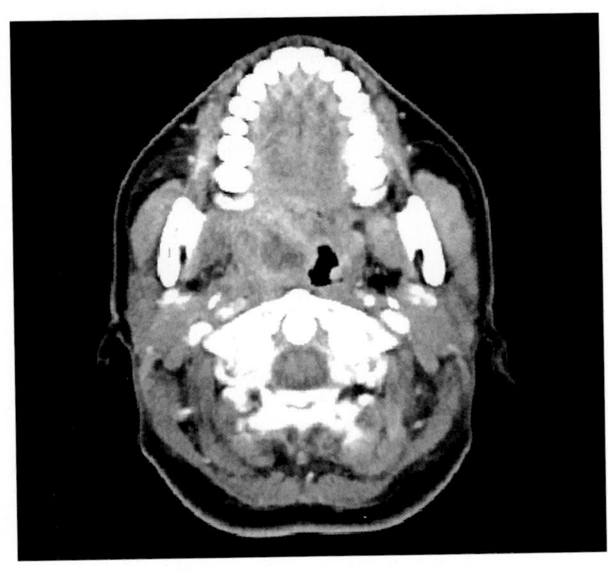

■ 그림 17-9. **편도주위농양의 CT 소견**

준 결과이다.

편도주위농양의 진단은 보통 임상적으로 이루어진다. 진찰 시 정상으로 보일 수도 있으나 편도 상극 주위 공간의 부종이 보이며, 편도가 하향, 내측으로 전위되고, 구개수가 반대측으로 밀리게 된다. 구개와 전구개궁이 일측성으로 부을 수 있고 때때로 농이 하방으로 확산되거나 구강, 인두점막의 부종으로 기도폐색을 일으켜 호흡곤란을 호소하는 경우도 있다(그림 17-8). 편도주위농양은 외측 인두공간이나 경동맥초까지 파급될 수 있어 항상 환자의 상태 변화를 살펴야 한다. 구강 검사를 통해 편도 주위의 부종이 관찰된다고 해서 모든 경우에 농양이 형성된 것은 아니며 봉와직염(cellulitis)일 수도 있으므로 경부 조영증강 CT 촬영을 해서 감별하는 것이 중요하다(그림 17-9).

초기에는 환자를 입원시켜 수액을 충분히 공급하고, 진통제와 포도상구균 및 구강 내 혐기성 균에 효과가 있는 항생제를 투여한다. 농양이 형성되면 국소마취 하에 흡인 천자와 절개 배농한다. 세침흡인이나 절개배농은 성공률이 90%가 넘으나, 10~15%에서 농양이 재발한다.[38] 세침흡인은 농양의 절개 부위 확인과 배양 검체를 얻을 때 사용하며, 편도궁이 팽창한 곳이나 파동(fluctuation)이 만져지는 곳에 시행한다. 세침흡인으로 농을 확인하면 수술용 칼(long-handled scapel)을 사용하여 점막을 절개하고, 끝이 무딘 지혈겸자(blunt-tip hemostat)를 이용하여 박리 후 농양을 가능한 많이 배농한다. 소아에서 협조가 어려울 경우에는 전신마취 하에 절개 및 배농을 시행해야 한다.

편도염의 과거력이 있는 경우, 특히 향후 편도 감염의 재발 가능성이 높은 젊은 환자에서는 발견 즉시 편도절제술(quinsy tonsillectomy)을 하는 것이 도움이 될 수도 있다. 소아에서 협조가 어려울 경우에는 전신마취 하에 절개 및 배농을 시행해야 한다. 이 경우 마취 유도와 기관삽관 시 농양이 파열되거나 흡인이 일어나면 폐렴 및 종격동염의 위험이 있으므로 주의한다. 재발성 감염이나 편도주위농양의 과거력이 있는 환자의 경우 절개배농한 지 4~12주 동안 경과를 관찰한 후 감염의 소견이 없을 때 편도절제술을 시행해야 한다.

(2) 부인두농양

부인두공간(parapharyngeal space)은 측두골의 추체부를 기저부로 하고 첨단에는 설골이 위치하는 역삼각형 모양의 공간이다. 편도나 편도주위농양이 상인두수축근을 뚫고 확산되어 상인두수축근과 경부심부근막(deep cervical fascia) 사이에 농양이 위치하게 되는 것이 부인두 농양이다. 성인에서는 치성감염으로 인한 부인두농양이 많지만, 소아에서는 인두편도염의 합병증으로 발생하는 경우가 많다.

환자는 발열, 인후통, 연하통, 연하곤란, 개구장애, 사경(torticollis), 경부 부종이나 림프절 종대 등을 호소한다. 농양은 경동맥막을 따라 종격동까지 파급될 수 있으므로 조기 진단이 중요하다. 농양이 부인두공간 주위의 익돌근(pterygoid muscle)이나 척추 주위 근육(para-spinal muscle)을 침범하면 개구장애(trismus)나 경부경직(neck stiffness)이 발생한다. 신체검사에서 후편도궁 후방의 인두벽 종창과 편도가 전내측으로 전위된 소견을 관찰할 수 있다. 농양으로 인한 종창이 흉쇄유돌근 때문에 촉지되지 않을 수도 있으므로 임상 증상 및 구강 검사를 종합하여 진단을 해야 한다. 임상적으로 부인두농양은 편도주위농양과 혼동될 수 있어 조영제를 사용한 CT 촬영이 필요하다. 9, 10, 12번 뇌신경의 결손이나 Horner 증후군이 발생할 수 있으므로 신경학적 검사도 함께 시행한다.

초기에 집중적인 항생제 요법과 수액 보충이 필요하며 농양 형성의 양상 및 위치에 따라 수술적 접근이 요구되는 경우도 많다. 농양이 경부 대혈관 내측에 있는 경우에는 경구 절개배농을 할 수 있는데, 외부 접근법보다 접근이 더 쉽고, 이환율이 낮고, 입원 기간이 짧기 때문에 유용하다.[33] 그러나 경구를 통한 절개배농은 시야 확보가 어려우므로 농양이 대혈관에 인접하거나 외측에 있을 경우에는 경부를 통한 외부접근법이 선호된다. 하악골에서 2 cm 아래 부위에 악하선의 전방 경계에서 하악각까지 횡으로 피부를 절개하고 악하선과 흉쇄유돌근 사이를 박리하여 농양을 배농한다.

(3) 인두후농양

인두후공간(retropharyngeal space)은 척추 앞 근막(prevertebral fascia), 후인두벽 근막과 식도 사이의 공간으로 위쪽으로 두개저(skull base)에서 시작하여 아래쪽으로 기관 분지부에 이르는 공간이다. 인두후농양의 원인은 인두염, 편도염, 아데노이드염, 중이염, 부비동염 그리고 비강 및 타액선, 치성 감염 등으로 인두후 림프절을 따라 확산된다. 또한 척추의 골수염으로 인해 척추 앞 근막까지 파급되어 발생할 수 있다. 해부학적으로 협인두근막(buccopharynngeal fascia)이 중앙에서 척추앞 근막과 붙어있어 인두후농양은 일측성으로 발생하며 아래쪽으로 종격동까지 염증이 파급될 수 있는 중요한 경로가 된다.

4세부터 인두후 림프절의 수가 감소하기 시작하여 6세 이후에는 현저히 줄어들기 때문에 인두후 농양은 2세에서 5세 사이의 소아에서 발생률이 높으며, 임상 증상은 발열, 연하곤란, 발성장애, 침흘림, 호흡곤란, 경부경직 등이 있다. 신체검사에서 편측의 인두후벽 종창을 관찰할 수 있다(그림 17-10). 종전인대(anterior longitudinal ligament)까지 파급된 경우에는 머리의 회전 및 움직임이 제한된다. 그러나 이와 같은 전형적인 증상은 소아의 10% 미만에서 관찰되며 주로 지속되는 발열, 식욕 저하, 보챔 등으로 내원하는 경우가 많다.

경부측면 방사선 촬영을 하면 연조직에서 공기음영이 관찰되고, 경추의 정상 굴곡이 소실되어 있으며, 척추 앞 연조직의 비정상적인 비대를 볼 수 있다. 그러나 소아는 자세를 잡기 어렵고, 과도한 정상 연조직, 흡기와 호기 시 변동 때문에 영상 사진만으로 판단하기 어렵다. 따라서 조영증강 CT로 농양의 유무나 그 범위를 더 정확히 확인할 수 있다(그림 17-11).

초기 치료는 호기성 및 혐기성 균주 감염에 대한 항생제 정주와 수액 공급을 하고 경구절개로 배농을 하나 농양이 설골 하방까지 파급되었다면 경부접근이 필요하다. 이때 경구 기관 삽관은 시야를 확보하고 파열을 막기 위

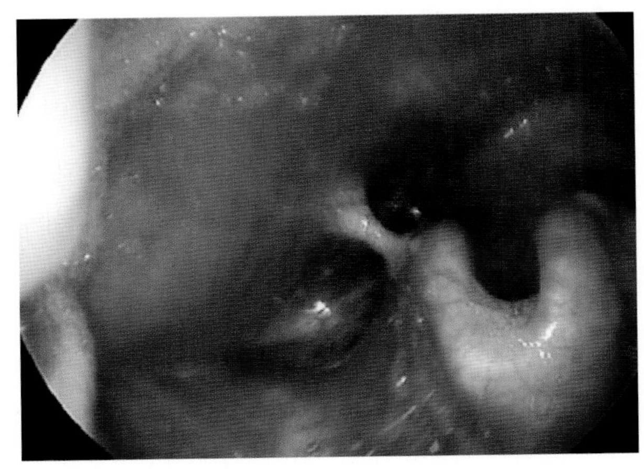

■ 그림 7-10. 인후두농양의 내시경 소견

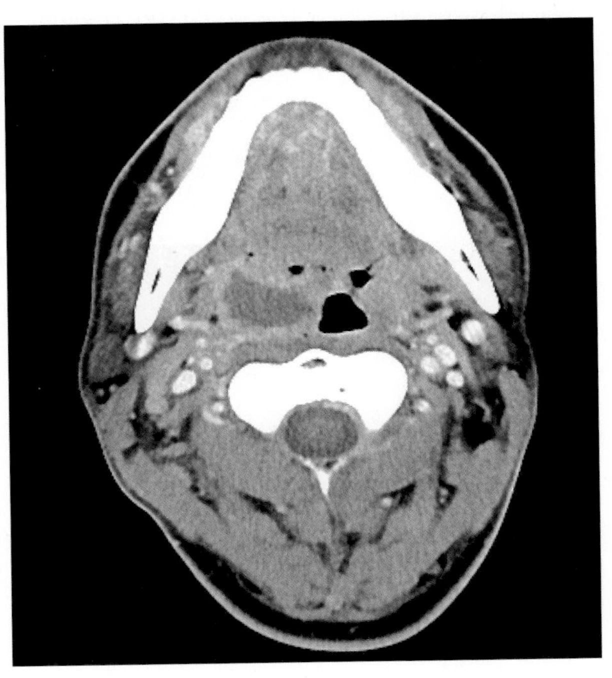

■ 그림 7-11. 인두후농양의 CT 소견

해 농양의 반대편으로 시행하며, 삽관 후 관 주위를 거즈 등으로 막아서 감염 물질이 기도로 흡인되는 것을 막아야 한다. 환자를 Trendelenberg 자세로 놓고 인두후벽의 측벽을 수직으로 절개하여 배농하며, 배액관은 흡인의 위험이 있으므로 삽입하지 않는 것이 좋다. 농양이 부인두공간까지 파급된 경우 경부 접근을 통해 배농해야 한다.

9. 편도결석

편도결석은 구취와 인두이물감 등을 일으켜 불편과 불쾌감을 유발하는데, 생활 수준과 개인 위생에 대한 인식이 높아짐에 따라, 일반인들 사이에 관심이 높아지고 있다.

편도결석(tonsilloliths)은 편도와(tonsillar crypt) 내에 상피조직 파편(epithelial debris)이 축적되어 발생하며, 편도염으로 인해 편도와의 입구가 폐쇄되어 결석의 크기가 커진다는 기전이 있으나 편도염이 없어도 발생할 수 있다. 구강 위생이 불량하거나 비염, 부비동염에 의한 후비루가 있는 경우에도 호발한다. 편도결석은 건락성(cheesy)의 희거나 노란 1 cm 이내의 물질로 나타나며, 구취(halitosis)와 인후통을 동반한다(그림 17-12).

국소적인 치료는 응괴를 가진 환자에게 적용되는데,

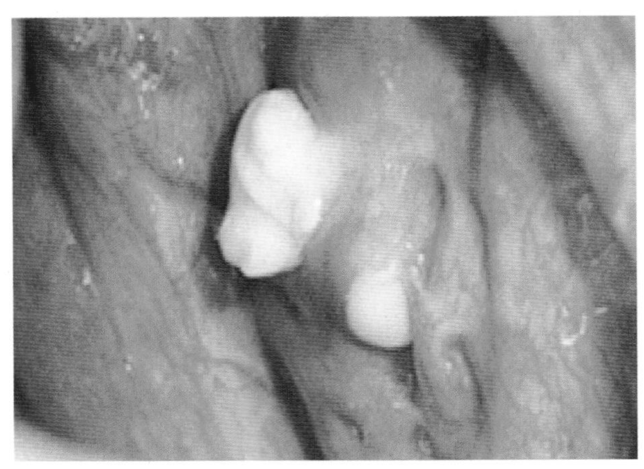

■ 그림 7-12. **편도결석**

물을 이용하여 찌꺼기를 제거해주거나, 편도 음와를 질산은으로 소작해 폐쇄한다. 국소적 치료에도 불구하고 통증, 구취, 이물감, 또는 이통을 동반하는 등 문제가 지속되면 근치적 치료로서 편도절제술을 한다.

또한 편도결석이 생기는 부위를 선택적으로 제거하는 국소마취하 피막 내 편도부분절제술(intracapsular partial tonsillectomy)을 사용할 수 있다.

10. 이상경상돌기증(Eagle 증후군)

이상경상돌기증은 길어진 경상돌기(elongated styloid process)나 경상설골인대(stylohyoid ligament)의 섬유화가 진행되거나 골화되어 설인신경(glossopharyngeal nerve)이 압박되며 편도와에 국한된 인두통, 이통을 일으키는 질환이다. 주로 30~50세의 성인에서 발생하며 환자는 주로 인두통, 인두 이물감, 연하곤란, 안면통을 호소한다. 대부분 무증상이나 편도절제술 후에 수술 부위에 형성된 반흔으로 인해 인두 점막이 자극을 받아 이러한 증상이 나타날 수 있으며, 통증은 두부 회전, 혀의 움직임, 연하나 저작 시에 유발되거나 악화될 수 있다. 성인에서 경상돌기의 정상적인 길이는 2.5~3 cm인데 3 cm보다 길면 증상이 나타날 수 있다. 경상돌기나 수술 후 반흔으로 인해 증상을 유발할 수 있는 신경은 5, 7, 9, 10번 뇌신경과 경부 교감신경 등이며 내경동맥의 압박으로 인한 증상도 나타날 수 있다.[16] 자세한 병력 청취와 편도와 촉진, 방사선학적 검사로 쉽게 진단할 수 있다.

치료로 소염진통제, 항우울제를 복용시키거나 스테로이드나 마취 약제를 국소 주사하는 보존적 요법과, 구강이나 경부를 통하여 길어진 경상돌기를 수술적으로 제거하는 수술적 요법을 시행할 수 있다.

11. 구개편도와 아데노이드 비대증

일반적으로 편도와 아데노이드는 출생 시 크기가 매우

작으나, 편도의 경우 5세에 비후가 심해지며 12세 이후에는 퇴화하고 아데노이드는 3세 비후가 심해지며 7세 이후는 퇴화된다. 따라서 10세까지의 편도 비대는 여러 가지 임상 증상을 나타내지 않는 한 병적이라고 할 수 없으나 그 이후에 나타나는 것은 병적 소견의 하나로 판단할 수 있다. 반복되는 바이러스성 또는 세균성 감염, 병원균의 군집이 일어나면 편도와 아데노이드의 정상 세균총과 국소 면역반응 간의 불균형을 초래하여 편도 림프 조직이 비대해질 수 있다. 세균이나 바이러스의 반복적인 염증 후에 발생하는 편도비대에서는 실질 세포 수의 증가와 함께 배중심에서 배세포 활동과 같은 조직학적 소견이 관찰된다. 이 외에도 간접 흡연이 소아 편도와 아데노이드 비대의 원인으로 보고되고 있다.[45]

만성적인 편도와 아데노이드 비대는 소아 상기도 폐쇄의 흔한 원인이며 심한 경우 폐혈관 고혈압, 폐포의 저환기로 인한 폐성심(cor pulmonale) 까지도 발생할 수 있으나 모두 편도 및 아데노이드절제술로 대부분 완화된다. 편도와 아데노이드 비대는 소아 수면무호흡증의 가장 흔한 원인이다. 이로 인한 수면장애 증상으로는 보호자에 의해 관찰된 무호흡증의 병력, 과도하게 시끄러운 코골이, 만성 구호흡(mouth breathing), 구취, 밤에 자주 깨는 것, 과다수면, 야뇨증, 악몽, 학교생활장애, 저비음(hyponasal speech) 폐쇄비성증(rhinolalia clausa) 또는 드물게 과비음(hypernasal speech) 개방비성증(rhinolalia aperta)이 있다. 또한 만성 편도 및 아데노이드 비대와 기도폐쇄가 있는 소아에서는 성장 호르몬 분비의 비정상적인 조절로 성장 발육이 정상에 비해 느린 경우가 많다.[22] 성인의 경우 폐쇄성 수면무호흡증은 소아에서 나타나는 증상 및 소견 외에도 비만환자의 경우 Pickwickian 증후군과 연관되기도 한다.

소아에서는 수면다원검사로 수면무호흡이 확인되지 않더라도 보호자에 의해 확인된 과도한 코골이만으로도 폐쇄성 수면무호흡증을 의심할 수 있는 중요한 지표가 된다. 유뇨증(enuresis)은 소아에서 심각한 기도폐쇄를 나타내는 또 다른 지표이며 만성 편도 및 아데노이드 비대로 인해 발생한 유뇨증은 편도 및 아데노이드절제술로 완화될 수 있다. 확진은 수면다원검사를 통해 이루어지지만 편도와 아데노이드 비대에 의한 증상이 있고 신체검사에서 비대가 확인된 경우에는 대부분 시행할 필요가 없다. 악안면 기형, Down 증후군, 비만, 신경근(neuromuscular) 또는 중추신경계 이상이 있는 소아는 편도비대로 인한 폐쇄성 수면장애가 발생할 위험이 높으며 편도와 아데노이드 조직의 크기가 작아도 다른 해부학적 요인 및 중추신경의 기능 저하 등에 의해 상기도 폐쇄가 일어날 수 있다.

편도 및 아데노이드 비대와 상기도 폐쇄에 따른 만성 구호흡은 소아의 악안면 성장에 영향을 준다. 구호흡이 지속되면 하악골은 하방으로, 혀는 후방으로 변위되고 이는 두경부의 잠재적인 체위 변화를 유발하여 치아교합이나 하악의 정상적인 발달에 영향을 받게 된다.[18] 아데노이드 비대로 인한 만성 비인두 폐쇄가 있는 소아에서 나타나는 안면의 변화를 아데노이드 얼굴(adenoid face)이라

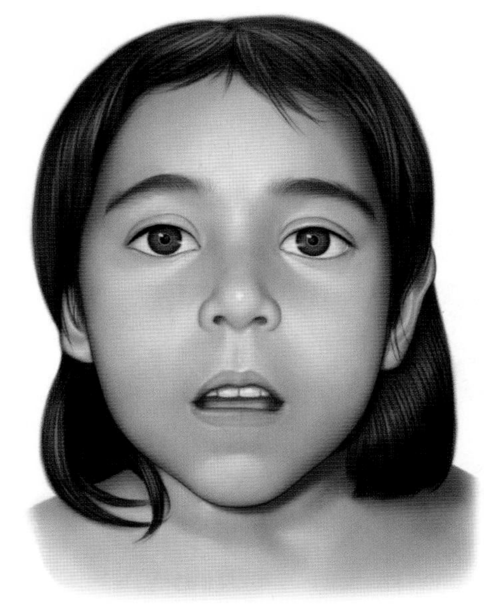

■ 그림 7-13. **아데노이드 얼굴**

고 하며, 전방 안면의 길이가 길고 하악이 후방으로 치우치며 치아와 구강 안면 연조직이 정상적인 평형 상태를 유지하지 못하고 상악이 돌출되는 것이 특징이다(그림 17-13). 수술 소견, 두개 측면 단순촬영(lateral cephalometric radiograph)으로 확인된 편도와 아데노이드 비후와 이에 따른 기도폐쇄는 직접적으로 상악안면 발육 장애, 악관절 및 치아의 부정 교합(malocclusion)과 관계가 있으며 편도와 아데노이드절제술을 통해 이와 같은 소견들 중 일부가 교정될 수 있다.[18] 따라서 편도 및 아데노이드 비후와 구호흡이 있는 소아가 부정교합에 대한 치과 치료를 받을 경우 이비인후과 검사를 함께 시행해야 한다. 또한 아데노이드 비대로 이관 입구가 막히면 장액성 중이염이 발생하여 전도성 난청이 생기며 비인강에서 비강의 후열부를 막아 부비동염의 원인이 되기도 한다.

편도 및 아데노이드 질환이 의심되는 환자의 신체검사를 할 경우 편도와 아데노이드 비후의 확인뿐만 아니라 전체적인 두경부 검사를 시행하여 만성 비폐색으로 인해 생기는 구호흡, 안면 길이 연장, 눈 주위의 어두운 부위(dark circle), 치아 부정교합 등의 악안면 증상 및 징후들을 확인해야 한다. 또한 알레르기 비염으로 인한 비갑개 비후와 같은 비폐색을 유발할 수 있는 다른 소견이 있는지 살펴봐야 하며, 삼출성 중이염 소견 여부도 평가한다. 음성을 평가하여 저비음 및 과비음 여부에 대해서도 확인해야 한다.

구개편도의 비대 정도는 표준화하여 등급을 매기는데, 편도가 편도와에 국한되어 기도에 영향을 주지 않는 경우를 0, 기도폐쇄의 정도가 25% 미만이면 +1, 25~50%는 +2, 50~75%는 +3, 75% 이상 기도를 막고 있으면 +4로 기록한다(그림 17-14). 구강 검사 시 구개에 대한 평가도 동반되어야 한다. 명백한 구개열 또는 점막하 구개열(submucous cleft palate)이 있는 환자는 아데노이드절제술 후 구개인두부전증(velopharyngeal insufficiency)이 생길 가능성이 높으므로 수술이 꼭 필요한 경우가 아니라면 하지 않고 수술을 하더라도 보존적 절제를 해야한다. 구개수열(bifid uvula)이 점막하 구개열의 유일한 증상일 수도 있지만 경구개의 후방부를 촉진하면 확인할 수 있다.

진단을 위해 두개 측면 단순촬영으로 아데노이드 비대를 평가할 수 있다. 촬영한 사진으로 측정한 아데노이드-비인두비(adenoid-nasopharyngeal ratio)는 임상 증상과 밀접한 연관 관계를 보인다(그림 17-15).[1] 굴절성 내시경은 후비공이 아데노이드 조직으로 폐쇄되었는지를 확인하는데 유용하며, 편도가 하인두 쪽으로 얼마나 확장되었는지 확인하는 데 유용하며, 비대해진 편도가 구개 움직임과 충돌하여 발생하는 구개 인두부전증도 관찰할 수 있다. 또한 아데노이드염이 있는 경우 아데노이드 표면에 농

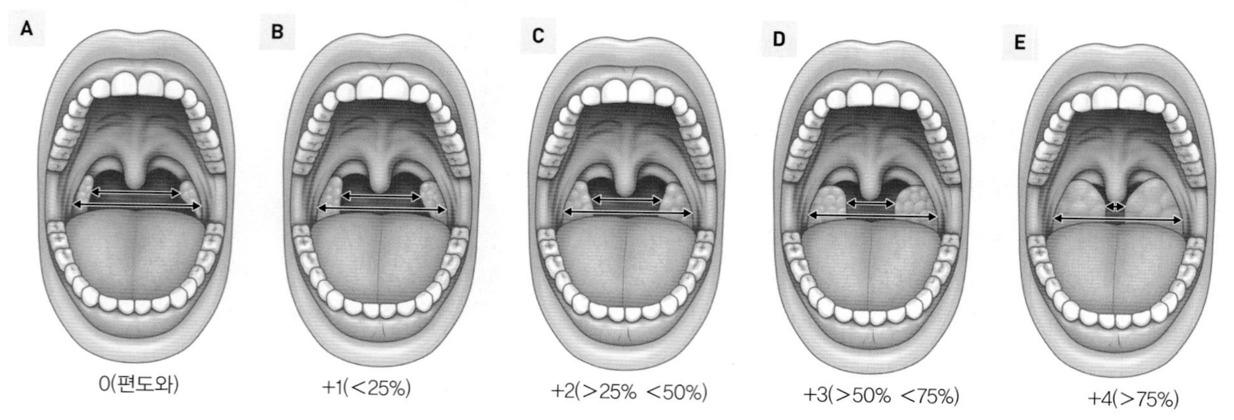

■ 그림 17-14. **편도비대의 정도**

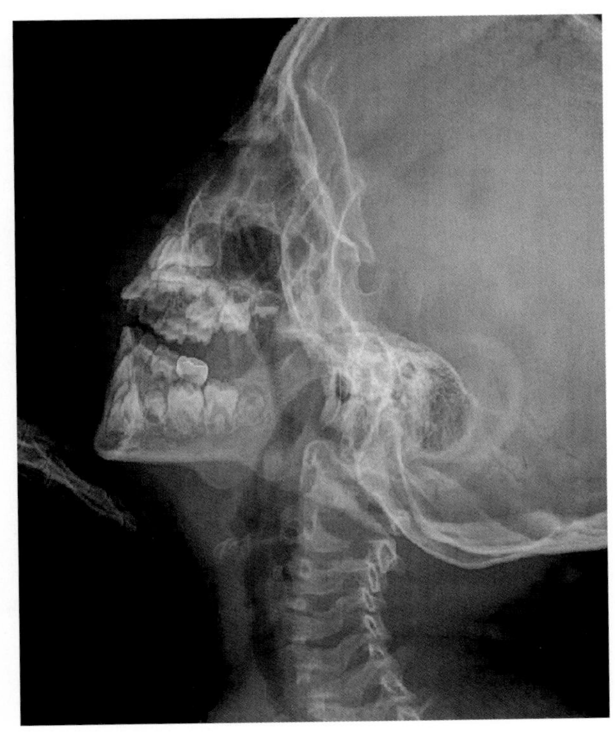

■ 그림 7-15. 아데노이드 비대를 나타내는 측면 단순촬영

성 분비물이 있는 것을 확인함으로써 진단할 수 있다. 비강통기도검사(rhinomanometry)로는 아데노이드 비대에 따른 비폐색의 정도를 확인할 수 있다.

V 편도와 아데노이드의 수술

소아에서는 편도절제술과 아데노이드절제술(tonsillectomy and adenoidectomy, T&A)을 동시에 하는 경우가 많지만, 성인에서는 아데노이드가 위축되어 있으므로 대부분 편도절제술만 시행한다. 1827년 Physicks가 Guillotine법을 소개한 이후 19세기 말부터 전통적인 냉박리(cold dissection) 편도절제술이 보편화되었고, 이후 전기 소작술, 흡입 전기 투열 박리술, 단극 또는 양극 투열 박리술, 양극성 전기 가위 절제술, 초음파 절제술, 레이저 절제술 등 다양한 수술법이 시행되고 있으나 수술과 관련된 이환율을 줄이기 위한 가장 좋은 방법을 선택하기란 쉽지 않고 수술자의 선호도에 따라서 수술 방법이 선택되고 있다. 소아에서도 경우에 따라 아데노이드절제술 또는 편도절제술을 단독으로 시행하기도 한다. 최근에는 두 수술을 각각의 적응증에 맞추어 시행하고 있다.

1. 편도와 아데노이드 절제술의 적응증

1) 편도절제술의 적응증

편도절제술의 가장 흔한 적응증은 재발성 편도염으로 적절한 내과적 치료에도 불구하고 1년에 6회 이상 또는 최근 2년간 1년에 3회 이상 편도염이 재발하는 경우이다. 또한 내과적 치료에도 불구하고 지속되는 만성 편도염이 구취나 인후통, 압통성 경부림프절염을 동반할 때에도 수술을 고려할 수 있다. 그 외에도 재발성 편도염이 심장판막질환을 동반하거나, 열성 경련과 연관되는 경우, 조절되지 않는 당뇨 등의 전신적 문제가 동반될 경우에는 수술을 고려할 수 있다. 내과적 치료에 반응하지 않는 연쇄상구균의 보균 상태와 편도주위농양이 반복적으로 발생하는 경우도 수술의 적응증이 된다. 편도비대로 인해 심한 코골이나 수면무호흡증이 만성적으로 지속될 때, 이로 인한 폐질환, 호흡장애, 연하장애, 발성장애가 동반될 때도 수술을 시행할 수 있다. 치아 부정교합이 생기거나 안면골 발달 장애의 원인이 편도 비대와 연관될 경우에도 수술을 권한다. 수면무호흡증이 있는 환자들 중 구인두의 원인이 있는 경우에는 구개수구개인두성형술과 함께 수술을 시행하거나 편도절제술 단독으로도 기도폐색의 증상이 좋아지는 경우가 많다. 일측성 편도비대가 있을 경우 악성종양 감별을 위한 진단적 목적으로 편도절제술을 시행하기도 한다(표 17-1).

2) 아데노이드절제술의 적응증

아데노이드절제술은 아데노이드 비대로 인한 만성 삼

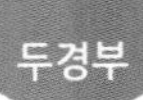

표 17-1. 편도절제술의 적응증

감염	○ 재발성 급성 편도염 ○ 다음 질환을 동반하는 재발성 급성편도염 재발성 연쇄상구균성 편도염을 동반하는 심장판막질환 재발성 열성 경련 ○ 다음 질환을 동반하면서 내과적 치료에 반응하지 않는 만성 편도염 편도염 구취 지속적인 인후통 압통성 경부림프절염 ○ 내과적 치료에 반응하지 않는 연쇄상구균 보균 상태 ○ 편도주위농양 ○ 경부 림프절 농양을 동반한 편도염 ○ 내과적 치료에 반응하지 않는 심각한 폐쇄성 편도비대를 동반한 단핵구증
폐쇄	○ 심한 코골이와 만성 구호흡 ○ 폐쇄성 수면무호흡 또는 수면장애 ○ 다음 질환을 동반한 편도아데노이드 비대 폐성심 성장장애 연하장애 언어장애 ○ 두개안면 발달이상 ○ 이상교합
기타	○ 종양이 의심되는 경우 : 일측성 편도비대

표 17-2. 아데노이드절제술의 적응증

감염	○ 재발성/만성 아데노이드염 ○ 화농성 아데노이드염 ○ 다음 질환을 동반하는 아데노이드 비대 만성 삼출성 중이염 재발성 급성 중이염 고막 천공이 있는 만성 중이염 만성 이루 만성 부비동염
폐쇄	○ 만성 비폐색과 구호흡을 동반하는 아데노이드 비대 ○ 수면무호흡 또는 수면장애 ○ 다음 질환을 동반한 아데노이드 비대 폐성심 성장장애 연하장애 발성장애 ○ 두개안면 발달이상 ○ 이상교합 ○ 언어장애
기타	○ 종양이 의심되는 경우 ○ 만성 부비동염과 연관된 아데노이드 비대

출성 중이염, 만성 비폐색과 구호흡, 심한 코골이와 수면무호흡증, 그리고 두개안면 발달이상 소견을 동반하는 경우 또는 만성 아데노이드염에서 필요하다. 수면무호흡증을 방치할 경우 주간 기면증과 집중력 감퇴, 학습 능력 저하 등의 원인이 될 수 있고 나아가 고혈압, 폐성심 등의 심혈관계 합병증까지도 일으킬 수 있으므로 증상이 심하면 조기에 수술하는 것이 좋다. 재발성 또는 만성 부비동염이 아데노이드 비대와 동반되는 경우 부비동 내시경수술보다 아데노이드절제술을 먼저 시행하고 부비동염의 경과를 지켜보는 것이 효과적일 수 있다.[7] 저비음(hyponasality) 또한 아데노이드절제술의 적응증이지만 과비음(hypernasality)은 적응증이 되지 않는다. 구개열 또는 점막하 구개열을 가진 환자에서는 수술 후 구개인두부전증이 발생할 수 있기 때문에 아데노이드 받침(adenoid pad)의 아래 부분은 남기고 외측 또는 상측의 아데노이드만 절제하는 보존적 아데노이드절제술(conservative adenoidectomy)을 시행해야 한다(표 17-2).

3) 편도절제술과 아데노이드절제술의 금기증

급성 편도염, 급성 아데노이드염 증상이 있을때는 염증이 치료된 후 출혈 방지 등을 위해 4–12주 후에 수술을 고려해볼 수 있다. Hemoglobin level (Hb) 10 g/dL이하의 빈혈, hematocrit (Hct) 30% 이하의 소견과 동반된 출혈성 경향이 있는 환자, 조절되지 않는 당뇨나 암과 같은 질환을 앓는 면역 억제된 환자, 구개인두부전증을 가진 환자에게는 편도절제술, 아데노이드절제술은 상대적으로 금기가 된다.[50]

2. 수술 전 준비

수술 전에 수술 후 발생할 수 있는 출혈, 구토, 경구 섭취량 부족으로 인한 탈수, 전신 권태감, 발열, 악취호흡, 인후통 등의 가능성에 대해서 보호자와 환자에게 충분히 설명해야 한다. 출혈에 대한 철저한 병력 또는 가족력에 대해 조사하여 의심되면 수술 전 반드시 응고장애에 대한 선별 검사를 한다. 가족력에서 특정 응고인자 결핍이 의심되거나 선별 검사 결과가 비정상적이면 혈액내과로 협진을 요청하여야 한다. 또한 상기도 폐쇄 증상을 보이는 환자에게는 수술 전 수면다원검사, 흉부 방사선촬영, 심전도검사를 시행하고, 필요하면 심장내과에 의뢰한다. 드물게 전신마취 부작용의 가족력이 있는 경우 악성 고열이 발생할 수 있다. Down 증후군 소아들은 수술하는 동안 경부의 과신전으로 인한 경추 손상을 입을 수 있기 때문에 수술 전 경부 신전 시와 굴전 시의 방사선 사진을 촬영하여 제1번과 2번 경추 부분탈구 여부를 확인해야 한다. 당뇨 환자는 수술 기간 동안 투여되는 수액과 수술 후 식이변화에 따른 혈당의 변화를 관리하기 어렵기 때문에 입원 기간에는 지속적인 혈당 검사를 해야 하며 투약 및 혈당조절을 위해 내분비내과의 관리가 필요하다. 발작(seizure), 천식과 같은 다른 만성 질환에 대해서도 수술 전에 철저히 평가해야 한다.

환자는 수술 8시간 전부터 고형식을 금한다. 수술 전에 심한 불안감을 호소하는 환자에게는 midazolam hydrochloride (0.5~1.0 mg/kg)를 수술 30분 전에 투약하여 진정시킨다. 수술 전에 ampicillin (20 mg/kg : 최대 용량 1g) 같은 정맥 항생제를 투여하고, 수술 후 약 1주일간 경구용 항생제로 바꾸어 투약하면 수술 후 이환율을 줄일 수 있다. 폐쇄성 수면무호흡증 병력이 있거나 3세 미만의 소아에서는 수술 중에 corticosteroid (dexamethasone 0.5 mg/kg)를 정맥 투여하여 수술 후 회복 시간을 단축시키고 구인두 및 기도의 부종을 줄일 수 있다.[44] 수술 중 편도 주위의 국소침윤마취는 수술 직후의 통증을 줄여주며, 수술 중의 출혈을 감소시킨다.

3. 편도절제술의 방법

편도절제술은 기존의 편도선도(tonsil knife)와 편도거상기(tonsil elevator) 등을 이용한 고식적인 방법 외에도 레이저 또는 다양한 전기소작 기구(단극성, 양극성 전기소작) 등을 이용하는 방법이 있다(그림 17-16). 특히 전기소작을 이용한 술기는 고식적 방법에 비해 술 중 출혈에 대한 관리가 용이하고 수술 시야 확보에 대한 장점이 있어

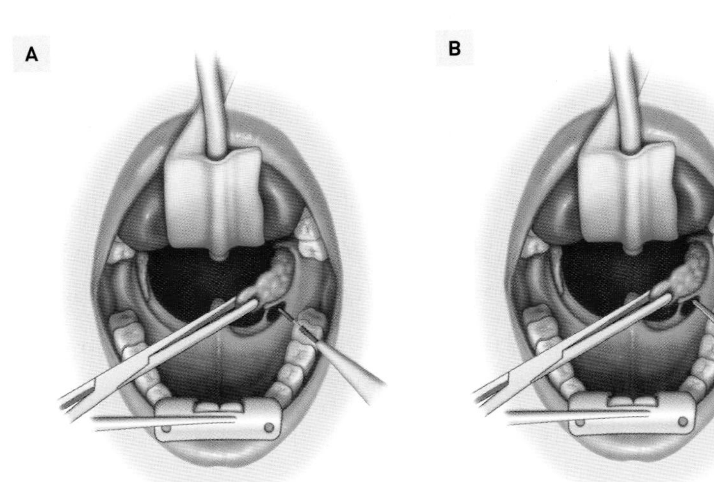

■ 그림 17-16. **편도절제술의 방법.**
A) 전기소작기 B) 편도선도

수술 시간을 단축시킬 수 있다. 그러나 조직의 열 손상에 의해 술 후 통증이 증가할 수 있으며 기존의 술기와 비교할 때 술 후 출혈률은 1~3%로 큰 차이가 없는 것으로 알려져 있다.[28]

수술 준비는 전신마취와 기관 내 삽관을 시행하고 기관 내 튜브를 중앙으로 고정한 후 환자는 Rose 자세(경부를 신전하는 자세)를 취하고 Crowe-Davis 또는 McIVOR 개구기(mouth gag)를 구강에 위치시킨 후 Mayo stand에 고정하여 구인두를 노출시킨다. 개구기를 상악치에 고정하기 전 흔들리는 치아가 없는지 확인한 후 손상이 일어나지 않도록 주의를 기울여야 한다. 환자가 혈액이나 분비물을 삼키게 되면 마취에서 회복 중 흡인이 발생할 수 있으며, 수술 후 오심, 구토가 유발되기 때문에 이를 예방하기 위해 인두를 거즈로 채우기도 한다. 편도겸자로 편도를 내·하측으로 잡아당기고 편도 상극을 전기소작기 혹은 편도선도로 절개한 후 조심스럽게 박리하여 편도피막과 편도와 사이의 무혈관성의 편평한 면을 확인한다. 편도선도를 이용하는 경우 편도 상극의 점막을 절개한 후 Thompson dissector나 Fischer knife를 이용하여 편도와로부터 편도를 박리해낼 수도 있다. 박리 시 설인두신경 노출과 손상을 피하도록 유의한다. 전기소작기를 이용할 때는 편도의 하극에서 편도 적출 전 전기소작술로 충분히 지혈한 후 편도와로부터 떼어내면 수술 중 출혈을 줄일 수 있다. 편도의 하극 절단 시 편도올가미(snare)를 사용할 수도 있다.

편도 절제 후 출혈이 있을 때는 편도와에 거즈로 패킹한다. 지혈 목적으로 넣었던 편도와의 거즈를 제거한 후 저출력의 전기소작을 이용하여 남아 있는 출혈 부위를 지혈 한다. 출혈 부위를 찾지 못하고 전기소작기를 과도하게 사용하면 주변 조직의 손상으로 지혈에 도움이 되지 못하므로 출혈 지점을 확인한 후 지혈해야 한다. 심한 출혈부위에는 혈관 결찰이 필요할 수 있다. 그러나 편도 하극에서 안면동맥과 설동맥 분지를 부주의하게 결찰하거나 편도와 근처에 위치한 내경동맥에 결찰에 의한 손상이 가해질 경우 술 후 가성동맥류가 형성되어 더욱 심한 출혈이 유발될 수도 있으므로 매우 주의해야 한다.[48] 광범위한 전기소작으로 인해 구개궁의 조직 소실이 생길 경우 수술 후 비인두 협착을 초래할 수 있으므로 상부 후구개궁의 근육과 점막에 손상이 가지 않도록 주의한다. 구강에 장착된 개구기나 흡인기 같은 기구들은 모두 철제이므로, 전기소작 시 접촉에 의해 구강 점막이나 입술 부위에 열 손상을 입히지 않도록 소작기의 끝부분만 노출시키고 나머지 부분은 비전도, 절연 물질로 감싸는 것이 좋다. 최근에는 비전도 물질을 부착한 개구기나 흡인기도 개발되어 있으므로 수술 시 이용하면 위와 같은 열 손상을 방지할 수 있다. 개구기에 의해 설기저부가 압박되면 수술 후 부종, 통증, 감각이상이 유발될 수 있으므로 주기적으로 술 중 이완시켜 혈류를 유지하게 하면 이러한 증상들이 경감될 수 있다. 후두 입구에 소량의 혈괴나 분비물이 남아 있으면 발관 시 기도폐쇄 혹은 후두연축을 유발할 수 있으므로 지혈이 끝난 후에 구강과 비강을 생리식염수로 철저히 세척하여 분비물과 남아 있는 혈괴를 제거한다. 편도적출과 지혈을 마친 후 개구기를 몇 분간 느슨하게 하여 편도와의 출혈 여부를 다시 확인하고 수술을 마쳐야 한다.

4. 아데노이드절제술의 방법

편도절제술과 같은 방법으로 전신마취 후 구인두를 노출시킨다. 경구개와 연구개를 시진 및 촉진하여 구개수의 균열이 있는지 확인해야 하며, 비인두의 수술 시야를 잘 관찰할 수 있도록 nelaton catheter를 외비공을 통해 넣어 구강으로 빼내어 연구개를 견인하고 Kelly clamp로 고정한다. 연구개 견인 시 구개수가 과도하게 압박되거나 손상을 받으면 술 후에 구개수 부종으로 불편감이 생기는 경우가 많으므로 적절하게 견인되도록 한다. 거울이나 내시경을 사용하여 비인강을 관찰하여 아데노이드의 크기를 확인한 후, 아데노이드를 절제할 때에는 큐렛(curette)이나 인두편도절제도(adenotome)를 비중격의 후방부에 가깝게 위치시킨다. 절제를 시작할 때 기구를 너무 깊이 넣고 시작하면 전척추 부위가 손상될 수 있으므로 주의한다. 남아 있는 아데노이드는 작은 큐렛 또는 회전식 칼날 흡입기(debrider)를 사용하여 제거하고, 지혈을 위하여 비인강에 거즈를 채워 압박하거나, 아데노이드 자리에 전기소작술을 시행하고, bismuth subgallate를 사용하기도 한다. 편도절제술을 같이 하는 경우, 지혈하는 동안 편도절제술을 하여 수술 시간을 단축시킨다. 큐렛이나 인두편도절제도를 너무 외측에 놓고 아데노이드를 절제하면 이관의 입구부(eustachian tube orifice)나 이관 융기부(torus tubarius)를 손상해 수술 후에 발생한 반흔이 영구적 이관기능부전을 유발할 수 있으므로 주의한다. 또한 후비공 주위에서는 수술 후 협착이 발생하지 않도록 조심스럽게 제거한다.

5. 편도절제술 및 아데노이드절제술의 새로운 술기

최근 들어 양극성 전기소작기(bipolar electrocautery), Coblation, Harmonic Scapel 등을 사용하거나 microdebrider를 사용하는 powered intracapsular tonsillectomy and adenoidectomy (PITA) 등 새로운 장비를 사용하는 다양한 수술방법들이 개발되어 사용되고 있다. 그 효과에 대해서는 보고자마다 다소 차이가 있다.

양극성 전기소작기는 bayonet forceps형과 scissors형이 있으며 열에 의한 주위 손상을 최소화하며 정확한 지혈이 장점이다.

Coblation 기술은 최근에 소개된 방법으로 2001년 1월 Henry Ford Medical Group (HFMG)에서 처음 시행되었다. 1) Coblation이란 냉절제(cold ablation), 또는 조절 절제(controlled ablation)를 뜻하는 신조어로서 생리식염수를 매개로 고주파 양극전류(radiofrequency bipolar electrical current)를 이용하여 조직을 박리하거나 제거하는 방법으로 편도의 피막의 손상 없이 편도 조직만을 제거할 수 있으며 60°C에서 조직을 기화시키므로 저온의 열이 발생하여 조직이 절개되는 현상을 이용한 것으로 절제와 지혈이 동시에 가능하고 레이저의 장점을 살리면서 수술 후 열 손상에 의한 통증이 적고 주변 조직에 열에 의한 원하지 않는 손상을 줄일 수 있어 다른 전기 장치를 이용한 기존 방법에 비해 조직 회복에 걸리는 시간을 단축시킬 수 있다.[40] Completion tonsillectomy 또는 intracapsular tonsillectomy 시 사용할 수 있으며 아데노이드절제술에도 이용할 수 있다.

Harmonic scalpel은 초음파 기술을 이용하여 전기소작의 단점인 고열로 인한 외상을 최소화하면서 조직을 자르거나 응고시키는 수술 장비이다. 초기에는 복강경 수술 등에 사용되었으나 최근에는 편도절제술에 사용되기도 한다. 기존의 전기 소작기를 이용한 술기에 비하여 술 후 통증이 적고 정상 식이로의 회복 기간이 짧다고 알려져 있지만 비용이 증가한다는 단점이 있다.

미세흡입분쇄기(microdebrider system)를 이용한 PITA (Powered Intracapsular Tonsillectomy and Adenoidectomy)의 유용성은 이미 많이 보고되고 있다.[2] 편도의 제거는 미세흡입분쇄기를 이용하여 편도의 실질을 제거하고 피막만 남기거나(그림 17-17) 피막과 편도 조직

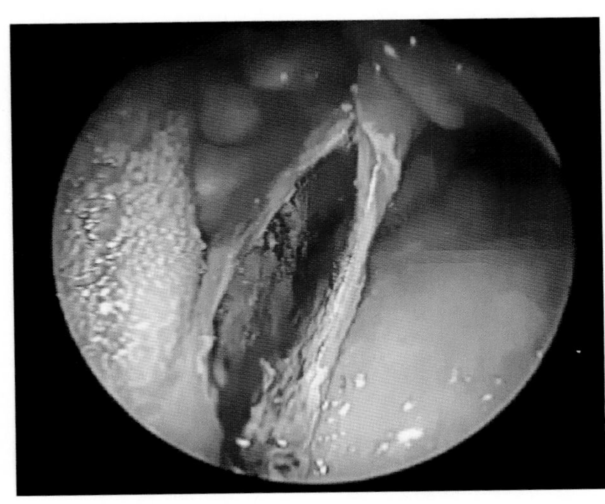

■ 그림 7-17. PITA를 이용한 편도절제술 시행 후 사진

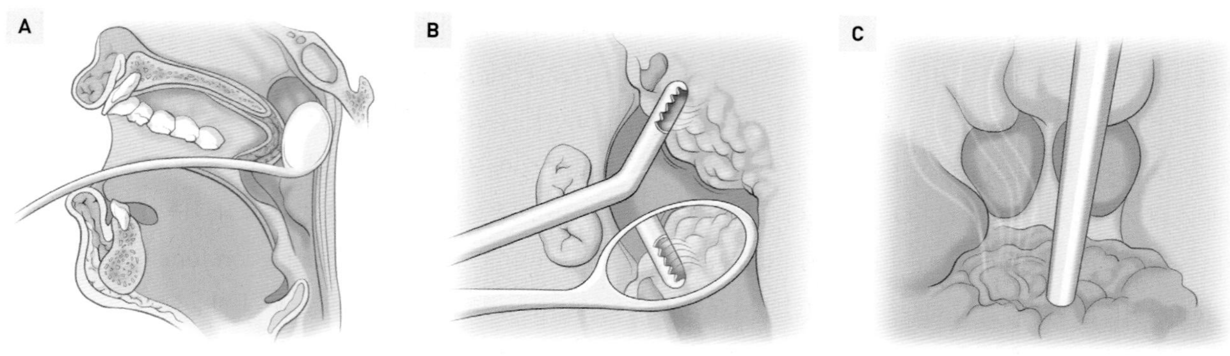

■ 그림 17-18. **아데노이드절제술의 방법.** **A)** 아데노톰. **B)** 미세흡입분쇄기. **C)** 흡인 소작.

일부를 보존하여 인두수축근을 포함하는 편도와(tonsil fossa) 근육의 손상을 줄여 수술 후 통증을 감소시키고 큰 혈관의 노출을 줄여 출혈을 감소시킨다. 또 정상 식이로의 회복 기간도 줄일 수 있다.[27] 그러나 잔존 조직에 의한 편도 조직의 재증식과 편도염의 재발 가능성이 있지만 그 빈도는 낮으며 기도폐쇄를 유발하는 편도나 아데노이드 비대 수술 시에 유용하게 사용된다. 기존의 술식에 비해 시간이 조금 더 소요되며 출혈량이 상대적으로 더 늘어난다는 단점이 있다(그림 17-18). 그러나 shaver blade의 사용으로 인한 비용 상승을 고려해야 한다. 아데노이드 제거는 미세흡입분쇄기에 구부러진 shaver blade를 사용하여 내시경이나 거울을 사용하여 아데노이드 조직을 눈으로 직접 보면서 제거한다(그림 17-19). 제거 후 흡인 소작(suction cautery)을 이용하여 지혈한다.

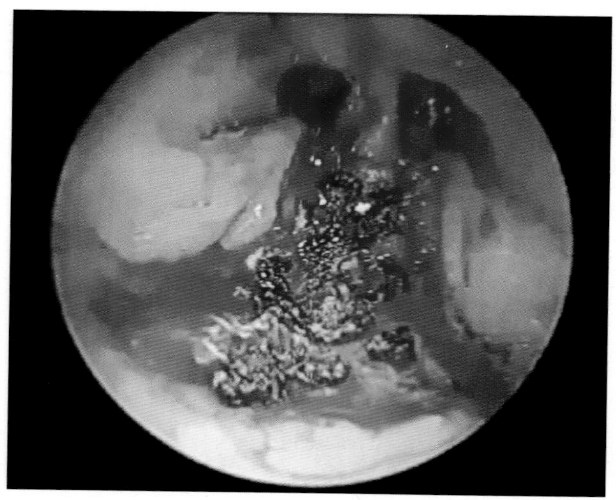

■ 그림 7-19. **미세흡입분쇄기를 이용한 아데노이드절제술후 사진**

6. 수술 후 관리

수술 후 출혈을 조기에 발견하기 위해서 환자에게 엎드리거나 옆으로 누운 자세를 취하게 한다. 만약 경한 출혈이 있다면 삼키지 말고 입으로 뱉어내도록 하여 피의 양과 성상을 관찰해야 한다. 수술 후 식이 조절은 술 후 출혈에 많은 영향을 주기 때문에 수술 당일에는 식사로 맑은 유동식(clear liquid diet)을 주고 다음날에는 연질식(soft diet)으로 바꾼다. 연질식을 편하게 먹을 수 있게 되면(술 후 7–14일) 고형식(solid diet)으로 넘어간다. 음식을 입으로 적절하게 섭취할 수 있을 때까지 충분한 양의 수액을 정맥을 통하여 공급해야 하며, 수액으로 Lactated Ringer's solution 또는 생리식염수를 사용한다. 수술 이후 기도합병증이 예상되는 환자에게는 부종을 감소시키기 위해 수술 중이나 수술 후에 스테로이드를 사용해 볼 수 있다.

수술 후 통증은 1–2주 정도 지속되며 방사통으로 이

통이 발생하는 경우도 있다. 통증 완화에는 acetaminophen을 사용하며, aspirin이나 ibuprofen이 들어 있는 약제는 출혈 가능성이 있으므로 7일간 피해야 한다. 항생제는 amoxicillin이나 amoxicillin과 clavulanate 복합제와 같은 경구용 항생제를 1주일간 처방한다. 0.1% chlorhexidine이나 1% betadine 같은 구강 소독제로 구강을 청결히 유지하는 것도 중요한 치료이다. 음식물이 수술 부위를 자극해 수술 후 출혈이 발생하는 경우가 많다는 사실을 수술 전, 후에 환자와 보호자에게 주지시키고 구강이나 비강으로 선혈이 관찰되면 즉시 의료진을 찾도록 교육한다.

7. 편도 및 아데노이드 수술의 합병증

편도와 아데노이드절제술 후 올 수 있는 합병증의 발생률은 14% 정도로 통증, 출혈, 기도폐쇄, 술 후 폐부종, 구개인두부전증, 비인강 협착, 사망 등이 있다. 최근에는 수술 기법과 마취 기술의 발달로 이러한 합병증은 현저하게 감소하고 있다.

1) 수술 후 출혈

수술 후 출혈(postoperative hemorrhage)의 발생률은 0.5~10%로 가장 흔하고 심각한 합병증이다.[28] 그러므로 수술법의 종류에 상관없이 수술 중 세심한 지혈이 중요하다. 하지만 출혈 부위를 정확히 확인하지 못한 채로 과도하게 지혈하거나 소작기를 고출력 모드로 사용하여 지혈하는 경우 조직의 손상으로 인한 출혈도 발생할 수 있다. 혈액응고장애를 가진 환자에서는 과거력과 이학적 검사, 적절한 수술 전 처치로 수술 중의 심각한 출혈을 예방해야 한다. 겸상 적혈구병 환자에서는 혈관막힘 위기(vasoocclusive crisis)가 발생할 위험이 있으므로 수액 공급과 혈액 내 산소포화도를 주의 깊게 관찰해야 한다. Ketorolac 같은 일부 진통제는 특히 소아의 경우 수술 후 출혈 발생률을 증가시키기 때문에 사용하지 않아야 한다.[10]

출혈은 수술 중 출혈, 즉각성 출혈(24시간 이내), 지연성 출혈(24시간 이후)로 나눌 수 있다. 생명을 위협하는 대량 출혈은 대부분 술 후 24시간 내에 발생한다. 수술 중의 출혈은 혈액응고장애나 큰 동맥의 손상과 관련이 있다. 수술 중 발생하는 출혈은 흡입소작하거나 혈관 결찰을 하여 지혈하지만, 출혈이 심한 경우에는 편도와에 패킹을 하고 편도궁을 결찰하여 지속적으로 압력을 가한 후 출혈 지점을 확인해야 한다. 봉합 시 주변 혈관을 손상해서 출혈을 악화시키거나 지연출혈을 야기할 수도 있으므로 주의해야 한다. 이와 같은 방법으로도 지혈이 안 된다면 경부 접근을 하여 동맥을 결찰하거나 색전술을 시행해야 될 수도 있다.

편도의 혈관 분포는 주로 동측의 외경동맥에서 기원한 혈관들이 문합된 복잡한 망상조직 형태로 구성되어 있다. 그러나 동측의 외경동맥 외에도 내경동맥, 추골동맥, 그리고 반대측 Willis 환(Circle of Willis)을 통해 나오는 혈관들도 일부 혈류를 보내며 이들 혈관 주행은 변이가 많이 있어서, 수술 중이나 수술 후의 심한 출혈은 외경동맥을 결찰하는 것만으로 지혈되지 않을 수 있다. 그러므로 출혈이 심한 경우 상악동맥, 안면동맥, 설동맥, 상갑상선동맥 등의 분지들의 결찰이 필요할 수도 있다.

전기소작기를 이용하면서 즉각성 출혈은 과거에 비해 감소했지만, 지연성 출혈의 발생 빈도에는 큰 변화가 없다.[3] 일반적으로 일차 출혈이 출혈량도 많고 마취로 인해 반응성과 기도반사가 저하되어 있어 흡인의 위험이 있기 때문에 지연출혈보다 더 주의를 기울여야 한다.

지연성 출혈은 주로 괴사딱지(eschar)가 떨어지거나 혈관봉합의 풀림, 이차 감염으로 발생하며 술 후 5~7일에 가장 많다. 술 중이나 술 후 즉각적인 출혈보다는 덜 위험하지만, 적절한 치료가 없으면 치명적일 수 있다. 환자에게 퇴원 후에 구강이나 비강에서 맑은 선혈이 확인되면 바로 병원으로 오도록 충분히 교육해야 한다. 출혈이 발생하면 입원시켜 집중적으로 관찰하고, 감염 소견이 있으면 항생제를 사용해야 한다. 활동성 출혈이 관찰되면 출혈 부위를 국소적으로 압박한 후 전기소작기로 지혈을 시도해보고 출혈이 지속되면 수술실에서 즉시 처치해야 한다. 만약 활동성 출혈 없이 편도와의 혈괴가 존재하면 이 혈괴는 제거해서는 안 된다. 그러나 혈괴 주위로 출혈이 되거나 활동성 출혈 여부를 잘 모를 때에는, 정확한 검사를 위해 혈괴를 흡인해 볼 수 있다.

아데노이드절제술 후의 비인강의 출혈은 대개 남아 있는 아데노이드 조직에서 나는 경우가 많으므로 가능하면 완전 절제하고 수술을 마무리할 때 재차 확인하는 것이 출혈을 줄이는 최선의 방법이다. 후인두벽의 근육 손상도 출혈의 원인이 될 수 있으므로 주의해야 한다. 아데노이드 절제술 후 출혈 시 국소적인 혈관수축 점비액을 이용하여 지혈을 시도한 후 출혈이 지속되면, 전신 마취하에 혈전을 제거하고 남아 있는 아데노이드 조직을 절제하여 완전하게 출혈을 조절해야 한다. 비인두와 아데노이드는 내경동맥과 외경동맥으로부터 혈액 공급이 되나 이 부위의 출혈은 대량 출혈은 드물기 때문에 대부분 압박이나 전기소작으로 지혈할 수 있다. 지혈 시 시야를 확보하여 출혈 부위를 정확히 찾고 지혈하는 것이 중요하다. 출혈이 심할 때에는 소작제나 지혈제도 도움이 된다.

소아에서는 소량의 출혈만으로 몸 전체 혈액 중 상당한 양을 소실할 수 있으므로 출혈이 심하면 예기치 못한 전신적인 합병증이 발생할 수 있다. 이때는 수술을 멈추고 필요에 따라서는 아데노이드와 편도 수술을 따로 시행해야 한다.

2) 기도폐쇄

3살 이하의 소아에게 편도 수술이나 아데노이드 수술을 시행한 경우에 기도폐쇄(airway obstruction)가 발생할 수 있다. 수술 중 개구기, 전기 소작기 및 카테터의 사용으로 인해 혀, 비인강, 구개의 부종이 생겨 기도폐쇄 증상이 발생할 수 있으며, 일시적으로 비기도를 사용하거나 스테로이드를 투여한다. 수술 후 인두의 혈괴가 떨어져 후두가 폐쇄되거나 기도로 흡인되어 환자가 사망할 수도 있으므로 수술이 끝나기 전에 생리식염수로 세척을 하여 모든 혈괴를 제거해야 한다.

3) 폐부종

수술 후 폐부종(pulmonary edema)은 아데노이드 비대증으로 인한 만성 상기도 폐쇄가 있었던 환자에게 발생할 수 있으며, 장기간의 인공호흡기 치료가 필요하다. 만성적인 폐쇄성 무호흡증이나 폐성심의 병력이 있는 환자의 경우 수술 후 중추에서 호흡 반사의 저하가 일어날 수 있기 때문에 산소포화도 등의 감시를 통해 주의 깊게 관찰해야 한다. 또한 지속적인 고탄산혈증을 가진 환자들은 PCO_2가 정상치로 돌아올 때까지 수술 후 기계적 환기가 필요하다.

4) 구개인두부전증

구개인두부전증(velopharyngeal insujficiency)이나 과비음(hypernasality)은 아데노이드절제술과 연관된 비교적 드문 합병증이다. 구개열이나 점막하 구개열이 있는 경우에는 꼭 필요하지 않다면 수술을 시행하지 않으며, 수술이 필요하다면 보존적 아데노이드절제술을 시행해야 한다. 구개열이나 점막하 구개열이 없는 환아에서 아데노이드절제술 후 구개 인두부전증이 발생할 수 있는 확률은 극히 적으며 발생한 경우 약 2–5개월 후에는 호전되는 경우가 많다.[25] 수술 전에 구개인두부전증의 가족력, 영아 때의 과비음 또는 비역류의 과거력 등과 같은 구개인두부전증 발생의 위험 인자를 확인해야 한다. 또한 언어장애가 있다면 수술 전에 언어 능력을 평가하고 언어치료에 대한 계획을 세워야 한다.

수술 후 발생한 구개인두부전증은 대부분 일시적이고 시간이 지나면 호전되지만, 발생 즉시 언어치료사가 평가하고 치료해야 한다. 보통 8주 이내에 저절로 증상이 소실되지만, 최소 1년간의 언어치료에도 증상이 호전되지 않으면 인두피판술, 괄약근성형술, 후인두벽확장술 등과 같은 수술적 치료가 필요하다. 간혹 통증으로 인해 발성과 연하 시에 인두의 근육이 비정상적으로 조절되어 발생하는 이차적인 인두마비(habit palsy)가 올 수도 있는데, 언어치료로 잘 호전된다. 수술 전에 큰 편도로 인한 구개인두부전증이 있었던 경우에는 편도를 제거하는 것만으로 구개 인두부전증이 호전될 수 있다.

5) 비인강 협착증

비인강 협착증(nasopharyngeal stenosis)은 발생 시 해결하기 힘든 합병증의 하나로 대부분 수술적 치료가 필요하다. 진단은 거울이나 굴곡형 비인두경을 이용하여 구개수 뒤쪽 후인두를 관찰하여 좁아진 비인두강을 관찰하는 것으로 할 수 있다. 아데노이드절제술 시 비인강, 비인강의 외측벽, 편도 후구개궁의 과도한 전기소작이나 절제, 급성 인두염이나 화농성 부비동염이 있을 때 수술한 경우, 아데노이드를 재수술한 경우, 켈로이드 체질이 있을 때 발생할 수 있다. 또한 이관융기(torus tubarius), Rosenmuller와 Rosenmuller fossa, 외측 비인두에 림프 조직이 제거되면서 발생할 수도 있다. 스테로이드를 주사하거나 피부피판, 국소 점막피판, 스텐트, 피부 이식이나 흉터 절개 등의 수술적 방법으로 치료할 수 있다.[49]

6) 경추 합병증

제1, 2 경추 부분탈구(atlantoaxial subluxation), Grisel's syndrome는 Down 증후군 환아의 편도나 아데노이드절제술 시에 나타날 수 있으나 건강한 환자에서는 드문 합병증으로 주로 목의 통증을 호소한다. 제1번 경추 앞쪽 활부위의 석회화와 제1번과 2번 경추 사이의 앞쪽 가로인대가 느슨해져서 흉쇄유돌근이나 경부 심부 근육이 연축해 목이 뻣뻣해진다. 환자는 머리를 병변 측으로 기울이고 반대측으로 약간 회전한 자세를 취한다. 진단은 경부 방사선 검사로 부분탈구를 발견할 수 있다. 경추 골수염도 원인이 되지만 대부분의 경우 감염이나 외상과 관련이 있고 아데노이드-편도절제술 후 발생하는 것은 드물다. Down 증후군 환아는 수술 시 Rose position이 외상성 부분탈구의 원인이 되므로 수술 전에 경추에 대해 방사선 검사를 시행하여 탈구 여부를 확인하고 수술 중에는 경추 부위를 조심해야 한다.

치료는 증상의 정도와 기간에 따라 다르다. 경추 골수염이 있는 경우 4~8주 정도의 정맥 내 항생제 요법과 경부 견인을 한다.

7) 탈수

소아에게 흔한 합병증으로 심한 인후통으로 인해 음식물을 삼키기 어려워 발생하며, 수술 후 유동식을 삼킬 수 있을 때까지 정맥 내 수액 공급을 하면 탈수를 예방할 수 있다.

8) 사경

척추 주위 근육(paraspinous muscle)의 염증에 의해 생긴다. 저절로 회복되지만 때때로 경추 보호대나 경부 견인이 필요할 수 있다.

9) 미각장애 및 혀의 마비

편도의 하극 부위에 위치하는 설인신경 분지의 손상에 따른 미각장애가 발생할 수 있다. 편도절제술 중에 직접적인 손상의 가능성은 매우 희박하다. 편도절제술 시 구강과 구인두를 노출하기 위해 개구기 사용으로 인한 혀의 압박으로 인해 설하신경 마비를 유발할 수 있다. 개구기의 설압자(tongue blade) 끝이 설근부에 닿음으로써 발생하는 압력으로 인해 목의 신전이 증가되고 설근부의 가측 부분에 압력이 가해지게 되어 설하신경의 신경 속 혈관(vasa nervorum)으로 가는 혈류량이 감소하여 신경의 허혈 상태가 유발되며 30분이 지날 경우 신경절단 상태를 야기하게 된다.

10) 기타

이통, 구역감 및 구토, 우울증이나 기관 삽관 또는 구강 견인기에 의한 치아 손상 등이 발생할 수 있다. 폐농양은 드물며, Horner 증후군, 시신경염, 뇌막염, 뇌농양, 설인두와 후인두 신경의 마비, 악하선부터 편도와에 이르는 침샘누공, 종격동 기종 등은 드물지만 일어날 수 있는 합병증이다.

종격동 기종은 일반적으로 치료가 용이하며 제한적인 합병증이지만 적절한 진단과 치료를 받지 않을 경우, 기관 압박(tracheal compression), 심막기종(pneumopericardium), 정맥 환류 이상(impaired venous return) 및 치명적 저혈압(fatal hypotension) 등 대단히 심각한 결과를 낳을 수 있다는 점에서 매우 중요하다.

참고문헌

1. Acar M, Kankilic ES, Koksal AO, Yilmaz AA, Kocaoz D. Method of the diagnosis of adenoid hypertrophy for physicians: adenoid-nasopharynx ratio. J Craniofac Surg. 2014;25(5):e438-40.
2. Al-Mazrou KA, Al-Qahtani A, Al-Fayez AI. Effectiveness of transnasal endoscopic powered adenoidectomy in patients with choanal adenoids. Int J Pediatr Otorhinolaryngol. 2009;73(12):1650-2.
3. Bhattacharyya N, Kepnes LJ. Revisits and postoperative hemorrhage after adult tonsillectomy. Laryngoscope. 2014;124:1554-1556.
4. Bitar MA, Dowli A, Mourad M. The effect of tonsillectomy on the immune system: A systematic review and meta-analysis. Int J Pediatr Otorhinolaryngol. 2015 ;79(8):1184-91.
5. Bouaziz JD, Yanaba K, Tedder TF. Regulatory B cells as inhibitors of immune responses and inflammation. Immunol Rev. 2008;224:201-14.
6. Brandtzaeg P. Immunology of tonsils and adenoids: everything the ENT surgeon needs to know. Int J Pediatr Otorhinolaryngol. 2003;67 Suppl 1:S69-76.
7. Brietzke SE, Brigger MT. Adenoidectomy outcomes in pediatric rhinosinusitis: a meta-analysis. Int J Pediatr Otorhinolaryngol. 2008;72:1541-1545.
8. Brook I, Shah K. Bacteriology of adenoids and tonsils in children with recurrent adenotonsillitis. Ann Otol Rhinol Laryngol. 2001;110:844-848.
9. Carr MM, Poje CP, Ehrig D, et al. Incidence of reflux in young children undergoing adenoidectomy. Laryngoscope 2001;111:2170-2172.
10. Chan DK, Parikh SR. Perioperative ketorolac increases post-tonsillectomy hemorrhage in adults but not children. Laryngoscope. 2014;124(8):1789-93.
11. Chiappini E, Regoli M, Bonsignori F, Sollai S, Parretti A, Galli L, et al. Analysis of different recommendations from international guidelines for the management of acute pharyngitis in adults and children. Clin Ther. 2011;33:48-58.
12. Develioglu ON, Ipek HD, Bahar H, et al. Bacteriological evaluation of tonsillar microbial flora according to age and tonsillar size in recurrent tonsillitis. Eur Arch Otorhinolaryngol. 2014;271(6):1661-5.
13. Dohno S, Maeda A, Ishiura Y, Sato T, Fujieda M, Wakiguchi H. Diagnosis of infectious mononucleosis caused by Epstein-Barr virus in infants. Pediatr Int. 2010;52(4):536-540.
14. Falagas ME, Vouloumanou EK, Matthaiou DK, Kapaskelis AM, Karageorgopoulos DE. Effectiveness and safety of short-course vs long-course antibiotic therapy for group a beta hemolytic streptococcal tonsillopharyngitis: A meta-analysis of randomized trials. Mayo Clin Proc. 2008;83:880-889.
15. Fontes MJ, Bottrel FB, Fonseca MT, Lasmar LB, Diamante R, Camargos PA. Early diagnosis of streptococcal pharyngotonsillitis: Assessment by latex particle agglutination test. J Pediatr (Rio J). 2007;83:465-70.
16. Fusco D, Asteraki S, Spetzler R. Eagle's syndrome: embryology, anatomy, and clinical management. Acta Neurochir. 2012;154:1119-1126.
17. Gaffney RJ, Cafferkey MT. Bacteriology of normal and diseased tonsils assessed by fine needle aspiration: Haemophilus influenzae and the pathogenesis of recurrent acute tonsillitis. Clin Otolaryngol Allied Sci. 1998;23(2):181-5.
18. Guilleminault C, Huang YS, Glamann C, Li K, Chan A. Adenotonsillectomy and obstructive sleep apnea in children: A prospective survey. Otolaryngol Head Neck Surg. 2007;136(2):169-75.
19. Gurol Y, Akan H, Izbirak G, Tekkanat ZT, Gunduz ST, Hayran O, et al. The sensitivity and specifity of rapid antigen test in streptococcal upper respiratory tract infections. Int J Pediatr Otorhinolaryngol. 2010;74:591-3.
20. Jensen A, Fagö-Olsen H, Sørensen CH, Kilian M, et al. Molecular mapping to species level of the tonsillar crypt microbiota associated with health and recurrent tonsillitis. PLoS One. 2013;8(2):e56418.
21. Jiang SY, Yang JW, Shao JB, Liao XL, Lu ZH, Jiang H. Real-time polymerase chain reaction for diagnosing infectious mononucleosis in pediatric patients: A systematic review and meta-analysis. J Med Virol. 2016;88(5):871-876.
22. Joo YH, Kim BG, Kim SW, Kim YH, Kook JH, Jin SY, et al. Effect of adenotonsillectomy on symptoms and growth in children with sleep disordered breathing: long-term results. Korean J Otorhinolaryngol-Head Neck Surg. 2009;52(4):344-8.
23. Kamekura R, Imai R, Takano K, Yamashita K, Jitsukawa S, Nagaya T, et al. Expression and Localization of Human Defensins in Palatine Tonsils. Adv Otorhinolaryngol. 2016;77:112-8.
24. Kataura A, Tsubota H. Clinical analyses of focus tonsil and related

diseases in Japan. Acta Otolaryngol Suppl. 1996;523:161-4.
25. Khami M, Tan S, Glicksman JT, Husein M. Incidence and Risk Factors of Velopharyngeal Insufficiency Postadenotonsillectomy. Otolaryngol Head Neck Surg. 2015;153(6):1051-5.
26. Klug TE, Henriksen JJ, Fuursted K, Ovesen T. Significant pathogens in peritonsi l la r abscesses. Eur J Clin Microbiol Infect Dis. 2011;30:619-627.
27. Koltai PJ, Solares CA, Mascha EJ, et al. Intracapsular partial tonsillectomy for tonsillar hy pertrophy in children. Laryngoscope. 2002;112:17-19.
28. Krishna P, LaPage MJ, Hughes LF, et al. Current practice patterns in tonsillectomy and perioperative care. Int J Pediatr Otorhinolaryngol. 2004;68:779-784.
29. Liu LL, Wang LN, Jiang Y, Yao L, Dong LP, Li ZL, Li XL. Tonsillectomy for IgA nephropathy: a meta-analysis. Am J Kidney Dis. 2015;65(1):80-7.
30. Lowy FD. Staphylococcus aureus infections. N Engl J Med. 1998;339(8):520-32.
31. Mauri C, Menon M. The expanding family of regulatory B cells. Int Immunol. 2015. pii: dxv038.
32. Meera M, Rajarao M. Diphtheria in Andhra Pradesh – a clinicalepidemiological study. Int. J. Infect Dis. 2014;19:74–78.
33. Monobe H, Suzuki S, Nakashima M, Tojima H, Kaga K. Peritonsillar abscess with parapharyngeal and retropharyngeal involvement: incidence and intraoral approach. Acta Otolaryngol Suppl. 2007;559:91-4.
34. Park S, Yeo S, Park K, et al. Superoxide dismutase in pediatric palatine tonsils and adenoids and its related clinical parameters. Am J Otolaryngol 2003;24:323-327.
35. Pavone P, Bianchini R, Parano E, et al. Anti-brain antibodies in PANDAS versus uncomplicated streptococcal infection. Pediatr Neurol. 2004;30(2):107-110.
36. Powell EL, Powell J, Samuel JR, Wilson JA. A review of the pathogenesis of adult peritonsillar abscess: time for a re-evaluation. J Antimicrob Chemother. 2013;68:1941-1950.
37. ProenÇa-Mődena JL, Buzatto GP, Paula FE, Saturno TH, Delcaro LS, Prates MC, et al. Respiratory viruses are continuously detected in children with chronic tonsillitis throughout the year. Int J Pediatr Otorhinolaryngol. 2014;78(10):1655-61.
38. Qureshi H, Ference E, Novis S, Pritchett CV, Smith SS, Schroeder JW. Trends in the management of pediatric peritonsillar abscess infections in the U.S., 2000-2009. Int J Pediatr Otorhinolaryngol. 2015;79(4):527-31.
39. Ramadani F, Upton N, Hobson P, Chan YC, Mzinza D, Bowen H, et al. Intrinsic properties of germinal center-derived B cells promote their enhanced class switching to IgE. Allergy. 2015 ;70(10):1269-77.
40. Setabutr D, Adil EA, Adil TK, Carr MM. Emerging trends in tonsillectomy. Otolaryngol Head Neck Surg. 2011;145(2):223-9.
41. Sigurdardottir SL, Thorleifsdottir RH, Valdimarsson H, Johnston A. The role of the palatine tonsils in the pathogenesis and treatment of psoriasis. Br J Dermatol. 2013;168(2):237-42.
42. Snider LA, Lougee L, Slattery M, et al. Antibiotic prophylaxis with azithromycin or penicillin for childhood-onset neuropsychiatric disorders. Biol Psychiatry 2005;57(7):788-792.
43. Spaulding A. R., Salgado-Pabőn W., Kohler P. L., Horswill A. R.,Leung D. Y., Schlievert P. M. Staphylococcal and streptococcal superantigen exotoxins. Clinical Microbiology Reviews 2013;26(3):422–447.
44. Steward DL, Grisel J, Meinzen-Derr J. Steroids for improving recovery following tonsillectomy in children. Cochrane Database Syst Rev. 2011;(8):CD003997.
45. Straight CE, Patel HH, Lehman EB, Carr MM. Prevalence of smoke exposure amongst children who undergo tonsillectomy for recurrent tonsillitis. Int J Pediatr Otorhinolaryngol. 2015;79(2):157-60.
46. Taylan I, Ozcan I, Mumcuoglu I, Baran I, Murat Özcan K, Akdoğan O, et al. Comparison of the surface and core bacteria in tonsillar and adenoid tissue with Beta-lactamase production. Indian J Otolaryngol Head Neck Surg. 2011;63(3):223–228.
47. Van Staaij BK, Van Den Akker EH, De Haas Van Dorsser EH, Fleer A, Hoes AW, Schilder AG. Does the tonsillar surface f lora differ in children with and without tonsillar disease? Acta Otolaryngol. 2003;123:873-878.
48. Vǘvrovǘ M, Slezǘcek I, Vǘvra P, Karlovǘ P, Prochǘzka V. Pseudoaneurysm of the left internal carotid artery following tonsillectomy. Vasa 2011;40(6):491–494.
49. Wan DC, Kumar A, Head CS, Katchikian H, Bradley JP. Amelioration of acquired nasopharyngeal stenosis, with bilateral Z-pharyngoplasty. Ann Plast Surg. 2010 ;64(6):747-50.
50. Weil-Olivier C, Sterkers G, FranÇois M, Garnier JM, Reinert P, Cohen R; Groupe DIVAS. Tonsillectomy in 2005. Arch Pediatr. 2006;13(2):168-74.

CHAPTER

18

타액선 질환

조광재, 김진평

I 감염성 타액선 질환

1. 세균성 타액선 질환(bacterial infection of the salivary gland)

1) 급성 화농성 타액선염(acute suppurative sialadenitis)

(1) 역학

내과적 질환으로 전신이 쇠약한 환자나 고령자에서, 특히 수술 후에 주로 발생하며 이하선에 호발한다. 수술 환자 1,000-2,000명당 1명꼴로 주로 술 후 첫 2주 이내에 발생한다.[45] 대부분의 환자는 50~60세 전후이고 남자에서 그리고 우측 이하선에 좀 더 호발한다.[45] 양측성은 25%까지 발생한다.[74]

(2) 원인

실혈, 설사, 발한, 탈수, 지속적인 금식 등으로 인한 타액의 감소가 불량한 구강 위생으로 이어져 구강 내 세균을 증식시키게 되며, 구강으로부터 역행성으로 타액선 실질의 세균감염이 유발된다.[45] 타액 감소를 유발할 수 있는 항콜린제, 항히스타민제, 항우울제, 이뇨제, phenothiazine, beta blockers, barbiturate 등의 약물사용도 원인이 될 수 있다. 이하선의 경우 악하선보다 타액 내 lysozyme, Ig A 등이 부족하여 이하선에서 더 호발하는 것으로 알려져 있다. 장티푸스(typhoid fever), 폐렴, 홍역의 전신감염 경과 중 혈행성으로 발병하는 경우도 있다.[5]

급성 타액선염을 일으킬 수 있는 선행질환으로는 간질환(hepatic failure), 신질환(renal failure), 당뇨(diabetes mellitus), 갑상선기능저하증(hypothyroidism), 영양실조(malnutrition), 후천성면역결핍증후군(HIV), Sjögren 증후군, 우울증(depression), 식욕불량/식욕항진(anorexia/bulimia), 낭포성 섬유증(cystic fibrosis), 납중독(lead intoxication), 쿠싱병(Cushing's disease) 등이 있다.

(3) 증상

국소 증상으로 귀밑 협부의 급격한 동통을 호소하며

발열, 오한, 전신쇠약감 등의 전신적 증상을 보인다.

(4) 진단

이학적 검사에서 이환된 타액선 부위의 부종, 압통, 경화(induration), 발적을 보이며, 구강 내 협부 침샘관 입구부에서 부종 및 발적, 농성 분비물을 관찰 할 수 있다. 혈액검사에서 중성구 증다증(leukocytosis with neutrophilia)을 보이고[18] 균배양 검사를 통하여 원인균 및 항생제 감수성을 확인한다. 원인균으로 호기성 및 혐기성 세균뿐만 아니라 곰팡이 및 결핵균까지 확인해야 한다.[19]

가장 흔한 원인균은 황색포도상구균(Staphylococcus aureus)이며, 이 외에 화농성연쇄구균(Streptococcus pyogenes), 녹색연쇄구균(Streptococcus viridans), 폐렴연쇄구균(Streptococcus pneumoniae), Hemophilus influenzae 등이 있다.[43] 혐기성균과 그람 음성균의 중요성도 입증되고 있다. 3~4일간의 보존적 치료에 반응하지 않는 환자에서는 컴퓨터단층촬영이나 초음파 검사를 하여 농양 형성 유무를 확인해야 한다. 그러나 타액선조영술(sialography)은 급성 타액선염에서 얻을 수 있는 정보가 거의 없고 염증을 악화시킬 수 있으므로 금기이다. 기저 원인 질환으로 종양이나 타석, 농양이 의심스러울 경우 초음파(ultrasonography) 및 CT, MRI 등의 영상 검사를 바로 시행할 수 있다.[18]

감별해야 할 질환으로는 림프종(lymphoma), Bezold 농양(Bezold abscess), 경부 림프절염(cervical lymphadenitis), 치성 협부농양(dental buccal space abscess) 또는 교근부 농양(masseteric space abscess), 감염된 새열낭종(infected branchial cleft cyst) 등이다.[74]

(5) 치료

적절한 항생제 투여, 즉각적인 수액 및 전해질 보충, 구강위생, 타액분비촉진제 등으로 치료할 수 있다. 진통제와 국소온열요법은 증상을 완화시켜 주고, 가능하다면 마사지를 해주는 것이 좋다.

처음에는 경험적으로 그람양성균과 혐기성균에 대한 항생제를 사용한다. β-lactamase 내성의 penicillin 또는 1세대 cephalosporin이 적절하고 페니실린에 알레르기가 있는 환자는 clindamycin을, methicillin-resistant staphylococcus aureus (MRSA) 감염에서는 vancomycin 또는 linezolid을 사용할 수 있다. 혐기성균에 대해 metronidazole을 초기 치료로 선택할 수 있다.[28]

항생제에 대한 반응은 통상 48~72시간 내에 보이나 증상이 소실된 1주 후까지 계속 사용해야 한다. 한편, 스테로이드는 염증 과정을 억제하고 타액의 배출을 용이하게 해주나 사용에 주의를 요한다.

이러한 내과적 치료로 호전되지 않으며 국소 농양이 확인된 경우에는 절개 및 배농을 시도해 볼 수 있겠다. 이하선 피막을 절개할 때 안면신경의 주행과 평행하게 몇 개의 절개를 시행하여야 안면신경분지의 손상을 피할 수 있다.[5] 주의할 점은 결핵이 원인일 경우 절개 후 누공 형성 및 분비물이 지속적으로 나오는 합병증이 유발될 수 있으므로 먼저 결핵의 가능성을 배제하는 것이 필요하겠다. 좀 더 보존적 치료방법으로 초음파 유도하에 농양을 흡인하여 균배양 검사 및 항생제 감수성검사를 다시 나가 보고 그 결과에 따라 항생제를 바꾸며 동시에 pigtail catheter 등을 이용하여 지속적인 배농을 유지할 수도 있다. 타액선조영술(sialography)과 마찬가지로 타액선내시경술(sialendoscopy)도 급성타액선염 시에는 타액관 손상 및 염증 악화를 유발할 수 있으므로 금기이다.

(6) 합병증

농양형성, 안면신경마비, 골수염, 경정맥의 혈전정맥염, 패혈증, 기도폐쇄, 사망 등이 있으나, 일반적으로 합병증의 발병률은 매우 낮다. 안면신경마비가 있는 경우는 농양이 형성되었을 가능성이 많으며, 종양을 감별하기 위해 마비가 완전히 회복될 때까지 확인해야 한다.[13] 수술 후 혹은 전신상태가 안 좋은 경우에 발생한 경우는 사망률이 20~50%가량 된다.

2) 신생아 화농성 이하선염

신생아에서는 타액선의 감염이 드물지만 조산아, 남아에서 약간 흔한 편이며 이하선에 호발한다. 병원균은 황색포도상구균이 가장 많고, 그 밖에 원인균으로는 group B & viridians streptococci, Streptococcus pyogenes, Peptostreptococcus and Staphylococcus species (coagulase negative), Bacteroides melaninogenicus, Fusobacterium nucleatum 등을 들 수 있겠다.[16]

대부분 구강을 통하여 역행성으로 타액선을 침입하나 혈류를 통해서도 흔히 그람음성균이 감염된다. 임상적으로 발열, 식욕부진, 보챔, 체중증가 부전 등의 증상을 보이고 이하선 부위에 압통을 동반한 종창 및 피부발적이 나타날 수 있는데 통상 양측성으로 진행한다.

진단은 임상 양상과 타액관을 통해 배출되는 농양 혹은 세침흡인 생검으로 얻은 농양의 배양검사로 이루어진다. 중성구 증다증을 보이나 혈청 아밀라제치는 통상 정상이다.[63] 초음파검사에서는 타액선 종대와 저에코 음영을 관찰할 수 있다.[16]

결과가 나올 때까지 경험적으로 황색포도상구균과 그람음성균에 대해 항생제를 사용한다.

3) 소아의 재발성 이하선염

이하선의 주기적인 종창과 동통이 생기는 질환으로 소아에서 유행성 이하선염 다음으로 많이 발생한다. 보통 유행성 이하선염의 과거력이 있으며,[65] Epstein-Barr virus (EBV)와 HIV 감염과의 연관성이 보고되고 있다.

1-2세에 초발하여 잘 인지하지 못하다가 통상 3-6세쯤에 진단되며, 남아가 여아보다 흔하다.[47] 1년에 3-4개월 주기로 종창이 있고 이 종창은 수일에서 수주까지 지속된다. 원인은 잘 모르나 선행요인으로는 탈수, 타석증(sialolithiasis), 타액선관 협착, 자가면역 질환(autoimmune disease), 선천성 타액선관 확장증(congenital duct ectasia) 등을 들 수 있다.[55] 황색포도상구균과 녹색연쇄구균균이 가장 흔한 원인균이며 바이러스도 원인이 될 수 있다.[18] 그 밖에 유전적 요인이나[56] 면역글로불린 G3 및 A 결핍을 동반한 면역 이상과 재발성 이하선염과의 연관성도 대두되고 있다.

조직검사에서 이환된 타액선은 증상기와 증상기 사이에 만성 감염이 지속되어 있음을 보여주며 타액선 내의 타액선관이 확장된 소견을 보인다.

치료는 급성 화농성 이하선염과 같이 대증요법과 항생제치료이다. 균배양검사 결과가 나오기 전까지는 페니실린 내성 포도상구균에 대한 항생제 penicillinase-resistant antistaphylococcal antibiotic를 선택해야 한다. 증상이 호전되지 않는 경우 타액선내시경술로 진단 및 치료에 있어 도움을 받을 수 있다.

대부분의 환자에서 종창이 가라앉으면서 증상이 호전되며, 사춘기 때 치유되어 수술은 거의 필요 없다.[31] 하지만 성인까지 지속되는 만성 염증으로 발전할 수 있으며, 타액선실질이 심하게 파괴되어 50% 이상의 기능이 소실되는 결과를 초래할 수도 있으니, 조기 발견 및 치료가 중요하겠다.

4) 만성 타액선염(chronic sialadenitis)

(1) 원인

재발과 호전이 반복되는 타액선의 동통과 염증, 실질의 변성과 섬유화를 특징으로 하는 국소질환으로 반복되는 염증의 횟수가 증가할수록 타액선관이 변화하게 되어 관의 미만성 확장과 다발성 협착이 생기게 된다. 타액관의 폐쇄가 이 질환의 특징으로,[5] 폐쇄의 원인으로는 타석이 가장 흔하다. 타석이외의 원인으로는 타액선관의 협착, 점액전(mucous plug), 타액선관 유두(ductal papilla)의 병변, 외인성 관 압박, 구강 또는 인두의 감염병소 등을 들 수 있겠다. 악하선에 가장 흔히 발생한다.[20]

(2) 증상 및 징후

자발통, 압통이 있고 식사할 때의 산통(colic pain), 개구장애(trismus)가 있을 수 있다. 급성 악화는 보통 3~10

일간 지속되며,[5, 44] 무증상기는 수주에서 수개월 사이이다.

타액선관의 개구부에 발적과 부종이 생기고 2차 세균 감염으로 농성 타액이 나올 수 있으며, 포도상구균이 성인에서 가장 흔한 원인균이다.[17]

양성림프상피 병변(benign lymphoepithelial lesion), Kuttner's tumor, 타액선관암이 발생할 수 있다.[59]

(3) 치료

급성염증기에는 항생제 및 스테로이드가 효과적이며 수액 보충 및 타액분비촉진제, 국소온열요법, 마사지 등을 통하여 타액선 내 침전물을 배출시킨다. 보존적 치료에도 증상 호전이 없거나 재발이 빈번할 경우에는 타액선내시경술을 고려하거나[17] 외과적 절제술을 시행한다.[53]

2. 바이러스성 타액선 질환(viral infection of the salivary gland)

1) 유행성 이하선염(mumps)

(1) 역학

Paramyxovirus에 의한 이하선염으로 비화농성 이하선 종창의 가장 흔한 원인이다.[18] 85%가 15세 이하에서 발생하며 전염성이 높아 계절적으로는 봄, 가을에 많으나, 최근에는 백신의 사용으로 그 발생빈도가 감소하고 있다. 법정 2군 감염병으로 타액, 비루, 소변을 통해 공기 전염된다. Paramyxovirus 이외에 coxsackieviruses A and B, enteric cytopathic human orphan virus, cytomegalovirus, lymphocytic choriomeningitis virus 등도 급성 바이러스성 이하선염을 유발할 수 있다.[58] 최근에는 소아 당뇨병과의 중요한 연관성도 보고되고 있다.[30]

(2) 증상

초기에 한쪽 혹은 양쪽 이하선의 동통과 종창을 특징적으로 보이는데, 약 75%에서 양측으로 발생한다. 잠복기는 2–3주 정도이며, 1~2일간의 가벼운 발열, 오한, 두통, 전신 권태감 등의 전구증상이 있은 후 이하선의 갑작스런 종창과 동통이 나타나며 식사할 때 악화된다. 증상은 보통 1주간 지속되다가 서서히 감퇴한다.[5]

(3) 진단

대부분 임상증상으로 쉽게 알 수 있으나, 혈청학적으로는 mumps S, V 항원이나 혈구응집항원(hemagglutination antigen)에 대한 항체를 증명하여 진단한다. 혈액검사에서 백혈구감소증을 보이며 혈청 아밀라제치는 증가한다. 그 외 증상 발현 6일 전과 13일 이후에 소변에서 바이러스를 검출하는 것으로도 진단할 수 있다.[58]

(4) 치료

보존적 치료가 원칙으로 충분한 수분공급과 휴식이 필수적이고 부가적으로 타액분비를 최소화할 수 있는 음식조절이 필요하다. 종창이 가라앉을 때까지 격리하여야 한다.[5]

(5) 합병증

대부분 소아에서는 10일 이내, 성인에서는 2주 이내에 합병증 없이 치유된다. 그러나 드물지만 돌발성 난청, 췌장염, 뇌막염, 고환염, 신장염 등이 올 수 있다. 보통 고도의 청력손실이 일측성으로 발생하고 치료에도 불구하고 좀처럼 회복되지 않는다. 고음부의 손실이 가장 크고 이명과 이충만감을 동반하는 경우가 많다.[8]

2) 인간면역결핍 바이러스(HIV)와 동반된 타액선염

미만성 타액선 종대가 HIV 감염의 첫 임상소견일 수 있으며, 카포시육종(Kaposi sarcoma)과 같은 종양성 병변으로부터 양성 림프상피성 병변, 반응성 림프절병, 낭성 비대, 타액선염에 이르기까지 다양한 병리 양상을 보인다.[49]

(1) 증상 및 징후

이하선이 가장 흔하게 이환되며, HIV 감염환자의 1-10%에서 발생한다.[26] 점진적으로 하나 혹은 그 이상의 타액선이 비대해지면서 전반적으로 타액 분비가 감소되며, 촉진 시 파동을 느낄 수 있다. 80%의 환자에서 양측성, 90%에서 다발성으로 발생한다.

(2) 진단

조직검사에서 타액선에 미만적인 림프절의 침윤을 보인다. Sjögren 증후군과 비슷한 증상을 보이나 Sjögren 증후군에서 보이는 항체가 보이지 않으며 폐, 소화기, 신장 등을 침범할 수도 있다. 컴퓨터단층촬영에서 이하선 내에 얇은 막을 가진 여러 개의 낭이 존재하는 것을 볼 수 있다.

타액선 종대의 경우 림프종(EBV-associated malignant B-cell lymphoma)으로의 암변성(transformation) 가능성이 높으므로 세침세포검사를 통한 암의 감별이 필요하다.

(3) 치료

관찰, 반복적 흡인, 항바이러스제, 경화요법, 방사선조사, 외과적 절제술 등을 고려해 볼 수 있겠다. 낭종형성에 따른 이하선종대와 림프구 침윤을 보일 경우 스테로이드 및 면역억제치료를 시도해 볼 수 있겠으며,[38] zidovudine와 같은 항바이러스제가 종대를 감소시키는 효과는 불분명하다. 방사선치료는 구강건조증 및 점막염과 같은 수반되는 합병증을 고려하여 주로 카포시육종이나 림프종 치료에 시행한다. 외과적 절제에 대해서는 아직 논란이 있다.

3) 기타 바이러스성 질환

Cytomegalovirus가 타액선을 침범할 수 있는데, 이때 성장지연, 간비장종대(hepatosplenomagaly), 황달, 저혈소판성 자반증(thrombocytopenic purpura) 등을 일으킬 수 있다.

그 외 coxsackievirus A, echovirus, influenza A virus 등이 타액선을 침범할 수 있고, 이러한 모든 바이러스성 질환의 치료는 대증요법이다.[58]

3. 육아종성 타액선 질환(granulomatous salivary gland infection)

1) 타액선 결핵

원인균은 Mycobacterium tuberculosis로 두경부영역에서는 림프절염 형태로 발현되는 경우가 가장 흔하며, 타액선의 경우 주로 이하선에 감염되나 그 빈도는 드물다. 그러나 유행(endemic) 국가에서는 아직 높은 유병율을 보이고 있으며, 최근 내성균 및 HIV 양성환자의 증가와 함께 늘어나는 추세이다. 대부분의 타액선 결핵(tuberculosis of salivary gland) 은 편도선 또는 잇몸에서 기원하여 타액관을 통하여 역행성으로 전파되며, 이런 경우 이하선에서 흔히 발생한다. 감염된 림프절로부터 또는 혈행성으로도 전파될 수 있는데, 폐결핵과 함께 나타나는 경우에는 악하선에서 흔히 발병한다.[64]

M. tuberculosis에 의한 타액선 결핵이 주로 청소년 및 어른에서 호발한다면 소아에서는 비전형적 결핵균(Atypical or Nontuberculous mycobacteria)에 의한 감염이 주를 이루어 소아에서 발생하는 두경부영역 마이코박테리아 감염의 90% 이상을 차지한다. 비전형적 결핵균인 Mycobacterium kansasii 및 M. scrofulaceum, M. aviumintracellulare 등은 토양과 물, 가축, 우유 등에서 흔히 발견되며 구강을 통하여 감염된다.[54]

임상적으로 타액선 결핵의 경우 급성 염증성 질환과 만성 종양성 질환의 두 가지 형태로 나타날 수 있다. 급성 병변은 일반적인 염증성 타액선염이나 타액선 농양과 임상적 양상이 비슷하여 진단을 내리기가 쉽지 않다.

증상은 주로 종괴나 부종의 형태로 나타나며, 종괴는 다양하게 나타나고 말기에는 압통, 동통과 피부 염증반응인 발적, 괴사가 나타나고, 심한 경우에는 농양이 생겨 피부로 배농되어 누공(fistula)을 형성하며, 드물지만 안면신경마비를 초래하기도 한다.[1]

결핵균에 대한 검사인 PPD 피부검사(purified protein derivative skin test)는 비전형적인 결핵균의 증가와 높은 위양성율로 그 유용성은 떨어진다.[43]

누공형성의 가능성이 높은 절개생검을 피하여 세침흡인이 권유되며, 검체를 통하여 세포검사, PCR검사(Polymerase chain reaction testing), 균도말(acid-fast smears) 및 배양검사를 시행한다. 세포검사에서 결핵의 전형적인 세포소견(granulomatous inflammation with caseous necrosis and epithelioid histiocytes)을 관찰할 수 있다. PCR검사로 균을 확인하나 타액선결핵의 경우 일반적으로 균의 수가 많지 않아 그 민감도는 떨어진다.[48] 따라서 균을 배양하여 확인해야 하며, 4-6주 가량 소요된다.

원발성인 경우 그 빈도가 매우 낮고 수술 전 진단이 어려워 대개의 경우 수술 후 조직검사로 진단이 되는 경우가 많다.[1]

치료는 다른 결핵과 같으며, 기존의 항결핵제인 isoniazid, ethambutol, rifampin에 반응하지 않는 비전형적인 결핵균의 치료로는 azithromycin과 clarithromycin이 유용하다.[33]

반복적인 세침흡인 세포검사(fine needle aspiration cytology)로 진단이 가능해 불필요한 적출을 피할 수 있다. 그러나 약물치료에 반응이 없거나 비전형적인 결핵균에 의한 감염의 경우에는 적출술이 진단 및 치료법이다.[59]

2) 동물찰과상 질환(animal-scratch disease)

가축의 찰과상에 의해 발생되는 육아종성 림프절염을 말한다. 90% 이상의 환자에서 고양이에 노출되거나 할퀴거나 물린 경력을 보이며, 개도 5% 정도에서는 연관이 있다. 상처부위에 papule 또는 농포(pustule)를 보이다 1-2주 후에 주위 림프절염이 발생한다. 직접 타액선을 침범하지는 않으나 흔히 이하선주위 림프절을 침범한다. 악하선주위와 경부림프절에서도 발생한다.

원인균은 그람음성간균인 Bartonella henselae로 그 항체를 확인하거나 PCR로 진단한다. 조직검체로 Warthin-Starry 은염색(silver staining)을 시행하여 확인할 수도 있다. 림프절에서는 망상형의 세포 비대(reticular cell hyperplasia), 육아종 형성, 소동맥벽 확장(widening of arteriolar walls)을 관찰할 수 있다. 진행된 병변에서는 괴사에 이은 다발성 소농양의 양상을 보인다.

대부분의 경우 2-4개월 내로 저절로 호전되어 치료를 필요로 하지는 않으나, 심한 증상을 동반할 경우 항생제 투여를 고려한다. rifampin, erythromycin, gentamycin, azithromycin, ciprofloxacin 등이 효과적이다.[50]

3) 사르코이드증(sarcoidosis)

원인불명의 육아종성 질환으로 주로 폐와 림프기관에 이환되며, 초기 증상으로 기침, 야간 발한과 발열, 근육통, 전신쇠약감, 오심 등이 수일에서 수주간 지속된다.[75] 90%에서 흉부방사선 이상소견을 보이며, 림프절병과 동반될 수 있다. 주로 10대에서 30대 사이에 발병한다.

타액선 발병은 드물어 전체 예의 5-10%를 차지하며 30-70%에서는 양측성으로 발생한다.[40] 다양한 임상경과를 보이는데 주타액선 종창이 가장 흔하며, 포도막염(uveitis)과 안면신경마비와 더불어 만성적인 이하선 종창을 보이는 포도막이하선열(uveoparotid fever 또는 Heerfordt syndrome)도 이 질환의 특징적인 형태이다. 이하선뿐만 아니라 악하선, 설하선, 그리고 누선(lacrimal gland) 등의 종창이 수개월에서 수년까지 화농 없이 무통성으로 지속되고[21] 이러한 종창은 자연히 해소되는 것이 보통이다.[47]

임상양상과 방사선검사 및 육아종(noncaseating granuloma) 조직소견으로 진단한다.

치료는 대증요법으로 스테로이드, chloroquine, oxyphenbutazone 등이 효과적이고,[75] 스테로이드는 초기,

특히 안면신경마비 때에 유용하다.[47] 포도막염은 녹내장을 야기할 수 있으므로 정기적이고 지속적인 추적관찰이 필요하다.

4) 방선균증(actinomycosis)

그람양성혐기성균인 방선균(actinomyces israeli)에 의한 감염으로 주로 편도나 치아에서 기원한다. 불결한 구강위생상태에서 점막손상을 통하여 침투한다. 당뇨, 면역결핍 상태, 장기간 스테로이드 복용자, 영양결핍이 선행 요인으로 작용한다.

임상적으로 무통성의 이하선 종창을 보여 종양으로 오인될 수 있으며, 다발성 피부누공을 동반하는 경우가 흔하다. 세침흡입 세포검사나 누공(fistula swab) 도말검사에서 유황과립(sulfur granule)과 나선형 그람양성간균(filamentous gram-positive rods)을 확인되면 진단이 가능하다.[19]

치료는 페니실린 투여이며, 6주간 주사 후 6개월간 경구 투여한다. 대체 항생제로 clindamycin, doxycycline, erythromycin을 선택할 수 있다. 진단이 늦어지는 경우가 많음에도 불구하고 치료율은 약 90%로 높다.

II 타석증(sialolithiasis)

1. 원인

타액선관에 결석이 생기는 경우로 타액선염을 유발하는 가장 흔한 원인이다.[41] 만성 타액선염과 동반되는 경우가 많으며 전신질환인 통풍(gout)에서도 생길 수 있다. 환자의 75%가 50~80대이고 남자에서 약간 호발하며 소아에서는 드물다.

정확한 원인은 밝혀지지 않았으나 타액의 정체, 타액선관 상피의 염증과 손상, 칼슘염(carbonate)의 침착을 유발하는 생물학적 요인 등이 제기되고 있다.

타석의 80%는 악하선에, 19%는 이하선에 1~2%는 설하선과 소타액선에서 발생한다.[72]

악하선에 호발하는 이유는 생리학적으로 타액의 조성과 연관이 있는데, 악하선의 타액이 보다 알칼리이고, 점도가 높으며, 칼슘염과 인산염(phosphate)의 농도가 높기 때문이다. 또한 해부학적으로는 악하선관(wharton's duct)의 형태도 연관이 있는데 관이 더 길고 구경이 크며 악설골근(mylohyoid muscle) 주위로 중력에 반하여 각이 져 있고, 원위부가 수직의 형태이기 때문이다.[15]

타석과 타액선염의 발생 순서는 타액선에 따라 차이를 보이는데 악하선의 경우 일차로 타석이 생기고 타액의 정체와 역행성 세균이동을 통해 타액선염이 발생한다. 반면 이하선의 타석은 이하선 자체의 만성염증 및 관손상으로 인해 생긴다.

타석의 성분은 인산칼슘, 탄산칼슘, 인산마그네슘, 탄산마그네슘과 유기물질인 당단백, 점액다당류, 세포탈락물 등으로 되어 있다.[7]

2. 증상

타석증의 증상은 타석의 크기와 위치, 감염의 유무에 따라 다르나, 보통 식후 동통(postprandial pain)과 반복적인 종창이 있으며, 반복되는 이차감염은 타액선관의 협착과 실질의 위축을 초래한다.[7]

3. 진단

환자의 병력 청취와 시진, 양손 촉진을 시행한 후 초음파, CT, 또는 MRI 등의 영상검사[12] 및 내시경검사로 확진한다. 타액선관의 주행을 따라 촉진하여 악하선의 경우 구강저에서, 이하선의 경우 협부 관입구부에서 타석이 만져질 수 있으며, 관입구부에서 점액성(mucoid) 또는 혼탁한 점액농성(particulate, mucopurulent saliva) 타액을 관찰할 수 있다.

단순촬영(intraoral or occlusal views)에서 악하선 타석의 80%~95%는 방사선 비투과성이므로 잘 보일 수 있으나[46] 최근에는 잘 시행하지 않는다. 그 이유는 석회화된 정맥석(phlebolith), 혀동맥(lingual artery)의 동맥경화증, 석회화된 경부림프절병증은 무증상의 타석증과 방사선학적으로 오인되기 쉽기 때문이며, 타석은 정맥석의 경우보다 원형이고 층이 있으며 여러 군데에 있다.[58]

이하선의 타석은 진단하기 매우 어려운데, 이는 타석의 크기가 작고, 촉진 시 협부조직(buccal tissue)에 묻혀 있으며, 90%에서 방사선 투과성이기 때문이다.[66]

영상검사로는 초음파검사나 컴퓨터단층촬영을 우선적으로 시행한다. 초음파에서는 타석의 크기가 2 mm 이상일 때 90%에서 확인이 된다.[67] 세부단층(fine cuts 1 to 2 mm) 컴퓨터촬영도 타석확인에 매우 유용하다(그림 18-1). 조영증강은 필요하지 않으나 종양과의 감별이 필요할 때는 시행한다.

디지털 감산 타액선조영술(digital subtraction sialography)은 방사선 투과성 타석의 경우에 95%~100%의 감수성을 보인다고 보고되어 있으나,[57,71] 침습적인 술식으로 조영제에 의한 부작용 가능성도 고려해야 하겠다. 특히, 타석이 악하선관 입구부에 있거나 급성감염 시에는 금기이다. 타액을 조영제로 사용함으로써 좀 더 덜 침습적인 방법인 자기공명 타액선조영술(MR sialography)이 디지털 타액선조영술의 대안이 될 수 있겠다.[39]

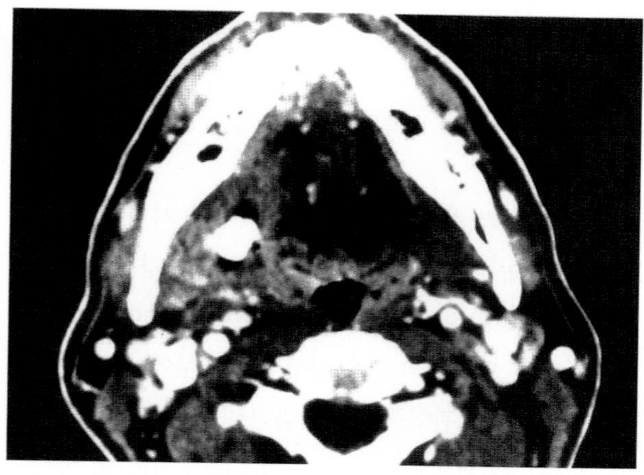

■ 그림 18-1. **우측 악하선에 발생한 타석의 CT소견**

최근에는 타액선 질환에 대해 특히 타액선관의 폐쇄성 질환을 타액선 내시경을 이용하여 진단하는 방법이 사용되고 있다. 타액선 내시경술은 직접 타액선관 내를 관찰함으로써 방사선 투과성 잠재타석이나 치아의 아말감이나 의치 등으로 인한 영상 왜곡과 같이 영상검사로 진단이 어려운 경우의 좋은 대안이 될 수 있다. 또한 타석 이외에도 타액선관 내의 다른 병변(ductal polyp or mucous plugs)을 감별하는 데 유용하다.[2]

4. 치료

초기 치료는 비폐쇄성 타액선염(non-obstructive sialadenitis)의 치료와 유사한 보존적 치료가 원칙인데, 타액분비촉진제(sialogogue)의 사용, 국소열 치료, 수분 섭취, 타액선의 마사지 등을 할 수 있고 만약 염증이 의심되면 즉시 항생제를 쓰게 된다.[72]

수술적 치료는 타석의 위치에 따라 다른데 구강저에서 만져지고 관입구부에서 2 cm 이내의 원위부에 위치하는 악하선 타석은 구강 내 접근으로 제거할 수 있다.[36,72] 과도한 소식자 탐사(probing)는 염증을 유발하므로 금해야 한다.

악하선관 근위부, 즉 첫번째 대구치보다 후방으로, 악설골근(mylohyoid muscle)의 후연과 악하선문(hilum)을 포함한 부위의 타석 제거는 접근이 어려운 경우가 많고 설신경 손상의 위험성이 있어서 전통적으로 악하선 절제술을 주로 시행하였다. 하지만 최근에는 가능하다면 악하선의 기능을 보존하는 접근법으로 근위부 타석을 제거하는 술식이 점차 증가하고 있다. 악하선관을 원위부에서 절개한 후 근위부로 확장하여 조대술을 시행함으로써 타석을 제거하고 동시에 수술 후 치유 과정에서 발생할 수 있는 타액관의 협착을 예방할 수 있다.[9] 구강 내 접근 중 설하선을 제거하고 악하선관과 설신경의 꼬임을 풀어 주는 것이 악하선관 근위부의 시야를 개선시키는 데 도움을 줄 수 있다.[10]

구강 내 접근법으로 타석제거가 어려울 경우 악하선절제술과 함께 타석제거술을 시행하게 된다. 악하선절제술의 경우 과거 전통적으로 측경부절개를 통한 절제술을 시행하였으나 최근에는 미용적인 면을 고려한 다양한 접근법이 소개되어 시행되고 있다. 술 후 흉터가 덜 노출되도록 경부절개 위치를 턱끝 밑(submental)이나 귀 뒤(retroauricular)로 옮기거나 아예 구강을 통하여 악하선을 절제하는 방법이 소개되고 있다.[36,60,61]

이하선관은 길이가 7 cm 정도인데 입구부에서 1.5 cm 이내는 구강내 절개로 접근할 수 있다. 타석이 구강 내로 접근이 불가능한 교근(masseter muscle)의 바깥쪽에 생긴 경우는 간혹 안면절개를 통하여 제거할 수도 있고 위치에 따라 이하선 절제술이 필요할 수도 있다.[72]

마사지나 타액선관 소식자 확장법(bougination) 등의 보존적 치료에 실패하여 이하선적출술을 받아야 하는 환자에게 체외충격파쇄석술(extracorporeal shock wave lithotripsy)은 수술을 대체할 수 있는 대안이 될 수 있다.[37] 타석 성분보다는 타석 크기가 타석분쇄에 영향을 미치며 분쇄된 타석은 분진과 같은 크기이므로 분쇄되면 타액선 내에서 쉽게 빠져 나오게 된다.[11]

최근 타석의 진단과 치료목적으로 타액선내시경(sialoendoscopy)이 이용되고 있다.[52] 근위부 결석 등 타액선 절제술로만 제거할 수 있었던 타액관 결석에 대한 또 하나의 새로운 치료법이 될 수 있으며, 타석의 제거뿐만 아니라 제거 후 타액선관을 다시 조사함으로써 잔존하는 작은 타석을 제거하고, 필요에 따라서는 부지법(bougienage)을 시행하여 협착부위의 확장을 시도할 수 있다.[3] 그 외의 치료법으로 저용량 방사선조사(low-dose irradiation), 고실신경 절제술(tympanic neurectomy), 타액선관 결찰 등이 있으나 효과적이지 못하다.

Ⅲ 타액선 외상

타액선의 외상(trauma of the salivary gland)은 드물고, 주로 다발성 손상과 동반되며, 외상 초기에는 발견되지 않는 경우가 있다. 이러한 경우 여러 가지 후기 합병증을 동반하여 심각한 결과를 초래할 수 있으므로 주의를 요한다.

1. 원인

원인으로는 관통상(penetrating trauma)이 가장 많으며, 그 외에도 둔상(blunt trauma)이나 폭발 손상(blast injury), 방사선조사, 만성 감염 그리고 타액관의 만성 협착 등을 들 수 있다.

2. 진단

1) 신체적 검사

철저한 검사를 하기 위해서는 타액선 부위를 확실히 시진하고 주위 구조와의 관계를 정확하게 평가해야 한다. 이를 위해서는 피부와 이개에 대한 검사, 철저한 이경검사, 구강점막, 치아구조에 대한 검사가 필요하다. 하악골, 협골궁 등의 골격 구조에 대한 촉진 또한 신체검사에 포함되어야 한다. 만일 환자의 협조가 가능하다면, 저작운동과 안면표현에 대한 기능적 평가를 하여야 하고, 악하선 손상의 경우 혀 운동에 대한 평가 또한 필수적이다. 만일 환자의 협조가 불가능하고 안면신경의 손상이 우려된다면 기능을 평가하기 위한 전기자극검사가 필요하다. 이런 검사로는 Hilger 신경자극기, 신경전도검사(electroneurography), 근전도검사(electromyography) 등이 있다. 신경전도검사는 수상 후 초기 3주 내에 시행하여 시험적 개방술 여부를 결정하는 데 유용하며, 근전도검사는 3주 이후에 안면신경의 회복 양상과 수술 여부 결정에 도움이 된다.[24] 개방성 창상이 있는 경우에는 개방술을 시행함으로써 직접적으로 안면신경의 손상을 평가하는 것이 좋다.

이하선이나 악하선의 실질이 손상됐을 경우에는 이하선관(Stensen's duct)이나 악하선관 손상에 관한 검사가 필요하다. 먼저 침샘을 마사지하여 침이 고이는지를 확인한다. 창상 내에 침이 고이는 소견은 타액관의 손상 여부를 예측하는 데 도움을 준다. 다음으로 자연개구부를 통해서 플라스틱 도관(catheter)이나 누관 소식자(lacrimal probe)를 이용하여 삽관술을 시행하여 관의 결손 부위를 확인하는 것이다. 대안으로 메틸렌블루를 주사하여 확인하는 방법이 있으나 창상부위가 methylene blue로 인하여 착색이 되어 자세한 추가 검사가 힘들어질 수가 있어 신중한 주위가 요구된다.[32]

과도한 출혈이나 점점 커지는 혈종 등이 있는 경우에는 혈관손상을 의심한다. 특히 이하선의 심부까지 관통상이 있는 경우에는 혈관의 손상 여부가 중요한데, 이하선의 내측에는 외경동맥과 하악후방정맥(retromandibular vein)이 있으며, 하방에서 외경동맥은 천측두동맥(superficial temporal artery)과 내악동맥(internal maxillary artery)을 분지한다. 그 외에도 내경동맥의 손상을 의심해야 하며, 철저한 신경학적 검사도 필요하다.

2) 방사선학적 검사

보편적으로 컴퓨터단층촬영이 사용되고 있으며, 타액선 조영술(sialography)로 도관계의 전체 상태를 평가한다. 혈관 손상이 의심될 경우 혈관조영술을 시행할 수 있으며, 비침습적인 방법으로 자기공명혈관촬영술(magnetic resonance angiography)과 도플러(doppler) 검사 등이 있다.[14]

3. 치료

개방성 손상의 경우 타액선 실질뿐만 아니라 이하선관 및 안면신경 손상을 초래할 수 있다.

교근 전연 후방 손상의 경우 이하선관 손상의 가능성이 높으며, 그 빈도는 드물지만 저절로 아물거나 재소통되지 않으므로 추후에 발생할 수 있는 감염, 외상 후 누공, 타액선류 등의 합병증을 예방하는 관점에서 평가하고 적극적인 수술적 치료를 하는 것이 중요하다.

이하선관 손상 시 손상 부위에 따라 적절한 치료의 방법을 결정한다. 원위(협근)부 손상의 경우 손상된 관근위부의 구강 내 재이식술(oral reimplantation (rerouting))을 시행하며, 근위(교근)부 손상의 경우에는 일차 봉합 또는 일차적 단단문합술을 시행한다. 아직 논란은 있으나 일차 봉합술 시에는 협착 방지를 위하여 스텐트 삽입술과 함께 시행할 것이 권유되고 있다. 스텐트로는 16-20게이지 실라스틱 도관 및 9번 폴리에틸렌 튜브(그림 18-2) 등이 있으며, 10-14일까지 유치해 주는 것이 좋다.[32] 근위부 관에 심한 손상이 있어 일차적 단단문합술이나 구강 내 재이식술로 치료가 불가능하다면 이하선의 위축을 기대하면서 근위부 관의 결찰을 시행하기도 한다.

확대경이나 수술현미경하에서 손상된 말단부위를 적절히 변연절제한 후 미세혈관 문합술(microvascular anastomosis)에서 주로 사용되는 미세클램프를 이용하여 양측 절주(stump)를 고정한 후 봉합을 시행한다. 치료

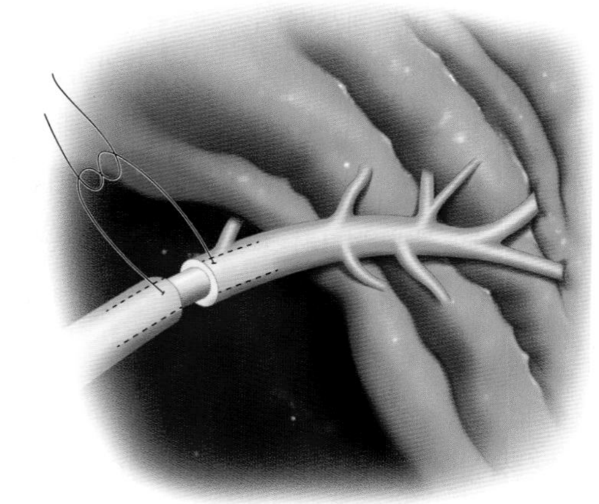

■ 그림 18-2. **폴리에틸렌 튜브를 이용한 타액관 봉합**

후 압박 드레싱을 하는 것이 좋은데, 이는 침이 고이는 것을 예방하고 타액선관으로 타액이 이동하도록 하기 위한 조치이다.

이하선 손상을 초기에 진단하지 못했을 경우 외상성 이하선 누공(posttraumatic parotid fistula)이나 타액선류(sialocele)가 발생할 수 있다. 누공이 수상 후 1주 이내에 나타나는 반면 타액선류는 약 2주경에 발생한다. 누공의 경우 장액성 피부 분비물을 관찰할 수 있으며 타액선류의 경우에는 하악지(ramus) 부위에서 부드럽고 가동성인 무통성 종물로 촉진된다. 종물액을 흡인하여 아밀라제(amylase) 수치 검사로 진단한다. 타액선류의 경우 먼저 보존적인 치료로 반복 흡입 및 압박, 예방적 항생제 투여를 시행한다.[32] 침분비를 억제하여 상처치유를 유도할 목적으로 Botulinum toxin 주사와 tympanic neurectomy를 시행할 수 있다. 이러한 치료에도 불구하고 호전되지 않는 경우에는 상처를 개방하여야 한다. 이때 육아종 및 반흔 때문에 수술이 힘든 경우가 빈번한데, 심한 섬유화가 동반된 경우에는 표재성 이하선 절제술(superficial parotidectomy)이나 이하선 전절제술(total parotidectomy)까지 고려해야 한다. 일부 연구자들은 침샘의 섬유화를 유도하기 위해서 방사선치료를 고려하였으나, 방사선 치료에 따른 침샘 종양발생 위험성을 정당화하기는 힘들 것으로 사료된다.

이하선 부위에 외상이 있는 경우에는 또한 안면신경손상(facial nerve injury)을 유념해야 한다. 절단된 신경의 복원은 손상부위에 따라 영향을 받는데 외안각(lateral canthus)에서 이공(mental foramen)으로 수직 가상선을 연결하여 이 선보다 앞쪽(원위부)에서의 손상일 경우에는 복원술이 필요 없이 연부조직 일차봉합만 하면 되며, 이 선보다 뒤쪽(근위부)의 손상일 경우에는 복원술을 고려한다.

수술은 수상 후 가능한 한 빨리 시행하는 것이 좋다.[24] 수술 시에는 안면신경이 장력을 많이 받지 않도록 복원해야 하며, 신경의 분리된 틈이 1 cm 이상이면 신경이식술을 고려한다. 전통적으로 공여 신경으로는 대이개신경(greater auricular nerve)과 장딴지신경(sural nerve)을 사용하나, 상완내측은 감각소실이 덜하여 내측전완피신경(medial antebrachial cutaneous branch of the median nerve)을 공여신경으로 하는 보고도 있다.

Ⅳ Sjögren 증후군

1. 정의

만성 염증성 자가면역성 질환으로 외분비선(exocrine gland) 중 특히 타액선과 누선(lacrimal gland)이 주로 침범되어 건성 각결막염(keratoconjunctivitis sicca)과 구내건조증(xerostomia)이 발생하며, 류마티스성 관절염(rheumatoid arthritis) 등의 다른 결체조직병(connective tissue disease)이 합병된다. 외분비선만을 침범하여 각결막염, 결막건조 및 구내건조증의 증상만이 나타나는 경우를 일차성 Sjögren 증후군이라 하고, 추가로 류마티스성 관절염, systemic lupus erythematosus, rheumatoid arthritis, scleroderma 등과 같은 다른 자가면역질환 등이 동반되는 경우를 이차성 또는 속발성 Sjögren 증후군이라고 한다.[69] 90% 이상이 여자에서 발생하고 진단시의 평균연령은 약 30~40세이나 어느 연령층에서도 발생 가능하다.

2. 원인

불분명하나 환자의 유전적 요인 및 면역체계, 환경 노출 등이 복합적으로 작용하는 것으로 알려지고 있다.

병리조직학적으로 특징적인 림프구 침윤, 여러 가지 자가면역항체의 존재, 림프구 핵의 추출물에 대한 침강소(precipitin)의 증명 등으로 인해 자가면역 질환으로 인정된다.[35] 환자에서 HLA-B8과 HLA-DR3의 출현 빈도가 높으며, 류마티스성 관절염과 Raynaud 현상이 동반된 경우에는 각각 HLA-DR2와 HLA-DR4의 빈도가 높다. 또한 환자의 가족 중 HLA-DR2나 HLA-DR3 인자를 가진 사람에서 Ro 항원에 대한 항체의 검출률도 높다는 점으로 미루어 유전적 소인이 있는 것으로 생각된다. 그 외에도 cytomegalovirus에 대한 IgG 항체의 증가 소견을 보여 연관이 있을 것으로 생각되며, EBV, retrovirus, HIV 바이러스와의 관련설도 있다. 골수이식 후에 이식편대숙주반응(graft-versus-host reaction)으로 생긴 경우도 있다.

3. 임상 양상

구강 및 안구 건조증이 주 증상이다. 구내건조증으로 인해 언어와 저작장애, 충치, 미각장애가 생기며, 심해지면서 구강 점막이 건조하고 끈적끈적해지며 홍반을 띤다. 때때로 구강 진균증이 나타나기도 한다. 대부분 이하선을 침범하여 이하선이 비대해진다. 만성 염증으로 인해 특징적으로 이하선의 양측성 부종이 있으며 압통이 있는 경우도 있다.

안구증상으로는 마치 안구에 '모래가 낀 것' 처럼 느끼는 안구 이물감이 흔하며, 지속적인 자극과 안구의 공막과 결막 상피세포 파괴로 건성 각결막염을 일으킨다.

비강은 건성비염(rhinitis sicca)으로 인해 비강 내 가피형성(crust formation)과 후각 장애가 생길 수 있고 상기도, 식도, 위장에도 건조 증상이 생길 수 있다. 피부에는 하지의 자반증, 두드러기, 다형홍반(erythema multiforme), 발한 감소로 피부 건조증과 소양증(pruritus)이 생기고, 전신증상으로는 Raynaud 현상, 이하선 종창, 후두염, 갑상선 비대, 당뇨병, 재발성 췌장염, 괴사성 혈관염(necrotizing vasculitis), 비종대(splenomegaly)가 발생할 수 있다. 그 외에 폐나 신장 등에도 영향을 미칠 수 있다. 또한 이 질환으로부터 악성 림프종, 망상세포 육종(reticulum cell sarcoma), Waldenstrong 마크로글로불린혈증 등의 림프망상 악성종양이 병발할 수 있다.

4. 진단

진단은 임상양상 및 검사를 통하여 안구건조증, 구내건조증을 규명하는 것이다. 소타액선(minor salivary gland) 생검[4,70] 과 더불어 타액 및 누액 분비양을 측정하며, Ro (SSA)와 La (SSB)항원에 대한 항체검사를 시행한다.

80%의 환자에서 Ro (SSA)항원에 대한 항체, 약 반수에서 La (SSB)항원에 대한 항체가 검출된다.[25] 염증의 비특이적 징후로 적혈구 침강속도(ESR) 증가, 고감마글로불린혈증(hypergammaglobulinemia)과 빈혈(normochromic, normocytic anemia)이 관찰되고, 류마티스양 인자와 C-반응 단백(C-reactive protein) 양성반응을 보이는 경우도 많다. 그 외에도 위양성 매독 혈청반응을 보이거나 항핵항체(antinuclear antibody), LE 세포, Coombs 반응에 대해 양성반응을 보일 수 있고, 말초 T 림프구 감소, T-cell subset상의 변화, NK세포의 활동성 감소 등이 보고되어 면역학적으로 이 증후군과 T림프구의 활동성 이상과의 관련성이 추측된다.

소타액선 생검은 아랫입술 점막에서 시행하며 만성적인 국소 타액선염 소견을 보인다.[70] 전형적인 병변은 다수의 국소적인 단핵구 집합체(multiple focal mononuclear aggregates)의 침윤으로 구성되어 있다. 50개 이상의 단핵구 세포의 집합체를 초점(focus)이라 정의하여 초점점수(focus score)를 바탕으로 조직학적 분류를 하였을 때 1점 이상의 초점 점수는 Sjögren 증후군에 특이성이 있는 것으로 나타났으며, 초점점수 1점 이상의 국소적 임파구성 타액선염(focal lymphocytic sialadenitis)이 있는 것은 건성 각결막염의 발생과 관련이 있는 것으로 나타났다. 구순 생검에서 초점점수 1점 이상의 국소적 임파구성 타액선염을 확인하는 것은 Sjögren 증후군의 타액선 침범을 진단할 수 있는 가장 좋은 단일 진단도구이다(특이도 83.5%, 민감도 81.8%).[23]

방사선검사에서는 타액선 조영술(sialography)이 컴퓨

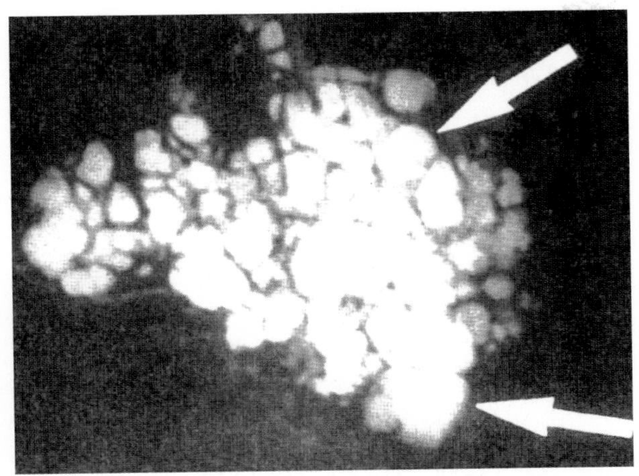

■ 그림 18-3. Sjögren 증후군의 타액선 조영상

터단층촬영, 자기공명영상보다 더 진단적 가치가 높다. 타액선조영상에서 타액선에 약 1 mm 크기의 수많은 점상형으로 조영제가 집적된 소견을 보이고(그림 18-3) 점차 크기가 커지면서 구형상을 보이는데, 이러한 변화는 만성 타액선염과 구별되는 소견이다. CT에서는 만성 타액선염과 유사하게 단순한 미만성 종창으로만 나타난다.

European Community Study Group에서는 Sjögren 증후군의 진단기준을 정하였으며(표 18-1), 6가지 중 4가지 이상이 있을 때 일차성 Sjögren 증후군으로 진단하고 있다(민감도 93.5%, 특이도 94%).[35,69]

구강건조증을 보일 수 있는 다른 경우를 확인해야 한다. Sedatives, antipsychotics, antidepressants, antihistamines, diuretics와 같은 약물을 복용하는지, 방사선치료 경력은 없는지 확인한다.[27] HIV와 C형 간염도 연관성이 있다. 일측 타액선이 지속적으로 커질 때에는 종양의 가능성도 염두에 두어야 한다.

5. 치료

치료는 증상에 따른 대증요법과 치아와 안구 손상에 대한 예방이다.

표 18-1. Sjögren 증후군 분류의 예비기준

1. 안구증상(Ocular symptoms)
   다음 질문 중에 최소한 한 개 이상이 양성일 때
   1) 3개월 이상 매일 지속적으로 안구 건조증상이 있는가?
   2) 안구에 자주 모래나 자갈이 들어간 듯한 느낌이 있는가?
   3) 하루에 3회 이상 인공눈물을 사용하는가?
2. 구강증상(Oral symptoms)
   다음 질문 중에 최소한 한 개 이상이 양성일 때
   1) 3개월 이상 매일 구강 건조증상이 있는가?
   2) 성인일 때 재발성 혹은 지속적인 타액선종창 증상을 경험했는가?
   3) 마른 음식을 삼키기 위해 가끔 음료수를 마시는가?
3. 안구증후(Ocular signs)
   다음 테스트 중에 최소한 한 개 이상의 양성 결과일 때
   1) Schirmer 1 test(5분간 ≤ 5 mm)
   2) Rose bengal score(Van Bijstelveld 점수가 4 이상)
4. 병리조직 소견(histopathologic features)
   소타액선 생검에서 병변의 확인
5. 타액선 침범(salivary gland involvement)
   다음 테스트 중에 최소한 한 개 이상이 양성일 때
   1) 타액섬광촬영술(salivary scintigraphy)
   2) 이하선조영술(parotid sialography)
   3) 무자극 타액분비(15분간 ≤ 1.5ml)
6. 자가항체(autoantibodies)
   다음 혈청 자가항체 중 최소한 한 개 이상일 때
   1) Ro/ SS-A, La/SS-B 항원 에 대한 항체
   2) 항핵항체
   3) 류마티스양 인자(reumatoid factor)

예외 : 기존의 림프종, 후천성면역결핍증, 사르코이드증, 이식편 대숙주반응

무설탕 껌을 씹거나 인공타액(saliva substitutes)도 도움을 줄 수 있다. 금기가 아니라면 타액분비촉진제인 pilocarpine hydrochloride (5 mg씩 하루에 3~4회)를 구강건조증와 안구건조증(xerophthalmia)의 치료제로 투여할 수 있다.[29] 식후 적절한 구강 청결과 설탕이 들어있는 음식을 피하여 치아 질환 우식증을 예방하며, 동반되는 곰팡이 증식을 치료하는 것도 중요하겠다.

건성 각결막염의 경우, 바람이 불거나 건조한 기후, 혹은 먼지와 연기에 노출되는 것을 피하며, 소프트 콘택트렌즈를 사용함으로써 각막을 보호할 수 있다. 안구 윤활제(eye lubricant)는 필요 시 자주 사용한다. 안구보호용

연고와 붕산 연고(boric acid ointment)는 각막 궤양이 있을 때 추천된다. 또한 정기적으로 검진을 하여 감염을 방지해야 한다.

이뇨제, 고혈압제, 항우울제 등의 사용을 금하며, 비스테로이드성 항염증제는 통증성 이하선 부종의 치료에 도움이 될 뿐만 아니라, 관절염에도 효과적이다. 류마티스양 관절염 치료제인 hydroxychloroquine (Haloxin)은 관절염, 근육통, 체질성 증상의 치료에 사용된다.

전신적 스테로이드제제(prednisolone 0.5~1 mg/kg/d)는 보다 더 심한 선외 합병증(extraglandular complication)인 중증의 미만성 간질성 폐질환, 사구체 신염, 혈관염의 치료에 투여된다. 타액선염이 반복될 경우 타액선 내시경술을 시행하여 증상 완화에 도움을 받을 수 있다.

6. 예후

구강 및 안구 증상은 대개 비진행성이나 악성 림프종 발생의 위험성은 높아 비림프성 악성 종양 발생률이 1.2배 정도지만 비 Hodgkin 림프종 발생률은 43.8배 높고 비장종대나 이하선종창, 방사선치료를 동반한 경우 위험성은 더 높다.

V 타액선증(sialadenosis)

특히 이하선에 호발하는, 타액선의 비염증성, 비종물성 종창을 말한다. 증상으로는 반복되는 비동통성 종창이 나타나고, 대부분 그 기전은 알 수 없으나 다음과 같은 요인들이 알려져 있다.

첫째, 지방비후(fatty hypertrophy)에 따른 비만으로 인해 생길 수 있다. 당뇨병, 고혈압, 고지질혈증, 폐경과 연관이 많으며, 이때는 진단 전 내분비 및 신진대사 검사를 선행해야 한다. 둘째, 영양결핍과 연관이 있으며, 이 경우 소포비후가 이차적으로 타액선의 종창을 초래한다. 셋째, 알코올성 간경화증과 밀접한 연관성이 있는데, 이는 단백질 결핍과 관계가 있고 조직학적으로 전신 영양결핍 때와 유사한 변화를 보인다. 넷째, 세균성 이질, 식도암과 같은 흡수장애 질환과 요독증, 갑상선기능저하증, 임신, 수유, 만성 췌장염, 자율신경계가 불균형일 때 올 수 있다.[22]

예후는 비교적 양호하며 선행 질환이 교정되면 이환된 타액선은 정상으로 회복된다.

VI 방사선에 의한 타액선 손상 (radiation injury of the salivary gland)

두경부암 치료에 수반되는 방사선치료로 인하여 불가피하게 발생하는 타액선의 손상은 보통 영구적이며, 그로 인한 구강건조증은 두경부암 환자의 삶의 질을 좌우하는 가장 중요한 요소이다.

구강방사선 조사를 시작하면 시간당 타액의 분비량이 진행적으로 감소하여 점성(viscosity)이 증가한다. 저용량의 방사선조사(<30 Gy, 2–Gy fraction)로 압통과 동통, 종창을 일으킬 수 있으며, 어느 정도 회복 가능성이 있으나, 30 Gy 이상 조사 후 축적선량(cumulative doses)이 75 Gy를 넘으면 선소포(acini)가 광범위하게 파괴되고 타액선 실질의 섬유화가 진행되면서 타액의 분비가 현저히 감소한다.[68] 이러한 현상은 영구적이며, 치료가 끝난 후에 회복되는 경우는 매우 드물다.

타액선을 이루는 장액(serous cell) 및 점액세포(mucinous cell) 중 장액세포가 특히 예민하여 이하선이 손상에 더 취약하며, 심한 탈과립(degranulation)과 파괴가 일어난다. 선소포의 손상은 핵의 농축과 다형태화, 선소포의 위축, 세포질의 공포변성, 국소괴사 등으로 다양하게 나타나고,[6] 삼출액이 타액선관과 실질에 차게 된다. 반면 점액세포(mucous cell)와 소포 및 개재관(intercalated duct)과 엽간관(interlobular duct)의 상피는 거의 조직학적 변화를 보이지 않는다.[42]

급성 염증반응은 방사선조사를 중지하면 치료 없이 소실된다. 지속적인 방사선조사는 장액성 소포를 완전히 파괴하고 결국 위축된다.

방사선 치료 후에 나타나는 구강건조증은 치아우식(dental caries)을 촉진시킬 수 있으며, 세심한 주의를 하지 않으면, 3개월 내에 광범위한 치아우식이 나타날 수 있다. 치아우식은 추가적인 하악골의 합병증을 유발하는 연쇄반응이 일어날 수 있으므로 구강건조증 치료방법은 일단 치아우식을 방지하는 데 있다. 국소 불화물(topical fluoride) 사용을 생활화하고, 구강위생을 청결히 하며, 3개월마다 치과 검진을 받도록 한다.

이와 같은 구강건조증으로 인한 저작 및 연하, 조음장애는 우울증 등과 같은 정신과적인 문제로 이어져 환자의 삶의 질을 급격히 떨어뜨리므로 최근에 이를 예방하기 위한 다양한 노력이 시도되고 있다. 세기조절방사선치료(intensity-modulated RT, IMRT)와 수술을 통한 악하선 위치변경 등이 그 예이며, 줄기세포치료(stem cell therapy)와 유전자치료(gene therapy)를 통하여 손상된 타액선을 회복시키려는 연구가 진행되고 있다.[62,68]

방사선 유발 갑상선종양과 유사하게 타액선종양도 유발되는 것으로 알려져 있다. 방사선조사로 인해 양성과 악성 종양의 빈도가 높아진다고 알려져 있다. 양성은 대부분이 다형선종(pleomorphic adenoma)이고, 악성은 2/3가 점액표피양암종(mucoepidermoid carcinoma)이다.[51]

Ⅶ 타액선의 낭종성 병변(cystic lesion of the salivary gland)

타액선 낭종은 선천성과 후천성으로 나누어진다.[67] 선천성 낭종으로는 진피양 낭종(dermoid cyst), 선천성 관낭종(congenital ductal cyst), 새열낭(branchial cleft cyst) 등이 있다. 새열낭은 이하선 내부 또는 주위에 발생할 수 있는데, 두 가지 형태로 분류된다. 제1형은 막성 외이도의 이중기형(duplication anomaly of the membranous external auditory canal)이고, 제2형은 막성과 연골성 외이도의 이중기형(duplication anomaly of the membranous and cartilage external auditory canal)으로 발생한다.[73] 이하선종대나 종물로 만져질 수 있으며, 외이도 이루(otorrhea)를 보인다. 동일한 장소의 반복된 감염으로 인하여 절개 및 배농을 한 경우가 많으며, 치료는 수술적 절제로 절제 시 안면신경의 손상을 피하도록 주의하여야 한다.

후천적 낭종은 점액의 분출(mucous extravasation), 외상, 타석, 관폐쇄, 양성 림프상피 병변이나 종양으로 발생할 수 있다.

종양의 경우 다형선종(pleomorphic adenoma), 선양낭성암종(adenoid cystic carcinoma), 점액표피양암종(mucoepidermoid carcinoma) 그리고 와르틴 종양(Warthin's tumor) 등에서 낭종성 병변이 발생할 수 있다.

점액저류낭(mucus retension cyst)이나 점액류(mucocele)는 대부분 소타액선에서 발생하며, 주로 입술, 협부점막, 혀의 배면(ventral portion of tongue) 등에 많이 생긴다. 점액저류낭은 상피층이 있는 진성 낭종성 병변(true cystic lesion)으로 타액선관이 막혀서 발생한다. 반면에 점액류는 상피층이 없는 가성 낭종(pseudocyst)으로 점액이 주위 조직으로 분출되어 발생한다. 설하선에서 기원한 점액저류낭 또는 가성 낭종을 하마종(ranula)이라 하고 구강저에서 경부까지 확장된 경우는 돌입형 하마종(plunging ranula)이라 부른다.

치료방법으로는 관찰, 절개 배액, 조대술(marsupialization), 경화요법(sclerotherapy), 설하선절제술이 있다. 재발율을 낮추기 위하여 조대술보다는 설하선절제술이 추천된다. 크기가 큰 돌입형 하마종이나 재수술의 경우에는 경부를 통한 접근을 고려할 수 있으며, 설하선절제술 시 가성낭종의 제거가 반드시 필요하지는 않다.[76]

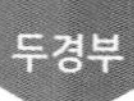

참고문헌

1. 김영명, 홍원표, 오혜경 등. 원발성 결핵성 이하선염의 2례. 대한이비인후과학회지(한이인지) 1983;26:163-167
2. 김재원, 정윤건, 김창효 등. 폐쇄성 타액선염을 일으키는 드문 타액선관 질환들에서 타액선 내시경술의 유용성. 대한이비인후과학회지 2008;51:903-7
3. 김태욱, 강제형, 정한신 등. 타액관 결석에서의 타액관 내시경술. 대한이비인후과학회지 2004;47:655-60
4. 김혜옥, 김현조, 최종일 등. Sjogren's 증후군 환자에서의 구순타액선 생검의 의의. 대한이비인후과학회지(한이인지) 1991;34:136-141
5. 백만기. 타액선의 염증성질환. 최신이비인후과학. 일조각, 1989; p284
6. 서장수, 이형철, 박헌웅 등. 방사선 조사가 백서의 타액선 조직에 미치는 영향에 관한 형태학적 연구. 대한이비인후과학회지(한이인지) 1988;31:448-460
7. 오치엽, 박하춘, 장승훈 등. 타석의 성분 분석. 대한이비인후과학회지(한이인지) 1986;29:821-824
8. 이재훈, 김요완, 김종규 등. 멈프스에 동반되어 발생한 일측성 돌발성 난청. 한이인지 1995;38:1525-1529
9. 정한신, 백정환, 손영익 등. 악하선문 타석의 치료: 악하선관 조대술을 이용한 구강내 접근법. 대한이비인후과학회지 2005;48:1034-8
10. 최동일, 오정기, 양윤수 등. 악하선 제거 및 경부 절개 없는 악하선 심부 타석증에 대한 수술적 고찰. 대한이비인후과학회지 2007;50:1135-40
11. 홍석경, 한병상, 박항 등. 체외 충격파 쇄석기를 이용한 타석 분쇄에 관한 실험적 연구. 대한이비인후과학회지(한이인지) 1992;35:626-631
12. Abdullah A, Rivas FFR, Srinivasan A: Imaging of the salivary glands. Semin Roentgenol 48(1):65 – 74, 2013.
13. Andrews JC, Abemayor E, Alessi DM, et al. Parotitis and facial nerve dysfunction. Arch Otolaryngol Head Neck Surg 1989 Feb;115(2):240-242
14. Bailey BJ. Salivary trauma. In: Cummings CW (eds). Otolaryngology-head and neck Surgery, 2nd ed. St Louis: Mosby, 1993, p480-481
15. Basakis JG. Physiology. In: Cummings CW, Fredrickson JM, Harker LA, et al. Otolaryngology-Head and Neck Surgry, 3rd ed. St. Louis: Missouri, Mosby-Year Book, 1998;1219
16. Bomeli SR, Schaitkin B, Carrau RL, et al: Interventional sialendoscopy for treatment of radioiodine-induced sialadenitis. Laryngoscope 119(5):864 – 867, 2009
17. Brook I: Acute bacterial suppurative parotitis: microbiology and management. J Craniofac Surg 14(1):37 – 40, 2003.
18. Brook I. Diagnosis and management of parotitis. Otolaryngol Head Neck Surg 1992;118:469-471
19. Brook I: The bacteriology of salivary gland infections. Oral Maxillofac Surg Clin North Am 21(3):269 – 274, 2009.
20. Carlson ER: Diagnosis and management of salivary gland infections. Oral Maxillofac Surg Clin North Am 21(3):293 – 312, 2009.
21. Chen S, Paul B, Myssiorek D: An algorithm approach to diagnosing bilateral parotid enlargement. Otolaryngol Head Neck Surg 148(5):732 – 739, 2013.
22. Chilla R. Sialadenosis of the salivary glands of the head: Studies on the physiology and pathophysiology of parotid secretion. Adv Otorhinolaryngol 1981;26:1-38
23. Chisholm DM, Mason DK. Labial salivary gland biopsy in Sjogren's disease. J Clin Pathol 1968 Sep;21(5):656-660.
24. Coker NJ. Management of traumatic injuries to the facial nerve. Otolaryngol Clin North Am 1991;4:215
25. Cornec D, Devauchelle-Pensec V, Tob ó n GJ, et al: B cells in SjÖgren's syndrome: from pathophysiology to diagnosis and treatment. J Autoimmun 39(3):161 – 167, 2012.
26. Dave SP, Pernas FG, Roy S: The benign lymphoepithelial cyst and a classification system for lymphocytic parotid gland enlargement in the pediatric HIV population. Laryngoscope 117(1):106 – 113, 2007.
27. Daniels T, Fox PC: Salivary and oral components of SjÖgren's syndrome. Rheum Dis Clin North Am 18:571, 1992.
28. Ericson S, Zetterlund B, Ohman J: Recurrent parotitis and sialectasis in childhood. Clinical, radiologic, immunologic, bacteriologic, and histologic study. Ann Otol Rhinol Laryngol 100(7): 527 – 535, 1991.
29. Fox PC, Atkinson JC, Macynski AA, et al. Pilocarpine treatment of salivary gland hypofunction and dry mouth (xerostomia). Arch Intern Med 1991 Jun;151(6):1149-1152
30. Gamble DR. Relation of antecedent illness to development of diabetes in children. Br Med J 1980;281:99-101
31. Geterud A, Lindvall AM, Nylen O. Follow-up study of recurrent parotitis in children. Ann Otol Rhinol Laryngol 1988; 97:341-346
32. Gordin EA, Daniero JJ, Krein H, Boon MS. Parotid Gland Trauma. Facial Plast Surg. 2010;26(6):504-10.
33. Harley EH. Atypical tuberculosis (nontuberculous mycobacterium) of the parotid region in children. Otolaryngol Head Neck Surg 1998;119:294
34. Hensher R, Bowerman J. Actinomycosis of the parotid gland. Br J Oral Maxillofac Surg 1985 Apr;23(2):128-34
35. Hochberg MC. Sjogren's syndrome. In: Bennett JC, Plum F. Cecil Textbook of Medicine, 20th ed. Philadelphia: Saunders, 1996;1448-1490
36. Hong KH, Kim YK. Intraoral removal of the submandibular gland: a new surgical approach. Otolaryngol Head Neck Surg 2000 Jun;122(6):798-802
37. Iro H, Zenk J, Waldfahere F, et al. Extracorporeal shock wave lithotripsy of patorid stone: Result of a prospective clinical trial. Ann Otol Rhinol Laryngol 1998;107:860-864
38. Itescu S: Diffuse infiltrative lymphocytosis syndrome in human immunodeficiency virus infection—a SjÖgren's-like disease. AIDS Rheum Dis 17:99, 1991.

39. Jager L, Menauer F, Holznecht N, et al: Sialolithiasis: MR sialography of the submandibular duct—an alternative to conventional sialography and US. Radiology 216:665, 2000.
40. James DG, Sharma OP: Parotid gland sarcoidosis. Sarcoidosis Vasc Diffuse Lung Dis 17(1):27–32, 2000.
41. Koch M, Zenk J, Iro H: Diagnostic and interventional sialoscopy in obstructive diseases of the salivary glands. HNO 56:835–843, 2008.
42. Konings AWT, Coppes RP, Vissink A. On the mechanism of salivary gland radiosensitivity. Int J Radiat Oncol Biol Phys 2005;62:1187–1194.
43. Long ML, Jafek BW. Cervical mycobacterial disease. Trans Am Acad Ophthalmol Otol 1974;78:75-87
44. Loughran DH, Smith LG. Infectious disorders of the parotid gland. N J Med 1988;85:311-314
45. Lundgren A, Kyle P, Odkvist LM. Nosocomial parotitis. Acta Otolaryngol(Stockh) 1976;82:275-278
46. Lustmann J, Regev E, Melamed Y. Sialolithiasis. A survey on 245 patients and a review of the literature. Int J Oral Maxillofac Surg 1990 Jun;19(3):135-138
47. Mandel L. Inflammatory disorders. In: Rankow RM, Polayes IM, (eds). Disease of the salivary glands. Philadelphia: WB Saunders, 1980;202-228
48. Marais BJ, Pai M: Recent advances in the diagnosis of childhood tuberculosis. Arch Dis Child 92(5):446–452, 2007.
49. Michelow P, Dezube BJ, Pantanowitz L: Fine needle aspiration of salivary gland masses in HIV-infected patients. Diagn Cytopathol 40(8):684–690, 2012.
50. Midani S, Ayoub EM, Anderson B. Cat scratch disease. Adv Pediatr 1996;43:397-422
51. Modan B, Chetrit A, Alfandary E, et al. Increased risk of salivary gland tumor after low-dose irradiation. Laryngoscope 1998;108:1095-1097
52. Nahlieli O, Baruchin AM. Long-term experience with endoscopic diagnosis and treatment of salivary gland inflammatory diseases. Laryngoscope 2000 Jun;110(6):988-993
53. O'Brien CJ, Murrant NJ: Surgical management of chronic parotitis. Head Neck 15:445, 1993.
54. Olson NR: Nontuberculous mycobacterial infections of the face and neck: practical considerations. Laryngoscope 91:1714, 1981.
55. Pershall KE, Koopman CF, Coulthard SW. Sialoadenitis in children. Int J Pediatr Otorhinolaryngol 1986;11:199-203
56. Reid E, Douglas F, Crow Y, et al: Autoimmune dominant juvenile recurrent parotitis. J Med Genet 35:417, 1998.
57. Rice DH. Chronic inflammatory disorders of the salivary glands. Otolaryngol Clin North Am 1999 Oct;32(5):813-818.
58. Rice DH. Diseases of the salivary glands-nonneoplastic. In: Bailey BJ, et al. Head & Neck Surgery-Otolaryngology, 2nd ed. Philadelphia, Lippincott-Raven Publishers, 1998;561-570
59. Rice DH: Chronic inflammatory disorders of the salivary glands. Otolaryngol Clin North Am 32(5):813, 1999.
60. Roh JL. Removal of the submandibular gland by a submental approach: a prospective, randomized, controlled study. Oral Oncol. 2008;44(3):295-300.
61. Roh JL. Removal of the submandibular gland by a retroauricular approach. Arch Otolaryngol Head Neck Surg 2006;132:783-787
62. Sood AJ, Fox NF, O'Connell BP, et al. Salivary gland transfer to prevent radiation-induced xerostomia. Oral Oncology 50 (2014) 77–83.
63. Spiegel R, Miron D, Sakran W, et al: Acute neonatal suppurative parotitis: case reports and review. Pediatr Infect Dis J 23(1):76–78, 2004.
64. Stanley R, Fernandez J, Peppard S: Cervicofacial mycobacterial infections presenting as major salivary gland disease. Laryngoscope 93:1271, 1983.
65. Strome M. Nonneoplastic salivary gland diseases in children. Otolaryngol Clin North Am 1977;10:391-398
66. Suleiman SI, Hobsley M. Radiographic apprarance of parotid duct calculi. Br J Surg 1980;67:879-880
67. Van den Akker HP, Graamans K, Horree WA. Diagnosis of salivary gland diseases. Ned Tijdschr Geneeskd 1987 Oct 3;131(40):1754-1759
68. Vissink A, Mitchell JB, Baum BJ, et al. Clinical management of salivary gland hypofunction and xerostomia in head-and-neck cancer patients. Int. J. Radiation Oncology Biol. Phys., 2010;78:983–991.
69. Vitali C, Bombardieri S, Moutsopoulos HM, et al. Preliminary criteria for the classification of Sjogren's syndrome: Results of a prospective concerted action supported by the European Community. Arthritis Rheum 1992;36:340-347
70. Vitali C, Tavoni A, Simi U, et al. Parotid sialography and minor salivary gland biopsy in the diagnosis of Sjogren's syndrome. A comparative study of 84 patients. J Rheumatol 1988 Feb;15(2):262-267
71. Weissman JL. Imaging of the salivary glands. Semin Ultrasound CT MR 1995 Dec;16(6):546-568
72. Williams MF. Sialolithiasis. Otolaryngol Clin North Am 1999 Oct;32(5):819-834
73. Work WP. Cysts and congenital lesions of the parotid gland. Otolaryngol Clin North Am 1977 Jun;10(2):339-343
74. Work WP, Hecht DW: Inflammatory diseases of the major salivary glands. In Paparella MM, Shumrick DA, editors: Otolaryngology, Philadelphia, 1980, WB Saunders.
75. Wu JJ, Schiff KR: Sarcoidosis. Am Fam Physician 70(2):312–322, 2004.
76. Zhi K, Gao L, Ren W. What is new in management of pediatric ranula? Curr Opin Otolaryngol Head Neck Surg 2014, 22:525–529.

CHAPTER

19 타액선 종양

백승국

두경부 종양의 3~6% 정도로 드물게 발생하는 타액선 종양은 타액선의 상피세포나 중배엽세포에서 발생한다. 전체 타액선 종양의 70%가 이하선에서 발생하고 이하선에서 발생하는 종양의 3/4 이상은 양성종양이다. 하지만 악하선에서 발생하는 종양의 50%가 악성종양이며 설하선이나 소타액선에서 발생하는 종양의 80% 이상은 악성종양이다. 타액선 종양의 발병 원인은 불명확하나 유발 요인으로 생각되는 것으로는 흡연, 음주, 방사선 조사, 바이러스, 산업화학물질(나무, 가죽), 유전적 소인 등이 있다.[1]

타액선 종양은 술 전 진단이 어렵고 치료법에 대한 의견이 다양하다. 1992년에 발표된 World Health Organization (WHO) 분류에 의하면 타액선 종양의 병리학적 병명이 40종류에 이른다.[2] 가장 흔한 양성 종양은 다형선종(pleomorphic adenoma)으로 대개의 경우 타액선 종양은 수술적 제거를 기본으로 한 치료를 시행하게 된다. 다만, 타액선 악성종양은 각 종양의 악성도에 따라 치료법이 달라질 수 있으므로 타액선 종양의 진단과 치료를 위해서는 타액선 종양의 복잡한 병리조직학적 특성을 이해해야 한다.

I 타액선 종양의 병리조직학적 분류

타액선 종양의 병리조직학적 분류법으로는 WHO 분류법이 많이 사용되고 있다(표 19-1). 선종으로는 다형선종(pleomorphic adenoma), 근상피종(myoepithelioma), 기저세포선종(basal cell adenoma), 와르틴 종양(Warthin's tumor), 호산성과립세포종(oncocytoma) 등이 있으며), 암종으로는 선방세포암종(acinic cell carcinoma), 점액표피양암종(mucoepidermoid carcinoma), 악성혼합종(malignant mixed tumor), 선양낭성암종(adenoid cystic carcinoma), 타액관암종(salivary duct carcinoma), 선암종(adenocarcinoma), 편평세포암종(squamous cell carcinoma), 미분화암종(undifferentiated carcinoma) 등이 포함된다.

표 19-1. 타액선 종양의 분류(WHO histologic classification)

Malignant epithelial tumors	Benign epithelial tumours
Acinic cell carcinoma	Pleomorphic adenoma
Mucoepidermoid carcinoma	Myoepithelioma
Adenoid cystic carcinoma	Basal cell adenoma
Polymorphous low-grade adenocarcinoma	Warthin tumour
Epithelial-myoepithelial carcinoma	Oncocytoma
Clear cell carcinoma, not otherwise specified	Canalicular adenoma
Basal cell adenocarcinoma	Sebaceous adenoma
Sebaceous carcinoma	Lymphadenoma
Sebaceous lymphadenocarcinoma	Sebaceous
Cystadenocarcinoma	Non-sebaceous
Low-grade cribriform cystadenocarcinoma	Ductal papillomas
Mucinous adenocarcinoma	Inverted ductal papilloma
Oncocytic carcinoma	Intraductal papilloma
Salivary duct carcinoma	Sialadenoma papilliferum
Adenocarcinoma, not otherwise specified	Cystadenoma
Myoepithelial carcinoma	Soft tissue tumours
Carcinoma ex pleomorphic adenoma	Hemangioma
Carcinosarcoma	Haematolymphoid tumours
Metastasizing pleomorphic adenoma	Hodgkin lymphoma
Squamous cell carcinoma	Diffuse large B-cell lymphoma
Small cell carcinoma	Extranodal marginal zone B-cell lymphoma
Large cell carcinoma	Secondary tumours
Lymphoepithelial carcinoma	
Sialoblastoma	

II 타액선 종양의 발생 부위 및 병인

타액선 종양의 64-80%가 이하선에 발생하며 이하선 내에서도 천엽에 대부분 존재한다. 발생 부위에 따라 악성종양의 발생 빈도가 차이가 나는데 이하선 종양 중에 15-32%, 악하선 종양 중에 41-45%, 설하선 종양의 70-90%, 소타액선 종양의 50%가 악성종양이다.[3]

다양한 바이러스들이 타액선 종양의 발생과 연관이 있을 것으로 생각되었으나 Epstein Barr virus (EBV)만이 림프상피암(lymphoepithelial carcinoma)의 발생과 밀접한 연관성이 있을 것으로 보고 있다.[4] 방사선 피폭은 노출되는 피폭량에 비례해서 타액선 악성 종양의 발생 위험도가 증가하며 점액표피양암종과 와르틴 종양의 빈도가 증가하는 것으로 보고되고 있다.[5] 직업적으로는 고무, 니켈 화합물, 나무, 석면을 다루는 경우에 타액선암의 발생이 증가할 수 있다는 보고가 있다. 담배와 술은 타액선암과 연관이 없는 것으로 보이지만 흡연과 와르틴 종양 사이에는 밀접한 연관이 있는 것으로 보인다.

 III 타액선 종양의 임상 양상

타액선 종양은 대부분 무통성의 종괴로 국한적이며 경계가 명백하고 서서히 자란다. 양성종양의 경우는 대부분 표면은 평활하고 가동성이 있다. 통증을 호소하는 경우 대부분 타액선염이나 염증성 림프절 비대가 원인이지만 악성종양에서도 통증을 유발할 수 있으므로 주의해야 한다. 특히 악성종양이 침샘관을 막아 발생하는 염증성 질환의 경우에도 통증이 주 증상으로 나타나게 되므로 세심한 관찰 및 검사가 필요하다. 또한 종괴의 크기가 갑자기 커지는 경우에는 감염이나 낭종성 변성, 종양 내의 출혈, 혹은 악성 변화의 가능성을 염두에 두어야 한다.

동측 혀의 마비 혹은 감각 이상이 있는 경우, 통증을 동반하는 경우, 종괴의 크기가 갑자기 증가하는 경우, 종괴가 주위 구조물이나 피부에 고정된 경우, 주위 피부가 괴사된 경우, 종괴 위에 림프절이 촉지되는 경우에는 악성을 의심해야 한다.

이하선암의 약 10%에서 진단 당시 안면신경마비를 보이게 되며 이 경우 예후가 좋지 않다. 양성종양의 경우 종양이 아무리 커도 안면신경마비가 발생하지 않는다. 그러나 대부분의 암종, 특히 중등 악성도나 저악성도 암종은 특별한 증상 없이 단지 타액선 종괴로만 나타날 수 있으므로 세침흡인세포검사나 방사선학적 검사가 중요하며, 적지 않은 경우에서 타액선절제술 후 암종으로 확진되는 경우도 많다. 이하선 심엽에서 발생한 종괴나 부인두공간의 소타액선에서 유래한 종괴는 연구개와 편도를 내측으로 전위시켜 편도 종괴로 오인하기 쉬우므로 주의 깊은 관찰이 요구된다.

소타액선에서 발생한 종양은 선종보다는 암종이 흔하며 특히 선양낭성암종이 많다. 가장 흔한 발생 부위는 경구개로서 점막하 종괴의 형태로 나타나며 궤양성인 경우 악성을 의심하기 쉬우나, 암종에 따라서는 종괴 주위 점막의 변화가 없어 선종과 구별되지 않을 수 있다.[6] 두 번째로 흔한 타액선 종양 발생 부위는 비부비동으로 비폐색, 비출혈, 비강 내 종괴의 형태로 나타나며 그 밖에 구강을 포함한 타액선이 존재하는 상기도 어느 부위에서도 발생할 수 있다.[7]

 타액선 종양의 진단법

영상진단으로는 단순 X-선 촬영(plain radiography), 타액선조영술(sialography), 방사성동위원소검사(radionulcleotide imaging), 초음파촬영(US), 전산화단층촬영(CT), 자기공명영상(MRI) 등이 있다. 단순 X-선 촬영과 타액선조영술을 통해 타액선관 염증질환 진단이 가능하지만 종양이 의심될 경우에는 전산화단층촬영, 초음파촬영, 자기공명영상을 통해 종합적으로 판단함이 바람직하다. 이런 영상학적 진단과 함께 세침흡인세포검사를 통한 조직검사는 수술 범위와 방향을 설정하고 수술 후 예후에 대한 정보를 환자에게 알려줄 수 있기 때문에 중요하다.

1. 세침흡인세포검사

세침흡인세포검사는 신속한 비수술적 진단법으로 치료방법을 결정하는 데 가장 중요하므로 타액선 종양이 의심되는 모든 환자에게 시행하는 것이 좋다. 세침흡인세포검사에서 선종이나 암종이 의심되면 보다 자세한 병리조직학적 검사를 시행하는 대신 치료 방침을 결정하여 수술적 처치를 시행해야 하는 반면, 육종이나 악성 림프종이 의심되면 절개생검이나 절제생검을 통해 정확한 병리조직학적 결과를 얻은 후 치료방법을 선택해야 한다. 하지만 최근에는 초음파 유도하 조직생검(core biopsy)을 통해 조직의 절개를 피하면서 병리조직학적 결과를 얻을 수 있다.

세침흡인세포검사는 타액선 종양의 술 전 진단방법 중 진단적 이하선 절제술을 제외하고 가장 진단적 의의가 높은 방법으로서, 86-98%의 정확도와 85.5-99%의 민감도, 96.3~100%의 특이도를 갖고 있다.[8,9] 일반적으로 진단적 정확도는 양성종양보다 악성종양이 더 높다. 그러나 이러한 정확도는 세포병리학자의 경험 및 해당 기관에서의 타액선 종양 환자 수 등과 밀접한 연관이 있으므로 정확한 진단을 위해서는 유능한 세포병리학자가 필요하다.

그러나 세포검사만으로는 조직학적 진단에 한계가 있으므로 종양의 임상 양상과 영상 검사를 참조하여 세침흡인 세포검사의 결과를 해석하는 것이 중요하다. 세포검사에서 양성종양이 의심되어도 임상 양상이나 영상 검사에서 악성이 의심되면 악성의 가능성을 가지고 수술을 계획해야 한다. 특히 종양 주위에 림프 비대가 있거나 안면신경 마비가 있으면 세포검사의 결과와 상관없이 악성종양을 의심해야 한다. 절제생검은 종양이 주위 조직으로 퍼질 위험이 있으므로 실행하지 않는 것이 원칙이고, 수술 시 동결절편검사는 임상적 의의가 적다.[10] 동결절편검사에서 가장 흔하게 악성종양으로 진단되는 양성종양은 다형선종으로 점액표피양암종이나 선양낭성암종으로 진단되는 경우가 많으며 점액표피양암종은 양성종양으로 오인되는 가장 흔한 악성종양이다.[11]

2. 영상진단

타액선 영상진단은 타액선 종양의 정확한 위치나 주위 조직으로의 파급 정도를 파악하는 데 유용하다. 종양성 병변인지 염증성 병변인지를 감별하는 데 도움을 줄 수 있으며 부인두공간(parapharyngeal space) 종양에서는 종양의 기원이 소타액선인지 이하선 심부인지를 감별하는 데 도움을 준다. 또한 양성과 악성 종양의 영상학적 특징을 파악하고 세침흡인세포검사 결과와 비교하여 수술 전 진단에 도움을 얻을 수 있다.

1) 전산화단층촬영과 자기공명영상

주위 조직과 유착이 심해 악성종양이 의심될 경우에 주로 시행하며 특히, 경동맥, 하악, 근육 등과 같은 주변 조직으로의 침범이 의심되는 경우 그 침범 정도를 파악하기 위해 시행한다. 또한, 부인두공간과 같은 심부에 종양이 위치할 때 유용하다. 이때 MRI가 주변 연부조직과의 관계를 평가하는 데 있어서는 더 유용하다.

CT에서 정상 이하선은 지방과 근육의 중간 정도 음영이고, 악하선은 이하선보다 높은, 근육에 가까운 음영을 보인다. 대부분의 종양은 근육과 비슷한 음영을 보이지만 종양과 주위 정상 조직과의 관계가 CT에서 명확히 보이지 않는 경우도 종종 있고 이 경우 MRI나 초음파 검사가 도움이 될 수 있다. MRI에서 정상 타액선은 T1 강조영상에서 중간-고신호 강도를 보여 지방신호 강도에 가깝고, T2 강조영상에서는 대부분의 이하선 질환이 밝게 보인다.

CT나 MRI를 이용해 종양이 양성이냐 악성이냐를 구별하는 것은 쉽지 않다. 상대적으로 악성종양의 증거가 될 수 있는 영상 소견으로는 병소의 불규칙한 경계, 타액선 외부 조직으로의 침범, 뇌기저부 파괴, 림프절 비대 등이 있다. 고도의 악성종양은 세포 성분이 많고 종양 내 수분 함량이 감소되어 있어 MRI T2 강조영상에서 중등도 또는 저신호 강도를 보이는 반면 수분 함량이 비교적 많은 저도의 악성종양이나 양성종양은 밝은 고신호강도로 보이게 된다.

2) 초음파촬영

종양의 낭성 또는 고형성 유무 판별에 좋고 관(duct) 구조도 잘 볼 수 있으며 특히 림프절 전이 여부를 판단할 때 사용되는 비침습적인 검사이다. 종양이 작거나 심부에 있을 때 혹은 림프절 전이를 병리조직학적으로 확인할 때 초음파유도(sono-guided) 세침흡인세포검사를 시행한다. 그러나 골(bone)에 가려진 심부나 부인두공간 종양은 초음파로 잘 관찰되지 않는다는 단점이 있다.

3) 방사성동위원소검사

타액선 종양의 진단법으로 이용 가치가 적으나 ^{99m}Tc pertechnate를 이용한 동위원소 검사에서 타액선에 흡수된 동위원소 배출이 잘 되는 대부분의 종양과 농양은 냉결절(cold nodule)로 나타나지만, 배출이 잘 되지 않는 Warthin 종양과 호산성과립세포종은 열결절(hot nodule)로 보인다.

4) 타액선조영술(sialography)

종양 병변의 판단에는 적절하지 못하며, 타석, 만성 염증성 질환, 관통성 외상 등 관 구조의 해부학과 종괴의 유무를 보는 데만 유리하여 그 역할이 CT나 MRI 의 보조적 검사로 축소되고 있다.

표 19-2. 주타액선 종양의 TNM 병기(AJCC 8th edition)

원발병소의 병기(T)	
Tx	원발종양을 평가할 수 없는 경우
T0	원발종양의 증거가 없는 경우
T1	종양의 최대 직경이 2 cm 이하이며 선외파급이 없는 경우
T2	종양의 최대 직경이 2~4 cm이며 선외파급이 없는 경우
T3	종양의 최대 직경이 4 cm를 초과하거나 선외파급이 있는 경우
T4a	종양이 주변 구조물을 침범하였을 때(예: 피부, 하악골, 외이도, 안면신경)
T4b	종양이 주변 구조물을 침범하였을 때(예: 두개저, 익돌판, 경동맥)
임상적 림프절 전이의 병기(cN)	
Nx	국소 림프절 상태를 평가할 수 없는 경우
N0	국소 림프절 전이가 없는 경우
N1	동측 경부에 3 cm 이하의 림프절 1개에 전이되고 피막외 침범이 없는 경우
N2	
N2a	동측 경부에 3~6 cm의 림프절 1개에 전이되고 피막외 침범이 없는 경우
N2b	동측 경부에 6 cm 이하 다수의 림프절에 전이되고 피막외 침범이 없는 경우
N2c	반대측 또는 양측 경부에서 6 cm 이하 다수의 림프절에 전이되고 피막외 침범이 없는 경우
N3	
N3a	6 cm 초과의 림프절에 전이되고 피막외 침범이 없는 경우
N3b	임상적으로 명백한 피막외 침범이 관찰되는 림프절 전이가 있는 경우
조직학적 림프절 병기(pN)	
Nx	국소 림프절 상태를 평가할 수 없는 경우
N0	국소 림프절 전이가 없는 경우
N1	동측 경부에 3 cm 이하의 림프절 1개에 전이되고 피막외 침범이 없는 경우
N2	
N2a	동측이나 반대측에 3 cm 이하의 피막외 침범이 있는 림프절 1개에 전이된 경우 동측 경부에 3~6 cm의 림프절 1개에 전이되고 피막외 침범이 없는 경우
N2b	동측 경부에 6 cm 이하 다수의 림프절에 전이되고 피막외 침범이 없는 경우
N2c	반대측 또는 양측 경부에서 6 cm 이하 다수의 림프절에 전이되고 피막외 침범이 없는 경우
N3	
N3a	6 cm 초과의 림프절에 전이되고 피막외 침범이 없는 경우
N3b	동측, 반대측, 양측 경부에 3 cm 초과의 피막외 침범이 관찰되는 1개 이상의 림프절 전이가 있는 경우
원격전이의 병기(M)	
Mx	원격전이를 평가할 수 없는 경우
M0	원격전이가 없는 경우
M1	원격전이가 있는 경우

선외 파급: 임상적으로나 육안적으로 주타액선 외부 연조직으로의 파급이 관찰되는 경우로 미세침습은 제외.

V 타액선 종양의 병기

발생 부위의 병기를 따르는 소타액선과 달리 주타액선 종양의 병기는 주타액선(major salivary glands) TNM 병기를 따른다(표 19-2, 3).[12] 악성도가 낮은 타액선 종양에서는 국소 림프절 전이가 드물고, 고악성도 종양에서는 림프절 전이나 원격전이가 빈번하다. 양측성 림프절 전이는 드물고, 국소 림프절 전이는 인접한 이하선 주위 림프절, 악하 림프절(Level Ib), 상심경정맥 림프절(Level IIa), 중심경정맥 림프절(Level III) 순으로 전이되며, 두경부 이외의 림프절 전이는 원격전이(M병기)로 간주한다.

표 19-3. 주타액선 종양의 병기

Stage I	T1	N0	M0
Stage II	T2	N0	M0
Stgae III	T3 T0 T1 T2 T3	N0 N1 N1 N1 N1	M0 M0 M0 M0 M0
Stage IVA	T4a T4a T0 T1 T2 T3 T4a	N0 N1 N2 N2 N2 N2 N2	M0 M0 M0 M0 M0 M0 M0
Stage IVB	T4b Any T	Any N N3	M0 M0
Stage IVC	Any T	Any N	M1

VI 타액선 양성종양

1. 다형선종

다형선종(pleomorphic adenoma, benign mixed tumor)은 주타액선에서 발생하는 종양의 2/3 이상을 차지하며 부타액선에서 발생하는 종양의 50% 이하에서 관찰되는 가장 흔한 양성 타액선 종양으로, 모든 타액선 종양의 65% 정도를 차지한다.[13] 다형선종의 80%가 이하선에 발생하며 악하선과 소타액선에서 각각 다형선종의 10%가 발생한다. 20~40대에 호발하며 여성에서 좀 더 발생한다. 가장 흔한 발생 부위로는 이하선 천엽의 꼬리 부분이며 수년에 걸쳐 서서히 자라는 무통성 종괴로 나타난다. 전형적인 다형선종은 조영증강이 되며 주변 조직과 경계가 명확하며 가동성이 있다(그림 19-1).

조직의 형태학적인 심한 다양성을 보이는 다형선종의 기본적인 구성은 피막(capsule), 상피/근상피세포(epithelial/myoepithelial cells), 중배엽성 성분(mesenchymal or stromal elements)으로 이루어져 있다. 피막의 두께는 다양하게 관찰되는데 두껍고 잘 발달된 부위도 있지만 불완전한 부위도 있다. 대부분의 다형선종에서 피막 안으로 손가락 같은 돌기(finger-like process)가 존재하며 때때로 불완전한 피막을 뚫고 자라기도 하며 위족(pseudopod)을 내어 현미경적 침습을 보이거나 종양 주위에 떨어져 나간 결절처럼 보이는 병변(satelite nodule)이 나타나기도 하지만 이는 항상 종양에 연결이 되어 있다. 따라서 종양만을 적출하는 방법(enucleation)은 재발률이 높으며, 수술 중 종양의 피막이 찢어지거나 불완전하게 제거되면 다발성으로 재발할 수 있으므로 안면신경을 보존하면서 종양을 포함하여 이하선 천엽 일부 또는 전체를 절제해야 한다. 하지만 최근에는 종양 주변에 안면 신경 분지만 찾아 그 사이에 있는 종양을 절제하는 피막외 절개(extracapsular dissection)방법이 술 후 합병증을 줄이고 재발률은 비슷하다는 보고가 있어 작은 이하선종양에서 시도되는 경우도 있다. 하지만 아직 보고마다 추적 관찰 기간이 다소 짧아 추가적인 연구가 필요한 상황이다. 수술적 절제 시 종양을 터트리지 않고 제거하는 것이 재발을 막는 데 가장 중요하다.

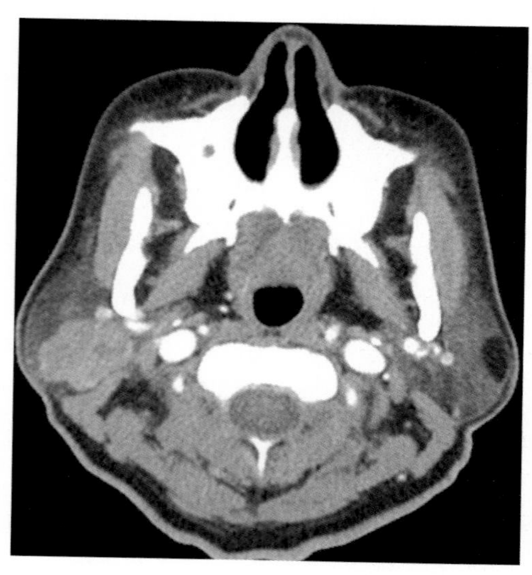

■ 그림 19-1. **다형선종의 CT 소견.** 조영증강 후 CT에서 우측 이하선에 조영증강이 되며 주변 조직과 경계가 명확한 이하선 종물이 관찰된다.

상피세포성분은 유양 기질(stroma)과 점액양 기질 내에서 섬유주 형태(trabecular pattern)를 취한다. 기질 성분의 근원으로 여겨지는 근상피세포는 점액양 부위에서 흔히 보인다(그림 19-2). 중배엽성 성분은 점액성(mucoid/myxoid) 조직, 연골조직, 유리질 조직 등으로 이루어져 있다.

다형선종의 악성 변화는 드물며 대개 10-20년의 기간이 걸린다.[14] 악성 변형의 위험성은 종양의 유병 기간에 따라 증가하여 진단 후 첫 5년간 악성 변화는 약 1.5%에서 발생하나 15년 이상 관찰할 경우 10% 정도에서 악성 변화를 일으킬 수 있다. 따라서 다형선종이 의심되면 후에 악성으로 변하는 것을 피하기 위하여 조기에 수술을 권해야 한다. 일단 악성 변화가 일어나면 종양의 성장 속도가 빨라지며 예후가 불량해진다.

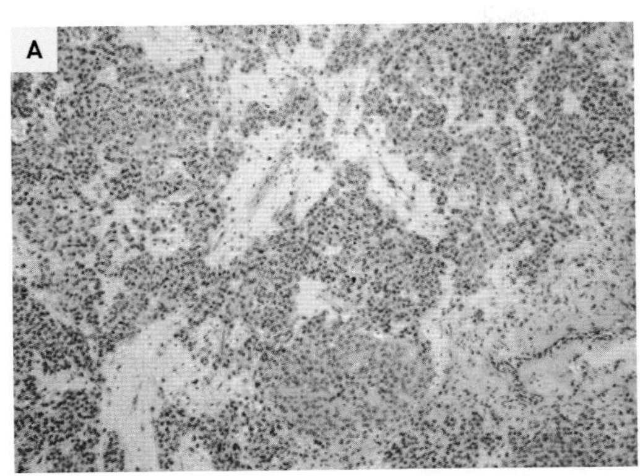
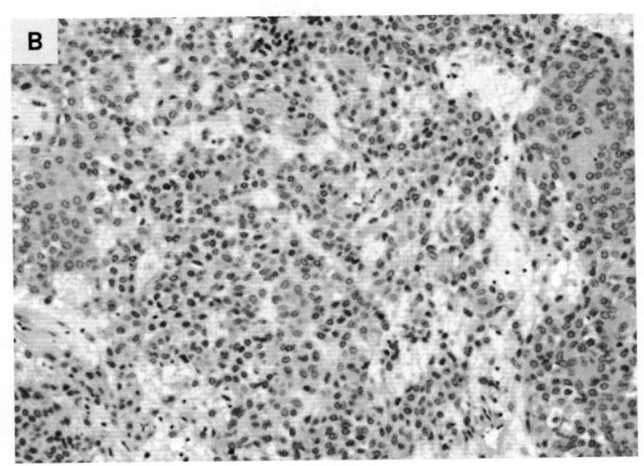

■ 그림 19-2. **다형선종의 조직학적 소견.** 상피세포 조직과 중배엽성 조직이 혼합되어 있다(A, x100). 점액양 기질 내에서 상피세포의 섬유주 형태가 관찰된다(B, x200).

재발성 다형선종은 흔히 다발성으로 나타나며 악성으로 이행할 수 있고 주변 조직과 안면신경의 유착이 심하기 때문에 재치료 시 종양의 완전 제거를 위한 근치적 수술과 안면신경을 보존해야 하는 어려움이 있다. 안면신경과 주위 조직의 유착에 주의하면서 이하선 전절제술과 함께 주위 경부조직으로의 파급이 의심되는 경우에는 가능한 한 제한적 경부절제술을 시행한다. 술 후 방사선치료는 상처치유 조직으로 인하여 주변 조직과 유착이 심해서 절제연이 불분명한 경우 또는 종양세포의 파종이 의심되는 경우에 시행한다.[15]

전이성 다형선종(metastasizing pleomorphic adenoma)은 조직학적으로 원발부위는 양성 다형선종과 동일하지만 혈관이나 임파선 침범을 통해 국소 혹은 원격전이를 보이는 저악성도의 상피성 종양이다. 드문 악성 종양으로 다형선종 초기 치료 후 약 12~16년이 지나서 발생한다. 종양의 불완전한 절제가 주된 원인이며, 80%에서 국소 재발의 과거력이 있다. 대부분 이하선에서 발생한다.[16] 골격계와 두경부 림프절을 포함하여 폐로 원격전이가 일어날 수 있으며 뼈의 통증, 경부 종괴와 같은 증상으로 내원하며, PET검사가 가장 우수한 진단방법이다.[17] 치료는 전이된 다형선종을 수술적으로 제거하는 것이다. 초기 수술 시 종양의 불완전한 절제, 종양에 의한 수술 부위의 오염이 있는 경우, 국소 재발이 일어난 경우에는 장기적인 경과 관찰이 필요하다.

2. 와르틴 종양

다형선종에 이어 두 번째로 흔한 양성종양인 와르틴 종양(Warthin's tumor, papillary cystadenoma lymphomatosum)은 거의 예외적으로 이하선과 이하선 주위 림프절에서 발생하며 특히 이하선 미부에 호발한다.[18] 50-60대의 남자에 호발하고, 백인에서 다른 인종에 비해 흔하게 나타난다. 흡연이 유발 요인으로 생각되는데 이는 담배 연기에 의한 침샘관 상피세포의 자극으로 인해 종양이 발생하는 것으로 알려져 있다. 대부분 증상 없이 천천히 자라고 양측성, 다발성으로 발견될 수 있다.

CT에서 고형의 조영 증강된 형태 또는 혼합된 형태로 보이기도 하며 전체가 낭성 변화를 보이는 경우도 있고 10%에서 양측성 또는 다발성의 종물로 관찰된다(그림 19-3). 와르틴 종양을 이루고 있는 미토콘드리아가 풍부한 호산성 과립세포(oncocytic cell)는 특징적으로 ^{99m}Tc pertechnate를 다른 정상 타액선 세포에 비해 많이 흡수하고 지연 배출하기 때문에 타액선 동위원소검사를 시행하면 열결절로 관찰되는 특징이 있다.

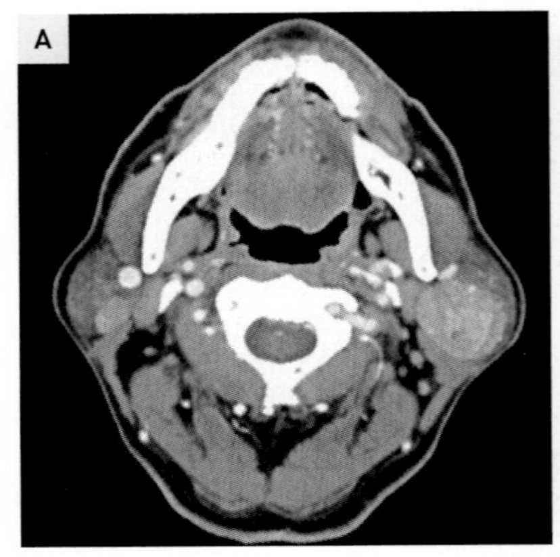
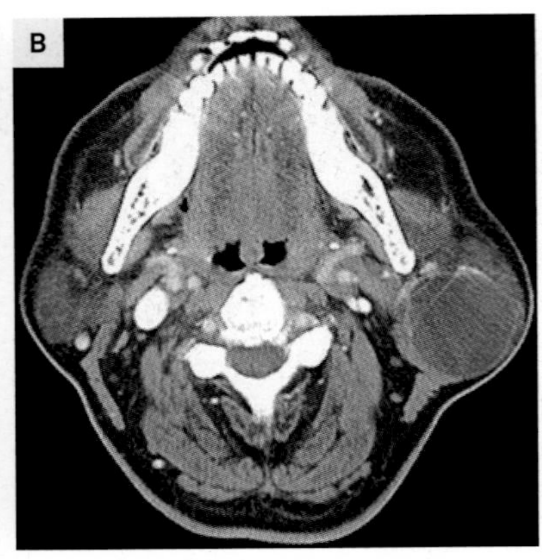

■ 그림 19-3. **와르틴 종양의 CT 소견.** 양측성 또는 다발성의 경계가 분명한 이하선 종물(A)로 관찰되거나, 종양의 전체가 낭성 변화를 보이는 경우(B)도 있다.

병리조직학적으로 특징적인 유두상 성장(papillary growth), 낭종 형성, 림프조직 침윤 소견을 보여 림프종성 유두낭선종(papillary cystadenoma lymphomatosum)이라고도 불리며, 두 층의 호산성 과립상피 세포로 둘러싸인 유두상 돌기를 볼 수 있고 상피세포는 고밀도의 미토콘드리아로 인하여 호산성으로 관찰된다(그림 19-4).

이 종양은 다른 타액선 종양보다 세침흡인세포검사에 의한 진단 정확도가 낮은데, 이는 특징적인 두 가지 성분, 즉 호산성 종양세포와 림프구가 함께 나타나야 진단을 할 수 있기 때문이다. 세침흡인세포검사를 시행할 때 종양 내에서 점액성의 갈색 액체가 흡인되면 진단에 도움이 된다. 경계가 분명하고 대부분 천엽에 위치하므로 종양 제거와 병행하여 이하선 부분천엽절제술을 시행한다.

3. 기저세포선종

기저세포선종(basal cell carcinoma)은 도관상피에서 기원하며 대부분 단일의 경계가 좋은 유동성 종물로 발견되며 60세 이상의 고령에서 호발한다. 전체 타액선 종양 중 1–3%를 차지하며 여성에서 2배 정도 호발한다.

이하선과 윗입술의 소타액선이 가장 호발하는 부위이며, 악하선에서 발생하는 경우는 매우 드물다.[19,20] 이하선에서 발생한 경우에는 피막을 형성하나 윗입술의 소타액선에서 발생한 경우에는 피막을 형성하지 않는다. 조직학

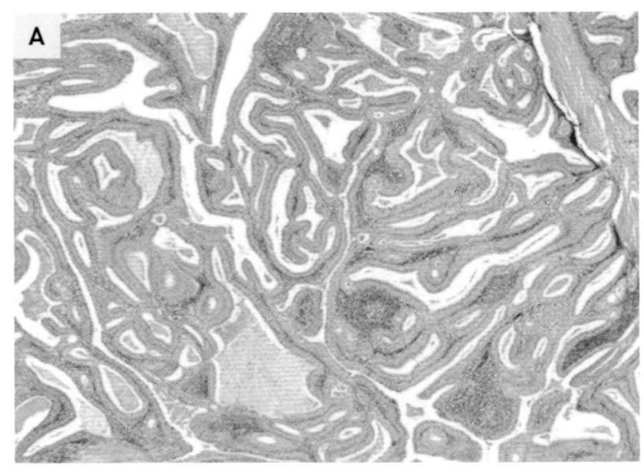
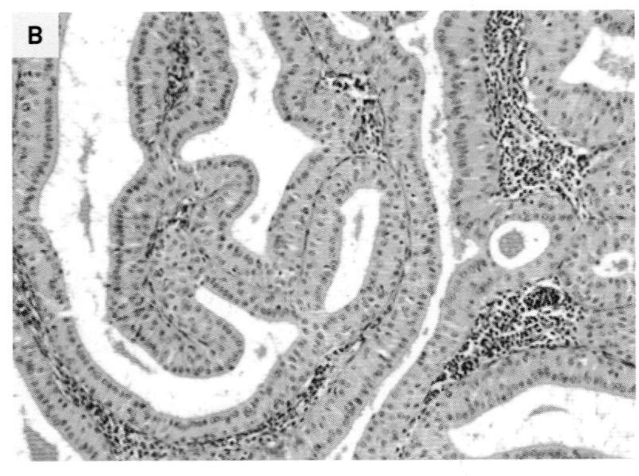

■ 그림 19-4. **와르틴 종양의 병리학적 소견.** 두 층의 호산성 과립상피 세포로 둘러싸인 유두상 돌기가 관찰된다. (A x40, B x200)

적으로 호산성 세포질을 가지는 기저세포를 닮은 세포(basaloid cell)로 구성되어 있으며 이들 세포가 고형(solid), 지주형(trabecular), 관상형(tubular), 판상형(membranous pattern)으로 분포하고 있다. 다형선종과 달리 중배엽성 조직을 포함하지 않으며, 선양낭성암종과 감별하기 어렵다. 정상 조직을 포함한 충분한 절제로 완치가 가능하며 재발률은 매우 낮다.[21]

4. 호산성과립세포종

호산성과립 세포종(oncocytoma)은 50–70대에 생기는 종양으로 타액선 종양 중 1% 이하를 차지하며 호산성 과립세포(oncocyte)에서 유래하는 양성종양이다. 환자의 20%에서 얼굴이나 상체에 방사선 치료를 받았거나 수년간의 직업적 방사선 노출 과거력이 있는 게 특징이다. 대부분 이하선 천엽에서만 발견되며 호산성 과립세포의 특성 때문에 동위원소검사에서 열결절 소견을 보이는 종양이다. 7%에서 양측성으로 생길 수 있으며, 병리조직학적으로 세포 내 미토콘드리아가 많이 분포하여 호산성의 세포질이 특징이다. 충분한 절제를 하였을 경우 재발은 드물다.

5. 근상피종

근상피종(myoepithelioma)은 전체 타액선 종양의 1.5%를 차지하며 임상 양상은 다형선종과 유사하나 호발 나이는 70대이다. 이하선에 가장 호발하며 종양의 경계가 분명하고 표면이 부드러우며 단면은 균일하고 흰색을 띤다. 조직학적으로 방추세포를 포함하는 종양과 감별해야 하며 악성으로 변환하지는 않는다.

6. 피지선종

피지선종(sebaceous adenoma)은 타액선 종양의 0.1%를 차지하는 드문 종양으로 세포 이형성이 없거나 약간 있는 피지세포로 이루어져 있다. 이하선에 많이 발생하며 피부에 발생하는 피지선 종양과 달리 악성화의 가능성은 없다. 완전 절제 시 재발은 드물다.

표 19-4. 타액선 암종의 악성도에 따른 분류

저악성도 종양	고악성도 종양
저악성도 점액표피양암종	고악성도 점액표피양암종
선방세포암종	악성 혼합종
상피근상피암종	선양낭성암종
기저세포암종	타액관암종
저악성도 선암종	편평세포암종
	고악성도 선암종
	미분화암종

Ⅶ 타액선 암종

타액선 암종은 조직학적 분류가 동일하더라도 악성도에 따라 임상 양상과 예후, 치료방법이 다르기 때문에 타액선 암종에서 악성도는 환자의 치료방법과 예후를 결정하는 중요한 병리조직학적 인자이다. 저악성도 종양으로는 저악성도 점액표피양암종, 선방세포암종, 상피근상피암종이 포함되며 고악성도 점액표피양암종, 악성혼합종, 선양낭성암종, 타액관암종이 고악성도 종양으로 분류된다(표 19-4).

1. 점액표피양암종

점액표피양암종(mucoepidermoid carcinoma)은 소아와 성인 모두에서 가장 흔한 타액선 암종이다. 대부분 이하선에서 생기고, 악하선과 설하선에서도 선양낭성암종 다음으로 흔하며 구강 내에서는 구개와 협부점막에서 발생할 수 있다.[22] 여성에서 조금 더 호발하며 호발 나이는 40대이나 청소년에서도 발생할 수 있다.

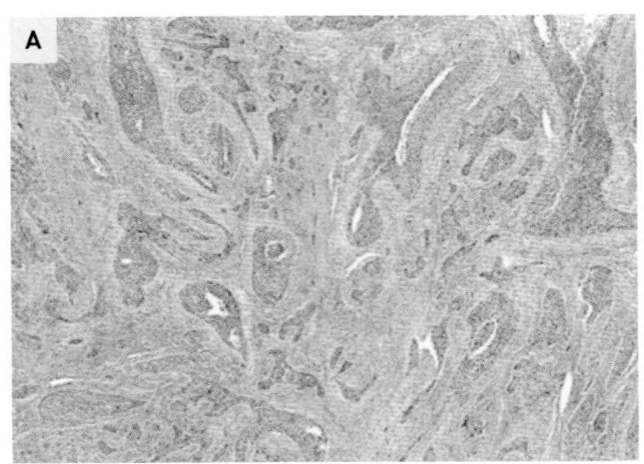

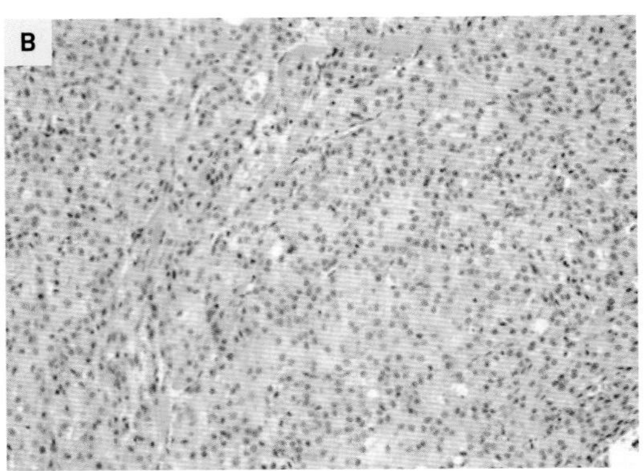

■ 그림 19-5. **점액표피양암종의 병리학적 소견.** 종양은 다각형 모양의 상피양 세포와 점액분비 세포로 이루어져 있다. 상피양 세포가 모여서 관 형태를 이루고 있으며(A), 세포 내 점액 성분이 풍부한 점액분비 세포(B)가 관찰될 수 있다. (A x40, B x100)

대부분의 종양은 단단하고 주변 조직에 고정된 무통성의 종물로 관찰되지만 설하선에 발생된 경우에는 통증을 동반하는 경우도 있다. CT에서 저악성도 종양인 경우에는 경계가 분명하고 양성 종양과 모양이 비슷하며 내부에 낭성 변화, 출혈, 괴사를 동반할 수 있고 드물게 석회화가 발견될 수 있다. 하지만 고악성도 종양인 경우에는 경계가 불분명한 침윤성 소견을 보이고 상대적으로 저악성도 종양보다 균일한 소견을 보인다. 고악성도 종양인 경우에는 25%에서 안면신경마비가 나타나며 50%에서 림프절 전이가 있다. 이하선에 발생한 경우에는 일차적으로 인접한 전이개림프절로 전이가 일어나며 이후 악하부 림프절로 전이가 발생한다. 초기나 저악성도 점액표피양암종은 수술만으로도 치료가 가능하나 진행되었거나 고악성도 점액표피양암종에는 수술과 방사선치료를 병행한다.

조직학적으로 점액분비 세포와 상피세포로 구성되며, 이 세포들의 분포에 따라 저악성도, 중등악성도, 고악성도로 구분한다. 저악성도 종양은 점액질이 많으며 주위와 경계가 분명하나, 고악성도 종양은 점액분비세포가 매우 적고 상피세포가 많아 원발성 편평세포암종과 감별하기가 어렵다(그림 19-5).[23]

2. 선양낭성암종

선양낭성암종(adenoid cystic carcinoma)은 타액선 암종 중 두 번째로 흔하며, 이하선에서는 점액표피양암종보다 발생률이 낮지만 악하선과 설하선, 소타액선에서는 가장 흔하게 발생한다. 소타액선 악성종양의 30%를 차지하며 특히 구개에서 흔히 발생한다. 50–60대에 호발하며 남녀비는 비슷하다. 대부분 서서히 자라지만 국소적으로 침윤성이고, 재발률이 높으며, 신경을 따라 퍼지는 경향이 있어 소수에서는 초기 증상으로 안면신경마비, 삼차신경마비와 통증 등을 호소한다.[24] 병리조직학적으로 관상형(tubular), 사상형(cribriform), 고형(solid)으로 구분하며 관상형이 가장 예후가 좋고 고형이 가장 나쁘다. 이러한 병리조직학적 구분은 각각이 포함된 정도에 따라 grade I부터 grade III로 분류하기도 한다. 관상형 선양낭성암종은 내측에 상피세포, 외측에 근상피세포가 위치하는 중심 내강을 가지는 관 형태로 종양이 관찰된다. 세 가지 조직형 중 가장 흔한 사상형은 낭 내부에 유리질 또는 호염기성의 점액 물질로 차 있는 체 모양의 작은 낭 구조를 보이면서 주변에 종양세포들이 존재한다. 고형 선양낭성암종의 경우는 관이나 낭종의 형태가 없이 균질한 기저양 세포들의 군집으로 형성되어 있다(그림 19-6).

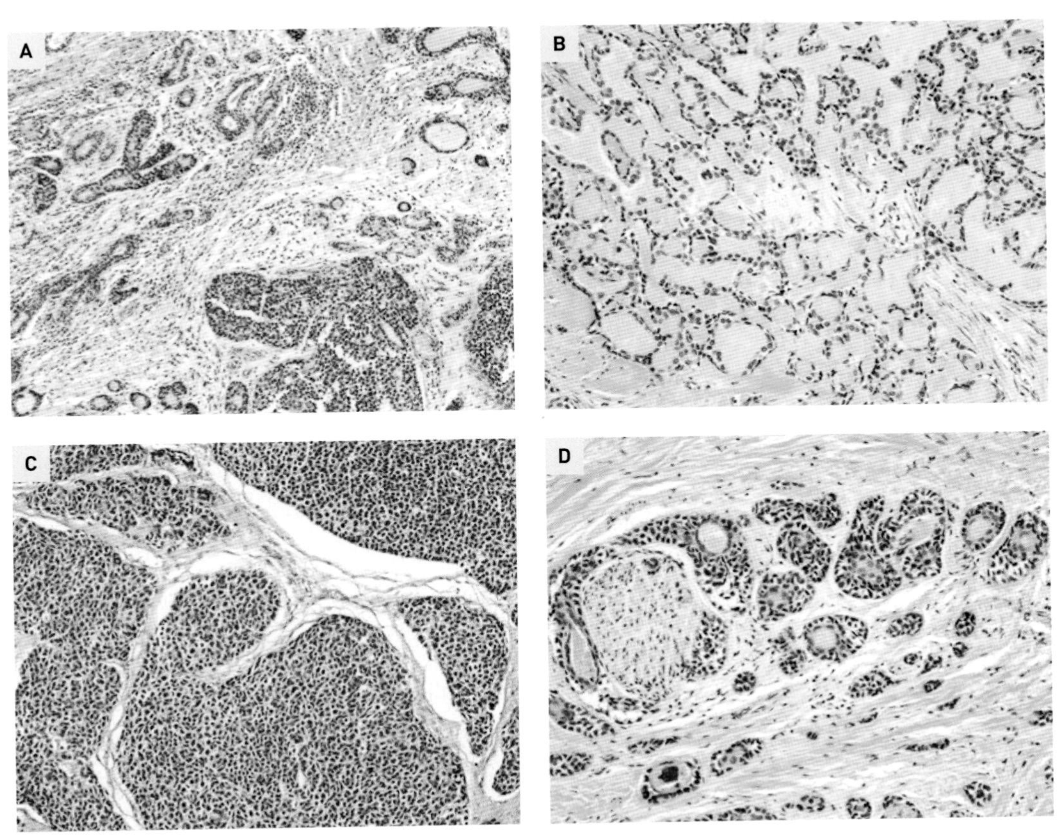

■ 그림 19-6. **선양낭성암종의 병리학적 소견.** **A)** 관상형: 안쪽의 상피세포와 바깥쪽의 근상피세포의 두층으로 구성된 작은 관 모양으로 관찰된다. **B)** 사상형: 작고 핵이 진한 종양세포들이 체모양의 작은 낭 구조를 보이면 낭 내부에서 점액 물질이 관찰된다. **C)** 고형: 기저세포를 닮은 세포들이 고형성 군집을 형성하며 바깥쪽 세포들이 둘러싸고 있다. **D)** 신경주위막 침범 소견.

림프절 전이 빈도는 흔하지 않으며 주로 악하선에 발생한 종양에서 보이는데 림프절 전이보다는 인접한 림프절로의 침윤에 의해서 발생하는 경우가 대부분이다. 작은 신경분지를 침범하는 경우는 예후와 크게 관계없으나, 신경의 주가지(main trunk)를 침범하는 경우는 예후가 좋지 않다. 25–55%에서 원격전이가 발생할 수 있으며 특징적으로 폐나 뼈에 원격전이가 많이 발생하나 질환이 서서히 진행하므로 원격전이가 있는 상태에서도 종종 5년 이상 생존할 수 있으며 완치 후 15년 이후에도 재발하는 경우가 있다.[25]

3. 선방세포암종

선방세포암종(acinic cell carcinoma)은 장액세포로 구성되어 있는 암종으로 주로 이하선에 생기며 전체 타액선암의 5–11%를 차지한다. 여성에게 흔하며 2–5% 정도에서 다발성, 양측성 종양으로 발현되고 소아에서는 점액표피양암종 다음으로 흔한 암종이다. 종양은 장액성 선방세포를 닮은 세포와 투명한 세포질을 가지는 세포로 이루어져 있다(그림 19-7). 국소침윤이나 전이가 드문 저악성도 암종으로 예후가 좋다. 치료로는 종양의 신경 침범이 있지 않는 한, 안면신경을 보존하면서 이하선 천엽절제술

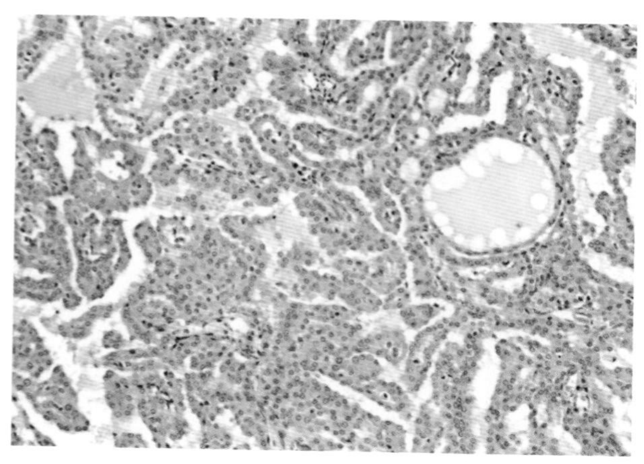

■ 그림 19-7. **선방세포암종의 병리학적 소견.** 장액성 선방세포로 이루어져 있으며 호산성의 세포질 내 공포(vacuole)들이 관찰된다.

혹은 전절제술을 시행할 수 있다.[26,27]

4. 선암종

선암종(adenocarcinoma)의 40%는 소타액선에서 발생하며 주타액선에서 발생하는 경우에는 이하선에서 주로 발생하며 남녀 발생비는 비슷하다. 육안적 소견으로는 단단하고 주위 조직에 유착되어 있으며, 소타액선 종양의 경우 궤양을 동반할 수 있으며 경구개 골침범이 있는 상태로 발견되기도 한다. 병리조직학적으로 다양한 형태의 원주상 세포들로 구성되며 여기에서 점액을 분비하여 mucicarmine 염색에 양성반응을 보인다. 각질(keratin) 염색이 없는 것으로 점액표피양암종과 구별된다. 선(gland) 형성의 정도에 따라 악성도를 나누며, 고도의 경우 예후가 매우 나쁘다. 이 종양은 질병특이적인 조직학적 소견을 가지지 않기 때문에 타 부위에서 전이된 선암종의 가능성에 대해 반드시 고려해야 하므로 면역조직학적 염색을 통해 확인을 해야 한다.

5. 악성혼합종

악성 혼합종(malignant mixed tumor)은 다형선종유래 암종(carcinoma ex pleomorphic adenoma), 암육종(carcinosarcoma), 전이성 다형선종(metastasizing pleomorphic adenoma)을 포함하는 일반적인 분류로 타액선암종의 5–12%를 차지한다. 이들 모두 양성 다형선종에서 다양한 조직 형태의 악성종양이 기원한 경우를 말하며, 대부분 이하선에 발생하나 악하선과 소타액선에서도 발생할 수 있다.[28] 다형선종유래 암종(carcinoma ex pleomorphic adenoma)은 기존의 양성 다형선종에서 상피 세포암종이 발생한 경우이며, 전이성 다형선종(metastasizing pleomorphic adenoma)은 원발부와 전이부 종양이 양성종양인 경우로 매우 드물게 발생한다. 주로 다발성의 국소 재발의 과거력이 있다가 폐나 뼈 전이가 발견된다. 암육종(carcinosarcoma)은 상피세포암종과 육종이 동반하여 발생한 경우로 매우 예후가 나쁘다. 이 중 다형선종유래암종이 가장 흔한 형태이며 전이는 악성 부분에서만 일어난다. 악성혼합종의 병리조직학적 소견으로 양성 다형선종 배경에 악성상피세포가 보인다. 악성종양 부위는 선암종, 타액관암종, 미분화암종의 형태를 보이기도 한다. 악성상피세포는 세포의 핵질/세포질 비율 증가, 유사분열 증가, 뚜렷한 핵소체, 침윤성 성장이나 피막 침윤 등의 악성의 기준을 충족해야 한다(그림 19-8). 치료로는 타액선을 포함한 광범위 국소절제술과 예방적 경부절제술을 시행해야 하며 부가적으로 방사선치료를 시행할 수 있다. 다형선종유래 암종의 경우 과거 수술력이 있는 경우가 대부분이므로 수술 시 안면신경 보존이 어렵고 깨끗한 절제연을 확보하는 것이 불가능한 경우가 있어서 대부분 방사선치료를 해야 한다.

6. 타액관암종

타액관 암종(salivary duct carcinoma)은 매우 공격

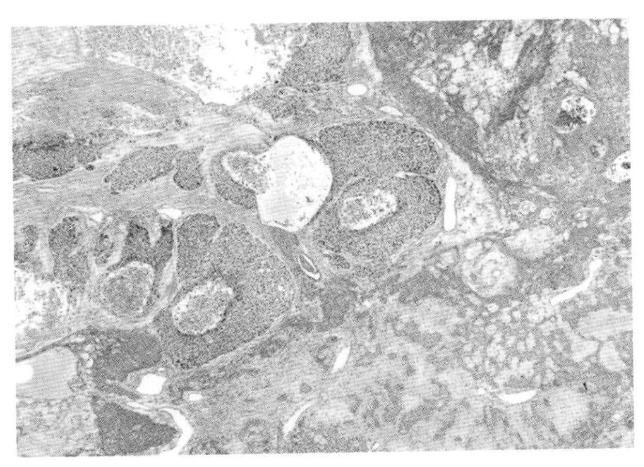

■ 그림 19-8. **악성혼합종의 병리학적 소견.** 좌측 부위에 괴사를 동반한 암세포가 관찰되며 우측에 잔존하고 있는 다형선종이 관찰된다.

적인 악성종양 중의 하나로 타액선 배출관의 상피세포에서 기원한 암종으로 대부분 이하선에 생기며, 50세 이상의 고령, 남성에서 흔하게 발생한다. 전형적으로 급격하게 크기가 커지는 종물로 발견되며 드물게 안면마비나 얼굴 피부에 궤양을 일으킬 수 있다.

국소 재발, 림프절 전이 및 원격전이가 흔하며, 신경피막 침범과 혈관 내 침범이 흔하게 발견된다. 생존율이 극히 낮은 고악성도 종양으로 유방에서 발행하는 타액관암종과 유사한 병리학적 소견을 보인다(그림 19-9).[29] 술 전 방사선학적 검사와 세침흡인세포검사로는 진단하기가 힘들며, 면역조직 화학검사를 함께 시행하면 진단에 도움이 될 수 있다.[30] 조직학적으로는 크고 뚜렷한 타액관 암종 및 소공질 양상(cribriform pattern)을 보이며, 이외에도 다양한 침윤성의 고형, 유두형, 사상형, 관상형, 면포형 괴사(comedo)–(type necrosis)를 보이는 타액관과 신경, 림프관, 혈관 침윤을 관찰할 수 있다. 감별진단으로는 전이성 유방암, 분화도가 나쁜 편평세포암종이나 점액표피양 암종이 있다.

림프절 전이는 원격전이와 함께 예후에 영향을 미치는 중요한 인자이다. 발견 시 경부전이가 있는 경우가 50% 정도 되며 예방적 경부절제술을 시행한 경우 73%에서 림프절 전이가 발견되기 때문에 예방적 경부절제술을 시행하는 것을 권장한다. 타액관 암종의 치료로 광범위 국소절제와 경부절제술, 술 후 방사선치료가 최우선 치료이다. 재발의 경우는 30–40%에서 국소 전이가 발생하고 50~75%의 원격전이가 발생하는데 주로 폐와 골격 계로 전이가 일어난다. 원격전이가 주된 치료 실패 원인이며, 원발 부위 및 경부 치료와 무관하게 주로 원격전이로 인해 사망한다.[29]

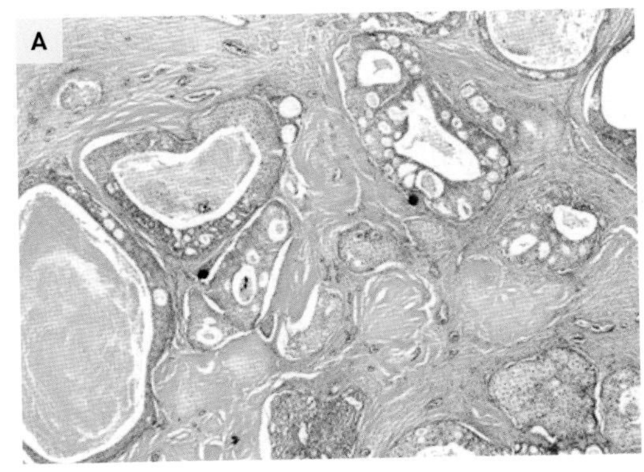

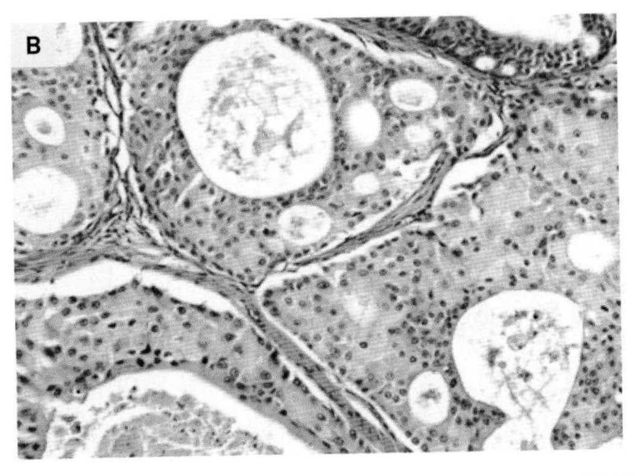

■ 그림 19-9. **타액관암종의 병리학적 소견.** **A)** 면포형 괴사와 미세석회화를 동반한 다양한 크기의 낭성 종괴들이 관찰되며 **B)** 낭종은 다양한 크기의 관 세포로 이루어져 있다.

7. 전이암

악하선이나 설하선은 타액선 내 림프절이 없는 반면 이하선은 타액선 실질 내 림프절이 존재한다. 따라서 이하선에서 발견되는 전이암은 림프절에서 발생하며 대부분 두경부 원발암이 원인이 된다. 두경부 피부암이 림프관을 따라 전이하는 경우가 주를 이루므로 이하선 종괴가 피부암의 전이로 인한 것으로 진단된 경우 두피 및 안면에 대한 면밀한 검사가 필요하다. 안면, 두피, 이개 부위의 림프액 유입경로가 되는 림프절이 이하선 내에 존재하기 때문에 이하선에 전이암이 가장 많이 발생한다. 원발암으로는 흑색종이나 편평세포암종이 가장 흔하다. 폐, 신장, 유방에서 타액선으로의 혈행성 전이는 드물지만 주로 악하선에서 발견되는 전이암의 원발부위가 되는 경우가 많다.

8. 편평세포암종

타액선에 생기는 원발성 편평세포암종은 매우 드물며, 대개 이하선에서 발생한다. 다른 두경부 영역에서 발생하는 편평세포암종과는 다르게 병리조직학적으로 종양세포들의 분화가 나쁠 뿐만 아니라 병의 진행이 빠르고 어떠한 치료에도 실패율이 높아 예후가 불량하다.[31] 주로 50-70대에 발생하며 방사선 치료의 과거력과 연관될 수 있다. 진단 기준으로는 다른 장기에서 발생한 편평세포암종이 이하선 내 림프절로 전이되지 않아야 하고, 안면의 피부에서 발생한 편평세포암종이 이하선에 직접 침윤되지 않아야 하며, 병리조직학적으로 암세포가 점액을 생산하지 않는지 확인하여 점액표피양암종의 가능성이 배제되어야 한다. 진단 시 진행된 병기로 발견되는 경우가 많으며 치료는 일차적으로 광범위 외과적 절제 후 보조적으로 방사선치료를 시행하여 국소재발률을 줄일 수 있다. 복합치료에도 치료 성적은 좋지 않아 5년 생존률이 20-50% 정도이다.[32]

9. 림프종

타액선에 생기는 원발성 림프종(lymphom)은 드물며 림프절외 림프종(extranodal lymphoma)의 약 5%에서 발생한다. 이하선에 가장 호발하는데 이하선 내 림프절의 침범으로 인한 것으로 보인다. 진단 기준으로는 타액선 외의 림프종이 발견되지 않아야 하고, 조직학적으로 타액선 실질 내에서 일차적으로 발생한 것이어야 하며, 세포형태학적으로 악성의 형태를 띠고 있어야 한다. 예후는 일반적으로 좋은 편이다.

Ⅷ 타액선 암종의 치료 원칙 및 예후

대부분의 타액선 암종의 최우선 치료는 외과적 완전 절제이며 필요한 경우 수술 후 방사선치료를 추가하는 것이 효과적이며 항암화학요법의 효과는 작은 것으로 알려져 있다.

이하선 암종의 치료에서 우선 고려할 점은 종양의 위치, 종양의 조직학적 소견, 암종의 악성도, 안면신경의 침범, 림프절 전이 등이 있으며 특히 이하선에 존재하는 안면신경을 보존하는 것이 중요하다. 마찬가지로 악하선 암종이나 설하선 암종의 치료에서도 주위 중요 구조물을 보존하는 것이 중요한데 안면신경의 변연하악신경(marginal mandibular branch)이나 설신경, 설하신경 등이 있다. 그러나 암이 침윤되었다고 판단되는 경우 중요 구조물도 함께 제거될 수 있다.[33]

이하선 천엽에서 발생한 초기의 저악성도 암종에는 이하선천엽절제술을 시행하지만, 같은 저악성도 종양이라도 심엽에서 발생한 암종에는 이하선천엽절제술을 시행하면서 안면신경을 확인한 후 심엽에 존재하는 종양을 절제해야 하며 만약 불완전한 절제로 암세포의 잔존 가능성이 있으면 방사선치료를 병행한다. 그러나 저악성도 암종이라도 병기가 진행된 경우와 모든 고악성도 암종에는 광범위한 절제가 치료 원칙이므로 이하선 전절제술을 시행하고

표 19-5. 이하선 암종의 치료 지침(NCCN guideline, 2017)

종양 병기	종양 위치	림프절 임상병기	치료
T1, T2			종양 완전 절제
T3, T4a	이하선	N0	이하선절제 ± 림프절절제(고악성도)
		N+	이하선절제 + 림프절절제
	타 부위의 타액선	N0	종양 완전 절제
		N+	종양 완전 절제 + 림프절절제
T4b			방사선 치료 또는 동시항암방사선 치료

방사선치료를 병행한다. 치료 전에 안면신경마비가 없으면 암종의 병기나 악성도에 상관없이 안면신경을 보존하는 것이 원칙이고, 충분한 절제연을 확보할 수 없어 안면신경의 보존으로 발생할 가능성이 높은 미세 잔존암의 치료를 위해 수술 후 방사선치료를 추가하여 재발률을 낮출 수 있다. 하지만, 치료 전에 안면신경마비가 있으면 수술 때 안면신경을 제거한 후 비복신경(sural nerve), 대이개신경(greater auricular nerve) 등을 이용하여 안면신경이식술을 시행하고 하악골, 교근, 유양동 등의 주위조직의 침범이 의심되면 이하선전절제술과 함께 주위 구조물을 함께 적출한 후 방사선치료를 병행한다(표 19-5).[34]

타액선 암종의 림프절 전이는 원발암의 조직형, 악성도, 병기, 타액선외 조직 침범 유무에 따라 크게 다르므로 모든 타액선 암에 대해 예방적 경부절제술을 시행하지는 않는다. 일반적으로 고악성도의 진행암에서는 임상적으로 림프절 전이가 없는 경우에 예방적 경부절제술을 시행한다. 예를 들면 경부림프절 전이를 잘 하는 고악성도 점액표피양암종, 고악성도 선암종, 타액관암종, 편평세포암종 등에는 N0 병기에서도 T 병기와 상관없이 선택적인 예방적 경부절제술을 시행하는 것이 보통이다.[22] N+ 병기에서는 변형 근치적 경부절제술(modified radical neck dissection)을 시행하고, 예방적 경부절제술의 범위로 level II, III의 상경부군만 절제하는 방법, 견갑설골상부 경부절제술(supraomohyoid neck dissection) 등의 방법이 있다.[35]

타액선 종양에서 수술적 치료 없이 방사선치료 단독으로는 잘 시행하지 않으며 병기가 진행되어 수술이 불가능할 때 고식적(palliative) 치료의 일환으로 시행할 수 있다. 술 후 방사선치료의 경우는 대개 진행된 병기, 절제연 미확보, 고악성도 종양, 주위 중요 구조물 침범이 있을 때 시행하게 된다(표 19-6).

표 19-6. 타액선암의 수술 후 방사선치료 적응증

진행된 병기
절제연 미확보(positive resection margin)
고악성도 종양(high grade tumor)
신경 침범(neural/perineural invasion)
림프관/혈관 침범(lymphatic/vascular invasion)

TNM 병기와 함께 암종의 악성도가 중요한 예후 결정인자이다. 일반적으로 작은 주타액선에서 생긴 암종일수록 예후가 좋지 않으며, 재발암인 경우, 그리고 다결절, 절제연의 잔존암, 안면신경마비 등이 있으면 예후가 불량하다. 원격전이의 빈도는 폐전이가 가장 높으며, 뼈, 내장, 뇌 등으로도 전이될 수 있으므로 흉부 촬영과 골주사(bone scan) 검사를 정기적으로 시행해야 한다.[36]

IX 타액선의 수술

1. 이하선절제술

수술 중 안면신경의 신경모니터링이 필요하기 때문에

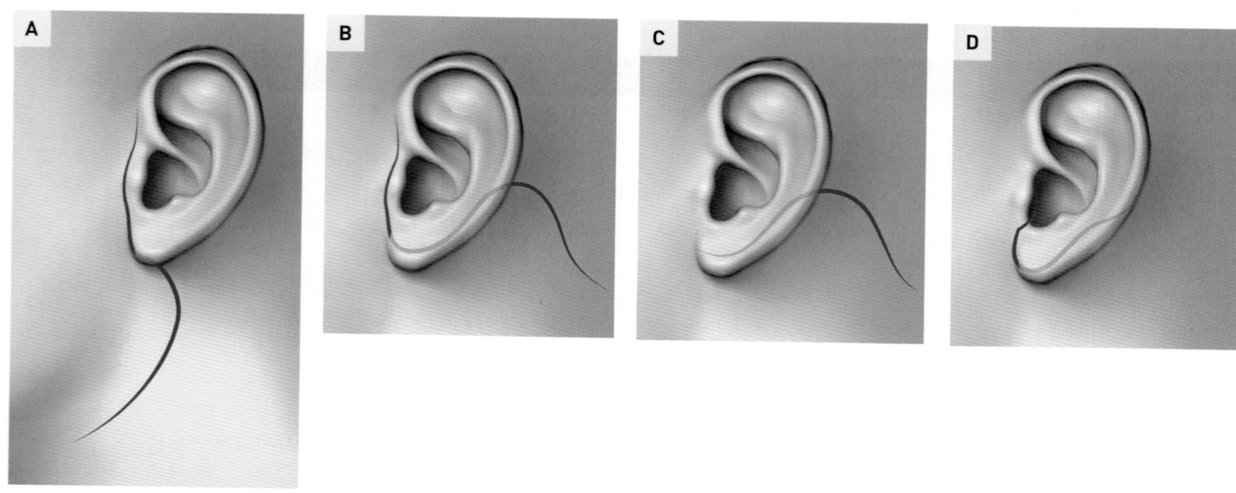

■ 그림 19-10. **이하선절제술을 위한 절개 방법들.** **A)** 변형 Blair 절개(modified Blair incision). **B)** 얼굴성형절개(facelift incision). **C)** 이개후두발선절개(retroauricular hairline incision,RAHI). **D)** 이개주위절개(periauricular incision)

수술 중에는 근육이완제의 사용을 피해야 하며, 수술 포를 덮을 때 수술 부위 쪽의 안면을 전부 노출시킨다.[37,38] 피부 절개는 전향적인 방법으로는 이주 전방에서부터 시작하여 귓불(ear lobe)을 돌아 이개후(retroauricular) 부위에서 곡선을 그리고 피부 주름을 따라 경부의 피부 절개로 연장하는 법(modified Blair incision)이 있으며 미용적인 이유로 모발선(hair line) 후방으로 피부 절개를 시행하거나, 주름제거성형술 절개(rhytidectomy incision) 를 이용하는 경우도 있다(그림 19-10). 또한 수술 중 대이개 신경을 보존하면 피부의 감각감퇴를 막을 수 있다는 보고가 있으나[39-41] 대이개 신경의 보존이 감각감퇴를 방지하는데 이점이 없다는 보고도 있다.[42,43] 수술 후 나타나는 Frey 증후군을 방지하기 위해 피판을 두껍게 박리하는 것이 좋으며[44] 심경근막의 전층으로 피판을 박리하면서 전방에 이하선 종물이 드러나면 이하선을 외이도의 연골과 흉쇄유돌근의 전연으로부터 분리한다.

이하선은 천엽과 심엽으로 이루어져 있으며 두엽 사이에 안면신경이 존재한다. 측두골외 안면신경(extratemporal facial nerve)은 경유돌공(stylomatoid foramen)에서 나오면서 경유돌공으로부터 1–2 cm 부위에서 상부 측두안면분지(upper temporofacial division)와 하부경

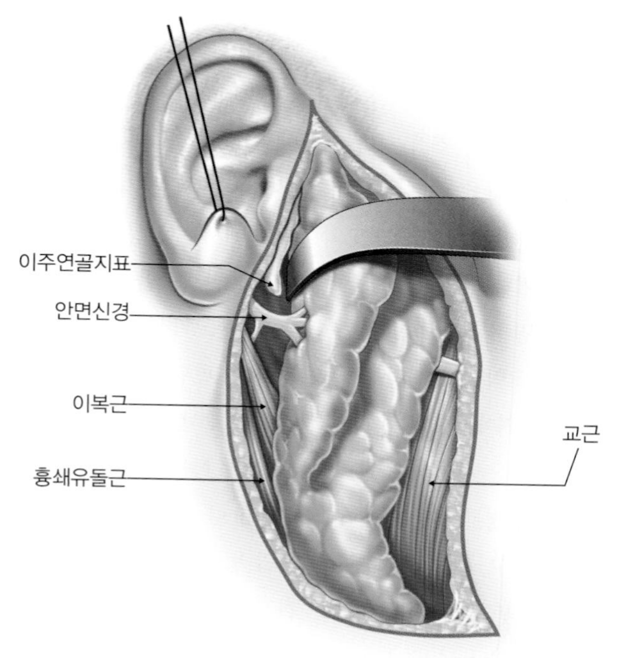

■ 그림 19-11. **이하선절제술 시 관찰되는 안면신경줄기의 위치**

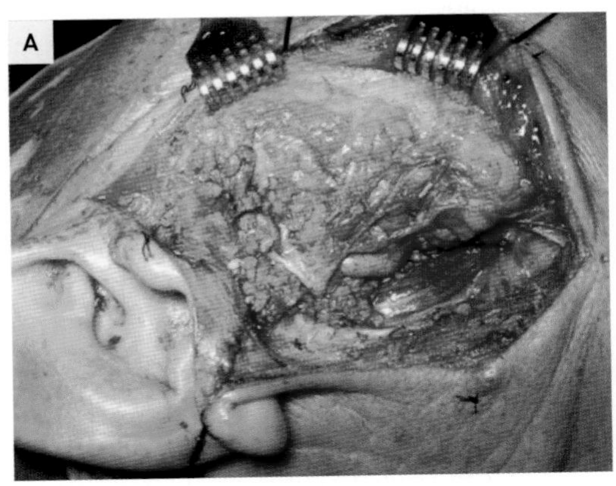

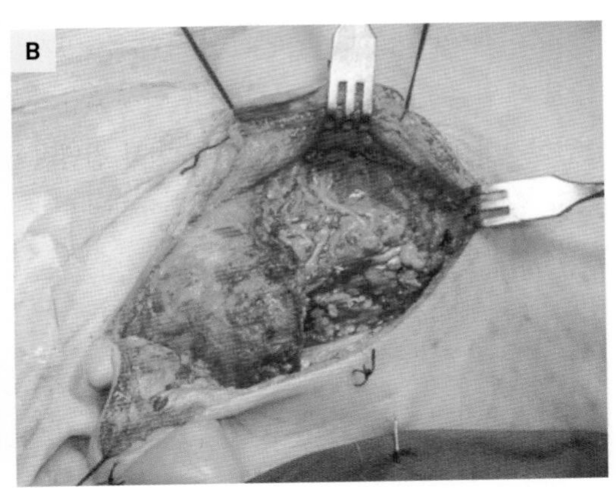

■ 그림 19-12. **이하선천엽절제술의 수술 소견.** **A)** 모든 안면신경분지를 확인한 후 이하선천엽절제술을 시행한 수술 소견. **B)** 안면신경의 하방분지만 확인한 후 이하선부분천엽절제술을 시행한 수술 소견.

부안면분지(lower cervicofacial division)가 된다. 상부안면분지는 측두분지(temporal branch), 협골분지(zygomatic branch), 협분지(buccal branch)가 되며 하부안면분지는 변연하악분지(marginal mandibular branch)와 경분지(cervical branch)가 된다.

이하선 수술 시에 안면신경 줄기를 찾기 위해 동원될 수 있는 여러 가지 해부학적 구조들을 이용하여 주의 깊게 박리해야 한다(그림 19-11). 안면신경 박리를 위한 해부학적 지표로는 1) 이주연골지표(tragal pointer), 2) 고실유동봉합(tympanomastoid suture), 3) 후이복근의 근육 부착부위, 4) 신경분지 말단으로부터의 역행성 박리, 5) 유양동 내의 신경 등이 있다.

경유돌공에서 나온 안면신경은 후이복근의 유양돌기에 부착부 바로 앞에서 이하선 내로 들어가며 이주연골지표 또는 고실유동봉합의 하내측 1 cm 내외에서 안면신경을 확인할 수 있다. 하지만 종양으로 인해 안면신경의 주줄기(main trunk)를 찾기 힘들 경우에는 신경분지의 말단을 확인한 후 역행성 박리를 하여 주줄기를 확인할 수 있다. 특히, 변연하악분지의 경우 후안면정맥 위를 지나가기 때문에 정맥 주변에서 신경분지를 확인한 후 역행성 박리를 한다.

안면신경의 줄기를 찾으면 그 분지들을 따라 외측의 이하선 천엽조직에 절개를 가하면서 박리를 진행한다. 반드시 안면신경의 분지를 확인한 위치로만 절개를 진행해야 하며 종물보다 전방까지 박리한 후 종물을 포함한 이하선 천엽을 절제한다. 양성종양에서는 이하선 천엽을 완벽하게 제거하기보다는 종물 주변의 이하선을 절제하는 부분천엽절제술을 시행할 수 있다(그림 19-12).

수술 전 안면마비가 존재하지 않은 경우에는 안면신경의 절제를 피하는 것이 원칙이며 종물의 안면신경 유착이 수술 중에 발견된 경우 최대한 주의하여 분리해야 한다. 모든 양성종양에서는 안면신경 보존이 필수적이지만 악성종양의 경우는 종물과 함께 절제한 직후 재문합 또는 신경이식을 시행해야 한다. 수술이 종료되면 안면신경 분지들을 다시 확인하여 손상 여부를 확인해야 한다.

이하선전절제술은 종물이 이하선의 심엽을 침범한 경우, 악성종양, 재발한 다형선종, 드물게는 반복되는 만성 이하선염의 경우에 시행할 수 있으며 먼저 이하선천엽절제술을 통해 안면신경을 확인해야 한다. 심엽에 발생한 양성종양의 경우에는 이하선천엽을 모두 절제하기보다는 종양에 인접한 천엽 일부분만 절제하면서 종양 근처의 안면신경을 확인한 후 종양으로부터 박리를 하면서 심엽 종양을 절제한다. 이때 안면신경의 견인이 필요할 수 있기 때문에 손상에 매우 주의를 기울여야 한다. 악성종양의 경우에는 안면신경의 분지들을 모두 노출시키면서 천엽절제술을 시행한 후에 심엽절제술을 시행해야 한다. 만성 이하선염으로 인해 이하선전절제술을 시행하는 경우에는 조직의 유착이 심해 박리면이 불분명하여 안면신경의 손상 가능성이 더욱 높으므로 세심한 주의를 요한다.

심엽의 절제는 이하선천엽절제술과 달리 교근의 전방에 있는 이하선관을 만날 때까지 시행하고 안면신경의 분지들을 모두 노출시킨다(그림 19-13). 부인두공간을 침범한 경우 경돌하악인대를 절제하여 공간을 추가적으로 확보하면서 종물을 제거할 수 있으나 종물의 크기가 매우 큰 경우 경우 하악골절단술(mandibulotomy)이 필요할 수도 있다. 이때는 골절단 이전에 고정판(fixation plate)을 고안하고 미리 나사구멍을 뚫어놓음으로써 술 후 발생할 수 있는 부정교합을 최대한 방지해야 한다.

이하선절제술 후 가장 흔한 합병증은 혈종(hematoma)이다. 수술 부위의 부종과 충혈이 발생하면서 배액관으로 배출되는 혈액이 많은 경우에 의심할 수 있으며 진행하는 혈종이 발견되는 경우 지혈 수술을 해야 한다. 혈종은 이차 감염이나 피판괴사와 같은 문제를 일으킬 수 있기 때문에 적절한 조치가 필요하다.

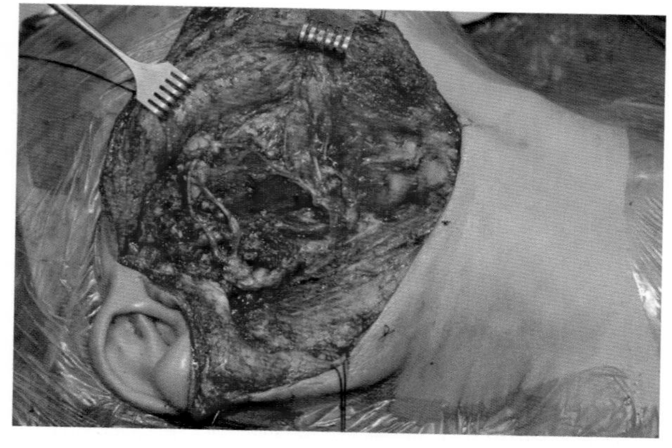

■ 그림 19-13. 이하선전절제술의 수술 소견.

타액루는 비교적 빈번하게 나타나는 술 후 합병증이다. 타액루가 심한 경우에는 환부의 지나친 압박감으로 인한 통증이 발생할 수 있으며 주사기를 통해 타액루를 흡인하여 제거하면 증상을 경감시킬 수 있다. 대부분은 자연적으로 문제가 해결되며 만성적인 누공이 형성되는 경우는 극히 드물다.

가장 중요한 합병증은 안면신경마비로 20~60%에서 일시적인 마비가 나타나고 영구적인 마비는 2~5% 정도에서 발생하며 분지 중에서는 변연하악분지의 마비가 가장 많이 발생한다.[45-48] 과도한 견인을 하였을 경우 수술 후 안면신경마비가 발생할 수 있으나 미약한 안면운동이라도 남아 있다면 대개 3-4주 내에 회복된다. 만약 축삭(axon)에까지 손상을 입었다면 안면신경의 회복은 6개월까지 지연되는 것으로 알려져 있다.

이하선절제술에서 피판을 거상할 때 손상시킬 수 있는 대이개신경은 손상 시 이개부와 이하부의 피부지각 감소가 장기적으로 지속된다. 수술 중 대이개신경의 후방주행 분지를 박리하여 보존함으로써 피할 수 있으나, 모든 예에서 가능하다고는 볼 수 없다. 지각 감소가 발생한 환자들에게는 감각 소실로 인해 이개부의 화상이나 동상을 입을 수 있다고 교육을 해야 한다.

신경절전부교감신경이 피하층의 땀샘과 잘못된 신경지배를 형성하여 발생하는 Frey 증후군의 증상은 음식물 섭취 시 이하부의 피부에서 발한이 발생하는 것이다(그림 19-14). 피판을 너무 얇게 들었던 것이 원인이 될 수 있으며 Frey 증후군의 예방을 위해 피판과 이하선 사이에 이식 조직을 삽입하여 기계적인 장벽을 형성하고자 하는 노력을 할 수 있다. 이때 사용되는 조직으로는 천근건막체계(superficial musculoaponeurotic system; SMAS),[49] 흉쇄유돌근,[50] 진피 혹은 진피지방(dermal fat), 대퇴근막(fascia lata), 측두두정골근막(temporalparietal fascia) 등이 있으며 천근건막체계나 흉쇄유돌근이 가장 많이 이용된다.

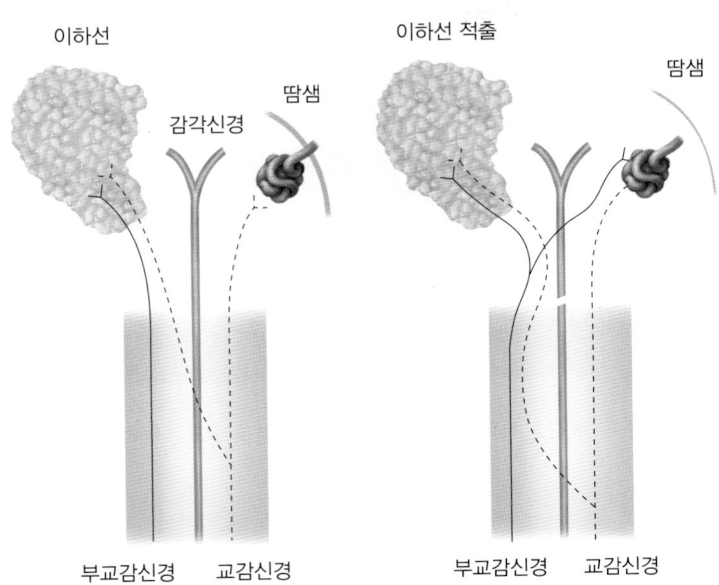

■ 그림 19-14. **Frey 증후군의 병태생리**

2. 악하선 절제술

피부 절개를 피부 주름을 따라 악하선의 하연에 가한 후, 피부, 피하층, 활경근순으로 절개하여 악하선의 하방 부위에 도달한다. 하악골 하연에서 최소한 2 cm 하방에서 악하선을 덮고 있는 경근막을 절개하여야 변연하악신경(marginal mandibular nerve)의 손상을 피할 수 있다. 안면정맥을 결찰하여 상방으로 견인하면 변연하악신경의 손상없이 경근막을 악하선으로부터 박리할 수 있다. 하지만 반복된 염증으로 악하선이 주위 조직에 유착된 경우에는 박리가 어려울 수 있기 때문에 확대경 등으로 수술 시야를 확대하고 신경자극기 등을 사용하여 변연하악신경을 먼저 찾는 것이 원칙이다.

일반적으로 변연하악신경은 악하선의 상부에서 안면혈관과 하악골의 하연이 만나는 지점을 최저점으로 하여 주행하며 안면정맥과 안면동맥 및 림프절들(prevascular and postvascular lymph nodes)의 외측과 인접해 있기 때문에 안면혈관을 결찰하여 상방으로 견인함으로써 수술 중의 신경손상을 방지할 수 있다(그림 19-15).

악하선의 후방을 박리하면 외경동맥에서 분지하는 안면동맥을 확인할 수 있으며 두 번의 결찰을 통해 동맥으로부터 악하선을 분리한다. 악하선 상부에 존재하는 안면혈관들을 결찰하여 하악골로부터 악하선의 상부를 분리한 후 이복근 전복 부위의 연조직을 박리하여 악하선을 후방으로 견인하면서 하악설골근으로부터 악하선을 분리하여 하악설골근의 후연을 확인한다. 하악설골근의 변연

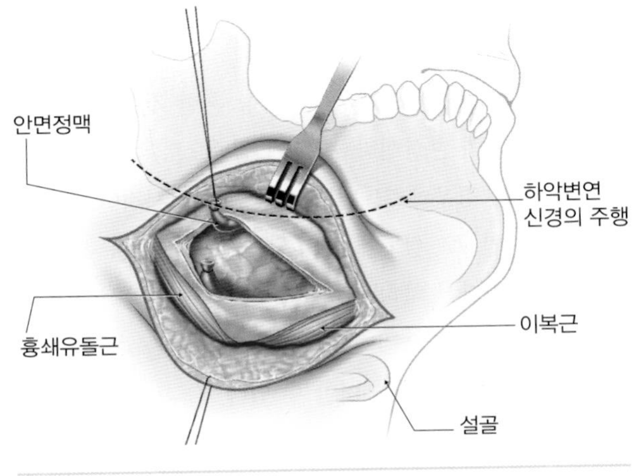

■ 그림 19-15. **악하선 절제술 시 변연하악신경의 주행**

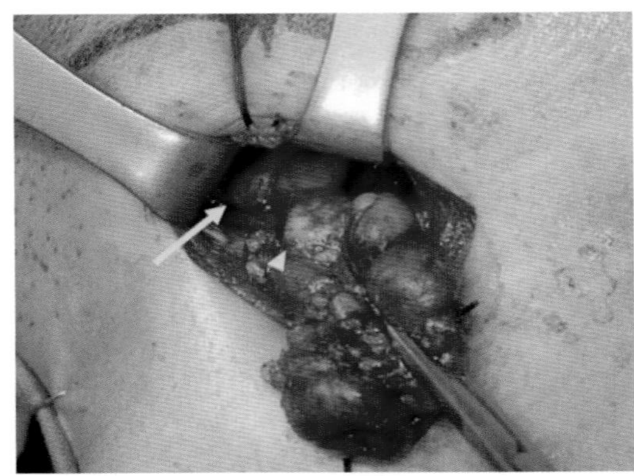

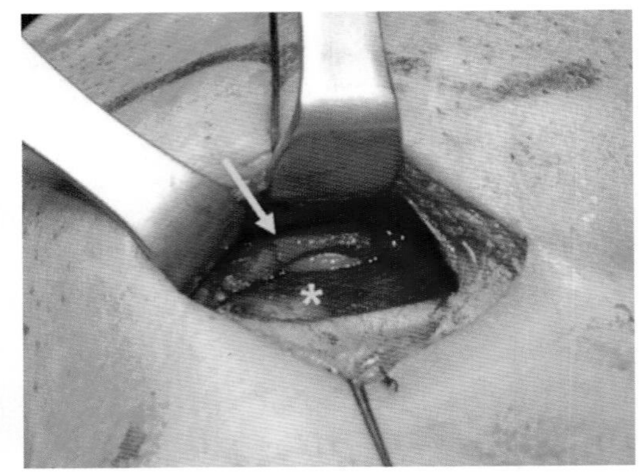

■ 그림 19-16. **악하선 절제술 중 하악설골근을 전방으로 견인한 후 소견.** 하악설골근 하방에서 설신경(화살표), 악하선관(삼각형, 관내 타석 관찰), 설하신경 (별표)이 관찰된다.

부를 앞쪽으로 견인하면서 악하선을 후방으로 견인하면 하악설골근보다 밑에 있는 악하선의 미부와 배출관(Wharton's duct), 이에 인접한 설하선, 설신경과 악하신경절(submandibular ganglion)을 확인할 수 있다(그림 19-16). 이 중 신경절에서 악하선으로 주행하는 신경 분지들을 절제하여 설신경을 악하선으로부터 분리하고 악하선관을 확인하여 결찰한다. 이때 악하선 저부에는 설하신경이 존재하기 때문에 설신경 분지와 타액관 결찰을 하기 전에 반드시 악하선을 설골설근을 덮고 있는 근막으로부터 분리해야 설하신경의 손상을 예방할 수 있다. 악하선이 적출되면 설신경 및 설하신경의 손상 여부를 재차 확인하고 수술부위를 세척한 후 배액관을 삽입한 상태로 봉합한다.

악하선 절제술의 합병증 중 가장 흔한 것은 안면신경 변연하악분지의 손상이다. 반복된 염증으로 주위 조직 의 유착이 심한 경우에 그 빈도가 높으며 일시적인 마비가 대부분이지만 7% 정도에서 영구적인 마비가 올 수 있다는 보고가 있다.[51] 악하선관의 잔여 부위에 타석이 남아 수술 후 염증을 일으키기도 하는데, 대개 술 후 경구 소식자를 이용하여 쉽게 제거할 수 있다. 술 후 출혈이 있는 경우 설근의 종창이 동반되면서 심각한 기도폐쇄를 일으킬 수 있으므로 배액관을 통해 출혈량이 많고 수술 부위의 종창이 발생하면 발견 즉시 지혈을 위한 재수술을 시행해야 한다. 설신경 및 설하신경의 손상은 대부분의 경우 부주의한 박리로 인해 발생하기 때문에 염증과 그에 따른 유착이 심한 증례에서는 수술 시야의 충분한 확보와 주의 깊은 박리가 필수적이다.

참고문헌

1. 김상윤. 타액선의 수술. 두경부외과학, 개정판 한국의학사, 2005, pp. 885-905.
2. 김종양, 김상윤, 남순열 등. 타액선 질환에 대한 세침흡입검사의 임상적 유용성. 한이인지 2006;49:639-643.
3. 노종렬. 이하선 천엽절제술과 부분절제술. 갑상선두경부외과학. 범문에듀케이션. 2014, pp. 389-400.
4. 심윤상, 오경균, 이용식. 타액선 종양에 관한 임상적 고찰. 한이인지 1990;33:329-331.
5. 오경균, 이국행, 추무진. 타액선 양성 혼합종의 임상적 고찰. 한이인지 1992;35:632-639.
6. 이상욱, 김귀언, 박정수 등. 원발생 이하선 편평상피세포암종. 두경부종양학술지 1997;13:228-234.
7. 조승호, 조재식. 타액선의 종양성 질환. 두경부외과학, 개정판 한국의학사, 2005, pp 871-884.
8. 최건, 김효열, 최종욱. Wart hin 종양의 임상적 고찰. 한이인지 1996;37:1820-1827.
9. 최종욱, 정광윤, 김용환. 타액선의 악성 혼합종양. 임상이비인후과 1995;6:275-279.
10. 최종욱. 타액선 종양. 대한이인후과학회 편. 이비인후과학두경부외

과학 일조각, 2002, pp. 1274-1289.
11. American Joint Committee on Cancer. Manual for Staging of Cancer, 8th ed. Philadelphia: JB Lippincott, 2017.
12. Batsakis JG. Tumors of the major salivary gland. In: Batsakis JG, ed. Tumors of the Head and Neck: Clinical and Pathological Consideration, 2nd ed. Baltimore: Williams & Wilkins, 1979, pp. 64-66.
13. Bonanno PC, Palaia D, Casson P, et al. Prophylaxia against Frey's syndrome in parotid surgery. Ann Plast Surg 2000;44:498-501.
14. Bradley PJ. Metastasizing pleomorphic salivary aclenoma should now be consiclered a low-grade malignancy with a lethal potential. Curr Opin Otolaryngol Head Neck Surg 2005;13:123-126.
15. Bradley PJ. Adenoid cystic carcinoma of the head and neck: a review. Curr Opin Otolaryngol Head Neck Surg 2004;12:127-132.
16. Brown AMS, Ord RA. Preserving the great auricular nerve in parotid surgery. Br J Oral Maxillofac Surg 1989;27:459-466.
17. Casler JD, Conley J. Sternocleidomastoid muscle transfer and superficial musculoaponeurotic system plication in the prevention of Frey's syndrome.
18. Chow TL, Lam CYW, Kwok SPY, et al. Sternocleidomastoid muscle transposition improves the cosmetic outcome of superficial parotidectomy. Br J Plast Surg 2001;54:409-411.
19. Christensen NR, Jacobsen SD. Parotidectomy. Preserving the posterior branch of the great auricular nerve. J Laryngol Otol 1997;111:556-559.
20. da Cruz Perez DE, Alves FA, Kowalski LP, et al. Prognostic factors in head and neck adenoid cystic carcinoma. Oral Oncol 2006;42:139-146.
21. Day TA, Deveikis J, Gillespie MB, et al. Salivary gland neoplasms. Curr Treat Options Oncol 2004;5:11-26.
22. Eveson JW, Cawson RA. Salivary gland tumours. A review of 2410 cases with particular reference to histological types, site, age and sex distribution. J Pathol. 1985;146:51-8.
23. Gallo O, Franchi A, Bottai GV, et al. Risk factors for distant metastases from carcinoma of the parotid gland. Cancer 1997;80:844-851.
24. Gnepp DR, Rader WR, Cramer SF, Cook LL, Sciubba J. Accuracy of frozen section diagnosis of the salivary gland. Otolaryngol Head Neck Surg. 1987;96(4):325-30.
25. Harish K. Management of primary malignant epithelial parotid tumors. Surg Oncol 2004;13:7-16.
26. Hosal AS, Fan C, Myers EN, et al. Salivary duct carcinoma. Otolaryngol Head Neck Surg 2003;129:720-725.
27. Howlett DC. Diagnosing a parotid lump: fine needle aspiration cytology or core biopsy? Br J Radiol 2006;79:295-297.
28. Jaehne M, Roeser K, Loning T, et al. Clinical and immunohistologic typing of salivary duct carcinoma: a report of 50 cases. Cancer 2005;103:2526-2533.
29. Jeong AK, Kim SY, Cho KJ, et al. Basal cell adenoma in the parapharyngeal space: MR findings. Clin Imaging 2001;25:392-395.
30. Leonardo BA, Cosme GE. Morbidity associated with removal of the submandibular gland. J Craniomaxillofac Surg 1992;20:216-219.
31. Licitra L, Grancli C, Molinari R, et al. Major and minor salivary glands tumour. Crit Rev Oncol Hematol 2003;45:215-225.
32. Marchese-Ragona R, De Filippis C, Staffieri A. Treatment complications of parotid gland surgery. Acta Otorhinlaryngol Ital 2005;25:174-178.
33. Mar Z, Komisar A, Blaugrund SM. Functional facial nerve weakness after surgery for salivary gland for benign parotid tumors: a multivariative statistical analysis. Head Neck 1993;15:147-152.
34. Mehle ME, Kraus DH, Levine HL, et al. Facial nerve morbidity following parotid surgery for benign disease: the Cleveland Clinic Foundation experience. Laryngoscope 1993;103:386-388.
35. Mintz GA, Abrams AM, Melrose RJ. Monomorphic adenoma of the major and minor salivary glands. Oral Surg Oral Mecl Oral Pathol 1982;53:375-386.
36. Mukunyaclzi P. Review of fine-needle aspiration cytology salivary gland neoplasms, with emphasis on differential diagnosis. Am Clin
37. Nagao T. Epstein-Barr virus-associated undifferentiated carcinoma with lymphoid stroma of the salivary gland in Japanese patients. Comparison with benign lymphoepithelial lesion. Cancer 1996;78:695-703.
38. Namata T, Muto H, Konno A, et a1. Evaluation of the validity of the 1997 International Union Against Cancer TNM classification of major salivary gland carcinoma. Cancer 2000;89:1664-1669.
39. Nouraei SA, Ferguson MS, Michaels L, et a1. Metastasizing pleomorphic salivary adenocarcinoma. Arch Otolaryngol Head Neck Surg 2006;132:788-793.
40. Patel N, Har-EL G, Rosenfeld R. Quality of life after great auricular nerve sacrifice during paroticlectomy. Arch Otolaryngol Head Neck Surg 2001;127:884-888.
41. Porter MJ, Wood SJ. Preservation of the great auricular nerve during paroticlectomy. Clin Otolaryngol 1997;22:251-253.
42. Rankow RM, Polayes IM. Diseases of the SaJivary Glands. 1st ed. Philadelphia: WB Saunders, 1980, pp.41-51.
43. Saku T, Hayashi Y, Takahara O, Matsuura H, Tokunaga M, Tokunaga M, Tokuoka S, Soda M, Mabuchi K, Land CE. (1997). Salivary g l a nd t u mor s a mong atom ic b omb s u r v i vor s, 195 0 -1987. 1997;79:1465-1475.
44. Seifert G, Sobin LH. The World Health Organization's Histological Classification of Salivary Gland Tumors. A commentary on the second edition. Cancer 1992;15:379-385.
45. Spiro RH. Distant Metastasis in adenoid cystic carcinoma of salivary origin. Am J Surg 1997;174:495-498.
46. Stennert E, Wittekinclt C, Guntinas-Lichius O, et al. New aspects in parotid gland surgery. Otolaryngol Pol 2004;58:109-114.
47. Terhaard CH, Lubsen H, Hilgers FJ, et al. Salivary gland carcinoma:

independent prognostic factors for locoregional control, distant metastases, and overall survival: results of the Dutch bead and neck oncology cooperative group Head Neck 2004;26:681-692.

48. Thompson LD. Mucoepidermoid carcinoma. Ear Nose Throat J 2005;84:762-763.
49. Tsai CC1, Chen CL, Hsu HC. Expression of Epstein-Barr virus in carcinomas of major salivary glands: a strong association with lymphoepithelioma-like carcinoma. Hum Pathol. 1996;27:258-62.
50. Viera MBM, Maia AF, Ribeiro JCR. Ranclomized prospective study of the validity of the great auricular nerve preservation in parotidectomy. Arch Otolaryngol Heacl Neck Surg 2002;128:1191-1195.
51. Watanabe Y, Ishikawa M, Mizukoshi K, et al. Facial nerve palsy as a complication of parotid gland surgery and its prevention. Acta Otolaryngol Suppl 1993;504:137-139.

CHAPTER

20

구강의 악성종양

이비인후과학 Otorhinolaryngology - Head and Neck Surgery

노영수, 이동진

I 역학

구강에 발생하는 암은 예후가 좋지 않고, 동반된 내과적 질환이나 치료 후 발생하는 구강의 기능적 장애 때문에 두경부 영역에서 치료하기 힘든 질환 중 하나이다.

2015년 발표한 미국암학회 통계에 의하면 구강암환자는 전체 암환자의 3%를 차지하며 매년 약 5,300명이 이 암으로 사망하는 것으로 알려져 있다.[31] 구강암 환자의 55%가 조기병변(Ⅰ, Ⅱ 병기)으로 발견되며 35세 이하의 연령층에서 다른 부위의 구강암에 비해 구강설암의 발생빈도가 높게 나타났다. 또 나이 든 환자군(36세 – 65세, 65세 이상)보다 35세 이하의 구강암 환자군의 5년 생존율이 조금 더 좋았다(63.7%: 51.0%: 47.6%). 흑인과 저소득층에서 국소 진행된 구강암이 더 흔하게 발견되었고 남자, 흑인, 65세 이상 환자군의 5년 생존율이 좋지 못했다.[31]

한편 우리나라에서는 2015년에 발표된 한국중앙암등록본부 자료에 의하면 2013년에 구강암은 남녀를 합쳐서 연 평균 529건으로 전체 암 발생의 0.2%를 차지하며 인구 10만 명당 발생률은 1건이었다. 남녀의 발생 건수는 남자가 334건, 여자가 195건으로 남자에게서 더 많이 발생하였으며 연령대별로는 60대가 27.2%로 가장 많고, 70대가 26.2%, 50대가 19.7% 순이었다. 미국의 통계에 비해 확연히 낮은 발생률은 유전적, 환경적 차이에 기인한 것으로 생각된다. 위의 자료에서 구강암의 남성 대 여성 성비는 1.7:1이었다. 구강암은 연령에 비례하여 발생률이 증가하는 경향이며 대부분 50-60대에 진단된다. 전체 5년 생존율은 약 56%로 낮은 편이다.[14] 지금까지 진단과 치료 방법에 많은 발전이 있었음에도 불구하고 지난 이십여 년간 구강암의 생존율은 크게 향상되지 못하고 있다.

II 원인

흡연과 음주는 구강암의 가장 흔한 원인으로 알려져 있다. 흡연자의 경우 비흡연자보다 남자에서는 1.9배, 여자에서는 3배, 음주력이 있는 환자의 경우는 1.7배로 모두에서 대조군에 비하여 구강암의 발생률이 통계적으로 유의하게 높다.[40] 또한 이 두 인자는 상승효과가 있어서 음주는 흡연의 발암유발 촉진자 역할을 한다. 음주와 흡연을 모두 한 환자군은 대조군에 비하여 구강암 발생률이 15배나 높았다.[40] 두경부암 환자의 경우 치료 후 금연의 효과 또한 입증되어, 구강암 환자가 치료 후 흡연 시 40% 정도에서 재발하는 반면, 금연 시에는 6%만이 재발하는 것으로 밝혀졌다.[40]

인도와 동남아시아에서는 빈랑나무열매인 betel nut를 오래 씹으면 구강점막과 치아에 손상을 주어 암을 유발할 수 있다고 보고되었다.[40] 사람면역결핍바이러스(human immunodeficiency virus;HIV)와의 관련성이 아직 입증되지는 않았지만 카포시 육종(Kaposi's sarcoma)이 구강에 발생할 수 있다.[33] 태양광선의 노출은 구순암의 발생과 연관이 있다. 씹는 담배의 경우 역시 기계적 자극, 열에 의한 손상, 화학적 자극으로 인하여 구순암을 유발할 수 있다.[33] 또한, 구강암 환자들에서 사람유두종바이러스(human papilloma virus;HPV)의 DNA가 동정되는 빈도는 15%로 대조군의 5%에 비하여 통계적으로 유의한 차이를 보이며, 사람유두종바이러스 단독으로 구강암을 일으키지는 않지만 여러 연구에서 두경부암에서의 역할이 입증되었다.

기타 원인으로는 Plummer-Vinson 증후군, 불량한 구강위생, 의치나 치아로 인한 기계적 자극, 매독, 편평태선(lichen planus)과 구강의 점막하 섬유증(submucous fibrosis) 등이 있다. 편평태선의 종류는 망상형(reticular), 구진형(papular), 반형(plaque), 위축형(atrophic), 미란형(erosive), 수포형(bullous)의 6가지인데, 이 중 위축형, 미란형, 반형의 편평태선이 구강암과 관련이 있으며, 특히 설배부(dorsum of tongue)에 위치할 경우 최소 1년마다 주기적인 관찰과 조직 생검이 필요하다.[10]

구강암은 음주, 흡연과 관련되기 때문에 사회적 활동으로 인해 발병하는 암종으로 특징지을 수 있다. 지난 50년간 구강암 발병률의 남녀비가 10.4:1에서 2.7:1로 급격히 감소하는 추세를 보였는데, 이는 여성의 흡연과 음주 인구의 증가 때문으로 보인다.[13]

III 해부

구강은 앞쪽으로는 입술의 점막피부 경계연(skin-vermilion junction)으로부터 후상방으로는 연구개와 경구개의 경계, 그리고 후하방으로는 유곽유두(circumvallate papillae) 선까지의 범위를 포함한다. 구강을 구성하는 일곱 가지의 해부학적 구획은 ① 입술 구순(lip), ② 상부 및 하부 치조릉(alveolar ridge), ③ 혀의 앞쪽 2/3 구강설(oral tongue), 또는 가동부설(mobile tongue), ④ 후구치삼각(retromolar trigone), ⑤ 구강저(mouth floor), ⑥ 협부점막(buccal mucosa)과, ⑦ 경구개(hard palate)이다(그림 20-1).

구강의 림프는 이하절(submental node), 악하절(submandibular node), 상심경부경정맥림프절(upper deep cervical node)로 유출된다. 하구순(lower lip), 하치조릉(inferior alveolar ridge), 혀 끝, 구강저 등의 부위는 우선 이하부로 유출되며, 기타 치조부위, 혀의 외측부, 상구순(upper lip), 협점막 등의 부위에서는 림프가 악하절로 유출된다. 기타 구강의 뒤쪽 부위와 이하부, 악하절로부터의 림프는 상심경부경정맥림프절(upper deep cervical lymph nodes)로 유출된다(그림 20-2, 3).

1. 구순

구순(lip)을 이루고 있는 층은 밖에서부터 순서대로 피부와 순홍부(vermilion), 피하지방층, 근육층, 점막하선과 점막으로 구성되어 있다. 구순을 이루고 있는 근육은 구순내근과 구순외근이다. 순홍부에는 피하지방과 점막하선이 없다.

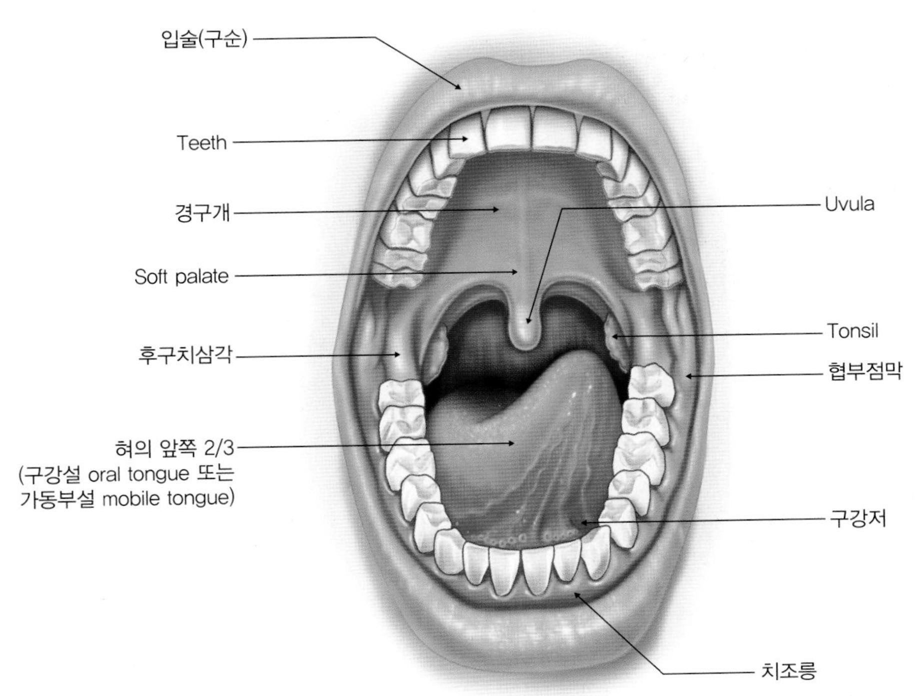

■ 그림 20-1. **구강의 구조**

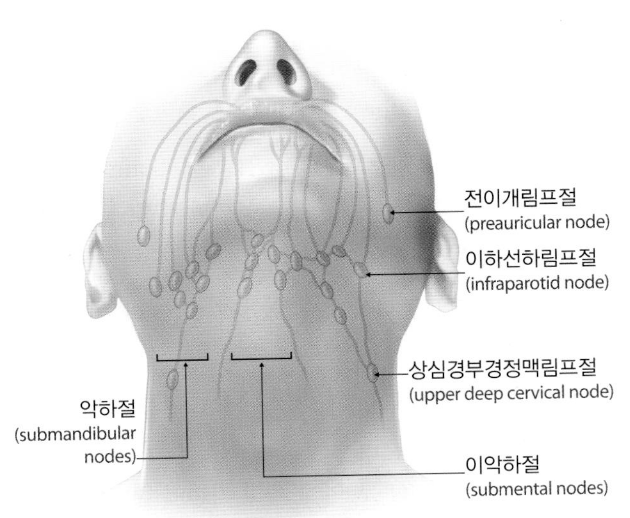

■ 그림 20-2. **구순의 림프액 유출**

구순에 분포하는 주된 신경혈관조직은 점막하층에 존재하여 구순내측의 감각이 구순의 닫는 정도를 조절한다.

구순의 림프 경로는 이하부와 악하림프절로 이루어지는데 하순의 중앙은 이하림프절로 유출되고 하순의 외측은 악하림프절로 유출된다. 상순과 구각의 림프액은 동측의 전이개림프절(preauricular lymph node), 이하선하림프절(infraparotid lymph node), 악하림프절로 유입되며 이어서 상심경부경정맥림프절로 유입된다.

2. 치조릉

상악골과 하악골의 치조돌기(alveolar process)와 그들의 점막을 포함한다. 상부 치은부(upper gingiva)의 암종은 쉽게 골을 침범하여 위로는 비강 또는 상악동으로 침입할 수도 있다. 외측 침범 시 상부 협구(buccal sulcus)와 협부점막(buccal mucosa)을 침범할 수 있다.

구강 안에서 하치조릉(lower alveolar ridge)은 매우 다양한 형태를 가지고 있다. 유치하악에서는 매우 큰 면

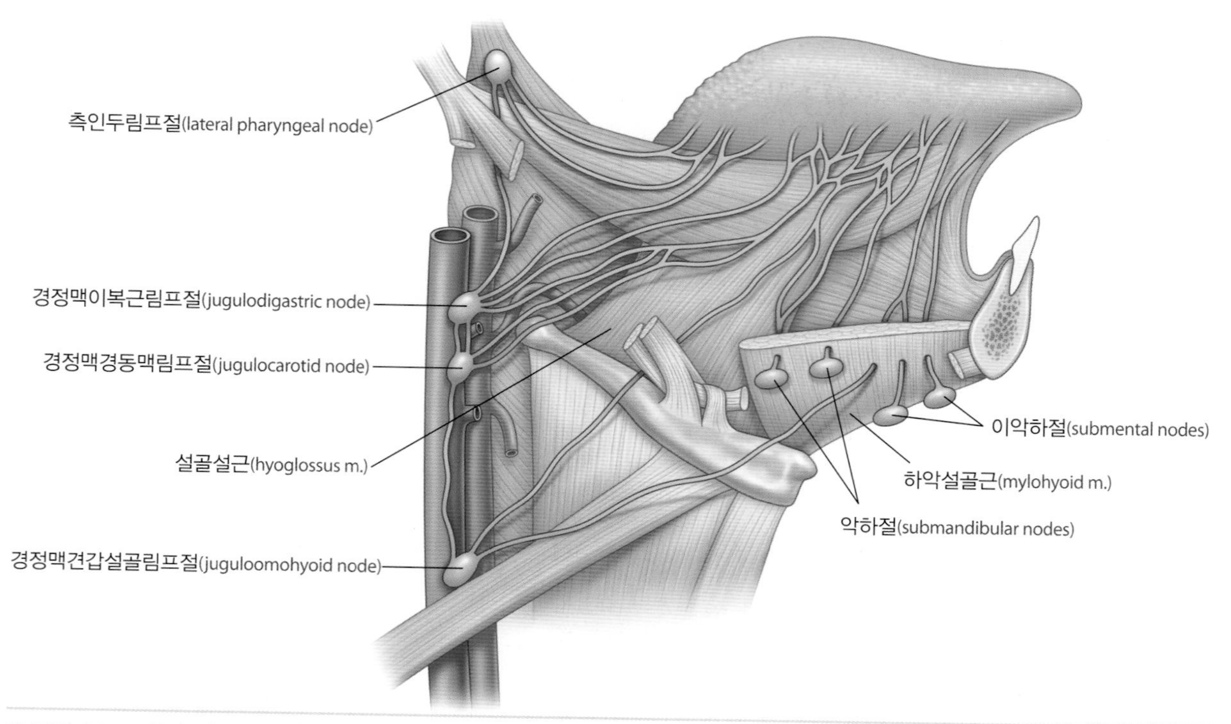

■ 그림 20-3. **혀의 림프액 유출**

적을 가진 구조이나 무치하악에서는 치조골(alveolar bone)이 흡수되어 단지 좁은 점막 선으로만 존재하여 협점막과 구강점막의 경계가 되는 정도이다. 하치조릉은 하악의 일부로 교합면의 치아를 싸고 있으며 양측은 점막골막(mucoperiosteum)으로 덮여있다. 하치조릉의 변연에서는 점막과 골막이 만나 한 층을 이루며 하악에 단단하게 붙어있다. 하치조릉은 후방으로 후구치삼각(retromolar trigone)과 연결되며 내측으로는 구강저, 외측으로는 협부점막 및 하순점막과 연결되어 있다. 하치조릉은 나이가 들면 치근 쪽으로 낮아져 치아의 노출 부분이 늘어나게 되며 이와 같은 변화는 치주염(periodontitis)에 의해서도 오게 된다. 치주질환이 있으면 치조골의 흡수가 일어나게 된다.[19]

상·하치조릉의 림프액 배출은 주로 협부측에서는 이하림프절과 악하림프절로 유입되고 설측에서는 상심경부 경정맥림프절로 유입된다.

3. 구강설

구강설은 혀의 전방 2/3를 말한다. 혀를 구성하는 근육은 혀를 이루고 있는 3개의 내근(종설근(longitudinal muscle), 수직설근(vertical muscle), 횡설근(transverse muscle))과 혀를 하악에 고정하는 3개의 외근(이설근(genioglossus muscle), 설골설근(hyoglossus muscle), 경상설근(styloglossus muscle)으로 구성된다. 외근 중 가장 중요한 것은 이설근인데 이 근육은 이융기(mental protuberance)에서 기시하여 혀의 위치를 고정하는 역할을 한다. 구강설 수술 후 이 근육의 기능이 혀 기능 전체에 영향을 준다.

혀에 분포하는 신경은 설하신경(hypoglossal nerve), 설신경(lingual nerve)과 설인신경(glossopharyngeal nerve)이다. 구강암 수술과 관련하여 가장 중요한 신경은 운동신경이라는 점에서 설하신경이라 할 수 있다. 설하신경의 손상에 의한 기능상실은 절제의 위치에 따라 다르다. 설첨(apex of tongue)만을 절제하는 경우에는 설하신경의 본체가 보존되므로 남은 혀는 운동기능을 유지한다. 설첨보다 후방의 혀를 포함하는 절제는 설하신경 절제 여부에 따라 술 후 기능이 달라진다. 신경을 보존하게 되면 절제연 앞부분의 혀도 운동기능을 유지하지만 설하신경을 절제하면 동측 앞부분의 혀가 남아있다 하더라도 운동기능을 상실하게 된다.

혀의 좌우 반은 각각의 설동맥(lingual artery)으로부터 독립적으로 혈액을 공급받으며 둘 사이의 문합(anastomosis)은 미미하다. 설동맥은 설하신경과 같은 방향으로 주행하지만 한층 깊은 이설근(genioglossus muscle)과 설골설근(hyoglossus muscle) 사이 층으로 주행한다. 설동맥은 설첨방향으로 오면 꾸불꾸불해지는데 이는 혀의 자유로운 움직임과 관련이 있다고 생각된다.

혀의 림프경로는 임상적으로 중요한 의의를 갖는다. 설첨부의 림프액 배출은 이하림프절로 가며 외측부는 주로 상심경부경정맥림프절로 배액된다. 특히 외측부의 경우 level Ⅱ, Ⅲ를 지나지 않고 직접 level Ⅳ의 림프절로 가는 경우가 있으므로 주의를 요한다. 설근부는 상심경부경정맥림프절로 배액되고 정중선을 교차하여 양측 경부림프절 전이를 일으킨다.

4. 후구치삼각

후구치삼각(retromolar trigone)은 경계가 명확하지 않지만 상, 하악의 제3 대구치의 뒷부분으로 정의된다. 외측으로 협부점막과 이어지며, 내측으로 연구개, 상하로 치조의 점막골막(mucoperiosteum)과 연결되어 있다.

후구치삼각 위의 점막과 점막하층은 협부 혹은 연구개의 점막과 마찬가지로 구별된 층을 가지고 있고 움직이지만 치조로 오면서 점차로 고정되어 치조점막골막에 붙는다. 점막과 점막하층 바로 아래에는 협근(buccinator muscle) 및 인두수축근(pharyngeal constrictor muscle)이 지나간다. 두 근육은 익돌하악봉선(pterygomandibular raphe)에서 만나 서로 엇갈리며 구후삼각을 수직으로 지나가면서 협부와 구강의 후부 및 구인두를 연결하며 감싸게 된다. 익돌하악봉선의 바로 뒤에는 하악지(ramus of mandible)가 수직으로 서 있게 되며 측두근(temporalis muscle)과 만나게 된다. 하악의 바로 외측에는 교근(massetor muscle)이 있으며 내측으로는 간격을 두고 내익돌근(medial pterygoid muscle)이 위치한다. 제3 대구치 뒷부분의 하악은 교합면이 넓고 편평하며 약간 내측을 향해 있으며 위로 올라가면서 좁아져서 근돌기(coronoid process)를 형성한다.

림프액은 주로 상심경부경정맥림프절로 유입되며 간혹 이하선하림프절이나 외측 후인두림프절로 유입된다.

5. 구강저

구강저(mouth floor)는 혀와 하악 사이의 우묵한 홈이다. 후방 경계는 제3 대구치 위치로 구개설근(palatoglossus muscle)이 가로질러 혀와 만나는 곳이 된다. 후방 이외의 구강저의 경계는 명확하게 구분되지 않는데 이는 혀와 치조점막 등 주위로 이행되는 점막에 뚜렷한 차이가 없기 때문이다.

구강저의 모양은 혀의 운동에 따라 다양하게 바뀔 수 있으며 구강저의 깊이는 치아 유무에 따라 변화가 크다. 치아의 손실은 치조골의 흡수를 일으켜 구강저를 깊은 참호 모양에서 얕은 구유 모양으로 바꾼다. 구강저는 구강에서 가장 낮은 위치에 있어 침이 고이는 웅덩이 역할을 한다. 구강저의 바닥은 하악설골근(mylohyoid muscle)이 이루고 있으며 이 근육은 하악에서 기시하여 내측, 하방, 전측으로 진행하여 반대쪽의 짝과 만나게 된다. 설근육이 하악의 설측근면에서 기시하는 곳을 하악설골근선(mylohyoid line)이라 하며 이 선은 후방에서 전방으로 오면서 낮아지게 된다. 하지만 점막은 낮아지지 않는데 그 이유는 점막과 근육 사이에 악하선(submandibular gland)의 심엽과 설하선(lingual gland)이 위치하기 때문이다.

구강저의 림프액은 전방부는 동측과 반대측 악하림프절로 유입되고 후방부는 상심경부경정맥림프절로 유입된다.

6. 협부점막

협부점막(buccal mucosa)은 상하의 협구(buccal sulcus)에 의하여 경계를 이루며 후방으로는 익돌하악봉선에 이어져 있다. 이 봉선에서 협근(buccinator muscle)은 전방으로 나오면서 협부의 근육을 형성하게 되고 전방에서 입술과 만난다. 협구는 점막이 하악에 고정된 부분과 일치한다. 점막면은 편평하며 하악각(mandibular angle) 부위에서는 주변점막보다 하얗게 보이는데 이는 교합선과 일치한다. 이 같은 현상은 협부점막의 생리적인 각화현상(keratosis) 때문이다. 협부점막에는 타액선이 분포하며 이하선관(parotid duct)이 협근을 뚫고 나와 상악 제2대구치(maxillary second molar tooth)의 위치에 개구하게 된다. 협부점막의 타액선은 점막하층에 존재하며 한 층을 이루어서 협근과 구별되는 분리면이 있다. 타액선은 협구를 지나면 없어진다. 협부점막의 주된 림프경로는 악하림프절이다.

7. 경구개

경구개(hard palate)는 구개골의 수평판을 덮고 있는 점막으로 구성된 부위로 전방으로는 상치조능(superior alveolar ridge)의 내면, 후방으로는 구개골(palate bone)의 후방 모서리가 이루고 있다. 양측 구개골의 수평판이 합쳐져서 이차구개(secondary palate)를 구성하며 양측 상악골 구개돌기가 합쳐져서 일차구개(primary palate)를 형성한다.

경구개의 암종은 대, 소구개공(greater, lesser palatine foramen)을 통해 익돌구개와(pterygopalatine fossa)와 두개저로 파급된다.[13] 또한 절치관(incisive canal)을 통해 암종이 비강으로 침입하게 된다. 이 부위의 점막골막의 특징은 골막이 골보다 점막에 더 밀착되어 있어 암종의 심부 전파에 대한 일시적 방어막으로 작용한다는 것이다. 하지만 병변이 진행하면 골을 침범하여 외측으로는 상부치은부, 후방으로는 연구개 부위를 침범한다.

경구개의 림프액은 상심경부경정맥림프절 또는 외측 후인두림프절(retropharyngeal lymph node)로 유입된다.

 병리

구강암 중 편평세포암종(squamous cell carcinoma)이 86% 이상으로 가장 흔하고 다음으로는 선암(adenocarcinoma)이 6%, 사마귀상암종(우상암종, verrucous carcinoma)이 2%를 차지하며, 그 외 악성림프종과 Kaposi 육종 등이 발생한다.[11]

편평세포암종은 성장 양상에 따라 궤양성(ulcerative), 침윤성(infiltrative), 외장성(exophytic)의 세 가지 유형으로 나눌 수 있다. 궤양성 병변은 구강암의 가장 흔한 유형이며, 침윤성은 설암에서 특징적으로 관찰되는 경우가 많고, 외장성은 가장 드문 유형이다. 현미경하 관찰에서 편평세포암종의 분화도는 고분화(well differentiated), 중등도분화(moderately differentiated), 저분화(poorly differentiated)로 분류된다.

사마귀상암종은 드물게 발생하는 편평세포암종의 한 형태로서, 협부점막과 치은(gingiva)에 나타나는 경우가 대부분이다. 육안으로 보았을 때 특징적으로 외장성 또는 유두상(papillary) 성장을 하며, 각질화로 인한 백색 표면을 보인다. 침윤양상 없이 측방으로 성장하고 경부림프절 전이는 드물게 나타난다.[36]

백반증(leukoplakia)은 점막의 백색 반상(macular) 병변을 의미하는 임상적 용어이며 일반적으로 전암성 병변(premalignant lesion)으로 알려져 있다. 현미경적으로 상피세포의 과형성(hyperplasia)이 주된 병리소견이지만, 부위에 따라서는 이형성(dysplasia), 상피내암종(carcinoma in situ), 또는 침윤성 암종(invasive carcinoma)을 보이기도 한다. 따라서 백반증이 지속될 경우 반드시 생검을 시행하여 조직학적 평가를 함으로써 악성 종양의 조기 발견을 위해 노력해야 한다.[18]

적색반(erythroplakia)은 비교적 드문 질환으로 적색, 벨벳모양의 반상 병변이다. 대개 협부점막, 연구개, 구강저 등에 발생하는데, 백반증에 비하여 악성 종양으로 발전할 위험도가 높은 것으로 알려져 있다.[18]

이 밖에 구강에 발생할 수 있는 전암성 병변으로는 점막하 섬유증(submucosal fibrosis), 편평태선(lichen planus), 사마귀양 과형성증(verrucous hyperplasia) 등이 있다.

Ⅴ 분자생물학

암은 세포성장을 조절하는 여러 신호체계의 이상으로 발생한다. 세포는 악성 변화 후 세포 증식과정, 세포자멸사(apoptosis)를 거쳐 주변 환경과의 상호작용이 변하게 된다.

최근에 분자 생물학의 발달로 인하여 이러한 세포의 악성변화와 관련된 유전자가 밝혀지고 있는데 그중 하나가 p53이라 불리는 암억제 유전자(tumor suppressor gene)의 돌연변이이다. Koch는 p53 돌연변이가 흡연자에 발생하는 두경부 편평세포암종의 가장 중요한 원인이라고 보고하였다.[12] 최근 한 연구에서 p53 유전자의 변이가 경부전이가 없는(N0) 환자의 생존율과 유의한 연관관계가 있음이 보고되었다.[28]

한편 H-ras와 HPV사이의 상호작용이 편평세포암종을 유발할 수 있다고 보고되었다.[7] HPV 종양단백질인 E6과 E7은 각각 암억제 유전자인 p53, pRB에 붙어 정상적인 세포주기를 변화시켜 암을 유발할 수 있다.[38] Glutathione s-transferase의 변이가 있는 환자들은 항암화학치료에 잘 반응하지 않으며[15] 종양유전자인 c-erbB-2의 과발현이 경부림프절전이 및 좋지 못한 예후와 연관이 있다고 보고되었다.[45] 이 외에도 Her2-Neu의 과발현은 방사선치료를 시행한 구강암의 재발과 관련이 있다고 보고되었다.[20] 이러한 유전자를 이용한 기술은 향후 암 발생의 조기 발견을 위한 선별검사로 응용될 수 있고, 치료 후 절제연이나 경부림프절에서 잔여 암세포의 유무를 판단하는 데에도 이용될 수 있을 것이다.

구강의 편평세포암종 환자들의 이차암 발생률은 약 4% 정도로 나타나고 있다.[23] 최근에는 백반증 등 구강의 전암성 병변에서 암으로의 진행을 막고 구강 편평세포암종에서 이차암의 발생을 억제하는 예방적 치료에도 관심이 모아지고 있다. 비타민 A의 유도체인 레티노이드(retinoids)는 이러한 효과가 입증된 물질로서 향후 광범위한 임상적 적용이 기대되고 있다.[24,30]

Ⅵ 진단

1. 병력과 신체검사

모든 환자들에서 치료에 앞서 자세한 문진과 두경부 영역의 신체검사를 시행하고, 원발 종양의 생검을 통한 조직검사로 세포의 종류, 분화도와 침습 정도에 관한 정보를 최대한 확보하는 것이 중요하다. 구강암의 주요 증상은 다른 두경부암과 같이 이통, 연하통, 출혈, 입냄새, 체중감소 등이며 국소 진행된 경우에는 개구장애를 보인다. 병변의 위치와 범위를 정확히 평가하기 위해 전신마취하에서 내시경 검사를 시행하는 경우도 있다. 이때 환자들의 5-10%에서 상부 기도와 소화기에 동시적 악성 종양이 나타날 수 있으므로 구강 검사 이외에 직접후두경 검사, 위식도내시경 검사, 대장내시경 검사 등을 함께 시행한다. 최근에는 협대역 내시경(Narrow Band Image, NBI)의 사용으로 점막병변의 조기 발견이 가능하게 되었다. 다발성 암종이 있는 경우 이차 암종은 세 가지의 다른 명칭으로 구분된다. 원발 종양과 함께 진단된 경우에는 동시성(simultaneous), 원발 종양이 진단된 후 6개월 이내에 발견된 경우를 동기성(synchronous), 원발 종양 진단 후 6개월 이후에 발견된 경우를 이기성(metachronous)이라 하며 두경부 악성종양을 진단받은 환자의 약 10–15%에서 이차 암종을 발견할 수 있다.

종양의 파급 정도를 정확하게 평가하기 위해 신체검사를 할 때에는 양수촉진(bimanual palpation)이 중요하며, 병변이 주변의 하악이나 상악의 골막에 고정되어 있는지를 확인하여 원발부위의 절제정도와 절제 후 재건을 반드시 고려해야 한다(표 20-1).

2. 영상진단

종양의 파급 정도와 골 침습 여부에 대한 추가적인 정보는 적절한 영상검사로 얻을 수 있는데, 대개 전산화단층촬영(CT)이나 자기공명영상(MRI)을 이용한다. CT는 피질골(cortical bone)의 미란 여부와 경부전이 림프절을 확인하는데 유용하며, MRI는 암종의 연조직과 수질골(medullary bone)의 침범 정도를 알아보는 데 유용하다. 하악 침범이 의심될 때는 파노라마 영상(panorex view), dental scan 등의 치과적 방사선검사를 시행한다. 치아에 보철이 있는 경우에는 CT로 구강저 등의 원발부위를 판독하기가 어려우므로 MRI가 필요할 수 있다. 양전자방출단층촬영(positron emission tomography, PET)은 치료 전에 폐, 간, 골의 전이 여부를 판단하기 위하여 시행하기도 한다.

3. 병기

치료 전 병기를 분류하는 것은 필수적이다. 구강암의 미국 암 합동위원회(American Joint Committee on Cancer, AJCC)에서 제시한 TNM 병기(2010)는 표 20-2, 표 20-3와 같다.

Ⅶ 예후인자

구강암은 일반적으로 진행된 병기인 경우 예후가 좋지 못하지만 특히 암종의 두께가 치료결과와 밀접한 관련이

표 20-1. 구강암 환자의 구강내 검사항목

항목	
원발부위	구순, 구강설(dorsum, lateral, ventral, ventral to FOM), 구강저, 상악 또는 하악치조골, 경구개, 구후삼각 등
크기	크기표시: 00 x 00 cm
깊이	표재성 / 깊이 00 mm
모양	원형, 타원형, 부정형, 궤양성(ulcerative), 침습성(infiltrative), 종괴형(fungating), 돌출형(exophytic), 반상형(patch)
색깔	백색, 적색, 혼합형 등
경도	단단함, 부드러움, 고무같이 탄력적임(rubbery)
통증	유/무
압통	유/무
주변조직과의 관계	유착/가동성 있음
하악골과의 관계	침범의 유/무
하악골의 치아 유무	유치(dentate), 무치(edentulous)

표 20-2. **구강암의 TNM 병기(AJCC 7th edition, 2010)**

T : 구강	
Tx	원발 종양을 평가할 수 없을 때
T0	원발 종양이 없을 때
Tis	상피내암
T1	종양의 크기가 2 cm를 넘지 않을 때
T2	종양의 최대 직경이 2-4 cm일 때
T3	종양의 최대 직경이 4 cm이상일 때
T4(구순)	종양이 주변 구조물을 침범하였을 때[예: 피질골(cortical bone), 하치조신경(inferior alveolar n.), 구강저, 안면 피부]
(구강) T4a	종양이 주변 구조물을 침범하였을 때 [예: 피질골, 외설근(extrinsic m. of tongue), 상악동, 안면 피부]
T4b	[예: 저작근 공간(masticator space), 익돌판(pterygoid plates), 두개저(skull base), 내경동맥(internal carotid a.)] 단, 골과 치근의 표재성 미란만을 보였을 경우에는 T4로 분류하기에 불충분하다.

N : 경부림프절	
Nx	림프절 상태를 평가할 수 없는 경우
N0	림프절 전이가 없는 경우
N1	동측 경부에 3 cm 미만의 림프절 한 개에 전이된 경우
N2a	동측 경부에 3-6 cm의 림프절 한 개에 전이된 경우
N2b	동측 경부에 다수의 림프절에 전이되고 모두 6 cm이하인 경우
N2c	반대쪽 또는 양측 경부에 다수의 림프절에 전이되고 모두 6 cm 미만인 경우
N3	6 cm 이상의 림프절에 전이된 경우

M : 원격전이	
Mx	원격전이 여부를 평가할 수 없는 경우
M0	원격전이가 없는 경우
M1	원격전이가 있는 경우

표 20-3. **구강암의 병기**

병기	TNM 병기		
Stage 0	Tis	N0	M0
Stage Ⅰ	T1	N0	M0
Stage Ⅱ	T2	N0	M0
Stage Ⅲ	T3	N0	M0
	T1	N1	M0
	T2	N1	M0
	T3	N1	M0
Stage ⅣA	T4a	N0	M0
	T4a	N1	M0
	T1	N2	M0
	T2	N2	M0
	T3	N2	M0
	T4a	N2	M0
Stage ⅣB	모든 T	N3	M0
	T4b	모든 N	M0
Stage ⅣC	모든 T	모든 N	M1

있다.[12] 종양의 두께(tumor thickness) 또는 침범 깊이(depth of invasion)는 중요한예후 인자이며 특히 경부전이와 연관성이 알려져 있다. 종양의 두께는 종양의 표면에서부터 가장 깊은 종양의 침범면까지를 의미하며 종양의 침범 깊이는 종양 주변에 정상 점막에서부터 가장 깊은 종양의 침범면까지를 의미한다(그림 20-4). 암종이 주변으로 침습(infiltrative)하는 경우 밀고(push) 있는 형태보다 예후가 좋지 못하며,[12] 구강 편평세포암종의 침습 깊이와 경부림프절 전이와 5년 생존율을 살펴보면 침습 정도가 2 mm 이하인 경우 경부전이율이 13%, 5년 생존율이 95%였지만 2–9 mm 인 경우에는 경부전이율이 46%, 5년 생존율이 85%였고, 9 mm 이상인 경우에는 경부전이율이 65%로 증가하고 5년 생존율도 65%까지 떨어졌다.[12]

또 다른 예후인자로는 신경주위침범이나 림프절 전이, 혈관침범이 있는 경우 국소재발이나 원격전이를 잘하는 것으로 보고되고 있다.[12]

Ⅷ 치료

구강암 환자들 중 다수는 내과적 질환을 동반하고 있다. 흔히 지나친 음주력과 그로 인한 간질환이 있을 수 있

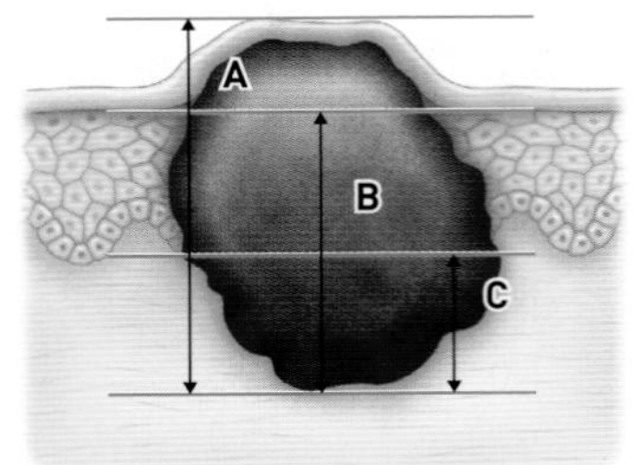

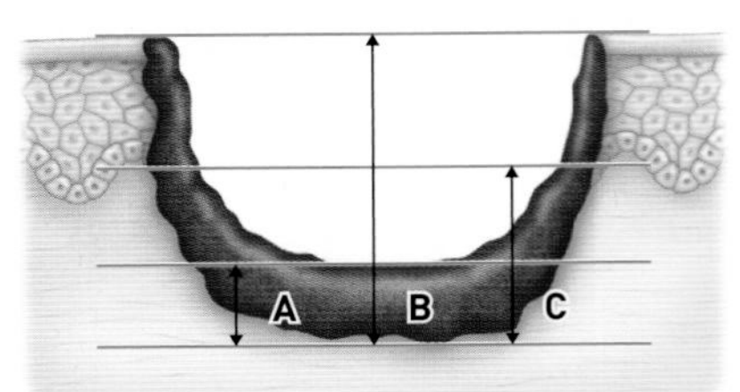

■ 그림 20-4. **종양의 두께와 침범 깊이. A or D)** tumor thickness, **B or E)** depth of invasion

고, 만성 폐질환을 가지고 있는 경우도 흔하다. 또한 통증과 종양 자체로 인한 불충분한 식이 섭취로 영양 결핍이나 체중감소가 있을 수도 있다. 치료를 시작하기 전에 환자의 전신상태를 주의 깊게 검사하며, 영양, 간호, 언어 등을 포함한 여러 분야에서 다각적으로 접근해야 한다.

대부분의 구강암은 수술, 방사선 혹은 이 둘의 병합요법으로 치료한다. 일반적으로 구강의 T1, T2 의 조기암은 방사선치료와 수술의 치료성적이 유사하다. T3, T4 의 진행된 암에서는 수술과 방사선치료를 병행하여 치료하는 경우가 대부분인데, 수술 전 방사선치료를 시행하는 경우에는 종양의 경계가 불확실해지고 외과적 절제에 어려움이 있으며 술 후 합병증이 증가하는 경향이 있기 때문에 수술 후 방사선치료를 하는 것이 더 선호되고 있는 추세이다.[25]

치료 시작 전에 수술을 담당할 두경부 외과, 방사선종양학과, 종양내과, 재건을 담당할 성형외과 의사가 모여서 환자의 상태를 정확하게 파악하고 그에 따른 치료 계획을 함께 수립하는 것이 중요하다. 종양의 부위, 방사선치료의 부작용, 수술 후의 기능 저하 등을 고려해야 하는데, 병변의 크기가 작을 경우에는 치료 후 후유증이 적은 방법을 선택하는 것이 좋다.[25]

1. 수술적 치료

구강암의 90% 이상은 편평세포암종이며 나머지는 소타액선(minor salivary gland)에서 발생하는 암종이다. 편평세포암종은 in vitro에서는 표면을 따라 자라지만 in vivo에서는 만나는 조직과의 점막을 따라 여러 방향으로 자라게 된다. 악성종양이 퍼지는 방법에는 국소침습, 림프침윤, 신경초 침윤 혹은 원격지로의 색전성 전이(embolic metastasis) 등이 있으며, 림프침윤이 주된 방법이므로 이 암종을 절제할 때에는 상기의 특성들을 염두에 두어야 한다.

1) 원발부위의 수술적 치료

(1) 수술 전 처치

구강암 환자의 대부분은 과다한 음주 및 흡연력이 있어 내원 시 전신 상태가 불량한 경우도 많고, 당뇨, 간 질환 등의 전신 질환이 동반된 경우가 많아 수술 전에 이에 대한 교정이 필요하다. 특히, 양호한 영양 상태의 유지는 술 후 회복 과정에서 중요한 요소이다. 그리고 대부분의 환자가 구강 위생이나 치아의 상태가 불량하므로 수술 전 구강 처치가 필요하다. 우선 구강 소독제 등으로 구강 세척을 하여 구강 위생 상태를 개선하며, 치과적 처치로 술 후 방사선치료나 감염 예방을 위하여 충치를 제거하여야 한다. 하지만 종양에 인접하거나 종양 내에 위치한 치아의 발치는 종양의 침윤을 예방하기 위하여 삼가야 한다. 그 외 하악절개나 절제를 대비하여 보철물을 제거하고 술전에 교합 상태를 파악해둔다.

(2) 원발부위로의 접근법

원발병소로의 수술적 접근법을 결정하는 인자로는 크

표 20-4. 구강암의 수술적 접근방법

경구강 접근법(Transoral)	
구순보존 접근법 (Non lip-splitting combined transoral-transcervical)	Pull-through 접근법 하악설 유리 접근법(Mandibular lingual release) 면갑 피판 접근법(Visor flap) 측인두 절개 접근법(Lateral pharyngotomy approach)
구순절개 접근법 (Lip-splitting combined transoral-transcervical)	상협부 피판 접근법(Upper cheek flap) 하협부 피판 접근법(Lower cheek flap)
경하악 접근법(Transmandibular)	하악절개 접근법(Mandibulotomy) 부분(분절) 하악 절제술(Marginal/segmental mandibulectomy)

게 종양측 인자와 환자측 인자가 있다. 종양측 인자로는 원발 병소의 위치, 크기, 침윤 정도, 하악과의 근접성, 경부림프절의 전이 여부, 조직학적 특성, 이전 치료 여부 등이 있고, 환자측 인자로는 전신 상태, 치아 상태, 구강위생 및 동반 전신질환 등이 있으며 그 외 수술자측 요인 등이 있다.

작은 병변은 대부분 구강을 통해 절제할 수 있다. 그러나 종양이 큰 경우에는 종양 변연의 시야를 확보하기 위하여 다른 접근 방법이 필요하다.[1]

경구강 접근법(tranoral approach)으로 접근하기 어려운 구강암에 대한 접근법은 크게 구순을 보존하는 방법과 구순을 절개하는 방법 그리고 하악을 절개하는 방법으로 나눌 수 있다(표 20-4).

구순을 보존하는 방법으로는 먼저 pull-through 접근법이 있는데, 이것은 경부절제술(neck dissection) 후에 구강저에 절개를 가하여 구강저와 혀를 경부로 빼내어 시야를 확보하는 방법이다. 이 접근법으로 대부분의 혀부위와 구강저를 충분히 노출할 수 있다. 또한 하순과 턱피부의 절개가 필요 없으며 하악을 절개하거나 협측골막을 박리하지 않으므로 하악의 혈관과 신경의 분포를 차단하지 않는다는 장점이 있다(그림 20-5). Pull-through 접근법을 변형한 하악설 유리 접근법(mandible lingual release approach)은 아래로는 하악하연의 골막에 절개를 가하고 위로는 설측면 하악의 골막하층을 박리하여 필요한 만큼 외측 절개를 구인두로 연장한 후 구강저와 혀 전체를 경부로 빼내는 방법이다(그림 20-6).[29,39]

구순을 보존하는 또 다른 방법은 협구를 좌우로 모두 절개하고 외측 하악골막을 박리한 후 하순 및 턱의 피부, 협부피판(buccal flap)을 모두 거상하여 구강을 노출하는 면갑피판 접근법(visor flap approach)이다. 면갑피판 접근법은 하순을 절개하지 않고 하악의 외측면을 모두 노출할 수 있으나 고유구강의 노출에 대하여는 장점이 없으며 양측 이신경(mental nerve)을 절단하여 하순의 감각이 소실된다는 단점이 있다(그림 20-7).

구순을 절개하는 접근법으로는 하순 절개 후 협구

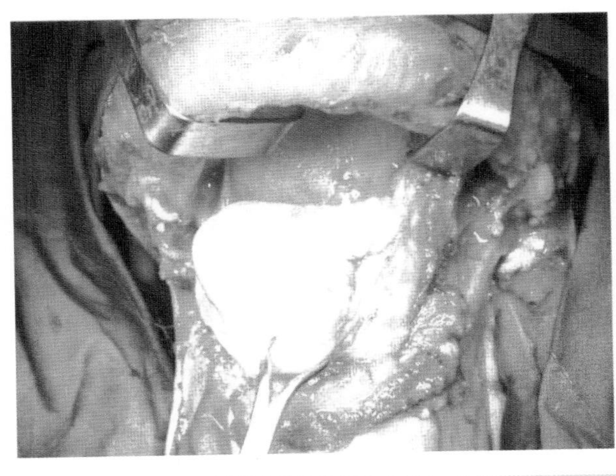

■ 그림 20-5. **Pull-through 접근법**

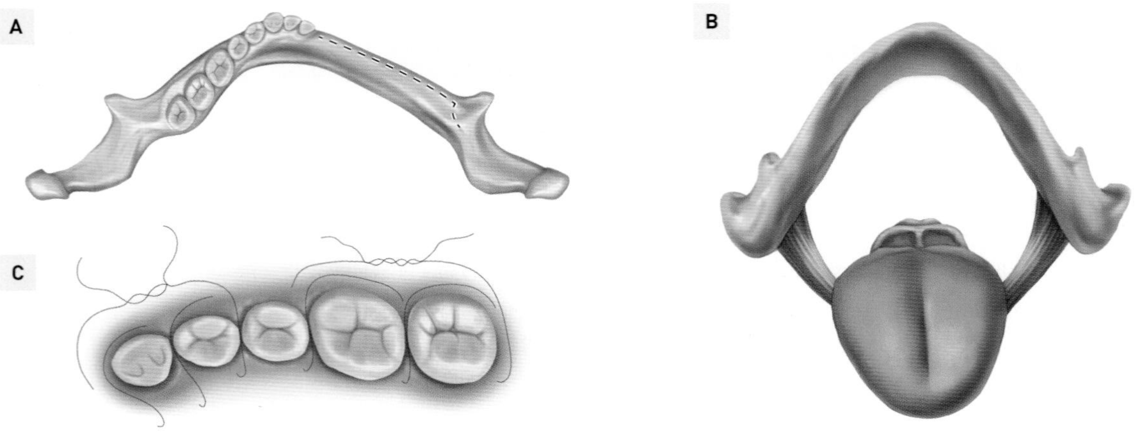

■ 그림 20-6. **하악설 유리 접근법(mandibular lingual release approach).**
A) 점막 절개선, **B)** 하악설 유리, **C)** 치아 봉합

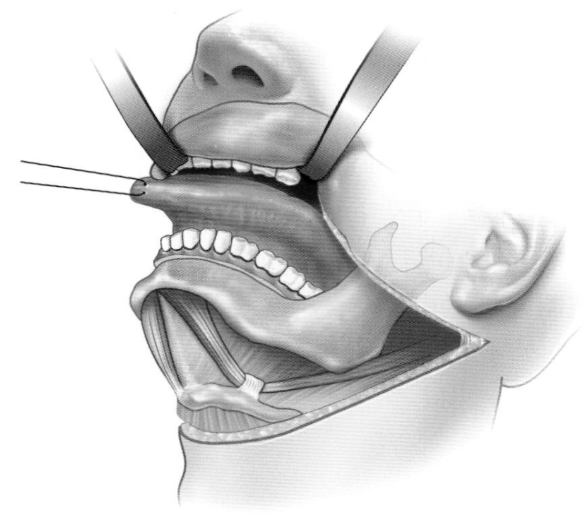

■ 그림 20-7. **면갑피판 접근법(visor flap approach)**

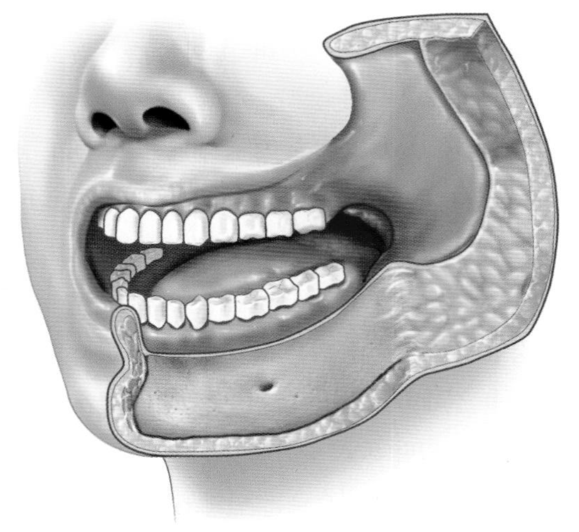

■ 그림 20-8. **하협부피판 접근법(lower cheek flap approach)**

(buccal sulcus)에 절개를 가하여 그 위치에 따라 원하는 만큼 협부 피판(lower or upper cheek flap)을 박리하여 협부와 하악이나 상악의 외측면에 완전한 시야를 얻는 하협부 또는 상협부 피판 접근법(lower or upper cheek flap approach)이 있다(그림 20-8).

하악을 절개하여 구강에 접근하는 방법은 Roux에 의하여 1836년 처음으로 보고되었다.[17] 하악절개를 위해서는 먼저 구순을 절개해야 한다. 하순절개는 어느 곳에나 할 수 있으나 정중선에 하는 것이 미용적으로 우수하다. 정중선에 수직으로 절개할 수도 있으며 mental prominence의 둘레를 따라 절개할 수도 있는데 후자가 반흔을 감출 수 있을 뿐 만 아니라 이공의 전방에 가깝게 절개하므로 바로 하악절개를 할 수 있다(그림 20-9).

하악골 절개술의 유형은 여러 가지로 나뉠 수 있으나

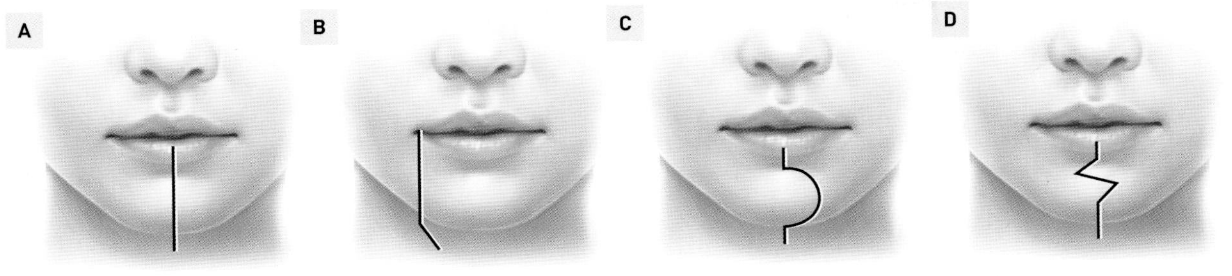

■ 그림 20-9. **하순절개법.** **A)** Roux-Trotter 절개, **B)** Robson 절개, **C)** McGregor 절개, **D)** Hayter 등에 의한 McGregor 절개의 변형.

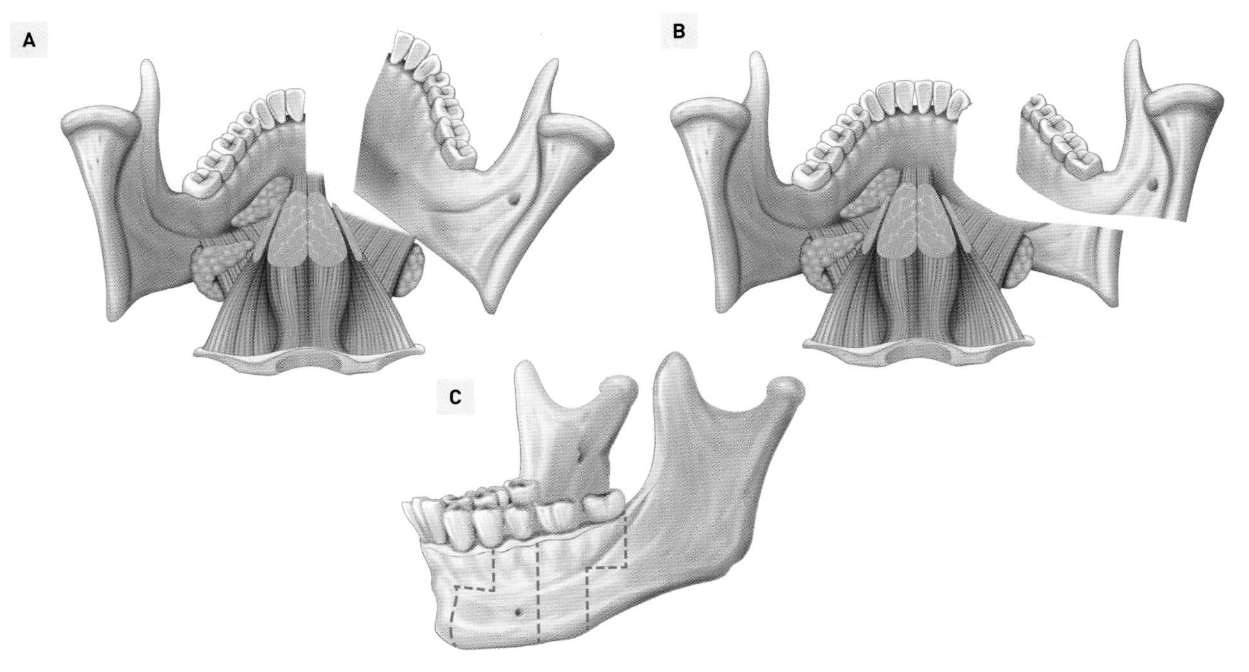

■ 그림 20-10 **하악골 절개의 위치.** **A)** 정중하악절개법, **B)** 방정중하악절개법, **C)** 다양한 모양의 절개술.

대표적으로는 골절개선의 위치에 따라 세 가지로 나뉜다. 하악결합에서 나누는 정중절개술(midline, median, symphyseal mandibulotomy), 이공(mental foramen)의 앞에서 절개하는 방정중절개술(paramedian, parasymphyseal mandibulotomy) 그리고 이공의 외측에서 절개하는 외측절개술(lateral, mandibular body mandibulotomy)이 그것이다(그림 20-10).[9] 원발병소의 위치에 따라 다른 절개술이 이용되기도 하지만 예외적인 경우를 제외하고는 구강암의 접근법으로 가장 적절한 하악절개술은 방정중절개술이다.[6] 그 이유는 정중절개술의 경우 동측의 이설골근(geniohyoid muscle)과 이설근(genioglossus muscle)을 절단하게 되어 술 후 혀의 안정에 좋지 않으며, 외측절개술의 경우 하치조신경(inferior alveolar nerve)과 하치조동맥(inferior alveolar artery)을 차단하고 시야 또한 다른 절개술보다 우수하지 않지만, 방정중절개술의 경우에는 점막의 절개를 제외하고는 외설근

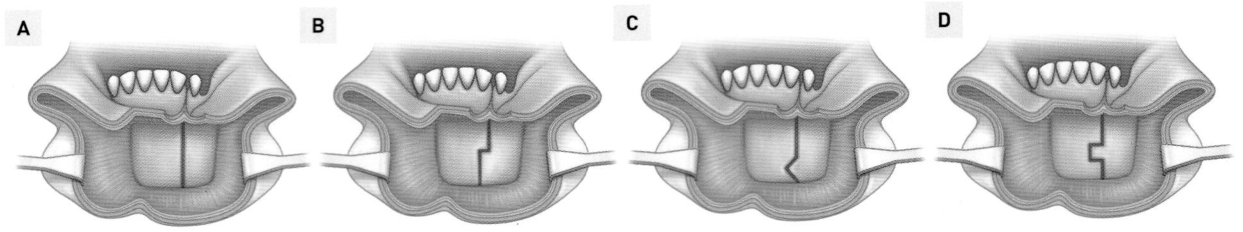

■ 그림 20-11. **하악절개법.** **A)** Straight, **B)** Stair-step, **C)** Angular, **D)** Wedge.

(extrinsic muscle) 중 하악설골근(mylohyoid muscle)만 절제하면 되기 때문이다.[9] 또한 방정중절개는 협부를 제외하고는 구강 어느 곳에서도 좋은 시야를 얻을 수 있으며 구인두까지도 쉽게 노출할 수 있고 하악의 침습이 예상되는 경우에도 이용될 수 있다.[5]

하악절개의 모양은 수직선, 계단 모양, Z 모양 혹은 시상면 절개로도 할 수 있다(그림 20-11). 어느 모양이 우월한지는 증명된 바 없으며 술자의 선호도에 따라 결정된다. 유치하악인 경우에는 계단 모양 혹은 시상면 절제가 치근을 노출시킬 위험이 있으며 특히 제일 긴 견치(canine)가 손상을 입을 수 있다. 따라서 하악골절개를 계획한 모든 경우 파노라마 사진을 찍어 치아 상태를 미리 확인해야 한다. 구순을 절개하면 하악골을 절개하기 전에 치조점막과 골막을 절개하여 피판을 만든다. 이때 점막절개와 골절개가 한 곳에 일치하지 않도록 하여 골절개면을 타액으로부터 보호한다. 이 점막골막판을 열구 피판(crevicular flap)이라 한다.

절개는 보통 골절개선보다 한 치아 외측에 하며 치간유두(interdental papilla)에는 절개선이 지나가지 않도록 한다. 점막골막판을 만들 때 가능한 한 필요한 정도만 박리하는 것이 좋으며 설측에도 마찬가지로 만든다. 이와 같이 하면 하악절개를 봉합할 때 골절개선은 온전한 점막골막에 의하여 덮이게 된다. 점막골막판을 만든 다음에는 바로 골절개를 시행하지 않고 적절한 부위에 절개할 선을 표시한 다음 고정할 plate의 윤곽을 미리 잡는 것이 좋다. plate의 모양이 골표면과 일치하도록 한 다음 나사를 선택하여 미리 구멍을 뚫어 놓는다. 이렇게 하면 후에 하악을 봉합했을 때 골절개 이전과 같은 교합(occlusion)을 유지할 수 있다.

골절개는 보통 측절치(lateral incisor)와 견치 사이에 가하는데 이곳은 두 치근이 서로 각도를 가지고 벌어져 있어서 절개가 용이하기 때문이다. 골절개는 얇은 톱을 사용하면 발치를 하지 않고도 치아 사이에 골절개를 할 수 있다. 절골(osteotomy)은 진동(oscillating) 혹은 왕복(reciprocating)톱을 사용하는데 후자가 더 세밀한 절골을 할 수 있고 골의 손실도 적다. 절골은 전층을 톱으로 하지 않고 설측피질에 도달할 때까지만 하며 설측피질은 절골도(osteotome)로 절골한다. 절골도로 절골하면 골의 손실이 없으므로 봉합 시 하악을 정확한 위치로 되돌릴 수 있다. 절골 시에는 열에 의해 골이 손상되지 않도록 적절히 세척해야 하며 가능한 한 톱의 속도를 낮추고 불필요한 골막의 박리는 피해야 한다.

경구개암은 경구강 접근법으로 절제가 어려울 경우에는 병변이 편측에 국한되어 있으면 Weber-Fergusson 절개 혹은 이를 변형하여 사용할 수 있으며(그림 20-12), 양측에 위치하는 경우에는 degloving approach를 이용하여 접근할 수 있다.

(3) 원발부위의 절제

구강암 수술에서의 절개는 접근을 위한 절개(approach incision)와 종양의 변연에 가하는 절개(excisional incision)로 나눌 수 있다. 두 절개는 엄격히 구별되는 것이 아니라 목적이 중복되기도 한다. 예를 들면 편측 설절제를 위하여 하악골 절개 후 구강저에 가한 절개는 일부는 접근 목적의 절개가 되며 종양과 접한 쪽에서는 절제를 위한 절개가 되기도 한다. 절제를 시작하기 전에 암종의 모든 변연을 보는데, 만질 수 없는 경우가 있더라도 대개 절제가 진행되면서 촉진이 가능하진다. 종양의 형태와 변연을 다시 확인하고 절제의 모양을 삼차원적으로 점검하는 것이 중요하다. 그렇게 함으로써 암종의 정확한 범위와 진행방향을 확인하여 가장 적절한 절제를 할 수 있다. 구강암 절제의 범위는 두 가지에 의하여 결정되는데, 종양의 부피와 선택한 변연의 길이이다. 얼마나 넓은 변연을 두는가에 대하여 절대적인 원칙은 없지만 일률적으로 결정할 수 없는 부분이다.

적절한 절제를 위한 몇 가지 조건이 있다. 첫째, 종양의 경계를 파악하고 이를 기록하여 두는 것이 중요하다. 정확한 종양의 변연을 파악하려면 종양 주변을 세심하게 관찰해야 한다. 종양의 주변에는 종괴를 형성하지 않은 초기의 병소 혹은 in situ 병소가 있는 경우가 흔하므로 주된 암종에만 현혹되어서는 안된다. 주변의 in situ 혹은 초기병소를 간과하는 것은 종양의 변연을 짧게 하여 잔존 혹은 조기재발의 원인이 된다. 종양 주변을 확대경(loupe) 혹은 현미경을 사용하여 검사하는 것이 도움이 되나, 구역 암화(field cancerization)가 있는 경우, 혹은 점막하 침습(submucosal invasion)이 광범위한 경우에는 술전에 발견이 불가능할 수도 있다. 암종이 돌출되어 있고 가동성이 있다면 궤양, 발적, 침윤이 있거나 고정된 경우보다 경계를 정하기 쉽고 절제변연의 길이가 작아질 수 있다. 둘째, 종괴 부피는 암세포의 증식뿐만 아니라 주위조직의 염증반응과 합하여 이루어짐을 염두에 두어야 한다. 어떤 암종은 주위의 반응이 거의 없고 어떤 것은 매우 심한 염증반응을 보이기도 하는데 후자의 경우 종양의 범위를 알기 어려울 뿐만 아니라 종양을 깨끗이 절제해내기도 어렵다. 특히 수술 전에 방사선치료를 받은 경우에는 주위조직이 방사선치료에 의하여 변화되어 종양의 정확한 범위를 알기 어렵다. 셋째, 암종이 침윤하는 주변조직의 종류를 염두에 두어야 한다. 암종은 어떤 조직의 면을 따라서 자라는 성질이 있는데 특히 점막하층, 근섬유, 신경 등을 따라 자란다. 침습된 것이 확인되면 그 부분을 충분히

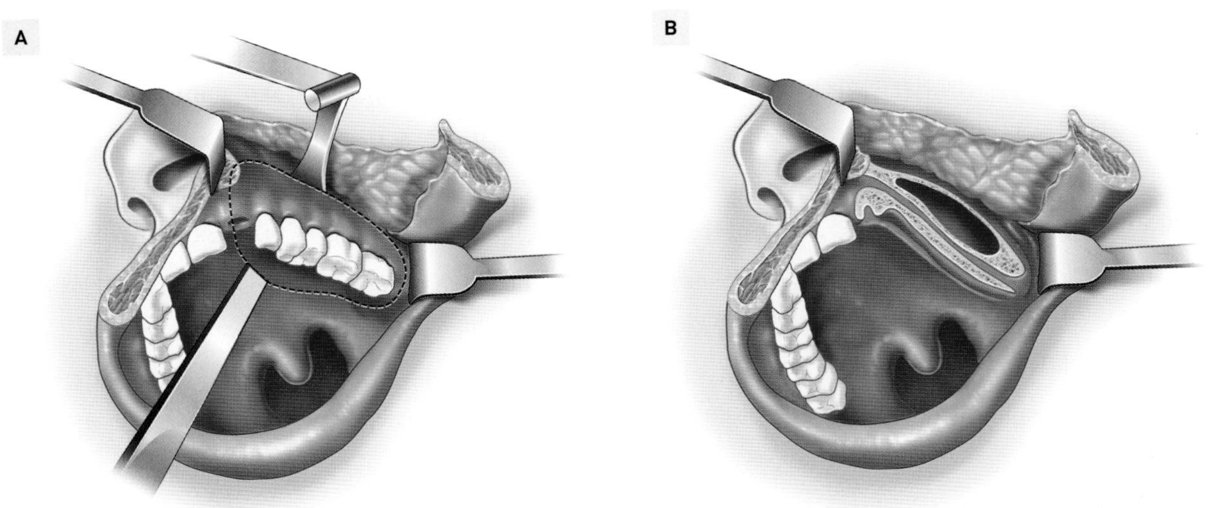

■ 그림 20-12. **경구개암의 수술적 접근법.** **A)** Weber-Fergusson incision with lip split를 통한 접근, **B)** 경구개암 제거 후 비강 및 상악동의 하부가 노출된 모습.

포함할 수 있도록 올바른 방향으로 절제해야 하며 정상적인 면이 나올 때까지 절제하고 절제연에 정상 조직의 절제면이 있도록 해야 한다. 원칙적으로 암종의 모든 방향에서 하나 이상의 정상 조직을 포함하여야 하나 언제나 이를 지키기는 쉽지 않다. 일반적으로 가동성이 있는 구강저 혹은 협부에서는 종양을 절제한 시료에서 1 cm 이상의 정상 조직을 포함하여야 하며, 침윤 혹은 궤양이 있는 구강설 혹은 방사선치료를 받은 경우에는 2 cm 이상의 변연을 두는 것이 바람직하다.

구강저암을 비롯하여 구강암의 많은 예에서 하악골(mandible)의 침범 여부가 수술방법과 절제범위를 결정하는 중요한 요소이다. 하악골과 종양 사이에 1.5 cm의 정상조직이 보장되지 않는다면 하악골의 일부분이라도 절제대상에 포함시킬 것을 고려한다. 종양의 위치에 따라 하악골의 상연만을 절제하거나 내측 또는 외측의 골피질층(cortical layer)만을 절제할 수 있는 경우가 있으므로, 수술 전 면밀한 진단과 계획으로 하악골격을 유지한 채로 적절한 절제연을 확보할 수 있도록 노력해야 한다. 그러나 술전 방사선검사에서 하악골의 침습이 확실하다면 하악골의 전층을 포함한 분절절제(segmental resection)를 시행하는 것이 원칙이며, 이 경우 남아 있는 하악골 부위의 하치조신경과 해면골(cancellous bone)에 대해 동결절편(frozen section)검사를 시행하여 절제연을 확인해야 한다.

수술 전 시행하는 단순 방사선검사는 골조직의 변화를 민감하게 표현하므로 하악골의 침습 여부를 확인할 수 있으며, 파노라마 영상 등이 도움이 된다. 그러나 하악골에 유착된 구강암에서는 단순 방사선검사가 정상으로 나타나는 경우에도 약 30% 정도에서 현미경적 골 침습을 보이는 것으로 알려져 있다. 이를 판단하기 위하여 technetium-99m-phosphate를 이용한 스캔을 시행하기도 하는데, 진단의 민감도가 높은 반면 염증, 외상 등으로 인한 기존의 골변화와 종양 침습을 구분할 수 없다는 단점이 있다.

하악골의 분절절제(segmental resection)를 시행한 경우에는 대부분 금속판이나 골피판(osseocutaneous flap)을 이용하여 재건해 주는 것이 좋다. 하악골의 전방을 절제한 경우에는 절제 부위의 크기에 비례하여 기능이 손실되지만, 하악골의 측부를 절제한 경우에는 재건 없이 저작(mastication)과 연하(swallowing)가 가능할 수 있으므로 수술 시 이를 고려해야 한다. 턱의 윤곽을 유지하는 것이 술 후 안면 외관에 중요하고 교합을 유지하여 저작, 연하 기능에 도움을 줄 수 있지만, 환자의 전신상태나 종양학적 상태를 고려할 때 재건이 곤란한 경우가 있을 수 있다. 하악골의 부분적 결손이 있는 경우 지속적인 훈련을 통하여 남아 있는 하악골의 교합(occlusion)을 유지할 수 있고, 하악골의 변위(displacement)를 막아 주는 적절한 의치를 장착하여 교합, 저작, 연하 등을 유지할 수 있도록 해야 한다. 재건이 곤란하다는 이유로 하악골의 절제를 기피하거나 창상회복에 장애를 일으킬 재건술을 강행하는 것은 피해야 한다.

2) 경부림프절 전이의 수술적 치료

구강의 편평세포암종은 경부림프절로의 전이가 흔하다.[31] 동측의 제1 배액군 림프절 전이가 주가 되나 공격적인 암종인 경우 양측의 전이도 흔하다. 경부전이의 빈도 혹은 위험도는 원발병소의 크기에 비례한다. 일반적으로 경부전이의 위험이 있는 구강암은 원발병소의 치료와 함께 경부림프절도 동시에 치료에 포함시켜야 한다. 경부전이 소견이 확실한 경우에는 이를 치료하는 데 이견이 없지만 경부전이 여부가 애매한 경우에는 세침흡인세포검사(fine needle aspiration cytology)가 치료 결정에 도움을 줄 수 있다.

N1 에 해당하는 작은 림프절 전이는 방사선치료에 잘 반응한다는 보고가 있으나,[8] 임상적으로 확인된 경부림프절 전이는 근치 경부절제술(radical neck dissection)로 치료해야 한다. 최근에는 척수부신경(spinal accessory nerve), 내경정맥(internal jugular vein), 흉쇄유돌근(sternocleidomastoid muscle) 등을 보존하는 변형 근치

경부절제술(modified radical neck dissection)을 N1과 일부 N2 환자에게 시행하여 근치 경부절제술과 비슷한 정도의 치유율을 얻고 있다.[8]

임상적으로 발견할 수 없는 경부림프절의 잠복전이(occult metastasis)에서는 예방적 경부절제술이나 방사선치료로 비슷한 정도의 효과를 얻을 수 있다.[26] 잠복전이는 원발암의 크기가 클수록, 원발암의 분화도가 나쁠수록, 환자의 면역저항력이 저하될수록, 경부감염이나 경부 방사선조사 등의 기왕력이 있을수록 그 가능성이 높아진다. 원발암의 부위에 따라서도 잠복전이의 가능성이 달라진다.[26]

임상적으로 N0인 구강암에서 예방적 경부치료의 시행 여부는 아직도 논란의 여지가 있다. N0 경부를 치료를 하지 않고 세심한 추적 관찰을 진행하다가 전이가 발견되면 그 시점에서 구제 수술을 시행하는(wait and see) 방법은 불필요한 치료로 인한 합병증을 예방하고 경제적 이득이 있는 장점이 있으며 약 30%에서 50%의 성공률을 보고한다.[26] 그러나 단순 추적 관찰 시 경부 전이가 N1보다 진행된 N2, N3로 발견되는 경우도 있으며 구제 치료의 범위가 예방적 치료의 범위보다 더 크게 되어 오히려 합병증의 정도가 더 심할 수 있다.[26] 대부분의 많은 연구에서 예방적 경부 치료술이 추적관찰에 비해 더 나은 생존율 및 치료적 이득을 보인다고 보고하고 있다.[26] 따라서 잠복전이율이 15-20%를 넘는 구강암의 경우 예방적 경부 치료를 시행하는 것이 일반적이며 이에는 모든 T3/T4 및 대부분의 T2 구강암과 종양의 두께가 2-4 mm가 넘는 구강설암이 해당한다.

예방적 경부치료로는 방사선치료와 경부림프절 절제술이 있다. 두 치료간의 치료효과 비교를 위한 전향적 무작위 대단위 연구 결과는 없으나 기존의 많은 연구에 의하면 두 치료 방법 간에 치료 결과에는 큰 차이가 없는 것으로 되어 있다.[34] 예방적 방사선치료는 수술에 따른 외과적 합병증을 예방할 수 있다는 장점이 있으나 방사선 조사에 따른 급성점막염, 구강건조증, 방사선골괴사와 같은 합병증이 발생하며 병리학적 경부 림프절에 대한 확진이 불가능하다. 또한 초치료로 방사선치료를 택한 경우 추후 재발 및 이차암 발생 시 추가적으로 방사선치료를 시행하기 어렵다는 단점이 있다. 반면 예방적 경부 림프절 절제술의 경우 흉터 발생, 부신경 손상과 같은 수술과 관련된 합병증이 발생할 수 있는 단점이 있는 반면 방사선 조사에 따른 장기 합병증을 피할 수 있으며 제거된 조직을 통하여 병리학적 진단이 가능하여 추가 치료 방법 결정에 큰 도움을 얻을 수 있는 장점이 있다. 또한 초치료로 수술적 방법을 택한 경우 재발 및 이차암 발생 시 방사선치료와 수술의 두 가지 방법을 모두 고려할 수 있다.[34] 수술적 치료와 방사선치료 중 어떤 방법을 선택할지 여부는 환자의 상태 및 치료 비용, 기관의 치료 가능 여부, 환자의 선택 등에 따라 고려해야 하나 일반적으로 원발 부위를 수술로 치료하는 경우에는 경부 림프절 절제술이 선호된다.[34]

연구자마다 차이는 있지만, 대개 잠재전이율이 20%를 넘는 경우에 예방적 경부절제술을 시행해야 하는 것으로 알려져 있다. 방사선치료에 비해 경부절제술이 좋은 점은 조직 표본을 얻을 수 있고 그에 따라 예후를 예측할 수 있다는 점이다. 특히 구강암의 경우에는 견갑설골상 경부절제술(supraomohyoid neck dissection)로써 잠복전이를 적절히 치료할 수 있는데, T1의 경우 원발부위 절제 후 주의 깊게 추적관찰을 하며, T2 이상일 경우에는 예방적 견갑설골상 경부절제술을 시행하는 것이 일반적으로 적용되는 원칙이다.[34] 그러나 구강암 중 설암은 림프 주행경로를 추월하여 하심경림프절(lower deep cervical lymph nodes)로 전이되는 특징이 있기 때문에 예방적 경부절제술을 시행할 때 level Ⅳ를 포함하는 것이 바람직하다.[34]

경부절제술의 결과 전이가 없거나 피막외 침범(extracapsular spread)이 없는 1개의 작은 전이 림프절만 있는 경우에는 술후 방사선치료를 시행하지 않는다. 연구개와 설기저부의 편평세포암종에서는 반대쪽으로 잠복전이가 있을 가능성이 높으므로 경부절제술을 양측 모두 시행하는 것이 원칙이며, 구강암에서는 원발부위의 병기, 정중선의 침범 여부, 구강저의 침범 여부 등이 양측 경부전이의 지표가 되는 것으로 알려져 있으므로 정중선을 침범한 진행된 구강암에서는 양측 경부절제술을 시행해야 한다.[8]

1960년대 후반까지 임상적으로 경부전이가 있는경우 치료 방법으로 근치적 경부 림프절 절제술(radical neck dissection)이 가장 널리 시행되었다. 그러나 흉쇄유돌근, 내경정맥, 부신경을 제거하면서 발생하는 미용적 문제와 어깨증후군 등으로 인해 림프 외 구조물을 보존하는 변형 근치적 경부 림프절 절제술(modified radical neck dissection)이 소개되었다. 이후 여러 연구들에 의하여 변형 근치적 경부 림프절 절제술이 미용적, 기능적으로 우수하며 치료 효과도 근치적 림프절 절제술에 비견할 만한 것으로 밝혀졌다. 따라서 경부 전이가 있는 경우 치료적 경부 림프절 절제를 위해 level I–V의 림프절 그룹과 흉쇄유돌근, 내경정맥, 척수부신경 중 암종이 침범한 구조를 같이 제거하는 변형 근치적 경부 림프절 절제술이 많이 시행되었다. 최근에는 삶의 질 평가 연구에서 변형 근치적 경부 림프절 절제술을 시행하는 것보다 선택적 경부 림프절 절제술(selective neck dissection)을 시행했을 경우 수술 후 어깨의 통증이나 기능면에서 더 우수한 결과가 보고되었으며 이러한 결과를 바탕으로 치료적 경부 림프절 절제술을 좀 더 제한된 범위로 시행하는 경향이 있다.[34]

2. 방사선치료

일반적으로 구강 내 조기병변에는 수술과 방사선치료의 결과가 비슷하다. 방사선치료는 조음과 연하같은 기능적인 면에서 좀 더 나은 결과를 보이지만 미각소실, 구강건조, 방사선골괴사(osteoradionecrosis) 등의 심각한 부작용을 초래한다. 수술과 달리 근치적 치료를 위해 6주 이상의 치료기간이 필요하다. 3기 이상의 진행된 구강암에서는 수술이나 방사선치료 단독보다는 다른 두경부 암종과 마찬가지로 수술적 치료 후 추가적인 방사선치료를 시행하는 병합요법의 결과가 더 좋다. 구강암에서의 보조적 방사선치료는 술 전 또는 술 후에 시행할 수 있고 각각의 장, 단점이 있으나 술 전 방사선치료는 결정적인 수술치료를 지연시키고 술 후 상처의 합병증 위험 때문에 방사선 용량이 제한적인 단점이 있어 일반적으로 술 후 방사선치료가 선호된다. 수술 후 방사선치료는 방사선량의 제한이 없고 수술의 지연이 없으며 완전한 조직학적 병기를 확인할 수 있지만 수술의 합병증으로 인한 방사선치료의 지연, 수술 주변조직의 저산소분압으로 인해 방사선치료 효과가 감소될 수 있다. 수술 후 방사선치료의 적응증은 다음과 같다. 다발성 경부림프절 전이가 있을때, 신경주위 침범이나 혈관, 림프관 침범이 있을때, 피막외 침범이 있는 경우와 원발부위의 절제변연이 부족한 경우, 진행된 T 병기를 가진 경우 등이다.

일반적인 조사량은 하루에 1.8–2.0 gray(Gy)를 일주일에 5일 시행하여 총 62 – 70 Gy를 조사한다. 국소적으로 진행된 경우는 과다분할(hyperfractionation)이나 가속분할조사(acceralated fractionation)을 시행하여 좀 더 나은 국소 조절률을 보였다고 보고되고 있다.[21]

방사선치료의 가장 흔한 합병증은 구강건조증이나, 드물게 방사선골괴사 등의 심각한 합병증을 초래한다. 그러므로 방사선치료가 계획된 환자들은 철저한 치과 치료와 장기간의 불소치료를 받게 하여 충치나 방사선골괴사와 같은 합병증을 예방해야 한다. 최근에는 분할변형 방사선치료(Altered fractionation), 세기조절 방사선치료(Intensity modulated radiation therapy), IMRT, 토모테라피(Tomotherapy), 근접방사선치료(Brachytherapy) 등이 발달하면서 치료적 효과를 유지하면서 합병증을 최소화하는 방사선치료가 시행되고 있다.[21]

3. 항암화학요법 및 동시 항암방사선치료(Concocurrent chemoradiotherapy)

단독 항암화학요법은 일차적 치료방법으로는 효과적이지 못한 것으로 알려져 있다. 수술이 불가능한 환자들에서 보조 요법으로 항암화학요법이 시행되어 왔는데, 최근 화학요법의 반응 정도가 뒤에 시행할 방사선치료에 대한 반응 정도를 판단할 수 있는 지표가 된다고 알려져 있다.[24] 최근 들어 국소재발의 고위험군(2개 이상의 경부림프절 전이, 피막외 침범, 절제연이 양성인 경우 등)에서 술 후 동시 항암방사선치료가 유용하다는 보고가 있으나, 아직까지는 연구가 진행 중이다.[27]

4. 표적치료(Targeted therapy)

표적치료는 발암 작용과 종양의 성장에 필요한 단백질 키나제(protein kinase) 등의 특정 표적분자를 방해함으로 해서 종양세포의 증식을 억제하는 치료이다. 편평세포암과 관련된 표적분자들이 발견되고 분자생물학적 기술이 축적됨으로써 표적치료가 가능하겠고, 이의 임상적 적용 노력은 계속되고 있다. 상피성장인자수용체(Epidermal growth factor receptor, EGFR)는 구강 내 암전구질환과 암종의 80–100%에서 과발현되는 tyrosine kinase 수용체로 암의 진행 과정 중 비결합 수용체의 자동인산화과정이 진행되는 것을 tyrosine kinase 길항체를 사용하여 억제함으로써 암진행을 막고자 하는 것이 대표적인 표적치료의 예이다. EGFR 단일항체로서 개발된 Cetuximab (Erbitux, Imclone, NY, USA)과 Gefitinib (Iressa, AstraZeneca, London, UK)이 구강암의 치료에 시도되고 있으며 Gefitinib은 세포증식을 억제시키고 G1 phase의 cell cycle의 중단을 초래함으로써 림프절 전이를 감소시키고 방사선치료의 감수성을 증가시키며 Cetuximab도 G1 phase cell cycle을 중단시킴으로써 항암작용을 발휘한다.[22] 또 하나의 표적물질로 혈관내피세포성장인자(Vascular endothelial growth factor), VEGF는 두경부 편평상피암에서 과발현되는데, 이의 발현을 억제하고 세포의 이동을 억제함으로써 항암작용을 나타낸다. 암세포 유전자발현의 측정이 가능한 Microarray cDNA library analysis를 통하여 암발생을 일으키는 특정유전자를 확인함으로써 암환자의 개별적 맞춤치료가 가능한 날도 멀지 않았다. 하지만 표적치료는 아직까지 일차치료로 사용했을 때 치료효과가 수술 후 항암화학방사선치료의 결과를 뛰어넘지 못하고 있어 그 사용이 제한적이다. 현재 미국 FDA의 승인을 얻고 두경부암에서 사용될 수 있는 EGFR 길항제는 Cetuximab이며 그 적응증은 방사선치료를 주치료로 하는 경우 radiation–sensitizing agent로서, 또는 재발암이나 원격전이암의 경우에서 치료제로서 사용할 수 있다.[37]

Ⅸ 원발부위별 치료

1. 구순

구순암(lip cancer)은 구강암 중에서 가장 흔하며 전체 구강암의 25–30%를 차지한다. 90%가 하구순암, 나머지 10%는 상구순이나 구각(angulus oris)에 발생한다. 하구순암은 대부분 중심선과 구각의 사이에서 발생하지만, 이에 비해 상구순암은 대개 중심선 근처에서 호발한다. 대부분 편평세포암종이며 성장 양상에 따라 외장성(exophytic)과 궤양성(ulcerative)의 두 가지로 나눌 수 있는데, 외장성이 좀더 많으며 표재성으로 성장하고 원격전이를 늦게 일으킨다. 드물게 기저세포암(basal cell carcinoma)이나 소타액선암(minor salivary gland tumors)이 발생한다.

구순암은 대개 50–70대에 호발하고 95%가 남자에서 발병한다. 구순암의 원인 인자로는 오랜 태양광선 노출, 흰 피부, 흡연, 파이프 흡연, 불량한 치아 위생, 음주, 장기이식 후와 같은 만성 면역억제 상태 등이 밝혀져 있다. 구순암은 그 위치 때문에 조기에 쉽게 진단된다. 경부림프절 전이는 상대적으로 적어 하구순암의 경우 경부림프절 전이율이 전체의 10% 미만이다. 상구순암이나 구각에 발생한 암은 하구순암에 비해 경부림프절 전이의 위험이 높아지며, 구각암의 경우 20% 정도에서 경부 전이가 동반된다. 하구순암은 악하부, 이하부(submental) 림프절로 전이되고, 상구순암은 이개전부(preauricular), 악하부, 이하부 림프절로 전이된다. 하구순은 상구순에 비하여 림프액의 교차주행이 많고 반대쪽 경부림프절로 전이될 위험이 상구순보다 높다.

치료로 대개 외과적 절제를 시행하는데, 크기가 작을 경우에는 수술과 방사선치료의 성적이 비슷하다. 절제 시에는 절제연이 정상 조직의 8-10 mm 이상을 포함하도록 하며, T4 등의 진행된 암에서는 2 cm 정도의 절제연을 두어야 한다.

구순암은 경부림프절 전이율이 높지 않고, 경부전이 발생 후의 치료적 경부절제술의 성적이 우수하기 때문에 예방적 경부절제술은 시행하지 않다. 단, 구각이나 상구순에 발생한 암의 크기가 크고 분화도가 나쁠 때, 재발한 경우에는 예방적 경부절제술을 병행하는 것이 바람직하다. 수술 후 방사선치료는 국소 진행된 구순암이나 재발한 경우, 경부전이가 있는 경우, 피막외침범이나 신경주위 침습이 있는 경우에 시행한다.

구순암은 5년 생존율은 89% 정도이고 하악침범이 있는 경우에는 50% 이하로 감소한다.[41] 상구순암이나 구각암은 림프절 전이가 흔하므로 하구순암에 비하여 예후가 좋지 않다. 경부림프절 전이가 있는 경우 생존율은 50%이다.[13] 좋지 못한 예후를 나타내는 인자들로는 3 cm 이상의 큰 병변, 경부림프절 전이가 있는 경우, 재발한 경우, 신경주위침범이 있는 경우, 구각을 침범한 병변, 하악골을 침습한 병변 등이 있다.[13] 치료의 실패는 원발부위 재발이 가장 빈번하며, 5–21%로 보고되고 있다. 재발된 구순암은 경부절제술을 포함한 광범위 절제와 재건이 필요하며, 이때에도 치료 성공률은 75–85%이다.

2. 치조릉

치조릉(alveolar ridge)에 발생하는 악성 종양은 전체 구강암의 약 10%를 차지하며 50–60대에 호발한다. 상악골보다 하악골의 치조릉에서 더 호발한다. 소구치(pre-molar), 대구치(molar) 부위에 흔히 발생하고 노인의 치아 결손부위에서도 빈번하게 발생한다.[42] 전체 치조릉암 환자 중 절반 정도가 흡연과 관계없이 발병하는데, 잘 맞지 않는 의치(prosthesis) 등으로 만성적인 자극이 가해진 경우가 이에 해당된다. 35–50% 정도에서 골 침범이 보이는데 대개 치아가 없는 치조릉을 통해서 이루어진다.

치조릉암은 치조의 일반적인 염증성 질환들과 혼동되기 쉽기 때문에 조기진단에 실패할 때가 많다. 주 증상은 통증인데, 종양의 침습으로 인하여 골막이 자극되기 시작했을 때 발현되는 증상이다. 치조릉암은 분화가 좋은 경우가 많다. 성장 유형은 외장성(exophytic) 유두상과 궤양성(ulcerative)이 있으며, 궤양성일 경우에도 심부 침습보다는 표면을 따라 주로 확장하게 된다. 하악 치조릉암에서는 하악골 침범을 확인하기 위하여 면밀한 신체검사와 치아 촬영, 파노라마 영상, CT 등을 시행한다. 상악골에 발생한 경우에는 구개를 뚫고 내려온 상악동암과 감별하는 것이 중요한데, 부비동 CT가 도움이 된다.[42]

대개 수술로 치료하고 진행된 예에서는 방사선치료와 수술을 병행한다. 크기가 작은 종양은 경구접근(tran-soral approach)으로 적출이 가능하기도 하며, 하악골에서 기원한 암종을 치료할 때는 분절절제(segmental resection)가 원칙이며, 골 밖으로 침습한 경우 광범위한 연조직의 절제가 필요하다.[42] 하악절제의 정도는 하치조신경의 침습에 달려있으며 수질을 침습한 경우에는 하치조신경의 침습을 예상해야 한다. 대부분 하악절제의 전연은 이공을 포함하도록 이공의 전연이 되어야 하며 후연은 혀를 포함해야 한다. 신경의 절제연을 표시하여 동결절편검사를 시행한다. 신경이 육안으로 봐서 두꺼워졌을 때는 삼차신경절(trigeminal ganglion) 침습을 의심해야 한다. 신경의 침습이 의심되면 가능한 한 근치적으로 신경을 절제해야 한다. 하치조에서 발생한 조기병변은 하악의 변연절제로 치료할 수 있다. 변연절제를 하려면 하악이 충

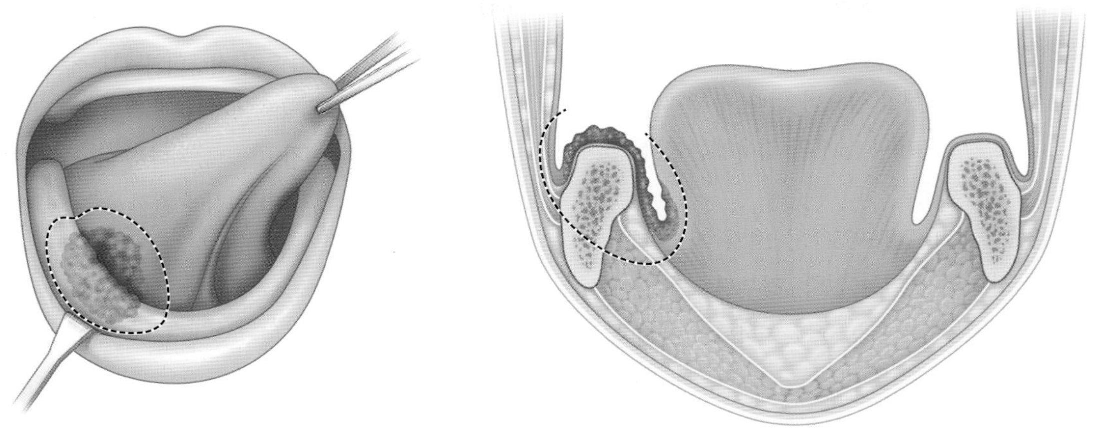

■ 그림 20-13. **하악의 관상변연절제(coronal marginal mandibulectomy)**

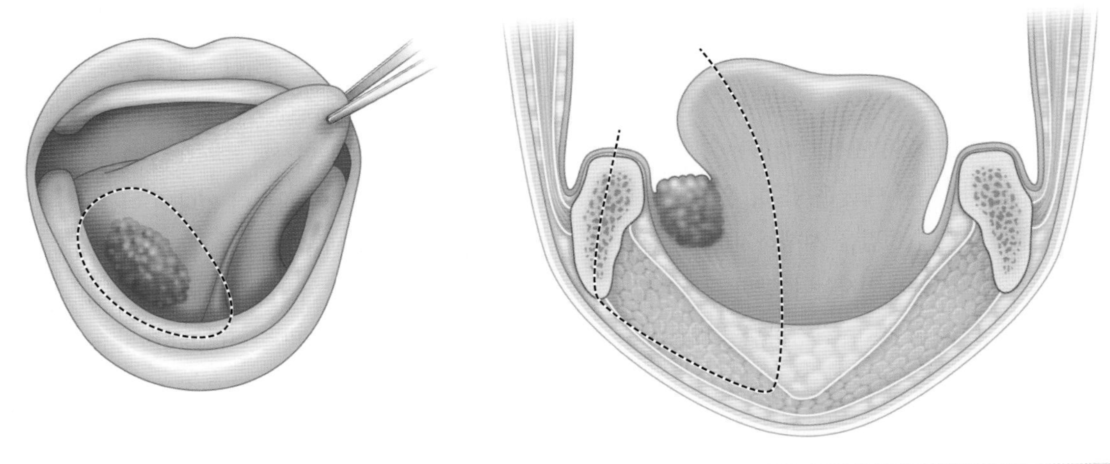

■ 그림 20-14. **하악의 설측시상변연절제(lingual sagittal marginal mandibulectomy)**

분히 두꺼워야 하고 술자가 하악의 침습여부를 정확히 판단할 수 있어야 한다.[42] 변연절제는 자르는 방향에 따라 두 가지 방법으로 시행할 수 있다. 하악의 위쪽을 제거하는 관상변연절제(coronal marginal mandibulectomy)(그림 20-13)와 설측면을 시상면으로 자르는 설측시상변연절제(lingual sagittal marginal mandibulectomy)가 있다(그림 20-14). 변연절제는 일괴(en bloc)로 절제하므로 하악이 적절하게 절제되었는지 판단하기 어렵다. 일괴로 절제하는 대신 단계별로 절제할 수 있는데 우선 점막의 암종을 충분한 변연을 두고 절제한 뒤 골막을 벗겨 골막과 피질의 상태를 관찰한 다음 하악의 절제 여부와 범위를 결정한다. 대부분 근치적 절제를 하는 것이 좋다. 특히 교합면(occlusal surface)을 주의 깊게 관찰해야 한다. 교합면에 가깝게 암종이 있다면 하악의 수질, 하치조신경의 침습이 예상되는 경우 시상면 부분절제를 시행할 수 있다. 이때는 하악골은 물론 하치조신경의 침습 여부를 검사하고 필요하다면 언제든지 분절절제를 할 수 있어야 한다.

경부림프절 전이는 상부 치조릉보다 하부 치조릉에서

더 흔하다. 잠재전이율은 대략 15% 정도로 알려져 있고, 제Ⅱ 병기까지는 경부림프절의 잠재전이율이 낮기 때문에 예방적 경부절제술을 시행할 필요가 없다. 하부 치조릉암은 악하부 림프절로 전이되나 상부의 경우에는 상심경부 경정맥림프절로 전이된다.

5년 생존율은 85(T1, T2)–65(T3, T4)% 정도이고 상악골과 하악골 사이의 차이는 없다. 경부림프절 전이가 있는 경우에는 5년 생존율이 35–59% 이하로 낮아진다.[42]

3. 구강설

구강설(oral tongue)은 구강암 중 구순 다음으로 흔하게 암이 발생하는 장소이다. 전체 구강암의 20%, 설암의 2/3가 구강설에서 발생한다. 구강설에 발생하는 종양의 97%가 편평세포암종이다. 남성에서 호발하고 50–60대에 많다.[4] 30세 이전의 젊은 연령에서 발생하는 경우도 드물지 않게 볼 수 있는데, 이런 예들은 음주, 흡연과 연관되지 않은 경우이며 조기에 생검을 시행하지 않아 진단이 늦어질 수 있다. 설암의 원인 인자는 불량한 구강위생, 음주, 흡연, 매독성 설염 등이며, 간경화나 Plummer-Vinson 증후군과도 잘 동반된다고 보고된 바 있다. 편평세포암종과 감별해야 할 질환으로는 아프타성 궤양, 과립세포종양, 그리고 흔하지 않지만 타액선종양이나 육종 등이 있다. 50%가 혀의 중간 1/3 부위의 측면에 발생하고, 20% 정도는 구강설의 전방 1/3에, 5%는 설배부(dorsum of tongue)에 발생한다. 외장성과 침습성이 가장 흔한 두 가지 성장양상인데, 외장성은 침습성에 비하여 심부 확장이 적어 비교적 낮은 병기로 발견되는 경향이 있다. 구강설암은 설기저부암에 비하여 분화가 좋고 예후가 양호하다. 전체 구강설암의 75% 정도가 T2 이내의 조기암으로 발견된다.[13]

설암은 종종 증상을 동반하지 않는 상태로 발견된다. 조기에는 흔히 통증이 동반되지 않으며, 설신경(lingual nerve)의 분지에 종양이 침습된 경우에 통증이 시작된다. 전체 환자의 30%에서 통증이 있으며, 11%에서는 불편감이 거의 없이 병변이 급속히 진행되기 때문에 입안의 종괴가 초기 증상이다. 약 6%에서는 경부종괴가, 5%에서는 연하장애(dysphagia)가 주 증상이다.

수술적 치료 시 종양이 설첨에 가까울수록, 크기가 작을수록 경구강 절제가 용이하다. 암종의 위치가 후방으로 갈수록 경구강 절제는 제한되며 경구강 접근법보다 더 넓은 시야가 필요한 경우 경부를 통한 접근법 혹은 하악을 통한 접근법을 이용할 수 있다.

하악을 통해 접근할 때 하악골의 절개가 완료되면 바로 구강저 점막에 절개를 하지 말고 우선 원발병소의 경계를 정하는 것이 좋다. 하악절개선과 절제연의 전연을 연결하도록 하악설골근과 그 위의 점막을 절개한다. 하악설골근과 점막의 절개는 예정된 절제의 후연까지 연장하는데 하악설골근은 제3 대구치 부분에서 끝나므로 필요하다면 점막의 절개만 연장할 수 있다. 이 부분에서 설신경이 노출되는데 신경의 침습이 없다면 이를 희생할 필요는 없다. 구강저의 점막을 절개할 때 최소한 1 cm의 점막을 보존하면 봉합할 때 편리하다. 하악설골근이 끝나는 부분에서 하악의 내측은 내익돌근(medial pterygoid muscle)으로 싸여 있다. 내익돌근은 구강구조와 구별되는 경계이다. 하악설골근 후연에서 후방으로 점막을 더 절개하면 전구개궁(anterior pilla), 편도와(tonsillar fossa)와 후구개궁(posterior pilla)을 만난다. 후방으로 절개를 가할수록 하악의 회전범위가 증가하고 구강의 모든 구조물을 넓은 시야에서 볼 수 있다. 엄지와 나머지 손가락으로 반대쪽 구강저와 혀를 눌러 예상치 못한 출혈을 조절할 수도 있으며 종양의 범위를 촉지하기도 용이하다. 이렇게 함으로 암종의 내측 절제연을 쉽게 정할 수 있다.

전설절제술(total glossectomy)은 구강설과 설근부를 함께 절제하는 술식으로 술전에 암종의 범위를 정확히 판단해야 한다.[2] 설암은 대체로 후두개곡(vallecula) 쪽인 후방으로 자라는 경향이 있으며 이곳에 도달하면 전후두개공간(preepiglottic space)으로 침습하게 된다. 아래로 진행하면 하악설골근을 따라 설골을 침윤한다. 외측 혹은 전방으로 진행되면 구강저 및 하악에 가까워지며 후외방으로 가면 편도설구(tonsillolingual sulcus)를 따라 편도와, 하악각(angle of mandible), 나아가서 구인두 외벽을 침습하게 된다. 수술 전 전신마취 하에 세밀한 촉진이 필수적인데 특히 설골과의 유착 유무, 하악과의 고정 여부 및 점막하 침습을 관찰해야 한다. 술 전 영상진단으로는 MRI가 효과적인데 연조직을 잘 볼 수 있을 뿐 아니라 시상면 영상(sagittal image)을 볼 수 있어 침습의 하연을 파악하기에 유용하다.

진행된 구강설암에서 전설절제술 시행 여부의 결정에는 두 가지 요소가 영향을 미치는데 한 가지는 설동맥의 위치이다. 설동맥은 설기저부에서는 중앙면에 가깝게 위치해 있어서 설기저부로 갈수록 양측의 설동맥이 희생되기 쉽다. 또 한 가지는 설암은 혈관주위 또는 신경초 침윤이 많아 위성병소(satellite lesion)가 많으므로 다른 곳의 편평세포암종보다 넓은 절제변연이 필요하다는 점이다.

이상을 모두 고려하여 절제 범위를 결정하여야 한다. 경우에 따라 전설절제술과 함께 주변의 구조를 함께 절제해야 할 경우도 있다. 후두, 구강저, 구인두 외벽 등이 그러한 부분인데 다른 부분은 함께 절제 후 재건해도 별 문제가 없지만 전설절제와 함께 후두를 제거하면 중대한 장애가 남게 된다. 고식적인 후두절제술의 점막절개를 양쪽 구강저로 연장하면 전설절제술과 후두절제술을 동시에 할 수 있다. 후두를 보존하면서 전설절제를 하는 경우의 접근법은 구강저의 침습 여부, 편도와의 침습 여부를 고려하여 선택한다. 가능한 한 하순의 절개는 피하는 것이 좋으며 하악도 그대로 보전하는 것이 좋지만 필수적이지는 않다. 종양이 하악에 가까우면 하악의 변연절제술이 필요하거나 간혹 분절절제가 필요한 경우도 있다. 구강저 침습이 없으면 pull-through 방법으로 절제가 가능하다. 구강저의 절개는 하악을 따라 시행하고 경부에서는 혀의 외근을 절개한 다음 설동맥과 정맥을 결찰하고 설기저부를 설골에서 분리함으로써 혀 전체를 절제한다.

전설절제 후 재건 시 피판의 봉합이 완료되면 설골과 하악의 연결을 당겨서 후두를 거상, 고정한다. 후두의 거상은 후두를 전상부에 위치하게 하여 인두식도분절(pharyngoesophageal segment)의 압력을 줄여 연하기능의 회복에 도움을 준다. 대개 술 후 2주에는 기관 발관이 가능하다.[2]

구강설암은 경부림프절 전이를 매우 잘 하는 질환이다. 진단 당시 전체 설암 환자의 40%에서 경부림프절 전이가 있으며 T2 병변의 40%에서 잠복전이가 있다. 설기저부에 비하여 구강설에서는 양측 및 반대쪽 경부림프절 전이가 드물게 나타난다. 중간 1/3 부위가 전방부위에 비하여 경부전이를 더 잘 일으키는 경향이 있다. 또한 종양의 두께가 중요한 예후 인자로 알려져 있다.[3] 종양의 두께가 2–5 mm 이상이면 경부림프절 전이율이 현저히 증가하기 때문에 수술 중 동결절편으로 종양의 두께를 확인하여 경부절제술의 지표로 삼는 것이 바람직하다.[3] 제 Ⅰ 병기 설암의 5년 생존율은 70%, 제 Ⅱ 병기는 50%, 제 Ⅲ, Ⅳ 병기는 40% 이하이다.[3]

4. 후구치삼각

후구치삼각(retromolar trigone)은 좁은 부위로 이곳에서 발생하는 암종은 전구개궁, 하부 치조릉, 협부점막, 구강저, 연구개 등의 주위 조직을 함께 침범하는 예가 많으며, 종종 어느 부위에서 원발하였는지 구분할 수 없는 경우도 흔하다. 발견 당시에 T3 이상의 진행된 병기인 예가 많고, 전체 환자의 50% 이상에서 진단 시 경부림프절 전이가 동반되어 있다. 또 하악지(ramus of mandible)가 골막과 점막으로만 덮여 있어 주위 연조직의 안전역을 충분히 얻기 어렵다.

후구치삼각에 발생하는 편평세포암종은 구강의 전방에 있는 암종에 비하여 분화도가 나쁜 경향이 있으며, 외장성 성장 양상을 보이는 경우가 드물고 대개 궤양성이나 침습성으로 증식한다. 이 부위의 악성 종양은 영역 암화

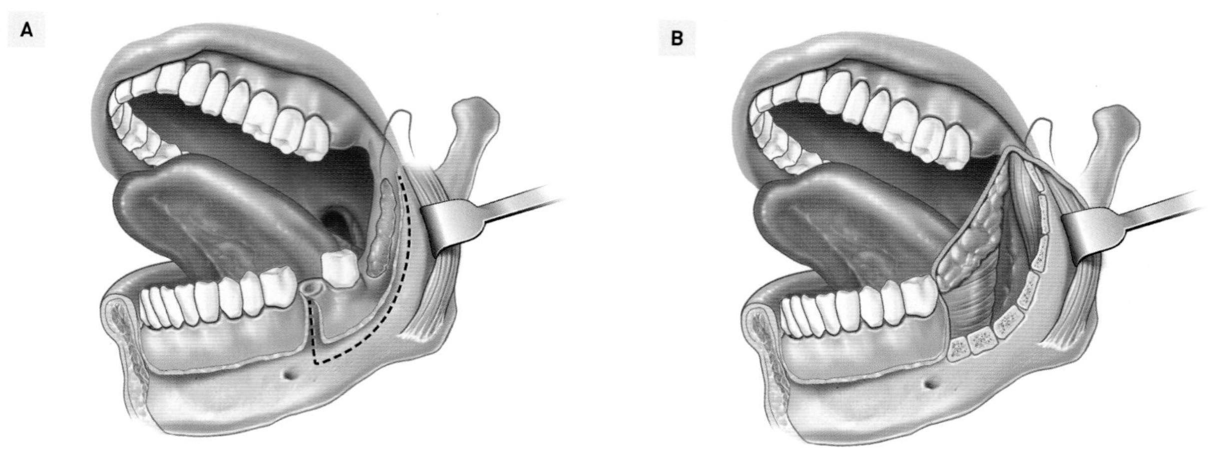

■ 그림 20-15. **후구치삼각암에서 'L'자 모양의 하악 변연절제**

(field cancerization)의 산물인 경우가 많아서 양측 구개궁을 침범한 예가 종종 발견되고, 기타 상기도와 소화기 점막에 이중 혹은 이차 원발암(double or second primary cancer)이 존재하는 경우가 20%에 달한다.[13]

후구치삼각암의 주된 증상은 대부분 통증이다. 병변이 편도로 확장된 예에서는 연관 이통(referred otalgia)이 동반될 수 있고, 진행된 예에서는 개구장애(trismus), 경부종괴, 난청 등의 증상을 보일 수도 있다. 개구장애는 익돌근까지 종양이 침습한 것을 의미하고, 난청은 이관(eustachian tube)의 침범을 의미한다.

후구치삼각암의 수술적 접근은 경구강으로 하지 않는 것이 원칙이다. 하순을 절개하지 않고 경구강절제를 하는 것이 기술적으로 가능한 경우가 있지만 하악의 절제가 필요한 경우에는 시행할 수 없다. 대부분 경부절제술 혹은 하악삼각절제 및 하순절개를 통하여 접근한다. 절제술 시 우선 고려해야 할 것은 하악의 절제 여부와 정도이다. 후구치삼각암은 대부분 하악의 침습이 있다고 가정하는 것이 좋다. 후구치삼각에서 하악의 침습 양상은 일정하지 않으나 하악의 침습은 대부분 하악지의 앞부분에서 시작하며 하악지의 후연까지 침습되는 경우는 진행암이라도 드물다. 하악지를 인위적으로 수직으로 삼등분하여 과상돌기를 포함한 후 1/3과 앞쪽 2/3로 나누면 하악지의 후 1/3이 침습되는 경우는 드물다. 그러므로 대부분 하악지 후 1/3을 재건을 위한 지주(strut)로 이용할 수 있다. 가장 손쉬운 방법은 앞쪽의 연조직과 하악절개선을 선택한 다음 그 후방의 하악을 모두 절제하는 것이지만 이 방법은 하악을 과잉으로 절제할 가능성이 있다. 뒷부분의 하악절제를 더 정확하게 하거나 하악의 일부를 유지하려면 협부피판과 교근(masseter muscle)을 박리하여 외측으로 견인하여 하악지의 후연을 충분히 노출해야 한다. 하악의 절제 범위는 침습 정도에 따라 다르며 절제방법에 따라 달리할 수 있다. 하악의 일부를 보존하며 암종이 유착된 하악부분과 연조직을 일괴로 절제할 수 있으며 골막을 확인하고 절제하는 단계적 방법도 사용할 수 있다. 단계적으로 절제하는 방법에서는 연조직을 절제한 다음 골막과 피질을 관찰하여 하악의 절제 여부를 결정할 수 있다. 골 침습이 미미하다면 변연절제가 가능하다(그림 20-15). 단계별로 절제하는 것은 일괴로 절제하는 원칙에 위배되나 하악의 침습여부를 파악할 수 있고 하악절제를 필요한 만큼만 할 수 있는 장점이 있다.

임상적으로 경부림프절 전이가 없는 환자에서 잠복전이가 있을 확률은 10-20% 정도이다.[44] 일차 경부전이는 상심경부경정맥림프절로 이루어지고 이차적으로 악하부림프절이나 중심경림프절로 확장된다. 양측 경부림프절로 전이되는 예가 7% 정도이다.[44]

T1 병기 구후삼각암의 5년 무병 생존율은 76%이며 T4는 54%까지 감소한다. 재발률은 방사선치료 단독 시행 시 44%인 반면 수술과 방사선치료 병합군은 23%였다.[41]

5. 구강저

구강저암(mouth floor cancer)은 전체 구강암의 10–15%를 차지한다. 남성에서 여성보다 3–4배 정도 호발하고 평균 발병 연령은 60대이며, 진단 시 35%가 T3 이상의 진행된 병기를 보인다.[32]

대부분이 편평세포암종이고, 드물게 소타액선, 설하선에서 발생한 악성 종양들이 구강저에 나타나기도 한다. 구강저의 편평세포암종은 분화도가 좋은 경우가 더 많으며, 성장양상은 외장성인 경우가 흔한데, 종양이 커지면 표면에 궤양을 형성하기도 한다. 종양이 악하선관(Wharton's duct)을 막거나 악하선관의 주행을 따라 침습하기도 한다. 하악골을 침범하기도 하는데, 촉진 시 종양이 고정되어 있으면 하악골막과의 유착 또는 하악골 침습을 의미한다. 하악골 침습 여부는 방사선검사로써 정확하게 판단하기 곤란한 경우가 많으므로 종괴의 촉진이 보다 더 정확한 방법이다. 병기가 진행되면서 구강저암은 설기저부로 확장되기도 하며, 결체조직이 약한 하방으로 침습해 내려간다. 초기 증상으로 가장 흔한 것은 구강저의 무통성 종괴이고, 환자들이 통증을 호소하는 경우는 드물지만 설신경(lingual nerve)의 분지나 하악골의 골막이 종양에 침습되면 통증이 동반될 수 있다.

하악에 근접하지 않은 조기병변의 절제술에서 설하선과 악하선관은 흔히 절제에 포함된다. 설하선을 절제할 때에는 설신경 침습에 관심을 두어야 하며 침습이 의심되지 않으면 보존하는 것이 좋다. 전측 구강저의 암종은 하악결합부의 점막골막으로 진행된 경우가 흔하다. 이때는 하악의 침습 여부를 판단하여야 하며 하악에 단단히 붙어 있다면 하악골 침습을 의심해야 한다. 조기병변이 하악에 고정되어 있을 때 무치하악이면 절제연 치조점막을 깊게 절개하여 연조직과 같은 범위의 하악골 변연절제를 시행할 수 있다. 변연절제 시에는 골절개의 방향이 중요하며 골절개의 방향은 심부의 변연, 즉 혀의 외근이 충분히 포함되도록 해야 한다. 유치하악인 경우에는 전측 구강저가 무치하악에 비해 상대적으로 깊기 때문에 기술적으로 더 어렵다. 치아가 견고하고 방사선검사에서 이상소견이 없다면 골침습의 가능성이 적으며 하악의 분절절제가 적응되지 않는다. 하악의 절제 정도는 임상적으로 결정하는데 암종이 단지 고정만 된 상태라면 골막을 박리하여 확인한 다음 골피질만 얇게 제거하는 방법, 깊게 절제하는 방법, 치아의 socket line까지만 절제하는 방법, 외측연의 치아를 하나씩 발치하고 socket plane 설측의 시상면을 절제하는 방법 등으로 하악절제를 대신할 수 있다.

전측 구강저의 진행된 암종의 연조직을 절제할 때는 이설근과 설기저부를 포함하는 경우가 있어서 결손의 부피가 커지게 된다. 이와 아울러 하악골을 어떻게 얼마나 절제하여야 하는지에 대해서도 논란이 있다.[32] 가능하면 하악의 일부라도 보존하여 하악의 모습을 유지하는 것이 좋다. 하악의 일부 보존의 가능성에 영향을 미치는 요소는 하악골의 두께, 치아의 유무, 치조골의 흡수 정도와 길이 그리고 술 전 방사선치료 여부이다. 보존의 가능성이 가장 높은 곳은 하악의 아래 바깥 부분이다. 하악의 침습이 확실하면 분절절제의 적응증이 된다. 분절절제를 하는 경우 중에는 실제로 하악의 침습보다는 하악주위조직의 침습이 광범위해서이기 때문인 경우가 많다.[32]

외측 구강저 조기병변의 절제는 전측의 구강저와 별 차이가 없지만 심층으로는 침습되는 구조물이 다르다. 심층으로 침습하면 설하선의 후부, 악하선의 심엽이 가장 처음 만나는 구조이며 그 다음의 구조물은 하악설골근과 설골설근이다. 외측구강저 절제 시에는 악하선관, 설신경, 설하신경의 가지 등이 시야에 노출될 수 있다. 외측 구강저의 경구강접근 가능성 여부는 종양 후연의 위치와 치아의 유무 등 두 가지 요소에 의해 결정된다. 후방으로 갈수록 경구강 절제가 어렵다. 무치하악이며 종양이 작은 경우에는 경구강 절제가 용이하나 같은 크기의 같은 부위의 병소라도 유치하악인 경우에는 구강저가 깊으므로 경구강 절제에 제한이 있다. 외측 구강저의 진행암은 경부와 하악절개를 통하여 접근하는 것이 일반적이다. 경부절제술을 먼저 시행하고 이를 통하여 접근하며 경부절제를 하지 않는 경우에는 악하삼각을 절제하고 접근하게 된다. 경구강 절제가 불가능한 구강저암에서는 하순과 하악을 절개하고 접근하게 된다. 하악의 절개는 하악절제 여부에 따라 달라지는데 하악을 절제하는 경우에는 하악절개 부분이 절제연의 일부가 되도록 해야 하며 그렇지 않은 경우에는 하악의 스윙 방법을 선택한다. Pull through 방법은 기술적으로 가능하지만 시야가 매우 제한적이다. 외측 구강저암은 국소병변 상태에 따라 접근경로가 달라져야 한다. 하악의 침습 정도가 불확실한 때에는 하악하연에서 하악설골근이 부착하는 부위까지 박리한 다음 하악절개의 위치를 선택하고 설측 치조점막을 박리하여 골침습 여부를 확인하게 된다. 분절절제를 미리 계획한 경우에는 하악골의 협부쪽을 박리하게 되고 협구에 절개하여 구강으로 접근한다. 그 후 앞쪽의 하악골 절제연에 하악절개를 가한다. 이 경우는 이공을 포함하여 절제하고 하치조신경을 충분히 포함시키며 난원공까지 추적할 수도 있다. 악하삼각의 피부 및 피하 조직, 하악의 분절절제, 구강의 원발병소를 한 덩어리로 절제해야 하므로 관통결손이 발생하게 된다.

경부림프절 전이가 흔하여 약 50%에서 발견되고, 악하부 림프절로 가장 흔하게 전이된다. 이하부 림프절로의 전이는 비교적 드물게 나타난다. 종양이 주로 전방 정중선에 가까이 위치하기 때문에 양측 경부림프절 전이도 종종 발견된다. T2N0에서 경부림프절의 잠재전이율은 약 40%, T3N0에서는 약 70%로 알려져 있다. 종양이 정중선에 인접하여 위치하거나 크기가 큰 경우에는 N 병기와 관계없이 양측 경부절제술을 시행하는 것이 원칙이다.[32] T3 이상의 병기에서는 술 후 방사선치료를 함께 시행하는 것이 좋다.

구강저암은 구강암 중 이차암을 가장 빈번히 동반하는 특징이 있어 약 20%에서 구강 내 다른 부위에서 악성 종양이 발견된다. 제 Ⅰ, Ⅱ, Ⅲ, Ⅳ 병기의 5년 생존율은 각각 90%, 80%, 65%, 30% 정도이다.[32] 종양의 두께가 원발부위 치료 실패와 가장 연관성이 높은 것으로 알려져 있고, 앞쪽이나 뒤쪽 구강 밖으로의 확장 여부가 생존율을 감소시키는 인자가 된다.[32] 재발하는 경우 약 90%가 치료 후 2년 내에 발견된다.

6. 협부점막

협부점막암(buccal mucosa cancer)은 전체 구강암의 5–10% 정도이다. 여자에 비해 남자에서 4배 더 호발하고 평균 발병연령은 60대이다. 흡연과 음주가 가장 중요한 원인 인자인데, 미국의 다른 지역에 비해 씹는 담배를 많이 사용하는 동남부 지역에 흔하고, 인도 빈랑나무 열매(betel nut)를 먹는 기타 지역에서도 호발하는 것으로 알려져 있다. 인도에서는 협점막암이 구강암 중 가장 빈번한 유형이다. 가장 흔히 발생하는 부위는 하부 제3 대구치 주변이다. 씹는 담배를 사용한 환자들에서는 담배가 닿는 부위에 발병하는 경향이 있다.

협부점막암은 백반증의 부위에서 발병하는 경우가 많다. 진행된 예에서는 교근(masseter muscle)이나 익돌근(pterygoid muscle)을 침범하기 때문에 개구장애를 일으킨다.

성장양상에 따라서 외장성, 궤양침윤성, 사마귀성(verrucous)으로 나뉘며, 외장성이 좀 더 흔하다. 느리게 성장하는 사마귀상암종(verrucouse carcinoma)이 구강 내에서 가장 호발하는 곳이 협부점막이다. 협부점막의 악성 병변은 생검을 통하여 편평유두종(squamous papilloma)이나 가성상피종성증식(pseudoepitheliomatous hyperplasia)들과 감별하여야 한다.

절제술은 암종의 크기와 깊이에 의하여 결정된다. 암종이 협부점막의 표면에만 국한해 있으면 협근과 점막하층 사이가 절제면이 될 수 있다. 암종이 아무리 표재성이라 하더라도 점막하층은 함께 절제해야 한다. 전층 절제가 아닌 경우 협부점막의 수술적 접근은 경구강접근법으로 대부분 가능하다. 경구강으로 어려운 경우는 상협구, 익돌하악봉선 및 구후삼각을 침습했을 때이다. 하협구는 비교적 노출이 용이한데 하순을 절개하고 협부피판을 만들면 충분한 시야를 확보할 수 있다. 가장 어려운 부분은 상협구인데 특히 대구치 부분의 상협구는 쉽게 시야를 확보할 수 없다. 상협부의 뒷부분은 원래 좁은 구를 형성하고 있고 교근에 의하여 더욱 압박되어 있으므로 충분히 노출시키기가 매우 어렵다. 가능한 방법은 상순을 중앙에서 절개하고 Weber-Fergusson 절개를 하는 것인데 이 절개를 가하여도 뒷부분의 노출에는 별 도움을 얻지 못한다. 경부절제가 필요한 경우에는 경부를 통하여 접근할 수 있다. 전층의 절제가 필요한 곳은 협부점막의 뒷부분보다는 앞부분에 많으며 구열이 포함되어야 하는 경우도 드물지 않다. 협부점막암은 다중병소가 흔하기 때문에 절제는 암종이 보이는 부분보다는 광범위하여야 한다.

협부점막암 전체의 약 50%에서 경부림프절 전이가 있다. 앞쪽의 병변에서는 악하부 림프절로, 뒤쪽의 병변에서는 심경부 림프절로 전이되는데, 앞쪽 병변일 경우 조기 발견율이 높아 상대적으로 경부림프절 전이율이 낮다.[14] 잠재 전이율은 높지 않아서 예방적 경부절제술은 필요 없지만, T2 이상의 병기에서는 림프절 전이 가능성이 40% 이상이므로 예방적 경부치료를 시행하는 것이 바람직하다.[16]

치료 후 5년 생존율은 대략 50-75%인데, 제Ⅰ, 제Ⅱ, 제Ⅲ, 제Ⅳ 병기별로 보고된 생존율은 75%, 65%, 30%, 20% 정도이다.[16] 종양의 두께가 중요한 예후인자로 알려져 있다.[16] 경부림프절 전이가 있으면 예후가 좋지 않아서 5년 생존율이 대략 49% 정도이다.[16] 재발은 암종의 크기, 병기, 암종의 두께나 침습 정도가 클수록 증가하는 경향을 보인다.[16] 치료 후 원발부위의 재발은 45%로 보고된 바 있으며, 재발된 경우의 치유율은 22% 정도이다.[16]

7. 경구개

경구개(hard palate)의 편평세포암종은 비교적 드물어서 전체 구강암의 약 0.5%에 불과하다. 경구개에서는 타액선암이 편평세포암종과 비슷한 정도로 발생하며, 구강에 발현하는 소타액선암의 가장 흔한 부위가 경구개의 뒷부분이다.[35] 일반적으로 60대 이상의 고령에서 발생하고 환자의 대부분에서 흡연력을 갖고 있어 흡연과 밀접하게 연관된다고 알려져 있다.

경구개암은 점막 표면에 궤양을 형성하며 과립상(granular)으로 성장하는 것이 흔한 유형이다. 골과 근접해 있지만 골막이 종양 침습의 방어막 역할을 하기 때문에 구강 쪽으로 상당한 종괴를 형성한 후에야 상악골로 침습한다.

가장 흔한 증상은 입천장의 종괴 또는 궤양이다. 증상 발생 후 약 3-4개월이 지나 병원을 방문하는 환자들이 많은데, 이렇게 짧은 기간 안에 제 Ⅲ-Ⅳ 병기의 상태로 진단되는 경우가 절반을 차지한다. 경구개암 치료 전에 생검을 통한 병리조직학적 검사는 필수적이다. 진단 당시 골 침범 여부를 판단하는 것이 중요하며, CT의 관상영상(coronal view)이 유용한 검사가 된다. 진행된 종양에서는 수술 전에 대구개신경(greater palatine nerve)과 상악신경(maxillary nerve)을 비롯한 삼차신경(trigeminal nerve)의 분지들로 종양이 침습하지 않았는지 면밀히 검토해야 한다.

경구개 절제술 전에는 항상 미리 임시 의치본(dental prosthesis)을 떠놓는 것이 좋다. 피부이식을 한 후 바로 사용할 수 있도록 하기 위함이다. 대부분의 암종은 경구강 절제가 가능하며 비강 및 상악의 노출이 필요하면 상악암의 접근방법을 적용할 수 있다. 절제술의 첫 부분은 점막절제변연의 절개로 시작한다. 점막절개를 골막까지 진행한 다음에는 두 가지 방법으로 절제할 수 있다. 첫째는 골과 점막을 일괴로 절제하는 방법이다. 이때는 골 침습이 있다는 가정하에 하게 되며 점막의 절개선과 같은 부위를 골절개하고 절단한다. 골이 두꺼운 부분 특히 치조골은 절골도를 사용하여 분리한다. 비강과 부비강의 점막골막의 침습이 없으면 점막골막을 다치지 않고 골을 절제할 수 있다. 비강 쪽의 점막골막이 손상되지 않으면 가장 이상적인데 이 점막골막에 바로 피부박층이식을 할 수 있기 때문이다. 그러나 일괴로 절제하면 점막골막의 침습이 없는 경우에도 점막골막이 찢어지는 경우가 흔하며 비강과 구강을 관통하게 된다. 비강 쪽의 점막골막 침습이 의심되면 이 부분 역시 안전한 절제변연을 갖도록 한다. 재건으로는 피부박층이식을 한다. 단계별로 절단하는 방법은 점막의 종양을 점막골막을 박리하여 절제한 다음, 구개골 표면을 관찰하여 침식 부분이 관찰되거나 표면이 고르지 않고, 골이 쉽게 부서지면 골 침습을 의심하여 절제술을 시행한다. 점막골막을 박리할 때 두 손가락을 이용하여 종양과 점막을 촉진하는 것은 종양의 침습을 아는 데 매우 유용하다. 골을 절제할 때 가능한 한 비강쪽 점막골막을 보존해야 한다. 단계별 절제의 가장 큰 장점은 비강쪽 점막골막을 보존할 가능성이 큰 것이다. 그러나 술전에 이미 비강점막골막의 침습이 의심된다면 일괴로 절제해야 한다. 선양낭성암종은 모든 경우에서 일괴로 절제하며 비강 점막골막도 포함해야 한다.

임상적으로 경부림프절 전이는 전체 환자 중 10-25%에서 관찰된다. 일차구개(primary palate) 부위에 발생한 악성 종양에서는 악하선의 혈관전림프절(prevascular lymph node)과 혈관후림프절(retrovascular lymph node)로 먼저 전이되고, 이차구개(secondary palate) 부위에 발생한 경우에서는 상심경부경정맥림프절이나 후인두림프절로 전이된다. 경구개암은 잠재전이율이 매우 낮기 때문에 예방적 경부절제술은 필요없지만 T4 병기인 경우 잠재전이율이 25%이므로 예방적 경부치료를 고려해야 한다.[35] 5년 생존율은 40-60% 정도이다.[35]

 합병증

1. 일반적인 합병증

구강암 수술 시에는 항상 기도확보에 주의한다. 기도를 위협하는 요소로는 술 후 구강의 부종, 혀의 불안정, 기도로의 출혈 혹은 혈종 등이 있다. 절제와 재건이 광범위할수록 기관절개(tracheotomy)가 필요하다. 간혹 기관절개를 하지 않고 경비기관삽관(nasotracheal intubation)으로 유지하는 술자도 있지만, 술 후 경비기관삽관에 문제가 생겨 다시 시행할 경우에는 부종 혹은 피판 등으로 인하여 재삽관이 매우 어렵다는 점과 기관절개는 기관삽관을 제거한 후에 기관절개가 막히는 기간이 있기 때문에 경비기관삽관을 바로 제거하는 것보다 안전하다는 장점이 있다.

구강암 수술 후 바로 구강을 통한 섭식을 할 수 없으므로 영양섭취는 매우 중요하다. 대부분 비위관(nasogastric tube)으로 섭식하면서 구강이 치유되도록 기다린다. 장기간의 삽관이 예상되는 경우에는 비위관보다 부드럽고 딱딱하지 않은 bore tube를 사용하는 것이 좋다. 과거에 환자의 생명까지 위태롭게 하였던 창상감염은 현재에는 그리 문제가 되지 않지만 술 전에 하루는 예방적으로 항생제를 투여하는 것이 좋다.

2. 수술에 따르는 합병증

하악골 절개에 의한 접근은 시야가 우수하나 합병증이 생길 수 있는데 특히 방사선치료 후에 부정유합 혹은 불유합이 발생할 수 있다. 이를 방지하기 위해서는 정확한 고정이 필수적이다. 고정은 가능한 한 골막을 벗기지 않은 상태에서 2개의 miniplate로 고정하는 것이 좋다.[43] 방사선골괴사 혹은 하악절개부위의 염증이 있으면 고정판을 제거하고 괴사된 골도 절제한다. 치료가 종결된 후 상당기간이 지나서 괴사 혹은 염증이 발생하면 구강피부누공이 있는지 살펴봐야 하며 재발 혹은 잔존암의 가능성이 있으므로 생검이 필요하다.

혀는 두 개의 설동맥으로부터 혈액을 공급받는다. 가끔 설동맥이 모두 결찰되는 경우가 있는데 대개 중앙의 광범위한 구강저암을 절제할 때이다. 두 설동맥이 결찰되면 항상 발생하는 것은 아니지만 설첨이 괴사될 수 있다. 이때는 바로 괴사조직을 제거하는 것보다 항생제를 투여하며 자연괴사 부분이 확실해지고 떨어지기를 기다려서 혀의 잔여부분을 가능한 한 많이 보존하는 것이 좋다.

구강암은 양측 경부전이를 잘 하므로 양측의 경부절제술을 동시에 하여야 하는 경우도 드물지 않다. 양측 경부절제술은 술 후 얼굴의 부종을 초래하며 한쪽의 내경정맥이 보존되어도 얼굴의 부종은 흔하게 발생한다. 양측 경부절제술 시 종양학적으로 안전한 범위에서 한쪽 내경정맥을 보존해야 한다. 수술의 순서는 먼저 시작하는 쪽(대개 N병기가 낮은 쪽 혹은 내경정맥과 유착가능성이 작은 쪽)에서 내경정맥을 보존하고 반대쪽을 자유롭게 하는 것이 원칙이다.

3. 재건에 따르는 합병증

흔하지는 않지만 피판의 일부 혹은 전부가 괴사될 수 있다. 괴사가 발견되면 혐기성 세균에 듣는 항생제를 투여하고 환자가 일차 수술로부터 회복되기를 기다리면서 괴사 부분의 크기를 판단한다. 작은 괴사는 특별한 조치 없이 이차 치유되는 것이 보통이다. 대부분 괴사되고 일부가 괴사되지 않더라도 괴사 부분이 크면 다시 재건하여야 하나 항상 즉시 시행해야 하는 것은 아니다. 유리피판의 괴사는 초기에 적절한 처치로 회생할 수도 있으므로 술 후에 주의 깊게 관찰한다. 피판의 괴사는 미세수술의 실패보다는 술 후 처치 혹은 피판 디자인의 잘못으로 인한 경우가 많다. 피판은 술 후 매 15-30분마다 관찰하는 것이 좋으며 의심스러운 경우 내과적 치료보다는 재수술을 실시하여 피판을 관찰하는 것이 원칙이다. 피판과 혈관의 상태를 관찰하여 회생이 불가능하다고 판단되면 피판을 절제하고 다시 재건한다. 이때 첫 수술 시의 절제 범위와 괴사범위가 같고 처음 피판의 선택이 옳았다면 반대쪽의 같은 피판을 사용할 수 있다.

4. 방사선치료에 따르는 합병증

방사선치료 후 구강건조증, 구내염, 미각감소 등의 합병증이 발생하며 지속적인 방사선 궤양(radiation ulcer)이 발생하면 재발암이나 방사선 골괴사를 의심하여야 한다.

방사선 골괴사는 해부학적 특성 때문에 구강저나 구후삼각암의 치료 후에 흔히 발생한다. 또 치료 전 충치에 대한 치과 치료가 불충분할 때 흔히 발생하므로 방사선치료 전 발치와 주기적인 불소도포가 시행되어야 한다. 괴사조직을 제거한 후에도 지속적인 통증이 발생하면 고압산소치료(hyperbaric oxygen therapy)나 하악 부분절제술이 필요하다.

표 20-5. 구강암 치료 후 추적관찰 주기(미국 두경부외과학회 권고안)

치료 종결 후 시점	외래 내원 간격	외래 내원 횟수/년
1년째	1-3개월	4-12회
2년째	2-4개월	3-6회
3년째	3-6개월	2-4회
4 - 5년째	4-6개월	2-3회
5년 이후	12개월	1회

 추적관찰 및 재활치료

치료 후 경과 관찰을 크게 둘로 나눌 수 있다. 우선 수술과 방사선치료에서 회복되는 과정으로 적절한 영양공급과 재활 여부를 확인하기 위해 주 단위로 관찰한다. 다음은 암의 재발 여부에 대한 관찰로, 재발이 조기에 발견되면 이차적인 구제치료의 효과가 증가하기 때문에 중요하다. 미국 두경부학회에서 권장하는 가이드라인은 표 20-5와 같다.

참고문헌

1. 김민식, 선동일, 조재홍 등. 구인두 악성종양의 외측인두절개술에 의한 접근법. 한이인지 1999;42:1290-1294
2. 선동일, 김민식, 이정학 등. 설전절제술후 유리피판술을 이용한 설재건술의 기능적 평가. 한이인지 2000;43:1102-1108
3. 심우영, 이일우, 이진춘 등. 설암의 침범정도와 예후와의 관계. 한이인지 1998;41:1059-1064
4. 왕수건. 설암의 임상적 고찰. 한이인지 1992;35:533-540
5. 최은창, 고윤우, 이용훈 등. 구강암의 수술적 접근법. 한이인지 2001;44:89-95
6. 최은창, 김성식, 박남성 등. 구강 및 구인두암의 수술적 접근을 위한 하악골절개술. 한이인지 1994;37:1274-
7. Anderson JA et al. H-ras oncogene mutation and human papillomavirus infection in oral carcinomas. Arch Otolaryngol Head Neck Surg 1994;120:755-760
8. Anderson PE, Shah JP, Cambronero E, Spiro RH. The role of comprehensive neck dissection with preservation of the spinal accessory nerve in the clinically positive neck. Am J Surg 1994;168:499-502
9. Aslan G, Kargi E, Gourg M, et a l. Modified mandibulotomy approach to tumor of the oropharynx. Ann Plas Surg 2001;46:77-9
10. Barnard NA, Scully C, Eveson JW, Cunningham S, Porter SR. Oral cancer development in patients with oral lichen planus. J Oral Pathol Med 1993;22:421-424
11. Brennan JA, Mao L, Hruban RH, Boyle JO, Eby YJ, Koch WM, et al. Molecular assessment of histopathological staging in squamous cell carcinoma of the head and neck. N Engl J Med 1995;332:429-435
12. Bundgaard T, et a l. Histopathologic parameters in the evaluation of T1 squamous cell carcinomas of the oral cavity, Head Neck 24:656-660, 2002
13. Chen J, Katz RV, Krutchkoff DJ. Epidemiology of oral cancer in Connecticut, 1935 to 1985. Cancer 1990;66:2796-2802
14. Cooper JS, Porter K, Mallin K et al. National Cancer Database report on cancer of the head and neck:10-year update. Head Neck 2009;31:748-758
15. Costa A and others. Biological markers as indicators of pathological response to primary chemotherapy in oral cavity cancers. Int J Cancer 1998;79:619-623
16. Diaz EM and others. Squamous cell carcinoma of the buccal mucosa: one institution's experience with 119 previously untreated patients. Head Neck 2003;25:267-273
17. Dubner S, Spiro RH. Median mandibulotomy: a critical assessment. Head Neck 1991;13:389-93
18. Duffey DC, Eversole LR, Abemayor E. Oral lichen planus and its association with squamous cell carcinoma: an update on pathogenesis and treatment implication. Laryngoscope 1996: 106: 357-362
19. Flynn TR. Odontogenic infection, Oral and Maxillofac Surg Clin Nor Am 1991;3:311-330 .
20. Fortin A and others. Markers of neck failure in oral cavity and oropharyngeal carcinomas treated with radiotherapy. Head Neck 2001;23:87-93
21. Fu KK, et al. A Radiation Therapy Oncology Group(RTOG) phase Ⅲ randomized study to compare hyperfractionation and two variants of accelerated fractionation to standard fractionation radiotherapy for head and neck squamous cell carcinomas: first report of RTOG 9003, (Int J Radiat Oncol Biol Phys) 48:7-16, 2000
22. Harari PM, Huang SM. Head and neck cancer as a clinical model for molecular targeting of therapy: combining EGFR blockade with radiation. Int J Radiat Oncol Biol Phys. 2001;49:427-33
23. Haughey BH, Gates GA, Arfken CL, Harvey J. Meta-analysis of second malignant tumors in head and neck cancer: The case for an endoscopic screening protocol. Ann Otol Rhinol Laryngol 1992;101:105-112
24. Hong WK, Lippman SM, Itri LM, Karp DD, Lee JS, Byers RM, et al. Prevention of second primary tumors with isotretinoin in squamous cell carcinoma of the head and neck. N Engl J Med 1990;323:795-801
25. Huang CJ and others. Cancer of retromolar trigone: long-term radiation therapy outcome. Head Neck 2001;23:758-763
26. Hughes CJ, Gallo O, Spiro RH, Shah JP. Management of occult neck metastases in oral cavity squamous carcinoma. A m J Surg 1993;166:380-383
27. Johnson JT, Wagner RL, Myers EN. A long-term assessment of adjuvant chemotherapy on outcome of patients with extracapsular spread of cervical metastases from squamous cell carcinoma of the head and neck. Cancer 1996;77:181-185
28. Koch WM and others. Head and neck cancer in nonsmokers: a distinct clinical and molecular entity. Laryngoscope 1999;109:1544-1551
29. Leemans CR, Tiwari R, Nauta JP, et al. Discontinuous vs In-continuity neck dissection in carcinoma of the oral cavity. Arch Otolaryngol Head Neck Surg 1991;117:1003-6

30. Lippman SM, Batsakis JG, Toth BB, Weber RS, Lee JJ, Martin JW, et al. Comparison of low-dose isotretinoin with beta carotene to prevent oral carcinogenesis. N Engl J Med 1993; 328:15-20
31. Luryi AL, C hen M M, Mehra S, Roman SA, Sosa JA, Judson BL. Treatment Factors Associated With Survival in Early-Stage Oral Cavity Cancer: Analysis of 6830 Cases From the National Cancer Data Base. J Ama Otolaryngol Head Neck Surg 2015;141:593-8
32. McGuirt WF Jr, Johnson JT, Myer EN, Rothfield R, Wagner R. Floor of mouth carcinoma: the management of the clinically negative neck. Arch Otolaryngol Head Neck Surg 1995; 121:278-282
33. Munck K, Goldberg AN. HIV and head and neck cancer. Curr Opin Otolaryngol Head Neck Surg 2002;10:85-90
34. Persky MS, Lagmay VM. Treatment of the clinically negative neck in oral squamous cell carcinoma. Laryngoscope 1999; 109:1160-1164
35. Politi M, Costa F, Robiony M, et al. Review of segmental and marginal resection of the mandible in patients with oral cancer. Acta Otolaryngol 2000;120:569-79
36. Regezi JA, Sciubba J, Oral pathology. Clinical-pathologic correlation. 2nd ed. W. B. Saunders Company; 1993
37. Shintani S, Li C, Mihara M et al. Gefitinib('Iressa'), an epidermal growth factor receptor tyrosine kinase inhibitor, mediates the inhibition of lymph node metastasis in oral cancer cells. C ancer Lett. 2003;201:149-55
38. Snijders PJF and others. Prevalence of mucosa tropic human papillomaviruses in squamous cell carcinomas of the head and neck. Int J Cancer 1996;66:464-469
39. Stringer SP, Jordan R, Mendenhall WM, et al. Mandibular lingual releasing approach. Otolaryngol Head Neck Surg 1992;107:395-8
40. Talamini R, La Vecchia C, Levi F, Conti E, Favero A, Fran-ceschi S. Cancer of the oral cavity and pharynx in nonsmokers who drink alcohol and in nondrinkers who smoke tobacco. J Natl Cancer Inst 1998;90:1901-1903
41. Totsuka Y. Usui Y, Tei K, et al. Mandibular involvement by squamous cell carcinoma of the lower alveolus-analysis and comparative study of historic and radiologic features. Head Neck 1991;13:40-50
42. Tsue TT, McCulloch TM, Girod DA, et al. Predictors of carcinomatous invasion of the mandible. Head Neck 1994;16:116-26
43. Wax MK, Bascom DA, Myers LL. Marginal mandibulectomy vs segmental mandibulectomy. (Arch Otolaryngol Head Neck Surg) 2002;128:600-3
44. Woolgar JA. Histological distribution of cervical lymph node metastases from intraoral/oropharyngeal squamous cell carcinomas. Br J Oral Maxillofac Sur 1999;37:175-180
45. Xia W, Lau YK, Zhang HZ, et al. Strong correlation between c-erbB-2 overexpression and overall survival of patients with oral squamous cell carcinoma. Clin Cancer Res 1997;3:3-9

CHAPTER

21

구강 및 구인두의 재건

안순현

구강 및 구인두는 말하기, 먹기의 중심적인 역할을 하는 곳으로, 악성종양의 근치적 수술 후 적절한 재건은 환자의 삶의 질 유지에 매우 중요한 부분이다. 이 챕터에서는 각 결손 부위 별로 재건의 목표와 적절한 재건방법을 정리하고자 한다.

 구강의 재건

구강 재건의 목적은 1차적으로는 점막의 결손을 대신하는 표피를 만들어 구강 내의 타액과 음식이 다른 곳으로 흐르지 않게 하여 결손 부위가 문제없이 아물게 하는 것이다. 그러나 재건 기술의 발전으로 현재는 기능적인 보존이 중요한 문제가 되었다. 구강의 기능은 발음과 저작이 주된 것으로 구강설이 기능의 가장 중요한 부분이 된다. 특히 정상적인 식이를 위해서는 혀가 적절한 운동성을 유지하여 음식물을 계속 저작에 적당한 장소로 옮겨줄 수 있어야 하며 음식물이 비강으로 올라가지 않고 입밖으로 흐르지 않도록 구강 내에 음식을 잡고 있을 수 있게 되어야 한다.

1. 구강설 및 구강저의 재건

기능적 구강설 및 구강저 재건의 가장 중요한 목적은 남아있는 혀의 기능을 최대한 유지하는 것이다. 가능한 혀의 끝부분의 운동성을 유지하여야 발음 및 저작이 원활하게 되며 이를 위해서 남아있는 혀가 반흔으로 구축되어 운동성이 떨어지지 않게 하여 주면서 적절한 부피를 만들어 주어야 한다. 또한 일부에서는 신경문합술을 시행하여 피판이 감각을 가질 수 있게 하는 것이 도움이 된다고 생각하기도 한다.

구강설의 1/3 이하의 결손은 일차 봉합이 피판술을 사용한 경우보다 기능적으로 우수한 결과를 가져온다.[1] 그러나, 구강저가 함께 제거되는 경우는 일차 봉합 혹은 이차적인 치유를 선택하는 경우 남아있는 혀가 구강저에 고정되어 기능이 떨어질 수 있으므로 이런 경우는 적절한 재

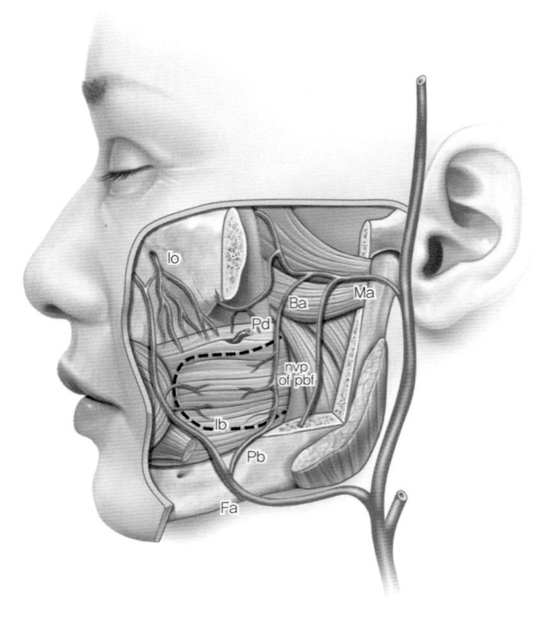

■ 그림 21-1. **Buccinator myomucosal flap.** 혈관경을 선택하기에 따라서 전방, 혹은 후방을 기저부로 쓸 수 있으므로 다양한 결손의 재건에 이용할 수 있다. Fa. Facial artery, Ib inferior branch of facial artery, Io, infraorbital artery, nvp or pbf, neurovascular pedicle of posteriorly based flap, Pd, parotid duct, Pb, posterior branch of facial artery, Ma, maxillary artery

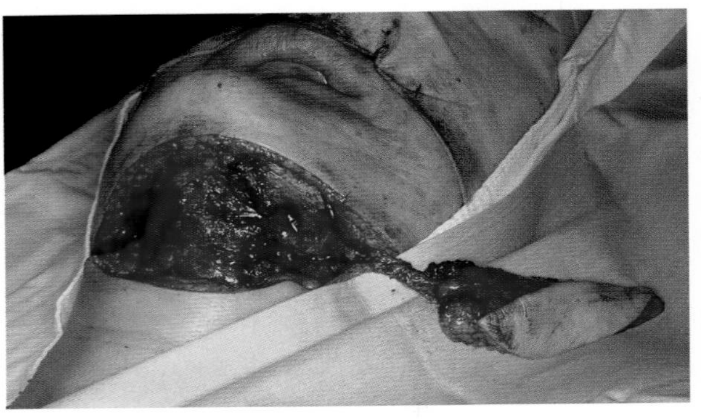

■ 그림 21-2. **Submental flap.** 좌우로는 16 cm까지도 사용할 수 있으며, 위아래는 대개 일차 봉합이 가능할 정도까지로 6-8 cm까지 사용 가능하다.

건이 필요하며 요골전완유리피판과 같이 얇고 부드러운 피판으로 재건을 하여야 남아있는 혀의 기능을 보존할 수 있다. 그러나 혀의 뒤쪽은 1/3 이상의 결손도 큰 기능적인 문제를 일으키지 않으므로 일차 봉합 혹은 이차적으로 치유되도록 하는 것이 좋다. 적은 결손에 무리한 재건을 할 경우는 기능적으로 방해가 된다.

1/3에서 1/2 사이의 결손은 상황에 따라 판단하여야 하는데 재건을 하였을 때 피판의 두께와 남아있는 혀의 기능을 얼마나 잘 유지할 수 있는지에 따라서 결정하여야 한다. 이런 경우 피부 이식도 하나의 옵션이 되나, 누비질(quilting suture)과 거즈 등으로 피판을 잘 눌러도 타액에 노출이 되어 생착이 정상적으로 되지 않는 경우가 많고 장기적으로 반흔 구축이 생겨서 기능적으로 좋지 않은 경우가 많다. 다른 가능성으로 국소유경피판을 고려할 수 있으며, 최근 관심을 받는 것은 안면동정맥을 기반으로 하는 협부근점막피판(Buccal myomucosal flap, 그림 21-1)과[28] 이하피판(submental flap, 그림 21-2) 등이다.[1] 단 이하피판을 고려할 때는 레벨I의 림프절 절제가 방해받을 수 있음을 고려하여야 한다.

결손이 1/2이 넘는 경우는 대개의 경우 피판술을 시행하여야 한다.[14] 1/2의 결손은 적절한 피판을 사용한 경우는 저작과 삼킴 작용에는 큰 문제가 발생하지 않는다. 다만 발음에는 영향이 있을 수 있는데 이를 최소화하기 위해서는 1) 혀의 끝부분이 상악전구골(premaxilla)에 닿을 수 있어야 하며, 2) 가능하면 혀가 절치를 지나서 밖으로 내밀 수 있으면 좋다. 3) 또한 원활한 저작을 위해 협부나 치조에 있는 음식물을 처치할 수 있도록 혀가 손가락과 같은 움직임을 유지할 수 있으면 좋다. 위의 목적을 달성하기 위하여 일단 충분한 부피를 제공할 수 있는 피판이 추천되며, 시간이 가면서 피판은 얇아지기 때문에 약간 과보정하는 것이 좋다. 구강설의 재건에 사용되는 대표적인 유리피판은 요골전완피판(radial forearm free flap)과 전외측대퇴피판(anterolateral thigh flap)이나 술자의 선호에 따라 다양한 근막피부피판들이 사용 가능하다. 전외측대퇴피판은 요골전완피판에 비해 두꺼워 기능적인 차이가 생기는지에 대한 연구가 이루어졌으나 차

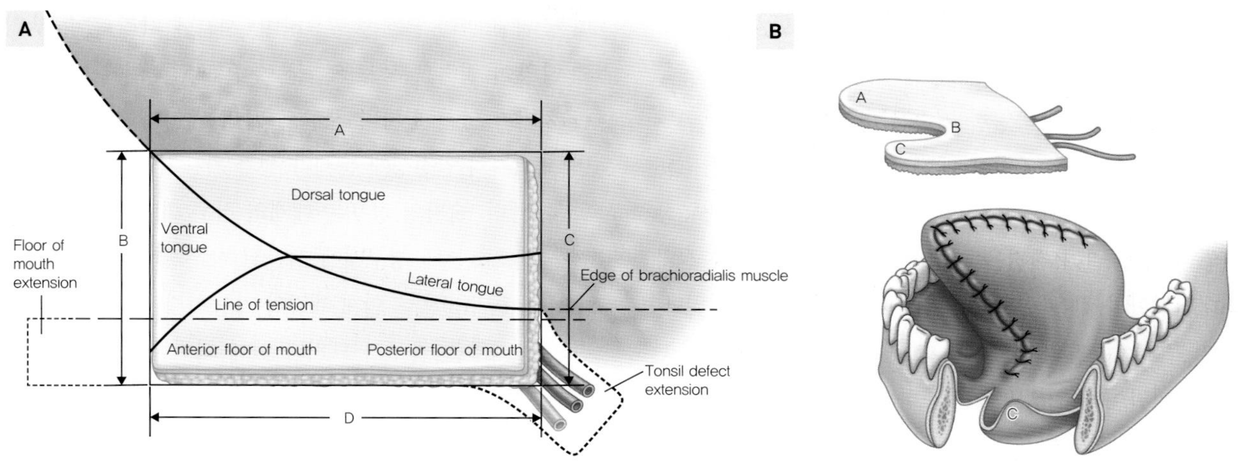

■ 그림 21-3. **Flap design for hemiglossectomy defect.** **A)** Rectangular tongue template, **B)** Bilobed flap design for hemiglossectomy

이는 없는 것으로 보고되었다.[7,15,23] 구강저는 얇은 피판을 이용하고, 구강설은 두꺼운 피판을 이용하면 좋다. 이를 위해서 전외측대퇴피판을 사용하는 경우는 피판의 원위부가 대개 얇고 근위부가 두꺼우므로 이를 고려하여 재건을 하고, 필요하면 지방을 제거하여 얇게 만들 수도 있다. 요골전완피판의 경우는 피부를 제거하고 피하지방을 말아 넣어서 부피를 크게 만들 수도 있다.[11] 저자의 경우는 주로 전외측대퇴피판을 사용하고 타원형의 피판을 사용하여 재건하나 보고에 따라 직사각형 형태를 선호하기도 하고 특히 요골전완피판을 쓰는 경우 다엽구조(multilobed design)를 이용하는 경우도 있어 경험에 따라 선택하여야 한다(그림 21-3).[4,26]

혀의 대부분이 제거되어 기능적으로 남아있는 혀가 없는 경우는 적절한 부피를 재건하여 주는 것이 목표가 되며, 적절한 부피를 입안에 만들어 주어 음식이 구강에 고이지 않게 하고, 피판이 충분히 높게 유지되어 경구개와 접촉을 할 수 있게 하여 주면 발음의 정확도가 좋아진다. 또한 구강의 앞에서 뒤로 분비물이 흘러 내려갈 수 있는 자연적인 도랑이 만들어지면 좋다. 따라서 부피가 큰 근피부피판이 선호되며 대표적인 것은 복직근피판(rectus abdominis free flap), 광배근피판(latissimus dorsi muscle flap) 등이며, 광배근피판의 경우는 유리피판과 유경피판이 모두 가능하다. 경우에 따라 대흉근피판을 유경피판으로 사용하는 것도 가능하나 유경피판의 경우는 유리피판에 비해 시간이 지나면서 혈관경의 수축으로 피판이 아래로 내려앉는 현상이 많이 생기므로 가능한 유리피판을 사용하는 것이 좋은 결과를 제공한다. 그러나 저자의 경험으로는 전외측대퇴피판으로도 충분한 부피를 만들 수 있었다. 피판은 충분히 크게 디자인하는 것이 좋고 설골을 하악에 현수하여 주는 것이 후두를 높은 위치에 유지시켜 흡인을 적게 할 수 있다.

2. 협부, 구후삼각의 재건

협부 및 구후삼각의 재건의 목적은 구강의 점막의 연결을 유지하여 음식물이 사강에 들어가지 않게 하면서 반흔 구축에 의한 개구장애를 예방하는 것이다. 협부종양의 제거로 생긴 결손을 적절히 재건하지 못하면 미용상의 문제와 함께 반흔의 구축으로 인한 개구장애가 발생할 수 있다. 따라서 결손의 정도에 따른 적절한 재건이 중요하며, 협부 및 구후삼각의 종양 수술은 점막의 결손, 피부까지 제거된 관통된 결손과 경우에 따라 하악 혹은 상악이 포함된 결손까지 다양한 결손을 만들게 된다.

대개 협부의 악성종양에 대한 절제를 시행하는 경우는 협근을 포함하여 상당 부분의 점막이 절제되므로 개구장애의 예방을 위해 재건을 시행하며 요골전완피판과 전외측대퇴피판과 같은 근막피부유리피판이 주로 사용된다. 일부 술자는 구강의 타액분비 기능을 보완하기 위해서 공장유리피판이나 위점막을 시도하기도 하나 피부와 같이 튼튼한 방벽이 되지 못하고 연동운동이 있는 등의 단점으로 많이 사용되지는 않는다.[18]

피부까지 결손이 생기는 관통된 결손은 부피가 큰 피판이 선호되어 근피부피판인 광배근피판이나 복직근피판이 고려되기도 하나, 일반적인 경우는 전외측대퇴피판으로 충분한 재건이 가능하다. 전외측대퇴피판을 사용하는 경우는 중간의 피부를 제거하고 접어서 쓰기도 하고, 천공혈관이 2개 이상인 경우는 완전히 독립된 두 개의 피판을 사용할 수도 있다.

3. 경구개, 상치조릉 및 상악의 재건

경구개 점막 병변의 경우는 절제 후 골구조가 남아있으면 이차 치유가 되기를 기다리면 된다. 그러나 골구조를 함께 제거한 경우는 구강과 비강이 통하게 되므로 재건이 필요하게 된다. 상치조릉의 종양 역시 제거 시에 상악동이 노출되므로 적절한 재건이 필요하다. 구강과 비강을 분리하여야 발음 및 식사가 가능하므로 보조기(obturator)를 사용하거나 피판을 이용한 결손의 재건이 필요하다. 보조기를 사용하기로 하는 경우는 피부 이식만 하면 되므로 수술 시간이 짧고, 입원 기간 및 회복 기간도 짧은 장점이 있으며 결손 부위를 직접 볼 수 있으므로 암의 재발을 모니터하기 편하다는 장점이 있다. 그러나 보조기가 결손 부위를 완전히 막지는 못하므로 과비음(hypernasal speech)과 음식물이 비강으로 역류되기도 하며, 이에 따른 위생 관리가 계속 필요하며, 시간에 따라 결손 부위의 모양이 변하므로 보조기를 자주 교정하여야 한다. 또한 치아가 없는 환자나 시간에 따라 치아가 결손이 생기면 보조기의 안정성에 문제가 생겨 기능적인 문제가 발생할 수 있다. 술자의 경우는 대개의 경우 피판을 이용한 재건을 선호하는데 경구개에 제한된 작은 결손은 구개피판(palatal flap)으로 쉽게 재건이 가능하다. 그러나 구개피판의 공여부는 골부가 드러나 있게 되며 이차 치유로 점막이 덮이게 되는데 이전에 방사선 치료 등으로 이차 치유에 문제가 있을 것으로 생각되는 경우는 사용에 주의를 요한다. 상치조릉의 결손의 경우는 국한된 결손은 협부지방체피판(buccal fat pad flap)으로도 재건이 가능하

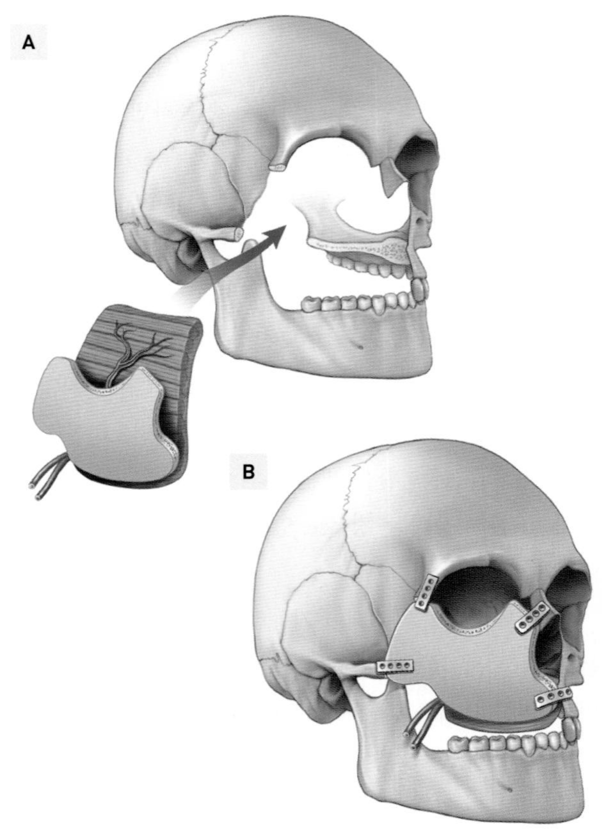

■ 그림 21-4. **Illiac crest free flap with internal oblique muscle.** **A)** 안면동정맥을 혈관경으로 사용하려면 동측의 장골릉을 얻어야 한다. **B)** 장골릉을 고정한 모습.

나[19] 결손이 경구개를 포함하는 경우는 성공률이 떨어진다. 이런 경우 협부근점막피판은 좋은 대안이 될 수 있다. 결손부위가 넓은 경우는 유리피판이 필요하며, 요골전완피판이나 전외측대퇴피판으로 가능하며, 선택적인 경우 근육피판으로 재건하는 경우도 있으며 저자의 경우는 광배근의 근육만을 유리피판으로 사용하여 좋은 결과를 얻을 수 있었다.[3] 경구개와 상치조릉의 결손과 함께 상악의 일부가 제거된 경우는 연부조직만 재건한 경우 안면에 변형이 생길 수 있으며, 이를 예방하기 위해서 골을 포함한 복합유리피판이 사용되기도 한다. 상악의 재건에 사용될 수 있는 복합유리피판은 비골피판(fibular free flap), 장골능피판(iliac crest free flap), 견갑피판(scapular free flap) 등이 가능하며 장골능피판의 경우는 내사직근(internal oblique muscle)을(그림 21-4), 견갑피판의 경우는 대원근(terres major)이나 광배근(latissimus dorsi muscle) 피판을 함께 이용하여 경구개의 결손을 재건할 수 있어 도움이 된다.[6,9] 특히 최근에는 흉배혈관(thoracodorsal vessel)에서 유래된 각분지(angular branch)에 의해 혈액을 공급받는 견갑피판의 아래쪽만을 이용한 재건을 함으로써 전체 견갑골을 사용할 때 발생하는 어깨의 운동 제한을 줄이기도 한다(그림 21-5).[5]

4. 하악골의 재건

하악 재건의 목적은 하악의 골결손을 재건하여 골의 연결을 유지하고, 얼굴의 윤곽을 대칭적으로 유지하고 남은 치아의 교합을 맞추는 것이다. 하악 골결손의 재건은 1989년 Hidalgo 등이 비골피판을 이용하여 하악분절절제 결손을 재건함으로써 큰 변화를 일으켰다.[12] 비골피판은 25 cm까지의 긴 뼈를 이용할 수 있고, 골막을 통한 혈액공급이 풍부하여 1 cm 간격으로 절골을 하여도 골의 생존에 문제가 없어서 자연스러운 모양을 만들 수 있었다.

하악골의 분절절제를 시행한 경우 재건의 옵션은 크게 연조직만 재건하고 하악은 그냥 두는 방법, 티타늄플레이트로 하악을 고정하고 연조직을 재건하는 방법과 골부의 재건까지 동반하는 복합유리피판을 이용하는 경우로 나

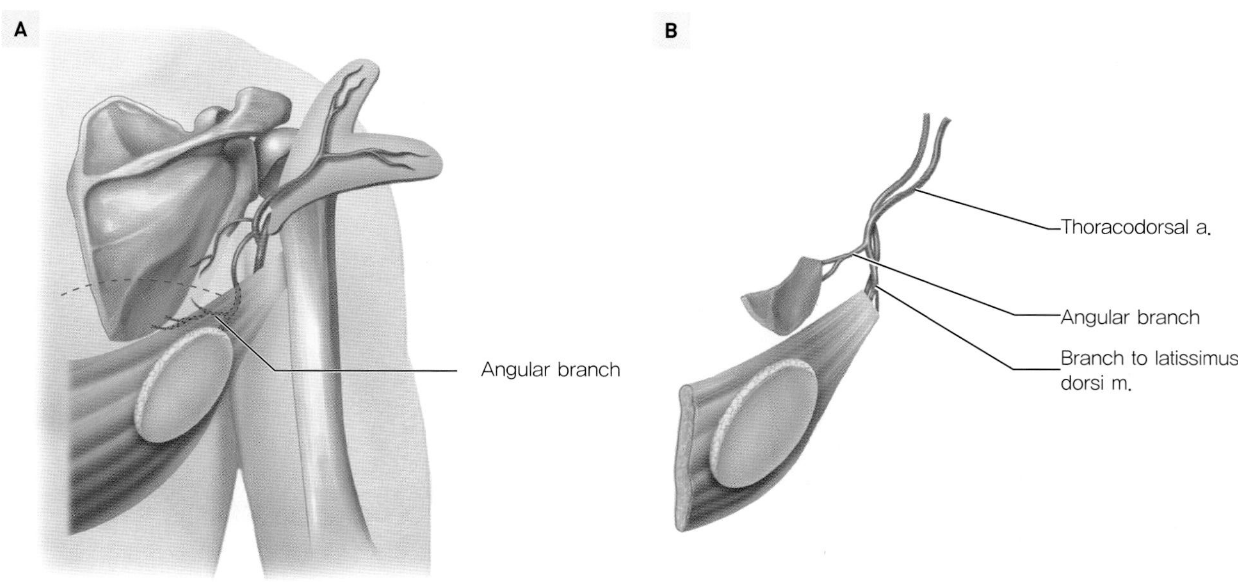

■ 그림 21-5. **Scapular tip free flap with latissimus dorsi flap.** **A)** Anatomy of angular branch coming from thoracodorsal artery, **B)** Schematic figure of scapular tip with latissimus dorsi free flap.

눌 수 있다. 첫 번째 방법은 과거에는 사용되었으나 하악의 연속성을 재건하지 않으면 얼굴의 비대칭과 함께 교합에 문제가 발생하므로 최근에는 가능한 사용하지 않는 방법이며, 플레이트로만 재건하는 방법도 시간이 지나면서 스크루가 헐거워져 연결이 유지되지 않거나 피부 밖으로 플레이트가 돌출되는 부작용이 생기므로 선호되지는 않는다. 최선의 방법은 골을 포함한 복합유리피판을 이용하여 재건하는 것으로 장기적으로 가장 우수한 결과를 보인다. 그러나 동반된 연부조직 결손이 큰 경우 비골피판으로는 연부조직의 재건이 어려운 경우가 있을 수 있다. 하악골의 재건에 이용이 가능한 복합유리피판은 비골, 장골릉, 견갑피판 등이 있으며, 요골을 이용한 보고도 있다. 이 중 비골피판이 가장 일반적으로 이용되며, 장골릉이나 견갑피판은 하악지의 결손과 함께 연조직 결손이 큰 경우 유리할 수 있다.

얼굴의 윤곽을 대칭적으로 만들기 위해서는 하악의 하연을 자연스럽게 다시 만들어 주어야 한다. 또한 남은 치아의 교합을 유지하기 위해서 가장 좋은 방법은 가능하면 분절절제를 하기 전에 재건플레이트를 먼저 하악에 맞추어 조절하고 스크루를 고정할 수 있도록 구멍을 뚫어 놓아야 하며, 이때 플레이트를 하악의 하연에 맞추어서 준비하여야 한다(그림 21-6). 특히 비골은 두께가 1 cm 정도밖에 되지 않으므로 플레이트를 잘못 디자인하면 하연이 자연스럽게 되지 못한다. 종양이 하악의 외연도 침범되어 있어서 플레이트를 먼저 디자인하기 어려운 경우는 절제를 한 후 재건플레이트를 임시로 고정한 상태에서 턱을 움직여서 남은 치아의 교합이 잘 맞는지 확인하고 고정하여야 한다. 보고에 따라서는 일시적인 외부 고정 장치를 이용하여 하악을 고정한 상태에서 절제를 하고 재건을 하기도 한다.[25] 하악의 재건 후 치아를 임플란트로 재건하는 것도 가능하며, 이를 위해서는 재건에 사용되는 뼈가 풍부하여야 하므로 비골이나 장골능이 주로 이용된다. 대개 수여부의 혈관으로 안면동정맥 혹은 상갑상선동정맥이 많이 사용되므로 혈관경이 하악각 쪽으로 위치하는 것이 재건에 유리하다. 이를 위해서 함께 채취한 피부로 구강내의 결손을 제거한다고 할 때 비골이나 장골릉 모두 반대쪽에서 얻는 것이 유리하다. 최근에는 컴퓨터를 이용한 삼차원 모델을 이용하여 수술 전에 재건플레이트의 모양을 만들어 준비하기도 하고 비골의 경우 절골할 부분을 미리 예측하여 틀을 만들어서 사용하기도 한다.[16]

하악의 결손 정도를 분류하는 방법은 크게 urken 등이 제안한 방법[27]과 Boyd 등이 제안한[2] 두 가지 방법이 많이 사용된다. 결국은 중앙부, 측부, 하악지, 악관절의 결손 유무에 따라 분류하는 시스템으로 각 결손에 따른

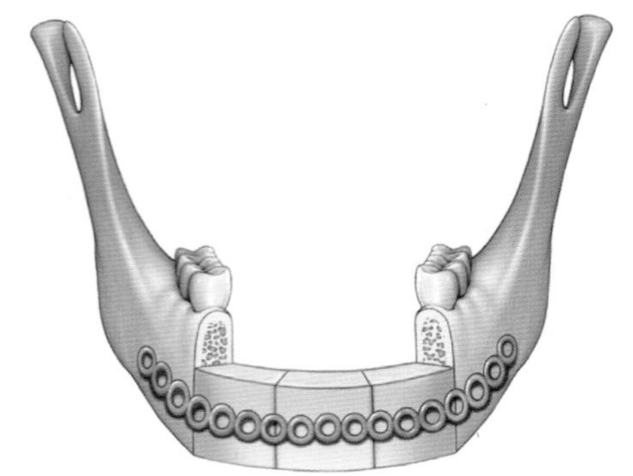

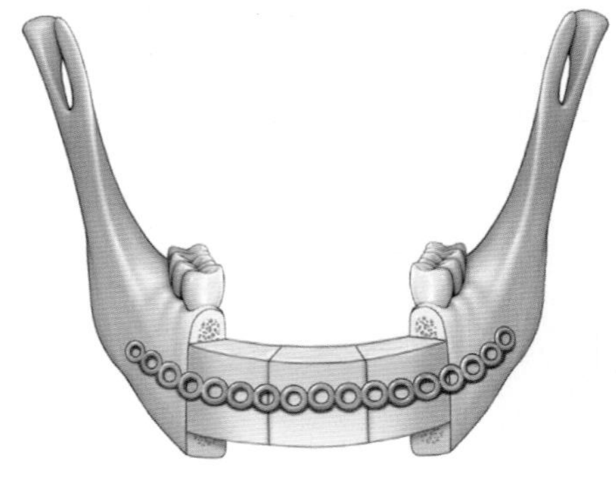

■ 그림 21-6. **Location of reconstruction plate in segmental mandibulectomy.** 하악 하연의 얼굴 윤곽을 유지할 수 있도록 만들어주어야 하므로 좌측과 같은 형식이 되는 것을 선호한다.

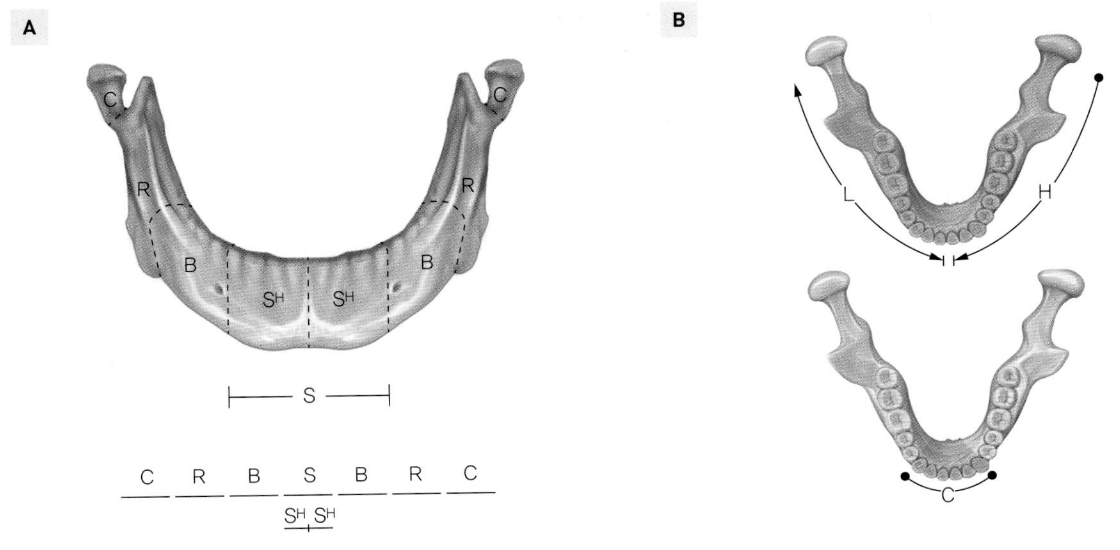

■ 그림 21-7. **Classification of segmental defect.** **A)** Urken's classification. C ; condyle, R ; ramus, B ; body, S ; total sysmphysis, SH; hemisymphysis, **B)** Boyd's HCL classification system. C ; central segment, L ; lateral segment minus condyle, H ; same as L but including condyle. C, L, H, CL, CH, LCL, HCL, HCH의 defect가 가능.

재건의 방법이 달라진다(그림 21-7).

측부 하악의 결손의 경우 재건플레이트로 하악을 연결하고 연조직만 재건하는 방법도 가능하다. 그러나 이상적으로는 복합유리피판이 추천되며, 측부에는 필요에 따라 비골, 장골릉, 견갑골 등이 모두 사용가능하다. 하악전방궁의 결손은 비골유리피판이 가장 선호되며 절제술과 함께 적절한 재건을 하는 것이 기능의 유지에 필수적이다. 장골릉피판도 가능하나 전방궁은 비교적 여러 번의 절골을 하여야 윤곽을 맞출 수 있으므로 비골이 좀 더 유리하다. 장골릉은 최대 16 cm 정도까지의 뼈를 얻을 수 있는 것으로 알려져 있으므로 이 이상의 긴 결손도 비골을 선택하여야 한다.

II 구인두의 재건

구인두는 연하작용에 가장 중요한 역할을 담당하는 곳이며, 구개인두의 기능 또한 발음과 연하에 중요하다. 구강기에는 저작중인 음식물이 구인두로 흘러가지 않도록 설기저부와 연구개가 단단하게 닫혀있어야 하며, 이 단계에 문제가 생기면 저작 과정에 음식물이 인두로 넘어가 흡인을 일으키게 된다. 인두기는 저작이 된 혹은 유동식이 구인두에 들어오면 연하반사가 시작되는데 이때 연구개는 인두후벽에 닿아서 음식물이 코로 넘어가지 않게 해주고, 설기저부는 구인두의 음식물을 식도의 입구로 짜내는 역할을 하게 되며, 이 과정이 제대로 되지 않으면 인두기 이후에 구인두에 음식물이 남게 되므로 흡인이 발생하게 된다. 이런 생리적인 과정의 이해는 적절한 구인두의 재건에 필수적이다. 구인두의 재건은 특히 설기저부의 기능을 회복하지 못하게 되면 구강식이가 불가능하게 되므로 삶의 질에 심각한 영향을 주게 되므로 조심스러운 계획이 필요하다.

1. 구인두 측벽(편도와)의 재건

조기 편도암의 수술은 경구강구인두측벽제거술(transoral lateral oropharyngectomy)이 일반화되면서 과거의 구강과 경부 접근을 동시에 이용하는 pull through approach가 많이 줄었다.[13] Pull through approach의 경우 구강과 경부가 통하게 되므로 국소피판이나 근막피부피판을 이용한 재건이 일반적이었으나, 경구강 접근법이 로봇의 도입으로 각광을 받으면서 협부지방을 잘 보존하면 특별한 재건이 없이도 이차 치유로 기능적으로 문제가 없음을 알게 되었다. 따라서 경구강 접근법이 가능한 조기 병변의 경우는 재건이 필요없으나 연구개의 절제 범위에 따라 구개부전이 발생할 수 있으므로 술 전에 적절한 의사 결정이 이루어져야 한다. 또한 근치적 방사선 혹은 항암방사선치료 후의 구제수술의 경우는 이차 치유가 지연될 수 있으므로 주의를 요한다.

그러나 진행된 병변의 수술에서는 편도와와 함께 구인두의 측후벽과 연구개의 상당 부분이 함께 제거되므로 재건이 필수적이다. 편도와와 구인두측벽은 구인두의 구조물 중에서는 기능적으로 가장 영향이 적은 곳이며, 대흉근피판과 같은 유경피판도 좋은 결과를 보여준다. 그러나 부피가 크므로 재건에 어려움이 있을 수 있다. 이외에 광경근피부피판(platysma myocutaneous flap), 흉쇄유돌근피판(sternocleidomastoid myocutaneous flap) 등의 이용에 대한 보고들이 있으나, 가장 좋은 선택은 유리피판이다. 요골전완피판, 전외측대퇴피판 등의 근막피부피판이 주로 사용되며 재건의 방법은 연구개의 절제 정도에 따라 달라지게 된다.

2. 설기저부의 재건

설기저부는 연하작용에서 가장 중요한 부분으로, 잘못된 재건은 환자가 급양위루에 의존하게 할 수 있다. 설기저부 기능의 핵심은 인두기에 음식을 식도로 짜주는 역할이며, 구인두의 벽과 설기저부가 완전히 접촉하여 음식이 잔류하지 않게 해주어야 한다. 그러나 구인두의 재건에 사용되는 피판들은 운동성을 가질 수는 없으므로 결국 능동적인 운동을 하게 만들 수는 없고 구인두기에 사강이 생기지 않도록 충분한 부피를 제공하는 것이 목표가 된다. 그러나 부피가 너무 커지면 기도의 확보에 어려움이 생길 수 있으므로 적절한 균형이 중요하다. 구인두의 수술 후 재건의 기능적 결과에 대한 보고는 다양하다. 수술과 방사선치료 군이 기능적으로 큰 차이가 없다는 보고도 있으며,[21] 수술 후 방사선치료의 추가 여부와 설기저부의 제거 정도가 흡인에 중요한 요소임을 보인 논문도 있다.[22] 그러나 이 논문의 결과를 보면 방사선치료를 하지 않아도 설기저부의 1/4 이상이 제거되면 50%에서 흡인이 관찰되며, 2/3이상이 제거되면 70-80%가 흡인이 발생한다. 따라서 설기저부의 재건에서 성공적이라 해도 상당수의 환자가 흡인이 발생할 것을 예상하여야 한다. 이에 비해서 설기저부의 결손을 일차 봉합을 한 경우 더 좋은 기능적 결과를 보고한 논문도 있어[8,20] 필요 없는 재건은 피하는 것이 더 좋은 결과를 낼 수 있음을 알아야 한다.

최소침습수술의 인기와 함께 설기저부의 수술에서도 조기암은 경구강 레이저 수술 혹은 경구강로봇수술이 이용되며 T1에서 T3까지도 절제 후 6 cm 정도의 결손은 이차 치유되도록 하여도 문제가 없다고 보고한 바 있다. 설기저부의 결손을 언제부터 유리피판 등으로 재건을 하고 어디까지 일차 봉합이 가능하느냐는 다양한 의견이 있어서 일부 저자는 60%의 결손까지는 일차 봉합이 가능하다고 주장하기도 하고, 30% 혹은 20% 이상의 결손은 재건하여야 한다고 생각하기도 한다. 경구강 수술로 제거가 가능한 조기 병변은 대개 이차 치유로 해결이 된다고 생각한다.

경구강 수술이 아닌 기존의 외측인두절제술(lateral pharyngotomy)를 이용하여 제거하는 경우는 경부와 인두에 관통창이 생기므로 과거에는 피판을 이용한 재건을 많이 사용하였다. 그러나 이런 경우도 점막의 결손은 심하더라도 침윤이 깊지 않아서 근육이 충분히 남은 경우는 일차 봉합이 가능하다. 이 경우는 점막을 연결해서 결찰하는 것이 아니고 남아있는 외측인두 점막을 설기저부의 근육에 적절히 봉합하면 점막이 없는 설기저부는 이차 치유로 해결된다. 따라서 저자의 경우는 단순히 몇 % 이상의 결손은 재건이 필요하다는 것은 이야기하기가 곤란하며, 충분한 근육이 남으면 가능한 한 일차 봉합을 시행하는 것이 기능적으로 가장 좋은 결과를 얻을 수 있는 방법이다. 그러나 근육의 결손이 심한 경우는 일차 봉합을 시행할 경우 기도가 유지되지 않을 수 있으므로 이런 경우는 기능적으로 불리하더라도 재건을 시행하게 된다.

설기저부에서 피부 이식은 잘 사용이 되지 않으며 피할 수 없는 경우는 대흉근피판을 포함한 유경피판도 사용이 가능하나 시간이 지나면서 구강식이가 어려워지는 경향을 보인다. 따라서 설기저부에서도 유리피판이 가장 좋은 선택이 된다. 부분적인 설기저부의 결손은 요골전완유리피판 혹은 전외측대퇴피판으로 재건이 가능하며, 설기저부의 종양이 진행되어 전설절제가 이루어진 경우는 부피가 큰 피판을 준비하여야 하며, 설골을 하악에 현수하여 흡인을 최소하려고 노력하여야 한다.

3. 연구개의 재건

연구개의 결손 재건의 목적은 구인두 기능을 보존하는 것으로 구강과 비강을 분리하여 발음과 식사에 문제를 없애면서도 코로 호흡이 가능하게 만드는 것이다. 그러나 가장 흔한 연구개 결손은 초기 편도암의 수술 과정에 동반되는 1/2 이하의 결손이며, 편도와의 재건에서 언급된 바와 같이 최근에는 이차 치유로 적절한 기능적 결과를 얻을 수 있으므로 피판을 이용한 재건을 많이 시행하지는 않는다. 그러나 연구개의 절반 이상이 희생된 경우나 진행된 편도암에서 광범위한 편도와의 결손이 동반된 경우는 재건이 필요하다.

연구개 재건의 방법에 대해서 Kimata 등은 다양한 방법을 자세히 정리한 바 있으며,[17] uvulopalatal 피판 등의 국소피판도 보고되어 있으나, 앞에서 언급한 바와 같이 1/2 이하의 부분적인 결손은 일차 봉합 혹은 이차 치유로 적절히 치료할 수 있어서 작은 결손을 재건하기 위한 국소

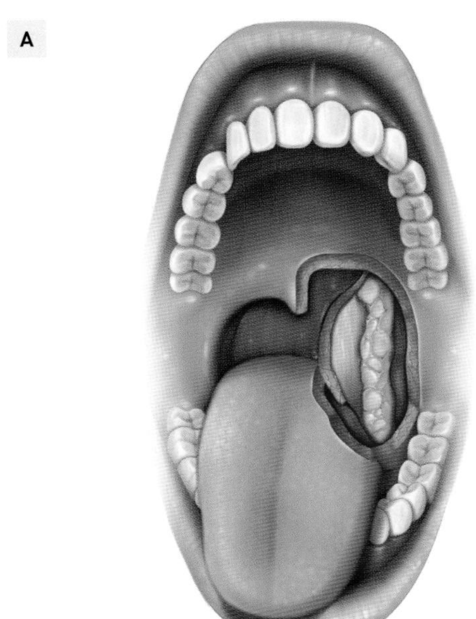

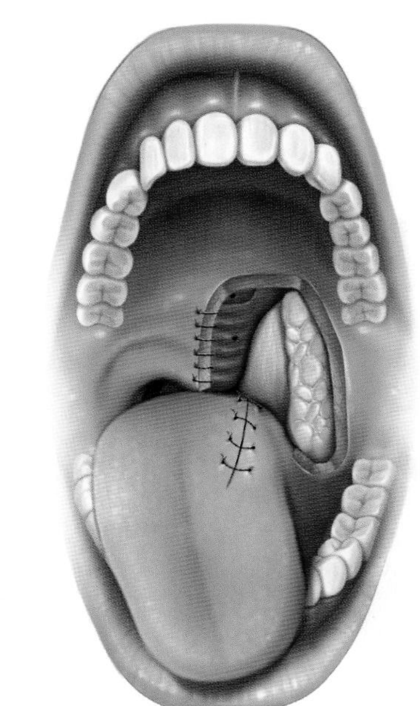

■ 그림 21-8. **Gehanno method.** **A)** defect after removal of tonsil and soft palate, **B)** Create new velopharynx by suturing the remaining posterior pharyngeal wall and soft palate. Patch style free flap will be applied over the denuded portion.

피판의 필요성은 떨어진다고 생각한다. 1/2 이상의 결손에서 재건의 방법으로는 Gehanno 방법이 가장 쉽고 좋은 기능적 결과를 제공한다. 이 방법은 남아있는 후인두의 점막과 연구개의 비강 점막을 봉합하여 구개인두폐쇄를 만들고, 구강측의 점막 결손을 유리피판을 패치 형식으로 재건하는 방법으로 피판은 전외측대퇴피판이나 요골전완피판 등 근막피부피판을 편의에 따라 이용할 수 있다(그림 21-8). 장점은 원래의 점막으로 비강 측 구개인두통로가 만들어져 있으므로 기능적으로 우수하며, 유리피판은 패치형으로 되어 있어 상처가 벌어지는 일이 발생하지 않는다는 것이다. 제한점은 어느 정도의 후인두와 연구개가 남아있어야만 가능한 방법으로 연구개의 대부분이 제거되면 사용이 불가하다. 이런 큰 결손에 대해서는 피판을 접어서 비강과 구강의 점막을 모두 재건하여야 하며 이 경우 피판이 매우 얇고 부드러워야 하므로 요골전완유리피판이 최선의 선택이 된다. 요골전완유리피판을 접어서 재건하는 경우 대개는 구개인두부전이 발생하므로 이의 예방을 위해서 피판의 일부분을 피부를 제거하고 인두후벽에 봉합하거나 인두피판(pharyngeal flap)을 만들어 피판에 봉합하여 단순히 피판을 사용하는 것보다 좋은 기능적 결과를 보고하고 있다(그림 21-9).[10,24]

Ⅲ 결론

구강의 재건은 혀끝 부분의 움직임을 가능한 한 보존하는 것이 주 목적이며 대개는 부드러운 근막피부피판을 사용함으로써 만족할 만한 발음 및 저작기능을 얻을 수 있다. 그러나 구인두의 결손은 유리피판의 성공적인 재건에도 불구하고 기능적으로 부적절한 결과를 얻는 결과가 많으므로 술 전에 피판을 이용한 재건과 일차봉합 혹은 이차 치유 중에서 어느 쪽이 더 환자의 기능 유지에 유리할지에 대한 고민이 이루어져야 하며, 가능하다면 일차봉합 혹은 이차 치유가 좋은 결과를 얻을 수 있음을 잊으면 안되며, 특히 설기저부의 재건에서는 적절한 부피가 필수적이므로 피판의 선택과 디자인에 주의를 요한다.

참고문헌

1. Amin AA, Sakkary MA, Khalil AA, Rifaat MA, Zayed SB. The submental flap for oral cavity reconstruction: extended indications and technical refinements. Head & neck oncology. 2011;3:51. PubMed PMID: 22185515. Pubmed Central PMCID: 3285538.
2. Boyd JB, Mulholland RS, Davidson J, Gullane PJ, Rotstein LE, Brown DH, et al. The free flap and plate in oromandibular reconstruction: long-term review and indications. Plastic and reconstructive surgery. 1995 May;95(6):1018-28. PubMed PMID: 7732110.

■ 그림 21-9. **Folded RFFF with pharyngeal flap.** **A)** Folded RFFF의 가운데를 피부를 제거하고 인두후벽에 결찰. **B)** 인두피판을 만들고 이를 folded RFFF에 붙여주어 velophaynx를 좁혀줌

3. Cha W, Jeong WJ, Ahn SH. Latissimus dorsi muscle free flap revisited: a novel endoscope-assisted approach. The Laryngoscope. 2013 Mar;123(3):613-7. PubMed PMID: 23401065.
4. Chepeha DB, Teknos TN, Shargorodsky J, Sacco AG, Lyden T, Prince ME, et al. Rectangle tongue template for reconstruction of the hemiglossectomy defect. Archives of otolaryngology--head & neck surgery. 2008 Sep;134(9):993-8. PubMed PMID: 18794446.
5. Choi N, Cho JK, Jang JY, Cho JK, Cho YS, Baek CH. Scapular Tip Free Flap for Head and Neck Reconstruction. Clinical and experimental otorhinolaryngology. 2015 Dec;8(4):422-9. PubMed PMID: 26622965. Pubmed Central PMCID: 4661262.
6. Clark JR, Vesely M, Gilbert R. Scapular angle osteomyogenous flap in postmaxillectomy reconstruction: defect, reconstruction, shoulder function, and harvest technique. Head & neck. 2008 Jan;30(1):10-20. PubMed PMID: 17636540.
7. de Vicente JC, de Villalain L, Torre A, Pena I. Microvascular free tissue transfer for tongue reconstruction after hemiglossectomy: a functional assessment of radial forearm versus anterolateral thigh flap. Journal of oral and maxillofacial surgery : official journal of the American Association of Oral and Maxillofacial Surgeons. 2008 Nov;66(11):2270-5. PubMed PMID: 18940491.
8. Friedlander P, Caruana S, Singh B, Shaha A, Kraus D, Harrison L, et al. Functional status after primary surgical therapy for squamous cell carcinoma of the base of the tongue. Head & neck. 2002 Feb;24(2):111-4. PubMed PMID: 11891940.
9. Genden EM, Wallace D, Buchbinder D, Okay D, Urken ML. Iliac crest internal oblique osteomusculocutaneous free flap reconstruction of the postablative palatomaxillary defect. Archives of otolaryngology--head & neck surgery. 2001 Jul;127(7):854-61. PubMed PMID: 11448363.
10. Hashikawa K, Tahara S, Terashi H, Ichinose A, Nomura T, Omori M, et al. Positive narrowing pharyngoplasty with forearm flap for functional restoration after extensive soft palate resection. Plastic and reconstructive surgery. 2005 Feb;115(2):388-93. PubMed PMID: 15692341.
11. Haughey BH, Taylor SM, Fuller D. Fasciocutaneous flap reconstruction of the tongue and floor of mouth: outcomes and techniques. Archives of otolaryngology--head & neck surgery. 2002 Dec;128(12):1388-95. PubMed PMID: 12479726.
12. Hidalgo DA. Fibula free flap: a new method of mandible reconstruction. Plastic and reconstructive surgery. 1989 Jul;84(1):71-9. PubMed PMID: 2734406.
13. Holsinger FC, McWhorter AJ, Menard M, Garcia D, Laccourreye O. Transoral lateral oropharyngectomy for squamous cell carcinoma of the tonsillar region: I. Technique, complications, and functional results. Archives of otolaryngology--head & neck surgery. 2005 Jul;131(7):583-91. PubMed PMID: 16027280.
14. Hsiao HT, Leu YS, Chang SH, Lee JT. Swallowing function in patients who underwent hemiglossectomy: comparison of primary closure and free radial forearm flap reconstruction with videofluoroscopy. Annals of plastic surgery. 2003 May;50(5):450-5. PubMed PMID: 12792531.
15. Hsiao HT, Leu YS, Liu CJ, Tung KY, Lin CC. Radial forearm versus anterolateral thigh flap reconstruction after hemiglossectomy: functional assessment of swallowing and speech. Journal of reconstructive microsurgery. 2008 Feb;24(2):85-8. PubMed PMID: 18415928.
16. Kaariainen M, Kuuskeri M, Gremoutis G, Kuokkanen H, Miettinen A, Laranne J. Utilization of Three-Dimensional Computer-Aided Preoperative Virtual Planning and Manufacturing in Maxillary and Mandibular Reconstruction with a Microvascular Fibula Flap. Journal of reconstructive microsurgery. 2015 Sep 18. PubMed PMID: 26382874.
17. Kimata Y, Uchiyama K, Sakuraba M, Ebihara S, Hayashi R, Haneda T, et al. Velopharyngeal function after microsurgical reconstruction of lateral and superior oropharyngeal defects. The Laryngoscope. 2002 Jun;112(6):1037-42. PubMed PMID: 12160270.
18. Lutz BS, Wei FC. Microsurgical reconstruction of the buccal mucosa. Clinics in plastic surgery. 2001 Apr;28(2):339-47, ix. PubMed PMID: 11400827.
19. Martin-Granizo R, Naval L, Costas A, Goizueta C, Rodriguez F, Monje F, et al. Use of buccal fat pad to repair intraoral defects: review of 30 cases. The British journal of oral & maxillofacial surgery. 1997 Apr;35(2):81-4. PubMed PMID: 9146863.
20. McConnel FM, Pauloski BR, Logemann JA, Rademaker AW, Colangelo L, Shedd D, et al. Functional results of primary closure vs flaps in oropharyngeal reconstruction: a prospective study of speech and swallowing. Archives of otolaryngology--head & neck surgery. 1998 Jun;124(6):625-30. PubMed PMID: 9639470.
21. Perlmutter MA, Johnson JT, Snyderman CH, Cano ER, Myers EN. Functional outcomes after treatment of squamous cell carcinoma of the base of the tongue. Archives of otolaryngology--head & neck surgery. 2002 Aug;128(8):887-91. PubMed PMID: 12162765.
22. Smith JE, Suh JD, Erman A, Nabili V, Chhetri DK, Blackwell KE. Risk factors predicting aspiration after free flap reconstruction of oral cavity and oropharyngeal defects. Archives of otolaryngology--head & neck surgery. 2008 Nov;134(11):1205-8. PubMed PMID: 19015452.
23. Tarsitano A, Vietti MV, Cipriani R, Marchetti C. Functional results of microvascular reconstruction after hemiglossectomy: free anterolateral thigh flap versus free forearm flap. Acta otorhinolaryngologica Italica : organo ufficiale della Societa italiana di otorinolaringologia e chirurgia cervico-facciale. 2013 Dec;33(6):374-9. PubMed PMID: 24376292. Pubmed Central PMCID: 3870442.
24. Townend J. Combined radial forearm and pharyngeal flaps for soft palate reconstruction. The British journal of oral & maxillofacial sur-

gery. 1998 Apr;36(2):156-7. PubMed PMID: 9643608.

25. Ung F, Rocco JW, Deschler DG. Temporary intraoperative external fixation in mandibular reconstruction. The Laryngoscope. 2002 Sep;112(9):1569-73. PubMed PMID: 12352664.
26. Urken ML, Biller HF. A new bilobed design for the sensate radial forearm flap to preserve tongue mobility following significant glossectomy. Archives of otolaryngology--head & neck surgery. 1994 Jan;120(1):26-31. PubMed PMID: 8274252.
27. Urken ML, Weinberg H, Vickery C, Buchbinder D, Lawson W, Biller HF. Oromandibular reconstruction using microvascular composite free flaps. Report of 71 cases and a new classification scheme for bony, soft-tissue, and neurologic defects. Archives of otolaryngology--head & neck surgery. 1991 Jul;117(7):733-44. PubMed PMID: 1863438.
28. Woo SH, Jeong HS, Kim JP, Park JJ, Ryu J, Baek CH. Buccinator myomucosal flap for reconstruction of glossectomy defects. Otolaryngology--head and neck surgery : official journal of American Academy of Otolaryngology-Head and Neck Surgery. 2013 Aug;149(2):226-31. PubMed PMID: 23649500.

CHAPTER

22

비인두 종양

이용식

I 비인두의 양성종양

비인두에 발생하는 양성종양은 흔치 않다. 유년성 혈관 섬유종이나 반전성 유두종이 비인강 내로 침범할 수 있으며, 드물게 소타액선에서 유래한 선종이 발생하기도 한다. Thornwald낭(Thornwald's cyst), 염증이 심한 아데노이드 등이 종양으로 오인되기도 한다.

1. 유두종

반전성 유두종(inverted papilloma)은 비강에서 발생하는 것과 동일한 종양이다. 일명 Schneider 유두종이라고도 한다. 남성에서 2-3배 많이 발생하며 노인에서(평균 62세) 호발한다.[1] 보통 후비공을 경계로 내배엽성 점막과 외배엽성 점막이 구분되나 이소성 점막이 비인강 점막에 존재하는 수가 있어 이런 곳에서 발생하는 유두종이라고 생각된다. 증상은 비출혈과 비폐색이며 우연히 발견되기도 한다. 병리조직학적으로는 비강의 유두종과 동일하다. 치료는 비강 내 유두종처럼 절제술로 치료하며 레이저를 이용하여 치료하면 좋다.

비인두에 발생하는 편평유두종(squamous papilloma)은 드물다. 후두에서 발견되는 것과 동일하며 레이저 등 절제술로 치료한다.

2. 이소성 뇌하수체 선종

이소성 뇌하수체 선종(ectopic pituitary adenoma)이란 뇌하수체 종양이 뇌하수체와 무관하게 비인두에서 발생하는 경우이다. 이소성 뇌하수체에서 유래한다. 남자보다 여자에서 다소 흔하며 모든 연령에서 발견될 수 있다. 평균적으로 40대 후반~50대 후반에 많다.[2] 비폐색과 동반되는 신경학적 증상 때문에 발견된다. 두통, 시력 이상, 뇌척수액 누출, 출혈 등이 있을 수 있다. 폴립 형태의 종괴과 비인두 후벽에서 발견된다. 조직학적으로는 온전한 점막 밑에서 일반적인 뇌하수체 종양세포가 보이며 피막은 별로 없다. 절제술로 치료하나 광범위하게 커진 경우

치료가 어려울 수도 있다. 이때는 술 후에 방사선 치료를 추가한다.[43]

3. 원기 침샘조직에서 유래한 종양

원기 침샘조직에서 유래한 종양(salivary gland anlage tumor, congenital pleomorphic adenoma)은 매우 드물며, 태어난 지 수주 내에 호흡곤란으로 인한 수유장애로 발견된다. 비인두 점막 밑에 정상 침샘조직과 중배엽성 조직으로 구성된 종양이 위치한다. 1–3 cm 크기의 단단한 종괴를 보이는 경우가 대부분으로, 수술로 절제한다.[12]

4. 두개인두종

드물게 두개인두종(craniopharyngioma)이 아래쪽으로 자라나 비인두에서 발견되는 수가 있다. 조직학적으로는 터키안 상부로 자라는 그것과 동일하며 수술로 치료한다.

5. 척삭종

발생학적으로 척삭(notochord)에서 유래한 종양인 척삭종(chordoma)은 저악성도의 종양이다. 척삭종의 1/3은 두개저를 침범하며 그중 일부가 비인강으로 돌출한다. 두통이나 비폐색 등의 증상을 호소한다. 조직학적으로는 소엽 형태로 자라며 점액양 기질 속에서 다각형 또는 길쭉한 세포가 척삭모양으로 자란다. 구멍 난 세포들이 군데군데 보이며 면역염색에서 사이토케라틴, S100, 상피세포막항체 등에 양성반응을 보인다. 저악성도의 종양으로 전이가 거의 없으며 수술로 완전 절제가 어렵기 때문에 방사선 치료가 우선시된다.[16]

6. Thornwaldt낭

선천성 낭종으로 태생기에 척삭의 인두 분절이 인두점막과 합쳐져 생겨난다고 생각된다. 낭종의 도관이 아데노이드 하부에 연결되어 있는데 이곳이 막히면 낭종이 발생하기 시작한다. 낭종에 염증이 생기면 후비루가 심해지고 재채기나 기침이 나며 입안에서 퀴퀴한 냄새가 나게 된다. 기타 염증에 의한 발열과 두통을 동반할 수 있다. 치료는 수술로 낭종 도관 입구를 잘라 넓혀 주면 된다.[39]

Ⅱ 비인두의 악성종양

비인두 종양의 대부분은 악성종양이며 비인두의 악성종양의 대부분은 비인두 점막상피에서 기원한 암종이며 그 외에 드물지만 악성림프종, 선암종, 횡문근육종, 연골육종, 악성 흑색종 등이 있을 수 있다(표 22-1).[4] 비인두암은 남녀비, 발병 연령, 원격 전이율, 방사선 치료에 대한 반응 등이 두경부 기타 부위의 편평세포암종과 다른 점이 많아 흥미로운 질환으로 술, 담배가 아닌 바이러스가 원인 인자로 주목받고 있다. 또한 같은 암종이라도 조직병리학적 형태에 따라 치료 성적이나 예후가 각기 다르다.

1. 역학

표 22-1. 비인두 악성종양의 종류와 빈도

병리분류	증례수(%)
비인두암	237(81.4)
악성림프종	47(16.2)
육종, 미분류	2(0.6)
횡문근육종	1(0.3)
형질세포종	1(0.3)
거대세포종양	1(0.3)
맥관육종	1(0.3)
혈관내피종	1(0.3)

전 세계적으로 비인두암은 발병률이 10만 명당 1명 이하로 드문 암이다. 우리나라도 비인두암의 유행 지역이 아니다. 1995년도에 등록된 비인두암은 265례로 전체 암의 0.4%에 불과하였고 중앙암등록본부에 등록된 자료(박재갑)로 볼 때 1999년부터 2001년까지 발생한 비인두암은 남자의 경우 10만 명당 0.92명, 여자의 경우 0.33명으로서 3년간 926건이 발생하였다. 우리나라에서는 여자에 비해 남자에서 2배 이상 많이 발생하며 60대, 70대, 50대 순으로 호발하였고 다른 암과 달리 14세에서 81세까지 넓은 범위의 연령층에서 발생하였음을 알 수 있다.[2,8]

2. 병인

비인두암은 전 세계 어디에서나 어느 민족에서나 10만 명당 1명 이하의 발병률을 보이는 암이지만, 중국, 특히 남부의 광동, 광서 지방에서는 10만 명당 30명 가까이 발생한다.[32] 이 지역에서 이민 간 중국인들이 많이 사는 지역인 대만, 홍콩, 인도네시아, 말레이시아, 싱가포르 등도 유행 지역으로, 비인두암 발병률이 인구 10만 명당 10명 이상일 정도로 비인두암은 매우 흔한 암이다.

따라서 인종적 요인이 있을 것으로 추정되어 병인에 대한 역학조사가 많이 행해졌다. 중국계 아시아인에게 있는 HLA-A2, Sin 2 haplotype histocompatibility locus가 유전적으로 비인두암에 걸릴 확률을 높이는 것으로 알려져 있다.[34] 그러나 유행 지역에서 미국으로 이민 간 2세에서는 발병률이 줄어드는 것으로 보아 음식이나 생활환경도 중요한 요인으로 생각된다.

특히 이 지역 사람들이 사용하는 한약재에서 Epstein Barr virus (EBV)에 잠복감염된 세포를 활성화하는 물질이 발견된 점으로 미루어 한약재가 EBV 감염을 증폭시키거나 발암 촉진제로 작용하기 때문에 이 지역에서 발병률이 높다는 설도 있다.[33] 그중에서도 파두유(croton oil)의 원료인 Croton tiglium이라는 식물이 가장 유력한 물질이다. Aleurites fordii에서 추출되는 동유(tong oil)도 중국 유행 지역의 사람들이 사용하는 한약재에 포함되어 있는데 이것도 강력한 EBV 감염 활성물질로 알려져 있다. EBV 감염은 생활환경이 좋지 않은 지역에서는 거의 모든 아동이 감염되는 것으로 미루어 볼 때 EBV 감염만으로는 비인두암이 왜 이 지역에서는 유행하는가에 대한 해답을 찾을 수 없다. 따라서 유전적 소인이 있는 사람이 어린 시절부터 비인두에 EBV 감염을 심하게 자주 앓게 되었을 때 파두유나 동유 등의 물질이 보조인자로 작용하여 이 지역에 비인두암이 유행하는 것이 아닌가 추정하고 있다.

Bukitt 림프종과 미분화 비인두암에서 EBV의 존재가 입증된 이후 비인강암의 병인으로 이 바이러스를 주목하게 되었다.[45] 그 후 비인두암과 EBV의 관계에 대한 연구는 환자의 혈청으로부터 EBV 특이 항체를 검출하려는 방향과 직접적으로 EBV의 존재를 입증하려는 방향으로 행해졌다. 우리나라 환자를 대상으로 시행된 연구는 그리 많지 않으나 50-94%에서 EBV 양성으로 보고되고 있다.[3,6,9]

3. 병리

비인두는 호흡상피로 이루어져 있으나 출생 후 점차 편평상피화가 진행된다. 성인에서는 호흡상피, 편평상피, 그 사이의 이행상피로 구성되어 있다. 또한 점막 하부에 림프조직이 풍부하여 비인두암 특유의 복잡한 병리 현상을 나타낸다.

병리학적 분류는 중국의 분류법과 국제적 분류법 등 여러 가지가 있으나 이 두 분류가 하나의 분류법으로 통일되기는 요원할 것으로 보인다. 따라서 당분간은 WHO의 분류에 따르는 것이 혼동을 피하는 방법으로 보인다. 1978년 처음으로 WHO에서 비인두암을 분류할 당시는 광학현미경으로 보아 각화 상피세포암은 1형, 비각화 편평상피암은 2형, 미분화암은 3형으로 구분하였으나 1991년 2차 WHO 분류에서는 각화 상피암을 1형으로 비각화 상

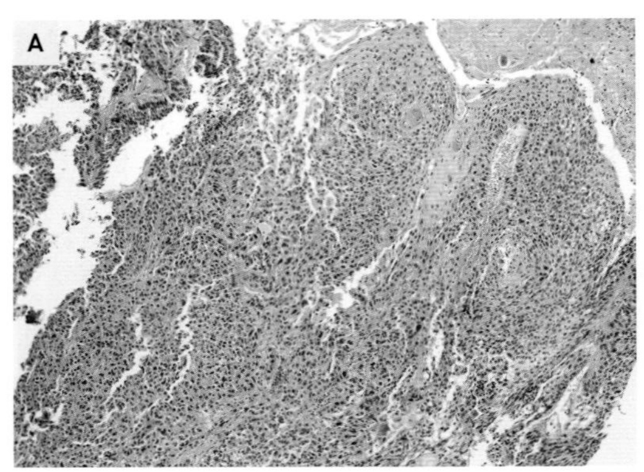

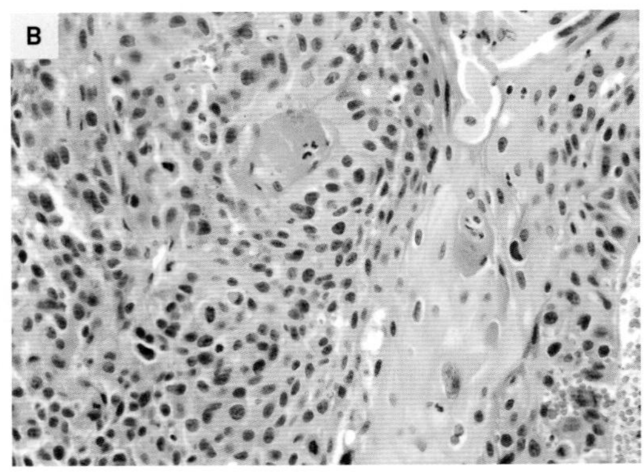

■ 그림 22-1. **A)** 각화 편평상피암의 병리 소견(x200). 종양세포가 일정한 형태를 이루며 간질로 침투하는 양상을 보인다. 개개의 세포는 전형적인 편평세포모습을 보인다. **B)** 각화 편평상피암의 병리 소견 (x200). 종양세포가 각질을 형성하여 소용돌이치는 모습을 보인다.

피암을 2형으로 구분하였다. 그리고 전자를 고/중/저 분화암으로 세분하고 후자를 분화암과 미분화암으로 나누었는데 이는 전자의 경우 EBV 항체 역가가 낮고 후자의 경우 EBV 항체가 역가가 높을 뿐 아니라 임상양상이나 예후가 다른 데 착안하여 분류한 것이다. 즉 병인으로서의 EBV의 역할 유무에 따라 분류를 한 것이다. 2005년에는 2차 분류에 기저세포양 편평세포암을 추가하여 3형으로 구분하였으나 근본적인 분류에는 변함이 없다(표 22-2).

먼저 광학 현미경하에서 종양은 구성세포에 따라 상피세포암종, 선암, 악성 림프종 등으로 구분이 되는데, 흔히 말하는 비인두암은 이 중 상피세포암종을 일컫는다. 상피세포암종은 다시 각화 편평세포암종과 비각화 편평세포암종으로 나뉘고 각화편평세포암종은 분화 정도에 따라 고분화 암종, 중등분화 암종, 저분화 암종으로 나뉜다. 이들은 광학현미경에서 분화된 각질상피를 보이며 세포간교(intercellular bridge)나 각질을 형성한다(그림 22-1). 비각화 암종은 다시 세포간 경계가 뚜렷한 분화암종과 그렇지 않고 세포가 뭉쳐져 합포체라 불리는 세포의 군집을 보이는 미분화암으로 구분한다. 비각화 암종은 광학현미경상 각질을 형성하지 않으며 세포간교 등 편평상피암의 특징을 보이지 않아 이 둘은 각화암종과 기원이 다른 것처럼 보이지만 각화암종은 물론 비각화암종도 모두 전자현미경

표 22-2. 병리 WHO 2005.

1형 (I) 편평상피암
2a형 (II) 각화 미분화암
2b형 (III) 비각화 미분화암
3형 기저세포양 편평상피암
( ) 과거 WHO 분류

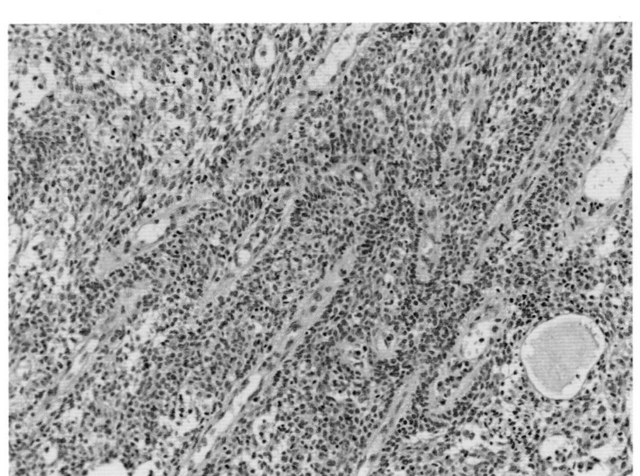

■ 그림 22-2. **비각화 분화암의 병리소견(x200).** 세포간 경계가 뚜렷하나 각질은 보이지 않는다. 세포들이 일정한 형태를 이루고 있다.

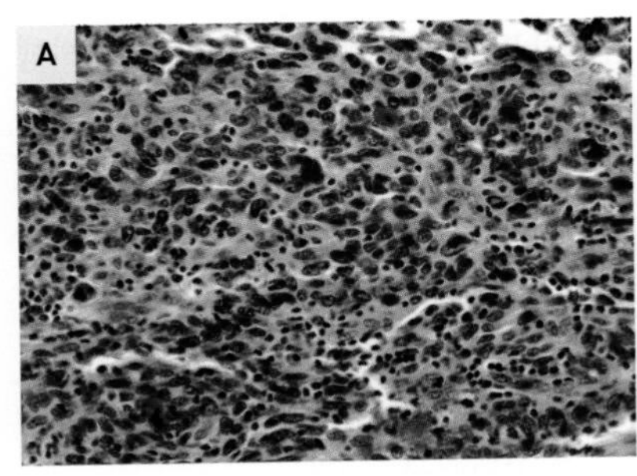
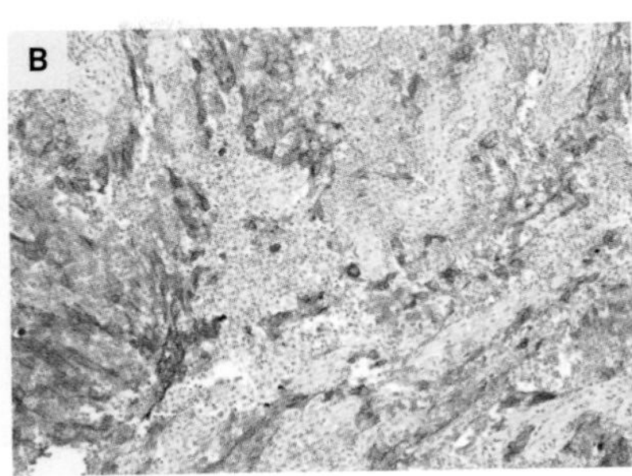
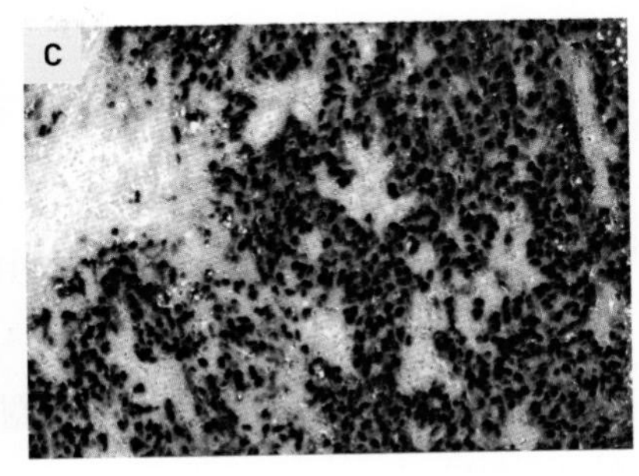

■ 그림 22-3. **A)** 비각화 미분화암의 병리 소견(x200). 개개의 세포간 경계가 불분명하고 합포체도 간간이 보인다. 세포핵의 크기가 크고 둥글거나 길쭉하며 핵소체가 분명하다. **B)** 비각화 미분화암의 병리 소견(x200). Pan-cytokeratin으로 면역염색을 하면 각질을 갖고있다는 것이 분명하다. **C)** 비각화 미분화암의 병리 소견(x200). EBV가 만들어내는 초기RNA(EBER)에 대해 Insitu Hybridization을 하면 모든 핵내부에 강양성 반응을 보인다.

으로 보면 결합소체(desmosome), 당김미세섬유(tonofilament) 등 상피세포의 특징을 갖고 있다. 각화 편평세포암종과 비각화 분화암종은 하나하나의 세포가 구분되며 미분화암종과 달리 합포체(cyncytium)를 형성하지는 않는다(그림 22-2). 광학현미경상 미분화암종의 핵은 난원형 또는 원형의 공포성 핵을 가지며 핵소체가 뚜렷하며 세포사이의 경계가 불명확하여 합포체처럼 보인다. 방추형 세포가 보이기도 한다(그림 22-3). 우리나라의 경우 임상적으로는 WHO 1,2a형이 60%가량을 차지하며 WHO 2b형은 40%가량을 차지한다. 특별히 비인두암 중에서 림프상피암종이라 불리는 경우가 있는데 이것은 비각화 편평세포암종 중 림프구 침윤이 많은 종양을 가리키며 상피세포암을 림프구가 둘러싸고 있는 형태를 Regaud형이라 부르고 상피세포암 사이사이에 림프구가 섞여있는 형태를 Schmincke형이라 부른다.[36]

4. 임상양상 (표 22-3)[5]

Rosenmullar와 fossa를 포함한 측벽부에서 66%, 후상벽에서 28.3% 정도가 발생한다. 증상으로는 경부 종괴가 가장 많고 이충만감, 비폐색도 흔한 증상이다. 이 때문에 수개월 또는 1-2년간 장액성 중이염이나 만성 부비동염으로 치료하게 되는 경우가 종종 있다. 그 외의 증상으로는 두통, 뇌신경 마비증세, 혈담을 호소하기도 한다. 비인두암이 상부로 침범하게 되면 추체접형(petrosphenoidal) 경로로 침범하여 제6, 제5 뇌신경마비를 일으킨다. 또한 이하선 후부 경로로 침범하면 제7부터 제12번 뇌신경을 침범해 경정맥공 증후군(제9,10,11번 뇌신경 마비)이나 Horner 증후군 등의 다양한 뇌신경 증상을 일으킬 수 있다. 원격 전이율이 평균 20%로 기타 두경부 편평세포암종에서 보다 높다. 장기간 추적관찰하며 30% 이상에서 전이가 발견된다. 이 중 골전이가 49%로 가장 많고 폐, 간 등의 순이다.

표 22-3. 비인두암의 임상 양상.

증상	빈도 (%)
경부종괴 (림프절 전이)	199 (75.1)
난청, 귀먹먹	126 (47.5)
코막힘, 코피	101 (38.1)
두통	68 (25.7)
뇌신경 마비	56 (21.1)
피묻은 후비루	14 (5.3)
목안 통증 등 기타	12 (4.5)

5. 진단

상경부 종괴, 수개월간 지속되는 장액성 중이염, 비폐색등이 있으면 비인두암을 의심해야 한다. 과거에는 간접비인두경으로 비인두를 관찰하였으나 내시경의 도입으로 근래에는 원시경(telescope)이나 굴곡형 내시경을 사용하여 진단한다.

내시경으로 보면, 종괴는 측벽이나 상부에 위치하는 울퉁불퉁한 표면의 종괴로, 돌출하여 자라는 경우가 대부분이다. 큰 종양인 경우 후비공을 가득 메우고 있을 수도 있다. 아데노이드 증식증과 달리 주로 한쪽 측벽에 치우쳐 위치하며, 종괴 표면에 혈관이 잘 발달되어 있고 건드리면 쉽게 출혈한다. 간혹 표면 괴사가 보일 때도 있다. 비인두 생검은 내시경하에서 해야 정확히 암조직을 얻을 수 있다. 경부 림프절 중 상경부나 상부 부신경절이 주로 커지며 세침흡인검사를 시행한다.

비인두암으로 확인되면 비인강과 경부의 CT나 MRI를 통하여 국소 침범 부위를 확인한다. CT는 연조직과 골조직을 감별하기가 용이하므로 골 침범 등을 확인하는 데 좋고, MRI는 조직을 구분하기가 더 용이하여 두개 내 침범 등을 확인하는 데 유리하다(그림 22-4). 후인두림프절은 제1, 2 경추체 부근의 경동맥 내측에 위치한다. 또한 이 암은 전신 전이율이 비교적 높으므로 전신전이 여부를 알아보기 위하여 복부 초음파, 골주사(bone scan)를 시행한다. 최근에는 잠복 전이를 확인하는 데 양전자단층촬영(PET)이 유용하게 쓰이고 있다.

EBV가 비인강암의 발병원인이라면 정상인과 비교할 때 EBV에 대한 여러 항체가 환자의 혈청에 많이 존재할 것이라는 점에 근거하여 혈청학적 검사를 진단과 추적관찰에 이용하려는 시도가 있어왔다.

초감염된 숙주세포의 핵과 세포질 내에서 고루 발현되는 단백질로서 바이러스 DNA 복제에 필요한 효소 단백질로 생각되는 EA-D(early antigen-diffuse)에 대한 IgG형 EA-D 항체와, 감염이 재활성화되거나 생산 감염시 바이러스 DNA로부터 전사되는 주요 성분인 viral capsid antigen (VCA)에 대한 IgA형 VCA 항체가 비인강암 환자에서 유의하게 높았다.[27] 특히 WHO 1형에서는 16%에서만 높게 나타나고 2,3형에서는 85%에서 높게 나타나 WHO 2,3형에 대한 특이도가 높다. 그러나 이 두 항체는 비인두암 환자 외에도 사골동암, 설암, 만성 림프구성 백혈병 또는 염증성 비용에서도 높은 수치를 보인다. 이 두 항체치가 높다는 것은 비인두암 환자의 경우 EBV 감염이 진행되고 있다는 뜻으로 해석할 수 있다. 또한 잠복성 또는 초기 비인두암 환자의 94~100%에서 IgA형 VCA항체가 양성이어서 이 두 가지 검사가 환자 검색에 사용될 수 있는 가능성이 제시되었다. 또한 WHO 1형보

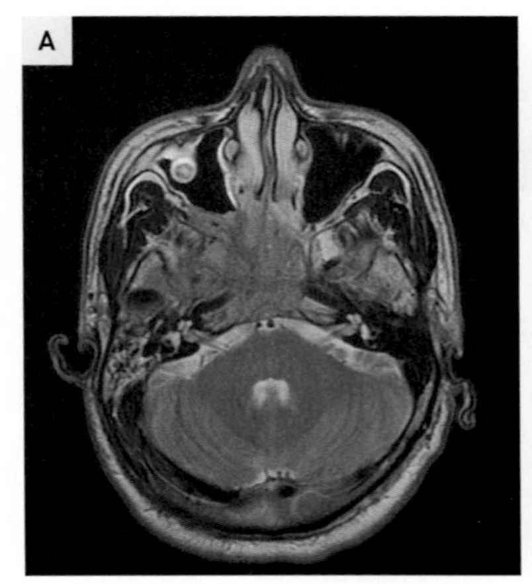

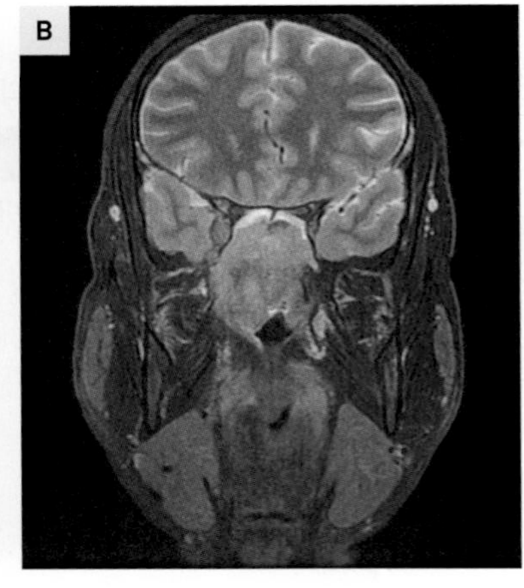

■ 그림 22-4. **비인두암의 MRI소견. A)** 사대clivus위치의 축상T2 강조영상으로 비인두암이 뇌기저와 전방으로 후비강과 상악동의 후벽, 하안와열까지 침범하고 있다. **B)** 관상 coronal view소견 T2강조영상으로 비인두암이 두개저와 우측 해면동을 침범하고 있다.

다 2,3형의 항체치가 각각 2배와 3배씩 높으므로 WHO1 형과 2,3형 간에 발암원인이 다른 것이 아닌가 하는 의문이 대두되었다. EBV 특이 후기 막 항원(late membrane antigen)은 바이러스 DNA 복제 후 합성되는 후기 단백질의 하나로 감염 세포막 표면에 발현되는 분자량 250kD의 당단백질인데 이에 대한 항체는 중화항체로서 ADCC (antibody dependent cellular cytotocicity) 정량법으로 측정된다. 비인두암 환자 중 이 역치(titer)가 높은 WHO 2,3형 환자의 예후가 좋으나 치료 후에는 이들 항체치와 예후와의 관련성은 없다고 한다.

이상으로 미루어 볼 때 혈청학적 검사는 적어도 WHO 2,3형은 EBV와 관련이 있음을 보여주나 진단적 가치로 볼 때 원발부 미상의 종양을 감별할 때나 조기발견을 위한 검색 시 IgG형 EA-D 항체나 IgA형 VCA 항체가 유용할 것으로 생각될 뿐, 비유행지역인 우리나라에서는 별로 사용되지 않는다.

6. 감별진단

비인두의 양성종양 및 기타의 악성종양과 감별해야 한다. 비인두 섬유종은 혈관이 더 풍부하여 쉽게 출혈하며 외견상 검붉은색을 띤다. 혈관조영술로 확진한다. 기타 비인두 악성 종양으로는 악성 림프종, 횡문근육종, 연골육종, 형질세포종 등의 육종과 선양낭성암종, 점액표피양암종, 흑색종 등 다양한 종양이 발생할 수 있으므로 내시경하에 생검이 필수적이며 감별진단에는 면역화학적 검사가 큰 도움이 된다.

또한 두개저의 골수염, 모균증(mucormycosis) 등이 종양으로 오진되는 수가 있다. 발열을 동반하는 비인두의 팽윤이나 심한 두통을 호소하는 환자에서는 반드시 이런 가능성을 염두에 두어야 한다[25]. CT, MRI, Gallium 스캔 등이 진단에 도움이 되며 골 SPECT (single photon emission computed tomography)가 병변의 추적검사에 도움이 된다.[31]

7. 병기분류

1997년 이전에 AJCC는 측벽과 후상벽을 따로 분류하였다. 그러나 실제로는 구분하기 어려운 경우가 많고, 이전 AJCC의 T4에 해당하는 두개저 침범은 불량한 예후와

표 22-4. **비인두암의 병기 분류 기준 (AJCC 8th 암병기 분류)**

Tx	병소 확인 안된 경우
T0	암병소 없으나, EBV양성인 경부림프절이 있는 경우
Tis	상피내암
T1	비인두에 국한된 경우나, 비강 또는 구인두까지 걸쳐 있어도 부인두강을 침범하지 않은 경우
T2	부인두강을 침범한 경우
T3	두개저 골부를 침범한 경우
T4	두개강 내부로 침범했거나 뇌신경마비가 있거나, 하인두, 안와, 또는 측두와/교근강을 침범한 경우
Nx	평가가 아직 안 된 경우
N0	발견되지 않은 경우
N1	긴 쪽이 <6cm 림프절이 윤상연골 하연보다 상부 한편에만 있거나, 후인두 림프절의 경우는 양쪽 전이도,
N2	긴 쪽이 <6cm 이면서 윤상연골 하연보다 상부에 양측성 전이인 경우
N3	긴 쪽이 >6cm 림프절 전이 또는 윤상연골 하연보다 아래에 있는 림프절 전이
cM0	전신 전이 없음
cM1	전신 전이 있음
pM1	현미경적 전이

표 22-5. **비인두암 병기/예후 그룹**

0기	TisN0M0
1기	T1N0M0
2기	T0-1N1M0, T2N0M0, T2N1M0 (즉 T2 또는 N1)
3기	T0-2N2M0, T3N1-2M0 (즉 T3 또는 N2)
4A기	T4N0-2M0, any TN3M0(즉 T4 또는 N3)
4B기	TN과 무관하게 M1인 경우

무관하다는 주장이 있었고, N병기에 있어서도 Ho 분류에서처럼 경부 아랫쪽의 림프절 전이가 있는 경우에 예후가 불량하다는 보고들이 있었는데도 AJCC 분류에서는 이를 고려하지 않았다. 이러한 단점을 보완하여 AJCC는 1997년 새로운 병기 분류 기준을 마련하였다. 그 후 2016년 제 8차 병기분류에서는 종양이 구인두나 비강 내로 자라 들어갔다 하더라도 부인두강 침범이 없는 경우는 1기로 변경하여 T병기가 다소 하향조정되었고 후인두 림프절은 비록 양측성으로 전이가 있더라도 1기로 규정하는 등 N병기도 하향조정되었다(표 22-4,5).[11]

임상 병기를 분류하려면 먼저 원발부위에 대한 내시경 진찰과 원발부와 경부 림프절에 대한 촉진이 필수적이며, 뇌신경 마비 유무도 검사해야 한다. 병변부에 대한 단층촬영이 필수적인데, 가급적 여러 각도에서 촬영이 가능하고 해상도가 높으며 특히 두개저 침범이나 뇌침범을 잘 파악할 수 있는 MRI를 시행할 것을 권고하고 있다. 특히 후인두강을 포함해서 림프절 전이를 자세히 관찰할 것을 권하고 있다.

8. 치료

1) 방사선치료

비인두는 수술로써 접근하기 어려운 반면 비인두암은 방사선치료에 비교적 잘 반응하기 때문에 방사선치료가 주 치료법이다. 특히 WHO 2,3형은 방사선 치료가 효과적이다.

보통 코발트-60을 이용하여 원발부에 7,000 cGy 이상을 7주에 걸쳐 조사한다. 조사부위는 원발병소를 포함하는 접형동, 후사골동, 비강 후부, 후인두림프절과 상내경정맥절을 포함하는 부위를 양측방향에서 좌우대칭으로, 하경부에서는 비인두에서 쇄골 상부에 걸치는 부위를 전후 방향에서 4,500 cGy를 조사한다. 방사선 치료에 대한 국소 반응률은 80% 가량으로 상당히 좋으나 전체적으로 보아 5년 생존율은 29-58% 정도이다. 치료효과를 높이기 위하여 다분할 조사(hyperfractional radiotherapy) (115 cGy/회, 하루 2회)나 과분할 조사(accelerated radiotherapy) (160 cGy/회, 하루 2회)를 하기도 한다. 과분할 조사를 시행하여 5년 국소 관해율을 향상시켰다는 보고도 있고[40], 부작용을 줄이고 치료효과를 높이기 위해 근접조사를 시행하기도 한다.

최근에는 삼차원적으로 방사선량을 종양에만 집중시키는 방법(3-D conformal radiotherapy)으로 부작용을 최소화하고 치료성적을 높일 수 있을 것으로 기대하고 있다. 삼차원 방사선치료로 병변 부위에 좀 더 많은 방사선량을 최소화할 수 있게 되었다.[24]

방사선치료의 후유증으로는 치료 당시에는 구강 및 인두점막이 헐기 때문에 통증, 미각의 상실, 외이도염, 장액성 중이염, 후비공 폐쇄 등이 나타난다. 이러한 증상들은 수개월에 걸쳐 점차 나아지나 구강 및 구인두 건조증은 치료 후에도 수년 이상 계속된다. 또한 경부의 근육과 인대 등으로 가는 혈관의 위축으로 말미암아 목 뒤의 통증과 뻣뻣함을 호소하기도 한다. 이 증상은 자고 난 후에 심하며 머리를 움직이면 차차 나아진다. 특히 구강건조증의 후유증으로 음식의 맛을 모르게 되며, 치아가 많이 나빠지므로 치아 주위 염증이나 충치를 완전히 치료한 후 방사선치료를 하도록 한다. 치료 후에는 식후의 양치질은 물론 정기적인 점검과 관리를 해주어야만 치아의 소실이나 하악 골수염 등의 합병증을 예방할 수 있으나 장기 생존자의 경우 심각한 근육위축과 경직으로 고통를 받는 것을 보게된다.

방사선 조사량이 증가할수록 부작용의 위험성은 커지며 심한 경우 비인두 괴사, 상부 경추의 골염 및 골수염, 개구장애, 방사성 뇌병증 등을 유발하게 된다. 이를 최소화 하기 위한 방법으로 근접조사법(brachytherapy)이 개발되었으며 이에는 자입치료(interstitial implant), 강내치료(intracavitary irradiation), 접촉치료(contact therapy) 등이 있다. 근접치료에 사용되는 방사성동위원소로는 라듐(Ra-226), 라돈(Rn-222), 코발트(Co-60),

세슘(Cs-137), 이리듐(Ir-192), 옥소(I-125) 등이 있다. 이 중 이리듐은 금속이므로 여러 형태로 제작할 수 있고 에너지도 세슘보다 낮아 피폭의 위험이 적으며 반감기가 짧아 사용하기 편하고 안전하여 활용도가 매우 높다. 직경 0.5 mm의 씨알형, 철선형, 머리핀형 등 여러 형태로 제작하며, 보통 씨알형을 비강 내에 위치한 도관에 삽입하는 방식을 많이 사용한다. 근접조사로 치료 성적이 좋아지지는 않으나 주위 조직의 피해를 최소화하면서 종양에 선량을 집중시킬 수 있기 때문에 특히 국소 재발한 비인두암의 치료에 많이 사용된다. 60 Gy의 외부 방사선 조사 후 이리디움(Ir-192)를 이용한 자입치료를 시행하여 평균 2년간 추적한 결과, 괴사 등의 심각한 부작용 없이 국소 관해율 100%를 보였다는 보고도 있다.[7]

2) 수술

비인두암의 수술은 재발한 경우 국소절제술을 시행하거나 재발한 경부 림프절의 절제술 정도에 국한되었으나 근래에는 초기 비인두암에서도 수술로 치료하여 좋은 성적을 내고 있어 점차 그 적응 범위가 넓어질 것으로 기대되고 있다. 최초의 비인두암에 대한 수술은 방사선 치료가 도입되기 전인 1911년 Troutter가 보고하였는데, 6명의 진행된 비인두암 환자에서 상악골의 일부를 제거하여 암종을 절제하였으나 15개월 후에 모두 재발하였다. 방사선 치료가 도입된 후에는 방사선치료가 후유증이나 치료 성적 면에서 모두 수술보다 우수하였기 때문에 수술을 기피하게 되었으나 방사선치료 후 재발한 경우에는 방사선으로 재치료를 하더라도 성공률이 20% 내외에 불과하고 국소괴사, 뇌병증 등의 부작용이 심하여 더 나은 치료법이 필요하게 되었다.

초기에는 구개를 통하거나 비측부 절개를 통하여 작은 종양을 제거하는 데 그쳤으나 몇몇 선구자들에 의하여 측두하와 접근법, 상악골 이단술 및 상악골 절골술 등을 이용한 접근법이 개발되었고 안면골 전위술식(facial translocation)의 개발 등 두개저 수술기법의 발달로 재발한 비인두암을 조금 더 적극적으로 치료할 수 있게 되었다. 최근에는 초기 또는 재발한 비인두암에서 내시경을 이용한 수술법도 소개되고 있다(표 22-6).[13]

경구개 접근법(transpalatal approach)은 가장 오래된 술식으로 여러가지 변형이 있으나, 공통적으로 수술할 때 시야확보에 어려움이 많아 부인두공간 침윤이 없는 정중부의 작은 종양의 절제에 적합하며, 수술에 따른 후유증도 적다. 방사선 재치료 시 정확한 근접조사를 위해 시행되기도 한다. 상악골횡절골술(transverse maxillary osteotomy)은 중앙부 병변 제거 시에는 시야가 좀 더 확보되나 측부 및 부인두공간 병변제거에는 불충분하다.[15] 측두하접근법은 청력 손상이 불가피하며 안면신경이 손상될 위험성이 있고 유양동을 갈아내야 하는 등 수술시간이 많이 걸리고 수기가 복잡하다는 단점이 있다.[17] 경이하선 경측두골접근법(transparotid-transtemporal approach)도 병변까지 도달하는 데 어려움이 많다. 이하선, 측두골을 절제하고 삼차신경의 제3 분지를 잘라야 하는 등 수술로 인한 손상이 심각한 데 비해 수술시야가 그리 넓지 않은 것이 단점이다. 경부접근법(transcervical approach)은 비교적 시야가 넓으며 경부 림프절 처리를 함께 할 수 있는 수술법으로서 Krespi법이 수술로 인한 손상이 가장 심하며[22], Ross의 경익돌(transpterygoid)법이 가장 접근이 빠르며 손상이 적다.[29] 전측방접근법은 비

표 22-6. 비인두의 수술적 접근.

전방접근법	경구개 접근법(transpalatal approach)
	상악골 횡절골술(transverse Maxillary osteotomy)
	양측 Caldwell-Luc (Midfacial degloving)
	상악골 외전술(Maxilla swing)
측방접근법	측두골하부 접근법(subtemporal preauricular approach)
경부 접근법	하악골 이단술(Mandibular swing approach)
전측방 접근법	안면골 전임술(Facial translocation approach)
최소 침습 수술법	비인두 레이저 절제술(현미경과 내시경)

교적 최근에 개발된 방법이다.[20] 안면골전위술의 개념에 근거해 고안된 수술법은 여러 가지가 있다. 이중 Wei의 상악골외전술(maxillary swing)은 안면부에 흉터를 남기는 단점은 있으나, 안면신경 등 주요 구조물에 대한 손상 없이 직접 비인두에 접근할 수 있다는 장점 때문에 매우 유용한 술식이다.[41]

비인두 수술의 적응증은 재발한 비인두암으로, 뇌신경마비나 두개 내 침범이 없고 전신전이가 없는 경우가 해당된다. 안면골전위술도 국소재발한 비인두암 제거에 유용한 방법이다. 그러나 아직은 재발한 비인두암을 고선량 방사선으로 치료하여 rT1, 2기의 경우 50%의 5년 생존률을 보고한 예가 있으므로 수술은 방사선 재치료에 실패한 경우나 재치료가 어려운 경우에 국한하여 실시하는 것이 좋겠다. 또한 전신전이가 많고 늦게 발견되는 경우가 있으므로 PET을 시행하면 불필요한 수술을 방지하는 데 도움이 된다.

경부 전이의 재발은 경부절제술의 적응증이 된다. Wei 등은 48예의 경부재발 환자에서 근치적 경부절제술을 시행하여 절편을 검사한 후, 70%에서 과소평가 되었고 35%에서는 림프절이 아닌 암종괴가 발견된 결과를 근거로 근치적 경부절제술이 필요하다고 하였다. 또한 51예의 경부재발 환자에서 경부 절제술을 시행하여 38%의 5년 생존률과 66%의 국소 완치율을 보고하였다.[42]

3) 항암제 치료

비인두암은 전신전이율이 10~30%로 다른 두경부 상피암종에 비해 약 2배 정도 높다. 따라서 진행된 비인두암의 경우 전신전이로 치료에 실패하는 것을 예방하고자 방사선 치료 전이나 후에 항암제 치료를 시행하게 된다.[1] 방사선 치료 전 항암제 치료를 시행함으로써 방사선으로 단독치료했을 때 보다 높은 국소 관해율, 생존률의 증가 및 전신 전이율의 감소를 보인다는 보고가 있고, 방사선 치료 전 또는 후에 Cisplatin 위주의 항암제 치료를 하면 방사선 단독치료보다 생존률이 유의하게 높아지고 전신전이된 경우에도 높은 반응율을 보인다는 주장도 있다.[18] 이와 대조적으로 방사선치료 전 항암제를 투여한 군과 대조군 간의 국소 반응률이나 2년 생존률에 별 차이가 없다는 보고도 있다. 따라서 진행된 비인두암에 대한 보조 항암제 치료의 효과를 확실히 알기 위해서는 좀더 큰 규모의 전향적 대조 실험이 필요하다.

4) 항암제-방사선 동시치료법(concurrent chemoradiotherapy)

진행된 비인두암의 주된 치료 실패는 국소 및 경부 재발이다. 따라서 항암제와 방사선을 동시에 투여하여 치료성적을 높이려는 시도로서 항암제치료와 방사선치료를 동시에 하는 방법이 개발되었다. 이 방법으로 국소 재발률을 낮추고 3년 생존률을 70-80%로 향상시켰으나 전신 전이율은 별로 나아지지 않았다.[10] 처음 소개된 1998년 이후 이 방법이 비인두암의 표준치료로 자리 매김하였으나 그 후 계속된 연구에서는 항암제 치료 후 방사선 치료를 하는 전통적 치료인 방법과 비교할 때 치료성적에서 차이가 없어 보인다.[44] 다만 국소재발률을 낮추는 데는 다소 효과가 있는 것으로 보고되고 있다. 점막염, 골수기능 저하 등의 부작용이 다소 심하나 치료를 중단할 정도는 아니다.

5) 재발한 비인두암의 치료

방사선치료 후 비인두나 경부에서 재발한 비인두암에는 가능하다면 먼저 방사선으로 재치료를 시도한다. 충분한 양의 방사선을 조사해야 하며 방사선 괴사 등의 부작용을 최소화하기 위하여 자입치료 등 근접치료를 하기도 한다. 종양부위에 정확하게 방사선을 집중시키기 위해 상악골외전술로 비인두를 노출시켜 자입치료를 하기도 한다. 근래에는 삼차원 방사선치료법이 개발되어 적은 부작용으로 치료효과를 높일 수 있을 것으로 기대된다. 방사선 재치료 성적은 비인두의 경우 20-40% 정도에서 성공한다. 경부 림프절의 경우 4 cm^2 이하면 51%의 5년 국소 치료율을 보이나 그 이상이면 18개월 국소 치료율이 16%에 불과하다는 보고가 있다.[35] 방사선 재치료가 불가능 하거나 재치료 후에도 재발한 경우에는 비인두 종양과 경부 전이를 모두 수술로 절제할 수 있다.[13,26,28] 수술 전에 골주사, 복부 초음파, PET 등으로 전신전이 여부를 반드시 확인하여 불필요한 수술이 되지 않도록 조심할 필요가 있다. 최근에는 비강을 통해 레이저로 재발한 종양을 제거하기도 한다. 환자나 수술자 모두에게 부담이 적은 방법이며 반복 수술이 가능하다는 장점이 있으나 부작용으로 수술부위의 방사선괴사를 유발할 수 있다.

6) 면역 치료

최근에는 비인두암의 원인이 엡스타인-바 바이러스이며 이들 항원이 비인두암 표면에 발현된다는 데 착안하여 EBNA1, LMP1,2 항원에 감작된 세포독성 T임파구를 체외에서 증식시킨 후 다시 환자의 몸에 넣어주는 방식으로 CD8+ T임파구를 이용하여 재발한 비인두암 환자를 면역치료로 완치된 사례가 보고되었다.[19] 또한 이 바이러스의 EBNA1 항원과 LMP1,2를 결합시킨 항원을 만들 수 있는 아데노바이러스를 인체에 투입하여 EBV에 대한 항체를 유도함으로써 이들 항원에 대한 면역력을 갖는 T세포를 증식시킬 수 있음을 증명하기도 하였다(암백신).[37] 면역치료는 수술이나 방사선치료에 따르는 심각한 부작용을 피할 수 있다는 장점이 있다.

9. 추적검사

비인두암은 국소 관해율이 높으나 이 중 반수에서 국소 재발하며 20%에서 전신 전이를 보인다. 재발한 경우라도 초기에 발견하여 재치료 할 수 있으며, 항암제에 비교적 잘 듣는 종양이므로 조기에 발견하는 것이 중요하다. WHO 2,3형은 특히 3년 이후에도 계속 재발하는 경향이 있으므로 장기간의 추적관찰이 필요하다. 진찰은 반드시 내시경으로 하는데, 비인두가 매끈해 보여도 흉이 진 점막 하부에 종양이 자라는 경우가 있으므로 비인두강 내부가 좁아 보인다면 재발을 의심해야 하며, 정기적인 MRI 검사가 도움이 된다. 이상한 음영이 보이나 방사선치료로 인한 섬유조직인지 재발암인지 확실하지 않을 때는 PET가 결정적 도움이 될 수 있다. 2-3년 후에도 전신전이의 가능성이 있으므로 정기적으로 흉부 방사선 촬영, 복부 초음파 검사 및 골주사를 실시하여 초기에 발견하도록 힘써야 한다.

10. 예후

다른 두경부 악성 종양과 마찬가지로 비인두암도 병기가 진행될수록 예후가 나쁘다. 특히 두개저 침범, 두개 내 침범, 뇌신경 침범이 있는 경우와 하경부림프절(쇄골상부) 전이가 있는 경우에 예후가 좋지 않다. 현재까지 5년 생존률은 30-50% 정도이며 WHO 1형은 WHO 2,3형에 비해 평균적으로 2-3배 이상 생존율이 낮다고 알려져 있다. 또한 증상의 종류가 많고 증상이 나타나서 치료를 시작할 때까지 기간이 길며, ADCC 역치가 낮을수록 예후가 나쁘다. 최근 종양의 신생혈관 생성과 C-erb2 발현이 나쁜 예후와 관련된다는 보고도 있다.[30]

참고 문헌

1. 김광현, 성명훈, 장선호. 비인강암에 대한 항암화학요법과 방사선치료의 복합 요법. 한이인지 1996;39:69-75
2. 박재갑. 암발생통계(1999-2001). 2005 행정간행물 등록번호 11-1460000-002609-10 보건복지부
3. 서장수, 이태윤, 배성호. 비인강암 조직에서 중합효소 연쇄반응에 의한 Epstein-Barr virus DNA 검출. 한이인지 1993;36:185-192
4. 심윤상, 양훈식. 비인강 악성 종양의 임상 통계 및 치료후 원격 성적에 관한 연구. 한이인지 1981;24:187-199
5. 심윤상, 이원종. 비인강암의 임상적 특성. 대한두경부종양학술지 1996;12:81-87
6. 왕수건, 이배혁, 이동건. 비인강암의 파라핀 절편에서 In situ hybridization에 의한 Epstein-Barr virus DNA 검출. 한이인지 1995;38:1768-1772
7. 유성렬. 두경부암의 근접 방사선 치료. 대한두경부종양학술지 1991;7:3-9
8. 이원종, 심윤상, 오경균 등. 비인강암종의 임상적 고찰 및 예후인자들에 대한 분석. 한이인지 1996;39:1456-1463

9. 황찬승, 김용환, 정광윤. 비인강암 조직에서 EBER1의 검출과 LMP1과 bcl2 유전자의 현 양상. 한이인지 1995;38:1554-1561
10. Al-Sarraf M, LeBlanc M, Giri PG, et al. Chemoradiotherapy versus radiotherapy in patients with advanced nasopharyngeal cancer: phase III randomized Intergroup study. J Clin Oncol 1998;16:1310-1317
11. American Joint Committee on Cancer. AJCC Cancer Staging Manual, 8th ed. Philadelphia: Lippincott-Raven, 2016
12. Boccon-Gibod LA, Grangeponte MC, Boucheron S, et al. Salivary gland anlage tumor of the nasopharynx: a clinicopathologic and immunohistochemical study of three cases. Pediatr Patholo Lab Med 1996;16:973-983
13. Chen MY, Wen WP, Guo X, et al. Endoscopic nasopharyngectomy for locally recurrent nasopharyngeal carcinoma†. 2009;119(3):516-522
14. Chia WK, Teo M, Wang WW, et al. Adoptive T-cell transfer and chemotherapy in the first-line treatment of metastatic and/or locally recurrent nasopharyngeal carcinoma. Mol Ther 2014;22:132-9.
15. Crockard HA. The transmaxillary approach to the clivus. In: Sekhar LN, Janeck IP, eds. Surgery of Cranial Base Tumors. New York: Raven Press, 1993, pp.235-244
16. Fagundes MA, Hug EB, Liebsch NJ, et al. Radiation therapy for chordomas of the base of skull and cervical spine: patterns of failure and outcome after relapse. Int J Radiat Oncol Biol Phys 1995;33:579-584
17. Fisch U. The infratemporal fossa approach for nasopharyngeal tumors. Laryngoscope 1983;93:36-44
18. Geara Fb, Glisson BS, Sanguineti G. Induction chemotherapy followed by radiotherapy versus radiotherapy alone in patients with advanced nasopharyngeal carcinoma: results of a matched cohort study. Cancer 1997;79: 1279-1286
19. Huang J , Fogg M, Wirth LJ, et al. Epstein-Barr virus-specific adoptive immunotherapy for recurrent, metastatic nasopharyngeal carcinoma. Cancer 2017;123(14):2642-2650
20. Janecka IP, Chandranath S, Laligam NS, et al. Facial translocation approach to nasopharynx, clivus and infratemporal fossa. In: Sekhar LN, Janecka IP, eds. Surgery of Cranial Base Tumors. New York: Raven Press, 1993, pp.245-259
21. Kasemsiri P, Prevedeiio DM, Dietzel L, et al. Surgical treatment of nasopharyngeal malignancies; roleof endoscopic endonasal approaches. J Nasopharyngeal carcinoma 2014; 1(14): e14. doi:10.15383/jnpc.14.
22. Krespi YP, Har-El G. Transmandibular-transcervical approach to the skull base. In: Sechar LN, Janeck IP, eds. Surgery of Cranial Base Tumors. New York: Raven Press, 1993,pp.261-265
23. Langford L, Batsakis JG. Pituitary gland involvement of the sinonasal tract. Ann Otol Rhinol Laryngol 1995;104:167-169
24. LoSasso T, Chui CS, Kutcher GJ et al. The use of a multileaf collimator for conformal radiotherapy of carcinomas of the prostate and nasopharynx. Int J Radiat Oncol Biol Phys 1993;25:161-170
25. Meininger GR, Pollice P, Niparko JK. Imaging quiz case 2. Chronic osteomyelitis of the skull base(OSB). Arch Otolaryngol Head Neck Surg 1997;123:349,351+-352
26. Monteiro E,Witterick I. Endoscopic nasopharyngectomy: Patient selection and surgical execution In Operative techniques in Otolaryngology and Head and Neck Surgery. 2014;25(3)284-288 ed Ziv Gil
27. Neel HB, Taylor WF. Epstein-Barr virus-related antibody. Changes in titiers after therapy for nasoparyngeal carcinoma. Arch Otolaryngol Head Neck Surg 1990;116:1287-1290
28. Ong YK, Solares CA, Lee S, et al.Endoscopic Nasopharyngectomy and its Role in Managing Locally Recurrent Nasopharyngeal Carcinoma. Otolaryngologic Clinics 2011;44(5):1141-1154
29. Ross DE, Suski AE. Nasopharyngeal tumors: a new surgical approach. Am J Surg 1966;111:524-530
30. Roychowdhury DF, Tseng A Jr, Fu KK. New prognostic factors in nasopharyngeal carcinoma. Tumor angiogenesis and C0erbB2 expression. Cancer 1996;77:1419-1426
31. Seabold JE, Simonson TM, Weber PC. Cranial osteomyelitis: diagnosis and follow-up with In-111 white blood cell and Tc-99m methylene diphosphonate bone SPECT, CT, and MR imaging. Radiology 1995;196:779-788
32. Simons MJ, Shanmugaratnam K. Epidemiology of nasopharyngeal carcinoma. In: Shanmugaratnam K, Simons MJ, Epstein MA, et al, eds. The Biology of Nasopharyngeal Carcinoma, UICC Technical Report Series, vol 71. GenevaL UICC, 1982, p10.
33. Simons MJ, Shanmugaratnam K, Epstein MA. Environmental determinants of nasopharyngeal carcinoma(NPC). In: Simons MJ, Shanmugaratnam K, eds. The Biology of Nasopharyngeal Carcinoma, UICC Technical Report Series, vol 71. Geneva: UICC, 1982, pp.21-54
34. Simons MJ, Wee GB, Goh EH et al. Immunogenetic aspects of nasopharyngeal carcinoma. IV: Increased risk in Chinese of nasopharyngeal carcinoma associated with a Chinese-related HLA profile(A2, Singapore 2). J Natl Cancer Inst 1976;57:977-980
35. Sham JS, Choy D. Nasopharyngeal carcinoma: treatment of neck node recurrence by radiotherapy. Australas Radiol 1991;35:370-373
36. Shanmugaratnam K, Chan SH, de-The G, et al. Histopathology of nasopharyngeal carcinoma: correlations with epidemiology, survival rates and other biological characteristics. Cancer 1979;44:1029-1044
37. Smith C, Tsang J, Beagley L, et al. Effective Treatment of Metastatic Forms of Epstein-Barr Virus–Associated Nasopharyngeal Carcinoma with a Novel Adenovirus-Based Adoptive Immunotherapy. Cancer research 2012;72(5):1-10
38. Sulica RL, Wenig BM, Debo RF, et al. Schneiderian papillomas of the pharynx. Ann Otol Rhinol Laryngol 1999;108:394-397
39. Tumors and cysts of the face, pharynx and nasopharynx. In: Balleng-

er JJ, ed. Disease of the Nose, Throat, Ear, Head and Neck, 13th ed. Philadelphia: Lea & Febiger, 1985, p.335

40. Wang CC. Accelerated hyperfractionation radiation therapy for carcinoma of the nasopharynx Techniques and results. Cancer 1989l63:2461-2467
41. Wei WI, Ho CM, Yeun PW. Maxillary swing approach for resection of tumors in and around the nasopharynx. Arch Otolaryngol Head Neck Surg 1995l121:638-642
42. Wei WI, Lam KH, Ho CH, Efficacy of radical neck dissection for the control of cervical metastasis after radiotherapy for nasopharyngeal carcinoma. Am J Surg 1990;160:439-442
43. Wenig BN, Heffess CS, Adair CF, et al. Ectopic pituitary adenomas(EPA): clinicopathologic study of 15 cases. Mod Pathol 1995;8:56A
44. Wu SY, Wu YH, Yang MW et al. Comparison of concurrent chemoradiotherapy versus neoadjuvant chemotherapy followed by radiation in patients with advanced nasopharyngeal carcinoma in endemic area: experience of 128 consecutive with 5 year follow-up. BMC Cancer 2014, 14:787 doi:10.1186/1471-2407-14-787
45. zur Hausen H, Schulte-Holthausen H, Klein G, et al. EBV DNA in biopsies of Burkitt tumors and anaplastic carcinomas of the nasopharynx. Nature 1970;228:1056-1058

CHAPTER

23

구인두암

김세헌

구인두암은 편도암, 설근부암, 연구개암 및 구인두후벽암으로 대표되며, 최근 들어 발병률이 증가하고 있는 추세이다. 대략 인구 10만 명당 2건의 발병률을 보인다. 조직학적으로는 90%가 편평상피세포암이다. 주로 남성에 호발하고, 흡연, 음주가 주요 위험 요소이나,[5] 인간유두종바이러스(HPV)로 인한 병인이 늘어나는 추세이다.[2] 구인두의 구조는 연구개, 편도, 설근부 및 인두후벽으로 나눠진다.

I 구인두의 해부

1. 연구개(Soft palate)

연구개는 구강과 비인두를 구분하며, 구개인두궁과 구개수, 그리고 구개의 구개거근과 구개범장근 및 외측의 상인두수축근으로 구성된다. 연구개에는 소타액선이 분포하며, 안면동맥의 상행구개분지(ascending palatine branch)에 의해 혈류가 공급된다. 미주신경의 인두 분지를 통해 연구개의 운동신경이 분포하며, 구개범장근은 예외적으로 삼차신경 하악지의 지배를 받는다. 설인신경은 감각신경으로 분포한다.

2. 편도와(Tonsillar fossae)

구개편도는 구인두강 측부에 위치하며 점막으로 덮인 구개설근과 구개인두근으로 이루어진 앞, 뒤쪽의 편도궁으로 경계 지어진다.[18] 설편도구(glossotonsillar sulcus)는 구개편도의 하부 경계가 되고 연구개에서 편도궁으로 이어지는 부분은 상부 경계가 된다. 구개편도는 내측은 중층 편평상피로, 외측은 치밀한 근피막(fascial capsule)으로 덮여 있으며 림프 조직으로 구성된다. 상피측에는 편도 안쪽 면을 향해 림프 여포가 파고 드는 형태로 여러 개의 열(cleft)과 움(crypt)이 뚫려있다. 구개편도의 외측 심부에는 상인두수축근이 위치한다. 이 근육층은 성긴 그물판(areolar plane)에 의해 편도와 부인두강 사이의 경계인 협인두근막으로부터 분리된다. 구개편도실질의 하

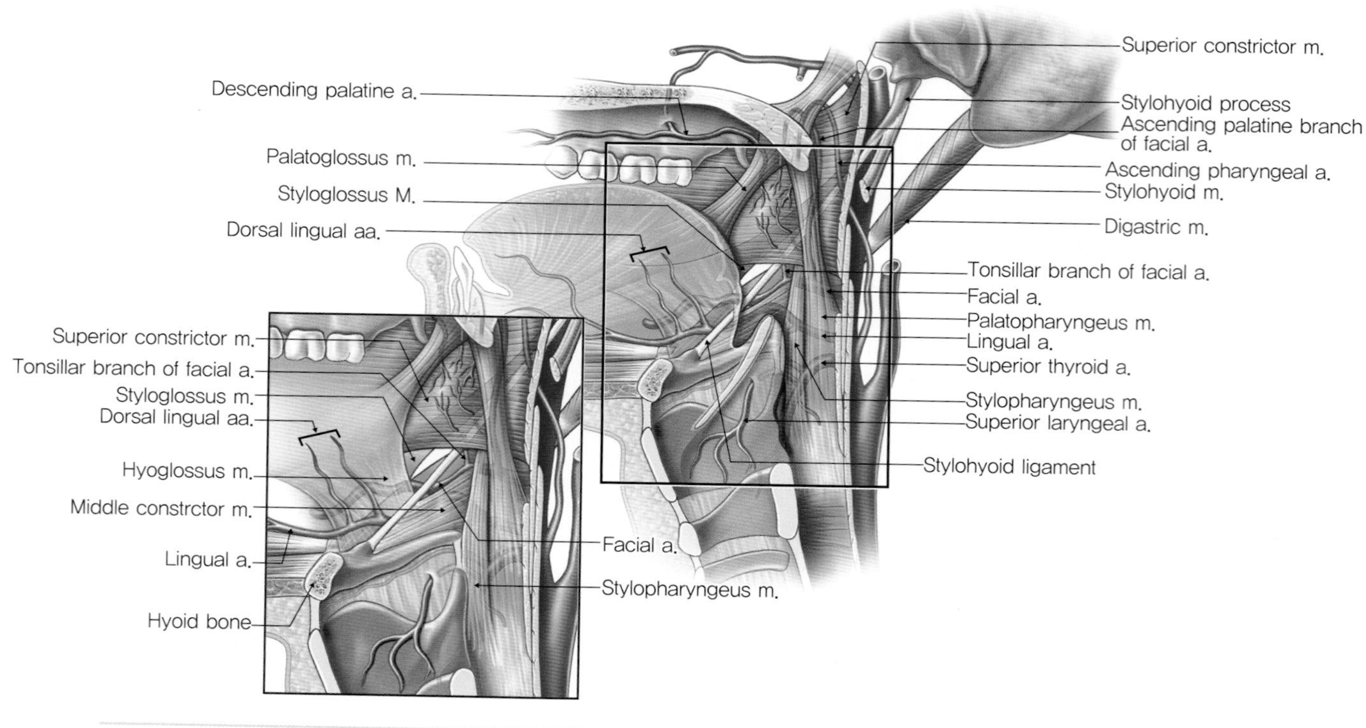

■ 그림 23-1. **외경 동맥계로부터 구인두의 혈액 공급**

부 심부층으로 경돌인두근, 경돌설근과 상, 중인두수축근 사이로 인두 안쪽으로 들어가는 경돌설골 인대가 있다. 편도의 동맥공급은 외경동맥의 분지가 담당한다(그림 23-1, 2). 상행인두동맥의편도분지와 하행구개동맥의 분지는 상부측 공급을 담당한다. 하지만 주된 공급은 상인두수축근을 뚫고 편도의 하부외측으로 들어가는 안면동맥의 편도분지가 담당하게 된다. 안면동맥은 하악의 외측 경계에서 꺾이기 전까지 편도와의 외측으로 상인두 수축근에 근접하여 주행한다. 그 외에 설배동맥(dorsal lingual artery), 상행구개동맥은 편도의 하부 혈액 공급을 담당한다. 편도 주위로 내경동맥이 주행하는데 보통 외측 인두벽의 후방 외측에 위치하며 상인두 수축근과 협인두 근막에 의해 인두로부터 분리된다. 대부분의 환자에서 내경동맥은 분지 없이 직선으로 주행한다. 정확한 위치는 연령에 따라 다양한데, 1세에는 편도와로부터 약 1.4 cm 거리에 있으며 성인이 되면 약 2.5 cm 정도가 된다. 전체의 10%~40%에서 변이가 존재하고, 5%~6%에서 curving, kinking, coiling 등도 관찰되어 편도, 인두의 수술 시 위험 요소가 될 수 있다. 따라서 내경동맥과 종양, 수술 범위의 위치 관계를 파악하기 위한 수술 전 영상 검사가 중요하다. 편도 피막에는 septal, interfollicular, subreticular vessel로 구성된 상피하 림프계가 분포하여 대부분 상경정맥 림프절(upper jugular node)이 있는 Level II로 림프절 전이가 일어난다. 이후, 경부 level III, IV, V로 림프절 전이가 진행된다. 후인두 림프절에도 편도의 편평세포암이 전이될 수 있으며, 대부분 종양이 구인두 후벽이나 연구개로 침범되었을 때 관찰된다. 후인두 림프절은 인두 후벽과 척추 앞 근막 사이의 지방층에 위치

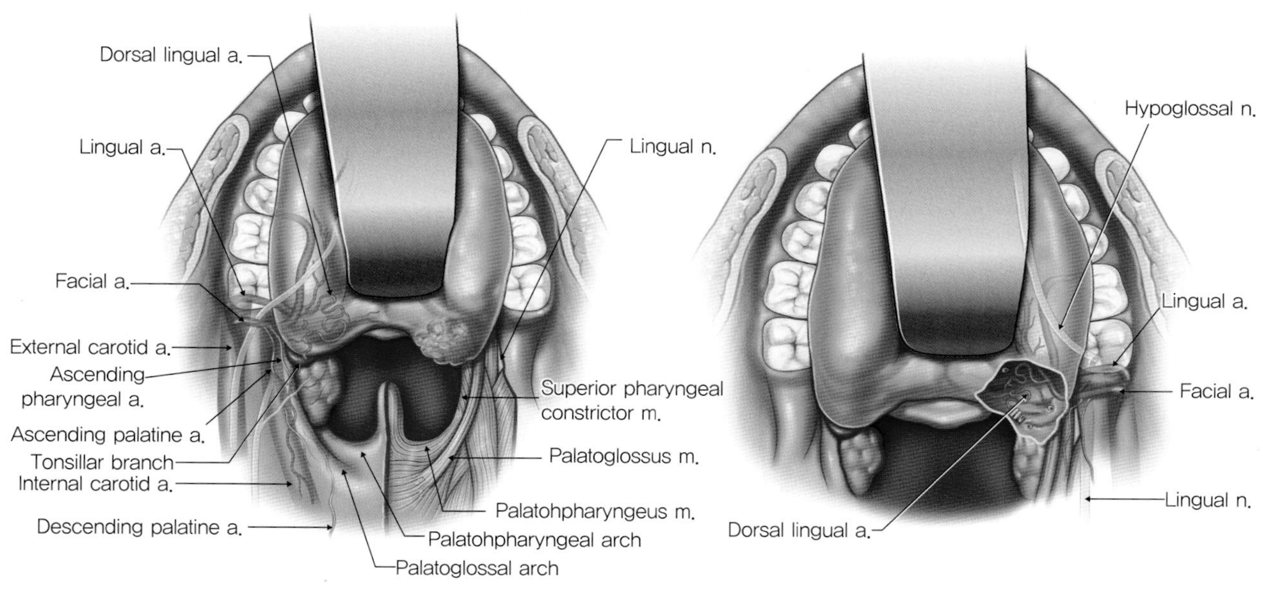

■ 그림 23-2. **A)** 경구강 시야에서 구인두의 동맥, 신경, 근육. **B)** 설근 절제 후 구조. 설배동맥(dorsal lingual artery)의 환자 측에 2개의 clip으로 결찰되어 있다.

하는데, 내측과 외측(nodes of Rouvière)으로 나뉜다.

3. 설근부(Base of the tongue)

설근부는 전방으로 유곽 유두, 외측으로 설편도구(glossotonsillar sulci), 하방으로 설골과 후두개곡의 기저부로 경계 지어지고, 인두후두덮개, 설후두덮개 주름을 포함한다. 림프조직(설편도)은 설편도구(glossotonsillar sulcus)에서 구인두와 이어지며 구인두와 유사하게 중층 편평상피세포로 덮여 있다. 이곳 상피의 구멍은 움(cleft)을 통해 림프 여포와 교통된다. 내설근은 1) 상 설종근(superior longitudinal muscle, 2) 설횡근, 설직근(transversus and verticalis muscles), 3) 하 설종근(inferior longitudinal muscle)이 각각 세 방향으로 접하는 면으로 구성되며 설편도의 바로 아래에 위치한다. 외설근은 내설근보다 깊숙히 위치하는데 이설근, 설골설근, 경돌설근, 구개설근이 있다. 설근부의 동맥 공급은 외경동맥에서 시작되어 설동맥으로 이어진다(그림 23-2). 설동맥은 설골 높이에서 외경동맥으로부터 분지되어 설골설근과 만나기 전까지 중인두수축근의 외측으로 주행한다. 이 부분에서 설골설근보다 깊은 곳에서 설골의 상부 표면을 따라 주행한다. 설동맥의 분지로 상설골 분지, 설배동맥(dorsal lingual artery), 설하동맥, 설심동맥이 있다. 설심동맥은 이설근과 하내설근 사이로 주행한다. 정맥은 설정맥 혹은 후하악정맥을 경유하거나 직접 내경정맥으로 배액된다. 설인신경의 설분지는 설근부의 감각, 구심성 내장신경으로 분포한다. 원심성 운동신경은 하인두 신경에 지배받는데 이는 설골설근 위를 지나고 설골의 위쪽 경계를 따라 이복근, 악설골근보다 깊숙하게 주행하여 설근부 수술 시 가장 손상되기 쉬운 부분이다. 구개편도와 유사하게 설편도의 배중심(germinal center)에는 림프관이 관찰되지 않는다. 하지만 치밀조직으로 구획된 여포 사이 림프관을 통해 설근부로부터 배액되며, 이는 인두벽을 지나 설정맥을 따라 상경정맥 림프절(upper jugular node)까지 주행하고 설근부의 양측으로 중심부를 가로질러 반대쪽으로 배액되어 밀집된 혈관으로 연결된다. Lindberg

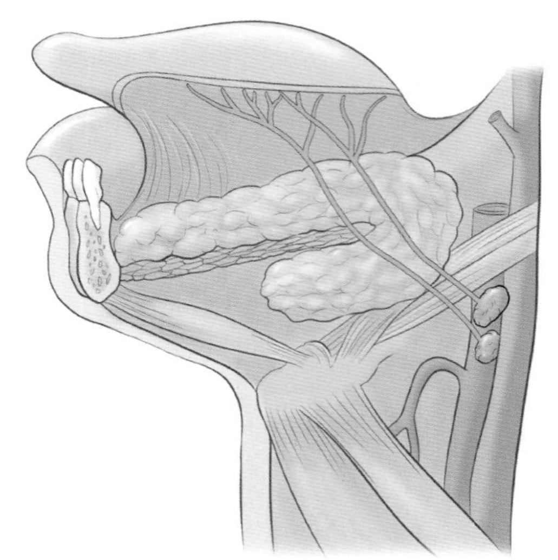

■ 그림 23-3. **설근부의 림프 배액로.** primary echelon인 jugulodigastric nodes로 배액된다.

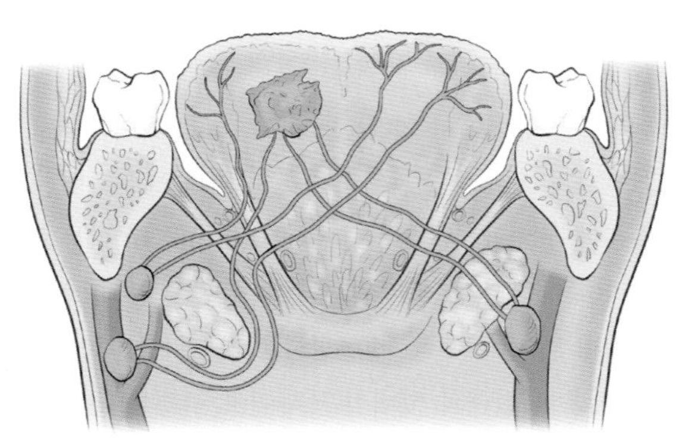

■ 그림 23-4. **설근부의 양측 경부로의 림프배액로**

에 따르면, 구역 II, III, IV 는 설근부 종양에서 가장 전이가 많은 부위로, 양측 구역 II의 전이가 흔하며 구역 V의 전이는 드물다.

4. 구인두후벽(Posterior oropharyngeal wall)

후인두벽은 연구개에서 후두개까지 이르는 구인두의 후벽으로, 상인두수축근과 협인두 근막, 인두두저 근막으로(pharyngobasilar fascia)로 구성된다(그림 23-3).

5. 림프 흐름(Lymphatics)

구인두의 림프절 흐름을 이해하는 것은 치료 계획을 세우는 데 있어 매우 중요하다. 주로 원발병소의 크기와 위치에 따라 림프절 전이가 결정되는데,[16,31] 구인두암의 일차림프 배액 영역은 1) upper deep jugular chain (영역 II)의 jugulodigastric node와 2) 후인두, 부인두강의 후인두, 부인두 림프절이다. 이후 주로 경부의 level II, III, IV 순서로 전이가 일어난다.[24] 설근부와 편도암의 경우 T1이라도 림프절 전이의 빈도가 70% 가까이 확인되며, 설근부, 연구개 및 후인두벽 종양이 중앙에 위치하는 양측 림프 전이가 흔하게 올 수 있다. 특히 중앙에 위치한 T2 이상 병기에서는 양측 경부 림프절 전이 발생률이 높게 나타나므로,[20] 치료 시 이런 점들을 고려해야 한다(그림 23-3, 4).

II 구인두의 악성종양

1. 병리학(Pathololology)

구인두의 악성종양 중 SCC가 가장 많으며, 90% 이상을 차지한다. 다른 악성질환으로 림프종, 림프 상피암종, 소타액선종양, 악성흑색종(MMs), 이외 희귀 악성종양이 있다.

1) 상피 전구 병변(Epithelial precursor lesions)

일반적인 구인두 전구 병변은 임상적으로 백반증(leu-koplakia) 혹은 홍반증(erythroplakia) 혹은 두 가지가 혼합되어 나타나기도 한다. 대부분의 백반증은 이형성 세포를 보이지 않고 과형성과 관련이 있으나, 홍반증이나 혼합 병변은 주로 이형성이 나타난다. 백반증은 악성 변성이 드물고 기저 원인이 제거되면 퇴화되어 없어지기도 하는 반면, 홍반증은 악성으로 진행되는 경우가 흔하다. 과증식증(Hyperplasia)은 극세포증 또는 기저/부기저층에서 세포의 수가 많아지는 것을 의미하고, 세포의 이형성이 없으며, 조직의 구조가 규칙적이다. 구조의 변화와 세포의 이형성이 발견되면 현미경상 특징에 따라 조직학적으로 이형성증(Dysplasia)으로 분류하는데, 고도 이형성증은 상피의 2/3 이상에서 구조와 세포의 변화가 있는 경우이다. 상피 내 암종(Carcinoma in situ, CIS)은 형태학적으로 구분은 어려우나 기저층 침범이 없이 악성 변형이 나타날 때를 의미한다.

2) 편평상피암(Squamous cell carcinoma)

편평상피암종은 다양한 편평상피 분화를 보이는 침습성 상피세포암종으로, 초기부터 진행 병변까지 광범위한 림프 전이를 일으키며, 5-60대, 흡연, 음주와 밀접한 관련이 있다. 임상 양상 또한 다양한데, exophytic, 편평, 궤양성, verrucoid, 유두상 양상을 보인다. 육안 병변의 형태와 무관하게, 조직학적 침습 형태 또한 다양하다. 고도 이형성증과 상피 내 암종은 흡연, 음주력이 있는 환자에서 주로 나타나며, 인유두종바이러스와 연관성이 있는 병변에서는 드문 편이다. 침습성 암종은 규칙적인 세포 구조를 없애고, 림프혈관계, 신경, 근육이나 관절 같은 조직 침범을 일으키며 공격적 성향을 보인다. 또한 keratinizing (KSCC) 부터 nonkeratinizing (NKSCC), 고분화성부터 저분화형까지 다양하게 나타난다. 병리학적으로 HPV 관련 구인두 편평상피암종은 전통적인 keratinizing SCC 와 조직형태적으로 뚜렷한 차이를 보이는 것으로 의견이 모아지고 있다. HPV 관련 종양은 성숙 상피세포로의 분화와 각질화가 드물며, 더 나은 예후를 보인다.

3) 림프상피암종(Lymphoepitherial carcinoma)

림프상피암은 저분화 편평상피암종이나 미분화암으로 정의되며, 뚜렷한 활성 림프형질세포 침습이 동반되고, 모든 구강, 구인두 악성종양의 0.8-2%를 차지하는 드문 종양이다. 90%는 편도와 설근에서 발견되고 일부 협점막 및 구개에서 발견되기도 한다. 종양은 풍부한 림프형질세포 침습이 동반되고 방사선 치료에 좋은 반응을 보인다.

4) 침샘 종양(Salivary gland tumor)

악성 침샘 종양중 10-20%가 구강 및 구인두에서 발생되며, 구강 및 구인두에 발생하는 타액선 종양의 50% 정도는 악성이다. 대부분의 소타액선 종양은 구강 내에서 발생하나, 구인두에서는 연구개, 편도와, 설근부에 발생할 수 있다.[26] 이 중 선양낭포암과 mucoepidermal carcinoma가 가장 많은 빈도를 보인다. 선양낭포암은 상대적으로 흔한 소타액선 악성종양으로, 약 40%는 소타액선 기원이며, 소타액선 기원 선양낭포암의 20%는 구강 및 구인두에 발생한다. 보통은 느리게 자라는 암종으로, 때로는 구개 궤양으로 나타날 때도 있다. 신경 침범을 의미하는 통증은 진행된 병기임을 암시한다. 조직병리학적 형태는 원통형(cylindromatous) 또는 사상형(cribriform)이지만, 일부는 관상형(tubular) 또는 고형(solid) 형태를 보이기도 한다. 사상형 병변은 고형 병변보다 예후가 좋으며, 치료로는 수술적 절제를 가장 권장한다. 일반적으로 선양낭포암은 전형적으로 혈행성 전이를 통해 골전이, 폐전이를 일으키고, 림프절 전이는 다소 드물다. 따라서 경부절제술은 경부 병변이 만져질 때 진행하게 된다. 중등도의 방사선 반응성을 보인다. 점액 표피양 암종(Mucoepidermoid carcinoma)은 가장 흔한 침샘의 악성종양이며, 모든 소타액선 종양의 약 10-20%를 차지한다. 구개의 무증상 병변으로 나타나는 경우가 가장 흔하다. 대부분 고분화성으로, 푸른색을 띄는 부어 오른 병변의 형태로 육아종성 혹은 유두상 표면을 보인다. 조직병리학적으로 상피세포와 점액 분비세포가 혼합되어 관찰된다. 치료는 주로 외과적 광범위 절제술이며, 임상적으로 경부 전이가 의심될 때 경부절제술을 시행하는 것이 좋다. 부정적인 조직학적 특징을 갖는 경우 방사선 치료가 도움이 될 수도 있다.

표 23-1. 일반적 원인과 HPV 원인 구인두 편평세포암의 임상 특성과 예후 비교

AJCC, American Joint Committee on Cancer; ECS, extracapsularspread; HPV, human papillomavirus; N stage, nodal stage; SCC, squamouscell carcinoma; T stage, tumor stage

	일반적 구인두편평세포암	HPV 원인의 구인두편평상피암
연령 및 성별	≥60 세, 남 : 여 = 3 : 2	40–60 세, 남 :여 = 3 : 1
위험 인자	흡연, 음주	물질 의존도 낮음 역학적으로 성관계 이력과 상관성
분자 생물학	P16 발현 안 됨	P16 과발현
병리	Keratinizing SCC, well to moderate to poorly differentiated	Nonkeratinizing SCC, poorly differentiated
임상 양상	비교적 크기가 작은 림프절	원발병소는 작으나, 크기가 크거나, 낭포성 또는 다수의 림프절 전이 양상
예후	5년 생존율 40~60%	좋음, 5년 생존율 80~90%
예후 영향 인자	T, N, and AJCC stage, margin, ECS, 흡연	T stage, margins, 3개 이상 림프절 전이
국소 재발률	높음	낮음
원격 전이율	~20%	5%~6% (수술 ± 보조요법), 7~12% (비수술적 치료)

5) 혈액종양(Hematolymphoid tumors)

구인두는 복잡하고 광범위한 림프 조직을 가지고 있어, 림프 악성종양이 발생할 수 있다. 구개편도, 구개, 설근부 등에 비호지킨 림프종이 발생할 수 있으며, 대부분 원인 미상이나, 일부 림프종 환자에서 면역결핍이 동반되는 경우가 있다. 임상적으로 인후충만감, 연하곤란, 코골이, 통증이 동반되나 전신증상은 드물고, 병변은 외장성 종양 혹은 점막하 부종, 궤양성 병변으로 발견된다. 대부분의 구인두 비호지킨 림프종은 B-cell lymphoma이고 diffuse large B-cell lymphoma가 가장 많다. 주 치료는 방사선치료와 항암치료이며, 전신 전이가 없는 경우 5년 생존율이 50%에서 80%까지 보고되었다.

6) 편평세포암(Squamous cell carcinoma)

(1) 병인(Etiology)

흡연과 음주는 구인두암의 잘 알려진 위험 요인이며, 흡연과 음주를 지속할 경우, 그렇지 않은 군보다 많게는 70~100% 정도 발생률을 높이는 것으로 보고되고 있다. 특히 음주와 흡연이 혼용될 경우 그 발생률이 기하급수적으로 증가한다.[9] 씹는 담배도 구인두암의 주요 위험 요인이며, 인도의 경우 구인두암의 주된 원인으로 씹는 담배를 들고 있다. 최근 들어 구임두암의 발생 빈도가 서서히 진행하는 이유로 인유두종바이러스(HPV)의 감염을 들 수 있다. 인유두종바이러스 중 발암 유전자형인 16번(가장 흔함), 18번, 31번, 33번 유전형의 경우, 편도와에 발생하는 구인두 편평세포암종의 50%에서 발견된다. 최근 연구 결과에 따르면 인유두종바이러스에 의한 구인두암의 발생률은 증가 추세이며 70%까지 보고되고 있다. 젊은 연령, 비흡연, 비음주력의 경우 비교적 좋은 예후를 가지며 문란한 성관계, 구강 성교는 인유두종바이러스 감염 및 편평세포암 발생과 관련이 있다.[4] 일반적인 편평세포암과 인유두종바이러스 관련 편평세포암의 차이점은 (표 23-1)에 기술하였다. 외인적 위험 요인 외에도 편평세포암의 병인 및 발병에 관련이 있는 것으로 알려진 여러 가지 내인적인 위험 요인들이 밝혀졌다. DNA 복구, 돌연변이 유발 인자에 대한 감수성 차이 및 표피성장인자 수용체(EGFR) 등의 유전자 변이 등은 두경부암의 발생에 영향을 미치고 따라서 치료와 예방 대책 시 고려해야 하는 인자이다(표 23-1).

(2) 분자 생물학(Molecular biology)

담배와 다른 발암물질에 의한 편평세포암의 발생과 관련하여 종양 억제 인자인 p16INK4(CDKN2A라고도 알려진)의 불활성화와 Wild type TP53의 소실 및 3p, 9p 및 11p의 염색체 손실 등이 관련이 있음이 보고되었다. HPV 연관 편평세포암은 그렇지 않은 경우보다 분자생물학적 변화가 단순하다.[28] HPV 발암단백질인 E6와 E7은 발암 과정의 핵심적인 역할을 한다고 알려져 있다. E6는 Tumor suppresser gene인 TP53에 결합하여 이를 분해시킨다.[32] 또한 E6는 말단소체복원효소(Telomerase)를 활성화시켜 HPV에 감염된 상피세포의 수명을 길게 하며, 바이러스의 추가 증식을 가능하게 한다. HPV 발암 단백질 E7은 종양 억제 인자인 망막아세포종 유전자(Retinoblastoma gene, Rb)에 결합하여 이를 분해시킨다.[6] E7은 또한 염색체 파열을 유발하여 genome의 불안정과 염색체의 이수성(Aneuploidy)을 발생시킨다. 종양 억제 유전자인 p16의 발현은 Rb에 의해 억제되는데, Rb 가 E7에 의해 불활성화될 경우, p16의 과발현을 유발한다. 이러한 Pathway는 추후 HPV 연관 구인두편평세포암의 치료 효과를 향상시키는 데 이용될 수 있다. HPV 연관 두경부 편평세포암은 Genome sequencing을 분석 결과 돌연변이율이 HPV와 연관이 없는 두경부 편평세포암보다 50%가량 적다고 알려져 있다.

(3) 임상양상과 전이 방식(Clinical presentation and patterns of spread)

구인두암의 경우 진행된 병기에서 진단되는 경우가 종종 있는데, 증상이 비특이적으로 자각이 늦어져 진단이 지연되는 경우가 많기 때문이다. 초기 증상으로는 연하장애, 통증, 목의 이상감각, 구강 출혈, 이통(Cranial nerve 9, 10번의 감각신경 관련), 목의 종괴 등으로 나타난다. 또한 원발 미상암의 경우 경부 림프절 전이만 발견되고, 이학적 검사나 영상검사상 뚜렷한 상부 기도와 소화관의 병변이 없는 경우도 있을 수 있다. 연구개암은 거의 대부분 연구개의 복측(Ventral surface)에 발생한다. 보통 육안으로 쉽게 관찰이 가능하며 진료실에서 조직검사가 가능하다. 편도, 후구치삼각, 비인두까지 병변이 확대될 수 있으며, Level II의 임파선에 가장 처음 전이가 일어난다. 원발암이 정중앙에 위치한 경우 양측 경부로 전이 되는 경향이 있다. 구강, 구인두, 비인두에는 명확한 해부학적 경계가 없기 때문에 구인두암의 경우 주변 구조로 연속적으로 퍼지는 경향이 있다. 구인두암은 편도와에 가장 많이 발생한다. 이 부위에 위치한 경우 골막이나 하악골, 또는 익상근까지 암이 진행할 수 있고, 하측으로 설근부까지 침범할 수 있다. 이로 인해 목의 이물감, 연하곤란, 두통, 개구장애 등을 유발할 수 있다. 병변이 외측으로 진행하여 부인두강을 침범한 경우 뇌신경 IX, X, XI 또는 XII 또는 교감 신경을 포함하는 뇌신경 마비를 일으킬 수 있다. 주로 Level II 림프절로 림프 배액이 이루어지지만 발견 시 병기 진행 정도에 따라 후인두, 부인두, Level III, IV 림프절로 전이가 있는 경우도 있다.[31] Level I, V 림프절로 전이되는 경우는 흔하지 않다. Lindberg 등은 원발암이 편도인 경우 76%, 편도궁의 경우 45% 에서 Level II에 림프전이가 가장 흔하게 일어나며, 반대편 림프절 전이는 구인두암이 정중선에 가까울수록, 크기가 클수록, 많이 일어난다고 하였다. 설근부 종양의 경우 신경 분포가 적어 임상적인 증상이 늦게 나타나며 진단 시 암이 진행된 경우가 종종 있다. 진찰 시에도 병변이 설편도에 가려지고 점막하에 위치한 경우 발견이 어렵다. 종양이 구인두강 내 넓은 면적을 차지하고 후두개곡, 후두개 및 후두상부로 확장되는 경우 연하, 호흡곤란 등 폐색 증상이 나타날 수 있다. 편도암과 설근부암도 원발병소가 작을 경우 Level II 림프절 종대만 발견되고 원발병소의 확인이 어려운 경우가 있으며, 이러한 경우 경부림프절 전이가 낭성 변화를 보이면, 새열낭종으로 잘못 진단되는 경우도 있을 수 있으니 주의하여야 한다. 정확한 진단을 위해서는 세심한 내시경 검사 및 의심 병변에 대한 조직검사가 필수적이다. 설근부 종양은 양측 경부림프절 전이가 최대

20%에서 나타나며, 병변이 정중선에 가까이 위치할 수록 그 빈도는 높다. 림프관 발달이 풍부하여 진단 시 70% 이상에서 동측 림프절 전이가 발견된다. 구인두벽의 원발종양 또한 진단이 늦어지는 경우가 흔하다. 통증, 연하 곤란, 출혈 등의 증상이 발생한다. 척추 근막 후방 쪽이나 심부 경부 구조물, 주요 혈관의 침윤이 있는 경우 치료에 한계가 있고 불량한 예후를 보인다. 경부 림프절 전이는 T1 병기의 약 25%, T4 병기의 75%에서 발생한다. 정중선에 가까이 위치한 경우 양측 림프절 전이가 흔히 발생한다. 후인두 및 부인두 림프절 전이도 잘 일어날 수 있으니 치료 시 이를 염두에 두어야 한다.

2. 진단

1) 병력

포괄적인 병력에 대한 조사가 필요하며, 증상으로는 연하 곤란, 구강 출혈, 이통, 발성의 변화 또는 경부종괴가 있다. 이외에 음주나 흡연력, 작업장 및 환경에서의 생화학물질 노출, 식습관 등 생활 습관에 대한 평가도 필요하다.

2) 이학적 검사

이학적 검사는 암의 진단 및 치료 계획 수립을 위한 중요한 과정이다. 구인두암이 의심되는 환자에서는 혀(형태, 움직임), 편도와, 후구치삼각, 연구개(형태, 이동성), 설근부, 후두개곡, 인두벽을 다 조사해야 한다. 설근부, 편도와의 시진, 촉진 및 flexible, rigid 내시경 검사를 해야 한다. 이렇게 함으로써 종양의 침습 범위를 밝힐 수 있다. 비디오내시경을 통한 진찰은 영상 저장이 가능하여 향후 비교 및 학술적 목적으로 유용하게 사용될 수 있다. 경부 림프절 전이에 대한 평가를 위해 양손 촉진이 필수적이다.

3) 영상 검사(Imaging)

구인두암은 주변 구조물로의 전이 여부를 판단하고 치료 계획을 세우기 위한 영상 검사가 특히 중요하다. 대부분은 CT나 MRI를 통해 평가하는데, 각각 장단점이 있으며 관찰하고자 하는 구조에 따라 유용한 검사가 다르다. 구인두암이 진행하여 상악골, 하악골, 경추나 두개저를 침범할 수 있고 CT는 골침윤 정도를 보기에 적합하며 MRI로는 골막 주변의 침윤을 잘 볼 수 있다. MRI는 암의 연조직 침윤 정도를 평가하는 데 유용하며, 일반적으로 구인두와 경부 평가에 가장 권장되는 영상 검사이지만, 가능하다면 CT와 MRI 두 가지 모두를 참고하는 것이 좋다. PET-CT는 원발암과 원격 전이의 진단에 유용하다. 원발암의 T 병기 평가에는 MRI나 조영제를 이용한 CT보다 효용성이 떨어지며, 주로 수술 후나 방사선 치료 후에 제한적으로 사용한다. 최근 연구에 의하면 방사선 치료 완료 후 3개월 이후에 촬영하는 것이 더 정확하다고 알려져 있다. 8 mm 이상 크기의 병변에서 PET-CT상 음성일 경우 높은 신뢰도를 보이지만, 양성으로 나타난다면 비특이적인 염증이나 검사 중 움직임에도 위양성이 가능하므로 신체 진찰 및 다른 단층 촬영 검사와 비교하는 것이 중요하다. 초음파 검사는 경부 림프절을 관찰하는 데 민감도, 특이도가 높다. HPV와 연관된 구인두 편평세포암의 경우 종종 특이적인 결절 내 낭성 변화를 일으키는데, 경부 초음파 검사가 유용하고, 또한 상대적으로 저비용으로, 실시간 검사가 가능하고 방사선 노출이 없어 횟수의 제한이 없다는 장점이 있다. 조직학적 진단을 위해 미세바늘 흡인검사 시행 시 초음파 유도하 검사도 가능하다. 하지만 진단을 위한 단독 검사로는 제한적인데, 후인두 림프절이나 깊숙히 위치한 구조물들의 경우 초음파가 도달하지 않아 CT나 MRI가 우선적으로 고려된다.

4) 내시경, 조직검사

구인두 종양의 경우 진료실에서 내시경을 이용한 생검이 가능하다. 경부 림프절 전이가 의심되는 경우 초음파를 이용하여 세침흡입검사를 시행함으로써 전이 여부를 안전하고, 신속히 진단할 수 있다. 대부분의 설근부, 편도하부, 구인두 후벽의 병변이나 구인두암의 병변이 작은 경

표 23-2. 구인두암 T 병기(AJCC 8th Edition Staging Manual)

From the AJCC Cancer Staging Manual, Eighth Edition (2017) published by Springer Science+Business Media, LLC.

a.설근부, vallecula 의 원발종양이 후두덮개의 설측면 점막 침범이 있는 경우는 후두의 침범으로 간주하지 않는다.

	T CATEGORY	T CRITERIA
P16 positive	T0	원발종양이 없을 때
	T1	종양의 최대 직경이 2 cm을 넘지 않을 때
	T2	종양의 최대 직경이 2 cm 이상이고 4 cm을 넘지 않을 때
	T3	종양의 최대 직경이 4 cm을 넘거나 후두덮개의 설측면으로 침범하였을 때
	T4	중등도 진행 병변; 종양이 후두, 외설근, 내측 익돌근, 경구개, 또는 하악까지 침범 하거나 그이상 넘어갈 때
P16 negative	Tx	원발종양을 평가할 수 없을 때
	Tis	상피내암
	T1	종양의 최대 직경이 2 cm을 넘지 않을 때
	T2	종양의 최대 직경이 2 cm 이상이고 4 cm을 넘지 않을 때
	T3	종양의 최대 직경이 4 cm을 넘거나 후두덮개의 설측면으로 침범하였을 때
	T4	중등도 또는 고도의 국소 진행 병변
	T4a	중등도 진행 병변; 종양이 후두, 외설근, 내측 익돌근, 경구개, 또는 하악까지 침범하였을 때 a
	T4b	고도 진행 병변; 종양이 가측 익돌근, 익돌판, 가측 비인두 , 또는 두개저까지 침범하거나, 경동맥을 감싸는 경우

우 진료실에서 관찰이 힘들기 때문에 생검조직을 얻기 위해 전신마취가 필요할 수 있으며, 현미경이나 내시경 유도하에 추가적인 검사가 필요하다.

5) 인유두종바이러스 or P16 검사

HPV나 HPV 대리 표지자인 p16의 과발현에 대한 검사는 예후에 대한 중요한 정보를 제공한다. 조직 내 접합법(In situ hybridization), 중합효과 연쇄반응(Polymerase chain reaction, PCR), p16 면역화학 염색 방법 등 다양한 방법으로 HPV를 검출할 수 있다. 이 중 p16 면역화학 염색법은 활성형 HPV를 발견하는 데 민감한 방법으로 시험의 용이성 및 비용 대비 효율성이 높아 널리 이용되고 있다.[15]

6) 병기 결정(Staging)

AmericanJoint Committee on Cancer(제8판)는 구인두암에 대한 T 병기 결정 시스템을 다음과 같이 정의하였다. 구인두암의 경우 보통 직접 또는 내시경을 통한 시진, 촉진이 가능하고 영상 검사와 병행하여 철저한 평가가 가능하다. 그러나 병변이 점막하 침윤을 보이는 경우 진찰만으로는 확인이 어려울 수 있으므로, 촉진과 영상 검사 정보를 종합하여 병기를 결정하여야 한다. MRI나 CT는 표면에 위치한 작은 병변이나, 외장성으로 부피가 큰 병변을 부정확하게 해석할 수 있다. 또한 경계가 불명확하거나 염증반응이 있는 경우 실제 병변의 크기보다 크거나 작게 평가될 수 있어, 병기 결정 시 유념하여야 한다. 정확한 병기 결정을 위해서 수술 전 전신마취하 내시경을 통해 종양의 위치, 크기, 절제 가능 여부 및 최적의 수술적 치료 방법을 정하는 것이 필요할 수 있다(표 23-2).[12]

3. 치료 방법과 그 결과(Therapeutic management and outcome)

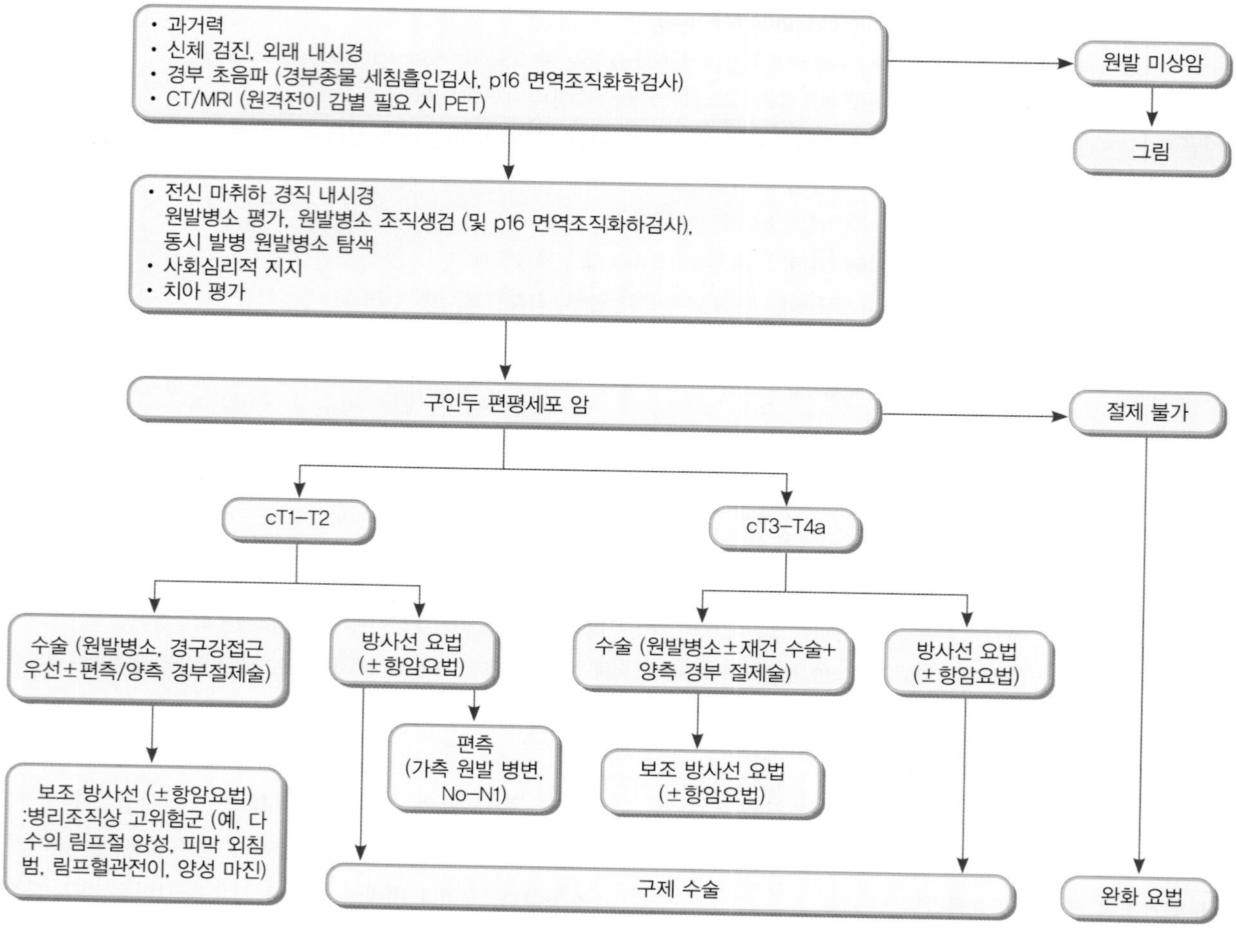

- 과거력
- 신체 검진, 외래 내시경
- 경부 초음파 (경부종물 세침흡인검사, p16 면역조직화학검사)
- CT/MRI (원격전이 감별 필요 시 PET)

원발 미상암

그림

- 전신 마취하 경직 내시경
  원발병소 평가, 원발병소 조직생검 (및 p16 면역조직화하검사),
  동시 발병 원발병소 탐색
- 사회심리적 지지
- 치아 평가

구인두 편평세포 암

절제 불가

cT1–T2

cT3–T4a

수술 (원발병소, 경구강접근 우선±편측/양측 경부절제술)

방사선 요법 (±항암요법)

수술 (원발병소±재건 수술+ 양측 경부 절제술)

방사선 요법 (±항암요법)

편측 (가측 원발 병변, No–N1)

보조 방사선 요법 (±항암요법)

보조 방사선 (±항암요법) :병리조직상 고위험군 (예, 다수의 림프절 양성, 피막 외침범, 림프혈관전이, 양성 마진)

구제 수술

완화 요법

■ 그림 23-5. **구인두 편평 세포암의 치료 알고리즘**

구인두암 치료의 성공은 국소 치료율을 높이는 것이 중요하며, 따라서 원발암 및 원발암과 관련된 주변 림프절 전이를 동시에 치료할 수 있는 치료법을 선택해야 한다. 구인두암 치료 알고리즘이 그림 23-5에 도식화되어 있다. 주로 수술적 치료와 방사선 치료가 주가 되며, 암의 병기에 따라 단일 또는 복합 치료를 시행한다. 초기 병기에는 수술이나 방사선 치료 단독으로 시행하며, 진행된 병기에는 수술적 치료와 방사선 치료 또는 항암 방사선 치료를 시행할 수 있다. 아직까지 어떤 치료가 더 나은 결과를 보이는지는 무작위시험(Randomized trial)을 통해 입증된 바가 없다. 암의 병기와 범위, 환자의 상태, 임상 의사의 경험, 치료 순응도가 치료 결정에 중요하다. 또한 환자도 치료 방향 결정에 참여하여 치료에 대한 전반적인 정보와 수술이나 항암 치료 후 발생 가능한 합병증 및 장기적 영향에 대한 명확한 정보를 제공받아야 할 필요가 있다.

1) 연구개암

연구개암의 초기 병변은 수술이나 방사선 단독 치료 모두 예후가 좋은 편이다. 방사선 치료로 인한 장기적인 부작용을 고려하면, 최근 재건 수술의 발달로 기능을 잘 보존할 수 있다는 측면에서, 고식적 혹은 경구강 수술이 선호된다. 진행 병변의 경우 주로 수술 및 보조 방사선 요법(또는 보조 항암방사선 요법)으로 치료한다. 연구개암은 초기 병변도 림프절 전이가 잘 되는 경향이 있어, 진단시 경부 전이성 병변이 관찰되지 않더라도 예방적 경부절제술 또는 방사선 치료를 해야 하며, 경부 림프 전이가 있다면, 경부절제술과 필요 시 추가 방사선 치료를 고려해야 한다.[10] 병변이 정중선에 가까울수록 양측 림프절 전이 가능성이 높아 양측 경부 절제술이 필요하다.[31]

2) 편도암

초기 편도암의 경우 수술적 치료나 방사선 치료 모두 좋은 치료 성적과 기능적 결과를 보인다. 최근 들어 수술 기법과 기구의 발전으로 대부분의 경우 경구강 접근을 통해 원발병소의 수술적 치료가 가능하다.[8] 하악 절개술 등의 술식은 병변이 광범위하게 진행된 경우에 필요하다. 방사선 초치료 시는 고용량 방사선량에 따른 합병증과 환자의 삶의 질이 고려되어야 하며 수술적 치료와 비교 선택이 필요하다. 진행된 병변의 경우 수술적 치료 후 보조 방사선 요법(또는 보조 항암방사선 요법)을 추가함으로써 생존율을 증가시킬 수 있다.[34] 방사선 치료 후 구제 수술을 한 경우는 5년 생존율이 24% 정도로 불량한 예후를 보인다.[25] 경부림프절 전이의 치료 시 일반적으로 편도암은 잠복전이의 가능성이 20% 이상 되기 때문에,[29] N0 병변의 경우, 동측의 예방적 경부절제술이 필요하다. 수술 후 조직병리 검사에서 다수의 림프절이 보이거나 림프절의 캡슐 바깥으로 종양의 침범을 보이는 경우 수술 후 보조적 방사선(또는 항암방사선) 치료가 권장된다. T3, T4 병변, 또는 연구개로 진행된 병변, 동측의 다발성 림프절 전이를 보이는 경우 반대쪽 경부로의 전이가 많이 일어남으로 예방적 절제술 또는 예방적 방사선 치료를 고려할 수 있다.

3) 설근부암

초기 병변의 경우 수술적 치료나 방사선 치료가 모두 비슷한 국소 치료율과 생존율을 보인다. 따라서 치료 후 기능적 보존이 치료를 결정하는 중요한 요인이 된다. 경구강 레이저 미세수술이나 경구강 로봇 수술 등의 최신 수술법을 도입하며, 치료 결과의 향상과 후유증을 줄일 수 있다. Steiner 등의 연구는 48명의 환자 중 3~4A기가 94%를 차지했는데, Kaplan-Meier 분석 시 5년 치료율 85%, 무병 생존율 73%로 보고하였다. T1, T2 병변에서는 국소 재발이 보고되지 않았고 T3, T4 병변에서는 20%에서 국소 재발이 있었다.[27] 초기 병변에서는 경구강 로봇 수술의 좋은 결과 또한 보고되었다.[19] 방사선 치료는 종종 EBRT (External beam radiation therapy)와 이리듐(Ir-192)이식을 이용한 근접 치료를 이용할 수 있다. 원발병소에 근접 치료 없이 EBRT만 한 경우, T1 병변의 국소 치료율은 78%-96%이며 T2 병변에서의 국소 치료율은 47%- 88%로 보고되었다. EBRT와 근접 치료를 같이 한 경우 T1, T2 병변에서 국소 치료율이 71~100%로 보고되었다. Houssett 등은 설근부암의 T1과 T2 병변에서 수술과 보조방사선치료를 행하는 경우와 EBRT와 이리듐 Ir-192 근접방사선치료를 하는 경우 비슷한 치료 성적을 보였으나, EBRT 단독 치료를 하는 경우 두 그룹에 비해 두 배 이상의 나쁜 결과를 보였다고 보고하였다. 진행된 설근부암의 경우 수술적 절제 후 보조 방사선 치료, 또는 보조 항암 방사선 치료를 병행한다. 지난 이십여 년간 구인두 재건술의 발달로 수술 후 결손부가 큰 경우에도 기능적 보완과 삶의 질 향상이 이루어졌다. Harrison과 Zelefsy 등은 설근부 수술과 보조 방사선 요법을 받은 51명의 환자를 7년간 추적 관찰하였다.[35] 그중 대다수는 T3, T4 병기 환자였고 T3에서 94%, T4에서 75%의 높은 국소 치료율을 보였다. 7년간 무병 생존률은 64%였으며 30%에서는 원격 전이가 있었다. 편도암과 마찬가지로 설근부암도 위치, 병기에 따라 경부절제술을 고려해야 한다. 설근부 편평세포암의 경우 Level II ~ IV를 주의 깊게 살펴야 하고, 필요 시 경부 절제술은 Level Ib 부터 V까지 진행할 수 있다. 초치료로 항암방사선치료를 할 경우 임상 병기에 따라 경부절제술을 시행해야 한다. N2 나 N3 병기에서 몇몇 저자들은 잔존 암의 가능성을 고려하여 수술 후 계획적 경부절제술이 필요하다고 주장하나,[23] 최근 문헌에서는 임상적으로 또는 영상 검사상 잔존 암이 있는 경우에만 시행할 것을 권장한다. T3나 T4 병변이나, 병변이 정중선에 위치한 경우 양측 경부 전이가 있는 경우가 많으므로, 양측 경부절제술이 필요할 수 있다.

4) 구인두 후벽암

초기 구인두 후벽암의 경우 수술 또는 방사선 치료를 할 수 있다. 경구강 레이저 또는 경구강 로봇 수술 및 경우에 따라 보조적 방사선치료 등이 가능하며 수술에 따른 합병증을 줄일 수 있다. MD 엔더슨 암센터 그룹은 구인두후벽 종양의 방사선 치료 결과 T1에서 71%, T2에서 73% 의 생존율을 보고하였다. 대부분의 진행된 구인두암은 일차적으로 원발암 절제 및 양측 경부절제술을 하게 되며, 수술 후 보조적 방사선 치료 또는 보조적 항암방사선치료를 하게 된다. 재건 수술의 발달은 수술 후 기능적 보존에 크게 기여하였다. 구인두벽 종양이 척수와 가까운 경우 방사선 설계와 조사에 어려움이 있다. 구인두암 중 후인두 림프절 전이가 가장 많은 부위는 구인두후벽 종양이며, 연구개암, 편도암, 설근부암 순으로 많은 빈도를 보인다. 후인두 림프절 전이는 주변 주요 혈관들의 분포로 접근이 어려워 경구강 또는 경하악 접근을 통해 후인두 림프 절제술을 시행할 수 있다. 다른 구인두암과 마찬가지로 양측 경부 전이에 대한 평가가 필요하며, 임상적으로 경부 전이가 없더라도 반대쪽 경부림프절 전이가 의심되는 경우 계획적인 방사선치료나 예방적 선택적 경부절제술을 고려해야 한다.

4. 수술적 접근법(Surgical approaches)

절제해야 할 병소의 위치와 크기에 따라 수술적 접근법을 선택하게 된다. 대부분의 구인두 병변은 적절한 구강 견인 장치를 사용하여 경구강 접근이 가능하다. 만일 병변의 크기가 크거나, 위치상 상후두 또는 하인두에 가까운 경우 외측경설골 인두절개술을 통해 좀 더 넓은 시야를 확보할 수 있고, 경우에 따라 하악회전술(mandibular swing approach)이 필요한 경우도 있다.

1) 경구강 접근법(Transoral approach)

1951년 Huet의 편도 종양 절제술의 첫 번째 보고 이후, 최소 침습적 구인두 접근법은 급속하게 발전했다. 현재 대부분의 구인두 종양은 접근성과 술자의 전문성에 따라 경구강 절제가 가능하다. Crawe-Davis, Feyh-Kastenbauer (FK), 또는 Dingman mouth gag 등을 이용하여 적절히 병변을 노출시킬 수 있다. Kleinsasser or Steiner 같은 다양한 크기의 후두경을 이용해 설근부, 후두개곡, 설측 후두개 등의 병변 노출이 가능하다. CO2 레이저는 전기소작기보다 출혈, 조직 손상도, 수술 후 통증, 부종에 유리한 점이 많아 경구강 레이저 수술을 통한 다양한 수술 기법들이 보고되었다.[11] 경구강 로봇 수술은 *da* Vinci 시스템과 같은 수술용 로봇을 이용한 새로운 수술 기법이며, 이미 수월성과 안정성 종양학적 안정성이 검증되었다.[30] 경구강 접근법은 고식적 개방적 술식의 후유증과 합병증을 현저하게 감소시켰으며, 높은 치료율, 생존율, 기능 보존을 가능하게 하였다.

(1) 경구강 레이저 수술(Transoral laser microsurgery)

경구강 레이저 수술(TLM)은 안전한 절제연을 얻기 위해 경종양 절제 및 다중 절제를 기본 원칙으로 한다. 다만 작은 병변의 경우 일괴 절제가 가능하다. 동결절편 분석을 통해 조직학적 음성 절제연을 평가할 수 있고, 시료의 표본 위치에 대한 상세한 기술 및 병리학자와의 적극적 의사소통은 종양학적 완전 절제를 위해 가장 중요한 요소이다. 수술적 적합성을 판단하기 위해 수술 전 8가지 T를 평가한다. 1) Teeth, 2) Trismus, 3) Transverse mandibular dimensions, 4) Tori, 5) Tongue (bulky), 6)

Tilt (atlantoaxial extension), 7) Treatment (prior radiotherapy), 8) Tumor 이다. 경구강 접근이 힘들 때는 인두절개술이 필요하고, 매우 제한적인 경우 경하악 접근이 필요할 수 있다. 접근이 힘들거나 하측 침범이 심한 경우 하악 골격을 온전히 보존하기 위해 경구강 접근 및 경부절제술 후의 인두절개술의 조합이 필요할 수도 있다. 연구개와 편도는 경구강 레이저 수술에 적합한 부위이다. 국소적이고 크기가 작은 외장성 종양은 일괴 절제가 가능한 반면, 크기가 크고 침윤성 종양은 다중 절제가 적합하다. 편도나 외측 인두벽의 깊숙히 위치한 종양을 절제할 때 편도와의 후방 외측에 위치한 내경동맥에 근접할 수 있다. 수술 전 영상 검사의 정확한 분석을 통해 내경동맥의 불규칙적인 주행 여부의 확인이 필수적이다. 만약 원발병소보다 경부절제술을 먼저 시행하는 경우, 경동맥과 인두벽 사이에 cottonoid를 넣어 두면 내경동맥의 의도치 않은 손상을 막고 위치를 파악하는 데 도움이 된다. 설근부종양은 주변 조직으로 점막하 침범 또는 심부 외설근으로 침범하는 경향이 있다. 경구강 레이저 수술을 통해 혀의 정상 조직을 최대한 보존하며 종양의 침윤 범위를 추적하여 완전 절제를 할 수 있다. 설동맥이나 이것의 분지인 배설동맥 분지가 노출되는 경우가 흔하고, 이 경우 철저하게 clipping 해야 한다. 설하 신경은 설동맥의 외측으로 주행하므로 절제 시 주의를 요한다. 구인두후벽 종양은 구강 견인 장치를 통해 적절하게 노출시킬 수 있고 비인두강 쪽으로의 상방 침윤과 전척추 근막의 침범 여부를 경구강 레이저 수술 전 신중히 평가하여야 한다. 또한 외측에 내경동맥에 가까울 수 있으므로 주의가 필요하다.

(2) 경구강 로봇 수술(Transoral robotic surgery)

로봇 수술 시스템은 세 가지 요소로 구성된다. 첫째, surgeon's console은 수술자가 위치하여 manipulator cart에 장착된 로봇 팔을 원거리에서 조절할 수 있다. 인체공학적으로 설계된 surgeon's console의 구조는 장시간의 수술 시간에도 수술자가 피로를 덜 느낄 수 있도록 도와준다. 둘째, manipulator cart에는 1개의 내시경 팔과 3개의 기구 팔이 장착되어 있다. 내시경 팔에는 0도, 혹은 30도 내시경을 장착할 수 있고 2개의 카메라가 통합되어 있어서 3차원의 시야를 수술자에게 제공한다. 로봇 기구 팔에는 성인용의 8 mm 혹은 5 mm 크기의 기구들을 장착할 수 있다. 로봇 기구 팔의 "EndoWrist" 특성을 이용하여 좁은 공간 안에서 다양한 각도로 조직의 절제가 가능하고 상처 봉합 같은 정교한 수술 술기가 가능하다. 2개의 로봇 기구 팔에 각각 dissector와 cautery을 장착하여 양손을 사용하듯이 수술을 진행할 수 있다. 보조 의사는 흡입과 지혈을 위해 환자의 머리 위에 앉아 수술을 도와야 한다. Feyh-Kastenbauer, Crowe-Davis, or Dingman device 등의 개구 장치를 통해 로봇 팔을 접근 시킬 수 있다. 경구강 로봇 수술의 경우 좁은 공간 안에서도 내시경 팔이 제공하는 삼차원의 확대된 시야를 통해 병변의 3차원적인 평가가 가능하다. 특히, 편도암의 수술적 치료를 위해 측부 구인두 절제술을 시행할 때, 로봇 팔의 원위부에 위치한 관절을 구부러지게 조정하여 절제의 방향을 병소의 외측에서 내측으로 진행할 수 있고, 이를 통해 편도와 후외측에 위치한 경동맥의 손상을 최소화 할 수 있다. 또한 설근부 부위의 병소는 기존의 경구강 수술로는 시야가 확보되지 않아 제거하기 어려운 부위였으나 0도 및 30도 내시경을 이용하여 충분한 시야를 확보할 수 있어서 안전한 절제연을 확보하는 데 도움이 된다. 지혈 시 내시경을 통해 전달되는 확대된 영상을 통해서 육안으로는 관찰하기 힘든 작은 혈관들을 결찰하여서 수술 중 발생하는 출혈을 최소화할 수 있다는 장점도 있다.

편도암 절제 시 협부 점막에 절개선을 넣은 뒤 익돌하악봉선(pterygomandibular raphe)을 절개하면, 내익돌근을 싸고 있는 협인두근막층을 찾을 수 있고, 이것을 따라 외측에서 내측으로 박리하면, 상인두수축근을 시료에 포함시킬 수 있으며 이렇게 함으로써 종양학적으로 안전한 절제연을 얻을 수 있다.[21,22] 이후 경상인두근, 경상설근

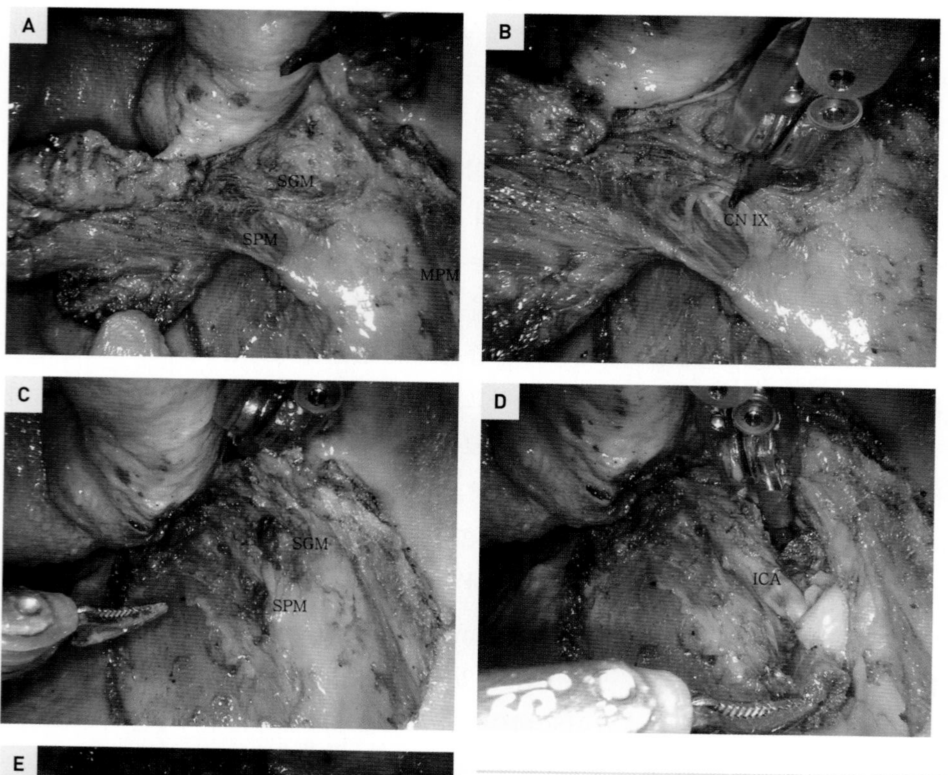

■ 그림 23-6. **Transoral robotic lateral oropharyngectomy. A)** 인두수축근(constrictor muscle)의 근육 하 경계면(submuscular plane)으로 측인두벽(lateral oropharyngeal wall)을 절제하고 있는 모습이며, 부인두강지방(parapharyngeal fat pad)이 노출되어 있고 경돌인두근(stylopharyngeus) 및 경돌설근(styloglossus muscle)이 노출되어 있음. **B)** 혀뿌리(tongue base)쪽으로 절제를 진행하여 편도와(tonsil bed)를 지나고 있는 9번 뇌신경을 확인할 수 있음. **C)** 측인두벽 절제술(lateral oropharyngectomy) 시행 후의 모습. **(D and E)** 부인두공간 지방(paraphryngeal fat pad)을 제거한 후 내부에 위치하고 있는 내경동맥(internal carotid artery)을 확인할 수 있음

을 확인하고 설동맥, 안면동맥, 상행인두동맥으로부터 분지하는 동맥 혈관들을 소작 및 clipping 함으로써 지혈한다. 이후 구인두후벽에서 후인두 수축근을 전척추근막 까지 자르고, 전척추근막을 따라 내측에서 외측으로 박리하면 이미 박리한 협인두근막층을 만나게 된다. 마지막으로 경상인두근, 경상설근을 확인하고 주변 혈관을 조심스레 결찰하고 이들 근육을 자른다. 하방으로는 30도 내시경을 이용하여, 설근부를 종양의 침윤 정도에 따라 절제한다(그림 23-6). 구인두암의 경구강 로봇 수술 고려 시, 개구기를 이용해 병변의 노출 및 시야 확보가 어려운 경우, 설근부 종양에서 외설근까지 침범한 경우, 인두수축근보다 외측 심부 침범이 있는 경우, 전척추근막보다 후방으로 침범한 경우는 수술의 적응증이 안 될 수 있으므로 신중히 판단하여야 한다.

2) 외측경설골 인두절개술(Lateral and transhyoid pharyngotomy)

구인두 종양이 구인두의 하방에 위치한 경우 경구강

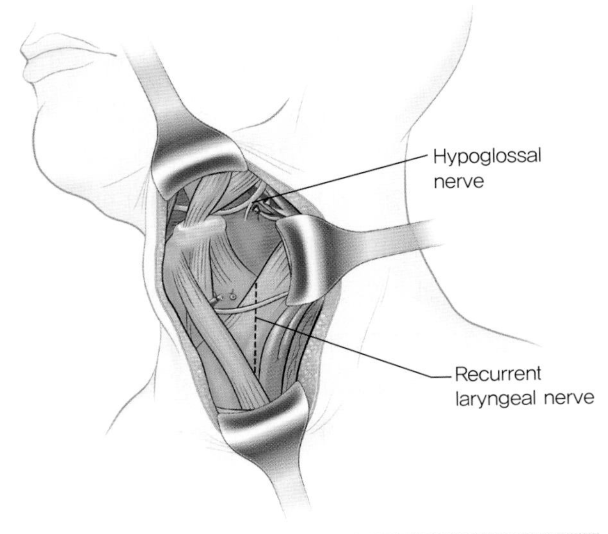

■ 그림 23-7. **외측 인두 절개술을 통해 후두덮개와 설근부를 노출시킴**

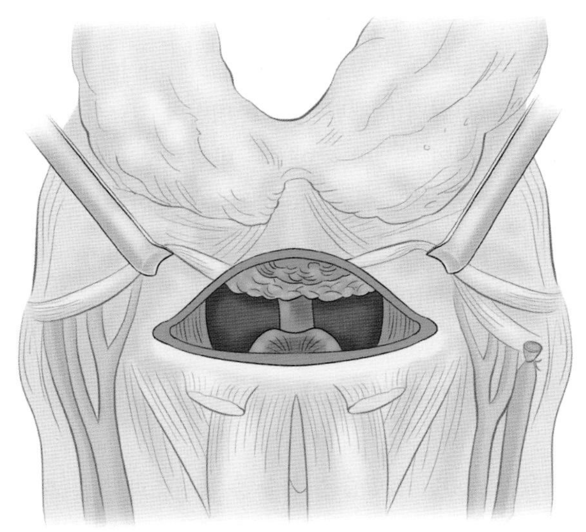

■ 그림 23-8. **설골 상부 근육이 설골로부터 박리되고 후두개곡 안으로 접근함**

접근이 어려울 수 있고, 경부의 유동성이 제한적인 경우 병변의 노출이 어려울 수 있다. 이 경우 외측경설골 인두절개술을 종양의 위치와 크기에 따라 여러 조합으로 적용할 수 있다. 고식적인 인두절개술 접근은 상방으로 설하신경, 하방으로 상후두 신경을 보존할 수 있다(그림 23-7). 종양을 손상시키지 않고 인두로 접근하기 위해 주의가 필요하고 예비 내시경 검사가 권장된다. 경설골 인두절개술은 설골을 상후두 근육으로부터 유리시킨 후 후두개곡 내측으로 접근하는 술식이다(그림 23-8). 인두 내부로 들어가기 전 종양의 위치를 잘 확인해야 한다. 병변이 시야에 확보되면 종양으로부터 적절한 마진을 두고 절제하게 된다. 경돌설골근, 악이복근과 같은 근육을 분리시키면 수술부위로 접근성을 높일 수 있다. 이 술식은 경부 절제술 절개 외에 추가적인 피부 절개가 필요치 않고 구순과 하악을 분리하지 않아도 대부분의 종양을 적절히 노출시킬 수 있다. 다만 인두절개술은 누공을 유발할 수 있으므로, 인두 봉합 시 흡수성 봉합사를 이용해 점막을 철저히 내번시켜서 봉합해야 한다.

3) 하악회전술(Mandibular swing approach)

하악회전술은 일반적으로 재건 수술이 필요할 정도의 광범위한 병변에 적용된다. 구순의 정중선을 따라 피부를 절개하고, 턱끝 주름 아래로 지그재그 형태의 절개로 경부 절개선까지 이어지게 된다(그림 23-24). 연조직과 치은을 절단하고, 하악 절단부 주변 골막을 골부에서 박리시킨다. 구강 전정 부위 봉합 시를 고려해 조직을 조심스럽게 다루어야 한다. 하악의 윤곽에 맞는 plate가 필요하고, 하악을 분리시키기 전 구멍을 내고 크기를 조절해야 하며 Plate를 부착 전 치근의 주행을 고려해야 한다. 수술용 톱으로 방정중 절골술을 시행하고, 이때 절치의 치근부 손상이 안 되도록 주의하여야 한다. 계단 형태로 절골술을 시행하기도 한다. 하악의 방정중절골은 외절치와 견치 사이의 하악을 절개하는 방식이다. 좋은 시야를 제공하고, 절치를 발치할 필요가 없으며, 이설근(genioglossus muscle)을 보호하여 수술 후 연하장애를 줄일 수 있으며, 하치조신경(mental nerve)을 보존하여 하악과 치아 주변의 감각을 보존할 수 있다는 장점이 있다. 또한 수술

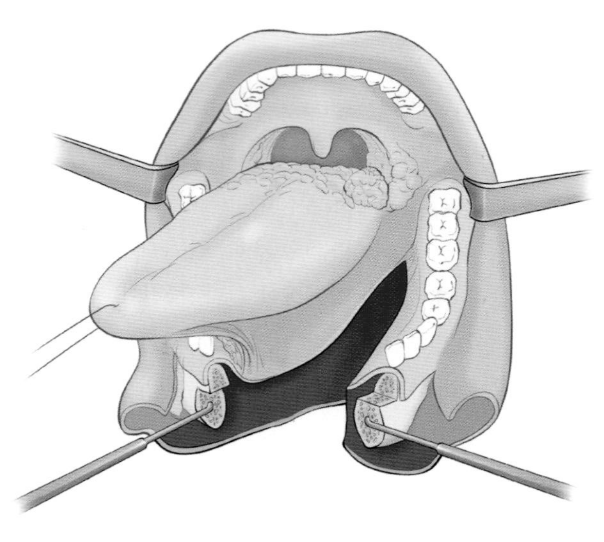

■ 그림 23-9. 구인두를 노출시키기 위해 전측 하악 절개술을 할 수 있다. 하악의 내측을 절개하여 후방 노출을 시킬 수 있다. 화살표 방향으로 조직 견인이 필요하다.

을 마친 후 하악의 고정이 쉽고, 술 후 방사선 조사 시 절개 부위의 방사선 조사를 줄일 수 있다는 장점도 있다. 이후 구강저 연조직을 하악설골근(mylohyoid muscle)과 같이 분리하며, 이때 재건술의 여부와 상관없이 봉합을 위해 하악 외측의 연조직을 충분히 남겨야 한다(그림 23-9). 이는 구인두 접근 술식 중 가장 넓고 침습적인 접근법이지만, 광범위한 종양의 노출과 절제 및 재건을 위해 반드시 필요할 수 있다. 하악절개를 하지 않고 구강저를 통한 구인두 접근법이 소개된 바 있으나, 적응증이 제한적이고 기존 소개된 경구강 접근법으로 충분할 수 있다.

5. 수술 후 관리 및 추적 관찰(Postoperative care and follow-up)

생체 징후, 수액 및 영양 섭취, 상처를 면밀히 관찰해야 하며 재건술을 한 경우 재건 조직의 생존 여부를 시간 단위로 확인이 필요할 수 있다. 예방적 항생제 및 진통제를 투여한다. 경구강 접근 및 개방 술식 모두에서 구인두강 결손부로 음식이나 타액의 저류를 막기 위한 규칙적인 흡입과 소독용 구강 세정을 통한 구강 위생 유지는 매우 중요하다. 수술 직후에는 비위강 튜브를 삽입해 식이를 할 수 있으나 절제 범위가 작은 경우는 필요하지 않다. 때때로 상당히 넓은 부위의 절제가 이루어진 경우, 특히 진행된 설근부 종양의 경우 혹은 보조 방사선(항암방사선) 치료를 받는 경우 최소한 처음 몇 주간은 위루술이 필요할 수 있다. 연하와 발성을 향상시키기 위한 재활은 가능한 한 빠른 시기에 시작되어야 한다. 경구강 절제 시 기관절개술 시행률이 낮으나 개방 술식을 한 경우 기관절개술이 필요한 경우가 많다. 다른 두경부 종양에서처럼, 철저한 경과관찰을 통해 재발 병변을 조기에 발견할 수 있고 이후 질병의 통제를 위해 적절한 중재요법이 필요하다. 하지만, 기관에 따라 추적 관찰을 위한 정확한 프로토콜은 다를 수 있고, 추적 관찰 스케줄을 결정 시 항상 환자 개인의 순응도에 따른 주치의의 판단이 포함되어야 한다. 구인두암 치료 실패의 패턴은 국소 병변의 치료율 향상에 따라 원격 전이 발생이 많아지는 방향으로 변화하고 있다. 이 패턴은 HPV 연관 p16 양성 구인두암에서도 관찰되는데, 치료로부터 장기간 경과 후 원격 전이가 발생할 수 있음을 고려하여야 한다.[22]

6. 합병증(Complications)

수술과 관련된 합병증은 수술 중 합병증과 수술 후 합병증으로 나눌 수 있다. 수술 중 합병증으로 혈관 및 신경 손상(예 : 뇌신경 VII, IX, X, XI 및 XII); 수술 후 합병증으로는 누공, 개구장애, 흡인, 근육 기능장애(예 : 어깨 움직임), 출혈, 통증, 연하장애, 구음장애, 재건술 후 피판소실 및 하악절개술 후 불유합 등이 있다. 원발 악성 종양에 대한 최소 침습적 접근 및 유리 피판술을 통한 재건을 통해 개방 술식과 관련된 합병증이 현저히 감소하고 있다. 경구강 접근법과 관련된 합병증으로 후두경이나 견인기의 압력에 의한 치열 손상과 설 신경, 설인 신경, 설하 신경 손상에 의한 일시적인 미각 및 언어장애가 있다. 인두벽의 점막과 혀에 외상이 생길 수도 있다. 기도 화상은 경구강 레이저 수술 시의 잠재적 위험 요소이지만 수술 시작 전 환자와 의료진 모두가 레이저 안전 예방 조치를 엄격히 지킴으로써 예방할 수 있다. 레이저 보호 튜브 사용, 30% 이하의 흡기 산소 농도 유지 및 환자의 눈, 얼굴, 목을 완전히 덮을 수 있는 촉촉한 패드 사용이 포함된다. 수술 후 출혈은 수술 중 세심한 지혈로 예방할 수 있다. 혈관이 손상되지 않은 상태에서도 혈관벽이 레이저의 열 손상에 노출되어 발생하는 가성 동맥류 형성은 위험할 수 있으므로, 경구강 절제술 중 설동맥이나 안면동맥의 주 가지가 노출되거나 분지된다면, 경부 절제술 후 반드시 외경동맥 기시부 가까이에서 선택적으로 결찰해야 한다. 구인두후벽 종양의 경구강절제술 후 환자는 척추 골수염의 위험이 있으며 보조적 방사선 치료를 받는 경우 특히 더 위험할 수 있어 수술 시 전척추근막을 잘 보존하는 것이 중요하다. 방사선 치료의 합병증은 급성 또는 만성 모두 가능하고, 수술 및 화학요법 병행 여부, 조사 횟수, 조사 방법, 총 조사량에 영향 받는다. 일반적인 급성 부작용으로 점막염, 연하 장애, 구강건조증, 미각 상실, 통증, 피부 감염, 탈모, 피지선 기능 상실, 충치와 같은 치아 손상 등이 있다. 그 외 방사선 골괴사, 방사선 조사 부위의 상처 치유 지연 및 방사선 연관성 혈관 질환으로 인한 허혈성 뇌졸중이 있다. 세기변조 방사선치료 등 최신 치료법으로 방사선 치료 후의 합병증을 많이 줄였지만, 60 Gy 이상의 근치적 방사선량 조사 시 연하장애, 구강 건조감, 미각 저하, 재발성 점막염 등은 여전히 빈번하게 나타난다.

7. 예후 인자(Prognostic factors)

종양/림프절/전이(TNM) 병기, 전반적인 수행 상태 및 성별은 구인두암 환자의 예후에 영향을 미치는 것으로 알려져 있다.[21] 최근 HPV 유병률이 급증하며 p16 양성은 일차 치료법에 관계없이 구인두암의 가장 중요한 예후 인자 중 하나로 부상했다.[13] 인유두종바이러스 DNA와 p16은 밀접한 상관관계를 가지므로 인유두종바이러스 감염의 표지자로 중요한 역할을 한다. Ang 등의 연구에 의하면 3, 4기의 항암 방사선 요법을 받은 구인두 편평세포암 환자의 후향적 분석 연구에서 p16 양성은 재발이나 사망 위험의 58% 감소를 보였다.[14] Haughey의 진행된 구인두암에 경구강 레이저 수술을 적용한 대규모 다기관 연구에서는, p16 양성은 p16 음성 환자와 비교하여 재발 또는 사망 위험을 83% 낮추었다.[11] 또한 보조적 방사선치료는 받지 않은 환자와 비교하여 62%의 위험도를 감소시켰다. 수술적 치료를 받은 p16 양성의 진행된 구인두암 환자에서 높은 T 병기와 양성 마진은 중요한 예후 인자로 나타났으나 경부전이와 피막외 전이 등의 고위험성 요소의 영향은 p16 음성인 경우보다 크지 않은 것으로 나타났다. 후인두 림프절 전이는 예후에 중요한 영향을 미칠 수 있으며, 특히 구인두벽 또는 다른 구인두의 진행된 종양의 치료 시 주의 깊게 다루어야 한다.[7] 수술 전 CT, 또는 PET-CT에서 후인두림프절 전이가 의심되는 경우, 병리결과와 의미 있는 상관관계가 있는 것으로 알려져 있다.[1] 두경부암의 림프절 전이 시 종양 내 저산소 부분이 많으면 방사선 및 항암방사선치료의 반응률을 감소시킨다. EGFR 및 DNA 복구 효소와 같은 많은 다른 분자 표지가 현재 조사 중이다. 이러한 표지자와 상관없이, 가장 중요한 예측 인자 중 하나는 치료 전후의 담배 및 알코올과 같은 외인성 위험 요인에 대한 노출이다. 환자의 순응도 또한 향후 결과를 위해 고려해야 한다. 수술 후 보조 방사선 요법의 시작 시기 지연과 치료 결과에 따른 영향을 조사하기 위한 다양한 연구 결과가 보고되었다. 수술 후 방사선 치료 지연으로 치료 효과가 현저하게 저하된다는 결과는 확실치 않으나, 일부 연구 결과를 토대로 수술과 방사선 요법 사이의 시간 간격을 6~8주를 초과하지 않도록 권장한다.

참고문헌

1. Ang KK, Harris J, Wheeler R, et al: Human papillomavirus and survival of patients with oropharyngeal cancer. N Engl J Med 363:24-35, 2010.
2. Chaturvedi AK, Engels EA, Pfeiffer RM, et al: Human papillomavirus and rising oropharyngeal cancer incidence in the United States. J Clin Oncol 29(32):4294-4301, 2011.
3. Chung EJ, Oh JI, Choi KY, et al: Pattern of cervical lymph node metastasis in tonsil cancer: predictive factor analysis of contralateral and retropharyngeal lymph node metastasis.Oral Oncol 47(8):758-762, 2011.
4. D'Souza G, Kreimer AR, Viscidi R, et al: Case control study of human papillomavirus and oropharyngeal cancer. N Engl J Med 356(19):1944-1956, 2007.
5. de Camargo Cancela M, de Souza DL, Curado MP: International incidence of oropharyngeal cancer: a population-based study. Oral Oncol 48(6):484-490, 2012.
6. Dyson N, Howley P, Munger K, et al: The human papilloma virus-16 E7 oncoprotein is able to bind to the retinoblastoma gene product. Science 242:934-937, 1989.
7. Fakhry C, Westra WH, Li S, et al: Improved survival of patients with human papillomavirus-positive head and neck squamous cell carcinoma in a prospective clinical trial. J Natl Cancer Inst 100(4):261-269, 2008.
8. Foote RL, Schild SE, Thompson WM, et al: Tonsil cancer. Patterns of failure after surgery alone and surgery combined with postoperative radiation therapy. Cancer 73:2638-2647, 1994.
9. Franceschi S, Talamini R, Barra S, et al: Smoking and drinking in relation to cancers of the oral cavity, pharynx, larynx, and esophagus in northern Italy. Cancer Res 50:6502-6507, 1990.
10. Har-El G, Shaha A, Chaudry R, et al: Carcinoma of the uvula and midline soft palate: indication for neck treatment. Head Neck 14:99-101, 1992.
11. Haughey BH, Hinni ML, Salassa JR, et al: Transoral laser microsurgery as primary treatment for advanced-stage oropharyngeal cancer: a United States multicenter study. Head Neck 33(12):1683-1694, 2011.
12. Haughey BH, Sinha P: Prognostic factors and survival unique to surgically treated p16-positive oropharyngeal cancer. Laryngoscope 122 Suppl(September):S13-S33, 2012.
13. Huang SH, Perez-Ordonez B, Weinreb I, et al: Natural course of distant metastases following radiotherapy or chemoradiotherapy in HPV-related oropharyngeal cancer. Oral Oncol 49(1):79-85, 2013.
14. Johansen LV, Grau C, Overgaard J: Squamous cell carcinoma of the oropharynx—an analysis of treatment results in 289 consecutive patients. Acta Oncol 39:985-994, 2000.
15. Lewis JS, Jr, Thorstad WL, Chernock RD, et al: p16 positive oropharyngeal squamous cell carcinoma: an entity with a favorable prognosis regardless of tumor HPV status. Am J Surg Pathol 34:1088-1096, 2010.
16. Lindberg R: Distribution of cervical lymph node metastases from squamous cell carcinoma of the upper respiratory and digestive tracts. Cancer 29:1446-1449, 1972.
17. Moore EJ, Ebrahimi A, Price DL, et al: Retropharyngeal lymph node dissection in oropharyngeal cancer treated with transoral robotic surgery. Laryngoscope 123(7):1676-1681, 2013.
18. Moore EJ, Janus J, Kasperbauer J: Transoral robotic surgery of the oropharynx: Clinical and anatomic considerations. Richards A, ed. Clin Anat 25(1):135-141, 2011. doi:101002/ca22008.
19. O'Malley BW, Jr, Weinstein GS, Snyder W, et al: Transoral robotic surgery (TORS) for base of tongue neoplasms. Laryngoscope 116:1465-1472, 2006.
20. Olzowy B, Tsalemchuk Y, Schotten KJ, et al: Frequency of bilateral cervical metastases in oropharyngeal squamous cell carcinoma: a retrospective analysis of 352 cases after bilateral neck dissection. Head Neck 33(2):239-243, 2011.
21. Park YM, Kim WS, Kim SH, et al: Oncological and functional outcomes of transoral robotic surgery for oropharyngeal cancer. Br J Oral Maxillofac Surg 51(5):408-12, 2012.
22. Park YM, Lee JG, Lee WS, et al: Feasibility of transoral lateral oropharyngectomy using a robotic surgical system for tonsillar cancer. Oral Oncology 45(8):e62-e66, 2009.
23. Pellitteri PK, Ferlito A, Rinaldo A, et al: Planned neck dissection following chemoradiotherapy for advanced head and neck cancer: is it necessary for all? Head Neck 28:166-175, 2006.
24. Shah JP: Patterns of cervical lymph node metastasis from squamous carcinomas of the upper aerodigestive tract. Am J Surg 160: 405-409, 1990.
25. Spiro JD, Spiro RH: Carcinoma of the tonsillar fossa. An update. Arch Otolaryngol Head Neck Surg 115:1186-1189, 1989.
26. Spiro RH, Koss LG, Hajdu SI, et al: Tumors of minor salivary origin. A clinicopathologic study of 492 cases. Cancer 31:117-129, 1973.
27. Steiner W, Ambrosch P, editors: Endoscopic Laser Surgery of the Upper Aerodigestive Tract, New York, 2000, Thieme Stuttgart.
28. Stransky N, Egloff AM, Tward AD, et al: The mutational landscape of head and neck squamous cell carcinoma. Science 333(6046): 1157-1160, 2011.
29. Wei WI, Ferlito A, Rinaldo A, et al: Management of the N0 neck—reference or preference. Oral Oncol 42:115-122, 2006.
30. Weinstein GS, Quon H, Newman HJ, et al: Transoral robotic surgery alone for oropharyngeal cancer: an analysis of local control. Arch Otolaryngol Head Neck Surg 138(7):628-634, 2012.
31. Werner JA, Dünne AA, Myers JN: Functional anatomy of the lymphatic drainage system of the upper aerodigestive tract and its role of metastasis of squamous cell carcinoma. Head Neck 25:322-332,

2003.
32. Werness BA, Levine AJ, Howley PM: Association of human papillomavirus type 16 and 18 E6 proteins with p53. Science 248:76-79, 1990.
34. Zelefsky MJ, Harrison LB, Armstrong JG: Long-term treatment results of postoperative radiation therapy for advanced stage oropharyngeal carcinoma. Cancer 70:2388-2395, 1992.
35. Zelefsky MJ, Harrison LB, Armstrong JG: Long-term treatment results of postoperative therapy for advanced stage oropharyngeal carcinoma. Cancer 70:2388-2395, 1992.

CHAPTER

24

하인두의 악성종양

김민식, 조정해

구인두와 경부 식도 사이에 위치하고 있는 하인두에서 발생하는 악성 종양인 하인두암은 대부분 진행된 병기로 발견된다. 점막하 침범과 정상 점막을 뛰어 넘는 도약병변(skipped lesion)도 하인두 아래의 식도 등 위장관에 빈번히 발견되어 보고에 의하면 약 60%까지 이를 수 있다.[14] 하인두암은 경부 림프절, 기관식도 주위 림프절 및 종격동 림프절로의 전이가 흔하며 원격전이나 이차암의 발병률도 높아서, 수술 및 다른 비수술적 치료의 발달에도 불구하고 두경부암 중에서 예후가 가장 나쁜 암으로 알려져 있다. 따라서 다른 두경부암처럼 진행된 하인두암에서 치료의 방향을 면밀히 계획하여 최선의 종양학적 및 기능적 결과를 얻기 위해서는 두경부외과의뿐만 아니라 종양내과, 영상의학과, 병리과 및 재활의학과 의사가 함께 참여하는 다학제적 치료 접근이 필요하다.

I 역학

하인두암은 두경부암의 3–5%, 전체 암의 약 0.5%를 차지하며 6, 70대 남자에서 호발한다. 하인두암은 해부학적으로 이상와(pyriform sinus), 하인두 후벽(posterior pharyngeal wall), 후윤상부(postcricoid area)암으로 나눌 수 있으며 한국, 미국을 비롯한 대부분의 나라에서 이상와암의 빈도가 가장 높으며 그 다음으로 하인두후벽암, 후윤상부암 순이다. 그러나 일부 북유럽에서는 후윤상부암의 발병률이 높으며 남자보다 여자에서 호발하는데 이는 Plummer–Vinson 증후군에서 후윤상부암이 많이 발생하기 때문이라 추정하고 있다.[16] 환자의 70% 이상에서 3, 4기의 진행된 병기에서 발견되며[12] 최근 미국 국립암 데이터베이스에 따르면 하인두암 전체의 5년 생존율은 약 35% 정도로 알려져 있다.[9] 병기별 5년 생존율은 1기, 2기, 3기 및 4기에 따라 각각 63.1%, 57.5%, 41.8%, 22%로 보고되었다.

II 유발요인

하인두암의 원인은 다른 두경부암에 비해 발생 빈도와

연구가 적어 확실히 밝혀지지는 않았으나 중요한 위험인자는 흡연과 음주이다. 음주는 그 자체가 발암물질은 아니지만 암 발생의 촉진제로 작용한다. 영양결핍도 한 원인이 되며 특히 비타민A가 연관될 것으로 추측한다. 다환방향족 탄화수소(polycyclic aromatic hydrocarbon), 석면, 용접 연무(welding fume)에 의한 노출도 위험을 증가시킬 수 있으며, 감염 특히 인유두종바이러스(human papillomavirus) 감염 또한 중요한 역할을 한다. 최근 국내 보고에 따르면 하인두암으로 수술받은 환자의 약 10.9%에서 고위험 인유두종바이러스가 발견되었으며 구인두암처럼 흡연 등의 다른 요인에 의해 유발된 경우보다 좋은 예후를 보이고 있다고 하였다.[21] 또한 이상와암인 경우에 주로 인유두종바이러스가 발견되었고 젊은 연령에서 발병하는 등 구인두암에서 인유두종바이러스의 역할과 유사한 양상을 보였다고 보고하였다.[21] 온열 혹은 기계적 외상, 식도 무이완증(achalasia), 식도게실, 만성적인 알칼리액에 의한 식도협착, 방사선치료, 위식도 역류 등의 만성적인 자극도 악성화에 기여한다. Plummer-Vinson 증후군은 연하장애, 하인두나 식도의 격막(web), 철결핍성 빈혈이 특징적이며 그 외 체중감소, 만성 소화장애증(celiac disease), 변지증(tylosis) 등을 동반한다. 주로 30-50대의 비흡연 여성에서 호발하는 질환으로 이 질환에서 특히 후윤상부암이 호발한다.[16]

Ⅲ 병리소견

병리조직학적으로 하인두암의 약 95%는 편평세포암종(squamous cell carcinoma)이며 그 외 편평세포암종의 변형인 선편평세포암종(adenosquamous carcinoma), 기저양 편평세포암종(basosquamous carcinoma)과 선암종(adenocarcinoma), 림프종(lymphoma), 신경내분비암종(neuroendocrine carcinoma), 전형적 또는 비전형적 암양종(typical or atypical carcinoid tumor), 육종(sarcoma) 등이 드물게 발생한다. 특히 후천성면역결핍증 환자에서 하인두 종물이 발견될 경우에는 림프종을 의심해 보아야 한다. 선암종은 하인두의 소타액선이나 경부식도의 이상성 위점막(ectopic gastric mucosa)에서 발생한다. 하인두에서 발생하는 육종에는 지방육종, 혈관육종, 활액막 육종 등이 있다.

Ⅳ 종양의 전파 경로

하인두암은 점막하 침범을 잘하며 특히 이상와암의 경우 평균 10mm의 점막하 침범이 있다고 알려져 있다. 점막하 침범은 하인두의 상부보다 하부에서 심한데 이는 하부에 림프관의 분포가 많기 때문이라 생각한다. Ho등[14]과 Wei 등[48]의 연구에 따르면 점막하 침범은 하방으로 가장 많이 진행되고 다음으로 외측, 상방 순이라 보고 하였다. 따라서 수술 시 절제 경계연을 이전에 방사선치료를 받지 않은 환자에서는 하방으로는 3 cm, 외측으로 2 cm, 상방으로 1.5 cm 이상 확보해야 한다고 주장하였다. 한편 방사선치료 실패 후 구제수술을 시행할 경우에는 이보다 더 넓은 절제연을 확보해야 한다고 하였다.

암 주변에 도약 병변과 암전구 병변도 많은데 이는 구역암화(field cancerization)로 설명할 수 있다. 이상와암은 대개 진행된 병변으로 발견되며 외측으로 진행하면 갑상연골과 경부의 연조직을 침범하고, 하방으로는 동측의 갑상선을 침범한다. 내측으로 진행하면 피열후두개 주름(aryepiglottic fold), 가성대, 부성문강(paraglottic space)을 침범하며 경성문암(transglottic cancer)의 양상을 띤다. 윤상피열근(cricoarytenoid muscle)의 침범이나 윤상피열관절(cricoarytenoid joint) 내로의 침범, 반회후두신경의 마비에 의해 성대마비가 발생할 수 있다. 종양이 더 커지면 외측이나 하인두 후벽을 따라 반대측 이상와를 침범할 수 있다.

하인두후벽암은 진행되어 대부분 큰 원발부 병변으로

진단된다. 그러나 전척추막으로의 침범은 상당히 진행된 경우에 주로 나타난다. 외측으로의 침범은 적으며 일반적으로 상하로 침범하는 경향이 있어 위로는 편도와, 아래로는 경부식도를 침범한다. 하인두후벽암에서는 이차암의 발생이 흔하여 12-20% 정도에서 이차암이 경부식도에 발생하며 하인두 원발암의 경우 다른 두경부암 보다 약 2-3배 높은 빈도로 발생한다.[46] 후윤상부암도 진행된 병변으로 발견되며 하인두를 싸고 원형으로 침범하는 경향이 있다. 윤상연골과 후윤상피열근을 흔히 침범하며 기관주위 림프절(paratracheal lymph node)이나 하심경부림프절 전이가 흔하고 식도등으로 도약병변이나 다발성 암종이 흔하다.

하인두암에서 기관주위 림프절로의 전이는 약 20% 정도에서 보고되고 있으며 주로 후윤상부암에서 가장 많이 발생하고 예후가 상대적으로 나쁜 것으로 알려져 있다.[23] 하인두 특히 이상와는 림프관의 분포가 많으며 주로 level Ⅱ와 level Ⅲ 림프절로 전이된다. 하인두암 환자의 약 70%에서 처음 진찰 시 경부 림프절 전이가 있으며 약 10%에서 양측 경부 림프절로의 전이가 있다. 이상와암의 외측벽보다 내측벽에서 발생한 암종에서 양측 경부전이가 흔하여 반대측 경부로의 전이가 2/3 정도에서 나타날 수 있다. 하인두후벽암의 경우 처음 진단 시 50%-60%에서 경부 림프절 전이가 있으며 후인두림프절로의 전이나 양측 경부 림프절로의 전이가 흔하다. 한 보고에 따르면 전체 하인두암의 17%에서 후인두림프절로 전이가 있었으며 하인두후벽암의 경우는 36.4%로 다른 부위보다 특히 높았다.[49]

 진단

1. 증상과 징후

하인두암 환자는 일반적으로 고령이며, 대부분 과도한 흡연 또는 음주의 과거력이 있다. 이와 같은 결과로 영양결핍 상태를 보여 여러 가지 내과적 문제점을 가지고 있다. 하인두암의 증상은 주로 국소질환과 관련되어 나타나며, 대부분의 환자에서 체중감소를 동반한 연하장애, 연하통, 애성, 반복적인 헛기침, 인두 이물감, 경부 종물, 방사성 이통(referred otalgia) 등의 증상을 호소한다.[5] 그러나 초기 하인두암의 약 37%에서는 무증상으로도 진단될 수 있기 때문에 세밀한 관찰이 필요하다.[15] 이 중 방사성 이통(referred otalgia)은 설인신경의 고실분지(Jacobson's nerve)나 상후두신경의 외이도 분지(Arnold's nerve)에 의해 유발되며 주로 이상와암에서 나타난다. 하인두암의 초기에는 인두이물감이나 약한 인두통을 호소하는 경우가 많으나 병변이 진행되면서 심한 연하곤란이 나타나며 애성과 같은 후두관련 증상이 있는 경우는 병변이 많이 진행되었음을 의미한다. 특히 연하곤란은 처음에는 고형식에서 시작하여 점차 유동식까지 삼키기 어려워지며 이는 하인두 하부 또는 경부 식도의 종양을 시사하는 특징적인 증상이다. 애성은 이상와암이 후두를 직접 침범하거나 후윤상부 또는 경부식도 부위로 파급되어 반회후두신경을 침범한 경우에 이차적으로 나타날 수 있다.

하인두암 환자의 25%가 경부 종물을 초기 증상으로 내원한다. 특히 진행된 병기의 하인두암 환자의 약 90% 이상에서는 경부 종괴를 호소한다고 알려져 있다.[15] 큰 후인두림프절 전이가 있는 경우에는 특징적으로 후두부(occipital area) 통증과 안구후방으로 방사되는 통증이 나타날 수 있다.

2. 이학적 검사 및 내시경 검사

하인두암 진단을 위해서는 먼저 연성 후두내시경을 통하여 하인두 점막 상태를 유심히 살펴보는 것이 필요하다. 내시경 검사 시 후두 모양이 비대칭적이거나, 피열연골의 부종이나 홍반, 편측 이상와 내의 분비물 저류, 후두염발음(laryngeal crepitus)의 소실 등은 하인두암을 의심할 수 있는 중요한 소견으로 주의 깊게 관찰하여야 한다. 하인두암이 성대를 침범한 경우는 진행된 암을 의미하며 치료 선택에 많은 영향을 미칠 수 있으므로 후두기능과 성대운동성에 대한 평가는 매우 중요하다. 경부나 전척추근막의 직접적인 침범은 세심한 신체검사와 적절한 영상검사를 통하여 확인할 수 있으나 종양의 직접적인 침범인지 아니면 림프절 전이에 의한 이차적인 침범인지를 구별하기는 어렵다.

하인두 후벽과 상부 이상와 종양은 후두내시경 검사로 비교적 용이하게 확인된다. 이상와 첨부의 암종은 분비물이 저류되어 있는 경우에는 명확히 확인하기가 어려워 이 부위의 종양을 놓칠 수가 있으며 후윤상부 역시 후두내시경으로 확인하기 어려운 부위이다. 따라서 후두내시경 검사 시 하인두 공간을 보다 잘 노출시키기 위해서는 다른 방법을 적용해야 한다. 내시경 검사 시 하인두를 노출할 수 있는 대표적인 방법은 환자가 Valsalva를 하거나 가성을 내게 하여 하인두 첨부에 있는 병변을 관찰하는 방법이다. 그 외 후윤상부를 더 확인하기 위해 전경부 피부를 전방으로 당기는 방법과 경부를 전방으로 굴곡시키거나 좌우로 회전시키는 방법이 있다.[33]

아래에 위치한 하인두암, 특히 이상와 첨부나 식도입구로 확장 여부를 확인하기 위해서는 전신마취하에 직접후두경이나 현수후두경을 이용한 범내시경(panendoscopy) 검사를 해야 한다. 전신마취하의 범내시경 검사를 통하여 여러 부위를 확인할 수 있어 원발부 종양의 범위와 도약병변, 2차 병변을 육안으로 확인할 수 있다. 바리움 연하검사(barium swallow)는 점막병변의 범위를 결정하거나 이차 원발암을 진단하는 데 도움을 줄 수 있다. 다른 두경부암 보다 하인두암에서 이차 원발암의 빈도가 높으므로 상기도 소화기관(upper aerodigestive tract)에 대한 선별 검사가 필요하다. 두경부암에서 이차암의 빈도는 전체 두경부암 중 약 2.2%, 그리고 하인두암에서 8.9%로 발견되었다고 보고하였다.[18] 따라서 하인두암으로 진단된 환자에서는 범내시경을 통해 이차암, 특히 식도암에 대한 정기적인 내시경검사가 필요하다. 한 보고에 의하면 두경부암 환자에서 정기검사로 식도내시경을 실시한 결과 4.5%의 환자에서 식도암이 발견되었고 특히 하인두암에서 15.9%의 높은 빈도로 식도의 이차암이 발견되었다.[42] 한편 고식적인 식도내시경보다 경비강 식도내시경(transnasal esophagoscope)을 이용하면 환자를 진정시키지 않기 때문에 합병증을 줄이면서 상응하는 진단율을 보여 이차암 진단을 위한 좋은 대안으로 제시되고 있다.[47]

3. 영상학적 검사

하인두암의 위치와 원발 부위 평가는 신체검사 단독으로 하는 것보다 임상적 검사와 영상학적 검사 소견을 종합하여 평가하는 것이 더 정확하다. 하인두암에서 CT 및 MRI검사의 유용성은 내시경으로 확인하기 어려운 점막하 침범과 주위 조직으로의 침습을 판단하고 정확한 림프절 전이 평가를 하는 데 있다. CT및 MRI를 통해 확인해야 할 사항으로는 원발부 종양이 중앙선을 넘었는지 여부, 이상와 첨부의 침습 여부, 후두연골 침범 여부, 하방으로 침범된 범위, 척추전공간의 침범 여부 등이다. 그러나 하인두암의 전척추근 침범의 평가는 영상학적 검사 보다 수술 시 확인하는 것이 보다 더 정확하다. 후두연골 침범 여부를 확인하기 위해서는 CT가 MRI보다 더 선호되지만 MRI의 T2 영상에서 신호 강도 증가 및 T1 영상에서 신호 강도 감소는 89-100%의 매우 높은 민감도를 보이고 있다.[41] 일반적으로 MRI는 CT보다 암의 침범 여부 확인과 보존적 수술 가능 여부를 판별하는 데 더 유용하다. 특히 깔대기 모양의 이상와는 3차원 구조를 펼쳐보면 종양의 침범이 영상 소견보다 광범위한 경우가 많아서 주의를 요한다. 항암화학요법이나 방사선치료를 시행할 환자들은 치료 시작 전후에 영상학적 검사를 시행하여 치료 반응 여부를 비교 확인해야 한다. 진행된 병기의 암은 원격 전이 위험성이 높아진다. 하인두암은 다른 두경부암종보다 원격 전이의 위험성(60%)이 높은데, 원격전이 기관으로는 폐(80%)가 가장 많고 종격동 림프절(34%), 간

(31%), 뼈(31%) 등의 순서이다. 원격 전이에 대한 기본적인 검사는 혈청 검사와 흉부 단순촬영이다. 흉부 단순 촬영은 폐의 전이를 발견할 수 있는 검사로 민감도가 94%, 특이도가 50%이다. 혈청 알칼리 인산분해효소(alkaline phosphatase)는 골전이에서 특이도가 매우 높지만, 민감도는 낮다(20%). 혈청 간기능 검사는 간의 전이를 알 수 있지만 반 이상의 두경부암종 환자에서 만성 알코올 섭취 등으로 인해 간수치 이상이 나타나므로 간기능 검사에서 약간의 상승이 있는 경우에 전이 여부 확인을 위해 항상 추가적인 검사를 필요로 하지는 않다. 흉부 단순촬영에서 이상소견이 있을 때 흉부 CT를, 혈청 알칼리 인산분해효소 수치가 상승되어 있거나 환자가 증상을 호소할 때에 골주사(bone scan)를 검사하는 것이 추천된다. 간기능 검사에서 효소치가 의미 있게 상승되어 있을 때, 암의 병기, 병발 질환을 고려하여 초음파 또는 CT/MRI를 검사할 수 있다. FDG-PET (fluorodeoxyglucose-positronemissiontomography)은 항암치료 전 후에 암의 대사에 대해 객관적이고 상대적인 정량적 정보를 제공하는 영상학적 진단방법이다. 방사선이 붙은 FDG가 암의 활동성을 측정하는데, 암세포는 주변의 정상 세포보다 포도당을 더 많이 소비하므로 신호 강도의 차이가 나타난다. 두경부암 환자에서 PET 활동성은 병리학적 소견과 상관관계를 보인다. CT나 MRI에서 발견되지 않아도 방사선치료 후 PET 활동성의 상승은 잔존하거나 재발된 암을 의미한다. 하인두암의 항암화학요법, 방사선치료의 적용대상자는 술 전 검사로서 PET를 시행하여야 한다.

치료 후 무병 추적관찰 시 일상적으로 CT와 MRI를 촬영하는 것을 지지하는 자료는 없다. 치료 후 영상검사는 관련된 증상이 있거나 내시경에서 재발이 의심될 경우 시행하는 것이 바람직하다. PET의 역할은 국소 부위의 재발이나 지속적인 병을 발견하는 데 사용될 수 있다. 몇몇 연구에서 치료의 효과를 측정하는 데 PET(86%)은 CT, MRI(57%)보다 재발을 찾아내는 민감도는 높으나 특이도는 떨어지므로(75% vs 92%) 하인두암 치료의 모든 단계에서 CT, MRI와 PET의 조합의 이용을 추천한다.

표 24-1. 하인두암의 T(원발부 종양) 병기(AJCC, 8th ed., 2017)

TX	원발 종양을 평가할 수 없는 경우
T0	원발 종양이 없는 경우
T1	종양이 하나의 하인두 소구역(subsite)에 국한되어 있고 종양의 최대 직경이 2 cm 이하인 경우
T2	종양이 하나 이상의 하인두 소구역을 침범하거나, 인접 소구역을 침범하는 경우, 또는 일측 성대 고정 없이 종양의 최대 직경이 2 cm을 초과하지만 4 cm 미만인 경우
T3	종양의 최대 직경이 4cm 이상이거나 일측 성대가 고정된 경우, 식도 침범이 있는 경우
T4a	종양이 갑상 및 윤상연골, 설골, 갑상선, 또는 중앙경부구획의 연조직(후두를 싸고 있는 피대근 및 피하지방 포함)을 침범한 경우
T4b	종양이 전척추근막을 침범하거나, 경동맥을 싸고 있는 경우, 또는 종격동 구조물을 침범한 경우

VI 병기

TNM (tumor/node/metastsis) 병기는 2017년 The American Joint Committee on Cancer (AJCC)에 의해 8차 개정되었다(표 24-1). 이에 따른 병기 표기로 병변의 범위를 알 수 있어 치료 결과의 비교를 용이하게 하여 치료법을 선택할 수 있게 한다. 그러나 하인두암은 점막하 침범이나 연골 침범, 심부 침범이 흔하며 TNM 병기 설정 시 이러한 부분이 생략되는 경우가 있어 임상적 병기(clinical staging)와 병리적 병기(pathologic staging)가 일치하지 않은 경우가 있다. 하인두암에서 TNM 병기는 예후를 추정하는데 도움을 주기는 하지만 여전히 제한점이 있다. TNM 병기는 이차원적으로 종양의 부피와 위치를 기반으로 평가를 하므로 측정에 어려움이 있으며, 종양을 억제하는 환자 개개인의 신체 능력(host factor)이나 종양의 이질성에 근거한 질병의 진행 정도에 대한 평가가 포함되어 있지 않다. 흡연이나 과도한 음주와 같이 발암물질에 지속적으로 노출되는 것 역시 예후에 영향을 미칠 가능성이 있기 때문이다.

Ⅶ 치료

1. 치료의 원칙과 선택

하인두암의 치료는 갈수록 진화되고 있다. 1940-1950년대는 방사선치료가 하인두암의 주된 치료 방법이었으나 현재는 인후두절제술과 재건술 및 추가적인 항암방사선치료를 병용하는 치료가 가장 많이 적용되고 있다. 그러나 수술적 치료 후에는 연하 및 음성 장애가 올 수 있으므로 기관 보 존측면에서 수술로 인후두 절제술을 피하면서 일차 치료로 항암방사선 동시 치료나 선행 항암화학요법도 근래에 많이 적용하고 있다.[7] 한편 기관 보존 치료가 항상 기능 보존 치료와 일치하지 않다는 사실을 염두해야 한다. 방사선항암치료 후 후두 자체는 보존이 될 수 있더라도 후두의 기능이 항상 보존된다는 보장이 없기 때문이다. 하인두암의 치료 방법의 선택에 있어서는 다양한 측면을 고려하여야 한다. 원발암의 범위, 후두 침범 여부, 경부 림프절 전이 여부뿐만 아니라 환자의 전신 상태, 심폐 기능 및 기저 질환 등을 치료 전에 항상 평가해야 한다.

원발부가 T1 및 T2인 조기 병변은 근치적 방사선치료로 우수한 국소 제어율을 보이고 있다. 방사선치료는 조기 하인두암의 치료에 유용하다고 잘 알려져 있으며 특히 외측으로 융기한 병변(exophytic lesion)의 경우 효과적이다. 수술적 치료도 개방형 인두 부분 절제술뿐만 아니라 새로운 술식인 경구강 내시경적 절제술이나 최근 로봇을 이용한 절제술도 조기 병변에서는 선택할 수 있는 좋은 치료 방법이다. 대부분의 조기 하인두암의 경우 수술 후에도 방사선치료가 필요하고 또한 방사선치료는 잠재적 또는 조기 경부 림프절 전이를 치료할 수 있기 때문에 방사선치료 단독요법이 더 선호될 수도 있으나 방사선치료 후 실패로 인한 구제수술을 시행할 경우 합병증의 발생률이 더 높다는 것을 고려하여 치료방법을 선택해야 한다.

T2, T3 병변은 다양한 치료방법을 고려할 수 있다. 항암방사선 동시치료를 시행하거나 선행 항암화학요법 후 치료 반응에 따라 방사선치료 혹은 수술을 시행할 수 있다. 항암방사선치료 후 4-8주 사이에 CT, MRI를 촬영하여 원발부와 경부의 병변을 평가한다. PET CT는 8-12주 사이에 원격전이 여부와 병변의 활동성을 평가하고, 지속적으로 병변이 관찰될 경우 경부 절제술 등의 구제술을 고려해야 한다.[35] 그 외 초기 치료로 인후두절제술과 경부림프절 절제술 후 추가적 방사선치료나 항암방사선치료를 시행할 수 있다. 진행된 하인두암은 기능을 보존하는 수술의 적용이 예전에는 어려웠으나 최근 새로운 방법들이 보고되고 또한 좋은 결과를 보이고 있다. 그러나 T3 이상의 병변에서는 후두 보존 수술은 암종의 재발이나 흡인성 폐렴을 초래하는 경우가 있으므로 환자의 상태를 고려하여 진행된 병기의 경우는 병변의 절제뿐만 아니라 흡인성 폐렴을 예방하기 위해 인후두 전절제술이 필요할 수 있다.

T4a의 진행된 하인두암의 치료법으로는 수술과 술 후 방사선치료 혹은 항암방사선 동시치료 방법을 NCCN (National Comprehensive Cancer Network) 치료 지침에서는 다른 치료 방법보다 우선으로 추천하고 있다.[35] 인후두절제술 후 추가 방사선 또는 항암방사선치료가 항암방사선 동시 치료보다 좋은 결과를 보이고 있기 때문이다. 그 외 선행 항암화학요법이나 항암방사선 동시 치료도 환자에 따라 선택할 수 있다. 수술 후 병리 조직검사에서 절제연 양성, 전이 림프절의 피막외 침범, 종양의 신경 및 혈관 침범, 혈관 내 종양 색전증(vascular embolism), 원발부의 병리학적 병기가 T3 이상, 림프절 병기가 N2 이상인 경우는 술 후 항암 방사선치료의 적응증이 된다.

2. 치료의 선택에 영향을 미치는 요인

1) 나이

일반적으로 두경부암 치료에서 나이는 큰 고려 대상이

아니다. 75세 이상 환자군에서의 생존율은 그 외의 집단과 비슷하다.[44] 그러나 75세 이상의 하인두암과 경부 식도암 환자에서는 동반되는 다른 질환으로 인해 10% 정도에서 치료 고려 대상에서 제외될 수 있으며 이런 이유로 고령에서는 가능하면 수술보다는 먼저 보존적 치료를 시도하는 것을 추천하기도 한다.

2) 동반된 전신 질환

하인두암은 노인에게서 잘 발생하기 때문에 동반 질환이 많으며 치료 시 반드시 고려해야 한다. 수술 전 6개월간 10% 이상의 체중감소는 수술 후의 합병증 발생의 주요 요인이지만 장관영양을 통해 회복할 수 있기에 절대적 금기증은 아니다. 항암화학요법 후 혈액학적 부작용이 흔하며, 편평세포암종에서 빈혈은 나쁜 예후인자로 작용할 수 있기 때문에 수술 전에 교정하여야 한다. 수술 전 마취에 따른 위험을 평가하여야 하며, 비수술적 방사선-항암화학요법을 시행하는 환자에서는 적절한 혈액학적, 간, 신장, 심혈관계의 평가가 이루어져야 한다.

3) 내과적/외과적 과거력

과거 장관수술의 병력이 인후두식도절제술과 위 또는 공장 이식 재건술의 금기증은 아니다.[24] 그러나 이전에 방사선치료를 받았던 사람에서의 방사선 재치료는 매우 신중히 선택하여야 한다.

4) TNM 병기

전척추근막 침범, 원격전이, 원발성 종양 또는 경부 림프절 전이에 의한 경동맥침범은 하인두암종 수술의 상대적인 금기증이다. 후두 보존 수술은 만성 흡인을 견딜 수 있는 조기 병변(T1, T2) 또는 일부 T3 환자에서 적응이 된다. 의학적 평가에서 방사선치료나 항암화학요법에 부적합한 환자에서의 약물치료는 금기이다. 많은 환자에서 수술 전, 후 연하곤란으로 인해 경피적 위조루술이 필요하다.

5) 종양학적 요인

환자의 성별과 전신 상태는 하인두암의 치료 효과와 관련이 없지만, 몇 가지 임상 혹은 병리학적 변수는 예후와 관련이 있다. 신경침범, 혈관침범, 그리고 림프절 피막외 침범, 반대측 또는 양측의 고정된 림프절, level Ⅳ와 Ⅴ 림프절 침범 등은 경부 재발 가능성이 높고, 원격 전이 위험성이 높아 치료 효과가 좋지 않을 것으로 예상되는 지표이다. 따라서 이와 같은 불량한 임상, 병리적 요인이 있을 경우에는 항암방사선치료가 수술 후 반드시 필요하다.

3. 수술적 치료

항암화학요법 및 방사선치료의 발전에도 불구하고 하인두암에서 수술은 여전히 진행된 암에서 국소 제어와 항암 방사선치료 실패 후 구제술로서 중요한 역할을 한다. 특히 T1, T2, 그리고 제한된 T3 병기의 하인두암에서 후두를 보존하는 하인두부분적출술을 시행하여 영구 기관지 절개창 없이 후두의 기능을 유지할 수 있다. 전통적으로 진행된 하인두암의 경우에는 일반적으로 후두전절제술과 필요에 따라 결손 부위의 재건술을 필요로 한다. 최근에는 감각 신경을 동시에 이식하는 근막피부 유리피판의 발달로 후두의 기능을 보존하면서 보다 근치적 적출술을 가능하게 하는 수술이 다양하게 시도되고 있다. 하인두암에서 보존적 수술 시 고려해야 할 사항으로는 첫째, 결손부를 완전히 둘러싼 상피의 재건과 누공 형성이 없도록 치밀한 봉합, 둘째, 적절한 기도 유지, 셋째, 흡인을 방지하고 정상 호흡이 가능할 수 있도록 최소한 일측 윤상피열 단위(cricoarytenoid unit)의 보존, 넷째, 연하 시 충분한 후두의 거상, 다섯째, 연하 및 호흡에 따라 적절히 움직여 반응하는 괄약근의 신경 및 근육 유지 기능 등이 필수적이라 하겠다.

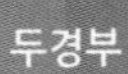

1) 인두부분절제술(partial pharyngectomy)

(1) 측인두절개술을 통한 인두부분절제술(partial pharyngectomy via lateral pharyngotomy)

하인두 후벽이나 이상와 측벽의 T1, T2 하인두암인 경우 측인두 절개술을 통한 인두부분절제술의 적응증이 된다. 이상와의 전벽 혹은 내측벽, 첨부를 침범하거나 후두 내로의 침범이 있는 경우는 적절하지 않으며 종양이 윤상인두근(cricopharyngeous muscle)이나 후윤상부를 침범하거나 전척추근막에 유착된 경우는 금기가 된다. 이 술식의 장점은 후두의 기능을 보존하여 호흡, 연하, 발성을 유지할 수 있으며, 절제 및 재건술이 동시에 가능하고 일시적인 인두루(pharyngostoma)가 대부분 필요하지 않다는 점이다. 수술 후에 심한 인두 부종으로 인하여 기도가 좁아질 수 있으므로 필요하면 수술 시 기관절개술을 시행하여야 한다. 경부 림프절 전이가 있는 경우에는 경부절제술을 먼저 시행한다. 술식은 먼저 경동맥초를 확인하고 갑상연골을 박리하여 하인두수축근과 상갑상신경 및 혈관을 노출시킨다. 하인두 수측근을 절개하여 이상와 점막을 확인한다. 이상와 점막을 절개하여 하인두로 접근하는데 절개되는 점막이 종양의 절제연이 되도록 절개한다. 하인두 후벽이나 측벽에 국한된 종양을 제거한 후에는 결손부위에 따라 재건 방법을 결정하여야 한다. 인두 점막이 충분히 남아 있다면 일차봉합을 할 수 있으나 결손이 큰 경우에는 피부 이식이나 근피판 등을 이용한 재건술이 필요할 수 있다.

(2) 외측 경갑상인두절개술을 통한 인두 부분절제술(partial pharyngectomy via lateral transthyroid pharyngotomy)

하인두 측벽을 광범위하게 침범한 하인두 종양인 경우에는 넓은 절제연을 위해 갑상연골의 후방 1/3, 이상와의 외측벽, 하인두후벽, 설골의 대각(greater horn)을 포함하여 절제하는 외측 경갑상인두절개술을 시행할 수 있다 (그림 24-1).[45] 술식은 갑상연골막을 박리하여 내측과 하측이 붙어있는 피판으로 거상한다. 설골 소각(lesser horn)의 외측부분을 노출시킨다. 상방으로 설골의 대각을 절제하고 갑상연골은 전방 2/3와 후방 1/3이 만나는 선에서 수직 형태로 절개하며 하방으로는 하각을 윤상연골에서

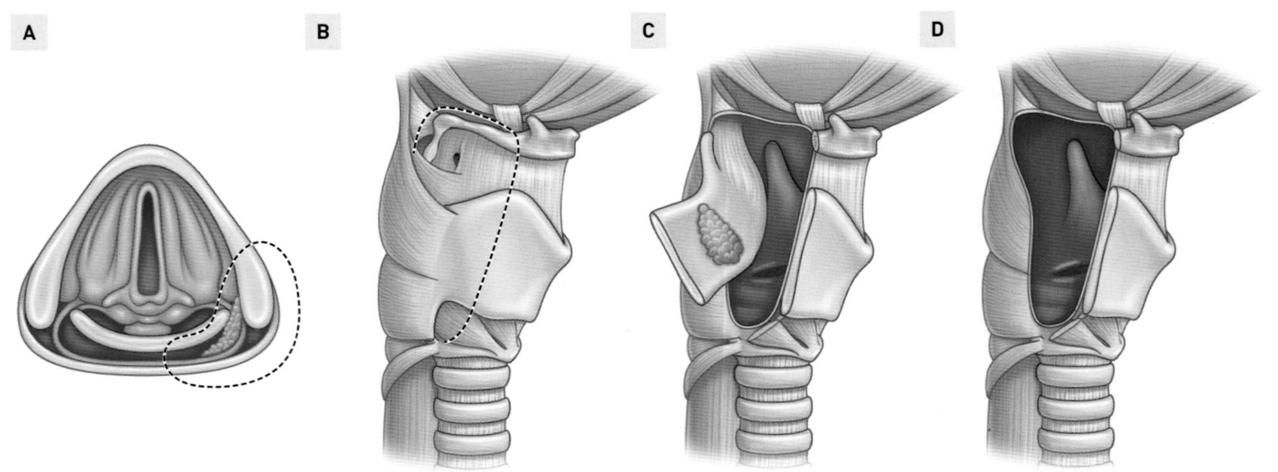

■ 그림 24-1. **외측 경갑상인두절개술을 통한 인두부분절제술.**
A) 점선은 갑상연골의 일부와 하인두의 후외측벽을 포함하는 절제 영역이다. **B)** 점선은 갑상연골, 설골, 후두개곡에서의 절제선이다. **C)** 하인두를 노출한 후 적출 조직을 외측으로 젖히고 종양을 적절한 절제연으로 제거한다. **D)** 종양의 절제 후 결손 부위.

탈구시킨다. 하인두로는 후두개곡(vallecula)을 통하여 접근하며 견인기로 당겨 좋은 시야를 확보해야 한다. 절개부를 통해 종양과 안전한 절제연을 확인하며 절개선을 상부와 하부로 연장하여 종양을 절제한다. 하인두 후벽의 하인두 수축근과 전척추근막 사이를 박리하여 병변을 제거한다. 동결절편조직 검사로 절제연을 확인하고 점막과 연골막 피판을 두 층으로 봉합한다. 비록 효과에 대해서는 논란이 있으나, 수술 후 연하 곤란을 예방하기 위해 윤상인두근 절개를 시행할 수도 있다.

(3) 전방 경설골인두절개술을 통한 인두부분절제술(partial pharyngectomy via anterior transhyoid pharyngotomy)

하인두후벽암의 T1, T2 병변이 본 술식의 좋은 적응증이 된다. 기관절개술 후 설골부에 수평으로 피부 절개를 가하여 설골을 노출시킨다. 설골을 제거하거나 설골 상부 또는 하부로 접근할 수 있다. 설골 제거 시에는 설골의 양측 대각 사이를 제거하며 이때 상후두신경과 설하신경이 손상 받지 않도록 주의하여야 한다. 후두개곡을 통하여 인두를 노출하면 후두개의 설면이 보이며, 후두개를 아래쪽으로 당기고 설기저부를 위쪽으로 견인하여 하인두 후벽을 노출시킨다(그림 24-2).[45] 절제의 깊이는 전척추근막까지이며 동결절편조직 검사로 절제연을 확인한다. 결손부위는 자연 치유되도록 할 수도 있으나 대부분 부분층 피부이식(split thickness skin graft)을 이용하여 결손 부위를 재건한다. 합병증으로 인두피부누공이 발생할 수 있으므로 절개연 봉합 시에 세심한 주의가 필요하다.

(4) 정중 구순하악설 절개술(median labiomandibular glossotomy)에 의한 인두 부분절제술

경구강 내시경 수술이 발전되면서 이 술식은 현재 거

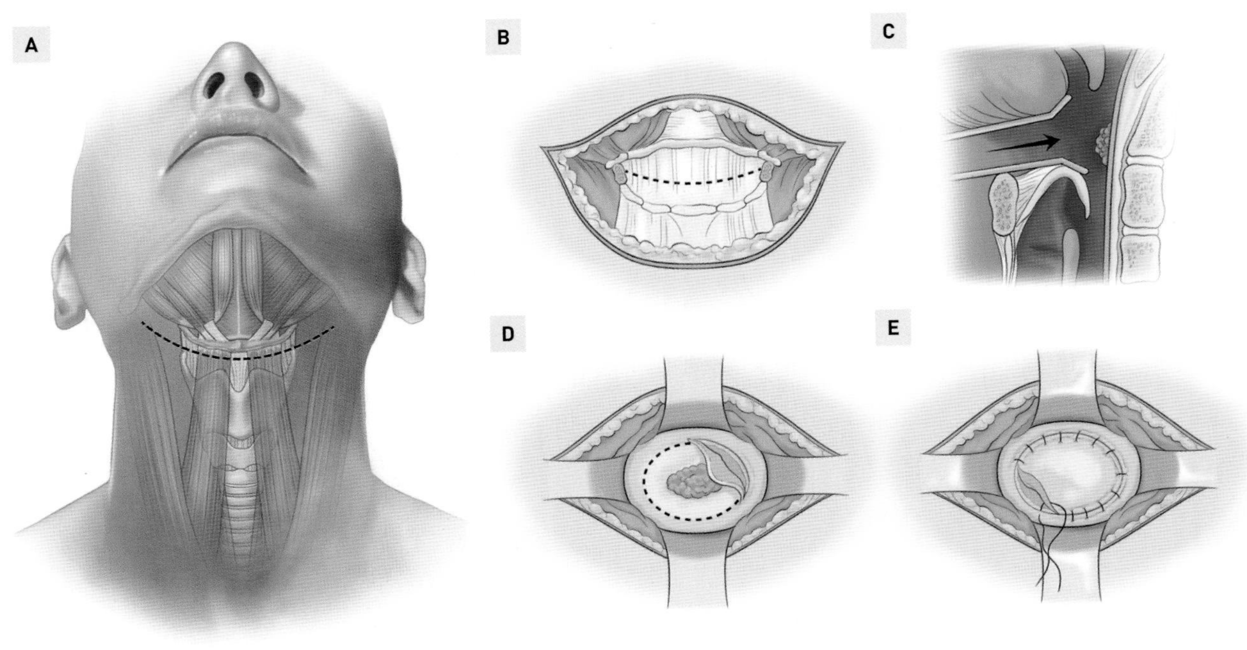

■ 그림 24-2. **전방 경설골 인두절개술을 통한 인두부분절제술.**
A) 설골부위에 피부 절개선을 도안한다. **B)** 설골을 제거한 후 후두개곡을 절개하고 하인두로 접근한다. **C)** 설기저부는 위로, 후두는 아래로 당기고 인두 후벽을 노출시킨다. **D)** 종양의 절제연. **E)** 인두 후벽의 결손 부위에 피부이식을 시행한다.

의 사용되고 있지는 않다. 하구순을 절개하고 하악과 혀를 중앙에서 분리하여 설기저부, 후두개, 후두개곡 및 인두후벽의 접근이 가능하도록 하는 술식이다. 해부학적으로 혀의 중앙부에는 중요한 신경이나 혈관이 없기 때문에 술후에 미용적, 기능적으로 결손이 적다. 하인두 후벽에 발생한 T1, T2의 종양이나 재발한 작은 종양, 혹은 거대한 하인두 양성 종양에서 적응증이 될 수 있다. 종양이 전척추근막에 고정되어 있거나 후두, 윤상인두부, 후윤상부를 침범한 경우는 금기증이 된다. 이 술식의 장점은 인두 후벽의 광범위한 노출이 가능하나 합병증으로 하악의 부정교합, 구순에 반흔이 생기는 점, 연하곤란 등이 발생할 수 있으므로 술식을 적용할 때 이를 고려해야 한다.

2) 인후두 부분절제술(partial laryngopharyngectomy)

인후두 부분절제술은 T1, T2 이상와암의 절제에 적용되며 피열후두개 주름(aryepiglottic fold) 종양이 이상와

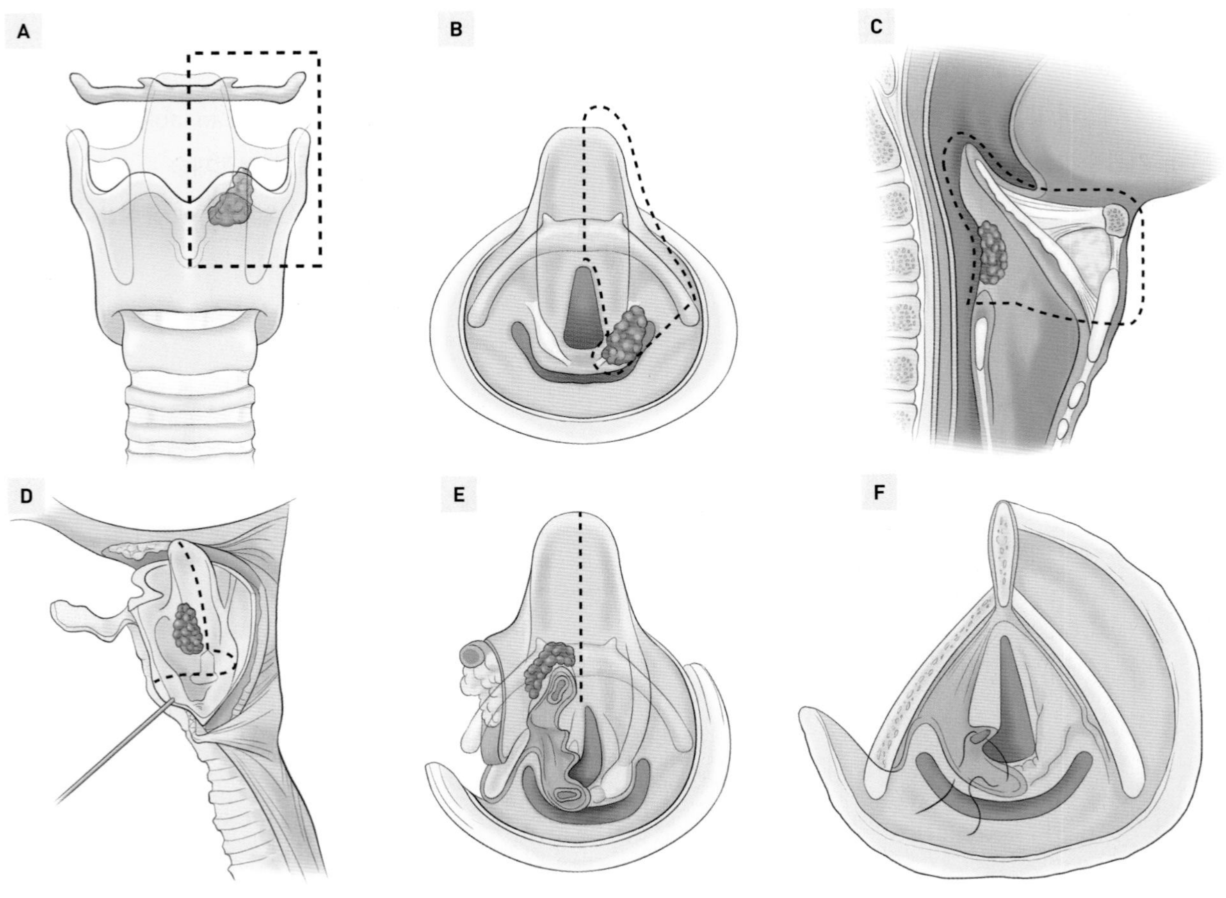

■ 그림 24-3. **인후두 부분절제술: 후두개 반쪽을 남기는 술식.**
A) 이상와 내측벽과 피열후두개주름에 위치한 종양으로, 점선은 갑상연골 절개선 및 절제부위를 표시한다. **B)** 위에서 본 시야로 후두개의 반쪽, 이상와의 일부분, 피열후두개주름, 가성대, 피열연골을 포함하여 절제한다. **C)** 외측에서 본 시야. **D)** 점선은 이상와 내측과 피열연골의 절개선을 나타낸다. **E)** 안쪽에서 본 시야로, 병변측 피열연골을 절제한다. **F)** 종양절제 후 결손부의 모습으로, 남은 성대를 윤상연골에 봉합한다.

로 침범한 경우에도 이용될 수 있다. 이상와, 하인두 후외측벽, 설기저부 일부, 후두개곡을 침범한 병변에도 적용될 수 있다. 병변측 성대 고정, 갑상연골 침범, 이상와 첨부의 침범, 후윤상부위의 침범, 또는 윤상인두근(cricopharyngeus)을 침범한 경우는 금기이다. 이 술식의 장점은 충분한 종양 절제와 함께 연하기능과 발성기능을 보존할 수 있는 것이며 단점은 기술적으로 어려우며 후두 보존 수술 중 합병증이 빈번하다. 합병증으로는 창상 파손 및 감염, 인두피부누공, 흡인, 폐렴 등이다.

이상와 내측벽에 국한된 종양의 경우 병변 측 설골 절반, 후두개 절반, 이상와 내측벽, 가성대, 피열연골, 동측 갑상연골의 상부 2/3를 포함하여 절제할 수 있다(그림 24-3). 먼저 병변 측 설골상부의 근육을 절개하여 설골과 분리시킨다. 갑상연골에서 갑상연골막을 박리하기 위해 갑상 연골의 상연을 절개한 후 갑상연골막을 갑상연골 상연에서 하연 쪽으로 박리한다. 갑상연골의 절제는 갑상연골 중앙의 갑상절흔에서 갑상연골상부 2/3와 하부 1/3이 만나는 지점의 높이로 절개한다. 여기서 갑상연골 절개선을 뒤쪽으로는 갑상연골 하각 방향으로 비스듬하게 절제한다. 설골로부터 후두개곡 점막을 박리한 후 설골 상연을 따라 후두개곡 점막 내측으로 절개하여 후두개를 노출시킨다. 후두개를 중앙부에서 위에서 아래로 전교련 직상방까지 반으로 절개한다. 아래쪽 절제를 위해 박리 가위의 안쪽 날은 후두실에, 바깥쪽 날은 갑상연골 절개부위에 위치시키고 전교련 직상방에서 시작하여 진성대를 보존하며 피열연골까지 절제한다. 후두개곡 부위 절개 시는 종양의 하측과 외측 부위에 충분한 절제연을 가질 수 있도록 주의해야 한다. 하인두 측벽의 일부를 포함하여 절제할 수 있으나 병변이 이상와 내벽에만 국한된 경우 하인두 측벽의 대부분을 보존할 수 있다. 피열연골을 침범하지 않은 경우에는 피열연골을 절제하지 않고 보존할 수 있으며 이상와 내벽의 상부만을 국소적으로 침범한 피열후두개 주름 부위 종양에 적용될 수 있다. 그러나 대부분의 경우 적절한 수술 절제연을 얻기 위해서는 피열연골을 절제해야 한다. 피열열골을 절제한 경우에는 흡인을 방지하기 위해 병변 측 성대를 내측 중앙 부위에 고정시킨다.

종양이 후두개, 후두개곡, 혹은 전후두개 공간을 침범한 경우에는 성문상후두부분절제술과 비슷하게 전후두개 공간과 건측 가성대와 함께 후두개 전체를 제거한다(그림 24-4). 이 경우 건측 설골의 소각부위에서 절제하거나 설골 전부를 제거한다. 병변측 갑상연골 절개는 앞서 기술한 방법과 동일하며, 건측은 갑상연골 상각 방향으로 절제하거나 상각을 포함하여 절제한다. 건측 후두개곡으로 들어가서 후두개를 잡고 앞쪽으로 견인한다. 건측 후두개 가장자리부터 절개를 시작하며 뒤쪽 방향으로 후두개를 절제하고 건측 피열연골 전방까지 연장하여 후두실로 진행한다. 이후 바깥쪽 갑상연골 절개선과 연결하여 전교련 직상방 부위까지 절개를 연장한다. 종양의 안전한 절제연을 잘 확인하면서 후두개곡 절개를 병변측 이상와 측벽의 외측과 하측으로 연장하여 안쪽 후두점막 절개선을 피열연골 부위에서 바깥쪽 갑상연골 절개선과 만나게 한다. 절제된 부분을 앞쪽으로 당기면서 전교련 직상방 부위에서 반대측 절개선과 만나게 하여 절제를 완료한다. 절제 후에는 양측 성대와 일측 피열연골이 남게 된다. 결손부위는 하인두 측벽의 점막을 당겨 봉합하고 박리한 갑상연골막과 설기저부를 봉합하여 준다.

3) 상윤상 인후두 부분절제술(supracricoid hemilaryngopharyngectomy, SCHLP), 수직 인후두부분절제술(vertical hemipharyngolaryngectomy, VHPL)

Laccourreye 등[28] 이 제안한 상윤상 인후두부분절제술(supracricoid hemilaryngopharyngectomy)은 동측의 윤상연골 위의 후두 반쪽과 이상와를 포함하여 절제하는 술식으로 피열후두개주름, 이상와의 전벽, 내측벽, 외측벽을 침범한 하인두암에 적용될 수 있다. 수술 적출물에는 병변 측 하인두, 후두의 절반과 윤상연골이 일부 포함될 수 있다.[37] 이 술식의 금기증은 이상와 첨부나 후윤상부위를 침범한 경우, 하인두 후벽을 침범한 경우, 동

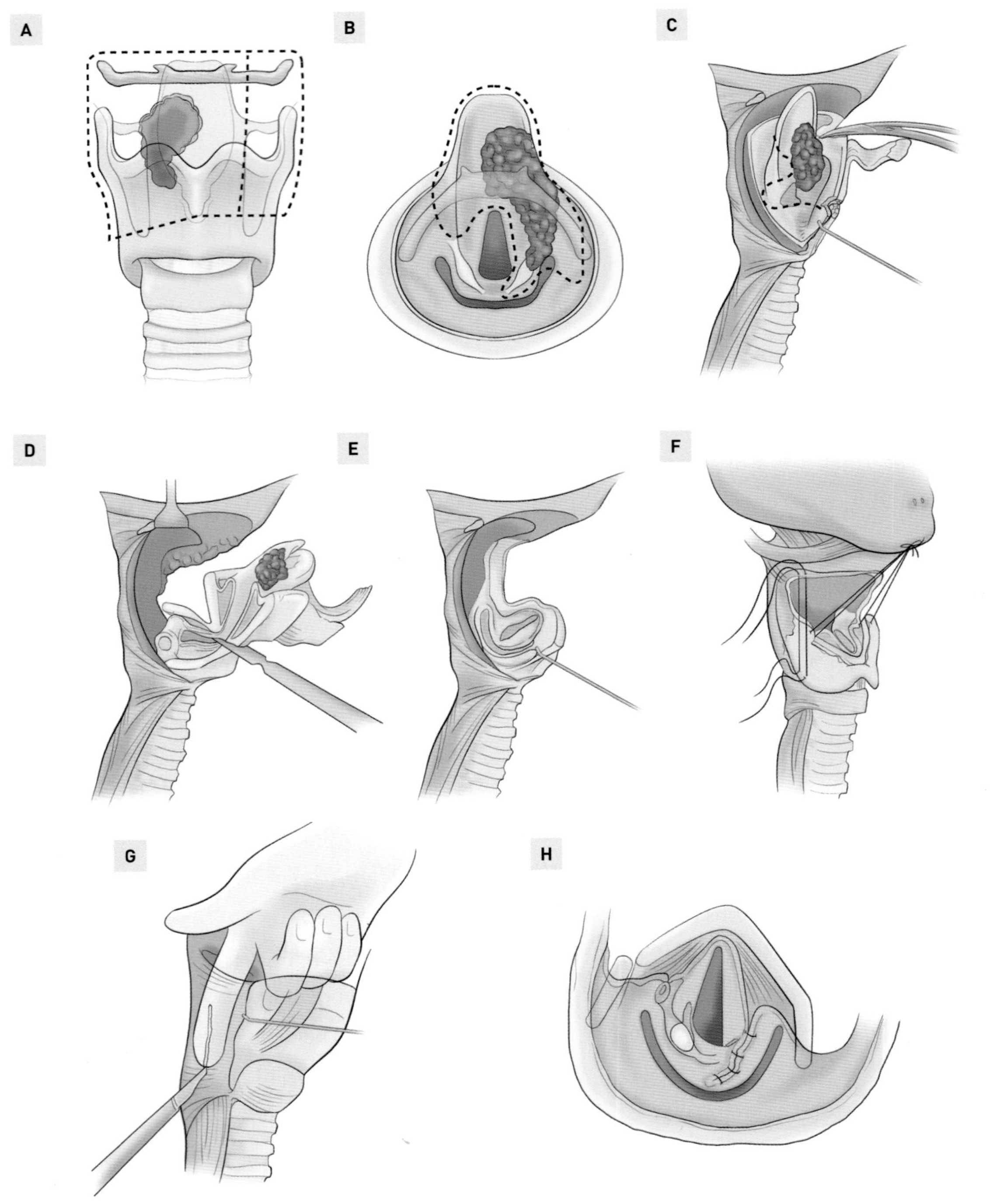

■ 그림 24-4. **인후두 부분절제술: 후두개 전체를 제거하는 술식.**

A) 이상와 내측벽에서 후두개로 진행된 종양으로 점선은 갑상연골 절개선과 제거되는 부위를 나타낸다. **B)** 절제되는 부위로 후두개 전체, 피열연골, 이상와의 일부분이 포함된다. **C)** 하인두가 노출된 후 이상와 내하측, 후두개곡, 반대측 상부성문을 포함하는 절제선. **D)** 전교련 직상방에서 후두실을 통해 절제가 거의 완성된 시야. **E)** 결손 부위. **F)** 갑상연골막을 설기저부에 봉합한다. **G)** 윤상인두근 절개술. **H)** 남은 성대를 중앙부에 봉합하고 점막으로 덮어준다.

측 성대마비가 있는 경우이다. 우선 경부절제술과 동측의 갑상선 엽절제술 및 기관주위림프절 절제술을 시행한다. 피대근을 절제하지 않고 갑상연골의 연골막을 갑상연골 뒤쪽에서 절개하여 박리하고 피대근과 같이 붙여 내측으로 견인한다. 설골은 보존하거나 대각을 제거할 수 있다. 상갑상혈관을 결찰하고 윤상갑상관절(cricothyroid joint)을 탈구시킨다. 먼저 톱(saw)을 이용하여 갑상연골을 중앙에서 절개한다. 후두개와 전후두개공간을 아래에서 위로 수직으로 절개한다. 후두개곡을 통하여 외측으로 절개를 확장하면서 하인두의 외측 병변을 제거한다. 윤상연골의 상연을 따라 뒤로 절제하고 피열연골 사이의 절개(interarytenoid incision)를 윤상연골 깊이까지 넣고 피열연골을 같이 절제하며 절개연을 연결시킨다. 이상와의 하부점막을 윤상연골에서 박리하고 적출물에 같이 포함하여 절제한다. 동측의 후두 절반이 제거되므로 병변측의 반회후두신경을 반드시 보존할 필요는 없다. 보존한 피열연골을 주위 점막으로 덮어주며 보존하였던 갑상연골막과 피대근을 남아 있는 하인두 측벽의 점막이나 남아 있는 후두와 봉합한다.

Chantrain 등[8] 은 광범위 수직인후두 부분절제술(wide vertical hemipharygolaryngectomy)을 보고하였는데 상윤상인후두부분절제술과 비슷하게 윤상갑상막, 윤상피열관절, 윤상피열근, 갑상피열근을 포함하여 후두 반측과 이상와의 내, 외측벽 및 하인두 후벽까지 포함하여 광범위 절제하는 술식이다. 동시에 결손부를 요측전완유리피판(radial forearm free flap)으로 재건하며, 이때 긴손바닥근힘줄(palmaris longus muscle tendon)을 이용하여 새로운 성대를 재건함으로써 수술 후 연하와 발성 기능을 유지할 수 있도록 한다. 상윤상 인후두부분절제술과는 다르게 피대근이나 갑상연골막을 재건에 이용

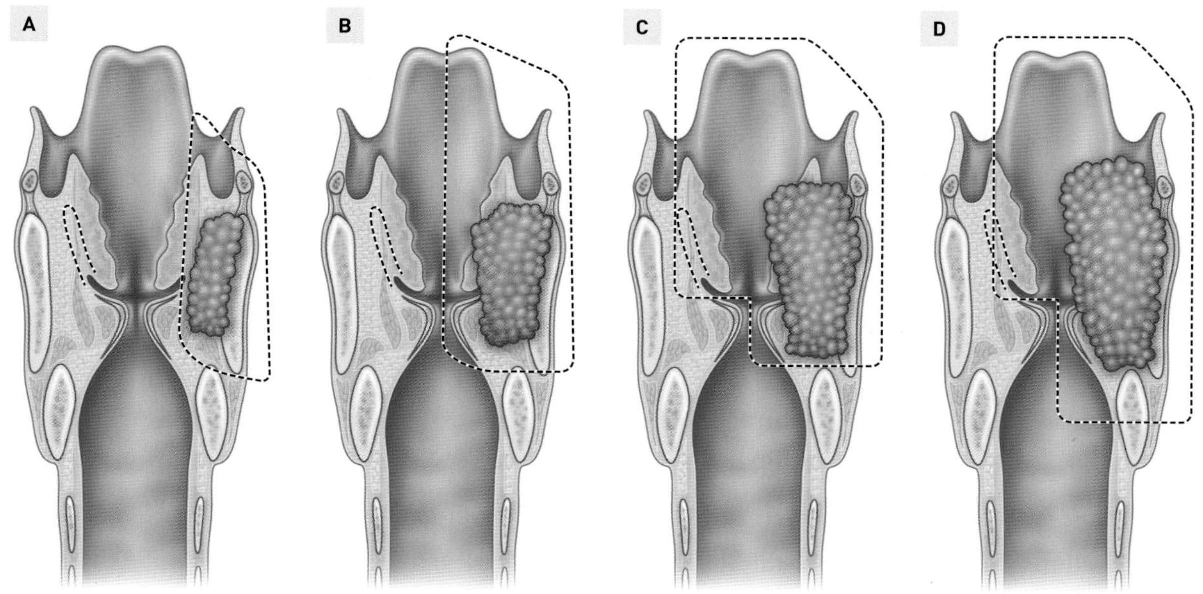

■ 그림 24-5. **광범위 수직인후두부분절제술의 분류.**
A) type I :양측 성대를 보존하면서 탄력원뿔(conus elasticus)의 외측 경계에서 절제. **B)** type II : 윤상연골의 상연까지 전연합부를 통해 갑상연골의 수직절개. **C)** type IIIa :확대 VHPL로 성문상후두절제술을 포함. **D)** type IIIb :확대 VHPL로 윤상연골의 부분절제를 포함
(adapted from Kim MS, Joo YH, Cho KJ, et al. A classification system for the reconstruction of vertical hemipharyngolaryngectomy for hypopharyngeal squamous cell carcinoma. Arch Otolaryngol Head Neck Surg 2011;137(1):88-94.)

하지 않으며 하인두 후벽을 침범한 경우에서도 절제가 가능하다. 수술의 금기증은 반대측 전후두개 공간의 침범, 반대측 후윤상부위의 침범, 또는 반대측 후두가 침범된 경우이다. 2011년 Kim 등은 본 술식을 수직 인후두부분절제술이라 새롭게 명명하고 절제 범위에 따라 3가지 형태로 분류하여 본 술식을 적용하여 그 결과를 보고하였다(그림 24-5).[25] 이로써 하인두암의 T3 및 제한된 T4a 병기에서도 인후두 부분절제술을 적용할 수 있는 후두 보존 수술이 가능하게 되었으나 환자의 선택과 수술 적응증을 신중하게 고려해야 한다고 하였다.

4) 후두전절제술을 동반한 인두부분 또는 전절제술(확대 후두전절제술) (total laryngectomy with partial or total pharyngectomy (extended total laryngectomy))

후윤상부암의 수술적 치료는 대부분의 경우 후두전절제술이 요구된다. 간혹 윤상인두근(cricophryngeus muscle)보다 훨씬 아래에 발생한 경부 식도암의 경우 후두를 보존하면서 경부 식도를 절제하고 공장 유리이식술이나 위상견인술(gastric pull-up)로 재건할 수 있으나 윤상인두근이 침범된 경우에는 후두전절제술을 시행하여야 한다. 또한 항암방사선치료 후 재발 혹은 잔존암이 있을 경우 구제술로 본 술식이 보편적으로 적용된다.

확대 후두전절제술은 후두보존 수술의 적응증이 되지 않는 종양에 적용된다. 흔히 이상와 종양이 부성문강(paraglottic space)을 침범하거나 경성문암(transglottic cancer)의 양상을 보이거나 성대의 고정이 있는 경우, 이상와 첨부, 양측 피열연골, 갑상연골이 침범된 경우에 적응증이 된다. 인두 점막이 충분히 남아 있다면 일차 봉합으로 결손부를 재건할 수도 있으나 술 후 협착을 방지하기 위해 일반적으로 유리피판술이 필요한 경우가 많다. 술 전 방사선치료를 받은 경우 수술 후 합병증으로 인두피부루가 약 40%까지 발생할 수 있다. 종양이 하인두를 많이 침범한 경우에는 하인두 전체를 환상으로 절제할 수도 있으며 이 경우 공장 유리피판, 요측전완 유리피판 등을 이용한 적절한 재건술이 요구된다. 수술 후 음성의 소실 및 영구 기관절개창이 남는 단점이 있다.

5) 인후두식도 전절제술(total pharyngolaryngo-esophagectomy)

인후두식도 전절제술은 경부식도의 원발암이나 하인두암이 경부식도를 침범하였을 때 시행한다. 또한 후윤상부암의 경우 식도로 도약 병변이 다른 부위보다 흔하기 때문에 이 술식을 적용할 수 있다. 기관주위 림프절을 포함한 양측 경부 림프절 절제술과 갑상선전절제술을 시행 후 인후두 전절제술을 한다. 다음으로 횡경막의 식도구멍을 통해 견인 후 식도절제술(transhiatal pull-through esophagectomy)을 시행한다. 재건술은 위상견인술(gastric pull-up)을 주로 시행한다. 이 술식은 수술 합병증과 사망률이 높기 때문에 환자의 선택이 중요하다.

6) 경구강 CO_2 레이저 절제술(transoral laser microsurgery, TLM) 및 경구강 로봇수술(transoral robotic surgery, TORS)

경구강 CO_2 레이저 절제술은 T1, T2의 후두암 수술에서 시작하여 점차 수술의 범위가 넓어졌다. 하인두암에서도 경구강 CO_2 레이저 절제술은 T1, T2의 병변에 주로 이용되고 있으며 경부절제술과 술 후 방사선치료를 병합하면 종양학적으로 우수한 결과를 보인다. 본 술식은 기관절개술과 재건술이 필요하지 않으며 연하 및 음성 기능이 조기에 회복될 수 있는 장점이 있다. 그러나 진행된 하인두암, 특히 하방으로 경부식도로의 침범이 있을 때 본 술식을 적용하기에는 제한이 있다. 또한 레이저의 직진성과 현미경의 제한된 시야로 병변이 커거나 측방에 위치할 경우에도 한계가 있다.

최근 외과계의 다양한 분야에서 널리 사용되고 있는 다빈치 로봇 시스템(Intuitive surgical inc., Sunny-vale, California, USA)을 하인두암 수술에도 도입하여 점차 적용 범위를 넓히고 있다. 초기 하인두암에서 경구강 로봇 수술로 3차원적 절제가 가능하고 입원 기간을 줄이면서 연하 장애와 관련된 합병증을 줄일 수 있는 장점이 있다. 또한 경구강 CO_2 레이저 절제술에서 불가능했던 수술 시야를 로봇을 이용하여 다양하게 접근할 수 있어 병소의 노출이 훨씬 더 우월하여 이전에 접근이 어려웠던 부위에서도 수술이 가능하게 되었다. 특히 후벽부와 이상와에서 발생된 1,2기 하인두암에 대한 경구강 로봇 수술은 좋은 결과를 보이고 있다.[38] 하지만 아직도 하인두암에서 로봇의 사용은 병변의 노출과 접근이 구인두암의 경우처럼 용이하지 않고 이상와 하부 병변의 노출과 절제가 여전히 어려워 제한적으로 사용되고 있다. 향후 단일포트 시스템(single port system) 등이 개발되면 좀 더 많은 이용이 기대된다.

7) 재건술

T3 이상의 진행된 하인두암에서 원발부를 절제한 후에는 대부분 재건술이 필요하다. 결손부의 크기 및 위치, 후두 보존 여부, 환자의 전신 상태에 따라 유리피판(요측전완 유리피판, 전외측 대퇴 유리피판, 공장 유리이식술), 국소피판(대흉근피판, 삼각흉근피판), 위상견인술(gastric pull-up) 등을 선택하여 시행해야 한다. 하인두의 재건에는 일반적으로 유리 근막피부피판(free fasciocutaneous flap)을 사용하는 것이 좋은 것으로 알려져 있다.[22]

8) 경부 치료(neck management)

하인두암에서 경부 림프절 전이는 가장 중요한 예후 인자 중 하나이다. 하인두암 환자는 진단 시에 이미 경부 림프절 전이가 존재하는 경우가 높아서 예방적 경부절제술은 원발병소의 수술적 치료 시 거의 모든 예에서 적용된다. 일반적인 선택적 경부 절제술의 범위는 level Ⅱ, Ⅲ, Ⅳ를 포함한 이른바 측경부 림프절 절제술(lateral neck dissection)을 시행한다. 하부 하인두암이나 이상와 첨부의 병변에서는 동측의 편측 갑상선과 협부를 절제하고 진행된 병기에서는 level VI(갑상선, 기관 및 식도 주위 림프절) 절제술도 같이 포함하여 시행하여야 한다. 특히 후윤상부암인 경우 재발과 예후에 중요한 기관주위림프절을 치료에 반드시 포함해야 한다. 구인두암과 달리 하인두암에서는 후인두림프절 전이는 흔하지 않으나 상부 하인두암이나 인두후벽의 하인두암이 후인두공간까지 확대되었을 경우에는 후인두림프절의 절제도 함께 고려하여야 한다.

임상적으로 경부 림프절 전이가 있는 경우에는 level Ⅰ에서 Ⅴ를 모두 포함하는 포괄적 경부절제술이 필요하며 경부 림프절 병기가 N1 이상이면 술 후 방사선치료가 필요하다. 반대측 경부 절제술은 T3 병기 이상의 고분화 암종일 경우 모든 하인두암에서 권고되며 특히 동측의 림프절 전이가 있거나 성문상부의 변연부나 인두후두개 주름 등의 정중앙을 침범한 종양은 반대측 경부절제술을 시행하여야 한다. 그 외 이상와의 내측의 병변이 있는 경우, 후윤상부나 후인두벽암인 경우에도 반대측의 선택적 경부 림프절 절제술이 필요하다.[7]

반대측 경부의 예방적 경부절제술 범위는 level II, III, IV를 포함하고 경우에 따라서는 level VI도 포함해야 한다. 한편 최근 경부 절제 범위와 관련하여 다양한 연구결과가 보고되고 있고 특히 경부의 절제 범위를 줄여 술 후 합병증 혹은 이환율을 줄이고자 하는 시도가 있어 왔다. 조기 병변이면서 상경부 림프절에만 경부전이가 있는 N1인 경우에는 고식적인 보존적 경부근치술보다는 level Ⅰ을 보존하는 변형적 경부절제술이 전통적인 경부절제술과 비교하여 유사한 제어율과 더 낮은 이환율을 보였다. 또한 임상적으로 N0 인 경우 고식적인 측경부 림프절 절제술보다는 level IIB를 보존하는 방법도 추천되고 있다.[40]

9) 방사선 또는 항암방사선치료 후 재발 환자에서 구제술

방사선항암치료 후 재발한 경우 시행하는 수술은 인두누공, 협착 등의 합병증 뿐만 아니라 잠재적으로 여러 합병증이 뒤따를 가능성이 높다. 또한 치료 전보다 진행된 병기, 이차암이나 원격전이, 환자의 불량한 전신 상태로 인하여 반수 이상에서는 수술의 적응증이 되지 못하는 경우가 많다. 원발부 재발일 경우 구제술은 주로 전인후두적출술과 재건술을 하게 되고, 경부에 재발할 경우에는 포괄적 경부림프절 절제술을 시행해야 한다. 최근 보고에서는 방사선 또는 항암방사선치료 후 재발 및 잔존암 환자에서 구제술을 시행하여 3년 생존율이 55%를 보여서, 하인두암에서 구제술은 적응증이 될 경우 적극적으로 고려해야 한다고 주장하였다.[36]

4. 방사선치료와 항암화학요법

조기 하인두암에서 방사선치료는 단일치료법으로 사용될 수 있으며 결과에서도 수술과 상응하는 예후를 보이고 있다. 원발부 병변은 조기이나 경부 전이가 있는 경우에는 원발부와 경부의 방사선치료 후 경부절제술을 계획할 수 있다. 술 후 방사선치료는 술 전 방사선치료와 비교하였을 때 국소재발을 감소시킨다. 과분할요법(hyper-fractionation schedules)은 많은 연구에서 질병 제어율을 향상시키고 방사선 관련 합병증은 줄이고 있다. 또한 변형된 방사선요법(altered fractionation)과 방사선 증감제의 사용으로 방사선치료의 성공률을 높이고 있다. 진행된 하인두암에서 EGFR (epidermal growth factor receptor)에 대한 항체인 cetuximab을 방사선치료와 병용하여 5년 생존율을 약 45.6%까지 높였다는 연구도 최근 보고되었다.[2]

두경부암 환자에서의 항암화학요법은 과거에는 주로 완화요법에 사용되어 왔으나, 최근에는 일차 병합요법으로 사용되고 있다. 백금화합물을 기본으로 하는 항암화학요법은 주목할 만한 종양 반응률을 보이고 있으며 선행 항암화학요법에 반응이 있는 경우 방사선치료 효과의 예측도 가능하다. 하인두암 환자에서 선행 항암화학요법 후의 방사선치료와 수술과 수술 후 방사선치료를 비교한 EORTC (European Organization for Research and Treatment of Cancer)의 전향적 무작위 연구에서 두 군 간에 국소 제어율의 차이가 없었다.[31] 이 연구에서 선행 항암화학요법에 반응이 없거나 제한적인 반응만을 보인 경우에는 구제수술과 술 후 방사선치료를 시행하였으며 선행 항암화학요법과 방사선치료 후 재발한 환자에서도 구제수술을 시행하였다. 수술로 치료한 군과 기관보존 요법으로 치료한 군의 생존율에 차이가 나지 않는 것은 항암화학요법이 원격 전이율을 낮추며, 선행 항암화학요법과 방사선치료 후 재발한 경우 성공적인 구제수술을 받은 환자들이 기관보존요법군에 포함되어 생존율을 높였기 때문으로 보인다. 후두 보존군에서의 5년 생존율은 약 35%였다. 최근에는 선행 항암화학요법으로 기존의 cisplatin과 5-fluorouracil(5-FU)의 2제 요법에 taxane 계열의 docetaxel을 추가하는 3제 요법을 시행하여 더 높은 후두보존율과 치료 성공률을 보이고 있어 3제 요법이 현재는 표준 선행화학요법으로 인정되고 있다.[4,39]

동맥 내 주입 항암화학요법은 종양 내에서 항암 농도를 증가시키고 전신적인 노출은 감소시키는데 설동맥(lingual artery), 인두동맥(pharyngeal artery), 안면동맥, 상갑상동맥 등 여러 동맥이 약물전달에 이용된다. 방사선치료와 병합하여 사용된 선택적 동맥 내 주입 항암치료는 일반적인 항암화학요법, 방사선치료와 동일하게 사용될 수 있다. 그러나 최근 연구에 따르면 선행 동맥 내 주입 항암화학요법은 일반적인 항암방사선 동시 치료와 비교하여 초기 반응률이 더 낮아서 특별한 이득은 없는 것으로 보고하였다.[11]

5. 스텐트(stents)

하인두암과 식도암에서는 심한 연하곤란이나 정상적인 분비물을 조절할 수 없는 상태가 자주 동반된다. 비인두관(nasopharyngeal airway)이나 비인두 혹은 구인두에서 경부식도로의 실리콘 타액관(silicone salivary bypass)를 이용하여 일시적인 완화가 가능하다. 식도암으로 인한 심한 연하곤란에서 자가 확장형 금속 스텐트(self-expanding metal stent)의 사용이 완화치료에서 높은 효과를 나타내어 연하곤란을 호전시켜 정상 식이가 가능하였다. 이 기구의 문제점으로는 이물감, 만성 통증, 상방 혹은 하방으로의 삽입물 이동, 부적절한 확장, 종양에 의한 폐쇄 등이 있다. 다른 방법으로는 반복적 혹은 여러 개의 스텐트 삽입, 풍선 확장법(ballon dilatation), 내시경하 경피적 위조루술(percutaneous endoscopic gastrostomy) 등이 있다.

Ⅷ 치료 결과

1. 수술

하인두암 수술 후 누공, 인두협착, 피판 실패, 지속되는 연하곤란 등의 합병증이 나타날 수 있다. 그 외 합병증으로는 창상 감염, 피부 괴사, 출혈, 경동맥 파열 등이 있다. 동결절편 조직검사에서 절제연이 양성인 경우에는 국소 재발과 질병으로 인한 사망을 포함한 합병증의 위험이 증가한다. 수술 기간 중 치사율(perioperative mortality)은 5–18%로 보고되었다. 후두전절제술을 시행 받은 환자 중 약 20%에서 인두협착에 대한 치료가 필요하며, 하인두 부분협착이 일어난 경우가 많다. 한편 경부 전이와 이에 따른 근치적 경부 절제술이 하인두 협착을 일으키는 중용한 인자가 될 수 있다. 국소피판이나 유리피판을 이용하여 남아있는 점막을 보강하여 하인두 협착을 예방하는 것이 가장 최선의 치료이다. 기관식도천자 후 인두식도부의 과긴장이나 연축으로 인하여 발성 결과가 좋지 않을 수 있으며 이를 개선하기 위한 치료로서는 발성 치료, 인두부 확장술(pharyngeal dilatation), 인두신경절제술(pharyngeal neurectomy), 보툴리눔독소 주입, 근절개술 등이 있다.

하인두암 수술 후 5년 생존율은 TNM 병기와 관련이 있다(임상 병기 Ⅰ: 74%, 병기 Ⅱ: 45–63%, 병기 Ⅲ: 32%, 병기 Ⅳ: 0–14%) (경부 병기 N0: 57%, N1: 28–30%, N2: 6–16%, N3: 0–10%).[13] 국소제어율은 57–80%이며, 수술과 방사선치료를 받은 경우 5년 전체 생존율과 5년 무병생존율은 각각 30%, 41%이다. 후두를 보존할 수 있는 국소 병변, N0/N1, 1–3기 등 제한된 병변인 환자에서 예후가 좋다. 측인두절개를 통한 하인두 부분절제술을 시행한 T1,T2 환자에서 3년 및 5년 국소 제어율이 각각 88.5%, 79.6%였고 5년 생존율은 23.3%였으며 모든 환자에서 구강 섭취가 가능하다고 하였다.[17] Laccourreye 등은 상윤상인후두 부분절제술을 시행한 147명의 하인두암 환자에서 3년 국소 제어율은 90.4% 였고 구강 섭취는 91.9%에서 가능하였다고 보고하였다.[28] 특히 광범위 수직 인후두부분절제술을 적용하여 약 65%의 치료 성공률을 보고하여 진행된 T3 및 T4a의 병기에서도 수술 후 적절한 재건을 통하여 영구기관절개구 없이 후두의 기능을 보존할 수 있었고 88%의 환자에서 구강 섭취가 가능하였다.[25] 진행된 병기에서 인후두전적출술을 시행 후 방사선치료를 받은 환자에서 2년 및 5년 무병 생존율이 각각 72%, 52%로 보고하여 다른 치료법에 비해 우수한 성적으로 보였다.[3] 한편 Steiner 등은 주로 이상와암을 대상으로 경구강 레이저 절제술을 시행한 172명의 환자에서 5년 국소 제어율이 T1, T2, T3, T4a에 따라 각각 84, 70, 75, 57% 였고 무병 생존율이 1,2기, 3기, 4기에 따라 각각 73, 59, 47%로 보고하여 초기 병변뿐만 아니라 진행된 병변에서도 후두의 기능을 보존하면서 근치적 절제술이 가능하다고 하였다.[32] 국내에서 경구강 로봇 절제술로 23명의 하인두암 환자를 치료한 성적을 살펴보면, 3년 생존율이 89%였고 96%의 환자에서 심각한 연하장애가 발생하지 않았으며 평균 발관 시기는 수술 후 5.3일을 보여 종양학적 및 기능적으로 유용한 방법이라고 보고하였다.[38] 하인두의 수술적 치료에서 후두를 보존하는 것이 기능 보존의 중심인데 한 보고에 의하면 후두 기능 보존 수술을 시행한 하인두암의 경우에도 60%를

넘는 생존율을 보고하여 후두 보존 수술의 방법이 발전하고 있음을 알 수 있다.[19]

2. 방사선치료

많은 용량의 방사선 조사는 조기 및 후기 합병증의 발생위험을 높인다. 방사선치료 후 발생할 수 있는 합병증으로는 점막염, 인두협착, 후두부종으로 인한 기도폐색, 연하곤란, 후두연골 괴사(chondronecrosis), Lhermitte's symdrome 등이 있다. 특히 항암방사선 동시요법(concurrent chemoradiotherapy) 후에는 인두협착의 빈도가 훨씬 더 올라가서 치료 후에 위조루술을 통한 관영양 공급을 장기간 유지해야 하는 경우가 발생할 수 있다. 또한 방사선치료 시 척수의 손상을 막기 위해서 치료 전 세심한 계획을 세워야 한다. 그 외 갑상선 기능저하증이나 부갑상선 기능저하증이 방사선치료 후에 나타날 수 있기 때문에 방사선치료를 받은 환자는 매년 이에 대한 정기적인 검사를 해야 하고, 검사 결과에 따라 적절한 호르몬을 보충해 주어야 한다.

조기 하인두암종(T1, T2)에서 방사선치료는 3년, 5년 생존률이 각각 79%, 40%이고 국소 제어율이 각각 87, 83%로 보고되고 있다.[34] 그러나 진행된 병변에서 치료 목적의 방사선치료 후 5년 국소 재발률은 45–50%이며 , 생존율은 약 18%로 보고되었다.[1] 한편 방사선치료 후에 재발 시 구제치료로 수술을 시행할 수 있다. 그러나 재발 시 구제수술이 성공적인 경우는 드물어 5년 생존율이 약 20%이고 합병증 발생률이 높다. 수술 시 합병증을 줄이기 위해 국소 혹은 유리피판으로 재건하는 것을 추천한다.

수술 후 계획된 방사선치료는 국소 제어율과 생존율을 향상시키고, 기관누공 주위의 재발율을 낮춘다. 술 후 방사선치료는 수술 후 6주 이내에 시작하여야 좋은 결과를 얻을 수 있다.

3. 항암화학요법 및 방사선치료

백금화합물(cisplatin)을 기본으로 하는 항암화학요법 시에는 골수독성(myelotoxicity), 구내염, 청력손실, 말초신경염, 체중감소, 패혈증, 사망 등의 합병증이 발생할 수 있다. 혈액학적 합병증으로는 호중구 감소증(〈1,000 cell/mm^3)과 빈혈이 가장 흔하게 발생한다. 항암 방사선 동시요법 시에는 점막염과 구내염이 더 심하게 나타난다. cisplatin과 5–FU의 2제 항암화학요법보다는 docetaxel을 추가하는 3제 요법(TPF)이 보다 높은 빈도의 호중구 감소증과 그에 따른 감염 빈도를 높이는 것으로 알려져 있으며 추가로 탈모를 유발한다. 호중구 감소증 및 감염 발생의 위험성은 예방적 과립세포군촉진인자(granulocyte colony–stimulating factor, G–CSF)와 적절한 항생제 투여로 치료할 수 있다. 3제(TPF)의 선행항암화학요법으로 하인두의 이상와암을 치료한 다기관 연구결과 3년 생존율이 38.3%를 보였고 후두보존율은 35%였다.[39] 최근 EORTC 24891의 10년 장기 추적 관찰 결과에 따르면 선행항암화학요법을 받았던 환자의 10년 무병 생존율은 13.1%로 수술군(13.8%)과 유의한 차이를 보이지 않았으며 후두보존율도 약 8.7%로 생존 환자의 반수 이상에서 후두기능을 유지할 수 있었다.[30]

하인두암에서 선행항암화학요법(neoadjuvant chemotherapy) 후 방사선치료는 87%의 반응율과 67%의 완전 관해율을 보인다.[31] 항암화학–방사선 동시요법은 심한 독성을 나타내지만, 국소제어율과 생존율을 높일 수 있다. 항암화학요법에 반응이 좋지 않은 경우는 치료에 실패할 확률이 크며, 심지어 방사선치료 후 종양의 흔적이 없어진 경우에도 실패할 확률이 높다.[31] 후두보존율은 생존율의 변화 없이 30–67%로 보고되었다. 장기 보존율은 치료방법과 추적기간에 따라 다르며 3년 전체 생존율은 20–40%였다.[26] 국소재발은 후두보존군에서 많았고 원격전이는 전통적인 수술군에서 더 많이 나타났다. 후두보존 환자에서 국소제어율은 저조하였지만 즉각적인 구제수술을 시행했을 경우 전체 생존율은 감소하지 않았다.

4. 삶의 질

하인두암의 치료 방법에 따라 지난 수십 년 동안 생존률은 괄목할 만한 향상은 보이고 있지 않다. 따라서 최선의 치료법을 선택할 때 치료법에 따른 환자의 삶의 질 측면을 고려해야 한다. 후두 보존이 하인두암 치료에서 삶의 질을 좌우하는 가장 중요한 요소라고 인식되었다. 그러나 연구에 따르면 후두전적출술을 받았던 군과 후두보존군에서 발성과 관련된 영역에서 두 군의 삶의 질 측면에는 차이가 없었다고 하였다.[43] 후두 보존수술 후 기능 평가를 연구한 보고에 따르면 수직 인후두부분절제술 후 장기 추적 결과에서 80% 정도의 환자에서 만족할 만한 연하기능을 보였다.[20] 그 외 신체 통증 및 정신적 영역에서는 후두 보존군에서 더 높은 삶의 질을 보여 주었다. 한편 최근에는 경구강 레이저 수술이 다른 후두보존치료인 항암방사선치료 및 개방형 인후두절제술과 비교하여 삶의 질, 특히 정서적, 사회적 기능, 재정적 측면, 수면장애에 있어서 나은 것으로 알려져 있다.[29] 그러나 현재까지 하인두암 환자의 치료 후 삶의 질에 대한 연구는 제한적으로 이루어져서, 향후 고식적인 치료와 기관 보존 치료 후 삶의 질에 대한 전향적인 대단위 연구가 필요하다.

참고문헌

1. Alcock CJ, Fowler JF, Haybittle JL, et al. Salvage surgery following irradiation with different fractionation regimes in the treatment of carcinoma of the laryngopharynx: experience gained from a British Institute of Radiology study. J Laryngol Otol 1992;106(2): 147-53.
2. Bonner JA, Harari PM, Giralt J, et al. Radiotherapy plus cetuximab for locoregionally advanced head and neck cancer: 5-year survival data from a phase 3 randomised trial, and relation between cetuximab-induced rash and survival. Lancet Oncol 2010;11(1):21-8.
3. Bova R, Goh R, Poulson M, et al. Total pharyngolaryngectomy for squamous cell carcinoma of the hypopharynx: a review. Laryngoscope. 2005;115(5):864-9.
4. Calais G. TPF: a rational choice for larynx preservation?. Oncologist 2010;15 Suppl 3:19-24.
5. Carpenter RJ III, DeSanto LW, Devine KD, et al. Cancer of the hypopharynx. Analysis of treatment and results in 162 patients. Arch Otolaryngol 1976;102(12):716-21.
6. Ceruse P, Cosmidis A, Belot A, et al. A pyriform sinus cancer organ preservation strategy comprising induction chemotherapy with docetaxel, cisplatin, and 5-fluorouracil, followed by potentiated radiotherapy: a multicenter, retrospective study. Anticancer Drugs 2014;25(8):970-5.
7. Chan JY, Wei WI. Current management strategy of hypopharyngeal carcinoma. Auris Nasus Larynx 2013; 40(1): 2-6.
8. Chantrain G, Deraemaecker R, Andry G, et al. Wide vertical hemilaryngectomy with immediate glottic nad pharyngeal reconstruction using a radial forearm free flap: preliminary results. Laryngoscope 1991;101:869-875.
9. Cooper JS, Porter K, Mallin K, et al. National Cancer Database report on cancer of the head and neck: 10-year update. Head Neck 2009;31(6):748-58.
10. de Vries EJ, Myers EN, Johnson JT, et al. Jejunal interposifor repair of stricture or fistula after laryngectomy. Ann Otol Rhinol Laryngol()1990;99(6 Pt 1):496-8.
11. Gupta P, Bhalla AS, Thulkar S, et al. Neoadjuvant intra-arterial chemotherapy in advanced laryngeal and hypopharyngeal cancer. Asia Pac J Clin Oncol 2013 in press.
12. Hall SF, Groome PA, Irish J, O'Sullivan B. The natural history of patients with squamous cell carcinoma of the hypopharynx. Laryngoscope 2008;118(8):1362-71.
13. Haughey BH, Gates GA, Artken CL, et al. Meta-analysis of second malignant tumors in head and neck cancer: the case for an endoscopic screening protocol. Ann Otol Rhinol Laryngol 1992; 101(2 Pt I):105-12.
14. Ho CM, Ng WF, Lam KH, et al. Submucosal tumor extension in hypopharyngeal cancer. Arch Otolaryngol Head Neck Surg 1997;123(9):959-65.
15. Hoffman HT, Karnell LH, Shah JP, et al. Hypopharyngeal cancer patient care evaluation. Laryngoscope 1997;107(8):1005-17.
16. Hoffman RM, Jaffe PE. Plummer-Vinson syndrome. A case report and literature review. Arch Intern Med 1995;155(18):2008-11.
17. Holsinger FC, Motamed M, Garcia D, et al. Resection of selected invasive squamous cell carcinoma of the pyriform sinus by means of the lateral pharyngotomy approach: the partial lateral pharyngectomy. Head Neck 2006;28(8):705-11.
18. Hung SH, Tsai MC, Liu TC, et al. Routine endoscopy for esophageal cancer is suggestive for patients with oral, oropharyngeal and hypopharyngeal cancer. PLoS One 2013;8(8):e72097.
19. Joo YH, Cho KJ, Park JO, et al. Role of larynx-preserving partial hy-

popharyngectomy with and without postoperative radiotherapy for squamous cell carcinoma of the hypopharynx. Oral Oncol 2012;48(2):168-72.

20. Joo YH, Cho KJ, Park JO, et al. Swallowing function in patients with vertical hemipharyngolaryngectomy for hypopharyngeal squamous cell carcinoma. Head Neck 2015 In Press.
21. Joo YH, Lee YS, Cho KJ, et al. Characteristics and prognostic implications of high-risk HPV-associated hypopharyngeal cancers. PLoS One 2013;8(11):e78718.
22. Joo YH, Sun DI, Cho KJ, et al. Fasciocutaneous free flap reconstruction for squamous cell carcinoma of the hyphpharynx. Eur Arch Otorhinolaryngol 2011; 268(2): 289-94.
23. Joo YH, Sun DI, Cho KJ, et al. The impact of paratracheal lymph node metastasis in squamous cell carcinoma of the hypopharynx. Eur Arch Otorhinolaryngol 2010;267(6):945-50.
24. Kamei S, Takeichi Y, Oyama S, Baba S. Reconstruction using a free jejunal graft for surgery of the hypopharynx and the cervical esophagus in patients with a history of previous upper gastro-intestinal surgery. Acta Otolaryngol Suppl( )1996;525:35-9.
25. Kim MS, Joo YH, Cho KJ, et al. A classification system for the reconstruction of vertical hemipharyngolaryngectomy for hypopharyngeal squamous cell carcinoma. Arch Otolaryngol Head Neck Surg 2011;137(1):88-94.
26. Kraus DH, Pfister DG, Harrison LB, et al. Larynx preservation with combined chemotherapy and radiation therapy in advanced hypopharynx cancer. Otolaryngol Head Neck Surg 1994;111(1):31-7.
27. Kraus OH, Zelefsky MJ, Brock HA, et al. Combined surgery and radiation therapy for squamous cell carcinoma of the hypopharynx. Otolaryngol Head Neck Surg 1997;116(6 Pt 1):637-41.
28. Laccourreye O, Ishoo E, de Mones E, et al. Supracricoid hemilaryngopharyngectomy in patients with invasive squamous cell carcinoma of the pyriform sinus. Part I: Technique, complications, and long-term functional outcome. Ann Otol Rhinol Laryngol 2005;114(1 Pt 1):25-34.
29. Lee TL, Wang LW, Mu-Hsin Chang P, et al. Quality of life for patients with hypopharyngeal cancer after different therapeutic modalities. Head Neck. 2013;35(2):280-5.
30. Lefebvre JL, Andry G, Chevalier D, et al. Laryngeal preservation with induction chemotherapy for hypopharyngeal squamous cell carcinoma: 10-year results of EORTC trial 24891. Ann oncology 2012;23(10):2708-14.
31. Lefebvre JL, Chevalier D, Luboinski B, et al. Larynx preservation in pyriform sinus cancer: preliminary results of a European Organization for Research and Treatment of Cancer phase III trial. EORTC Head and Neck Cancer Cooperative Group. J Natl Cancer Inst 1996;88(13):890-9.
32. Martin A, Jackel MC, Christiansen H, et al. Organ preserving transoral laser microsurgery for cancer of the hypopharynx. Laryngoscope 2008;118(3):398-402.
33. Murono S, Tsuji A, Endo K, et al. Evaluation of modified Killian's method: a technique to expose the hypopharyngeal space. Laryngoscope 2014;124(11):2526-30.
34. Nakajima A, Nishiyama K, Morimoto M, et al. Definitive radiotherapy for T1-2 hypopharyngeal cancer: a single-institution experience. Int J Radiat Oncol Biol Phys 2012;82(2):129-35.
35. National Comprehensive Cancer Network. The NCCN Clinical Practice Guidelines in Oncology Head and Neck Cancers (Version 1, 2015).
36. Omura G, Saito Y, Ando M, et al. Salvage surgery for local residual or recurrent pharyngeal cancer after radiotherapy or chemoradiotherapy. Laryngoscope 2014;124(9):2075-80.
37. Papacharalampous GX, Kotsis GP, Vlastarakos PV, et al. Supracricoid hemilaryngopharyngectomy for selected pyriform sinus carcinoma patients-a retrospective chart review. World J Surg Oncol 2009;11:7:65.
38. Park YM, Kim WS, De Virgilio A, et al. Transoral robotic surgery for hypopharyngeal squamous cell carcinoma: 3-year oncologic and functional analysis. Oral oncology 2012;48(6):560-6.
39. Pointreau Y, Garaud P, Chapet S, et al. Randomized trial of induction chemotherapy with cisplatin and 5-fluorouracil with or without docetaxel for larynx preservation. J Natl Cancer Inst 2009;101(7):498-506.
40. Sakai A, Okami K, Sugimoto R, et al. Evaluating the significance of level IIb neck dissection for hypopharyngeal cancer. Head Neck 2013;35(12):1777-80.
41. Schmalfuss IM. Imaging of the hypopharynx and cervical esophagus. Magn Reson Imaging Clin N Am 2002;10(3):495-509.
42. Su YY, Chen WC, Chuang HC, et al. Effect of routine esophageal screening in patients with head and neck cancer. JAMA Otolaryngol Head Neck Surg 2013;139(4): 350-4.
43. Terrell JE, Fisher SG, Wolf GT. Long-term quality of life after treatment of laryngeal cancer. The Veterans Affairs Laryngeal Cancer Study Group. Arch Otolaryngol Head Neck Surg 1998;124(9):964-71.
44. Thompson AC, Quraishi SM, Morgan DA, et al. Carcinoma of the larynx and hypopharynx in the elderly. Eur J Surg Oncol 1996;22(1):65-8.
45. Vila PM, Uppaluri R. Neoplasms of the hypopharynx and cervical esophagus. In:
46. Flint PW, Haughey BH, Lund VJ, editors. Cummings Otolaryngology: Head and Neck Surgery. 6th ed. St Louis: Mosby Year Book;2015. p.1537-54.
47. Wang WL, Lee CT, Lee YC, et al. Risk factors for developing synchronous esophageal neoplasia in patients with head and neck cancer. Head Neck 2011;33(1): 77-81.

48. Wang CH, Lee YC, Wang CP, et al. Use of transnasal endoscopy for screening of esophageal squamous cell carcinoma in high-risk patients: yield rate, completion rate, and safety. Dig Endosc 2014;26(1):24-31.
49. Wei WI. The dilemma of treating hypopharyngeal carcinoma: more or less: Hayes Martin Lecture. Arch Otolaryngol Head Neck Surg 2002;128(3):229-32.
50. Yu L, Vikram B, Malamud S, et al. Chemotherapy rapidly alternating with twice-a-day accelerated radiation therapy in carcinomas involving the hypopharynx or esophagus: an update. Cancer Invest 1995;13(6):567-72.

CHAPTER

25

하인두의 재건

정한신

I 서론

종양 제거 후 발생하는 하인두의 결손에 대하여 하인두의 재건은 수술의 필수적인 과정이다. 최근 들어 하인두 종양에 대하여 비수술적 치료(radiation 또는 chemoradiation)를 일차 치료로 선택하는 경우가 증가하고 있고, 이에 따라 비수술적 치료 후 종양 잔존 또는 재발, 비수술적 치료의 합병증으로 인한 구제 목적의 종양 수술(salvage surgery)이 늘어나고 있다. 이는 수술을 담당하는 두경부 외과의에게는 큰 부담인데, 방사선 치료(또는 chemoradiation)를 받은 부위는 상처 치유 능력이 현저하게 떨어져서 수술 후 상처 합병증이 1/3-2/3 정도에서 발생하는 것으로 알려져 있다. 그럼에도 불구하고, 여전히 종양 수술과 재건은 종양 치료의 필수적인 부분이기에 두경부 외과의는 삶의 질을 보장하면서도 가장 안전하고 합병증이 적은 하인두 재건 방법을 선택하여야 한다.

하인두 재건의 목적은 (1) 경부 동맥(경동맥), 정맥 등 대혈관의 보호, (2) 식이 섭취를 위한 인두 통로의 재건, (3) 안전한 기도의 확보, 부가적으로 (4) 재활을 통한 발성 및 음성 기능의 회복에 있다. 수술 부위가 방사선 치료를 받은 부위라면, 하인두 재건 시에 방사선 치료 범위 밖의 혈액 공급이 충분한 조직을 이용하여 재건하는 것이 바람직하며, 후두의 기능이 소실되어 반복적인 흡인(aspiration)이 문제가 되면 환자의 기도를 흡인으로부터 안전하게 분리하여 주어야 한다.

II 본론

1. 수술 전 환자 면담, 교육 및 수술 전 검사와 평가

후두 및 하인두의 재건 수술은 필연적으로 발성 및 식이 섭취의 변화를 초래한다. 환자에게 음성 재활 방법에 따른 수술 후의 결과를 미리 설명하여 주어서 현실적인 기대를 갖도록 하는 것, 수술 후 어떠한 재활 연습이 필요한지를 미리 정보를 주고 교육하는 것이 술 후 재활에 도움이 된다. 식이 섭취 역시 질병의 이환 이전의 상태로 복귀되는 것이 아니라 수술 후 재건된 하인두에 맞추어서 새로운 섭취 패턴에 적응하여야 함을 이해하여야 한다. 또한, 정상적인 구강 식이 섭취까지 위장관 튜브(nasogastric tube) 또는 위장관루(gastrostomy)를 이용한 영양 공급이 필요함을 설명하여야 한다.

이외에 심리적, 사회적 지지, 금연 클리닉, 구강 또는 치아 위생의 개선, 언어 치료사 상담 등은 하인두 종양 치료 부분과 중복되므로 여기에서는 생략한다(하인두 종양의 치료 chapter 참조).

재건이 필요한 하인두의 결손은 결국 종양의 크기, 범위와 종양 주변 조직을 얼마나 절제하는가(surgical safety margin)에 달려 있다. 특히 점막하 침습(submucosal spread), 비연속적 병변의 여부(skip lesions), 식도의 침범 정도 등을 면밀히 고려하여야 한다. 또한, 환자의 영양 상태 및 갑상선 기능에 대한 평가를 시행하여 수술 전 적절한 교정이 이루어져야 한다. (자세한 사항은 하인두 종양의 수술 chapter 참조)

2. 결손 부위의 분류

하인두의 재건 방법을 결정하는 가장 중요한 요소는 결손 부위의 크기이다. 다음과 같이 결손의 크기를 분류할 수 있으며, 크기에 따라 각각 다른 재건 방법이 선택된다.

하인두 결손 정도에 따라서, 부분(partial) 하인두 결손, 근전(near-total) 하인두 결손, 전체(total=circumferential) 하인두 결손으로 나눌 수 있다.

여기에서 부분 결손이란 인두 전체 원주의 약 50% 이하의 결손을 말하며, 근전 결손은 인두 점막이 최소 1 cm 이상의 폭으로 남아 있지만 원주의 50% 이상의 결손을 일컫는다. 전체 결손은 인두 전체가 소실되어 구강으로부터 식도로 연결되는 통로가 끊어진 결손을 말한다.

결손은 위아래 방향으로 더 크게 발생할 수 있는데, 구인두(혀기저부, 편도 부위, 후인두벽 등) 부위로 확대될 수 있으며, 아래로는 식도 결손, 표층(바깥쪽)으로 피부의 결손을 동반할 수 있어서 각각에 대한 평가가 필수적이며, 동반된 결손에 따라서 최적의 재건을 고려하여야 한다.

결손의 크기와 함께 고려하여야 할 또 하나의 중요한 점은 기능적 후두의 잔존 여부이다. 만일, 하인두 종양 제거 후 남는 후두가 적절한 기능을 하지 못하는 경우, 이에 대한 보완책이 필요하다(후두 재건, 후두 절제, 또는 기관절개술). 즉, 하인두 재건 시에 후두로의 흡인을 최대한 방지하면서도 기도 확보, 음성 보존을 위하여 적절한 중간점을 찾아야 하며, 충분한 재활과 적응이 일어날 때까지 일시적 기관절개술이 필요할 수 있다.

3. 하인두 재건의 결정

앞에서 설명한 하인두 재건의 목적(경부동맥 및 정맥의 보호, 식이 섭취를 위한 인두 통로의 재건, 안전한 기도의 확보, 발성 및 음성 기능의 회복)을 달성할 수 있는 최선의 재건을 선택한다. 주의할 점은 재건의 목적을 달성하지 못한 경우, 두경부 다른 부위 수술에 비하여 하인두 수술 및 재건은 수술 합병증 및 수술 관련 사망률이 높다는 점이다. 따라서, 일차적인 하인두 재건이 어려울 경우, 인위적인 인두 누공(pharyngostoma), 식도 누공(esophagostoma), 기관 절개술(trachesostomy)을 통하여 경부 상처를 안정화시키는 것이 치명적인 수술 합병증(예를 들면, 경동맥 파열 등)을 피할 수 있는 방법이다.

다음의 사항을 고려하여 적절한 재건 방법을 결정한다. (1) 경부 및 인두 조직의 상태(이전 방사선 치료를 받았는지 여부), (2) 하인두 결손의 크기, (3) 구인두 및 식도까지 결손 부위가 진행되었는지 여부, (4) 재건을 위한 적절한 경부 혈관이 남아있는지 여부, (5) 환자의 전신 상태, (6) 재건에 사용할 피판의 종류 및 두께, 크기 등, (7) 음성 재활 방법 등을 종합적으로 판단하여야 한다(표 25-1).

표 25-1. 결손 부위에 따른 하인두 재건 피판의 선택.

	외부 피부 결손 있는 경우	피부 결손 없는 경우
부분적인 후두-인두 결손 Partial laryngo-pharyngeal defect	Pectoralis major flap with skin graft	Pectoralis major flap
	Anterolateral thigh free flap (double paddle)	Fasciocutaneous free flap
	Deltopectoral flap with skin flap	
	경부 식도 결손 없는 경우	**경부 식도 결손 있는 경우**
후두-인두 전체 결손(원형 결손)	Tubed radial forearm free flap	Colon interposition
	Tubed anterolateral thigh free flap (Thigh thickness = thin)	Gastric transposition (Gastric pull-up)
	Jejunal free flap	
	Gastro-omental free flap	

4. 하인두 재건에 사용되는 피판의 종류 및 장단점

1) 국소 피부피판(Local and regional skin flap)

이 방법은 재건 방법의 발전에 따라서 현재는 거의 사용되고 있지 않다. 그 이유로는 여러 단계의 수술이 필요하고 이 수술에 따르는 합병증의 빈도가 높기 때문이다. 피부 이식을 이용한 방법은 우선 인두 후벽에 해당하는 척추전막(prevertebral fascia)에 일차 피부 이식을 한 후 2-3개월 뒤 경부 피부를 들어올려서 인두의 전벽을 만들어 주는 방법이다. 삼각흉근피판(deltopectoral flap) 역시 먼저 인두의 후벽을 재건한 후 2단계로 인두의 전벽을 재건하는 방법으로 최근의 재건 방법에 비하여 합병증 발생이 높고 여러 단계의 수술을 필요로 하기 때문에 거의 사용되고 있지 않다.

2) 근-피부피판(Myocutaneous flap)

(1) 대흉근피판 및 광배근피판

가장 많이 사용되는 피판은 대흉근피판(Pectoralis major flap)과 광배근피판(Latissimus dorsi flap)이다. 이 피판은 미세혈관 문합을 하지 않아도 되는 장점은 있으나, 두께가 두꺼운 경우 관 형태(tubed form)로 만들기 어려워서 원통형 전체 하인두 재건보다는 부분적 하인두 결손에 가장 적당하다. 이 근피부피판의 피부는 하인두 내강 쪽을 향하여 하인두벽 재건에 사용되며, 만일 바깥쪽 피부의 결손이 같이 있는 경우 근피부피판의 근육 쪽 피판에 피부 이식을 추가함으로써 피부 결손 재건을 같이 시행할 수 있다.

적응증을 다시 정리하자면, 1) 미세혈관 문합을 이용한 유리피판에 부적합한 경우(이전 치료로 인하여 적절한 연결 혈관이 없거나, 장시간의 수술이 부적합한 환자군), 2) 부분 하인두 결손, 3) 상부 식도 결손이 없는 경우, 4) 구인두 결손이 적은 경우에 적절한 재건 방법이다.

3) 위장 조직의 이동을 이용한 재건술

(1) 위 조직을 이용한 재건(Gastric transpostion or gastric pull-up, 위치환술) 및 장 치환 재건(Colonic transposition)[1] (그림 25-1)

이 방법은 식도 쪽으로 결손이 있거나 하부 식도에 병변이 있는 경우 식도 전체를 제거하고 하인두-식도를 재건하는 경우에 사용된다. 위는 Right gastric artery와 Right gastro-epiploic artery 혈관 공급은 남겨둔 채로 튜브 형태로 만들어 주며, 종격동을 통하여 경부로 이동

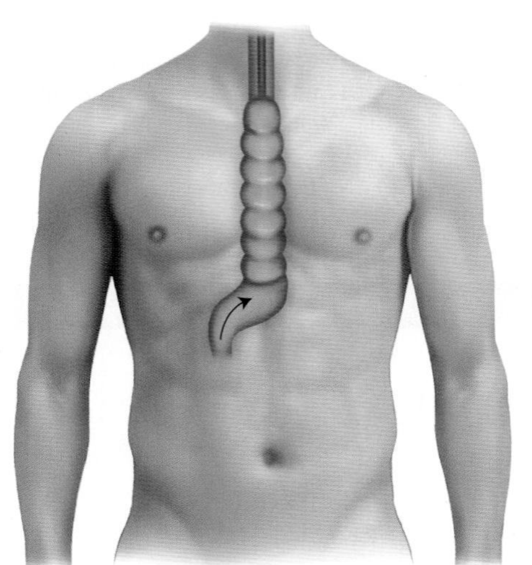
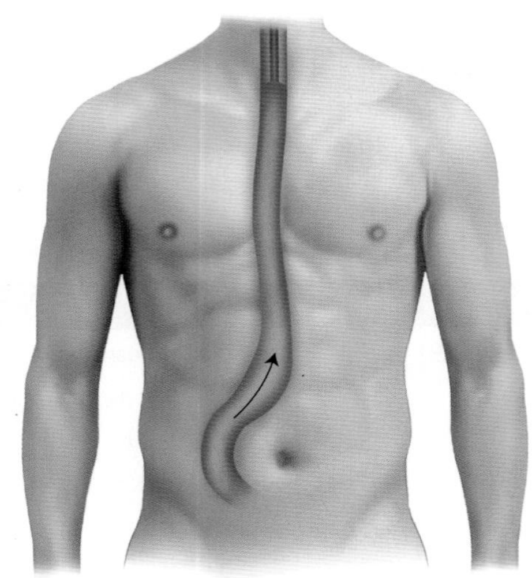

■ 그림 25-1. **장 또는 위를 이용한 재건술.**
Banki F, Mason RJ, DeMeester SR, Hagen JA, Balaji NS, Crookes PF, Bremner CG, Peters JH, DeMeester TR. Vagal-sparing esophagectomy: a more physiologic alternative. Ann Surg. 2002 Sep;236(3):324-35

시켜서 인두의 결손 부위 상방과 연결하여 준다.

이 방법의 단점으로는 수술 관련 합병증과 이환율이 높다는 것(경부, 복부, 종격동을 한꺼번에 수술해야 하므로), 구강 섭취 때 바로 음식이 위를 빠르게 지나감으로써 발생하는 소화기계 증상(Gastric dumping) 또는 역류 증상이 흔히 발생한다는 점이다.

(참고. Gastric dumping syndrome: 충분히 소화되지 않은 음식물이 위에서 충분히 처리되지 못하고 지나쳐서 바로 소장으로 이동하여 발생하는 증상. 고농도의 음식물이 소장으로 들어가서 체액을 소장으로 끌어당기고, 체 수분이 감소, 장의 팽창 등이 발생하여 구역, 구토, 복통, 설사, 피로감, 실신 등의 증상이 나올 수 있다.)

위와 같은 단점 때문에 위 치환술보다는 위를 자기 자리에 두고 대신 장을 이동시키는 장 치환술이 더 선호된다. 장은 inferior mesenteric artery를 공급 혈관으로 하여서 일부분을 절제하고 혈관 공급은 유지한 채로 종격동을 통하여 경부로 이동하여 하인두 결손 부위와 봉합한다. 아래 쪽은 장과 위를 다시 문합하여 새로운 통로가 만들어진다.

위 또는 장의 치환을 이용한 재건은 원래의 혈관 공급을 유지한다는 장점이 있는 반면, 공급 혈관의 길이 때문에 경부의 상방으로 이동이 제한될 수 있다. 따라서, 주로 하인두의 하부 또는 식도의 재건에 사용되며, 구인두 쪽으로 결손이 있는 경우에는 이 방법을 선택하지 않는 것이 안전하다(상방부의 허혈성 괴사 가능성).

4) 유리피판술

유리피판술은 이전 치료(방사선 치료 등)를 받지 않은 조직을 이용한다는 장점이 있으나, 경부에 적절한 혈관이 있어야지만 안전한 피판 혈관 문합을 할 수 있다는 제한 사항도 있다.

(1) 전완부 피판술(Radial forearm free flap) 및 전외측 대퇴부 피판술(Anterolateral thigh free flap)

전완부 유리 피판과 전외측 대퇴부 유리피판의 구체적인 술기는 두경부 재건 부분에서 자세히 다루어질 것이다.

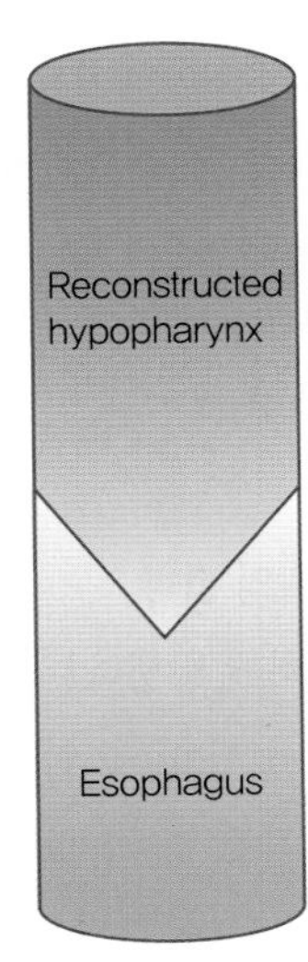

■ 그림 25-2. **술 후 협착 방지를 위한 하인두-식도 문합 방법**

이러한 근막피부 유리피판은 위장 조직을 이용한 피판과 비교하여 술 후 협착 발생이 높다. 따라서 협착을 방지하기 위하여 하인두 하부와 상부 식도를 연결할 때 (그림 25-2)와 같은 방법을 사용하는 것이 바람직하다. 한 변 2 cm 크기의 삼각형 모양으로 피판 끝을 디자인한 후 식도 상부에 2 cm 수직 절개를 넣은 후 서로 맞물리도록 문합을 하는 방법으로 횡문합을 피함으로써 술 후 협착을 줄일 수 있다.

(2) 공장피판술(Jejunal free flap) 및 위장간막피판술 (Gastro-omental free flap)

공장피판술은 상 장간막 동맥/정맥(superior mesenteric vessels)을 주 혈관으로 하며, 위장간막피판술은

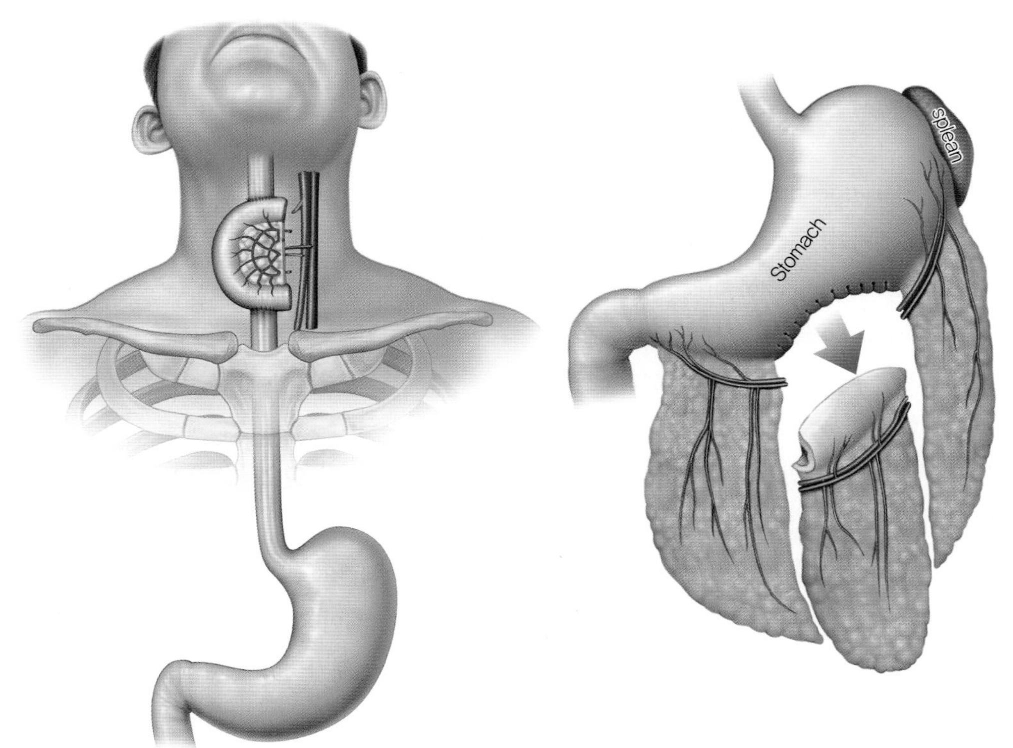

■ 그림 25-3. **Jejunal free flap, gastro-omental free flap.**

Puja Gaur, Shanda H. Blackmon. Jejunal graft conduits after esophagectomy. J Thorac Dis 2014;6(S3):S333-S340, Vidhyadharan S, Mohit Sharma, Krishnakumar Thankappan, Jimmy Mathew, Sudheer OV, Subramania Iyer. Gastro Omental Free Flap for Reconstruction of Tongue Defects. 5th IFHNOS World Congress 2014, P0546.

Right gastro-epiploic vessels을 주 혈관으로 하는 유리피판이다. 위장간막피판술은 넓은 장간막을 같이 이식할 수 있어서 피부를 포함한 주변의 조직을 같이 재건할 수 있다는 장점이 있다.[2,3] (그림 25-3)

이 두 방법은 점막으로 이루어진 위장 조직을 이용함으로써 식이 섭취에 더 유리하며, 이미 튜브 형태의 조직이므로 문합이 간단하다는 장점도 있다(술 후 누공 가능성이 적다). 주의할 점은, 위장 조직을 이식하여 문합할 때 정상적인 위장 운동의 방향을 고려하여 하인두 결손 부위에 재건하여야 한다. 단점으로는 위장 점막의 점액 분비로 인하여 음성 재활(tracheo-esophageal prosthesis)에 의한 발성 시 음성의 질이 좋지 않다는 점이다. 또한, 위장 수술에 따르는 합병증이 있을 수 있다.

5. 하인두 재건 수술의 합병증

발생할 수 있는 합병증과 치료방법은 다음과 같다.

1) 인두피부 누공(pharyngo-cutaneous fistula)

누공이 발생한 경우 침이 상처를 오염시키고 경동맥 파열/출혈을 일으킬 수 있으므로 주의하여야 한다. 침샘우회튜브(salivary bypass tube)를 사용하는 것이 누공 발생 빈도를 줄일 수 있다. 경동맥이 누공에 노출되어 있다면, 혈관분포가 충분한 피판으로 보호하여 주거나, 피판수술이 여의치 않을 경우 인위적인 인두누공을 경동맥과 떨어진 위치(주로 정중앙 부위)로 만들어서 침에 의한 오염을 줄이고 안전한 상처를 우선적으로 만들어야 한다.

2) 갑상선 기능 저하증 및 저칼슘혈증

하인두 수술 시 갑상선 및 부갑상선이 절제되거나, 혈액 공급이 떨어져서 발생하기도 하고, 수술 이전의 방사선 치료에 의해서도 발생할 수 있다. 따라서, 주기적으로 free T4, TSH, 칼슘 level을 측정하고 교정하여야 한다. 갑상선 기능 저하증이 있는 경우 상처 치유 역시 지연된다. 칼슘은 위의 산성 조건하에서 잘 흡수되기 때문에, 저칼슘혈증은 하인두 재건 후 재건 부위가 안정화되는 기간 동안 장루(jejunostomy)를 통하여 영양 공급을 하는 경우 더 악화될 수 있다. 이 경우 일시적으로 정맥을 통하여 칼슘을 보충해 주어야 한다.

3) 하인두 재건 부위의 협착

하인두 재건 후 흔하게 발생하는 후유증으로 근막피부피판(fasciocutaneous flap)을 이용하여 재건한 경우에서 장을 이용한 피판 재건(visceral flap)보다 많이 발생한다. 재건 후 일정 기간 동안 침샘우회튜브(salivary bypass tube)를 유지하는 것이 협착 방지에 도움을 준다는 보고가 있다. 하인두 재건 후 식이 섭취 곤란, 연하곤란(dysphagia)을 호소한다면, 우선적으로 종양의 재발에 대한 평가를 하여야 하는데, 통증이 동반된 경우 종양 재발의 가능성이 높고 통증이 없는 연하곤란은 일반적으로 재건 후 협착에 의한 경우가 많다. 반흔에 의한 협착은 반복적인 확장술로 증상을 완화시킬 수 있으며, 기능적인 협착(cricopharyngeal spasm)인 경우 보톡스 주입법이 유용하다.

[참고. 음성 재활 방법: 후두 전적출술 후의 음성 재활 방법 참조.]

III 결론 및 요약

하인두 재건의 목적은 경부 동맥(경동맥), 정맥 등 대혈관의 보호, 식이 섭취를 위한 인두 통로의 재건, 안전한 기도의 확보, 부가적으로 재활을 통한 발성 및 음성 기능의 회복에 있다.

하인두 재건은 결손 정도에 따라서 최적의 방법을 선택하여야 하는데, 부분 또는 전체 하인두 결손 여부, 구인두(혀기저부, 편도 부위, 후인두벽 등) 부위 결손 여부, 식도 침범 여부에 대한 평가가 필수적 요소이다.

일반적인 사항을 정리하면 다음과 같다.

- 근피부피판(myocutaneous regional flap)은 부분 하인두 결손의 재건에 적당하다.
- 위장 조직을 이용한 하인두 재건이 근막피부피판을 이용한 재건보다 술 후 협착(stricture)이 적다.
- 반면, 술 후 음성 재활(tracheo-esophageal prosthesis)에 의한 발성은 위장 조직을 이용한 재건보다 근막피부피판을 이용한 경우가 음성의 질이 더 낫다.
- 식도 결손이 동반된 경우, 식도 절제 후 위 또는 장을 치환하는 재건 방법이 적절하다.

하지만, 하인두 재건의 증례가 많지 않기 때문에 결국 각 기관에서 가능(익숙)하며, 임상 경험이 충분한 재건 방법을 선택하는 것이 술 후 합병증을 줄이고 환자의 회복을 촉진시키는 방법일 것이다.

참고 문헌

1. Banki F, Mason RJ, DeMeester SR, Hagen JA, Balaji NS, Crookes PF, Bremner CG, Peters JH, DeMeester TR. Vagal-sparing esophagectomy: a more physiologic alternative. Ann Surg. 2002 Sep;236(3):324-35
2. Puja Gaur, Shanda H. Blackmon. Jejunal graft conduits after esophagectomy. J Thorac Dis 2014;6(S3):S333-S340.
3. Vidhyadharan S, Mohit Sharma, Krishnakumar Thankappan, Jimmy Mathew, Sudheer OV, Subramania Iyer. Gastro Omental Free Flap for Reconstruction of Tongue Defects. 5th IFHNOS World Congress 2014, P0546.

CHAPTER

26

후두의 악성종양

이비인후과학 Otorhinolaryngology - Head and Neck Surgery

정필상, 박재홍

I 후두암의 병태

1. 발생 빈도

두경부의 악성종양 중 두 번째로 발생 빈도가 높은 후두암(laryngeal cancer)은 전 세계적으로 매해 151,000명이 발생하며 82,000명이 후두암으로 사망한다고 알려져 있다.[21] 지역적인 유병률과 사망률의 차이를 보면 중앙아시아 남부, 동아시아와 유럽 중동부에서 유병률과 사망률이 각각 높게 보고되어 있다.[21]

국내에서도 갑상선암 다음으로 발생 빈도가 높은 후두암(laryngeal cancer)은 전체 악성종양의 약 2~5%를 차지하는 것으로 알려져 있으며 우리나라에서 후두암은 남자의 악성 종양 발생률의 1.7%를 차지하며,[57] 해마다 1,049명이 새롭게 발병하고 365명이 후두암으로 사망한다. 유병률은 인구 10만 명당 남자에서는 4.0명, 여자에서는 0.1명으로 전체적으로는 2.1명으로 보고된 적이 있다.[44]발생부위별 빈도를 보면 주로 성문암(glottic cancer)과 성문상부암(supraglottic cancer)이 후두암의 대부분을 차지하며 성문하부암(subglottic cancer)은 드문 것으로 알려져 있다.[5] 성문암과 성문상부암의 발생률은 지역에 따라 차이가 있는데, 미국에서는 성문암 51%, 성문상부암 33%, 성문하부암 2% 그리고 기타 원발부위를 정확히 특정하기 힘든 진행암 14%라고 보고된 반면,[16] 가까운 일본에서는 성문암과 성문상부암이 유사한 빈도로 보고되었다.[33]

2. 위험인자

대표적인 위험 인자로는 흡연과 음주를 들 수 있으며 후두암 환자의 대부분이 중등도 이상의 흡연과 음주를 하고 있고 담배, 특히 그중에서도 궐련이 후두점막상피의 변화를 초래하여 악성 변화까지 일으킨다는 것이 동물실험으로 증명된 바 있다.[4] 미국의 경우 연간 유병률은 12,720명이나 흡연자 수의 감소와 함께 유병률이 점차 감소하는 추세로 보고되고 있으며 40년 전에는 후두암의 남녀비가 15:1이었으나, 최근에 와서 3.8:1로 보고되는데 이는 여성 흡연자의 수가 증가했기 때문인 것으로 분석되고 있다.[21] 흡연량에 따라 3~44배의 후두암 발생 위험이 있으며, 금연을 하면 그 위험이 1/3 정도로 줄어든다고 하지만 금연과 금주 20년 후에나 기저 위험률 수준으로 감소할 수 있다고 한다. 음주는 음주량에 따라 후두암 발생의 위험이 1.4~5.9배 증가하며, 흡연과 동시에 하는 경우 그 위험은 배가 된다고 한다.[19] 호흡을 통한 다양한 화학발암원 역시 후두암과 관련이 있다고 알려져 있으며 대표적인 자극원으로는 석면, 니켈, 유기용제, 아스팔트, 내연기관의 배출 가스 등을 들 수 있다.[39] 또한 그 관련성이 입증되지는 않았으나 위식도역류도 후두암 발생의 위험 인자로 인식되고 있다.[38] 기타 두경부 영역에서도 많이 검출되는 사람유두종바이러스(human papilloma virus, HPV)가 거론되고 있으나 그 역할에 대해서는 아직 논란이 많다. 후두암의 23.6%에서 HPV DNA가 검출되며 HPV 감염과 후두에 발생하는 편평세포암과 유의한 관계가 밝혀져 있긴 하지만 HPV 발현과 후두암의 예후와의 연관성은 밝혀져 있지 않다.[32] 후두암 환자도 다른 두경부암 환자와 마찬가지로 동시성(synchronous) 혹은 후시성(metachronous)의 이차 원발암(second primary cancer)이 많은 것으로 알려져 있다. 후두암 및 하인두암 환자를 대상으로 한 연구에서 매년 평균 2.1%의 환자에서 이차 원발암이 발생하며, 혀, 구강, 식도, 폐에서의 암 발생 위험이 증가되었고, 알코올 소비와 흡연량과 관련이 있었다.[11] 특히, 후두암에서 폐암이 이차암으로 발견되는 경우가 많으므로 후두암 환자에서 폐결절이 발견되었을 시 주의 깊게 감별해야 한다.[37]

3. 유전학적 인자

후두 편평세포암종에서 종양억제유전자인 p53, p16의 비활성화가 약 반수에서 발견되며 Cyclin D1과 epidermal growth factor의 과발현 소견도 각각 약 1/3과 1/4에서 관찰된다. 특히, Cyclin D1의 과발현은 재발, 임파절 전이 및 좋지 못한 예후와 관련이 있다고 보고된 바 있다.[1]

4. 병리학적 소견

후두암의 85~95%는 편평세포암종으로, 성대에 발생하는 암종은 대부분 분화도가 높은 것에 비해 성문상부나 하부에 발생하는 암종은 분화도가 낮은 것이 많다.

육안적으로 편평세포암종과 감별하기 어려운 병변으로 과각화증(hyperkeratosis)이 있는데, 실제로 상피내암종(carcinoma in situ; CIS)과 같이 존재하는 경우가 있으며 이형성(dysplasia)이 있는 경우에는 침습암(invasive carcinoma)으로 진행하기도 한다. 때로는 병변이 백색

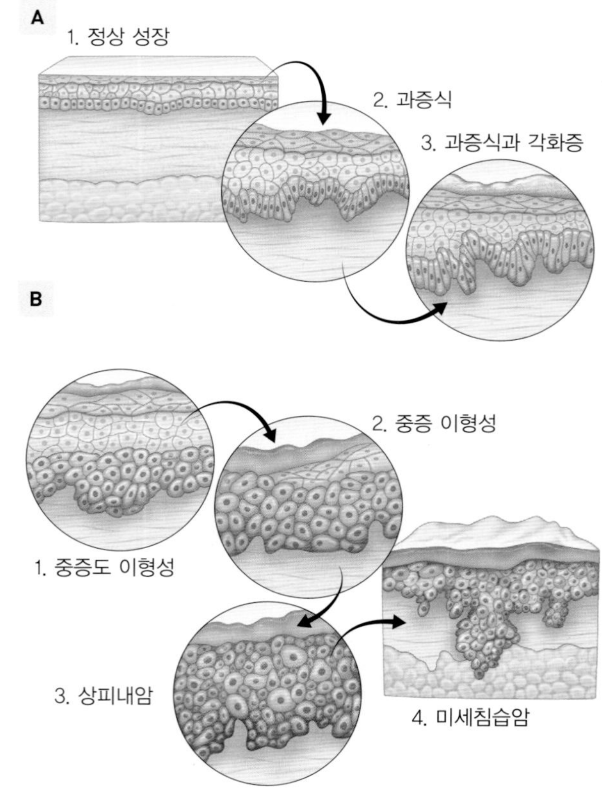

■ 그림 26-1. **전암성 병변의 조직학적 변화 과정.** **A)** 편평상피의 양성 변화. **B)** 악성 변화.

또는 회백색의 백반증(leukoplakia)으로 나타나기도 한다.

전암 병변인 편평세포이형성(squamous cell dysplasia)과 상피내암종(carcinoma in situ)은 조직학적 스펙트럼인 비후성증식(hyperplasia)–각화증(keratosis)–경도, 중등도, 중증 이형성(dysplasia)–상피내암종(carcinoma in situ)의 한 부분을 구성하고 있는 병변으로 암과 육안적으로 잘 구분되지 않으며 때로는 미세침습암을 거쳐 침습암으로 진행하기도 한다(그림 26-1). 상피내암종(carcinoma in situ)은 병리학적으로는 종양세포가 정상적인 상피세포 대신에 기저막 위쪽 부분을 모두 대치하고 있는 병변이다. 상피내암종의 빈도는 1~15% 정도이다. 가동성 성대 이외의 상피내암종은 대개 편평세포암종과 관계가 있으며, 약 30%에서는 치료 여부에 관계없이 편평세포암종으로 이행된다.[6]

후두에 발생하는 편평세포암의 변이암종으로는 우상암(verrucous carcinoma), 기저편평세포암(basaloid squamous cell carcinoma), 편평선암(adenosquamous carcinoma, acantholic squamous cell carcinoma), 유두상편평세포암(papillary squamous cell carcinoma)이 있으며 기저편평세포암과 편평선암은 일반적인 편평세포암에 비해 예후가 나쁘다. 우상암(verrucous carcinoma)은 전 후두암의 1~2%를 차지하며 대부분 진성대에 발생한다. 조직학적으로는 양성이지만 임상적으로 악성이라고 할 수 있다.[8] 표면이 거칠고 주위 조직을 둥글게 밀고 있는 경계를 보이며 경부 전이가 없다. Ackerman 종양이라고도 불리며 육안적으로는 편평세포암종과 잘 감별되지 않는 경우가 많고 현미경 소견으로 각화증을 동반하고 넓은 기저면을 갖는 망상돌출(rete peg)을 볼 수 있다. 이는 서서히 진행하는 종양으로, 크기가 작으면 단순절제로도 충분한 치료 효과를 기대할 수 있지만 크기가 크면 후두부분절제술이 필요할 수도 있다. 후두전적출술은 6~30% 정도에서 시행되며 방사선치료는 치료 효과도 미진하고 오히려 악성도를 높일 수 있다는 보고가 있어 시행하지 않는다.[36]

후두의 육종은 매우 드물며 주로 섬유육종(fibrosar-

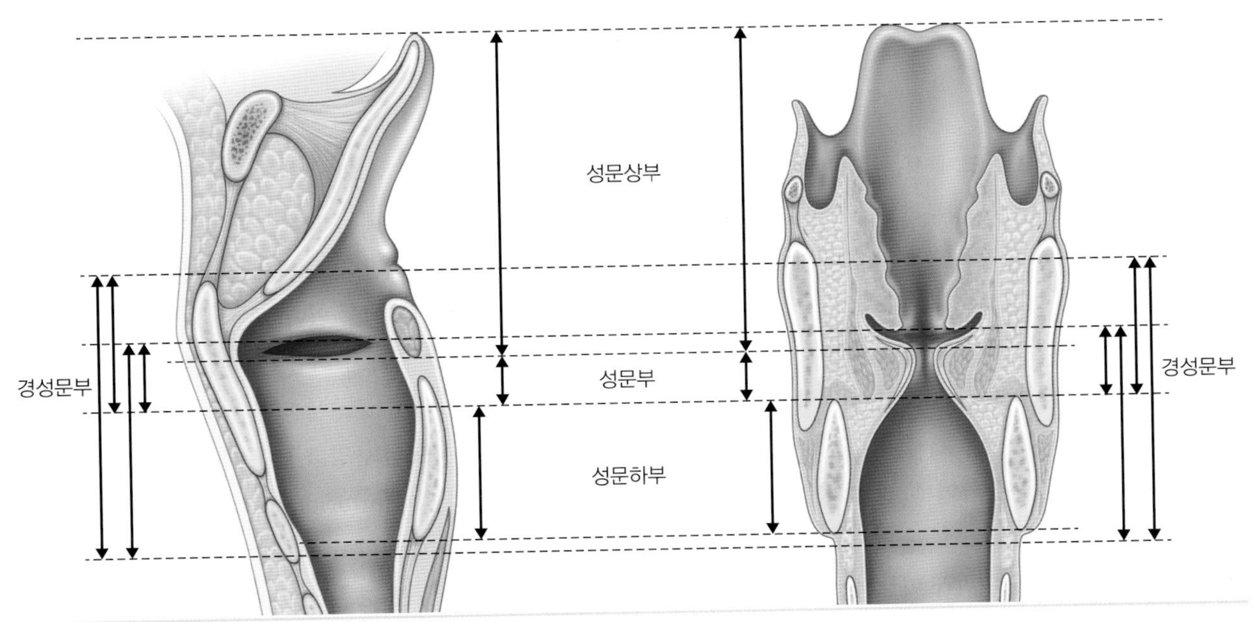

■ 그림 26-2. 후두의 해부학적 분류

coma)이 많고 횡문근육종(rhabdomyosarcoma), 평활근육종(leimyosarcoma), 연골육종(chondrosarcoma), 혈관육종(hemangiosarcoma), 신경원성육종(neurogenic sarcoma) 등이 보고되고 있다. 이들은 임상적으로 표면이 평탄하며 점막으로 덮여 있는 큰 고깃덩어리 같은 양상을 나타낸다. 전이는 편평세포암종보다 적은 것으로 알려져 있다.

가육종성 암종(pseudosarcomatous carcinoma)은 방추세포암종(spindle cell carcinoma)이라고도 하며 실제로는 반응성 기질(reactive stroma)을 가지는 편평세포암종이다.[7] 이는 기질이 육종처럼 보이기 때문에 붙여진 이름이며 임상 경과는 편평세포암종과 같다.

선암종(adenocarcinoma)은 후두의 어떤 부위에서도 발생할 수 있으며 전 후두암의 0.1%를 차지한다.[52] 원발병소를 치료한 후 수년이 지난 뒤에 원격전이가 잘 나타난다. 후두로의 원격전이는 매우 드물지만 신장, 전립선, 유방 등의 암이나 악성 흑색종에서 전이된 예가 보고되어 있으며 기타 후두에 발생 가능한 종양으로 타액선기원의 악성종양, 신경원성종양, 악성임파종, 흑색종 등이 보고되어 있다.[23]

5. 해부학적 분류

후두는 해부학적으로 크게 성문부(glottic area), 성문상부(supraglottic area), 성문하부(infraglottic area)의 3영역으로 나뉘며 후두암은 그 발생 부위에 따라 임상적으로 서로 다른 특징을 나타낸다(그림 26-2).

성문부의 아래쪽은 성대의 자유연에서 1 cm까지이며, 위쪽은 성대의 상면을 지나는 수평면까지의 매우 좁은 부위이다. 이 부위는 점막이 호흡상피세포가 아닌 편평상피세포로 되어 있으며, 후두암이 잘 발생하는 부위이다.

성문상부는 후두실(ventricle)로부터 위쪽으로 후두개의 자유연까지이며, 이 부위와 이상와(pyriform sinus)는 피열후두개주름(aryepiglottic fold)으로 경계 지어진다. 피열후두개주름에 발생하는 암을 변연암(marginal cancer)이라고도 하는데, 변연암은 하인두암과 같은 경과를 밟으므로 성문상부암이라기보다는 하인두암으로 보는 것이 바람직하다.

성문하부는 성대자유연 1 cm 하부로부터 윤상연골의 하연까지를 말하며 여기서 발생한 암은 대개 진행된 후에 발견되는 경우가 많아 예후가 불량하며 양측 경부로 전이를 일으키는 수가 많다.

경성문암(transglottic carcinoma)은 위의 세 영역 중 둘 이상에 걸쳐 있는 경우를 말한다. T3 이상이면 실제로 경성문암인 경우가 대부분이지만 분류 시에는 병소가 주로 위치하는 영역으로 분류하는 것이 바람직하며, 원발부위가 명확하지 않은 경우에 이와 같이 분류하는 경향이 있다.[45]

6. 후두암의 전이 경로

1) 국소침윤

후두암의 경우 원발부위에 따라 침윤 양상을 예측할 수 있다.

성대에서 발생한 암은 대개 분화도가 좋은 암으로 진행 속도가 느린 것이 특징이다. 이 부위에 생긴 암은 전후 방향으로 침윤을 일으키고 진행되었을 경우 전연합부를 넘어서 반대쪽으로 가는 경향이 있으며 성대 점막과 성대근을 침범하며 이후에는 후두실과 성문상부를 침범하거나 성문하부로 내려간다. 연골의 침윤은 매우 늦게 나타나며 주로 전연합부에서 일어나는데, 이는 이 부위가 갑상연골과 가깝고 성대가 직접 연골에 부착되어 내연골막(inner perichondrium)에 의한 방어 작용이 없기 때문이다. 후두 외부로의 종양 진행은 매우 늦게 나타나며 주로 갑상연골의 하각(inferior cornu) 밑으로 윤상갑상막(cricothyroid membrane)을 뚫고 나오게 된다. 갑상연골이 골화되어 있는 경우에는 더 쉽게 침윤을 일으킨다. 전연합부와 후두실의 기저를 침범한 경우는 내측의 연골막이나 연골 자체를 침범하여 결국 연골 밖으로 종양이 뚫고 나오게 된다.

성문상부암은 주로 위쪽으로 진행되며 성대 쪽으로 내려오는 경우는 그리 많지 않다.[10] 이는 발생학적으로 성문상부는 협인두 원기(buccopharyngeal anlage), 성대와 그 하부는 기관기관지 원기(tracheobronchial anlage)로 서로 다른 기원을 가지고 있기 때문이다. 성문상부암은 후두개연골, 가성대, 피열후두개주름(aryepiglottic fold) 등을 침범하며 점막 표면을 따라서 후두개 위로 퍼져 올라간다. 이들은 후두개곡(vallecula)을 거쳐서 설근부로 넘어 가거나 혹은 후두개연골에 있는 소공을 통해서 후두개전공간(preepiglottic space)으로 들어가거나 이상와로 퍼지기도 한다. 또한 직접 내측의 갑상연골막을 침범하는 경우도 적지 않다. 후두개에 발생한 암은 설골보다 아래쪽에 있는 경우에 후두개앞공간을 침범하고 있는 경우가 많아 설골 위쪽에 있는 경우보다 예후가 더 불량하다.

성문하부암은 표면이 넓고 평활하며 궤양을 형성하는 일이 적고 점막하로 퍼지면서 고리 모양으로 자라는 경향이 있다.

2) 경부 전이

후두암의 예후를 좌우하는 가장 큰 인자는 경부림프절의 전이 유무이다. 즉 경부 전이가 있으면 생존율이 40% 정도 감소하는 것으로 알려져 있다.[48] 경부 전이는 원발병소의 위치에 따라 나타나는 빈도와 양상에 크게 차이가 있다. 즉 성문부에는 심부림프관이 거의 분포되어 있지 않으므로 경부 전이율이 2~5% 이하로 매우 낮고, 성문상부와 하부에는 풍부한 림프관이 분포되어 있어서 주로 경정맥을 따라서 분포하는 심경부림프절로 전이를 일으키게 된다. 그러나, 성문암의 전연합부 침범 또는 성문하부로 5 mm 이상 침범한 경우 경부 전이율은 5–16%로 증가한다.[29,40,62]

성문상부와 하부는 별개의 발생학적 구조를 가지므로 림프계도 서로 다르다. 성문부는 기관기관지 원기의 가쪽 구조물이 가운데서 만나서 만들어지므로 중앙부에 림프관 구조의 장벽이 있어 림프관 전이가 편측성으로 일어나지만, 성문상부는 그렇지 않아 림프관 전이가 양측성으로 잘 생긴다. 성문상부는 갑상설골막(thyrohyoid membrane)을 통하여 상갑상동맥을 따라서 주로 상심경림프절(superior deep cervical lymph node)로 들어가며 후두실의 림프관은 윤상갑상막(cricothyroid membrane)을 통하여 동측의 갑상선을 통과하여 중심경림프절(middle deep cervical lymph node)과 하심경림프절(inferior deep cervical lymph node)로 들어가게 된다. 따라서 이 부위의 악성종양으로 후두적출술을 시행할 때에는 동측의 갑상선을 절제하여야 한다. 성문상부암의 경우 주로 경부 II, III, IV 구역으로 전이가 흔하므로 이 부위의 임파절은 수술 시 반드시 함께 제거해야 하며 I, V 구역은 앞서 언급한 II, III, IV 구역의 임파절에 전이 소견을 보일 때만 제거하게 된다.[11]

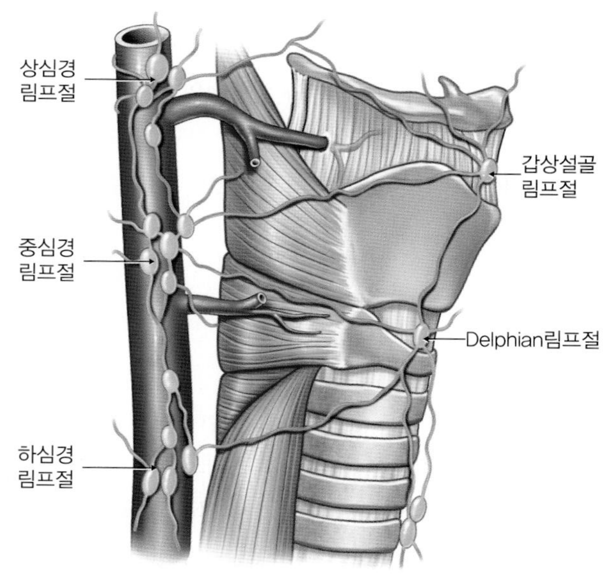

■ 그림 26-3. **후두의 림프 배액.** 성문하부암은 점막하 림프 배액로(submucosal lymphatics)를 따라 기관 주위 림프절(paratracheal nodes)과 하·중섬경정맥 림프절 연쇄(jugular chain)로 침범한다.

반면에 성문하부암의 경우 경부 VI 구역에 해당하는 기관주위(paratracheal), 기관식도(tracheoesophageal) 림프절로의 전이가 흔하며 반대측 림프절로 잘 전이된다. 그러나 성문하부암의 불량한 예후에 비해 경부 III, IV, V 구역의 전이는 4–27%로 상대적으로 드물다(그림 26-3).[25] 그러나 원격전이에 해당하는 종격동 임파절로의 전이는 46%까지 보고되어 있다.[41]

7. 원격전이

후두암은 혈행성 전이(hematogenous metastasis) 또는 임파절 전이(lymphatic metastasis)를 통해 원위부로 전이된다. 원격전위가 가장 호발하는 부위는 폐이며 원위부 임파절 전이가 가장 빈번한 곳은 종격동이다.[5] 간과 근골격계(늑골, 척추, 두개골)로의 전이는 흔하지 않으며 원격전이를 보이는 환자는 항상 경부 임파절 전이 소견을 보인다. 원발부에 따른 원격전이율을 보면 성문암 3.1%–8.8%, 성문상부암 3.7%–15%, 성문하부암 14.3% 로 보고된 바 있다.[34,54] 그 외 원격전이를 호발하는 요인으로는 T4 또는 N2, N3의 고병기암과 임파절의 피막외 침범 및 원발부 또는 경부 재발 등이 있다.[34,43,54,63] 피부의 전이 또한 원격전이와 같이 불량한 예후를 보이는 징후라 할 수 있다.[34]

8. 병기

후두암의 진행 정도를 정확히 기술하는 것은 매우 중요하다. 이는 치료 방침을 결정하거나 예후를 예측하는 데 필수적이기 때문이다. 현재 가장 널리 사용되는 것은 UICC(Union International Contre le Cancer)와 AJCC(American Joint Committee on Cancer) 두 단체가 주도하여 만든 TNM 분류법으로, 이는 현재 전 세계적으로 가장 널리 쓰이는 악성종양의 분류법이다. (표 26-1)은 2016년에 UICC와 AJCC에 의해 개정된 TNM 분류법을 기초로 한 후두암에 대한 T병기의 분류이며, N병기와 M병기는 다른 두경부 종양과 같다. 병기(staging)는 (표 26-2)와 같다.[2]

II 후두암의 진단

1. 증상

후두암의 증상은 원발부의 위치에 따라 차이가 있을 수 있다. 예를 들어 성문암의 경우 음성 변화가 흔하고 성문하부암에서는 호흡곤란이 주 증상일 수 있는 데 반해 성문상부암에서는 발성 시 공명의 변화로 인한 음성 변화가 흔하고 크기 증가에 따라 연하곤란, 호흡곤란, 객혈 등과 같이 다양한 증상이 발생할 수 있다.[25]

1) 쉰목소리

쉰목소리(hoarseness)는 후두암을 진단함에 있어서 가장 중요한 증상이다. 발성 기관인 성대에 암이 발생하면 음성이 변화되고 이를 통해 조기에 진단할 수 있게 된다. 그러나 성문상부나 하부에 발생할 경우, 음성 변화가 초기에는 없을 수 있어 조기에 발견하지 못하고 진행하여 성대근이나 피열연골 등을 침범하면 음성 변화가 나타나게 되므로 뒤늦게 진단되는 경우가 대부분이다. 이 부위 암의 초기 증상은 쉰목소리보다는 인후두의 막연한 불편감 또는 연하 시에 느끼는 이물감이다. 따라서 이 시기에 진찰을 받을 경우 자세히 살펴보지 않으면 인두신경증(globus pharyngeus) 등으로 지나칠 수 있다.

40세 이상의 남자에서 특별한 원인 없이 쉰목소리가 2주 이상 지속되는 경우에는 후두의 자세한 진찰이 필수적이다. 후두가 잘 관찰되지 않을 경우 굴곡형 후두경(flexible laryngoscope) 등을 이용하여 반드시 후두의 모든 부위를 자세히 살펴보아야 한다.

표 26-1. 후두암의 T 병기

Primary tumor(T)	
TX	원발부 종양의 평가가 불가능한 경우(Primary tumor cannot be assessed)
Tis	상피내암(carcinoma in situ)
성문상부(supraglottis)	
T1	성대는 정상적으로 움직이며 성문상부 하나의 소구역에 국한된 종양
T2	1개 이상의 인접한 성문상부 소구역 점막을 침범하거나, 성문을 침범하거나, 혹은 성문상부 밖의 부위(예: 설기저부의 점막, 후두개곡vallecula, 이상와의 내측벽 등)를 침범하면서 성대의 고정이 없는 종양
T3	성대가 고정되어 있으면서 후두 내에 국한된 종양 그리고/혹은 후윤상연골부(postcricoid area), 후두개전공간(preepiglottic tissues), 성대주위공간(paraglottic space)을 침범하거나 갑상연골의 내피질(inner cortex of thyroid cartilage)을 침범한 종양
T4a	중등도 국소진행성 종양, 갑상연골의 외피질(outer cortex of thyroid cartilage)을 침범했거나 후두 밖의 조직(예: 기관, 혀의 심부 외근(deep extrinsic muscle of tongue), 피대근, 갑상선, 식도 등의 경부 연부조직)까지 침범한 종양
T4b	중증의 국소진행성 종양, 척추전공간(prevertebral space)을 침범하거나, 경동맥을 둘러싸거나(encase carotid artery), 혹은 종격동 구조물을 침범한 종양
성문(glottis)	
T1	성대는 정상적으로 움직이며 성문에 국한된 종양(전, 후연합부(anterior or posterior commissure)를 침범한 종양도 포함됨)
T1a	일측 성대에만 국한된 경우
T1b	양측 성대를 침범한 경우
T2	성문상부 혹은 성문하부까지 확대된 성문암으로 성대의 움직임에 장애가 동반된 경우(impaired vocal cord mobility)
T3	성대가 고정되어 있으며 후두 내에 국한된 종양 혹은 성대주위공간을 침범하거나, 갑상연골의 내피질(inner cortex of thyroid cartilage)을 침범한 종양
T4a	중등도 국소진행성 종양, 갑상연골의 외피질(outer cortex of thyroid cartilage)을 침범했거나 후두 밖의 조직(예: 기관, 혀의 심부 외근(deep extrinsic muscle of tongue), 피대근, 갑상선, 식도 등의 경부 연부조직)까지 침범한 종양
T4b	중증의 국소진행성 종양, 척추전공간(prevertebral space)을 침범하거나, 경동맥을 둘러싸거나(encase carotid artery), 혹은 종격동 구조물을 침범한 종양
성문하부(subglottis)	
T1	성문하부에 국한된 종양
T2	성대의 움직임은 정상 또는 장애가 동반되어 있으며 성대를 침범한 종양
T3	성대고정을 동반하며 후두 내에 국한된 종양 혹은 성대주위공간을 침범하거나, 갑상연골의 내피질(inner cortex of thyroid cartilage)을 침범한 종양
T4a	중등도 국소진행성 종양, 윤상연골 혹은 갑상연골을 침범하거나, 후두 밖의 조직(예: 기관, 혀의 심부 외근(deep extrinsic muscle of tongue), 피대근, 갑상선, 식도 등의 경부 연부조직)까지 침범한 종양
T4b	중증의 국소진행성 종양, 척추전공간(prevertebral space)을 침범하거나, 경동맥을 둘러싸거나(encase carotid artery), 혹은 종격동 구조물을 침범한 종양

2) 호흡곤란과 천명

이는 주로 진행된 후두암의 증상이며 종양의 크기, 분비물의 축적, 성대의 고정 등의 원인으로 나타날 수 있지만 종양에 수반되는 염증이나 부종 등에도 기인할 수 있다. 천명은 큰 종양에서 주로 들을 수 있고 원발부위에 따라 그 양상이 다를 수 있다. 성문상부암에서는 흡기성 천명(inspiratory stridor)이 나타나고 성문하부암에서는 호기성 천명(expiratory stridor)이 나타난다. 그리고 성

표 26-2. 후두암의 병기

Stage 0	Tis	N0	M0
Stage Ⅰ	T1	N0	M0
Stage Ⅱ	T2	N0	M0
Stage Ⅲ	T3	N0	M0
	T1	N1	M0
	T2	N1	M0
	T3	N1	M0
Stage ⅣA	T4a	N0	M0
	T4a	N1	M0
	T1	N2	M0
	T2	N2	M0
	T3	N2	M0
	T4a	N2	M0
Stage ⅣB	T4b	Any N	M0
	Any T	N3	M0
Stage ⅣC	Any T	Any N	M1

문암에서는 흡기와 호기 모두에서 천명이 나타날 수 있다.

일반적으로 서서히 진행되는 호흡곤란에는 환자가 적응할 수 있어 불편함이 덜 하나 이차적인 염증이나 조직검사 등의 자극에 의한 급격한 부종으로 인해 발생하는 호흡곤란은 증상이 심하며 숨을 쉬려고 노력할수록 호흡곤란은 점점 더 심해진다. 만약 심한 호흡곤란과 천명이 동시에 나타나면 이는 대단히 위험한 상태로 기관절개술을 시행하고 가능한 한 빠른 시기에 수술이나 다른 치료를 받도록 한다.

3) 동통

통증도 흔하게 호소하는 증상으로 특히 성문상부암에서 볼 수 있으며 그 정도는 매우 다양하다. 음식을 먹을 때 통증이 나타나면 일단 기질적인 원인을 의심하며, 평소에는 증상이 있다가 음식을 먹을 때 없어지면 대개 신경증적인 원인으로 볼 수 있다. 방사 이통(referred otalgia)은 하인두암에서는 자주 볼 수 있으나 초기 후두암에서는 비교적 드물다.

4) 연하곤란

성문상부암과 하인두암의 특징 중 하나로 환자는 목에 이물감으로 인해 계속 기침을 하거나 물을 찾는다. 그러나 심한 연하곤란은 매우 진행된 암의 증상으로서, 후두 밖까지 침범한 경우에 주로 볼 수 있다.

5) 기침

조기후두암에서 기침은 드물지만 성대고정으로 인한 흡인(aspiration)을 초래하는 경우 또는 이상감각이 발생하는 경우에 주로 볼 수 있다.

6) 각혈

성문하부암이나 매우 큰 성문상부암에서 각혈을 볼 수 있으며 지속적인 기침 때문에 일어날 수도 있다.

7) 체중 감소

진행된 후두암에서 원격전이를 일으켰을 때 체중이 현저히 감소한다. 일반적으로 큰 종양으로 인해 식도가 막히거나 심한 연하통, 혹은 지속적인 흡인으로 음식물을 삼키기가 곤란해질 경우에도 나타날 수 있다.

8) 구취

구강의 위생이 불결해지거나 종양의 괴사, 염증과 연골의 침범 등이 있을 경우에 심한 악취를 동반하게 된다. 일반적으로 구취가 있는 것은 상당히 진행한 암을 의미한다.

9) 경부종물

경부에 종물이 발생하여 원발병소를 찾는 과정에서 후두암을 발견하게 되는 경우가 적지 않다. 특히 쉰목소리를 동반하지 않는 성문상부암이나 성문하부암에서는 전이된 경부림프절이 초발 증상으로 나타나는 경우가 많으며 이럴 경우 우선 그 원발병소를 찾는 데 주력해야 한다. 또한 전경부에 종창이 나타나는 것은 매우 진행된 후두암에서 연골을 뚫고 경부 연조직으로 종양이 파급된 경우이며 만약 피부까지 전이되었다면 이는 원격전이만큼이나 예후가 매우 불량한 소견이다.

10) 압통

전경부에서 후두를 눌렀을 때 통증이 있으면 연골의 침윤을 의심해야 하며, 이는 매우 진행한 암에서 나타나는 증상이다.

2. 진단 방법과 소견

1) 후두의 진찰

후두는 이비인후과 영역 중에서 가장 진찰하기가 어려운 부위 중의 하나이다. 특히 후두암의 가능성이 있는 환자에서는 후두의 모든 부분을 확실하고 자세하게 관찰할 필요가 있는데 종래에 시행되어 왔던 간접 후두경 검사는 후두를 관찰하는 데 효과적인 방법이기는 하나 이것만으로는 불충분한 경우가 많다. 구역반사가 심하거나 후두개의 모양이나 위치로 인해 후두를 관찰하기 어려운 환자가 있기 때문이다.

최근에 와서 굴곡형 내시경(flexible fiberscope)과 후두원시경(telescope)이 널리 보급되어 환자에게 큰 불편을 주지 않고도 후두를 충분히 관찰함과 동시에 정확한 기록을 남길 수 있게 되었다. 이 두 가지는 서로 장단점이 있는데, 굴곡형 내시경은 후두 관찰이 어려운 어떠한 환자에서도 사용할 수 있지만 그 상이 매우 작고 왜곡되어 확실하게 판단하기 어려운 경우가 많다. 그러나 후두원시경은 굴곡형 내시경에 비하여 상이 훨씬 선명하며 확대관찰이 가능하므로 초기의 후두암을 진단하는 데 매우 유용하다. 그러나 환자에 따라서는 전연합부나 후두개의 기저부를 관찰하기 어려울 수 있다.

후두암의 확진은 조직검사로써만 가능한데, 종래에는 간접 후두경 검사로써 조직검사를 시행하였으나 초기 후

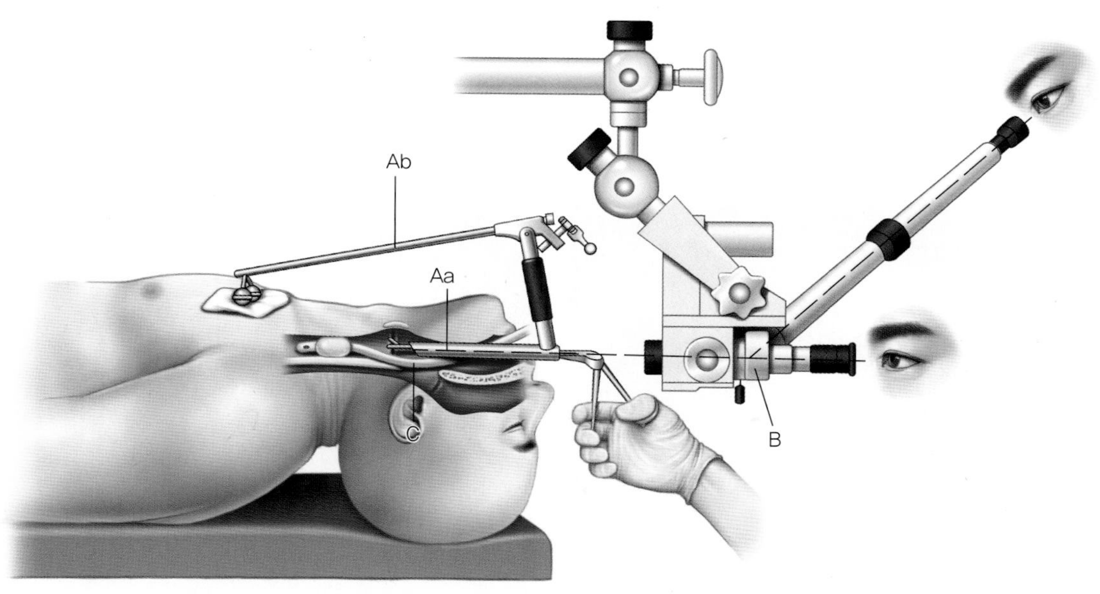

■ 그림 26-4. **현수후두경 검사.** Aa: 후두경, Ab: 후두경 고정기, B: 수술 보조자의 접안경이 달린 수술현미경, C: 전신마취용 튜브.

두암에서 병변이 작으면 이 방법으로는 확실하게 조직을 채취하기가 어려운 경우가 많다. 종양이 크고 특히 성문상부에 위치한 경우에는 생검겸자 통로가 있는 굴곡형 내시경을 이용하거나 후두원시경을 보면서 구부러진 생검겸자를 이용해서 조직을 채취할 수도 있다. 그러나 대부분의 후두암은 전신마취하에서 현수후두경 검사(suspension laryngoscopy)를 시행하여 수술현미경하에서 후두를 확대 관찰하면서 조직을 채취하는 것이 가장 확실하다(그림 26-4). 후두암의 경우 대부분 육안으로도 암을 진단할 수 있으나 후두결핵, 각화증, 백반증, 상피내암종, 우상암 등은 후두암과 감별하기가 어려우므로 조직검사는 필수적이다. 이때 현수후두경 검사는 대단히 의의가 큰 진단방법이며, 병변 범위를 정확하게 관찰하고 촬영함으로써 병의 경과를 관찰하는 데도 도움이 된다. 식도경 검사나 기관지경 검사를 아울러 시행함으로써 병변의 정확한 범위와 동반하여 나타날 수 있는 이차 원발암 (second primary cancer)을 조기에 발견할 수 있다. 또한 채취한 조직을 즉석에서 동결절편검사를 하여 채취 부위가 잘못되었을 경우 곧바로 다시 조직을 채취함으로써 불필요한 재시술을 피할 수 있고 치료 시기를 앞당길 수 있다.

2) 경부 진찰

초진 시에 경부림프절의 전이 여부를 반드시 확인한다. 내경정맥의 주행을 따라서 심경림프절을 자세히 촉진하고 림프절이 촉지되면 경도, 가동성, 크기, 위치, 숫자 등을 판별하면서 전이의 가능성 여부를 판단하여야 한다. 일반적으로 상당히 딱딱해져 있으며 고정되어 있는 것은 전이에 의한 것이라고 보아도 틀림이 없다.

또한 후두 부위를 촉진하여 이상 유무를 확인한다. 이때는 우선 대칭성 여부와 종창, 피부색의 변화를 관찰한 후에 후두를 만져서 가동성을 살피고 윤상갑상막에 돌출된 곳이 있는지를 살펴보아야 한다. 특히 피부의 광택과 형태의 이상, 가동성과 염발음(crepitation)의 유무, 윤상갑상막과 갑상설골막의 충만, 갑상연골의 확장, 압통의 유무 등에 유의한다.

3) 기타 진찰

구강, 인두, 비인두, 설근부 등에 대한 시진 및 내시경 검사를 병행해야 하는데 이는 성문상부암의 범위를 조사하고, 이차원발암의 유무를 확인하는 데 매우 중요하다.

4) 영상학적 검사

후두암이 의심되는 환자에 있어 영상학적 검사는 종양의 위치, 침습 범위, 전이 병변을 평가하는 데 필수적이

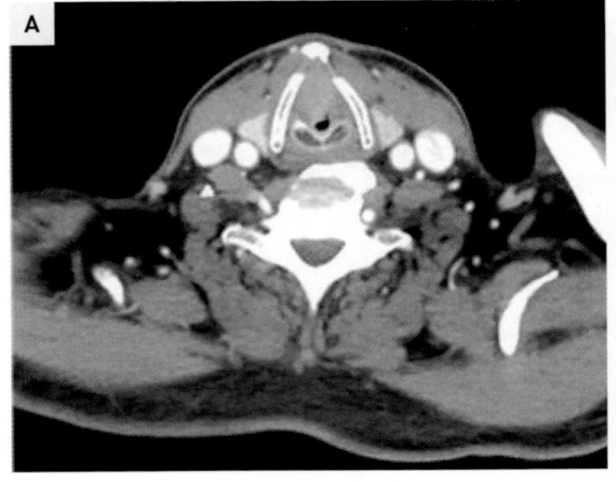

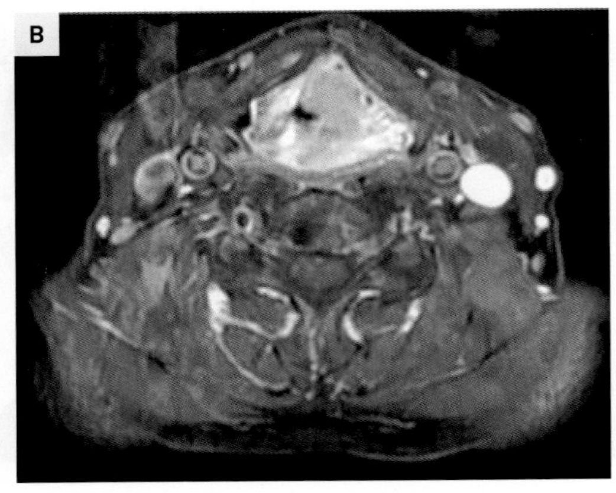

■ 그림 26-5. **진행성 후두암의 CT(A), MRI(B) 소견.** 암종이 갑상연골을 뚫고 후두외부 연조직까지 침범하고 있다.

다. 영상학적 검사는 병변의 왜곡된 영상을 배제하기 위해 가능하면 원발부와 전이 병변의 조직학적 검사 또는 내시경 검사에 앞서 시행하는 것이 일반적이다.

(1) 전산화단층촬영(CT)과 자기공명영상(MRI)

조직 내로 침투해 들어가 있는 정도를 파악하는 데는 CT가 효과적이다. 내시경으로 성문하부를 관찰하기 어려운 경우나 갑상연골 침범 여부, 후두개전공간으로의 파급 여부 등을 알고자 할 때에 더욱 도움이 된다.[56] 또한 경부림프절의 전이 여부와 경동맥과의 관계 등을 파악하는 데도 도움이 된다.

MRI는 경부림프절 전이 여부를 평가하는 데는 CT와 비슷한 정도의 정확도를 보여주는 것으로 알려져 있으며, 후두개전공간(preepiglottic space)이나 성문주위공간(paraglottic space)으로의 점막하 침범에는 조금 더 우수한 것으로 보고되었다.[26] MRI는 종양의 연골 및 연조직 침범을 관찰하는 데 CT보다 우수하나 CT보다 촬영 시간이 길어 환자의 움직임에 의한 동작음영(motion artifact)이 발생할 수 있으며 골침습을 감별하는 데는 CT가 MRI보다 우수하다(그림 26-5).[64]

(2) 양전자방출단층촬영(Positron emission tomography, PET)

PET 혹은 PET/CT는 양전자를 방출하는 방사성 포도당 유사체인 (18 F–fluorodeoxyglucose, FDG)를 체내에 주입한 후 인체의 대사 상태를 촬영하는 검사로 암의 진단 및 전이 병변의 평가와 치료 후 재발 평가에 매우 유용한 검사로 알려져 있다. 하지만, 단순한 염증 병변에도 대사가 항진되므로 악성종양과 단순한 염증성 병변을 구별하는 데 한계가 있다. 최근 두경부암의 다양한 영역에서 점점 더 많이 활용되고 있어 그 역할에 대해 지속적으로 연구되고 있으며 후두암과 하인두암의 첫 치료 후 재발이 의심될 때는 1차 검사로서 유용한 검사라 할 수 있다.[55] 후두개곡에 고인 타액이나 방사선 괴사, 감염 및 기타 염증에 의해 위양성을 보일 수 있으므로 수술이나 화학방사선요법(chemoradiation) 후에는 치료 종결 시점으로부터 2~3개월 후에 검사를 시행해야 정확도를 높일 수 있다고 알려져 있다.[42]

(3) 광간섭단층촬영기(OCT, optical coherence tomography)

최근 개발된 OCT는 적외선에 가까운 파장의 빛을 이용하여 상피와 상피하조직 구조의 생체 단면 영상을 조직학적 구조에 근사한 영상으로 나타내는 검사법으로 경구강 레이저 수술 시 후두상피 기저막의 종양으로부터 침습 정도를 확인할 수 있어 종양 절제의 경계를 확인할 수 있는 유용성이 있으나 투과력이 2 mm를 넘지 못해 부피가 큰 종양에는 적합하지 못한 한계가 있다.[12,61]

Ⅲ 전암 병변의 치료

비후 또는 변성된 성대의 점막을 벗겨내는 방법(stripping)을 통해 병변을 제거 후 조직검사상 이형성증(dysplasia)으로 진단되면 면밀한 추적 관찰이 필요하며 후두내시경 검사상 재발 소견이 의심될 때 다시 조직검사를 시행하여 재발 또는 침습암으로 진행 여부를 확인하는 것이 필수적이다. 상피내암(carcinoma in situ)의 치료법에는 내시경적 수술과 방사선치료가 있으며 최근 연구에 의하면 수술 후 재발률이 방사선 치료 후 재발률보다 높다는 보고가 있으며 수술 후 재발률은 20%에 이른다고 보고된 바 있다. 다만, 방사선 치료의 재발률은 수술에 비해 낮지만 방사선 조사 부위의 재발암 또는 중복암의 경우 방사선 재조사가 어려운 단점이 있다.[15,49]

Ⅳ 조기 후두암의 치료

후두암은 갑상선암 다음으로 가장 흔한 두경부 악성

종양이며, 특히 거의 모두가 편평세포암종이다. 후두암의 평균 5년 생존율은 64%로 보고되어 있고 특히, T1N0, T2N0의 조기 후두암은 90% 이상의 높은 5년 생존율을 보이는 것으로 알려져 있다.[16] 조기 후두암의 치료방법을 선택함에 있어 고려해야 할 사항은 종양을 완전히 제거함과 동시에 후두의 호흡, 발성, 섭식의 기능을 보존해야 하며 위험도를 최소화한 안전한 치료가 되는지 여부이다.

치료를 계획함에 있어 종양의 병리학적 진단, 원발부 범위와 TNM병기에 대한 정보는 필수적이며 특히 정확한 병기 설정은 무엇보다 중요하다고 할 수 있다. 조기 후두암의 치료에 있어 수술과 방사선 치료는 오랫동안 가장 중요한 치료법으로 여겨져 왔다. 일반적으로 I, II 병기의 조기후두암은 III, IV 병기의 진행성 후두암과 달리 수술 또는 방사선 치료 중 하나의 치료법으로 치료하는 것인 원칙이다. 조기 후두암의 치료법을 결정함에 있어서 음성의 질, 연하 기능, 치료 기간 및 환자의 선호도를 고려하여 신중히 선택하여야 한다.

1. 조기 성문암

I, II병기(T1N0, T2N0)의 조기 성문암의 경우 수술 또는 방사선 치료 중 한 가지 방법만으로도 치료될 수 있으며 예방적 경부임파절청소술은 필요하지 않다. 방사선 치료의 성적은 T1 성문암의 경우 5년 생존율은 81–90%에 이르며 T2는 64–87%에 이르며 조기성문암의 경우 후두 기능 보존율은 75–98%에 이른다.[13,20] 조기 후두암에 대한 부분후두절제술의 경우 5년 생존율은 90–98%에 이르며 후두 기능 보존율은 93–98%에 이른다.[58] 최근 30년 동안, 내시경 수술의 비약적인 발전으로 후두의 부분 절제까지 효율적으로 시행하기에 이르렀고 조기 성문암에 있어서도 우수한 치료법으로 자리매김하기에 이르렀다. 경구강 레이저 수술(Transoral laser microsurgery)은 Tis, T1a, T1b에서 주로 시행하지만 T2 이상의 병기에서도 시행할 수 있으며 레이저를 이용한 조기 성문암의 치

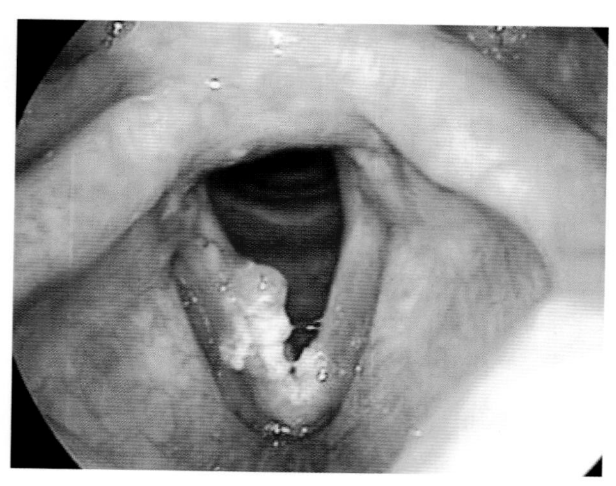

■ 그림 26-6. **T1b 성문암.** 양측 성대와 전연합부에 불규칙하게 돌출된 병변이 관찰되고 있다.

료 성적은 5년생존율 80–94%, 후두 보존율 94%로 기타 치료법에 뒤지지 않는다. T1 병기라도 전연합부를 침범한 경우는 치료 후 재발률이 상대적으로 높기 때문에 치료 시 주의하여야 한다(그림 26-6).[13,20,58]

2. 조기 성문상부암

성문상부암은 성문암에 비해 임파절 전이가 보다 흔하며 임파절 병기가 예후에 미치는 영향이 가장 크므로 경부임파절의 치료가 필수적으로 고려되어야 한다. 일반적으로 성문상부암은 조기 I, II 병기에서는 단일요법으로 치료하며 진행성 병기인 III, IV병기에서는 병합요법으로 치료한다. 성문상부암의 5년 생존율은 66%이며 조기 성문상부암(I, II병기)은 74–77%, 진행성 성문상부암(III, IV병기)는 50–65%로 보고된 바 있으며 후두부분절제술과 방사선 치료의 후두 기능 보존율은 각각 86%와 73%로 알려져 있다.[51] 조기 성문상부암뿐만 아니라 일부 선택적인 예의 T3 성문상부암의 경우 개방적 성문상부 후두 부분절제술 또는 경구강 레이저 수술로 치료할 수 있으며 레이저 수술의 적응증은 일반적으로 T1, T2 병기 그리고

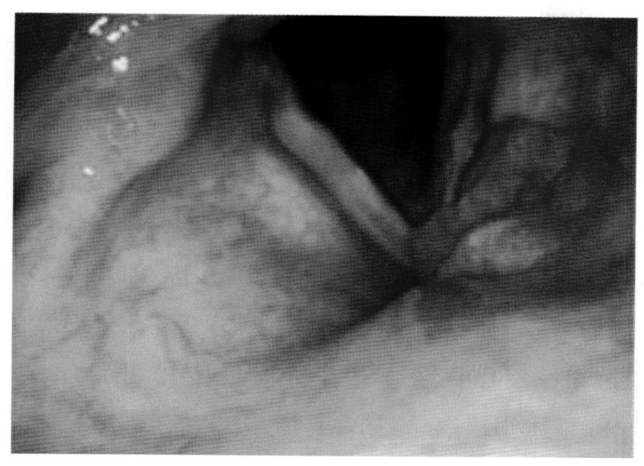

■ 그림 26-7. **초기 성문상부암.** 좌측 성문상부의 융기된 병변이 관찰되고 있다.

전후두개공간을 약간 침범한 초기 단계의 T3 병기까지 권장된다(그림 26-7).

V 진행성 후두암의 치료

진행성 후두암은 수술, 항암화학요법과 방사선치료를 병합한 치료법으로 치료하게 되며 진행성 후두암의 치료법을 결정함에 있어서는 매우 신중하게 여러 가지 요소를 고려하여 정해야 하며 이는 환자 요인, 질병 요인 그리고 치료 기관의 요인으로 나누어 함께 고려할 수 있다(표 26-3). 진행성 후두암의 5년 생존율은 63% 정도이며 진행성 후두암의 치료의 목표는 종양의 완전 제거와 발성과 연하의 기능을 최대한 보존하는 것이다.[22] 후두 기능의 보존 여부와 관련하여 치료를 결정함에 있어서 수술 후 삶의 질을 포함한 환자의 결정 또한 항상 고려되어야 한다.

1. 진행성 성문암

III, IV 병기의 진행성 성문암은 대부분 성대고정, 후두연골 침범, 경성문암으로의 진행 및 성문하부 침범의 소견을 보이며 후두외로의 침범 및 경부 임파절 전이와 원격전이가 흔하다.

T3 성문암의 경우 일반적으로 후두전적출술이 단일 치료법으로 알려져 왔다. 후두부분절제술의 경우도 선택적으로 적용될 수 있으며 후두부분절제술의 경우 2년간 무병 생존율이 60–73%까지 보고된 바 있다.[9] 일부 후두부분절제술에 적합하지 못한 환자 중 선택적인 경우 후두아전적출술로 치료하여 발성기능을 보존할 수도 있다. 방사선 치료는 진행성 후두암 치료의 단일요법에 있어 수술적 치료에 비해 국소 재발률이 더 높다고 보고되어 있으며[51] 방사선 치료의 결과를 예측함에 있어 종양의 부피가 중요하다고 보고되어 있다. 예를 들어 크기가 큰 종양의 경우 방사선 치료의 반응이 작은 종양에 비해 보다 불량

표 26-3. 후두암 치료와 관련한 예후 인자(Cummings 6th edition chapter 106. Box 106-4. 번역).

환자 인자
나이
전신 상태/동반 질환
전신활동도(performance status)
직업
발성 빈도
순응도와 신뢰도(치료 및 추적 조사)
흡연 여부
영양 상태
주거지와 병원 간 거리
환자 선호도
종양 인자
조직학적 진단
원발종양의 위치
병기
조직학적 특징
충분한 절제연
피막외 침범(extracapsular invasion)
신경 주위 침범(perineural invasion)
림프혈관강 침범(lymphovascular invasion)
기관 인자
수술에 대한 전문 지식과 경험
종양학에 대한 전문 지식과 경험

하다고 알려져 있다.[28]

T4 성문암의 경우 일반적으로 후두부분절제술은 적용되지 못하고 수술 후 보조적인 방사선치료 또는 항암방사선치료를 고려하에 후두전적출술 또는 일측 피열연골과 윤상연골부위를 보존할 수 있는 일부 환자에 한해서 후두아전적출술을 시행할 수도 있으며 종양의 크기가 상대적으로 작은 경우에는 초치료로 항암방사선치료를 시행할 수 있다.[3] 최근에는 경구강 레이저 수술을 이용하여 일부 선택적인 T3, 4 후두암을 치료한 사례도 보고되고 있다. T4 성문암의 방사선 단일요법은 치료 성적이 매우 불량하여 5년 생존율이 8% 정도로 보고된 바 있다.[59]

2. 성문암의 경부임파절 치료

성문암은 성문상부암과 성문하부암에 비해 상대적으로 낮다. 종양이 성문부에 국한되어 있다면 경부 전이는 거의 발생하지 않는다. 진행성 성문암에서의 경부 전이 양상은 대개 측경부 임파절(경부 구역 II,III,IV)와 전후두임파절군, 전기관임파절군, 기관주위임파절군으로 전이되며 잠재전이는 T1,2 조기성문암에서는 드물어 예방적 경부임파절청소술은 필요하지 않으나 진행성 성문암 중 T3의 경우는 경부 전이율이 그리 높지 않으나 경성문암의 경우에는 잠재전이율이 상대적으로 높아 예방적 경부임파절청소술을 필요로 한다. T4 성문암의 경우 잠재전이율이 20%에 달해 수술 시 동측경부 경부 구역 II,III,IV와 기관주위임파절군에 대한 예방적 임파절청소술을 필요로 한다.[29]

3. 진행성 성문상부암

진행성 성문상부암(T3, T4)은 오랫동안 전후두적출술과 양측 경부임파절 청소술 후 보조적인 술 후 방사선 치료를 통해 치료해 왔다. 최근에 와서 후두 기능을 보존하여 삶의 질을 높이는 점에 대한 중요성이 대두되며 전후두적출술 외에도 일부 T3 병변에서는 후두 기능을 일부 보존하는 후두부분적출술을 적용하기도 한다.[17] 일반적으로 알려진 진행성 성문상부암의 치료법으로는 다음과 같다. (1) 전후두적출술, 부분후두적출술 또는 경구강 레이저 수술 후 보조적 방사선 치료 또는 항암방사선치료, (2) 방사선 치료 후 재발시 구제수술, (3) 항암방사선치료 후 재발시 구제수술.[46] 성문상부암의 경부 치료의 원칙은 양측 경부구역 II, III, IV에 대한 예방적 임파절 청소술을 시행하는 것이며 전이 소견을 보이는 경부의 치료는 경부구역 I, II, III, IV, V가 포함되는 임파절 청소술을 시행해야 한다.[11]

VI 성문하암의 치료

성문하암은 대개 후두전적출술과 술 후 방사선 치료를 요한다. 수술적 치료 시 동측의 갑상선과 기관주위임파절 또한 함께 제거해야 하며 기관원위부와 식도의 침범 또한 발생할 수 있으므로 수술 전 반드시 이 부위의 침범 유무를 확인해서 절제 범위를 정하도록 한다.[25] 예후는 좋지 않은 편으로 방사선 치료 또는 수술적 치료를 시행한 군에서 5년 생존율이 각각 36%와 42%로 보고되어 있다.

1. 비수술적 치료(항암화학요법 및 방사선치료)

항암화학요법과 방사선치료는 최근 진행된 두경부암 치료에서 매우 중요한 역할을 담당하고 있는데 기관보존(organ preservation) 측면과 수술 후 완치율을 높이는 측면 모두에서 그 비중은 점차 확대되는 추세이다. 오랫동안, 진행된 후두암의 표준적인 치료는 후두전적출술과 수술 후 방사선치료로 이루어져 있었으나, 최근 수술 기법의 발달로 후두전적출술을 피할 수 있는 병변을 선별하여 후두 보존적인 수술 및 경구강 레이저 수술과 로봇 수술을 통해 기능의 보존을 도모할 수 있게 되었다. 그러나, 이러한 후두 기능을 보존하는 수술의 적응이 되지 않는 경우에는 항암화학요법이나 방사선치료를 다양한 방법으로 사용하여 후두를 보존하고자 하는 노력을 해 오고 있다.

1) 방사선치료

방사선치료는 조기 성문암 특히 종양에 의한 성대 고정이 없는 성문부에 국한된 병변의 경우 치료 성적이 좋고 음성을 보전할 수 있어 수술과 함께 일차 치료방법으로 선호되고 있다. 그러나 성대의 후 1/3과 피열부의 병변은 방사선치료에 대한 반응이 좋지 않으며 노년층과 전신 상태가 좋지 않은 환자군에서는 치료 기간이 너무 길다는 것이 문제가 될 수 있고 구강건조증과 방사선 괴사와 같은 합병증 및 이차암의 가능성을 높일 수 있다는 단점이 있다. 방사선 치료 후의 음성 변화는 수술 후보다는 양호하지만 정상으로 회복되지 않는 경우도 11%에 이르며 이는 성대격막, 부종 및 연골주위염과 연관이 있다고 알려져 있다.[53]

방사선치료 시의 피폭량은 5~6주에 걸쳐 5,600~6,500 cGy 정도이며, 치료 성적은 주로 종양의 체적과 관계가 있다고 한다. 방사선의 조사 크기가 유일하게 국소 재발 여부를 예측하게 하는 변수라는 보고도 있다.[13,20] 방사선 치료를 받은 환자들의 추적 관찰 시에는 항상 재발의 가능성을 염두에 두고 내시경을 통해 조사 부위를 철저히 관찰해야 하며 술 전 성대 운동의 장애가 있었던 경우, 다발성 종양의 경우 및 성문하부 침범이 있었던 경우, 특히 방사선 치료 후 쉰목소리가 지속되는 경우는 재발의 가능성이 높으므로 보다 신중히 관찰하도록 해야 한다.[13,20,53] 방사선치료로 인한 조기 성문암의 5년 국소 치료율은 T1에서는 81-90%, T2에서는 64-87%이다.

2) 항암화학요법

1980년대에는 수술 전에 항암화학요법(신보강화학요법(neoadjuvant chemotherapy)), 유도화학요법(induction chemotherapy)이 많은 두경부암 병변의 크기를 의미 있게 줄일 수 있는 것을 발견한 이래로 화학요법을 표준적인 치료에 추가할 경우 생존율을 향상시킬 수 있는 가능성과 유도화학요법에 반응하는 종양은 방사선치료에 민감할 것이라는 가능성을 전제로 많은 연구들이 이루어졌다.[50]

1991년에 발표된 Veterans Affairs (VA) 후두암 연구에서는, 진행된 후두암 환자를 무작위적으로 표준 치료군(후두전적출술 후 방사선치료)과 유도화학요법군으로 나누어 cisplatin과 fluorouracil을 이용한 유도화학요법 시행 후 반응할 경우 방사선 치료를 추가하는 군으로 다시 나누었고, 유도화학요법에 반응하지 않는 경우나 잔존암이 남은 경우에는 구제 후두적출술(salvage laryngectomy)을 시행하였고 잔존암 구제수술 후에는 방사선 치료를 추가하였다. 두 군의 2년 생존율은 모두 68%로 동일하였으나 유도화학요법을 시행한 환자의 64%에서 후두를 보존할 수 있었다는 의미 있는 결과를 얻었다.[16] 이후 방사선 치료 단독요법이나 동시 항암화학요법-방사선치료(concurrent chemoradiation)의 역할을 추가한 연구가 진행되었는데 Radiation Therapy Oncology Group and the Head and Neck Intergroup은 방사선치료를 근간으로 한 무작위 임상시험(RTOG 91-11)을 실시하였고 유도화학요법 후 방사선치료군과 동시 항암화학요법-방사선치료군, 방사선치료 단독요법의 세 군으로 나누어 생존율 및 후두 보존율에 대해 분석하였다.[24] 2년 및 5년 생존율은 세 군 간에 차이는 없었으나, 후두 보존율과 국소 및 경부 치료율(locoregional control)은 동시 항암화학요법-방사선치료군이 다른 두 군에 비해 의미 있게 우수한 성적을 보였다. 그러나 동시요법의 점막 독성은 다른 치료에 비해 두 배나 높았다.

이 연구는 유도화학요법의 역할을 검토할 수 있는 계기가 되었지만 수술적 치료에 대해 균형적인 시각을 갖지 못하여 대부분의 후두암 환자의 초치료에서 수술이 필요없을 것이라는 비약적인 결론,[60] 환자 선택의 문제점, 경부절제술의 역할을 배제한 점,[27] 방사선 치료의 성적이 다른 연구에 비해 좋지 않았다는 점[14]은 제한점으로 남았다. 그러나 연하기능에 있어서는 유도화학요법군이 더 좋은 결과를 보였고 동시요법의 심각한 독성을 고려할 때 이러한 순차적인 접근은 많은 이견에도 불구하고 여전히 의미 있는 치료방법의 하나일 수 있으며, 최근 Taxane을 포함하는 유도화학요법에 대한 연구가 많은 센터에서 활발히 진행되고 있다.[35] 진행된 후두암에서는 생존율 향상과 더불어 후두 기능을 보존하기 위해 새로운 약제를 이용한 항암화학요법뿐 아니라 분자표적치료제 등에 대한 연구 또한 활발히 진행되고 있고, 이와 함께 수술이나 방사선치료와의 이상적인 병합에 대한 연구도 계속되고 있다.

참고문헌

1. Almadori G, Bussu F, Cadoni G, et al. Multistep laryngeal carcinogenesis helps our understanding of the field cancerisation phenomenon: a review. Eur J Cancer 2004;40:2383-2388.
2. Amin MB, Edge SB, Greene FL, et al, eds. AJCC Cancer Staging Manual. 8th ed. New York: Springer; 2017.
3. Andrade RP, Kowalski LP, Vieira LJ, et al: Survival and functional results of Pearson's near-total laryngectomy for larynx and pyriform sinus carcinoma. Head Neck 22:12-16, 2000.
4. Auerbach O, Hammond EC, Garfinkel L. Histologic changes in the larynx in relation to smoking habits. Cancer 1970;25: 92-104
5. Barclay TH, Rao NN. The incidence and mortality rates for laryngeal cancer from total cancer registries. Laryngoscope 1975;85:254-8
6. Barnes L, Tse LY, Hunt JL, et al: Tumours of the hypopharynx, larynx and trachea: introduction. In Barnes L, Eveson J, Reichart P, et al, editors: World Health Organization Classification of Tumours. Pathology and Genetics of Head and Neck Tumours, Lyon, 2005, IARC Press, pp 111-117.
7. Batsakis JG, Rice DH, Howard DR. The pathology of head and neck tumors: spindle cell lesions(sarcomatoid carcinomas, nodular fasciitis, and fibrosarcoma) of the aerodigestive tracts, Part 14. Head Neck Surg 1982;4:499-513
8. Biller HF, Bergman JA. Verrucous carcinoma of the larynx. Laryngoscope 1975;85:1698-700
9. Biller HF, Lawson W: Partial laryngectomy for vocal cord cancer with marked limitation or fixation of the vocal cord. Laryngoscope 96:61-64, 1986.
10. Bocca E, Pignataro O, Mosciaro O. Supraglottic surgery of the larynx. Ann Otol Rhino Laryngol 1968;77:1005-26
11. Brazilian Head and Neck Cancer Study Group. End results of a prospective trial on elective lateral neck dissection vs type III modified radical neck dissection in the management of supraglottic and transglottic carcinomas. Head Neck 21:694-702, 1999.
12. Burns JA, Zeitels SM, Anderson RR, et al: Imaging the mucosa of the human vocal fold with optical coherence tomography. Ann Otol Rhinol Laryngol 114:671-676, 2005.
13. Cellai E, Frata P, Magrini SM, et al: Radical radiotherapy for early glottic cancer: results in a series of 1087 patients from two Italian radiation oncology centers. I. The case of T1N0 disease. Int J Radiat Oncol Biol Phys 63:1378-1386, 2005.
14. Colvett KT. Nonsurgical treatment of laryngeal cancer. N Engl J Med 2004;350(10):1049-53
15. Damm M, Sittel C, Streppel M, et al: Transoral CO2 laser for surgical management of glottic carcinoma in situ. Laryngoscope 110:1215-1221, 2000.
16. Department of Veterans Affairs Laryngeal Cancer Study Group. Induction chemotherapy plus radiation compared with surgery plus radiation in patients with advanced laryngeal cancer. N Engl J Med 324:1685-1690, 1991.
17. DeSanto LW, Olsen KD, Perry WC, et al: Quality of life after surgical treatment of cancer of the larynx. Ann Otol Rhinol Laryngol 104:763-769, 1995.
18. Dikshit RP, Boffetta P, Bouchardy C, Merletti F, Crosignani P, Cuchi T, Ardanaz E, Brennan P. Risk factors for the development of second primary tumors among men after laryngeal and hypopharyngeal carcinoma. Cancer 2005 Jun 1;103(11):2326-33
19. Elwood JM, Pearson JC, Skippen DH, et al: Alcohol, smoking, social and occupational factors in the aetiology of cancer of the oral cavity, pharynx and larynx. Int J Cancer 34:603-612, 1984.
20. Fein DA, Mendenhall WM, Parsons JT, et al: T1-T2 squamous cell carcinoma of the glottic larynx treated with radiotherapy: a multivariate analysis of variables potentially influencing local control. Int J Radiat Oncol Biol Phys 25:605-611, 1993.
21. Ferlay J, Shin H, Bray F, et al. GWBOCAN 2008, Cancer Incidence and Mortality Worldwide. IARC CancerBtue No 10 [internet] 2010; Available at URL: http://gl.obocan.iarc.fr. Accessed June 1, 2011.
22. Ferlito A. The natwal history of early vocal cord cancer. Acta Otolaryngol 1995;115:345-347.
23. Ferlito A, Devaney KO, Rinaldo A: Neuroendocrine neoplasms of the larynx: advances in identification, understanding, and management. Oral Oncol 42:770-788, 2006.
24. Forastiere AA, Goepfert H, Maor M, Pajak TF, Weber R, Morrison W, Glisson B, Trotti A, Ridge JA, Chao C, Peters G, Lee D-J, Leaf A, Ensley J, Cooper J. Concurrent chemotherapy and radiotherapy for organ preservation in advanced laryngeal cancer. N Engl J Med 2003;349(22):2091-8
25. Garas J, McGuirt WF, Sr: Squamous cell carcinoma of the subglottis. Am J Otolaryngol 27:1-4, 2006.
26. Giron J, Joffre P, Serres-Cousine O, Senac JP. CT and MR evaluation

of laryngeal carcinomas. J Otolaryngol 1993 Aug;22(4):284-93
27. Guntinas-Lichius O. Nonsurgical treatment of laryngeal cancer. N Engl J Med 2004;350(10):1049-53.
28. Hamilton S, Venkatesan V, Matthews TW, et al: Computed tomographic volumetric analysis as a predictor of local control in laryngeal cancers treated with conventional radiotherapy. J Otolaryngol 33:289-294, 2004.
29. Hao SP, Myers EN, Johnson JT: T3 glottic carcinoma revisited. Transglottic vs pure glottic carcinoma. Arch Otolaryngol Head Neck Surg 121:166-170, 1995.
30. Harwood AR, Bryce DP, Rider WD: Management of T3 glottic cancer. Arch Otolaryngol 106:697-699, 1980.
31. Hoffman HT, Porter K, Karnell LH, et al: Laryngeal cancer in the United States: changes in demographics, patterns of care, and survival. Laryngoscope 116:1-13, 2006.
32. Isayeva T, Li Y, Maswahu D, et al: Human papillomavirus in non-oropharyngeal head and neck cancers: a systematic literature review. Head Neck Pathol 6(Suppl 1):S104-S120, 2012.
33. Iwamoto H. An epidemiological study of laryngeal cancer in Japan. Laryngoscope 1975;85:1162-72
34. Johnson JT: Carcinoma of the larynx: selective approach to the management of cervical lymphatics. Ear Nose Throat J 73:303-305, 1994.
35. Kies MS. Induction Chemotherapy for Head and Neck Squamous Cell Carcinomas (SCCHN). Curr Treat Options Oncol
36. Koch BB, Trask DK, Hoffman HT, et al: National survey of head and neck verrucous carcinoma: patterns of presentation, care, and outcome. Cancer 92:110-120, 2001.
37. Kotwall C, Razack MS, Sako K, et al: Multiple primary cancers in squamous cell cancer of the head and neck. J Surg Oncol 40:97-99, 1989.
38. Koufman JA. The otolaryngologic manifestations of gastroesophageal reflux disease (GERD): a clinical investigation of 225 patients using ambulatory 24-hour pH monitoring and an experimental investigation of the role of acid and pepsin in the development of laryngeal injury. Laryngoscope 1991;101:1-78
39. Koufman JA, Burke AJ: The etiology and pathogenesis of laryngeal carcinoma. Otolaryngol Clin North Am 30:1-19, 1997.
40. Layland MK, Sessions DG, Lenox J: The influence of lymph node metastasis in the treatment of squamous cell carcinoma of the oral cavity, oropharynx, larynx, and hypopharynx: N0 versus N+. Laryngoscope 115:629-639, 2005.
41. Lamprecht J, Lamprecht A, Kurten-Rothes R: Mediastinal involvement in cancers of the subglottis, hypopharynx and cervical esophagus [in German]. Laryngol Rhinol Otol (Stuttg) 66:88-90, 1987.
42. McGuirt WF, Greven KM, Keyes JW Jr, Williams DW 3rd, Watson NE Jr, Geisinger KR, Cappellari JO. Positron emission tomography in the evaluation of laryngeal carcinoma. Ann Otol Rhinol Laryngol 1995 Apr;104(4 Pt 1):274-8
43. Merino OR, Lindberg RD, Fletcher GH: An analysis of distant metastases from squamous cell carcinoma of the upper respiratory and digestive tracts. Cancer 40:145-151, 1977.
44. Ministry of Health and Welfare, Republic of Korea. 1991 Annual report of the Korea Central Cancer Registry, 1992 Sep.
45. Olofsson J, Lord IJ, Nostrand AW van. Vocal cord fixation in laryngeal carcinoma. Acta Otolaryngol 1973;75:496-510
46. Pfister DG, Laurie SA, Weinstein GS, et al: American Society of Clinical Oncology clinical practice guideline for the use of larynx-preservation strategies in the treatment of laryngeal cancer. J Clin Oncol 24:3693-3704, 2006.
47. Pitman KT, Johnson JT: Skin metastases from head and neck squamous cell carcinoma: incidence and impact. Head Neck 21:560-565, 1999.
48. Resnick JM, Uhlman D, Niehans GA, et al: Cervical lymph node status and survival in laryngeal carcinoma: prognostic factors. Ann Otol Rhinol Laryngol 104:685-694, 1995.
49. Sadri M, McMahon J, Parker A: Management of laryngeal dysplasia: a review. Eur Arch Otorhinolaryngol 263:843-852, 2006.
50. Schuller DE, Metch B, Stein DW, et al: Preoperative chemotherapy in advanced resectable head and neck cancer: final report of the Southwest Oncology Group. Laryngoscope 98:1205-1211, 1988.
51. Scola B, Fernandez-Vega M, Martinez T, et al: Management of cancer of the supraglottis. Otolaryngol Head Neck Surg 124:195-198, 2001.
52. Sessions DG, Ogura JH, Fried MP. Carcinoma of the subglottic area. Laryngoscope 1975;85:1417-23
53. Small W Jr, Mittal BB, Brand WN, Shetty RM, Rademaker AW, Beck GG, et al. Results of radiation therapy in early glottic carcinoma: multivariate analysis of prognostic and radiation therapy variables. Radiology 1992;183:789-94
54. Spector JG, Sessions DG, Haughey BH, et al: Delayed regional metastases, distant metastases, and second primary malignancies in squamous cell carcinomas of the larynx and hypopharynx. Laryngoscope 111:1079-1087, 2001.
55. Terhaard CH, Bongers V, van Rijk PP, Hordijk GJ. F-18-fluoro-deoxy-glucose positron-emission tomography scanning in detection of local recurrence after radiotherapy for laryngeal/ pharyngeal cancer. Head Neck 2001 Nov;23(11):933-41
56. Thabet HM, Sessions DG, Gado MH. Comparison of clinical evaluation and CT accuracy for tumors of the larynx and hypopharynx. Laryngoscope 1996;106:589-94
57. The Korea Central Cancer Registry and National Cancer Center, Republic of Korea, Cancer Statistics in Korea: Incidence, Mortality, Survival, and Prevalence in 2012, 2015 Mar.
58. Thomas JV, Olsen KD, Neel HB, 3rd, et al: Early glottic carcinoma treated with open laryngeal procedures. Arch Otolaryngol Head Neck

Surg 120:264-268, 1994.

59. Vermund H: Role of radiotherapy in cancer of the larynx as related to the TNM system of staging. A review. Cancer 25:485-504, 1970.
60. Weinstein GS, Myers EN, Shapshay SM. Nonsurgical treatment of laryngeal cancer. N Engl J Med 2004;350(10):1049-53
61. Wong BJ, Jackson RP, Guo S, et al: In vivo optical coherence tomography of the human larynx: normative and benign pathology in 82 patients. Laryngoscope 115:1904-1911, 2005.
62. Yang CY, Andersen PE, Everts EC, et al: Nodal disease in purely glottic carcinoma: is elective neck treatment worthwhile? Laryngoscope 108:1006-1008, 1998.
63. Yucel OT, Yilmaz T, Unal OF, et al: Distant metastases in laryngeal squamous cell carcinoma. J Exp Clin Cancer Res 18:285-288, 1999.
64. Zinreich SJ: Imaging in laryngeal cancer: computed tomography, magnetic resonance imaging, positron emission tomography. Otolaryngol Clin North Am 35:971-991, 2002.

CHAPTER

27

후두악성종양의 경구강 수술

이비인후과학 Otorhinolaryngology - Head and Neck Surgery

이강대

I 서론

후두암의 경구강 내시경적 접근의 장점은 피부 절개가 필요 없고, 수술의 위험도와 비용 부담이 적고, 기관 절개를 줄일 수 있다는 점 등이다. 1920년 Lynch 등이 현수 후두경(suspension laryngoscope)을 도입한 이래, 1942년에 New와 Dorton, 1971년에 Lillie, DeSanto 등이 조기 후두암에 대한 수술방법으로 내시경 수술을 시행해 왔다. 레이저를 사용하기 전의 내시경적 절제방법으로는 소작술(cautery), 투열요법(diathermy) 등이 있었으나, 1970년대 초 Strong과 Jako가 레이저를 조기 성문암의 치료에 도입하고,[11] 이어서 Vaughan이 성문상부암에서 치료 결과를 보고한 이후[12] 유럽 특히 독일의 Steiner 등에 의해 활성화되었다. 오늘날 후두암 치료에 있어 삶의 질이 많이 강조되고 있는데, 레이저 수술은 가장 효과적인 기능 보존 수술(organ preservation surgery)인 만큼 그 역할이 확대되고 있다.

II 레이저 수술

레이저 수술은 내시경적 수술의 한 방법으로, 레이저의 물리적 특징을 이용하여 주변 조직의 손상을 최소화하면서 수술을 섬세하게 할 수 있게 한다. 레이저 수술의 장비는 후두미세수술에 사용하는 현미경에 미세조절기(micromanipulator)가 결합된 형태로, 레이저 빛을 미세조절기로 제어하여 수술 부위에 조사한다. 레이저 수술은 후두 골격구조(larygeal framework)를 보존하기 때문에 개방형 수술에 비해 기관절개술의 빈도가 낮고, 술 후 연하 기능의 회복이 빠른 장점이 있다. 그뿐만 아니라 흡인으로 인한 폐렴의 가능성 및 인두피부누공의 발생률도 적고 수술 시간이 짧으며, 회복이 빨라 입원 기간도 짧아진다. 따라서 비용과 효율 면에서도 우수하다.[1] 또 재발암 발견이 상대적으로 쉽고, 재발 시 레이저로 반복적으로 치료할 수 있으며, 레이저 외의 다른 치료법도 적용할 수 있어 구제 치료법의 선택의 폭이 넓다는 것도 장점이다. 후두암의 레이저 수술은 대상을 잘 선택하여 주의 깊게 수술하면 최소한의 절제로 최대한의 종양학적, 기능적 결과를 얻을 수 있는 매우 효과적인 치료방법이라고 할 수 있다.

1. 적응증

레이저 수술의 성공은 적절한 환자의 선택, 정확한 조직학적 평가, 안전연 확보를 통한 종양의 충분한 제거, 세심한 추적 관찰 등에 달려 있다. 절제방법으로는 일괴로 절제(en bloc resection)하는 방법과 여러 조각으로 나누어 구획절제(multiple piece resection, block-wise resection)하는 방법이 있다. 구획절제는 고전적으로 Halstead가 역설한 것처럼 암은 하나의 종괴로 절제해야 한다는 원칙에는 반하나, Steiner와 Ambrosch는 레이저를 사용하여 종괴를 가르면 절단과 동시에 혈관과 림프관이 막혀(sealing effect) 암세포가 주변 조직으로 전이가 어려워지기 때문에 구획절제가 가능하다는 개념을 제시하였고 이러한 방법이 레이저 수술을 좀 더 쉽게 하고 활성화하였다.[7] 레이저 수술은 깊이 침범하지 않은 T1에 한정해서 시행해야 한다는 연구자도 있지만,[3] T2 이상의 병변에서도 가능하다는 보고도 있다.[10] 따라서 레이저 수술은 성문암의 경우 보존적 후두 수술의 대상이 되는 T1a, T1b 같은 조기 성문암과 T2 병기에서 시행할 수 있으며, 성문상부암의 경우 병변 부위의 완전한 노출이 가능한 T1–2 병기 및 전후두개공간만 침범한 제한된 T3 병기에서 시행 가능하다. 노출이 불가능하거나 주위 구조물로의 광범위한 침범이 있는 경우에는 적용하기 어려우며, 수술 시 호흡과 발성에 중요한 후두의 구조물을 보존하여 후두 기능을 유지하는 것이 중요하다.

2. 술 전 준비 및 수술방법

레이저 수술을 할 때에는 종양을 완전하게 노출할 수 있는 수술 시야 확보가 무엇보다 중요하다. 환자를 Boyce position으로 취한 후 레이저용 후두경을 삽입한다. 성문상부의 병변이 큰 경우에는 일반적인 폐쇄형 후두경보다 끝을 벌릴 수 있는 확장형 후두경(distending laryngoscope)을 사용하면 병변의 노출과 시야 확보가 잘 되어

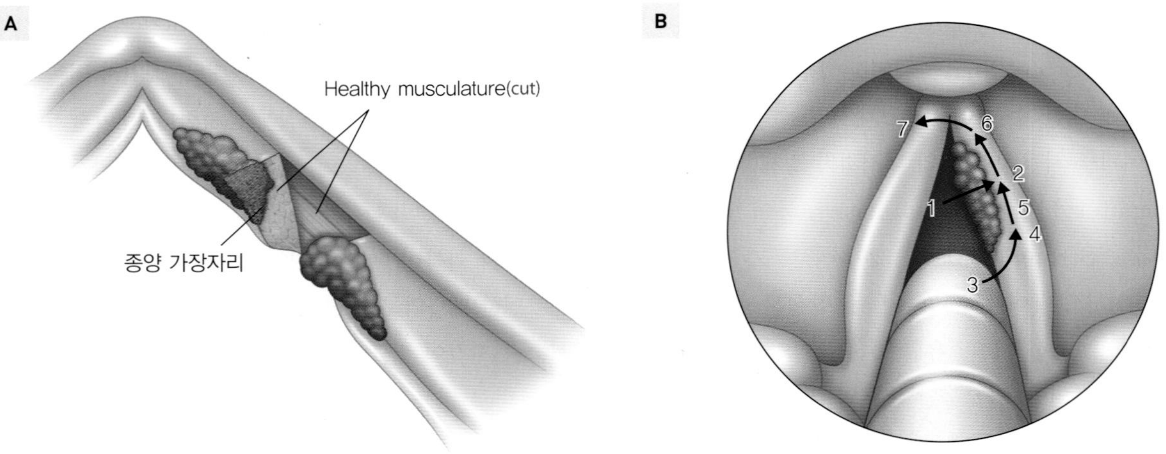

■ 그림 27-1. **우측 성대에 국한된 성문암(T1a)의 레이저 수술 모식도 및 순서.** **A)** 종양이 있는 부위를 레이저로 자르고 들어가면서 절단면의 탄화 양상으로 종양과 정상 조직을 구분할 수 있다. **B)** 이와 같은 방법으로 정상 조직의 경계를 확인하면서 종양의 크기에 따라 여러 조각으로 나누어 절제할 수 있다.

수술이 쉬워진다. 후두경의 위치는 종양의 크기 및 위치에 따라 조금씩 다르나 일반적으로 성문암의 경우에는 후두개와 마취 튜브 사이로 후두경을 밀어 넣음으로써 후두를 노출할 수 있고, 후두경 끝을 들어주면 후두의 전방 부위까지 시야를 확보할 수 있다. 수술 시야가 잘 나오지 않는 경우는 보조자로 하여금 전경부에서 후두를 전후, 좌우로 적절하게 누르게 하여 문제를 해결할 수 있다. 성문상부암에서는 아래 후두경날로 기관삽관 튜브를 아래쪽으로 밀어주고, 위 후두경날을 후두개곡에 위치하면 좋은 시야를 확보할 수 있다. 레이저 사용과 관련하여서는 환자의 눈은 보호대로 덮어 안전을 기하고 안면부를 포함한 수술 부위를 젖은 포로 덮어 준다. 수술실 내의 모든 사람들은 눈을 보호하기 위해 보호 안경을 착용하며, 레이저 사용과 관련된 기본 안전 수칙을 준수해야 한다.

1) 성문암

레이저 수술의 절제방법을 결정하기 위해서는 수술 전 후두내시경으로 전연합, 후두실, 성문하 등으로의 침범 여부를 자세히 관찰을 해야 한다. 종양이 작고 표면에 국한된 조기 성문암의 경우 일괴 절제술이 가능하다. 종괴가 큰 경우에는 종양의 가운데를 레이저로 절제하고 들어가면서 암의 침윤 정도를 절단면을 통해 확인한 후 안전연을 확보하여 구획절제를 한다(그림 27-1). 이때 절단면의 탄화(carbonization) 양상으로 종양과 정상 조직을 구분하는 데 참고할 수 있다. 성문암에서 병변이 잘 보이지 않을 때는 가성대를 절제하면 넓은 수술 시야를 얻을 수 있다. 성문암의 경우 유럽후두학회(The European Laryngological Society)의 절제 분류가 많이 이용된다(표 27-1).[6]

표 27-1. 내시경하 성대절제술의 분류(유럽후두학회)

분류	형
상피하 성대절제술(subepithelial cordectomy)	Ⅰ형
인대하 성대절제술(subligamental cordectomy)	Ⅱ형
경근육 성대절제술(transmuscular cordectomy)	Ⅲ형
완전 성대절제술(total or complete cordectomy)	Ⅳ형
확장 성대절제술(extended cordctomy encompassing)	
반대측 성대(contralateral fold)	Va형
피열연골(arytenoid)	Vb형
가성대(ventricular fold)	Vc형
성문하(subglottis)	Vd형
전연합부 성대절제술(cordectomy originating in the anterior commissure)	Ⅵ형

2) 성문상부암

성문상부의 하나의 소단위(subunit)에 국한된 작은 병변의 경우 기능적 소실 없이 일괴절제가 가능하다. 그러나 종양이 크거나 설골하 후두개까지 침범한 큰 병변의 경우 여러 조각으로 구획제거하는 것이 용이하다(표 27-2, 그림 27-2). 설골하에 이르는 큰 후두개 종양의 경우 먼저 설골상 후두개를 정중부에서 시상절개한 뒤 설골의 위치

표 27-2. 내시경하 상후두절제술의 분류(유럽후두학회)

분류	범위	형
제한적 절제술(limited excision)	Small superficial tumor	Ⅰ형
전후두개공간 보존 내측 상후두절제술 (medial supraglottic laryngectomy without resection of preepiglttic space)	Suprahyoid epiglottis Total epiglottectomy	Ⅱa형 Ⅱb형
전후두개공간을 포함한 내측 상후두절제술 (medial supraglottic laryngectomy with resection of prepeiglottic spcae)	T1-T2 tumors extending to the petiole of the epiglottis T1-T2 tumors of infrahyoid epiglottis extending to ventricular fold	Ⅲa형 Ⅲb형
외측 상후두절제술 (lateral supraglottic laryngecomy)	Includes ventricular fold Includes arytenoid	Ⅳa형 Ⅳb형

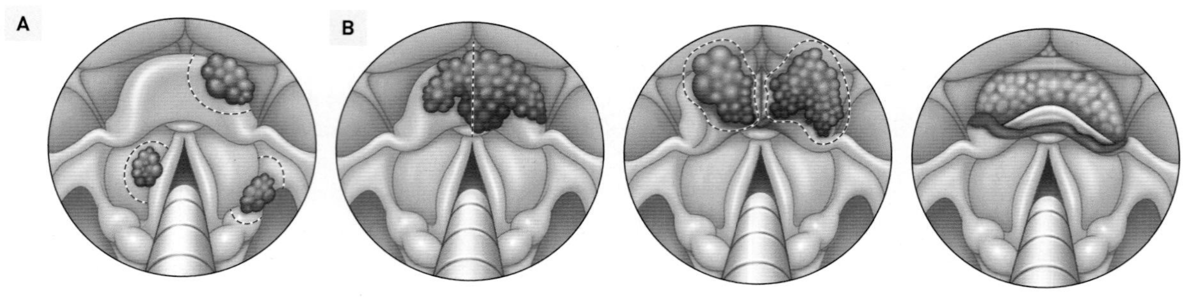

■ 그림 27-2. **성문상부암의 레이저 절제술 방법.** **A)** 소단위에 국한된 작은 종양의 경우 일괴 절제술이 가능하다. **B)** 설골하 후두개까지 침범한 종양은 안전연을 확보하여 전후두개 공간을 포함한 영역을 구획절제하여 제거한다.

를 확인하고 조심스럽게 후두개곡까지 절개한다. 설골하 후두개 전체를 시상절개하면 전후두개 공간 전부를 노출할 수 있고 갑상설골막 아래에서 갑상연골의 상부경계를 확인할 수 있다. 피열후두개 주름에서 내측으로 절개를 가하여 설골상 후두개 절개선과 만나 설골상 후두개를 제거할 수 있으며 반대측도 동일한 방법으로 시행하면 설골상 후두개 전부를 제거할 수 있다. 이후 설골하 후두개와 전후두개공간의 조직을 조금씩 제거하여 더 넓은 시야를 확보해 나가면 종양의 완전 절제가 가능하다. 이때 출혈을 줄이기 위해 인두후두개주름(pharyngo-epiglottic fold)에 존재하는 동맥분지를 확인하고 레이저 이외에도 vascular clip, 전기 소작기 등으로 단단하게 결찰하는 것이 필요하다. 이 부위에서 술 후 출혈은 생명을 위협할 수 있기 때문이다.

3. 경부절제술

경구강 레이저 절제술로 원발암을 제거하는 경우 경부절제술을 동시에, 또는 술자에 따라서는 수 주 후에 하는 경우도 있다. 단계적 경부절제술을 시행하는 근거로는 레이저 수술로 인한 후유증으로부터 환자가 회복할 때까지 기다리거나, 고령의 환자의 경우 연하 기능을 회복하고 나서 시행하는 것이 좋고, 원발암의 조직병리 결과에 따라 침습 정도를 고려하여 경부절제술 시행 범위를 정할 수도 있기 때문이다. 또한 레이저 수술 후 발생할 수 있는 림프관 내의 미세전이(in transit metastasis)가 림프절에 정착한 후에 제거하는 것이 효과적일 수 있다는 의견도 있다.

4. 합병증

경구강 레이저 수술 후 발생할 수 있는 주요 합병증으로는 생명을 위협할 수 있는 출혈, 흡인 및 폐렴, 기도 폐쇄, 경부절제술과 관련된 피부누공 등이 있고 그 외 화상, 치아 손상, 인두점막 손상, 육아종 증식, 후두 횡경막, 후두 부종, 폐기종 등이 있다.

5. 치료 결과 및 경과

성문암 초기 병변인 Tis, T1에서 레이저 절제술은 완치율이 높기 때문에 개방적 수술이나 방사선치료의 훌륭한 대체 시술로 이용될 수 있다.[4] 레이저로 첫 치료를 받은 경우에는 재발하더라도 다시 레이저 수술을 하거나, 개방수술 혹은 방사선치료를 구제 치료법으로서 모두 활용할 수 있다는 유연성이 있다.

성문암에서 레이저 수술 후의 음성의 질은 일반적으로

고전적 수술의 결과보다는 좋고 방사선치료 후의 결과보다는 좋지 않다고 보고되고 있다. 그러나 방사선치료를 초치료로 선택하여 재발하였을 경우에 후두를 잃을 가능성이 수술보다 높다는 점도 고려해야 한다. 레이저 수술 후 음성은 수술 절제 범위에 따라, 성대절제술 I형과 II형은 음성 보존이 훌륭하나 III형 이상의 범위를 절제한 경우에는 절제되는 범위에 따라 음성이 점차 나빠질 수 있다.[5] 레이저 수술 후의 음성은 기본 주파수(fundamental frequency)가 증가하며 강도가 감소하고 발성 시간이 감소하는 것이 특징이다.

성문상부암에 대한 레이저 수술의 종양학적 결과도 개방형 수술의 치료 성적과 비슷하다. 즉 완전한 절제만 가능하다면 합병증 발생률 및 후두 기능 소실 면에서 레이저 수술이 더 좋은 결과를 보이므로[8] 성문상부암의 수술적 치료에서 레이저 수술이 개방형 수술을 점차 대체하고 있다.

레이저 절제 후 조직검사 결과에서 경계 부위에 암이 존재할 경우에는 전통적으로는 3개월마다 현수후두경 검사를 통한 조직검사를 2회 연속 종양의 증거가 없을 때까지 시행하는 방법을 사용하는데, 최근에는 외래 내시경 검사의 발달로 1개월 간격으로 외래 검진을 시행하고 재발이 의심될 경우 조직검사를 겸한 내시경적 레이저 절제술을 시행하기도 한다. 재발한 병변 이 레이저 수술로 제거할 수 없을 만큼 진행된 경우에는 방사선치료나 개방적 수술이 필요하다.

III 성대박리술과 성대절제술

상피내암종과 미세침습암에서 후두 미세수술용 겸자와 가위를 이용하여 병변을 벗겨 내거나 잘라내는 수술방법인데, 레이저가 이용되기 시작한 후에는 시술 예가 줄어들고 있지만, 혈관이 적은 성문부의 얕은 병변에서는 치료 목적으로 이용될 수 있다.

참고문헌

1. Brandenburg JH. Laser cordotomy versus radiotherapy: an objective cost analysis. Ann Otol Rhinol Laryngol 2001;110:312–318
2. Eckel HE. Local recurrences following transoral laser surgery for early glottic carcinoma: frequency, management, and outcome. Ann Otol Rhinol Laryngol 2001;110:7-15
3. Gallo A, de Vincentiis M, Manciocco V, et al. CO2 laser cordectomy for early-stage glottic carcinoma: a long-term follow-up of 156cases. Laryngoscope 2002;112:370-374
4. Lee HS, Chun BG, Kim SW, et al. Transoral laser microsurgery for early glottic cancer as one-stage single-modality therapy. Laryngoscope 2013;123:2670-2674
5. Lee HS, Kim JS, Kim SW, et al. Voice outcome according to surgical extent of transoral laser microsurgery for T1 glottic carcinoma. Laryngoscope 2016;126: 2051-2056
6. Remacle M, Eckel HE, Antonelli A, et al. Endoscopic cordectomy. A proposal for a classification by the Working Committee, European Laryngological Society. Eur Arch Otorhinolaryngol 2000;257:227-231
7. Steiner W, Ambrosch P, eds. Endoscopic Laser Surgery of the Upper Aerodigestive Tract. New York: Thieme, 2000,pp.37-82
8. Steiner W, Ambrosch P, Martin A, et al: Results of transoral laser microsurgery of laryngeal cancer. In Ribari O, Hirschberg A, editors: Third European Congress of the European Federation of OtoRhino-Laryngological Societies, EUFOS, Bologna, Italy, 1966, Mon duzzi Editore, International Proceedings Division, pp 369–375.67
9. Steiner W, Ambrosch P, Rodel RM, et al. Impact of anterior commissure involvement on local control of early glottic carcinoma treated by laser microresection. Laryngoscope 2004;114:1485-1491
10. Steiner W, Fierek O, Ambrosch P, et al. Transoral laser microsurgery for squamous cell carcinoma of the base of the tongue. Arch Otolaryngol Head Neck Surg 2003;129:36-43
11. Strong MS, Jako GJ, Palanyi T, et al. Laser surgery in the aerodigestive tract. Am J Surg 1973;126:529-533
12. Vaughan CW, Strong MS, Jako GJ, et al. Laryngeal carcinoma: transoral treatment utilizing the CO2 laser. Am J Surg 1978;136(4):490–493

CHAPTER

28

보존적 후두 수술

선동일

조기 후두암은 경구강 레이저 절제술이나 방사선 치료로 좋은 결과를 보이고 있지만 진행된 후두암은 국소 제어를 위해 후두전적출술이 필요한 경우가 있다. 후두전적출술(total laryngectomy) 후 음성 재활을 통해 어느 정도 발성이 가능하지만 영구 기관절개창을 피할 수 없어 환자의 삶의 질이 떨어지게 된다. 한편 T3, T4 후두암에서도 방사선 치료나 항암화학요법 등의 비수술적 방법의 발전으로 후두 보존이 가능하게 되었으나 장기적으로 후두 기능이 악화되고 국소 제어율이 수술보다 떨어져 재발 시에는 구제수술이 필요하게 된다. 따라서 진행된 후두암에서 보존적 후두 수술은 후두 병소의 완전 적출을 시도하여 국소 제어율을 높이고, 가능한 정상 후두조직을 보존하여 영구 기관절개창 없이 후두의 호흡, 발성 및 연하 등과 같은 후두 기능을 보존할 수 있을 뿐만 아니라 방사선 치료 후 구제수술로의 역할을 할 수 있다. 경구강 레이저 절제술이나 최근 경구강 로봇 절제술에 대한 적응증이 성문암뿐만 아니라 성문상암으로 점차 넓어지고 있지만 진행된 후두암에서는 적응증에 제한이 있으므로 후두의 정상 기능을 보존하면서 국소 치유율이 높은 개방형 보존적 후두 수술은 여전히 중요한 술기로 자리 잡고 있다.

후두의 보존적 수술의 역사로는 1863년 Sands가 처음으로 성문암에서 후두절개를 통한 성대절제술을 소개한 후 1874년 독일 의사 Billroth에 의해 첫 후두반적출술(hemilaryngectomy)이 이루어졌다. 성문상암의 보존적 수술은 1913년 Trotter[19]가 측인두절개술(lateral pharyngotomy)로 후두개의 악성종양을 처음 절제하였으며, 이 술식을 확장하여 1947년 우루과이 의사 Alonso[1]가 성문상후두절제술(supraglottic laryngectomy)을 처음으로 도입하였다. 1958년 Ogura[18]가 15례의 후두개 악성종양에서 성문상후두절제술을 시행한 결과를 보고하면서 본 술식이 널리 보급되었다. Ogura는 또한 성문상부의 하인두를 침범한 성문상암의 경우에 확대 성문상후두절제술(extended supraglottic laryngectomy)을 시행함으로써 적용 범위를 더욱 넓혔다. 1959년에 호주 의사인 Majer 와 Reider[16]가 처음으로 상윤상후두부분절제술(supracricoid partial laryngectomy)에 대한 술기를 소개하였고 이후 지속적인 술기의 발전으로 1990년 Laccourreye가 본 술식을 성문암과 성문상암에 대해서 각각 적용할 수 있는 일관적이면서 체계적인 술기를 보고하였다.[8,9]

보존적 후두 수술은 후두 내로 접근할 때 갑상연골의 절개 방향에 따라 크게 수직후두부분절제술(vertical partial laryngectomy)과 수평후두부분절제술(horiozontal partial laryngectomy)로 나눌 수 있다. 수평후두부분절제술에는 성문상후두절제술과 이를 응용한 상윤상후두부분절제술이 포함된다. 각 술식은 병변의 범위에 따라 확대 적용하여 다양한 응용 술식이 있다.

I 보존적 후두 수술의 기본 원리

후두의 보존적 수술을 가능하게 하는 기초는 후두의 해부학적, 조직학적 특성과 후두 종양의 성장 특징에 있다. Hajek과 Pressman에 의해 후두 림프계의 구역화(compartmentation)가 증명되었고, 또한 Turker에 의해 후두의 결체조직장벽(connective tissue barrier)과 후두암의 구역화를 알게 되었다(그림 28-1). 우선 후두암에서 보존적 수술을 가능하게 하는 기본 원리는 후두의 발생학적 특징과 후두암의 전파 양상에 근거한다. 첫째, 후두의 발생을 보면 성문상부의 경우 협인두 원기(buccopharyngeal anlage-arch 3 or 4)에서, 성문부와 성문하부는 기관기관지 원기(tracheobronchial anlage-arch 5 or 6)에서 기원하여 수평적인 분리 형태를 취하고 있으며, 또한 좌우에서 각각 발생하므로 수직적인 분리 형태도 취하고 있다.[6] 따라서 성문상부와 성문부 사이의 림프관이 유통되지 않아 수평부분절제술이 가능하게 된다. 둘째, 성문부 특히 막성 진성대의 점막과 라인케(Reinke) 공간에는 림프관이 거의 발달되어 있지 않고 조직이 탄력섬유조직으로 이루어져 종양의 침윤과 전이가 늦다. 셋째, 대부분의 후두암은 편평상피세포암으로 서서히 성장하고 대부분 병리학적으로 잘 분화되어 있고, 분명한 경계를 가지고 있다. 이와 같은 후두의 특징적인 구역화와

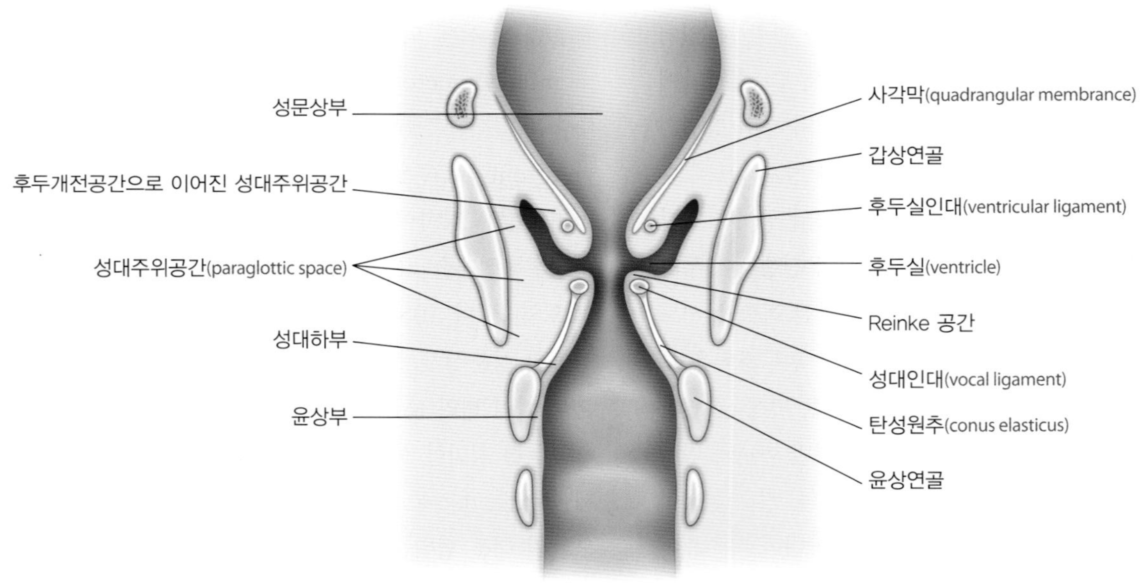

■ 그림 28-1. **후두의 결체조직장벽**

후두암의 성장 양상으로 보아 성문상부암의 경우 성문상부 수평부분절제술이 가능하고, 성문암의 경우 2~3 mm 정도의 절제연으로도 충분하다고 할 수 있다. 또한 후두부분절제술 시 고려해야 할 해부학적 요소를 살펴보면, 첫째, 후두개의 연골에는 혈관이 통하는 수많은 소공이 있기 때문에 후두개 종양이 쉽게 후두개전공간(preepiglottic space)으로 파급되므로 성문상후두부분절제술 시 이 공간을 함께 제거하여야 한다. 둘째, 종양이 전연합부를 침범한 경우, 이 부위에는 갑상연골 내측 연골막이 존재하지 않기 때문에 갑상연골 내면에서 Broyle 인대로 파급되어 쉽게 갑상연골과 윤상연골막으로 전파되는 특징을 갖고 있다. 셋째, 후두 내에서 상방 내측으로는 사각막(quadrangular membrane)으로, 그리고 하방으로는 탄성원추(conus elasticus)로 경계가 이루어지면서 진성대와 가성대를 모두 포함하는 성대주위공간(paraglottic space)이 있다. 성대주위공간은 성문상부, 성문부, 성문하부를 모두 연결하는 공간이기 때문에 이 공간을 따라 암이 이동하는 통로가 될 수 있으므로 이 부위에 암이 침범되었을 경우에는 이 공간을 완전히 적출해야 종양학적으로 안전할 수 있다. 따라서 이러한 후두암의 전파 양상에 대한 정확한 해부학적 지식을 갖는 것이 후두부분적출술을 시행하는 데 중요하다. 마지막으로 최근에는 진행된 후두암에서 상윤상후두부분절제술을 널리 사용하게 되었는데 이때 중요한 개념으로 윤상피열단위(cricoarytenoid unit)가 있다. 윤상피열단위는 피열연골 및 윤상연골, 이와 관련된 주변의 근육들, 그리고 반회후두신경 및 상후두신경으로 구성된다. 후두 보존술 후 기관절개창 없이 생리적인 발성과 연하를 가능하게 하는 기능적 단위(functional unit)가 되며 최소한 하나의 윤상피열단위가 반드시 보존이 되어야 후두 보존술 특히 상윤상후두부분절제술이 가능하게 된다.

II 수술 전 평가

보존적 후두 수술 전 평가로는 우선 원발부 상태, 경부 림프절 및 원격 전이 여부 등에 대한 종양학적 평가가 우선이다. 종양의 발생 부위와 침범 정도, 전파 부위를 철저히 검사하여 보존적 절제술의 가능성 여부를 결정해야 한다. 또한 보존적 수술이 가능한지 환자의 전반적인 의학적 상태와 술 후 발생할 합병증에 대한 여러 요인도 고려하여야 한다.

1. 종양학적 평가

임상적으로 우선 환자의 발성 상태와 호흡 양상을 관찰해야 한다. 성문상암 환자에서 쉰 목소리는 종양의 성문부 침범을, 성문암 환자에서 호흡곤란은 성문하로 종양이 확장되어 있을 가능성을 시사한다. 이어서 후두 내시경을 통해 종양의 범위를 평가하는 것이 중요하다. 외래에서 시행하는 내시경으로 원발부 종양의 발생 위치 및 형태, 침범 부위, 성대의 운동성을 우선 확인한다. 특히 성대의 운동성은 건측의 상태와 비교하여 평가하며 환측 성대의 운동성이 없을 경우에는 종양의 성대주위공간 침범에 의한 2차적 성대 고정과 윤상피열관절의 침범에 의한 피열연골의 고정을 구별해야 한다. 환자에게 기침을 시켜보았을 때 고정되어 있으면 피열연골의 고정 가능성이 높다. 한편 보다 정확한 평가를 위해서는 반드시 수술 전 전신마취 상태에서 현미경하 직접 후두경을 통한 정밀 검사가 필요하다. 피열연골의 운동성을 정확히 확인하기 위해 내시경 기구(laryngeal spatula)를 이용하여 촉진함으로써 종양에 의한 윤상피열관절 침범에 의한 고정 여부를 확인할 수 있다. 한편 외래 내시경에서는 확인이 어려운 종양의 성문하 점막 침범 정도를 평가하고 그 외 전반적인 후두 점막의 침범 범위를 다시 한 번 확인하게 된다. 전신 마취 상태에서 양수 촉진법을 통해 설근부를 만져서 종양의 설근부 침범 여부와 후두개전공간의 침범 여부를 확인할 수 있다. 방사선학적 검사로 내시경 소견과 이학적 검사 소견이 일치하는지 반드시 평가해야 한다. CT와 MRI를 통해 경부 림프절 전이와 종양의 후두개전공간의 침범, 갑상연골 및 윤상연골의 침범, 그리고 후두외 침범 여부를 확인한다. 특히 MRI가 갑상 연골의 침범과 후두개전공간의 침범 여부를 CT보다 더 정확히 평가할 수 있다.

2. 환자의 선택

보존적 수술을 위하여 고려해야 할 전신적인 요인으로는 심기능, 폐기능, 대사성 질환, 방사선치료 유무와 환자의 연령 등을 들 수 있다. 일반적으로 환자의 연령은 보존적 수술의 절대적 금기사항으로는 볼 수 없으나 다른 기저질환이 동반되어 있을 경우에는 수술 후 합병증이 발생할 확률이 높으므로 주의가 필요하다. 알코올중독증이 있

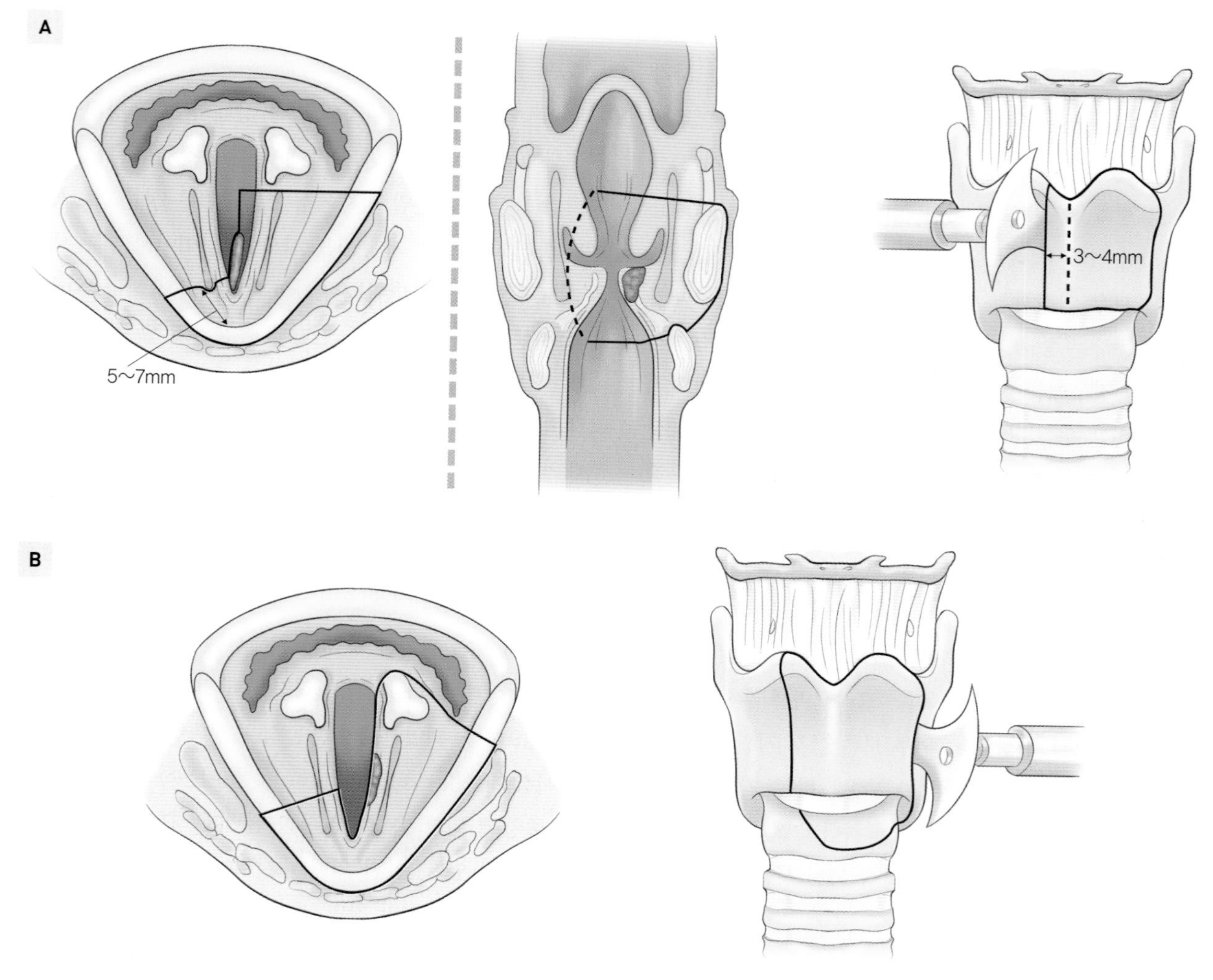

■ 그림 28-2. **전외측후두부분절제술.** **A)** 전외측후두부분절제술(frontolateral partial laryngectomy). **B)** 확장 전외측후두부분절제술(extended frontolateral vertical partial laryngectomy).

거나 또는 만성 질환을 앓고 있는 경우는 수술 후 영양결핍, 상처의 지연치유 등을 초래할 수 있으므로 환자 선택 시 위험 요인이 될 수 있다. 그 외 전신마취와 장시간의 수술로 심혈관계에 부담을 가중시킬 수 있으므로 충분한 수술 전 검사가 이루어져야 한다. 빈발한 오연 등으로 폐렴과 같은 폐질환이 발생할 가능성이 많으므로 폐기능이 50~75% 미만인 경우에는 수술 후 심각한 폐합병증을 유발할 수 있기 때문에 보존적 수술을 시행할 수 없다. 폐기능 상태가 보존적 후두수술의 상대적 금기사항이 될 수 있지만, 수술 전에 환자가 두 계단을 숨이 차지 않고 오를 수 있는 상태라면 수술의 절대적 금기는 아니다. 이와 같은 환자의 내과적 상황뿐만 아니라 보존적 후두 수술을 선택하기 위해서는 환자가 수술 후 심각한 연하장애가 발생할 수 있고 이런 경우 장기간의 재활 치료가 필요할 수 있다는 병식을 가지고 있어야 한다.

III 성문암에서의 보존적 후두 수술

성문에서 기원하는 조기암일 경우에는 최근에 경구강 레이저 수술로 제거가 가능하고 또한 방사선 치료의 음성 보존 결과가 우수하여 상대적으로 개방형 후두 보존술을 선택하는 빈도는 줄어들고 있다. 그러나 개방형 후두 보존술은 진행된 병변에서 후두의 기능을 보존하면서 우수한 종양학적 결과를 보이고 경구강 레이저 수술이나 방사선 치료 후 재발 시 구제술로 후두전적출술을 피할 수 있는 술식으로 현재에도 널리 이용되고 있다. 성문암에서 적용 가능한 보존적 후두수술로는 수직후두부분절제술과 상윤상후두부분절제술로 크게 구분할 수 있다.

1. 수직후두부분절제술

1) 수술 적응증

암이 일측 성대를 침범한 경우 정상적인 성대를 보존하면서 병변이 있는 부위를 제거하는 수술로서 병변의 범위 및 위치에 따라 다양한 술식이 보고되고 있다. 본래 수직후두부분절제술(vertical partial laryngectomy)은 해부학적인 의미로는 후두의 절반을 제거하는 술식(hemilaryngectomy)이지만 술 후 후두 기능에 심각한 장애를 초래할 뿐만 아니라 술 후 결과가 좋지 않아 널리 사용되지 않다가 1940년대에 현재의 의미를 지닌 편측후두절제술이라는 용어가 재도입되었다. 본 술식은 갑상연골을 수직으로 절개한 후 후두 내로 접근하여 종양이 침범된 전연합부, 갑상연골 일부, 진성대, 가성대와 후두강 등의 병변 부위를 절제하는 전외측후두부분절제술(frontolateral partial laryngectomy)을 기본으로 하고 있다(그림 28-2A).

수직후두부분절제술의 적응증은 병변이 성대 막양부에 국한되어 있으나 현수현미경하에 후두 노출이 되지 않아 경구강 레이저 수술이 불가능한 경우, 전연합부를 침범하였으나 반대측 진성대로 2 mm 이내로 침범한 T1 병변일 경우가 주로 적응증이 된다. 그 외에도 피열연골의 전방 또는 상방을 침범하거나 성대돌기를 침범한 성문암, 성문하부 2~3 mm 이내로 파급된 성문암에서 적용될 수 있다. 한편 수술의 금기사항으로는 전연합부를 넘어 반대측 성대 1/3 이상을 침범한 경우, 성문하부로 전방 10 mm, 후방 5 mm 이상 진행된 경우, 양측 피열연골, 윤상피열관절 및 피열연골간(interarytenoid) 병변, 갑상연골을 침범한 경우, 성대고정이 있거나, 중등도 이상의 경성문암 등이 있다.

2) 수술 방법

먼저 기관절개술을 시행한 후 갑상연골의 중앙 부위에서 수평으로 피부 절개를 하여 위쪽으로는 설골까지, 아래쪽으로는 윤상연골 하연까지 노출시킨 다음 피대근을 양쪽으로 벌리고 갑상연골을 노출시킨다. 갑상연골막을 정중위에서 절개하여 갑상연골로부터 환측 연골막을 박리한다. 갑상연골의 같은 부위에서 톱을 이용하여 건측 2~3 mm 부위에 수직으로 절개하고 하방 절제연은 갑상연골 하연에서 약 5 mm 위에서 수평으로 절개를 하며 절제되는 갑상연골의 높이가 약 1.5 cm 정도 되도록 절제한다. 이어서 윤상갑상막을 윤상연골 직상부에서 절개하여 후두내 종양의 침범 정도를 확인한 후 성대의 절제 부위를 결정하여 후두 내부로 들어간다. 반대측 성대를 침범한 경우는 반대측 성대의 일부를 포함하여 절제한다. 이때 건측의 성대 막양부는 1/2 또는 2/3 이상 남겨두어야 한다. 피열간 부위에서 하인두를 노출시켜 후방 수직절제 시 하인두 점막에 손상을 주지 않아야 하고 후연합부 점막은 최대한 보존해야 수술 후 협착을 예방할 수 있다. 편측 갑상연골은 후방 3 mm 정도를 남기며 종양의 침범 정도에 따라 피열연골의 절제 여부를 결정한다. 피열연골을 침범한 경우는 일측 피열연골 전체를 절제할 수 있지만 그렇지 않은 경우에는 피열연골의 성대돌기까지만 절제 범위에 포함시킨다. 후두 봉합 시 중요한 것은 남아 있는 후두개의 하연을 앞쪽 설골 부위에 3-0 Vicryl로 고정시켜 줌으로써 술 후 후두 폐색을 방지할 수 있다. 건측의 성대 전연합부를 4-0 Vicryl로 갑상연골막에 고정하여 보존된 성대의 적절한 긴장도를 유지하면서 정상 위치로 환원시켜야 한다. 수직후두부분절제술 시 성대의 재건은 흉골설골근(sternohyoid m.)이나 갑상설골막을 전위시켜 성대 결손 부위를 재건하고, 그 위에 박리해 두었던 연골막을 덮거나 하인두 점막을 당겨 덮어준다.[2] 또 다른 성대 재건 방법으로는 가성대를 갑상연골창의 상방과 하방에 각각 남아 있는 갑상연골과 서로 겹쳐지게 봉합함으로써 가성대가 내측으로 밀려서 발성을 보다 효과적으로 할 수 있게 하는 방법(imbrication laryngoplasty)이 있다(그림 28-3).[15]

3) 수직후두부분절제술의 확장

(1) 확대 수직후두부분절제술

확대 수직후두부분절제술(extended vertical partial

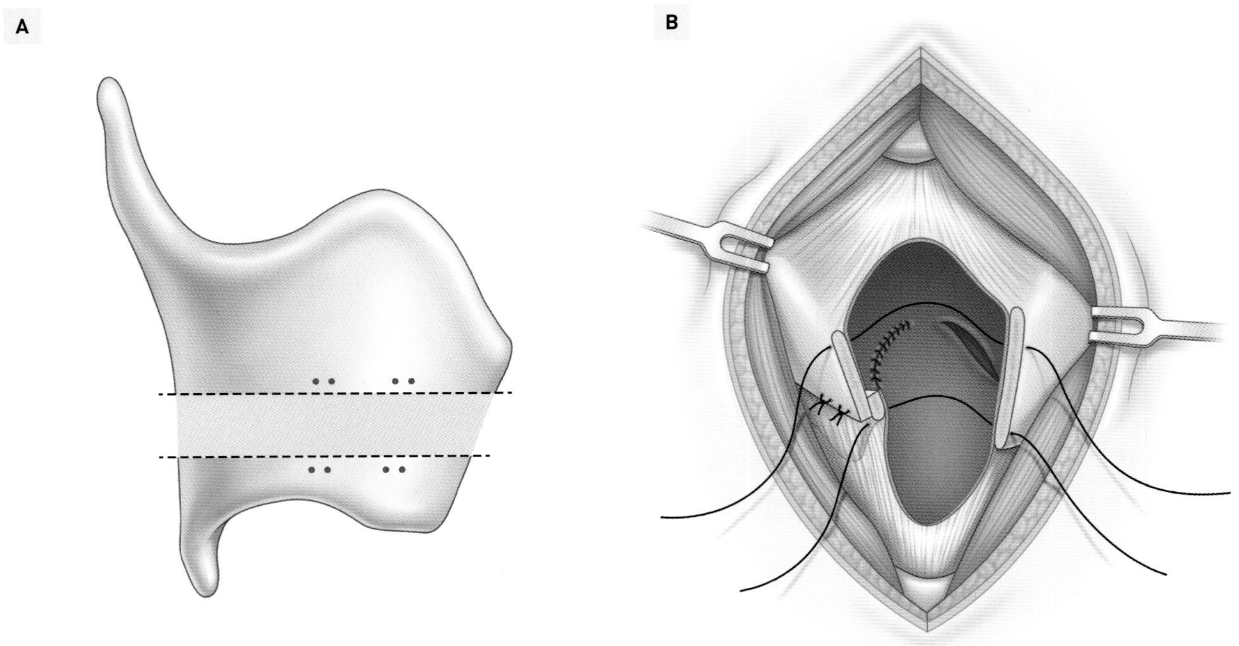

■ 그림 28-3. **포배기 후두성형술(imbrication laryngoplasty).** **A)** 갑상연골을 띠 형태로 절제하고 고정할 갑상연골 상, 하연 부위를 표시한다. **B)** 상, 하연 갑상 연골이 겹쳐지도록 고정하고 성문 부위의 남아 있는 점막을 봉합한다.

laryngectomy)은 전외측후두부분절제술의 변형이다. 기본적인 절제 범위에서 피열연골을 절제하거나, 성대 막양부에서 성문하로 5 mm 이상 침범한 경우, 피열연골 부위에 성문하 침범이 심하거나, 성대 운동의 장애가 있는 경우에 윤상연골 상부를 부분적으로 절제하는 술식이다(그림 28-2B). 남아 있는 갑상연골의 후방 1/3 부위 중 하인두 괄약근(inferior constrictor muscle)과 연결되어 있는 갑상연골을 보존하여 연골판을 만들어 피열연골 부위의 윤상연골 상연에 돌려 정중위로 고정시키고 남아있는 하인두 점막을 연골판 위로 전위시켜 피열연골간 점막(interarytenoid mucosa)과 윤상연골 점막을 따라 봉합하여 후두를 재건한다.

(2) 전연합후두부분절제술

전연합후두부분절제술(anterior commissure partial laryngectomy)은 주로 전연합부에 국한된 병변으로 양측 진성대 1/2 이하를 침범한 경우에 시행한다. 갑상연골의 정중부를 포함하여 양쪽 5 mm 정도의 갑상연골을 수직으로 절개하고, 양측 성대의 병변을 포함하여 절제하며 양측 피열연골은 남겨두어야 한다. 이때 성대의 재건은 갑상연골 앞의 피판을 이용하거나 후두개를 아래쪽으로 내려 윤상연골 상부에 연결시킬 수 있다(epiglottopexy)(그림 28-4).[7]

4) 수술 후 관리

감염 예방을 위해 항생제를 투여하고 비위관을 통하여 영양 공급을 한다. 발관은 24시간 이상 기관절개튜브를 막은 상태에서 숨 쉬는 것이 가능하면 시도할 수 있고 보통 수술 후 1주 뒤에 시작한다.

5) 합병증

본 술식은 좁은 노출을 통해 후두 내로 접근하면서 병변을 실제로 보면서 들어가는 술기가 아니므로 수술 전에 병변의 정확한 범위를 확인하여야 한다. 따라서 부적절한

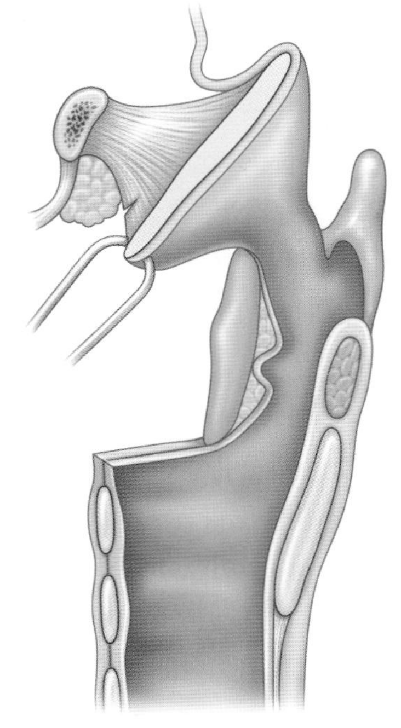

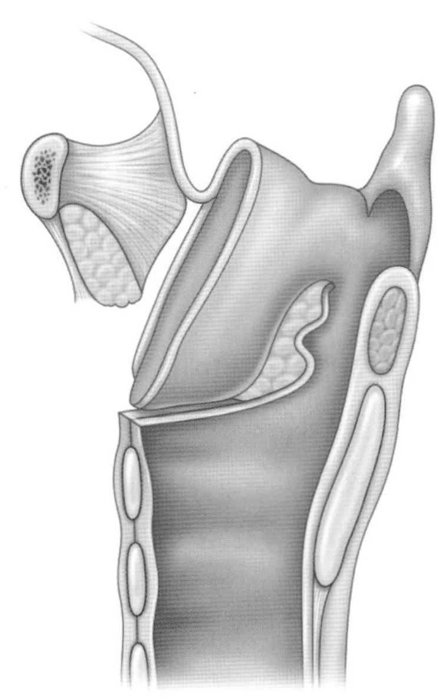

■ 그림 28-4. **후두개고정술(epiglottopexy).** 후두개전공간을 박리하여 후두개를 아래로 당겨서 윤상연골의 전방에 고정을 한다.

평가로 인하여 과도하게 성대를 절제하여 성대 협착을 유발하거나 반대로 과소 평가하여 충분히 절제하지 못하여 재발을 일으킬 수 있다. 상기도의 경도의 폐색이 발생할 수 있으나 다른 보존적 후두 수술과 달리 누공은 매우 드물다. 연하장애도 매우 적지만 확대 수직후두부분절제술에서는 발관 시기가 연장되거나 흡인, 후두 협착의 비율이 더 올라갈 수 있다. 또한 방사선 치료 후 구제술로 본 술식을 시행하였을 때는 점막 부종이 더 심해져 발관의 시기가 늦추어질 수 있다.

6) 예후

진성대에만 국한된 T1 병변에서 본 술식을 적용했을 때 국소 제어율은 약 93%로 알려져 있다.[12] 그러나 전연합부를 침범하였을 경우 본 술식을 적용하였을 경우에는 국소 재발율이 약 25%까지 올라갈 수 있다고 보고하였다. 또한 성대의 운동성이 저하된 T2 병변에서도 국소 재발율이 최고 26%로 보고하였고 성문하 침범이나 성문상부 침범이 있는 T2 병변에서도 비슷한 국소 재발률을 보이는 것으로 알려져 있다. 따라서 진행된 T2 병변에서 이론적으로 본 술식이 가능하지만 국소 재발률 가능성이 올라갈 수 있으므로 본 술식을 선택할 때는 주의가 필요하다.

2. 상윤상후두부분절제술 후 윤상설골후두개고정술 (supracricoid partial laryngectomy with crico-hyoidoepiglottopexy (SCPL-CHEP))

후두의 전연합부위나 성대주위공간에 종양침윤이 있는 경우에는 갑상연골에 종양침윤이 일어나기 쉽다. 진행된 후두암 환자에서 국소 재발로 수술 실패의 원인은 주로 성문주위공간, 후두개전공간 혹은 갑상연골에 침윤이 있는 경우 국소 병기를 과소 평가해 경구강 레이저 수술이나 고식적 후두부분절제술을 시행하여 충분한 절제연(resection margin)을 얻지 못하는 데 있다. 즉 성문상후두절제술로는 성대주위공간, 갑상연골부위의 침윤에 대한 절제연이 충분하지 못할 수 있으며, 수직후두부분절제술은 후두개전 공간, 양측 성대에 침윤이 있는 경우는 적응에 제한을 받게 된다. 후두개전공간과 양측 성대주위공간을 포함하여 갑상연골 전체를 절제할 수 있고 후두기능을 보존할 수 있다면 종전의 후두전적출술의 대상 환자를 현저히 줄일 수 있다. 1990년 Laccourreye 등은 종래의 보존적 후두부분절제술의 단점을 보완하면서 종양 제거 시 충분한 절제연을 얻을 수 있는 상윤상후두부분절제술(supracricoid partial laryngectomy, SCPL)에 대한 적응증과 술식을 체계적으로 기술하였다.[8,9] 이 술식은 수평후두부분절제술을 확대 변형한 방법으로 성문암이나 성문상부암에서 성문주위공간과 후두개전공간, 갑상연골, 후두개연골을 포함한 종양의 일괴 제거(en bloc resection)가 가능하며 피열연골의 운동성을 보존하여 생리적 연하와 발성이 가능하고, 윤상연골을 남길 수 있어 영구기관절개구 없이도 기도유지가 가능하다. 상윤상후두부분절제술은 후두암의 해부학적 위치에 따라 2가지 형태의 방법으로 시행하게 된다. 성문암에서는 후두개경(epiglottic petiole)의 상부 후두개를 보존하면서 후두를 절제한 후 윤상연골과 후두개연골 및 설골을 밀착 봉합하는 상윤상후두부분절제술 후 윤상설골후두개고정술(cricohyoidoepiglottopexy, CHEP)을 하는 방법과 후두개전공간과 후두개연골을 모두 포함하여 제거한 후 윤상연골과 설골을 밀착 봉합하는 윤상설골고정술(cricohy-oidopexy, CHP) 방법이 있다.

1) 수술 적응증

Laccourreye 등은 성문암에서 주로 사용되는 SCPL-CHEP의 적응증을 다음과 같이 정하였다.[8] 양측 성대의 병변인 T1b 성문암이나 전연합부까지 종양이 침범된 경우, 일측 성대의 T1 성문암이 전연합부에 침범된 경우, T1 성문암과 함께 성대의 여러 부위에 이형성증(dysplasia)이 있는 경우, 일측 혹은 양측을 침범한 T2 성문암으로 성대 움직임에 제한이 있는 경우, T3 성문암에서 동측의 피열연골의 움직임에 제한이 없고 후두개전공간 내 종양 침윤이 없는 경우 등이다. 한편 본 술식이 보다 보편화되면서 갑상연골을 침범한 제한된 T4 성문암에서도 적용이 가능하다는 보고도 있다. 반면 이 술식이 금기시되는 경우는 성문암이 후두실이나 전연합부에서 발생하여 후두개전공간 내로 종양침윤이 의심되는 경우, 윤상피열관절의 침범으로 피열연골이 고정되어 있는 경우, 성문하로의 종양침윤이 전방에서 10 mm 이상, 후방에서 5 mm 이상 있는 경우, 술 전 검사에서 호흡기 질환이나 폐기능에 장애가 있는 경우 등이며 나이에 특별한 제한은 없으나 70세 이상인 경우는 주의를 요한다.

2) 수술 방법(그림 28-5)

기관 절개술은 미리 시행하지 않는다. 피부 절개는 일반적으로 경부 림프절 절제술을 동시에 하는 경우가 많으므로 U자나 L자 형태로 하지만 그렇지 않을 경우에는 갑상선 수술 시 사용되는 것과 같은 수평 형태의 절개도 가능하다. 피부판은 설골 상부로 2 cm 이상 올려서 수술 후 연하 시 피부의 당겨짐(skin tethering)을 예방한다. 후두를 노출시키기 위한 피대근의 절제는 갑상연골의 상연을 따라 흉골설골근과 갑상설골근을 절제한 후 흉골설골근을 하방으로 갑상연골하연까지 박리하여 흉골갑상근을 노출시키고 이를 절제한다. 갑상연골후연을 전방으로 회전시켜 하인두괄약근을 노출시킨 후 갑상연골외막과 함께 절개하고 골막 거상기를 이용하여 이상와의 외측점막과 갑상연골내막을 갑상연골로부터 박리한다. 이후 양측 윤상갑상관절을 분리하는데, 이때 관절의 직후하방을 지나는 반회후두신경에 손상을 주지 않도록 주의해야 한다. 갑상선을 협부에서 분리하여 결찰한 후 상종격동 내로 기관의 전벽을 따라 손가락으로 기관분기부까지 기관

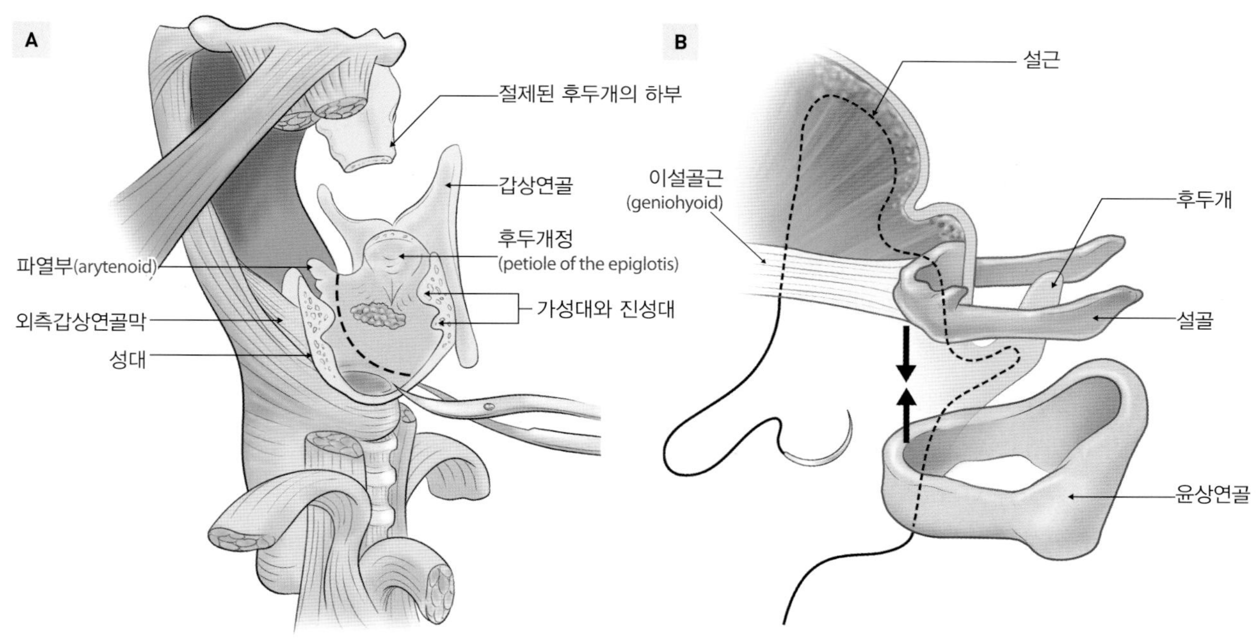

■ 그림 28-5. **상윤상후두부분절제술(supracricoid partial laryngectomy)과 윤상설골후두개고정술(cricohyoidoepiglottopexy).** **A)** 건측에서부터 절제를 시작하여 갑상연골을 중앙에서 수직 골절시켜서 병변을 충분히 노출시킨 후 종양을 절제한다. **B)** 윤상연골, 후두개, 설골 및 설근을 잇는 봉합을 시행한다.

을 박리한다. 이때 기관으로의 혈관을 보존하기 위해 양측면의 기관 박리는 피한다. 상종격동 내의 기관 박리는 윤상연골을 문합할 때 기관을 상부로 이동하기 용이하다. 후두가 완전히 노출된 후 절제를 시행하는데, 후두개전공간에 종양침윤이 없는 것으로 확인된 성문암에서는 갑상연골의 상연을 따라 직접 후두개전공간을 통하여 내측으로 접근하는 횡경후두개 후두절개술(transverse transepiglottic laryngotomy)을 이용하여 후두를 노출시키게 된다. 이때 양측의 상후두신경의 내분지가 갑상설골막의 외측 중앙에 위치하므로 이를 손상시키지 않도록 갑상설골막의 하부를 절개해야 한다. 하방에서는 윤상연골의 상연을 따라 횡정중 윤상갑상절개술(transverse median cricothyrotomy)을 실시하는데, 이때 종양이 성문하로 침범이 되어 있을 경우에 종양으로 들어가지 않도록 세심한 주의가 필요하다. 종양이 없음을 확인한 후 이 절개 부위로 기관내삽관을 바꾸어 마취를 유지한다. 후두를 전방으로 견인하여 후두 내 병변을 관찰하면서 절제하는데 병변이 없는 부위부터 먼저 시행하며 피열후두개추벽에서부터 수직으로 피열연골의 전면부를 따라 절제를 시행한다. 이때 윤상피열연골 내로 들어가지 않도록 주의가 필요하다. 미리 박리해 두었던 이상와와 갑상연골내막은 종양 침윤이 없는 한 보존해야 하며 절제를 하방으로 진행하여 이미 실시했던 윤상갑상 절개 부위와 연결되게 한다. 갑상연골을 중앙에서 수직 골절시켜 병변 부위의 노출을 용이하게 한 후 정상 조직이 포함되도록 절제 경계면을 유지하면서 병변을 안전하게 절제한다. 필요하면 일측 피열연골을 포함하여 제거할 수 있으나, 피열연골 후방점막은 보존해야 한다. 후두 기능의 보존을 위해 남아 있는 윤상연골과 피열연골을 설골과 설근부에 봉합하여 연결하려면 먼저 남은 피열연골의 상부점막을 4-0 Vicryl로 봉합하여 연골의 노출 부위를 덮어준 후 3-0 Vicryl로 피열연골을 윤상연골의 전외측부와 봉합한다. 이것은 갑상피열근의 절제로 인하여 피열연골이 후방으로 전위되는 것을 방지하고 피열연골을 전방으로 당겨주어 하기도를 보호하기 위한 중요한 방법이다. 윤상연골과 설골간을 0 Vicryl을 이용하여 3번 봉합하는데, 먼저 중앙에서 윤상연골하연의 점막하로 바늘을 통과하여 윤상연골을 연결한 후 이어서 남아 있는 후두개를 통과하고 마지막으로 설골과 설근부를 통과하여 봉합한다. 이때 마지막으로 바늘이 통과하는 설근부가 2~3 cm 이상 충분히 포함되도록 봉합하여야 한다. 같은 방법으로 중앙의 봉합선에서 양측 외측으로 1 cm 정도 떨어진 곳에서 추가 봉합을 각각 실시한다. 특히 고정할 때에는 윤상연골과 설골이 확실히 일치되도록 해주어야 수술 후 연하 장애를 줄여줄 수 있다. 고정이 끝난 후 절제된 갑상연골내막을 3-0 Vicryl을 이용하여 전방으로 봉합하여 이상와를 정상 위치에 가깝게 만들어 주어 타액 등이 이상와에 정체되는 것을 막아 주어야 한다. 기관절개창은 피부 절개 부위와 일치하도록 맞추어 기관내삽관을 유지시킨다. 한편, 상윤상후두 부분절제술의 확장된 술식으로 일측의 피열 연골을 완전 절제하거나 윤상연골의 전방 윤상연골궁을 절제할 수 있다. 특히 전방 윤상연골궁을 종양의 성문하 침범으로 절제하였을 경우에는 제1, 2 기관 연골을 설골부에 고정하여(tracheohyoidoepiglottopexy) 봉합하게 된다.

3) 수술 후 관리

고정된 봉합에 장력이 걸려 파열되지 않도록 환자의 머리를 약 15도 전방으로 숙이고 지내도록 한다. 기관절개관이 우발적으로 발관되지 않도록 수술 후 2일까지 세밀한 관리가 필요하다. 수술 시작 전에 삽입된 비위관(nasogastric tube) 등을 통한 영양 공급을 하며 항생제를 투여하여 감염을 예방하여야 한다. 기관절개튜브는 조기에 제거하는 것이 좋은데 Laccourreye 등은 술 후 3일째부터 기관절개튜브의 제거가 가능하다고 하였다. 술 후 1일째부터 기관절개관의 기낭을 제거하고 기관절개튜브를 발관할 때는 반드시 후두 내로 충분한 기도가 유지되는가를 내시경을 통하여 확인해야 한다. 기관절개창을 막은 상태에서 코를 통해 호흡이 가능하게 되면 발관을 시도한다. 남아 있는 피열 연골부 점막의 부종이 심할 경우에는 기도가 일시적으로 폐쇄될 수 있으므로 약 2주 정도 기관 절개관을 유지해야 할 수도 있다. 기관 절개관을 제거한 후 연하 훈련을 시행하게 되는데 보통 술 후 10~14일째부터 실시한다. 환자의 연하장애 정도는 VFSS (Video Fluoroscopic Swallowing Study)나 FEES (Fiberoptic Endoscopic Evaluation of Swallowing)를 이용하여 진단하고 이에 맞는 연하 재활 치료를 시작해야 한다. 상성문연하법 또는 초상성문연합법, 노력형 연하법, Mendelsohn법 등의 연하운동요법을 환자의 결손된 연하 과정에 맞게 연습하면 음식물의 경구 섭취가 가능해진다.

4) 합병증

성문부의 상윤상 후두 부분 절제술 후 합병증의 발생률은 병변의 절제 범위에 따라 다양하다. 합병증으로는 가장 흔한 것은 흡인이 동반되는 연하장애이다. 그 외 폐렴, 감염, 후두협착, 육아조직 증식, 누공 형성과 고정 부위 파열 등이 있다. 특히 고정 부위가 파열되었을 경우에는 즉시 수술실로 환자를 옮겨 재고정 및 봉합을 하여야 하는데 윤상연골의 손실이 심하면 제 1, 2 기관지 연골에 고정을 하여야 한다.

5) 예후

본 술식에서 병변 측의 일측 진성대만 절제하는 것이 아니라 건측 성대를 포함하여 양측을 모두 절제하는 것은 종양학적 측면보다는 연하 측면의 기능적 결과를 좋게 하기 위해서이다. 수술 후 거의 모든 환자에서 연하장애는 발생하지만 장기간 지속되는 경우는 드물며 보통 비위관을 통해 2~3주 정도 영양 공급을 하게 된다. 그러나 지속적인 심한 흡인으로 후두전적출술을 해야하는 경우도 보고에 따르면 0.5~3.8% 정도이다. 연하장애의 발생 정도는 절제 후 후두 재건 방법, 수술 전 방사선 치료 여부, 피열연골의 절제 여부, 고령, 그리고 연하 재활 치료 여부와 관련이 있는 것으로 알려져 있다. 수술 후 환자의 음성의 질은 떨어질 수 있지만 남아 있는 양측 피열연골이 후두개 혹은 설근부와의 접촉을 통해 점막 파동이 이루어짐으로써 시간이 경과함에 따라 음성의 질이 올라갈 수 있다(그림 28-6). 한편 종양학적 측면에서 본 술식은 T2 성문암에서 국소 제어율 및 생존률이 10년간의 추적 관찰에서 수직후두부분절제술보다 훨씬 뛰어난 것으로 알려져 있다.[11] 최근 한 보고에 의하면 T3 성문암에서도 5년간 국소 제어율이 96.2%로 알려져 있다.[17] 일반적으로 본 술식의 5년간 국소 제어율은 메타분석에 따르면 약 93%에 이르는 것으로 보고되었다.

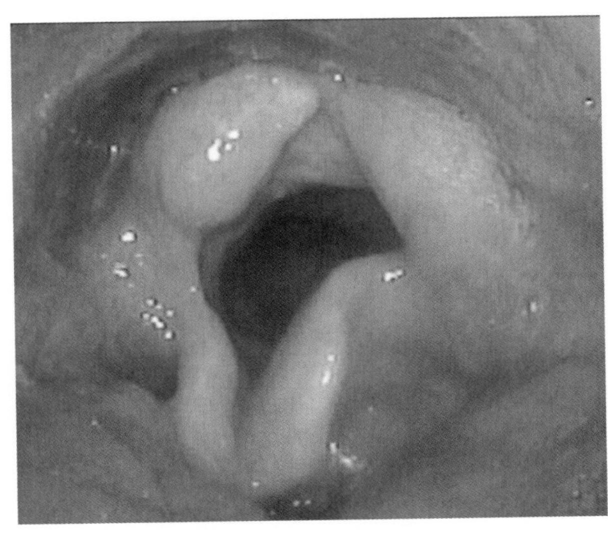

■ 그림 28-6. **상윤상후두부분절제술과 윤상설골후두개고정술 후 후두 내시경 소견.** 보존된 양측의 피열연골 점막이 전방으로 전위되어 후두개와 접촉을 통해 신성문(neoglottis)으로 역할을 하여 발성과 기도 보호 작용을 한다.

Ⅳ 성문상부암에서의 보존적 후두 수술

성문상부암은 성문암에 비해 조기에 증상 발현이 적고 증상 자체도 모호해서 늦게 발견되는 경우가 많다. 또한 성문상부는 림프관이 발달되어 있어 림프절 전이가 많기 때문에 성문암보다 재발을 잘하고 예후도 나쁘다. 성문상부의 점막에서 암이 발생하면 진행 경로를 어느 정도 차단할 수 있는 장벽이 없고 특히 후두개계곡, 설근부, 이상와, 피열연골 침범 시에는 주위 연조직이나 근육, 선조직으로 파급하기 쉬워 성문암에서처럼 국소 절제만으로 암을 완전히 적출하기가 어렵다. 따라서 과거에는 종양학적 국소 제어를 위해 후두전적출술을 많이 시행하였으나, 기관 보존 개념에 대한 수술적 비수술적 방법이 많이 연구되면서 성문상부암에서도 보존적 후두 수술이 이용되고 있다. 성문상부암의 보존적 후두 개방 술식으로는 성문상후두절제술(supraglottic laryngectomy)과 윤상설골고정술을 동반한 상윤상후두부분절제술(supracricoid partial laryngectomy with cricohyoidopexy (SCPL–CHP))이 있다.

1. 성문상후두절제술(Supraglottic laryngectomy)

1) 수술 적응증

성대의 운동성, 갑상연골이나 피열연골 침범 유무, 전연합부 침범 유무 등을 고려하여 본 술식을 선택해야 한다. 경구강을 통한 CO_2 레이저 수술이 발달되면서 특히 설골상부 후두개에 국한된 암은 주로 경구강 절제술을 하게 된다. 그 외 성문상부암에서 본 술식의 적응증은 정상적인 성대 가동성이 있으면서 가성대, 피열후두개주름, 이상와 내측에 발생한 T1, T2 병변이다. 이상와의 전방 및 외측을 침범한 병변과 혀의 유곽유두(circumvallate papilla)에서 최소 2 cm 이상 떨어져 후두개곡 및 설기저부를 침범한 T3 병변에서는 본 술식을 확장하여 시행할 수 있다. 한편 암의 진행 정도에 따라 성문상후두절제술을 실시할 수 없는 경우는 다음과 같다. 첫째, 윤상연골

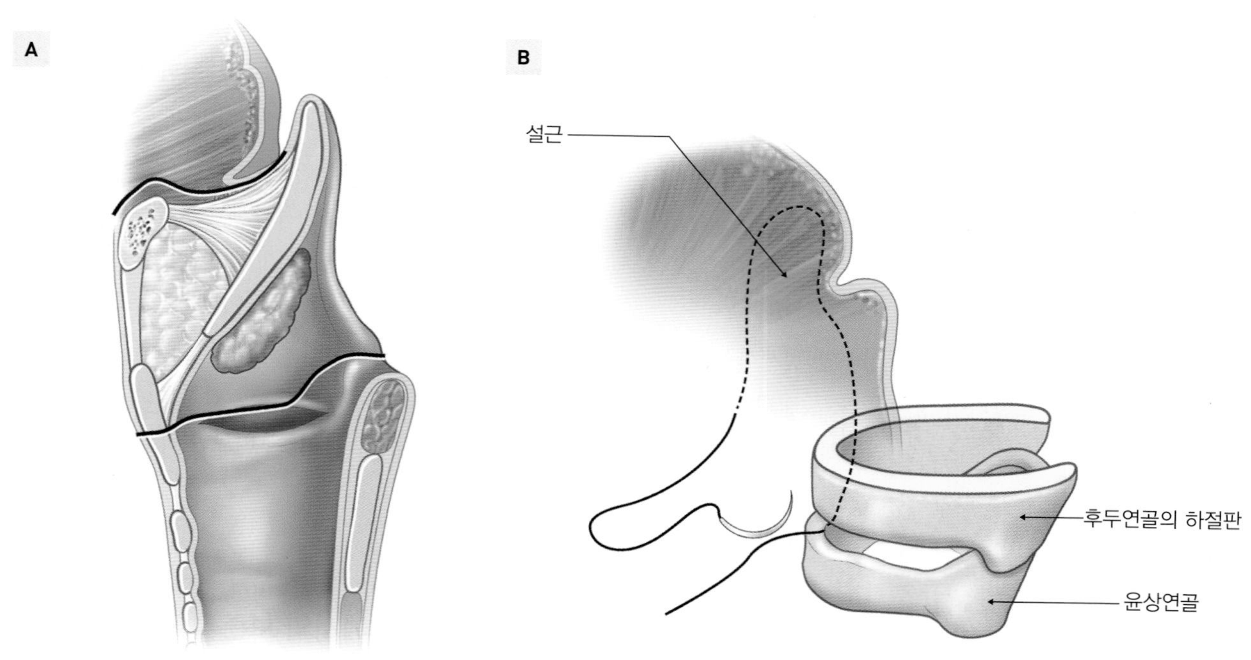

■ 그림 28-7. **성문상후두절제술(supraglottic laryngectomy).** **A)** 갑상연골을 수평으로 절제하여 전연합부의 바로 위에서 후두 내로 들어가서 가성대의 아래 측, 후두실 높이에서 피열부 앞부분까지 절제한다. 설골도 절제 범위에 포함시킨다. **B)** 후두재건술은 상윤상후두부분절제술 후 윤상설골후두개고정술 때와 비슷하게 남아 있는 갑상연골의 점막하로 실을 통과시켜 설근부가 충분히 포함되도록 고정한다.

이나 갑상연골 혹은 양측 피열연골을 침범한 경우, 둘째, 성대고정이 있거나 성대 막양부 혹은 전연합부를 침범한 경우, 셋째, 이상와 첨부 혹은 후윤상부위로 전파된 경우, 넷째, 유곽유두 후방 1 cm 이상 침범한 설기저부암 등이다.

2) 수술 방법

성문상후두절제술은 일관된 술식을 따르는 상윤상후두부분절제술과는 달리 병변의 위치와 범위에 따라 술식을 변형하여 적용할 수 있으나 기본적인 술식은 다음과 같다(그림 28-7). 성문상후두절제술에서는 일반적으로 경부절제술이 동반되는 경우가 많아서 피부 절개는 U자 모양이 주로 사용되며 기관절개술을 미리 하게 되고 피부 절개선과 연결되지 않게 한다. 활경근하 피부피판(sub-platysmal skin flap)을 설골의 2 cm 정도 들어올린 후 경부절제술을 이어서 시행한다. 원칙적으로 성문상후두절제술 시에는 후두실(laryngeal ventricle) 상부의 성문상부와 후두개전공간 전체를 포함시켜야 한다. 설골은 경우에 따라 보존하기도 하지만 병변이 주로 위치하는 반대쪽의 소각(lesser cornu)까지 제거하거나 혹은 전체를 제거하기도 한다. 이때 가능하면 한쪽 상후두신경을 보존하여 술 후 후두 점막의 감각 기능이 완전히 소실되지 않도록 하는 것이 오연을 방지하는 데 중요하다. 갑상연골의 상연에서 피대근(strap muscle)을 절단하고 하인두수축근의 상부 1/2을 갑상연골로부터 분리한다. 갑상연골의 상방 경계부에서 절개를 가한 후 연골막을 아래로 1/2 정도 박리하여 내려서 보존한다. 갑상연골은 주로 톱을 이용하여 갑상절흔과 갑상연골의 하방경계 사이의 중앙에서 수평으로 절개를 하는데 반드시 전연합부보다 위에 절개선이 위치해야 한다. 갑상연골절개(thyrotomy)를 통한 성문상부의 노출은 병변이 없는 쪽의 이상와를 열어서 암의 위치와 범위를 관찰하고 후두개곡 쪽으로 절단해 나간다. 피열연골 부위의 점막은 보존하면서 후두실에서 성문부와 분리하여 성문상부를 절제한다. 한쪽 피열후두개주름이나 피열연골을 침범한 경우 동측 피열연골을 같이 제거하고 성문의 막양부를 윤상연골 정중앙에 고정한다. 식도 입구부의 경련(spasm)에 의한 연하곤란을 방지하기 위해 윤상인두근절개술(cricopharyngeal myotomy)을 함께 시행하는 것이 좋다. 이후 재건을 하게 되는데 설기저부와 절단된 갑상연골이 단단히 고정되어야 술 후 흡인을 방지할 수 있다. 주로 사용하는 방법은 설근부 근육과 갑상연골막을 비흡수성 봉합사(non-absorbable suture)로 단단히 봉합하는 방법이 있으며[1] 그 외 상윤상후두부분절제술 후 재건 방법과 유사하게 1-0 Vicryl을 이용하여 남아 있는 갑상연골과 설근부를 세 개의 봉합으로 단단히 고정하는 방법이 있다.

3) 수술 후 환자 관리

상윤상후두부분절제술 후 환자 관리와 거의 비슷하지만 술 후 남아 있는 후두 점막의 부종이 더 심하기 때문에 기관절개관의 발관이 더 늦어질 수 있지만 보통 술 후 약 1주 정도에 발관을 시도하게 된다. 발관 후 상성문연하법 또는 초상성문연합법을 통한 연하 재활 훈련을 하여 구강으로 음식 섭취가 가능하면 비위관을 제거한다. VFSS를 통한 연하 검사에서 오연의 정도가 심하면 처음부터 과도한 연하 재활을 실시하는 것은 피해야 한다. 비위관 제거 후 구강을 통한 음식 섭취를 시작하게 되면 환자가 의식하지 못하는 오연(silent aspiratoin)에 의한 흡인성 폐렴의 가능성이 있으므로 흉부 X-ray 검사를 정기적으로 시행한다. 구강 내 섭취가 6개월 이상 걸리거나 심각한 폐합병증이 유발되는 경우에는 완결후두절제술(completion laryngectomy)을 시행할 수도 있다.

4) 합병증

다른 보존적 후두 절제술에 비해 누공의 비율이 높아 많은 경우 12.5%까지 보고하였다.[4] 술 후 오연이 가장 흔한 합병증으로, 수술 중 후두를 설기저부 위로 거상시키는 데 실패하는 것이 가장 흔한 원인이 된다. 그 외 기도

폐쇄, 상처감염, 흡인성 폐렴, 연하장애 등이 있다. 발생빈도는 술식에 따라 다소 차이가 있으나 범위가 큰 술식에서 증가하는 양상을 보인다.

5) 예후

수술 후 약 1개월 이내에 진성대의 정상 파동이 나타나서 음성의 질이 다른 후두 보존술보다 뛰어나 80% 이상의 환자에서 수술 전 음성으로 회복이 가능하다. 연하장애는 보통 1개월 내에 해결되지만 간혹 3개월 이상 지속되는 경우가 있다. 이와 관련된 인자로는 양측 상후두신경 손상, 확대 상성문후두절제술 즉 일측 피열연골 절제, 설근부 및 상부 이상와 절제 등과 관련이 있는 것으로 알려져 있다. 종양학적 측면에서 보면 T1, T2 성문상암에서 국소 제어율이 약 90% 이상으로 알려져 있는 반면 T3, T4 병변에서는 재발율이 65~75%를 보여 본 술식을 신중하게 선택해야 한다.

2. 상윤상후두부분절제술 후 윤상설골고정술 (supracricoid partial laryngectomy with crico-hyoidopexy (SCPL-CHP))

1) 수술 적응증

상윤상후두부분절제술 후 윤상설골고정술(SCPL-CHP)은 성문상후두절제술을 적용할 수 없는 성문상암에서 주로 적응증이 될 수 있다. 따라서 T1, T2 성문상암이 성문부나 전연합부, 후두실로 침윤된 경우, 성대 가동성이 저하된 경우, T3 경성문암에서 성대 운동에 제한이 있는 경우, 갑상연골을 침범한 T4 성문상암이나 경성문암에서 제한적으로 실시할 수 있다. 본 술식이 금기시되는 경우는 성문하로 종양이 전방에서 10 mm 이상, 후방에

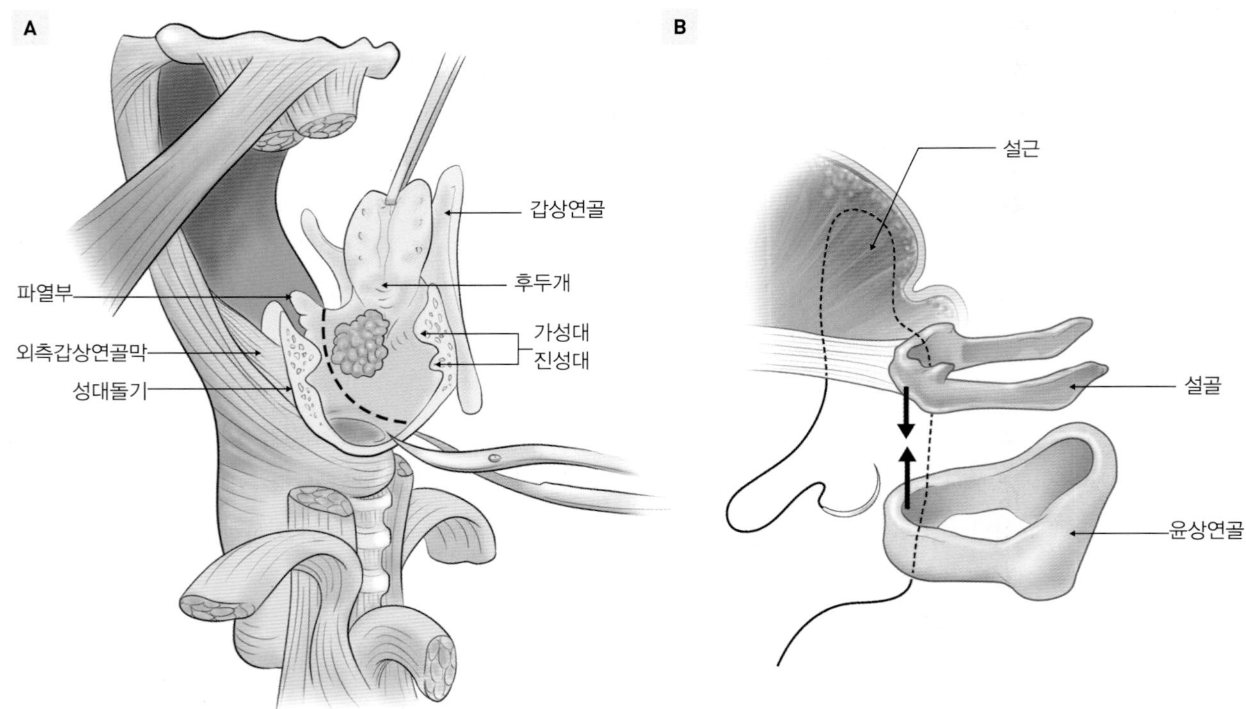

■ 그림 28-8. **성문상암에서 상윤상후두부분절제술.** **A)** 설골상부에서 수평인두절개술로 후두계곡으로 접근한 후 후두개를 외부로 당겨서 후두개와 후두개전공간을 일괴로 적출한다. **B)** 윤상연골, 설골 및 설근을 잇는 봉합을 시행한다.

서 5 mm 이상 침범되어 윤상연골에 종양침윤이 의심되는 경우, 피열연골의 움직임이 고정되어 있는 경우, 술 전 검사에서 후두개전공간에 종양이 심하게 침윤된 경우, 성문상부암이나 경성문암이 인두벽, 후두개곡, 설근부, 후윤상연골부나 피열간부에 침윤된 경우, 윤상연골에 종양침윤이 있는 경우 등이다.

2) 수술 방법

상윤상후두부분절제술 후 윤상설골고정술의 술기는 후두개연골과 후두개전공간을 전체로 제거한다는 것 이외에는 상윤상후두부분절제술 후 윤상설골후두개고정술과 거의 동일하다. 이것을 가능하게 하기 위해서 설골 골막에 절개를 넣어 설골 후면을 따라 박리하여 설골만 보존하고 후두개전공간이 열리지 않도록 주의하며 후두전적출술을 할 때와 같이 경계곡 수평인두절개술(transvallecular horizontal pharyngotomy)을 실시하여 후두를 상부로부터 노출시킨다. Allis clamp로 후두개를 잡아 후두 바깥으로 당겨서 위에서 아래로 절제하면 된다(그림 28-8). 그 외 절제 순서와 재건 및 봉합 방법은 앞에서 기술한 상윤상후두부분절제술 후 윤상설골후두개고정술의 방법을 따르게 된다. 이 술식의 확장된 형태는 일측의 피열연골을 절제하는 것이다.

3) 수술 후 관리 및 합병증

상윤상후두부분절제술 후 윤상설골후두개고정술과 동일한 수술 후 관리를 따르게 된다. 기관지 절개관을 제거한 후 연하 훈련을 실시하게 된다. 합병증으로는 윤상설골고정술이 파열이 발생할 수 있고 그 외 흡인성 폐렴, 후두협착 등이 있다.

4) 예후

일반적으로 상윤상후두부분절제술 후 윤상설골고정술이 윤상설골후두개고정술보다 연하장애가 더 심하다.[3] 또한 피열연골을 절제하였을 경우에도 연하장애를 더 야기할 수 있다. 본 술식 후 난치성 흡인으로 후두전적출술을 해야 하는 경우는 보통 5% 미만으로 보고되고 있다. 상윤상후두부분절제술 후 윤상설골고정술이 성문상암 수술에서 가장 큰 종양학적 장점은 성대주위공간, 후두개전공간, 갑상연골 전체를 일괴로 절제할 수 있다는 것이다. 후두개전공간의 침범이 있는 환자에서 본 술식을 적용하여 5년 경과 관찰에서 94.7%의 국소 제어율을 보고하였다.[10]

V 보존적 후두 수술 중 후두전적출술로의 전환

수술 전 후두내시경과 CT 혹은 MRI 등으로 침범된 후두 점막의 범위와 침습 깊이를 세밀히 평가하는 것이 수술 중에 수술 계획을 변경하는 것을 예방할 수 있다. 특히 안전한 절제연을 얻기 위해 기능적으로 중요한 윤상피열연골 같은 부위를 절제하게 되면 수술 후 발성 및 연하 장애가 뒤따르게 된다. 성문암에서 후두전적출술로 전환되는 원인은 수술 중 윤상피열연골관절의 침범이 발견되는 경우가 가장 많으며 수술 전에 환자에게 수술 중 후두전적출술로 전환될 수 있음을 반드시 설명해야 하며 이에 대한 사전 동의가 없을 경우에는 수술보다는 비수술적 기관 보존 방법인 항암화학요법이나 방사선 치료를 받는 것을 선택하도록 해야 한다.

VI 방사선 치료 후 구제술로서 보존적 후두 수술의 역할

방사선 치료 후 재발한 후두암에서 점막의 부종 및 발적, 성대의 가동성 저하는 치료에 의한 영향과 처음에는 구별하기 쉽지 않다. 만일 재발 병소가 치료 전과 같거나 작아진 상태인 성문암일 경우 경구강 레이저 수술로 절제할 수도 있다. 그러나 대부분 확진이 늦게 이루어지기 때문에 병변이 이전보다 더 진행되어 T3, T4의 병기로 발견되므로 구제술로 수직후두부분절제술이나 성문상후두절제술을 적용하기에는 제한이 많다. 전통적으로 후두전적출술을 방사선 치료 후 구제술로 많이 적용하였으나 수술 후 영구기관구를 가지게 되어 환자의 삶의 질이 떨어지는 부정적 영향을 초래하였다. 최근 이에 대한 대안으로 상윤상후두부분절제술이 구제술로 이용되면서 뛰어난 국소 제어율과 후두의 기능을 보존할 수 있게 되었다. 구제술에서 보존적 후두 수술의 금기증은 초기 수술 시와 거의 비슷하다. 즉 피열연골의 고정, 후연합부의 침범, 성문하로 전방에서 10 mm, 후방에서 5 mm 이상, 윤상연골의 침범이 이에 해당된다. Laccourreye 등의 보고에 의하면 이 구제술로 상윤상후두부분절제술을 적용하여 83.3%의 국소 제어율을 보인다고 하였다.[13] 특히 방사선 치료 후 재발할 T1, T2 성문암에서 전연합부를 포함한 갑상연골 전체와 성대주위공간을 모두 일괴로 적출할 수 있기 때문에 좋은 적응증이 된다. 그러나 구제술로 보존적 후두 수술을 시행하였을 경우에는 창상 회복의 지연으로 인두피부누공의 발생, 흡인성 폐렴, 후두 협착, 연하장애 등의 합병증 빈도가 19~28%를 보이고 이 중 인두피부누공의 발생률은 8~19%로 초기 수술보다 더 높은 것으로 알려져 있으므로 수술 중 보다 세밀한 술기와 수술 후 관리가 필요하다.

참고문헌

1. Alonso JM. Conservative surgery of cancer of the larynx. Trans Am Acad Ophthalmol Otolaryngol 1947;June-July:633
2. Bailey B, Calcaterra TC. Vertical, subtotal laryngectomy and laryngoplasty. Arch Otolaryngol 1971;93;232.
3. Benito J, Holsinger FC, Pérez-Martín A, et al. Aspiration after supracricoid partial laryngectomy: Incidence, risk factors, management, and outcomes. Head Neck 2011 ;33(5):679-85.
4. Burstein FD, Calcaterra TC. Supraglottic laryngectomy: series report and analysis of results. Laryngoscope 1985;95:833.
5. Chen MM, Holsinger FC, Laccourreye O. Salvage conservation laryngeal surgery after radiation therapy failure. Otolaryngol Clin N Am 2015;48:667-75.
6. Frazer EJ. The development of the larynx. J Anat Physiol 1909;44:156.
7. Kambic V, Radsel Z, Smid L. Laryngeal reconstruction with epiglottis after vertical hemilaryngectomy. J Laryngol Otol. 1976;90;467.
8. Laccourreye H, Laccourreye O, Weinstein G, Menard M, Brasnu D. Supracricoid laryngectomy with cricohyoidoepiglottopexy: a partial laryngeal procedure for glottic carcinoma. Ann Otol Rhinol Laryngol 1990;99:421-6.
9. Laccourreye H, Laccourreye O, Weinstein G. Supracricoid laryngectomy with cricohyoidopexy: a partial laryngeal procedure for selected supraglottic and transglottic carcinomas. Laryngoscope 1990;100:735-41.
10. Laccourreye O, Brasnu D, Merite-Drancy A. Cricohyoidopexy in selected infrahyoid epiglottic carcinomas presenting with pathological preepiglottic space invasion. Arch Otolaryngol Head Neck Surg 1993;119:881.
11. Laccourreye O, Laccourreye L, Garcia D, et al. Vertical partial laryngectomy versus supracricoid partial laryngectomy for selected carcinomas of the true vocal cord classified as T2N0. Ann Otol Rhinol Laryngol. 2000;109(10 Pt 1):965–71.
12. Laccourreye O, Weinstein G, Bransnu D, et al. Vertical partial laryngectomy: a critical analysis of local recurrence. Ann Otol Rhinol Laryngol 1991;100:68.
13. Laccourreye O, Weinstein G, Naudo P, et al. Supracricoid partial laryngectomy after failed laryngeal radiation therapy. Laryngoscope 1996;106:495.
14. Lip M, Speyer R, Zumach A, et al. Supracricoid laryngectomy and dysphagia: a systematic literature review. Laryngoscope 2015;125:2143-56.
15. Liu C, Ward PH, Pleet L. Imbrication reconstruction following partial laryngectomy. Ann Otol Rhinol Laryngol 1986;96;567
16. Majer EH, Rieder W. Technique de laryngecomie permetant de conserver la permeabilite respiratoira la cricohyoidopexie. Ann Otlarygnol Chir Cervicofac 1959;76:677-81.
17. Mercante G, Grammatica A, Battaglia P, et al. Supracricoid partial laryngectomy in the management of t3 laryngeal cancer. Otolaryngol Head Neck Surg. 2013 ;149(5):714-20.
18. Ogura JH, Mallen RW. Partial laryngopharyngectomy for supraglottic and pharyngeal carcinoma. Trans Am Acad Ophthalmol Otolaryngol 1965;69:832-45.
19. Orton HB. Lateral transthyroid pharyngotomy: Trotter's operation for malignant conditions of the laryngopharynx. Arch Otolaryngol. 1930;12(3):320-338.

CHAPTER

29

후두전절제술

김영모, 최정석

I 후두전절제술

후두전절제술(total laryngectomy)은 1873년 bill-roth에 의해 처음 시행된 술식으로 최근 경구강을 이용하거나 보존적 후두 수술이 많이 시행되면서 상대적으로 감소하는 술기이다. 그러나 화학방사선 치료의 실패나 종양이 재발한 경우, 진행된 후두의 악성종양에 후두전절제술이 시행된다.

후두전절제술의 적응증은 종양이 갑상연골을 침범하여 후두외로 파급된 경우, 후연합부를 침범한 경우, 양측의 피열연골을 침범한 경우, 환상의 점막하 종양, 성문 하부로 1 cm 이상 침범하여 보존적 수술이 불가능한 경우, 보존적 수술이 실패한 경우나 양측성 성대마비를 동반한 경우, 광범위한 다발성 양측의 종양, 방사선 조사로 인한 연골 괴사 등으로 인한 방사선 치료의 실패 등에 이상적인 술식이다. 원격 전이가 있거나 환자의 전신상태가 불량한 경우에는 수술의 금기가 된다.[8]

본 수술에 앞서 환자는 수술 전 마취에 문제가 없어야 하며 무엇보다 발성과 관련된 신체적 변화에 대해 환자 및 보호자와 충분한 상의 후에 동의를 얻어 수술을 진행하여야 한다.

1. 수술 방법

1) 기도의 처치

후두전절제술을 하는 환자들은 언제나 기도폐쇄의 가능성이 있을 수 있으므로 안정제나 진정제 등의 약물을 사용할 때, 바로 눕는 자세나 경부의 신전과 같은 자세를 취할 때, 후두 평가를 위한 시술 과정에서 기도폐쇄의 가능성을 항상 유념하여야 한다. 수술 전 환자에게서 호흡곤란이나 천명, 객담 배출의 곤란, 기도 확보에 어려움이 있으면 기관절개술을 먼저 시행하기도 하지만 이는 기관절개창에 종양 재발의 빈도가 증가하므로 가급적 피하는 것이 좋으며, 기관절개술 후 후두전절제술까지 48시간 이내 수술을 시행하는 것이 기관절개창의 종양 재발 가능성을 낮출 수 있다. 기도폐쇄의 가능성이 있는 환자는 기관절개술을 위한 수술 도구를 환자의 옆에 두어 언제든지 응급기관절개술이 가능하도록 대비한다. 후두전절제술 시행 시 기관절개술은 수술 직전이나 후두절제술 후 어느 시기에 해도 큰 문제는 없다. 환자의 후두에 종양이 있더라도 구강을 통해 기관내삽관이 가능한 경우 삽관을 시행하지만 종양으로 인한 기도폐쇄나 삽관에 의한 종양의 전파 위험이 있을 때에는 기관절개술을 국소 마취하에 먼저 시행한다. 기관절개술은 종양의 절제 범위를 고려하여 그 위치를 정하는 것이 좋다. 만일에 대비하여 수술 전 기도삽관에 대해 마취과와 충분히 의논하는 것이 중요하다. 기도의 확보 후에는 환자의 경부를 신전한 후 수술 준비에 들어간다. 술 후 영양 공급을 위하여 수술 전 비위관을 먼저 삽입하는 것이 좋다.

2) 피부의 절개 및 피대근의 절단 및 설골의 분리

피부의 절개는 수평으로 할 수 있으나 경부절제술이 필요한 경우에는 보통 U자의 형태로 도안을 하며, 기관절개창이 절개선상에 위치하도록 한다. 윤상연골 아래쪽으로 종양의 침범이 없으면 기관개구의 생성에 도움을 주기 위해 피부 절개와 기관 절개를 높이 시행하는 것이 좋다. 이후에 광경근층의 아래면을 따라서 박리하며 위로는 설골 상방 1 cm까지 들어올려 설골상부의 근육들을 노출시킨다. 아래로는 경부의 기관이 노출되도록 한다. 양측 흉쇄유돌근의 전단을 따라 설골에서 흉골까지 박리 후 견갑설골근을 찾아 절단하여 흉쇄 유돌근과 경동맥초 사이의 조직을 노출한다. 경부청소술이 필요한 경우에는 이를 먼저 시행하는데, 보통 환측을 먼저 시행한 후 반대측을 시행한다. 피대근은 흉골 부위에서 절개하여 위로 올리는데 먼저 양측의 흉설골근 사이를 분리한 후 흉설골근은 흉갑상근과 분리하여 박리하고 이를 절단한다. 흉갑상근은 정중선에서 박리하여 절단한 후 갑상선을 노출시키며, 갑상선의 협부에서 갑상선을 양측으로 나눈 후 기관에서 분리하고 갑상상엽과 상, 하의 갑상동맥을 보존한다. 갑상선의 침범이 의심되는 경우에는 갑상선 전절제술을 시행한다. 갑상선절제술은 암종이 갑상연골을 침범하였거나 성문하암종, 범성대암(transglottic cancer), 종양이 전연합부를 침범한 경우, 전후두 림프절에 전이가 있을 때, T2 이상의 이상와암, 경부의 식도암에서 일반적으로 시행한다.[7] 갑상선 아래 기관주변과 반회후두신경을 절단할 때에는 하갑상동맥을 결찰하고 이후 기관을 노출한 후에 기관표면을 따라 상부로 박리를 연장하여 상갑상동맥을 결찰한다. 전경부정맥을 설골의 상연과 쇄골상부에서 먼저 결찰한 후 설골의 정중부를 전하방으로 당겨 설골에 부착된 하악설골근, 이설골근, 이복근과 설골설근을 설골로부터 절제하여 후두계곡점막의 외측면이 노출되도록 한다. 설골의 아랫면은 박리하지 않으며, 성문 상부암의 경우 설골과 갑상설골막을 과도하게 분리하면 종양과 가까워질 수 있음에 유의하여야 한다. 설하신경과 설동맥이 설골 주위를 지나므로 수술 시 손상되지 않도록 주의한다.

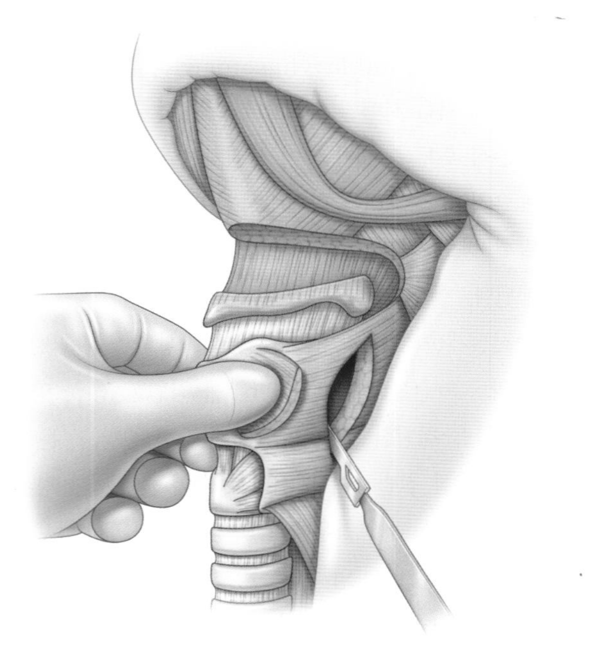

■ 그림 29-1. 하인두 괄약근을 노출시킨 후 이를 갑상연골 외막과 함께 절개하고 이상와의 외측 점막과 갑상연골 내막을 박리한다.

3) 후두의 박리와 기관의 절제

갑상연골의 상극을 촉지하여 상갑상동맥의 후두분지를 확인한 후 결찰한다. 종양이 후두 밖으로 침범하지 않은 경우 후두의 연골을 주위 조직으로부터 분리하고 갑상연골의 후연을 전방으로 회전 및 견인하여 하인두 괄약근을 노출시킨 후 이를 갑상연골 외막과 함께 절개하고 이상와의 외측 점막과 갑상연골 내막을 갑상연골로부터 박리한다(그림 29-1). 보통 인두의 절개는 종양의 반대편에서 시행하며, 종양이 설기저부를 침범하였다면 측인두절개술을 먼저 시행하여 종양의 범위를 관찰하는 것이 좋다. 만약 후두계곡에 종양의 침범이 의심되면 설골상근을 설골에 붙여두어야 한다. 종양이 설골 아래에 국한된 경우, 설골 상부에서 경후두계곡 수평인두 절개술(transvallecular horizontal pharyngotomy)을 통해 인두의 절개를 시행하고 병변의 반대측 하방으로 절개를 연장한다. 이후 병변을 관찰하면서 병변측의 인두절개를 연장하여 후두의 상부를 인두로부터 분리한다. 이후에 후두개를 인두절개 밖으로 견인하면 후두 및 인두의 관찰이 용이하며, 점막을 관찰하고 종양의 경계를 확인하면서 후두개계곡에서 이상와까지 점막 절개를 시행한다. 후윤상연골의 점막이 노출되면 윤상연골판의 하연 중간 부분에 횡단면으로 예리하게 절개를 시행한다. 손가락을 이용하여 후윤상 피열근 후방에서 기관과 식도의 근육 사이를 박리 후 기관절개를 하고자 하는 부위에 도달할 때까지 박리를 시행한다. 기관의 절제는 보통 3번째 기관륜에서 시행하며, 후두를 위로 견인하면서 식도에 손상이 가지 않도록 상부로 절제하여 후두를 제거한다. 성문하부로 종양의 침범이 의심되면 4개 이상의 기관륜을 절제해야 한다.[5] 기관절제 후에는 이미 삽입한 기관 내 튜브를 제거하고 이를 다시 기관에 직접 삽입한다(그림 29-2). 기관 절제 시 기관의 절단면은 비스듬히 경사지게 하는 것이 좋다. 이후에 기관의 후벽을 후윤상피열근 높이까지 손가락으로 박리하여 후두를 완전하게 떼어낸다.

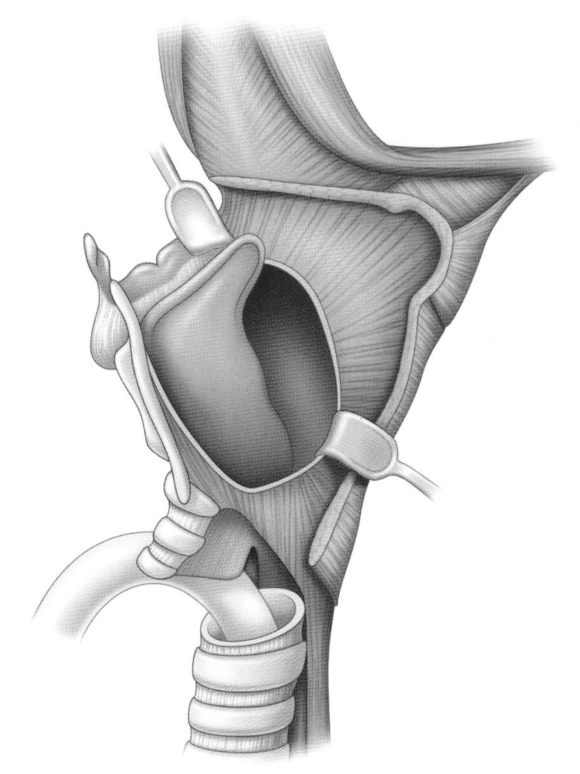

■ 그림 29-2. 인두를 절개하여 후두를 인두로부터 분리한다. 기관 절제를 한 후에는 미리 삽입한 기관 내 튜브를 제거하고 이를 기관에 직접 삽입한다.

4) 경부식도와 하인두 재건 및 기관 절개창의 재건

인두의 재건은 직접 봉합을 시행하거나 피판술을 시행한다. 직접 봉합은 T자 형태나 직선으로 재건을 하는데 봉합 부위에 최소한의 장력이 가해지도록 하는 것이 중요하다.[3] 인두의 봉합은 연속 또는 단속봉합으로 하는데 점막의 절단면은 흡수사를 이용하여 점막을 뚫지 않고 점막하조직을 따라 수평으로 봉합하여 인두 내로 내번되도록 한다.[2] 이후에 근육층을 이차로 봉합하며, 통상적으로 2~3층으로 봉합을 완성한다(그림 29-3).

봉합 시 인두 내 공간이 충분하지 않아 위비루관이 통과할 수 없다면 협착의 가능성이 높으므로 피판을 사용하는 것이 좋다.[4] 영구 기관절개창을 만들어 주기 위해 상부의 피부를 반원형으로 절제한 후 피부와 기관을 봉합하

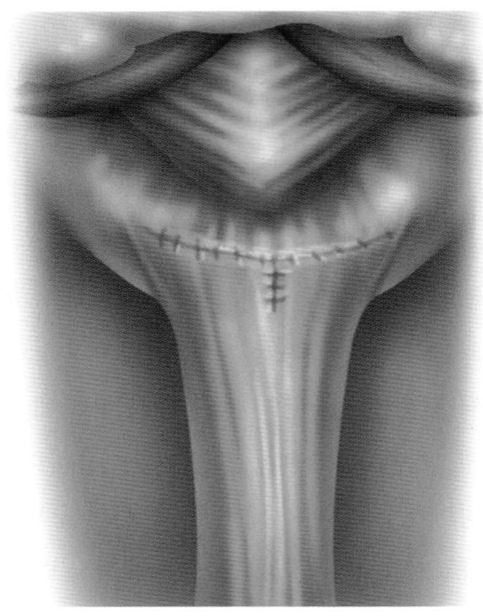

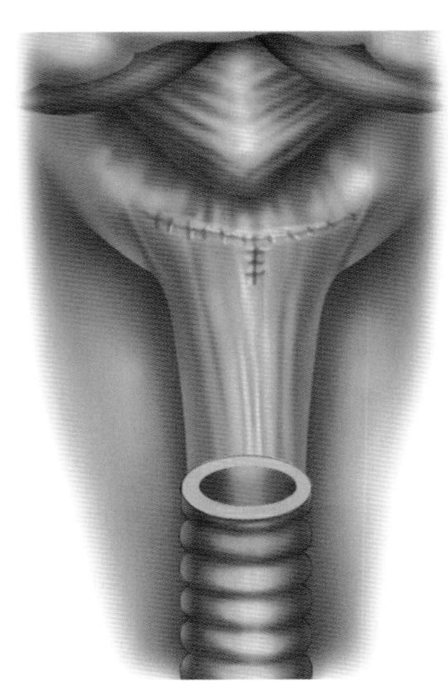

■ 그림 29-3. 인두의 봉합은 T자 형태나 직선으로 재건을 한다.

며 피부 및 기관 주변과 맞닿은 연조직을 제거하는 것이 추후 협착 예방에 도움이 된다. 기관절개창은 절개 부위를 따라 봉합하여 기관을 지지해 주어야 하며 피부와 기관 점막 사이의 장력을 최소화되도록 봉합해야 한다. 이때 기관의 연골이 노출되지 않도록 피부와 점막을 정확하게 근접시킨다. 기관절개창의 봉합은 중심부에서 시작하고 이전 봉합의 양쪽 바깥쪽을 차례로 시행하는 방식으로 진행한다. 기관절개창과 피부의 봉합은 바늘이 피부의 가장자리를 통과 후 기관의 점막하로 통과하도록 하여 기관이 밖으로 당겨지도록 한다(그림 29-4). 인두의 봉합이 끝나면 수술 부위를 세척 및 지혈 후, 배액관을 삽입한 후 경부의 신전을 풀고 피부를 봉합한다. 수술 후에는 생체징후, 체액 평형 상태, 산소포화도, 배액관의 음압 유지 및 배액량, 피판의 상태를 점검하고 기관절개창의 관리 및 상처의 소독, 기도의 가습 등에 신경을 써야한다. 장운동소리가 들리면 비위관을 통한 영양 공급을 고려하고 방사선 치료를 받지 않은 경우 술 후 7~10일경에 경구식이를 시작한다. 방사선 치료를 받은 경우 누공 발생 가능성이 높으므로 2~3주 이후에 경구식이를 고려하는 것이 좋으며, 경구식이 전 식도조영술을 먼저 시행하여 식도 점막의 누공 여부를 확인한다.

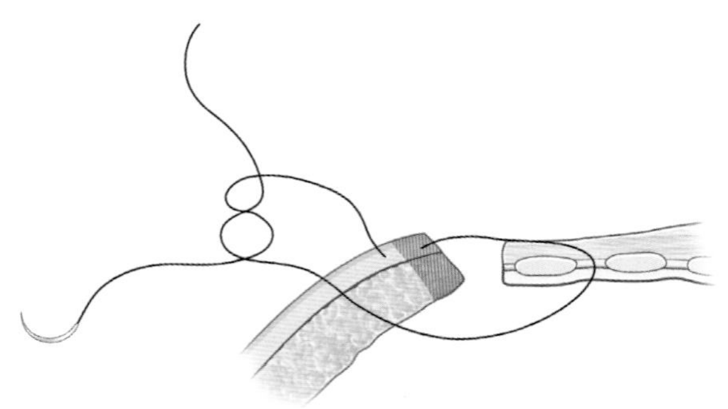

■ 그림 29-4. 기관절개창과 피부의 봉합은 바늘이 피부의 가장자리를 통과 후에 기관점막하를 통과하도록 하여 기관이 밖으로 당겨지도록 한다.

2. 술 후 합병증

술 후의 초기 합병증으로 혈종이나 감염, 인두피부누공, 경동맥 파열, 상처의 벌어짐 등이 발생할 수 있으며, 술 후 지연성 합병증으로 기관절개창의 협착, 인두식도협착, 만성 인두피부누공, 갑상선 기능저하증[6] 등이 발생할 수 있다.

1) 감염

수술 후 3~5일이 지나 발적과 부종이 있으면 의심한다. 환자의 영양 상태, 술 전 화학요법 또는 방사선 조사, 수술 전 감염의 병력, 장시간의 수술, 고령, 진행된 암, 혈종, 인두점막의 과도한 긴장 등에 의해 발생되며, 복합적인 세균의 감염인 경우가 많다. 수술 부위의 악취, 발열, 백혈구의 증가 등이 나타날 수 있다. 상처를 열어 고름을 제거하고 균배양 검사를 시행한다. 분비물의 양이 줄지 않으면 인두피부누공을 의심할 수 있으며, 지속적으로 문제가 되면 경동맥 파열이나 술 후 방사선 조사 지연 등을 초래할 수 있다.

2) 인두피부누공

술 후 가장 심각한 합병증으로 수술 후 1~6주에 잘 발생한다. 수술 전 방사선 치료를 받은 경우, 수술 전 영양 상태가 불량한 경우, 수술 시 절제연이 충분히 확보되지 못한 경우, 당뇨 병력이 있는 환자의 경우 가능성이 높다.[1,9] 누공은 타액이 봉합 부위에서 새어나와 봉합된 부위의 피하에 축적되어 발생되며, 이로 인한 상처의 회복이 늦어 술 후 방사선 조사의 시기가 늦어지는 경우가 많다. 증상은 상처 봉합 부위에 발적이 발생하고 타액이 피하조직에 흘러들어 배액관으로 화농성 분비물과 타액을 관찰할 수 있다. 누공의 진단은 메틸렌 블루를 삼키는 방법이나 가스트로그라핀을 이용한 방사선 촬영으로 확인할 수 있다. 인두피부누공의 발생 시 종양의 재발이나 잔존 여부를 염두해 두어야 한다. 치료는 초기에는 금식 및 비위관 튜브를 통한 영양 주입과 함께 누공의 소독과 항생제를 사용하고 배액관의 음압을 해제하여 타액이 고이는 것을 막고 타액의 흐름이 바뀌도록 한다. 누공 주위를 압박하는 것이 도움이 될 수 있으며 크기가 작은 경우에는 자연적으로 누공이 막힐 수 있다. 이러한 보존적 치료에 효과가 없으면 피판술을 시행하거나 인두누공이 의심되는 곳에 경동맥의 주행을 고려하여 누공에 최대한 가깝게 절개한 후 타액을 배출시키는 인공 누공을 만들어 타액으로 인한 상처의 악화를 막는다.

3) 기관절개창의 협착

기관절개창의 협착은 술 후 감염, 인두피부누공에 의한 과도한 반흔조직, 켈로이드, 기관구 주위의 풍부한 지방조직, 기관륜의 광범위한 절제, 종양의 기관구 주위 재발 등이 원인이 된다.[10] 수술 중 기관륜의 광범위한 절제를 피하고 기관창을 만들 때는 기관륜을 비스듬하게 자르고 주위의 풍부한 피부 및 지방조직을 제거하는 것이 협착 방지에 도움이 된다.

4) 연하장애 및 인두식도협착

후두전절제술을 받은 모든 환자들은 일시적으로 연하장애를 호소하지만 일부의 환자에서는 종양 재발의 조기 증상일 수 있음에 유의한다. 원인은 광범위한 하인두 점막의 절제나 남은 윤상인두근의 불균형적인 경련에 의한 하인두의 협착, 설근부와 인두 점막 사이의 균열에 의한 가성 게실, 인두 봉합에서 일자형 봉합을 한 경우, 견사를 이용한 봉합, 술 전 항암제를 사용한 경우, 종양이 남아있는 경우 등이다. 남아있는 종양이 의심이 되면 식도조영술을 시행하거나 내시경 검사를 통한 조직검사를 고려해야 한다.

참고문헌

1. Aarts MC, Rovers MM, Grau C, et al. Salvage laryngectomy after primary radiotherapy: what are prognostic factors for the development of pharyngocutaneous fistulae? Otolaryngology--head and neck surgery : official journal of American Academy of Otolaryngology Head and Neck Surgery 2011;144:5-9.
2. Bedrin L, Ginsburg G, Horowitz Z, et al. 25-year experience of using a linear stapler in laryngectomy. Head & neck 2005;27:1073-9.
3. Davis RK, Vincent ME, Shapshay SM, et al. The anatomy and com-

plications of "T" versus vertical closure of the hypopharynx after laryngectomy. The Laryngoscope 1982;92:16-22.

4. Hui Y, Wei WI, Yuen PW, et al. Primary closure of pharyngeal remnant after total laryngectomy and partial pharyngectomy: how much residual mucosa is sufficient? The Laryngoscope 1996;106:490-4.
5. Sessions DG, Ogura JH, Fried MP. Carcinoma of the subglottic area. The Laryngoscope 1975;85:1417-23.
6. Sinard RJ, Tobin EJ, Mazzaferri EL, et al. Hypothyroidism after treatment for nonthyroid head and neck cancer. Archives of otolaryngology--head & neck surgery 2000;126:652-7.
7. Sparano A, Chernock R, Laccourreye O, et al. Predictors of thyroid gland invasion in glottic squamous cell carcinoma. The Laryngoscope 2005;115:1247-50.
8. Staton J, Robbins KT, Newman L, et al. Factors predictive of poor functional outcome after chemoradiation for advanced laryngeal cancer. Otolaryngology--head and neck surgery : official journal of American Academy of Otolaryngology-Head and Neck Surgery 2002;127:43-7.
9. Timmermans AJ, Lansaat L, Theunissen EA, et al. Predictive factors for pharyngocutaneous fistulization after total laryngectomy. The Annals of otology, rhinology, and laryngology 2014;123:153-61.
10. Wax MK, Touma BJ, Ramadan HH. Tracheostomal stenosis after laryngectomy: incidence and predisposing factors. Otolaryngology--head and neck surgery : official journal of American Academy of Otolaryngology-Head and Neck Surgery 1995;113:242-7.

CHAPTER

30

후두암 수술 후 음성 보존

김광현, 이진춘

I 후두전적출술 환자의 음성재활

근래에 들어서 진행된 후두암과 하인두암에 대해서 후두전적출술이 아닌 보존적 후두절제술을 시행하는 경향이 점차 커지고 있다. 그러나 아직도 후두전적출술은 비교적 수술 방법이 간단하고 쉽게 가르치고 배울 수 있으며 치료 성적이 뛰어나 이들 암의 치료에 중요한 역할을 하고 있다. 불행히도 후두전적출술은 수술 후에 음성을 잃게 되며 후각과 미각에 장애가 생기고, 정신과적인 문제를 유발할 수 있다. 그중에서도 음성의 상실은 환자 본인과 가족들이 가장 관심을 가지는 사항이므로 후두전적출술 후 음성재활에 주의를 기울여야 한다. 후두전적출술 후 음성의 재활은 1973년 Billroth에 의해 처음 수행되었다. 인공 후두를 처음으로 이용하여 병상에서 소리가 들릴 정도의 크기로 의사소통이 되었다고 한다. 후두전적출술 후 소리의 근원은 인두와 식도의 연결 부위인 인두식도분절(pharyngoesophageal segment)이다. 이 부위를 어떠한 방법으로 진동시키는가에 따라 음성이 다르게 들리게 된다. 후두전적출술 후의 음성재활 방법에는 크게 공기를 이용하는 발성과 전기를 이용하는 발성이 있으며 공기를 이용하는 발성은 다시 폐 이외의 공기를 이용하는 방법과 폐로부터 나오는 공기를 이용하는 방법으로 나눌 수 있다.

1. 비폐기법

비폐기법(non-pulmonary air method)은 식도발성과 같이 폐 이외의 공기를 이용하여 발성을 하는 방법으로서 일반적으로 식도발성이 대표적인 음성재활 방법이며 그 밖에 협부, 인두, 위의 공기를 이용하는 방법이 있다.

1) 식도발성

식도발성(esophageal speech)은 그동안 후두전적출술 후 음성재활에 가장 좋은 방법으로 간주되었다. 이 방법의 가장 큰 장점은 수술이 필요 없으며 거의 모든 환자에서 가능하다는 것이지만, 만족할 만한 음성을 낼 수 있는 환자는 50% 내외로 알려져 있다.[24]

식도발성에서는 인두식도괄약근이 진동하여 발성이 되는데 이 부위를 가성대(pseudoglottis)라 한다. 상부 식도의 점막주름보다는 하인두괄약근의 일부와 윤상인두근으로 이루어지는 괄약부가 성대의 역할을 한다. 방사선검사, 압력계, 근전도검사 등으로 연구한 바에 의하면 후두적출술 시 남겨 놓은 반회후두신경, 설골, 설골하근육 등이 언어분절을 상승시킨다. 비디오투시검사(videofluoroscopy) 소견에 따라 이 분절은 경추와의 관계에 따라 상부, 중부, 그리고 하부 구역으로 나뉘며,[31,51] 그중에서 가장 중요한 부분은 하부(제5~7 경추) 분절이다. 식도로 주입된 공기는 위유문과 상부괄약근 사이에 저류되는데 그 양은 약 80 cc가량 되며, 발성 단계가 되면 상부식도괄약근과 하부식도괄약근이 수축하고 횡격막은 위로 올라오기 때문에 식도 내에 저류되었던 공기는 내압이 42 mmHg로 상승한다. 윤상인두괄약근이 발성하기에 적당하게 되며, 식도 내의 공기가 인두로 배출되어 가성대를 진동시켜 발성하게 되는 것이다. 하지만 이 방법의 문제점은 술 전 폐를 이용하여 발성할 때보다 비교적 적은 양의 공기(약 80 mL)를 이용할 수밖에 없다는 것이다. 그러므로 발성 시간이 후두를 이용할 때의 발성 시간(20초 이상)보다 1–2 초로 짧다.

식도를 공기로 채우는 방법에는 주입법과 흡입법이 있다. 주입법은 혀나 입술, 협부와 연구개를 움직여서 인두로부터 식도로 공기를 주입하거나 여러 가지 무성자음을 발음하면서 공기를 주입하는 방법으로 식도발성을 잘하는 사람의 대다수는 이런 형태의 방법을 사용한다. 흡입법은 호흡 주기에서 생기는 식도 내 압력의 변화를 이용하여 공기를 식도에 흡입하는 방법이다. 윤상인두괄약근이 이완되면서 동시에 횡격막이 하강하면 흉강 내에 음압이 형성되어 식도는 피동적으로 급속히 확장된다. 따라서 구강 내의 공기가 식도 내로 들어오게 되고, 이때 식도는 연동운동에 관여하지 않는다. 식도발성을 아주 잘하는 사람들은 주입법과 흡입법을 병용한다. 식도발성은 정상 발성에 비해 약간 거칠고 음의 높이가 낮으며 소리의 강도가 약하고 기본 주파수가 낮다.[88] 기본 주파수는 보통 약 65 Hz 정도이고, 발성하는 데 노력이 많이 필요하다.

식도발성의 성공률은 남녀 간에 차이가 있어서 남자 환자의 70%와 여자 환자의 60%가 식도발성을 원활히 하는 것으로 보고된 바 있다.[1] 환자 중 약 40–60%에서 적당히 괜찮은 목소리를 얻을 수 있고 단지 10%에서 실제로 좋은 목소리를 얻을 수 있다고 하였다.[1]

후두전적출술 후에 식도발성, 기관식도누공, 전기후두를 사용하는 환자들에 대하여 각 음성별로 일반인이 듣는 이해도를 조사해 본 연구 결과에서는 방법에 따른 차이가 없었다고 하였다.[116] 일반적으로 식도발성 훈련은 수술 후 3~4주가 지난 뒤 시작하나 몇 달 지연하고 시작하여도 상관은 없다. 집중적으로 훈련을 받으면 3~6개월째부터는 효과적으로 식도발성을 할 수 있게 되며 시간이 지남에 따라 점차 좋아진다.

효과적인 식도발성을 하지 못하는 요인은 환자가 발성법을 배우겠다는 동기가 없을 때, 신체 활동 상태가 불량할 때, 연하장애, 종양이나 방사선치료의 후유증이 있을 때, 인두협착이 생긴 경우, 사회적 그리고 경제적 문제, 고령, 윤상인두괄약근의 과도한 긴장, 부적절한 음성재활 훈련, 폐질환(만성 폐부전, 폐기종) 등이 있다.

방사선치료를 받으면 인두통이 생기고 구강 점막이 건조하여 발성 훈련이 어려우므로 언어 훈련은 방사선의 후유증이 없어진 후에 하는 것이 원칙이다. 가장 중요한 실패 요인은 윤상인두괄약근의 과도한 긴장이나 경련인데 이때는 식도 안으로 공기를 주입하기 힘들고 주입된 공기도 인두로 배출되지 않아 발성이 불가능해진다. 이러한 경우는 윤상인두괄약근 절제술(cricopharyngeal myotomy)을 하거나 인두신경총(pharyngeal plexus)을 차단하는 것이 효과적이며, 근육이완제나 신경안정제는 효과가 없다. 과도한 윤상인두괄약근의 긴장을 사전에 검사하는 방법으로는 카테터로 식도 내에 공기를 주입한 다음 공기가 인두로 배출되는지 여부를 관찰함으로써 상부식도괄약부의 경련을 예측할 수 있다.[94] 그러나, 후두적출자의 윤상인두괄약근 긴장압력은 정상인에 비하여 낮으며 숙달된 식도발성자에서는 이 윤상인두괄약근의 압력이 더 낮거나 또는 없는 것으로 미루어볼 때, 윤상인두근의 수축이 반드시 발성에 필요 불가결한 요소는 아니라는 상반된 의견을 제시한 연구도 있다.[57]

2) 협발성

협발성(buccal speech)은 협부와 치조 또는 혀와 치조 사이의 공기를 압박할 때 나는 소리를 이용하여 말을 하는 방법이다. 발성과 구음 동작을 거의 동시에 하기 때문에 충분히 입을 열지 못하므로 모음 발음이 분명치 않다.

3) 인두발성

인두발성(pharyngeal speech)은 혀로 경구개, 연구개, 인두벽을 압박할 때 인두에 갇혀 있던 공기가 배출되면서 나는 소리를 이용하여 말을 하는 방법이다. 마찬가지로 발성과 동시에 구음동작을 하므로 힘이 들고 어음명료도 또한 좋지 않다.

4) 위발성

위발성(gastric speech)은 위로 삼킨 공기를 트림을 함으로써 말을 하게 되는데 일정하고 지속적인 발성이 곤란하다.

2. 폐기법

폐기법(pulmonary air method)은 폐로부터 나오는 공기를 인위적으로 만든 기관식도단락(shunt)을 통하여 인두로 배출함으로써 말을 하는 방법이다. 폐기법은 상기도와 식도 간의 단락 방법에 따라 간접단락과 직접단락으로 나눌 수 있다.

1) 기관식도천자

기관식도천자(tracheoesophageal puncture)는 1980년에 Blom과 Singer가 2차 수술로 소개한 이래 수술 수기 자체는 큰 변화가 없으나 삽입물의 디자인에는 많은 변화가 있었고 실패의 원인에 대해 더 잘 이해하게 됨으로써 해결책을 찾을 수 있게 되었다.[24] Panje button, Groningen voice prosthesis, Provox 등 여러 가지 삽입물들이 개발되었으나 근본적으로는 모두 같은 방식으로 작동한다.[47,69,83]

기관식도단락 발성은 식도발성과 비슷한 방법으로 소리를 낸다. 공기가 빠져나가면서 인두식도분절의 점막이 진동하는 것이다. 그러나 식도발성과는 달리 기관식도단락 발성은 폐호흡으로 조절되므로 발성지속시간이나 강도를 내쉬는 숨을 변화함으로써 조절할 수 있다.[69] 그뿐만 아니라 기본 주파수가 안정적이므로 식도발성에 비해 배음(harmonics)을 더 잘 구별할 수 있다.[30] 입으로 발성이 가능해지는 시기는 대부분의 경우 2주 이내라고 볼 수 있다.[45,60]

이러한 경우 최대 발성 시간은 거의 정상에 가까워 평균 최대 발성 시간이 16–17초에 이른다.[110]

이러한 시술은 안타깝게도 술 후 해부학적으로나 생리학적으로 음 생성의 성별 차이를 둘 수 없어 남녀 발성의 차이를 만들어 낼 수 없다. 남성이나 여성 기본 주파수에서 거의 차이가 나지 않고 약 100 Hz 정도로 나타난다.

(1) 적응증

기관식도천자가 음성재활에 있어서 뛰어난 방법임에는 틀림없지만 모든 환자에게 적용 가능한 것은 아니며 천자의 시기, 즉 후두적출술 시에 할 것인가 또는 2차 수술로 할 것인가를 신중하게 선택해야 한다. 기관식도 천자를 수행함에 있어서 다음 사항을 고려하여야 한다.

첫째, 환자는 분명하고 현실적인 기대를 하여야 한다. 아무리 잘 설명하여도 환자는 새로 후두를 재건해서 정상 음성을 갖게 될 것을 기대한다. 자세한 상담이 필수적이며 환자는 기관식도단락 발성을 배우고 삽입물을 관리하는 것을 이해하고 필요성을 느껴야 한다.

둘째, 환자는 삽입물을 관리하고 유지하기 위해 좋은 시력과 손놀림을 가지고 있어야 한다. 시력이 나쁘거나 파킨슨병, 관절염으로 수족이 부자유스럽다면 곤란하다.

셋째, 만성 폐쇄성 폐질환을 가지고 있다면 공기 배출이 부족하므로 이 방법을 사용할 수 없다.

넷째, 국소적 요소로서 이상적으로는 기관공의 크기가 1.5 cm 이상이면서 움푹 들어가지 않아야 하고,[83] 인두의 협착이 없어야 한다.[33] 이 요소들을 극복하기 위하여 기관공 재건, 인두 확장 또는 다른 방법으로의 대치 등의 조치를 취할 수 있다. 1차 기관식도천자술에서는 이런 요소를 미리 알기 어려운 단점이 있으며, 만일 2차로 기관식도천자를 시행한다면 미리 위와 같은 요소를 파악하여야 한다. 기관식도천자는 피부피판을 사용한 재건 후에도 할 수는 있으나 피부로 덮인 인두식도분절은 점막에 비해 잘 진동하지 못하므로 음성이 좋지 못하다.[8] 위치환술(gastric transposition) 또는 유리공장피판을 사용한 재건술을 한 경우 점막이 근접하는 데 장애를 받으므로 기관식도천자 발성은 꾸르륵 목이 울리는 경향이 있으며 소리가 작다.[86] 이럴 때는 발성 시 기공 위쪽을 손가락으로 눌러주면 도움이 될 수 있다.

다섯째, 방사선치료는 기관식도단락 발성을 지연시킬 수 있지만 금기는 아니다.

기관식도천자를 하는 시기에 대하여 이견이 있는데, 이차적으로 시행하면 재건된 인두와 기공이 안정화된 다음이므로 성공률이 뛰어나다는 이점이 있는가 하면, 일차적으로 기관식도천자를 하는 경우 한 번에 수술을 끝낼 수 있고 조기 재활이 가능하다는 장점이 있다.

(2) 1차 기관식도천자

후두전적출술을 하면서 동시에 기관식도천자를 하는 개념은 1980년대에 개발되었다.[68]

처음에는 2차적 기관식도천자에 비해 결과가 좋지 않았지만 환자를 잘 선택하고 윤상인두근 연축에 관심을 가지게 되면서 80~90%까지의 좋은 성공률이 보고되었다.[71,111] 이 방법의 가장 큰 단점은 기공의 크기나 인두 협착의 가능성을 예측할 수 없다는 것이다. 인두를 너무 단단히 봉합하거나 근육피판, 위장 전위, 대장 간치 등을 사용하여 재건할 필요가 있다면 2차 기관식도천자를 하는 것이 현명하다.[23] Amatsu가 개발한 기관식도천자는 기구를 사용하지 않는 방법으로 시술이 비교적 쉽고 안전하며 특별한 훈련 없이 쉽게 언어를 습득할 수 있어 일차적 음성재활로서 추천할 만하다.[112]

하지만 기존의 기관식도천자와 마찬가지로 흡인이 일어날 수 있고 기관공을 손으로 막아야 하는 단점이 있어 Amatsu 등은 약간 처음 개발한 방법을 수정하여 상기저 식도근 피판으로 천자 부위를 감싸줌으로써 흡인의 빈도를 줄일 수 있었다.[6]

이러한 술식의 가장 중요한 고려사항은 후두 종양이 윤상연골 이하 기관지로 많이 침범했는지의 여부이다. 이 경우엔 윤상연골 하부의 기관 피판 형성이 불가능하게 되므로 Amatsu 술식의 적응이 되지 못한다.[7]

또한, 폐기능이 저하되어 있는 경우, 술 전에 방사선 치료를 받은 경우엔 Amatsu 술식을 적용하기가 어렵다.

(3) 2차 기관식도천자

후두전적출술 후 2차로 기관식도천자를 하면 일정하게 좋은 결과를 얻을 수 있다(그림 30-1). 처음에는 57%에서 93%까지 성공률의 변이가 컸으나 환자를 선택하게 되면서 75~80%의 일정한 결과를 예측할 수 있게 되었다. 식도발성에서와 마찬가지로 윤상인두근 연축이 있으면 성공률이 떨어짐을 알게 됨으로써 수술의 결과가 개선되었다.[12,62] 식도통기측정법(esophageal insufflation test)으로 연축을 예측할 수 있는데, 비강을 통하여 식도에 관을 삽입하고 공기를 주입한 후 '아' 소리를 10초에서 15초 동안 끊기지 않고 낼 수 있거나,[17] 식도 내 압력이 20 mmHg 이하면 연축이 없는 것으로 판단한다.[13] 식도통기측정법은 수술 직후 단기간의 상황에는 예측이 가능하지만 윤상인두연축이 나중까지 지속할 것인지는 예측하지 못한다.[22,95] 이보다 더 중

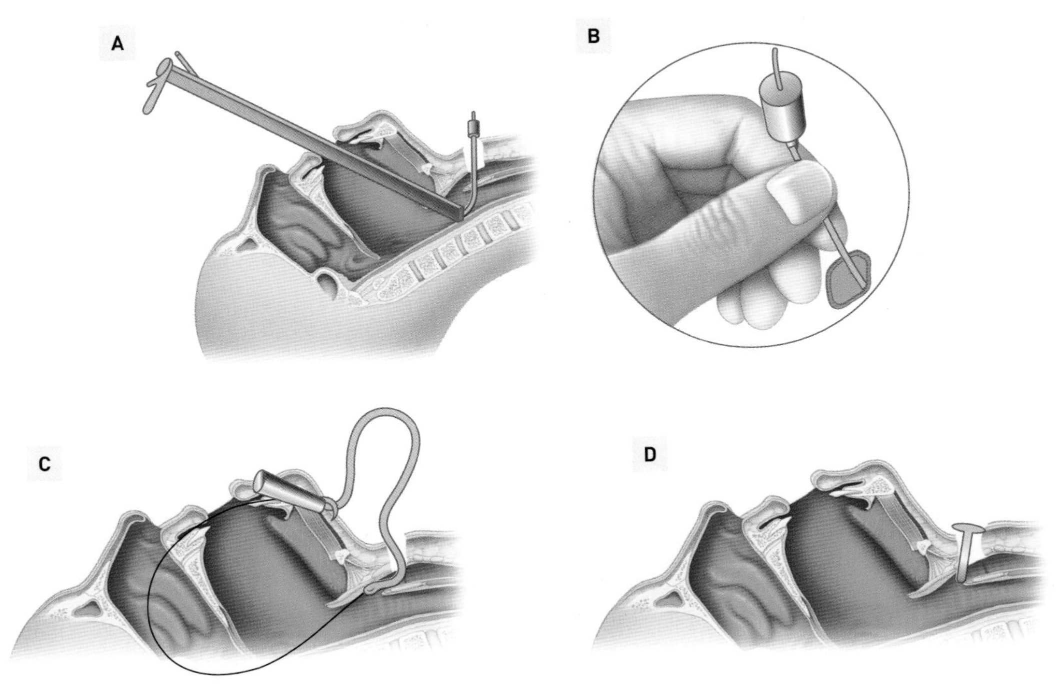

■ 그림 30-1. **2차 기관식도천자.** **A)** 식 도경의 위치. **B)** 바늘로 기관절개부 후벽에 천자하는 모습. **C)** 천자 부위를 확대한 후 Foley 카테터를 식도까지 넣은 모습. **D)** 삽입물의 위치.

요한 것은 예방적으로 근절개술이나 신경절제술을 시행하는 것인데, 후두전적출술을 하면서 동시에 윤상인두근절개술이나 인두신경총절제술을 하는데, 각각 수술하는 것과 두 수술을 동시에 시행하는 것은 결과에 차이는 없다고 한다.[16] 그 외에 윤상인두연축을 방지하기 위하여 후두절제술 시에 근육을 봉합하지 않는 방법을 쓰기도 한다.[27]

기관식도천자 후 발성은 시간이 지나면서 점차 좋아지므로 처음에 유창하고 명료하게 말하지 못한다고 해서 낙담하지 말아야 한다. 식도발성을 실패하고 나서 2차 기관식도천자를 하는 경우를 제외하고는 선택적으로(elective) 2차 기관식도천자를 시행할 경우에 90% 이상의 성공률을 가지는 것으로 보고되었다.[85]

(4) 삽입물

일반적으로 기관식도 발성 삽입물은 비유치삽입물(nonindwelling prosthesis)과 유치삽입물(indwelling prosthesis)로 나눌 수 있다. 비유치삽입물은 환자 스스로에 의해 제거되거나 유치될 수 있고 유치삽입물은 영구적으로 제자리에 유치될 수 있고 환자가 아닌 이 방법에 경험이 많은 임상의에 의해서만 제거되거나 유치될 수 있다.

삽입 성공률을 높이고 환자가 적응하기 쉬운 삽입물(prosthesis)을 개발하기 위해 많은 노력이 있어왔다.

첫째로, 많은 환자들이 소리가 날 정도로 호기압을 강하게 내기가 어려우므로 직경이 큰(5.3~6.6 mm) 저압삽입물이 개발되었다. Blom-Singer, Bivona, Panje, Provox, Nidjam, 그리고 Groningen 등 여러 가지 삽입물들이 개발되었지만 이 중 특별히 더 효과적인 것은 아직 없다. 또한 삽입물들을 비교하려는 시도는 검사 방법이 각기 달라서 실효를 거두지 못하고 있다.[111,117]

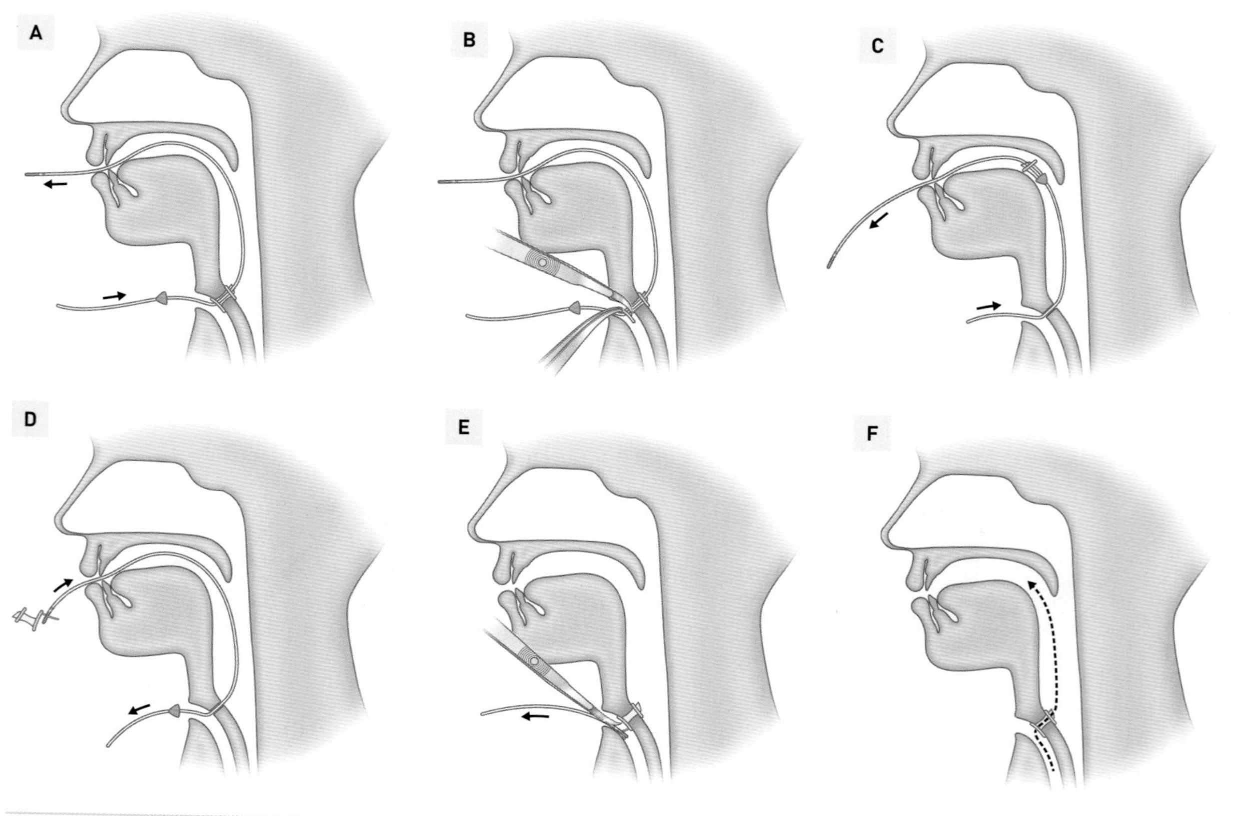

■ **그림 30-2. provox 교체하는 방법.**
A) 가이드 와이어의 삽입. **B)** 외측 flange의 제거. **C)** 식도 부위 남은 삽입물 제거. **D)** 새 provox 연결. **E)** 새 provox 기관식도누공에 유치. **F)** 새 provox로 교체.

그중 많이 사용되고 있는 provox는 Hilger와 Schouwenburg가 1990년대에 소개하였는데 이것은 실리콘 제질로 만들어진 인공발성관으로 내부에 타액 및 음식물의 기관으로의 유출을 막는 밸브가 있고, 삽입하는 술식이 쉽고 안전하다. 또한 한 번의 시술로 소독을 위해 제거하거나 재삽입을 할 필요가 없는 장점이 있어 다른 발성관에 비해 청결히 유지된다.[44] 쉽게 교체하는 방법도 설명해 놓았다(그림 30-2).[44]

provox가 1990년대 개발된 이후 provox 2 (1997년), provox ActiValve 등이 소개되었고, 2009년도 소개된 provox Vega가 최근에 이용되고 있다. provox vega는 쉽게 공기의 흐름을 좋게 하고, 쉽게 청결하게 유지할 수 있고, Smartinserter가 제공되어 유치 및 교체가 쉽다.

둘째로, 유치삽입물(indwelling prosthesis)을 개발하려는 시도가 계속되었다. 원위부에 원형의 날개를 부착하여 삽입물이 빠지지 않고 제자리에 있도록 할 수 있었다. 그러나 반드시 의사가 제거와 교환을 해야 하고, 진균 감염의 빈도가 높아졌으며, 비용이 보통 삽입물에 비해 3배나 되는 단점이 있다.[67]

마지막으로, 기공을 손으로 막는 불편함을 없애기 위하여 기관구 밸브가 개발되었다.[18] 이 기구는 호기의 양에 민감히 반응하고 판막의 두께가 얇을수록 민감도가 크다. 먼 거리를 걷는 데 전혀 지장이 없고, 계단을 오를 때 폐색이 없는 정도가 적당하다.

(5) 기관식도천자의 합병증

기관식도천자의 장점들 중의 하나는 합병증이 적다는 것이다. 1차 기관식도천자와 2차 기관식도천자에서 합병증은 비슷한 정도로 발생하며 1주일 이내의 조기 합병증, 1주일 이후의 지연성 합병증으로 나눌 수 있다.

① 조기 합병증

ⓐ 출혈: 인두의 재건에 인두위문합이나 유리공장피판을 사용한 경우 천자 부위에 출혈이 생겨 혈종을 형성하는 수가 있다. 출혈은 보통 저절로 멈추지만 내시경적 소작술이 필요할 수도 있다.

ⓑ 부종: 기관식도천자 시술 중 받은 외상으로 인해 천자 부위에 부종이 생길 수 있으며 기관구가 좁아지는 결과가 초래되기도 한다. 매우 드물지만 임시로 기관구를 통하여 삽관을 해야 할 수도 있다.

ⓒ 감염, 농양, 종격동염: 1차 기관식도천자를 할 때에는 반드시 박리가 되지 않은 기관식도벽을 천자하여야 감염을 예방할 수 있다. 2차 기관식도천자 시 식도경을 삽입하다가 식도벽이 손상되어 종격동염으로 이행되는 수도 있다.

ⓓ 카테터나 삽입물 주위로의 타액 또는 음식물 유출: 환자가 이전에 방사선치료를 받지 않았다면 수술 직후에 카테터 혹은 삽입물 옆으로 타액이 새는 일은 흔하지 않다. 만일 타액 유출이 있다면 카테터나 삽입물을 제거한 후 더 작은 크기의 카테터를 삽입하여 구멍이 협착되기를 기다렸다가 원래의 삽입물을 다시 삽입한다. 일시적으로 풍선이 달린 기관튜브를 삽입하여 흡인을 방지할 때도 있다. 또 다른 방법으로 실리콘 와셔(silicone washer)를 이용하여 타액 유출을 막을 수도 있고(그림 30-3)[46], 쌈지봉합(Purse-string suture) 혹은 자가 지방이나 콜라겐을 이용하여 삽입물 주위 벽을 증강(augmentation) 시킴으로써 타액 유출을 막을 수 있다.[20, 53, 65]

ⓔ 삽입물의 분출: 신형 삽입물의 경우에는 흔치 않은 상황이다. 보통은 환자가 삽입물을 빼서 세척한 후 원위치에 놓지 못한 것이 원인이다. 초기에 발견되면 천자 부위를 확장한 후 재삽입할 수 있지만 기관식도천자가 다시 필요한 경우도 있다.

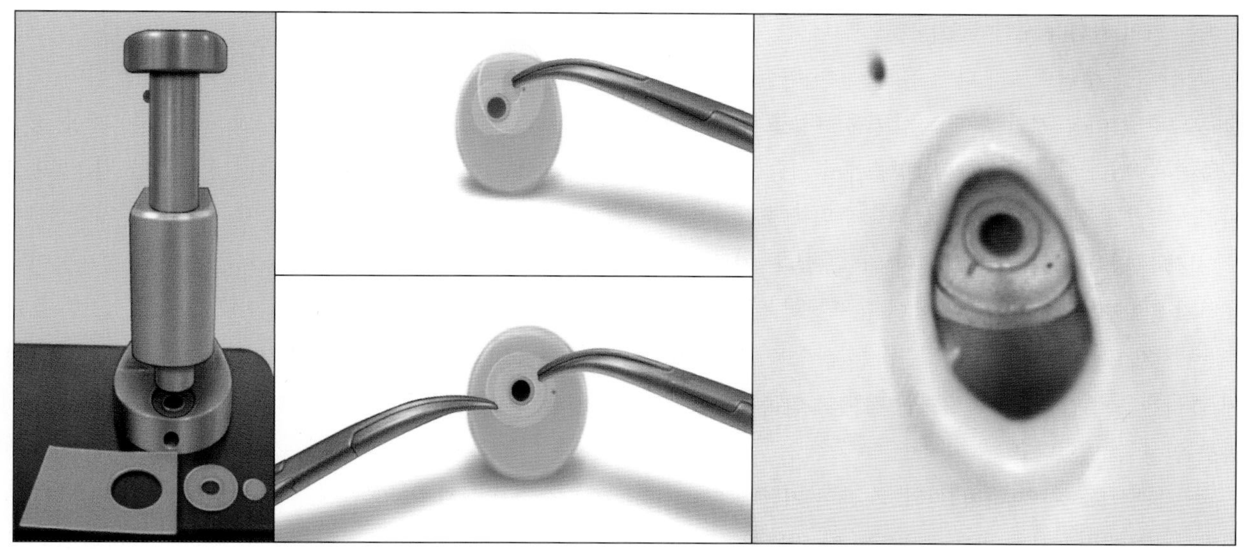

■ 그림 30-3. **실리콘 와셔를 삽입하는 방법.** 2개의 지혈기를 이용하여 실리콘 와셔를 유치삽입물의 날개 테두리와 기관식도루 사이에 유치시킨다.

② 지연성 합병증

ⓐ 삽입물의 분출: 가장 흔한 합병증 중의 하나로서 세척 후 적절히 삽입하지 못하여 천자 부위의 식도벽이 서서히 막힌 것이 원인이다. 환자가 기관식도루와 삽입물에 대하여 정확하게 이해할 필요가 있다.

ⓑ 육아조직 형성 또는 식도 점막 탈출: 삽입물에 의한 국소자극 또는 감염 때문에 육아조직이 생겨날 수 있다. 과산화수소수 등으로 소독을 하거나 질산은 용액으로 소작하거나 항생제 연고를 바르는 등의 치료가 도움이 된다. 식도 점막이 천자 부위로 탈출된 경우에는 국소마취 하에 CO_2 레이저로 탈출된 조직을 잘라내고 삽입물을 다시 삽입한다.

ⓒ 삽입물의 진균 감염: 진균 감염은 삽입물이 기능하지 않게 되는 가장 흔한 원인이다. 칸디다는 구강, 인두, 식도에 정상적으로 기생하는 진균총으로서 방사선치료를 받은 환자에서 더 많다. 삽입물에 진균류가 집락을 형성하게 되면 밸브의 기능에 장애가 생기고 타액 유출과 흡인이 발생하며 공기가 밸브를 통과하는 데 저항이 커지게 된다.[89] 기능을 잃은 삽입물에 대한 연구에 따르면 삽입물의 식도쪽 끝과 내부에는 칸디다 집락이 많은 반면, 기관쪽에는 거의 칸디다 오염이 없는 것으로 나타났다.[98]

ⓓ 삽입물 주변으로의 타액 유출: 흔하지는 않지만 수술 후 1주일 이상 지난 후에도 삽입물 주변으로 타액이 유출될 수 있다. 치료는 조기 합병증에서 기술한 바와 같이 할 수 있고 질산은 용액으로 천자 부위를 소작하는 것도 천자 구멍을 좁히는 데 도움이 될 수 있다. 치료에 반응하지 않으면 흉쇄유돌근이나 대흉근 등의 근육피판으로 큰 천자 구멍을 막는다.[93] 최근에는 삽입물 주변 피부에 콜라겐을 주입함으로써 9개월 정도의 만족스러운 결과를 얻을 수 있었다고 한다.[50]

ⓔ 기관식도천자의 하방 변위: 시간이 지남에 따라서 기관식도천자가 점차 하방으로 변위될 수 있는데 하방 변위가 일어나면 기능에는 상관이 없지만 환자가 천자 부위와 삽입물을 관리하기가 어려워진다.[91]

ⓕ 삽입물의 흡인: 뜻하지 않게 삽입물을 흡인하는 경우가 0.75–13%까지 보고된다.[92,94] 흡인된 삽입물은 기관지경으로 쉽게 제거된다.

후두전절제술 후 인두식도분절은 두 가지 기능을 한다. 즉, 소리를 생성하는 기능과 음식이 통과하는 통로로서의 기능이다. 이러한 기도식도천자 후 삽입한 삽입물에 이상이 발생할 경우 어떤 기능이 우선적으로 필요한지를 잘 판단해 해결책을 찾아야 한다. 삽입물에 문제가 발생할 경우, 소리를 생성하는 기능은 잘 유지되어도 음식이 통과하는 통로로서의 기능이 떨어질 수 있기 때문이다.

3. 전기 장치

전기 장치(electronic device)를 이용한 발성은 수술 직후 혹은 기관식도천자 등 다른 방법을 이용한 발성이 잘 되지 않는 응급상황에서 비상용으로 유용하게 사용될 수 있고 환자가 선호하는 경우도 있다(그림 30-4).

또한, 비용도 경제적이고 배우는 시간이 짧고 소리를 크게 할 수 있는 장점이 있다.

1) 경경부 장치

경경부 장치(transcervical device)는 가장 많이 사용되는 전기 장치이다. 작은 건전지로 작동하는 조음 장치로 되어 있는데, 장치의 끝에 달린 진동판을 턱 밑 피부에 대고 혀, 입술, 구개, 치아 등을 이용하여 말을 한다. 음질이 기계적이고 억양이 단조로우며, 경부절제술이나 방사선 치료로 경부 조직에 반흔이나 부종이 있으면 효과가 떨어진다. 그리고 언제나 전기 장치를 사용하기 위해선 한 손이 필요하다는 단점이 있다.

2) 경구 장치

경구 장치(transoral device)는 조직을 통하여 소리가 전달되는 단점을 피하고자 만든 것이다. 일반적으로 전기적인 소리가 경부를 통해 전달이 어려운 경우 혹은 수술

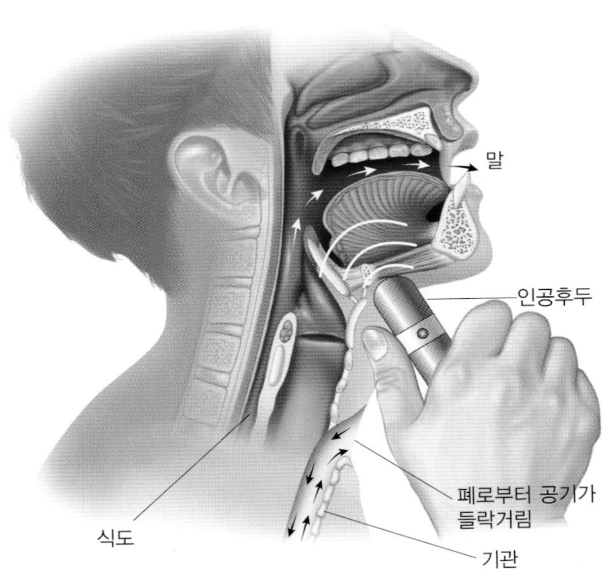

■ 그림 30-4. **전기 장치를 이용한 발성 기구**

직후 경부 부위가 치유되는 과정에 주로 이용된다.

진동자와 소리를 발생하는 변환기, 입 속으로 소리를 전달하는 얇은 관으로 구성되어 있다. 타액으로 관이 막히거나 관의 재질이 부서지기 쉽다는 점, 효과적으로 사용하기 위해서는 손과 눈을 잘 쓸 수 있어야 한다는 단점이 있다. 교묘히 의치에 장착한 것과 손으로 들고 사용하는 것이 있으나 널리 사용되지는 않는다.

참고문헌

1. Ackerstaff AH, Hilgers FJ, Aaronson NK, et al: Communication, functional disorders and lifestyle changes after total laryngectomy. Clin Otolaryngol Allied Sci 1994 ;19(4):295 - 300.
2. Ainsworth WA, Singh W. Perceptual comparison of neoglottal, oesophageal and normal speech. (Folia Phoniatr) 1992;44:297-307.
3. Alajmo E, Fini-Storchi O, Agostini V, Polli G. Conservation surgery for cancer of the larynx in the elderly. (Laryngoscope) 1985;95:203-5.
4. Ali YA, Salen EM, Mancuso AA. Does conventional tomography still have a place in glottic cancer? (Clin Radiol) 1992;45:114-9.
5. Alonso JM. Conservative surgery of cancer of the larynx. (Trans Am Acad Ophthalmol Otolaryngol) 1947 Jul-Aug;51:633-42.
6. Amatsu M. A new one-stage surgical technique for postlaryngectomy speech. (Arch Otorhinolaryngol)1978;220:149-52.
7. Amatsu M, Makino K, Kinishi M, Tani M, Kokubu M. Primary tracheoesophageal shunt operation for postlaryngectomy speech with sphincter mechanism. (Ann Otol Rhinol Laryngol) 1986;95:373-6.
8. Anthony JP, Singer MI, Deschler DG, Dougherty ET, Reed CG. Long-term functional results after pharyngoesophageal reconstruction with the radial forearm free flap. (Am J Surg) 1994;168:441-5.
9. Auerbach O, Hammond EC, Garfinkel L. Histologic changes in the larynx in relation to smoking habits. (Cancer) 1970;25: 92-104.
10. Barclay TH, Rao NN. The incidence and mortality rates for laryngeal cancer from total cancer registries. (Laryngoscope) 1975;85:254-8.
11. Batsakis JG, Rice DH, Howard DR. The pathology of head and neck tumors: spindle cell lesions(sarcomatoid carcinomas, nodular fasciitis, and fibrosarcoma) of the aerodigestive tracts, Part 14. (Head Neck Surg) 1982;4:499-513.
12. Baugh RF, Baker SR, Lewin JS. Surgical treatment of pharyngoesophageal spasm. (Laryngoscope) 1988;98:1124-6.
13. Baugh RF, Lewin JS, Baker SR: Preoperative assessment of tracheoesophageal speech. (Laryngoscope) 1987;97:461-6.
14. Biller HF, Bergman JA. Verrucous carcinoma of the larynx. (Laryngoscope) 1975;85:1698-700.
15. Biller HF, Ogura JH, Davis WH, Powers WE. Planned pre-operative irradiation for carcinoma of the larynx and laryngopharynx treated by total and partial laryngectomy. (Laryngoscope) 1969;79:1387-95.
16. Blom ED, Pauloski BR, Hamaker RC. Functional outcome after surgery for prevention of pharyngospasms in tracheoesophageal speakers. Part I speech characteristics. (Laryngoscope) 1995;105:1093-103.
17. Blom ED, Singer MI, Hamaker RC. An improved esophageal insufflation test. (Arch Otolaryngol) 1985;111:211-2.
18. Blom ED, Singer MI, Hamaker RC. Tracheostoma valve for postlaryngectomy voice rehabilitation. (Ann Otol Rhinol Laryngol) 1982;91:576-8.
19. Bocca E, Pignataro O, Mosciaro O. Supraglottic surgery of the larynx. (Ann Otol Rhino Laryngol) 1968;77:1005-26.
20. Brasnu D, Strome M, Laccourreye O, et al: Gax collagen as an adjunctive measure for the incontinent myomucosal shunt. Arch Otolaryngol Head Neck Surg 1991;117(7):767-8.
21. Burns HP, van Nostrand AW, Bryce DP. Verrucous carcinoma of the larynx management by radiotherapy and surgery. (Ann Otol Rhinol Laryngol) 1976;85:538-43.
22. Callaway E, Truelson JM, Wolf GT, Thomas-Kincaid L, Cannon S. Predictive value of objective esophageal insufflation testing for acquisition of tracheoesophageal speech. (Laryngoscope) 1992;102:704-8.
23. Cheng E, Ho M, Ganz C, et al.. Outcomes of primary and secondary tracheoesophageal puncture: a 16-year retrospective analysis. (Ear

Nose Throat J) 2006;85:264-7.

24. Choi JO, Jung HH, Jung KY. Esophageal voice rehabilitation in laryngectomee: a study of possible influencing factors. In: (Smee R Bridger GP(eds). Laryngeal cancer). Amsterdam: Elsevier Science Publishing, 1994.
25. Clayman GL, Stewart MG, Weber RS, el-Naggar AK. Human papillomavirus in laryngeal and hypopharyngeal carcinoma: Relationship to survival. (Arch Otolaryngol Head Neck Surg) 1994;120:743-8.
26. Clayman GL, Weber RS, Guillamondegui O, Bayers RM, Wolf PF. Laryngeal preservation for advanced laryngeal and hypopharyngeal cancers. (Arch Otolaryngol Head Neck Surg) 1995;121:219-23.
27. Clevens RA, Esclamado RM, Hartshorn DO, Lewin JS. Vocal rehabilitation after total laryngectomy and tracheoesopha-geal puncture using nonmuscle closure. (Ann Otol Rhinol Laryngol) 1993;102:792-6.
28. Colvett KT. Nonsurgical treatment of laryngeal cancer. (N Engl J Med) 2004;350(10):1049-53.
29. Dawes PJ, Patrick D, Hall K. The role of computed tomography and coronal plane tomography in radiotherapy for laryngeal cancers. (Br J Radiol) 1989;62:729-33.
30. Debruyne F, Delaere P, Wouters J, Uwents P. Acoustic analysis of tracheo-oesphageal versus oesophageal. (J Laryngol Otol) 1994;108:325-8.
31. Diedrich WM, Youngstrom AK. (A laryngeal speech, 3rd ed. Springfield, IL:) Charles C Thomas, 1994.
32. Dikshit RP, Boffetta P, Bouchardy C, Merletti F, Crosignani P, Cuchi T, Ardanaz E, Brennan P. Risk factors for the development of second primary tumors among men after laryngeal and hypopharyngeal carcinoma. (Cancer) 2005 Jun 1;103(11):2326-33.
33. Donegan JO, Gluckman JL, Singh J. Limitations of the Blom-Singer technique for voice restoration. (Ann Otol) 1981;90:495-7 .
34. Eckel HE. Local recurrences following transoral laser surgery for early glottic carcinoma: frequency, management, and outcome. (Ann Otol Rhinol Laryngol) 2001 Jan;110(1):7-15.
35. Forastiere AA, Goepfert H, Maor M, Pajak TF, Weber R, Morrison W, Glisson B, Trotti A, Ridge JA, Chao C, Peters G, Lee D-J, Leaf A, Ensley J, Cooper J. Concurrent chemotherapy and radiotherapy for organ preservation in advanced laryngeal cancer. (N Engl J Med) 2003;349(22):2091-8.
36. Frazer EJ. The development of the larynx. (J Anat Physiol) 1909;44:156.
37. Gallo A, de Vincentiis M, Manciocco V, Simonelli M, Fiorella ML, Shah JP. CO2 laser cordectomy for early-stage glottic carcinoma: a long-term follow-up of 156 cases. (Laryngoscope) 2002 Feb;112(2):370-4.
38. Giron J, Joffre P, Serres-Cousine O, Senac JP. CT and MR evaluation of laryngeal carcinomas. (J Otolaryngol) 1993 Aug;22(4):284-93.
39. Greene FL, Page DL, Fleming ID, Fritz A, Balch CM, Haller DG, Morrow M: (AJCC Cancer Staging Manual, 6th edition.) 2002, Springer.
40. Guenel P, Chastang JF, Luce D, Leclerc A, Brugere J. A study of the interaction of alcohol drinking and tobacco smoking among French cases of laryngeal cancer. (J Epidemiol Community Health) 1988 Dec;42(4):350-4.
41. Guntinas-Lichius O. Nonsurgical treatment of laryngeal cancer. (N Engl J Med) 2004;350(10):1049-53.
42. Haddad RI, Tisher RB, Posner MR. Nonsurgical treatment of laryngeal cancer. (N Engl J Med) 2004;350(10):1049-53 .
43. Harrison DF. Surgical pathology of hypopharyngeal neoplasms. (J Laryngol Otol) 1971;85:1215-8.
44. Hilgers FJ, Schouwenburg PF. A new low-resistance, self-retraining prosthesis (Provox) for voice rehabilitation after total laryngectomy. (Laryngoscope) 1990;100:1202-7.
45. Hilgers FJM: From astonishing to predictable speech, Amsterdam, 2004, Vossiuspers UvA, pp 1-64.
46. Hilgers FJ, Soolsma J, Ackerstaff AH, et al: A thin tracheal silicone washer to solve periprosthetic leakage in laryngectomies: direct results and long-term clinical effects. (Laryngoscope) 2008;118(4):640-45.
47. Hilgers FJM, Schouwenburg P. A new low-resistance, self-retaining prosthesis (Provox) for voice rehabilitation after total laryngectomy. (Laryngoscope) 1990;100:1202-7.
48. Hirano M, Hirade Y. CO2 laser for treating glottic carcinoma. (Acta Otolaryngol Suppl) 1988;458:154-7.
49. Hoffman HT, Porter K, Karnell LH, Cooper JS, Weber RS, Langer CJ, Ang KK, Gay G, Stewart A, Robinson RA. Laryngeal cancer in the United States: changes in demographics, patterns of care, and survival. (Laryngoscope) 2006 Sep;116(9 Pt 2 Suppl 111):1-13 43.
50. Hoffmann TK, Sommer P, Bier H. Collagen injection for augmentation of periprosthetic leakage after tracheo-esophageal voice restoration. (Laryngorhinootologie) 2006;85:556-8 .
51. Isman KA, O'Brien CJ. Videofluoroscopy of the pharyngoesophageal segment during tracheoesophageal and esopha-geal speech. (Head Neck) 1992;14:352-8.
52. Iwamoto H. An epidemiological study of laryngeal cancer in Japan. (Laryngoscope) 1975;85:1162-72.
53. Jacobs K, Delaere PR, Vander Poorten VL: Submucosal purse-string suture as a treatment of leakage around the indwelling voice prosthesis. Head Neck 2008;30(4):485-91.
54. Jemal A, Siegel R, Ward E, Murray T, Xu J, Smigal C, Thun MJ. Cancer statistics, 2006. (CA Cancer J Clin) 2006 Mar-Apr;56(2):106-30.
55. Katsantonis GP, Archer CR, Rosenblum BN, Yeager VL, Friedman WH. The degree to which accuracy of preoperative staging of laryngeal carcinoma has been enhanced by computed tomography. (Otolaryngol Head Neck Surg) 1986;95:52-62.

56. Kies MS. Induction Chemotherapy for Head and Neck Squamous Cell Carcinomas (SCCHN). (Curr Treat Options Oncol) 2007;8(3):252-60.
57. Kirchner JA, Som ML. Clinical significance of fixed vocal cord. (Laryngoscope) 1971;81:1029-44.
58. Kirchner JA. Pyriform sinus cancer: a clinical and laboratory study. (Ann Otol Rhinol Laryngol) 1975;84:793-803.
59. Kirchner JA, Dey FL, Shedd DP. The pharynx after laryngectomy. (Laryngoscope) 1963;73:18-33.
60. Koch WM: Total laryngectomy with tracheoesophageal conduit. (Otolaryngol Clin North Am) 2002;35:1081-96.
61. Koufman JA. The otolaryngologic manifestations of gastroesophageal reflux disease (GERD): a clinical investigation of 225 patients using ambulatory 24-hour pH monitoring and an experimental investigation of the role of acid and pepsin in the development of laryngeal injury. (Laryngoscope) 1991;101:1-78.
62. LaBruna A, Klatsky I, Huo J, Weiss MH. Tracheoesophageal puncture in irradiated patients. (Ann Otol Rhinol Laryngol) 1995;104:279-281.
63. Laccourreye H, Laccourreye O, Weinstein G, Menard M, Brasnu D. Supracricoid laryngectomy with cricohyoidoepiglottopexy: a partial laryngeal procedure for glottic carcinoma. (Ann Otol Rhinol Laryngol) 1990;99:421-6.
64. Laccourreye H, Laccourreye O, Weinstein G. Supracricoid laryngectomy with cricohyoidopexy: a partial laryngeal procedure for selected supraglottic and transglottic carcinomas. (Laryngoscope) 1990;100:735-41.
65. Laccourreye O, Papon JF, Brasnu D, et al: Autogenous fat injection for the incontinent tracheoesophageal puncture site. (Laryngoscope)2002;112(8 Pt 1):1512－14.
66. Ledda GP, Grover N, Pundir V, Masala E, Puxeddu R. Functional outcomes after CO2 laser treatment of early glottic carcinoma. (Laryngoscope) 2006 ;116(6):1007-11.
67. Leder SB, Sasaki CT. Incidence, timing, and importance of tracheoesophageal prosthesis resizing for successful tracheoesophageal speech production. (Laryngoscope) 1995;105:827-32.
68. Maves MD, Lingeman RE. Primary vocal rehabilitation using the Blom-Singer and Panje voice prostheses. (Ann Otol Rhinol Laryngol) 1982;91:458-60.
69. Max L, Steurs W, de Bruyn W. Vocal capacities in esophageal and tracheoesophageal speakers. (Laryngoscope) 1996;106:93-6.
70. McGuirt WF, Greven KM, Keyes JW Jr, Williams DW 3rd, Watson NE Jr, Geisinger KR, Cappellari JO. Positron emission tomography in the evaluation of laryngeal carcinoma. (Ann Otol Rhinol Laryngol) 1995 Apr;104(4 Pt 1):274-8.
71. Mendelsohn M, Morris M, Gallagher R. Speaking proficiency after primary tracheoesophageal puncture. (J Otolaryngol) 1993;22:435-7.
72. Menvielle G, Luce D, Goldberg P, Bugel I, Leclerc A. Smoking, alcohol drinking and cancer risk for various sites of the larynx and hypopharynx. A case-control study in France. (Eur J Cancer Prev) 2004 Jun;13(3):165-72.
73. Ministry of Health and Welfare, Republic of Korea. 1991 (Annual report of the Korea Central Cancer Registry), 1992 Sep.
74. Ministry of Health and Welfare, Republic of Korea. 2002 (Annual report of the Korea Central Cancer Registry), 2003 Dec.
75. Mukherji SK, Mancuso AA, Mendenhall W, Kotzur IM, Kubilis P. Can pretreatment CT predict local control of T2 glottic carcinomas treated with radiation therapy alone? (Am J Neuroradiol) 1995 Apr;16(4):655-62.
76. O'Sullivan B, Mackillop W, Gilbert R, Gaze M, Lundgren J, Atkinson C, Wynne C, Fu H. Controversies in the management of laryngeal cancer: results of an international survey of patterns of care. (Radiother Oncol) 1994;31:23-32.
77. Ogura JH, Biller HF, Wette R. Elective neck dissection for pharyngeal and laryngeal cancers: An evaluation. (Ann Otol Rhinol Laryngol) 1971;80:646-50.
78. Ogura JH, Mallen RW. Partial laryngopharyngectomy for supraglottic and pharyngeal carcinoma. (Trans Am Acad Ophthalmol Otolaryngol) 1965;69:832-45.
79. Ogura JH. Second Daniel C. Baker, Jr. Memorial Lecture. Progress of otolaryngology in head and neck surgery. (Ann Otol Rhinol Laryngol) 1976;85:425-7.
80. Olofsson J, Lord IJ, Nostrand AW van. Vocal cord fixation in laryngeal carcinoma. (Acta Otolaryngol) 1973;75:496-510.
81. Olsen KD, DeSanto LW. Partial vertical laryngectomy-indications and surgical technique. (Am J Otolaryngol) 1990;11:153-60.
82. Orton HB. Lateral transthyroid pharyngotomy: Trotter Orton HB. Lateral transthyroid pharyngotomy: Trotter's operation for malignant conditions of the laryngopharynx. Arch Otolaryngol Head Neck Surg 1930;12:320-33.
83. Panje WR. Prosthetic vocal rehabilitation following laryngectomy. The voice button. Ann Otol Rhinol Laryngol 1981;90:116-20.
84. Pressman JJ, Dowdy A, Libby R, Fields, M. Further studies upon the submucosal compartments and lymphatics of the larynx by the injection of dyes and radioisotopes. Ann Otol Rhinol Laryngol 1959;65:963-80.
85. Recher G, Pesavento G, Cristoferi V, Ferlito A. Italian experience of voice restoration after laryngectomy with tracheoesophageal puncture. Ann Otol Rhinol Laryngol 1991;100:206-10 .
86. Reece GP, Bengtson BP, Schusterman MA. Reconstruction of the pharynx and cervical esophagus using free jejunal transfer. Clin Plast Surg 1994;21:125-36 .
87. Remacle M, Eckel HE, Antonelli A, Brasnu D, Chevalier D, Friedrich G, Olofsson J, Rudert HH, Thumfart W, de Vincentiis M, Wustrow

TP. Endoscopic cordectomy. A proposal for a classification by the Working Committee, European Laryngological Society. Eur Arch Otorhinolaryngol. 2000;257(4):227-31.

88. Robbins J, Fisher HB, Blom ED, Singer MI. Selected acoustic features of tracheoesophageal, esophageal, and laryngeal speech. Arch Otolaryngol 1984;110:670-2.
89. Sandberg N. Fungal colonization of voice prostheses in laryngectomees. In: Smee R, Bridger GP(eds). Laryngeal cancer. Amsterdam: Elsevier Science Publishing, 1994.
90. Sessions DG, Ogura JH, Fried MP. Carcinoma of the subglottic area. Laryngoscope 1975;85:1417-23.
91. Silverman AH, Black MJ. Efficacy of primary tracheoesophageal puncture in laryngectomy rehabilitation. J Otolaryngol 1994;23:370-7.
92. Singer MI, Hamaker RC, Blom ED, Yoshida GY. Applications of the voice prosthesis during laryngectomy. Ann Otol Rhinol Laryngol 1989;98:921-5.
93. Singer MI, Hamaker RC, Blom ED. Revision procedure for the tracheoesophageal puncture. Laryngoscope 1989;99:761-3.
94. Singer MI. Tracheoesophageal speech: Vocal rehabilitation after total laryngectomy. Laryngoscope 1983;93:1454-65.
95. Singer MI. Voice rehabilitation after laryngectomy. In: Bailey BJ(ed). Head and neck surgery-otolaryngology. Philadelphia: JB Lippincott, 1993.
96. Sisk EA, Soltys SG, Zhu S, Fisher SG, Carey TE, Bradford CR. Human papillomavirus and p53 mutational status as prognostic factors in head and neck carcinoma. Head Neck 2002 Sep;24(9):841-9.
97. Small W Jr, Mittal BB, Brand WN, Shetty RM, Rademaker AW, Beck GG, et al. Results of radiation therapy in early glottic carcinoma: multivariate analysis of prognostic and radiation therapy variables. Radiology 1992;183:789-94.
98. Snow DG, Rogers BMA, Johnson AP. Blom-Singer valves: The distribution of contamination. In Smee R, Bridger GP, (eds). Laryngeal cancer. Amsterdam, Elsevier Science Publishing, 1994.
99. Som ML. Surgery in premalignant lesions. Can J Otolaryngol 1974;3:551.
100. Soo KC, Shah JP, Gopinath KS, Gerold FP, Jaques DP, Strong EW. Analysis of prognostic variables and results after supraglottic partial laryngectomy. Am J Surg 1988;156:301-5.
101. Steiner W, Ambrosch P, editors: Endoscopic laser surgery of the upper aerodigestive tract, New York, 2000, Thieme, pp 124-9.
102. Steiner W, Ambrosch P, Rodel RM, Kron M. Impact of anterior commissure involvement on local control of early glottic carcinoma treated by laser microresection. Laryngoscope 2004 Aug;114(8):1485-91.
103. Steiner W, Fierek O, Ambrosch P, Hommerich CP, Kron M. Transoral laser microsurgery for squamous cell carcinoma of the base of the tongue. Arch Otolaryngol Head Neck Surg 2003 Jan;129(1):36-43.
104. Strong MS, Jako GJ, Palanyi T, Wallace RA. Laser surgery in the aerodigestive tract. Am J Surg 1973;126:529-33.
105. Terhaard CH, Bongers V, van Rijk PP, Hordijk GJ. F-18-fluoro-deoxy-glucose positron-emission tomography scanning in detection of local recurrence after radiotherapy for laryngeal/ pharyngeal cancer. Head Neck 2001 Nov;23(11):933-41.
106. Thabet HM, Sessions DG, Gado MH. Comparison of clinical evaluation and CT accuracy for tumors of the larynx and hypopharynx. Laryngoscope 1996;106:589-94.
107. The Department of Veterans Affairs Laryngeal Cancer Study Group: Induction chemotherapy plus radiation compared with surgery plus radiation in patients with advanced laryngeal cancer. N Engl J Med 1991;324:1685-90.
108. Tucker GF, Smith HR. A histological demonstration of the development of laryngeal connective tissue compartments. Trans Am Acad Ophthalmol Otolaryngol 1982;66:308.
109. Tucker HM, Wood BJ, Levine HL, Katz R. Glottic reconstruction after near total laryngectomy. Laryngoscope 1979;89:609-61.
110. van As CJ, Hilgers FJ, Koopmans-van Beinum FJ, et al: The influence of stoma occlusion on aspects of tracheoesophageal voice. Acta Otolaryngol 118(5):732–738, 1998.
111. Van Den Hoogen FJ, Oudes MJ, Hombergen G, et al. The Groningen, Nijdam and Provox Voice Prostheses: a prospective clinical comparison based on 845 replacements. Acta Otolar.

CHAPTER

31

경부 종괴의 감별진단

왕수건, 홍현준

I 총론

경부 종괴(neck mass)의 원인으로는 갑상선종양(thyroid tumor)이 가장 흔하며 다음으로 흔한 원인은 림프절비대(lymph node enlargement)이다. 림프절비대의 경우 염증에 의한 림프절염(lymphadenitis)이 주종을 이루지만 가끔 두경부나 다른 내장기관으로부터의 림프절전이(lymph node metastasis) 혹은 악성림프종(malignant lymphoma)인 경우도 있으므로 주의하여 신체검사를 시행하고 필요 시 적당한 검사를 시행하여야 한다. 림프절비대 이외에 생길 수 있는 경우는 선천성(congenital or developmental) 이상이거나 혈관종, 신경종 등이다. 경부 종괴는 연령, 성별, 부위에 따라 어느 정도 구별이 가능하며, 감별진단을 위해서는 경부의 해부와 각 질환의 임상적 특징을 알고 있어야 한다.

1. 경부의 해부

경부는 하악골 하연과 유양돌기(mastoid process)를 가상으로 연결한 선에 의해 안면부(face)와 경계를 이루며, 하부는 흉골(sternum)과 쇄골(clavicle)의 상연(superior border)과 제7 경추(cervical spine)를 잇는 선으로 흉부(thorax)와 경계를 이룬다. 경부에는 갑상선(thyroid gland), 악하선(submandibular gland), 이하선의 미부(tail process of parotid gland), 인두(pharynx), 후두(larynx), 기관(trachea), 식도(esophagus) 등 중요한 장기와 함께 척수(spinal cord)와 각종 신경, 근육, 혈관과 림프계가 통과하는 복잡한 부위이다.

임상적으로는 전, 측, 후경부의 3부분으로 나누며, 전경부(anterior neck)와 측경부(lateral neck)의 구분은 뚜렷하지는 않으나 흉골설골근(sternohyoid muscle) 후연(posterior border)을 경계로 설골(hyoid bone) 하연(inferior border)에서 흉골 상연 사이를 전경부, 이보다 측방으로 승모근(trapezius muscle) 전연까지를 측경부, 이보다 후방을 후경부(posterior neck)로 나눈다. 측경부는 흉쇄유돌근(sternocleidomastoid muscle, SCM)에

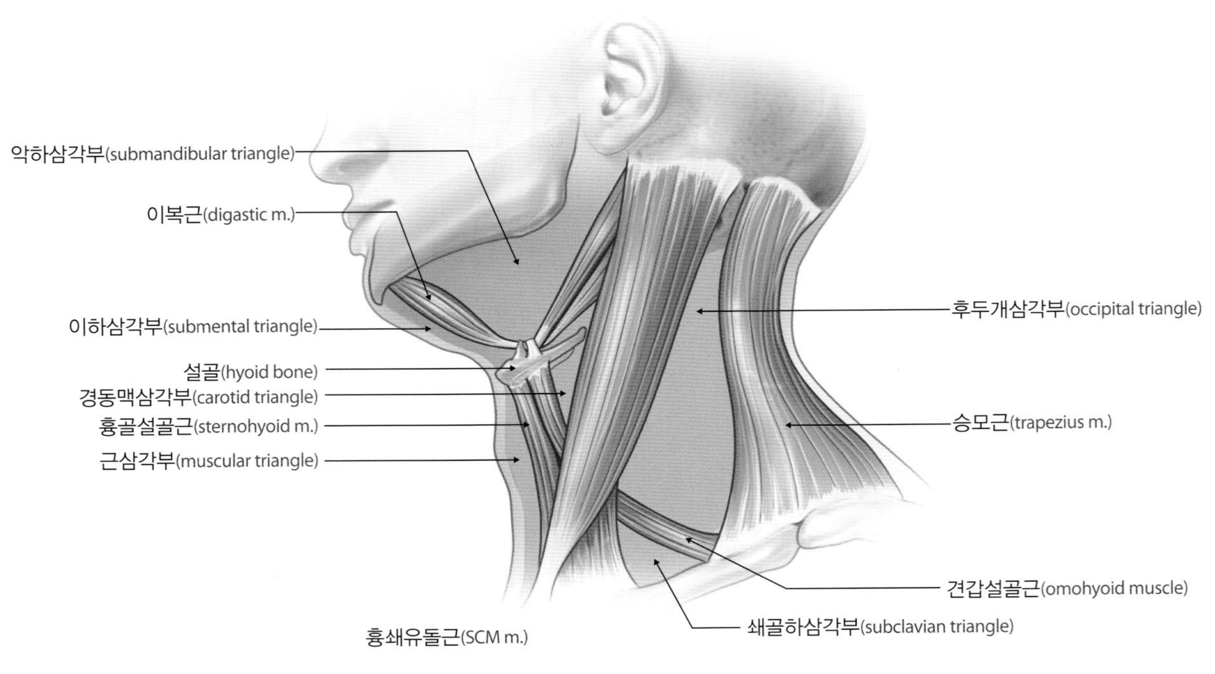

■ 그림 31-1. **경부의 삼각**

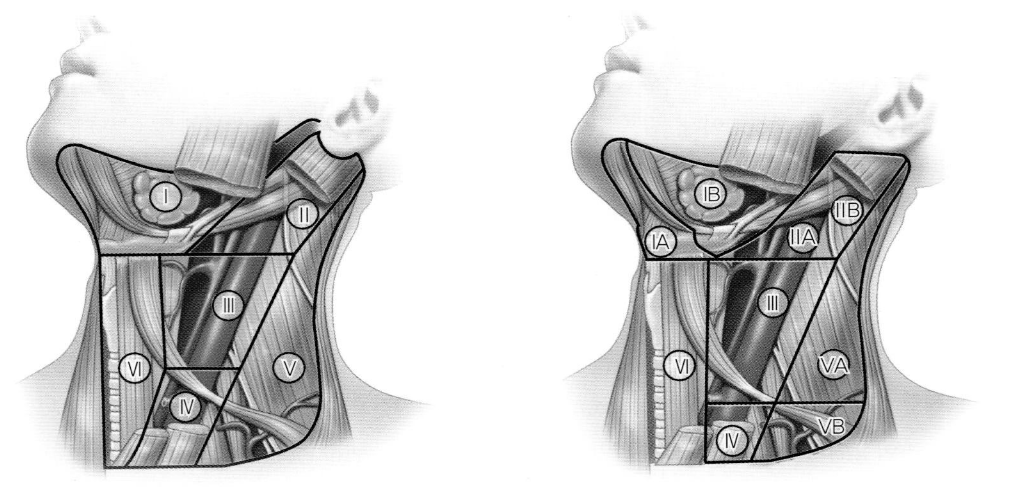

■ 그림 31-2. **경부의 각 레벨(Level)**

의해 크게 전삼각부(anterior triangle)와 후삼각부(posterior triangle)로 나뉘고 설골, 이복근(digastric muscle), 견갑설골근(omohyoid muscle)에 의해 전삼각부는 이하삼각부(submental triangle), 악하삼각부

(submandibular triangle), 경동맥삼각부(carotid triangle), 근삼각부(muscular triangle)로, 후삼각부는 후두개삼각부(occipital triangle), 쇄골하삼각부(subclavian triangle)로 나뉜다(그림 31-1).

경부림프절(cervical lymph node)은 위치에 따라서 표재성 림프절(superficial lymph node)과 심재성(deep lymph node)으로 나뉜다. 표재성은 심층근막(deep fascia)의 표층(superficial layer)보다 외측에 있는 림프절로서 외경정맥(external jugular vein, EJV) 주위, 이개(auricle), 이하선(parotid gland) 주변에 다수 존재한다. 심재성은 심층근막의 표층보다 내측에 존재하는 림프절로 위치에 따라 구역(level) 나눠서 구별한다. Level Ia에 해당하는 이하림프절(submental lymph node), level Ib에 해당하는 악하림프절 (submandibular lymph node)과 내경정맥(internal jugular vein, IJV)을 따라 level II에 해당되는 상심경 림프절(superior deep cervical lymph node), level Ⅲ에 해당되는 중심경림프절, level Ⅳ에 해당되는 하심경림프절과 level Ⅴ에 해당하는 후삼각부림프절, level Ⅵ에 해당하는 후두전(prelaryngeal), 기관전(pretracheal)과 기관주위(paratracheal) 림프절(lymph node, LN) 등이 있다. Level Ⅱ는 부신경(spinal accessory nerve, SAN)의 주행을 기준으로 전방은 level Ⅱa, 후방은 level Ⅱb로 세분된다. Level Ⅴ도 부신경림프절은 Ⅴa, 쇄골상부림프절(supraclavicular lymph node)은 Ⅴb로 세분된다(그림 31-2).[88,95]

2. 경부종괴의 빈도

연령에 따라 15세 이하, 16-40세, 40세 이상의 세 군으로 나눌 경우, 15세 이하의 소아에서는 염증성 림프절염(inflammatory lymphadenitis)이 가장 빈번하고 다음으로 새열낭(branchial cleft cyst, BCC), 갑상설관낭(thyroglossal duct cyst, TGDC), 혈관종(hemangioma), 유피낭(dermoid cyst), 악성림프종의 순으로 발생한다. 염증성 림프절염의 원인은 세균성(bacterial), 바이러스성(viral), 육아종성(granulomatous)의 순서이다. 16-40세 환자에서는 염증성 림프절염, 선천성 이상, 악성 림프종, 갑상선 악성 종양, 타액선 종양, 악성 종양의 경부 림프절 전이의 순으로 발생한다. 40세 이상 성인에서는 악성 종양의 경부림프절 전이, 갑상선 악성 종양, 염증성 림프절염, 선천성 이상의 순으로 발생 빈도를 보인다(표 31-1)[72]

표 31-1. 경부종괴의 연령과 부위별 빈도

0~15세	16 ~ 40세	40세이상
염증성 림프절염	염증성 림프절염	종양성
↓	↓	↓
선천성기형	선천성기형	염증성 림프절염
↓	↓	↓
종양성	종양성	선천성기형
↓	↓	↓
외상성	외상성	외상성

성별에 따라 여성에서는 갑상선 질환이 월등히 많고, 결핵성 림프절염과 양성 종양도 여성에서 다소 많으나 악성 종양의 경부림프절 전이는 남성에서 많다.[111,112]

부위별 빈도를 보면 경부 종괴의 대부분은 측경부에 생긴다. 특히 악성 종양의 경부림프절 전이는 측경부에 집중해 있다. 전경부에 빈발하는 경우는 대부분 갑상선 종양이며 갑상설관낭, 유피낭, 하순(lower lip)과 구강저(floor of mouth)의 염증 혹은 악성 종양에 의한 설하삼각부 림프절비대이다. 부위별로 세분하면 악하삼각부에서는 악하선 종양(tumor) 혹은 타석(sialolithiasis) 등으로 인한 악하선의 급성 또는 만성 염증으로 인한 종창(swelling) 등이 대부분이며, 악성 종양과 양성 종양이 각각 50% 정도이다.[6] 구강저, 설측부(lateral portion of oral tongue), 치은(gingiva) 등의 염증 혹은 악성 종양에 의한 전이성 림프절도 가끔 볼 수 있고 악성 림프종도 나타날 수 있다. 경동맥과 근삼각부는 상심경림프절(level Ⅱ), 중심경림프절(level Ⅲ)이 존재하며, 악성 종양의 경부

림프절 전이가 가장 많은 부위이다. 그 외 결핵성 림프절염(tuberculous lymphadenitis), 악성 림프종 등도 나타날 수 있으며 드물게 신경종, 경동맥구 종양 등이 나타날 수 있다. 후두개삼각부에서는 림프관종(cystic hygroma), 악성 종양의 경부림프절 전이, 악성 림프종 등을 볼 수 있다. 쇄골상와(supraclavicular fossa)에는 대부분 악성 종양의 경부림프절 전이로 좌측의 경우 위암, 대장암, 췌장암 등으로부터의 전이가 많다. 이 부위는 좌우측에 관계없이 폐암, 유방암, 종격동암의 전이로 인해 림프절비대로 나타날 수 있다.

종괴의 성장 속도를 보면 뚜렷한 증상 없이 경부종괴가 오랫동안 커져 있을 때는 양성인 경우가 많다. 대개 편평세포암종의 경부림프절 전이는 1–3개월의 기간을 갖고 있다. 종괴가 발견된 기간이 7일 이내이면 염증성, 7개월 이내이면 종양, 7년 정도이면 선천성 이상으로 추정하기도 한다(rule of 7).[91]

크기의 변화를 보면, 점차 커질 때에는 악성일 가능성이 많고, 커졌다 작아졌다 할 때는 염증성일 가능성이 많으며,[2,8] 경부림프절의 크기가 1 cm 이하이며 양측성 또는 다발성으로 있을 때에는 악성 림프종을 제외하고는 양성 종양(benign tumor)일 가능성이 많다. 경부림프절의 크기가 1 cm 이상인 경우에는 악성일 가능성이 많으나 level Ⅰ과 level Ⅱ의 경우에는 1.5 cm 이상, 인두후림프절(retropharyngeal lymph node)의 경우 8 mm 이상이면 악성으로 의심할 수 있다.[70,93]

압통(tenderness)의 유무에 의한 감별을 보면, 악성은 무통성(non–tender)이 대부분이나 염증성은 압통이 있는 경우가 많다.[112] 종괴의 경도(consistency)와 유착(adhesion or fixation) 유무를 보면, 낭(cyst) 혹은 지방종(lipoma)은 부드럽고, 림프관종(lymphangioma)은 파동성(fluctuation)이 있다. 유동성이 있으면 양성, 단단하게 주위와 유착이 있을 때에는 악성의 가능성이 높다.

3. 경부종괴의 진단

경부 종괴가 있는 경우 병력청취(history taking)와 진찰(physical examination)을 통해 어느 정도 감별진단(differential diagnosis)을 할 수 있다. 필요에 따라서 임상병리검사(혈액검사 또는 기타 검사) 등과 영상의학적 진단을 위한 검사가 필요할 수 있다.

영상의학검사로 초음파검사(ultrasonography, sono), 전산화단층촬영술(computed tomography, CT), 자기공명영상(magnetic resonance imaging, MRI), 혈관조영술(angiography), 핵의학검사(radioisotope scan) 등이 진단에 도움을 준다. 하지만 최종 확진을 위해서는 세침흡인세포검사(fine needle aspiration cytology, FNAC)와 중심부바늘생검(core needle biopsy, CNB), 또는 조직생검(tissue biopsy) 등 병리학적 진단(pathological diagnosis)을 위한 검사가 필요하다.

1) 병력 청취

환자의 나이, 종괴의 크기, 위치 및 종괴의 지속시간이 가장 중요한 예측인자이다.[15]

조기에 통증(pain)을 호소하면 염증성인 경우가 많으며, 처음에는 증상이 없다가 후에 통증을 호소하면 종양인 경우가 많다.

발육속도가 빠른 경우 악성 종양의 가능성이 높으므로 아래의 사항을 주의 깊게 살펴보아야 한다. 첫째, 이전에 두경부(head and neck area)에 악성종양(피부암, 흑색종, 갑상선암, 구강암, 후두암 등 두경부 암)을 앓은 병력이 있는지 여부를 확인한다. 둘째, 야간 발한(sweating)이 있는지 여부를 확인한다(림프종의 가능성). 셋째, 과도한 흡연과 음주의 경력이 있는지 여부를 확인한다(두경부의 편평세포암종의 가능성). 넷째, 비출혈, 이통, 연하통, 연하장애, 혹은 애성의 여부를 확인한다(상부 호흡소화기관 암의 가능성). 마지막으로 방사선 조사의 과거력이 있는지 여부를 확인한다(갑상선 암의 가능성).

악성림프종은 두경부에 국한된 질환은 아니지만 호지킨병(Hodgkin's disease)의 70%, 비호지킨 림프종(non-Hodgkin's lymphoma)의 30%가량에서 경부 림프절을 침범하여 경부 종괴 형태로 나타나므로 청소년층에서 경부 종괴에 대한 조사를 할 때는 이에 대한 의심도 필요하다.[33]

예외적으로 염증성, 혈관 혹은 림프관종에서도 종괴가 급속하게 커지는 경우도 있으므로 주의가 필요하다.

그 외 결핵 혹은 악성 종양 이환의 과거력을 확인하여야 한다.

■ 그림 31-3. **악하부의 양수촉진법(bimanual palpation)**

2) 신체검사 및 진찰소견

(1) 시진

환자로 하여금 턱을 약간 들어 올리게 하여 관찰한다. 특히 갑상선과의 관계를 알기 위해 환자에게 연하운동을 시켜 종괴가 후두와 함께 움직이면 갑상선 종양을 의심할 수 있다. 갑상설골낭인 경우 혀를 내밀어 보았을 때 종괴의 유동성이 있으면 의심된다. 그 외 종괴에 의한 기관 편위의 유무도 관찰하여야 한다. 측경부의 시진은 진찰하고자 하는 경부를 반대편으로 약간 돌리게 하여, 경부의 피부를 긴장시킨 후 경부를 좌우로 돌려가면서 관찰한다.

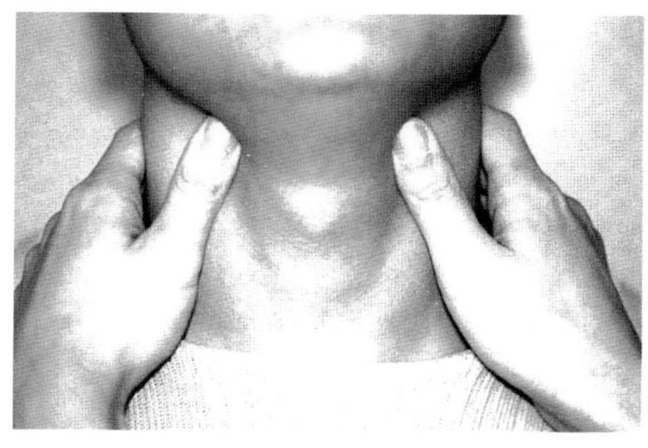

■ 그림 31-4. **한 손을 이용한 측경부 촉진**

(2) 촉진

환자를 의자에 앉게 하여 종괴 주위부터 촉진한다. 이때 피부나 주위 조직과의 유착 혹은 운동성 여부와 종괴의 경도(consistency) 등을 세밀하게 기록한다. 설하와 악하부를 촉진할 때는 양손을 이용하여 한 손은 구강저부에 넣고 다른 한 손은 턱 밑에 대고 눌러가면서 진찰하는 양수촉진법(bimanual palpation)을 이용하도록 한다(그림 31-3). Level Ⅱ, Ⅲ, Ⅳ의 내심경림프절의 촉진은 양손을 사용하여 손가락의 제2-5지는 흉쇄유돌근의 후연을 전방으로 당기면서 제1지를 흉쇄유돌근 전연을 따라 상하로 이동하면서 촉진하거나(그림 31-4) 한 손은 흉쇄유

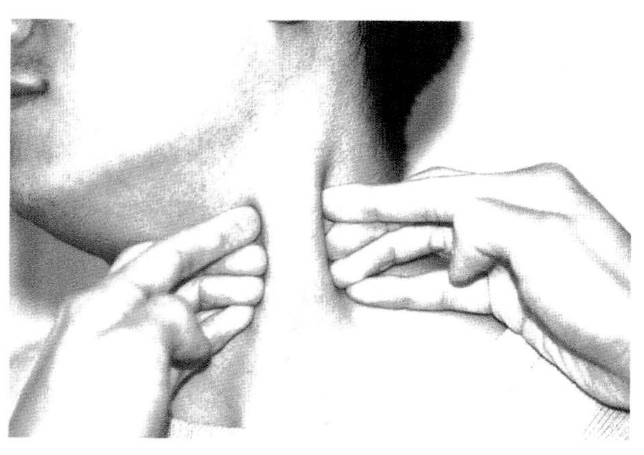

■ 그림 31-5. **양손을 이용한 측경부 촉진**

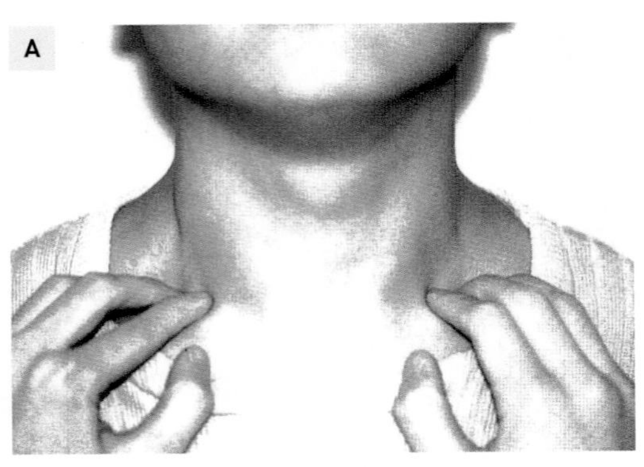

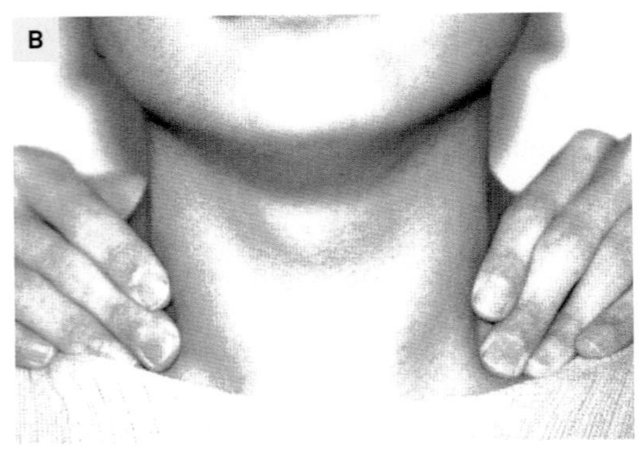

■ 그림 31-6. **Level Vb의 촉진.** **A)** 환자의 전면에서 촉진. **B)** 환자의 후면에서 촉진.

돌근의 전연을 다른 한 손은 후연을 동시에 누르면서 내경정맥주위를 검사한다(그림 31-5). Level Vb는 환자의 전면 혹은 후면에서 촉진한다(그림 31-6).

경부종괴로 오인될 수 있는 정상 구조물은 제2 경추의 측돌기(transverse process), 경상돌기(styloid process), 경동맥의 팽대(carotid bulb or tortuous carotid artery), 이하선과 악하선, 정상림프절 등이다.

3) 임상병리검사: 혈액검사 및 검사실 검사

전혈구계산(complete blood count, CBC)과 적혈구침강률(erythrocyte sedimentation rate, ESR)을 시행함으로써 염증성 질환의 유무를 추정할 수 있으며, 원인불명암(Cancer of unknown primary, CUP)이 의심되는 경부림프절에서 P16 면역염색검사를 통해 HPV 연관성 구인두암을 확인하여야 한다. 결핵성 림프절염이 의심되는 경우 결핵균에 대한 중합효소연쇄반응(polymerase chain reaction, PCR), 투베르쿨린검사(tuberculin test or Mantoux test)를 시행하면 진단에 도움이 된다.

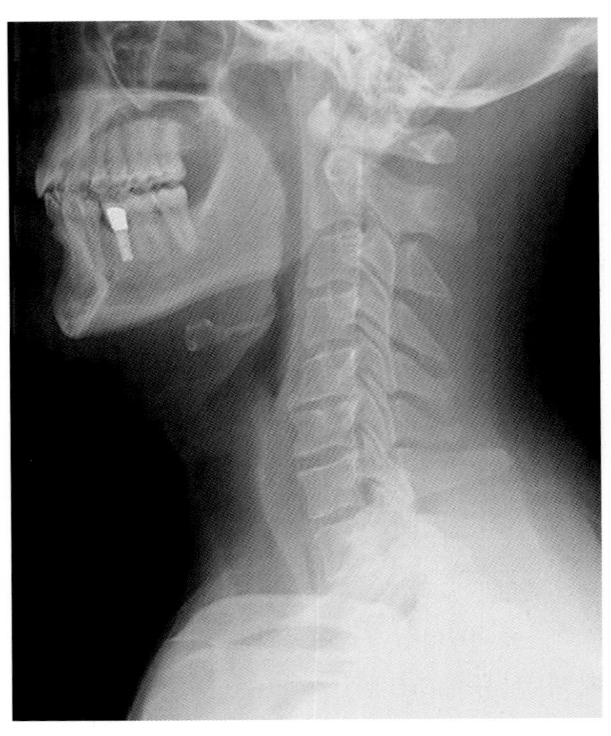

■ 그림 31-7. **측경부 단순 방사선 사진**

4) 영상검사

(1) 단순 방사선촬영

이물(foreign body) 유무와 척추전 연조직(prevertebral soft tissue)의 두께를 파악하는 데 유용하다. 후인두공간(retropharyngeal space)에 농양(abscess), 혈종(hematoma) 혹은 종괴가 의심되는 경우 측경부 방사선 검사(neck lateral view)를 할 때 /에(e)/ 소리를 내게 하면 구인두강(oropharyngeal space)의 공간이 넓어지게

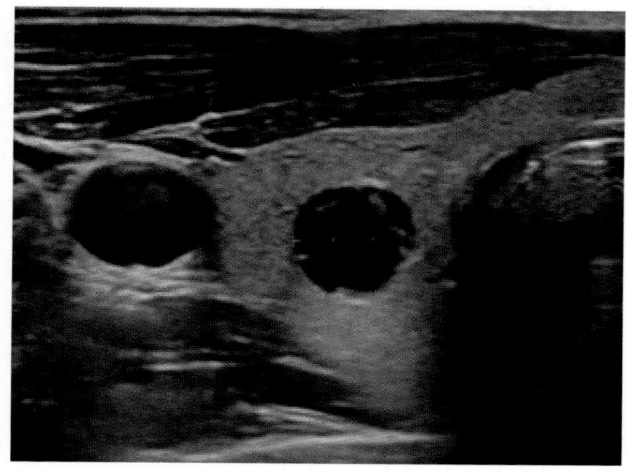

■ 그림 31-8. **낭형 종괴의 초음파 소견**

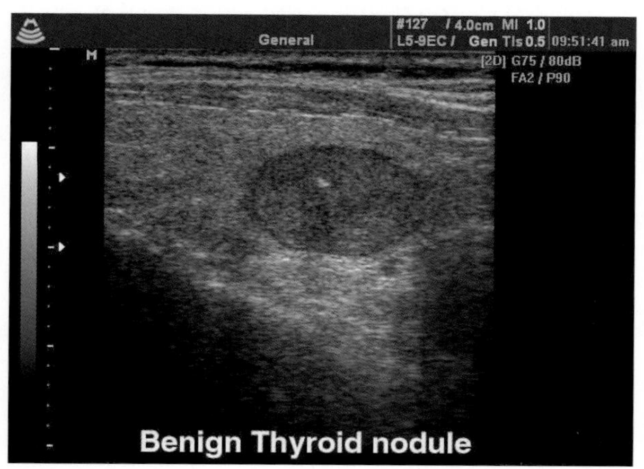

■ 그림 31-9. **고형질 종괴의 초음파 소견**

되어 감별이 용이하다.(그림 31-7)

(2) 초음파검사(Ultrasonography)

낭종성(cystic) 과 고형성(solid) 종괴의 감별에 큰 도움이 되며 종괴의 내용물을 평가하고, 혈관과의 유착 혹은 혈관 내 침범 유무를 알기 위해 시행한다. 낭성 종괴를 감별하는 데 초음파검사의 정확성은 90–95% 정도라고 알려져 있다.[75]

초음파 검사에서는 종양의 에코발생도(echogenicity)을 중요한 항목 중의 하나이다. 종양이 에코가 소실되면서 무향성(anechoic)되고 후향에코증강(posterior echo enhancement)이 나타나면 낭형(cystic type)(그림 31-8), 균질하게 에코가 증가(hyperechoic)하면서 후음영(posterior shadowing)을 보이면 고형질형(solid type)(그림 31-9), 종양이 불균질한 반향성을 나타내는 경우 혼합형(mixed type)이라고 한다. 낭, 혈관종과 림프관종은 낭형을, 고형형질은 양성과 악성종양에서 모두 보일 수 있다. 갑상선 암과 편도암에서 전이된 악성 림프절은 낭형과 고형질형의 혼합형을 보인다. 양성 종양은 주위 조직과의 경계가 뚜렷하며 악성 종양은 경계가 불명확하다. 그러나 염증성 질환이 악성 종양과 비슷한 소견을 보여 감별하기 곤란한 경우도 있다. 또한 도플러 초음파(Doppler ultrasonography)를 통하여 동맥과 정맥의 혈류를 구분할 수 있으며, 경부 종괴 내부에 존재하는 혈관은 있는지, 분포는 어떠한지에 대한 평가도 가능하다.

초음파검사에서 악성 림프절로 의심할 수 있는 경우는 (1) 림프절의 단경이 8–9 mm를 초과하는 경우, (2) 장경과 단경의 비가 2 이하인 원형인 경우, (3) 국소적 혹은 미만적으로 비균질한 에코(heterogenous echogenecity)를 보이는 경우, (4) 고에코의 문(hyperechoic hilum)이 소실된 경우, (5) 가장자리 혈관분포가 중심부보다 증가하는 경우, (6) 미세석회화(microcalcification)가 존재하는 경우로 특히 갑상선암의 전이 림프절에서 나타날 수 있다.[102]

(3) 전산화단층촬영술(computed tomography, CT)과 자기공명영상(magnetic resonance imaging, MRI)

CT와 MRI에서 경부림프절 전이의 발견율이 촉진보다 20–30% 이상 높다. 단일 검사로는 CT가 가장 우수하며, 림프절은 CT에서 근육과 비슷한 음영을 나타내므로 조영제를 주입하여 근육과 경부혈관을 감별할 수 있다. 후인두림프절(retropharyngeal lymph node)의 경우 8 mm 이상이며 타원형보다 원형에 가까운 경우엔 림프절 전이를 의심할 수 있다.[94] MRI 촬영 시 gadolinium을 주사하

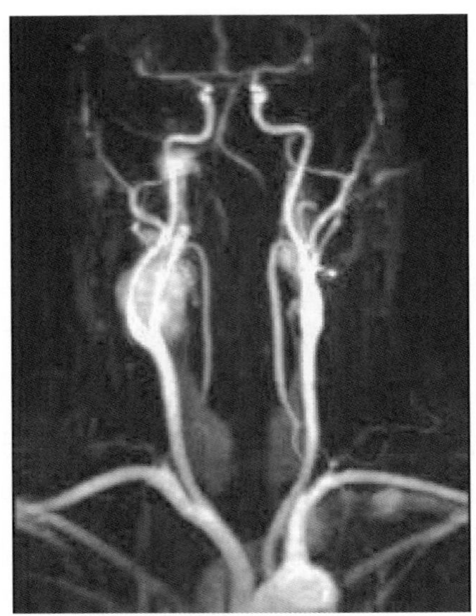

■ 그림 31-10. **신경종의 MR angiography**

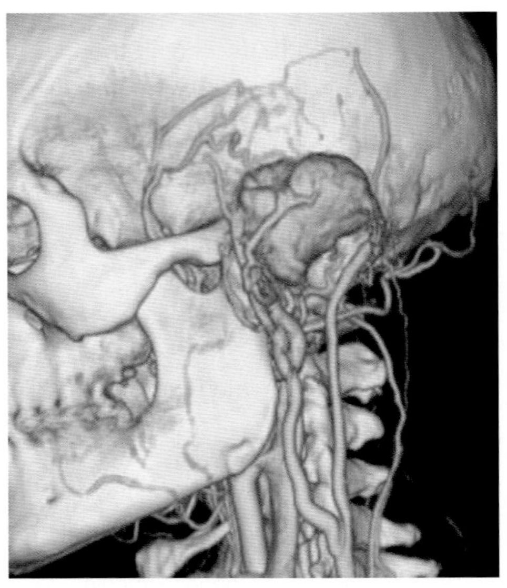

■ 그림 31-11. **3D-CT 혈관 촬영소견**

고 지방억제방법(fat suppression technique)을 동시에 이용하면 CT보다 림프절의 괴사를 더 정확히 찾아낼 수 있다. 그 외 직경 8–15 mm의 경계가 불명확한 림프절이 세 개 이상 붙어 있는 경우에도 림프절의 전이를 의심할 수 있다. CT나 MRI에서 경동맥의 침범 유무를 판정하는 것은 매우 중요하다. 경동맥 주위에 유착된 림프절이 4 cm 이상 커져 있는 경우에는 경동맥이 침범됐을 가능성이 80%이며, 경동맥이 270° 이상 림프절에 싸여 있는 경우에는 침범가능성이 매우 높다.[108]

림프절의 피막외 침습(extracapsular spread)은 3 cm 미만의 직경을 가진 림프절에서는 39%, 3 cm 이상의 직경을 가진 림프절에서는 69%에서 발견된다.[21] 만약에 림프절에 석회화(calcification)가 보인다면 결핵을 포함한 육아종성 질환과 갑상선암의 림프절 전이, 방사선치료를 받은 경우 등을 의심할 수 있다.

경부림프절 전이를 판단하는 데는 CT가 MRI보다 더 우수한 것으로 알려져 있다. 그러나 후인두림프절 전이와 종양에 의한 연부조직의 침범과 편도와 설근부의 병변 유무 판정에는 MRI가 CT보다 더 우수하다.[73] 혈관종이나 종양의 혈관침범을 좀 더 확실하게 판정하는 방법으로 MR 혈관촬영술(MR angiography, MRA)(그림 31-10)과 3D–CT 혈관촬영술(3D–CTA)이 있다(그림 31-11).

(4) 양전자방출단층촬영술(positron emission tomography, PET)

PET는 미세한 종양조직을 발견하고 종양의 범위, 크기와 종양세포의 대사 변화를 관찰하며 치료 후 잔여 종양 혹은 재발을 평가하는 데 주로 이용되고 있다. 생존해 있는 암조직을 발견하는 방법으로는 CT, MRI, 67Ga 스캔보다 우수하다.[65,99] PET에 이용되는 양전자방출 방사성동위원소 중 두경부 영역에는 18F–FDG가 주로 이용되고 있다. 18F–FDG PET의 deoxyglucose는 악성 종양일수록 섭취가 증가되며, 생존 암세포에서 감마선을 방출하므로 생존하는 암조직을 진단하는 데 유용하다. PET는 원격 전이 여부 확인 및 원발부위 불명암(carcinoma unknown primary, CUP)의 진단에 유용한 검사이다. FDG 영상은 금식상태에서 촬영하는데 이는 혈당치를 떨어뜨리므로 고혈당으로 야기되는 FDG 섭취의 저하를 감

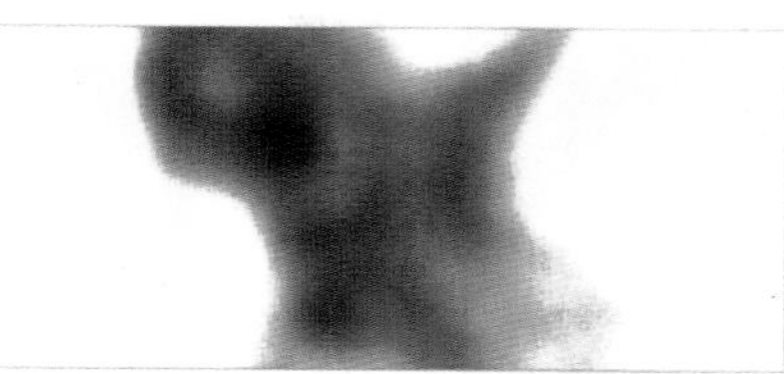
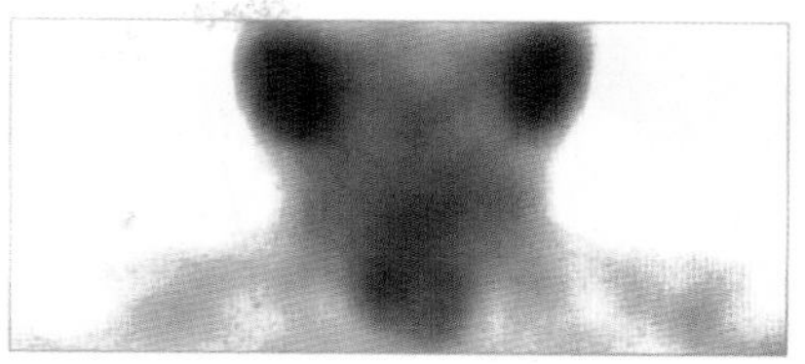

■ 그림 31-12. 하인두암 환자의 ^{99m}Tc scan

소시키기 위한 것이다.[68] 당뇨병 환자에서는 FDG의 세포 내 섭취가 감소되고 정확한 측정이 어려워진다. 따라서 환자의 혈당이 200 mg/dl 이하로 떨어진 후 검사하는 것이 좋다.[26]

방사선 치료 후 초기에는 급성 염증 반응을 보여 FDG의 섭취가 증가되어 종양과의 감별이 어려울 경우가 있다.[23] 하지만 항암치료 후에는 1주일 이내에 정상조직의 섭취와 비슷해진다.[69] PET 영상의 해석에 있어서 주의해야 할 점은 정상적으로 FDG가 섭취되는 부위를 알아야 한다는 것이다. 편도조직과 구강 및 후두부의 근육 등에서 정상적으로 섭취가 증가될 수 있고 특정 근육을 많이 사용하는 경우 섭취가 증가될 수도 있다. 갑상선종양에서도 유두상 갑상선암(papillary thyroid caner) 수술 후 경과 관찰 중 Thyroglobulin의 증가에도 불구하고 방사선요오드스캔(radioiodine scan)에서 음성으로 나타나는 경우 PET을 이용하여 재발 여부를 확인할 수 있다.[110] 최근에는 CT의 해부학적 영상과 PET의 대사 영상을 중첩시킬 수 있는 PET-CT가 나와 정확한 해부학적 위치측정이 용이하게 되었고 병기 결정에 필수적인 진단 요소가 되고 있다.

그러나 육아종성 염증과 와르틴 종양(Warthin's tumor)에서 위양성으로 나올 수 있으므로 주의를 요한다.[62,100]

(5) 방사선동위원소검사(radioisotope scanning)

① ^{131}I 스캔(radioactive Iodine-131 scan)

갑상선 질환의 감별에 주로 이용되고 이소성 갑상선(ectopic thyroid)을 감별하기 위해 시행하기도 한다.

② ^{99m}Tc 스캔

^{131}I 스캔과 마찬가지로 갑상선 질환과 이소성 갑상선의 진단에 주로 이용되며, 그 외 타액선 질환의 감별과 악성 종양에 의한 골조직의 전이 유무를 알기 위해서도 시행되고 있다(그림 31-12). 타액선 ^{99m}Tc 스캔에서 열결절(hot nodule)이 나타나면 와르틴 종양(Warthin's tumor), 호산세포선종(oxyphilic adenoma) 등으로, 냉결절(cold nodule)이 나타나면 타액선의 다형선종(pleomorphic adenoma) 또는 악성 종양으로 판단할 수 있다. 그 외 전체적으로 집적율이 저하된 경우에는 쉐그렌 증후군(Sjögren's syndrome)으로 의심할 수 있다.

③ ^{201}Tl 스캔

갑상선암의 림프절전이 유무를 알고자 할 때 시행하며, 열결절이 나타나면 갑상선암의 림프절전이를 의심할 수 있다.

(6) 기타 영상진단법

그 외 영상진단법으로 낭(cyst)에 직접 천자(puncture)하에 시행하는 낭천자조영술(cystography), 누공(fistula)에 조영제(contrast)를 주입하여 촬영하는 누공조영술(fistulography), 타액선조영술(sialography) 등이 있다.

또한 혈관종이 의심될 때와 악성 림프절의 경동맥 침범 여부를 알기 위해 혈관조영술(angiography) 등을 시행한다. 혈관조영술은 2가지 방법이 있다. 기존의 방법은 혈관과 주위의 해부학적 구조물이 중복되어 정확히 감별하기가 어려웠으나 디지털감산혈관조영술(digital sub-

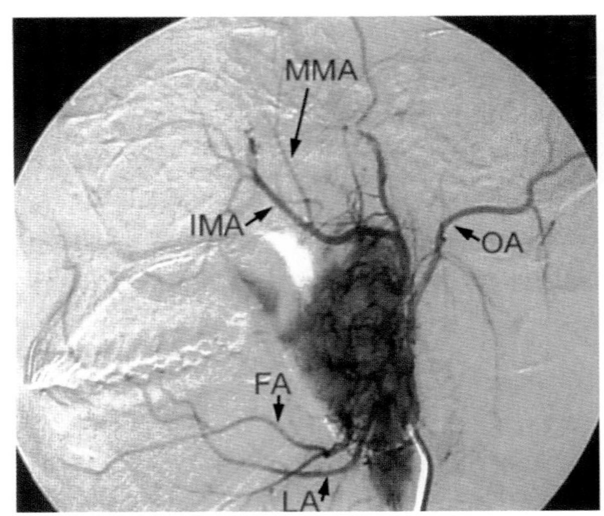

■ 그림 31-13. **디지털감산혈관조영술(digital subtraction angiography, DSA)**

traction angiography, DSA)은 기존의 방법에 비해 공간해상력(spatial resolution)은 다소 떨어지나 혈관과 중복되는 구조물을 감산(subtraction)시킬 수 있기 때문에 혈관의 해상도를 훨씬 높일 수 있어 현재는 디지털감산혈관조영술을 주로 시행하고 있다(그림 31-13). 경동맥구종양의 경우에는 약 10%에서 양측성으로 발견되기 때문에 반드시 양측 혈관조영술을 시행한다.

5) 병리조직검사(histopathologic examination)

모든 경부 종괴는 병리조직검사로써만 확진할 수 있다. 병리조직검사에는 세침흡인세포검사(fine needle aspiration cytology, FNAC), 중심부바늘생검(core needle biopsy, CNB)과 절개 혹은 절제생검(incisional or excisional biopsy)을 하는 방법이 있다.

세침흡인세포검사(FNAC)는 대부분의 갑상선암과 전이암의 진단에 도움을 준다. 검사에 사용하는 주사 침이 22 게이지(외경 0.7 mm)로 가늘기 때문에 동맥을 천자한 경우라도 압박으로 쉽게 지혈할 수 있으며 혈종의 형성, 악성종양 세포 오염 등의 위험성이 거의 없으면서 해부학적으로 절개생검이 곤란한 부위에도 시술이 간편하며, 비교적 진단율이 높다. 그러나 림프종의 정확한 진단은 내리기 힘들지만 편평상피형 세포(squamous cell)인지 림프구형(lymphocyte)인지 알 수 있어 항상 일차적으로 사용하는 방법이다.

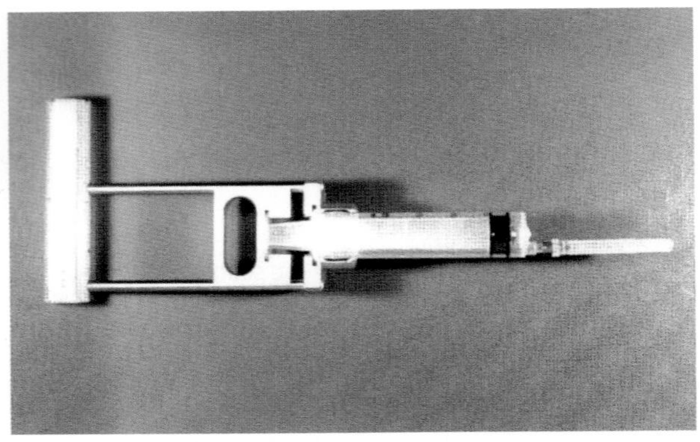

■ 그림 31-14. **세침흡인세포검사 주사기**

세침흡인세포검사의 방법은 다음과 같다. 우선 종괴 주위 피부를 소독한 후 22 게이지 10 cc의 일회용 주사기(그림 31-14)를 사용하여 목적하는 종괴에 천자한다. 침이 정확히 종괴의 중앙에 도달하면 주사기의 피스톤을 천천히 당겨 주사기 내의 음압을 유지하면서 2, 3회 종괴 속을 왕복한다. 이때 환자에게는 침을 삼키지 않도록 주의시켜 종괴 밖으로 주사침이 비껴나가지 않도록 한다. 그리고 피스톤을 놓은 상태에서 종괴로부터 주사기를 빼내야 주사침 내의 세포를 정확히 얻을 수 있다. 그 후 주사침 내의 조직을 압출시켜 혈액도말과 같은 방법으로 세포가 파괴되지 않도록 주의하면서 도말한다. 이때 주사기 내로 혈액이 거의 흡인되지 않아야 정확히 검사할 수 있다. 슬라이드에 도말한 후에는 즉시 세포고정액(cell fixer) 혹은 95% 알코올로 고정하여 H-E 염색(hematoxylin-eosin stain)(그림 31-15), Papanicolaou 염색, Giemsa 염색, PAS 염색, 경우에 따라 AFB 염색(그림 31-16)을 하여 현미경으로 검사한다.

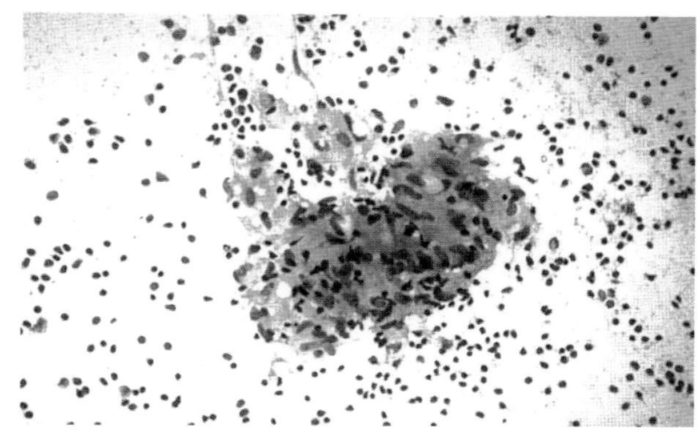

■ 그림 31-15. **편평상피암종의 세침흡인세포검사 소견**

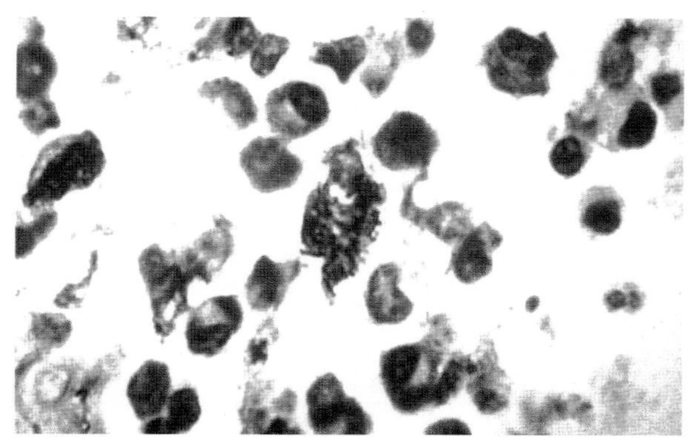

■ 그림 31-16. **결핵균의 AFB 염색 소견**

세침흡인세포검사로써 진단이 불가능한 경우, 종괴의 위치가 불분명하거나 절제생검을 할 수 없는 상황에서는 18 게이지의 초음파 유도 침생검(ultrasono-guided core needle biopsy)을 시행하기도 한다. 이때에는 세침흡인세포검사보다는 다소 악성 종양 세포가 오염될 위험성이 있다.[27]

위의 비침습적인 방법으로 진단이 어려운 경우 조직생검(tissue biopsy)을 시행한다. 그러나 일차적으로 다른 검사 없이 절개 혹은 절제생검(incisional or excisional biopsy)을 첫 진단방법으로 사용해서는 절대로 안 된다. 조직생검을 하기로 하였으며 동결절편검사(frozen section biopsy)를 동시에 시행하여 편평세포암종, 갑상선암, 흑색종과 쇄골상부 림프절의 전이가 없는 선암종(adenocarcinoma) 등으로 진단되면 경부절제술을 즉시 시행하는 것이 좋다. 만약 선암종이 쇄골상부 림프절에 전이되었다면 생검만 시행하고 원발병소를 찾도록 한다. 왜냐하면 많은 환자(86%)에서 이미 타 장기의 원발부위가 있어 경부절제술을 시행해도 완치에는 별로 도움이 되지 못하기 때문이다.

생검을 먼저 시행하고 악성으로 판명된 후 시간이 경과해서 결정적인 치료를 시행한 경우와 생검 시 동결절편검사를 시행하여 동시에 치료를 시행한 경우를 비교한 결과, 경부재발이 각각 32.8%와 23.9%, 원격장기로의 전이율이 39.7%와 23.9%로 전자의 경우가 1.5배 이상 높다.[74]

경부종괴의 절개생검을 시행하는 경우는 (1) PET-CT 등 여러 검사에서 뚜렷한 원발병소를 찾지 못한 경우, (2) panendoscopy 시행하여 비인두, 구개편도, 설근부, 성문상부, 이상와 부위에서 생검을 시행하였으나 원발병소를 찾는 데 실패한 경우, (3) 세침흡인세포검사로도 진단이 불가능한 경우, (4) 악성 림프종이 강하게 의심되는 경우 등이다.[76]

소아에서 절개생검을 가급적 조기에 시행하여야 하는 경우는 (1) 림프절 종창이 쇄골 상부에 있는 경우, (2) 림프절 종창이 있으면서 1주일 이상 38.3℃ 이상의 고열이 지속되는 경우, (3) 지속적인 체중감소, 림프절 종창이 있으면서 주위 피부에 유착된 경우, (4) 신생아 때 발견된 경부종괴, (5) 지속적 혹은 빠르게 커지는 경우, (6) 피부에 궤양을 형성한 경우, (7) 3 cm 이상의 견고한 림프절, (8) 고정된 림프절이 있는 경우 등이다.[76,61] 그 외에 2주 이상 치료해도 계속해서 림프절이 커진다든지, 4-6주 치료 후에도 림프절 크기가 감소하지 않는 경우, 8-12주 치료 후에도 정상 림프절 크기로 돌아오지 않는 경우에도 생검을 고려해 볼 수 있다.[60]

생검 시에는 항상 종괴의 위치에 따라 경부절제술을 염두에 두고 피부절개를 도안하여야 한다.

또한 림프절 비대의 위치에 따라 조직검사 부위를 결정

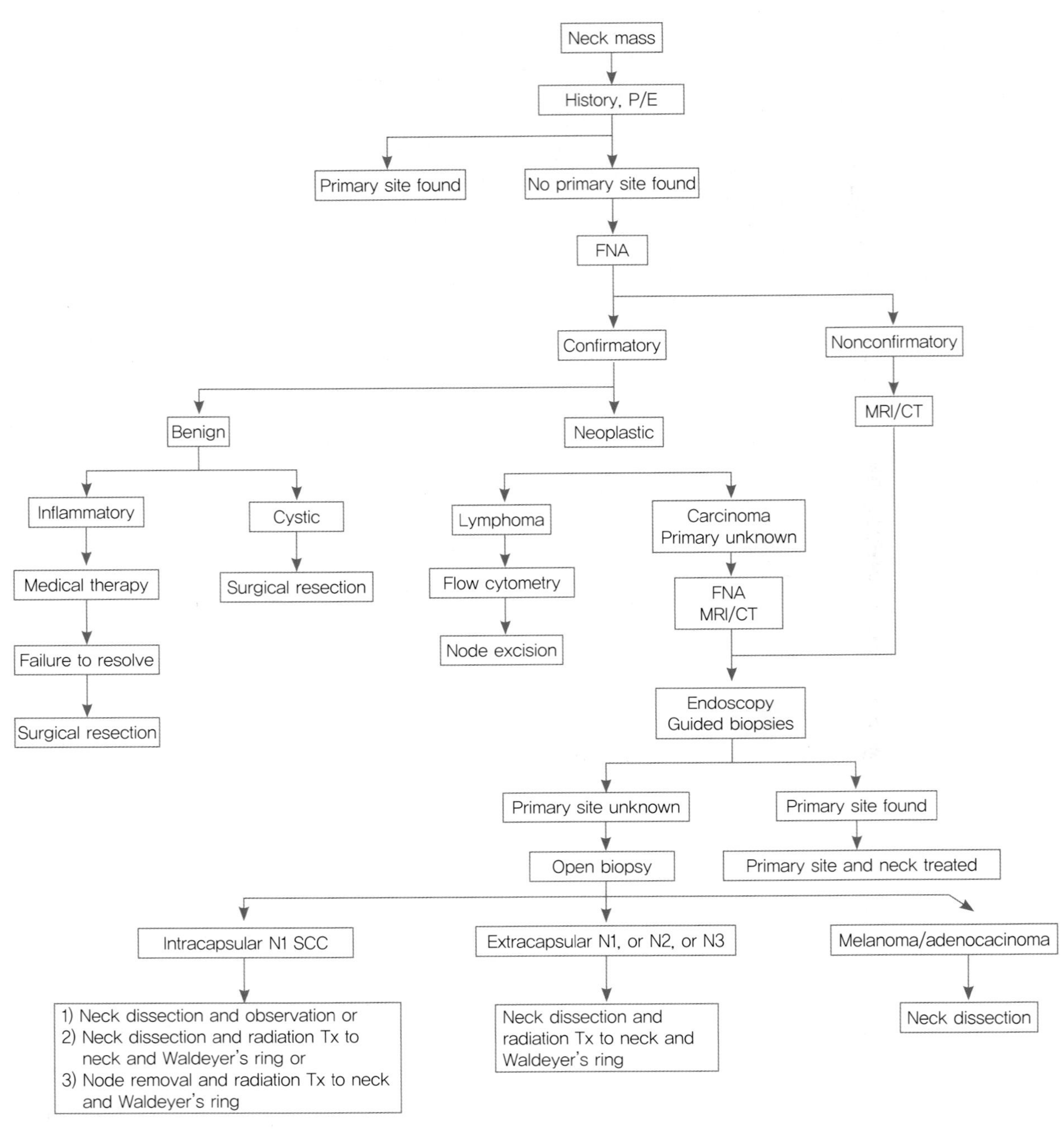

■ 그림 31-17. The algorithm of the evaluation and treatment of neck mass

하여야 한다. 림프절 비대의 위치가 경부의 상부이거나 후삼각부일 경우엔 비인강 부위를, 측경부의 림프절 비대가 있는 경우 편도, 설근부, 성문상부를, 쇄골상부나 경부 하측경 림프절 비대가 있는 경우엔 소화관과 기관-기관지, 유방, 갑상선 부위를 추가적으로 검사해야 한다(그림 31-17).[103]

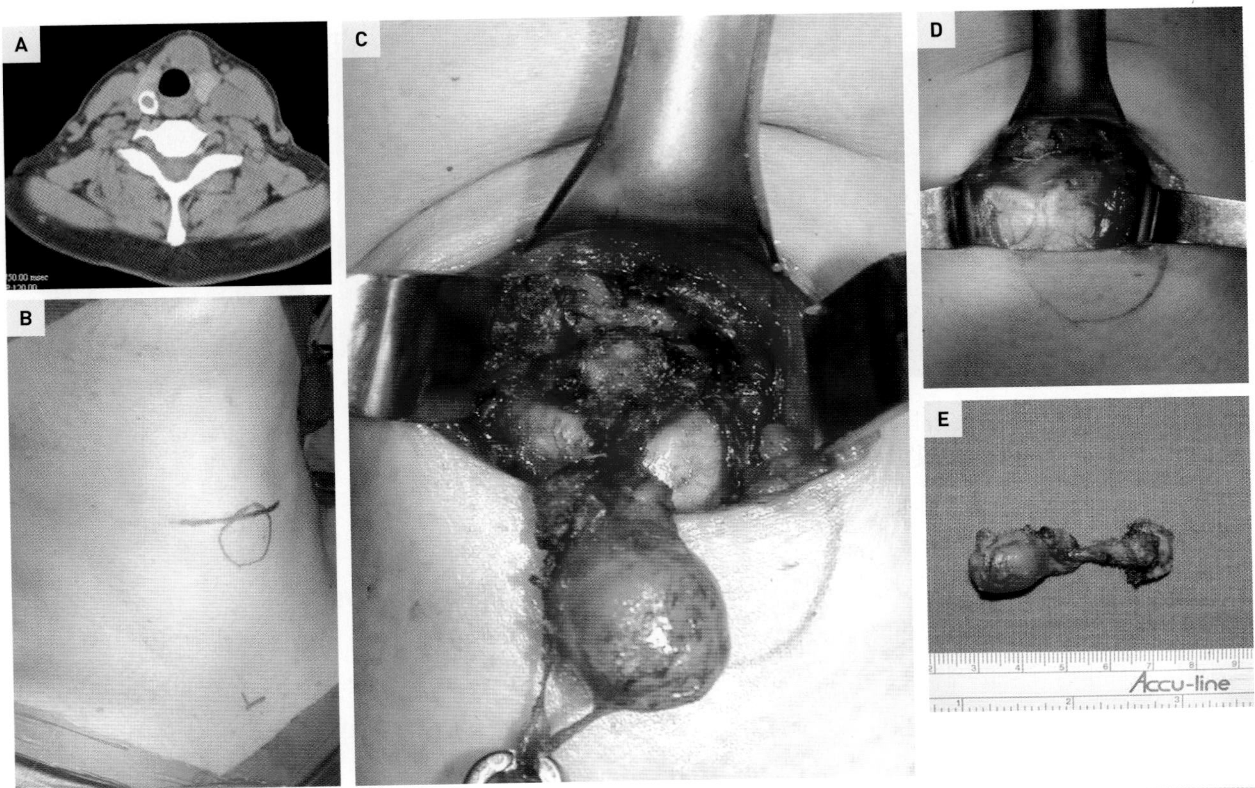

■ 그림 31-18. **Thyroglossal duct cyst and Sistrunk operation.** **A)** CT axial view shows round mass on central neck area. **B)** Incision design for surgery. **C)** Main mass has attached to hyoid bone. **D)** Surgical field after Sistrunk operation. **E)** Main mass with hyoid bone

Ⅱ 경부종괴의 감별진단

1. 선천성(Congenital or developmental)

1) 갑상설관낭(thyroglossal duct cyst, TGDC)

태생기에 갑상선이 하강한 후 퇴화되어야 할 갑상설관이 출생 후에도 계속 잔존하여 낭을 형성한 것으로 성별의 차는 없으며, 15세 이하 소아의 경부 중앙부 종괴의 가장 많은 원인이다.[39] 어느 연령층에서도 발견되나 20세 이하에서 주로 발견된다. 경부 중앙 설골 직하부에 가장 빈발하며 가끔 설골상부와 설골부에서 발견되기도 한다. 대개는 증상이 없는 경부 중심부 종괴로 있으나 염증이 생기면 동통, 충혈 등을 동반하면서 농양을 형성하기도 한다. 설골 상부에서 가끔 볼 수 있는 유피낭(dermoid cyst)과 감별하려면 낭조영술, 초음파검사를 시행하고 수술 시 누관을 확인하는 방법이 가장 정확하나, 일반적으로 연하운동을 할 때 혹은 혀를 앞으로 내밀 때 상하로 움직이면 갑상설관낭을 의심할 수 있다. 치료는 설골을 포함하여 낭 전체로 갑상설관 전체를 제거하는 Sistrunk 수술을 시행한다(그림 31-18).[19,85,90]

2) 새열낭과 새루(branchial cyst and fistula)

제2 새열(2nd branchial cleft)에서 기인된 경우가 가장 많고, 다음으로 제1 새열, 제3 새열의 순이다. 새열낭이 새루보다 3배 정도 빈번하다. 새루는 소아기 때부터

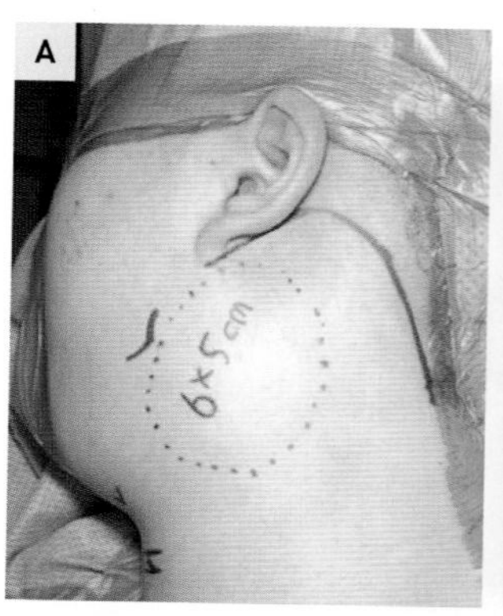
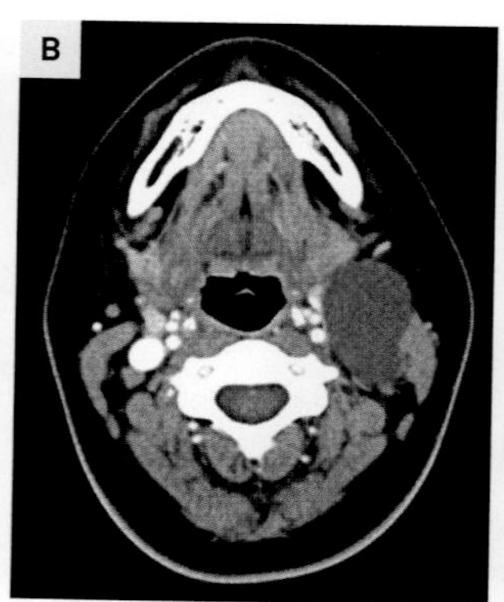
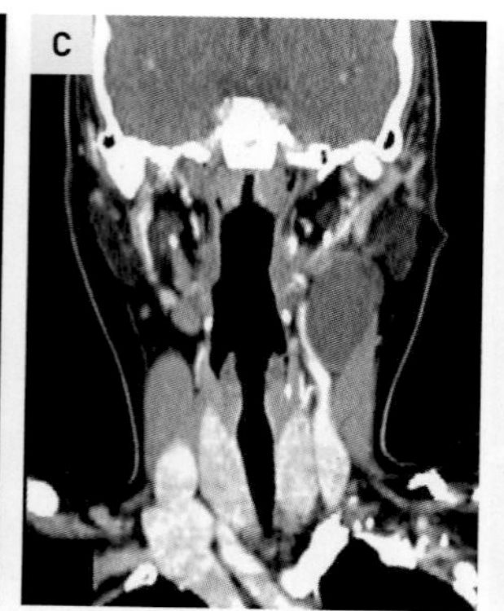
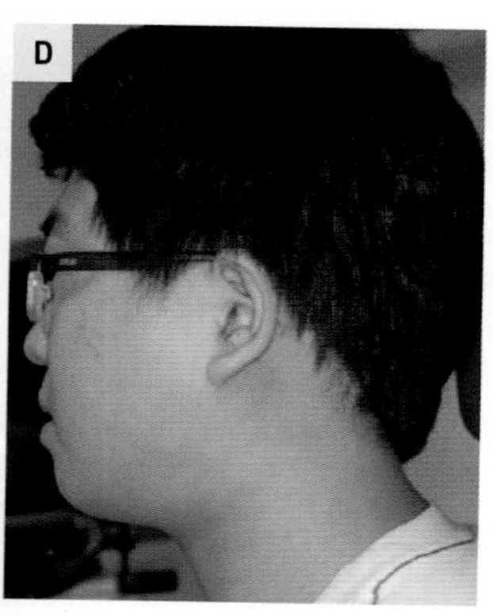

■ 그림 31-19. **2nd branchial cleft cyst and Retroauricular approach. A)** About 6 x 5 cm size mass and incision design for retroauricular approach. **B)** Axial CT view. **D)** Coronal CT view. **E)** Postoperative 1 month invisible surgical scar

증상이 나타나므로 비교적 빨리 발견되지만, 새열낭은 종괴가 발견될 때까지 상당한 시간이 걸리므로 20–30대에 발견되는 경우가 많다. 제2 새열낭종은 주로 level II에서 낭성 종양으로 발견되는 경우가 많다. 이는 경부를 통해 수술로 제거하여 완치하도록 한다. 최근에는 후이개 접근법으로 상처를 보이지 않게 하는 수술법이 시행되고 있다(그림 31-19).

40대 이후에 낭종종양이 이 위치에 발견된 경우에는 25%에서 두경부암의 경부림프절전이의 낭성 변성이 있는 경우와 감별하여야 한다.[39] 이 경우 구개편도, 설근부, 비인두뿐만 아니라 갑상선에서 원발병소가 발견된다.

제2, 제3 새루는 흉쇄유돌근의 전연 하 1/3 부위에서 발견되며, 누로(fistula tract)는 제2 새루의 경우 총경동맥의 외측으로 올라가서 내경동맥과 외경동맥 사이 설하신경 상방으로 주행하여 구개 편도와(tonsillar fossa)에 개구하며, 제3 새루는 이상와(piriform sinus)에 개구한다.[89]

치료는 수술적 완벽한 절제술을 시행한다. 누관이 긴 경우 술 후 미용상의 문제를 고려하여 새루가 있는 경부 하부와 상부에 두 개의 평행선의 피부 절개(stepladder incision)를 가한 다음 가능한 한 내·외경동맥 분지 안쪽까지 찾아가서 결찰한 후 절제한다.

3) 림프관종(cystic hygroma)

림프관의 확장 정도에 따라 모세관 크기의 림프소관으로 구성된 단순 림프관종, 이보다 약간 확장된 얇은 림프관으로 구성된 해면상 림프관종, 낭으로 구성된 낭성 림프관종으로 분류한다. 환자의 90% 이상이 생후 1년 이내에 발견된다. 흡인한 분비물의 구성을 분석하면 진단에 많은 도움이 된다(표 31-2)(표 31-3).[44,98] 두경부 영역에서는 후두삼각부(posterior triangle)에 호발한다.

치료법으로는 picibanil,[41] bleomycin[83] 등을 이용한 경화요법(sclerotherapy)과 수술적 요법이 있다. 수술 시 범위가 넓을 경우 완전 절제하지 못하는 경우가 있더라도 중요한 조직은 필히 보존하여야 한다.

4) 혈관기형(Vascular anomalies): 혈관종(hemangioma), 동정맥기형(arteriovenous malformation)

혈관종은 두경부에서 발생하는 혈관성 종양 중 가장 흔한 양성 종양이며 유아기에 가장 흔하게 나타난다. 환자의 1/3에서 출생 시 반점(macule), 모세혈관확장증(telangiectasia) 형태로 나타난다.[31]

대부분의 혈관종은 출산 후 즉시 발견되는 경우는 드물며 출생 후 1–4주 사이에 뚜렷해지고, 85%에서 1세 말경에 증상이 나타난다. 남녀비는 1:3으로 여자에서 빈발

표 31-2. 누출액과 삼출액의 차이

	누출액	삼출액
양상	연한 황색의 투명액	농성이나 혈성 혼탁
단백질의 체액/혈청 비	0.5 이하	0.5 이상
젖산탈수소효소의 체액/혈청 비(lactate dehydrogenase)	0.6 이하	0.6 이상
체액 내 콜레스테롤	60mg/dL 이하	60mg/dL 이상
콜레스테롤 체액/ 혈청 비	0.3 이하	0.3 이상
포도당(glucose)	혈청과 동일	감소(60mg/dL 이하)

Dafa from Henry JB, Lauzon RB, Schumann GB, et al. In urine and other body fluids. Cerebrospinal, synovial and serous hody fluids. In: Henry jB, ed. Clinical Diagnosis and Management by Laboratory Methods, 19th ed. New York: WB Saunders, 1996, pp.411-482; Strasinger SK. Miscellaneous body fluids. Urinalysis and Body Fluids, 3rd ed. Philadelphia: FA Davis, 1994. pp. 159-203

표 31-3. 흡인액의 감별

	농성분비물	림프액	타액
색깔	유백색 milky, 녹색	유백색 milky	회백색
세워두어 상층액 형성 여부	형성 안 함	형성함	
중성지방(triglyceride)	50mg/dL 이하	110mg/dL 이상	
콜레스테롤	혈청보다 높음	혈청보다 낮음	
유미미립(chylomicron)의 지단백 전기 영동(lipoprotein eletrophoresis)	거의 없음	다량	
아밀라아제	없음	없음	증가
아밀라아제동종효소	P형 우세	거의 없음	S형 우세
산도pH	6.0 이하	6.5 이상	

한다. 3%에서 가족력이 있다.

두경부 영역에서 가장 흔한 장소는 교근(masseter muscle) 주위이며 단발성이다.[81] 80%는 단독 병변으로 생기지만 20%에서는 다발성 병변을 보여 두경부 이외에도 체간, 사지에 발생하며 경부와 안면 병변인 경우에는 후두와 기관에도 병변이 존재할 수 있으므로 주의를 요한다. 유아기에 종양의 급격하게 커지며 증식을 보이나 이후 서서히 크기의 감소를 보이는 특징을 갖고 있다.

혈관종은 대부분 50% 이상에서 5세 이내, 70%에서 7세 이내에 자연 소실의 과정을 반복하며 10-12세까지 지속적으로 개선되므로 치료는 퇴화가 될 때까지 늦추는 것이 좋다.

하지만 혈관종이 너무 큰 경우, 궤양을 형성하는 경우, 외형을 심하게 변형시키는 경우, 혈관종으로 호흡곤란을 겪는 경우에는 치료가 필요하다. 이후에도 퇴화되지 않을 때 약물치료와 수술을 고려한다. 부신피질호르몬(prednisone)을 하루에 2-3 mg/kg씩 투여하면 7-10일 내에 30-60%에서 효과를 볼 수 있다.[34] 병변 내에 triamcinolone을 주입하기도 하며 혈관내피 증식과 혈관신생을 억제하기 위해 interferon -2α (IFN-2α, Roferon)를 사용하기도 한다. 최근에는 레이저의 사용으로 큰 합병증 없이 치료를 시도할 수 있으며 수술적 절제술은 반흔을 남길 수 있어 적극적으로 사용되지는 않지만 치료에 반응하지 않는 경우 시도할 수 있다.[53]

5) 하마종(ranula)

하마종은 악하선이나 설하선의 점액 유출에 의하여 발

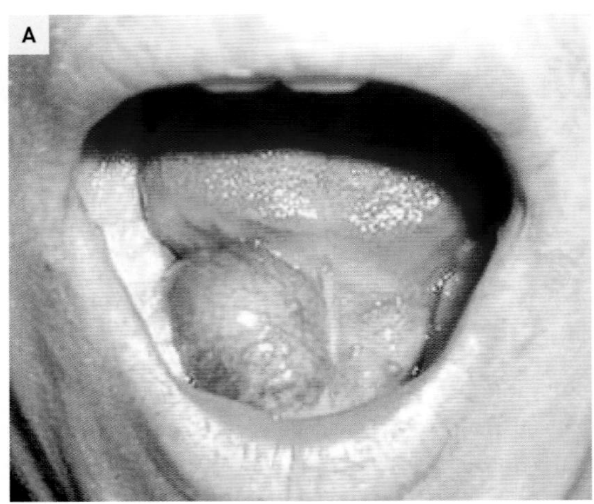

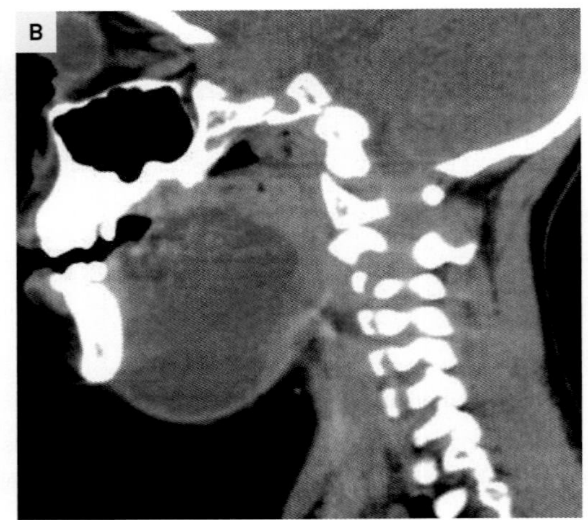

■ 그림 31-20. **Oral ranula and plunging ranula.** **A)** Oral ranula. **B)** CT of plunging ranula

생하는 저류성 낭종이다. 환자들은 갑자기 혹은 서서히 커지는 무통성의 구강저의 종물을 주소로 내원하며 진단은 환자의 병력과 이학적 검사를 통해 쉽게 진단할 수 있다. 구강저에만 국한되지 않고 경부까지 퍼지게 된 몰입형 하마종(plunging ranula)의 경우 초음파검사나 컴퓨터 단층촬영 등을 통해 진단에 도움을 받을 수 있고 진단이 힘든 경우 천자 및 흡인검사를 시행할 수 있다.[30,40,51] 잦은 염증으로 인한 통증이 지속되는 경우에는 염증을 줄이는 약물이 도움이 된다. 일반적인 약물치료로 완치가 되지 않으며 미용적으로 문제되거나 잦은 부종과 파열(rupture)이 반복되어 불편감을 호소하는 경우 치료를 권유한다.[105] 치료법으로 미세-조대술(marsupialization), 경화요법(sclerotherapy) 등 비수술적 치료법과 설하선 또는 악하선절제술과 동시에 하마종의 낭종벽 절제술이 있다(그림 31-20).[47]

6) 기형종(Teratoma)

기형종은 외배엽, 중배엽, 내배엽 기원의 세포에서 발생한다. 분화 정도에 따라서 낭종에서부터 모발과 치아를 함유하는 기형종까지 다양하다. 두경부에서는 드물고 전체 기형종의 3.5%에 해당된다. 두경부에서 발생하는 기형종의 50%는 비강에서 발생한다.[45] 타 부위의 기형종은 여성에서 6배 정도 많이 발생하나 두경부에서 발생한 기형종은 남녀의 발생 빈도가 동일하다. 경부의 기형종의 75%는 신생아 때 발생하며 호흡곤란과 연하장애를 유발할 수 있다. 치료는 수술적 절제술을 시도하며 신생아의 경우 기도확보가 가장 중요하다.

7) 유피낭(dermoid cyst)

소아 경부 정중앙 종괴의 두 번째로 많은 원인이다.[5] 외배엽과 중배엽의 세포로 구성되어 있으며 유피낭 속의 내용물의 상층은 삼출액과 비슷하지만 하층은 치즈 같은 케라틴 물질로 차 있기 때문에 초음파검사로써 세밀하게 관찰하면 진단이 용이하다. 하악설골근(mylohyoid muscle)을 기준으로 상방 혹은 하방 어디에 생기느냐에 따라 구강 내 절제 혹은 경부를 통한 절제를 결정하게 된다. 외배엽 세포만으로 구성된 경우를 표피양낭(epidermoid cyst)이라고 한다(그림 31-21).

8) 경부섬유종증(fibromatosis colli)

흉쇄유돌근종(sternocleidomastoid tumor) 혹은 근성사경(muscular torticollis)이라고도 하며 출생 후 8주

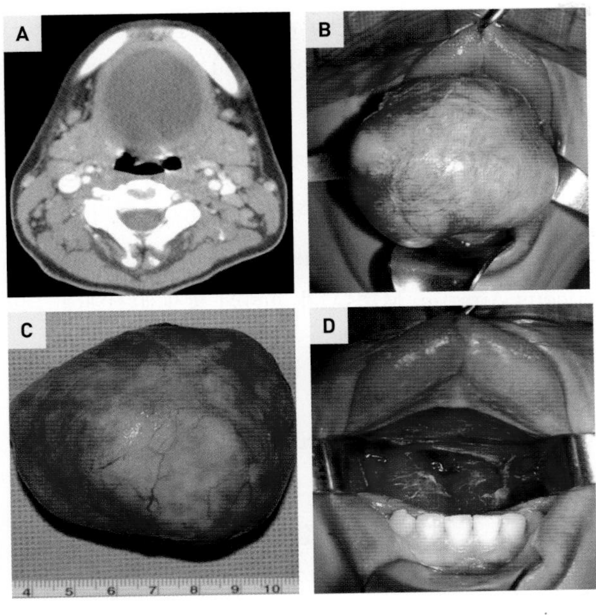

■ 그림 31-21. **Dermoid cyst in floor of mouth and Excision via transoral approach.** A) Neck CT shows mass on floor of mouth. **B)** Huge mass in oral cavity of floor of mouth. **C)** Surgical specimen. **D)** Surgical field after excision

이내에 흉쇄유돌근 내에 비교적 경계가 뚜렷한 종괴로 발견된다.[10,52] 발병률은 0.4%이다.[83] 출산 시 외상을 받은 과거력 혹은 태생기 때의 태아의 잘못된 위치 등이 원인으로 추정되고 있다.[32] 세침흡인세포검사를 시행하여 다핵성(multinucleated)의 변성된 골격근세포가 발견되면 확진한다.[57] 마사지와 운동이 효과가 있으며 생후 1년 이내에 자연적으로 사라지기도 한다. 물리적 치료에 실패한 1세 이상의 환아의 경우에 수술을 고려한다. 수술은 흉쇄유돌근의 섬유화된 부위의 절제를 시도한다.[24]

9) 후두기낭(laryngocele)

지나치게 상승된 후두강 내 압력으로 인해 선천적으로 약한 후두실(laryngeal ventricle)이 부풀어져서 발생한다. 만성적으로 후두내압이 증가하는 유리 제품을 부는 직공, 트럼펫 연주자, 만성기침, 후두암 등과 관련이 있는 것으로 보고되고 있다.[25]

후두강 내에 국한된 내측형(internal laryngocele), 갑상설골막을 뚫고 경부로 튀어나온 외측형(external laryngocele), 두 가지가 혼합된 혼합형으로 분류되는데, 외측형과 혼합형에서 흉쇄유돌근 전방의 경부 종괴로 보일 수 있다.[9] 감염될 경우 경부농양으로 나타날 수 있다. 크기가 작은 내측형일 경우 내시경이나 레이저를 이용하여 제거하고,[82] 크기가 큰 내측형일 경우엔 후두절개술

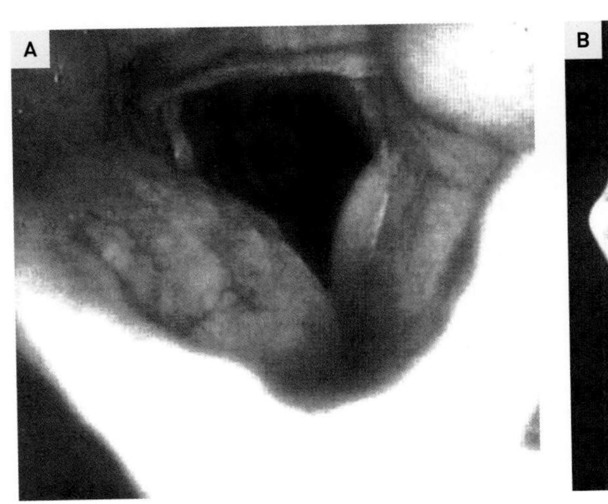

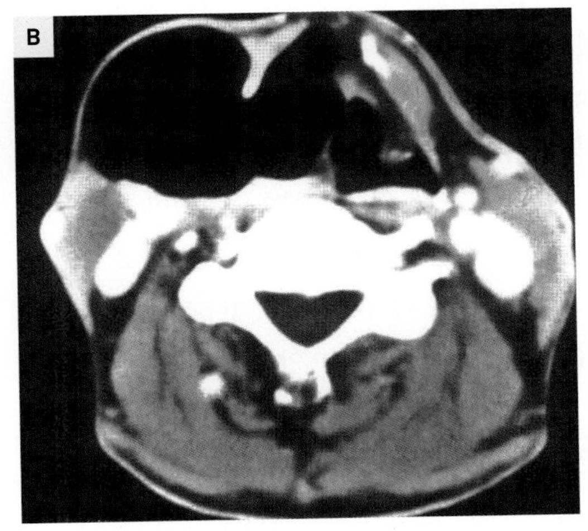

■ 그림 31-22. **후두기낭.** 우측에서 내측형과 외측형이 교통되고 있는 큰 후두기낭이 관찰됨. **A)** 후두 소견. **B)** CT 소견

(laryngofissure)을 이용하여 제거하기도 한다.[16] 후두기낭을 유발할 수도 있으므로 주의를 요한다(그림 31-22).[25]

2. 염증성(inflammatory)

1) 감염성(Infectious)

(1) 반응성 단순 림프절염(Reactive viral lymphadenopathy)

경부림프절염증에 가장 흔한 원인이며 경부, 안면부, 구강, 인두 등의 염증이 파급되어 나타나는 현상이다. 특징은 주로 단발성의 압통성 종괴로서 탄력성이 있다. 주위 조직과의 유착은 별로 심하지 않다. 일반적으로 2주 이내에 증상이 개선되지만 (1) 2주간 치료에도 불구하고 증세가 호전되지 않거나, (2) 치료에 반응하지 않은 1 cm 이상의 림프절 (3) 주변 조직과 유착이 심한 경우는 영상검사를 포함한 세침흡인세포검사 혹은 생검을 고려한다. 초기에는 결핵성 림프절염과 감별하기가 쉽지 않지만 결핵균에 대한 중합효소연쇄반응검사, Mantoux 검사, AFB 염색과 함께 경과를 관찰하면 감별할 수 있다.

(2) 전염성 단핵구증(Infectious mononucleosis, IM)

전염성 단핵구증은 열, 편도선염, 림프절염의 특징적인 증세를 보이는 질환이다. 혈액검사에서 절대림프구 수의 증가와 함께 비전형적 림프구의 증식을 보이는 것이 특징이며 전신피로감, 무력감과 함께 고열을 동반한다. Epstein-Barr virus (EBV) 감염을 확인하고 heterophile test에서 양성을 보이면 확진할 수 있다. 간혹 비장확대, 피부 발적, 신경학적 증상, 간담도 폐색 등의 합병증을 보이기도 한다. 다른 원인들을 잘 감별하고 대증치료를 시행하면 2주 안에 호전되지만 급성세균성 감염이 혼재되거나 기도가 막히거나 하면 추가적인 치료를 동반하여야 한다.[35,36,37,42,43,79,97]

(3) 세균성 림프절염(Bacterial lymphadenopathy)

인두 또는 피부의 감염이 파급되어 농양을 형성하는 세균성 림프절염이 생기기도 한다. 포도상구균(Staphylococcus aureus)과 연쇄구균(group A beta-Streptococcus)의 감염이 주된 원인이 되어 필수적으로 항생제 치료를 요한다. 반응성 단순 림프절염과 세균성 림프절염의 감별이 쉽지 않으므로 환자의 임상양상을 잘 판단하고 혈액검사, 영상검사 등을 통하여 감별하도록 한다. 최근에는 메치실린 내성균주(Methicilin resistant Staphylococcus Aureus, MRSA)가 흔하여 항생제 선택에 주의를 요한다.

(4) 결핵성 림프절염(tuberculous cervical lymphadenitis)

20-30대의 젊은 여성에 호발[58]하고 주로 혈행으로 전파되며 그 외 편도를 통한 경로와 폐결핵이 원발하여 종격 림프관을 통해 상행하는 경로가 있다. 경부 림프절 침범은 대개 다발성, 양측성으로 후경부(posterior neck)에 빈발하며[30,59] 하부 림프절 침범이 많다.

진단을 위해 절개생검(incisional biopsy)하면 누공이 형성되어 장기간 치료가 필요하므로 가능한 한 절개생검을 피하는 것이 좋다. 가장 확실한 진단법은 천자 흡인을 통하여 얻은 농 혹은 조직을 이용한 결핵균 배양검사이나 양성률이 17% 정도로, 항산균(acid fast bacillus, AFB)의 도말검사(smear) 양성률 46%보다도 진단율이 낮은 편이다.[63] 세침 흡인 잔유물을 이용한 중합효소 연쇄반응검사(polymerase chain reaction, PCR)는 76% 정도의 양성률을 나타낸다.[8] 현재로서 확실한 방법은 조직검사이며, 만성 육아종성 염증 소견(chronic granulomatous inflammation)과 랑거한스 거대세포(Langhans giant cell)와 건락성 괴사(caseous necrosis)를 보이면 확진 가능하다. 치료는 1년 이상의 항결핵요법이 주 치료법이나 항결핵제에 내성을 보이는 경우 수술요법과 항결핵제를 병행하여야 한다.

Nontuberculous mycobacteria (NTM)에 의한 림프절염의 경우 소아에서 흔히 발생하며, NTM의 흔한 균주로는 Mycobacterium avium intracellulare, M. scrofulaceum, M. kansasii 등이 있다. NTM에 의한 림

프절염은 흔히 소아에서 항생제요법에 반응이 없는 무통성의 경부 종괴 형태로 발현되며, 주변 피부에 홍반(erythema)이 일어나거나 보라색으로 변색되는 경우가 있다. 치료는 Rifampin과 clarithromycin을 포함한 경구 항생제 치료를 먼저 시도하고, 반응을 보이지 않는 경우 외과적 절제를 고려한다. 외과적 절제 시에는 감염된 림프절과 이환된 피부병변을 함께 절제하고, 누공을 예방하기 위해 면밀한 상처봉합이 중요하다.[87]

(5) **유육종증**(sarcoidosis)

여러 장기에 발생하는 육아종성 질환으로 원인을 알 수 없으나 유전적인 소인과 환경적인 소인을 가지고 있다. 40세 이하의 젊은 성인에서 호발하고 여성에 약간 많은 빈도를 보인다. 유육종증 환자의 90%에서 폐를 침범하나 호흡곤란, 기침 등의 증상을 보이는 경우는 30-50% 정도이다. 경부 림프절 종창을 보이는 경우가 흔히 발생하는데 세침흡인세포검사로 진단이 가능하다. 비강이나 이하선, 후두 등을 침범하기도 한다. 전신 스테로이드나 면역억제제 등으로 치료가 가능하고 피부 병변엔 tetracycline 같은 항생제로 치료하기도 한다.[7]

(6) **방선균증**(actinomycosis)

방선균은 그람 양성 비항산균 염기성 세균이며, 정상적으로 충치 안에 존재하는 균으로 주로 주타액선이나 경부안면, 소화기, 호흡기계통에 감염을 일으킨다.[20,48] 외상이나 수술, 충치 등 구강 내 위생상태가 좋지 않아 점막에 손상이 있을 경우 균주가 파급되지만 정상 점막은 뚫지 못하는 특성이 있으며[11] Actinomycosis israelii가 가장 흔한 균주이고 그 외 A. bovis, A. viscous, A. odontolyticus 등도 있다.[12]

특징적인 임상양상은 연부조직 침윤으로 인해 통증을 동반하지 않는 종괴를 형성하거나 몇 개의 농양을 형성하기도 하며, 염증이 진행될 때 누관을 형성하기도 한다. 경부안면형, 복부형, 흉부형 등 3가지 임상형이 있으며 경부안면형이 제일 많다. 유발인자로는 당뇨, 암환자, 면역기능이 저하된 경우, 구강위생 상태가 좋지 않은 경우 등이 있다.[28]

경부에 발생할 경우 전이성 악성 종양, 선천성 낭, 결핵성 림프절염, 나병, 세균성골수염, 림프종 등과 감별해야 한다.[1,2,13] 균 배양에서 방선균이 검출되고 병리 조직학적으로 만성육아종성염증소견을 보이면서 특징적으로 병변 내에 유황과립(sulfur granule)이 존재할 때 진단할 수 있다.[13]

치료원칙은 장기간의 고용량 항생제 투여와 농양이 발생할 경우 배농 또는 방선균증의 동(sinus tract)을 제거하여야 한다.[20] 방선균증의 치료법으로 수술이 많이 이용되었으나 항생제가 발달한 이후는 역할이 많이 줄어들고 있다. 사용되는 항생제로는 페니실린(penicillin)이 가장 좋은 약으로 알려져 있으며 그 외 페니실린에 민감한 환자에서는 erythromycin, tetracycline, clindamycin, rifampin, chloramphenicol, streptomycin, 1세대 cephalosporin, imipenem, lincomycin, ampicillin 등을 사용할 수 있다.[78] 수술적 치료는 항생제에 반응하지 않는 경우,[77] 비강 내 질환, 방사선 골괴사가 있는 경우,[29] 괴사 조직 및 섬유조직의 제거가 필요한 경우에 시행한다.

(7) **묘소병**(cat scratch disease)

묘소병은 발열과 국소 림프절 종대를 야기하는 세균성 감염질환이다. 혐기성 그람 음성 간균인 Bartonella henselae가 주 원인균이고 고양이가 할퀴거나 무는 것으로 전파된다.

임상증상은 발열이나 림프절 종대로 나타난다. 상처부위에 농이나 농포가 발생한 뒤 7-12일째 자연 치유되고 그 뒤 5-50일째 림프절 종대가 다시 나타난다. 보통 몇 주에서 몇 달 내에 자연적으로 치유되나 10-35%에서는 감염이 진행되어 농양이 발생할 수도 있다.[4,50,54] 림프절 종대는 액와부에 가장 많이 발생하고 그 다음이 경부, 이개전부, 악하부 순이다. 혈청학적 검사로 Bartonella henselae의 항체 역가의 증가로 진단한다.[49]

치료는 보존적인 요법으로 하나 전신장기에 전파되었을 경우 항생제를 사용하기도 한다. 농양이 있을 경우 흡인하는 것이 좋고 배액관을 삽입하는 것은 지속적인 동(sinus)이나 반흔(scar)을 야기할 수 있다.

(8) HIV 관련 림프절종창

HIV감염 환자에서 림프절종창은 매우 흔하며, 그 빈도가 45%에 이른다고 알려져 있다. 호발하는 위치는 주로 후삼각부(posterior triangle)라고 알려져 있지만, 경부 어느 부위에서나 발견이 가능하다. HIV감염 환자에서 림프절종창이 있는 경우 Mycobacterium tuberculosis, Pneumocystis carinii 같은 감염성 림프절염에서부터, 림프종(lymphoma), 카포시 육종(Kaposi sarcoma) 같은 악성의 가능성까지도 염두에 두고 면밀히 진찰할 필요가 있다.[86]

(9) 소아에서의 감염성 경부림프절염

소아에서도 경부림프절염은 비교적 흔히 접하는 질환이며, 경부림프절 비대를 주소로 내원한 소아환자의 경우 감염, 면역, 종양, 및 특발성 원인까지 모든 원인을 염두에 두고 전신적인 진찰 및 평가가 필요하다. 소아 환자에서 감염성 경부림프절염의 경우 그 원인이 성인과 크게 다르지는 않으며, 주요 원인들은 다음 그림과 같다(그림 31-23).[104]

2) 비감염성 염증성 림프절염(non-infectious inflammatory lymphadenopathy)

(1) 기구치병(Kikuchi disease)

기구치병은 20-30대 여성에 호발하는 염증성 림프절

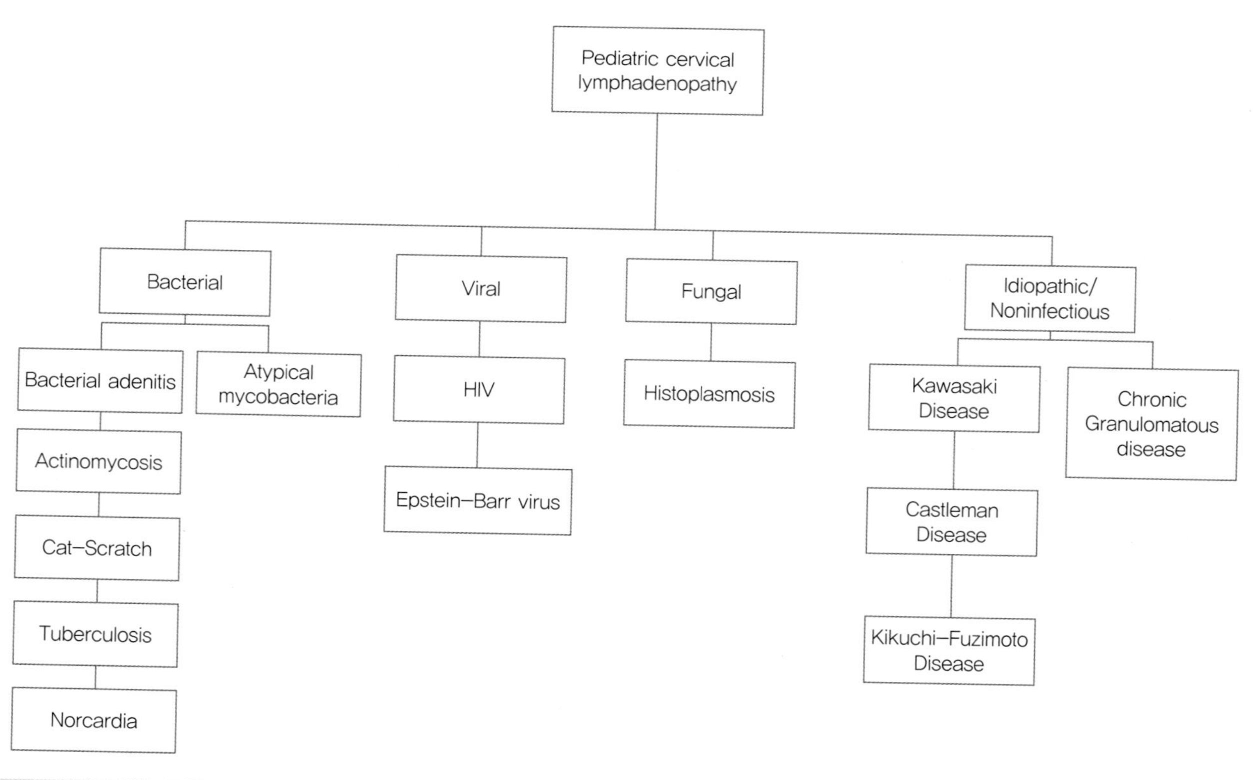

■ 그림 31-23. **소아 경부림프절염의 감별진단**

염으로 괴사성 림프절염(necrotizing lymphadenitis)의 특징적인 조직학적 소견을 보이는 질환이다. 비교적 드문 질환으로 미열과 경부림프절염의 양상으로 나타난다. 1972년 Kikuchi–Fujimoto disease로 처음 보고되었고 조직구성 괴사성 림프절염(histiocytic necrotizing lymphadenitis), 아급성 괴사성 림프절염(subacute necrotizing lymphadenitis)이라고도 불린다.[57] 원인은 아직 밝혀지지 않았으며 대부분 자연치유(self–limiting)되며 혈액검사상 약 25–60%에서 백혈구 감소증이 나타나고 50–70%에서 적혈구 침강 속도가 증가되어 있다.[67] 호발 부위는 측경부 림프절이며 그 외 액와부, 상쇄골, 서혜부, 장간막 림프절 등에도 침범된다.[66] 세침흡인세포검사로 진단을 내리기 어려우며 항생제를 사용하여 증상의 호전을 일찍 가져오기도 하나,[6] 특별한 치료 없이 자연 치유되는 경향이 많으며 합병증이 생긴 경우나 전신성 홍반성 루프스 등이 동반된 경우에 스테로이드 제제 등의 약물을 사용한다.[14]

(2) 기무라병(Kimura disease)

기무라병(Kimura disease)은 동양인 남성에서 주로 발생하며 대부분 10대와 20대에 호발한다.[92] 대부분 두경부 영역, 주로 주 타액선, 림프절 심부 피하조직에 발생하고 그중 이하선 및 악하선 부위에 많이 발생하는 것으로 보고되고 있다.[23] 임상적으로 무증상의 편측의 연부조직 종창으로 나타나고 두경부 외에 액와부(axillary area), 서혜부(inguinal area), 슬와부(popliteal area)에서 발생하기도 한다.[101]

검사에서 말초성 호산구증(peripheral eosinophilia)과 혈청 IgE의 상승을 특징적으로 보이며 가끔 신장을 침범한 경우 단백뇨의 증상을 보이기도 한다. 감별해야 할 질환으로 호산구증을 동반한 림프증식증(angiolymphoid hyperplasia with eosinophilia)이 있으나 홍반성 구진, 결절등의 피부 병변이 나타나는 점이 차이점이다.[84] 그 외 림프종, 호산구증 육아종, 과오종(hamartoma), Kaposi 육종 등과 감별하여야 한다. 절제 생검을 통해 확진되는데 림프절의 현저한 증식 및 괴사, 호산구증, 부종을 동반한 비편평세포양의 내피세포로 구성된 모세혈관 및 층판형의 외막을 가진 혈관 등의 소견이 관찰된다.[80] CT에서 조영증강 시 경동맥과 비슷한 정도의 신호를 나타내고 MRI에서는 보통 T1과 T2에서 모두 고신호 강도를 보인다.[77]

치료는 아직 확실히 정립되어 있진 않지만 경과 관찰에서부터 스테로이드 치료, 수술적 치료, 방사선 치료 등의 다양한 방법이 있다.[77] 재발이 흔한 특성 때문에 수술적 절제와 스테로이드 병합요법이 주 치료법이다.[46]

(3) 캐슬만병(Castleman's disease)

캐슬만병은 1956년 처음 기술되었고 림프절 과증식을 일으키는 원인 미상의 드문 양성 질환이다.[22] 병리학적으로 두 가지의 조직학적 형태로 나뉜다. 초자질 혈관형(hyaline vascular type)과 형질세포형(plasma cell type)으로 구분되고 초자질 혈관형이 약 90%를 차지한다.

주로 무증상이나 생물학적 양상에 따라 단일성 혹은 다발성 형태를 취한다. 다발성 형태는 주로 형질세포형을 나타내며 보다 더 전신적인 임상소견을 보이고 신경원성 종양이나 주위와의 유착으로 인해 악성질환을 의심케 하는 임상양상을 보일 수도 있다.[71] 주로 20–30대에 발생하나 다발성 형태는 나이 든 사람에게 주로 발생한다.[55] 약 70%에서 흉곽에 발생하고 10–15%에서는 복부, 후복막, 골반에서 발생하며 나머지 약 10–15%에서 경부에 발생한다.[56]

세침흡인세포검사로는 확진이 어렵고 최종진단은 술 후 조직 병리학적 검사를 통해 이루어진다.[73] 경부에 발생한 캐슬만병에 대해서는 절제가 치료 원칙이다.[17] 다발성인 형질세포형에서는 항암제 치료나 방사선 치료가 효과적일 수 있으나 예후는 좋지 않다(표 31-4).[109]

표 31-4. Kikuchi병, Castleman병과 Kimura병의 감별진단

	Kikuchi병	Castleman병	Kimura병
성별, 연령	여자(4배), 30세 이하	국소성: 20대, 다병소성: 50대	남자, 10-30세
원인	미상, EBV, CMV 감염	미상, 자가면역질환의 일종	미상
정의	아급성 괴사성 조직구성 림프선염 *histiocytic lymphadenitis* : 한두 개의 림프선	양성 림프상피성 질환 *lymphoepithelial disease*	피하조직, 타액선, 림프선의 만성 염증성 병변
감별진단	림프종, 전신성 홍반성 루푸스, 결핵성 림프절염, 야토병 Cat-scratch병, 육아종성 병변	림프종	호산구증다증을 동반한 혈관림프증식증 호산성 육아종, 양성 림프상피성 질환 림프구종, 림프종, 화농성 육아종 Kaposi 육종, 과오종
증상 징후	압통성 경부림프절종창, 발열, 오한, 체중감소, 오심, 구토, 야간 발한	기관-기관지 압박(호발부위: 흉곽내) → 기침, 호흡곤란, 객혈, 연하곤란	두통성 종괴, 국소성 림프절염
검사	과립구감소증(50%), 조직구 감소, ESR 증가(70%)	특징적인 소견 없음	호산구증다증, Ig-E
조직	절제생검 요함(FNAB로는 부족)	혈관내피세포의 과형성과 림프여포의 현저한 증식이 특징	림프소절의 현저한 증식과 림프구 침윤
소견	① 국한성 호산구성 물질 *eosinophilic material* 침윤과 괴사, 핵붕괴 ② 면역아세포, 조직구양 T세포	① 초자질 혈관형 *hyaline vascular type* ② 형질세포형 *plasma cell type*	배아중심내 혈관증식과 괴사, 호산구성 농양 형성, 키가 큰 내피세포
치료	4-6개월 이내 자연 소실, 대증요법	외과적 절제	스테로이드, 외과적 절제
예후	재발, 사망은 드물다	다병소성은 악성화 경향	재발이 빈번, 악성화의 증거는 없음.

3. 종양성(neoplastic)

1) 갑상선 종양

두경부영역에 생기는 종양 중에서 가장 흔한 것이 갑상선 종양으로 알려져 있다. 양성종양이 대부분이지만 악성 종양도 매우 흔하다. 갑상선 악성 종양의 40% 이상에서 임상적으로 경부림프절 전이가 있으며, 수술 후 경부전이가 발견되는 확률은 90% 이상이다.[72,73,75] 유두상암종(papillary carcinoma) 환자의 15%가 갑상선 병변 없이 측경부 종괴를 주소로 내원하는 것으로 알려져 있어 진단시에 주의를 요한다. 이의 진단을 위해 신체검사, 초음파 검사, CT, 갑상선 스캔 등을 필요 시 적절하게 시행하도록 한다. 자세한 신체검사를 통하여 다른 두경부영역에 악성종양이 존재하는지 확인하여야 하며 이때 비인두, 구인두, 후두, 하인두 확인을 위한 내시경검사를 시행하도록 한다. 초음파검사에서 낭성종괴로 나타날 경우에는 반드시 흡인하여 검사하여야 한다. 전산화단층촬영이나 자기공명영상은 주변 조직으로의 침범이나 림프절 전이를 파악하는 데 유용하다. 세침흡인세포검사로 대부분 확진 가능하며 병리조직검사 결과에 따라 치료 방향을 결정한다.

2) 침샘 종양(salivary gland tumors)

침샘 종양은 구강 내로 분비되는 침(타액)을 생성하는 침샘에 종괴가 생긴 것으로 제일 흔한 것은 양성 종양인 혼합 종양이다. 혼합 종양(Mixed tumor)은 이하선(parotid gland)에 가장 많고 일반적으로 20-40세의 남

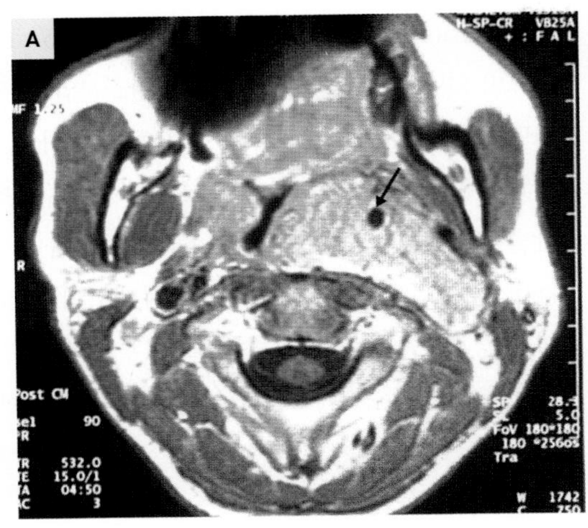

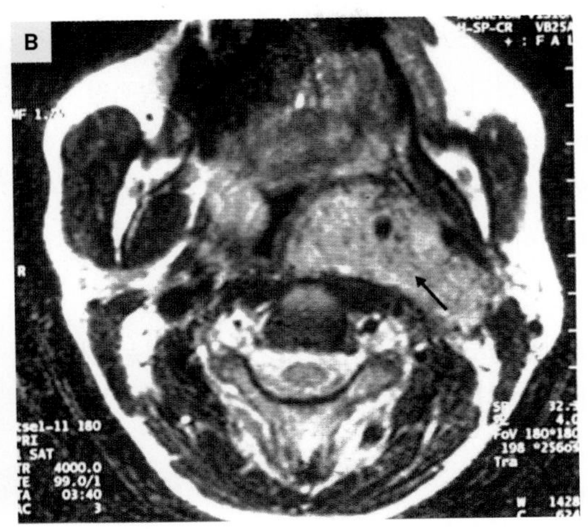

■ 그림 31-24. **신경초종의 MRI 소견.** A) TI 강조영상. **B)** T2 강조영상 종양내 낭성 변성 소견을 보인다.

자에게 많다. 초기에는 서서히 자라나는 것이 특징이고 경계가 뚜렷하고 가동성이 있다. 와르틴종양(Warthin's tumor)은 장년층 남자에 호발하며, 이하선 하부에 생기는 무통성의 낭성 종괴가 특징이다. 가끔 양측성으로 생기기도 하며, ^{99m}Tc 스캔에서 열결절(hot nodule)을 나타낸다.

침샘의 악성 종양은 비교적 드물지만 이하선에서 가장 많이 발생한다. 악성종양은 종양의 종류와 관계없이 모두 유사한 증상을 보이는데 다음과 같은 증상 (1) 급속히 커지는 침샘종괴 (2) 통증과 주변 조직과 유착이 심한 경우 (3) 안면신경마비를 보이는 경우 (4) 결절성이며 딱딱한 경우 (5) 경부림프절 전이가 동반된 경우 등이 보이는 경우 악성을 의심하여야 한다.

대부분의 양성 종양은 타액선 절제만 하면 되지만 악성인 경우 경부 림프절전이가 있으면 경부절제술을 함께 시행하며, 고악성도인 경우 술 후 방사선치료를 병용하여야 한다.

3) 신경성종양(neurogenic tumor): 신경초종(schwannoma)

신경초종(schwannoma), 신경섬유종(neurofibroma), 외상성 신경종(traumatic neuroma)이 있다. 신경초종은 신경막으로 둘러싸인 구형 또는 방추형의 종양으로 발육속도가 완만하면서 그다지 단단하지 않다. 미주신경(vagus verve), 교감신경(sympathetic nerve)에 주로 발생하며, 부인두강(parapharyngeal space)에 가장 많이 생기는 종양이다. 가끔 통증을 호소하기도 하지만 애성, 연하곤란, 호너증후군(Horner's syndrome) 등 종괴의 압박으로 인한 증상은 드물다. 미주신경이나 교감신경에 생긴 경우 내·외경동맥을 앞쪽으로 전위시킨다. 낭성 변성(cystic degeneration)과 종양 내 출혈에 의한 혈종을 형성하기도 한다. 대부분의 신경초종은 MRI 촬영 시 조영제 주입 후 현저한 증강이 나타나서 부신경절종(para-ganglioma)과 혼동될 수 있으므로 초음파검사를 시행하여 감별하여야 한다(그림 31-24).

신경섬유종은 신경초종과는 달리 신경막에 둘러싸여 있지 않고, 낭성 변성은 흔하지 않다. 대개 무증상이며 폰레클링하우젠병(von Recklinghausen's disease)의 경우에는 다발성이다. 4.6-16%에서 악성 변화를 일으킨다. 이 질환은 상염색체 우성 유전을 하며 3,000명당 1명의 비율로 발견된다. 5개 이상의 직경 1.5 cm 이상되는 암갈색 반점(cafe-au-lait spot)과 신경섬유종이 발견되면 진단할 수 있다.

외상성 신경종은 손상받은 신경의 재생과정에서 비정상적으로 발병한다. 대개 2 cm 이내이며, 지속적인 지각이상(paresthesia)과 불쾌한 저림(tingling)이 있으면 의심할 수 있다. 수술 후 생긴 경우에는 절제할 필요가 없으나, 수술병력이 없는 경우에는 진단과 치료 목적으로 절제하기도 한다.

치료는 신경기능의 손상 없이 종양을 제거하는 것이지만 신경섬유종에서는 불가능하다.[24]

4) 지방종(lipoma)

양성 종양이며 경부 영역에서는 흔하지 않다. 대부분 피하조직에서 발견되며 비침윤성이며 절제 후에는 거의 재발하지 않는다. 지방육종(liposarcoma)은 성인에서 가장 흔한 연부조직 육종이지만 두경부에서의 발생은 거의 없다. 기존의 지방종에서 악성화하는 것보다는 처음부터 지방육종으로 발생하는 경우가 많다.[69] 대부분 수술로 제거될 수 있다(그림 31-25).

5) 경동맥소체 종양(carotid body tumor, paraganglioma)

경동맥소체(carotid body)는 경동맥 분지부(catorid bifurcation)에 존재하는 화학수용체로서 5 mm 정도의 핑크빛 외막을 갖고 있으며 동맥내 산소분압의 저하, 이산화탄소분압의 증가, pH, 체온증가 등에 대하여 카테콜아민(catecholamine)의 분비를 통하여 호흡수, 맥박수, 혈압을 조절한다. 압력수용기(pressoreceptor)인 경동맥동(carotid sinus)과는 별개이다. 경동맥소체는 설인신경에서 신경지배를 받으며 외경동맥으로부터 혈류 공급을 받으나 그 외 후두동맥(occipital artery), 척추동맥(vertebral artery), 갑상경동맥간(thyrocervical trunk)으로부터 혈류공급을 받기도 한다.

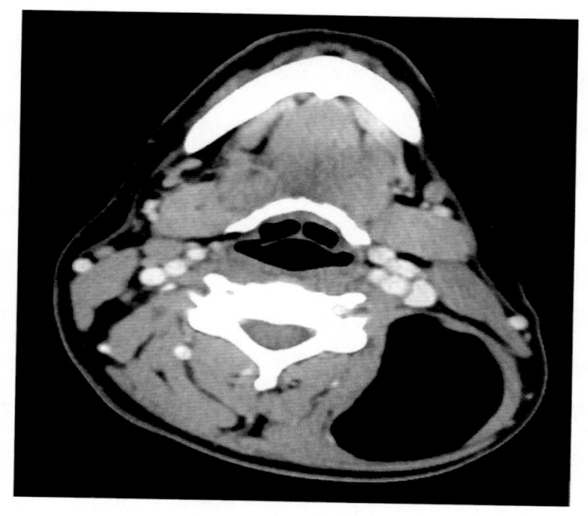

■ 그림 31-25. **지방종 lipoma**

경동맥소체 종양은 전체 두경부 부신경절종(paraganglioma)의 65%를 차지한다.[89] 자율신경계와 연관이 있고 혈관수축제와 신경전달물질을 분비하고 저장하지만 대부분 비기능성이다. 30–40대에 빈발하고, 8%에서 가족력을 갖고 있으며, 성별에 따른 차이는 없고 서서히 자라는 무통성 종괴이다.[4] 점차 커지면 연하곤란, 애성, 호너증후군(Horner's syndrome) 등 신경압박 증상을 나타내기도 한다.

촉진 시 경동맥분지 즉 설골 부근의 흉쇄유돌근 전연에서 좌우로 움직이나 상하로 움직이지 않는 박동성 종괴가 있는 경우 의심할 수 있다. 진단은 경동맥 혈관조영술과 MR 혈관촬영(MRA)로 가능하며, 특징적으로 내·외경동맥 사이가 벌어져 있는 소견인 lyre sign을 나타낸다(그림 31-26). 감별진단할 질환은 새열낭, 미주신경이나 설하신경에서 기인한 종양, 경부림프절 전이, 림프종, 동맥류, 그리고 후천성 혈관기형이다. 2–10%에서 양측성으로 발견되고, 악성 변화는 비가족성인 경우 12%인 반면 가족성인 경우 3% 정도이다.

치료는 수술적 절제가 주 치료법이나, 무증상의 고령 환자와 심각한 합병증이 예견되는 경우에는 경과를 관찰하는 것이 좋다. 수술적 제거는 내경동맥 손상 위험을 충분히 고려하여 시행한다. 경동맥의 원위부와 근위부를 노출시킨 후, 미주신경, 부신경, 설하신경을 확인한 후 외막하로 박리(subadventitial dissection)하도록 한다. 간혹

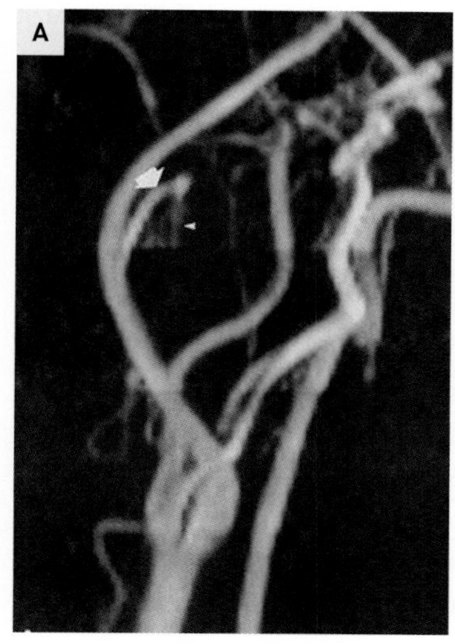

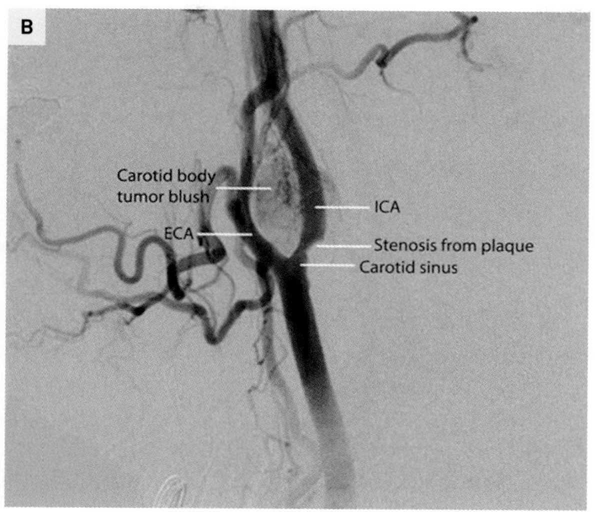

■ 그림 31-26. **Lyre sign of paraganglioma. A)** MR angiography. **B)** Lyre sign

경동맥 재건을 위한 혈관 혹은 인조혈관 이식이 필요한 경우도 있다. 재발은 10% 정도이다.[24]

미주신경 기원의 부신경절종(glomus vagale tumor)은 전체 부신경절종의 3% 정도[38]이며 박동성 경부종괴와 편도가 내측으로 밀리면서 박동성을 보이는 것이 특징적이다.[72,73,75]

6) 악성림프종(malignant lymphoma)

소아 악성 종양의 55% 이상을 차지하며 경부림프절과 왈데이어 편도환(Waldeyer ring)에 원발성으로 발병하는 경우가 많다. 드물게 이하선, 악하선 또는 갑상선에 발병한다. 일측성 편도비대가 있으면서 경부림프절 종대가 있는 경우에는 악성 림프종을 의심할 수 있다. 세침흡인세포검사로써는 진단이 불가능하며, 림프종이 의심되면 절개생검을 해야 한다. 소화기관 및 중추신경계와 연관될 수 있기 때문에 전신적인 전이에 대한 정밀한 검사가 필요하고, 질환이 두경부에 국한된 경우에는 방사선조사 등 국소적인 치료만으로 가능하지만 그렇지 않은 경우에는 전신적인 화학요법이 필요하다.

7) 전이성 악성 종양: 경부림프절전이(cervical lymph node metastasis)

경부 악성종괴를 보이는 환자의 4/5는 악성 종양의 경부림프절 전이로 이 중 85%는 쇄골 상부에 원발병소가 있고, 10%는 쇄골하부에 원발병소가 있으며, 5%는 원발병소가 불명(cancer unknown primary, CUP)이다. 그 외 1/5은 악성 림프종, 타액선암 등 원발성 경부악성 종양이다.

쇄골상부의 경우는 편평세포암종이 대부분이나 쇄골하부가 원발병소인 경우는 선암이 많으며 폐, 위장, 유방, 대장, 신장, 갑상선 등 여러 부위에서 전이될 수 있다. 두경부암의 림프절전이는 원발병소 부위별로 차이가 있다. Level V 림프절전이가 있으면 비인두암, level II 림프절전이가 있으면 편도, 설근부, 성문상부암을 우선 의심할 수 있다(표 31-2). 원발병소 불분명의 림프절전이가 있는 경우 시간이 경과된 후에 발견되는 원발병소로 과거에는 비인두가 가장 많았으나 최근에는 비인두에 대한 진단방법이 개선되면서 오히려 편도, 설근부, 하인두에서 더 많이 발견된다. 경부림프절 전이의 진단방법으로 경부초음파검사와 동시에 시행하는 세침흡인검사를 통한 세포학적 검사

가 유용하다.[107]

치료는 원발부위가 두경부인가, 원격장기인가 또는 미확인되었는가에 따라 다르며 원발부위가 발견된 경우에는 원발부위와 경부전이를 동시에 치료하지만 발견되지 않는 경우에는 조직학적 형태와 부위에 따라 치료방법을 선택한다. 경부전이율이 15-20% 이상이면 예방적 경부절제술을 시행하는 것이 좋다.[76,96] 수술과 방사선조사를 단독 혹은 복합적으로 사용하며 보조적으로 화학요법을 시행한다.

Ⅲ 요약

경부종괴는 발생하는 나이, 위치, 성상에 따라 염증, 종양, 악성종양 등 다양한 질환으로 나타난다. 종괴의 특징을 잘 파악하고 있으면 복잡한 경부구조에서 생기는 다양한 질환을 감별하는 데 도움이 된다. 경부종괴의 대부분은 염증성 질환이지만 진단 과정에서 악성종양의 가능성을 배제하지 않는 습관을 가져야 한다. 환자의 질환에 대한 정확한 진단을 위해 자세한 문진과 철저한 두경부영역의 신체검사는 필수적이며 적절한 검사법을 이용하여 감별진단하도록 노력한다. 초음파 검사와 CT가 일차적 검사로 우선되며 세포흡인세포검사 또는 중심부바늘생검을 시행하도록 한다. 만일 검사결과가 진단을 내리기에 충분하지 않다고 판단된다면 경부절제술을 준비하고 절제생검을 시도하도록 한다. 각각의 경부 종괴는 약물치료, 수술 등의 다양한 치료법을 적절하게 선택하여 최선의 치료를 시도하도록 한다.

참고문헌

1. Allen HA, Scatarige JC, Kim MH. Actinomycosis: CT findings in six patients. Am J Radiol 1987;149:1255-1258
2. Amrikachi M, Krishnan B, Finch CJ, Shahab I. Actinomyces and Actinobacillus actinomycetemcomitans-Actinomyces-associated lymphadenopathy mimicking lymphoma. Arch Pathol Lab Med 2000;124:1502-1505
3. Apple SK, Nieberg RK, Hirschowitz SL. Fine needle aspiration diagnosis of fibromatosis colli. A report of three cases. Acta Cytol 1997;41:1373-1376
4. Arisoy ES, Correa AG, Wagner ML, Kaplan SL. Hepatosplenic cat-scratch disease in children: selected clinical features and treatment. Clin Infect Dis 1999; 28:778-784
5. Athow AC, Fagg NL, Drake DP. Management of thyroglossal cysts in children. Br J Surg 1989;76:811-814
6. Aydogan TAydogan T, Kanbay M, Uraldi C, Kaya A, Uz B, Isik A, Akcay A, Erekul S. Kikuchi Fujimoto disease secondary to Entamoeba histolytica: case report. J Infect. 2006;53:171-173
7. Bachelez H, Senet P, Cadranel J, Kaoukhov A, Dubertret L. The use of tetracyclines for the treatment of sarcoidosis. Arch Dermatol 2001;137:69-73
8. Baek CH, Kim SI, Cho YS. PCR detection of Mycobacterium tuberculosis from fine needle aspirate for the diagnosis of cervical tuberculous lymphadenitis. Korean J Otolaryngol 1999;42:209-214
9. Batsakis JG. Cysts, sinuses and "Coeles". In: Batsakis JG, editor. Tumors of the head and neck: clinical and pathological consideration, 2nd ed. Baltimore: Williams & Wilkins, 1979, p514
10. Bedi DG, John SD, Swischuk LE. Fibromatosis colli of infancy: variability of sonographic appearance. J Clin Ultrasound 1998;26:345-348
11. Belmont MJ, Behar PM, Wax MK. Atypical presentations of actinomycosis. Head Neck 1999;21:264-268
12. Bennhoff DF. Actinomycosis: Diagnosis and therapeutic considerations and a review of 32 cases. Laryngoscope 1984;94:1198-1217
13. Bhat NA, Hock YL, Turner NO, Das Gupta AR. Kikuchi's disease of the neck (histiocytic necrotizing lymphadenitis). J Laryngol Otol 1998;112:898-900
14. Bhattacharyya N. Predictive factors for neoplasia and malignancy in a neck mass. Arch Otolaryngol Head Neck Surg 1999 Mar;125(3):303-307
15. Booth JB, Brick HG, Operative treatment and postoperative management of saccule cyst and laryngocele. Arch Otolaryngol 1981;107:500-502
16. Bowne WB, Lewis JJ, Filippa DA, Niesvizky R, Brooks AD, Brennan MF, et al. The management of unicentric and multicentric Castleman's disease: A report of 16 cases and a review of the literature. Cancer 1999;85:706-717
17. Brewis C, Pracy JP, Albert DM. Treatment of lymphangiomas of the head and neck in children by intralesional injection of OK-432 (Picibanil). Clin Otolaryngol 2000;25:130-134
18. Brown PM, Judd ES. Thyroglossal duct cysts and sinuses. Results of radical (Sistrunk) operation. Am J Surg 1961; 102: 495-501.
19. Burns BV, Ayoubi AL, Ray J, Schofield JB, Shotton JC. Actinomycosis

of the posterior triangle: A case report and review of the literature. J Laryngol Otol 1997;111:1082-1085 .

20. Carter RL, Barr LC, O?rien CJ, Soo KC, Shaw HJ. Transcapsular spread of metastatic squamous cell carcinoma from cervical lymph nodes. Am J Surg 1985;150(4):495-499
21. Castleman B, Iverson L, Menendez VP. Localized mediastinal lymph node hyperplasia resembling thymoma. Cancer 1956;9:822-83045.
22. Chan JK. Epitheloid hemangioma (angiolymphoid hyperplasia with eosinophilia) and Kimura's disease in Chinese. Histopathology 1989;15:557-574
23. Close JG, Haddad J. Primary neoplasm(Neck). In: Cummings CW, Fredrickson JM, Harker LA, Krause CJ, Schuller DE, editors. Otolaryngology-Head and Neck Surgery, 3rd ed. St. Louis: Mosby Year Book, 1998, p1721-1727
24. Close LG, Merkel M, Burns DK, Deaton CW, Schaefer SD. Asymptomatic laryngocele: Incidence and association with laryngeal cancer. Ann Otol Rhinol Laryngol 1997;96:393-399
25. Coleman RE. Clinical PET in oncology. Clinical Positron Imaging 1998;1(1):15-30.
26. Cummings CW, Larson SM, Dobie RA, Weymuller EA, Rudd TG, Merello A. Assessment of cobalt 57 tagged bleomycin as a clinical aid in staging of head neck carcinoma. Laryngoscope 1981;91:529-537
27. Curi MM, Dib LL, Kowalski LP, Landman G, Mangini C. Opportunistic actinomycosis in osteoradionecrosis of the jaw in patients affected by head and neck cancer: Incidence and clinical significance. Oral Oncol 2000;36:294-299
28. Deitel M, Bendago M, Krajden S, Ronald AC, Borowy ZJ. Modern management of cervical scrofula. Head Neck 1989;11:60-62
29. DeLacure MD, Lee KJ. Carotid body tumors, vascular anomalies, melanoma, cyst and tumors of the jaws. In: Lee KJ, Essential Otolaryngology, 6th ed. Appleton & Lange, 1995, p.611-617
30. DeVita VT Jr, Canellos GP. The lymphomas. Semin Hematol 1999 Oct;36(4 Suppl 7):84-94
31. Edgerton MT. The treatment of hemangiomas: With special reference to the role of steroid therapy. Ann Surg 1976;183: 517-530
32. Evans A, Niederman J. Epstein-Barr virus. In: Viral Infections of Human Epidemiology and Control, Evans A (Ed), Plenum Publishing, New York 1989. p.265.
33. Evans AS, Niederman JC, Cenabre LC, et al. A prospective evaluation of heterophile and Epstein-Barr virus-specific IgM antibody tests in clinical and subclinical infectious mononucleosis: Specificity and sensitivity of the tests and persistence of antibody. J Infect Dis 1975; 132:546.
34. Evans AS. The history of infectious mononucleosis. Am J Med Sci 1974; 267:189.
35. Fukase S, Ohta N, Inamura K, Aoyagi M. Treatment of ranula wth intracystic injection of the streptococcal preparation OK-432. Ann Otol Rhinol Laryngol 2003;112:214-20.
36. Gourin CG, Johnson JT. Incidence of unsuspected metastasis in lateral cervical cysts. Laryngoscope 2000;110:1637-1641
37. Greinward JH Jr, Burke DK, Sato Y, et al. Treatment of lymphangioma in children: An update of picibanil(OK-432) sclerotherapy. Otolaryngol Head Neck Surg 1999;121:381-7
38. Hautzel H, Muller-Gartner HW. Early changes in fluorine-18-FDG uptake during radiotherapy. J nucl Med 1997;38(9):1384-1386
39. Heath CW Jr, Brodsky AL, Potolsky AI. Infectious mononucleosis in a general population. Am J Epidemiol 1972; 95:46.
40. Henle G, Henle W, Diehl V. Relation of Burkitt's tumor-associated herpes-ytpe virus to infectious mononucleosis. Proc Natl Acad Sci U S A 1968; 59:94.
41. Henry JB, Lauzon RB, Schumann GB, Smith GP, Kjeldsberg CR. In urine and other body fluids. Cerebrospinal, synovial and serous body fluids. Henry JB, editors. Clinical Diagnosis and Management by Laboratory Methods, 19th ed. New York: W.B Saunders Company, 1996, p411-482
42. Hiwatashi A, Hasuo K, Shiina T, Ohga S, Hishiki Y, Fujii K, et al. Kimura's disease with bilateral auricular masses. AJNR Am J Neuroradiol 1999;20:1976-1978
43. Hong KH, Yang YS, Park HT, et al Surgical Results of the Intraoral Removal for Plunging Ranula Korean J Otolaryngol 2010;53:702-5
44. Hong SJ, Joo JB, Kim YJ, Lee BJ. Three cases of actinomycosis of the head and neck. Korean J Otolaryngol 2000;43:1259-1262 .
45. Hopkins KL, Simoneaux SF, Patrick LE, Wyly JB, Dalton MJ, Snitzer JA.. Imaging manifestations of cat-scratch disease.. Am J Roentgenol 1996;166:435-438
46. Humar A, Salit I. Disseminated Bartonella infection with granulomatous hepatitis in a liver transplant recipient. Liver Transplant Surg 1999; 5: 249-251
47. Ikarashi T, Inamura K, Kimura Y. Cystic lymphangioma and plunging ranula treated by OK-432 therapy: A repair of two cases. Acta Otolarygol 1994;511:196-9.
48. Jaber MR, Goldsmith AJ. Sternocleidomastoid tumor of infancy: two cases of an interesting entity. Int J Pediatr Otor-hinolaryngol 1999;47:269-274
49. Jackson IT, Carreno R, Potparic Z. Hemangiomas, vascular malformations and lymphovenous malformations: Classifi-cation and methods of treatment. Plast Reconstr Surg 1993; 92:1216-1230
50. Jacomo V, Kelly PJ, Raoult D. Natural history of Bartonella infections (an exception to Koch's postulate). Clin Diagn Lab Immunol 2002;9:8-18
51. Johkoh T, Muller NL, Ichikado K, Nishimoto N, Yshizki K, Honda O, et al. Intrathoracic multicentric Castleman disease: CT findings in 12 patients. Radiology 1998;209:477-481
52. Keller AR, Hochholzer L, Castleman B. Hyaline-vascular and plasma

cell types of giant lymph node hyperplasia of the mediastinum and other locations. Cancer 1972;29:670-683
53. Kikuchi M. Lymphadenitis showing focal reticulum cell hyperplasia with nuclear debri and phagocytosis. Acta Haematol JPN 1972;35:379-380
54. Kim JY, Suh KS, Kim YK. Diagnosis and management of tuberculous cervical lymphadenitis. Korean J Otolaryngol 1995; 38:275-280
55. Knight PJ, Mulne AF, Vassy LE. When is lymph node biopsy indicated in children with enlarged peripheral nodes? Pediatrics 1982;69:391-396
56. Knight PJ, Reiner CB. Superficial lumps in children : What, When, and Why? Pediatrics 1983;72:147-153
57. Lau Sk, Wei WI, Kwan S, Yew WW. Combined use of fine needle aspiration cytologic examination and tuberculin skin test in the diagnosis of cervical tuberculosis lymphadenitis. A prospective study. Arch Otolarygeal Head Neck Surg 1991;117:87-90
58. Lee KJ, Mark EL. Syndromes and eponyms. In: Lee KJ, Essential Otolaryngology, 7th ed. Appleton & Lange, 1999, p200-213
59. Leitha T, Glaser C, Pruckmayer M, Rasse M, Millesi W, Lang S, et al. Technetium-99m-MIBI in primary and recurrent head and neck tumors: contribution of bone SPECT image fusion. J Nucl Med 1998;39(7):1166-1171
60. Lerosey Y, Lecler-Scarcella V, Francois A, Guitrancourt JA. A pseudotumoral form of Kikuchi's disease in children: A case report and review of the litera-ture. Int J pediatr Otorhinolaryngol 1998;45:1-6.
61. Lin HC, Su CY, Huang CC, Hwang CF, Chien CY. Kikuchi's disease: A review and analysis of 61 cases. Otolaryngol Head Neck Surg 2003;128:650-653
62. Lindholm P, Minn H, Leskinen-Kallion S, Bergman J, Ruotsalainen U, Joensuu H. Infulence of the blood glucose concentration on FDG uptake in cancer - a PET study. J nucl Med 1993;34(1):1-6
63. Lowe VJ, Dunphy FR, Varivares M, Kim H, Wittry M, Watson NJ, Case LD, et al. Evaluation of chemotherapy response in patients with advanced head and neck cancer using FDG-PET. Head Neck 1997;19(8):666-674
64. Mancuso AA, Harnsberger HR, Muraki AS. Computed tomography of cervical and retropharyngeal lymph nodes: Normal anatomy, variants of normal and applications in staging head and neck cancer. Part II: Pathology. Radiology 1983;148:715-723
65. McAdams HP, Rosado-de-Christenson M, Fishback NF, Templeton PA. Castleman disease of the thorax: Radiologic features with clinical and histopathologic correlation. Radiology 1998;209:221-228
66. McGuirt WF, McCabe BF. Significance of node biopsy before definitive treatment of cervical metastatic carcinoma. Laryngoscope 1978;88:594-597
67. McGuirt WF. Differential diagnosis of neck masses. In: Cummings CW, Fredrickson JM, Harker LA, Krause CJ, Schuller DE, editors. Otolaryngology-Head and Neck Surgery, 4th ed. St. Louis: Mosby Year Book, 2005, p2540-2553
68. McGuirt WF. The neck mass. Med Clin North Am 1999 Jan;83(1):219-234
69. Medina JE. Neck dissection. In: Bailey BJ, Head & Neck Surgery-Otolaryngology, 2nd ed. Philadelphia: Lippincott-Raven, 1998, p1587
70. Messina-Doucet MT, Amstrong WB, Allison G, Pena F, ValeraKIm JK. Kimura's disease: Two case report and a literature review. Am Otol Rhino Laryngol 1998;107:1066-1071
71. Miller M, Haddad AJ. Cervicofacial actinomycosis. Oral Surg OralMed Oral Pathol Oral Radiol Endod 1998;85:496-508
72. Morris MC, Edmunds WJ. The changing epidemiology of infectious mononucleosis? J Infect 2002; 45:107
73. Motoi M, Wahid S, Horie Y, et al. Kimura's disease : Clinical, histological and immunohistochemical studies. Acta Med Okayama 1992;46:449-455
74. Mulliken JB, Glowacki J. Classification of pediatric vascular lesions. Plast Reconstr Surg 1982;70:120-121
75. Myssiorek D, Persky M. Laser endoscopic treatment of laryngocele and laryngeal cysts. Otolaryngol Head Neck surg 1989;100:538-541
76. Orford J, Barker A, Thonell S, King P, Murphy J. Bleomycin therapy for cystic hygroma. J Pediatr Surg 1995;30(9):1282-1287
77. Pamaraju N, Khalifa SA, Darwish A, et al. Kimura's disease. J Laryngol Otol 1996;110:1084-1087
78. Patel NN, Hartley BE, Howard DJ. Management of thyroglossal tract disease after failed Sistrunk's procedure. J Laryngol Otol 2003; 117: 710-2.
79. Prasad HK, Bhojwani KM, Shenoy V, Prasad SC. HIV manifestations in otolaryngology. Am J Otolaryngol 2006;27(3):179-85
80. Rahal A, Abela A, Arcand PH, et al. Nontuberculous mycobacterial adenitis of the head and neck in children: experience from a tertiary care pediatric center. Laryngoscope 2001;111(10):1791-6
81. Robbins KT, Samant S. Neck dissection. In: Cummings CW, Flint PW, Harker LA, Haughey BH, Richardson MA, Robbins KT, Schuller DE, Thomas JR, editors. Otolaryngology-Head and Neck Surgery, 4th ed. St. Louis: Mosby Year Book, 2005, p2614-2645
82. Silver CE, Rubin JS. Cysts and primary tumors of head and neck. In: Silver CE, Rubin JS, editors. Atlas of Head and Neck Surgery, 2nd ed. Churchill Livingstone, 1999, p1-25
83. Sistrunk WE. The surgical treatment of cysts of the thyroglossal tract. Ann Surg 1920; 71: 121-4.
84. Skandalakis JE, Gray SW, Takakis NC. Tumors of the neck. Surgery 1960;48:375-384
85. Som PM, Biller HF : Kimura disease involving parotid gland cervical nodes : CT and MR findings. J Comput Assist Tomogr 1992;16:320-322
86. Som PM. Detection of metastasis in cervical lymph nodes: CT and

MR criteria and differential diagnosis. Am J Radiol 1992;158:961-969
87. Som PM1, Curtin HD, Mancuso AA. An imaging-based classification for the cervical nodes designed as an adjunct to recent clinically based nodal classifications. Arch Otolaryngol Head Neck Surg. 1999 Apr;125(4):388-96.
88. Spiro RH. Cervical node metastasis from epidermoid carcinoma of the oral cavity and oropharynx. Am J Sung 1974; 128:562
89. Sprunt TP, Evans FA. Mononucleosis leukocytosis in reaction to acute infections (infectious mononucleosis). John Hopkins Hosp Bull 1920; 31:409.
90. Strasinger SK. Miscellaneous body fluids. Urinalysis and body fluids, 3rd ed. Philadelphia: F. A. Davis Company, 1994, p159-203
91. Stuckensen T, Kovacs AF, Adams S, Baum RP. Staging of the neck in patients with oral cavity squamous cell carcinomas: a prospective comparison of PET, ultrasound, CT and MRI. J Maxillofac Surg 2000;28(6):319-324
92. Takahashi S, Ueda J, Furukawa T, et al. Kimura disease. CT and MR findings. AJNR Am J Neuroradiol 1996;17:382-385
93. van den Brekel MWM, Stel HV, Castelijns JA, et al. Cervical lymph node metastasis: assessment of radiologic criteria. Radiology 1990;177:379-384
94. Wang SG. Differential Diagnosis and Treatment of Neck Masses. J Korean Med Assoc. 2007 Jul;50(7):613-625.
95. Watanabe K, Tomiyama S, Jinnouchi K, Nakajima H, Yagi T. Local injection of OK-432 in the treatment of ranula: A case report. Ear Nose Throat J 2002;81:97-8.
96. Weber RS, Byers RM, Petit B, et al. Submandibular gland tumors. Adverse histologic factors and therapeutic implications. Arch Otolaryngol Head and neck Surg 1990;116: 1050.
97. Weymuller EA Jr, Kiviat NB, Duckett LG. Aspiration cytology and cost effective modalty. Laryngoscope 1983;93:561
98. Yousem DM, Hatabu H, Hurst RW, Seigerman HM, Montone KT, Weinstein GS, et al. Carotid artery invasion by head and neck mass: prediction with MR imaging. Radiology 1995;195:715-720
99. Zhong LP, Chen GF, Zhao SF. Cervical Castleman disease in children. Br J Oral Maxillofac Surg 2004;42:69-71
100. Zimmer LA, McCook B, Meltzer C, Fukui M, Bascom D, Snyderman C, et al. Combined positron emission tomography/computed tomography imaging of recurrentthyroid cancer. Otolaryngol Head Neck Surg 2003;128(2):178-184
101. 최종욱. 경부 림프전이의 기전 및 치료. 서울심포지움 3:251-272, 1989
102. 추광철. 경부종괴의 진단과 치료. 서울심포지움 2:145-158, 1987

CHAPTER

32

선천성 경부 종물과 양성종양

양훈식, 주영훈

I 경부의 선천성 이상

1. 새열기형

새열기형(branchial cleft anomalies)은 선천성 경부 종물 중 갑상설관낭종 다음으로 흔하며 선천성 측경부 종괴의 가장 흔한 원인으로 소아 경부 종물의 약 17~30% 정도를 차지한다고 알려져 있다. 새열기형은 90% 이상이 제2 새열기형이며 제1 새열기형은 1~8% 정도이고 제3과 제 4 새열기형은 훨씬 더 드물다.[16, 21]

1) 발생 원인

새열기형은 태생기 2주경에 발생하여 태생 6~7주경에 분화를 마치는 새성기관(branchial apparatus)의 불완전한 폐쇄에 의해 발생한다. 새열기관은 중심부에 중배엽성 새궁(mesodermal branchial arch)을 갖고 있고, 내부는 내배엽성인 새낭(endodermal internal pouch), 외부는 외배엽성인 새구 혹은 새열(ectodermal groove or cleft)로 구성된다. 태생기 5주경 6쌍의 새궁 중 제5, 6 새궁은 퇴화되어 사라지고 4쌍의 새궁만 남게 된다. 이 중 제2 새궁은 하방으로 커지는 속도가 빨라 제3과 제4 새궁 위로 크게 자라 하경부에 있는 심외막융선(epicardial ridge)과 융합하게 되며, 따라서 제2, 제3, 제4 새열은 외부로부터 고립되어 외배엽 상피로 구성되는 경관(cervical sinus of His)을 형성하는데 이는 태생기 2개월 말에 완전히 폐쇄된다. 이 과정 중 제2 새궁이 아래로 자라지 못하거나 경관이 완전히 폐쇄되지 않으면 여러 형태의 기형이 발생한다.[47]

새열기형은 형태에 따라 낭종(cyst), 누공(fistula) 그리고 동(sinus)의 형태로 나뉘며, 새열낭종의 경우 상피하 조직에 배중심(germinal center)을 포함한 림프조직이 있어 림프절이 낭성 변화를 하여 발생한다는 주장도 있으나 현재 많은 저자들이 낭종, 동, 누공이 새성기관에서 기원한다는 사실에 동의하고 있다.[7, 16]

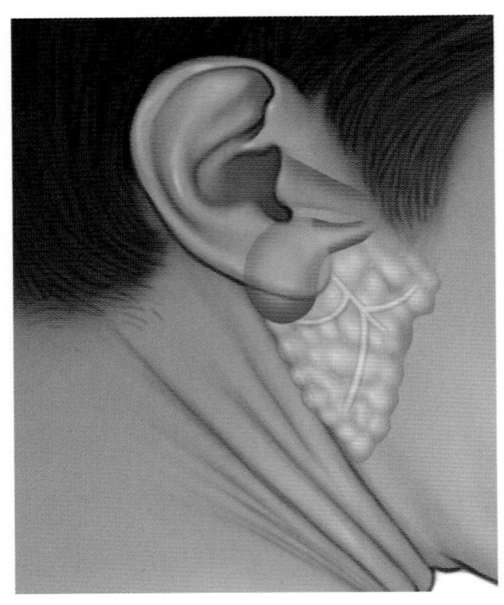

■ 그림 32-1. **제1 새열기형 제1형 주행**

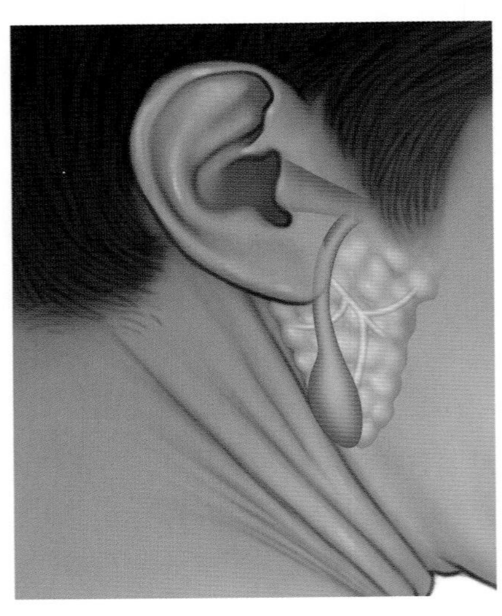

■ 그림 32-2. **제1 새열기형 제2형 주행**

2) 분류

Work는 제1 새열기형을 병리학적 소견과 임상 양상을 기준으로 제1형(Type Ⅰ)과 제2형(Type Ⅱ)으로 구분하였다.[55] 발생학적으로 제1 새열만이 정상적으로 태생기 동안 남아서 외이도와 고막의 편평상피세포층을 형성하며, 이상 발육 시 외이도 무형성, 중복 이상, 폐쇄, 또는 협착 등으로 나타날 수 있다. 제1형은 외배엽의 외이도 연골 부위의 중복(duplication) 이상으로 발생하며 제2형보다 빈도가 적고 대개 이개의 내측, 하방, 후방에서 안면신경의 외측에 위치하며 낭성 종물의 형태로 나타난다. 낭종은 외이도와 평행하게 주행하며 골성 외이도에서 맹낭(blind pouch)을 형성하며 끝나는 경우가 많다(그림 32-1). 제2형은 외이도 및 이개(auricle)의 중복 이상으로 중배엽인 제1과 제2 새궁의 성분과 외배엽인 제1 새열의 성분으로 구성되어 있어 피부부속기와 유리연골 등이 존재할 수 있다. 대개 하악각(angle of mandible)의 하부에 흉쇄유돌근(sternocleidomastoid muscle)의 전방을 따라 위치하며 안면신경의 내외측에 또는 교차하여 위치할 수 있고 외이도로 개구한다(그림 32-2, 3).[1]

제2 새열기형은 가장 흔한 형태의 새열기형으로 인두

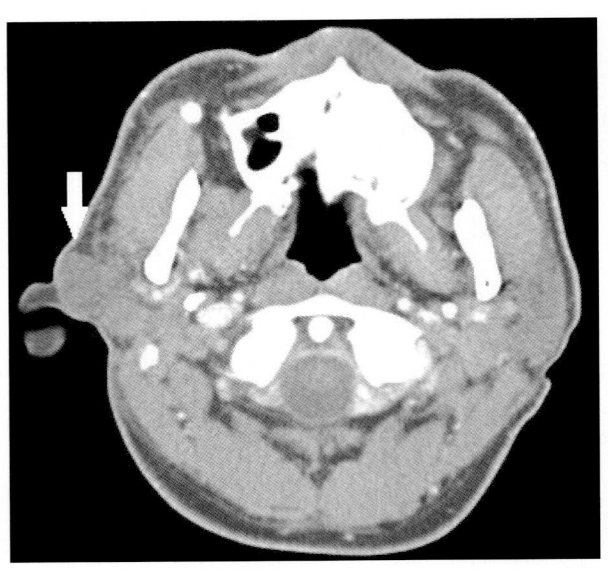

■ 그림 32-3. **제 1형의 CT 소견**

또는 피부로의 연결 여부에 따라 낭종(cyst), 동sinus, 누공(fistula)의 형태로 구분한다.[16] 누공의 경우 피부로의 연결은 흉쇄유돌근의 하방 1/3 전방에 있으며, 경동맥의 외측 상부로 주행하여 내경동맥과 외경동맥의 사이에서 내측으로 들어가며 설인신경 및 설하신경의 상부와 경설골인

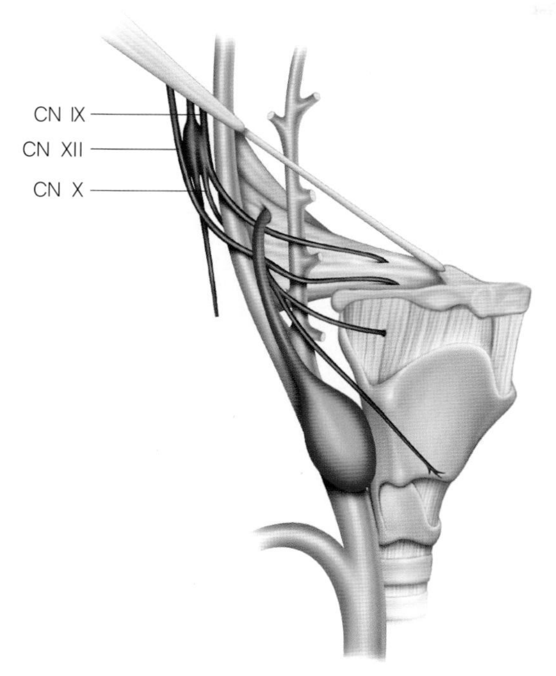

■ 그림 32-4. **제2 새열기형의 낭과 동로의 주행**

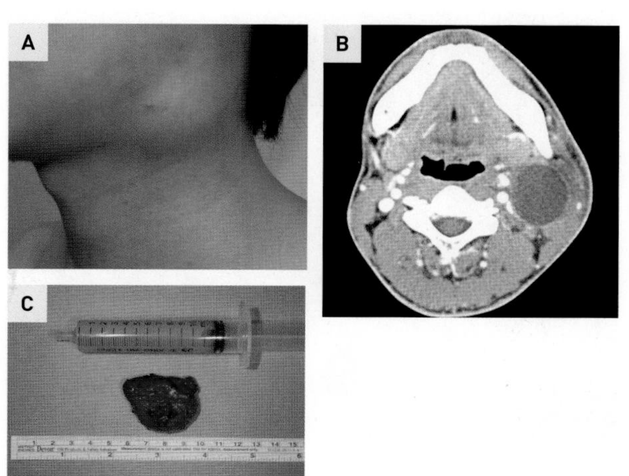

그림 32-5. **A)** 흉쇄유돌근 전방에 위치한 제2 새열낭종. **B)** CT 소견. **C)** 적출된 조직.

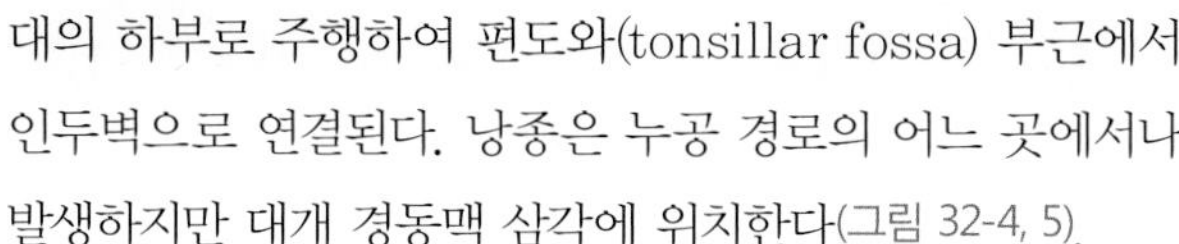

대의 하부로 주행하여 편도와(tonsillar fossa) 부근에서 인두벽으로 연결된다. 낭종은 누공 경로의 어느 곳에서나 발생하지만 대개 경동맥 삼각에 위치한다(그림 32-4, 5).

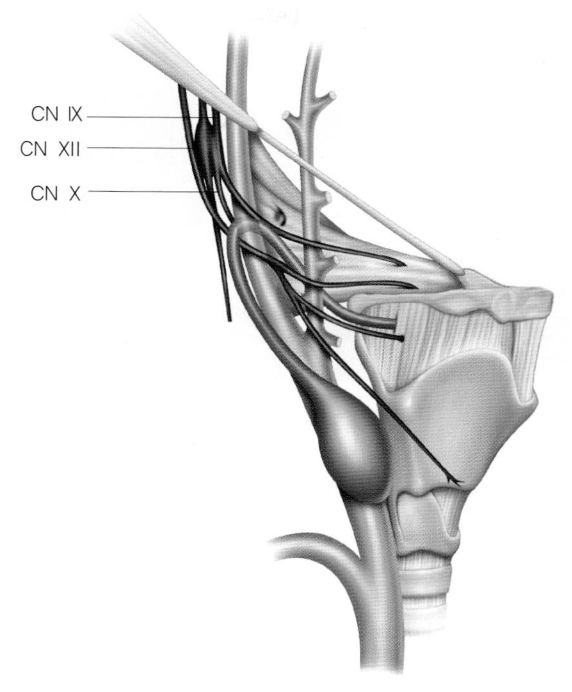

■ 그림 32-6. **제3 새열기형의 낭과 동로의 주행**

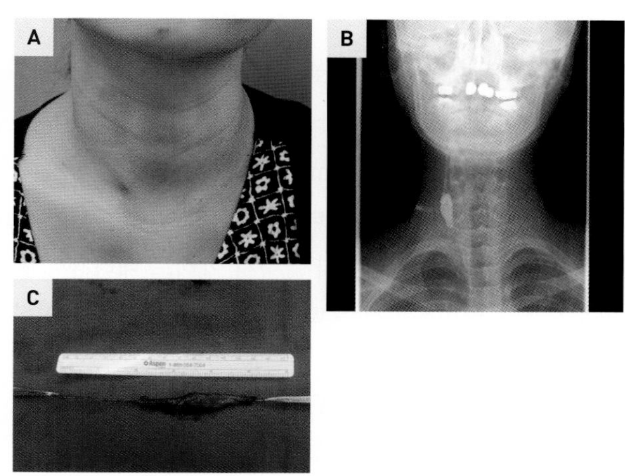

그림 32-7. **A)** 흉쇄유돌근 전하방에 위치한 제3 새열누공. **B)** 누공조영술 소견. **C)** 적출된 조직.

제3 새열기형의 누공은 제2 새열기형과 마찬가지로 피부와의 연결은 흉쇄유돌근의 전방에 있으나 경부 대혈관의 후방으로 주행하여 설하신경과 설인신경의 사이를 지

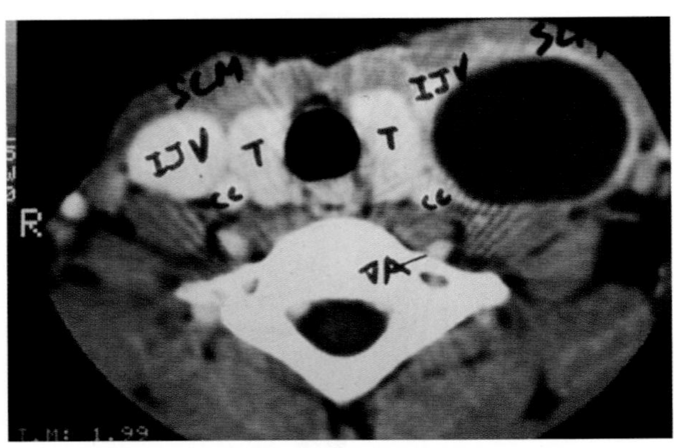

■ 그림 32-8. **제3 새열기형의 CT 소견**

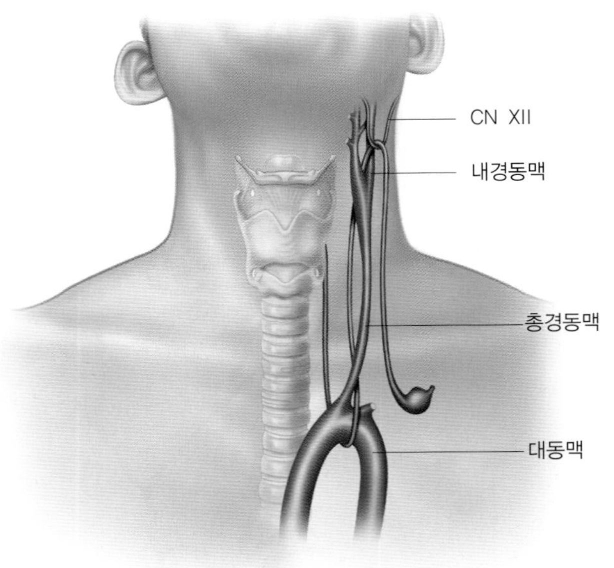

■ 그림 32-9. **제4 새열기형의 주행**

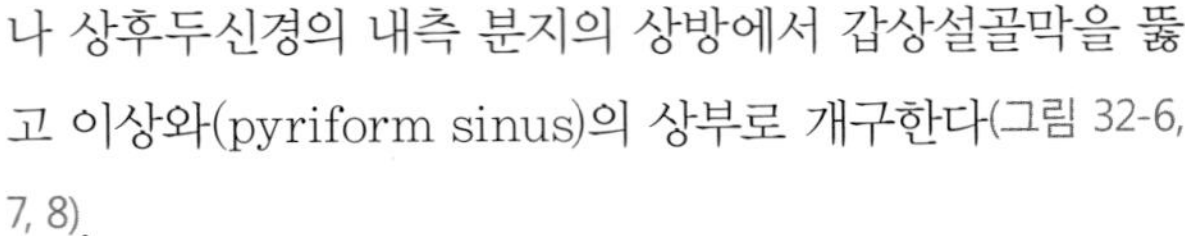

나 상후두신경의 내측 분지의 상방에서 갑상설골막을 뚫고 이상와(pyriform sinus)의 상부로 개구한다(그림 32-6, 7, 8).

제4 새열기형은 대개 좌측에서 발생하며 누공의 경로는 이상와의 첨단(apex)에서 시작하여 기관과 반회후두신경의 측방으로 하행한 후 우측 경부에서는 우측 쇄골하동맥의 하방을 돌아 경부로 올라오지만 좌측에서는 대동맥궁(aortic arch)의 후방을 따라 하부로 주행하여 대동맥궁을 돌아 총경동맥(common carotid artery)의 후방을 통하여 경부로 올라온다. 경부로 올라온 누공은 설하신경의 상부까지 올라갔다가 다시 아래로 내려가서 흉쇄유돌근의 전방에서 경부 피부로 연결된다. 하지만 아직까지 수술로써 전체 누공의 경로를 확인한 경우는 없었다. 제4 새열기형은 갑상선주위공간(perithyroid space), 갑상선 또는 경부식도(cervical esophagus)에서 끝나기도 하며, 낭의 형태로 존재할 때는 후두와 대혈관 사이에 위치하기도 한다(그림 32-9, 10).[42]

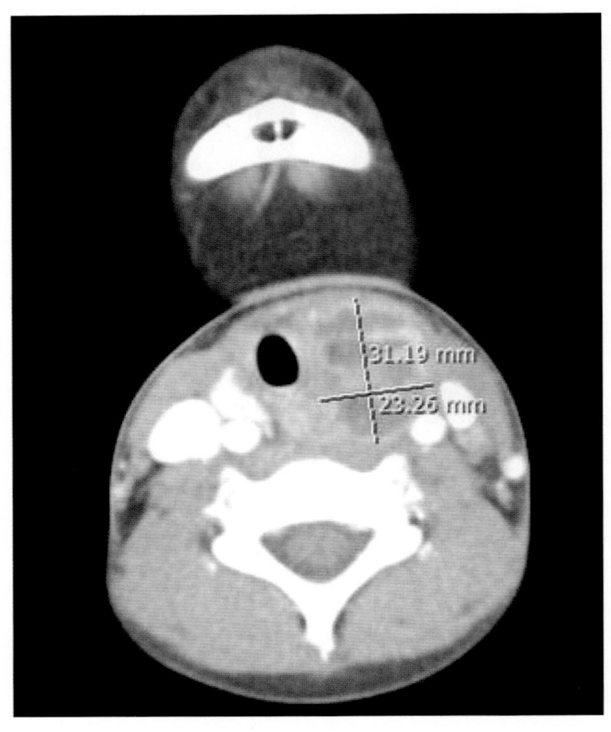

■ 그림 32-10. **제4 새열기형의 CT 소견**

3) 증상

제1 새열기형은 이개 하방 부위에 농양이 발생한 것으로 오인되어 국소적인 절개, 배농술만 시행하여 진단이 늦어지는 경우가 많으므로 주의를 요한다. 제1형은 이개의 후방부위에 낭종 또는 누공의 형태를 보이며 반복적으로 염증과 배출물이 나오며 병변은 중고실(mesotympanum) 근처의 골판(bony plate)에서 끝나는 경우도 있다. 제2형은 경부에서 누공의 형태로 시작하며 누공로는 외이도의 내하방으로 주행한다. 흔히 누공의 상부는 외이도 바닥에 개구(opening)하고 하부는 하악의 하연에 평행한 부위에 흉쇄유돌근의 전방에 개구한다. 제2형은 이하선 내에 존재하므로 안면신경과 연관을 가져 안면신경의 내측 또는 외측으로 주행하지만 안면신경의 분자들 사이로 주행하는 경우도 있다.[21] 대부분의 제1 새열기형은 중이나 고막의 침범은 없으나 경부의 반복적인 농양과 고막이나 중이에 낭성 병변을 보이는 예도 있다.

제2 새열기형은 대부분 일측성이지만 드물게 양측에 발생하는 경우도 있으며, 낭종의 형태가 누공이나 동의 형태보다 3배 정도 흔하다.[16] 제2형 새열낭종은 임상적으로 측경부의 하악후방, 흉쇄유돌근의 전방에 위치하는 매끄럽고 부드러운 타원형의 낭종으로 나타난다(그림 32-5A).

상기도 감염과 연관되어 병변의 크기가 증가하고 통증이 발생하는 경우가 있는데 이러한 상기도 감염으로 인한 낭종의 크기 변화는 약 25%의 환자에서 관찰되며 이러한 과정에서 낭종이 농양(abscess) 또는 누공으로 그 형태가 바뀌기도 한다.[16, 21] 가장 많이 발견되는 연령층은 10대이고, 신생아에서 나타나는 경우는 매우 드물며, 외부에 누공로가 없으면 신생아에서 제2 새열기형을 진단하기는 쉽지 않다.[40]

제3 새열기형은 부인두낭종(parapharyngeal cyst)으로 나타나는 경우도 있으며, 신생아에서는 기도폐쇄를 일으킬 수도 있다. 부인두공간(parapharyngeal space) 내의 낭종은 부인두종양(parapharyngeal tumor)의 0.7~3%를 차지한다.[40]

제4 새열기형은 대부분 소아에서 증상이 나타난다. 누공의 내공이 이상와로 연결됨에 따라 분비물이나 음식물에 노출되어 10세 이전에 반복된 좌측경부의 농양 형태로 나타나며, 반복적인 급성 화농성 갑상선염의 형태로 나타날 수도 있고, 영아에서는 반복적인 인후두농양과 봉소염으로 인해 호흡곤란(respiratory difficulty) 또는 연하곤란(dysphagia)과 같은 폐쇄증상(obstructive symptom)이 올 수 있다.[24, 42]

4) 진단

경부에 낭성 종괴가 있으면 병력을 철저하게 청취하고 이과적인 진찰을 포함한 신체검사를 실시해야 한다. 메틸렌블루를 섞은 물을 삼키게 한 후 피부의 누공으로 푸른 물이 나오는 것을 관찰해보면 인두에서 시작하는 누공로로 통해 있다는 것을 확인할 수 있다. 내시경으로 후두, 특히 이상와를 주의 깊게 관찰하면 인두에서 누공로의 개구부를 확인할 수도 있다.[42]

진단이 명확하지 않은 경우에 세침으로 종괴를 흡입하는 것이 도움이 되는데, 특히 제2 새열낭종의 경우 림프절염, 전이성 림프절, 신경성 종양, 경동맥구 종양(carotid body tumor) 등과 감별해야 한다. 낭종은 노란 액체 또는 콜레스테롤 산물로 채워져 있으며, 세침흡인세포검사에서 상피세포가 발견되면 진단에 도움이 된다.[21, 45](그림 32-5C)

이상와누공과 함께 급성 갑상선염, 갑상선농양 또는 갑상선낭이 있는 환자에게는 항생제를 투여하여 염증을 치료한 후에 바륨 식도조영술(barium esophagogram)을 시행하여 이상와에서 시작하는 동로를 확인할 수 있으나 조영제가 동로로 들어가지 않으면 동을 확인할 수 없다. 이런 경우에는 도관(catheter)을 이상와에 위치시키고 조영제를 주입하여 누공을 확인할 수도 있다. 또한 피부 누공을 통하여 조영제를 주입한 후 경부 단순방사선 촬영하면 새열누공의 시작 부위와 경로를 확인하는 데 도움이 된다(그림 32-7B).

CT는 새열기형의 방사선진단법 중 가장 좋은 방법으로 알려져 있다.[21] 전형적인 낭종의 경우 흉쇄유돌근의 전연을 따라 비교적 균등질의 종괴가 관찰되지만 낭의 중앙부에서는 약간 감소된 음영이 보이고 주위의 테두리에서

는 음영이 증가되는 양상을 확인할 수 있다.[10]

MRI도 연조직의 (행상도)해상도가 좋기 때문에 좋은 검사법이다. MRI에서는 T1 강조영상에서 낮은 신호를, T2 강조영상에서 높은 신호를 보이지만 낭 내에 단백이 많으면 T1 강조영상에서도 높은 신호를 보일 수 있다.

5) 치료

새열기형의 가장 좋은 치료는 완전 적출이다. 그러나 많은 환자가 절개배액의 병력이 있어 진단 및 치료에 어려움이 있으며 반복되는 감염으로 인한 섬유화 때문에 적출에 어려움을 겪기도 한다.

제1 새열기형의 수술 시에는 안면신경의 확인 및 보존에 유의해야 한다. 특히 소아의 안면신경은 가늘고 표면으로 주행하며 안면신경의 지표가 불확실하고 병변과 안면신경과의 관계가 성인에 비해 변이가 많기 때문에 소아에서 적출할 때는 더욱 주의해야 한다. 이하선 천엽절제술과 함께 병변을 적출하여 성공적으로 수술을 마칠 수 있으며, 누공로가 연골성 외이도를 침범한 경우에는 연골과 연골을 덮는 피부를 병변과 함께 적출한다. 누공로가 측두골로 들어가 있으면 측두골까지 추적하여 누공로를 잘라내고, 고막이나 중이강 내의 병변은 측두골에서 분리하여 적출한다. 이러한 경우 고막 일부를 절제하는 경우도 있으나, 누공로가 측두골로 들어가는 부위는 충분히 제거해야 한다. 병변을 적출한 후에는 외이도의 협착을 방지하기 위하여 3~4주간 충전(packing)이 필요하다.[21]

제2 새열기형에는 병변을 찾아 흉쇄유돌근의 전연을 중심으로 피부의 자연적인 주름을 따라 횡절개를 가한다. 낭종의 경우에는 낭종 주위를 조심스럽게 박리하여 적출하고, 누공로가 존재하는 경우에는 병변이 경동맥초(carotid sheath)를 따라 올라가서 내경동맥과 외경동맥 사이로 들어가서 설하신경 및 설인신경의 상부로 주행하여 편도와에서 끝나므로 이를 추적하고 박리하여 적출한다.[16]

제3 새열기형에는 경부의 설골 부위와 피부의 누공 부위에 피부의 주름선에 평행한 2개의 절개선을 가한다. 제3 새열기형의 누공은 제2 새기형과 마찬가지로 흉쇄유돌근의 전방에서 피부와 연결되나 경부 대혈관의 후방으로 주행하여 설하신경의 상부와 설인신경의 하부 사이로 통과해서 이상와에 연결된다.[43]

화농성 갑상선염을 보이는 제4 새열기형의 수술적 적출은 급성 감염을 치료하고 1~2개월 후에 시행한다. 절개는 갑상선절제술과 같은 피부 절개를 가하고 반회신경을 보존하면서 새열기형이 포함되도록 갑상선의 편측엽을 완전히 또는 부분 적출하고 경동맥초를 견인하면서 누공로를 하인두수축근을 지나 이상와까지 추적하여 제거한다. 수술 시에 이상와를 통하여 Forgaty 도관(catheter)을 삽입하여 누공로를 추적하면 박리에 도움이 될 수 있다.[24,43]

6) 예후와 합병증

새열기형의 적출 후 재발률은 초수술의 경우 약 3% 정도이나 수술의 기왕력이 있었던 예에서는 약 20%로 증가한다. 수술의 합병증은 수술 중 신경이나 혈관의 손상 때문에 발생한다.[42]

2. 갑상설관 기형

갑상설관 기형(thyroglossal duct anomalies)은 경부에 발생하는 선천성 기형 중 가장 흔하다. 출생 후에 갑상설관이 남아 있는 경우는 약 7%로 보고되어 있으며, 갑상설관의 하부가 남아 이루어진다고 알려진 추체엽(pyramidal lobe)은 25~30%에서 발견된다. 갑상선 발생의 이상도 경부종괴로 나타날 수 있다. 이소성 갑상선 조직(ectopic thyroid tissue)이나 갑상선 조직이 경부 하부로 내려오지 못한 경우 등 여러 가지 갑상선 변이(aberrations)가 있으며, 설근부에 갑상선 조직이 남아 있는 경우도 정상인의 약 10%에서 존재한다.[23]

태생 8주에 맹공에서 갑상선까지의 갑상설관은 소멸되지만 소멸되지 않을 경우 낭, 동, 누공의 형태로 선천성 기

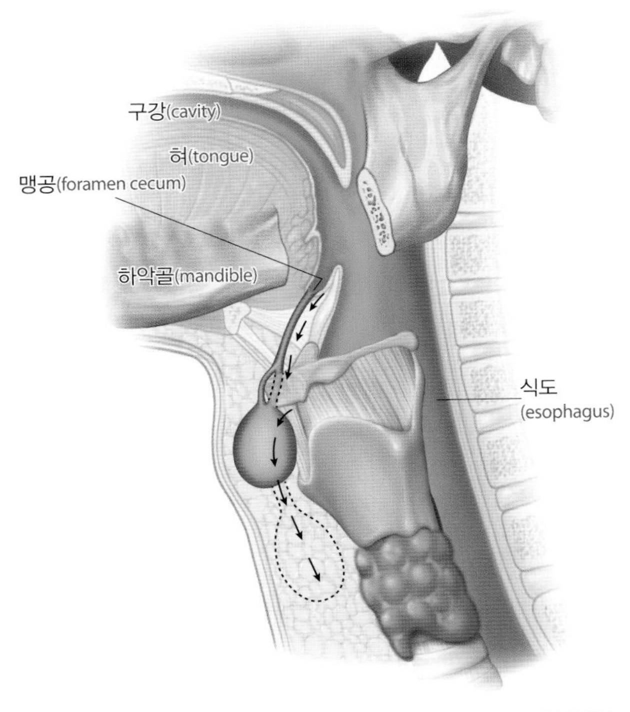

■ 그림 32-11. **갑상설관 기형의 발생**

형이 나타날 수 있으며 성별, 인종별, 지역별 차이 및 가족력의 차이는 없다.[32]

1) 발생 원인

정상 발생 과정 중 갑상설관은 제1 새궁에서 발생한 기관과 설골, 두번째 새궁 이하에서 발생한 갑상설골막(thyrohyoid membrane)과 갑상연골 사이에 있다. 설골은 두 번째 새궁에서 유래하며 갑상선이 하강한 후에 발생한다. 따라서 태생 7주경에는 갑상설관이 설골 하부와 설골 상부로 나뉘게 된다.[14] 갑상설관은 대부분 갑상연골, 윤상연골 및 발생 중인 설골의 전방에 위치하게 되지만 설골의 후방 또는 설골을 통하거나 설골 내에서 멈추는 경우도 있다(그림 32-11).[54]

2) 증상

갑상설관낭(thyroglossal duct cyst)은 50% 정도가 10세 이하의 소아에서 발견되며, 70% 정도는 30세 이하에서

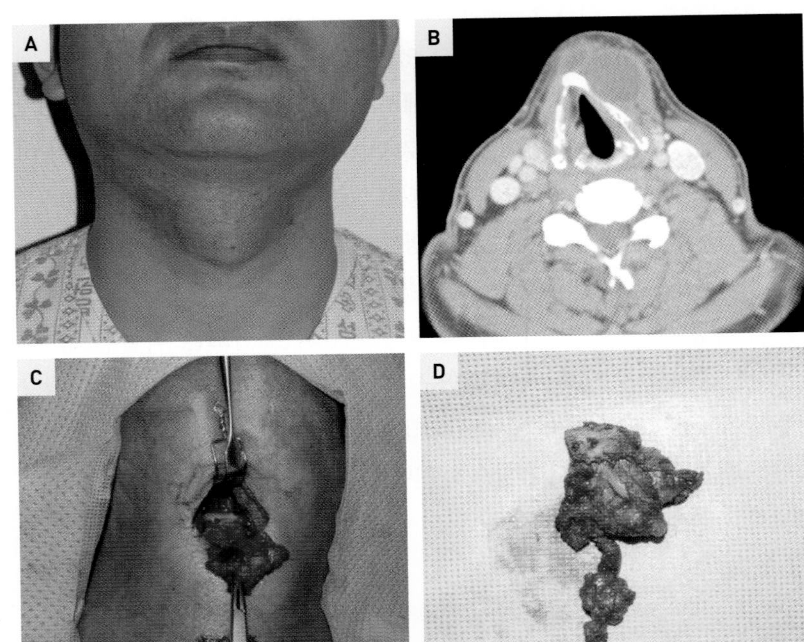

■ 그림 32-12. **A)** 경부 중앙에 위치한 갑상설관낭, **B)** CT 소견, **C)** Sistrunk 법 수술, **D)** 적출된 조직

발견된다.[23] 대부분 무증상, 무통의 정중 경부종괴로 부드럽거나 견고하고, 유동성이어서 침을 삼킬 때나 혀를 내밀면 종괴가 움직이는 것을 확인할 수 있다(그림 32-12A).[32]

10~29%에서는 정중선에서 외측으로 치우쳐 나타날 수 있고, 65%에서는 설골 하부에, 20%는 설골 상부에, 15%는 설골부에 발생한다. 대부분의 병변은 설골 가까이에 존재하지만 혀 속에 위치하는 경우가 2%, 흉골 상부에 위치하는 경우도 10% 정도 된다.[4]

낭에 염증이나 감염이 발생하면 통증 등의 증상이 발생하며, 봉소염(cellulitis) 또는 농양으로 발전하는 경우도 있다. 이때의 증상은 연하곤란, 발성장애, 호흡곤란, 낭이 피부로 연결되어 발생하는 배액 등이다.[32] 반복되는 염증도 흔하며 낭이 피부나 구강 내의 혀 또는 맹공으로 연결되어 동로가 형성되는 경우도 35% 정도에서 발견된다.[52]

갑상설관암(thyroglossal duct carcinoma)의 임상증상은 초기에는 양성 갑상설관낭과 유사하다.[54]

3) 진단

병력 청취, 경부의 시진과 촉진을 철저히 시행하며 후두경으로 설근부를 관찰한다.[32] 갑상선 기능검사에서는 대부분 정상이며 다양한 방사선학적 방법을 통해 정상 갑상선 조직의 유무를 반드시 확인해야 한다.

단순 방사선 검사는 제한된 정보를 제공하며 CT 또는 초음파 검사가 기본적 검사로 많이 사용된다. 초음파 검사에서 종괴가 낭성인지 또는 고형인지와 낭성인 경우 낭 내 액체의 성상과 낭벽의 특성을 확인할 수 있다. 특징적인 갑상설관낭의 초음파 소견은 액체가 차 있으며, 중복성 내부 반향반사(reflecting echo)가 관찰되는 점이다.[23]

CT는 설골과의 관계와 병변의 범위를 확인하고 치료계획을 세우는 데 도움을 준다. 또한 CT로 평탄하고 경계가 잘 형성된 병변 주위의 음영 증강을 관찰할 수 있으며, 조영제를 사용하면 내부의 격막이 나타나는 경우도 있다. 내부의 음영은 주위의 근육보다 낮으며 조영제를 사용해도 음영이 증가하지는 않는다. 낭벽이 두껍거나 결절성인 경우와 낭의 내부와 주위에 연조직 음영이 나타나는 경우는 염증이 있었다는 병력을 반영하거나 악성 변화를 시사한다(그림 32-12B).[48]

이소성 갑상선(ectopic thyroid)을 확인하기 위해 술전에 갑상선 스캔을 시행하며 기능적인 갑상선이 정위치에 있는지 알 수 있다. 세침흡인검사도 술 전 검사로 이용되는데, 정중 경부종괴에서 점액성 액체가 흡인되면 갑상설관낭을 의심할 수 있다.[34] 갑상설관암은 술전에 세침흡인검사로 진단할 수도 있으나, 대부분의 경우는 술 후 병리조직검사로 확진한다.

4) 병리조직 소견

갑상설관낭의 상피는 다양하게 나타날 수 있다. 중층편평상피, 위중층원주상피, 이행상피(transitional epithelium) 등이 보고되었으나 호흡기 형태의 위중층원주상피가 약 50%로 가장 많으며 중층편평상피가 다음으로 흔한 상피 형태이다.[29, 35]

갑상설골관 내에 외배엽 세포가 존재하므로 피부부속기가 낭 내에서 발견된 예도 보고되었고, 낭 내에 연골이 있는 예도 보고되었는데, 이는 갑상설관이 하강할 때 설골 근처에서 연골세포가 포함되어 발생한 것일 수도 있으며 감염과 염증으로 인하여 섬유모세포(fibroblast)가 이형성(metaplasia)되어 발생한 것으로 설명할 수도 있다.

갑상설관낭의 병리조직 소견은 낭벽에 갑상여포(thyroid follicle)를 확인하는 것에 기초를 두고 있으며, 낭 내에서 갑상선 조직이 발견되는 빈도는 적출물 중 약 1.5%~62%로 연구마다 다양하다.[14, 23] 그러나 정중 경부낭(neck cyst)에서 갑상선 조직이 발견되지 않았다고 해서 갑상설관낭으로 진단하지 못하는 것은 아니며 낭관이 설골에 인접해 있는 수술적 소견만으로도 진단이 가능하다.[32]

갑상설관낭의 악성 변화는 매우 드물며 갑상설관암의 진단은 낭의 적출 후 병리조직 검사에서 이루어지는 경우가 대부분이다.[31] 부여포세포(parafollicular cell)에서 기원하는 수질암(medullary carcinoma)을 제외하고는 갑상선에서 생길 수 있는 다양한 형태의 암이 발생할 수 있으나, 갑상설관암의 대부분은 갑상선에서 발생하는 종양과 유사한 유두상암이며 편평세포암은 6~9%로 매우 드물다.[32,34] 갑상선여포세포(follicular cell)를 포함한 정상 상피가 존재하고, 상피에서 기원한 암으로 확인되며, 갑상선에는 암이 없는 것이 증명되면 갑상설관암으로 진단할 수 있다.

5) 감별진단

수술 전 감별해야 할 중요한 질환은 이소성 갑상선이다. 이소성 갑상선의 10%만이 경부에서 관찰이 되지만, 75%의 환자에서 이소성 갑상선이 유일한 갑상선조직이다.[23] 이소성 갑상선이 발견되는 소아에서 경도의 갑상선 저하증이 관찰되며, 유일한 갑상선 조직인 이소성 갑상선을 제거하면 평생 갑상선 호르몬을 복용해야 하므로 술 전 갑상선 스캔으로 확인해야 한다. 정중 경부종괴 중 갑상설관 기형이 가장 흔하지만 31%는 다른 병변으로 이 중 유피낭(dermoid cyst)이 두 번째로 흔하다. 유피낭 중 드물게 설골에 유착되어 침을 삼킬 때 움직이는 경우도 있으므로 갑상설관 이상과 감별해야 한다. 유피낭 외에 갑상설골낭과 감별할 질환으로는 새열기형, 피지낭(sebaceous cyst), 낭성누활액낭종(cystic hygroma), 림프절염, 혈관종, 타액선염, 악하 농양(submental abscess), 지방종, 결핵 등이 있다.[14]

6) 치료

치료 시 단순 적출은 피해야 하며 낭, 관과 함께 설골의 중심부를 일괄 절제하는 Sistrunk법이 최선의 방법이다.[4,14] 이 방법은 경부종괴 부위에 약 4 cm의 횡절개를 가하고, 동로가 형성된 경우는 동로를 포함하여 타원형의 절개를 가하며 피부, 피하조직 및 활경근(platysma muscle)을 견인하고 정중근막을 절개하여 낭을 노출시킨다. 낭과 관을 설골 부위까지 박리하고 설골의 중심부를 노출시킨다. 설골의 박리는 소각의 내측에서만 시행하고 경골설골근과 이복근은 박리하지 않는다. 설골의 중심부를 박리한 후에는 설골의 중심부를 1.5~2 cm 폭으로 제거하며, 설골과 맹공 사이에 있는 연조직도 함께 제거한다. 박리 중에 관 주위에 있는 연조직을 충분히 포함시키는 것이 수술 중 관을 훼손하지 않는 요령이다. 손가락을 입 안에 넣어 맹공을 경부 쪽으로 압박하면 박리에 도움이 되며, 맹공 근처에서 제거할 때는 관을 봉합사로 결찰한 후 제거한다.[29]

성인에서 발견된 갑상설관낭은 악성의 가능성이 있기 때문에 반드시 수술해야 한다. 낭을 적출한 후에는 낭을 절개해 낭 내부를 확인하여 종괴가 관찰되면 동결절편검사를 실시하여 암 여부를 확인한다. 암으로 밝혀지면 갑상선과 경부를 다시 한 번 촉진하여 갑상선이나 경부의 종괴가 발견되면 이를 생검하여 동결절편검사로 확인하는 등의 추가 조치가 필요하다.

7) 합병증

단순 적출을 했을 때는 재발률이 20%였으나 Sistrunk법이 보편화된 후에는 재발률이 3~5%로 줄었다. 재수술을 시행한 경우, 반복되는 감염이 있었던 경우, 어린 연령층 및 동로가 형성된 경우에는 재발률이 높다.[29] 갑상선협부(thyroid isthmus)에 갑상설골관이 남게 되면 재발의 위험성이 증가하므로 처음 수술 시 낭 하부에 갑상설관이 존재하는 경우에는 갑상설관을 추적하여 갑상선협부에서 갑상설관을 제거해야 한다. 재발한 경우에는 인두 점막을 크게 절제하고 설골을 충분히 제거해야 하지만 가장 중요한 것은 첫 수술 시 완전 절제하는 것이다.[29]

3. 유피낭

두경부의 유피낭(dermoid cyst)은 드문 병변으로 넓은 범주에서 기형종(teratoma)에 속한다. 유피낭은 조직학적 특성에 따라 epidermoid, dermoid 및 teratoid 세 유형으로 구분된다. Epidermoid type은 표피양낭이라고 하며 섬유피낭에 둘러싸여 피부부속기는 관찰되지 않으며, dermoid type은 유피낭이라고 불리며 다양한 피부부속기가 관찰된다. 제3 유형인 teratoid type은 기형종이라고 하며 피부부속기와 더불어 내, 외, 중배엽의 조직을 모두 포함할 수 있다.[30,33]

유피낭의 6.9%가 두경부에 발생하며, 두경부 유피낭의 80%는 안와 주위, 비강 내와 구강 내에 발생한다. 47%가 안와부에, 23%가 구강저에, 9~24%가 경부에 발생하며, 두경부 유피낭은 정중 경부종괴의 22%를 차지한다.[36]

1) 원인

유피낭의 발생 원인에 관해 몇 가지 가설이 있는데 이 중 상피세포의 배아기 정지(embryonic rest)가 가장 널리 인정되고 있다. 그 외 진피성(dermal)과 표피성(epidermal) 성분의 외상성 이식 및 갑상설관낭종의 변종으로도 설명된다.[22,30]

2) 분류

설하(sublingual) 유피낭은 하악설골근과의 관계에 따라 두 가지로 분류된다. 하악설골근 상부에 존재하는 유피낭은 구강 내로 돌출되고 이설골근을 침범하여 혀와 이설근(geniohyoid muscle)을 전위시킨다. 이 형태는 구강저 유피낭으로도 불리며 두경부 유피낭의 약 23%를 차지한다. 두 번째 형태는 하악설골근의 하부에 존재하며, 하부로 자라서 턱 밑에 종괴를 형성한다. 이 형태는 이하유피낭(submental dermoid)으로 불린다.[2,46]

3) 증상

설하유피낭은 유아에서 발견되는 경우는 드물고 10, 20대에 진단되는 경우가 많다. 이차 감염 없이 낭종 내의 케라틴 조각(keratin debris)과 함께 상피조직에 의해 서서히 성장하여 증상을 일으킨다. 구강저나 턱 밑의 종물로 나타나며 저작, 발음 또는 연하의 장애를 일으킨다. 낭은 피하조직에 존재하고 부드러우며 낭벽은 평활하고 설골에 붙어있는 경우도 있고, 반복되는 감염으로 피부와의 누공이 형성되기도 한다.[14,33]

4) 진단

설하, 턱 밑 또는 정중 경부종괴가 있는 환자의 경우 병력 청취와 신체검사를 시행한다. 설하유피낭일 때는 경부종괴가 유일한 초기 증상일 수 있다.[46]

방사선 검사 시 경부 측면 촬영을 실시하여 낭종의 범

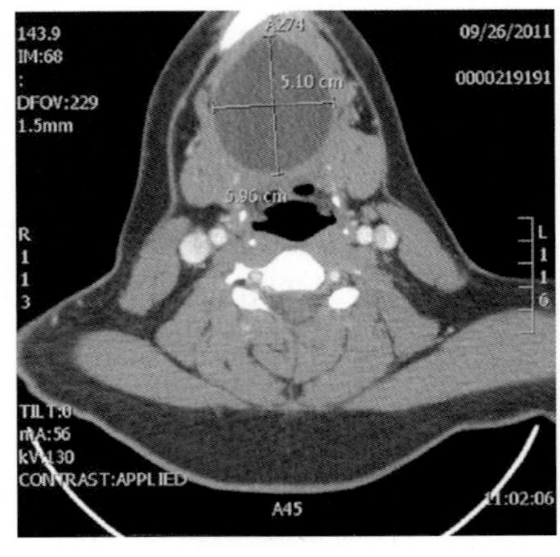

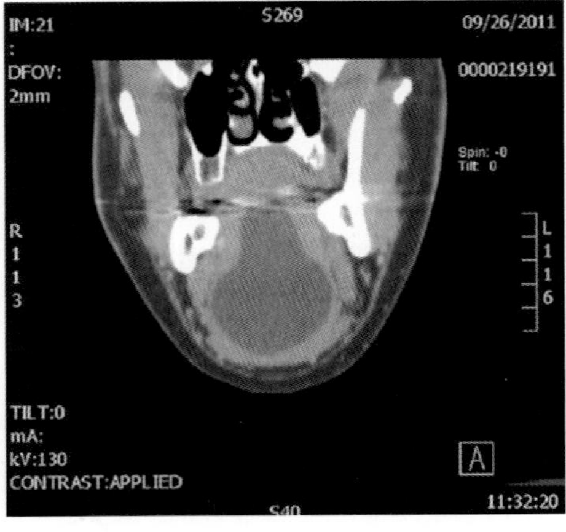

■ 그림 32-13. 유피낭의 CT 소견

위와 기도압박 여부를 확인한다. CT로 낭의 범위를 알 수 있고 유피낭과 지방종을 감별할 수 있다(그림 32-13).

초음파 검사에서 평탄하면서 뚜렷한 경계를 확인할 수 있다. 낭 내에 케라틴 조각이 차 있으면 고형으로 나타나고 낭 내에 혈액이나 염증이 있으면 내부 반사가 보인다. 초음파 검사는 쉽게 접근이 가능하고, 비용이 저렴하며, 고형성 또는 낭성인지 감별할 수 있어 설하, 턱 밑 또는 정중 경부종괴의 초기 검사법으로 추천되고 있다.[51,56]

방사선 검사와 함께 세침흡인검사를 시행하면 유용하다. 흡인 시 짙은 크림 같은 액체가 흡인된다.[22] 그러나 이러한 검사 없이 병변의 위치, 촉진, 병력만으로도 진단할 수 있는 경우가 많다.[56]

5) 병리조직 소견

표피낭은 중층편평상피로 싸여 있고 피부부속기는 함유되어 있지 않다. 유피낭은 피부 구조를 함유한 섬유벽(fibrous wall)을 가지고 있으며, 각화중층편평상피로 싸여 있어 내용물인 치즈 모양의 케라틴을 생성한다. 유피낭의 중요한 조직 소견은 모발, 모낭, 피지선(sebaceous gland)이나 땀샘(sweat gland)과 같은 피부부속기의 존재이다.[14,36] 정중 경부종괴에서 호흡상피, 위장관상피 또는 결체조직이 존재하면 기형종으로 진단할 수 있다. 경부 유피낭의 악성 변화는 보고되지 않았다.[22]

6) 치료

경부 유피낭의 치료는 수술적 적출이다. 수술의 목적은 감염을 예방하고, 기능적 손상을 경감하며, 미용적 효과를 얻는 것이다.[36] 경부로 연장되지 않은 설하유피낭에는 구강 내 절개로 접근할 수 있으며 크기가 큰 구강저의 유피낭은 박리 과정에서 주사기로 내용물을 흡인하여 감압하면 쉽게 박리할 수 있다.[2,22] 이하 유피낭은 턱 밑 피부에 횡절개를 하여 적출한다.

4. 기형종

유피낭이 주로 피지선이나 모발 같은 외배엽 조직에서 유래해 정중부에 호발하는 종양인 반면 기형종(teratoma)은 다잠재성 세포(pluripotential cell)에서 발생하여 외배엽, 중배엽과 내배엽 등에서 유래한 조직을 함유하며 주로 정중부 이외의 부위에 나타난다.[5]

기형종이 호발하는 부위로는 천미추부, 생식선, 종격동이며 두경부에서 발생하는 경우는 드물어 전체 기형종 발생 빈도의 3.5%를 차지한다. 두경부에 발생하는 기형종은 남녀의 발생 비율이 동일하나 그 외 다른 부위에서는 여자에서 6배 정도 호발한다.[30]

주로 딱딱한 경부종괴로 나타나며 크기가 커지면 기관압박을 유발하여 호흡곤란 증세를 나타낼 수 있다. 따라서 유아기에 급격히 자라는 양상을 보이는 경부종괴가 있는 경우에는 기형종을 의심해볼 필요가 있다.[30]

CT와 MRI에서 내재성 석회화(intrinsic calcification)가 있으면 진단하는 데 도움이 되며, 완전 적출로 치료해야만 재발을 방지할 수 있다.[30]

5. 후두실낭종

후두실낭종(laryngocele)은 후두소낭(saccule of larynx)이 비정상적으로 팽창 또는 탈출(herniation)하는 질환으로, 병변이 갑상연골의 내측에 국한된 경우를 내후두실낭종(internal laryngocele), 팽창이 진행하여 갑상연골을 지나 상부로 진행하여 갑상설골막(thyrohyoid membrane)을 통하여 돌출된 경우를 외후두실낭종(external laryngocele)이라고 한다. 후두실낭종은 유소아에서 나타나는 드문 질환이지만 신생아에서 선천성으로 출현하기도 한다. 증상은 애성(hoarseness), 기침과 다양한 정도의 기도폐쇄이다. 신생아에서 기도폐쇄가 있으면 기관삽관(endotracheal intubation)이 필요하며 대부분 삽관 시에 낭종이 눌리기 때문에 기관삽관이 가능하다.[11] 대개 CT나 MRI로 진단이 가능하며 공기로 가득 찬 낭종의 양상을 보인다.

치료는 낭종벽과 함께 낭종을 완전제거하는 것이며, 내시경적으로 CO_2 레이저를 사용하여 낭종벽을 제거하는 방법도 시도된다.

6. 선천성 혈관 병변

선천성 혈관 병변(congenital vascular lesion)에 대해 과거 여러 가지 분류법과 명칭이 혼용되어 사용되었으나 최근에는 이를 혈관종(hemangioma)과 혈관기형(vascular malformation)으로 분류하고 있다(표 12-1).[41] 혈관종은 양성종양의 일종으로 세포의 증식이 관찰되며 출생 시에는 드물게 발견되나 출생 후 빠르게 자라다가 서서히 사라지는 양상을 보인다. 혈관기형은 세포의 증식 없이 혈관의 형태 이상에 의한 병변으로 출생 시부터 관찰되며 저절로 퇴화하지 않는 것이 특징이다(표 12-2).[41]

1) 혈관종(hemangioma)

혈관종은 혈관의 과증식으로 인하여 내피세포에 발생하는 양성종양으로서, 특별한 원인은 현재까지 밝혀지지 않고 있다. 피부에 발생한 경우에는 쉽게 드러나기 때문에 진단이 쉽지만, 내부 장기들에 발생하는 경우에는 무증상으로 진단이 어려운 경우가 있다. 혈관종은 여러 부위에 생길 수 있으나, 두경부에 국한되는 경우는 60% 정도이며, 또한 혈관 변형을 초래하는 경우가 많은 것으로 알려져 있다. 혈관종은 영아기에 가장 흔한 종양이며 대부분 생후 6주 이내에 발생하고 생후 6개월 이내에 95%가 발견되며 출산 후 즉시 발견되는 경우는 드물다. 혈관종은 백인에서 흔하며 남아보다 여아에게 더 많이 발생하고, 1,000 gm 미만의 미숙아 중 23%에서 발생하며 1,500 gm 이상의 미숙아와 정상 분만아는 10~12%에서 발생하여, 심한 미숙아에서 호발하는 것으로 알려져 있다.

초기 징후로는 반점반(macular patch), 창백점(blanched spot), 국소적인 모세혈관확장증(telangiectasis)이 운륜(halo)에 둘러싸인 형태로 나타나고 생후 1년간 크기가 급격히 증가하다가 이후 서서히 줄어들어 5세경 50%가, 7세경 70%가 저절로 사라진다.[3] 80%는 단독병변으로 생기지만 20%에서는 다발성 병변을 보여 두경부 이외에도 체간(trunk), 사지(extremity)에 발생하며 경부와 안면 병변인 경우에는 후두와 기관에도 병변이 존재 할 수 있다.[3,27] 크기 증가로 인한 경부 부종과 더불어 피부 변색 등이 올 수 있으며 내부 침범 시 연하곤란이나 애성 등을 보일 수도 있다. 신생아에서 후두와 상부 기관의 혈관종은 호흡곤란을 유발하는 천명을 나타낼 수 있으며, 이런 부위에 발생한 혈관종은 피부에 생긴 붉은색 혹은 분홍색의 병변과는 달리 병변을 덮고 있는 점막이 정상으로 관찰될 수 있다.[32] 이들 환아의 절반 정도는 피부에 혈관종을 동반한다. 그 외에도 다발성 피부혈관종과 함께 동반되는 내장혈관종은 울혈성 심부전을 유발하여 치명적일 수 있으며, Kasabach-Merritt 증후군(platelet trapping coagulopathy)은 혈액응고 장애를 보여 위장관, 흉막, 복막과 중추신경계의 급성 출혈을 유발하며 혈관종의 급격한 팽창으로 인하여 주위 장기를 압박하는 것으로 알려져 있다.[8]

병력 및 신체검사에서 급격히 성장하고 서서히 감소하는 선홍빛의 종괴가 있으면 진단할 수 있다. 혈관종은 주로 견고하며 고무 같은 느낌을 주고 압박하기 힘든 반면 혈관기형은 쉽게 압박할 수 있으므로 감별이 가능하다. 진단을 위해 여러 가지 방사선학적 검사를 이용하는데 초음파 검사는 시술자의 영향을 많이 받으나 Doppler를 이용하여 혈관종과 'slow-flow', 즉 모세관형, 림프관형, 혼합형의 혈관기형을 감별할 수 있다. MRI는 가장 정확한 진단방법으로 민감도와 특이도가 높으며 혈류의 특징뿐만 아니라 종양의 침범 범위와 혈관종의 종류를 예측할 수 있다. 또한 gadolinium 조영 증강과 반복적인 T 강조 영상을 이용하여 림프성, 정맥성 혈관기형을 구별할 수 있다.[37] CT는 병변의 골내 침범을 예측할 수 있으나

'fast-flow'(동정맥루, 동정맥기형) 병변과 'slow-folw' 병변을 구별할 수 없는 단점이 있다.[17] 혈관조영술(angiography)은 혈관질환의 진단에 이용되고 있으나 최근에는 동정맥기형에서 수술 전에 시행하는 초선택적 색전술(superseletive embolization)에도 널리 이용되고 있다.[17]

치료로는 경과 관찰을 하며 자연 관해를 기다려 보는 방법과 약물 치료, 냉동 치료, 레이저 치료, 수술적 치료 등이 있다. 혈관종은 대부분 자연 소실의 과정을 겪기 때문에 환자와 보호자에게 병의 진행 과정을 충분히 인식시켜주는 것이 중요하며, 10~12세까지 관찰하는 것이 원칙이다. 그러나 혈관종이 너무 큰 경우, 궤양을 유발하는 경우, 외형을 심하게 변형시키는 경우, 눈 주위의 큰 혈관종으로 인해 시야 확보가 어려운 경우, 상기도의 급속히 자라는 혈관종으로 인해 심한 호흡곤란을 겪는 경우에는 초기에 치료가 필요할 수 있다. 수술적 절제술은 술 후 반흔을 남길 수 있어 적극적으로 사용되지는 않지만 최근에는 레이저 시술의 발달로 큰 합병증 없이 치료가 가능하다.[17,27] 혈관종에 대한 약물 치료에서 부신피질호르몬은 일차 약제로 사용되며 종양의 크기를 줄이는 데 효과적인 약물로 알려져 있으나 약을 중단했을 경우 반동효과(rebound effect)로 혈관종이 더 커질 수 있어 사용에 주의를 기울여야 한다.[18,26] 그 외 일정량의 interferon, 특히 interferon-α2a를 매일 피부하로 투여한 결과 종양이 감소하고 치료 종결 후의 재발이 없었다는 보고도 있다.[35] 그러나 림프관종의 치료와는 달리 경화제(sclerosing agent) 사용은 금기로 되어 있다.[17]

성문하 혈관종에서 기도 면적이 20% 이하인 경우에는 종괴가 소실될 때까지 기다리는 것이 원칙이나 그보다 큰 경우에는 호흡곤란을 일으킬 수 있으므로 치료해야 한다.

예전에는 종괴가 소실될 때까지 약 2년간 기관절개(tracheotomy)를 하여 경과를 관찰하기도 했으나, 현재에는 전신부신피질호르몬을 투여하여 약 60%에서 효과를 보였다는 보고도 있으며, 부신피질호르몬에 반응이 없는 경우에는 CO_2 레이저 시술로 종양을 제거하는 것이 원칙이다.[19]

2) 혈관기형(vascular malformation)

선천성 혈관기형은 임상적으로 저유속(slow flow) 기형과 고유속(fast flow) 기형으로 나눌 수 있으며, 전자에는 림프기형, 정맥기형이 속하고 후자에는 동정맥기형이 포함된다.[9] 혈관기형은 혈관종과 달리 증식하거나 저절로 퇴화하지 않는 것이 특징이며 환자가 성장함에 따라 크기가 같이 증가하고 사춘기나 외상, 감염 등에 의해 크기가 급격히 증가할 수 있다.

(1) 모세혈관기형(capillary malformation)

모세혈관기형은 피부나 점막의 특징적인 색으로 인해 포도주색반점(port-wine stain)으로도 알려져 있으며, 생후 1년 내에 사라지는 출생반점인 화염상모반(nevus flammeus)과 감별해야 한다.[41] 모세혈관기형은 신경의 지배를 받지 않아 크기가 확장된 모세혈관과 세정맥으로 이루어져 있으며, 두경부에 가장 많이 발생하는데 85%가 편측에 발생한다.[9] 치료로는 레이저 치료가 주로 사용되나 병변의 깊이와 혈관의 직경에 따라 효과가 제한적인 경우가 많다.[53]

(2) 정맥기형(venous malformation)

정맥기형은 정상 내피세포로 둘러싸여 있는 확장된 혈관계(vascular channel)로 크기가 다양하며 부드럽고 잘 눌리고 비박동성 종괴의 형태로 나타난다. 임상적으로 단순히 독립된 피부의 정맥류종창(varicosity)만 있는 경우부터 다양한 조직 내로 침투하는 복잡형까지 다양하게 존재한다. 두경부에 가장 흔하게 발생하며 입술과 협부에 주로 발생한다. Valsalva 시나 경정맥 압박 시 크기가 증가하며 사춘기나 외상에 의해 크기가 갑자기 증가하기도 한다. 혈류가 느리기 때문에 혈전이 발생할 수 있으며 이는 단순 방사선 검사에서 정맥결석(phlebolith)의 형태로 관찰되기도 한다. 정맥결석은 반복적인 통증과 동통의 원

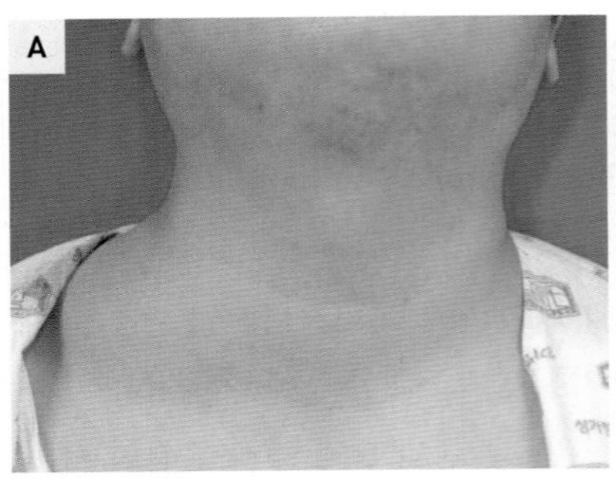

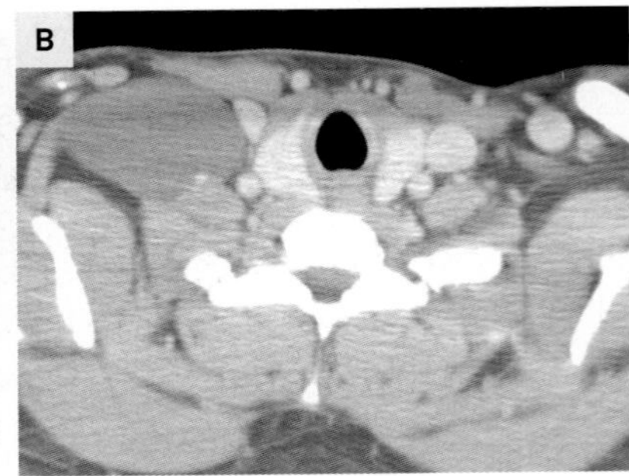

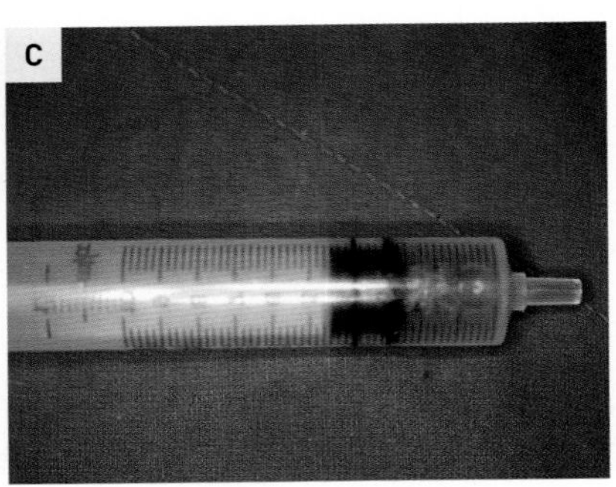

■ 그림 32-14. **A)** 우측 경부에 발생한 림프관기형. **B)** CT 소견.. **C)** 흡인된 림프액.

인이 된다. 대개 특별한 치료가 필요하지 않지만 증상이 있거나 미용적으로 문제가 되는 경우 경화 치료나 수술적 치료를 시행한다.

(3) **림프관기형**(lymphatic malformation)

림프관기형은 림프계 발달의 이상으로 인해 발생한 것으로 림프관종(lymphangioma) 혹은 낭성 누활액낭종(cystic hygroma)이라고 불렸으며, 대부분은 출생 초기에 발병하고 기형이 발생한 부위에 따라 증상이 달라진다.[20]

발생 기전을 살펴보면 정상적인 림프관의 발달은 림프관낭(lymphatic sac)과 정맥에서 주위 간엽으로 자란다는 설과 주위 간엽에서 림프관낭과 정맥으로 자란다는 설이 있으며, 경부 림프관기형은 정상적인 림프관 발달이 정맥으로 유출되지 않은 상태에서 멈추면서 발생하는 질환으로 추정되고 있다.[49]

림프관기형은 새열기관기형보다 발병률이 약간 낮으나 비교적 흔한 질환이며, 65%가 출생 시에, 90%가 2세 이하에서 발견되며 성인에서는 드물다. 약 70% 정도는 경부의 후삼각에 발생하고 남녀 발생 빈도의 차이는 없다. 그러나 태아에서 초음파 검사를 시행하면 림프관종이 모든 선천성 기형의 30%를 차지하고 있어 가장 흔한 선천성 기형으로도 보고되고 있는데 1,000회의 태아검사에서 1.5~2.8명이 발견된다.[6] 림프관기형은 경계가 불명확한 연성(soft), 분엽성(lobulated) 종괴로 90% 이상이 경부의 후삼각에 나타나며 피부와의 유착은 없다. 또한 2~3%에서는 종격동까지 침범할 수 있고 구강, 인두, 기도까지 침범하는 예도 있다. 임상적 경로는 다양하여 서서히 종괴가 커지나 출혈이나 상기도감염 후 급격히 커질 수 있으며, 아주 드물지만 자연적 퇴행이 올 수도 있다.[17]

감별진단을 하는 데 있어서 종괴의 위치가 중요하며 측경부에 발생한 경우 림프결절, 지방종, 혈관종, 제2 혹은 제3 새열기형, 악성 림프종, 전이성 암 등과 감별해야 한다. 초음파 검사, CT, MRI에서 얇은 벽으로 조성된 분엽성 낭포성 질환으로 보이며, 특히 CT 혹은 MRI는 림프관기형의 범위를 알 수 있어 유용한 검사이다(그림 32-14). 인두나 상기도의 침범이 의심되면 내시경 검사가 도움이 된다.[17]

감염이나 출혈에 의해 종괴가 갑자기 커져 호흡이나 연하 장애가 올 수 있으므로 신생아라도 림프관기형이 발견되면 곧바로 수술적 적출술을 시행하는 것이 좋다는 보고가 많으나, 일부에서는 성장 후에 수술이 쉬워지고 자연적 퇴행이 올 수 있으므로 3~5세까지 관찰하자는 의견도 있다.[6] 림프관기형에서의 치료는 가능한 한 종양의 완전 적출술을 시행하는 것이다. 수술 후 재발률은 보고자에 따라 차이가 있으나 불완전 적출인 경우 40%, 완전적출의 경우에도 17%로 비교적 높은 편이다.[20] 또한 구강, 혀, 성문 상부나 구순과 협부의 국소적인 병변은 CO2 레이저를 사용하여 절제하기도 한다.[20] 보존적 치료법으로 이용되는 방사선치료나 반복적인 림프액 흡인술은 치료 효과가 없으며, 최근 스테로이드, doxycyclin, Ethibloc, bleomycin, OK-432 등을 이용한 경화 치료(sclerotherapy)가 효과적이라는 보고가 있다.[38] 이 중 bleomycin은 경화치료 효과가 우수하나 폐섬유증(pulmonary fibrosis) 같은 심각한 부작용을 초래할 수 있으므로 사용에 한계가 있다.[39] OK-432는 독성이 낮은 group A Streptococcus pyogenes와 penicillin G의 동결건조 배양 혼합물(lyophilized incubation mixture)로 림프관기형에 주입하면 감염 시와 같이 내막을 파괴하여 반흔성 수축을 일으킨다. 이는 치료 효과가 우수하고 심각한 합병증이 보고되지는 않았으나, 림프관기형은 서로 연결되지 않은 수많은 낭포로 구성되어 있어 경화 치료에 한계가 있고, 치료 후 재발 시 림프관기형 주위의 심한 섬유화로 수술 시 합병증의 발병률이 높아질 수 있다. 림프관기형 중 편측에 국한되어 있으며 설골하부에 2 cm 이상의 낭종 형태인 경우 수술적 치료와 경화 치료 모두에 반응이 좋아 예후가 좋은 것으로 알려져 있다.[38,39]

(4) 동정맥기형(arteriovenous malformation)

동정맥기형은 동맥과 정맥 사이에 비정상적인 교통이 있는 기형으로 대부분 10~20대에 발견된다. 촉진 시 진동(thrill)을 느낄 수 있고 청진 시 잡음(bruit)이 들리며, 환자가 심한 통증이나 박동성 이명을 호소할 수 있다. 합병증으로 피부 괴사, 궤양이나 출혈이 발생하기도 한다. 진단을 위해서는 MRI와 혈관조영술이 필수적이며 증상이 없으면 치료를 하지 않으나 증상이 있거나 합병증이 발생하면 색전술 후 완전 적출술을 시행한다.

7. 흉선낭

흉선(thymus)은 세 번째 새낭에서 유래하여 흉부로 하강한다. 따라서 이 하강로에 흉선관 잔류물(thymic duct remnant)이 존재하면 흉선낭(thymic cyst)을 형성하게 된다. 발생하는 위치는 제2 혹은 제3 새낭보다 더 낮은 경부이다.[14,19]

대부분 10세 이전에 발견되며 증상이 없고 경부의 전면부에 점차 크기가 증가하는 종괴의 형태로 나타난다. 그러나 감염되거나 급격히 크기가 커진 경우에는 통증을 동반할 수 있다.[19]

임상적으로는 Valsalva법으로 흉곽내압(intrathoracic pressure)을 증가시켜 종괴의 형태를 확인할 수 있으며, CT와 MRI는 다발성 낭을 가진 낭성 누활액낭종(cystic hygroma)과 단일 낭 병변인 흉선낭의 감별진단에 도움을 줄 수 있다. 그러나 병리조직검사에서 Hassall 소체(corpuscle)를 확인해야 확진할 수 있다.[19]

치료로서 주로 미용적 문제와 기관압박 등의 기계적 문제를 해결하기 위해서 적출술을 시행한다.[19]

8. 흉쇄유돌근종양

선천성 사경(torticollis)으로도 불리는 흉쇄유돌근종양(sternocleidomastoid tumors)은 출생 시에는 뚜렷하진 않지만 생후 1~8주 후에 확연한 종괴로 나타난다. 병리조직학적으로는 정상적인 횡문근(striated muscle) 없이 밀집한 섬유조직으로 구성되어 있다. 유아(infant)의 성장과 함께 종괴가 없어지면서 남아있는 근육은 섬유조직으로 퇴화한다. 원인은 확실하지 않으나 분만외상, 근육의 허혈(ischemia), 태아의 자궁 내 위치 등이 관여한다고 생각된다.[12]

대부분 첫 아이에서 발생하며 환아의 형제자매에는 드물다. 딱딱하고 무통의 방추상(fusiform) 종괴가 흉쇄유돌근 내에서 만져지며, 출생 후 2~3개월까지 서서히 커지고 4~8개월 사이에 적어지면서 없어진다. 환아의 80% 이상에서 종괴가 저절로 없어지기 때문에 물리치료를 시행하고, 없어지지 않은 경우에만 흉쇄유돌근을 수술로 절제한다.[15]

II 경부의 양성종양

1. 부신경절종

부신경절종(paraganglioma)은 신경능선세포(neural crest cell)에서 기원하여 전신에 분포한 부신경절에서 발생하며 성장 속도가 느리고 양성으로 알려진 흔하지 않은 신경내분비 종양(neuroendocrine tumor)이다. 두경부에서 발생하는 종양의 약 0.6%를 차지하고 있으며, 신경능조직의 발생학적 이동 경로를 따라 발생 가능하다. 부신경절은 조직학적으로 카테콜아민 과립을 함유하고 있는 주세포(chief cell)와 Schwann like satellite cell로 구성되어 있다. 따라서 부신경절종은 부신피질에서 발생하는 크롬친화세포종(pheochromocytoma)과 유사하며 catecholamine을 분비할 수 있어 3% 내외에서 고혈압, 두통, 심계항진, 안면홍조 등의 증상이 나타날 수 있으며 대부분의 환자에서는 무증상인 경우가 많다. 따라서 술 전 카테콜아민 검사를 반드시 시행할 필요는 없으나 임상적으로 카테콜아민이 과도하게 분비된다고 의심되거나 다발성 병변인 경우에는 술 전 카테콜아민 검사가 필요하다.

부신경절 조직은 대동맥궁(aortic arch)과 상·하 후두 부신경절(laryngeal paraganglia), 경동맥소체(carotid body), 미주신경구(vagal body) 및 경정맥구(jugular bulb) 등에 분포하고 있어 이들 어느 곳에서나 부신경절종이 발생할 수 있다. 부신경절종은 양측에 발생하고나 다발성으로 발생하며 특히 전체 부신경절종 환자의 10~15% 정도를 차지하는 가족력이 있는 경우 그 빈도가 증가한다.[44]

부신경절종은 경부에 대한 신체검사 도중 우연히 발견되는 경우가 많은데 주위와 비교적 명확히 구분되고 촉진 시 고무를 만지는 듯한(rubbery) 느낌이 있는 것이 특징이다. 진단을 위해서 CT, MRI, 혈관조영술 등을 시행하며 특히 MRI의 경우 종괴의 경계와 혈관 분포를 명확히 알 수 있어 일차적인 진단방법으로 사용되며 절개생검이나 세침흡인검사는 출혈의 위험이 있기 때문에 일반적으로 사용되지 않는다.[50]

부신경절종은 발생한 위치에 따라 경동맥소체 부신경절종(carotid body paraganglioma), 경정맥구 부신경절종(glomus jugulare paraganglioma)과 미주신경 부신경절종(vagal paraganglioma)으로 분류되는데, 이 중 경동맥소체 부신경절종이 가장 흔하다.[28] 그 외에 후두, 비강, 비인두, 안와 등에서도 발생할 수 있다. 부신경절종은 대부분 양성 병변이지만 약 5% 정도에서 악성으로 나타나기도 한다. 일반적으로 두경부의 부신경절종은 수술을 통한 완전 절제가 원칙이다. 다만 주변 신경이나 혈관으로 침범이 심하거나 내과적인 문제 등으로 인해 수술이 불가능한 경우 gamma-knife irradiation을 시행하기도 한다.[13]

1) 경동맥소체 부신경절종

경동맥소체는 경동맥 분지부에 존재하는 화학수용체로서 압력수용기(pressoreceptor)인 경동맥동(carotid sinus)과는 별개의 구조물이다. 이는 동맥 내 산소분압의 저하, 이산화탄소압의 증가, pH, 체온 증가 등에 대하여 카테콜아민의 분비를 통하여 호흡수, 맥박수, 혈압을 조절하는 역할을 한다.

경동맥소체 부신경절종은 경동맥소체 종양(carotid body tumor)이라고도 불리며, 경동맥소체에 부신경절종이 발생한 것으로 전체 두경부 부신경절종의 65%를 차지한다.[28] 30~40대에 빈발하고, 8%가 가족력을 갖고 있으며, 남녀 성별에 따른 차이는 없고 주 증상은 경동맥 삼각부에서 서서히 자라는 무통성 종괴이다.[28] 점차 커지면 연하곤란, 애성, Horner 증후군 등 신경압박 증상을 나타내기도 한다.

촉진 시 경동맥분지, 즉 설골 부근의 흉쇄유돌근 전연에서 좌우로 움직이나 상하로 움직이지 않는 박동성 종괴가 있는 경우 의심할 수 있다. 진단은 경동맥혈관조영술과 MR혈관촬영(MRA)으로 가능하며, 특징적으로 내외 경동맥 사이가 벌어져서 그리스 악기인 수금(lyre)처럼 보이는 소견(lyre sign)을 나타낸다. 또한 MRI의 조영 증강 영상에서 풍부한 혈관으로 인해 신호소실(signal void)이 있어 깨알을 뿌린 것 같은 양상(salt and pepper appearance)을 보인다.

감별진단할 질환은 새열낭, 미주신경이나 설하신경에서 기인한 종양, 경부림프절이 전이, 림프종, 동맥류, 그리고 후천성 혈관기형이다. 2~10%에서 양측성으로 발견되고, 악성 변화를 보이는 비율은 비가족성인 경우 12%인 반면 가족성인 경우 3% 정도이다.

수술적 절제가 주 치료법이나, 무증상의 고령 환자와 심각한 합병증이 예견되는 경우에는 경과를 관찰하는 것이 좋다. 수술적 제거는 내경동맥 손상 위험을 충분히 고려하여 시행한다. 경동맥의 원위부와 근위부를 노출시킨 후, 미주신경, 부신경, 설하신경을 확인한 후 외막하로 박리(subadventitial dissection)한다. 간혹 경동맥 재건을 위한 혈관 혹은 인조혈관 이식이 필요한 경우도 있다. 재발률은 10% 정도이다.[13]

2) 경정맥구 부신경절종

경정맥구 부신경절종은 glomus tympanicum, tympanic body tumor, glomus jugulare 등 여러 가지 명칭으로 불리며 고실(tympanic cavity)에 발생하는 가장 흔한 양성종양이다.

박동성이 이명이나 전음성 난청 등의 증상이 있으며 정상 고막 안쪽으로 붉은색의 종괴가 보이는 것이 특징이나 항상 보이는 것은 아니다. 수술로 제거하는 것이 원칙이나 수술의 위험성의 높거나 재발한 병변에 대해서는 방사선 치료를 시행하기도 한다.

3) 미주신경 부신경절종

미주신경 부신경절종은 전체 부신경절종의 3% 정도이며 미주신경구 종양(vagal body tumor)이라고 불리기도 하는데 절상신경절(ganglion nodosum) 부근이나 절상신경절 바로 아래에 위치한 미주신경외초(vagal nerve perineurium)의 부신경절 조직 세포소(cell nest)에서 발생한다.[28]

미주신경 부신경절종은 내경동맥을 전방과 내측으로 전위시키기 때문에 내경동맥과 외경동맥이 벌어지는 경동맥구 부신경절종과 구별되며 경정맥공(jugular foramen)을 통해 두개 내로 확장되면 아령 모양(dumbbell shape)으로 자라기도 한다.[44]

양측성이거나 증상이 없는 경우에는 관찰만 시행할 수도 있으나 외과적 절제를 하는 것이 원칙이다. 대부분의 경우에서 수술 후 미주신경의 마비 증상이 발생하기 때문에 술 후 적절한 방법으로 음성재활 및 연하재활을 시행해야 한다.

2. 신경원성 종양

1) 신경초종(schwannoma)

신경초종은 시신경과 후각신경을 제외한 모든 뇌신경, 척추신경 및 말초신경 등 신경초로 덮여있는 어떤 신경에서든 발생할 수 있는 양성종양으로서 신경섬유초종(neurilemmoma)으로 불리기도 하며 신경의 신경초세포(schwann cell)에서 발생한다. 신경초종은 신경막으로 잘 둘러싸인 구형 또는 방추형의 종양으로 발육 속도가 느리며 그다지 단단하지 않다. 대개 단일 병변으로 존재하며 전체 신경초종의 절반 이상이 두경부에 발생하고 25% 정도가 측경부에 발생하며 경부신경총, 상완신경총, 미주신경 등에서 호발하고 부인두공간에서 가장 흔한 종양으로 알려져 있다.

대부분 증상이 없기 때문에 조기 진단이 어렵고 대개 30, 40대에 흔하게 발생하며, 크기가 커짐에 따라 통증이나 애성, 연하곤란, Horner 증후군 등 증상이 나타나는 경우도 있다. 미주신경이나 교감신경에 생긴 경우 내·외경동맥을 앞쪽으로 전위시킨다. 낭성 변성(cystic degeneration)과 종양 내 출혈에 의한 혈종을 형성하기도 하며 조

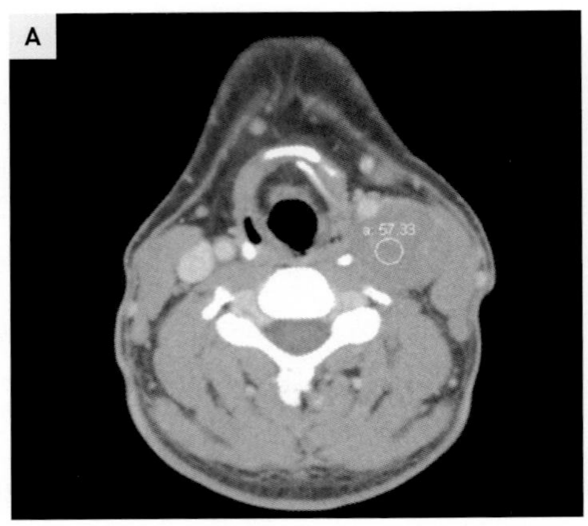

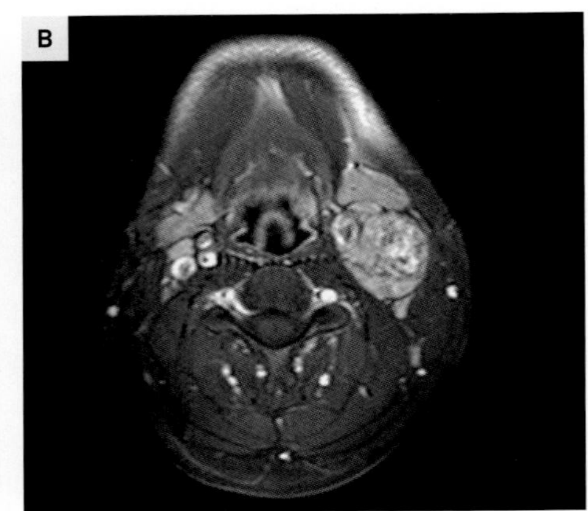

■ 그림 32-15. **신경초종의 CT(A) 및 MRI(B) 소견**

직학적으로는 방추세포(spindle cell)가 밀집되어 있는 Antoni A형과 세포의 밀집도가 낮으며 느슨하게 이루어진 Antoni B형으로 구분되며 세포핵이 울타리 모양으로 배열하는 Verocay body가 관찰되기도 한다. 대부분의 신경초종은 MRI 촬영 시 조영제 주입 후 현저한 조영증강이 나타나서 부신경절종(paraganglioma)과 혼동될 수 있다(그림 32-15).

치료는 신경에 손상을 주지 않고 종양을 절제하는 것이 원칙이지만 박리가 어려운 경우에는 신경을 절단한 후 이식한다.

2) 기타 신경원성 종양(neurogenic tumor)

신경섬유종(neurofibroma)은 신경 외배엽 조직에서 기원한 종양으로 단발성과 다발성으로 나뉘어진다. 다발성인 경우를 신경섬유종증이라고 부르며, 유전성이 있으며 재발이 높고 악성화 가능성이 있다. 신경섬유종은 신경초종과 달리 신경막에 둘러싸여 있지 않고, 낭성 변성은 흔하지 않다. 대개 무증상이며 von Recklinghausen병의 경우에는 다발성이다. 4.6~16%가 악성으로 변화된다.

von Recklinghausen병은 상염색체 우성 유전을 하며 3,000명당 1명꼴로 발견된다. 5개 이상의 직경 1.5 cm 이상 되는 담갈색 색소반점(café-au-lait spot)과 신경섬유종이 발견되면 진단할 수 있다.

외상성 신경종은 손상받은 신경의 재생 과정에서 비정상적으로 발병한다. 대개 2 cm 이내이며, 지속적인 지각이상(paresthesia)과 불쾌한 저림(tingling)이 있으면 의심할 수 있다. 수술 후 생긴 경우에는 절제할 필요가 없으나, 수술 병력이 없는 경우에는 진단과 치료 목적으로 절제하기도 한다. 치료는 신경 기능의 손상 없이 종양을 제거하는 것이다.[13]

3. 지방종

지방종(lipoma)은 피하조직에 흔하게 발생하는 질환이지만 두경부 영역에서 발생하는 종양 중 약 4~5%를 차지한다. 지방종은 비침윤성이며 절제 후에는 거의 재발하지 않는다. 지방육종(liposarcoma)은 성인에서 가장 흔한 연조직 육종이지만 두경부에서는 거의 발생하지 않는다. 기존의 지방종에서 악성화하는 것보다는 처음부터 지방육종으로 발생하는 경우가 많다.[13] 지방종은 육안 소견상 피막으로 덮여 있고, 평활한 표면을 갖고 있으며, 종종 경을 갖는 용종성 종괴이다. 치료는 외과적으로 완전하게 절제하는 것이 가장 좋은 방법으로 알려져 있다.

참고문헌

1. 채성원, 최건, 최충식 등. 제1새성기형의 임상적 병리조직학적 분석. 한이인지 1993;36:752-757
2. Al-chaayat M, Kenyon GS. Midline sublingual dermoid cyst. J Laryngol Otol 1990;104:578-580
3. Amir J, Metzker A, Krikler R, et al. Strawberry hemangioma in preterm infants. Pediatr Dermatol 1986;3:331-332
4. Athow AC, Fagg M, Drake DP. Management of thyroglossal duct cyst in children. Br J Surg 1989;76:811-814
5. Batsakis JF, Littler ER, Oberman HA. Teratomas of the neck. Arch Otolaryngol 1964;79:619-624
6. Bernstein HS, Filly RA, Goldberg JD, et al. Prognosis of fetuses with a cystic hygroma. Prenat Diagn 1991;11:349-355
7. Bhasker SN, Bernier JL. Histogenesis of branchial cysts: a report of 468 cases. Am J Pathol 1959;35:407-423
8. Bridger GP, Nasser VH, Skinner HG. Hemangioma in the adult larynx. Arch Otolaryngol Head Neck Surg 1970;92:493-501
9. Brouillard P, Vikkula M. Vascular malformations: localized defects in vascular morphogenesis. Clin Genet 2003;63:340-36
10. Byrd SE, Richardson M, Gill G, et al. Computer-tomographic appearance of branchial cleft and thyroglossal duct cysts of the neck. Diag Imaging 1983;52:301-312
11. Cavo JW Jr, Lee JC. Laryngocele after childbirth. Otolaryngol Head Neck Surg 1993;109:766-768
12. Cheng JC, Tang SP, Chen TM. Sternocleidomastoid pseudotumor and congenital muscular torticollis in infants: a prospective study of 510 cases. J Pediatr 1999;134:712-716
13. Close JG, Haddad J. Primary neoplasm(Neck). In: Cummings CW, Fredrickson JM, Harker LA, et al, eds. Otolaryngology-Head and Neck Surgery, 3rd ed. St Louis: Mosby Year Book, 1998,pp.1721-1727
14. Demirbilek S, Atayurt HF. Congenital muscular torticollis and sternomastoid tumor: results of nonoperative treatment. J Pediatr Surg 1999;34:549-551
15. Drumm AJ, Chow JM. Congenital Neck masses. Am Fam Phisician 1989;39:169-163
16. Edgerton MT, Hiebert JM. Bascular and lymphatic tumors in infancy, childhood and adulthood: challenge of diagnosis and treatment. Curr Probl Cancer 1978;2:1-44
17. Edgerton MT. The treatment of hemangiomas: with special reference to the role of steroid therapy. Ann Surg 1976;183:517-532
18. Ellis HA. Cervical thymic cysts. Br J Surg 1967;54:17-20
19. Fageeh N, Manoukian J, Tewfik T, et al. Management of head and neck lymphatic malformations in children. J Otolaryngol 1997;26:253-258
20. Finn DG, Buchalter IH, Sarti E, et al. First branchial cleft cysts: clinical update. Laryngoscope 1987;97:136-140
21. Gibson WS, Fenton NA. Congenital sublingual dermoid cyst. Arch Otolaryngol 1982;108:745-748
22. Girard M, DeLuca SA. Thyroglossal duct cyst. Am Fam Physiscian 1990;42:665-669
23. Godin MS, Keams DB, Pransky SM, et al. Fourth branchial pouch sinus: princples of diagnosis and management. Laryngoscope 1990;100:174-178
24. Har-El G, Sasaki CT, Prager D, et al. Acute suppurative thyroiditis and branchial apparatus. Am J Otolaryngol 1991;12:6-11
25. Hawkins DB, Crockett DM, Kahlstrom EJ, et al. Corticosteroid management of airway hemangiomas: long-term follow-up. Laryngoscope 1984;94:633-637
26. Healy G, McGill T, Friedman EM. Carbon dioxide laser in subglottic hemangioma. An update. Ann Otol Rhinol Laryngol 1984;93:370-373
27. Hodge KT, Byers RM, Peters LJ. Paragangliomas of the head and neck. Arch Otolaryngol Head Neck Surg 1998;114:872-877
28. Hoffman MA, Shuster SR, Thyroglossal duct remnants in infants and children: reevaluation of histopathology and methods for resection. Ann Otol Rhinol Laryngol 1988;97:483-486
29. Holt GR, Holt JE, Weaver RG. Dermoids and teratomas of the head and neck. Ear Nose Throat J 1979;58:37-62
30. Johnson LA, Polga JP. Follicular adenocarcinoma arising in a thyroglossal duct remnant. Clin Nucl Med 1988;13:378
31. Katz AD, Hachigan M. Thyroglossal cuct cyst: a thirty year experience with emphasis on occurrence in older patients. Am J Surg 1988;155:741-743
32. Leveque H, Saraceno CA, Tang C, et al. Dermoid cysts of the floor of mouth and lateral neck. Laryngoscope 1979 ;89:296-305
33. Lustmann J, Benoliel R, Zelster R. Squamous cell carcinoma arising in a thyroglossal duct cyst in the tongue. J Oral Maxillofac Surg 1989;47:81-85
34. MacArthur CJ, Senders CW, Katz J. The use of interferon alpha-2a for life threatening hemangiomas. Arch Otolaryngol Head Neck Surg 1995;121:690-693
35. McAvoy JM, Zuckerbraun L. Dermoid cysts of the head and neck in children. Arch Otolaryngol 1976;102:529-531
36. Meyer JS, Hoffer FA, Barnes PD, et al. Biological classification of soft-tissue vascular anomalies: MR correlation. Am J Roentgenol 1991;157:559-564
37. Mikhail M, Kennedy R, Cramer B, et al. Sclerosing of recurrent lymphangioma using OK-432. J Pediatr Surg 1995;30:1159-1160
38. Molitch HI, Unger EC, Witte CL, et al. Percutaneous sclerotherapy of lymphangiomas. Radiology 1995;194:343-347
39. Morrish TN, Manning SC. Branchial anomaly in newborn presenting as stridor. Int J Pediatr Otorhinolaryngol 1991;21:259-262
40. Mulliken JB, Young AE. Vascular Birthmarks: hemangiomas and malformations. Philadelphia: WB Saunders, 1988
41. Narcy P, Aumont-Grossokopf C, Bobin S, et al. Fistulae of the fourth

endobranchial pouch. Int J Pediatr Otorhinolaryngol 1988;16:157-165

42. Ostfeld EJ, Weiss JM, Rabinson S, et al. Pharyngeal(retrostyloid)-third branchial cleft cyst. J Laryngol Otol 1991;105:790-792
43. Pellitteri PK, Rinaldo A, Myssiorek D, et al. Octreotide scinigraphy for the head and neck. Oral Oncol 2004;40:563-575
44. Ramos-Gabatin A, Watzinger W. Fine needle aspiration and cytology in the preoperative diagnosis of branchial cysts. South Med J 1984;77:1187-1189
45. Reddy VA, Radhakrishna K, Rao PLNG. Lingual dermoid. J Pediatr Surg 1991;26:1389-1390
46. Sadler TW. Langman's Medical Embryology, 6th ed. Baltimore: Williams & Wilkins, 1990,pp.297-327
47. Silverman P, Degesys G, Ferguson B, et al. Papillary carcinoma arising in thyroglossal duct cyst: CT findings. J Comput Assist Tomogr 1985;9:806-808
48. Stal S, Hamiton S, Spira M. Hemangiomas, lymphangiomas, and vascular malformation of the head and neck. Otolaryngol Clin North Am 1986;19:769-796
49. Telischi FF, Bustillo A, Whiteman ML, et al. Octreotide scitigraphy for the detection of paragangliomas. Otolaryngol Head Neck Surg 2000;122:358-362
50. Thomas MR, Nofal F, Cave APD. Dermoid cyst in the mouth: value of ultrasound. J Laryngol Otol 1990;104:141-142
51. Topf P, Fried MP, Strome M. Vagaries of thyroglossal duct cysts. Laryngoscope 1998;98:740-743
52. Waner M. Recent developments in lasers and the treatment of birthmarks. Arch Dis Child 2003;88:372-374
53. Weiss SD, Orlich CC. Primary papillary carcinoma of a thyroglossal duct cyst: report of a case and review of the literature. Br J Surg 1991;78:87-89
54. Work WP. Newer concepts of first branchial cleft defects. Laryngoscope 1972;82:1581-1593
55. Yasumoto M, Shibuya H, Gomi N, et al. Ultrasonographic appearance of dermoid and epidermoid cysts in the head and neck. J Clin Ultrasound 1991;19:455-461

CHAPTER

33

경부 종물의 염증성 질환

이비인후과학 Otorhinolaryngology - Head and Neck Surgery

김진평

경부종물을 평가할 때, 병력과 신체검진을 통해 정보를 얻을 수 있다. 오랜 기간 동안 크기 변화가 동반된 병변은 선천성 종물이나 염증 질환을 먼저 고려하여야 하며, 짧은 기간 동안 크기가 증가하는 경우에는 악성을 의심해야 한다. 환자의 나이가 18세 이하라면 선천성, 염증성 질환일 가능성이 높으며 성인이라면 악성 병변을 염두에 두어야 한다.

경부의 염증성 질환은 주로 경부 종물로 나타난다. 부비동염, 구강이나 안면에 감염이 발생하며 경부의 반응성 림프절염을 일으키게 된다. 이하선이나 악하선에서 발생한 염증은 경부 1, 2 구획의 종물을 일으키기도 한다. 육아종성 질환도 경부 림프절의 병변으로 나타난다. 이런 환자들은 전신 증상이 동반되는 경우가 많기 때문에 자세한 병력 청취가 중요하다. 또한 진단을 위해 생검이 요구되는 경우가 많다.

이 장에서는 경부에 발생하는 종물 중에서 염증성 질환들에 대하여 살펴보고자 한다.

I 감염성 염증성 경부종물

1. 바이러스성(Viral infection)

1) 바이러스성 림프절염(Viral lymphadenitis)

대부분 바이러스성 상기도 감염으로 인한 반응성 림프절 종대(reactive hyperplasia of lymph node) 양상으로 나타난다. Adenovirus, Rhinovirus, Enterovirus coxsackievirus A and B 등의 감염으로 인한 경우가 흔하며, 그 외에도 Influenza, Herpes simplex, Epstein-Barr virus, Cytomegalovirus 등에 의해 유발된다. 병리학적으로 림프세포가 증식되지만 암성 질환과 달리 림프절의 구조는 정상적으로 유지된다. 림프절 종대는 대개 양측성이고 크기가 작고 부드러우며 운동성이 있으며 압통이 거의 없고 림프절 종대 부위의 피부 발적이 없다. 경부 후삼각부에 가장 흔히 발생하며 상기도 감염에 의한 전신증상이 동반될 수 있다.[43]

치료는 대부분 증상에 따른 대증요법만으로 충분하나

경우에 따라 이차적 세균성 감염 등의 합병증 방지 목적으로 항생제를 투여하기도 한다. 림프절의 크기가 줄어들기까지 시간이 걸리는 경우가 많다.

2) 감염성 단핵구증(Infectious mononucleosis)

감염성 단핵구증은 γ형 헤르페스 바이러스 중의 하나인 엡스타인–바 바이러스(Epstein–Barr virus)에 의해서 유발되는 양성 림프 증식성 질환이다.

주로 사춘기나 청년기에 흔하고 어린이들에서는 많지 않으며 5세 이하에서는 증상이 없는 경우가 많다. 감염은 체액을 통해 이루어지는데, 특히 키스 등을 통해 타액으로 전파되어 일어난다.[15]

증상은 림프절 종대와 함께 발열, 인두염, 편도선염, 간·비장 비대, 피부발진 등이며 본 증상이 나타나기 1~2주 전부터 피로, 권태감, 근육통 등의 전구증상이 나타나는 경우도 있다. 림프절 종대는 주로 양측성이며 후경부에 가장 흔하나 전신적으로도 나타날 수 있으며 대개 1~2주간 지속한다. 발열은 39℃ 이하이며 대부분 1~2주 후 없어지나 간혹 4~5주까지 지속될 수도 있다. 편도는 부종, 발적과 회색 혹은 녹색의 삼출물이 있어 육안적으로 연쇄구균 편도선염 때와 비슷한 소견을 보인다. 대부분에서 비장비대가 나타나며, 간장비대는 10~30%에서 보인다. 피부발진은 구진 홍반성(papular erythematous)으로 상지와 몸통에 나타나며 약 5%에서 발생한다. 그 외 약 1/3에서 경구개와 연구개의 경계부에 점출혈(petechiae) 소견이 나타나며 약 5%에서 황달이 보인다. 혈액검사에서 백혈구증가증이 있으며 50% 이상의 림프구증가증 혹은 10% 이상의 비정형 림프구증가증(atypical lymphocytosis) 소견을 보일 수 있다. 간기능 검사상 90%에서 혈청 트랜스아미나아제(serum transaminase)와 알칼리성 인산분해효소(alkaline phosphatase)의 증가와 40%에서 혈청 빌리루빈(serum bilirubin)의 증가소견이 나타난다. 진단에 가장 특이적인 검사인 이종친화항체검사(Paul–Bunnel heterophil antibody test)는 발병 첫 주에 40~60%, 3~4주째에 80~90%가 양성반응을 보이기 때문에 초기에 음성반응을 보인 환자에게는 반복해서 검사한다.[11] 치료로 증상에 따라 진통제, 해열제를 투여하고 편도선비대로 인한 기도폐쇄 소견이 있는 경우 스테로이드제제를 사용하나 감염성 단핵구증 치료 자체에 스테로이드를 사용해야 하는지 여부는 아직 논란이 있다.[19] 이차 감염을 막기 위해 항생제를 사용할 수는 있으나 암피실린(ampicillin) 계열 항생제는 피부 발적을 일으킬 수 있으므로 피한다. 수주 내에 자연치유가 되는 양성질환이긴 하지만 드물게 비장 파열로 사망할 수 있으므로 주의가 필요하다.

3) 기타 바이러스 감염(Other virus infection)

거대세포바이러스(cytomegalovirus) 감염은 영유아와 청년기에 호발하며 상기도 감염 동반과 비장종대가 드물다는 것 외에는 감염성 단핵구증과 증상이 유사하다. 대부분 자연 치유된다.

사람면역결핍바이러스(human immunodeficiency virus, HIV) 감염은 경부 전반에 걸친 다발성 림프절 종대를 보이며 체중감소와 발열 등 전신증상이 지속되고 치료에 잘 반응하지 않는다.

중증열성혈소판감소증후군(severe fever with thrombocytopenia syndrome, SFTS)은 발열, 혈소판감소, 백혈구 감소를 보이는 질환이다. 최근 중국, 일본, 한국에서 발병이 보고되고 있다.[34] 원인이 되는 바이러스는 버냐바이러스(bunyavirus)로 작은소참진드기(Haemaphysalis longicornis)에 물려 감염되는 것으로 알려져 있다. 발열, 식욕저하, 구역, 구토, 설사, 복통, 피로, 두통, 근육통, 자반증 등의 바이러스 감염에 의한 비특이적 증상이 나타나며 경부 림프절 비대를 동반하기도 한다.[28,49] 중합효소연쇄반응 검사(polymerase chain reaction, PCR)나 효소결합면역흡착측정법(enzyme–linked immunosorbent assay, ELISA) 검사를 통해 원인 바이러스를 확인함으로써 진단될 수 있다.[20,26] 현재까지 효과가 확인된 치료제는 없으며, 대증요법을 시행한다. 약 12~15%의 치사율이 보고되어 있다.

2. 세균성(Bacterial infection)

1) 세균성 림프절염(bacterial lymphadenitis)

포도상구균(Staphylococcus aureus)과 B군 연쇄상구균(group B streptococcus)이 가장 흔한 원인균이며 그 외 헤모필루스(Haemophilus), 모락셀라(Moraxella), 녹농균(Pseudomonas), 혐기성 세균 등에 의해 발생할 수 있다. 편도염, 인두염, 급성중이염, 치아감염 등의 감염력이 동반되는 경우가 흔하나, 원인감염 부위가 명확하지 않은 경우도 많다.

림프절 종대는 흔히 편측성이며 악하부에 주로 발생하나 전경부나 후경부에 발생하는 경우도 많다. 증상은 림프절 종대 부위의 통증과 피부발적이며 상기도 감염에 의한 전신증상과 동반될 수 있다.[40]

치료로(β-lactamase) 저항성 항생제를 투여하고 항생제에 반응하지 않거나 농양이 형성된 경우에는 흡인 또는 배농이 필요하다.[22]

2) 묘소병(Cat-Scratch disease)

묘소병(Cat-scratch disease)은 인간과 동물의 공통 세균 감염증으로 Bartonella henselae균에 감염된 고양이에게 물리거나, 긁히거나, 핥이는 등 접촉에 의해 전염된다. 20세 이전 연령, 남성에 호발하며 지역적 차이는 없다.

증상은 고양이와 접촉한지 3~10일 후 피부에 반점, 수포 등이 나타나고 그 후 며칠 내에 인근 림프절의 종대가 발생한다. 림프절 종대는 두경부, 상지, 액와에 가장 흔히 발생하고 간혹 진행하여 화농하기도 하며, 대개 2~6주 후 감소한다. 그 외 발열, 권태감, 두통 등의 증상이 동반될 수도 있다. 드물게 뇌병증(encephalopathy), 망막염, 폐렴 등 여러 장기를 침범할 수 있다.

균배양으로 확진할 수 있으나 균배양이 어려워 실제 임상에 적용하기는 어려우며 간접면역형광측정(indirect fluorescence assay) 방법이 민감도와 특이도가 높다. 이 외에도 효소면역측정(enzyme-linked immunoassay), 중합효소 연쇄반응검사(PCR) 등을 이용한 혈액검사와 피부반응검사 그리고 조직검사로 진단이 가능하다.[29]

자연치유가 가능한 질환이므로 대개 진통제, 해열제 등 증상완화 목적의 치료만으로 충분하지만 경우에 따라 항생제 투여가 필요할 수도 있다. 주로 azithromycin, aminoglycoside, ciprofloxacin이 치료에 사용된다. 드물지만 수술이 필요할 정도로 심각한 감염이 발생하기도 한다.

3) 방선균증(Actinomycosis)

방선균증(actinomycosis)은 아급성 혹은 만성 화농 및 육아조직성 염증으로 병변 주위에 형성된 동공(sinus tract)을 통하여 황색 과립(sulfur granule)이 배출되는 것이 특징이다.

원인균은 구강, 소화관, 여성생식기에 존재하는 정상균 무리(normal flora)인 Actinomycetes이며 그람양성 혐기성세균이다. 구강위생 불량, 충치, 침습적 치과치료 등이 유발인자이며 두경부 영역이 전체의 50~70%로 가장 많고 흉부, 복부, 여성 생식기 등에 발생할 수 있으며 30~60대의 중년층 이상에서 호발한다.

경부에서는 처음에 하악골 근처의 경부나 안면부에 종물이 보이고, 피부 발적이 있을 수 있으며 그 후 경부동통, 종창, 홍반, 부종, 화농이 나타나며, 황색 과립을 지닌 장액 화농성 분비물을 분비하는 누공이 형성되고 때로는 심부 농양을 유발할 수 있다.[12,13] 대부분에서 림프절 종대 소견은 보이지 않는다.

진단은 일반적으로 혐기성 세균배양 검사에서 방선균을 동정하면 확인할 수 있으나 병리조직학적 소견이 진단에 중요하다.

항생제 치료가 원칙이나 다른 화농성 염증처럼 수술적

치료가 필요할 수 있다. 사용되는 항생제는 페니실린(penicillin, erythromycin), 세팔로스포린(cephalosporin), 테트라사이클린(tetracyclin), 클린다마이신(clindamycin), 스트렙토마이신(streptomycin) 등이며 페니실린에 가장 좋은 반응을 보인다. 절대적인 복용량보다는 치료 기간이 중요하다.[2]

3. 미코박테리움 감염(Mycobacterial infection)

최근 결핵 감염이 다시 증가하는 경향을 보인다. 비정형 결핵균이 59%, M. tuberculosis에 의한 경우는 29%로 나타났다.

1) 결핵성 경부 림프절염 (tuberculous cervical lymphadenitis)

결핵균(mycobaterium tuberculosis)에 의해 발생한다. 결핵성 림프절염은 폐외 결핵(extrapulmonary)의 흔한 증상으로 개발도상국에서는 림프절염의 원인 중 43% 이상을 차지하며 특히 경부에 호발한다. 20~30대의 젊은 여성에서 흔하고, 주로 혈행으로 전파되며 그 외 편도를 통한 경로와 폐결핵에서 원발하여 종격림프관을 통해 경부로 상행하는 경로가 있다. 폐결핵이 동반되는 경우는 8~26% 정도로 보고되어 있다.[8]

대개 무통성의 종물로 다발성, 편측성이며 진행하면 압통, 피부 발적, 동공(sinus tract) 등이 보일 수 있다. 항생제 치료에 반응이 없는 경부 종물에서 의심해 보아야 한다. 대부분 전경부, 상부 경부에 발생하여 후경부, 중경부, 쇄골상부 및 턱밑(submental)부위도 빈발한다. 전신 증상으로 체중감소, 발열, 식욕감퇴 등이 동반된다.

진단은 궁극적으로 결핵균을 증명하는 것이므로 배양검사로 균 동정을 함으로써 확진이 가능하다. 그러나 배양검사는 양성률이 16~17% 정도이며,[6] 4~8주 정도의 많은 시간이 소요되므로 실제적인 임상적 유용성이 떨어진다. 항산균(acid fast bacillus) 도말검사는 양성률이 30~60% 정도로, 배양검사보다 높으나 비전형적 미코박테리아와 감별하기가 어렵다. 세침흡인세포검사는 간편하고 신속한 검사방법으로 50~80%의 비교적 높은 양성률을 나타내며,[7] 추가적으로 세침흡인 잔류물을 이용한 중합효소 연쇄반응검사를 병용하면 진단율이 더 높아진다.[5] 개방생검(open biopsy)은 진단율이 가장 높지만 침습적인 방법이므로 일반적으로 다른 방법으로 진단하기 어려운 경우에 시행한다. 개방생검 시 절개생검(incisional biopsy)을 하면 누공이 생겨 장기간 치료가 필요한 경우도 있으므로 가능한 한 절제생검(excisional biopsy)을 하는 것이 좋다. CT에서 림프절 가장자리가 조영증강 되는 것이 특징적인 소견으로 진단에 도움이 된다.[1] 최근에는 인터페론 감마 분비검사(interferon-gamma release assays, IGRAs)가 개발되어 투베르쿨린 피부반응 검사(Tuberculin skin test)를 대신하여 선별검사로서 유용하게 이용되고 있는데, 특히 림프절 결핵에서 민감도와 특이도가 각각 86~94%와 81~87%로 높은 것으로 알려져 있다.[4,5]

폐결핵과 마찬가지로 6개월 항결핵 요법이 근본적인 치료이다. 농양이나 동공(sinus tract)이 발생하면 소파술로 괴사조직을 제거하거나 수술적 절제가 필요하며, 항결핵제에 내성을 보이는 경우도 수술이 필요할 수 있다. 림프절 결핵을 치료하는 도중 림프절이 커지는 경우가 있는데, 이 경우 치료 후 역설적 반응(post-therapy paradoxical response), 약재 내성 결핵, 환자의 치료 순응도 저하로 인한 불충분한 약물 복용 등을 감별하여 적절한 조치를 취해야 한다.

2) 비정형 결핵성 경부 림프절염(non-tuberculosis mycobacteria cervical lymphadenitis)

원인균은 비정형 미코박테리아(atypical mycobacteria) 혹은 비결핵 미코박테리아(nontuberculous mycobacteria)로, (M. avium-intracellulare, M. scrofulaceum, M. kansasii, M. fortuitum, M. hemophilum)

등이 있으며 흙, 물, 야채 등 주변 환경에 존재한다.[23]

소아에서 호발하며, 경부 림프절염이 가장 흔한 증상이다. 전신증상 없이 림프절이 서서히 커지는데 특히 악하선과 이개 전방의 림프절 침범이 흔하며 진행하면 결핵성 림프절염과 유사하게 농양이 형성되고 동공이 발생한다. 눈에 감염되면 각막궤양이 생긴다.

진단은 병리조직검사로는 불가능하며 배양검사와 중합효소 연쇄반응검사로 가능하지만 진단율이 높지 않다.[4] 항결핵제에 반응할 수 있지만 수술적 제거가 주 치료방법이다.

4. 진균 감염, 원충 감염 및 기회 감염(Fungal, Parasitic, and Opportunistic infection)

1) 진균 감염(Fungal infection)

경부의 진균감염은 주로 면역이 저하된 환자에서 나타난다. 칸디다(Candida), 히스토플라스마(Histoplasma), 아스페르길루스(Aspergillus) 등이 주요 원인이다. 진단은 혈청 검사나 도말검사 및 배양을 통해 이루어진다. 정맥 내 암포테리신B(amphotericin B) 투여 등 항진균 치료가 요구된다.

2) 톡소플라즈마증(Toxoplasmosis)

톡소포자충(Toxoplasma gondii)에 감염되어 발생한다. 잘 익히지 않은 고기를 섭취했거나 고양이의 분변에 접촉했을 때 감염될 수 있다.[46] 주요 증상은 발열, 전신쇠약, 인후염, 근육통이다. 경부 림프절염은 90% 이상에서 발생한다. 합병증으로 심근염(myocarditis), 폐렴(pneumonitis)이 생길 수 있다. 혈청 검사로 확진할 수 있으며, pyrimethamine, sulfonamides로 치료한다.

3) 기타(Others)

노카르디아(속)(Nocardia sp.)으로 인한 경부의 감염은 드문 질환으로 주로 면역저하 환자에서 폐질환에 동반되어 나타난다. 주로 흡입 또는 피부를 통해 감염되며 진단은 배양을 통해 이루어진다. Sulfonamides가 치료에 사용된다.

5. 기타 감염성 염증성 경부질환

1) 타액선염(Sialadenitis)

타액선은 바이러스 및 세균 감염에 쉽게 노출되며 주변 림프절에도 감염이 발생한다. 백신이 개발되어 보급되면서 빈도는 감소했지만 paramyxoviral 감염에 의한 볼거리(mumps)는 편측 또는 양측의 이하선, 악하선에 발생할 수 있으며 고환염, 수막염, 난청 같은 합병증이 동반될 수 있다. 진통제와 수분 보충 등의 대증치료를 시행한다. 세균감염이 동반된 경우, 수분을 보충하면서 광범위 항생제로 치료한다.

2) 선천성 경부종물의 감염(Infected congenital masses)

경부림프절의 감염을 일으킬 수 있는 다른 원인이 의심되지 않는다면 선천성 경부종물의 급성 감염을 의심해보아야 한다. 갑상설관낭종이 가장 흔하며 40~60%에서 감염이 발생한다.[18] 흉쇄유돌근의 심부, 전부에 단방(unilocular)의, 비투과성(non-translucent)의 낭성 부종이 있다면 새열낭종의 감염(infected brachial cyst)을 의심한다.[37] 일반적으로 CT 영상검사를 통해 진단할 수 있다. 인두의 누공/동을 확인하기 위해 바륨연하(barium swallowing) 검사를 시행하는 것이 도움이 된다.[33] 치료는 정맥 항생제 투여 및 수술을 통해 완전히 절제하는 것이다. 수술 시기에 대해서 항생제 치료 후 최소 6주 이후에 시행하는 방법과 발생 시 항생제 치료와 함께 시행하는 방법 사이에 이견이 존재한다.[37]

3) 단독(Erysipelas)

단독(erysipelas)은 피부의 박테리아 감염질환으로 피부외상이 주된 원인인자이며 A군 연쇄상구균(group A streptococci)이 가장 흔한 원인이다. 초기에 작은 홍반(erythematous patch)으로 시작하여 발적, 동통, 부종 등이 발생하며 병변이 융기되고 경계가 명확하다는 특징이 있다. 림프관을 침범한 경우 병변피부에 줄무늬 모양이 나타난다.[16]

대부분 항생제 투여만으로 치료가 가능하지만 진행한 경우 농양, 괴사, 세균혈증 등이 발생할 수 있다.

4) 봉와직염(Cellulitis)

봉와직염(cellulitis)은 피부외상 혹은 치성질환 등으로 인한 피부와 연조직의 급성 감염 질환이다. 주된 원인균은 Streptococcus pyogens와 Staphylococcus aureus이지만 최근 methicillin-resistant S. aureus (MRSA)가 증가하고 있으며 당뇨나 면역결핍 환자에서는 혐기균이나 녹농균 등의 독성이 강한 균에 의한 감염이 발생할 수 있다.[22]

증상은 일반적으로 통증, 부종, 동통, 발적, 농양형성 등 병변 부위에 국한되는 경우가 많으나 발열, 권태감 등의 전신증상이 동반될 수도 있다. 임상적 양상이 단독과 매우 유사한데 병변이 단독과는 달리 융기되어 있지 않고 경계가 불분명하다는 것으로 감별할 수 있다.[40]

증상이 경미하면 경구항생제로 치료할 수 있지만 중증인 경우는 항생제의 정맥투여가 요구되며 농양이 형성되었다면 배농을 해야 한다. 일반적으로 적절한 항생제 투여로 합병증 없이 치료되지만 방치하면 피부괴사, 골수염, 경부심부감염, 세균혈증(bacteremia) 등이 발생할 수 있다.[40]

II 비감염성 염증성 경부종물

1. 가와사키병(Kawasaki disease)

1967년 Kawasaki에 의해 처음 기술된 원인불명의 전신성 혈관염 질환으로 급성 피부점막림프절증후군(acute mucocutaneous lymph node syndrome) 또는 급성 소아 결절동맥주위염(acute infantile periarteritis nodosa)으로도 불린다. 주로 5세 이하의 소아에서 호발하며 동양인, 남아에게 많다. 진단은 임상적 증상으로 이루어지는데, 5일 이상 지속되는 고열이 있고 피부발진, 결막충혈, 경부림프절 종대, 구순 및 구강의 염증, 사지 말단의 경성 부종과 홍반 등 5가지 증상 중 4가지 이상을 만족할 때 진단된다. 발열은 대개 39℃ 이상으로 해열제에 별로 반응하지 않으나 감마글로불린을 투여하면 1~2일이 지나서 정상화된다. 경부 림프절염은 약 64%에서 발현되고 보통 직경 1.5 cm 이상이다. 구순과 구강병변은 구강이나 인두점막의 발적, 구순의 홍반이나 균열, 딸기혀(strawberry tongue) 등으로 나타난다. 피부발진은 반구진 홍반발진(maculopapular erythematous rash) 형태이며 수포는 나타나지 않는다. 사지말단의 부종과 홍반은 주로 손바닥과 발바닥에 나타나며 회복기에는 막양낙설(membranous desquamation)이 보인다. 그 외 관절통, 흉통, 복통, 설사 등의 증상이 동반될 수도 있다. 급성기에는 혈소판감소증(thrombocytosis)와 심낭 삼출(pericardial effusion)의 징후가 발생하며, 아급성기에는 관상동맥 동맥류(coronary artery aneurysms)가 15-20% 경우에서 동반된다. 치료하지 않으면 치사율이 2%까지 보고되어 있다.[41]

치료의 목적은 증상 호전과 관상동맥질환의 예방이다. 주 치료는 아스피린과 감마글로불린의 정맥주사이다. 감마글로불린은 발병 10일 이내에 주사하면 관상동맥질환의 발생률을 현저히 감소시킬 수 있다. 진단 기준에 지나치게 엄격하게 집착할 경우 치료 시기를 놓치게 되어 관상동맥 병변의 발생률이 증가할 수 있으므로 가와사키병이 의심되면 빨리 소아 심장전문의에게 의뢰하는 것이 중요하다.[9,41]

감별질환은 홍역, 성홍열, 약진, 스티븐 존슨 증후군(Steven-Johnson syndrome) 등이며, antistreptolysin-O 역가 및 인두점막 배양 검사를 하면 진단에 도움이 된다.[42]

2. 기무라병(Kimura disease)

병인이 명확히 밝혀지지는 않았지만 지속적인 자극에 의한 알레르기 반응으로 유발되는 만성 염증성 질환으로 이해되고 있다. 원인항원으로는 Candida albicans와 기생충 등이 의심되고 있다.[38]

30~40대 동양인 남자에서 잘 발생하고 두경부 영역에서 무통성의 림프절염, 피하결절, 타액선 침범, 말초 호산구 증식증(peripheral eosinophilia), 혈청 IgE와 IgG 상승이 특징적이다.[14,38] 림프절염은 두경부 영역에 호발하고 상·하지나 서혜부(inguinal area)에 발생하기도 한다. 피하결절은 이하선 주위와 악하선 주위에 잘 발생하고 서서히 크기가 증가하며 피부에 소양감을 동반하기도 한다. 심한 경우 신증후군(nephrotic syndrome)이나 신부전(renal failure)이 발생할 수 있으므로 혈중요소질소(blood urea nitrogen), 크레아티닌(creatinine)과 요단백(urinary protein) 검사를 반드시 시행해야 한다.[31,39] 호산구를 활성화하는 것으로 IL-5가 지목되고 있는데 IL-5의 증가를 입증하는 것이 기무라병의 활성도를 이해하는 데 유용한 검사로 여겨지고 있다.[25] 확진은 임상적 양상과 아울러 조직검사로 가능하며 병변의 침습 범위를 파악하는 데 CT와 MRI가 유용하다.[38] 조직학적으로 림프조직의 과증식과 호산구 침윤(eosinophil infiltration)이 관찰된다.

기무라병과 유사질환으로 angiolymphoid hyperplasia with eosinophilia (ALHE)가 보고되었는데, 최근에는 서로 다른 질환으로 이해되고 있다. ALHE가 기무라병과 임상적으로 다른 점은, 백인 여성에 호발하고 소양감과 출혈 경향이 있는 작은 홍반성 진피구진 또는 결절이 있다는 것과 동반된 림프절염과 호산구 증가가 드물다는 것이다. 그 외 감별해야 할 질환으로는 타액선 종양, 림프종, 카포시 육종(Kaposi sarcoma), 과오종(hamartoma), Mickulicz 병 등이 있다.[38]

악성 세포 전환(malignant transformation) 가능성이 없어 신장 침범이 없는 한 예후는 비교적 양호하나 자발적 치유는 거의 없다.[38]

치료는 종물이 서서히 커지면서 발생하는 미용적 문제에 따라 결정된다. 증상이 없는 환자에 대해서는 추적관찰하며 그렇지 않으면 수술적 완전절제가 권유되는데 25%에서 술 후 재발이 보고된 바 있다. 비수술적인 방법으로는 스테로이드, 사이클로스포린(cyclosporin) 등이 사용되기도 하며 방사선치료는 다른 치료에 효과가 없는 경우에 한해서 사용할 것을 권고하고 있다.[44]

3. 기쿠치병(Kikuchi-Fusimoto disease)

1972년 일본의 Kikuchi와 Fusimoto에 의해 처음 기술 되었으며 조직병리소견에 따라 조직구성 괴사성 림프절염(histiocytic necrotizing lymphadenitis)으로 불리기도 한다.

병인은 아직 밝혀지지 않았으나, 엡스타인-바 바이러스(Epstein- Barr virus), 인간 헤르페스 바이러스 6,8(Human Herpesvirus 6,8), 풍진 바이러스(Rubella virus), 파라믹소 바이러스(Paramyxovirus) 등의 바이러스, Yersinia enterocolitica, 톡소플라스마(Toxoplasma) 등 세균감염, 여러 물리적 인자나 화학적 인자 등 다양한 항원 자극에 의한 과민반응이나 자가면역질환으로 생각되고 있다. 30세 이하의 젊은 여성, 동양인에서 호발한다.[1,47]

증상으로는 림프절 종대, 감기와 유사한 전신증상을 보인다. 림프절 종대는 주로 경부에 국한되지만 드물게 액와부, 서혜부, 쇄골 하부 등 전신적으로 나타나는 경우도 있으며, 80%정도에서 단발성이며 압통이 없거나 경미하고 후경부에 호발하며 수주에서 수개월간 지속한다. 약 50%에서 열, 권태감, 피로감, 설사, 체중감소, 인후통, 두통, 콧물 등의 전신 증상이 동반된다. 그 외에 피부발진, 간비대, 비장비대, 뇌막염 증상 등이 드물게 나타난다.[39] 기쿠치병을 가진 환자 중 전신성 홍반성 루푸스(systemic lupus erythematosus, SLE)가 동반된 경우가 드물게 발견되고 병리조직학적으로 서로 유사하여 기쿠치병이 홍반성 루푸스의 한 형태라는 주장도 있다.[48]

감별진단이 요구되는 질환은 염증성 림프절염, 육아종성 림프절염, 전신성 홍반성 루푸스, 악성 림프종 등인데 이 중 악성 림프종은 병리조직학적으로 매우 유사하여 감별할 때 주의가 필요하다.

혈액학적 검사와 방사선학적 검사는 진단적 가치가 거의 없으며[10] 림프절의 조직병리학적 검사를 통해서 확진이 가능하다. 세침흡인세포검사가 진단에 유용하다는 보고가 있지만 정확도가 높지 않아 절제 생검이 권유된다.

대부분 자연히 회복되므로 치료로 증상에 따른 보조적인 요법을 시행하는데 전신성 홍반성 루푸스 등이 동반된 경우에는 스테로이드 제제 등을 사용한다. 경부 림프절염은 확진 후 1~6개월 사이에 자연 치유되고 재발률은 3-4% 정도로 보고되어 있다.[48] 일부 환자에서 몇 년 후에 SLE가 발생한 경우가 있어 주기적으로 경과를 확인하는 것이 좋다.

4. 캐슬만병(Castleman's disease)

1956년 Castleman에 의해 처음으로 알려진 림프증식성 질환으로 혈관여포성 림프절 과증식증(angiofollicular lymphoid hyperplasia), 양성 림프종(benign lymphoma) 등 여러 명칭으로 불린다. 원인불명이며 20~30세에 호발하고, 남녀 성별의 차이는 없으며, 동양인과 흑인에서는 드물고 백인에서 흔하게 발생한다.

병변 개수에 따라 단발성 형태(unicentric form) 또는 다발성 형태(multicentric form)로 나뉘며[24] 병리조직학적으로는 유리질 혈관형(hyaline-vascular type), 형질세포형(plasmacytic type), 혼합형으로 구분된다.[27] 단발성은 대부분 유리질 혈관형으로 전체의 90%를 차지하며, 림프절 비대가 유일한 증상인 경우가 많으나 간혹 림프절의 주위조직 압박으로 인한 통증이 동반될 수 있으며, 예후가 좋다. 다발성은 주로 형질세포형이며, 발열, 피로감, 체중감소 등의 전신증상과 경우에 따라 간과 비장비대, 빈혈, 증가된 적혈구 침강속도, 과감마글로불린혈증(hypergammaglobulinemia) 등이 동반될 수 있으며[24,27] 단발성에 비하여 예후가 불량하여 10~15% 정도의 사망률이 보고되어 있다.[3,24] 또한 다발성은 인간 헤르페스 바이러스-8(human herpesvirus-8, HHV-8)가 검출되는 경우가 많은데 HHV-8 감염과 연관된 카포시 육종이나 비호지킨 림프종(non-Hodgkin's lymphoma) 등의 악성 종양으로 발전할 가능성이 있다.[30] 호발부위는 흉곽이 약 70%로 가장 많고 그 다음으로 두경부가 10~15%, 그 외 복부, 후복막 그리고 골반 등이다.

진단은 조직생검으로 가능한데 세침흡입검사로 확진하기 어려워 개방생검이 필요한 경우가 많다. 캐슬만병의 진단을 위한 여러 연구 중 T2 강조 MRI에서 선상의 저강도 선호가 보이면 혈관주위 층별 섬유화의 소견으로 진단의 중요한 단서가 될 수 있다.[21]

치료는 단발성에서는 수술적 완전절제로 재발 없이 완치가 가능하며, 다발성은 아직 정립된 치료가 없고 수술, 스테로이드, 세포 독성 화학요법, 방사선치료 등을 시행하나 치료에 반응이 좋지 않다.[17]

감별해야 할 질환으로는 반응성 림프증식증, 바이러스 림프절염, 호지킨 림프종, 결절성 림프종, 혈관면역아세포성림프선증, 흉선종 등이 있으며 특히 림프종과 조직소견이 유사하므로 동결절편 검사 시 유의해야 한다.

5. 동조직구증(Sinus HIstiocytosis or Rosai-Dorfman Disease)

동조직구증은 감염성 단핵구증이나 림프증과 유사하게 크고 비압통성 경부 림프병증을 보인다. 병인은 알려져 있지 않으나 헤르페스 바이러스 또는 엡스타인-바 바이러스의 가능성이 알려져 있다.[32] 일반적으로 무통성의 진행하는 양측성 림프절 비대가 나타난다. 진단은 조직검사 또는 세침흡입세포검사로 이루어진다. 조직소견상 상피 과증식증, 현저한 조직구증, 형질세포증가증 등 특징을 보인다. 일반적으로 6~9개월 후에 치유되지만 주기적인 완화와 악화가 반복되는 경과를 보이기도 한다. 병의 양상에 따라 항암화학요법, 스테로이드 치료가 요구되기도 한다.[36] 수술은 진단적으로 조직검사나 또는 폐쇄증상을 완화하기 위해 시행된다.

6. 유육종증(Sarcoidosis)

유육종증의 병인은 알지 못하나 감염성 또는 독성에 의한 것으로 추측된다. 주로 20대의 젊은 나이에 발병하며 성별에 다른 차이는 없다. 환자는 림프절 비대, 피로, 체중감소를 보인다. 침범한 부위에 따라 기침, 호흡곤란, 쉰 목소리, 뼈와 관절의 통증, 시각 증상, 두통, 발열, 피부 발진을 보일 수도 있다. 흉부 단순 촬영에서 이상소견을 보이는 것이 진단에 도움이 된다. 침범된 조직에서 비건락성 육아종(noncaseating granulomas)가 발견되면 확진할 수 있다. 치료로 급성기에는 스테로이드가 도움이 되며,[35] 이외에도 immune suppressor (methotrexate, azathioprine), hydroxychloroquine, tumor necrosis factor-alpha inhibitor 등이 시도될 수 있다.

7. 약물유발 림프절 비대(Drug-induced lymphadenopathy)

림프절 비대를 일으키는 약물로 phenytoin이 가장 잘 알려져 있으며 기타 pyrimethamine, allopurinol, phenylbutazone 등이 있다. 대부분 약물을 중단하면 림프절 비대가 소실되지만 phenytoin을 장기간 사용할 경우 가성 림프종 상태(premalignant pseudolymphomatous state)로 림프절 비대가 지속되기도 한다.[43]

참고문헌

1. 김영모, 조정일, 등 최상학. 결핵성 경부 림프절염의 CT소견과 치료. 한이인지 2003;46:426-31.
2. 김영학, 이호신, 등 강경화. 악하선에 발생한 방선상균증. 한이인지 1989;32:1205-7.
3. 김종양, 최승호, 등 김상윤. 경부에 발생한 캐슬만 병 6예에 대한 임상적 고찰. 한이인지 2005;48 (1406-1410).
4. 박철민, 허세란, 등 박경운. 중합효소연쇄반응-제한절편길이다형성을 이용한 비결핵항산균의 분리. 대한진단검사의학회지 2006;26:161-7.
5. 백정환, 김선일, 조양선. 경부 결핵성 림프절염 진단에 있어 세침흡입 잔유물을 이용한 중합효소 연쇄반응의 진단적 유용성. 한이인지 2002;45:263-7.
6. 심규화, 이동욱, 등 추무진. 결핵성 경부 림프절염의 진단. 한이인지 2002;45:263-7.
7. 이승민, 오윤정, 등 전용훈. 소아 및 청소년에 있어서 림프절 종대에 대한 미세침 흡입 세포검사법. Korean J Pediatr 2006;49 (2):167-72.
8. 전영훈 장영, 김동환 등. 결핵성 경부 임사선염에 대한 선택적 경부청소술의 임상적 평가. 한이인지 1992;35:414-8.
9. 정용태, 여미영, 등 이재욱. Kawasaki병에서 관상동맥 변화를 초래할 위험요소에 관한 임상적 고찰. 소아과 1991;34:1540-6.
10. 주형로, 이승호, 등 정광윤. 괴사성 림프절염 3례. 한이인지 1993;36:170-6.
11. 최정섭, 김태현, 등 박호영. 전염성 단핵구증에 대한 임상적 고찰. 한이인지 1997;40:914-21.
12. 최진우, 이태봉, 등 황상훈. 부비동 국균증과 동반된 비강내 방선균증 1례. 한이인지 1997;40:1844-7.
13. 홍석중, 주준범, 등 김용재. 두경부에 발생한 방선균증 3예. 한이인지 2000;43:1159-62.
14. Abuel-Haija M., Hurford M. T. Kimura disease. Arch Pathol Lab Med 2007;131 (4):650-1.
15. Balfour H. H., Jr., Odumade O. A., Schmeling D. O., et al. Behavioral, virologic, and immunologic factors associated with acquisition and severity of primary Epstein-Barr virus infection in university students. J Infect Dis 2013;207 (1):80-8.
16. Bonnetblanc J. M., Bedane C. Erysipelas: recognition and management. Am J Clin Dermatol 2003;4 (3):157-63.
17. Bowne W. B., Lewis J. J., Filippa D. A., et al. The management of unicentric and multicentric Castleman's disease: a report of 16 cases and a review of the literature. Cancer 1999;85 (3):706-17.
18. Brousseau V. J., Solares C. A., Xu M., et al. Thyroglossal duct cysts: presentation and management in children versus adults. Int J Pediatr Otorhinolaryngol 2003;67 (12):1285-90.

19. Candy B., Hotopf M. Steroids for symptom control in infectious mononucleosis. Cochrane Database Syst Rev 2006 (3):CD004402.

20. Cui L., Ge Y., Qi X., et al. Detection of severe fever with thrombocytopenia syndrome virus by reverse transcription-cross-priming amplification coupled with vertical flow visualization. J Clin Microbiol 2012;50 (12):3881-5.

21. Davis B. T., Bagg A., Milmoe G. J. CT and MR appearance of Castleman's disease of the neck. AJR Am J Roentgenol 1999;173 (3):861-2.

22. Eady E. A., Cove J. H. Staphylococcal resistance revisited: community-acquired methicillin resistant Staphylococcus aureus--an emerging problem for the management of skin and soft tissue infections. Curr Opin Infect Dis 2003;16 (2):103-24.

23. Griffith D. E., Aksamit T., Brown-Elliott B. A., et al. An official ATS/IDSA statement: diagnosis, treatment, and prevention of nontuberculous mycobacterial diseases. Am J Respir Crit Care Med 2007;175 (4):367-416.

24. Herrada J., Cabanillas F., Rice L., et al. The clinical behavior of localized and multicentric Castleman disease. Ann Intern Med 1998;128 (8):657-62.

25. Hosoki K., Hirayama M., Kephart G. M., et al. Elevated numbers of cells producing interleukin-5 and interleukin-10 in a boy with Kimura disease. Int Arch Allergy Immunol 2012;158 Suppl 1:70-4.

26. Jiao Y., Zeng X., Guo X., et al. Preparation and evaluation of recombinant severe fever with thrombocytopenia syndrome virus nucleocapsid protein for detection of total antibodies in human and animal sera by double-antigen sandwich enzyme-linked immunosorbent assay. J Clin Microbiol 2012;50 (2):372-7.

27. Keller A. R., Hochholzer L., Castleman B. Hyaline-vascular and plasma-cell types of giant lymph node hyperplasia of the mediastinum and other locations. Cancer 1972;29 (3):670-83.

28. Kim K. H., Yi J., Kim G., et al. Severe fever with thrombocytopenia syndrome, South Korea, 2012. Emerg Infect Dis 2013;19 (11):1892-4.

29. Kordick D. L., Brown T. T., Shin K., et al. Clinical and pathologic evaluation of chronic Bartonella henselae or Bartonella clarridgeiae infection in cats. J Clin Microbiol 1999;37 (5):1536-47.

30. Larroche C., Cacoub P., Soulier J., et al. Castleman's disease and lymphoma: report of eight cases in HIV-negative patients and literature review. Am J Hematol 2002;69 (2):119-26.

31. Lee J., Hong Y. S. Kimura disease complicated with bowel infarction and multiple arterial thromboses in the extremities. J Clin Rheumatol 2014;20 (1):38-41.

32. Levine P. H., Jahan N., Murari P., et al. Detection of human herpesvirus 6 in tissues involved by sinus histiocytosis with massive lymphadenopathy (Rosai-Dorfman disease). J Infect Dis 1992;166 (2):291-5.

33. Liberman M., Kay S., Emil S., et al. Ten years of experience with third and fourth branchial remnants. J Pediatr Surg 2002;37 (5):685-90.

34. Liu Q., He B., Huang S. Y., et al. Severe fever with thrombocytopenia syndrome, an emerging tick-borne zoonosis. Lancet Infect Dis 2014;14 (8):763-72.

35. Muller-Quernheim J., Kienast K., Held M., et al. Treatment of chronic sarcoidosis with an azathioprine/prednisolone regimen. Eur Respir J 1999;14 (5):1117-22.

36. Naidu R. K., Urken M. L., Som P. M., et al. Extranodal head and neck sinus histiocytosis with massive lymphadenopathy. Otolaryngol Head Neck Surg 1990;102 (6):764-7.

37. Nour Y. A., Hassan M. H., Gaafar A., et al. Deep neck infections of congenital causes. Otolaryngol Head Neck Surg 2011;144 (3):365-71.

38. Pamaraju N., Khalifa S. A., Darwish A., et al. Kimura's disease. J Laryngol Otol 1996;110 (11):1084-7.

39. Rajpoot D. K., Pahl M., Clark J. Nephrotic syndrome associated with Kimura disease. Pediatr Nephrol 2000;14 (6):486-8.

40. Roberts S., Chambers S. Diagnosis and management of Staphylococcus aureus infections of the skin and soft tissue. Intern Med J 2005;35 Suppl 2:S97-105.

41. Rowley A. H., Gonzalez-Crussi F., Shulman S. T. Kawasaki syndrome. Rev Infect Dis 1988;10 (1):1-15.

42. Rowley A. H., Shulman S. T. Kawasaki syndrome. Clin Microbiol Rev 1998;11 (3):405-14.

43. Rizzi Mark D., Wetmore Ralph F., Potsic William P. Differential Diagnosis of Neck Masses. In: Flint, PW, Haughey, BH, Lund, VJ, et al., editors. Cummings otolaryngology – head & neck surgery. 6th ed. Philadelphia: MOSBY ELSEVIER;2015. p.3056-63.

44. Sato S., Kawashima H., Kuboshima S., et al. Combined treatment of steroids and cyclosporine in Kimura disease. Pediatrics 2006;118 (3):e921-3.

45. Song K. H., Jeon J. H., Park W. B., et al. Usefulness of the whole-blood interferon-gamma release assay for diagnosis of extrapulmonary tuberculosis. Diagn Microbiol Infect Dis 2009;63 (2):182-7.

46. Tenter A. M., Heckeroth A. R., Weiss L. M. Toxoplasma gondii: from animals to humans. Int J Parasitol 2000;30 (12-13):1217-58.

47. Tong T. R., Chan O. W., Lee K. C. Diagnosing Kikuchi disease on fine needle aspiration biopsy: a retrospective study of 44 cases diagnosed by cytology and 8 by histopathology. Acta Cytol 2001;45 (6):953-7.

48. Yu H. L., Lee S. S., Tsai H. C., et al. Clinical manifestations of Kikuchi's disease in southern Taiwan. J Microbiol Immunol Infect 2005;38 (1):35-40.

49. Yu X. J., Liang M. F., Zhang S. Y., et al. Fever with thrombocytopenia associated with a novel bunyavirus in China. N Engl J Med 2011;364 (16):1523-32.

CHAPTER 34

심경부감염

엄재욱, 이준규

경부에 봉와직염이나 농양을 형성하는 심경부감염은 위생의 개선, 항생제의 발달 등으로 최근 그 빈도가 줄었지만 치명적인 합병증, 즉 패혈증, 파종성 혈관 내 응고증, 하행성 종격동염, 상기도폐쇄, 늑막과 폐의 농양, 심낭염, 경정맥 혈전, 경동맥 파열 등을 야기할 수 있는 질환이다.[5,9,12]

I 경부 근막의 해부학

심경부감염을 치료할 때 해부학적 지식을 이해하는 것은 정말 중요하다. 경부에는 여러 층의 근막이 있는데, 이러한 근막으로 이루어진 면과 경부 공간들을 알고 있어야 감염의 전파 경로와 이에 따른 합병증을 예측하고 대처할 수 있겠다.

근막에는 천근막(superficial fascia)과 심근막(deep fascia)이 있다. 천층은 매우 얇고 층으로 나누어지지 않지만 심근막은 세 층으로 나뉜다.[37]

이렇게 해서 생긴 경부공간으로는 상악공간(협공간, 견치공간), 저작공간, 이하선공간, 하악공간(악하공간, 이하공간, 설하공간, 하악체공간), 편도주위공간, 부인두공간, 후인두공간, 내장혈관공간, 기관전공간(전장근막공간), 척추전공간, 종격동 등이 있다(표 34-1).[18]

1. 천근막

천근막은 피부 밑에 단층으로 존재하고, 보통 얇지만 비만한 사람은 지방조직 때문에 두꺼워져 있다. 얼굴의 하부와 경부의 측면에서는 비교적 잘 발달된 반면 전면에서는 얇으며 후방은 단단하고 심근막과 유착되어 있다. 일차적으로 수술 시 피부 절개를 가할 때 그 밑의 조직을 보호하는 근막대(fascial pad)를 제공한다.

2. 심근막

외, 중, 내의 세 개의 층으로 나뉜다(그림 34-1, 2, 3). 이

표 34-1. 안면과 경부의 공간

안면의 공간
- 상악공간(maxillary spaces)
  - 협공간(buccal space)
  - 견치공간(canine space)
- 이공간(mental space)

경부의 공간
- 경부의 전체 길이를 차지하는 공간
  - 천공간(superficial space)(제 1 공간)
  - 심경부공간(경부의 후부만을 차지하는 모든 공간들)
  - 인두후공간(retropharyngeal space)(제 3공간, 장근막 후강(posterior visceral space))
  - 위험공간(danger space)(제 4공간)
  - 척추전공간(prevertebral space)(제 5공간)
  - 혈관장근막공간(visceral vascular space within carotid sheath)
- 설골상공간(suprahyoid spaces)
  - 하악공간(mandibular spaces)
    - 악하공간(submandibular space)
    - 이하공간(submental space)
    - 설하공간(sublingual space)
    - 하악체공간(space of the body of the mandible)
  - 저작근공간(masticator space)
  - 측인두공간(lateral pharyngeal, parapharyngeal space)
  - 편도주위공간(peritonsillar space)
  - 이하선공간(parotid space)
- 설골하공간(경부의 전부만 차지하는 공간들)
  - 기관전공간(pretracheal space)

러한 세 개의 층들은 중격으로 서로 결합해 있으며, 잠재 공간 혹은 구획을 형성한다. 이 잠재공간이나 구획들이 경부감염의 형성이나 전파를 결정하게 된다.

1) 외층

심근막의 외층은 광경근 아래에 위치하고 밖에 있는 경부조직을 두부에서 흉부까지 완전히 둘러싸기 때문에 이 외층을 심근막의 천층 혹은 피복층(investing layer)이라고 한다.

위로는 외후두융기, 유양돌기, 그리고 이하선을 둘러싼 후 협골에 부착하고, 전방으로는 하악과 설골에 부착하며, 하방으로는 견갑골, 쇄골, 흉골병에 부착한다.

하악을 둘러싼 후 악하선의 심부의 피막은 경돌설골근과 이복근의 후복의 근막초와 결합하여 하악의 후각과 경돌기를 연결하는 인대를 형성하게 되는데 이것을 경돌하악인대(stylomandibular ligament)라고 한다.

이하선의 심층 혹은 후층은 이하선의 내측피막이 되고 앞쪽으로 연장되어 익상근을 둘러싸고 하악의 앞쪽에서 천층과 융합한다. 이러한 하악, 이하선, 교근을 외측에서 둘러싼 근막과 이하선과 익상근을 내측에서 둘러싼 근막은 이하선공간과 저작공간을 만든다.

2) 심근막의 중층 혹은 내장근막

이 근막은 심근막의 천층에서 분화하는데 경부의 내장조직, 즉 인두, 식도, 후두, 기관, 그리고 갑상선을 둘러싸기 때문에 이 중층을 내장근막(visceral fascia)이라 한다. 여기에 부가하여 설골과 갑상연골에 부착한 피대근과 경동맥을 둘러싼다. 이 내장근막으로 둘러싸인 커다란 공간은 구강, 인두, 식도, 후두, 혹은 기관 및 종격동과 염증이 잠재적으로 교통할 수 있기 때문에 매우 중요하다.

경부 내장근막의 일부인 협인두근막(buccopharyngeal fascia)도 인두의 수축근과 협근을 둘러싸고 두개저에서부터 윤상연골 높이까지 연장된다.

3) 심근막의 심층 혹은 척추전근막(prevertebral fascia)

척추전근막은 경추의 전면에 내측으로 놓이며 척추측방근을 외측으로 둘러싸고 외측으로 연장되어 경추횡돌기의 끝에 부착된다(그림 34-1).

3. 후인두공간, 위험공간, 척추전공간

(1) 후인두공간(retropharyngeal space, posterior portion of space 3)은 경부장기의 뒷부분을 형성한다. 두개저부에서부터 익상근막이 심경부근막의 중간층과 결합하는 곳인 기관분지(tracheal bifurcation, T1)까지 퍼져 있다. 내장근막(혹은 협인두근막)과 익상근막 사이의

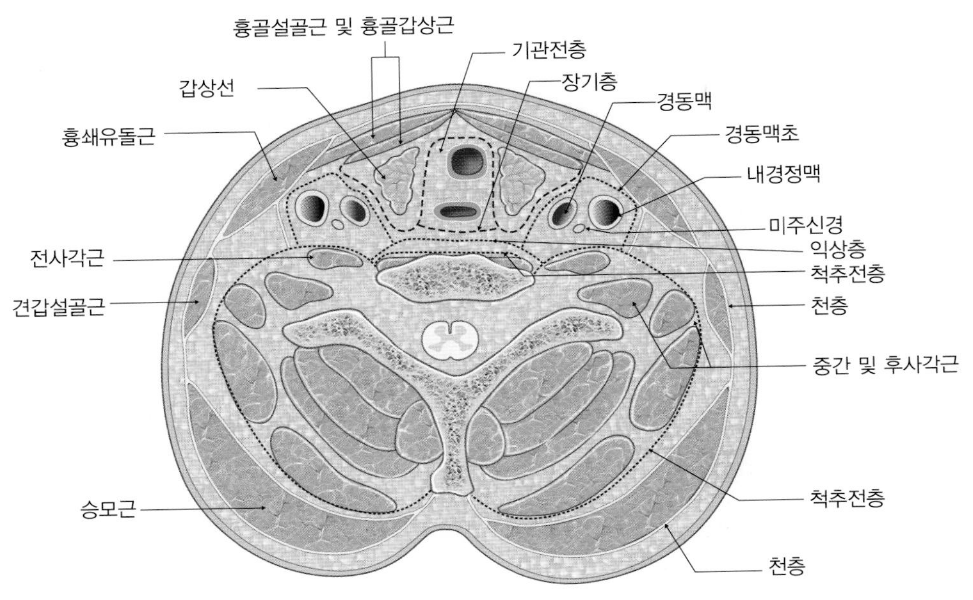

■ 그림 34-1. **심경근막을 도시한 경부 단면도**

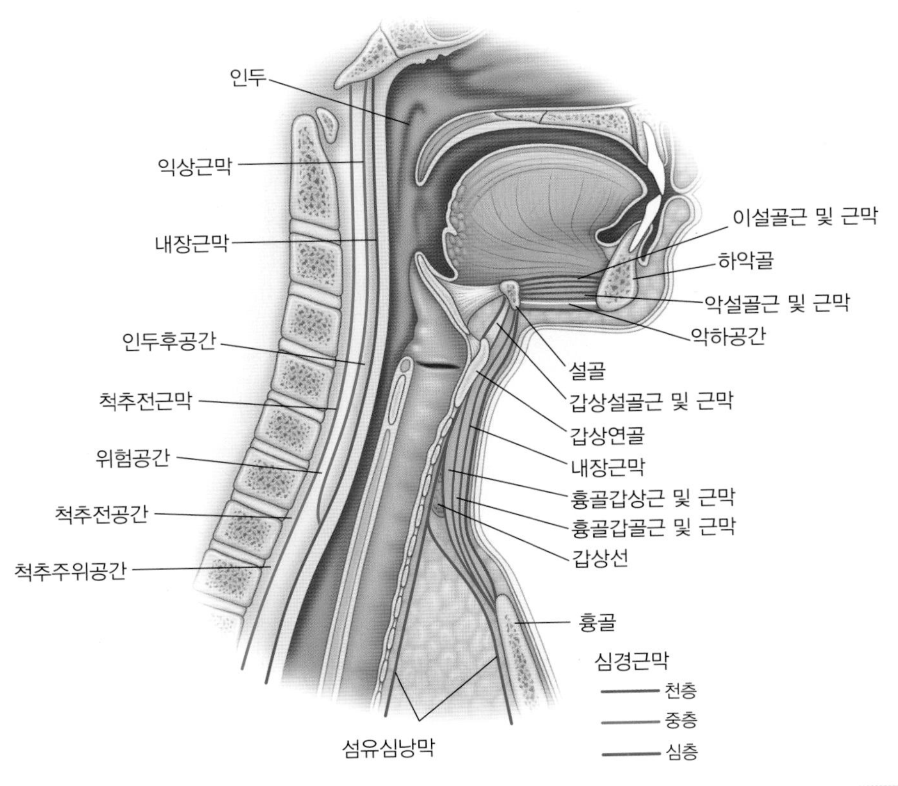

■ 그림 34-2. **근막과 공간을 표시한 전후 종단면.** 내장근막이 뒤쪽으로 가서 익상근막에 의해 인두후공간과 척추공간으로 나뉜다.

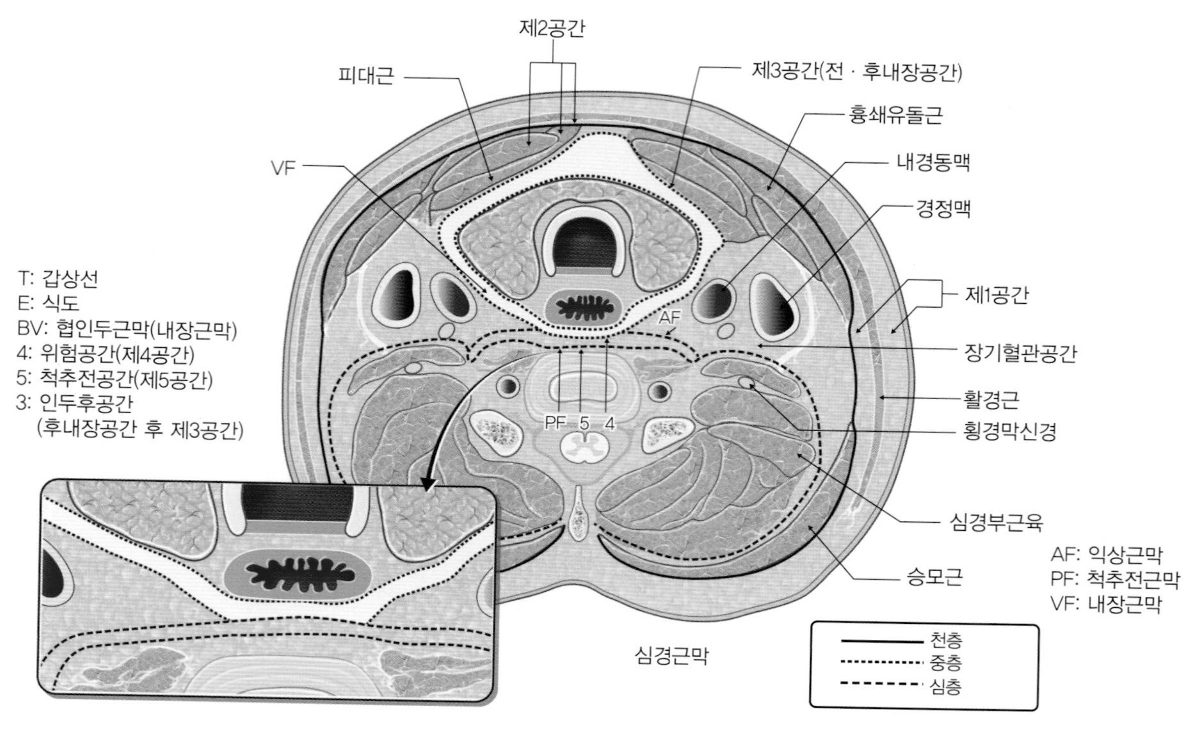

■ 그림 34-3. **근막층과 공간을 도시한 경부 횡단면**

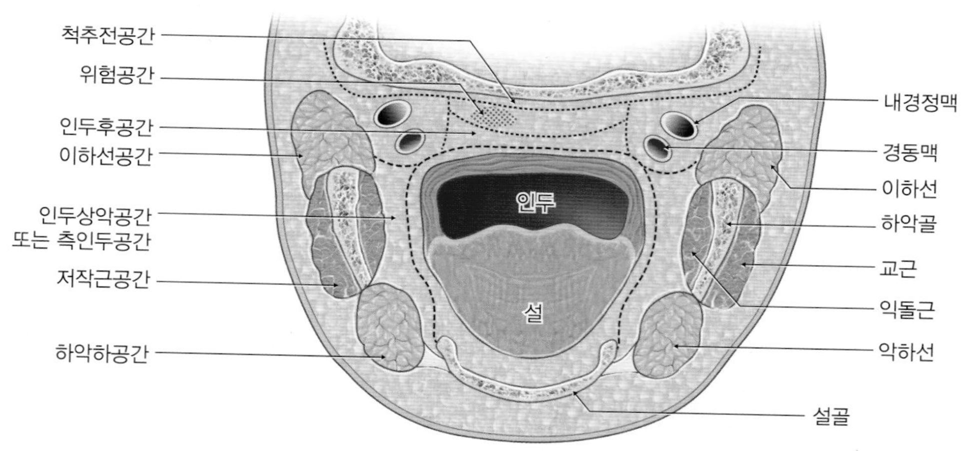

■ 그림 34-4. **측인두공간과 인접한 경동맥초, 인두후공간, 이하선공간, 저작근공간, 하악하공간을 보여주는 이하선과 설골의 단면도**

공간이다(그림 34-2, 4).

상인두수축근이 척추전근막에 부착하는 중간 봉선이 후인두공간을 좌측과 우측 부분으로 분리하며, 후인두공간의 내용물로는 지방과 림프선 등이 있다.[22]

후인두공간의 감염은 직접 상종격동의 전·후부 및 익상근막을 지나 위험공간(danger space : space 4)으로도 퍼질 수 있다는 것이 중요하다. 이런 이유로 이 공간은 구강과 인후에서 종격동으로 감염이 퍼지는 주된 경로이다.

(2) 위험공간은 느슨한 결체조직을 가지는 심경부근막의 심층의 익상층과 척추전층 사이에 놓이는 공간이다(그림 34-2, 3). 이 공간은 위로는 두개저까지, 아래로는 후종격동과 횡격막까지 뻗어 있다. 이 공간의 감염은 대부분 익상층을 관통한 인두후농양, 척추전층을 통과한 척추전농양, 측인두농양이 퍼진 결과이다. 한번 침범되면 위험공간의 감염은 횡격막 높이의 후종격동까지 직접 내려갈 수 있으므로 이 감염의 임상적 중요성은 아무리 강조해도 지나치지 않다.

(3) 척주(spinal column)의 앞쪽과 전종인대(anterior longitudinal ligament)에 인접해서 척추전공간(prevertebral space)이라 불리는 조밀한 공간(제5 공간 : space 5)이 있다. 척추전공간의 앞쪽에 위험공간이 있는데, 심경부근막의 심층인 척추전층(prevertebral layer)이 두 공간을 분리하고 있다(그림 34-2, 3). 이 공간은 두개저에서 미추까지 뻗어 있다. 척추를 따라 여러 높이에서 근육이 추체에 부착 부위를 가지는 곳에서 근초들이 척추전근막과 연결되고 그런 근초들을 가진 공간이 척추전공간과 연속된다. 그러므로 이 공간의 농양이 요근이 있는 아래까지도 이동할 수 있다.[30]

Ⅱ 심경부감염

1. 원인

항생제의 도입 이전에는 인두편도염 등의 상기도 감염이 주 원인으로 알려져 있었으나, 근래에는 치성 감염의 원인이 증가하여, 이 두 가지 원인이 주를 이루고 있다. 치성 감염이 가장 많다는 보고가 많으며,[15,24,26,32,45] 상기도 감염이 많다는 보고도 간혹 있다.[49] 그 외 선천성 낭, 이성 질환, 경부림프절염, 타액선염, 피부감염, 갑상선염, 외상(총상, 자상, 오염된 주사바늘 등), 식도감염(식도경술 시 천공, 부식성 식도염, 식도이물 등), 기관손상 등 여러 가지가 이유가 있으므로 자세한 병력 청취와 신체검사가 필수적이겠다.

균주는 *Streptococcus viridans* group, *Klebsiella pneumoniae, Staphylococcus aureus, α-hemolytic Streptococcus*가 많이 동정되었는데[24,26,49] 특히 *Streptococcus viridans* group은 치성감염과, *Klebsiella pneumoniae*는 당뇨 환자와 깊은 연관이 있다고 보고된다.[24] 혐기성균에서는 *Bacteroides, Fusobacterium, Peptostreptococcus, Porphyromonas* 등이 있다.[13]

기저질환은 당뇨와 고혈압이 많다.[11,21,24,26,49] 당뇨 환자에서는 중성구의 식세포 능력, 호중구의 기능, 보체 활성화와 세포매개면역 등의 면역 기능 장애, 화학주성 기능의 장애를 일으켜 심경부 감염이 증가하겠다.[8,16,46] 특히 당뇨는 생명을 위협하는 합병증의 인자라는 보고가 있으므로[7] 당뇨 환자에서 치료에 유의를 해야 할 것이다.

2. 진단

1) 임상 양상

심부염증의 임상적 양상은 경부 통증, 체온 상승, 종창, 종괴의 형성, 오한, 심박 증가, 혈압 저하, 연하통, 연하장애, 애성, 개구장애(trismus), 심한 경우에는 패혈증 증상 등이 올 수 있다. 개구장애는 염증이 내측익돌근을 침범했거나 부인두공간으로 확장되었음을 시사한다. 무엇보다도 호흡곤란이 있는지 늘 확인해야 하며, 기도 폐색이 임박하다고 판단되면 기관절개술 등의 시술로 기도를 먼저 확보하는 것이 중요하다.

2) 검사 소견

전혈구계산 및 감별계산, 혈당 검사, 전해질 검사, 적혈구 침강속도(erythrocyte sedimentation rate; ESR), C-반응 단백질(C-reactive protein; CRP)을 시행하고, 항생제 치료 전 혈액 배양과 농이나 흡인물의 배양 검사를 시행한다. 면역이 저하된 환자에서는 호기성 및 혐기성 배양 검사, 진균 및 항산 배양 검사를 실시한다. C-반응 단백질은 감염이나 수술 혹은 외상, 그리고 조직 손상 때 급성으로 반응하여 증가하는 물질로서, 연쇄상구균의 C-polysaccharide와 침강 반응을 일으키기 때문에 붙여졌다.[27] C-반응 단백질 수치가 높은 환자에서는 합병증이 발생할 확률이 높고, 수술적 치료를 결정하는 것이 좋겠다는 보고도 있다.[11,45]

3) 영상의학적 검사

후인두 및 부인두강 농양이 의심되는 환자에서는 측면 단순 촬영이 도움이 되겠다. 정상 경부측면 영상에서 제2 경추에서의 후인두 연조직의 두께는 3.5 mm인데, 소아나 성인 모두 7 mm 이상이면 비정상이다. 제6 경추 높이에서는 소아에서 14 mm 이상, 성인에서 22 mm 이상이면 비정상이다(그림 34-5).[1,40]

심경부감염에서 가장 유용한 영상학적인 검사는 CT이다. 배농이 가능한 농양과 봉와직염을 구분할 수도 있고 치료 계획을 세울 수도, 병의 경과를 확인할 수도 있다. CT에서 저류액, 테 증강(rim enhancement), 비정상적인 공기 음영이 관찰된다면 농양일 가능성이 아주 높다.[19]

3. 처치

우선 배양검사와 항생제 감수성 검사가 나오기 전까지 호기성 및 혐기성 균을 치료하는 경험적 항생제 투여를 시작한다. penicillin과 함께 β-lactamase inhibitor (예를 들면, amoxicillin과 clavulanic acid)나 β-lactamase-resistant 항생제(예를 들면, cefoxitin, cefuroxime, imipenem 혹은 meropenem)와 함께 대부분의 혐기성 균에 효과적인 제제(예를 들면, clindamycin 혹은 metronidazole)를 투여한다.[3,32,44] 최근 국내에서는 ampicillin/sulbactam 단독요법만으로도 대부분의 호기성 및 혐기성 균에 우수한 효과를 기대할 수 있다는 보고도 있다.[24]

이러한 항생제 투여 48시간 후에도 증상이 악화되거나, 심각한 합병증, 즉 종격동을 침범하거나 패혈증이 있거나 기도 폐색이 있을 때, 그리고 두 개 이상의 공간을 침범하거나, 농양의 크기가 3 cm 이상일 경우에는 외과적

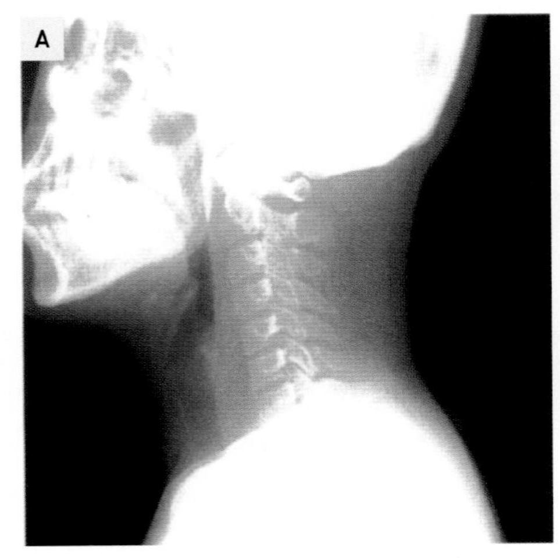

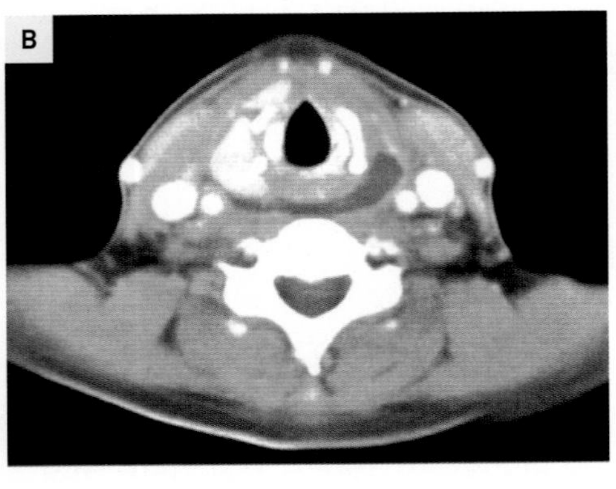

■ 그림 34-5. **후인두농양.** **A)** 경부 측방 영상으로 인두 후벽이 두꺼워져 있다. **B)** CT 영상에서 후인두공간에 위치한 농양이 보인다.

으로 절개 배농술을 추천한다.[7]

절개 배농을 할 때는 가장 종창이 심한 부위에 절개하는 것이 성공률이 높다. 편도주위농양이나 후인두 농양인 경우에는 경구강접근법도 효과적이다. 만약 후인두 농양을 경경부접근법으로 배농해야 할 때는 후두골격과 경동맥초 사이로 박리하여 접근하는 것이 좋다. 손가락으로 무디게 박리하는 것이 주변 혈관에 직접적인 손상을 덜 준다. 어느 정도 농양 부위에 접근하였다면 주사침으로 농을 확인한 다음 그 부위를 절개 배농하면 된다. 농이 관찰되면 배양검사를 의뢰한다.

최근에는 하행성 종격동염을 포함한 대부분의 다양한 심경부감염 때 진공을 이용하여 음압을 형성시켜 상처를 치료하는 방법(wound VAC, vacuum-assisted closure)이 활발히 소개되고 있다.[20,29,38,39,43,50] 이 방법은 상처 부위에 음압을 가하여 세포 외액을 흡입함과 동시에 염증 부위의 부종을 줄이고, 육아 조직의 증식을 촉진시키고, 상처 부위로 관류를 개선시켜 조직으로 산소 및 영양 공급을 증가시켜 창상을 치유하는 방법이다.[35] 국내 보고에서는 이러한 음압 상처 치료를 이용한 심경부감염 치료 가이드라인까지 제시하고 있는데,[38] 그 내용은 다음과 같다. 즉, 한 공간을 침범하는 단순 농양은 주사침 흡인이나 단순 수술적 배농을 한다. 당뇨처럼 면역이 저하된 환자에서 두 공간 이상 침범되었거나, 종격동을 침범했거나, 기도 폐색이 있거나, 파종성 혈관 내 응고증이 있는 경우에는 음압 상처 치료를 적용한다. 흉부를 침범하는 심한 경우는 흉강경 수술이나 종격동경 수술을 할 수 있다. 농양이 줄어들거나, 육아 조직이 증가하거나, 스폰지에서 배양 검사 결과 음성이거나, C-반응 단백질이 정상화되면 음압 상처 치료를 중지하고 통상적인 상처 치료로 전환한다는 것이다.[38]

4. 심경부감염의 위험 인자

심경부감염에서는 가끔씩 기도 폐색이나 하행성 종격동염 같은 심각한 합병증을 야기하면서 장기간의 입원을 초래하는 상황이 생기기도 하는데, 이런 결과를 미리 예측할 수 있다면 이환율을 줄일 수 있을 것이다. 그리하여 심경부감염의 위험 인자들에 관한 여러 연구가 진행되어 왔다. 최근 보고들을 보면, Staffieri 등[42]은 다발성 공간을 침범한 경우가 합병증과 장기간 입원의 예후 인자라고 하였다. 또한 동반 질환이 있거나, 치성 감염이 아닌 경우, 백혈구 수치가 높을 때, 내과적 및 외과적 치료 모두 필요한 경우에 장기간 입원하게 되었다고 보고하였다. 다른 보고에서는 당뇨와 다발성 공간 침범이 합병증의 예측 인자라고 하였다.[7] 어떤 보고[21]에서는 혈당 수치가 높을수록 보다 광범위한 공간을 침범한다고 하였으며, 이런 경우 후두 부종을 야기하여 기도가 폐쇄되어 응급 기관절개술이 필요했다고 하였다. 또 다른 보고에서는 전신질환이 있거나 C-반응 단백질 수치가 100 ug/mL이상 높은 환자는 주의를 요한다고 하였다.[45]

성인 환자에서 수술이 지연되면 이환율과 치사율이 높아진다.[14] 국내에서는 Woo 등[49]이 고령이거나 7 cm 이상 큰 병변이거나, 다발성 공간을 침범했거나, 백혈구 수치가 높거나, 단백 수치가 감소되었거나, 이환 기간이 오래되었을 때는 보다 적극적으로 수술적 치료를 시행하여 치사율을 감소시키자고 제안하였으며, Cho 등[11]은 C-반응 단백질 수치가 높은 환자들에게 적극적인 수술적 치료를 제시하였다.

5. 소아 심경부감염의 특징

최근 보고된 소아 환자들의 몇 가지 특징은 다음과 같다. 먼저 흔한 침범 부위는 부인두공간, 악하공간, 전삼각공간 등이고, 선행 질환은 상기도 감염이 많으며, 흔한 증상은 경부 종창이나 발열이었으며, 원인균은 포도상구균이 흔하였다.[23,34] Baldassari 등[4]은 종격동염이 소아 환자의 가장 흔한 합병증이었으며, 원인균이 포도상구균일 때, 후인두농양일 때, 그리고 나이가 어릴수록 합병증이 더 생긴다고 하였다. 나이가 어릴수록 포도상구균이 원인

균일 가능성이 높으며 대부분은 methicillin-내성 포도상구균이라는 보고도 있다.[10,17]

최근 미국 소아 심경부감염의 추세는 후인두농양이 증가하고, 수술적 치료와 입원 기간이 감소하며, 비용은 증가한다고 한다.[36] 농양의 크기가 작으면 (< 25 mm) 고농도 정맥 항생제를 투여하면서 주의 깊게 관찰하여 비수술적으로 치료할 수 있겠다.[25,48] 그러나 기도폐쇄의 징후가 있거나, 합병증이 있거나, 정맥 항생제 투여 48시간 후에도 임상적인 호전이 없거나, CT에서 농양의 크기가 2.2 cm를 넘거나, 4세 미만이거나, 중환자실 입원한 경우에는 적극적인 수술적인 치료를 고려해야 할 것이다.[28] 특히 나이가 어릴수록 수술적 치료를 해야 할 가능성이 높다는 보고들이 있으니 소아 환자 치료에 주의를 요하여야 하겠다.[10,34,41,48]

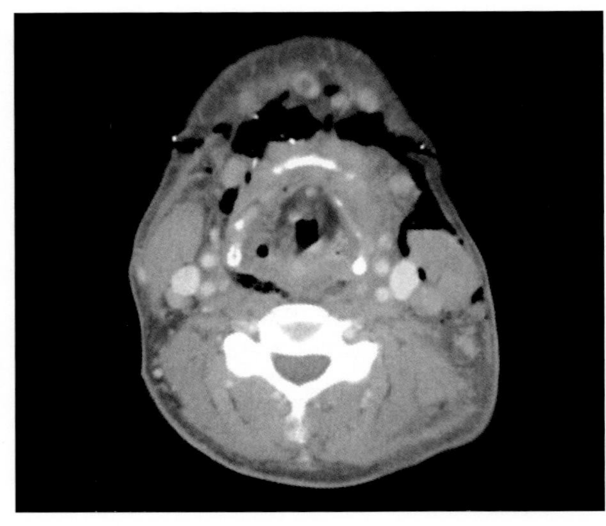

■ 그림 34-6. **괴사성 근막염의 CT 소견.** 천공간의 연부조직에 광범위한 가스가 형성되어 있다. 육안으로는 여러 결체조직의 괴사를 확인할 수 있다.

Ⅲ 몇 가지 공간에 따른 치료

1. 천공간 감염(괴사성 근막염)

괴사성 근막염(necrotizing fasciitis)은 두경부의 천공간을 침범하여 결체조직의 괴사를 일으키는 치명적인 감염이다. 원인균은 대개 혼합감염으로 면역 저하 상태나 술 후에 흔히 발병된다.[2] 영향받은 부분의 피부는 푸르게, 청회색 또는 검게 변하고 급속히 넓게 허물이 벗겨진다.

1) 임상 양상

대부분의 경우에서 외상의 병력이 있으며 때때로 벌레에 물린 것같이 사소한 것도 원인이 될 수 있다. 그 외에 치성 감염 또는 발치 후의 감염도 이 염증을 일으킬 수 있으며, 당뇨나 전신질환이 선행되는 경우도 있다.[2]

초기에 관여된 자리는 붉어지고, 붓고, 따뜻하며 매우 아프다. 병이 진행함에 따라 피부의 영양혈관의 혈전증이 일어나고 변색, 반상 출혈, 그리고 낭포가 생긴다. 피부의 신경이 포함됨에 따라 국소적 이상감각 또는 무감각이 생긴다. 이때는 괴사를 의심해 보아야 한다. 연부조직에 가스가 생길 수도 있다(그림 34-6). 감염은 매우 빠른 속도로 퍼지며 2-4일 내에 잘 한정된 경계들을 가진 검푸른 반점들이 피부에 나타난다. 계속해서 어두운 갈색의 액체를 함유한 수포가 생기고 곧 이어 괴사가 뒤따른다. 절개하였을 때 피하조직에는 부종이 있고 혈장성의 액체가 나온다. 근육들과 다른 심부조직은 일차적으로는 이환되지 않으며 림프절염과 지역적 림프절증도 드물다.

심한 피로, 온도 상승, 빈맥 등의 특징적인 전신적 증상들이 나타난다. 백혈구 증가(3만 개/mm^3)가 자주 나타나지만, 드물게 백혈구 감소도 일어날 수 있다. 독성 골수 기능 저하, 세균효소들에 의한 적혈구의 파괴, 감염된 조직들에서의 부골형성(sequestration)으로 빈혈이 생긴다. 지방 괴사 지역에서의 칼슘부골형성으로 이차적인 저칼슘혈증이 일어날 수도 있다. 조혈세포 기능장애는 황달, 저알부민혈증, 그리고 효소 수치의 상승으로 일어난다.

2) 진단

피하조직과 천층근막의 괴사가 있으면 진단할 수 있다. CT는 신체검사보다 조직가스를 찾아내는 데 매우 유용하다. 게다가 방사선학적 검사는 개방술의 정확한 범위를 알 수 있게 해준다. 상처로부터 균배양을 해야 하는데, 호기성과 혐기성 균주에 대한 그람염색과 혈액배양을 해야 한다. 괴사성 근막염을 조기에 발견하기 위해 혈액학적 위험지표를 점수화한 Laboratory Risk Indicator for Necrotizing Fasciitis (LRINEC) 지표가 도움이 된다는 보고가 있다.[47] 최근 국내 보고에서는 여기에 저알부민혈증을 추가한 Modified LRINEC (M-LRINEC) 점수가 수술적인 치료가 필요한 군에서 더 높기 때문에, 이 점수가 심경부감염에서 괴사성 근막을 감별하는 데에 도움을 줄 수 있다고 하였다.[33]

3) 처치

조기 진단, 적극적인 괴사조직 제거, 정맥을 통한 항생제의 다량 투여, 선행하는 원인 혹은 악화 요인 제거가 성공적인 처치의 핵심이다. 경험적 항생제 치료로 3세대 cephalosporin과 clindamycin 혹은 metronidazole의 병합요법으로 시작하며 배양 결과와 임상적 반응에 따라 항생제를 바꾼다. 영양 보충을 충분히 해야 하고 괴사 조직들을 완전히 제거해야 한다. 고압산소치료도 유용하다. 부신피질호르몬제의 투여는 아직 논란이 되고 있다.

4) 합병증

두경부의 괴사성 연부조직 감염이 있으면 치사율이 20–36%에 달한다. 생명을 위협하는 심한 합병증은 뇌신경증, 혈관미란, 질식, 경추근막면들을 따라 감염의 이차적인 파급으로 발생하는 종격동염 등이며 심한 경우 대사와 전해질의 이상으로 인해 사망한다.

2. 구강저 봉와직염

이것은 설하공간 감염(sublingual space infection)의 심각한 합병증으로서 특별한 주의를 요한다. 항생제가 발명되기 전에는 치사율이 50% 이상이었으며, 현재는 사망하는 경우는 거의 없지만 여전히 응급을 요하는 질환이다. 구강저 봉와직염(Ludwig's angina)이라는 용어는 악하공간, 설하공간, 이하공간을 침범하는 여러 종류의 감염들을 광범위하게 포함하지만 주로 두 번째 또는 세 번째의 하대구치에서 생겨 구강저에서 시작된 염증이 림프절이 아닌 근막면을 통해 이하공간과 악하공간으로 퍼진 경우를 제한해서 말하는 경우가 많다(그림 34-7). Ludwig

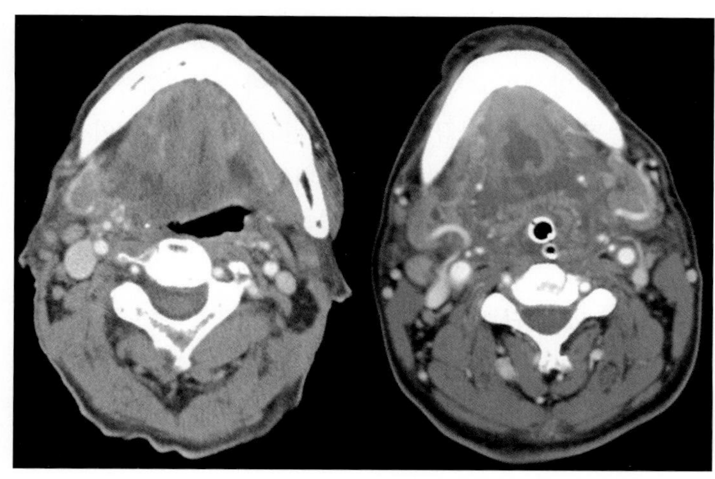

■ 그림 34-7. **Ludwig's angina.** 구강저부, 즉 설하공간, 악하공간, 이하공간에 광범위하게 초래된 염증이 상기도 폐색을 야기하였다. 기관삽관 튜브가 보인다.

는 이 질환은 급속히 퍼지는 괴사성 봉와직염(gangrenous cellulitis)으로 악하선의 지역에서 기원하지만 하나의 공간만을 침범하지 않으며, 혈장과 부패된 침습을 동반한 괴사를 만들고 농은 거의 만들지 않는 경우를 말한다고 강조했다.[31]

1) 임상 양상

구강저 봉와직염은 경부의 조직공간들로부터 퍼진 괴사성 봉와직염이다. 공격적이고 급속히 퍼지며 별다른 조기 증상 없이 기도장애를 일으킨다. 침을 흘린다든지, 연하곤란, 구통, 그리고 경부 강직 등의 증상이 흔히 관찰된다. 진찰할 때 혀가 앞으로 돌출되고, 구강저의 경화 및 홍반, 그리고 치아에 의해 혀가 움푹 패이는 모양을 나타낸다. 경부 진찰상 파동(fluctuation) 없이 설골상 부위에 '나무 같은' 경화가 나타난다. 대개 개구장애는 없으며 백혈구의 증가, 발열, 그리고 오한 등이 나타난다. 이것은 보통 2, 3번째의 대구치의 감염으로 나타나지만 진단 기준을 요약하면 (표 34-2)와 같다.

2) 처치

입원, 기도 확보, 조기 경정맥 항생제 투여, 그리고 시험 절개를 통한 악설골근(mylohyoid m.)의 박리와 배농이 요구된다. 항생제는 혐기성 그리고 호기성 균들에 모두 효과가 있는 것을 선택한다.

3) 합병증

구강저로부터 감염의 확산은 마지막으로는 외측 인두공간에 도달한다. 감염은 인두후공간과 위험공간인 제4 공간까지 파급될 수 있고, 종격동까지도 이를 수 있다. 구강저 봉와직염의 가장 흔한 사망 원인은 질식이다.

표 34-2. 구강저 봉와직염의 진단 기준

농양이 아닌 급속히 진행되는 세포염(cellulitis)
근막층을 따라 진행
악하선이나 림프절의 침범이 없음
설하공간과 상악하공간을 침범하고 보통 양측성

3. 후인두농양

주위의 근육, 코, 비인두, 인두, 중이와 부비동 등의 림프선 경로가 모두 후인두공간을 지나므로 그 공간 내의 화농성 림프절염(suppurative lymphadenitis)의 원인이 될 수 있다.[6] 이런 림프절들은 대부분 아동기에 소멸되지만 어린이의 후인두농양의 높은 발생률에 중요한 역할을 한다. 어른에서는 이물질, 척추 골절, 그리고 식도경 검사 시 외상 등에 의한 2차적인 요인이 더 흔하다.[1]

1) 임상 양상

후인두공간에 염증이 있으면 인두통, 연하통을 느끼고, 객담의 배출이 어렵고, 열이 나고, 뜨거운 감자를 입에 물고 있는 듯한 목소리(hot potato voice) 등의 증상이 나타난다. 그리고 초기에는 목 깊숙한 곳이 아프며 음식 섭취를 거부하고 경부 림프절염, 목의 움직임이 불편함 등을 호소하게 된다. 후두부종이 오게 되어 목소리가 거칠어질 수도 있다. 병이 진행함에 따라 목이 병변 쪽으로 기울게 되고 결국은 목을 앞으로 숙일 수 없을 만큼 과도하게 젖히게 된다.[6] 만약에 배농이 안되면 호흡곤란이 오기도 한다. 구인두를 검사해 보면 후인두 림프절이 정중선을 경계로 외측에 존재하기 때문에 인두벽의 양옆에 솟아오른 양상을 보이는데 이러한 소견이 척추결핵과 감별점이 될 수 있다.[1] 가끔 편도염이나 편도주위농양을 보이기도 하며 치성으로 오거나 주위의 체강에서 파급되지 않은 경우에는 개구장애는 잘 오지 않는다.

2) 진단

다른 심부감염들과 같이 봉와직염으로 시작하여 농양을 형성한다. 종종 소아에서 어른보다 진단이 어려운 경우가 있다. 소아에서는 발현증상이 크루프, 후두개염, 편도주위농양, 뇌막염 등과 매우 유사하므로 필히 구별하여야 한다. 유용한 방사선 진단방법으로는 경부 측방 영상, CT, MRI 등이 있다. 경부측방 영상에서 종창이 정상 연조직의 두께보다 더 크면 비정상이다.[1,40] 그리고 염증의 흉부전파를 확인하기 위하여 흉부 영상도 찍어야 한다.

3) 처치

입원, 기도 확보, 정맥을 통한 항생제 투여와 즉각적인 절개 배농이 요구된다. 환자의 머리는 위쪽으로 향하게 하고 삽관을 할 때 농양이 터지거나 농성 물질이 흡인되는 일이 없도록 매우 주의하여야 한다. 농양의 경구적 배농이 가능하며 돌출된 후인두 점막에 수평 절개를 해서 배농한다. 만약 주위 공간으로의 파급이 의심되면 외부로 배농해야 한다. 경부에 수평 절개를 통해 시행하며 흉쇄유돌근 앞쪽으로 박리한다. 후두골격과 경동맥초 사이로 박리하여 후인두공간에 진입하여 배농한다.

4) 합병증

뇌막염, 출혈, 후두연축, 기관지침식, 패혈증, 전이성 농양, 경정맥 혈전증, 흡인성 폐렴, 소아의 급성 편측마비, 그리고 심낭염 등이 있다. 다른 많은 감염처럼 후인두공간 감염은 부인두공간, 이하선공간, 저작근공간(그림 34-8)과 악하공간들로 파급될 수 있다. 게다가 후인두농양은 직접 상·후 종격동으로 퍼질 수 있다. 종격동으로 가는 공통된 경로는 후인두공간(제3 공간) 또는 위험공간(제4 공간)이다.[2] 심부염증의 종격동으로의 확장의 증거는 심한 호흡곤란, 늑막공간 흉통, 그리고 흉골 뒤쪽의 불쾌감 등이다. 흉부 단순영상에서 종격동의 확대 소견이 보이며 CT는 종격동 내에 있는 감염의 정도를 결정하는 데 도움을 준다(그림 34-9).

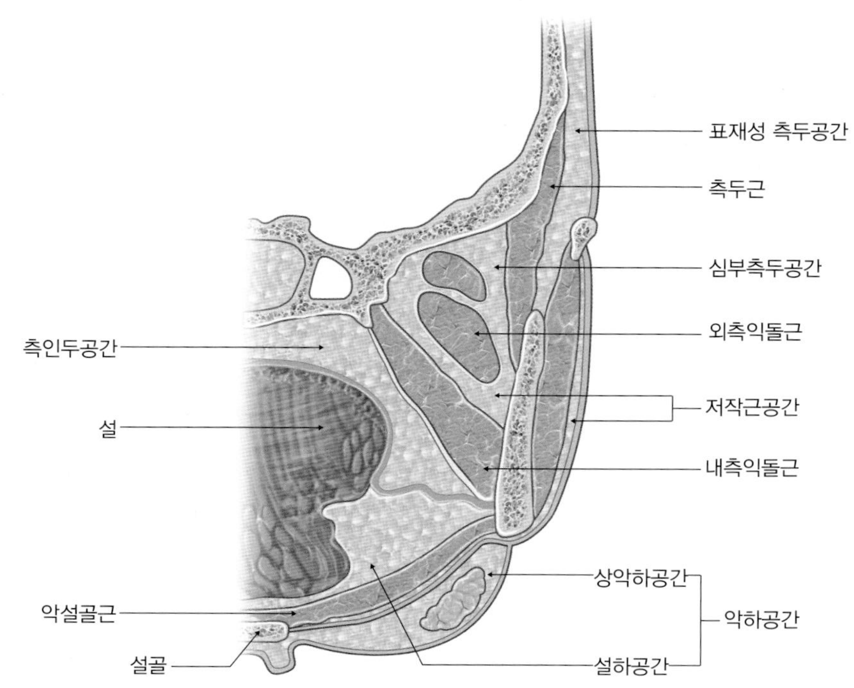

■ 그림 34-8. 설하공간과 상악하공간이 합쳐져서 하악하공간을 보여주는 좌우종단면

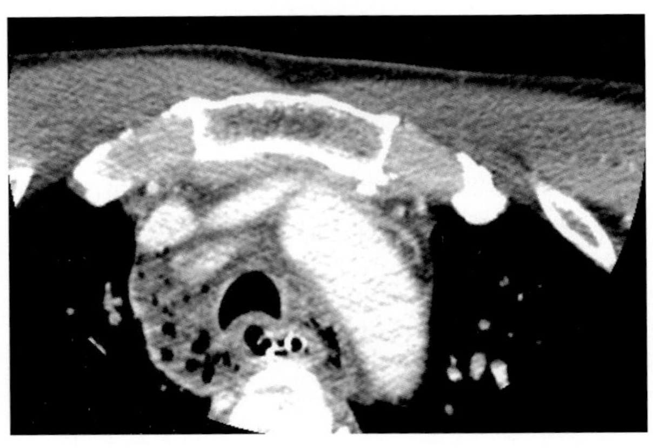

■ 그림 34-9. **종격동을 침범한 농양.** 종격동에 불균질의 수액 음영이 보이고 내부에 가스가 여러 군데 형성되어 있다.

유아부터 소아 후기까지의 어린이는 중뇌동맥 또는 경동맥의 혈관 가지에 허혈이 생겨 발작할 위험이 있다. 신경학적 증상의 양상은 일시적인 편측부전마비 또는 불완전 편마비에서부터 완전 마비까지 다양하다. 어린이에서 전신적 또는 국소적 발작이 마비의 시작을 예고할 수 있다. 마비는 보통 처음에 몸의 한쪽 편에서 일어나며 점차 얼굴에서 다리로 진행되며 팔이 가장 심하게 영향 받은 채로 남는다. 이런 병적 과정은 염증이 있는 경부 림프절 또는 다른 감염 부위와 가까운 곳에 있는 경동맥의 동맥염에 기인할 수 있다. 예후와 신경학적 회복은 매우 다양하며 사망은 드물다.

4. 부인두공간 감염

인두주위 공간들은 인두의 후부와 측부에 가까이 놓여 있고 앞으로는 설하지역으로 뻗어 있어 인두 주위에서 하나의 고리를 형성한다(그림 34-4, 8). 인두주위공간은 부인두공간, 후인두공간, 제4 위험공간, 척추전공간, 그리고 앞쪽 구조물들(하악, 설하, 이하공간)로 구성된다.

이 중 부인두공간은 모든 중요한 근막공간들과 교통하는 중심이므로 이 공간이 감염되면 다른 주위 공간들로 염증이 직접 파급될 수 있고, 다른 공간의 감염이 이곳으로 퍼질 수도 있다. 부인두공간은 심경부 감염이 가장 흔히 일어나는 공간이다.

해부학적으로 부인두공간은 하나의 뒤집어진 피라미드로 생각할 수 있는데 피라미드의 기저부는 두개저이고, 첨단은 설골이다. 내용물을 포함한 경동맥초가 피라미드를 기저부에서 첨단까지 가로질러 종격동까지 연속된다. 이 공간의 앞쪽은 익돌하악봉선(pterygomandibular raphe)으로 경계 지어지고, 뒤쪽은 척추전근막으로 경계 지어지며, 내측으로는 상인두수축근, 외측으로는 하악, 내익돌근, 그리고 이하선이 놓인다. 이 공간은 다시 경돌기와 주위의 근육근에 의해 경돌기전부분(prestyloid compartment)과 경돌기후부분(poststyloid compartment)으로 세분된다. 경돌기전부분에는 이하선의 후하악부위(retromandibular portion), 구개범장근으로 가는 하악신경(mandibular n.)의 작은 분지, 지방조직, 그리고 내상악동맥이 포함되어 있고 경돌기후부분에는 경동맥, 내경정맥, 경부교감절, 림프절, 그리고 제9, 10, 11, 12번 두개신경이 포함되어 있다.

1) 임상 양상

이 공간은 위치 조건 때문에 다른 어떤 인두주위공간보다 감염되기 쉽다. 그 원인으로는 치성 질환, 편도염, 타액선염의 병력 또는 다른 심경부공간의 감염에 동반하는 초기 증상들이 있다. 확산의 기전은 직접 전파, 또는 부인두공간의 림프절 화농의 결과일 수도 있다.

부인두공간 내의 감염은 하악각과 설골 사이의 흉쇄유돌근의 측부와 전부 주위에 홍반을 동반한 단단한 경화로 나타난다. 환자는 목의 회전과 굴전에 어려움을 느낀다. 이차적으로 익돌근의 침범으로 인한 개구장애 그리고 농양이 기도로 돌출됨에 따라 연하곤란과 호흡곤란이 올 수 있다. 부인두공간을 침범한 감염은 위험공간을 통해 또는 경동맥초를 따라 종격동으로 확대될 수 있다. 이 경우 환자는 흉통과 호기 또는 기침 시에 늑막통을 호소하

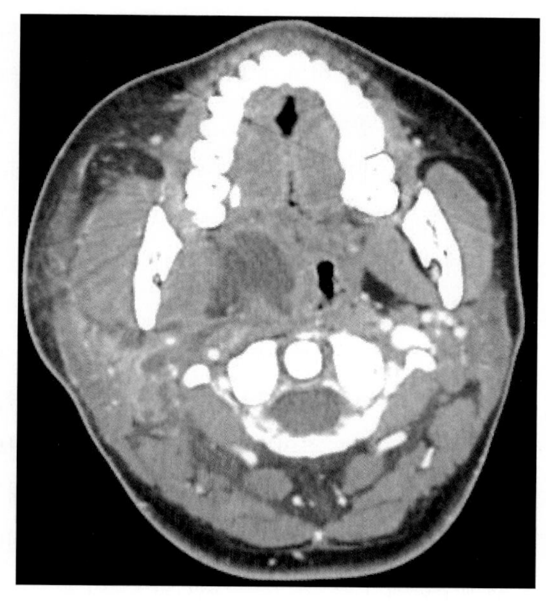

■ 그림 34-10. **측인두농양.** 우측 측인두공간이 수액 음영으로 가득 차 있고 이 음영은 주변 조직으로 퍼지고 있다. 우측 연부 조직은 전반적으로 종창되어 있다.

는데, 즉시 흉부외과와 함께 응급으로 외과적 처치를 해야 한다. 감별을 요하는 질환으로는 편도주위농양, 경부 림프절염, 저작공간 감염, 악하공간 감염 등이 있다.

2) 진단

CT로 농양의 정확한 위치와 정도를 알 수 있으며, 합병증 등을 확인하는 데 큰 도움을 받을 수 있다(그림 34-10). 또한 세침흡인으로 농양을 확진할 수 있으며 어떠한 농성 물질도 즉시 그람염색 또는 배양을 의뢰해야 한다. 만약 종격동 확산을 의미하는 증상이 나타나면 흉부 단순영상과 흉부 CT를 실시한다. 치성 원인이 의심되면 치과 검사를 한다.

3) 처치

입원하여 정맥을 통한 항생제 투여, 기도 확보와 조기에 절개배농을 실시해야 한다. 외과적 처치는 항상 구강이 아닌 경부를 통해 행해야 하며 절개는 흉쇄유돌근이 지나는 설골 부위에 만든다. 부인두공간은 설골의 위쪽에 놓이므로 무딘 박리를 통해 진입하여 배농할 수 있다. 배농시 대혈관을 다치지 않게 주의하여야 한다. 다른 농양들과 마찬가지로 수술 시 항상 화농성 물질이 발견되지는 않는데 이것은 농양을 발견하지 못했다는 것을 의미하기보다는 감염성 물질이 농양을 형성할 시기가 되지 않았음을 의미하는 경우가 많다. 만약 환자의 임상적 경과가 호전되지 않으면 재조사, 재촬영, 재수술을 시도할 수 있다.

4) 합병증

부인두공간 감염의 가장 흔한 혈관성 합병증은 화농성 경정맥혈전이다. 이런 환자들은 오한, 고열과 발한을 보이며 일반적으로 진찰 시 하악각과 흉쇄유돌근을 따라 압통이 나타난다. 항생제가 없던 시대에는 이런 합병증의 치사율이 60%에 달했다.[6] 경정맥 혈전은 패혈증, 폐색전증, 화농성 쇄골하 정맥염, 뇌농양, 그리고 전이성 농양을 일으킬 수 있다. 경정맥 혈전증은 역행성 정맥조영술, 초음파, 조영이 증가된 CT 또는 MRI에서 진단된다. 치료는 항생제의 장기 사용, 부인두공간 농양의 외과적 배농, 그리고 관계된 정맥 일부를 결찰하는 것이다.

경동맥 침식은 측인두공간 감염의 합병증의 하나로 나타난다. 이는 이차적인 주위 염증으로 나타난 동맥염의 결과이다. 가성동맥류를 형성하고, 피가 모자랄 정도의 출혈이 뒤따른다. 내경동맥이 외경동맥보다 흔히 침식된다.

부인두공간 감염에 따른 다른 합병증으로는 폐쇄성 후두부종과 후인두공간, 위험공간, 척추전공간을 통한 이차적 또는 경동맥초를 따라 직접 전파 후 발생하는 종격동염이 있다.[6]

5. 편도주위공간 감염

편도주위공간은 내측으로 구개인두의 섬유성 캡슐과 외측으로 상인두 수축근 사이의 소성결합조직으로 구성된다. 이 공간의 감염은 때때로 'quinsy'라고 불리는 편도

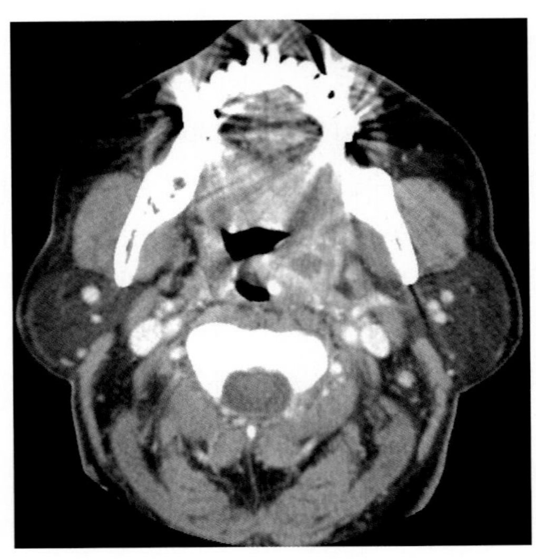

■ 그림 34-11. **편도주위농양.** 좌측 편도주위공간에 농이 형성되어 있고, 측인두공간에는 염증 변화는 보이지만 농 형성은 없다.

주위농양을 형성한다(그림 34-11). 이것은 경부의 인두주위 공간을 침범하는 화농 중에서 가장 흔한 것으로 일반적으로 편도의 피막을 파괴하는 유독한 편도감염이 원인이다.[30] 이 공간에서 가장 약한 저항을 가지는 면은 연구개 주위의 조직으로 이런 농양들의 약 70%가 편도의 상극에 국소화된다. 이런 감염은 유·소아에서는 드물고 사춘기 이후에 흔하다.

혼합 감염이 흔함에도 불구하고, 편도주위농양에서 가장 흔하게 배양되는 균주는 A군 β-용혈성 연쇄상구균이다.

1) 임상 양상

편도주위농양은 대개 자세한 병력과 신체검사를 통해 진단된다. 환자의 대부분은 항생제를 사용해도 낫지 않는 약 3-7일간 지속된 인두염의 병력을 갖고 있다. 대부분의 환자는 심한 인후통, 연하곤란, 연하통, 그리고 방사이통을 호소한다. 진찰 시 대개 입을 잘 벌리지 못하고 침을 흘리기도 한다. 환자의 말소리는 낮고 일반적으로 뜨거운 감자를 입에 물고 있는 듯한 목소리를 낸다. 때로 주위의 익돌근들의 연축과 반사적 자극에 의해 개구장애가 나타나며 이로 인해 인두와 연구개의 신체검사가 매우 어렵다.

구인두의 검사에서 연관된 부위의 홍반, 전편도궁과 연구개의 긴장된 부종이 나타난다. 편도는 전하방으로 밀려 있고 구개수는 대개 농양으로부터 멀어져 있다. 대부분의 편도주위농양은 편측이고 양측성의 빈도는 3-7% 정도이다. 경부림프절증이 나타날 수 있으며 열감이 있고 경도의 백혈구 상승을 보인다.

감별진단할 질환은 편도주위봉와직염, 부인두공간 농양, 신생물과 심한 편도선염 등이다. 편도주위봉와직염을 신체검사만으로는 편도주위농양과 감별하는 것은 거의 불가능하다. 농양의 치료방법인 천자흡인 또는 절개배농을 하는 동안에 농이 없으면 편도주위봉와직염으로 진단한다. 단핵구증에서 볼 수 있는 심한 편도염이 편도주위농양과 비슷한 양상을 보인다. 이와 함께 부인두공간 농양은 인두벽이 중간선에서부터 반대쪽으로 구부러지는 양상을 보인다. 그러나 편도주위공간보다 뒤쪽에 있는 것은 없다. 만약 종양으로 의심되면 즉시 조직검사를 해야 한다.

2) 진단

방사선 검사는 부인두공간으로의 확산이 의심될 때를 제외하고는 합병증이 없는 편도주위농양에는 도움이 되지 않는다. 절개배농 또는 천자흡인으로 진단 및 치료할 수 있다.

3) 처치

모든 경우에서 적절한 항생제를 사용해야 하며, 만약 연하곤란이 심하고 탈수가 있으면 입원하여 수액과 항생제를 투여한다.

편도주위농양을 배농하는 세 가지 방법으로는 천자흡인, 절개배농, 응급 편도적출술이 있다. 천자흡인 시에는 편도궁의 상, 중, 하 부분에서 흡인하는 것이 중요하다. 18 게이지 척수 바늘과 주사기가 유용하다. 만약 농이 나오면 배양하고, 재축적이 약 10% 이상에서 일어나므로 다음날 다시 보아야 한다. 절개배농 시에는 곡선의 절개를 편도궁을 통해 가하고 지혈겸자를 사용하여 편도 주위까지 확대한다. 배농 대신에 편도적출술을 할 수도 있다.

4) 합병증

편도주위농양의 합병증은 기도 폐색과 농양의 파열로 인한 이차적인 농성 물질의 흡인이다. 인두후벽이 침범되면 감염은 부인두공간으로 퍼지게 되고 상인두부종과 심한 개구장애 같은 증상이 나타난다. 편도주위공간을 포함하는 감염은 위로는 경구개와 이관의 인두입구, 아래로는 이상와까지 파급될 수 있다. 이러한 염증의 파급은 직접 확산, 편도주위 정맥의 혈전, 혹은 림프관이나 혈관주위 조직을 통해 일어날 수 있다. 인두염 또는 편도염은 부인두공간 감염이 나타나기 전에 완전히 사라질 수 있다는 것을 반드시 기억해야 한다. 때때로 경동맥초의 염증, 내경정맥의 혈전이나 경동맥에서의 출혈이 일어날 수 있다.

참고문헌

1. Arun KG, Kamalakar CG. Infection of the deep spaces of the neck. In: Byron JB, Jonas TJ, Shawn DN, Karen HC, Hugh DC, Ronald WD, et el, editors. (Head and Neck Surgery-Otolaryngology). 4th ed. Lippincott Williams & Wilkins:2006.p.655-84.
2. Bahna M, Canalis RF. Necrotizing fasciitis (streptococcal gangrene) of the face. (Arch Otolaryngol Head Neck Surg) 1980; 106:648-51.
3. Bakir S, Tanriverdi MH, Gun R, Yorgancilar AE, Yildirim M, Tekbas G, et al. Deep neck space infections: a retrospective review of 173 cases. (Am J Otolaryngol) 2012;33:56-63.
4. Baldassari CM, Howell R, Amorn M, Budacki R, Choi S, Pena M. Complications in pediatric deep neck space abscesses. (Otolaryngol Head Neck Surg) 2011;144:592-5.
5. Beck HJ, Salassa JR, Mccaffrey TV, Hermans PE. Life-threatening soft tissue infections of the neck. (Laryngoscope) 1984;94:354-62.
6. Blomquist IK, Bayer AS. Life-threatening deep fascial space infections of the head and neck. (Infect Dis Clin North Am) 1988; 2:237-61.
7. Boscolo-Rizzo P, Stellin M, Muzzi E, Mantovani M, Fuson R, Lupato V, Trabalzini F, Da Mosto MC. Deep neck infections: a study of 365 cases highlighting recommendations for management and treatment. (Eur Arch Otorhinolaryngol) 2012;269:1241-9.
8. Casey JI. Host defense and infections in diabetics mellitus. In: Rifkin K, Porte D, editors. (Diabetics Mellitus, Theory and Practice.) 4th ed. New York: Elsevier; 1990. p.617-9.
9. Chen MK, Wen YS, Hsiao HC. Thoracic complications of deep-neck-infection-report of 4 cases. (J Otolaryngol Soc Taiwan) 1997;32:454-8.
10. Cheng J, Elden L. Children with deep space neck infections: our experience with 178 children. (Otolaryngol Head Neck Surg) 2013;148:1037-42.
11. Cho KR, Yoo YS. Clinical characteristics of medically intractable deep neck infection patients. (Korean J Otorhinolaryngol-Head Neck Surg) 2009;52:62-6.
12. Colmenero Ruiz C, Labajo AD, Yanez Vilas I, Paniagua J. Thoracic complications of deeply situated serous neck infections. (J Craniomaxillofac Surg) 1993;21:76-81.
13. Conrad DE, Parikh SR. Deep neck infections. (Infectious Disorders) -(Drug Targets) 2012;12:286-90.
14. Cramer JD, Purkey MR, Smith SS, Schroeder JW, Jr. The impact of delayed surgical drainage of deep neck abscesses in adult and pediatric populations. (Laryngoscope) 2016 Apr 8. doi: 10.1002/lary.25835. [Epub ahead of print]
15. Daramola OO, Flanagan CE, Maisel RH, Odland RM. (Otolaryngol Head Neck Surg) 2009;141:123-30.
16. Delamaire M, Maugendre D, Moreno M, Le Goff MC, Allannic H, Genetet B. Impaired leukocyte functions in diabetic patients. (Diabet Med) 1997;14:29-34.
17. Duggal P, Naseri I, Sobol SE. The increased risk of community-acquired methicillin-resistant Staphylococcus aureus neck abscesses in young children. (Laryngoscope) 2011;121:51-5.
18. Evert E, Echevarria J. Diseases of the pharynx and deep neck infections. In: Paparella M, Shumrick D (eds), (Otolaryngology). Philadelphia: WB Saunders ; 1980.
19. Freling N, Roele E, Schaefer-Prokop C, Fokkens W. Prediction of deep neck abscesses by contrast-enhanced computerized tomography in 76 clinically suspect consecutive patients. (Laryngoscope) 2009;119:1745-52.
20. Gallo O, Deganello A, Meccariello G, Spina R, Peris A. Vacuum-assisted closure for managing neck abscesses involving the mediastinum. (Laryngoscope) 2012;122:785-8.
21. Hasegawa J, Hidaka H, Tateda M, Kudo T, Sagai S, Miyazaki M, Katagiri K, Nakanome A, Ishida E, Ozawa D, Kobayashi T. An analysis of clinical risk factors of deep neck infections. (Auris Nasus Larynx) 2011;38:101-7.
22. Hollinshead WH. The head and neck. In: De Carville J, Winters R, Bedard R. (Anatomy for Surgeons). Philadelphia: Harper & Row; 1982.
23. Huang CM, Huang FL, Chien YL, Chen PY. Deep neck infections in children. (J Microbiol Immunol Infect) 2015 Sep 9. pii: S1684-

1182(15)00843-9. doi: 10.1016/j.jmii.2015.08.020. [Epub ahead of print]

24. Kim DH, Choi HG, Kim JH, Kim HS, Park B. Characteristics of microbiology of deep neck abscess. (Korean J Otorhinolaryngol-Head Neck Surg) 2014;57:379-83.
25. Kim DK, Lee JW, Na YS, Kim MJ, Lee JH, Park CH. Clinical factor for successful nonsurgical treatment of pediatric peritonsillar abscess. (Laryngoscope) 2015;125:2608-11.
26. Kim YS, Park JH, Chun SS, Han DY, Kim JE, Lee BD. Clinical analysis of deep neck infection. (Korean J Otorhinolaryngol-Head Neck Surg) 2010;53:627-31.
27. Korean society of clinical pathology. (Clinical pathology). 1st ed. Seoul, Korea: Korea Med;1994.p.279-80.
28. Lawrence R, Bateman N. Controversies in the management of deep neck space infection (DNSI) in children: an evidence-based review. (Clin Otolaryngol) 2016 Jun 11. doi: 10.1111/coa.12692. [Epub ahead of print]
29. Lee S, Kim H, Kwon TK. A case of negative pressure treatment on necrotizing fasciitis. (Korean J Otorhinolaryngol-Head Neck Surg) 2012;55:791-4.
30. Levitt GW. Cervical fascia and deep neck infection. (Otolaryngol Clin North Am) 1976;9:703-16.
31. Ludwig D. Medicinisches Correspondenz, Blatt des wurttembergischen arztlichen. (Vereins) 1836; 6(21)
32. Marioni G, Staffieri A, Parisi S, Marchese-Ragona R, Zuccon A, Staffieri C, Sari M, Speranzoni C, de Filippis C, Rinaldi R. Rational diagnostic and therapeutic management of deep neck infections: analysis of 233 consecutive cases. (Ann Otol Rhinol Laryngol) 2010;119:181-7.
33. Moon JH. Usefulness of the modified LRINEC score in the treatment of patient with deep neck infection. (Korean J Otorhinolarynol-Head Neck Surg) 2015;58:115-9.
34. Moon TH, Lee DJ, Park BK, Lee SJ, Chung PS. Clinical features and treatment outcomes of pediatric deep neck infection. (Korean J Bronchoesophagol) 2010;16:115-20.
35. Morykwas MJ, Argenta LC, Shelton-Brown EI, McGuirt W. Vacuum-assisted closure: a new method for wound control and treatment: animal studies and basic foundation. (Ann Plast Surg) 1997;38:553-62.
36. Novis SJ, Pritchett CV, Thorne MC, Sun GH. Pediatric deep space neck infections in U.S. children, 2000-2009. (Int J Pediatr Otorhinolaryngol) 2014;78:832-6.
37. Otto RA, Noorily AD, Otto PM. Deep neck infections. In: Shockley WW, Pillsbury III HC. (The Neck Diagnosis and Surgery), St. Louis: Mosby; 1994.p133-72.
38. Park KH, Park AN, Kwon CY, Yoo YS, Choi JW, Cho KR, Chung ES. Application of negative pressure wound therapy for deep neck infection. (Korean J Otorhinolaryngol-Head Neck Surg) 2016;59:125-32.
39. Park KH, Park AN, Yoo YS, Chung ES. A case of retropharyngeal abscess treated by vacuum-assisted closure application. (Korean J Otorhinolaryngol-Head Neck Surg) 2015;58:874-7.
40. Rabuzzi D, Johnson J. Diagnosis and management of deep neck infections. In: Rabuzzi D, Johnson J. (A Self-Instructional Package for the Committee on Continuing Education in Otolaryngology). Washington DC: American Academy of Opthalmology and Otolaryngology; 1978.
41. Saluja S, Brietzke SE, Egan KK, Klavon S, Robson CD, Waltzman ML, Roberson DW. A prospective study of 113 deep neck infections managed using a clinical practice guideline. (Laryngoscope) 2013;123:3211-8.
42. Staffieri C, Fasanaro E, Favaretto N, La Torre FB, Sanguin S, Giacomelli L, Marino F, Ottaviano G, Staffieri A, Marioni G. Multivariate approach to investigating prognostic factors in deep neck infections. (Eur Arch Otorhinolaryngol) 2014;271:2061-7.
43. Tian B, Khoo D, Tay AC, Soo KC, Tan NC, Tan HK, et al. Management of orocutaneous fistulas using a vacuum-assisted closure system. (Head Neck) 2014;36:873-81.
44. Vieira F, Allen S, Stocks RMS, et al. Deep neck infection. (Otolaryngol Clin N Am) 2008;41:459-83.
45. Wang LF, Tai CF, Kuo WR, Chien CY. Predisposing factors of complicated deep neck infections: 12-year experience at a single institution. (J Otolaryngol Head Neck Surg) 2010;39:335-41.
46. Wilsom RM. Infection and diabetes mellitus. In: Pickup J, Williams G, editors. (Textbook of Diabetes Mellitus.) Cambridge: Blackwell Scientific;1991. p.813-9.
47. Wong CH, Khin LW, Heng KS, Tan KC, Low CO. The LRINEC(Laboratory Risk Indicator for Necrotizing Fasciitis) score: a tool for distinguishing necrotizing fasciitis from other soft tissue infections. (Crit Care Med) 2004;32:1535-41.
48. Wong DK, Brown C, Mills N, Spielmann P, Neeff M. To drain or not to drain – management of pediatric deep neck abscesses: a case-control study. (Int J Pediatr Otorhinolaryngol) 2012;76:1810-3.
49. Woo JH, Cha HE, Lee JH, Gang IG, Baek MK, Kim DY. Clinical analysis of factors affecting on treatment of deep neck infection. (Korean J Otorhinolaryngol-Head Neck Surg) 2008;51:544-8.
50. Yoon BW, Yi KI, Kang JH, Kim SG, Cha W. Negative pressure wound therapy for cervical esophageal perforation with abscess. (Auris Nasus Larynx) 2015;42:254-7.

CHAPTER

35

부인두공간종양

권기환

I 부인두공간의 해부

부인두공간은 여러 층의 심근막에 의해 나뉘는 설골 상부의 잠재적 공간으로 내측으로 인두점막공간, 외측으로 이하선 공간, 전방으로 저작근공간, 후방으로 경동맥공간과 접하고 그 사이에 위치하며 위쪽으로는 두개저부터 아래로는 설골 높이까지 위치하여 역피라미드(inverted pyramid) 모양을 띠고 있다.

부인두공간은 독립적인 심근막으로 둘러싸인 공간은 아니지만 주위 공간의 근막으로 둘러싸여 있다. 외측으로는 저작공간의 내측과 이하선의 심엽 내측을 싸고 있는 심경근막의 천층이 있으며, 내측 벽은 상부의 두개저에서 시작하여 pharyngobasilar fascia와 pharyngeal constrictor muscles의 바깥면을 둘러싸는 buccopharyngeal fascia이다. BPF은 전방에서 익돌근간근막(Interpterygoid fascia)과 합쳐져 익돌하악봉선(pterygomandibular raphe)이 되는데, 부인두공간은 그 사이에 위치해 익돌하악봉선은 부인두공간의 전방 경계를 이룬다. 후방 경계는 추전근(prevertebral muscle)이다. 부인두공간의 하부 경계는 설골로 표현되는데, 실제적으로는 내장근막 등이 합쳐지면서 임상적으로 부인두공간은 하악각 근처에서 닫히게 된다.

경상돌기(styloid process)와 이에 부착되어 구개범장근(tensor veli palatine muscle)까지 연결된 근막(tensor-vascular-styloid fascia)은 부인두공간을 경상전공간(prestyloid space)과 경상후공간(poststyloid space)으로 나누게 된다. 경상후공간에는 내경동맥(internal carotid artery), 내경정맥(inernal jugular vein), 제 9, 10, 11, 12 뇌신경, 교감신경절과 림프절들이 존재하며, 엄밀히 말하면 carotid sheath는 부인두공간에 포함되지 않고 carotid space로 독립된 공간이나 임상에서는 흔히 poststyloid space에 포함되어 혼동을 주기 쉽다. 반면에 경상전공간은 주로 지방과 결합조직으로 되어있으며, 이하선의 후하악부위(retromandibular portion), 내측 상악동맥 및 정맥의 분지, 하악신경(mandibular nerve)의 분지, 소타액선이 존재하여 이곳에서 생기는 종양은 타액선종양, 지방종(lipoma), 드물게 신경원성 종양(neurogenic tumor) 등으로 국한된다.[6]

주변의 하측두와(infratemporal fossa), 저작근공간(masticatory space), 뇌기저부의 난원공(foramen ovale) 등에서 기원한 종양은 부인두공간 종양에서 제외되어야 한다. 특히 부인두의 외쪽은 내익돌판(medial pterygoid plate)과 접형골극(sphenoid spine) 사이를 연결하는 근막연결(fascial connection)로 둘러싸여 있으며 이근막은 난원공과 극공(foramen spinosum)의 내측으로 지나가기 때문에 이 구멍들은 부인두공간이 아닌 하측두와나 저작근공간에 위치하게 된다. 또한 이하선의 심엽(deep lobe)에서 기원한 종양이라 하더라도 하악지의 외측에 있으며 부인두공간에서 제외하여야 하며, 경동맥소체 종양(carotid body tumor)이더라도 이복근후복(posterior belly of digastric muscle)의 위쪽으로 커진 경우에만 부인두공간 종양이라고 할 수 있다(그림 35-1).

경상돌기에서 하악지까지 연결되는 근막은 경돌하악인대(Styloimandibular ligament)라고 하며 경돌하악터널(stylomandibular tunnel)을 형성한다. 부인두공간 병변의 수술 시 이인대를 절개하면 수술시야가 좋아진다. 부인두공간과 인두후(retropharyngeal) 림프절은 구인두,비인두,하인두, 후비강, 부비강과 후구강으로부터 배액되게 되는데, 특히 부인두공간의 림프절군은 위로는 Rouviere 림프절이라고 하는 인두후공간(retropharyngeal space)의 상외측에 위치한 림프절군과 연결되고, 아래쪽으로는 경정맥 이복근(jugulodigastric) 림프절군과 연결된다 이 부위의 림프절에서는 림프종처럼 원발성 또는 전이에 의해 이차적으로 암이 발생할 수 있으며, 급 만성 감염으로 인해 림프절이 커질 수 있다.[5]

II 부인두공간 종양의 역학

부인두공간 내측과 그 주변의 구조물에서 기원하는 부인두공간 종양은 흔하지 않으며, 전체 두경부 종양의 1% 이하이다. 이 중 약 80%가 양성이고, 20%가 악성이다.

조직학적으로는 타액선에서 기원하는 종양이 40~50%를, 신경원성종양이 23~40%를 차지한다.

1. 이하선 종양

이하선 종양은 악성, 양성에 상관없이 심엽 기원으로 발생할 수 있으며 그 빈도는 약 1.0%로 알려져 있다. 그러나 부인두공간의 종물로 나타나는 경우는 매우 드물어 1% 미만에 불과하다. 가장 흔한 것은 다형선종(Pleomorphic adenoma)으로, 이하선 부위의 변형없이 상당한 크기로 자라날 수 있고 악성변화가 있을 수 있다.

이하선의 종양은 경돌하악인대 아래를 통해 부인두공간으로 직접 자라나가는 경우가 흔하며, 경돌하악 터널을 통해 아령(dumbbell) 모양으로 자라는 경우는 흔하지 않다.

2 소타액선종양

부인공간의 소타액선 종양(minor salivary gland tumor)은 측인두벽 점막, 부인두공간 림프절의 내부, 또는 부인두공간내의 이소성(ectopic) 타액선 조직으로부터 기원한다. 두경부의 다른 부위에 생기는 소타액선 종양과 달리 부인두의 소타액선 종양은 선양낭성암종(adenoid cystic carcinoma)과 같은 악성종양도 있을 수 있지만 대부분은 다형선종 같은 양성종양이다

3. 신경원성종양

부인두공간에 흔히 발생하는 대표적인 신경원성(neurogenic tumor)은 부신경절종(paraganglioma), 신경초종(neurilemmoma, schwannoma), 신경섬유종(neurofibroma) 등이다.

신경초종은 주변의 뇌신경이나 경부 교감신경절(cer-

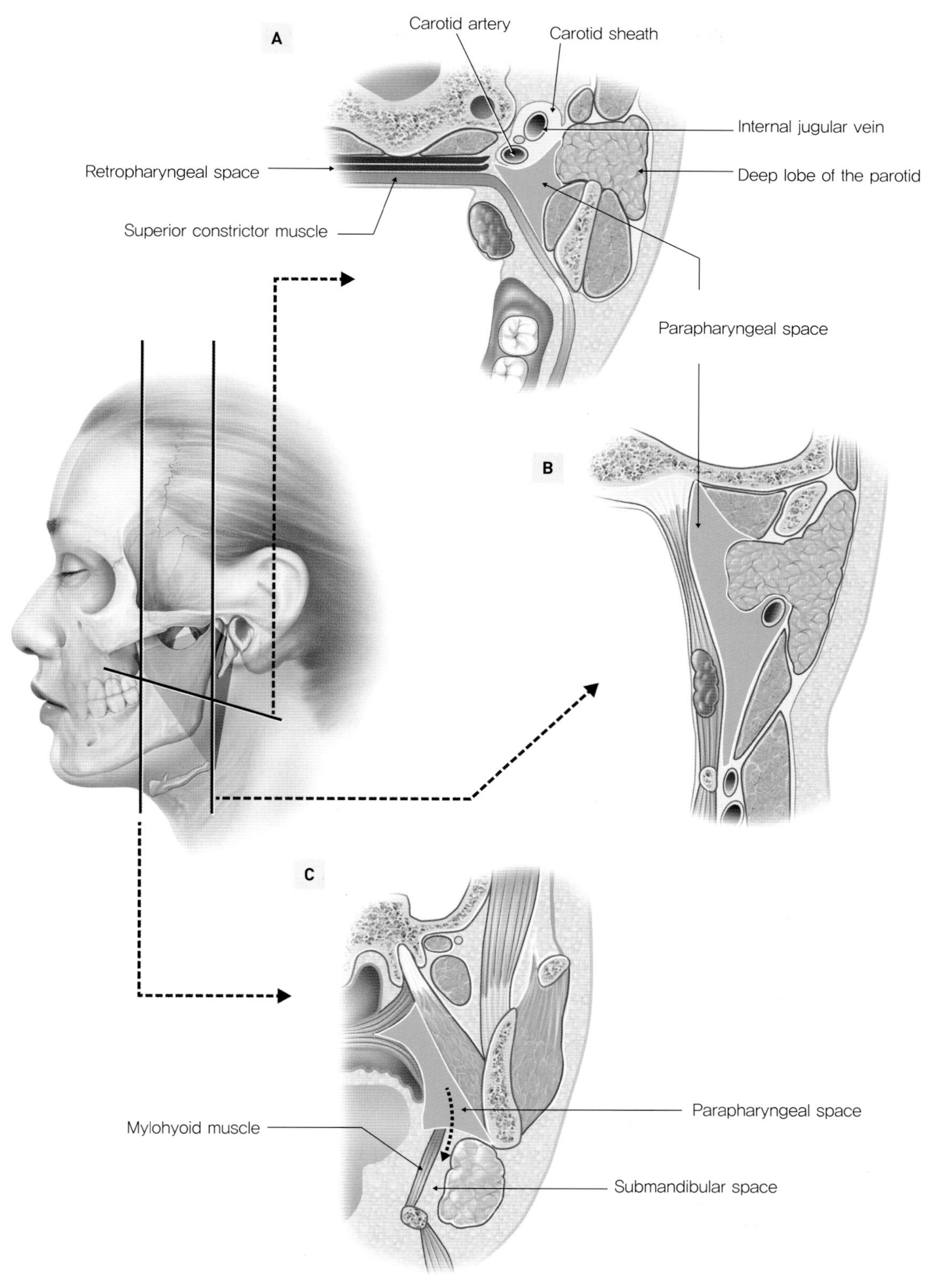

■ 그림 35-1. **부인두공간 해부**

vical sympathetic chain)에서 기원하는데 가장 흔한 기원 뇌신경은 미주신경으로 약 50% 정도를 차지한다. 경부의 외측 구획에 발생하는 신경초종은 교감신경총 또는 상완신경총의 분지에서 발생하기도 한다. schwann 세포 기원으로 신경을 편심성으로 전위시키면서 천천히 자라 일반적으로 신경마비를 일으키지 않으며 악성변화도 드물기 때문에 치료로는 근치적 절제가 아닌, 가능한 한 신경기능을 보존하는 보존적 적출(enucleation)이 바람직하다. 종양의 크기가 커 어쩔 수 없이 뇌신경을 희생시켜야 하는 경우에도 가능하면 신경이식을 시행한다. 하지만 신경초종도 사구종양(glomus tumor)처럼 경정맥공(jugular foramen)을 지나 뇌 속으로 침범하여 들어갈 수 있다.

신경섬유종은 신경섬유 내에서 다발성으로 존재할 수 있고 신경섬유 자체를 침범하므로 뇌신경을 희생시켜야 하며, 악성 변화도 종종 관찰된다. 다발성으로 발생하는 경우에는 상염색체 우성 질환인 신경섬유종증(neurofibromatosis)과 관련이 있다.

두경부의 부신경절종(paraganglioma)은 경정맥와(jugular fossa)와 중이에 흔히 발생하며 경부의 부인두공간에서도 생길 수 있다. 경정맥와에 생긴 것을 경정맥구(glomus jugulare)라고 하며, 중이에 생긴 것을 고실정맥구(glomus tympanicum)라고 한다. 병리학적으로 부신경절종은 자율신경계의 부신경절체(paraganglionic body)에서 기원하는 종양으로서, 신경외배엽(neuroectoderm)에서 기원하는 부신경절(paraganglia)은 catecholamine과 schwann세포를 닮은 위성세포(satellite cell)를 포함하는 과립상 T세포(granular T cell)들로 이루어져 있다. 부신경절은 일반적으로 혈관이나 신경의 외막(adventitia)에 존재한다. 종양의 기원으로는 미주신경(glomus vagale, vagal paraganglioma), 경동맥소체(caroti body; carotid body tumor, carotid body paraganglioma, chemodectoma) 등이 있을 수 있다. 경동맥의 부신경절인 경동맥소체는 총경동맥 분지부의 혈관외막 주위 조직에 위치하며 설인신경의 지배를 받고, 총경동맥의 영양혈관(vasa vasorum), 척추동맥의 분지, 그리고 외경동맥으로부터 혈류 공급을 받는다. 신체의 다른 부위에 있는 부신경절과 마찬가지로 경동맥소체는 저산소혈증에 예민하게 반응한다. 빈도를 살펴보면 두경부 전체에서는 경동맥소체 종양이 가장 흔하나 부인두공간에서는 미주신경 기원의 사구종양이 더 흔하며, 부인공간까지 침범한 경동맥소체 종양은 매우 드물다.

부신경절종의 임상양상을 살펴보면 약 30%에서 미주신경마비나 경정맥공증후군(jugular foramen syndrome) 등의 뇌신경마비 증상이 나타나며, 특히 미주부신경절종(vagal paraganglioma) 중 20% 정도가 뇌기저부를 침범한다. 악성소견은 약 5~10%에서 관찰되는데, 병리조직검사상 양성과 악성이 잘 구분되지 않으므로 주위조직으로 침습이나 전이가 있으면 악성으로 간주한다. 부신경절종은 양측성이나 다발성으로 발생할 수 있으며, 약 10%는 가족력이 있는데 특히 이 경우는 다발성으로 발견될 가능성이 많다.

경동맥소체 종양은 상경부위 박동성 종물로 촉지되는데, 종양이 이복근(digastric muscle)의 위로 증식하여 부인두공간까지 침범할 수 있다. 경동맥 소체 종양은 두경부에 발생하는 부신경절종 중에서 다발성을 발생하는 경우가 가장 많으며 약 10%에 해당한다. 일반적으로 경동맥소체 종양으로 사망하는 경우는 드물고, 전이도 흔치 않으므로 70세 이하의 건강 상태가 좋은 환자에 대해서만 수술적 치료가 권장된다. 경동맥소체 종양에서 위험성이 증가하는 경우는, 주변 혈관을 둘러싸고 있어서 희생해야 하는 경우, 반대측 부신경절종 수술로 이미 뇌신경이나 교감신경의 손상이 있는 경우 등이다.

4. 기타 부인두공간종양

편평세포암종의 부인두공간 내로의 전이는 비인두, 구강, 구인두, 하인두 등의 원발부위로부터 드물지 않게 발생할 수 있으나, 부인두공간 전이가 첫 증상으로 나타나는 경우는 거의 없다. 반면에 갑상선종양인 경우에는 부인두공간 전이가 첫 번째 증상일 수도 있다.

그 외에 부인두공간에 발생할 수 있는 종양은 표에 나와 있으며, 가성종양(pseudotumor)일 가능성도 염두에 두어야 한다(표 35-1).

임상양상

부인두공간 종양은 크기가 커지더라도 임상적으로는 증상을 별로 나타내지 않는 경우가 많다.

가장 흔한 증상은 경부와 구인두의 종괴 자체에 의한 연하장애(dysphagia), 동통, 인두이물감 등이며 드물게 개구장애(trismus)도 나타날 수 있다.

동측 이하선이 부인두공간의 종물에 의해 돌출될 수

표 35-1. 원발성부인두공간 종양

	양성	악성
타액성 종양	양성 림프상피성 질환(benign lymphoepithelial disease) 호산성과립세포종(monomorphic adenoma) 종양세포종(oncocytoma) 다형선종(pleomorphic adenoma) Warthin 종양	선방세포암종(acinic cell carcinoma) 선암종(adenocarcinoma) 선양낭성암종(adenoid cystic carcinoma) 다형선종기시암종(carcinoma-expleomorphic adenoma) 악성(Warthin 종양) 점액표피양암종(mucoepidermoid carcinoma) 편평세포암종(squamous cell carcinoma) 미분화암종(undifferentiated carcinoma)
신경원성 종양	신경절신경종(ganglioneuroma) 신경섬유종(neurofibroma) 부신경절종(paraganglioma)	악성 부신경절종(malignant paraganglioma) 신경섬유육종(neurofibrosarcoma) 교감신경모세포종(sympathicoblastoma)
기타	에나멜모세포종(ameloblastoma) 아밀로이드종양(amyloid tumor) 동정맥기형(arteriovenous malformation) 새열낭종(branchial cleft cyst) 경동맥류(carotid aneurysm) 연골종(chondroma) 맥락막총종(choroid plexus tumor) 인대모양 종양(desmoid tumor) 거대림프양증식(giant lymphoid hyperplasia) 과립세포근모세포종(granular cell myoblastoma) 혈관내피세포종(hemangioendothelioma) 혈관종(hemangioma) 염증성 가성종양(inflammatory pseudotumor) Kimura 병(Kimura's disease) 평활근종(leiomyoma) 지방종(lipoma) 림프관종(lymphangioma) 수막종(meningioma) 횡문근종(rhabdomyoma) 기형종(teratoma) 정맥혈관종(venous angioma)	연골육종(chondrosarcoma) 척삭종(chordoma) 섬유육종(fibrosarcoma) 섬유성조직구종(fibrous histiocytoma) 혈관주위세포종(hemangiopericytoma) 지방육종(liposarcoma) 림프종(lymphoma) 악성 수막종(malignant meningioma) 형질 세포종(plasmacytoma) 횡문근육종(rhabdomyosarcoma) 활막세포육종(synovial cell sarcoma)

있으나 밖에서 관찰할 수 있을 정도로 종양의 윤곽이 나타나는 경우는 극히 드물며, 신체검사에서 하악각 하부에서만 종괴가 만져질 수도 있다. CT에서 종양의 크기가 3 cm 이상으로 계측될 때만 임상적으로 구인두의 변형을 나타낸다

종양의 크기가 커짐에 따라 구인두, 비인두가 변형되어 연하장애나 호흡장애를 초래할 수 있다. 특히 구인두에서는 편측 편도의 비대 소견을 보여 편도암으로 오인하여 조직검사를 하는 경우도 있다. 신체검사에서 인두의 변형 모양에 따라 원발부위를 짐작할 수 있는데, 인두의 후측벽이 변형되었을 때는 경상후공간의 종양을 의심할 수 있고, 전벽이나 편도의 종창이 있을 때는 이하선에서 기원한 종양을 시사한다. 또한 종양이 상방으로 자라는 경우에는 구개범장근의 두부 사이로 자라면서 연구개와 비인두의 종창을 초래할 수 있고, 하방으로 자라나는 경우에는 하악각 부위에서 종괴가 만져질 수도 있다.

비인두암에서처럼 부인두공간 종양이 상방으로 커지면서 편측의 관폐색이 첫 증상으로 나타날 수도 있다. 이 경우 부인두공간 종양을 확인하기 위해서 CT를 시행해야 한다. 고실 정맥구의 경우 초기에 박동성 이명과 전음성 난청의 증상을 나타낼 수 있다. 종양이 안면 신경을 침범한 경우에 안면 신경 마비 증상을 보일 수도 있다.

부인두공간 종양환자에서 초기 증상으로 뇌신경마비가 나타나는 경우가 있는데 이러한 뇌신경마비는 특히 부신경절종과 악성 종양에서 흔하게 나타난다. 일반적인 양성 종양의 경우에는 신경 자체에서 종양이 기원하더라도 신경마비를 일으키는 경우는 드물다. 이때 침범되는 뇌신경은 제9, 10, 11 뇌신경이며, 특히 미주신경 침범이 가장 흔하고, 제7 뇌신경도 드물게 침범될 수 있다. 경부 교감신경절을 침범하는 경우에는 Horner 증후군이 나타날 수도 있다.

통증은 악성종양이 주위 조직, 특히 뇌기저부를 침범했을 때 나타나는 증상이지만, 때로는 양성종양에서 종양 내 출혈이 있을 때도 나타날 수 있다. 또한 제9 뇌신경이나 경동맥주변에서 설인신경통(glossopharyngeal neuralgia)이나 경동맥압통(carotidynia)을 유발할 수도 있다.

 진단

부인두 공간에 종양이 있을 때에는 종양의 병리,크기, 주변 조직과의 관계를 알아야 하는데 최종 진단은 수술 후 내려지는 경우가 많다. 진단할 때는 다음 사항을 고려해야 한다

첫째, 종양의 기원이 경상전공간인지 경상후공간인지를 고려해야 한다. 이는 방사선 검사에서 꼭 확인해야 할 사항으로 부인두공간의 지방조직이 어느 쪽으로 전위되었는지를 보고 감별할 수 있다. 대부분의 경상전공간 종양은 경동맥초(carotid sheath)의 내용물을 후방으로 전위시키는 반면, 경상후공간 종양에서는 일반적으로 경동맥을 전내측으로 전위시키게 된다. 또한 경상전공간 종양은 감별진단해야 할 질환이 많지 않아 보통 수술 전 조직검사나 혈관조영술 등이 필요없고 수술적 치료도 비교적 간단한 반면, 경상후공간 종양은 여러 질환과 감별진단을 해야 하며, 혈관조영술 등의 더 포괄적인 술 전 평가가 필요하다. 둘째, 부인두공간의 병변이 뇌기저부나 두개 내로 전파되었는지의 여부이다. 이것은 수술 중 측두골에 대한 시술이나 두개수술(craniotomy)을 같이 할지를 판단하는 데 중요한 사항이다. 병리학적으로 악성인 경우는 수술 가능성을 결정하는 중요한 인자이다

셋째, 종양의 혈관발달 정도를 확인해야 한다. 혈관이 발달한 부신경절종, 동정맥기형(arteriovenous malformation), 혈관종(hemangioma) 등은 수술 전 영양혈관(feeding vessel)에 대한 색전술(embolization)이나 수술 중 수혈 등이 필요한 경우가 많으며, 만일 경동맥 결찰이 필요하다고 판단되면 혈관외과의와 미리 상의해야 한다.

넷째, 종양의 악성 가능성에 대한 고려이다. 만일 악성이 의심되면 원발성인지 전이성인지를 고려해야 하며, 치

료방침을 결정하기 위한 조직검사도 있다. 부인두의 조직검사로 보통 초음파나 CT하에서 세침흡인 세포검사를 시행한다. 만일 전이암이 의심된다면 원발부위를 찾기 위한 범내시경검사(panendoscopy)와 전신전이에 대한 검사가 필요하다.

1. 병력과 신체검사

환자의 병력을 청취해보면 무증상인 경우가 가장 많으나, 간혹 연하곤란(dysphagia), 이물감(globus), 애성(hoarseness) 등을 동반하기도 하고 드물게 동측 귀의 이명이나 청력소실을 호소한다. 경동맥 동 증후군 실신(carotid sinus syndrome syncope)은 경동맥소체 종양과 연관되어 일어나기도 한다.

신체검사에서는 측경부나 구인두 종물로 나타나는 경우가 가장 많고, 동측의 성대마비나 부전, 구개나 혀의 움직임 약화, 안면마비, Horner 증후군(Horner's*syndrome)* 등 여러가지 뇌신경마비 소견이 발견될 수 있다. 고실 정맥구의 경우 이경 검사상 고막에 blue-red color의 종괴로 관찰될 수 있으며 이것은 압력을 가했을 시 창백하게 변하는 것이 특징이다. 대부분의 경우 신체검사가 특이적이지는 않지만 종양의 기원을 평가하는 데 도움을 얻을 수 있다. 양수촉진(bimanual palpation)은 이 부위에서 가장 중요한 검사이다. 부신경절종은 압박될 수 있는(compressible) 종괴로 촉진되고, 전후방향으로는 유동성이 있으나 상하(cephalocaudal) 방향으로는 고정되어 있는 특징이 있어 신체검사에서 이를 추정할 수 있다. 이를 *Fontaine* 증후라고 하며 이는 종괴가 경동맥에 붙어 있기 때문이다. 만일 종괴가 인두측벽과 귀앞에서 동시에 관찰된다면 이하선 종양으로 의심할 수 있다. 이하선 심엽에서 발생한 종양은 흔히 구인두종괴로 나타나나, 신체검사만으로 진단하기에는 부족한 경우도 많다.

2. 방사선검사

방사선검사로 초음파, CT, MRI, 혈관조영술 등을 시행할 수 있으나 일반적으로 초음파검사는 유용하지 않으며, 조영증강 CT를 가장 먼저 시행한다. 이는 종양의 범위와 혈관발달 정도를 보여주며, 골영상(bone window scan)에서는 뇌기저부 침범 여부를 알 수 있고, 종양의 기원이 경상전공간인지 경상후공간인지를 구분하는 데 도움을 준다.

만일 경상전공간의 종양이라면 대부분 타액선 기원이므로 혈관이 풍부하지 않다면 더 이상의 영상진단은 필요없다. 또한 종양과 이하선 심엽 사이에 지방연(fat plane)이 온전한지의 여부로 소타액선 종양인지 이하선 심엽 기원인지를 구분할 수 있다. 하지만 종양의 크기가 커지면 그 기원에 관계없이 지방연이 소실된다.

일반적으로 CT에서 악성을 의심할 수 있는 소견은, 종양의 경계가 불규칙하고 주변의 조직이나 지방연을 침범하거나, 경부나 후인두부위의 림프절이 괴사성으로 커져 있는 경우이다.

종양의 크기가 크면 CT로는 앞쪽에서 종양과 익돌근막을 구분하기가 어려우므로, MRI를 시행하면 도움이 된다.

MRI는 CT에 비해서 관상연(coronal plane)과 시상연(sagittal plane)을 모두 볼 수 있고, 연조직과 혈관에 대한 영상이 좋고 뇌기저부의 침범 여부 판별이 용이하다는 장점이 있다(그림 35-1).

특히 T2 강조 영상에서 부신경절종의 경우에는 특징적으로 salt and pepper 소견을 보이게 되는데 이것은 종양 내의 high-flow vascular 신호 소실에 의한 것이다.

일반적으로는 MRI는 경상후공간 종양이나 혈관성 종괴가 의심될 때, 또는 뇌기저부 침윤이 의심될 때 시행하는 것이 좋다. 그러나 병변 내 석회화나 골성 변화를 검사하는 데는 적당하지 못하다.

혈관 조영술은 보통 혈관성 종양이 의심되는 경우에 CT나 MRI 후에 시행하게 되며, 모든 경상후공간 종양에 적용할 수 있다. 특히 악성이 의심되면서 경동맥의 결찰이 필요할 때는 반드시 시행해야 한다. 혈관조영술을 하면 혈관성 종양을 확진하면서 그 범위를 결정할 수 있고, 종양과 경부 대혈관 사이의 관계를 파악하여 혈관에 악성 침습이 있는지를 볼 수 있으며, 필요 시 영양혈관을 확인하여 수술 전 색전술을 할 수 있다. 특히 부신경절종이 의심스러운 경우에는 양측 경동맥조영술이 필요하다.

경동맥소체 종양은 경동맥분기부(carotid bifurcation)를 전후방향으로 벌리는 모양을 띠는데(lyre sign) 이는 미주신경의 사구종양이나 다른 혈관성 종양에서는 나타나지 않는 질병 특유의 소견이다. 경동맥소체 종양과 주위 혈관의 관계에 기준한 shambling 분류를 많이 사용하는데, I군은 비교적 작고 경동맥과 떨어져 있거나 살짝 닿아 있어 쉽게 제거할 수 있는 경우, II군은 경동맥에 명확히 유착되어 있거나 부분적으로 둘러싼 경우, III군은 경동맥을 완전히 둘러싼 경우이다. II군과 III군은 대개 크기가 5 cm 이상으로 크며 수술에 따른 혈관과 신경 손상의 위험성이 높다. 반면 미주신경에 생긴 사구 종양이나 신경초종의 경우에는 내·외경동맥을 모두 전내측으로 전위시키게 된다. 수술 전 경동맥 절제가 예상되는 환자에서는 혈관조영술과 함께 풍선폐색검사(balloon occlusion test)를 시행하기도 한다.

삼차원 재조합(MRI three-dimensional reconstruction MRI) 또는 CT 혈관 조영술은 진단의 어려움을 해결하거나 수술 계획을 세우는 데 도움이 될 수 있다.

이 외에도 ^{123}I-metaiodobenzylguanidine (MIBG)과 ^{11}In-octreoscan 스캔 등의 핵의학 기능검사를 통해 가족성 부신경절종에 대한 스크리닝을 할 수 있다.

3. 수술 전 조직검사

일반적으로 부인두공간 종양일 때는 방사선 검사로 필요한 정보 대부분을 얻을 수 있으며, 수술 전 조직검사가 치료방침을 결정하는 데 도움을 주는 경우는 드물다. 하지만 필요하다고 판단되면 보통 초음파나 CT하에서 경피적(Transcutaneous transcervical)으로 세침흡인검사를 시행한다.

이때 영상검사를 통해 혈관성병변을 반드시 배제해야 한다. 세침흡인검사를 통해 림프종이나 전이성병변, 그리고 원발성 악성병변을 미리 감별할 수 있다면 치료방침을 결정하는 데 큰 도움이 된다. 하지만 부신경절종이나 신경초종 또는 세침흡인검사로 양성과 악성을 감별하기가 어려운 경우가 많다.

구강 내 절개생검은 피해야 한다. 그 이유는 전위된 혈관으로 인해 예기치 않은 심한 출혈이 일어날 가능성이 있고, 종양세포가 구인두점막을 오염시켜 나중에 인두를 부분 절제해야 할 수도 있기 때문이다.

4. 기타특수검사

두경부의 부신경절종은 catecholamine을 분비하는경우가 아주 드물지만, 두통이나 심계항진, 안면홍조 등의 증상이 있는 경우에는 반드시 24시간 요중 VMA (Vanillylmandelic acid)와 normetanephrine을 측정해야 한다. 이러한 검사에서 양성으로 나온 경우에는 부신수질의 크롬친화세포종(pheochromocytoma)이 동반되었을 가능성을 고려해야 하며, 복부 CT를 시행하여 감별해야 한다. 또한 다발성 부신경절종이나 가족성 부신경절종의 경우에는 증상이 없더라도 검사를 시행하는 것이 좋다. 드물지만 부인두강종양이 catecholamine을 분비하는 것으로 확인된 경우에는 수술전 a-차단제(a-blocker)와 β-차단제(β-blocker)를 처방하여 수술 중의 부정맥과 발작성 고혈압 등을 예방하는 것이 좋다. 전이성 암이 의심되는 경우에는 신체검사나 범내시경(panendoscopy)검사를 이용하여 원발부위를 찾거나 CT, MRI, 흉부단순영상, 복부검사, 골주사(bone scan) 등을 포함한 전신전이에 대한 검사가 필요하다.

 치료

일반적으로 부신경절종을 제외한 양성부인두공간 종양으로 환자가 사망하는 경우는 드물기 때문에 치료 원칙은 신경 또는 혈관손상, 미용상의 문제 등의 합병증을 최소화하면서 종양을 절제하는 것이다. 수술 전에는 수술로 얻을 수 있는 이익과 수술 후 발생할 수 있는 합병증을 신중히 비교해야 하며, 환자의 연령과 병력과 신체 검사상 신경손상의 유무, 종양의 크기, 위치, 조직학적 특징 등을 모두 고려해야 한다. 예를 들어 고령의 환자에서의 증상이 없고 질환의 진행보다 수술의 위험성이 큰 경우관찰(wait and see)을 하는 것이 더 유리할 것이다. 일반적으로 크기가 크거나, 혈관이 매우 많이 발달한 경우, 특히 두개저와 신경혈관다발에 근접한 경우, 악성종양의 경우 넓은 시야를 확보하기 위한 접근이 필요하다. 이런 경우 수술의 합병증이 잘 발생할 수 있으며, 환자에게 기능적 및 미용적 후유증에 대해 적절한 정보를 제공해야 한다.

부신경절종의 경우는 크기가 커지면서 신경마비를 일으킬 수 있고 두개 내를 침범하게 되면 심각한 문제를 유발할 수 있기 때문에 노인을 제외하고는 수술적 치료를 하는 것이 좋다. 부신경절종은 비교적 천천히 자라기 때문에 증상이 없는 노인의 경우, 특히 동반된 질환으로 전신마취의 위험성이 높다면 경과 관찰을 하는 것이 좋다. 한편 경상전공간의 타액선 종양의 경우는 합병증이 적고 악성 변화의 위험이 있으므로 연령에 제한 없이 수술적으로 적출한다.

1. 수술 전 색전술

수술 전 색전술(embolization)을 하는 것에 대해서는 논란의 여지가 있다. 출혈을 줄여주는 장점이 있는 대신 색전술로 인한 염증반응 때문에 외막하(subadventitial) 박리가 어려워질 수도 있기 때문이다. 일반적으로 미주 신경의 사구종양 등 혈관성 종양에서 혈관조영상 명확한 영양혈관이 보일 때에는 수술 하루 전에 색전술을 시행하는 것이 권장된다. 경동맥소체 종양에서는 영양혈관이 하나인 경우가 드물고, 경동맥의 외막으로부터 혈관을 공급받는 경우가 많기 때문에 색전술을 시행할 필요가 없다는 의견도 있으나, 최근에는 동맥조영술(arteriography)을 통해 종양과 주변 혈관과의 관계를 정확히 파악할 수 있고, 영양 혈관에 대해 색전술을 미리 시행하여 수술 중 출혈을 줄일 수 있기 때문에 유용하다는 보고가 많다(그림 35-2).

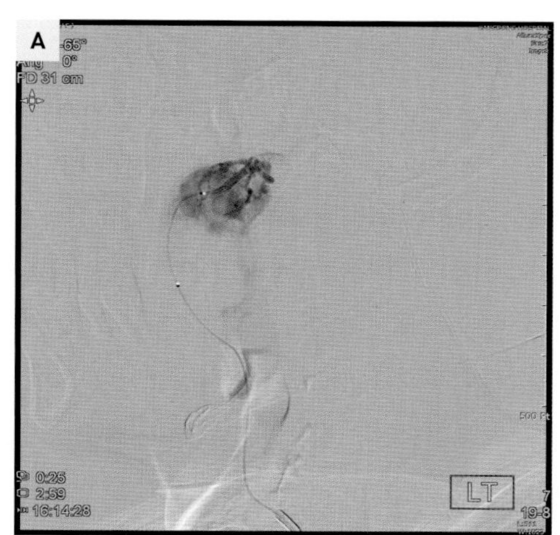

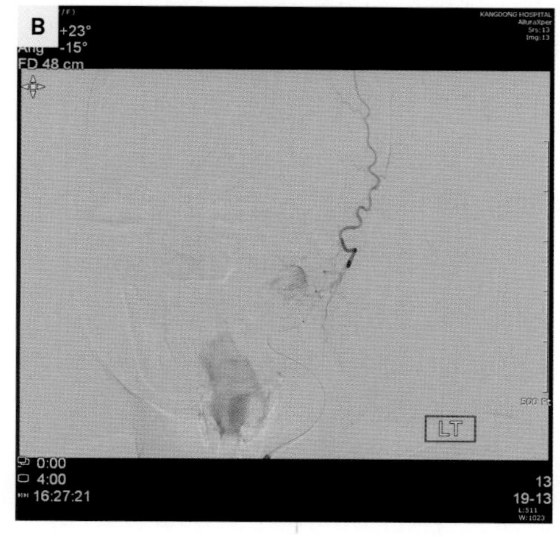

그림 35-2. A) 색전술 시행 전. B) 색전술 시행 후(상행인두동맥, 좌측)

2. 수술적 치료

부인두강 종양의 치료에서 중요한 점은 종양학적 안정성을 유지하며, 합병증을 최소화하는 것이다. 부인두공간은 해부학적 복잡성으로 인해 수술적 접근이 용이하지 않으므로 여러 접근법들이 시도되고 있다. 수술적 접근방법의 선택은 종양의 크기, 위치, 대혈관과의 관계, 악성종양의 의심 정도에 따라 달라지지만 대부분의 종양은 양성이므로 수술 후 합병증을 최소한으로 할 수 있도록 노력한다. 외부접근법에서 많이 사용되는 술식으로는 경부접근법 또는 경부-경이하선 접근법으로 각각 48%와 27%에서 적용되는 것으로 최근 systematic review에서 보고되었다.

1) 경구접근법(transoral approach)

부인두강 내 종양의 구강 내 접근은 제한된 노출과 신경혈관 구조로 인해 의문시되어 왔다. 또한 종양을 흘리거나 종양의 피막이 터질 수 있으며, 침에 의해 수술창의 오염으로 인해서 감염과 상처회복 지연의 위험성이 증가할 수 있다. 크기가 작고, 혈관이 발달하지 않은 경상전공간 종양에만 적용 가능하며 이때에도 경부접근법에 대한 동의를 받은 상태에서 시행한다. 일반적으로 출혈, 신경 손상, 종양 전파의 가능성, 불충분한 절제동의 위험 때문에 잘 이용되지 않는다. 이미 경구생검(transoral biopsy)을 시행하여 인두점막에 반흔이 발생한 경우에는 경구경부접근법(tran*soral-transcervical* approach)을 고려할 수 있다. 최근 후두경의 사용 또는 0도 30도 내시경의 이용 그리고 경구강 로봇수술(Transoral robotic surgery, TORS)까지 여러 기술의 발전은 수술창의 확대와 주요 구조물의 확인을 용이하게 해왔다. 내시경을 이용한 경구접근법은 더 넓은 시야를 확보하여 신경혈관 손상 또는 피막이 터지는 것 없이 큰 양성 부인두강 종양의 일괄절제를 가능하게 했다. 그러나 이 방법은 주요 혈관을 둘러싸고 있는 종양이나 이하선의 심부종양에는 적합하지 않을 수 있다.[1]

2) 경부접근법(transcervical approach)

가장 흔히 이용되는 접근방법이다. 여러 가지 술식을 병합할 수 있으므로, 술자는 수술 전 환자에게 두개수술(Craniotomy), 유양돌기수술(mastoid surgery), 이하선 절제, 안면신경박리(facial nerve dissection), 하악골 절개술, 기관절개술 등의 시술에 대한 가능성과 뇌신경이나 대혈관의 희생, 손상 등의 합병증에 대해서도 미리 설명해 두어야 한다. 경부접근법을 위한 기본적인 피부절개는 악하선 절제술과 비슷하게 하악각에서 두 손가락 정도 아래 설골 높이에 수평절개를 넣고 시작하며 인두공간으로 들어가기 전 악하선을 절제하기도 한다. 흉쇄유돌근(sternocleidomastoid muscle)과 경동맥초는 뒤로 당기고 하악은 앞쪽으로 견인하게 되면 부인두공간이 노출되는데 경상돌기와 경상하악인대(stylomandibular ligament)를 절개하고 하악골을 전방 탈구시키면 노출을 더 넓힐 수 있다. 여기에 이복근, 경돌설골근(styloid muscle), 경돌설근(styglossus muscle) 등의 근육을 설골부위에서 절개하면 더 넓은 시야를 얻을 수 있다. 이때 경상돌기는 될 수 있는 대로 높은 곳에서 박리하고 제9, 12 뇌신경과 대혈관들을 반드시 확인해야 수술 중 합병증을 예방할 수 있다.[5]

혈관성 종양의 경우에는 대혈관을 확인하고 추후 지혈을 도울 수 있기 때문에 level II 림프절 절제술을 흔히 시행하며, 신경원성 종양을 수술할 때에도 악성 여부를 판별하기 위해 림프절 전이를 확인하기 위한 목적으로 시행하기도 한다. 종양의 크기가 아주 크거나, 혈관성 종양이거나, 일괄절제(en bloc resection)가 필요한 악성종양이거나, 원위부 경동맥의 노출이 필요한 경우에는 하악골 절개를 고려할 수 있다. 하악의 체부(body), 하악각(angle), 하악각(ramus) 부위에 하악골 절골을 시행하는 방법들이 있으나, 하악골을 전방절골하여 외전(mandibular swing)시키면 하악치조신경(inferior alveolar nerve) 손상 등의 심각한 합병증 없이 좋은 수술시야를 얻게 된다(그림 35-3). 이때 경부절개는 하순절개(lower lip splitting incision)와 만나게 되며 구강 내 절개는 구강저와 하악치조의설면(lingual surface)을 따라 전구개궁(anterior pillar)으로 확장된다. 이를 경부, 경인두 접근법(cervical–transpharyngeal approach)이라 한다. 이렇게 되면 편도와 상인두수축근(superior constrictor muscle)이 내측으로 견인되어 부인두공간에 대한 좋은 수술시야를 확보하게 되며 뇌기저부와 혈관이 발달한 종양에도 접근할 수 있다. 이 접근법은 측두개저(lateral skull base)에서 발생하여 부인두공간을 침범한 종양에도 사용할 수 있는 방법이다(그림 35-3).

이하선에서 기원한 종양의 경우 경부접근법만으로도 절제할 수 있으나, 안면신경의 손상이 우려될 때에는 절개를 이개전방(preauricular)으로 연장하여 이하선 절제술을 함께 시행하는데 이를 경부이하선접근법(transcervical–transparotid approach)이라 한다. 술 전 검사로 종양의 기원을 확실히 알 수 없는 경우에는 수술 중에 병변 부위를 촉진하여 이하선의 심엽과 종양이 분리되어 있는지를 확인하고, 필요하면 동결절편(frozen section)조직검사를 시행한다. 만일 소타액선에서 기원한 종양인 경우에는 인두벽에서 기원한 종양인지 감별해야 하며 이때는 반드시 인두점막을 절제한다.

신경원성 종양의 경우에는 조심스럽게 박리하여 반드시 기원신경을 확인하며 가능하면 종양의 병리가 확인될 때까지는 보존해야 한다. 신경초종은 신경섬유종과 달리 이론적으로는 신경초의 길이 방향으로 절개를 가해 신경을 보존할 수 있다고 알려져 있으나 실제로는 신경초종에서도 수술 후 신경합병증의 빈도가 높다고 보고되고 있다.

미주신경기원의 부신경절종은 종양을 박리하면서 신경을 희생시킬 가능성이 많고 만일신경이 보존되었다 하더라도 일시적으로 미주신경 마비증상이 나타날 수 있다.

경동맥소체 종양은 외막하로 조심스럽게 박리하면 경동맥 분기부로부터 쉽게 떨어져 나오나 크기가 큰 경우에는 총경동맥(common carotid artery) 또는 내외경동맥의 일부분을 절제해야 할 수도 있다. 이때는 즉시 복재정맥(saphenous vein) 등을 이용해서 재건해 줄 것을 권장한다. 이러한 가능성들을 수술 전 검사로 충분히 검토해야 한다.[7]

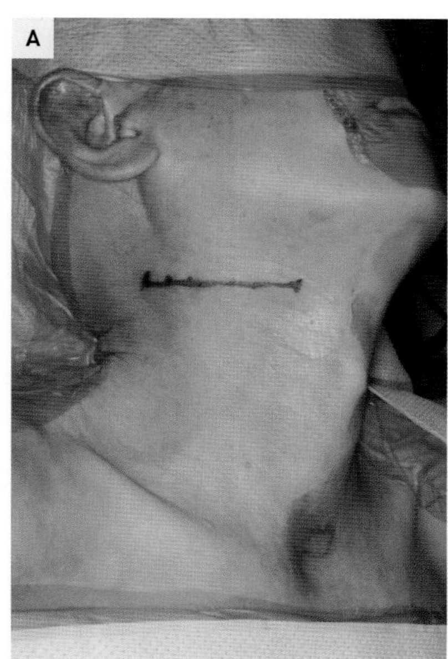

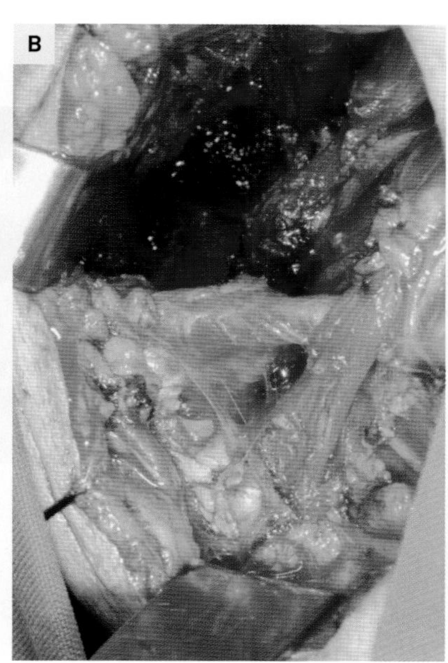

■ 그림 35-3. A) 경부 접근법 : 피부절개. B) 경부 접근법 : 종양 적출 후 사진.

3) 경이하선접근(Transparotid approach)

이하선 심엽의 종양에 흔히 쓰이는 접근법으로, 대개 경부접근법과 병합하여(transcervical-transparotid approach) 시행되는데, 아령 모양(dumbbell-shaped)의 종양에 특히 유용하다. 천엽절제술(superficial parotidectomy)을 시행한 후 안면신경을 확인하여 박리하고 심엽의 종양을 제거한다. 만일 종양의 크기가 작으면 안면신경의 분지 사이로 제거할 수 있으나 크기가 크면 안면신경을 위쪽으로 견인하고 그 아래쪽으로 종양을 적출한다. 악성종양이 안면신경의 분지를 침범한 경우에는 안면신경을 희생시킨다. 이 접근법도 역시 하악골 절제를 병행하여 시야를 좋게 할 수 있다(그림 35-4).

4) 기타접근법

측두하와접근법(infratemporal fossa approach)은 측두골을 침범한 부인두공간 병변에 이용하는 방법이다. 이 방법으로 동측의 추체부(petrous)와 원위부 내경동맥에 직접 접근할 수 있으며, 뇌기저부의 측부와 후부, 접형골의 사면부(sphenoid clival area), 측두골의 추체부 내측, 하측두와, 비인두, 후인두 등을 함께 침범한 부인두공간 종양에 이용할 수 있다. 하측두와 접근법의 변형인측두하이개전방절개(subtemporal preauricular incision)를 통한 부인두공간 종양수술도 소개된 바 있다.[6]

이개후방의 c-절개를 통한 경부-경유양동접근법은 두개저를 침범한 혈관성 종양이나 미주부신경절종처럼 경정맥공을 통해 두개 내로 확장된 종양에 사용할 수 있다. 먼저 유양동절제술을 통해 두개경막, 내경동맥, 경정맥공, 안면신경등을 노출한 뒤 종양을 제거한다. 필요한 경우 경부에서 내경정맥을 결찰하고 안면신경의 위치를 이동시켜서 경정맥공을 넓게 노출시킬 수 있다.

이외에도 경구개접근법(transpalatal *approach)* 상악골스윙접근법, 경하악경익돌판접근법(transmandibular transpterygoid approach) 등이 보고되고 있으나 흔히 사용되는 방법들은 아니다.

5) 내시경 보조 부인두강수술(Endoscope-assisted resection with image-guided system)

경부접근의 제한성을 극복하기 위해 0도와 30도 내시경을 이용한 방법이 보고되었다. 이 방법은 특히 두개저 근처에서 시야의 확보와 주위 조직에서 박리에 도움을 준다. 특히 30도 내시경은 시야확보를 더 용이하게 한다. 그러나 아직은 많은 환자에서 시행된 것이 아니어서 그 장점

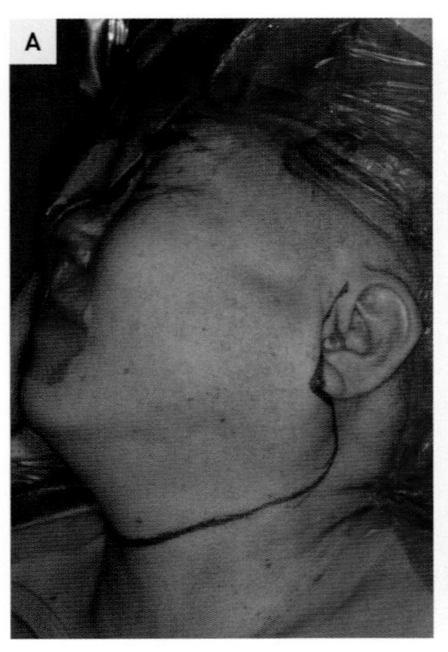

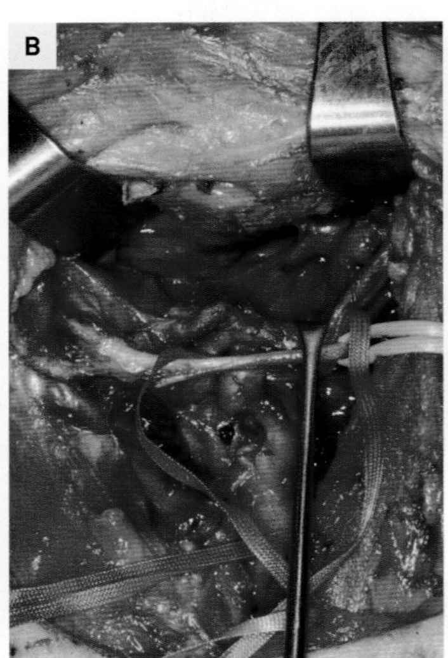

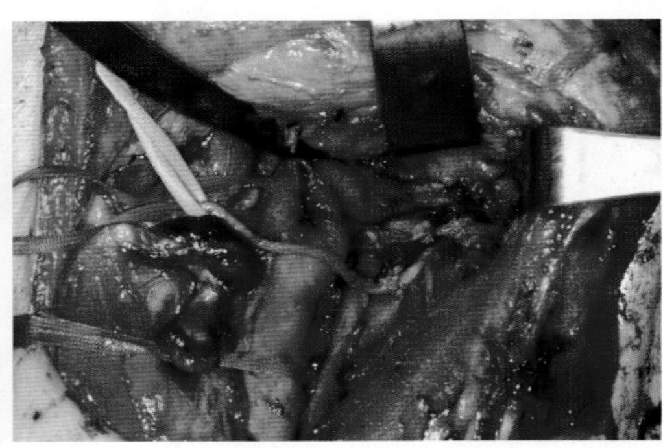

■ 그림 35-4. **A)** 경이하선 접근법 : 피부 절개. **B)** 경이하선 접근법 : 종양 적출 후 사진.

은 제한이 있다.[1]

6) 수술 중 신경모니터링(Intraoperative neuromonitoring)

최근에 수술 중 신경모니터링의 사용이 많은 수술에서 증가되고 있다. 특히 뇌신경의 복잡성과 생리학적 기능의 복잡성으로 두경부수술에서 많이 사용된다. 수술 중 신경모니터링은 갑상선 수술과 이하선수술, 중이수술 및 중두개와수술에 흔히 사용되어 왔으나, 부인두강 수술에서도 중요하게 사용되고 있으며, 주로 안면신경과 미주신경의 기능 보존에 중요한 역할을 하며, 설인두신경, 척추부신경과 설하신경에서도 사용이 보고되고 있다.[3] 갑상선과 이하선 수술처럼 부인두강 종양에서 수술 중 신경모니터링은 뇌신경과 그 분지의 확인에 도움을 주고 의도치 않은 손상의 위험성을 감소시키며, 미용적 목적으로 경부접근법만을 이용할 때조차도 도움이 된다. 수술 중 신경모니터링의 적용은 일반적으로 받아들여지지만, 아직 임상결과를 나타내는 표준화된 보고와 기능적 결과에 대한 보고가 없다.[4]

7) Microdebrider를 이용한 공동화 술식(Microdebrider-assisted cavitation)

부인두강의 신경초종의 microdebrider-assisted cavitation은 두개저 근처의 큰 종양을 경부접근법만을 이용하여 완전한 노출을 할 수 있는 방법이다. 이 방법은 microdebrider를 이용하여 부인두강 종양의 캡슐 내 감량수술(intracapsular debulking)과 공동화(cavitation)를 하여 종양의 부피를 줄일 수 있어 주위 구조, 특히 뇌기저부까지 시야를 더 좋게 할 수 있다. Microdebrider는 종양의 캡슐에 작은 절개를 하고, 종양의 중심부에서 주변부로 종양의 벽을 보존하며 감량수술을 하여 신경초종의 크기를 줄이게 된다. 이 방법으로는 병변의 위쪽 부분의 시야를 좋게 하고 주위 구조를 잘 보이게 하여 경부접근법의 제한된 시야를 극복하여 안전한 수술을 시행할 수 있게 한다. 내시경수술과 함께 시행하여 종양과 신경의 관계를 확대된 시야로 수술을 하여 신경학적 후유증의 발생을 줄일 수 있다. 이 술식은 두꺼운 종양의 피막과 낮은 재발율을 가진 양성 신경원성 종양에서 안전하게 적용될 수 있다. 그러나 침샘종양의 경우 캡슐이 터지거나 종양을 주위조직으로 흘리는 것이 재발의 위험을 유의하게 증가시킬 수 있어 적절하지 않을 수 있다. 또한 부인두강의 신경원성 종양에 대한 이 수술의 주요 단점으로는 신경기능을 보존하지 못할 수 있는 것이다.

8) 캡슐 내 적출술(Intracapsular enucleation)

수술 후 신경학적 후유증을 최소화하기 위해 경부 신경초종의 캡슐 내 적출술을 하는 경향이 증가하고 있다. 이 방법은 주위 신경섬유의 손상을 피하며 종양의 캡슐에서 종양을 미세 박리한다. 여러 연구에서 기능적 보존율이 50~ 90%로 다양하다. 이 술식의 단점으로는 신경섬유사이에 종양이 미세하게 남아서 재발을 유발할 수 있는 것으로 아직 장기간 연구는 보고되지 않고 있다.

9) 경구강 로봇수술: 경구강 접근의 확대(Transoral robotic surgery)

여러 연구를 통하여 로봇 보조 수술은 3차원 영상, 정밀한 움직임의 조절, 기구의 관절의 용이성 그리고 작은 구멍을 통해서도 양손수술을 할 수 있는 점 등의 여러 장점들을 보여 왔다. Systematic review를 통해 그간의 연구들을 요약한 논문에서 부인두강 종양에 대해 44명의 환자에서 경구강 로봇 수술을 시행한 결과 29명이 다형선종이었고, 이 중 7례의 경우 캡슐이 터지거나 종양이 조각나서 기존의 외부접근법보다 유의하게 높았다. 다형선종에서 종양 피막 파열의 경우 0~43%까지 다양하였으며, 이는 수술 기술과 적응증의 차이로 생각된다. 실제로 여전히 다형선종의 경우 대부분 경부접근법이 최적의 선택으로 고려되며, 경구강 접근법의 경우 종양학적 안정성이 낮을 수 있다.[2]

3. 방사선치료

악성종양수술 후, 절제 불가능한 부신경절종, 수술위험성이 큰 환자의 경우에 방사선치료를 할 수 있다. 특히 양측에 발생한 미주부 신경절종이나 수술로 인해 기도나 연하기능에 심각한 장애를 초래할 것으로 예상되는 경우에는 외부 방사선조사를 하고, 크기가 3 cm 이하로 작은 경우에는 정위방사선요법(stereotactic radiotherapy)을 고려할 수 있다. 경동맥소체 종양에 대한 방사선치료는 종양의 크기 증가를 줄이거나 신경학적 증상의 진행을 막거나 호전시키는 효과가 있지만 종양을 근치시킨다는 근거는 아직 없다.

Ⅵ 합병증

부인두공간 수술의 합병증으로는 혈관과 신경손상이 가장 많다. 특히 크기가 크고, 혈관분포가 많으며, 악성종양일수록 그 빈도가 높아진다. 한쪽 미주신경마비의 경우 경한 음성변화부터 심한 음성장애, 흡인, 연하장애 등 합병증이 다양하지만 신경이 희생되지 않았다면 대개 증상이 일시적이다. 필요하다면 갑상연골성형술(thyroplasty), 성대 내주입술(injection laryngoplasty), 윤상인두근절개술(cricopharyngeal myotomy), 위루술(gastrostomy) 등을 시행할 수 있다. 이는 특히 고령의 환자에서 폐기능이 불량할 때 고려한다. 미주신경이 희생된 경우 위장관의 기능장애로 오심, 구토, 역류 증상을 호소할 수 있으므로 위장관 감압, 위장관 운동촉진제 등을 사용할 수 있다.[5]

안면신경마비의 경우 가능하다면 대이개신경 등을 이용한 신경간치술(interpositional graft)을 시행하며, 즉각적인 안구 보호와 향후 재활수술(reanimation procedure)이 필요하다. 연구개를 담당하는 신경은 미주신경의 결절신경절(nodose ganglion) 근처에서 분지되는데 손상되는 경우 동측 연구개 마비로 인두부전증(velopharyngeal insufficiency)이 발생한다. 수술 중에 신경분지가 희생되지 않고 보존되었다면 1년 정도 기다려 볼 수 있으나 심각한 음식물 역류나 비음 증가로 의사소통이 힘들고, 회복될 가능성이 없는 경우 마비된 쪽의 연구개를 인두후벽과 봉합하여 막아주는 방법 등의 수술적 치료를 고려할 수 있다. 가장 심각한 혈관 손상은 뇌기저부에서의 내경동맥 손상이다. 이 경우 하악골스윙이 되어 있다면 직접 재건을 해줄 수 있으나 때로는 풍선폐색술(balloon occlusion)이나 경동맥 결찰이 필요할 수도 있다. 심한 견인에 의해 내경동맥의 내막손상(intimal injury)이 있는 경우는 수술 도중 확인하지 못할 수 있으며 이 경우 혈전에 의한 색전으로 진행되어 신경학적 후유증이 생길 수 있다. 이를 방지하기 위해서는 수술 도중 내경동맥의 견인을 자주 풀어주어야 한다.

그 외에 부인두공간 수술 후 생길 수 있는 합병증으로는 창상감염, 뇌막염, 기도폐쇄, 기도흡인, 인두누공, 출혈과혈종, 삼출성 중이염 등이 있다. 수술 후 음식을 먹을 때 이하선 주위에 심한 통증(first bite syndrome)을 호소하는 경우도 있다. 이는 경부교감 신경의 손상으로 인해 근상피세포를 지배하는 교감수용체의 이상반응으로 타액이 분비되는 부교감신경 자극 시 근상피가 연축해 유발된다고 알려져 있다. 치료는 자극적인 음식을 피하는 식이조절 외에 이하선의 부교감지배를 차단하는 방법, 보톡스 주사법 등이 있다.[6]

참고문헌

1. Beswick DM, Vaezi A, Caicedo-Granados E, Duvvuri U. Minimally invasivesurgery for parapharyngeal space tumors. Laryngoscope 2012; 122:1072-1078.
2. Chan JY, Tsang RK, Eisele DW, Richmon JD. Transoral robotic surgery of theparapharyngeal space: a case series and systematic review. Head Neck2015; 37:293-298.
3. Harper CM. Intraoperative cranial nerve monitoring. Muscle Nerve 2004;29:339-351.

4. Husain AM, Wright DR, Stolp BW, et al. Neurophysiological intraoperativemonitoring of the glossopharyngeal nerve: technical case report. Neurosurgery2008; 63:E277-E278.
5. Kuet ML, Kasbekar AV, Masterson L, Jani P. Management of tumors arisingfrom the parapharyngeal space: a systematic review of 1,293 cases reportedover 25 years. Laryngoscope 2015;1372-1381
6. Riffat F, Dwivedi RC, Palme C, et al. A systematic review of 1143 parapharyngealspace tumors reported over 20 years. OralOncol 2014; 50:421-430.
7. Schlake H-P, Goldbrunner RH, Milewski C, et al. Intra-operative electromyographicmonitoring of the lower cranial motor nerves (LCN IX-XII) in skullbase surgery. Clin Neurol Neurosurg 2001; 103:72-82.

CHAPTER

36

경부절제술

이비인후과학 Otorhinolaryngology - Head and Neck Surgery

최은창

I 경부절제술의 변천

두경부암 치료에서 경부림프절 절제에 대한 최초의 기록은 1880년 Kocher의 문헌으로, 구강설암 환자에서 혀와 악하삼각을 동시에 절제하였다고 한다. 일괴(en bloc) 개념의 경부림프절 절제술은 1906년 George Crile에 의하여 시작되었다. 그는 하악의 하연과 쇄골의 상연 사이에 존재하는 모든 림프절을 포함하여 절제하는 술식을 보고하였으며, 이 개념은 현재에도 통용되고 있다.[11] 이 술식은 Blair와 Brown, Martin 등의 지지를 받아 최근까지 경부절제술의 근간이 되어 왔으며, 림프절 절제의 범위를 줄인다거나 내경정맥(internal jugular v.), 흉쇄유돌근(sternocleidomastoid m.), 부신경(spinal accessory n.) 등을 보존하는 것은 종양학적으로 안전하지 못하다고 여겨져 왔다.[2,19,20]

그러나 점차 근치적 경부절제술(radical neck dissection)과 관련된 여러 가지 문제를 인식하게 됨에 따라 이 술식을 모든 두경부암 환자에게 적용해야 하는지에 대한 의문이 생기게 되었다. 즉 림프절 주위에 존재하는 것은 동일한 조건임에도 불구하고 왜 부신경은 절제할 수 있고 설하신경은 보존해야 하는지, 또 내경정맥은 절제하는 반면 왜 내경동맥은 보존하는지에 대한 종양학적 설명이 부족하였을 뿐 아니라 종양의 절제와 함께 환자의 술 후 기능과 미용적인 문제에 관하여 관심을 갖게 되었으므로 종양의 완전한 절제와 함께 기능의 보존도 시도하게 되었다.

1960년대에 이르러 Bocca, Ballantyne 등이 보존적 경부절제술을 제안하였는데, 이 술식은 근막 안에 있는 림프절이 포함된 연조직은 모두 절제하면서 근치적 경부절제술 시 제거되는 흉쇄유돌근, 내경정맥과 부신경은 보존하는 술식이었다.[3] 이 방법의 종양학적 안전성은 Bocca가 증명하였는데, 이 술식의 근거는 Pignataro 등의 해부학적 연구에 힘입은 바 크다. 이후 이러한 보존적 술식은 술 후 환자들의 삶의 질을 향상시키는 데 많은 공헌을 하였으며 현재에도 유용하게 사용되고 있다.[3]

그 이후 근치적 경부절제술 시 제거되는 구조물을 보

존하는 변형 방법 이외에 경부절제술의 범위를 줄이는 이른바 선택적 경부절제술(selective neck dissection)이 소개되었다. 이 술식은 두경부암의 경부림프절 전이가 무작위로 발생하지 않고 예측 가능한 형태로 일어난다는 것과, 전이의 위험도가 높은 림프절만을 선택적으로 절제하여도 모든 level의 림프절을 절제하는 것과 같은 결과를 보일 수 있다는 데 근거를 두고 있다. 따라서 선택적 경부절제술은 주로 임상적으로 경부전이가 없는 잠재전이의 가능성이 있는 경우에 사용되고 있다.

최근에는 선택적 경부청소술 중에서도 더욱 절제의 범위를 줄여서 불필요한 부분의 림프절 절제를 생략하여 수술에 따른 문제를 줄이고 있다. 후두 및 하인두암에서 level I을 생략하는 것은 보편적이며 대부분의 두경부 원발부위암의 예방적 경부청소술에서 level IIb를 생략하는 것에 대한 종양학적 자료가 발표되고 있다.

Ⅱ 경부림프절의 분류

두경부암의 각 원발부위에 따른 경부림프절 전이의 유형은 여러 후향적 연구에 의하여 잘 알려졌다. 경부림프절의 분류는 각 원발부위암의 경부 림프절 전이 빈도를 잘 반영해야 하며 사용하기 편리해야 한다. 현재는 1981년 Memorial Sloan Kettering Group에서 제안한 분류법이 보편적으로 사용되고 있다.[6] 이 분류는 경부를 각 level로 나누어 표시하고 있으며 각 level은 경부 삼각의 지표로 사용되는 근육에 의하여 구별된다.

Level Ⅰ은 악하삼각(submandibular triangle)과 이하삼각(submental triangle)으로 이루어져 있다. 이하삼각은 양쪽의 이복근의 전복(anterior belly of digastric muscle)을 외연으로 하고 설골을 하연으로 한 삼각이며 이를 level Ⅰ-A라 표시하기도 한다. 그러므로 level Ⅰ-A는 정중선에서 반대편에 위치한 곳도 동측으로 포함한다. 악하삼각(submandibular group)은 level Ⅰ-B라고도 표시하며 이복근의 전후복과 하악의 하연을 경계로 하고 있다. Level Ⅰ-B의 림프절은 이하군과 악하군으로 대별되며 악하군은 다시 악하선전군(preglandular), 악하선후군(retroglandular), 악하선심군(deep glandular), 악하선내군(intracapsular), 혈관전군(prevascular), 혈관후군(retrovascular)의 6개의 소그룹으로 나눌 수 있다.[17] 혈관전군과 혈관후군의 림프절을 합하여 안면주위(peri-facial) 림프절 혹은 혈관주위(perivasuclar) 림프절로 부르기도 한다. 혈관주위림프절은 구순, 협점막, 전비강(anterior nasal cavity)과 협부 연조직으로부터 림프가 배액되므로 이 부위에 원발암이 있을 경우에는 경부절제술의 범위에 포함되어야 한다. 특히 구강저암은 혈관전군 림프절에서 전이가 빈번히 발견되므로 반드시 절제되어야 하는 림프절군이다.[17]

Level Ⅱ는 상경정맥 림프절군을 포함하고 있는 곳으로 두개저가 상연이 되며 흉골설골근의 외연, 흉쇄유돌근의 후연, 경동맥 분지점으로 둘러싸인 구역이다.[22] Level Ⅱ는 두경부암의 경부림프절 전이가 가장 흔히 발견되는 곳이다.[17] Level Ⅱ는 level Ⅰ과 마찬가지로 구역 안에서 부신경이 지나는 선을 기준으로 Ⅱ-A와 Ⅱ-B로 나눌 수 있다. Ⅱ-B에는 4, 5개의 림프절이 있으며 이곳의 림프절로는 두정부(parietal region)나 후두부(occipital region)의 두피, 비인두나 부비강, 인두후림프절 등에서 림프액이 유입된다.[17]

Level Ⅱ와 level Ⅲ를 나누는 경계는 임상적으로는 설골이 되며 총경동맥의 첫 분지의 위치가 된다. 이는 인위적으로 나눈 면이 있지만 전이 림프절의 위치를 기록하고 외과적으로 시료(specimen)를 구분하는 데 중요하다. Level Ⅲ는 중심경정맥 림프절군을 포함하고 있는 곳으로 내경정맥의 중간 1/3 주위에 위치한다.[34]

Level Ⅳ의 상부 경계는 외과적으로는 견갑설골근(omohyoid m.)이 내경정맥과 만나는 곳이며 임상적으로는 윤상갑상막이 있는 높이가 된다.[34] level Ⅳ의 외연은 흉쇄유돌근의 후연이 되며 내연은 흉골설골근의 외측연이다.

Level Ⅴ는 후삼각에 있는 모든 림프절을 포함한다.[34] 경계는 승모근의 전연, 흉쇄유돌근의 후연과 쇄골의 상연이다. 이 구역의 림프절은 부신경 주위에 분포한 림프절군, 횡경동맥 주위의 림프절군, 쇄골 외측부 바로 위에 있는 쇄골상림프절군의 세 군으로 나눌 수 있다.

통상의 경부절제술 시 포함되는 경부의 level은 level Ⅰ–Ⅴ이지만 이 외의 구역으로 설골을 상연으로 하고 흉골상절흔이 하연이 되는 경동맥초 내측 부분의 level Ⅵ가 있다. 이 구역에는 갑상선주위 림프절, 기관주위 림프절과 Delphian 림프절이 있다.

Ⅲ 경부절제술의 분류

경부절제술은 보존하는 구조물과 절제하는 구역에 따라 다양한 조합이 있을 수 있어서 여러 가지의 분류법이 사용되어 왔으나 1991년 미국 이비인후과학회(AAO-HNS)와 미국 두경부외과학회(ASHNS)에서 새로운 분류법을 제안하여 이를 보편적으로 사용하고 있다.[34] 이 분류법은 근치적 경부절제술(radical neck dissection)을 경부림프절 절제술의 기본 술식으로 하고, 근치적 경부절제술의 범위와 같은 구역의 림프절을 절제하지만 하나 혹은 그 이상의 정상 구조물을 보존하는 술식을 변형 근치 경부절제술(modified radical neck dissection)로, 그리고 하나 혹은 그 이상의 구역을 보존하는 술식들을 선택적 경부절제술(selective neck dissection)로 정하였으며, 근치적 경부절제술의 범위를 넘은 구역의 림프절을 절제하거나 구조물을 절제하는 경우를 확장 경부절제술(extended neck dissection)이라 하였다.[22]

또한 경부절제술은 시행 목적에 따라 분류할 수 있다. 임상적으로 경부림프절 전이가 있어서 이를 치료하려는 목적의 치료적 경부절제술과 임상적으로 전이가 있다고 판단되지는 않으나 전이의 위험도가 높아 확인 목적으로

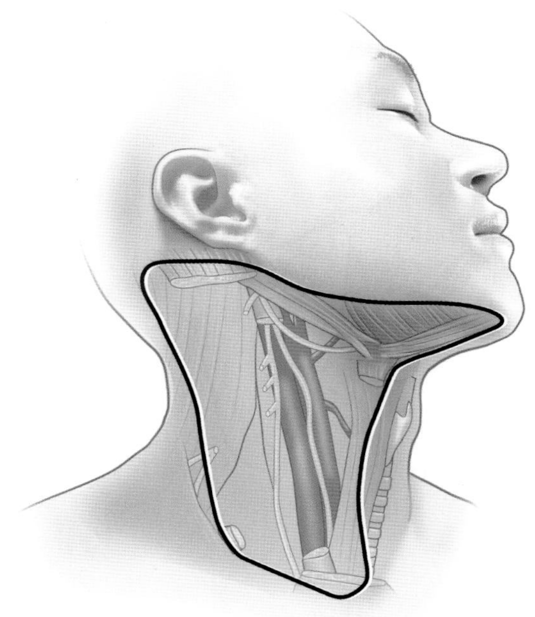

■ 그림 36-1. **근치적 경부절제술(radical neck dissection)**

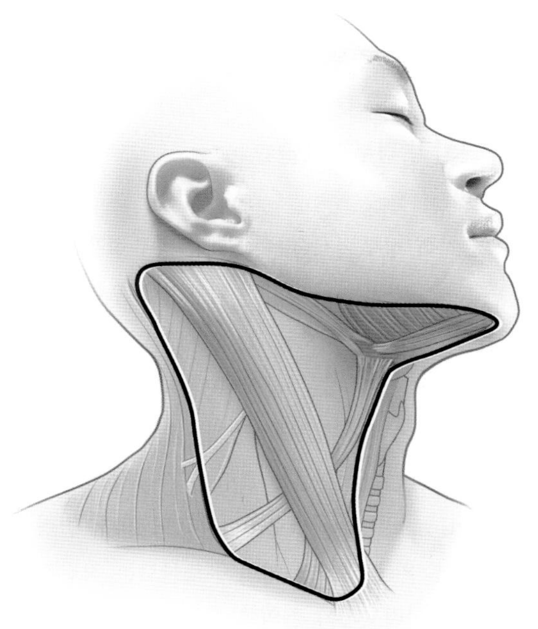

■ 그림 36-2. **변형 근치적 경부절제술(modified radical neck dissection)**

혹은 예방적 치료 목적으로 하는 예방적 경부절제술로 나눌 수 있다. 경부림프절에 재발한 경우에 시행하는 구제적 경부절제술도 한 종류로 구분할 수 있다.

1. 근치적 경부절제술

근치적 경부절제술은 위로는 하악의 하연에서부터 아래로는 쇄골에 이르기까지 그 사이에 존재하는 림프절들을 모두 절제하는 것으로 내측의 범위는 반대측 이복근의 전복, 설골 및 흉골설골근의 외연이며 외측의 범위는 승모근(trapezius m.)의 전연이다. 이 범위 안의 연조직을 절제함과 아울러 흉쇄유돌근, 내경정맥, 부신경을 함께 절제하는 술식이다.[34] 근치적 경부절제술의 범위에는 이하선하(infraparotid) 림프절을 제외한 이하선주위 림프절, 인두후 림프절, 기관주위 림프절, 후두하(suboccipital) 림프절 등은 포함되지 않는다. 근치적 경부절제술은 경부에 광범위한 림프절 전이가 있거나 림프절 피막외 침습(extracapusular spreading)이 있는 경우, 내경정맥 혹은 부신경을 침범한 림프절전이가 있거나 부신경 주위에 림프절전이가 있는 경우에 주로 시행한다(그림 36-1).[34]

2. 변형 근치적 경부절제술

변형 근치적 경부절제술은 근치적 경부절제술과 림프절을 절제하는 범위는 동일하되 림프절을 포함하지 않는 구조물을 보존하는 술식으로 Ⅰ, Ⅱ, Ⅲ형으로 나뉜다. Ⅰ형은 부신경만을 보존하는 술식이며, Ⅱ형은 부신경과 내경정맥을, Ⅲ형은 부신경, 내경정맥, 흉쇄유돌근 세 가지를 모두 보존하는 술식이다. Ⅲ형은 기능적 경부절제술(functional neck dissection)이라고도 한다. 변형 근치적 경부절제술은 림프조직 외의 구조물로는 직접적인 침습이 없고, 전이림프절이 주위조직에 유착되어 있지 않으며, 임상적으로 확인되지는 않았지만 잠재 전이가 있을 가능성이 높은 경우에 주로 시행된다(그림 36-2).[34]

3. 선택적 경부절제술

선택적 경부절제술은 근치적 경부절제술 시 통상적으로 절제하는 구역 중 하나 혹은 그 이상의 구역을 보존하는 술식으로 임상적으로 흔히 사용되는 종류는 견갑설골상부 경부절제술(supraomohyoid neck dissection), 외측 경부절제술(lateral neck dissection), 후외측 경부절제술(posterolateral neck dissection)과 전구역 경부절제술(anterior compartment neck dissection)의 네 가지이다.

1) 견갑설골상부 경부절제술

견갑설골상부 경부절제술은 level Ⅰ, Ⅱ, Ⅲ의 림프절을 포함한 연조직을 절제하며, 그 범위는 후측으로 경피신경과 흉쇄유돌근의 후연이 만나는 곳이며 아래로는 견갑설골근이 내경정맥과 만나는 부위이고 상연은 하악의

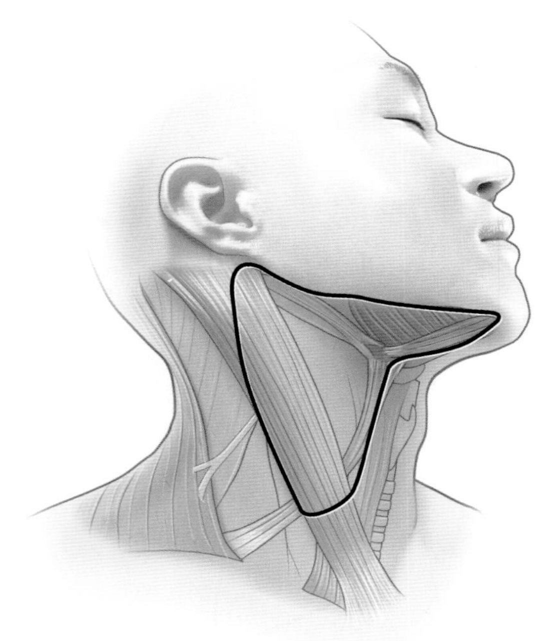

■ 그림 36-3. **선택적 경부절제술: 견갑설골상부 경부절제술 (supraomohyoid neck dissection)**

하연이 된다(그림 36-3).[34,21] 이 술식은 주로 N0 구강암에서 경부에 잠재전이의 가능성이 높은 경우에 사용되는데 경부전이를 잘하는 구강설(oral tongue)과 구강저(floor of mouth)에서 발생한 암에서 예방적 경부절제술로 흔히 시행된다.[21]

2) 후외측 경부절제술

후외측 경부절제술은 level Ⅱ, Ⅲ, Ⅳ,Ⅴ을 절제함과 아울러 후두하 림프절, 후이개(retroauricular)림프절을 절제하는 술식으로 주로 후두부와 후경부의 피부암 환자에서 사용된다(그림 36-4).[34,22,15]

3) 외측 경부절제술

외측 경부절제술은 level Ⅱ, Ⅲ, Ⅳ의 림프절을 절제하는 술식으로 대개 양측으로 시행되는 경우가 많으며 구인두, 하인두, 후두 및 식도암 N0에서 시행된다(그림 36-5).[34,22]

4) 전구역 경부절제술

전구역 경부절제술은 경부의 장기 주위의 림프절을 절제하는 술식으로 주로 갑상선암, 하인두암, 후두암, 식도암인 경우에 시행할 수 있다(그림 36-6). 그 범위는 설골과 흉골상절근 사이의 정중선 주위에 위치한 조직이며 외측 경계는 경동맥초가 된다. 이 술식에서 절제되는 림프절은 level Ⅵ, 즉 갑상선주위 림프절, 기관주위 림프절, 윤상전(precricoid), Delphian 림프절, 기관전(pretracheal) 림프절 등이다.[34]

5) 기타 선택적 경부절제술

이상의 네 가지 대표적인 선택적 경부절제술 이외에도 조합에 따라 선택적 경부절제술을 할 수 있는데 후두 혹은 하인두암에서 level Ⅰ을 보존하는 선택적 경부절제술

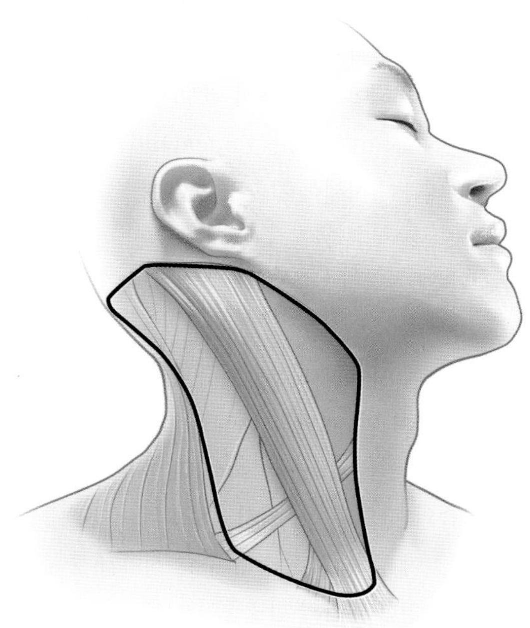

■ 그림 36-4. 선택적 경부절제술: 후외측 경부절제술(posterolateral neck dissection)

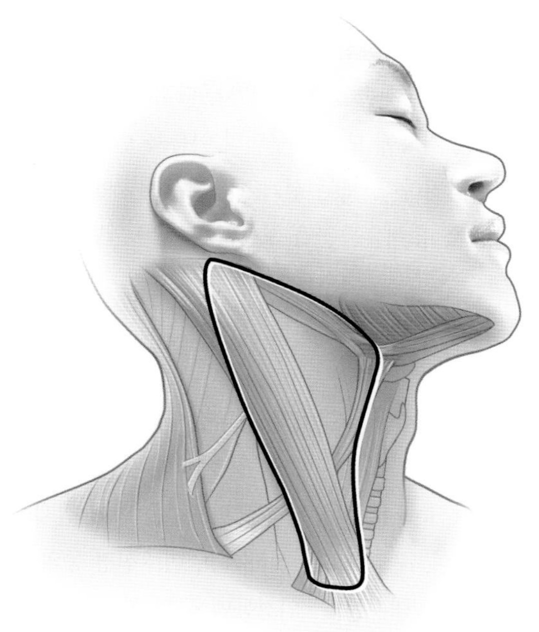

■ 그림 36-5. 선택적 경부절제술: 외측 경부절제술(lateral neck dissection)

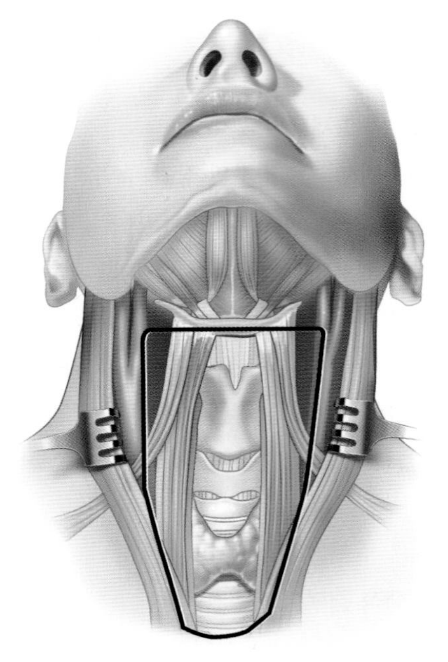

■ 그림 36-6. **선택적 경부절제술: 전구역 경부절제술(anterior compartment)**

을 할 수 있으며 이하선암에서는 level Ⅰ, Ⅱ만을 절제하는 선택적 경부절제술을 할 수 있다. 따라서 이와 같은 경우에는 수술 기록에 보존한 구역의 이름을 반드시 기록하는 것이 바람직하다. 모든 선택적 경부절제술에서는 부신경, 내경정맥, 흉쇄유돌근을 보존하는 것이 일반적이다.

4. 확장 경부절제술

확장 경부절제술은 근치적 경부절제술의 범위에 포함되지 않는 림프절 혹은 구조물을 절제하는 술식이다. 인두후 림프절, level Ⅵ, 상종격동 림프절을 함께 절제하는 경우가 흔하며, 구조물로는 설하신경, 미주신경 등의 신경을 포함하거나, 내경동맥, 외경동맥 등의 혈관을 함께 절제할 수 있고, 심경근(deep neck m.), 피부 등의 연조직을 함께 절제할 수 있다.[34] 확장 경부절제술도 다양한 조합이 가능하므로 절제한 구조물이나 level을 정확히 기록하는 것이 반드시 필요하다.

Ⅳ 경부절제술의 술식

1. 경부절제술의 목적

경부절제술의 목적은 경부의 전이 림프절을 완전하게 절제하는 것으로 어떠한 수술적 변형도 이 목적에 위배되어서는 안 된다. 그러나 림프절이 존재하는 모든 영역을 절제하면서도 어떤 구조물들을 보존하여 종양학적인 안전성을 해하지 않고 주요 기능을 보존할 수 있다면 환자의 삶의 질을 향상시킬 수 있다. 이것이 경부절제술의 목적이며 목표이다. 이 목표를 달성하기 위하여 근치적 경부절제술은 모든 경부절제술의 기본적인 술식이 되며 특히 수술을 처음 시작하는 두경부외과의들에게는 기본이 되는 술식이다. 변형 근치적 경부절제술을 완전히 습득할 수 있다면 두경부의 대부분의 술식을 할 수 있다.

경부절제술을 효과적으로 안전하게 하기 위해서는 경부 해부학을 숙지해야 하며 특히 경부 근막의 구조에 대한 지식이 필수적이다. 이는 Bocca(1967), Calearo (1983) 등에 의하여 자세히 기술된 바 있다.[3,5]

2. 피부절개법

경부절제술에 사용할 피부절개를 선택할 때 고려해야 할 사항은 수술 시야, 피판의 안전도, 경동맥의 보호, 이전의 수술흔과 생검흔(biopsy scar)의 유무, 원발병소의 위치, 재건술의 필요 유무, 방사선치료의 유무, 수술 후 미용 등이다.[6] 이 중 중요 요소는 수술 시야가 충분히 넓을 것, 절개로 인한 피판의 합병증이 적을 것, 술 후 경부 모습에 영향을 적게 미칠 것, 이 세 가지이다.

과거부터 사용되어 온 절개법(그림 36-7)은 삼분기(trifurcation)의 개수에 따라 삼분기가 두 곳인 절개법, 한

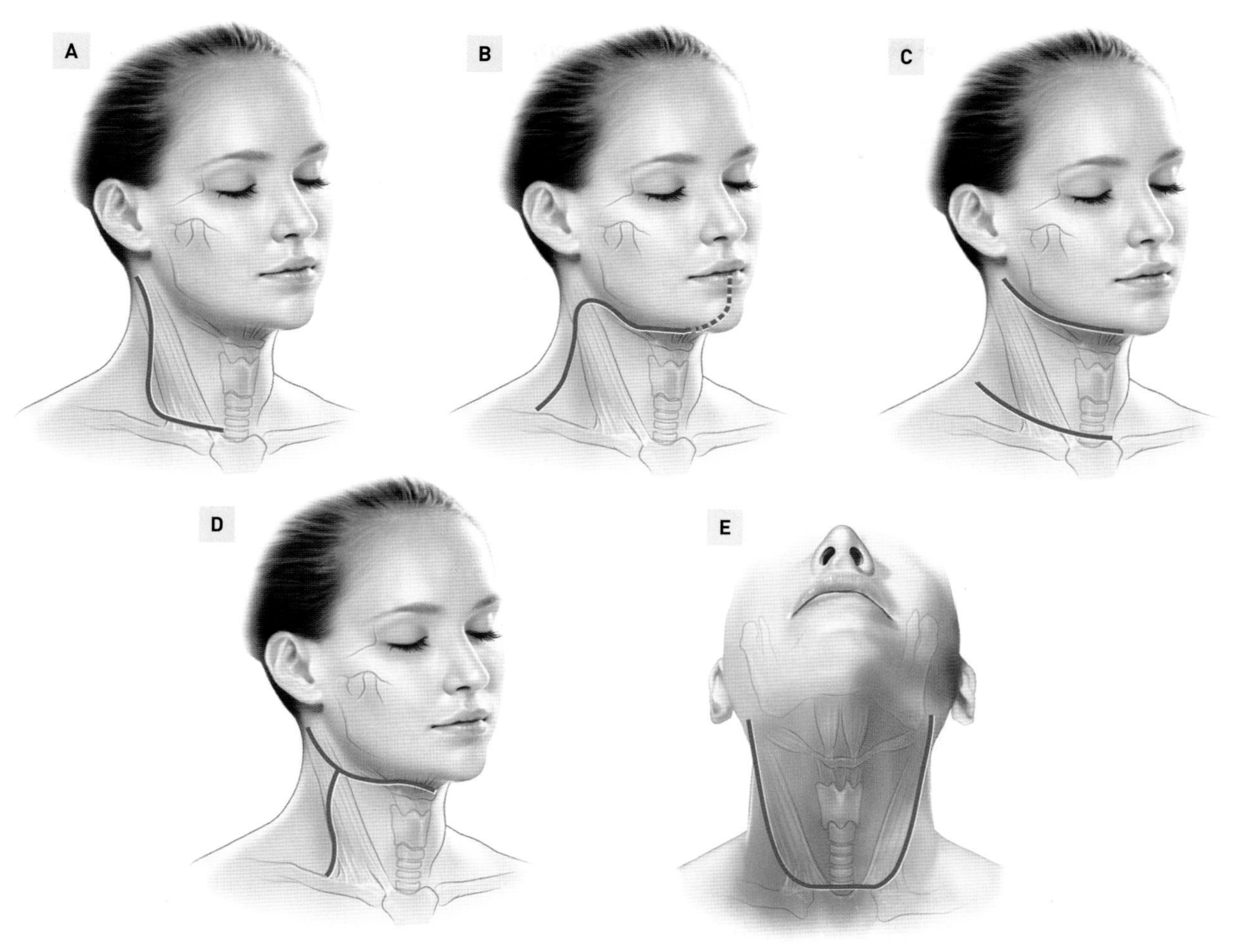

■ 그림 36-7. **경부절제술의 피부절개업.** **A)** 하키채 절개. **B)** 역하키채 절개. **C)** MacFee 절개. **D)** 변형 Schob inger 절개. **E)** Utility 절개.

곳인 절개법과 삼분기가 없는 절개법으로 나눌 수 있다.

삼분기가 두 곳인 절개법으로는 Martin, Slaughter, Schweitzer 등이 있다.[6] 이 방법들은 수술 시야는 매우 우수하나 경동맥의 보호 기능이 없고 피판의 술 후 혈행이 좋지 않은 단점이 있으며 양측에 적용하기 어려워 현재에는 잘 사용되지 않는다.

삼분기가 한 곳인 절개법으로는 Schobinger, Lahey, Conley, Lore 절개법 등이 있으며 흔하게 사용되는 절개법이다.[6,18] Schobinger 절개법은 시야가 우수하나 양측에 같은 절개를 한다면 내피판의 혈행장애를 초래할 수도 있다. Conley의 절개법도 Schobinger 절개와 같은 장점이 있으나 수직절개 부분이 많아 미용적으로 불리하며 전내측 피판의 끝이 괴사되는 경우가 있어서 경동맥이 노출될 위험이 있다.[6] 피판의 괴사는 특히 방사선치료 후 구제수술을 한 경우에 흔히 발생한다. 구강과 구인두의 경우에는 하악골 혹은 구순절개가 필요한 경우가 많으므로 이때에는 Schobinger 절개법이 흔히 사용된다. 삼분기가 있는 절개법에는 수직 절개가 포함되어 경부 피부의 자연적인 선에 반하여 절개를 가하게 되므로 술 후 반흔이 두드러지고 띠(band)를 형성하게 되는 경우도 흔하다.

삼분기가 없는 절개법으로는 MacFee, 하키채(hockey stick, Utility) 절개법 등이 있다. MacFee 절개법은 경부에 평행하도록 두 개의 절개를 가하는 방법으로 경동맥의 보호면에서 우수하고 피판이 안전하지만 후두 및 하인두의 원발병소와 함께 절제하기 불편하여 주로 경부 구제수술에 사용된다.[22,6] 갑상선, 후두와 하인두암의 경우에는 하키채 절개법이 가장 우수한 방법이다.[26,27] 이 절개법은 삼분기가 없으므로 피판이 예각으로 나누어지는 일이 없이 창상 치유가 우수하여 괴사되는 경우가 드물고 경동맥 위를 교차하는 부위가 쇄골상부가 되므로 경동맥이 노출될 위험이 적다. 특히 피판의 괴사 위험이 많은 구제수술의 경우에도 유용하게 사용된다. 양측 경부절제술 시에도 같은 절개법을 동시에 사용할 수 있고 피판이 하나이므로 절개, 피판거상, 봉합이 빠른 것도 장점 중 하나이다.[6]

수술 전에 경부림프절을 절개 혹은 절제생검한 경우에는 경부절제술의 선택과 절개의 선택에 많은 영향을 미친다. 절개생검으로 인해 생검흔 혹은 연조직에 암세포가 있을 가능성이 있으므로 생검흔을 함께 절제하여야 하며 포괄적인 근치적 경부절제술을 하여야 한다.[10] 이때 절개생검흔은 경부절제술을 위한 피부의 절개에 포함되도록 하는 것이 좋다.

모든 경부절제술을 위한 피부의 절개는 안면신경의 하악지 손상을 피하기 위하여 하악의 하연에서 2 cm 이상 떨어져야 하며 수직절개를 가하여 삼분기를 만드는 경우 절개선이 모두 90°이상이 되도록 만나야 하며 수직인 부분이 경동맥과 적어도 2 cm 이상 떨어져야 한다.[6]

3. 피판의 박리

경부절제술을 위한 피판은 다른 경부수술과 마찬가지로 광경근하층(subplatysmal layer)을 박리하여 피판을 만들게 된다. 이 면을 이용하는 이유는 피부가 광경근을 통하여 혈액을 공급받고 있으며, 이 면에 혈관 분지가 적어 출혈 없이 박리하기가 용이하고, 종양학적으로는 광경근과 피부의 림프계는 경부절제술의 대상이 되는 심경부 림프계와는 다르기 때문이다.

피판면의 지표(landmark)는 외경정맥과 대이개신경(greater auricular n.)이며 이 구조물을 피판에 포함해서는 안 된다. 피판의 박리는 피부구(skin hook)를 이용하여 수직으로 거상한 상태에서 진행하며 신속하고 깨끗하게 하기 위하여 전기소작기(electric cautery)를 이용하는 것이 좋다. 안면신경의 하악지가 있는 부위에서는 전기소작기에 의한 손상을 피하기 위하여 칼로 할 수도 있다. 피판의 박리범위는 상부로는 하악의 하연을 지나 이하선의 하부를 노출시키고 후방으로는 승모근의 전연을 전장에 걸쳐 노출하며 아래로는 쇄골의 상부까지 노출한다.[30] 승모근 전연을 박리할 때에는 부신경을 다치지 않도록 주의하여야 한다.

4. 절제 순서

경부절제술은 반드시 어디에서부터 해야 한다는 원칙은 없으나 종양에서 먼 쪽부터 시작하는 것이 보통이다. 원발부위의 위치에 따라 구강암의 경우에는 아래에서부터 시작하여 위로 진행하고(below up), 후두암, 하인두암처럼 원발부위가 정중선에 위치한 경우에는 후방에서부터 시작하여 전방으로 진행한다(back to front).[29,30] 양측 경부절제술을 하는 경우에 어느 쪽부터 해야 하는가에 대하여는 몇 가지로 나누어 볼 수 있다. 양측의 예방적 경부절제술을 하는 경우 대개 양쪽의 내경정맥을 보존하는 선택적 경부절제술을 하므로 어느 쪽을 먼저 하든지 관계가 없다. 양측의 근치적 경부절제술을 하는 경우에는 동시에 할 수도 있으나 술 후 이환율을 고려하면 한쪽을 먼저 시행하고 4주 후 반대편을 시행한다. 이때 기다리는 동안 암의 전이성 과증식(metastatic explosion) 혹은 재증식(repopulation)이 일어날 수 있으므로 세심한 관찰을 요한다. 경우에 따라서는 양측의 근치적 경부절제술을 예정하고 일측의 내경정맥을 보존하려는 시도를 할 수 있다. 이때는 내경정맥과 유착이 없다고 판단되거나 피막외 파급이 없는 쪽의 경부에 먼저 시행하여 내경정맥을 우선 확보한 다음 반대쪽에 근치적 경부절제술을 한다. 수술 중 양측의 내경정맥의 절제가 불가피한 경우에는 정맥이식을 하여 한 쪽의 혈행을 확보할 수 있다. 양측 경부절제술을 시행할 때에는 대개 경부 병기가 낮은 경부에 먼저 시행한다.

5. 절제술

Level Ⅰ에서는 이하삼각(submental triangle)에서 시작하여 악하삼각까지 절제한다. 이복근(digastric m.)의 전복(anterior belly) 외연 바로 옆에 이복동맥이 있으므로 이를 미리 결찰하면 출혈을 방지할 수 있다. 악하삼각의 상연에는 안면주위 림프절이 있는데 이를 절제하려면 미리 안면신경의 하악지를 박리하여 그 주행을 완전히 노출하여야 안면신경의 손상을 피할 수 있다. 안면동·정맥은 하악의 하연을 지나는 부분에서 결찰한다. 안면신경의 하악지 손상을 피하는 방법으로 악하선을 싸고 있는 근막 아래면을 박리하는 방법을 쓸 수 있으며 안면동·정맥을 결찰하여 위로 거상한 후 절제하는 방법을 사용할 수도 있다. 하지만 이 두 방법은 모두 안면주위 림프절을 안전하게 절제하기 어려우므로 하악지를 찾아 박리하는 편이 좋다.[17] 악하선과 하악 하연을 박리한 후에는 하악설골근(mylohyoid m.)을 안팎으로 싸고 있는 악하선을 주위 림프조직과 함께 박리하며, 이때 설신경(lingual n.)과 설하신경을 다치지 않도록 주의해야 한다. Level Ⅰ의 절제는 안면동맥의 기시부를 결찰함으로써 끝나고, 이복근의 후복을 따라 절개를 가하면 시료는 아래로 이전할 수 있게 된다.

흉쇄유돌근은 유양돌기에서 절단한 다음 후하방으로 진행하여 승모근의 전연을 따라 덮고 있는 근막을 거상한 후 level Ⅴ를 절제하게 된다. 승모근의 아래 1/3에서 부신경과 주위 혈관들을 결찰하고 앞쪽으로 박리를 진행한다. 심경근을 싸고 있는 근막은 일명 근막 카펫(fascia carpet)이라고도 하며 경부절제술의 범위에서 심경근의 윗부분은 근막을 절제에 포함할 수 있지만 아랫부분은 완신경총(brachial plexus)과 횡격신경(phrenic n.)의 손상을 피하기 위해 바닥에 남기도록 한다.[29,30] 완신경총이 노출된 부분에서 근막을 절제에 포함하게 되면 신경총이 시료와 같이 위로 거상되어 손상을 받을 수 있다. 후방에서 전방으로 향하는 연조직의 박리는 경피신경(cervical n.)이 경부 연조직으로 나오기 시작하는 부분까지 진행하며 횡격신경을 완전히 노출하고 확인한 다음 경피신경지를 결찰하여야 한다.

경부절제술 하연의 절제는 쇄골연을 따라 진행하는 것이 보통이나 유리피판의 사용 목적으로 횡경동맥(transeverse cervical a.)을 보존하려는 경우에는 이를 박리하여 보존할 수 있으며, 종양이 없다면 이 동맥을 따라 level Ⅴ 하연을 절제할 수 있다. Level Ⅴ의 하연은 지방조직이 많이 있어 전기소작기로 절제하면 출혈이 있을 수 있고 일일이 결찰하기에는 시간이 많이 소요되므로 크게 감자로 잡아서 결찰하는 방법이 좋다. 이때 횡경동맥이 결찰에 포함되며 횡경동맥을 원위부에서 결찰한 경우에는 반드시 기시부에서도 결찰하여야 한다.

Level Ⅴ가 아래 위 전장으로 완전하게 박리되면 경피신경의 기시부를 결찰하게 된다. 경피신경의 기시부가 노출되면 경동맥이 가까워졌음을 인식하고 동맥에 손상을 주지 않도록 주의한다. 경피신경은 절단하고 양단을 결찰하여야 신경종(neuroma)의 생성을 막을 수 있다.

흉쇄유돌근의 하단은 상단과 마찬가지 방법으로 절개한 후 내경정맥을 결찰한다. 내경정맥을 결찰할 때에는 결찰할 부분을 박리하여 노출한다. 최소한 2 cm 이상 노출이 되어야 안전하게 결찰할 수 있다. 정맥의 양단을 감자로 잡거나 실을 통과하여 결찰한 다음 자른다. 이때 환자에 남는 부분은 두 번 결찰하고 노출되는 부분은 봉합결찰(suture ligation)해야 한다. 상단도 마찬가지 방법으로 한다. 내경정맥을 결찰하는 부분에서는 흉관(thoracic duct) 혹은 림프관(lymphatic duct)이 손상될 수 있으므로 주의해서 박리한다. 흉관이나 림프관이 노출된 경우에는 헤모클립(hemoclip)으로 미리 결찰하는 것이 좋다. 흉관이나 림프관은 여러 개가 정맥으로 들어갈 수 있다.

아래 위의 내경정맥을 결찰하면 시료는 책장처럼 내측으로 넘길 수 있게 되며 경동맥초(carotid sheath)를 박리하게 된다. 경동맥초 주위의 경정맥 림프절을 완전히 감싸서 절제할 수 있도록 박리해야 한다. 이때 연조직이나 지방조직이 남지 않도록 깨끗이 박리해야 하며, 손가락 등으로 대충 박리하는 것은 바람직하지 못하다. 박리 도중 내경정맥의 분지 등이 파열될 수 있을 뿐 아니라 림프절을 눌러서 암세포를 파급시킬 수 있기 때문이다. 내경정맥을 보존하는 경우에는 경동맥초를 박리할 때 경동맥이 먼저 노출될 수 있도록 한 다음 내경정맥을 박리한다. 시료를 내측으로 전위하여 경동맥초의 내측연을 다시 절제하면 시료는 분리된다.

경부절제술 술기의 가장 중요한 원칙은 종양을 가급적 노출하지 않고, 무리한 견인이나 압박을 주지 않는 것이다. 림프절이 고정되고 피막외 파급이 있는 경우에는 암세포가 수술 시야를 오염시킬 가능성이 있으므로 더욱 주의하여야 한다.

 수술 중 합병증

1. 피판의 박리와 관련된 합병증

경부절제술 범위의 상부인 하악 하연 근처에는 안면신경의 하악지가 있어서 피판의 박리 시에 손상을 받기 쉽다. 특히 안면 동·정맥 주위의 림프절을 절제할 때는 하악지의 확인과 박리가 필수적이며 무분별하게 박리하면 신경이 손상받기 쉽다. 이를 예방하는 방법은 안면동·정맥을 먼저 결찰하고 이를 위로 들어올려 결찰하여 상부에 존재하는 하악지를 보호하는 방법, 근이완제를 사용하지 않는 방법 등이 있다.[24] 특히 경부 피부가 얇은 환자에게는 하악지 주위에서 전기소작기를 무분별하게 사용하지 않도록 한다.

후외방의 피판을 거상할 때는 부신경이 손상을 받기 쉬운데 승모근으로 들어가는 부위는 지방층(fat pad)에서 비교적 천층에 존재하기 때문이다. 부신경의 손상을 예방하기 위해 피판을 거상하는 과정에서 부신경을 일찍 발견해야 하고, 부신경과 동반되는 정맥을 우선 결찰하며, 특히 피부가 얇은 환자에서는 주의하여야 한다. 하내방의 피판을 거상할 때에는 기관절개술이 되어 있는 경우 이와 통하지 않도록 해야 한다. 기관절개술과 경부절제술 공간이 통하게 되면 술 후 연속흡인배액관(hemovac)이 작동되지 않는 원인이 될 뿐 아니라 기도 분비물로 인해 염증이 생길 수 있다.

2. 하부 절제 시의 합병증

경부절제술 범위 중 하부에서 생길 수 있는 합병증은 쇄골하정맥(subclavian v.)의 손상, 공기 색전(air embolism), 흉관 혹은 림프관 손상 등이다.

쇄골하정맥이 경부에서 높이 올라와 있는 경우나 쇄골하정맥과 내경정맥이 만나는 부분에 유착이 있는 림프절을 절제할 경우 특히 방사선치료를 받았던 구제수술에서 쇄골하정맥이 파열되기 쉽다.[22,24] 파열된 후에는 공기색전과 출혈을 방지하기 위하여 신속히 압박해야 하고 필요에 따라 쇄골을 절제하여 시야를 확보한 다음 6-0 prolene 등으로 봉합한다.

공기색전이 발생하는 원인은 심장의 높이보다 위쪽의 정맥이 열리면 이를 통하여 공기가 들어가기 때문이다. 공기색전이 발생하면 우심방에 공기가 차게 되므로 심혈관의 기능이 급격히 저하되며 폐동맥의 압력이 올라가고 청진상 특징적인 잡음(millwheel murmur)이 들리게 된다. 이때는 바로 머리 쪽의 테이블의 높이를 낮추고 좌측와위(left lateral decubitus)로 한 다음 100%의 산소와 함께 혈압상승제를 투여하고 필요에 따라 심장마사지를 하거나 흉곽을 열고 개방성 마사지(open massage)를 한다. 우심실의 공기는 주사기로 빼낸다.

흉관과 림프관은 내경정맥이 쇄골하정맥과 연결되는 부위의 상방에서 내경정맥으로 들어간다. 흉관과 림프관은 여러 개가 있을 수 있다. 이 부위에서는 주위 조직을 박리할 때 주의하여야 한다. 유미유출(chyle leakage)을 방지하는 방법은 조심스런 박리와 철저한 결찰밖에 없다. 또한 작은 유출이라도 안이하게 생각하지 말고 철저하게 결찰해야 하며, 유출이 간헐적인 경우에는 환자를 Trendelenberg 위치로 하여 흉압을 올린 다음 수술 시야를 관찰해야 한다. 유출의 위치가 발견되면 일반적인 결찰보다는 8자 모양의 결찰을 하는 편이 좋으며 헤모클립(hemoclip)을 사용하는 것도 좋은 방법이다. 유출의 위치가 육안으로 보이지 않는 경우에는 현미경을 사용하면 대부분 찾을 수 있다.[22,24]

3. 외측 절제 시의 합병증

외측 절제 시에는 부신경 손상 이외에 하부에서 완신경총과 횡격신경이 손상될 수 있다. 이를 예방하는 방법은 신경이 근막 카펫 아래에 존재하므로 이 부분에서는 근막을 보존하여 근막 바로 윗면에서 절제하면 합병증을 예방할 수 있다. 만약 손상을 입혔다면 9-0 또는 10-0의 흡수되지 않는 봉합사로 신경외막 봉합(epineural suture)하여 단단문합(end-to-end anastomosis)한다. 이 외의 합병증으로 경동맥동 반사(carotid sinus reflex)로 인한 혈압강하, 심기능의 불안정, 서맥이 올 수 있다. 이를 예방하려면 1-2%의 lidocaine을 경동맥동(carotid sinus) 위치의 외막하(subadventitial) 부위에 1 ml 주사한다.[24]

4. 상부 절제 시의 합병증

상부 절제 시의 합병증으로 설신경, 설하신경, 내경정맥의 손상이 발생할 수 있다. 설신경은 직접적인 손상보다 견인으로 인해 손상을 받기 쉽다. 악하삼각을 절제할 때 과도한 견인을 피하고 조기에 악하신경절을 절단하여 이를 예방할 수 있다. 설하신경의 손상은 신경의 바로 위에 있는 Renine 정맥의 출혈이 있을 때 이를 지혈하다 발생하기 쉽다. 이를 예방하는 방법은 미리 이 정맥을 결찰하는 것이다.[22,24]

상부에서 가장 처치하기 어려운 합병증은 뇌기저부에서 내경정맥의 출혈을 제어하지 못하는 경우이다. 특히 전이 림프절이 유착되거나 커서 접근이 어려운 경우, 방사선 치료 후 재발한 경우에 발생하기 쉽다. 정맥의 일부가 노출되어 결찰이 가능한 경우에는 별 문제가 없지만 그렇지 못한 경우에는 Surgicel로 막은 다음 견갑거근(levator scapular m.) 혹은 두판상근(splenius capitus m.)을 돌려서 막는 방법을 쓸 수 있다.

VI 수술 후 합병증

1. 공기의 유출

수술 후 흡입배액관을 통하여 공기가 샐 수 있다. 흡입배액백(suction drainage bag)이 부풀어 오르고 공기가 차는 원인은 여러 가지가 있다. 흡입배액백이나 관에 있는 구멍 때문에 생길 수도 있으며, 배액관이 피부 밖으로 빠져나와 있거나, 배액관과 배액관이 통과하는 피부 사이에 틈이 있거나, 피부봉합에 열개(dehiscence)가 있는 경우에 생길 수도 있고, 기관절개술과 경부절제술 공간이 연결된 경우에도 생길 수 있다. 점막 봉합 부위가 열린 경우에도 공기가 유출되는데, 이때 환자의 입을 벌리고 흡입백을 눌러 놓으면 작게 새는 소리(hiss)를 들을 수 있다. 공기가 유출되는 배액관은 더 이상 사용하지 말고 압박드레싱으로 전환하여 공기가 더 이상 유출되지 않도록 하고, 점막의 열개 때문에 공기가 유출되는 것이 확실하면 다시 봉합한다.[22]

2. 출혈

경부절제술 후의 출혈과 혈종은 대개 동맥의 출혈 때문에 생긴다. 흔히 발생하는 혈관은 갑상동맥, 안면동맥, 횡경동맥, 후두동맥(occipital a.)이며 흡입배액관을 뚫은 자리에서도 출혈이 발생할 수 있다.

혈종은 대부분 수술 후 24시간 이내에 형성되며, 혈종이 형성되면 흡입배액관이 막히고 경부피부가 부풀어 오르게 되고 창상을 따라서 출혈이 일어나며 시간이 지나면 피판이 혈종에 의하여 착색되어 검붉게 보인다. 혈종으로 판단되면 혈종에만 관심을 갖지 말고 우선 환자의 호흡을 관찰해야 한다. 기관절개술을 하지 않은 경우에는 혈종에 의하여 기도가 눌릴 수 있으므로 우선적으로 기도를 확보해야 한다. 기도를 확보해야 한다고 판단되면 기관삽관을 하기 전에 창상을 열어서 혈종을 제거하여 기도의 눌림을 해소해야 한다. 호흡이 호전되면 수술실로 옮기고 기관삽관을 준비한 채 이동하여야 한다.[22]

혈종의 원인이 되는 혈관을 찾기 위하여 창상을 열면 혈종이 가득 차 있음을 발견하게 된다. 모든 혈종을 제거한 후 잘 세척하고 출혈이 있는 부위를 모두 결찰하거나 소작해야 한다. 대개는 동맥에서의 출혈이므로 원인이 되는 혈관을 반드시 찾아 결찰하도록 해야 한다. 찬 물로 세척하면 혈관이 수축하여 잘 찾을 수 없으므로, 원인 혈관이 보이지 않는 경우에는 혈압을 10–20 mmHg 정도 올린 다음 미지근한 물로 세척하면 원인혈관을 찾을 수 있다.

3. 폐의 합병증

경부절제술 후에 폐에 발생할 수 있는 합병증은 여러 가지가 있지만 폐의 부종이 흔한 합병증 중의 하나이다. 양측 경부절제술을 하는 경우 오랜 시간이 소요되므로 수액 공급이 과도하게 되는 경우가 드물지 않고 이에 따라 폐부종이 생기게 된다. 술 후 처치는 수액의 섭취량과 배설량(I & O)을 잘 조절하면 대개 별 문제없이 호전된다.

또 발생할 수 있는 합병증은 기흉으로 폐첨의 흉막이 쇄골하 부분에서 손상을 받게 되면 기흉이 발생할 수 있다. 기흉이 생긴 부분이 20% 이하이면 별 처치 없이 관찰할 수도 있으나 그 이상이면 흉관(chest tube)을 삽관해야 한다.

이와 함께 횡격신경의 손상으로 인해 횡격막 운동장애가 생길 수 있다. 따라서 위의 세 합병증의 유무를 관찰하기 위하여 흉부방사선검사는 경부절제술 후 꼭 필요하다.[24]

4. 유미 누출

좌측 경부의 흉관(thoracic duct)을 다치거나 우측의 림프관(lymphatic duct)에 손상이 있는 경우에는 유미 누출(chyle leakage)이 있게 된다. 유미 누출의 예방방법은 경부절제술을 종료한 후 창상을 봉합하기 전 세심히 관찰하여 안전한 결찰을 하는 것이 가장 좋은 방법이다.

수술 후 며칠이 지나 발견하는 경우는 대개 섭식을 시작함과 동시에 흡입배액관의 양이 급격히 증가하며 우윳빛 혹은 맑은 액체가 고여서 발견하게 된 경우이다. 양이 많은 경우에는 쇄골 상부의 피판에 종창과 발적이 생기며 피판이 유리된다. 보존적 치료의 원칙은 유미의 양을 줄이고 외압을 가하여 피판이 안정되도록 하고, 유미의 유출에 따른 전해질, 단백질과 비타민의 불균형을 없애는 것이다. 유미의 유출이 의심되면 구강섭식을 제한함과 동시에 배출량을 매일 조사하고 반파울러 체위(semifowler position)로 안정시켜야 한다.[22,24] 하루의 배출량이 25 cc 미만이면 보존적 치료로 호전되는 경우가 많으나, 4–5일이 지나도록 하루 500 cc 이상 배출되면 창상을 다시 열고 결찰하는 것이 원칙이다.

때로 흉관 혹은 림프관을 찾기 어려울 수가 있는데, 이때에는 흉압을 올린 다음 유출 예상 부위를 세심히 관찰한다. 육안으로 찾기 어려운 경우에는 현미경을 사용하면 대부분 찾을 수 있다. 여러 곳에서 유미가 유출되는 경우는 흉관 혹은 림프관이 여러 곳에서 내경정맥으로 들어가는 경우이다. 림프관은 일반적인 혈관보다 매우 얇고 약해서 통상적인 결찰 방법으로는 결찰에 실패하므로 주위 조직을 포함하여 같이 결찰하거나 Surgicel, Gelfoam 등과 함께 묶거나 헤모클립을 사용하여 결찰하고 조직접착제(tissue glue)를 사용할 수도 있다. 주변 조직을 사용하기 어려운 재발 예 혹은 다량의 방사선치료를 받았던 예에서는 육아조직의 형성이 적고 창상의 치유가 늦으므로 대흉근의 근판을 사용하기도 한다.[22]

5. 경동맥 파열

경부절제술의 합병증 중 경동맥 파열은 환자의 생명과 직결되는 중요한 합병증이므로 가능한 한 예방해야 한다. 경동맥 파열의 위험요소는 방사선 치료 실패 후 구제 목적의 경부절제술인 경우, 경부림프절의 재발, 인두피부루(pharyngocutaneous fistula) 혹은 구강피부루(oro-cutaneous fistula) 등이며 대부분의 경동맥 파열 예는 둘 혹은 셋 이상의 위험요소를 가지고 있다.[22,24]

경동맥 파열의 과정은 대개 인두피부루와 창상의 염증으로 시작된다. 염증과 인두피부루의 타액과 분비물에 의하여 경부의 피판이 유리되면 염증이 더욱 파급되므로 적절한 항생제를 투여하면서 창상을 자주 치료하는 것이 좋다. 염증이 주위 피판 아래로 확산되는 것을 막기 위하여 경부를 중등도로 압박한다. 위와 같은 치료에도 불구하고 피판이 괴사되고 경동맥이 노출될 수 있다.

경동맥이 노출되면 경동맥벽이 건조해져 괴사가 진행되므로 건조해지지 않도록 가능한 한 새 조직으로 덮어주어야 한다. 수술부위(bed)가 깨끗한 경우에는 박층피부이식(split thickness skin graft) 혹은 주위의 피판을 사용할 수 있으나 대부분 창상이 깨끗하지 못하고 방사선 치료로 인해 주위 피판도 좋지 않으므로 원거리의 피판을 사용하여 덮는 경우가 많다. 피판을 사용할 때까지는 젖은 드레싱(dressing)을 하루에 세 번 정도 하며 주위에 좌멸괴사조직제거술(debridement)을 시행하여 육아조직으로 덮일 수 있도록 창상의 치료에 관심을 기울여야 한다.[22,24] 치료에도 불구하고 경동맥의 외벽이 괴사되어 동맥내막(intima)만 남게 되면 파열이 임박함을 인지하여 이에 대비해야 한다.

경동맥의 파열이 예상되면 이에 적극적으로 대처하여야 한다. 예방적 치료로 경동맥을 파열 전에 미리 결찰할 수도 있으며 결찰이 어려운 경우에는 색전술을 시행할 수도 있다. 예방적 결찰술 혹은 색전술은 경동맥이 파열된 후의 치료보다 안전하게 시행할 수 있고 응급 대량출혈에 의한 사망도 피할 수 있어서 파열이 충분히 예상되는 경우에는 고려할 만한 방법이다. 경동맥 파열이 임박하면 환자를 집중치료실에서 관찰하는 것이 좋다. 치료실의 모든 의료진에게 경동맥 파열 발견 시의 대처 방법을 교육하고 경동맥 파열의 치료에 가장 중요한 요소는 저혈압의 방지임을 숙지시킨다. 치료실에는 항시 2단위(unit)의 혈액을 준비해 둔다. 파열이 일어나 출혈이 되면 첫 발견자는 파열 부위를 가능한 한 빨리 눌러 출혈을 멈추도록 해야 한다. 파열 부위를 누를 때에는 손가락 끝으로 최소한의 부위를 압박해야 하며 과도하게 압박하거나 무리한 힘을 가하여 파열 부위가 확대되지 않도록 주의한다. 환자를 앙와위(supine position)로 놓고 기관캐뉼러의 기낭(cuff)을 유지하고 수혈을 시작한다. 치료실에서는 출혈부위를 찾지 않는데, 치료실에서의 목표는 저혈압을 방지하여 수술실까지 안전하게 옮기는 것이기 때문이다. 수술실로 옮긴 후에는 파열 부위를 누르고 있는 손을 포함하여 소독하고 외경동맥, 내경동맥, 총경동맥 순으로 찾아서 결찰한다. 결찰은 경동맥의 건강한 부위에서 해야 한다. 염증이 있거나 괴사된 부분에서 결찰을 하면 경동맥이 열상을 입거나 부서지게 되고 결찰을 했다고 해도 수시간 내지 수일 안에 재출혈이 일어날 위험이 있으므로 반드시 건강한 부위를 찾아서 결찰해야 한다. 결찰한 다음에는 파열 부위를 절제하고 더 이상 노출되지 않도록 경동맥을 보호해야 하는데 주로 방사선치료에 포함되지 않았던 부위에서 근피판을 이전한다. 술 후 혈전을 방지할 목적으로 헤파린(heparin) 5,000 단위를 7–10일간 투여한다.

Ⅶ 수술 후 후유증과 주의사항

경부절제술 후에 발생할 수 있는 후유증으로 가장 빈번하고 잘 알려진 것은 근치적 경부절제술 시 제거되는 부신경의 절단으로 인한 장애이다. 부신경이 절단되면 승모근의 탈신경성 위축이 일어나고 견갑골이 불안정해지고 견관절의 거상이 안되고 어깨가 떨어지는 현상과 전외측으로 외전하는 증상이 나타난다. 또한 동통과 어깨의 쇠약과 변형, 견관절의 거상이 잘 안 되는 견갑증후군이 동반되기도 한다. 부신경 절단으로 나타나는 이러한 증상은 부신경을 보존한 경우에도 발생할 수 있는데, 특히 수술 시 부신경의 견인과 신경 주변의 박리가 주된 원인이다.[28,31,32,37] 근치적 경부절제술과 부신경을 보전한 변형 근치적 경부절제술 혹은 선택적 경부절제술 간의 술 후 부신경과 관련된 후유증에 대해서는 연구자마다 이견이 있어 두 그룹간에 차이가 없다는 보고도 있고 부신경을 보존한 그룹에서 기능장애의 빈도와 정도가 덜하고 수개월 뒤에는 회복된다는 보고도 있다.[28,32] 근전도 검사를 통한 연구에서 변형 근치적 경부절제술을 시행한 그룹이 견갑설골상부 경부절제술을 시행한 그룹보다 근전도의 이상이 많이 나타나고 근전도의 이상 정도가 더 심했다. 이는 수술 범위에 따른 부신경의 견인과 신경 주변 박리가 주는 영향을 나타낸 것이라고 할 수 있다.[31]

수술 후에는 경부피부의 창상과 박리면 전체에 섬유화가 진행되어 어깨와 목의 둔통, 뻣뻣함(stiffness)를 느끼게 된다. 환자가 이런 느낌을 호소하면 물리치료로 도움을 줄 수 있다. 경부와 견갑부가 무감각해질 수 있으므로 화상 혹은 동상을 입지 않도록 주의하여야 한다. 수술 후 얼굴 특히 눈 주위와 턱 주위에 부종이 올 수 있는데 이 현상은 림프관과 혈관의 결찰에 따른 것으로 시간이 지남에 따라 회복된다. 부종이 심하면 수면을 취할 때 베게를 높게 한다. 수술 후 두통이 올 수 있는데 부종과 동일하게 치료한다. 퇴원 후 창상이 열개되거나 분비물이 있을 때, 경부의 종창이 진행될 때, 얼굴과 경부의 부종이 진행될 때, 투약에도 불구하고 통증이 지속되는 경우에는 병원에 오도록 주의를 준다.

Ⅷ 경부절제술의 치료계획

1. N0 경부의 수술적 치료

N0 경부를 예방적으로 치료하는 경우는 원발성 병변과 관련하여 잠재 전이가 높은 경우와 수술적 접근을 위해 경부절제술이 필요한 경우이다. 일반적으로 잠재 전이율이 20% 이상인 경우에 예방적 경부치료를 시행하는데[33] 이러한 잠재 전이율에는 종양의 병기, 원발병소, 원발암의 침습 깊이, 혈관 혹은 신경침범, 세포성 DNA 내용, 종양의 혈관형성(angiogenesis), 세포의 기저막의 보전 유무 등이 관여한다고 알려져 있다.[4,13,16,23,38]

예방적 경부치료에는 예방적 경부절제술과 예방적 방사선 치료가 있으며 여러 연구를 통해 그 효과를 인정받고 있다.[25] 예방적 방사선 치료에 있어 Fletcher 등[25]은 광범위한 경부의 방사선 조사로 임상적으로 전이성 경부림프절로의 진행을 약 5%까지 감소시킬 수 있다고 보고하였고, 원발성 병소를 방사선으로 치료하는 경우나 경부로의 접근 없이 원발병소를 수술적으로 제거하고 술 후에 방사선 치료를 계획하는 경우가 좋은 적응증이 된다고 하였다.

이러한 경우를 제외하고는 대부분의 경우에 예방적 경부절제술이 선호되고 있다. 다양한 보존적 술식으로 수술로 인한 이환율이 낮아졌으며 수술 시 적출된 림프절 조직을 병리조직학적으로 확인함으로써 재발률이 높은 N0 경부의 병기를 정확히 확인할 수 있고 술 후 방사선치료를 보다 더 선택적으로 적용할 수 있기 때문이다.

예방적 경부절제술 시 시행되는 경부 림프절의 절제범위는 상당기간 근치적 경부절제술이 주로 시행되어 왔으나 두경부암의 경부림프절로의 전이에 관한 연구를 통해 경부전이가 예측 가능한 형태로 일어난다는 기초 아래 술 후의 기능을 보전하는 근치적 경부절제술의 다양한 변형술이 개발되었다.[22] 이러한 다양한 변형적 수술방법이 전향적(prospective) 무작위(randomized) 연구를 통해 증명되지는 않았지만 여러 연구를 통해 두경부암의 N0 경부에 대한 예방적 경부절제술로 변형 근치적 경부절제술과 선택적 경부절제술이 선호되고 있다.[22]

2. N+ 경부의 치료

경부절제술은 두경부에 발생한 편평세포암종의 전이된 경부림프절 치료에 있어 근간이 되는 치료이다. 다만 미분화된 비인두암의 경우로 N2 혹은 N3의 경부전이가 있더라도 방사선 치료에 반응이 좋은 경우, 편도와에 발생한 림프상피종(lymphepithelioma)과 경부에 3 cm 미만의 한 개의 림프절 전이가 있고 원발암이 방사선치료에 반응하는 경우에는 방사선치료를 단독치료로서 먼저 시행하기도 한다.[22]

N+의 경부를 치료할 때 경부절제술의 범위에 관한 이견은 예방적 경부절제술에 비해 적은 편이다. 경부에 림프절 전이가 있다고 해서 모든 환자에서 과거에 시행해 오던 근치적 경부절제술을 시행하지는 않으며 최근에 종양학적으로 문제가 되지 않고 종양에 의해 침범되지 않은 중요 구조물은 제거하지 않는 다양한 보존적 술식이 적용되고 있다. 이러한 변형 근치적 경부절제술과 선택적 경부절제술을 통해 술 후에 발생하는 합병증과 후유증을 줄이고 기능과 미용적인 부분을 유지할 수 있다. 술 후 방사선 병합요법이 종양의 재발을 줄이면서 이러한 목적을 달성하는 데 도움이 된다. Byers 등은 한 개의 3 cm 이하의 가동성 림프절(N1)이 있는 경부에서 선택적 경부절제술을 시행하여 25%의 경부 재발률을 보고하였고[25] Andersen 등은 두경부의 진행암의 N+경부에서 근치적 경부절제술을 시행한 군과 부신경을 보존하여 변형 근치적 경부절제술을 시행한 군에서의 생존율과 재발률은 두 군 간에 차이가 없다고 보고하였다.[1]

IX 경부절제술 시료의 기록과 자료의 보관

1. 경부절제술 시료와 수술 시야의 사진 기록

경부절제술 시료는 매우 흔한 시료이므로 사진으로 기록해 둘 필요가 없다고 여길지 모르나 중요한 자료이므로 모든 시료를 사진으로 기록해 두는 것이 좋다. 경부절제술 시료의 사진 기록은 수술 후 시료의 기록과 절제 후 수술 시야의 기록으로 구성된다.

수술시료를 적출한 다음에는 시료에 묻은 혈액을 잘 닦아서 수술포 위에 올려놓고 앞뒷면을 촬영한다. 수술포는 녹색 혹은 청색을 적당히 물에 적셔서 사용하는 것이 좋은데, 배경으로 마른 천을 사용할 때보다 면이 균일하고 시료의 색과 잘 대비되어 사진이 보다 뚜렷하게 보이는 효과가 있기 때문이다. 수술포에 물을 너무 많이 묻히면 조명이 반사되어 좋지 않다. 시료는 잘 펴서 각 level이 잘 보일 수 있도록 하는 것이 좋다.

시료를 절제한 후에 수술 시야를 철저히 지혈하고 혈액을 닦아서 깨끗이 한 다음 시료 촬영 때와 마찬가지로 젖은 수술포를 이용하여 수술 시야 주변을 덮고 촬영하는 것이 좋다. 수술 시야가 너무 작지 않도록 해야 하며, 너무 꽉 차게 넣으면 사진의 전후좌우를 알기 어려우므로 사진의 테두리에 이수(ear lobule)나 기관절개 튜브 같은 수술 지표를 포함시킨다. 전체 수술 시야를 촬영하여 어떤 형의 경부절제술을 했는지 기록해 놓을 수 있다. 전체 시야를 기록한 다음에는 특기할 만한 부위가 있는 경우 이를 기록한다. 예를 들면 통상의 범위에 포함되지 않는 기관주위 림프절, 연조직 혹은 신경 등을 절제하였다면 근접 사진으로 기록해두는 것이 좋다.[8] 수술 시야를 잘 기록하기 위한 제일 중요한 조건은 수술 시야가 혈액에 의하여 착색이 되지 않도록 해야 하는 점이다. 시료를 절제한 후에 경부의 바닥에 출혈이 없다고 해도 이미 혈액에 착색이 된 상태이면 경부의 모든 구조물이 붉은색이 되므로 선명한 사진을 얻기 어렵다. 그러므로 경부절제술 시 가능한 한 출혈이 없도록 해야 하고 출혈이 되면 방치하지 말고 바로 지혈해야 혈액에 의한 착색을 방지할 수 있다. 가장 자연색에 가까운 사진으로 기록하려면 촬영할 때 무영등을 소등한 후 촬영해야 한다. 무영등을 켠 상태에서 촬영을 하면 불빛의 영향으로 사진이 노랗게 나오는 현상이 생긴다.

수술 시야와 수술시료를 사진으로 기록하는 것은 글이 없는 수술지를 쓰는 것과 같으므로 가능한 한 술자가 직접 촬영하는 것이 바람직하다. 수술 시야를 촬영할 때 경험이 많지 않은 사람이 가장 많이 하는 실수는 초점이 맞지 않는 것이다. 술자가 원하는 부분을 잘 모르기 때문에 강조하고 싶은 부위의 초점이 맞지 않는 경우가 흔하다. 화면을 충분히 활용하지 못해 정작 원하는 시료나 수술시야 부분보다 불필요한 배경이 더 많은 사진을 얻는 경우도 많다. 그러므로 수술 중 다소 시간이 걸리고 귀찮더라도 선명하고 정확한 사진을 얻으려면 술자가 직접 촬영하는 것이 좋다.

2. 경부절제술 소견과 종류의 기록

경부절제술이 끝나면 수술의 종류를 정확하게 기록해야 한다. 어떤 측에 어떤 범위를 절제했는지 여부와 아울러 어느 구조를 보존했는지도 기록해야 한다. 반드시 현재 통용되고 있는 경부절제술의 명칭으로만 기록해야 할 필요는 없다. 변형 근치적 경부절제술은 매우 다양한 조합이 있을 수 있으므로 소견을 자세하게 정확히 기록하면 족하다. 정확치 못한 기록은 대부분 수술을 종료한지 며칠 뒤 혹은 몇 주 뒤에 수술에 참여한 의사 중 가장 경험이 적은 의사가 기록한 경우가 많으므로 수술 종료 직후 술자가 직접 기록하는 것이 바람직하며 이를 습관화하는 것이 유용한 자료 수집의 지름길이다. 수술할 때에는 여러 가지 예기치 못한 합병증이 생길 수 있으므로 이를 빼놓지 않고 기록하는 것이 좋다.

종양학적으로 가장 중요한 기록은 육안적으로 종양이 남아 있는 경우와 전이림프절이 연조직을 침습하거나 유착이 있었던 부분의 기록이다. 위와 같은 예에서는 대부분 술 후 방사선치료를 병행하게 되는데 경부절제술의 상세한 기록이 없다면 방사선치료의가 집중적으로 치료해야 할 부분을 정확히 알지 못하게 된다. 왜냐하면 술 후 촬영한 CT에서 종양이 보일 정도로 큰 종양이 남는 경우는 드물기 때문이다. 이와 같은 경우 림프절이 주위 조직과 유착된 부분이 있거나 피막외 파급이 있는 곳에 작은 헤모클립으로 표시해 둔다. 이렇게 해두면 CT에서 그 부위를 볼 수 있을 뿐 아니라 단순촬영에서도 관찰되므로 유용한 지표로 사용할 수 있다.

자세하고 정확한 수술 기록은 술 후 적절한 방사선치료를 하는 데 없어서는 안 될 기록이다. 외과적으로 미흡한 부분이 있는 경우에도 그저 고식적인 수술 기록만을 남기고 이 기록에만 의존하여 방사선치료를 하게 된다면 꼭 필요한 부분의 방사선치료가 생략될 수도 있고 종양의 제거에 필요한 양보다 적게 조사될 수도 있으므로 두경부외과의사와 방사선치료의사 간의 의견 교환은 매우 중요하다. 이를 종양회의와 같은 정기적인 모임에서 정례화하여 토의하는 것이 좋다.

경부절제술의 수술명을 기록할 때 기존의 수술 정의와 일치하는 경우에는 별 문제가 없으나 그렇지 않을 때 예를 들면 변형 근치적 경부절제술 Ⅲ형(MRND type Ⅲ)을 하면서 level Ⅰ을 보존한 경우에는 기록하기가 어렵다. 이때는 시행한 수술과 가장 유사한 방법으로 기술하고 옆에 보존하거나 더 절제한 부분을 추가하여 기록한다.[7,9]

3. 경부병기의 기록

현재 사용하고 있는 병기는 임상적 경부병기(cN stage), 수술 경부병기(sN stage), 병리학적 경부병기(pN stage) 등 여러 가지 종류가 있으나 주로 임상적 병기와 병리학적 병기가 사용된다. 병기를 분류하다 보면 임상적 병기와 수술 병기의 적용시점에 따라 혼동이 있을 수 있다. 예를 들면 수술 시작 전까지 cN0로 판단하고 선택적 경부절제술을 시작하였으나 수술 중간에 양성이 의심되는 림프절 하나를 발견하여 근치적 경부절제술로 전환하여 시행하였는데 병리학적 결과가 pN1이라면 임상적 병기는 cN0로 해야 하며 cN1으로 해서는 안 된다. 이는 치료 시작 전까지 발견하지 못한 잠재전이에 해당하기 때문이다. 반대로 pN0이었다면 cN0 병기에서 근치적 경부절제술을 시행한 것으로 분류해야 한다. 그러므로 수술 병기를 따로 사용하지 않는 경우 임상적 병기는 수술 시작 전까지로 하는 것이 옳다.

가장 정확한 경부병기는 원발병소의 병기와 경부림프절 전이 여부에 관계없이 모든 환자에서 포괄적 경부절제술을 하여 얻는 것이나 이는 현실적으로 불가능하다. 경부병기를 사용할 때 가급적 동일한 방법의 경부병기를 사용하고 보다 정확한 병기 즉 병리학적 병기를 사용하는 편이 바람직하나 대상 집단 모두에서 병리학적 병기를 얻을 수 없는 경우에는 불가피하게 혼용하거나 다수에서 사용한 병기로 간주할 수밖에 없다. 그러므로 경부림프절에 관한 연구에서는 동일한 종류의 병기를 사용할 수 있도록 대상을 선정하는 것이 옳다.

4. 경부절제술 시료의 병리학적 검사

경부절제술 시료의 사진을 촬영하고 그 소견을 기록한 다음에는 병리학적 검사를 위하여 시료를 준비한다. 적출한 시료를 모두 한 덩어리로 병리과에 보내도 림프절을 박리하여 결과를 보내주지만 바람직한 방법은 아니다. 시료의 level은 술자가 구별해서 보내야 한다. 구별하는 방법은 두 가지가 있는데, 시료를 분리하지 않고 level을 펜으로 표시하여 보내는 방법과 술자가 level별로 분리하여 보내는 방법이다. 과거에는 표시만 하여 보내는 방법을 사용하였으나 근래에는 각 level별로 분리하여 보내는 방법을 선호한다. 이 방법은 각 level뿐 아니라 같은 level 안에서도 a, b 혹은 부신경상부(supraspinal), 부신경하부(infraspinal) 등을 나누어서 보낼 수 있으므로 보다 자세한 병리결과를 얻을 수 있는 장점이 있다. Level Ⅰ도 a, b로 나눌 뿐 아니라 Ⅰb의 림프절 그룹도 나누어서 보내는 것이 좋다.

각 level의 위치를 수술 중에 기억한다고 해도 시료를 일단 적출하고 나면 어느 부위가 어딘지 정확하게 알 수 없는 경우가 있으므로 수술 중에 level을 표시하는 것이 좋다. 예를 들면 혈관전림프절(prevascular node)과 혈관후림프절(retrovascular node)은 안면정맥을 검은 실로 표시하며, level Ⅴ의 상하를 구별할 때 부신경의 위치를 펜 등으로 표시하는 방법을 사용할 수 있다. 이렇게 각 level과 림프절군을 표시한 후 적출하면 이에 따라 각 level을 분리하고 이를 각각 표시하여 병리과에 보낼 수 있다. 통상적인 경부절제술 시 절제되는 부위 이외의 인두후 림프절 혹은 기관주위 림프절 등은 일괴로 절제하였다 하더라도 시료는 따로 떼어내어 보내는 것이 좋다. 따로 언급을 하지 않고 시료를 보낸다면 이를 주위의 림프절로 간주할 수 있기 때문이다.

경부의 각 level을 표시하는 것도 중요하지만 이에 못지 않게 개별 림프절의 표식도 중요하다. 예를 들어 수술 전 영상소견으로 전이 여부를 판정하기 어려운 림프절이 있을 때 경부절제술을 통하여 확인하려고 해도 림프절에 표식을 하지 않은 경우에는 병리 결과에서 같은 level에서 양성 림프절이 발견되었다고 하여도 술 전에 의심하였던 림프절이 양성임을 확인할 수 없다. 그러므로 의심되는 림프절은 gentian 등으로 표시해야 하며 이를 습관화하여 림프절의 영상소견과 병리소견을 비교하는 것은 술 전에 림프절의 상태를 판단하는 데 유용하다. 두경부외과의 자신뿐 아니라 진단방사선의에게 병리결과를 되먹임(feed-back)하는 것도 같은 장점이 있어서 진단방사선의의 판독능력을 향상하는 데 도움을 줄 수 있다.

5. 병리 결과의 기록

병리를 기록할 때는 단지 병리학적 병기만을 기록해서는 안 된다. 병기만을 가지고는 몇 개의 림프절이 양성인지 알 수 없으며 어느 level에서 양성 림프절이 있었는지도 표시되지 않기 때문이다. 각 level별로 양성 림프절의 개수를 표시하지 않으면 림프절 전이의 분포를 구할 수가 없다. 그러므로 가능하면 자세한 기록을 할 수 있도록 데이터베이스를 작성하는 것이 좋은데 각 level별로, 림프절 그룹별로 분리하여 결과를 얻을 수 있도록 분류하는 것이 좋다. 이렇게 하면 각 level에 몇 개의 림프절을 관찰했는지 그중 양성 림프절은 몇 개였는지 알 수 있다. Level Ⅰ에서 Ⅴ까지의 항목만 하지 않고 기타 level 난을 두어 확장 경부절제술도 기록할 수 있도록 해야 한다. 또한 양성 림프절의 개수와 함께 피막외 파급 여부, 가장 큰 림프절의 직경, 연조직의 침습여부를 측별로 기록할 수 있도록 하는 것이 좋다.

이와 같이 수집한 기록은 림프절 전이의 연구에 기초자료로 사용됨과 아울러 외래에서 추적관찰할 때에도 유용하게 사용할 수 있다.

참고문헌

1. Anderson P, Shah J, Cambronero E, Spiro R. The role of comprehensive neck dissection with preservation of the spinal accessory nerve in the clinically positive neck. Am J Surg 1994;168:499-502
2. Blair VP, Brown JP. The treatment of cancerous or potentially cancerous cervical lymph nodes. Ann Surg 1933;98:650
3. Bocca E, Pignataro O. A conservation technique in radical neck dissection. Ann Otol Rhinol Laryngol 1967;76:975
4. Byers, O'Brien J, Waxler J. Therapeutic and prognostic implications of nerve invasion in cancer of the lower lip. Int J Radiat Oncol Biol Phys 1978;4:215
5. Calearo C, Teatini G. Functional neck dissection : anatomical grounds, surgical technique, clinical observations. Ann Otol Rhinol Laryngol 1983;92:215
6. Choi EC, Kim YH, Hong WP. Incision for neck dissection avoiding trifurcation in laryngeal and hypopharyngeal cancer. Korean J Otolaryngol 1995;38:5:746-751
7. Choi EC, Kim YH, Kim SH, Kim DY, Hong JP, Chung HJ, et al. Occult neck metastasis in larynx and hypopharynx squam-ous cell carcinoma confirmed with simultaneous bilateral elec-tive neck dissection. Korean J Otolaryngol 1999;42:621-626
8. Choi EC, Koh YW, Kim CH, Kim DY. Documentation and data collection of neck dissection and its specimen. Kor J Head Neck Oncol 2001;17:8-12
9. Choi EC, Koh YW, Kim CH, Kim SH. Cervical Lymph Node Metastasis of Squamous Cell Carcinoma of the Oropharynx. Korean J Otolaryngol 2001;44:512-516
10. Choi EC, Yoon WK, Kim MS. Incision and metastases of facial and neck skin by head and neck cancer. Korean J Otolaryn-gol 2001;44:517-521
11. Crile G Sr. Excision of cancer of the head and neck with special reference to the plan of dissection based on 132 patients. JAMA 1906;47:1780
12. Fakih A, Rao R, Borges A, Patel A. Elective versus therapeutic neck dissection in early carcinoma of the oral tongue. Am J Surg 1989;159:309
13. Fletcher G. Elective irradiation of subclinical disease in cancers of the head and neck. Cancer 1972;29:1450
14. Freeman S, Hamaker R, Rate W. Mismanagement of advanced cervical metastasis using intraoperative radiotherapy. Laryngoscope 1995;105:575-578
15. Goepfert H, Jesse RH, Ballantyne AJ. Posterolateral neck dissection. Arch Otolaryngol 1980;106:618-620
16. Kokal W, Gardine R, Sheibani K. Tumor DNA as a prognostic indicator in squamous cell carcinoma of the head and neck region. Am J Surg 1988;156:27
17. Laurence J. DiNardo. Lymphatics of the submandibular space: An anatomic, clinical, and pathologic study with applicaitons to floor-of-mouth carcinoma. Laryngoscope 1998; 108:206-214
18. Lore JM. Incision modifications of radical neck dissection. In Lore JM(eds). An atlas of head and neck surgery. Phila-delphia: WB Sounders Co, 1988, p662-665
19. Martin H. The treatment of cervical metastatic cancer. Ann Surg 1941;114:972-985
20. Martin HE, Del Valle B, Ehrlich H. Neck dissection. Cancer 1951;4:441

21. Medina J, Beyers R. Supraomohyoid neck dissection: rationale, indications, and surgical technique. Head Neck 1989; 11:111-122
22. Medina. JE. Neck Dissection. In Byron J. Bailey(ed). Head and Neck Surgery-Otolaryngology, 2nd ed. Lippincott-Raven, 1998, p1563-1594
23. Mohit-Tabatabai M, Sobel H, Rush B. Relation of thickness of floor of fouth stage I and II cancers to regional metastasis. Am J Surg 1986;152:351
24. Montgomery W. Surgery of the Upper Respiratory System, 2nd ed. 1989, p83-149
25. Peters L, Goepfert H, Kiang A, Byers R, Maor M. Evaluation of the dose for postoperative radiation therapy of head and neck cancer: first report of a prospective randomized trial. Int J Radiat Oncol Biol Phys 1993;26:3-11
26. Robbins KT. Neck dissection: Classification and incisions. In Shockley WW & Pillsbury HC(eds). The Neck. St Louis: Mosby Co. 1994, p381-391
27. Robbins KT, Oppenheimer RW. Incisions for neck dissection modifications: Rationale for and application of nontrifurcate patterns. Laryngoscope 1994;104:1041-1044
28. Schuller D, Reiches N, Hamaker R. Analysis of disability resulting from treatment including radical neck dissection or modified neck dissection. Head Neck Surg 1983;6:551
29. Shockley WW, Pillsbury HC. The Neck: Diagnosis and Surg-ery. Mosby, 1994, p381-459
30. Silver CE, Ferlito A. Suergery for Cancer of the Larynx and Related Structures, 2nd ed. Saunders Co. 1993, p301-324
31. Sobol S, Jensen C, Sawyer WI, Costiloe P, Thong N. Objective comparison of physical dysfunction after neck dissection. Am J Surg 1985;150:503
32. Sterns M, Shahee O. Preservation of the accessory nerve in neck dissections. J Otol Rhinol Laryngol 1981;95:1141
33. Strong E, Sheman L. Radical neck dissection for squamous cell carcinoma of the head and neck. In Larson D, Ballantyne A, Guillamondegui Q(eds). Cancer in the Neck. New York: Macmillan, 1986, p121
34. Thomas Robbins K. Classification of neck dissection; Current concepts and future considerations. Otolaryngologic Clinics of North America 1998;31:4:639-655
35. Vandenbrouck C, Sancho-Gamier H, Chassagne D. Elective versus therapeutic radical neck dissection in epidermoid carcinoma of the oral cavity: results of a randomized clinical trial. Cancer 1980;46:386
36. Vikram B, Strong E, Shah J, Spiro R. Failure in the neck following multimodality treatment for advanced head and neck cancer. Head Neck Surg 1984;6:
37. Weitz J, Weitz S, McElhinnery A. A technique for preservation of spinal accessory nerve function in radical neck dissection. Head Neck Surg 1982;5:75
38. Williams J, Carlson G, Cohen C, Derose P, Hunter S, Jurkie-wicz M. Tumor angiogenesis as a prognostic factor in oral cavity tumors. Am J Surg 1994;168:373-380

CHAPTER

37

두경부 수술의 합병증

이비인후과학 Otorhinolaryngology - Head and Neck Surgery

권순영

모든 수술은 신체의 결손이 불가피하고 이에 따라 기능장애가 발생할 수 있다. 또한 반흔, 조직의 섬유화 및 경화, 부종, 절개 부위의 감각저하 등과 같은 후유증은 필연적이다. 특히 두경부는 다른 신체 부위에 비해 복잡한 구조를 가지고 있어 발생 가능한 후유증이 매우 다양하고 예측하기 어려우며, 경우에 따라서는 환자에게 매우 치명적인 후유증이 발생하기도 한다. 양성종양이나 기능의 회복을 위한 수술과 달리 두경부암과 관련된 수술은 이미 정상 기능이 상실되어 있거나 암조직의 완벽한 제거를 위해 정상 조직 일부를 제거해야 되는 경우가 많다. 따라서 발생한 합병증의 대부분이 필연적이지만 예상하지 못한 합병증이 발생하는 경우도 있다. 외과 의사는 이런 모든 합병증을 발생하지 않도록 예방하여야 하며, 가능한 한 최소화하고 피치 못할 합병증은 적절히 대처할 수 있도록 수술을 철저히 계획하여야 한다. 또한 예상되는 합병증은 환자나 가족들에게 충분히 설명하고 확실하게 이해시켜야 한다.

I 술 전 평가

술 전 평가는 수술 후 합병증을 일으킬 수 있는 인자가 있는지 알아보고 수술 전후의 환자 상태를 비교하기 위한 선별검사로서 시행한다. 일반 혈액검사, 간기능검사, 신장기능검사, 응고검사, 흉부 방사선검사, 심전도검사, 소변검사, 동맥혈산소분압, 전해질검사, 혈당검사 등이 포함되며, 기도 확보에 관한 문제나 영양 상태 등도 평가한다. 수술하는 부위나 수술방법에 따른 특수한 검사가 필요할 수도 있다.

1. 혈액이상

혈색소(hemoglobin)는 가급적 술 전에 10 g/dl 이상을 유지하는 것이 좋다. 술 전과 술 후의 혈색소가 낮은 경우 인두피부누공이 발생할 확률이 높다.[7] 혈소판 수는 150,000~400,000/μL를 유지하는 것이 좋으며 100,000/μL보다 낮은 경우 혈소판 수혈을 고려한다. 혈소판이 1,000,000/μL 이상이면 혈전으로 인한 후유증이 발생할 가능성이 높으며 규모가 큰 수술은 50,000/μL, 작은 수술은 30,000/μL 이상으로 유지해야 한다.[3] 출혈 시간이 10분 이상일 때는 수술을 재고해야 하며, 20분 이상이면 선택적 수술은 하지 않는 것이 좋다.

2. 내분비이상

당뇨병 환자의 공복 시 혈당치는 200 mg/dl 이하로 유지하고, 1형 당뇨 환자의 경우 인슐린 0.6~0.7 u/kg/d를 투여하며, 2형 당뇨 환자의 경우 0.3 u/kg/d를 투여한다. 술 후에는 정상적인 식사와 활동이 회복될 때까지 인슐린으로 혈당을 적당히 조절한다.

3. 심혈관계이상

고혈압 환자는 수술 당일 아침과 수술 직후에 항고혈압제를 복용시킨다. 모든 마취약은 고혈압을 유발할 수 있으며, 마취 중 교감신경계의 항진으로 고혈압이 발생할 수 있다. 원래의 수축기나 확장기 혈압보다 20% 상승하거나 고혈압으로 인한 흉통, 부정맥과 같은 증상이 생기면 적극적으로 혈압을 조절해야 하며 labetalol, esmolol, propranolol, hydralazine과 같이 속효성 혈압강하제가 효과적이다.[3] 술 후 고혈압의 원인을 감별하기 위하여 수액과다, 호흡기장애, 부적절한 마취제, 마취의 잔여 효과, 술 중 압력 효과 등을 배제하고, 적절한 항고혈압제를 선택하여 투여한다.

4. 호흡기이상

술 전에 만성폐쇄성폐질환, 천식, 저알부민증, 폐고혈압 등과 같은 질환이 있거나 고령인 환자는 술 후 호흡기 관련 합병증이 발생할 가능성이 높기 때문에 술 전에 호흡기 기능에 대한 정확한 평가가 필요하다.[1] 특히 보존적 후두절제술을 시행받을 환자는 2층의 계단을 손쉽게 오를 정도의 폐기능이 확보되어야 술 후 기도 흡인으로 인한 합병증의 발생을 막을 수 있다.[11] 동맥혈가스분석검사에서 동맥산소분압이 70 mmHg 이하인 경우는 심한 환기관류부조화(ventilation/perfusion mismatch)를, 45 mmHg 이하인 경우는 심한 폐포저환기(alveolar hypoventilation)를 의심할 수 있다. 술 후 무기폐가 발생하면 심호흡 및 양압호흡과 함께 충분한 수액 공급, 습도 유지와 기관확장제의 투여가 필수적이다. 기도 흡인에 대해서는 이물질의 기계적 제거, 비위관(nasogastric tube) 삽입, 기관절개술(tracheostomy) 등을 시행한다.

II 창상 합병증과 누공

1. 창상 합병증

1) 창상감염

창상감염(wound infection)은 수술 부위 피부의 통증, 발적, 발열, 화농성 분비물의 발생 혹은 배액을 통하여 알 수 있다. 주로 창상을 통한 경로나 원내감염으로 발생하며 감염된 혈종, 장액종이나 인두피부누공으로 인하여 농양이 형성되기도 한다. 이를 조기에 발견하지 못하면 주요 혈관의 감염으로 인하여 경동맥 파열이나 피판의 괴사와 같은 심각한 합병증이 동반될 수 있다. 술 전 창상감염을 예방할 수 있는 방법으로는 충분한 영양 섭취가 중요하며, 수술 중에는 세심한 주의를 기울여 연조직 손상을 최소화하도록 노력하여야 한다. 이외에도 적절한 봉합사의 사용, 간헐적인 창상 세척, 세심한 지혈과 적절한 배액관의 삽입이 중요하다. 하지만 아무리 세심한 주의를 기울여도 0.5~1% 정도에서는 창상감염을 피할 수 없다.[5] 감염의 징후가 나타나면 항생제 감수성 검사를 통하여 적절한 항생제를 사용하며,[14] 괴사조직과 감염된 육아조직은 제거하고, 식염수로 충분히 세척하여 세균의 응집과 숫자를 감소시켜야 한다. 감염 상태가 지속되면 점막 파열이나 누공(fistula)을 염두에 두고 치료를 시행한다. 예방적 항생제의 사용 여부에 대해서는 논쟁의 여지가 있지만 필요한 경우에는 피부절개 30분 전에 사용하는 것이 좋다.[13] 특히 수술부위가 구강 분비물로 오염된 경우나 호흡·소화기 계통과 연결해서 이루어지는 수술에서는 창상감염률이 15–87 %에 달하므로 적절한 항생제의 사용은 필수적이다.

2) 혈종

두경부 수술의 약 1–4%에서 발생하며 혈종(hematoma)은 창상감염을 일으키고, 피부피판 괴사를 초래할 수 있기 때문에 발생하지 않도록 주의해야 한다. 발생 시 주로 피부 반상 출혈(skin ecchymosis)이 관찰되므로 이를 통하여 장액종과 구분할 수 있다. Heparin이나 aspirin의 투여, 응고장애, 수술 후 고혈압 등이 위험 인자로 작용한다. 이러한 위험 인자들을 술 전에 교정하고, 혈관결찰 및 전기소작술을 이용하여 수술 부위를 세심하게 지혈하고, 적절한 위치에 배액관을 유치시키면 혈종을 예방할 수 있다. 만약 혈종이 발생하면 멸균 상태 하에 혈괴를 제거하고, 출혈을 보이는 혈관을 결찰한 후 창상을 재봉합해야 한다.[14] 혈종의 징후를 보이는 환자가 호흡곤란을 호소할 경우 혈종으로 인해 후두의 부종이 급속히 진행할 수 있으므로 바로 창상 부위를 열어 감압 후 수술실로 이동하여 출혈 부위를 지혈해야 한다.

3) 장액종

농이나 혈액 외의 다른 체액이 피부피판 아래에 고여 있는 것을 장액종(seroma)이라 하는데, 괴사된 지방의 액화, 피부피판의 거상, 림프관의 박리와 관련되어 술 후에 발생할 수 있으며 배액관의 잘못된 유치와 너무 이른 배액관의 제거에 의해서 생기도 한다. 예방을 위하여 fibrin glue를 사용하기도 하며, 가급적 배액량이 20–25 cc/day로 감소하였을 때 배액관을 제거하는 것이 추천된다.[8] 발생하였을 경우에는 반복적인 천자배액을 통해 치료하며 드물게 절개배농이 필요한 경우도 있다.

4) 창상 열개와 피부피판 괴사

봉합사가 파열되거나 봉합의 수가 불충분한 경우에 창상의 일부 또는 전층이 파열되어 창상열개(wound dehiscence)가 발생할 수 있다. 특히 변형 schobinger 절개와 같이 삼점봉합이 이루어지는 부위는 피부의 혈행이 좋지 않아 창상 열개가 잘 일어날 수 있으므로 봉합 시 세심한 주의가 필요하다.[18]

5) 피부피판 괴사

경부의 피부는 주로 안면동맥(facial artery), 후두동맥(occipital artery), 횡경동맥(transverse cervical

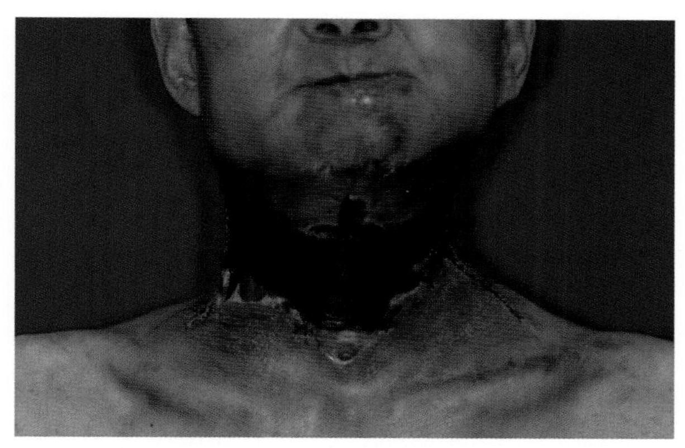

■ 그림 37-1. **피부 피판의 괴사**

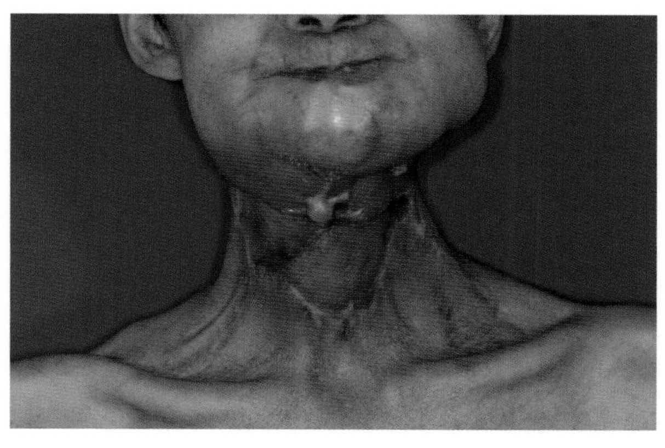

■ 그림 37-2. **괴사 부위를 제거 후 피부이식술을 시행 후의 모습**

artery), 쇄골위동맥(supraclavicular artery)으로부터 혈액 공급을 받는다.[12] 따라서 경부절제술 시에 이런 동맥들이 결찰하는 경우가 많아 피부의 혈류가 좋지 않은 경우가 많다. 이로 인하여 피부피판의 원위부에 피부피판의 괴사가 발생하기도 한다. 원인으로는 부적절한 피부절개로 인한 피부피판의 혈액순환 장애, 창상연의 과도한 긴장, 수술 전 4,500 cGy 이상의 방사선 조사, 감염, 혈종 및 장액종에 의한 피부피판의 거상 등이 있다. 피부피판의 괴사를 방지하기 위해서는 피부를 절개할 때 여러 가지 요소를 고려하여야 하는데 피판의 고안 시 적절한 혈액순환을 확보하고, 과도한 긴장이 없도록 하며, 딱딱한 구조물 위에 피판이식을 피함으로써 예방할 수 있다. 피부피판 괴사(skin flap necrosis)가 적을 경우에는 보존적인 치료로 충분하나 피판괴사의 범위가 넓을 경우에는 피부이식이나 국소피판을 필요로 하는 경우도 있다(그림 37-1, 2).

2. 누공

수술 후에 발생하는 누공(fistula)으로는 인두피부누공(pharyngocutaneous fistula), 후두피부누공(laryngocutaneous fistula), 유미누공(chylous fistula), 기관식도누공(tracheoesophageal fistula), 타액누공(salivary fistula) 및 기관피부누공(tracheocutaneous fistula) 등이 있다. 이러한 누공들은 이환율을 증가시키고, 사망을 초래하기도 한다.

1) 인두피부누공(pharyngocutaneous fistula)

인두와 후두를 포함하는 두경부암 수술 후 인두피부누공의 발생률은 10–30%까지 다양하게 보고되고 있다. 특히 술 전 방사선치료를 시행받은 경우는 발생률이 매우 높으며 발생 시 치료 기간이 길어진다.[10] 대개 술 후 7~10일 사이에 발생하며, 누공의 조기 발견이 환자의 치료 기간에 크게 영향을 주므로 누공의 조기 발견이 중요하다. 인두피부누공의 의심 소견은 배액관에서 혼탁한 배액, 썩는 냄새, 타액 유출이 관찰되거나, 누공 부위의 종창 및 압통이 있는 경우 그리고 단순 경부촬영에서의 공기음영 이 있는 경우이다. 또한 메틸렌블루(methylene blue)와 같이 색깔 있는 시약을 삼키게 하여 파란색의 액체를 육안으로 확인하면 확진할 수 있다. 누공의 형성에 영향을 주는 인자는 술 전 방사선치료, 기관절개술, 종양의 병기, 종양의 위치, 술 중 경부절제술, 피부 절개의 유형, 봉합 물질의 종류, 술 후 사용한 배액관의 종류, 전신질환 유무 등이다.

누공이 발생하면 고여 있는 분비물을 배액하고 비영양관 튜브를 재삽입하여 경구섭식을 제한하고, 혐기성 세균을 멸균할 수 있는 항생제를 포함한 적절한 항생제를 사용하여야 한다. 누공이 조기에 발견되었을 때 크기가 작은 누공은 누공 부위를 일차 봉합하면 치료되기도 하지만,[2] 대개의 경우 누공 주위의 염증으로 인하여 점막 상태가 건강하지 않아 봉합이 효과적이지 않으므로 타액의 흐름을 원하는 부위, 주로 경동맥이나 피판의 영양동맥과 같은 중요 구조물을 우회하는 인공 인두누공을 만들어주고 염증이 소실되면 재봉합이나 방사선치료에 피폭되지 않은 깨끗한 조직으로 피판술을 시도하여야 한다.[9]

2) 유미누공

두경부종양 수술의 2%에서 발생하며, 거의 대부분 좌측에서 발생하며 유미종, 유미누출이나 유미흉 형태로 나타난다. 우윳빛 배액, 비위관을 통한 식사와 동반된 배액량의 갑작스런 증가, 피부판의 부종이나 발적 등이 있을 경우 유미누공을 의심해야 한다. 수술 중에는 얕은 마취, 머리를 낮추는 체위(Trendelenburg position), 지속적 양압환기를 시켜보거나 유출이 예상되는 부위에 생리식염수를 고였을 때 기름방울이 생기는 것을 관찰하여 유미가 유출되는 부위를 확인할 수 있다.[4]

수술 중 발견 시에는 유미관을 hemoclip으로 결찰하거나 주위 조직과 같이 8자결찰을 시행한 후 근막이나 피판으로 결찰 부위를 덮어준다. Surgicel이나 fibrin glue, gelfoam)등의 제품을 사용할 수도 있다. 술 후에는 피와 섞인 우윳빛 하얀 액체가 배출되거나 쇄골상부에 피부발적과 수양성, 우윳빛 액체가 고이는 경우 유출된 액체에 대한 화학적 분석 등으로 확인할 수 있다. 누출액의 콜레스테롤과 트리글리세라이드의 비가 1 이하이거나, TG가 100 mg/dl 이상이고 혈액 트리글리세라이드보다 높을 경우 누출액이 유미일 확률이 99%이다.[19] 보존적 치료로서 두부 거상, 절대 안정, 정맥 내 영양 공급, 중간사슬지방식이(Medium chain triglyceride diet) 등을 시행할 수 있으며, octreotide는 chyle의 생산을 감소시킨다. 하루에 배출되는 유미량이 25 cc 이하가 되면 흡입관을 제거한다. 그러나 1 일 누출량이 500 cc 에서 1,000 cc 이상이거나, 수술 후 조기에 4–5일 동안 하루에 500 cc 이상의 유미누출과 유미루가 발생한 경우에는 수술적 치료를 고려하여야 한다.

호흡곤란이 갑자기 발생하거나 호흡부전이 서서히 증가하면 유미흉(chylothorax)을 의심할 수 있는데 유미흉을 일으키는 원인으로는 경부에서 시행한 관의 결찰에 의해 압력이 높아져서 종격동에 위치하는 흉관벽으로부터의 일출(extravasation)에 의한 것이거나 경부에서 결찰이 잘못되어 계속 유출된 유미가 종격동으로 내려간 것이다. 초기에는 보존적인 치료를 시행하나 드물게는 경흉 접근법을 이용하여 흉관결찰을 시행하기도 한다.

3) 타액누공

남아있는 이하선을 피부피판이 완전히 덮지 못했을 때 드물게 발생하는 합병증으로, 반복적인 천자를 통하여서 타액을 완전히 배출하고 압박드레싱을 하여 치료한다.

4) 기도식도누공

깊은 기관절개로 인한 식도 손상이나, 기관캐뉼러의 끝부분에 의한 허혈성 괴사 및 비위관 등으로 인해 발생할 수 있다. 근피판(myocutaneous flap)이나 진피피판(dermal flap)을 식도와 기관 사이에 삽입하고 누공을 봉합하면 된다.

Ⅲ 혈관 합병증

1. 술 전 예방적 조치

발치 후의 출혈, 빈번한 비출혈이나 전에 받았던 수술 중의 출혈 경험 같은 병력의 청취가 많은 도움을 줄 수 있다. 심혈관계 질환, 당뇨병, 폐, 간, 신장 등의 퇴행성 질환 등이 출혈의 원인이 될 수 있다. 빈혈, 감염, 비정상적인 혈액 성분, 혈소판의 감소, 출혈 시간 및 응고시간의 지연 등에 대해 자세히 검사해야 한다. 제거하는 범위와 출혈의 양은 비례하기 때문에 수술의 범위에 따라서 위의 검사들을 연계하여 시행한다. 수혈을 할 경우를 대비해서 혈액형이나 교차시험도 시행해 놓아야 한다. 특히 경동맥 손상의 가능성이 있는 고위험군의 환자에 있어서는 풍선 폐쇄 검사 등 경동맥 손상에 대한 계획도 수립해야 한다.[14]

2. 술 중 출혈

출혈의 양은 수술의 크기에 따라 대개 비례하지만 모든 수술 과정 중 크건 작건 간에 출혈은 피할 수 없다. 해부학적 구조의 변형, 전에 시행받았던 방사선 치료나 수술적 치료는 과다 출혈의 위험 요소로서 작용하게 된다. 저혈압마취(hypotensive anesthesia)는 출혈량을 줄일 수 있고, 신속한 수술을 가능케 해준다. 저혈압마취를 시행할 수 없는 환자에서는, 수술대의 머리 부분을 15–30° 정도 올린 상태로 수술한다면 정맥성 울혈(venous congestion)이나 작은 혈관으로부터의 삼출성(oozing) 출혈을 감소시킬 수 있다.

작은 혈관에서의 출혈에는 일일이 지혈감자를 사용하는 것보다는 패드나 거즈로 압박하는 것이 더욱 효과적이지만 해부학 교과서에 거명되는 모든 혈관들은 확인하여 결찰해야 한다. 작은 혈관은 3–0 크롬장선(chromic catgut)이나 4–0 견사(silk)를 사용하여 결찰하고 주요 혈관들은 3–0 견사로 결찰한다. 내경정맥과 경동맥 계통은 결찰하고 3-0 견사를 사용하여 봉합결찰도 함께 시행한다. 전기소작술을 이용한 지혈은 모든 작은 혈관에 이용할 수 있다.

수술을 종료할 때에는 출혈하는 모든 부위를 주의 깊게 살피고 최대한으로 지혈해야 한다. 또한 접근하기 어려운 함요(recess) 등에서의 출혈에는 Surgicel 등을 사용하여 지혈하는 것이 좋다. 주요 혈관이나 이들의 분지가 죽상판(atheromatous plaque)을 함유하고 있는 경우에는 겸자(forceps) 사용이나 결찰을 되도록 피한다. 이러한 변성혈관은 주로 경동맥구(carotid bulb)나 내경동맥에서 흔히 관찰된다.

3. 술 후 출혈

통계적으로 많지는 않아 약 1.3%에서 있을 수 있다. 배액관으로부터의 배출량이 많거나 봉합 부위에서 출혈이 있다든지, 혈종이 발생하여 출혈을 발견할 수 있다. 일반적인 합병증으로 과다출혈, 봉합선의 파괴, 기도나 재건을 위해 사용한 피판 등에 문제를 일으킬 수 있다.

1) 즉시성 술 후 출혈

대개 세 가지의 원인으로 나누어 생각할 수 있다. 첫째는 일반적인 삼출(exudation)에 의한 출혈로 수 시간 내에 500 cc 이상의 출혈량을 보이는 경우다. 수축성이나 응고 기전에 이상이 있는 경우로 혈액이 혈관으로부터 빠져나온 것이다. 특별한 원인은 발견하기 어렵고, 대개 만성적 저산소증, 혈액산도(pH)의 미세한 변화, 혈관 수축이나 혈액 응고에 영향을 미치는 화학적 변화 등이 원인이다. 이러한 요소들에 대한 검사를 시행하여 비정상적 요소들을 교정해 주어야 한다. 경부피판, 기도 및 생명징후(vital sign)를 살펴보고 필요하면 수혈을 해야 한다. 다시 수술실에서 마취하에 상처를 개방하고, 응고된 혈괴(clot)를 제거하고, 상처를 세심히 관찰하여 출혈점을 전기소작술을 이용해 지혈하거나 결찰한다. 둘째 원인은 결찰하지 않은 주요 혈관의 재개방이고 셋째 원인은 주혈관 결찰이 이완된 경우이다.

5분 이내에 500 cc의 출혈이 있다면 응급 상황으로 취급하여 교정을 시작한다. 대개 이러한 출혈을 일으키는 동맥은 외경동맥의 분지인 상갑상동맥(superior thyroid artery)과 다른 분지들 및 갑상경주부(thyrocervical trunk) 등이고, 정맥으로는 내경정맥, 익상(pterygoid) 정맥, 외경정맥, 안면정맥 등이다.

다행히도 출혈 혈관이 쉽게 발견되면 결찰 등으로써 지혈할 수 있지만, 두개저나 측두골 주위 등에서 봉합이 불가능할 경우에는 수술 거즈를 가지고 탐폰법(tamponade)을 사용하거나 주위의 근육피판 등을 사용하여 지혈할 수도 있다. 거즈는 1-2주 동안 제거하지 않고, 광범위 항생제 등을 사용한다.

혈종으로 인하여 동시에 심한 호흡곤란이 발생하면 기관 내 삽관이나 기관절개술을 실시하여 기도를 확보한다.

2) 지연성 술 후 출혈

지연성 출혈의 원인은 창상감염, 누공형성, 방사선 괴사, 잔유종양 등이며, 주로 술 후 1-6주에 발생한다. 이 중 경동맥파열이 가장 흔하며 위험한 합병증이다. 경동맥파열의 위험이 있는 환자의 경우 혈관조영술로 종양의 경동맥 침범 유무를 확인해야 하며, 종양이 침윤된 경우 경동맥 결찰의 여부를 결정하기 위한 경동맥 기능검사를 시행한다. 기능검사법 중 술 전 내성검사(tolerance test)로는 한쪽 경동맥의 혈류를 차단한 후 혈관조영술을 시행하는 풍선폐쇄검사(balloon occulusion test)를 시행할 수 있으며, 경동맥 압박 후 리도케인(lidocaine)을 주입하여 단계적으로 결찰하거나, 술 중 경동맥 압력을 측정하는 방법이 있다. 경동맥 혈류 측정은 가장 신빙성 있는 검사로서, 압력이 70 mmHg 이상이면 경동맥 결찰이 가능하며, 그 이하이면 혈관대치술이 필요하다. 또한 한쪽의 경동맥을 6번째 척추 부위에서 압박한 후 뇌파검사를 시행하여 변화를 관찰한다(Matas test).

술 후 경동맥이 파열되었을 때 처치는 응급을 요하는 상황으로 최초 발견자는 출혈 부위를 우선 손가락으로 누른다. 즉시 환자를 앙와위로 하고 기관튜브의 기낭(cuff)을 팽창시킨다. 파열 부위를 찾으려 하지 말고 수혈을 시작하면서 수술실로 환자를 옮긴다. 수술 부위를 소독한 후 외경, 내경, 총경동맥을 각각 분리하여 고정한다. 경동맥을 정상 조직이 나올 때까지 박리한 후, 파열된 경동맥부위에 종양이 침투하였는지 관찰한다. 파열부를 결찰한 후 창상의 회복과 재노출을 방지하기 위하여 근피판을 사용하기도 하며, 5,000 단위의 heparin을 하루 두 번씩 7일간 사용하여 뇌경색을 예방해야 한다. 이러한 응급 결찰에 의한 신경학적 합병증은 약 50%에서 발생하나, 선택적 결찰에 의한 경우는 23%로 감소한다. 이로 인한 사망률의 차이도 38%와 17%로 현저한 차이를 보인다. 경동맥파열의 예방법은 술 전보다는 술 후 방사선치료를 시행하고, 경부 피부 절개의 종절개선이 경동맥 분지부로부터 2 cm 이상 떨어지게 하는 것이다.

4. 심부정맥혈전증

원인불명의 고열, 부종, 하지 부위 정맥의 색조 변화 증상 등을 보일 때 심부정맥혈전증(deep vein. thrombosis)을 의심한다. 국소 동통, 부종, 파행(claudication), 제한된 동작과 폐색전을 일으킬 수 있다. 갑작스러운 빈호흡, 호흡곤란, 흉통, 각혈, 저산소증 등을 동반할 때는 폐색전증(pulmonary embolism)을 의심해야 하며, 환기관류스캔(ventilation/perfusion scan)으로 진단할 수 있다.

혈관계 질환, 당뇨병, 고혈압을 가진 노인 환자의 경우에는 확실한 예방 계획을 세워서, 탄력 스타킹 착용, 상부 거상, 조기 보행 등을 수술 후에 실시하도록 한다. 색전성 질환에는 헤파린(heparin) 5,000-10,000 단위를 초기 주입량으로 정맥주사한 후 시간당 1,500 단위를 2일간 사용한다. 경구 와파린(warfarin)을 사용할 수도 있으며, 심한 경우 혈전용해제(streptokinase, urokinase)를 사용한다.[15]

5. 공기색전증

주로 내경정맥이 손상을 받은 경우에 정맥을 통하여 공기가 유입되고, 우측의 심장을 통하여 폐소동맥으로 유입된 공기가 폐성 고혈압을 유발하며 심장의 수축력이 떨어지게 된다. 소량의 공기는 폐를 통하여 배출되지만, 많은 양의 공기가 유입될 경우 심장마비를 유발할 수 있다. 초기의 색전증은 흉부 도플러를 통하여 확인할 수 있다.

처치는 즉시 경부 하부의 정맥을 압박하고, 수술 부위를 식염수로 채우고 100% 산소를 흡입시킨다. 또한 환자를 좌측 측방으로 돌려 눕히고 머리를 낮춰 우심실을 통한 공기의 유출을 막아야 한다.[15, 16]

6. 경동맥반사(Carotid sinus reflex)

수술 중 경동맥팽대(carotid bulb)의 압박은 서맥과 저혈압을 유발한다. 경부절제술 중 경동맥 부위 조작 시 주의를 요하며, 증상이 생길 경우 수술을 중지하고 마취의에게 알려주어야 한다. 미리 1% lidocaine을 경동맥팽대 부위의 외막하면(subadventitial plane)에 주사하면 이를 예방할 수 있다.

Ⅳ 기관구 협착

드문 합병증으로 수술 직후나 오랜 기간이 지난 뒤에 생길 수 있다. 때로는 가피의 침착과 더불어 호흡곤란을 초래한다. 발생 원인은 과다반흔조직, 켈로이드 형성, 기관구(tracheostoma) 주위의 과다지방조직, 기관륜의 결손, 암의 재발 등이다.

치료는 좁아진 구 주위를 절제하고 다시 충분하게 기관구를 재건해주는 것이다. 원인에 따라서 수술을 여러 번 해야 할 수도 있다. 이를 예방하기 위해서는 수술 시 기관구를 충분하게 만들어 주고, 기관륜을 비스듬하게 절제하여 피부와 봉합한다.

V 연하곤란

두경부 수술과 관련된 연하곤란(dysphagia)은 수술 시의 절제 범위에 따라 결정된다. 구강은 정상적으로 유입된 음식물을 소화하기 위해 일차적으로 준비를 한다. 이 과정에서 특히 혀의 운동은 중요하나 전방 2/3 부위의 장애는 큰 영향을 미치지는 않는다. 구인두는 연하반사(swallowing reflex), 구개인두 폐쇄(velopharyngeal closure), 인두연동(pharyngeal peristalsis)에 관여한다. 후두의 작용은 후두상승(laryngeal elevation), 후두폐쇄(laryngeal closure), 인두연동과 관련되어 있다. 또한 수술 후의 반흔 등이 연하에 장애를 줄 수도 있다.

VI 만성 흡인

흡인은 여러 원인으로 인해 발생할 수 있다. 특히 후두개(epiglottis), 가성대(false vocal cord), 진성대(true vocal cord), 피열연골(arytenoid cartilage) 등 후두의 구조물이 중요한 기능을 담당한다. 경부 수술 시에 반회후두신경(recurrent laryngeal nerve)이 손상을 받을 경우, 특히 피열간절흔(interarytenoid notch)의 운동장애가 있으면 흡인을 초래할 수 있다. 또한 상후두신경(superior laryngeal nerve) 손상으로 감각이상이 있어도 발생할 수 있다.

내과적 치료로는 비위관(nasogastric tube)을 사용하며, 체위 변동, 구강 내 타액 등을 자주 흡입해준다. 수술적 치료로는 후두절제술(laryngectomy), 연골막하 윤상연골절제술(subperichondrial cricoidectomy), 부분 윤상연골절제술(partial cricoidectomy), 후두 내 스텐트삽입술(endolaryngeal stents), 후두개를 이용한 후두폐쇄술(epiglottic flap closure of larynx), 성문폐쇄술(glottic closure), 기관식도전환술(tracheoesophageal diversion), 후두기관분리술(laryngotracheal seperation) 등을 시행한다. 자세한 내용은 32장에 기술되어 있다.

VII 신경 합병증

두경부의 모든 영역은 감각, 운동, 조절 신경 등이 복잡하게 분포되어 있다. 수술을 할 때에는 이러한 신경들의 일부가 희생될 수 있다. 그 결과 해당 부위에서 감각, 운동력, 생명기능, 조절반응, 근육부피 등을 상실하게 된다. 이러한 결함의 정도는 희생되는 신경의 숫자와 비례한다. 따라서 정확한 해부학적 지식을 갖추어 많은 신경 합병증을 예방하는 것이 좋다.

1. 뇌신경

두경부 수술 시 영향을 적게 받는 뇌신경인 후각신경(olfactory n.), 시신경(optic n.), 동안신경(oculomotor n.), 활차신경(trochlear n.), 외전신경(abducens n.), 청신경(acoustic n.)에 대해서는 여기에서 언급하지 않는다.

1) 삼차신경

삼차신경(trigeminal n.)은 안면부의 지배적 신경으로 안면부의 거의 모든 지각을 담담하고 저작근(masticator muscles)을 지배한다.

부비동, 구강, 하악과 익돌(pterygoid) 주위의 수술을 할 때 절제되는 경우가 흔하다. 결함은 보통 편측성이고, 대개의 경우 환자는 별 문제없이 적응한다. 삼차신경의 하악분지(mandibular branch), 하치조신경(inferior alveolar n.)과 이신경(mental n.)은 구강암 수술 시 하악 부분을 절제하거나 제거할 경우 손상받을 수 있다. 구강저와 동측 혀의 전반부 2/3의 감각을 담당하는 설신경(lingual n.)은 악하삼각(submandibular triangle)을 박리할 때에 설하신경과 더불어 주의해야 할 신경으로 설신경이 손상을 받으면 혀의 전반 2/3의 감각에 영향을 미칠 수 있다.[15]

2) 안면신경

안면신경은 운동신경, 감각신경과 부교감신경의 혼합신경으로서 안면신경(facial n.)이 손상된 경우에 나타나는 뚜렷한 특징은 안면마비이다. 손상 부위에 따라 증상이 결정되나, 이하선절제술을 제외한 대부분의 두경부 수술 후에는 안면신경의 하악지(marginal mandibular branch of the facial nerve)의 마비에 의하여 같은 쪽 구각(mouth corner)이 처지고, 입의 폐쇄가 원활하지 않은 경우가 많다.[4,12] 안면신경은 부분적인 재활 능력을 가지고 있어서 손상 후 30일 이내에 10-0 단일봉합사를 사용한 직접신경문합술(direct nerve anastomosis)로써 일부 기능을 복원할 수 있다. 이외에도 신경이식술(nerve grafting), 설하안면신경 교차술(hypoglossal-facial nerve crossover technique), 근육전위술(muscle transposition), 보톡스 주입술(injection of botox) 등을 통해 몇 년씩 걸리더라도 안면마비의 후유증을 재활, 개선할 수 있다.

3) 설인신경

설인신경(glossopharyngeal n.)은 감각·운동신경이나 주된 기능은 감각을 담당하는 것으로 편도, 구개, 인두, 혀의 후부에 분포하며, 이 부위를 수술할 때 손상될 수 있다. 일시적인 후유증으로 연하곤란을 느낄 수 있으나 대부분 2-4주 내에 별 문제 없이 적응된다.

4) 미주신경

미주신경(vagus n.)은 설인신경의 아래 부위에서 기시하며 감각, 운동, 부교감 신경 다발을 지니고 있다. 경정맥공(jugular foramen)을 통해 하신경절(inferior ganglion)에서 유래하여 두개저를 빠져나와 내경동맥과 함께 내려간다. 감각신경의 일부인 상후두신경(superior laryngeal n.)은 상갑상동맥과 함께 내려와서 후두, 하인두, 후두개 부위의 감각을 담당하며, 운동신경인 외분지는 윤상갑상근(cricothyroid m.)을 지배한다. 내분지의 장애는 흡인(aspiration)을 초래할 수 있고, 운동신경의 손상은 목소리에 영향을 미칠 수 있다. 반회후두신경(recurrent laryngeal n.)은 좌우 경부에서 통과하는 지점이 서로 다르다.[15] 우측에서는 쇄골하동맥(subclavian a.)을 돌아 기관식도구(tracheoesophageal groove)를 따라 상방으로 주행하고, 좌측에서는 대동맥궁을 돌아 기관식도구 내에서 상방으로 주행한다. 반회신경은 윤상갑상근을 제외한 후두내근을 지배하며 경부의 하부나 중간 부위에서 이 신경이 손상되면 성대마비를 일으키게 된다. 유리 신경이식(free nerve grafting)으로써 1-2년 이내에 완전하지는 못하나 어느 정도는 재활될 수 있다. 또한 성대내전술(vocal cord adduction), 성대 주입술(vocal fold injection), 후두신경재분포치료(laryngeal reinnervation treatment) 또는 이들의 복합적인 방법으로 성대마비가 많이 개선될 수 있다. 두개저 근처에서의 미주신경 손상은 더욱 심각한 합병증을 일으킨다. 구개로부터 식도에 이르기까지의 인두의 근조직(pharyngeal musculature)허약, 성문상부의 감각소실과 성대마비 등을 일으킨다. 윤상인두근 절개술(cricopharyngeal myotomy)을 하면 연하운동은 상당히 호전될 수 있다. 마비된 인두의 절개나 봉합으로 안정시켜 연하장애도 많이 개선시킬 수 있으나, 상당한 시일이 필요하다. 주로 갑상선절제술을 할 때 손상받는 일이 흔하며 경부절제술을 할 때에도 내경정맥을 결찰하면서 손상받을 수 있다.

5) 척추부신경

척추부신경(spinal accessory n.)도 경정맥공을 통해 두개로부터 빠져나온다. 경부의 후삼각부에서 이 신경을 찾는 방법은 세 가지이다. 첫째, 쇄골과 이 신경이 승모근(trapezius m.)을 통과하는 지점과의 거리가 2–4 cm이다. 둘째, 척수부신경은 대이개신경(great auricular n.) 이 흉쇄유돌근(sternomastoid m.)의 후연에서 나오는 지점인 Erb's point의 2 cm 상방 부근에 위치한다. 셋째, 척추부신경은 흉쇄유돌근의 후연의 중앙보다 상부에서 발견된다. 이 신경이 마비되면, 팔과 어깨의 운동 제한이 동반된 견갑하수(shoulder drop)를 일으키고, 국소적 불쾌감을 느끼게 된다. 일부에서는 통증이 지속되는 만성 어깨 통증(dull aching pain)으로 인하여 작업이나 운동을 할 수 없게 되기도 한다. 그러므로 가능한 한 이 신경을 희생하지 않기 위해 선택적 경부절제술을 시행하게 되나, 척수부(spinal accessory) 계통의 림프절의 단순 절제를 할 때에도 이 신경을 다치게 할 수 있다. 이 신경이 손상된 경우에는 즉시 신경이식이나 직접 접합봉합 등으로써 재건해야 한다. 또한 척추부신경이 마비되면 승모근이 위축된다. 드물게는 상완신경총(brachial plexus) 신경과의 기능적 교차에 의해 환자는 어깨를 완전히 정상적으로 움직일 수 있다.[6]

물리치료나 운동으로 상당한 수준까지 재활할 수 있다. 거근(levator m.)과 능형근(rhomboid m.)을 강화하기 위해서 술 후 1–2주 이내에 마비된 어깨를 들어올리는 운동을 시작한다. 그 외에 여러 가지 운동법이 있으나 수영, 골프, 테니스, 원예 등이 재활에 도움이 되는 활동이다. 이러한 방법으로 1년 가까이 계속해서 운동을 하게 되면 상당한 수준의 재활이 이루어진다.

6) 설하신경

혀를 지배하는 운동신경이다. 한쪽 설하신경(hypoglossal n.)이 절제되면 혀를 내밀 때 손상된 쪽으로 편위되게 된다. 혀의 일부와 설하신경이 같이 절제되면 기능적으로도 훨씬 무력해진다. 양측의 설하신경이 손상되면 혀를 움직일 수 없게 되어 연하나 말하기에 심한 장애를 갖게 된다. 대부분의 환자들은 지속적인 운동과 식사나 식사습관 등을 변화시키면서 이러한 심각한 장애를 극복해 나가지만 일부 환자에게는 영양적인 면을 해결하기 위해서 위루술(gastrostomy)을 시행해야 하며, 흡인이 지속되거나 이로 인한 심각한 합병증이 발생한 경우 흡인 방지를 위하여 후두적출술을 시행해야 하는 경우도 있다.[15]

7) 횡격막신경

횡격막신경(phrenic n.)은 경부신경총(cervical plexus)의 운동 분지로 대부분 C3, C4와 소량의 C5로 이루어져 있으며 "facial carpet"이라 불리는 심경부근막(deep cervical fascia)의 밑에 존재한다. 전사각근(anterior scalene m.)의 근막 밑으로 지나 동측의 횡격막에 분포한다. 사각근(scalene m.)의 지방패드를 견인할 때 관찰이 가능하며 사각근 근막을 보존하면 신경손상을 예방할 수 있다.[12] 손상받을 경우 흉부 방사선 검사에서 편측횡격막(hemidiaphragm)이 상승하며 생명을 위협할 정도의 문제를 일으키지는 않지만 폐합병증을 악화시키는 요인이 될 수도 있다.[15]

2. 상완신경총

상완신경총(brachial plexus)는 C5–T1 척수신경의 배쪽가지(ventral rami)에서 기원하는 신경으로 전사각근(anterior scalene m.)과 중간사각근(middle scalene m.) 사이에서 관찰되며 심경극막 밑에 존재한다. 상완신경총의 손상은 극상근(supraspinatus m.), 극하근(ingraspinatus m.), 이두근(biceps m.), 삼두근(triceps m.) 등의 기능장애를 유발하므로 후삼각부의 경부절제술 시 심경근막 하부 구조물의 손상을 피하도록 조심하여야 한다.

3. 감각신경

뇌신경과 관련된 감각신경분지들은 안면부의 전면부와 측부, 이마와 전면부 두피에 제한되어 있는 반면, 경부신경(cervical n.)으로부터의 감각신경분지는 넓게 분포한다. C2, C3와 C4는 경부와 쇄골 주위의 상흉부에 분포하고, C5, C6, C7과 C8는 팔과 손에 분포한다. 수술의 주된 합병증은 삼차신경과 관련된 국부지각 소실 때문에 발생하는데, 각막미란(corneal erosion)을 일으키고 상하입술의 한쪽, 구강저, 구개와 볼에 감각소실이 발생하여 식사하는 데에 지장을 초래한다. 또한 절단된 신경의 끝에 신경종(neuroma)을 형성하여 동통과 감각이상을 초래할 수도 있다. 경부에 생긴 신경종은 심한 동통을 유발할 수 있다.

통증은 삼차신경과 설인신경의 자극에 의해서도 생긴다. 이들 신경이 절단되면 무감각해질 수도 있고, 일부에서는 환상통(phantom pain)을 일으킬 수도 있다. C2, C3와 C4의 심부 분지들은 절단되어도 대부분 증상이 없는 경우가 많다.

4. 경부 교감신경

경부에 있는 세 개의 경부 교감신경절(cervical sympathetic ganglion)은 경부신경과 일부 뇌신경들과 서로 연결되어 있다. 이러한 경부신경 계통에 장애가 생기면 Horner 증후군(동공축소(myosis), 안검하수증(ptosis), 무한증(anhidrosis))이나 첫 저작 증후군(first bite syndrome)이 발생할 수 있으며 대개는 시간이 지나면서 회복하게 된다.[6]

Ⅷ 두경부 재건의 합병증

1. 피판 수술의 합병증

피판 수술의 합병증은 일반적으로 공여부(donor site)와 수혜부(recipient site)의 합병증으로 나누어 생각할 수 있다. 수혜부에서의 합병증은 피판 상실이다. 완전 상실일 수도 있고 부분적 상실일 수도 있으나 완전히 상실되는 경우는 5% 미만이다. 대부분의 원인은 혈관 내의 혈전에 의한 혈류의 방해이다.[17] 이는 피판 주위의 감염, 물리적 압박, 피판경(flap pedicle) 이음 부위의 혈전 등에 의해 발생하며 물리적 압박을 피하기 위하여 혈종, 수술 중 피판경(flap pedicle)의 꼬임이나 당겨짐이 발생하지 않도록 유의하여야 한다. 만일 허혈이 일어나면 8–12시간 이내에 재순환을 성공시켜야 성공적인 구제가 가능하다. 실험적으로 최소 8일이 경과되면 유리피판 혈관경을 안전하게 자를 수 있다. 피판의 부분적인 상실은 완전히 상실되는 경우보다는 빈번한데, 근육은 살아 있으면서 피하지방이나 피부의 전부 또는 부분적 소실을 동반한다. 일단 피판의 심한 괴사가 발생하면 신속한 괴사조직제거술(debridement)을 시행하여 감염을 방지하여 밑에 위치하는 근육의 소실을 방지해야 한다. 물론 피판의 가장자리에 생긴 작은 괴사는 보존적으로 치료될 수 있다. 비만한 여성에서 대흉근피판(pectoralis major flap)을 사용하는 경우처럼 환자 선택이 잘못되어 피판을 상실하는 경우도 있다. 또한 기술적 요소들도 근육에서 피부로 가는 혈류에 영향을 미칠 수도 있는데, 경사지게 절개되면 피부는 보존되는 관통동맥(perforating a.)의 수가 감소할 수 있고, 조작 도중이나 결손 부위에 피판을 위치시킬 때 관통동맥이 손상될 수도 있다. 피부가 근육으로부터 당겨진다든지 심하게 접히거나 눌리면 피판의 가장 먼 쪽의 피부가 소실될 수 있다.

그 외의 합병증으로는 출혈, 혈종, 장액종, 감염 및 누공이 경동맥이나 무명혈관(innominate vessel)의 괴사를 일으켜 동맥파열로 사망에 이르기까지 매우 위험해질 수도 있다. 방사선 치료를 받은 환자, 영양 상태가 좋지 않은 환자, 흡연이나 내과적 문제로 혈관에 문제가 있는 환자들에 있어서는 피판의 괴사가 없어도 누공형성이나 감염이 빈발할 수 있다. 치유가 잘 안되거나 피판의 착상이 실패하게 되면 지연성 피판 괴사가 발생한다. 피판의 종류에 따라 다르지만 근피판을 사용하는 경우에는 재발한 암의

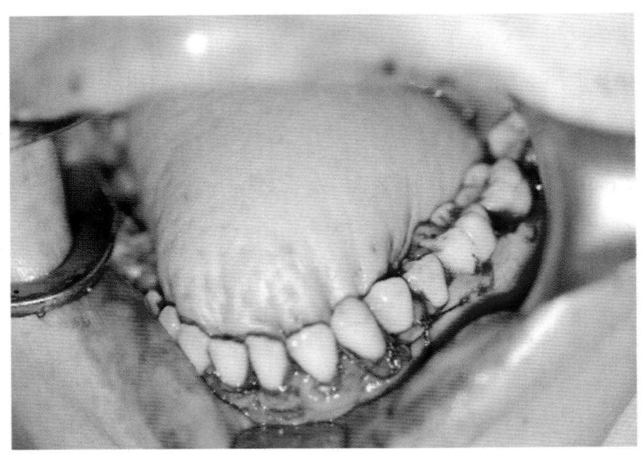

■ 그림 37-3. **유리피판을 애용하여 설재건술을 시행한 모습**

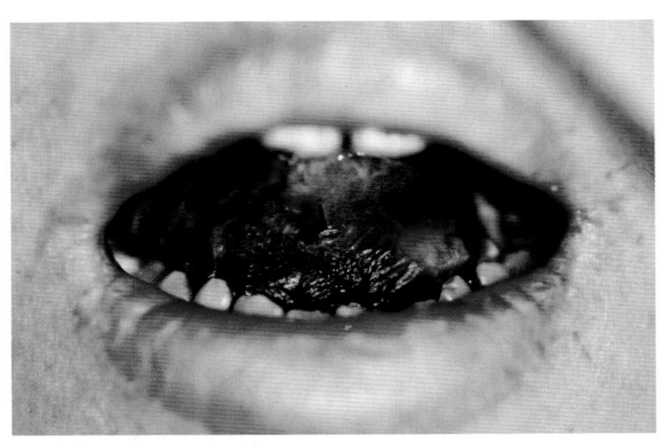

■ 그림 37-4. **피판의 괴사가 관찰됨**

발견이 늦어질 수 있다.

공여부에서도 출혈, 혈종, 장액종, 감염 등으로 치유가 어려울 수 있다. 어떤 피판의 경우에는 동일한 분야에서 두 가지 수술을 함께 해야 하기 때문에 공여부에도 타액 오염이 발생하여 감염의 가능성이 높아진다.[20] 또한 수혜부로 이전되는 근육의 상실 때문에 공여부의 근육기능이 상실되어 중요한 문제를 일으킬 수도 있다(그림 37-3, 4).

2. 합병증의 회피

가장 중요한 것은 치유 과정에서 문제가 될 수 있는 환자의 위험 요소와 좋지 않은 조직의 혈관분포를 조사하는 것이다. 심한 영양실조, 전신질환, 고령, 전에 받았던 수술 및 방사선치료 등 모두가 피판의 생존 가능성을 감소시킨다. 이러한 고위험군의 환자들은 단계적 재건, 계획된 누공, 인공기관을 사용하는 재건이나, 보다 단순한 재건법을 사용하는 것이 좋다. 물론 환자에 따라서는 절제하지 않고 비외과적으로 치료하는 것이 최선이다.

피판을 사용할 때 고려해야 할 사항은 결손 부위의 위치와 크기, 사용처의 내·외층 여부, 필요한 부피, 공여부의 이환 등이다. 기능적인 면을 우선적으로 고려해야 하지만 미용적 측면도 고려해야 한다. 피판은 창상을 충분히 재건할 정도의 크기여야 하고 피판경에 긴장이 없어야 한다. 절개를 하기 전 피부에 절개선 도안을 그려가면서 조심스럽게 디자인하고, 전위하는 곳까지의 거리도 정확하게 계산한다. 신중하게 시술하여 합병증을 피해야 한다.[20] 기술적 측면에서는, 절개단면을 경사지게 하지 말고, 피부관통혈관을 최대한 보존하며, 근육으로부터 피부의 전단(shearing)을 피하고, 필요하면 시침질봉합(tacking suture)을 하고, 조직을 조심스럽게 다루고, 습도와 온도도 적당히 유지시켜야 한다.[17] 무엇보다도 피판경의 긴장, 꼬임, 압박이 없도록 조심해야 한다.

만약 술 전에 치밀한 계획을 수립하였어도 술 중 피판의 크기가 결손 부위의 크기에 충분치 않은 것을 발견하였다면 충분한 길이를 얻을 수 있도록 피판경을 밖으로 노출시키는 것이 좋고 억지로 봉합하는 것보다는 2단계 과정으로 시행하는 것이 좋다. 피판을 심층부와 마찬가지로 상피층을 결손 부위에 정확하게 위치시켜 봉합하는 것이 매우 중요하다. 피판을 결손 부위에 삽입하기 위해서는 피판을 특별한 모양으로 만들거나 분해(splitting), 천공(perforation) 또는 피부도(skin island)를 접는(enfolding) 등의 특별한 형태가 필요한데, 이러한 조작들이 추가적인 압박이나 혈류의 장애를 발생시킬 수 있으므로 이를 시행할 때는 조심스럽게 시행하여야 한다. 혈종을 방지하기 위하여 피판을 위치시키고 봉합하기 전에 완벽하게 지혈하도록 한다. 사강(dead space)을 없애고, 흡입배액을 시키는 것도 도움이 된다. 수술 중 잘못을 예방하는 데 가장 중요한 요소는 혈관경(vascular pedicle)과 정확한 조직평면에 대한 해박한 해부학적 지식이다. 수술 후에는 피판경이나 피판 자체에 압력이 가해지는 것을 피해야 한다. 또한 기관절개술에 따른 드레싱이나 고정끈을 너무 단단하게 해서도 안 된다. 각각의 피판에 따라 피판경이 눌리지 않는 적당한 환자의 체위에 대해서도 설명해 주어야 한다. 환자의 산소화 정도(oxygenation status), 혈압, 적혈구 용적률(hematocrit) 등도 정상 범위 내에서 유지되도록 노력해야 한다. 근육피판은 허혈이나 울혈 상태에서 약 4시간 정도 살아남을 수 있으므로 수술 후 즉시 피판의 감시를 시작하는 것이 필수적이다.[4]

피판의 생존 능력을 파악하기 위한 검사방법은 피판 자체에 무해하며, 정확하고 신빙성이 있는 방법이어야 한다. 실제 임상에 응용되는 방법은 다음과 같다.

첫째, 색상으로 피판의 색깔을 보고 온기를 느낌으로서 생존 능력을 판단할 수 있다. 색상이 창백하면 동맥혈이 충분히 공급되지 않는 것이고, 청색을 띠면 정맥혈이 충분히 순환되지 않는 것이다. 또한 근위부와 원위부 사이의 피부 온도 차이가 3℃ 이상 차이나면 피판의 허혈을 의심해야 한다.

둘째, 모세관 재충만시간(capillary refilling time)으로 평가할 수 있다. 피판을 손가락으로 눌렀다가 뗀 후 3초 내에 원색으로 돌아오지 않으면 혈관부전이 있음을 의미한다. 이보다 시간이 연장되면 동맥혈폐쇄, 단축되면 정맥울혈(venous congestion)로 생각할 수 있다.

셋째, Pinprick test로 주사침으로로 피판의 진피와 표피의 혈관층을 찌른 후 출혈의 양상과 정도를 관찰한다. 이 방법은 단순하면서도 비교적 정확하지만, 주관적이고 많은 경험을 요한다.

넷째, 초음파도플러검사(ultrasound doppler test)로 수술 직후에 혈관경의 혈류 흐름을 보다 정확히 감시할 수 있다.

이외에도 공장유리피판술에서는 외부 감시피판을 경부 밖으로 노출시키기도 하며, 온도측정법(thermometry), 광혈량 측정법(photoplethysmography), 레이져 도플러(laser doppler) 등이 피판의 생존력을 파악할 수 있는 검사이다.[17]

Ⅸ 구제수술의 합병증

두경부암 환자의 약 50%에서는 일차 치료가 실패하여 암이 재발하거나 잔존하게 된다. 재발암이나 잔존암의 경우에도 적극적으로 치료하면 치유될 기회는 있다. 일차 치료로 실시한 수술이나 방사선치료에 실패하면 원발부위나 국소 림프절전이의 병기가 더 진전되어 구제수술(salvage surgery)이 성공하기는 더 어렵다. 방사선 치료를 받았던 조직에 수술하는 것은 정상적인 조직에 수술하는 것과는 선택 기준과 수술방법이 매우 다르다. 합병증도 30% 정도로 많은 편이고, 수술 후 결과도 매우 다양하므로 아주 적절한 시기와 방법의 선택이 중요하다.

방사선조사와 화학요법(chemotherapy)은 조직을 손상하는데, 방사선조사는 화학요법보다도 국소 창상독성이 강하다. 방사선치료의 후기독성은 세동맥(arteriole)의 동맥내막염(endarteritis)을 일으키고 모세혈관이 두꺼워져서 조직에 대한 혈류량과 영양 공급이 줄어든다. 자연히 창상 치유에 문제점이 발생한다. 이런 경우 예방적인 항생제, 양질소평형(positive nitrogen balance), 조직에 대한 조심스런 조작, 피부나 근육의 풍부한 사용 등이 방사선조사 후의 수술에서 창상 치유 합병증을 감소시킨다.

화학요법은 줄기세포(stem cell) 상실에 따른 후기의 창상 치유 합병증을 일으킨다. 심한 종말증(cachexia) 환자나 음질소평형(negative nitrogen balance) 환자를 제외하고는 화학요법의 합병증은 심한 편은 아니다. 또한 다약제(multidrug) 화학요법과 방사선조사요법의 동시 사용은 암세포에 대한 효과를 높이지만 세포 복원을 방해한다.

수술 전에 세심한 계획을 수립하고 창상 치유에 부정적 요소로 작용하는 음질소평형, 전해질 불균형, 비타민과 미네랄 부족, 폐기능부전(pulmonary insufficiency) 및 순환기 질병 등을 교정해 주면 술 후 합병증을 상당히 감소시킬 수 있다. 또한 수술 전에 여러 방법을 함께 치료받은 환자에서는 인두나 구강 부위의 수술은 극도로 보존적으로 하는 것이 좋다. 경부개방이나 상부호흡소화기의 수술 후의 누공이 예상되는 환자에서는 가능하면 경부를 통한 수술을 회피한다.

예방적 항생제 투여도 수술 전 방사선치료를 받은 환자에서 시행하는 두경부의 복합절제, 특히 경부와 구강 또는 인두암을 함께 수술하는 경우에는 창상감염을 감소시키는 데 도움이 된다. 창상감염, 피판괴사, 누공형성, 경동맥파열 등이 복합절제 후에 많이 발생한다. 항생제는 수술 중에 인두 창상에서 농을 채취하여 배양한 결과에 따라 선택한다. 뼈를 절단한 후 복구하는 수술이나 하악절제 후 금속삽입물 등을 사용한 경우에는 수술 후 약 3개월까지 항생제를 사용한다.

Pentoxifylline은 국소의 미세순환(microcirculation)을 개선해 주는 약제로 적혈구의 가변형성(deformability)의 증가, 혈액 점도의 감소, 혈소판응집과 혈전형성의 감소 등의 효과가 있다. 말초 혈관장애가 있는 환자에서 하루 600–1200 mg씩 최소 6주간 사용하면 60–100% 정도 개선되는 것으로 알려져 있다. 또한 이 약제를 예방적으로 투여하게 되면 혈관 손상을 일으키는 후기 방사선 반응이 감소된다고도 알려져 있다.

두경부 영역에서 구제수술 후 초래되는 합병증의 대부분은 치명적이다. 피부인두누공은 구제수술 시 4배 이상 증가하여, 보존적 치료로 치유되는 경우가 드물어 추가적인 재건수술이 필요한 경우가 많다. 따라서 파국을 초래할 수 있는 구제치료 실패의 예방법은 일차 치료를 과감하게 시행하는 것이다.

 기타

정신착란(delirium)은 특히 고령 환자, 술 전 인지장애가 있었던 환자에서 발생되는 심각한 합병증의 하나로 주로 수 일 이내에 발생한다. 이를 예방하기 위해서는 술 전에 환자의 병력이나 약물 복용 여부 등을 잘 파악하여야 한다.

실명(blindness)은 양측 내경정맥을 결찰한 경우 드물게 발생할 수 있다. 이를 예방하기 위해서는 양측 경정맥 결찰 시 가능한 혈관이식술 등을 통해 적어도 일측의 정맥혈류를 보존해주는 것이 좋다.

술 후 근육의 부적절한 조화에 의해 쇄골 골절(clavicular fracture)이 발생할 수 있으며, 주로 중앙 부위의 골절이 발생할 수 있다.

화골성 근염(myositis ossificans)은 술 후 외상성 골화에 의해 발생하는 것으로 증상이 있을 경우 병변 부위를 제거한다.

기흉(pneumothorax)은 흉막이 쇄골 높이까지 올라온 경우에 발생할 수 있으며, 수술 중 호흡의 패턴이나, 산소포화도의 변화에 의해 발견이 되는 경우가 많다. 손상이 있을 경우 손상 부위를 봉합하고, 심할 경우 흉관(chest tube)을 삽입하여야 한다.

참고문헌

1. Bittner EA GL, George E. Chapter 71. Postoperative Complications. In: Longnecker DE, Brown DL, Newman MF, Zapol WM. eds. Anesthesiology, 2e. McGraw-Hill 2012.
2. Cavalot AL GC, Cortesina G. Pharyngocutaneous fistula as a complication of total laryngectomy: review of the literature and analysis of case records. Otolaryngol Head Neck Surg 2000; 123:78-84.
3. Cotton B HJ, Pommerening M, Jastrow K, Kozar RA. Hemostasis,

Surgical Bleeding, and Transfusion. In: Brunicardi F, Andersen DK, Billiar TR, Dunn DL, Hunter JG, Matthews JB, Pollock RE. eds. Schwartz's Principles of Surgery, 10e. McGraw-Hill 2014.

4. Eisele DW. Complications in Head and Neck Surgery. Mosby Year Book, 1993, p731-772
5. Johnson JT WR. Infection following uncontaminated head and neck surgery. Arch Otolaryngol Head Neck Surg 1987; 113:368-369.
6. Koch WM. Complication of surgery of the neck. In: Eisele DW (ed). Complications in Head and Neck Surgery. St. Louis: Mosby Year Book, 1993, p393-413
7. Liang JW, Li ZD, Li SC, Fang FQ, Zhao YJ, Li YG. Pharyngocutaneous fistula after total laryngectomy: A systematic review and meta-analysis of risk factors. Auris, nasus, larynx 2015; 42:353-359.
8. Lindsey WH BD, Hoare JR, et al. Comparison of topical fibrin glue, fibrinogen, and thrombin in preventing seroma formation in a rat model. Laryngoscope 1995; 105:241-243.
9. Mäkitie AA1 IJ, Gullane PJ. Pharyngocutaneous fistula. Curr Opin Otolaryngol Head Neck Surg 2003; 11:78-84.
10. McCombe AW JA. Radiotherapy and complications of laryngectomy. J Laryngol Otol 1993; 107:130-132.
11. Paul W. Flint BHH, Valerie J. Lund, John K. Niparko, K. Thomas Robbins, J. Regan Thomas, and Marci M. Lesperance. Cummings Otolaryngology: Head and Neck Surgery
12. Rabson JA, Hurwitz DJ, Futrell JW. The cutaneous blood supply of the neck: relevance to incision planning and surgical reconstruction. British journal of plastic surgery 1985; 38:208-219.
13. Seven H SI, Turgut S. Antibiotic prophylaxis in clean neck dissections. J Laryngol Otol 2004; 118:213-216.
14. Weissler MC PH. Complication of Head and Neck Surgery. Thieme 1995
15. Weissler MC, Pillsbury HC. Complication of Head and Neck Surgery. Thieme, 1995, p31-43, p122-158
16. William RP, Ari JN, Ralph RW. Surgical management of the head and neck cancer; patient following concomitant multimodality therapy. Laryngoscope 1995; 105:79-101
17. Yang X1, Li S1, Wu K1, Hu L1, Liu W1, Ji T1, Hu Y1, Xu L1, Sun J1, Zhang Z1, Zhang C2.; Surgical exploration of 71 free flaps in crisis following head and neck reconstruction.; Int J Oral Maxillofac Surg. 2015 Nov 23.
18. Yii NW PS, Williamson P, et al. Use of apron flap incision for neck dissection. Plast Reconstr Surg 1999; 103:1655-1660.
19. Young Sun Kim, Kwang Yoon Jung. A Case of Spontaneous Chyle Leakage Presenting as Supraclavicular Swelling; Korean J Otolaryngol 2000:43(6):655-8

CHAPTER

38

두경부 재건술

이비인후과학 Otorhinolaryngology - Head and Neck Surgery

김민식, 백정환, 정만기

I 두경부 재건술의 기본 개념

1. 두경부 재건술의 역사적 배경

최근 20년간 두경부외과 영역에서 가장 괄목할 만한 발전은 재건분야이다. 1940년대 이후 두경부 암 환자의 생존율 개선과 기능 재활을 위하여 방사선치료법과 수술법이 개발되고 마취법의 발달로 보다 광범위한 수술이 가능하게 되었다. 또한 경부절제술을 동시에 연결하여 실시함으로써 원발병소뿐만 아니라 경부 림프절전이에 대한 제거를 동시에 실시하여 생존율을 높이게 되었다. 이러한 적극적 복합치료의 개념이 시작되면서 비록 환자의 생존율은 개선되었으나 두경부 재건술은 두경부 종양을 제거하는 이러한 방법들과 보조를 맞추어 발전하지 못하였고, 이에 따른 중요한 기능적, 미용적 장애로 인하여 환자가 장기간 입원해야 하거나 사회로부터 격리되기도 하였다.

그러나 결손 부위에 대한 여러 장애뿐 아니라 이에 따르는 치명적인 합병증 등으로 인한 문제점이 대두되면서 새로운 방법에 대한 욕구가 증가하였다. 1960년대까지도 지나친 재건을 불필요한 것으로 여겨왔으나 1960년대에 여러 가지 피판이 개발되고 재건술이 발달하게 되어, 제거가 불가능하였던 부분의 광범위한 절제가 가능해졌고 수술 후의 외관상의 기형이나 기능적 장애를 최소화할 수 있는 방법들이 개발되면서 두경부 재건술의 개념이 정립되었다.

최근 두경부암 치료에서 복합적 치료의 활용과 수술방법의 발달로 치료방법이 많이 개선되어 왔지만 환자의 생존율은 크게 개선되지 않았다. 이에 따라 근래에는 두경부암 치료에서 치료 후 삶의 질(quality of life)을 중요하게 취급하게 되었고 두경부 재건은 기능적 재건(functional reconstruction)에 그 초점을 맞추고 있다.[15]

역사적으로는 1842년에 Mutter가 경부견갑피판(neck-shoulder skin flap)을 재건에 이용하였고, 1960년대에는 Bakamjian의 삼각흉근피판(deltopectoral flap)과 McGregor의 전두피판(forehead flap) 등의 국소피판이 두경부 재건에 이용되었고, 70년대부터는 독립된 혈관경을 가지고 있는 대흉근피판(pectoralis major myocutaneous flap) 등의 근피판(myocutaneous, musculocutaneous flap)이 개발되면서 재건술의 방법이 많이 향상되었다. 70년대 후반부터는 미세수술 술기의 발달과 함께 유리피판술이 보편화되면서 전완유리피판(radial forearm free flap), 외측상완피판(lateral arm free flap), 족배피판(dorsalis pedis free flap) 등의 근막피판(fasciocutaneous flap)이 점막이나 피부의 재건에 이용되었고, 하악골 등의 골 재건을 위하여 장골(iliac), 비골(fibula), 견갑골(scapula) 등의 골피판이 소개되었다. 90년대에는 감각신경이나 운동신경의 재분포가 가능한 신경지배피판(innervated flap)이 등장하여 구강 및 인두 재건의 기능적 재활에 많은 도움이 되고 있다. 또한 복합피판이나 전외측대퇴부피판(anterolateral thigh flap)을 이용한 키메라성피판(chimeric flap) 등 다양한 피판이 보고되면서 두경부 재건 분야는 더욱 다양하게 발달하고 있다.

2. 두경부 재건술의 원칙

적절한 재건을 위해서는 결손부의 위치와 크기, 재건에 사용할 조직의 종류를 사전에 정확히 파악해야 하고, 특히 안면부의 경우 미용적인 면까지도 고려해야 한다. 두경부의 재건은 단순히 결손부를 보강해주는 것이 아니라 그 기능의 회복에 초점을 맞추어야 하므로 재건을 담당하는 의사는 다음과 같은 사항을 반드시 이해하고 고려해야 한다. 두경부 재건 시 고려해야 할 중요한 사항은, 3차원적 구조를 가지는 결손이 남게 되며, 연하, 조음, 발성, 오연 방지 등 복잡한 기능을 가진 부위를 재건한다는 것이다. 또한 재건할 때 다양한 종류의 조직이 필요할 수 있고, 타액 등에 의해 항상 오염되거나 환부가 외부로 노출될 우려가 있으며, 마지막으로 두경부 각 부위의 생리적 기능을 이해하고 이를 최대한 보존해야 한다는 것을 고려해야 한다. 이를 위하여 두경부 재건은 기능적 재건술(functional reconstruction)의 개념을 가지고 실시해야 한다.

기능적 재건술의 목적은 두경부의 다양한 생리적 기능과 특성을 이해하고 이를 최대한 보존하며 기능을 유지할 수 있는 다양한 방법의 재건술을 실시함으로써 원발병소의 광범위한 절제를 가능하게 하고 환자의 생존율을 높이는 동시에 삶의 질을 향상시키는 것이다.

결론적으로, 두경부 재건 시에는 해부학적으로 충분한 절제와 동시에 생리적 기능을 최대한 회복시킬 수 있는 방법을 선택해야 하며, 이를 위하여 두경부 외과의사는 항상 가능한 모든 재건방법을 고려하고 선택할 수 있어야 한다.

1) 성공적인 재건을 위한 요소

성공적인 재건을 위해서는 적절한 수술 전 평가와 합리적이고 적합한 치료 계획 수립이 필요하다. 특히 가장 중요한 것은 결손의 양상이다. 결손의 양상을 정확히 예측, 평가하고 이에 알맞은 재건방법을 선택하여야 한다. 이 외에 고려할 점으로는 종양의 조직학적 양상이나 임상병기, 예상되는 예후, 환자의 나이, 성별, 전신상태, 사용 가능한 공여부의 상태, 환자의 호응도나 기대도, 술자의 임상적 경험이나 기술 등이 있다. 보다 나은 결과를 얻으려면 편협하게 선택하기보다는 다양한 공여부를 선택할 수 있어야 한다.

2) 두경부 재건의 목적

두경부 재건의 목적은 두경부암 치료 시 필수적으로 동반되는 결손 부위를 재건하여 치명적인 합병증을 예방하고 안전을 유지하면서 환자의 기능적, 미용적인 삶의 질을 회복시키는 데 있다. 이와 같은 재건에 이용되는 조직으로는 점막이나 피부결손을 다시 덮어줄 수 있는 표피, 운동성이나 용적을 회복시킬 수 있는 근육, 골격유지를 위한 연골이나 골조직, 장력유지나 모양을 회복시킬 수 있는 근막이나 지방조직 등이 있는데, 두경부 결손에는 대개 여러 조직으로 구성된 복합피판(composite flap)이 필요한 경우가 많다.

두경부 재건의 목적에서 고려해야 할 사항은 먼저 안전 유지이다. 두개저 수술이나 광범위 수술 후 경동맥 파열, 뇌척수액 누출이나 뇌막염 등의 치명적인 합병증을 예방할 수 있어야 한다. 또한 상부 소화호흡계의 기능적 상태를 환원시킬 수 있어야 하는데, 수술 후 혀의 운동성 유지, 구개폐쇄, 저작기능, 조음기능 등을 고려해야 한다. 마지막으로 미용적 재건을 실시하여 환자가 만족하는 신체 모양을 회복시켜 주어 사회로 다시 복귀할 수 있도록 하여야 한다.

3) 두경부 재건의 시기

대부분의 두경부 재건은 절제술이 시행될 때 같이 시행하는 것이 좋다. 지연 재건술은 창상에 남아있는 근육이나 다른 연부조직의 수축 등을 유발하여 기능적, 미용적으로 적절한 재건을 어렵게 할 수 있다. 1단계로 재건을 하려면 결손 부위를 충분히 노출시켜야 하고, 필요한 조직의 구성과 양을 정확히 평가해야 한다. 필요한 경우 미세혈관 문합을 위해 수혜부 혈관을 준비하고, 절제연이 충분하다는 것을 동결절편 검사 등을 통하여 확인하며, 기타 종양의 생물학적 특성, 창상의 상태, 환자의 수용능력 등을 고려한다.

하지만 이개나 외비에 복합 결손이 있을 때, 절제연이 충분치 못하다고 판단될 때, 반흔 제거술이나 치과 보조기구 삽입술을 시행할 때에는 결손부를 지연 또는 단계적으로 재건해야 한다.

3. 두경부 재건에 이용되는 방법

두경부에서 흔히 이용되는 재건법은 창상의 이차적인 자연치유(healing by secondary intention), 일차 봉합(primary closure), 피부이식(skin graft), 피판술(flap) 등이며, 가장 간단한 방법부터 먼저 고려하여 점차 복잡한 방법을 이용하는 것이 원칙이다.[5] 각 방법별로 자세한 내용은 뒤에서 다시 자세히 소개할 것이며, 대략적인 개요를 살펴보면 다음과 같다.

1) 이차 자연치유(healing by secondary intention)

자연치유는 창상 수축(wound contraction)과 재상피화(re-epithelialization)로 이루어진다. 창상 수축은 창상부에서 교원질(collagen), 섬유소 등이 기질 내의 섬유모세포와 염증세포, 신생 모세혈관 등과 엉성하게 혼합되어 육아조직이 형성되면서 일어난다. 깨끗한 부위에서는 대개 3, 4일째에 시작하여 구심성으로 진행된다. 또 창상의 변연부에서는 피부의 부속기 등에서 재상피화가 진행되어 자연치유된다. 간단하고 수술이나 마취가 필요 없어 경제적이지만, 시간이 오래 걸리며 부위가 클수록 수축이 현저하므로 반흔이 커서 복합적이거나 광범위한 결손에는 부적절하다.

2) 일차 봉합

간단하면서 경제적이나 작은 결손에서만 가능하고 봉

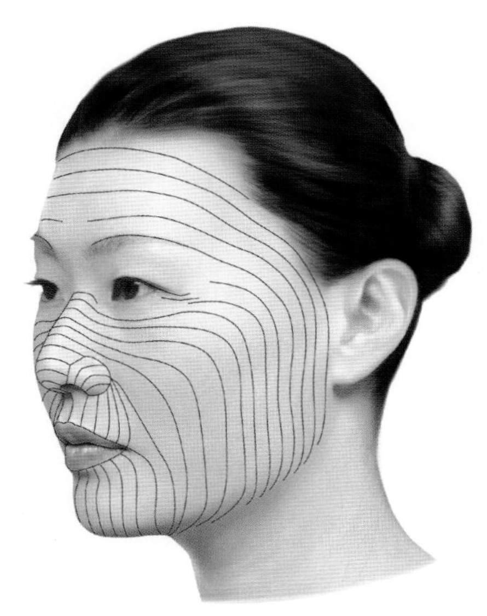

■ 그림 38-1. **이완상태의 피부긴장선.** 안면에서 반흔을 최소화하기 위해서는 피부긴장선과 이에 수직인 최대신전선의 원리에 따라 피부긴장선에 평행하게 절개해야 한다.

합 부위의 지나친 긴장을 피해야 한다. 안면에서는 피부 긴장선(relaxed skin tension lines; RSTLs)과 최대신전선(lines of maximum extensibility; LMEs)의 원리를 따라야 한다(그림 38-1). 대개 일차 봉합이 가능한 피부결손의 길이와 폭의 비율은 2.4:1 혹은 3.0:1 정도이다. 전두부에서는 2.5–3.0 cm까지, 협부에서는 2.0–2.5 cm까지는 일차 봉합이 가능하다.

3) 식피술(skin graft)

피부의 표피(epidermis)와 진피(dermis)를 이식하는 것으로 독립된 혈관 공급이 없어 수혜부의 영양상태에 따라 생존이 좌우된다. 두께에 따라 부분층식피편(split thickness graft, Thiersch graft)과 전층식피편(full thickness graft, Wolfe graft)으로 분류된다. 후자는 표피와 진피, 피부 부속기를 모두 포함하고 있어 안면부의 표면적 결손에는 적절하나 혈관 분포가 양호하지 않거나 감염된 부위에는 적당치 않다. 이식편의 두께가 얇을수록 생존율은 높으나, 내구성이 떨어지며 반흔과 수축이 많고 수혜부와 피부색이나 질감이 맞지 않는 단점이 있다. 공여부로는 반흔의 노출이 적고 수혜부와 피부색이 유사한 곳을 선택하여야 한다. 점막 이식편은 비중격, 구강 협부, 치은(gingiva) 등에서 얻을 수 있다.

4) 피판(flap)

피부의 혈관 분포는 근육층의 직하부에 위치한 분절동맥(segmental vessels)이 관통동맥(perforator vessels)을 통하여 근육 자체 내에 분포하는 동시에 피부동맥(cutaneous vessels)으로 연결되는데 이는 근육의 심층에 분포하는 근피부동맥(musculocutaneous vessel)과 표면에 분포하는 직접피부동맥(direct cutaneous), 근중격피부동맥(septocutaenous, fasciocutaneous vessel)과 진피혈관총(dermal plexus)과 진피하혈관총(subdermal plexus)을 통하여 피부에 분포한다(그림 38-2).

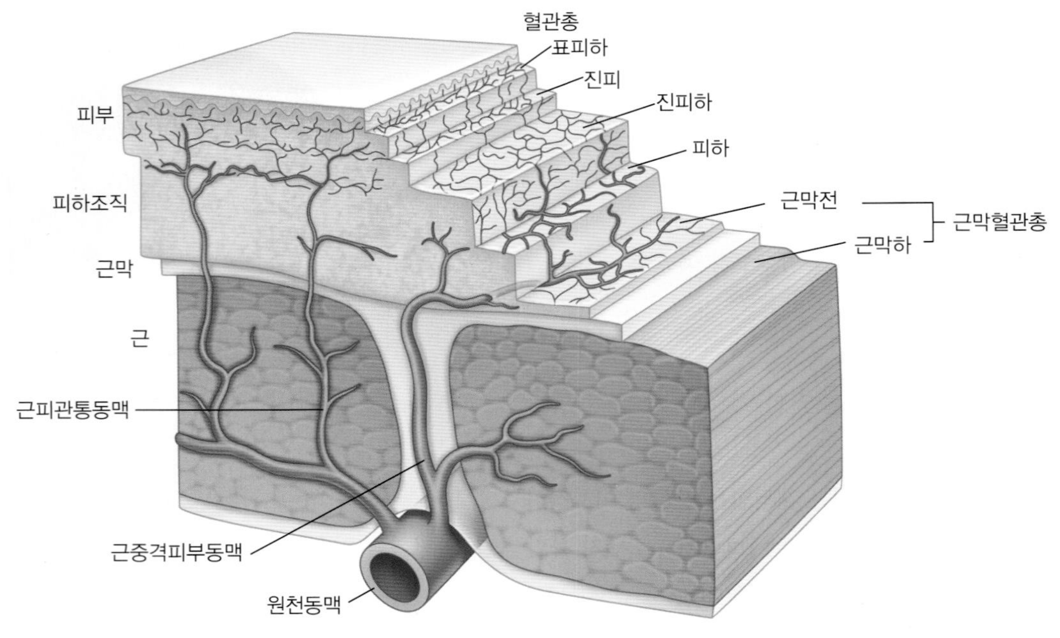

■ 그림 38-2. **피부 혈관 분포의 형태.** 근육의 심층에 분포하는 근피부동맥과 표면에 분포하는 직접피부동맥, 근중격피부동맥

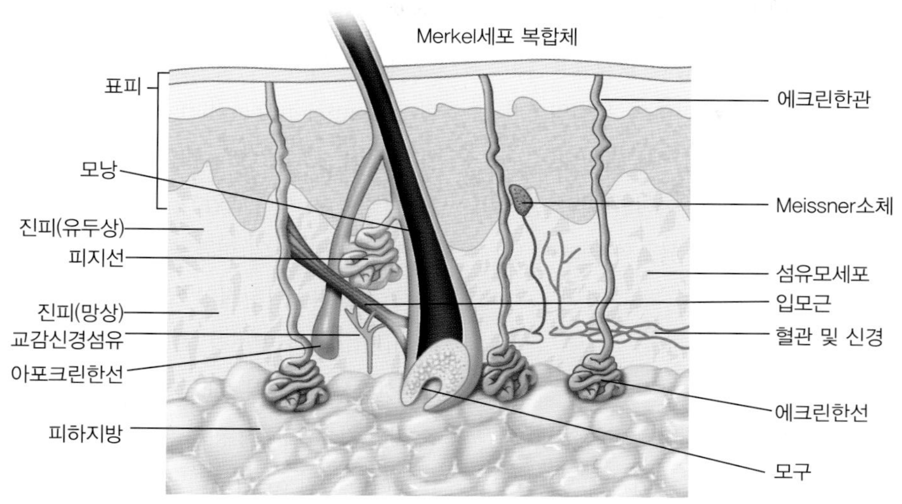

■ 그림 38-3. **피부의 해부.** 표피는 외배엽으로부터 유래되며 대사활동은 있으나 각질화가 진행되면서 혈관이 없는 중층편평상피로 구성되고 평균 두께는 신체의 대부분 부위에서 0.1 mm 정도이고 멜라닌 세포를 포함한다. 진피는 중배엽에서 유래되는 결체조직으로 피하지방 및 근육층과 연결되어 있고 신경, 혈관, 림프관, 표피 기저부의 부속섬유 등을 포함한다.

II 피부 이식판과 피판의 생리

피판이란 정상적인 기능을 하는 혈관의 순환을 통하여 직접 혈액공급이 유지되는 피부와 주위피하조직을 한 위치에서 다른 위치로 이동하는 것을 말한다. 이동된 피판은 정상 기능을 하는 혈액순환에 의하여 생존할 수 있어 해부학적으로 분리되어 직접 혈액순환이 없이 이동되는 피부이식 등과는 차이가 있다.

피판의 역사는 정확치 않으나 기원전 1,000년경부터 인도에서 형벌로 코를 베어낸 후, 결손의 재건에 전두피부가 이용되기 시작한 것이 그 기원이다. 영어에서 피판을 뜻하는 'flap'이라는 단어는 네덜란드어인 'flappe'라는 단어에서 유래한 것으로 이는 파리채같이 넓적한 모양의 무엇을 때리는 목적으로 사용되는 물건을 총칭하는 말이었다. 두경부 재건술의 역사와 발달이 곧 피판술의 발달이라 할 수 있을 만큼 피판술은 두경부 재건에 중추적인 역할을 담당하고 있다.

1. 피판의 해부 생리

1) 피부의 해부

피부는 감각기관인 동시에 보호기관이며 인체가 생존하는 데 필수적인 복합기관이다. 이러한 피부는 외층인 표피와, 내층인 진피로 구성되어 있다. 표피는 외배엽으로부터 유래되며, 대사활동은 있으나 각질화가 진행되면서 혈관이 없는 중층 편평상피로 구성되고, 평균 두께는 신체의 대부분 부위에서 평균 0.1 mm 정도이고 멜라닌 세포를 포함하고 있다. 진피는 중배엽에서 유래되는 결체조직으로 피하지방 및 근육층과 연결되어 있고 신경, 혈관, 림프관, 표피 기저부의 부속섬유 등을 포함한다. 진피의 두께는 표피보다 15–40배 두껍고 등(back)에서는 4 mm에 이른다. 표피와 접하는 진피의 외층은 불규칙한 형태의 유비층으로 구성되어 있고 지질이 풍부하며 교원섬유들이 불규칙하게 배열되어 있고 모세순환이 잘 발달되어 있다. 유비층 아래의 망상진피는 두꺼운 콜라겐 다발과 성긴 탄력섬유로 구성되며 섬유세포와 혈관 등이 성기게 분포해 있다. 망상층 아래의 진피층은 사람에서는 성긴 결체조직과 지방세포를 함유하며 진피심층과 교원섬유들로 서로 연결되는데, 교원섬유의 농도는 피부의 움직임이나 그 밑에 존재하는 구조물에 따라 그 정도가 결정되며 손바닥, 발바닥들에 특히 많이 존재한다. 이러한 피하 진피심층은 그 아래 근육층의 천층근막과 서로 연결되어 있다(그림 38-3).[2]

2) 피부의 생리

피판이 만들어질 때는 정상 피부에 국소 조직 손상, 신경 차단, 혈액공급 감소와 같은 자극이 가해지게 되고 이에 대한 피부의 해부학적, 생리학적 반응에 따라 생존 가능한 피판의 크기가 결정된다. 피부는 표피순환계에 의해 혈액을 공급받아 영양을 공급받고 신체의 체온을 조절한다. 이러한 체온조절 기능 때문에 신체 피부는 부위에 따라 차이가 있으나, 정상 체온에서는 피부를 통하여 9 ml/min/100g 정도의 혈류가 공급된다. 이는 피부가 필요로 하는 영양을 공급하는 데 필요한 혈류량의 10배에 해당한다. 피부로 공급되는 혈류량은 혈관을 최대로 이완시키면 7배까지 증가할 수 있고, 추위에 노출되면 피부의 영양공급에 필요한 최소량으로 감소하여 체온을 조절한다.

피부의 혈액순환은 진피 내 망상층에 있는 영양 모세혈관총(nutrient capillary network)과 유비층의 동정맥문합(arteriovenous shunt)이 조절하며, 피부로 유입되는 혈액량은 세동맥압과 괄약근에 의해 결정된다(그림 38-4). 또한 피부의 혈류량은 전신적, 국소적인 요인에 의해 조절된다. 전신적인 조절에는 신경성 조절(neural regulation)과 액소성 조절(humoral regulation)이 있다. 신경성 조절에는 교감신경에 반응하는 교감성 혈관수축섬유가 주로 작용하는데, 혈관벽에 있는 수용기(receptor)인 α-아드레날린성 수용기가 혈관을 수축하고, β-아드레날린성 수용기가 혈관을 확장하는 작용을 한다. 액소성 조절은 epinephrine과 norepinephrine에 의해 피부혈관의 α-아드레날린성 수용기에 직접 작용하여 혈관수축을 일으킨다.

피부 혈류의 국소적 조절은 대사성 조절(metabolic regulation)과 물리적 조절(physical regulation)로 나뉜다. 대사성 조절은 주로 pCO_2의 증가 pO_2의 감소, pH의 감소 등 대사물질에 의해 혈관이 확장되는 것이며, 물리적 조절은 관류압이 증가하여 피부혈관이 확장함에 따라 혈관수축을 유발하는 것이다.

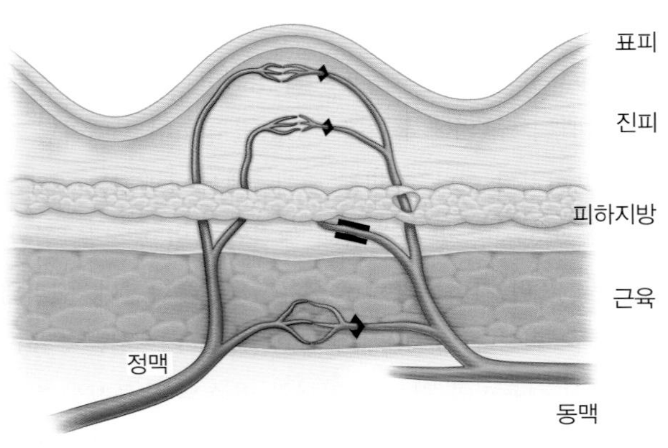

■ **그림 38-4. 모세혈관전 괄약근과 문합전 괄약근에 의한 피부 혈류 조절.** 피부 혈액순환의 조절 기능은 진피내 망상층에 있는 영양 모세혈관총과 유비층의 동정맥문합이 수행하며, 피부로 유입되는 혈액량은 세동맥압과 괄약근의 유입량에 의해 결정된다.

3) 피부의 혈액공급

피부를 순환하는 혈액은 근피부동맥(myocutaneous a.)과 중격피부동맥(septocutaneous a.)을 따라 유입된다. 근피부혈관은 근육으로 들어가는 혈관으로부터 상부 근육을 뚫고 천공지를 분지하여 피부에 영양을 공급한다. 중격 피부동맥 또는 직접 피부동맥(direct cutaneous a.)은 근육동맥에서 분지한 동맥이 근육 사이를 분리하는 근간중격을 통하여 피부에 분지한다. 근피부동맥은 체간부에 많고, 중격피부동맥은 상하지의 말단부에 주로 많으며 커다란 혈관경 피판의 도안이 가능하다. 중격피부동맥이나 근피부동맥은 5개의 각각의 혈관총(plexus)인 근막(fascial), 피하(subcutaneous), 피부(cutaneous), 진피

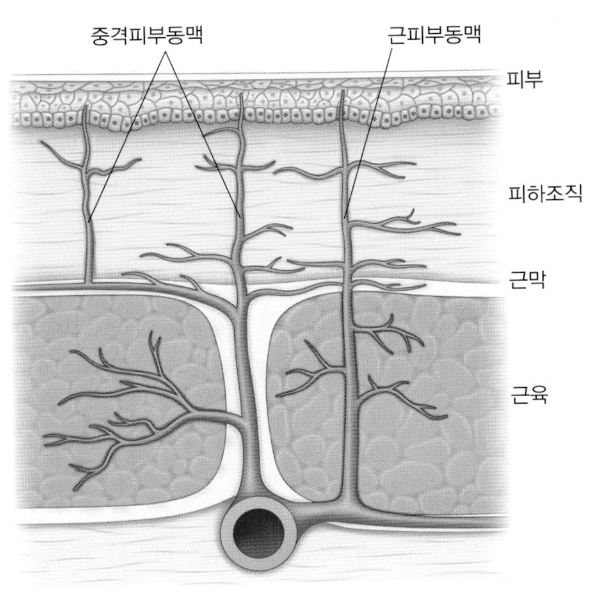

■ 그림 38-5. **피부의 혈액공급(근피부동맥과 중격피부동맥).** 중격피부동맥이나 근피부동맥은 5개의 각각의 혈관총인 근막, 피하, 피부, 진피, 표피하 혈관총을 구성하여 피부의 혈류 공급을 신축성 있게 담당한다.

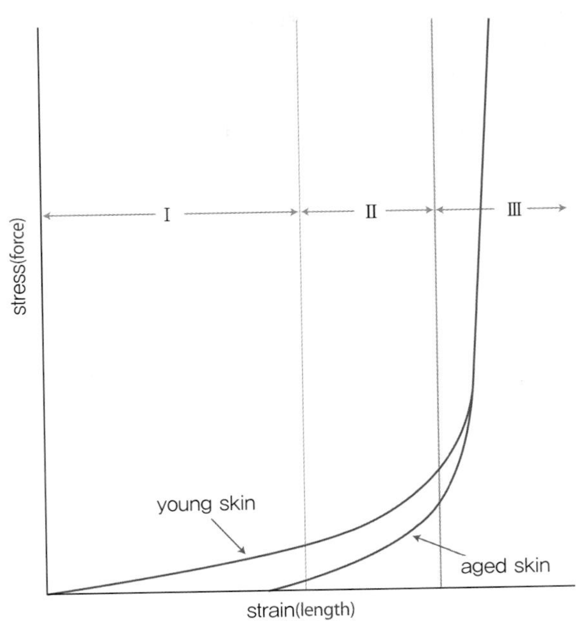

■ 그림 38-6. **연령에 따른 피부의 S-S곡선.** 어떤 물질에 가해지는 힘과 그 물질이 반응하여 일어나는 변형과의 관계를 나타내는 응력-변형 관계인 S-S곡선이 피부에서는 일정한 직선을 이루지 않는다. S-S곡선의 첫 부분은 약간의 힘으로도 잘 확장하나 중간 부분에서 급격한 곡선의 전이가 나타나며 마지막 부분은 많은 힘을 가해도 아주 약간만 확장한다.

(dermal), 표피하 혈관총(subepidermal plexus)을 구성하여 피부의 혈류공급을 신축성 있게 담당한다(그림 38-5).

림프관은 미세혈관총의 심부로 평행하게 주행하여 림프총(lymphatic plexus)을 형성하다가 맹관으로 끝나면서 직접 혈류 내로 환원되거나 세포 외 체액의 형태로 혈관 내로 환원된다.

피부신경은 감각신경과 교감신경계에서 유래하는데, 감각신경은 피부분절양상으로 분포하며 피부 보호에 관여하고, 피부 교감신경은 신경 전달물질인 norepinephrine을 함유하고 피부 세동맥 부위에 존재한다.

4) 피부 피판의 생체역학

피판이 생존하려면 혈액공급 양상뿐 아니라 병리생태적 특성과 생체역학적 양상들도 중요하다. 과거에는 피판 도안을 과학적이기보다는 예술적으로 하는 경우도 있었고, 경험적 관찰에 근거해 길이와 폭의 비율을 일정하게 지켜왔으나, 피판의 생존 기간과 관계 있는 것은 피판의 폭이 아니라 혈류의 방향에 있다는 것이 입증된 후 다양한 피판이 소개되었다. 또한 피부의 역학적 특성이 혈류량과 피판의 생존에 영향을 미치므로, 이러한 특성을 고려하고 생물역학적 개념을 인식하여야 적절하고 생존율이 높은 국소피판을 도안할 수 있다.

피부는 다양한 물질이 여러 방향으로 세망을 형성하며 살아있는 조직으로, 증식이 가능하고 물리적 자극에 반응하여 변화할 수 있고 다른 물질에 비하여 역학적 조성이 매우 특이하여 몇 가지 특성을 가진다. 첫째, 피부의 역학적 양상은 이형적 특성을 가진 교원섬유, 탄력섬유, 신경섬유, 모세혈관, 림프관, 지질 등 조직망으로 구성되어 어떤 물질에 가해지는 힘과 그 물질이 반응하여 일어나는 변형과의 관계를 나타내는 응력-변형(stress-strain) 관계인 S-S곡선이 피부에서는 일정한 직선을 이루지 않는다. 즉, S-S곡선의 첫 부분은 약간의 힘으로도 잘 확장하나 중간부분에서 급격한 곡선의 전이가 나타나며 마지막 부분은 많은 힘을 가하여도 아주 약간만 확장하게 된다(그림 38-6). 그러므로 S-S곡선의 첫 부분인 확장기 상태에서 피판을 도안해야 창상을 손쉽게 폐쇄할 수 있다. 둘째, 사람의 피부는 개인에 따라 확장성이 다르며, 같은 개인에서도 신체 부위에 따라 피부압력이 다양한 이방성(anisotropy)의 특성을 갖는다. 또한 신체의 각 부위에서의 피부압력은 모든 방향으로 작용하지만 주로 피부긴장선(RSTL)을 따라 작용하므로 이 선에 평행하게 피판을 도안하면 폐쇄 압력을 줄이고 반흔을 작게 할 수 있다.

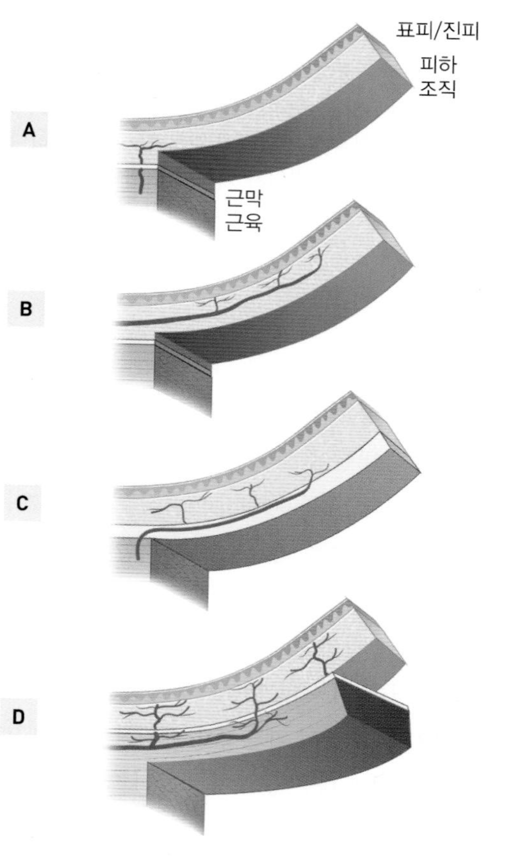

■ 그림 38-7. **혈액공급에 따른 피판의 분류.** A) 임의피판. B) 동맥피부피판. C) 근막피부피판. D) 근피부피판

2. 피판의 분류

피판은 혈액공급을 근거로 분류하는데, McGregor (1973)가 도입한 축성피판(axial flap)과 임의피판(random flap)의 개념을 근거로 하여 다음과 같이 분류한다(그림 38-7).

1) 임의 피부피판

임의 피부피판(random skin flap)은 피판의 혈액공급이 피판 기저부의 근피부동맥이나 중격피부동맥에서 유래되어 진피하 혈관총과 연결되면서 피판의 말단부로 혈액이 공급되는 형태의 피판이다. 임의 피부피판은 흔히 국소피판으로 회전, 이전, 전진, 튜브 형태로 재건에 이용된다. 안면부에서는 진피혈관층이 풍부하여 피판을 안전하게 작성할 수 있으나 혈액이 비교적 좋지 못한 신체의 말단부위에서는 길이와 폭의 비율에 따라 피판의 크기가 제한될 수 있다. 피판이식에 성공하려면 지연술이 필요하기도 하나 폭이 넓은 피판이 반드시 생존기간을 늘리는 것은 아니다.

2) 축성 피부피판

축성 피부피판(axial skin flap)(동맥 피부피판)은 피판의 장축을 따라 주행하는 영양공급 혈관을 포함하는 피판으로, 임의 피부피판에 비하여 생존율을 높일 수 있다. 축성 피부피판의 장점은 다양한 피판 도안과 거상이 가능하고, 도서형 피판이나 유리 피판 형태로도 이용할 수 있다는 것이다. 피판의 종축을 따라 존재하는 중격피부동맥에 맞게 도안한 도서형 피판은 상부조직 없이도 영양혈관 피판경만 있는 형태의 동맥피판을 형성하여 피판의 유연성을 높일 수 있고, 피판경의 부피를 줄일 수 있어 특정 부위 재건에 유용하다.

3) 근피부, 근막피부 피판

근피부피판(myocutaneous flap)은 피판의 생존율을 높이는 새로운 변형된 방법으로 말단 분절동맥(segmental artery)에서 근육으로 분지되는 천공지와 피부혈관들에서 혈액을 공급받는다.

근피부피판은 대흉근 피부피판처럼 공여 근육의 이름을 따른다. 또한 혈류량이 풍부하고 근 피부피판 내 조직이 고농도로 산소분압을 유지할 수 있어서 오염되었거나 감염된 결손 부위의 치료에 이용 가능하여 대식작용과 백혈구의 세포살상능력을 개선할 수 있으므로 임의 피부피판에 비하여 좀 더 세균감염에 강력하게 저항한다. 피판을 도안할 때 정맥하혈관총에서 혈액을 공급받는 임의 부분을 포함할 수 있는데 이러한 확장 부위가 허혈성 피판 괴사가 가장 많이 일어나는 부위가 된다.

근막피부피판(fasciocutaneous flap)은 중격 피부혈관과 피부분지들에 의해 형성되는 심혈관총을 통하여 진피하혈관총에 혈액을 공급한다. 이러한 근막피부피판은 피부의 혈관 지배영역에 따라 사용할 수 있고 요전박피판처럼 근막의 이름을 따라 부르기도 한다.

4) 정맥피판

최소한의 영양공급만으로도 피판의 생존이 가능할 경우 정맥피판(venous flap)을 도안하기도 한다. 이 경우 피판 내로 유출되는 정맥혈관경을 보존하여 이를 통해 피판이 생존하게 된다. 피판은 정맥혈관경만을 받는 경우에도 동맥혈관경만 있는 경우처럼 즉시 괴사가 일어나지 않고 동맥혈류 공급 없이 술 후 3일까지 생존할 수 있다. 산소와 영양은 피판 수혜부로부터 피판 내로 확산하여 공급되므로 혈관이 재형성될 때까지 피판이 생존할 수 있다. 인체에서는 밸브가 없는 말초 사지 부위에 응용할 수 있다.

5) 유리 미세혈관피판

유리 미세혈관피판(microvascular free flap)은 원위 공여부에서 동맥, 정맥을 포함하는 피판을 도안하고 이를 공여부로부터 완전히 분리하여 부착된 피판경이 없이 수혜부의 동·정맥에 문합하여 이식한다. 이 피판은 미세혈관 문합 술기를 익혀야 하지만, 적절한 크기와 형태의 피판을 도안하여 다양하게 사용할 수 있다. 결손의 크기와 필요에 따라 공여부에서 다양한 조직을 채취할 수 있는 복합피판으로서 사용하기에도 적합하며, 현재 두경부 재건술에 가장 이상적인 피판으로 널리 사용되고 있다.

3. 피판의 감시

피판의 혈액순환 상태를 감시하여 파악하면 피판의 상태나 변화를 조기에 알 수 있어 합병증을 예방할 수 있다. 여러 가지 감시(monitoring)방법들이 사용·개발되고 있는데, 다음 사항들을 고려해야 한다. 그 방법이 임상 또는 연구에 이용하기 적합한가, 피판 전체의 관류량을 알기 위해 피판의 어느 한 곳만을 검사해도 되는가 아니면 전체를 검사해야 하는가, 검사에 소요되는 시간은 얼마인가, 반복검사가 가능한가, 피판을 지속적으로 감시하는 방법인가, 묻혀 있는 유리 이식조직 등에도 유용한가 하는 점 등이다.

1) 피판의 관류 측정

동물 모델을 이용하여 다음과 같은 피판의 관류 측정이 연구되고 있다. 관류측정의 목적은 피판의 혈류량에 대한 특정 약제의 영향을 정량적으로 조사하거나 실험군과 대조군에서 피판으로 가는 기초 혈류량을 비교하여 피판의 생존을 예측하는 것이다. 현재 연구되는 관류 측정방법에는 Microphore, Fluorescein, 레이저 도플러 주사법, 피하조직의 pH, 산소분압, 온도 측정 등을 이용하여 피판의 관류압을 측정하는 방법, 조직 내 물질들을 제거하는 속도를 이용하여 혈류량을 측정하는 방법, 조직에 소량의 액체를 주사한 후 간질의 역동성을 측정하여 탄성률의 변화를 통하여 간질조직의 변화를 알아보는 방법 등이 있다.

2) 주관적 감시법

주관적 감시법은 피판의 혈류공급 상태를 경험적으로 검사, 판단하는 방법으로 피판의 색, 모세혈관의 탈색, 피판의 탈색, 자상부 출혈 등을 관찰하는 것이다. 피판의 온도나 색을 주관적인 방법으로 판단하는 것은 피판의 종류나 상태에 따라 차이가 있어 제한적인 지표로만 이용될 수 있다.

피판의 표면을 압박한 후 하얗게 탈색된 압박 부위가 모세혈관 재충전에 의해 원래의 피부색으로 돌아가는 것을 관찰하는 모세혈관 탈색 검사법(capillary blanching refilling time)은 실용적인 방법으로, 압박 후 약 3초를 기준으로 이보다 늦으면 동맥성 허혈을, 빠르면 정맥성 허혈을 의심할 수 있다. 주사바늘 등으로 피판에 작은 자상을 내고 출혈을 관찰하는 것도 유용한 방법으로, 출혈이 전혀 없으면 동맥의 기능장애, 밝은 적색의 출혈이 일어나면 정상, 출혈이 지연되면 동맥경축 상태, 청색증적인 흑적색의 출혈은 정맥혈의 울혈 상태를 나타낸다. 이 외에 피판의 온도를 측정하는 방법도 있으나 실용적이지는 못하다.

3) 객관적 감시법

주관적 징후가 나타나기 전부터 피판에 문제가 있음을 알 수 있는 방법이나, 임상에서 적용하는 데는 보존적인 자료를 이용해야 하는 단점이 있다. 현재 임상에서 이용되는 것으로는, 조직의 pH나 경피적(transcutaneous)으로 pO2를 측정하는 대사검사(metabolic test), 초음파도플러(ultrasound doppler)나 레이저도플러(laser doppler)를 이용한 광전검사(photoelectric test), 광혈량측정법(photoplethysmography), 피판의 표면온도(surface temperature)나 차등온도측정(differential thermometry) 등을 이용한 온도검사(temperature test), 발광염색검사(vital dye test), 정량검사(quantitative test), 제거검사(clearance test), 방사선마이크로포어검사(radioactive microphore test), 전자유량측정법(electromagnetic flowmetry) 등이 있다. 이 중 임상적으로 많이 사용되는 것은 도플러검사와 온도검사법이다. 최근에는 양전자 방사단층촬영법(PET scan)을 이용하여 조직 내 혈류를 측정하여 피판의 성공 가능성을 미리 검사하는 방법도 시도하고 있다.

4) 생존율의 평가

피판의 생존율은 피판 형성 후 보통 7, 8일까지 측정하나 피판 형성 후 3일부터 2주까지 측정하여야 괴사 양상을 좀 더 자세히 알 수 있다. 생존율은 보통 생존한 피판의 크기를 측정하여 결정한다. 괴사가 일어나면 피판의 괴사부위는 좀 더 수축하고 크기가 작아지므로, 생존의 길이나 괴사 정도를 측정하려면 피판 전체 넓이에 대한 생존부위의 %를 측정하는 것이 좋다.

III 피부와 복합 조직이식

피부이식은 공여부에서 진피나 표피의 일부를 떼어낸 후 수혜부로 옮겨 이식하는 것으로, 이식한 피부는 수혜부에서 혈액을 공급받아 생존한다. 두경부 영역에서 일차 봉합을 할 수 없는 결손을 재건할 때 피판 사용을 고려하기 전에 우선 선택할 수 있는 방법이므로 두경부 결손을 재건할 때 널리 사용되고 있다.

1. 피부이식술

피부이식(skin graft)이란 창상이 넓을 때 그만한 크기의 피부를 어떤 부위, 즉 공여부에서 신경과 혈관을 완전히 분리하여 채취한 후 이를 피부결손 부위에 덮어 주는 것을 말한다. 창상을 치료하는 가장 좋은 방법은 봉합이지만 이는 창상이 크기가 크지 않을 때만 가능하다. 화상이나 외상, 수술 후 결손으로 인하여 피부나 점막의 손실부위가 넓을 경우 피부이식으로 성형하거나, 암의 근치 수

표 38-1. 피부이식술의 유전학적 분류

분류	이식	거부
자가이식(autograft)	공여부와 수혜부가 동일 개체에 있는 것	거부반응이 없다.
동인자이식(isograft)	일란성 쌍태아 간에 조직을 이식하는 것	
동종이식(allograft)	어떤 개체에서 조직이식편을 채취해서 동종의 다른 개체에 이식하는 것	피부 특이성 항원이 약한 경우에는 생착하나 강한 경우에는 거부반응이 일어난다.
이종이식(xenograft)	이종개체 간에 조직이식편을 이식하는 것	주로 체액성 면역기전에 의해 매우 빠르고 강한 거부반응이 일어난다.

표 38-2. 피부이식편의 조직학적 분류

분류	두께	혈류재통	수축	공여부	수혜부
부분층 피부이식편					
• 얇은(thin)	8~12/1,000인치	가장 빠름	중등도보다 약간 더함	두부, 대퇴부, 복부	
• 중간(medium)	12~18/1,000인치		중등도	위와 같음	넓은 육아조직 또는 일시적으로 덮어주어야 할 피부 결손부
• 두꺼운(thick)	18~25/1,000인치		중등도보다 약간 덜함	위와 같음	
전층 피부이식편	공여부에 따라 다름	덜 빠름	아주 적음	이개후부, 안검, 서혜부, 손목 저면, 발꿈치 전면	얼굴, 손, 손가락, 발가락
복합조직이식편 (composite graft)	일정하지 않음	가장 늦음	아주 적음	이개, 비중격	코, 이개, 안검

술 후 구강이나 인두의 결손부에 피부이식을 하기도 한다.

이식한 피부는 피판이나 장기이식과 달리 혈관문합술을 하지 않는다. 이식편에 혈관이 없으므로 식피편의 혈행재개는 이식 수혜부의 자연치유과정을 따른다.

1) 피부이식술의 분류

피부이식은 자가이식(autograft), 동인자이식(isograft), 동종이식(allograft), 이종이식(xenograft) 등으로 나누고(표 38-1), 피부 두께에 따라 부분층 피부이식술(split thickness skin graft)과 전층 피부이식술(full thickness skin graft)로 나눈다(표 38-2).

전층 피부이식술은 진피의 전층을 포함하므로 이식편이 정상 피부 같고 이식 후 수축이 적게 일어나 크기와 모양이 잘 유지되며 색소 침착이 덜 되어 색상 조화를 이룰 수 있어 국소 피판의 사용이 용이하지 않은 경우의 안면부 재건에 많이 이용된다. 한편 부분층 피부이식술은 이식편이 얇아 생착이 잘 되나 치유되면서 수축하고 색소가 침착할 수 있다. 진피층만을 이식편으로 사용할 수도 있는데, 구강 내에 사용하면 점막과 조화를 이루며 치유되고, 경동맥 등 중요 구조물을 보호하기 위해 피하층에 묻어 사용할 수 있다.[1]

2) 식피편의 혈행재개 기전

(1) 혈청 흡수기

이식한 피부의 혈관이 첫 24-48시간 동안에 수혜부로부터 섬유소가 없는 액체와 세포를 수동적으로 받아들여 영양공급을 유지하는 시기이다. 소수의 적혈구만을 포함하여 창백하게 보이고 얇은 이식편이 영양공급에 유리하다.

(2) 혈관접합

식피술 후 2-4일에 이식 피판 내에 있는 소혈관과 이식 수혜부의 소혈관이 직접 문합해서 서서히 혈액순환이 시작된다. 이때 식피편은 분홍색을 띤다.

(3) 모세혈관 신생기

식피술 후 3-4일째에 느린 혈류가 생기고 수술 후 5일 또는 6일까지 점점 향상된다. 림프관도 4-5일 후 형성된다. 이후 수일 동안 모든 혈관이 정상 직경으로 성장하고 이식한 피부에 순환이 이루어진다. 10일 이후에는 이 신생혈관들은 점차 감소하여 피부 고유의 혈관으로 된다. 이식편의 생착과 치유가 완료되면 수혜부에서 신경재생이 일어난다.

3) 이상적인 수혜부의 조건

수혜부의 혈액 공급과 감염 정도가 피부이식의 성공 여부를 가르는 중요한 판단 기준이 된다. 신선한 적홍색의 육아조직이나 살아있는 근막에는 이식한 피부가 생착할 수 있지만 만성 육아조직은 혈액 공급이 충분치 못하여 이식이 성공하기 어렵다. 따라서 만성 육아조직 위에 피부이식을 하려면 혈액 공급이 좋은 조직이 나올 때까지 육아조직을 제거해야 한다. 만성 창상은 농이 없고 건강한 붉은 빛을 띠며 pH가 7.4 이상이고 세균의 수가 조직 1 g당 10만개 미만이어야 하며 부종이 없어야 한다. 수혜부에서 혈액공급이 원활하다는 지침이 되는 것은 수혜부 변연에서 출혈이 있는 것이다. 물론 수혜부에 출혈이 심하면 안 되지만, 지혈을 위한 과도한 전기소작은 혈액 공급을 막고 상처에 가피 형성을 촉진하므로 피해야 한다.

4) 공여부(donor site)의 선택과 절제

(1) 부분층 식피술

공여부를 선택할 때는 먼저 색조의 조화와 흉터의 발생을 고려한다. 넓은 부위의 이식편이 필요할 때 흔히 이용되는 곳은 복부, 배부, 대퇴부이다. 부분층 식피술은 두께에 따라 얇은(thin), 중간(intermediate), 두꺼운(thick) 부분식피술로 나눌 수 있다(그림 38-8).

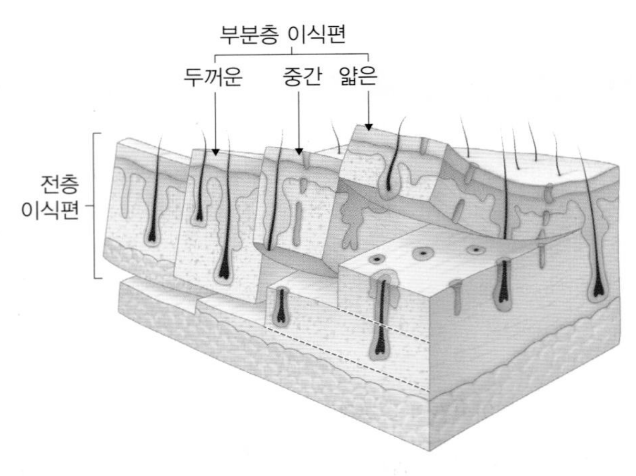

■ 그림 38-8. **두께에 따른 이식편의 구분.** 부분층 피부이식술은 두께에 따라 얇은, 중간, 두꺼운 부분층 피부이식술로 나눌 수 있다.

이식편을 얻는 데 사용하는 기구는 수동형 식피도(dermatome), 전기형 식피도 등 여러 가지가 있는데 대개 기구의 선택은 술자의 경험에 달려 있다(그림 38-9).

이식편의 두께는 이식편을 얻을 때 공여부의 출혈 형태로 알 수 있다. 얇은 이식편은 모세혈관으로부터의 작은 다발성 출혈을 보이고 두꺼운 이식편을 얻으면 깊은 혈관으로부터 많은 출혈을 보이게 된다. 심한 화상에서처럼 피부가 부족한 경우 식피도로 얻는 피부를 그물 모양을 만들어 원래 피부보다 확장하여 사용하는 망상피부이식(mesh graft)을 이용할 수도 있다.

(2) 전층 식피술

대개 피부가 얇은 곳을 공여부로 사용한다. 작은 안면부 결손 부위를 이식할 경우에는 공여부를 상안검에서 얻을 수 있고, 많은 양이 필요한 경우에는 이개후부에서 얻을 수 있다. 공여부는 일차 봉합할 수 있다. 복부도 피부

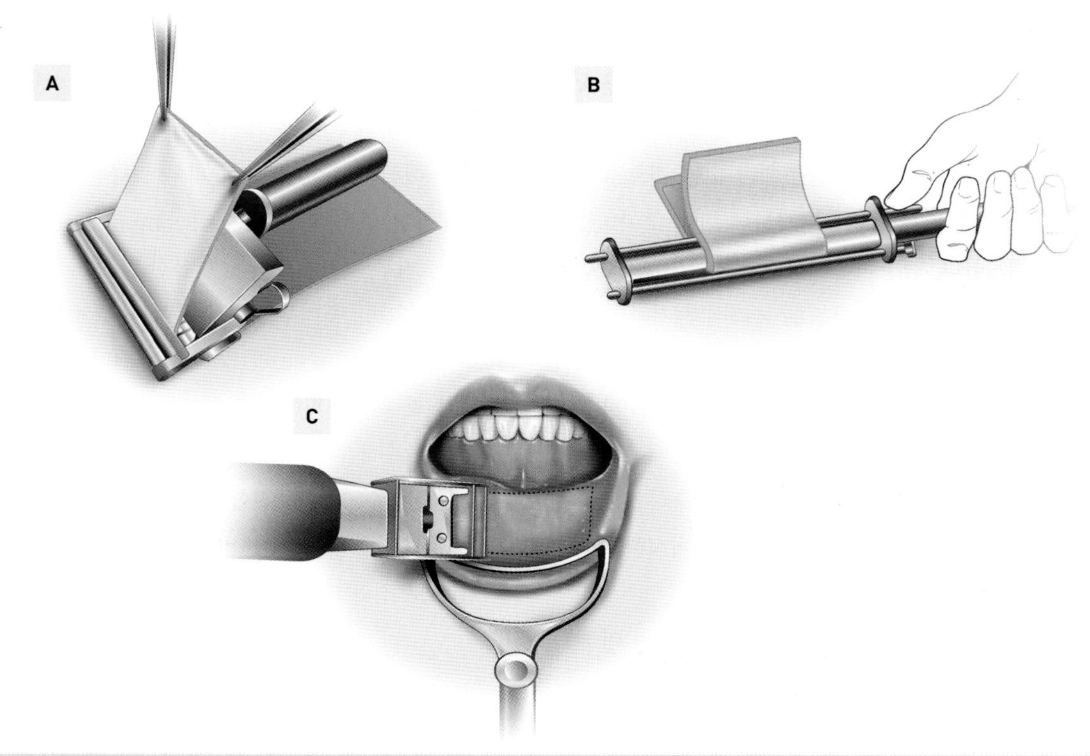

■ 그림 38-9. **부분층 이식편을 채취하는 데 필요한 기구와 조작.** **A)** Brown 전기형 식피도. **B)** Humby 나이프. **C)** 드럼 식피도.

이식의 공여부로 사용될 수 있으나 색조 조화가 나쁘다. 만약 매우 큰 이식편을 복부에서 사용하는 경우에는 많은 양을 얻은 후 부분층 식피술을 할 수 있다. 쇄골상부도 많은 양을 얻을 수 있는 공여부이나 경부청소술이 계획된 경우에는 쓰지 않는다.

전층의 이식편은 수축이 많지 않으므로 정확한 재건부 크기만큼의 이식편을 얻는 것이 중요하다. 이식편을 얻을 때는 진피와 피하지방층 사이 층으로 박리해야 하며, 지방조직은 불필요한 대사량을 늘리므로 제거한 후 사용해야 잘 생착한다.

5) 이식 피부의 고정

가장 흔히 쓰는 방법은 봉합이다. 봉합사의 끝을 길게 남겨 솜이나 거즈를 이식한 피부 위에 많이 놓은 뒤 묶는 봉합고정 드레싱(tie-over dressing)으로 고정 및 압박을 가할 수 있다. 이는 이식한 피부를 수혜부에 잘 고정시키고 혈종을 예방할 수 있는 좋은 방법으로, 피부 위에 항생제 연고가 묻은 거즈를 대고 이 위에 식염수에 적신 솜이나 거즈를 고르게 댄 후 피부를 압박하면서 봉합사를 묶는 방법이다. 또한 외과용 접착테이프나 collodion 접착제를 이용하여 이식한 피부를 수혜부의 가장자리에 고정할 수 있다.

6) 수술 후 처치

공여부의 처치에 중요한 것은 염증이 없이 상피화가 되도록 건조한 상태를 유지하는 것이다. 항생제가 묻은 거즈로 압박 드레싱을 한 후 48시간 후 상처를 개방하고 램프로 말리면 대개 약 2주 후면 상피화가 완성된다. 그러나 최근 상피화는 습한 상태에서 빨리 일어나는 것으로 알려져 있어 건조시키는 것이 좋지 않다는 보고도 있다. 화농성의 삼출액이 있으면 자주 상처를 드레싱하고 램프로 말린다. 이식편이 얇을수록 빨리 치유되어 얇은 경우에는 약 10일이면 치유되므로 2, 3주 후면 다시 이식편을 얻을 수 있다.

피부이식 후 이식편 아래 삼출액이 고일 것으로 예상되는 경우에는 술 후 2일째에 조사하여 만약 고여 있으면 삼출액을 제거한다. 혈종이나 액체가 고여 있으면 11번 메스로 작은 절개를 가한 후 거즈로 눌러서 제거하면 된다. 이식한 피부 주변으로 발적이 있거나 수술 후 통증이 심해지면 감염된 것이므로 괴사된 조직을 제거하고 자주 식염수로 적셔 준다. 대개 수혜부가 수축하기 때문에 이식한 피부가 각기 다른 정도로 다양하게 수축하는 것처럼 보인다. 따라서 식피술 후 부목을 대주면 이식한 피부의 수축이 적게 일어난다.

식피술의 실패 원인 중 가장 흔한 것은 이식편 아래 혈종이 생기는 경우이다. 외압 때문에 이식편이 잘 고정되지 않았을 때도 실패할 수 있다. 또한 수혜부에 골, 연골 혹은 건등에 골막이나 건막이 없을 때에도 실패할 수 있고, A군 β 용혈성 연쇄상구균(group A β-hemolytic streptococcus)의 감염으로 인해 이식편이 완전히 소실될 수도 있으므로 주의한다.

7) 이식한 피부의 수축

이식한 피부는 수축하게 되는데, 일차성 수축은 피부를 떼어내자마자 피부 자체의 탄력섬유에 의해 크기가 감소하는 것으로, 수축의 생물학적 과정은 아니며 수혜부에서 봉합함으로써 해결할 수 있다. 이차성 수축은 이식한 피부가 수혜부의 바닥이 수축하여 그 바닥 위에서 주름이 지면서 영구적으로 표면이 감소하는 것이다. 수혜부의 바닥 수축은 식피술 후 10일경부터 시작하여 6개월까지 지속되며 이식편이 두꺼울수록 이차성 수축이 적게 일어난다.

2. 복합조직 이식

복합조직이식술(composite graft)이란 적어도 두 가지 이상의 조직이 붙은 채로 이식하는 것을 말한다. 모발이 없는 두피나 눈썹을 재건해 주기 위하여 모발이 있는 두피를 이식하는 것과 같이 피부에 다른 조직이 붙은 채로 이식하는 것을 복합피부이식(composite skin graft)이라 한다. 피부, 지방, 모근을 함유한 모근이식이 대표적인 복합이식으로, 공여부로는 후두부(occipital area)나 측두부(temporal area)가 많이 이용된다. 복합조직 이식 때 생착 과정은 식피술 때와는 다른데, 복합조직이식편의 절단면과 수혜부 가장자리의 절단면이 맞닿는 곳에 진피하 진피혈관총이 서로 접합해서 혈관이 재개통되므로 복합조직이식술 때는 이식편의 가장자리와 수혜부의 가장자리가 서로 정확히 맞도록 하는 것이 중요하다.

IV 국소피판

피부는 중요한 두 가지 성질을 갖고 있는데 첫째는 탄력성(elasticity)이고 둘째는 이동성(movability)이다. 탄력성은 피부 자체가 늘어나는 능력으로 해부학적 위치에 따라 차이가 있다. 뺨(cheek)의 피부는 탄력성이 매우 높은 편에 속한다. 이동성이란 피부가 한 지점에서 다른 지점으로 이동할 수 있는 능력을 말한다. 이것은 탄력성과는 관련이 없는 경우가 많다. 예를 들면 측두부(temple)와 뺨의 피부는 탄력성은 비슷하나 이동성은 뺨의 피부가 훨씬 높다.

피판의 이동 방법에는 조직의 전진(advancement), 회전(rotation) 혹은 전위(transposition) 등이 있다. 그러나 기본적인 이동 방법은 공여부와 수혜부가 연결되어서 직접 이동하는 방법과 공여부와 수혜부 사이에 다른 정상 조직이 있어 이 정상 조직을 넘어서 이동하는 방법의 두 가지다.

피판경(flap pedicle)은 피판에 혈액을 공급하는 피판과 주위조직의 연결 부위이다. 피판을 디자인할 때는 피판에 혈액이 충분히 공급될 수 있도록 피판경을 염두에

표 38-3. 피판의 분류

이동 방법(method of movement)에 따른 분류
국소 피판(local flap)
전진피판(advancement flap)
회전피판(rotation flap), 축점피판(pivot flap)
보간피판(interpolation flap)
원격피판(distant flaps)
직접 피판(direct flap)
튜브피판(tube flap)
유리피판(microvascular flap)
혈관분포(blood supply)에 따른 분류
임의피판(random pattern flap)
축성피판(axial pattern flap)
피판 구성(composition)에 따른 분류
피부판(cutaneous flap)
근막피부판(fasciocutaneous flap)
근피부판(myocutaneous flap)
근육판과 피부이식(muscle flap with skin graft)
골피 부판(osteocutaneous flap)
감각피부판(sensory flap)

두어야 한다.

또한 피판을 박리할 때 피판경을 손상하지 않도록 주의해야 한다. 지연수술은 피판의 혈액공급을 증가시키는 한 방법이다. 이것은 피판을 디자인하고 혈관경을 보존하면서 피판을 들어올린 후 다시 봉합한 다음 일정 기간 지난 후 피판을 이동시키는 방법이다.

1. 피판의 분류

피판에 대한 분류는 여러 가지 계통으로 할 수 있지만 일반적으로 이동 방법, 혈액공급, 피판의 구성에 따라 분류된다(표 38-3).

피판은 공여부와 수혜부의 위치에 따라 국소피판과 원격피판으로 나눌 수 있다. 국소피판은 다시 전진피판, 회전피판 혹은 축점피판, 보간피판으로 나눌 수 있다. 전진피판은 외측 이동 없이 결손부로 직접 밀어서 이동시키는 것으로 가장 흔한 예는 V-Y 전진피판(V-Y advancement flap)이다. 반대로 회전피판 혹은 축점피판은 피판의 기저부에 축점이 있고 그 축점을 축으로 하여 회전하는 것인데 이동 후 회전호의 반경에 가장 심한 긴장이 생긴다. 보간피판은 결손부 바로 주위 조직에 공여부가 있는 것이 아니라 결손부와 좀 떨어진 부위에서 오는 것으로, 결손부와 공여부 사이에 정상 피부가 존재하게 되어 정상 피부의 위나 아래로 통하여 이동하는 것이다.

국소피판에는 좀 더 복잡한 분류 체계도 있는데, 전진피판은 수혜부와 공여부를 동시에 닫기 때문에 경제적인 반면, 회전피판은 공여부에 피부이식이나 또 다른 피판이 필요할 때도 있다. 보간피판은 공여부를 닫기는 쉬우나 피판경을 피하로 통과시키기 위해서 조직을 제거할 때 손상의 위험이 있을 수 있고, 중간 정상 피부의 위를 지나가게 되면 피판경을 자르는 수술이 필요하다.

원격피판은 직접피판, 튜브피판 혹은 유리피판으로 나눌 수 있다. 직접 원격피판은 공여부와 수혜부가 각기 해부학적으로 다른 부위라도 체위상 서로 가까이 접근될 수 있어야 한다. 두 부위가 접근되지 않는다면 튜브피판이나 유리피판을 해야 한다. 유리피판은 많은 양의 조직을 직접, 동시에 이동할 수 있으나 현미경 접합수술의 기술이 필요하다.

2. 국소피판

국소피판은 기능적, 미용적으로 매우 유용하다. 결손부 주위 조직이므로 색, 감촉 등 그 성상이 가장 가깝고 동일한 신경이나 기능을 유지할 수 있기 때문이다. 한 수술시야에서 1단계 수술로 절개선을 따로 만들지 않아도 되며, 공여부 유병률이 매우 적은 것이 장점이다. 그러나 결손 부위가 크거나 심부 조직 결손이 커서 주위조직의 양이 충분치 못하면 재건이 어렵고, 임의형 혈액공급이므로 피판의 길이에 제한이 있고, 주위조직에 혈액순환이 좋지 않으면 공여부에 손상 혹은 변형을 일으킬 수 있다.

국소피판은 여러 종류로 분류할 수 있으나 기본적인 것은 두 종류이다. 고정된 한 점을 중심으로 회전하여 결

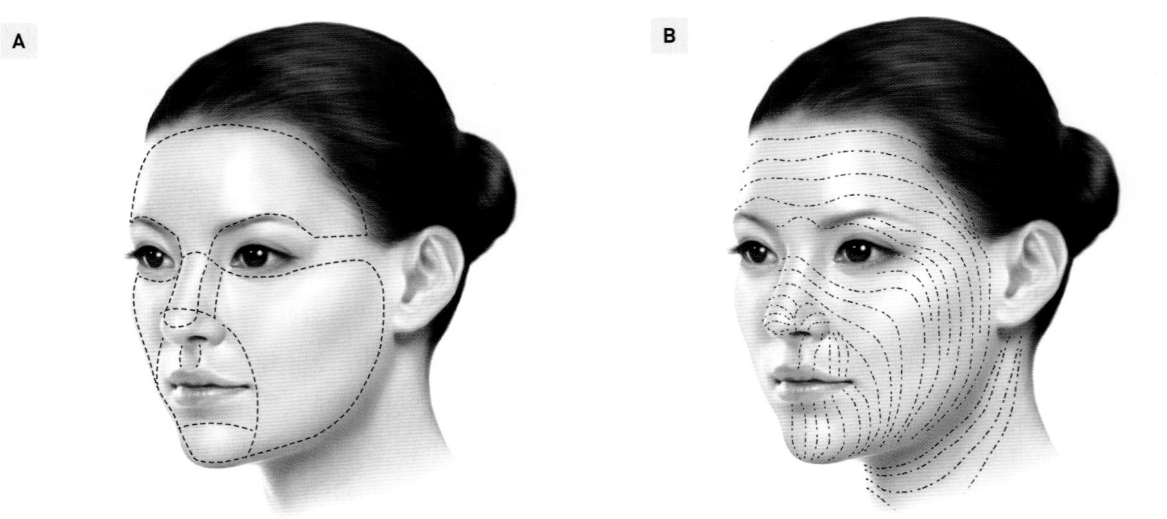

■ 그림 38-10. **안면 피부의 경계와 긴장선.** **A)** 안연부 피부의 미학적 경계(facial esthetic borders). 안면부는 피부의 두께, 색, 조직 구성, 털의 유무와 자연적 해부학적 선에 따라 특정한 부위로 나눌 수 있다. **B)** 피부긴장선 피부긴장선에 평행하게 절개를 넣으면 일반적으로 쉽게 치유되나 직각으로 절개하면 치유가 늦고 반흔이 넓어진다.

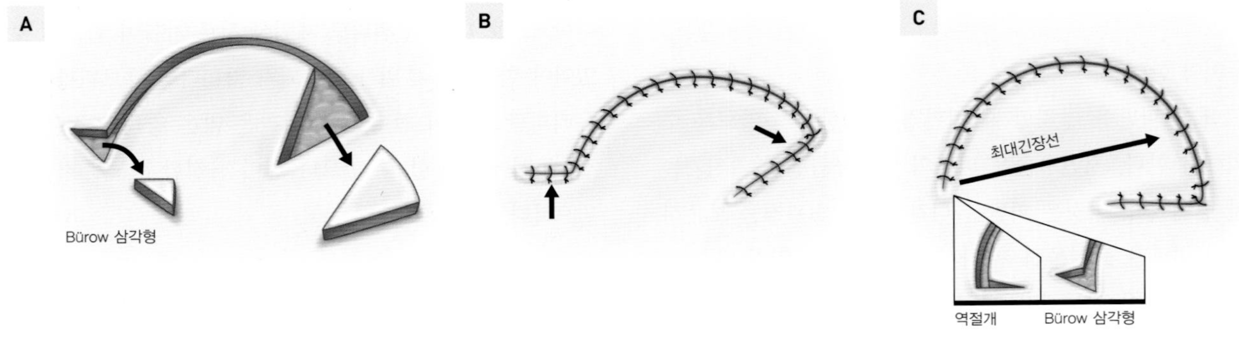

■ 그림 38-11. **회전피판, Bürow 삼각형, 역절개.** 피판의 기저부에 역절개나 Bürow 삼각형을 만들어 축점의 위치를 이동시키면 긴장과 융기되는 피부변형을 줄일 수 있다.

손 부위로 가는 것과 피판 전체가 전진 이동하여 결손 부위에 도달하는 것이다.

1) 회전 피판

안면부는 피부의 두께, 색, 조직 구성(texture), 털의 유무와 자연적 해부학적 선(natural anatomic line)에 따라 특정한 부위로 나눌 수 있다. 이것을 일반적으로 미학적 경계(esthetic borders)라고 부른다. 이 미학적 경계는 또한 절개선을 위장해 주어 피판을 디자인할 때 특히 회전피판(rotation flaps)을 디자인할 때 외과의에게 좋은 지침이 된다.

피부긴장선(relaxed skin tension lines, RSTLs)은 피부 교원질섬유가 나열하여 생기는 것으로, 나이 든 사람에서 잘 나타나나 젊은 사람에서도 중요하다(그림

38-10). 이 선에 평행하게 절개를 넣으면 일반적으로 치유가 쉽게 잘 되나 직각으로 절개하면 치유가 늦고 반흔이 넓어진다.

기본적인 회전피판은 단순 축점피판으로, 결손 부위 근처에 축점을 두고 부채꼴로 피판을 들어올려 축점을 중심으로 하여 회전시켜 결손 부위로 이전시키는 것이다. 이 피판은 삼각형의 결손 부위에 가장 좋고 결손부의 한 변이 피판의 전진 변이 된다. 모든 축점피판에서는 피판의 기저부에 융기되는 피부변형이 생긴다. 이러한 공여부 창상을 교정하기 위하여 Bürow 삼각형을 제거하게 된다. 피판을 회전시키면 최대 긴장의 벡터(vector)는 축점에서 외측 호의 곡선이다. 피판의 기저부에 역절개(back-cut)나 Bürow 삼각형을 만들어 축점의 위치를 이동시키면 긴장과 융기되는 피부변형이 줄어든다(그림 38-11).

회전피판은 협부에 많이 이용된다. 턱의 재건에 쉽게 사용할 수 있으나 가끔 미학적 경계선을 적절하게 사용하여 절개선을 위장하기 위하여 두 개의 피판을 사용하기도 한다. 목의 상부에 큰 결손 부위가 있을 때 협부나 경부의 하부에 있는 탄력성이 높은 피부로부터 보충하기 위하여 회전피판을 사용한다. 피판의 호가 모선(hairline)을 따라가는 큰 회전피판은 측두부나 전두부 측면의 결손 교정에 도움이 된다. 적은 회전피판이 미간의 재건에 사용될 때도 있다.

회전피판이 두피 결손의 교정에도 이용되는데 두피조직은 탄력성이 없고 두개골의 둥근 모양을 그대로 유지하고 있어서 다수의 회전피판을 동시에 사용해야 할 때도 있다. 두피 피판은 결손 부위에 비하여 훨씬 커야 한다. 두피의 경우에는 일반적인 기저부와 길이의 비가 4:1의 법칙은 적용되지 않고 6:1 정도가 필요하다.

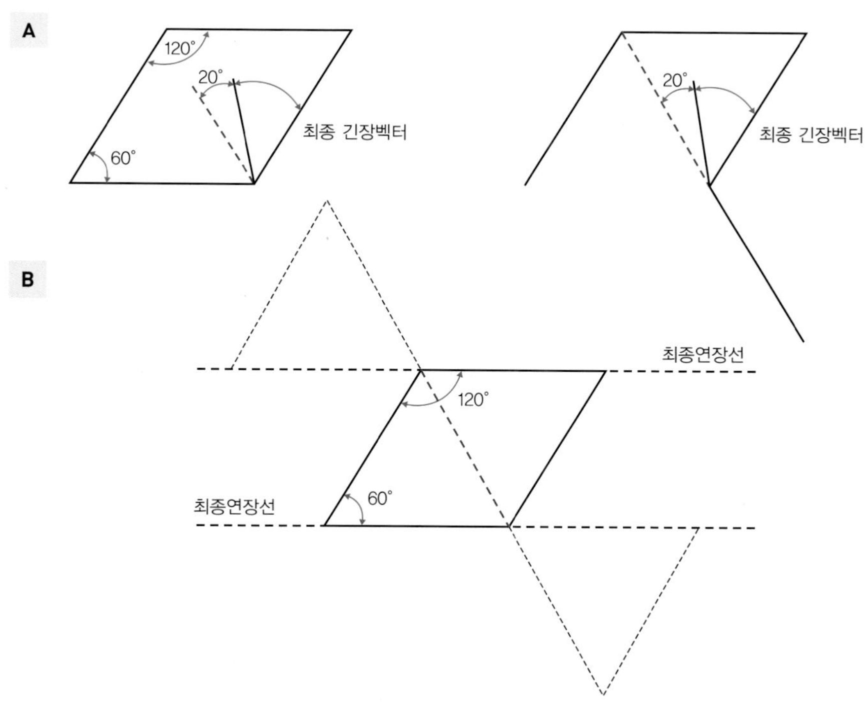

■ 그림 38-12. **마름모꼴 피판.** **A)** Limberg 마름모꼴 결손과 피판, 봉합 전과 후의 긴장선. **B)** 마름모꼴 피판과 최대 연장선의 위치와 방향 마름모꼴 피판은 4개의 모서리 중 마주 보는 모서리의 각이 2개의 60°와 2개의 120°를 가진 마름모꼴 결손에 적합하도록 설계되 었다.

2) 전위피판

전위피판(transposition flaps)은 회전피판과 마찬가지로 피판이 고정점 주위를 회전하여 결손 부위로 이동하고 결손 부위와 공여부 사이에 일부 정상적인 피부가 존재한다. 마름모꼴 피판(rhomboid flaps), 양엽피판(bilobed flaps)과 비구순피판(nasolabiaI flaps) 등이 있다.

마름모꼴 피판은 Limberg 피판이라고도 하며, 안면에서 가장 흔히 사용되는 국소피판이다. 전형적인 마름모꼴 피판은 4개의 모서리 중 마주보는 모서리의 각이 두 개의 60°와 두 개의 120°를 가진 마름모꼴 결손에 적합하도록 설계되었다. 마름모꼴 결손은 주위 방향에 따라 네 가지 모양으로 만들 수 있다(그림 38-12). 긴장이 가장 많이 걸리는 부위는 공여부를 봉합한 선의 수직 방향이고, 피판의 말단에는 긴장이 없다는 장점이 있다.

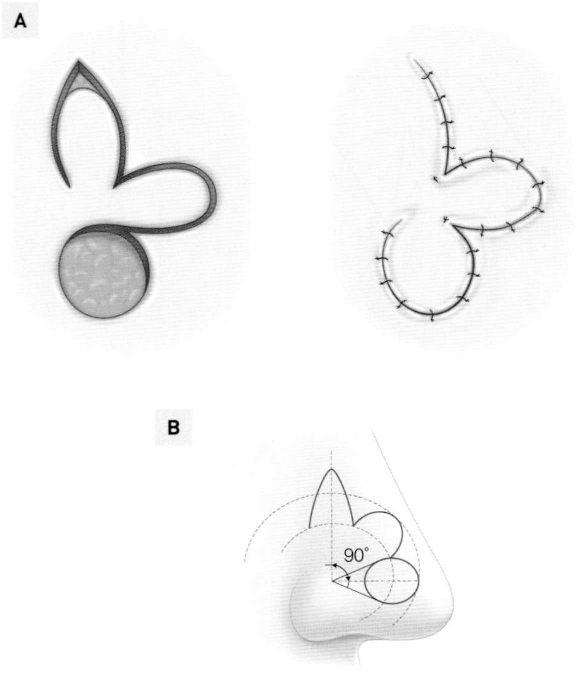

■ 그림 38-13. **양엽피판.** **A)** 기본적인 양엽피판. **B)** 외비에서 봉합 후 발생하는 융기 피부 기형을 최소화하는 디자인. 첫 번째 피판은 결손부와 길이는 같고 넓이는 약간 작게 대략 90°로 도안하고, 두 번째 피판도 첫번째 피판보다 작게 대략 90°각도로 도안한다.

양엽피판(bilobed flaps)은 원래 하나의 혈관경으로 두 개의 피판을 세로로 나열한 것으로, 피부의 늘어나는 성질을 이용하여 작은 크기의 두 개의 회전피판을 사용하여 두 개의 피판과 공여부에 긴장을 분산하는 것이다. 첫 번째 피판은 결손부의 길이는 같고 넓이는 약간 적으며 대략 90°로 도안하고, 두 번째 피판도 첫 번째 피판보다 작게 대략 90° 각도로 도안한다. 이 피판들을 절개하여 두 번째 피판이 있던 공여부는 일차봉합하고 피부의 늘어나는 성질을 이용하여 차례로 피판을 이전시켜 결손 부위를 막는다(그림 38-13). 이 피판은 외비(external nose)의 재건에 가장 유용하게 사용된다.

보간피판(interpolation flap)은 공여부와 수혜부가 서로 분리되어 있어 공여부와 수혜부 사이에 정상 조직이 있게 되고, 피판경(pedicle)은 정상 조직의 위나 아래를 통과하여 수혜부에 도달한다. 보간피판으로는 피하도서피판(subcutaneous island flaps)이나 비구순피판(naso-labial flaps)이 있는데, 혈액공급을 유지한 채로 수혜부로 이전되며 혈액공급이 확보되면 피판경을 잘라버린다.

3) 전진피판

전진피판(advancement flaps)은 일반적으로 결손부 바로 옆에서 피판을 만들어 결손 부위로 피판을 전진시키는 모든 피판을 의미한다. 가장 단순한 형태는 결손부 양옆 조직을 들어올려 직접 접근시켜 결손 부위에서 봉합하는 것이다. 피판의 이동은 한 방향이고 피판은 결손 부위로 직접 이동된다. 전진피판의 기본적인 도안은 결손부의 양옆과 평행선으로 절개를 연장하여 절개선의 내측 피부를 들어올린 후 결손 부위로 이동시켜 봉합하는 것이다. 피판을 작성할 때 피부뿐만 아니라 피판경 주위의 연조직과 결손 부위의 피판 반대쪽 연조직도 완전히 들어올려야 한다. 전진피판을 만들면 융기되는 피부기형(standing cutaneous deformities)이 생기는데, Bürow 삼각형을 제거하여 방지할 수 있고 피판의 이동도 쉽다.

전진피판의 기본적인 장점 중 하나는 결손 부위의 일차 봉합을 할 때 생기는 융기 피부기형의 위치나 방향에 변화를 줄 수 있다는 것이다. 사각형이나 기하학적 전진피판은 결손 부위로부터 먼 곳에 융기 피부기형을 둠으로써 미용상 더 좋은 결과를 가져온다. 피판을 완전히 전진시킨 후에라야 Bürow 삼각형이 생기는 위치를 확인할 수 있다. Bürow 삼각형을 절제할 때 삼각형의 변이 피부긴장선이나 미학적 경계선과 일치하도록 디자인할 수 있다. 피판의 길이가 충분히 길면 가끔 Bürow 삼각형을 제거하지 않고 반 바느질씩 당겨 봉합함으로써(rule of halves) 작은 주름으로만 남게 할 수도 있다.

전진피판은 안면부의 외과적 결손을 재건하는 데 매우 유용한데, 수술 전에 피부의 조직구성, 색, 경도, 털의 유무를 잘 관찰해야 한다. 전진피판을 사용하기 전에 피판의 긴장 벡터의 위치, 절개선의 위치와 절개선이 피부긴장선이나 미학적 경계선에 부합하는지, 융기 피부기형이 생길 수 있는 위치와 그것을 제거하는 가장 좋은 방법 등을 고려해야 한다.

단경 전진피판(single-pedicle advancement flap)은 U성형이라 부르기도 하는데 가장 기본적인 전진피판이다(그림 38-14A). 이 피판은 이마의 수평 주름살 선과 눈썹을 따라 절개선을 넣어서 절개선 반흔을 위장할 수 있는 전두부에 잘 사용하며, 일반적으로 넓이와 길이의 비를 3:1 정도로 사용한다.

양측 전진피판(bilateral advancement flaps)은 H성형이라고도 하는데, 결손 부위를 봉합하기에는 조직의 양이 부족하여 단경 전진피판이 어려울 때 사용된다. 양측 전진피판의 기본적인 이동 방법과 봉합 방법은 단경 전진피판과 같으며, 결손 부위의 양측에서 피판이 결손 부위로 이동한다는 것만 다르다(그림 38-14B).

협부 전진피판은 일반적으로 협부 피부와 연조직의 이동성과 탄력성이 비교적 좋기 때문에 많이 사용된다. 안면부에 발생하는 피부암은 코와 뺨 사이의 연결부위인 비·안면부 구(nasal-facial sulcus)에서 발생률이 높다. 이 부위의 암을 제거한 결손 부위는 보통 일차봉합이 불가능하고 협부 피부가 코의 피부보다 이동성이 좋고 수술 후

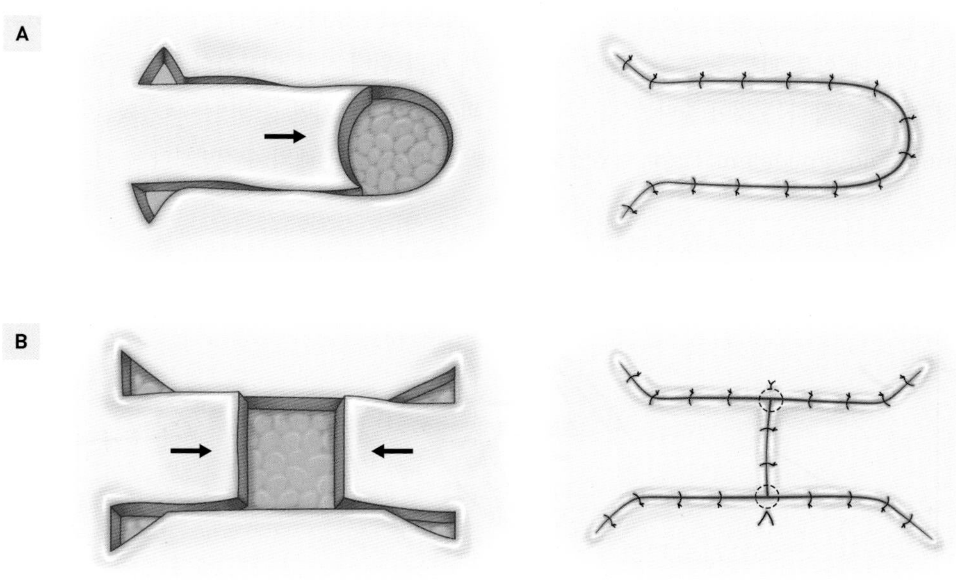

■ **그림 38-14. 전진피판.** **A)** 단경 전진피판. 가장 기본적인 전진 피판 **B)** 양측 전진피판. 양측 전진피판의 기본적인 이동 방법과 봉합 방법은 단경 전진피판과 같으며, 단지 결손 부위의 양측에서 피판이 결손 부위로 이동한다는 것만 다르다.

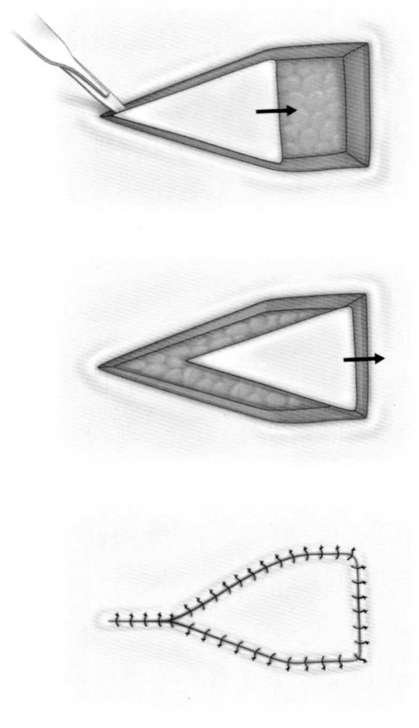

■ 그림 38-15. **V-Y 전진피판.** 피부나 점막에 V자형 절개를 가해서 V자 모양의 피판을 전진시킨다. 이 상태에서 V자형 절개의 양편에 있는 피부를 모아서 봉합한다. 이렇게 하면 피부나 점막의 길이가 길어져 연조직의 길이를 단축할 수 있다.

미용적 효과도 높기 때문에 협부 피부를 결손 부위로 이동시키는 협부 전진피판을 사용하는 것이 좋다.

단순 진피판(simple advancement flap) 이외에도 V-Y전진피판(V-Y advancement flap)이 자주 이용된다. V-Y전진술이란 피부나 점막에 V자형 절개를 가해서 V자 모양의 피판을 전진시킨 상태에서 V자형 절개의 양편에 있는 피부를 모아서 봉합해 줌으로써 봉합선이 Y자형이 되는 것이다. 이렇게 하면 피부나 점막의 길이가 길어지므로 연조직의 길이를 단축할 때 유용한 방법이다(그림 38-15).

4) Z성형

Z성형은 반흔 제거수술 등에 많이 이용되고 있다. Z성형은 조직 이동이 다양하여 반흔 방향의 변경, 반흔 선의 절단, 반흔 수축 길이의 연장에 이용된다. 실제적으로 Z성형은 반흔의 방향을 피부긴장선이나 안면 미학적 경계에 적합하게 변경함으로써 반흔을 위장할 때나 길고 직선인 반흔을 작은 분절로 나누어 잘 보이지 않게 하는 데 이용된다.

고전적으로 Z성형은 같은 길이의 한 개의 중심 변과 두 개의 외측 변으로 구성하며, 중심변은 연장시키거나 재배치할 반흔 위에 둔다. 전형적인 60° Z성형에서 각도측정법으로는, 90°를 표시한 후 삼등분하고 변의 길이를 같게 하기 위해 자를 이용한다(그림 38-16). 이러한 삼각형의 피판을 이동시키면 중심변은 90° 회전하여 수직에서 수평으로 바뀌고, 원래의 수직변보다 수직으로 길이가 늘어나

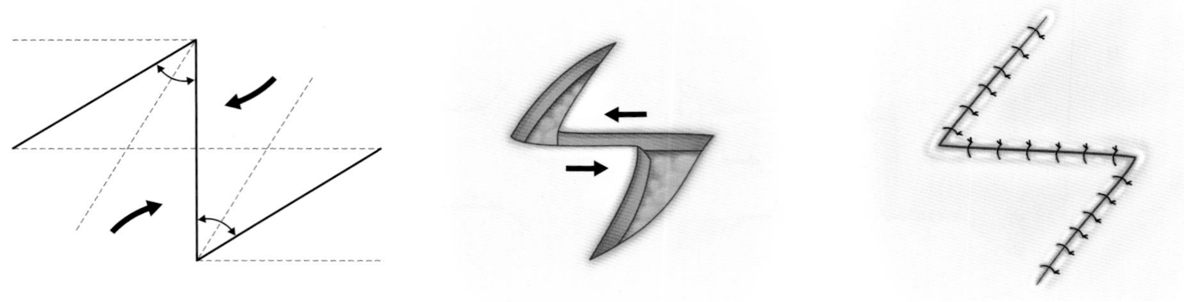

■ 그림 38-16. **Z성형.** 같은 길이의 1개의 중심 변과 2개의 외측 변으로 구성하며, 중심변은 연장시키거나 재배치할 반흔 위에 둔다. 전형적인 60° Z성형에서 각도를 측정하려면 90°를 표시한 후 삼등분하고 변의 길이를 같게 하기 위해 자를 이용한다.

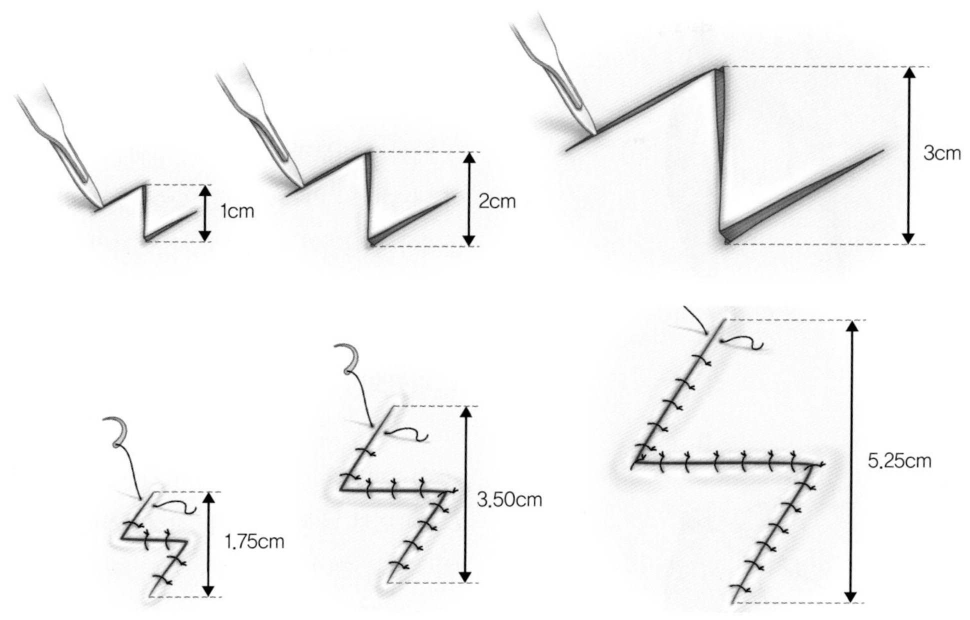

■ 그림 38-17. **Z성형 후 기본선 길이 연장.** 중심변은 90° 회전하여 수직에서 수평으로 바뀌고, 원래의 수직변보다 수직으로 길이가 늘어난다.

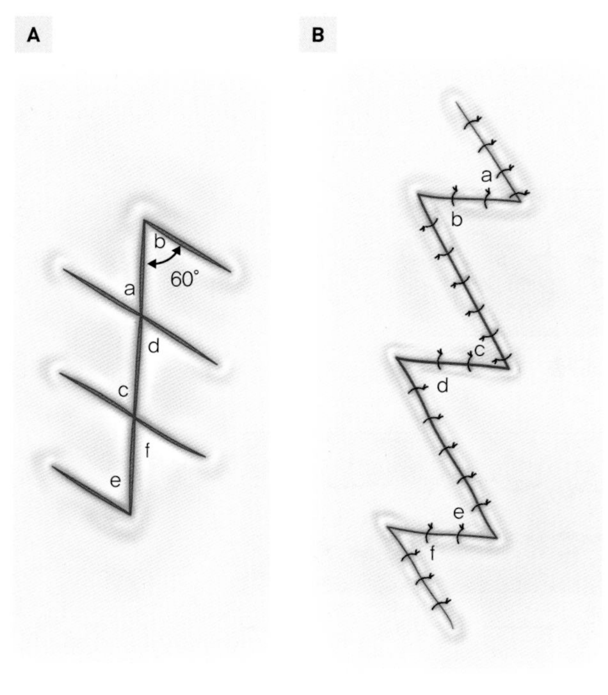

■ 그림 38-18. **복수 Z성형.** 하나의 긴 반흔을 중심변을 동일한 선상에 두고 작은 여러 개의 60° Z성형으로 나눈다.

며, 마지막의 반흔은 원래의 수직선 반흔이 절단되어 Z모양으로 된다(그림 38-17).

중심변의 원래의 길이가 결과에 영향을 주어 Z성형의 세 변이 길어지면 전체 반흔도 커진다. 이러한 경우에는 복수 Z성형을 도안하여 하나의 긴 반흔을 중심변을 동일한 선상에 두고 여러 개의 작은 60° Z성형으로 나누는데, 보통 안면부에서 변의 길이는 1 cm 이하이고 경부에서는 2 cm를 넘지 않는 것이 좋다(그림 38-18).

V 유경피판

두경부에는 피부나 점막뿐만 아니라 두개골, 상악골, 하악골 등 필수적인 주요 기관이 많이 있고 또 사회생활에서 가장 중요한 부분인 안면부가 있다. 따라서 두경부암을 제거한 후나 외상으로 인해 생긴 두경부의 결손 부위는 매우 복잡하여 재건에도 섬세함이 요구된다.

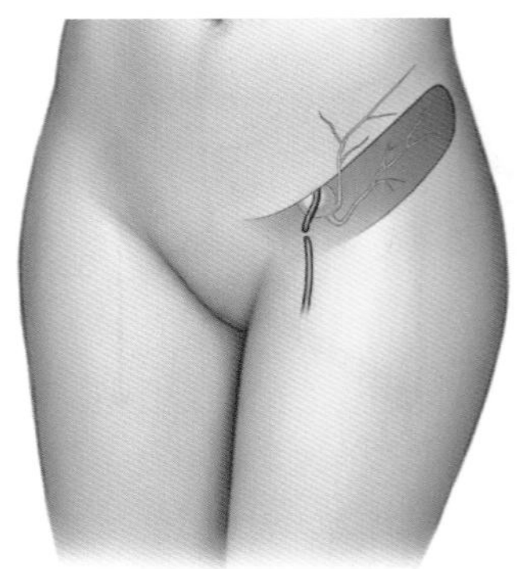

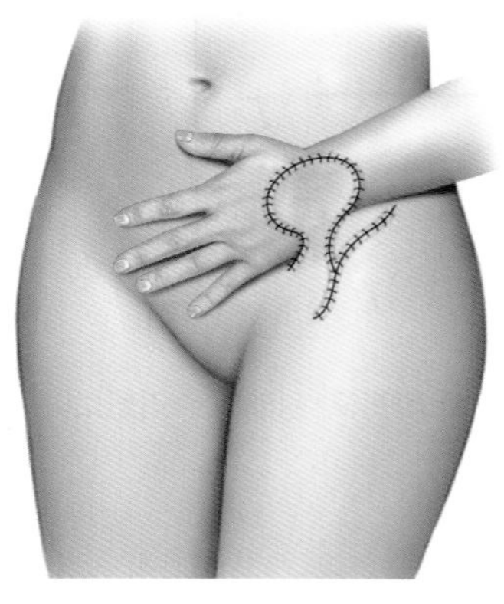

■ 그림 38-19. **직접원격피판은 공여부와 수혜부가 접근이 가능해야 한다.**

1965년에 Bakamjian은 인두 재건에 지연시술이 필요 없는 큰 피부피판인 삼각흉부피판(deltopectoral flap)을 사용하는 새로운 방법을 발표하였다. 그 이후 Milton이 그 때까지 피부판 디자인을 지배해온 기하학적 원칙인 '길이 대 넓이의 비'를 부인함으로써 피부판의 기하학적 계산 법칙이 무너지기 시작했고, 기하학적 제한이 없어지자 새로운 형태의 피판이 많이 등장하게 되었다.

1. 피판의 이동방법

원격피판은 이동방법에 따라 직접피판, 튜브피판과 유리피판으로 나눌 수 있다. 직접원격피판은 공여부와 수혜부가 멀리 떨어져 있더라도 서로 접근시킬 수 있어야 한다(그림 38-19). 두 부위가 접근되지 않으면 튜브피판이나 유리피판을 사용해야 한다. 튜브피판은 이동 중 감염과 수축이 적으나 이동 거리가 먼 경우에는 여러 번의 수술이 필요하며 지금은 다른 피판으로 대치되어 거의 사용되지 않고 있다.

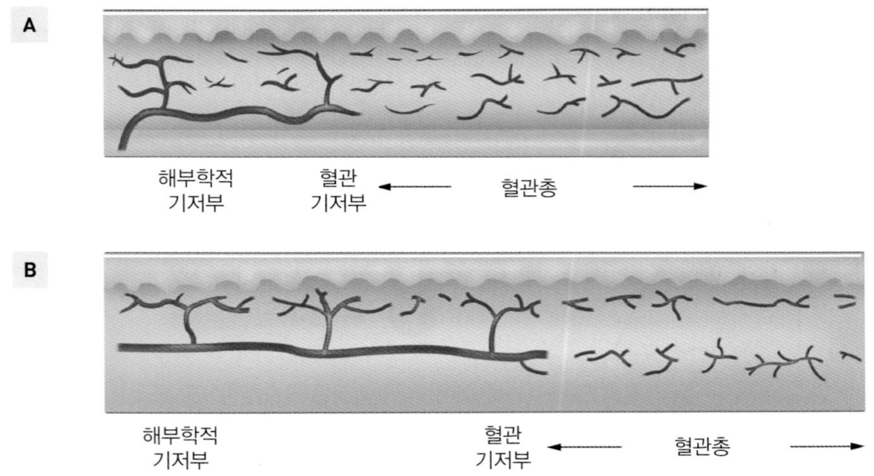

■ 그림 38-20. **축성피판과 근막피부피판.** A) 축성피판 또는 동맥피판 피판경에 특정 동맥을 포함해서 디자인한다. B) 근막피부피판 피부판 쪽으로 심부근막을 포함시킨 것이다. 근막피부동맥은 단순히 피부동맥의 일부분으로 주동맥에서 나오는 분지로서, 근육 사이 격막을 통과하여 근막과 그 위에 있는 피하조직에 분지를 낸다.

표 38-4. 두경부에 흔히 이용되는 피부피판과 혈액공급

피판	혈액공급 형태	혈액공급혈관
삼각흉부피판(deltopectoral flap)	축성	내유관통동맥(internal mammary perforators)
측두피판(temporal flap)	축성	천측두동맥(superficial temporal artery)
전두피판(forehead flap)	축성	안와상동맥(supraorbital artery), 활차상동맥(supratrochlear artery)
후경부피판(nape of neck flap)	임의형	후이개동맥(postauricular artery), 후두동맥(occipital artery), 척추동맥(vertebral artery)
흉견봉피판(thoracodorsal flap)	임의형	경횡동맥(transverse cervical artery), 쇄골상동맥(suprascapular artery), 흉견봉동맥(thoracodorsal artery), 외측 흉동맥(lateral thoracic artery)
경안면피판(cervicofacial flap)	임의형	안면동맥(facial artery), 천측두동맥(superficial temporal artery)
경흉피판(cervicopectoral flap)	축성 및 임의형	내유관통동맥(internal mammary perforators) 경횡동맥(transverse cervical artery), 안면동맥(facial artery)

2. 축성피판, 동맥피판

축성피판(axial pattern flaps)은 Esser와 Webster(1937)가 처음 발표하였으나 Bakamjian이 삼각흉부피판을 발표하면서 체계화되었다. 기하학적인 '넓이 대 길이의 비' 개념에 근거한 것이 아니라 피판의 기저부에 특정의 혈관 즉 전흉곽관통혈관(anterior thoracic perforators)을 두고 피판경 내에 외측 피부혈관 분지(lateral cutaneous branch)를 포함하여 도안하였다. 동맥의 혈액공급은 해부학적 기저부를 훨씬 넘어서 혈관기저부로 동맥의 말단은 다시 피부혈관총으로 이어진다(그림 38-20A). 이와 같이 피판경에 특정 동맥을 포함해 디자인했기 때문에 이것을 동맥피판(arterial cutaneous flaps)이라고 불렀다.

3. 근막피부피판

근막피부피판(fasciocutaneous flap)은 피판에 혈액공급을 늘리기 위해 피부판 쪽으로 심부 근막을 포함시킨 것이다(그림 38-20B). 근막피부동맥은 단순히 피부동맥의 일부분으로 주동맥에서 나오는 분지로서 근육 사이 격막을 통과하여 근막과 그 위에 있는 피하조직에 분지를 낸다. 근막에는 내부 모세혈관계(intrinsic capillary system)와 외부 모세혈관계가 있는데, 내부 모세혈관계는 매우 적고 약하나, 외부 모세혈관계는 근막의 깊은 면보다는 바깥 면에서 더 잘 발달되어 혈관층을 형성하고 있다.

근막피부피판을 디자인할 때는 위치와 분포가 잘 알려진 단일 격막피부천공혈관에 의존하여 피판을 디자인한다. 근막피부피판의 근막은 근육만큼 감염에 강하지 않고 피판을 감시하기가 어려우나, 수술 시 들어올리기 쉽고 빠르며 생존율이 높고 임의피부판보다는 피판의 길이를 15–20% 늘릴 수 있다. 그러나 대부분의 근막피부피판은 공여부의 유병률이 심각하여 다른 선택이 불가능할 경우에만 사용하는 수가 많다.

4. 피부피판

피부피판은 여러 가지 변형이 많으나 두경부 재건에 흔히 이용되는 피판은 (표 38-4)와 같다.[3]

1) 삼각흉부피판

삼각흉부피판(deltopectoral flap, DP flap)은 근막피부피판으로서 흉부 전면 상부의 내측에 기저부를 두고 내유동맥(internal mammary a.)의 늑간 관통분지의 첫째에서 넷째 분지까지를 공급혈관으로 하는 축성 피부피판이다. 흉견봉동맥(thoracoacromial a.)과 외측 흉동맥(lateral thoracic a.)도 이 피판의 원위부에 혈액공급을

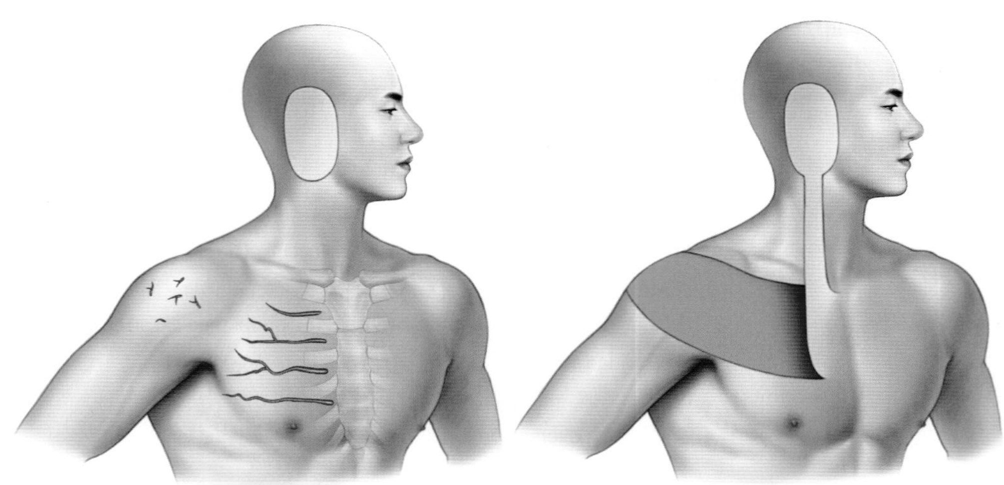

■ 그림 38-21. **삼각흉부피판.** 근막피부피판으로서 흉부 전면 상부의 내측에 기저부를 두고 내유동맥의 늑간 관통분지의 첫째에서 넷째 분지까지의 공급혈관에 의한 축성 피부피판이다.

하나 피판을 올리게 되면 이 혈관은 절단된다(그림 38-21). 이 피판은 신뢰도가 매우 높고 생존력이 좋아서 동측 눈썹 이하의 두경부 영역의 대부분에 이용된다. 요즈음은 대흉근근피판으로 많이 대치되었지만 아직도 경부와 안면 하부의 피복, 인두피부루의 폐쇄, 인두 재건 등에 이용되고 있다.

2) 전두피판, 측두피판

전두피판(forehead flap)이나 측두피판(temporal flap)은 천측두동맥(superficial temporal a.)에 의한 축성 피판으로 구강 내 결손 부위 재건에 생존 신뢰도가 매우 높다. 전두피판은 이주(tragus) 높이에서 측두에 기저부를 두고 상방으로는 모선(hair line), 하방으로는 눈썹의 윗선을 따라 절개를 넣고 이마의 피부 전체를 피판에 포함시킨다(그림 38-22). 피판은 협궁 위의 피하에 통로를 만들어 구강 안으로 이동하여 사용하며 공여부에는 식피술을 실시한다. 근피판이 발달되기 전에는 생존율이 좋아서 많이 사용되었으나 요즈음은 공여부에 심한 반흔을

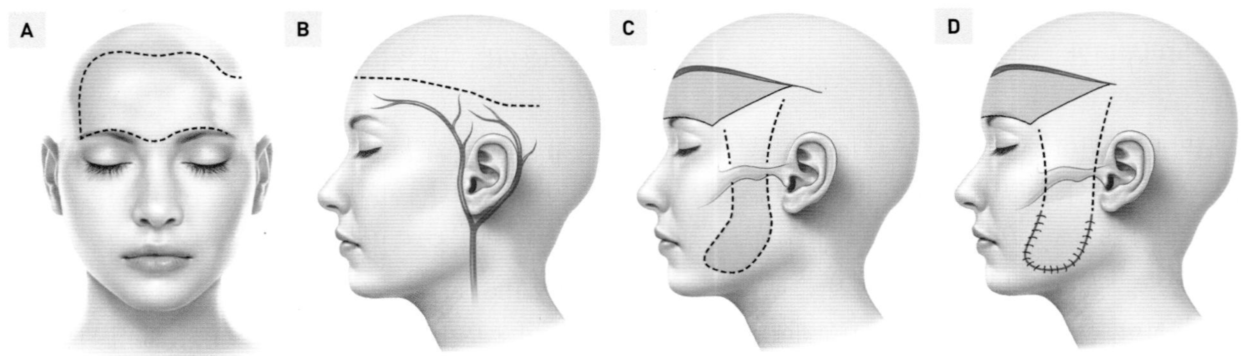

■ 그림 38-22. **전두피판.** 천측두동맥에 의한 축성피판으로 상방으로는 모발선, 하방으로는 눈썹의 윗선을 따라 절개를 넣고 이마의 피부 전체를 포함시킨다.

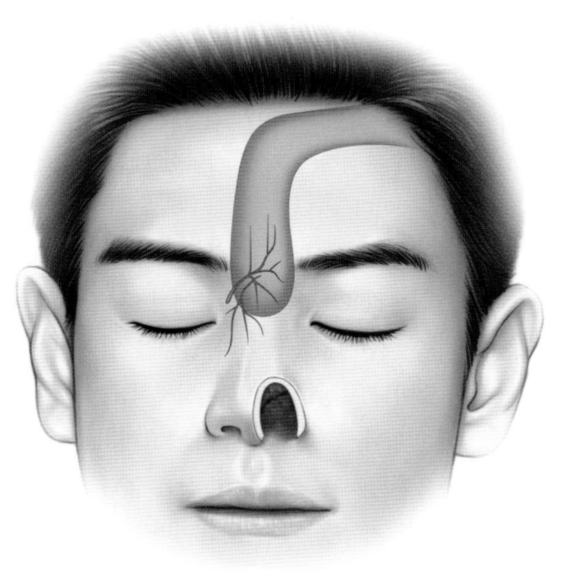

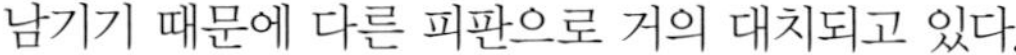

■ 그림 38-23. **정중선 전두피판.** 활차상동맥에 기저를 둔 축성 피판이다. 비첨이나 비익의 결손부터 코 전체의 결손까지 코의 재건에 다양하게 사용된다.

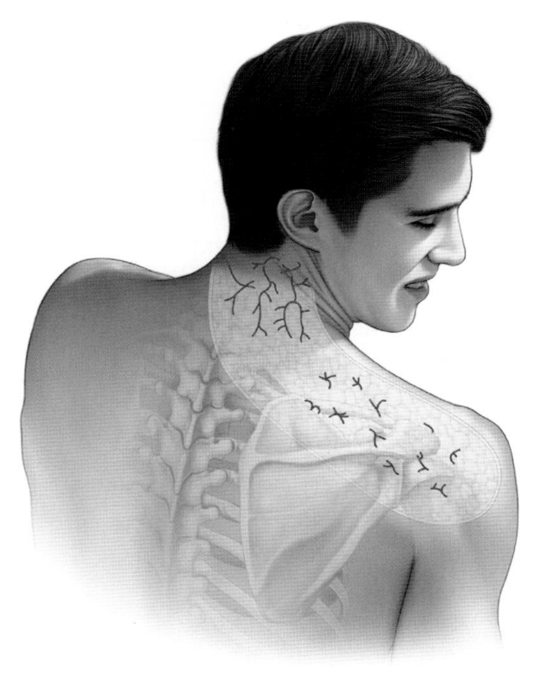

■ 그림 38-24. **후경부피판.** 후이개동맥, 후두동맥과 척추동맥에서 혈액을 공급받는 임의형 피판이다.

남기기 때문에 다른 피판으로 거의 대치되고 있다.

3) 정중선 전두피판

정중선 전두피판(midline forehead flaps)은 활차상동맥(supratrochlear vessel)에 기저를 둔 축성 피판이다. 기원전 수세기 전에 인도에서 형벌로 절단된 코를 재건한 것으로부터 유래했기 때문에 인디언 피판이라고도 부른다. 그 이후 피판의 도안에 많은 변형을 가져왔으며 비첨이나 비익의 결손에서부터 코 전체의 결손까지 다양하게 코의 재건에 사용된다. 미용적뿐만 아니라 비공을 재건함으로써 비호흡과 같은 기능적 재건도 동시에 가능하다(그림 38-23).

4) 후경부피판

1842년 Mutter가 경부 전면에 있는 화상 수축을 교정하기 위한 방법으로 처음 발표하였다. 후경부피판(nape flaps)은 후이개동맥(postauricular), 후두동맥(occipital)과 척추동맥(vertebral)에서 혈액을 공급받는 임의형 피판이다(그림 38-24). 이 피판은 경부 피부의 재건이나 인두피부루의 교정에 이용하며, 피부의 생존력은 좋으나 피판 자체가 두껍고 유연성이 매우 적어서 수혜부가 멀리 있는 경우에는 사용이 제한된다.

5) 점막, 근점막피판

구강 내 결손이 크지 않은 경우나 연구개의 작은 결손으로 비강과 교통되어 있는 경우에는 구강 내에서 국소 조직을 이용한 피판이 유용한 경우가 많다. 흔히 이용하는 피판으로는 안면동맥 분지를 이용한 협부근점막피판(buccinator myomucosal flap)이나 대구개동맥에서 혈액 공급을 받는 구개피판(palatal flap) 등이 있으며 구강 재건에 우수한 기능적 미용적 결과를 얻을 수 있다.(그림 38-25)

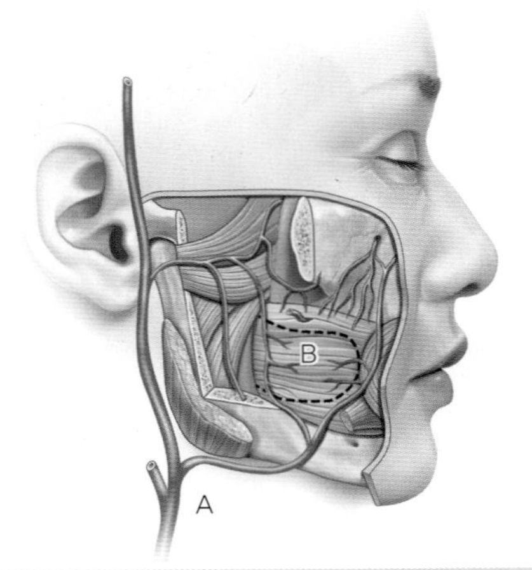

■ 그림 38-25. **협근을 이용한 근점막피판.** **A)** 안면혈관. **B)** 피판의 기저부.

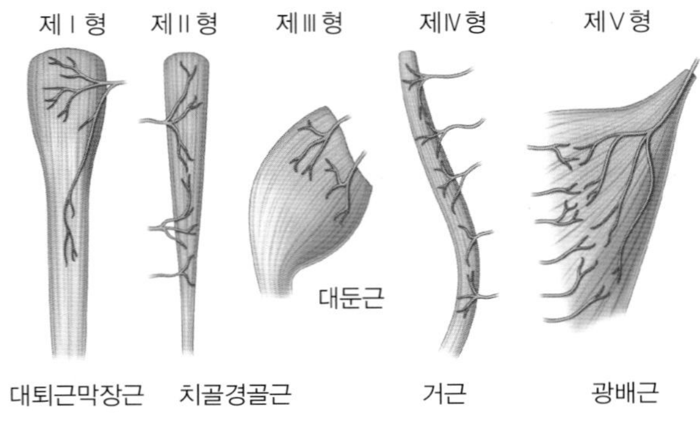

■ 그림 38-26. **혈관의 형태에 따른 근육의 분류.** Ⅰ형 : 1개의 혈관경을 가질때(one vascular pedicle), Ⅱ 형 : 1개의 주혈관경과 다른 소혈관경들을 가질 때(dominant vascular pedicles and minor vascular pedicles). Ⅲ형 : 2개의 주혈관경을 가질 때 (two dominant pedicles). Ⅳ형 : 분절혈관경을 가질 때 (one segmental vascular pedicle). Ⅴ형 : 1개의 주혈관경과 제2의 분절 혈관경들을 가질 때(one dominant vascular pedicle and secondary segmental vascular pedicles).

5. 근육판과 근피판

오늘날 해부학 지식의 발전으로 피부, 근육, 뼈와 근막을 피판의 디자인에 응용하여 매우 복잡하고 큰 국소적인 결손인 경우에도 형태와 기능을 재건할 수 있게 되었다. 결손 부위를 성공적으로 재건하기 위해서 먼저 결손 부위의 피복(coverage), 형태(form)와 기능(function)의 세 가지 요소를 자세히 분석하여 가장 적합한 재건방법을 선택하는 것이 필수적이다.

근육판(muscle flap)이나 근피판(musculocutaneous flap)을 도안하는 경우 근육을 한 곳에서 다른 곳으로 이전 또는 이식할 때는 대상 근육의 기능을 알아야 한다. 특정 근육이 없어도 보상할 수 있는 상조적 근육(synergistic m.)이 있거나, 근육의 역할이 중요하지 않은 경우에는 그 근육을 사용해도 기능적 손상은 없다. 그러나 필수적이고 특수한 기능을 가진 근육이라면 다른 근육을 선택하거나 혹은 근육의 한 분절만 사용하여 원래 근육의 기능을 보존해야 한다.

1) 근육의 분류

근육은 혈관의 형태에 따라 5형태로 분류되며 이러한 혈관의 분포를 기초로 하여 근피판을 도안한다(그림 38-26).

2) 회전호

근육의 회전호(arc of rotation)는 근육을 해부학적 판상(anatomic bed)으로부터 올릴 수 있는 크기와 혈관을 손상하지 않고 주변 조직에 도달할 수 있는 능력에 따라 결정된다. 근육의 이동 거리는 혈관경의 수에 따라 다르고 근육의 기시부나 부착부에서 주혈관경까지의 거리에 따라 다르다. 혈관경의 수가 많으면 일반적으로 회전호는 제한된다. 또 일반적으로 주 혈관경이 근육의 기시부와 부착부에서 거리가 짧을수록 회전호는 더 커진다. 예를 들면 대흉근(pectoralis major m.)은 근육의 부착부와 혈관경이 가까이 있어 혈관경이 커지며, 제Ⅲ형과 제Ⅴ형 근육은 회전호가 두 개 있어야 안전하다. 제Ⅴ형 근육은 주 혈관경이나 제2 분절혈관경 어느 것으로도 옮길 수 있다.

3) 근육 위의 피부 영역

근피판의 혈액공급은 해부학적으로 세 가지 형태를 띤다. 직접 피부 혈관(direct cutaneous vessels) 즉 피부표면과 평행하게 주행하는 피하에 있는 특수한 혈관, 근육피부관통혈관(musculocutaneous perforators) 즉 근육 아래쪽에서 올라오는 혈관, 근막피부혈관(fasciocutaneous vessels) 즉 지역 혈관에서 나와서 근육 위의 근막으로 가거나 근육과 근육 사이의 공간을 통하여 나와서 근육 위의 근막으로 가는 특수한 혈관들이다. 근피판 위에 있는 피부의 주된 혈액공급은 원래 있던 지역에 따라 다르다. 광배근(latissimus dorsi m.) 같이 넓고 평평한 근육 위에 있는 피부는 주로 근육피부관통동맥(musculocutaneous perforating a.)에 의존하고 치골경골근(gracilis m.) 같이 얇고 좁다면 근막피부관통혈관(fasciocutaneous perforating vessels)에 의존한다. 근육피부관통동맥은 피부의 일정한 영역에 영양을 공급하며, 피부의 상호 연결 혈관체계가 복잡하여 중복 부위가 있을 수 있다. 이러한 혈관 체계를 잘 알아야 피판의 피부영역을 안전하게 디자인할 수 있다.

근피판에서 근육 위에 있는 피부는 근육에 붙어 있는 부위뿐만 아니라 근육의 변연부를 넘어 3–4 cm까지 안전하게 넓힐 수 있다. 변연부를 넘어 있는 피부는 피하 조직 내에서 여러 문합혈관망(anastomotic network)에 의해 유지된다. 이러한 해부학적 구조로 인해서 근피판 위에 있는 피부는 그 아래 있는 근육보다 더 큰 영역을 이용할 수 있다.

4) 근육판과 근피판의 장점

첫째, 혈관경이 확실하여 혈액공급이 풍부하다. 둘째, 혈관경이 결손 부위 밖에 위치하여 근육의 길이만큼 회전호를 만들 수 있다. 셋째, 근육의 부피가 있으므로 결손 부위가 깊고 넓은 경우와 노출된 필수 기관을 보호해야 할 경우에 사용할 수 있다. 넷째, 근육은 매우 유연해서 필요한 모양으로 만들기 쉽다. 다섯째, 근육은 혈관이 풍부하여 결손 부위에 감염이 있거나 피판 이동 후 감염을 방지하는 데 사용할 수 있다. 여섯째, 1단계 재건이 가능하며, 어떤 피판에서는 운동 또는 감각 같은 기능의 재건이 가능하다. 이처럼 생존력이 높고 다양하게 이용할 수 있는 여러 가지 장점 때문에 다양한 근피판이 이용된다.

5) 근육판과 근피판의 단점

첫째, 공여부에 기능 상실이 있을 수 있다. 둘째, 공여부에 추형이 남을 수 있다. 셋째, 부피가 너무 커서 오히려 미용상 좋지 않을 수 있다. 넷째, 이전한 근육이 시간이 경과되어 위축되면 처음 예상했던 재건과 차이가 있을 수 있다. 만약 피판술이 실패하여 피판이 상실되면 기형이 크게 남는 단점을 고려하며 근피판을 사용해야 한다.

6) 근육판과 근피판의 선택

근육판이나 근피판을 사용할 때 어느 피판을 선택할지 다음 몇 가지 요소를 고려해서 결정해야 한다. 첫째, 근육은 결손 부위에 가까이 있어야 한다. 둘째, 근육은 결손 부위를 덮을 만큼 크기와 부피가 충분해야 한다. 셋째, 근육을 사용해도 원래의 기능에 지장을 주지 않아야 한다. 넷째, 피판을 유지하는 혈관경의 상태를 수술 전에 알아야 한다. 다섯째, 공여부 결손 부위도 잘 고려해야 한다. 여섯째, 예상한 근피판의 피부 영역이 충분히 크고 구성이 만족스러워야 한다.

감각이나 운동기능의 재건에도 가끔 근육판이나 근피판을 사용한다. 혈관화된 뼈가 필요한 부위에는 골근피판을 사용할 수 있다.

7) 두경부 재건에 흔히 이용되는 근육판과 근피판

두경부에서 근육판과 근피판은 하악골절제를 포함한 큰 결손 부위에 조직의 부피를 제공하고, 경동맥과 같은 중요 기관을 피복해 보호하며, 구강 내막을 위한 피막을 제공하고, 두피, 안면, 경부 결손 부위에 피부를 제공하기 위해 이용된다. 흔히 이용하는 근육은 다음과 같다.

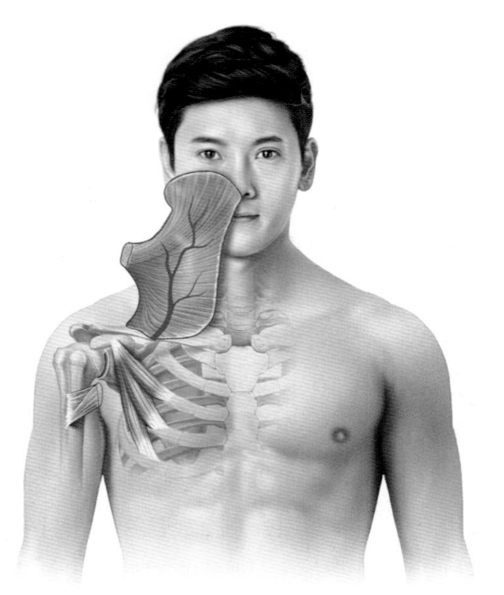

■ 그림 38-27. **대흉근 근피판(pectoralis major myocutaneous flap; PMMC flap).** 두경부 재건에 가장 많이 사용되는 피판이다. 경부와 안연부의 피부, 구강과 인두의 점막, 하악골 재건, 식도 재건 등에 이용된다.

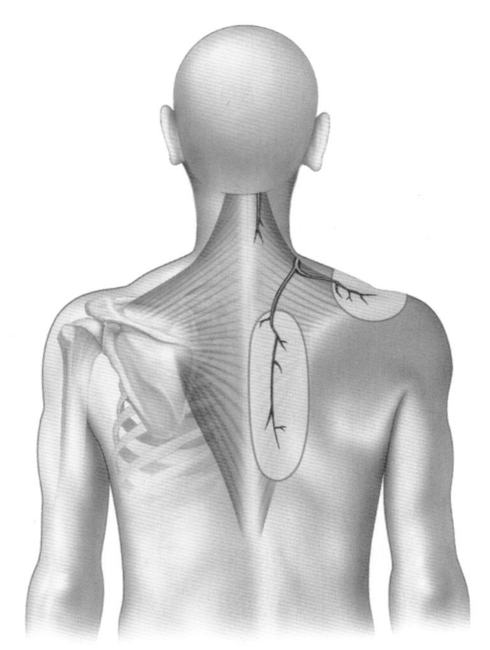

■ 그림 38-28. **승모근 근피판(trapezius myocutaneous flap).** 하부 안연근 재건 특히 귀와 이하선부위 재건과 안면부 외측 상부와 두피, 경부의 앞쪽과 뒷부분, 안와 재건, 인두식도 재건에 이용된다.

국소부위에서는 근육은 측두근(temporalis m.), 흉쇄유돌근(sternocleidomastoid m.), 활경근(platysma m.)을 이용한 근피판을 사용한다.

원격부위에서는 대흉근(pectoralis major m.), 승모근(trapezius m.), 광배근(latissimus dorsi m.)을 이용한 근피판과 미세혈관 이식(microvascular transplantation)을 이용한 근피판을 도안해 사용한다(그림 38-27, 28, 29).

8) 피판술의 합병증

피판의 합병증으로 가장 흔한 것은 피판의 부분 소실이나 전부 소실이며, 합병증의 원인은 (표 38-5)와 같다. 피판의 운명에 관여하는 중요한 요소는 고혈압, 영양결핍, 빈혈, 감염과 같은 수술 전 환자의 피할 수 없는 전신 상태이며 흡연 등도 관련이 있다.

9) 수술 시 피판의 처치

(1) 수술 전 처치

수술 전 수혜부에 필요한 정도를 파악하고 알맞은 피

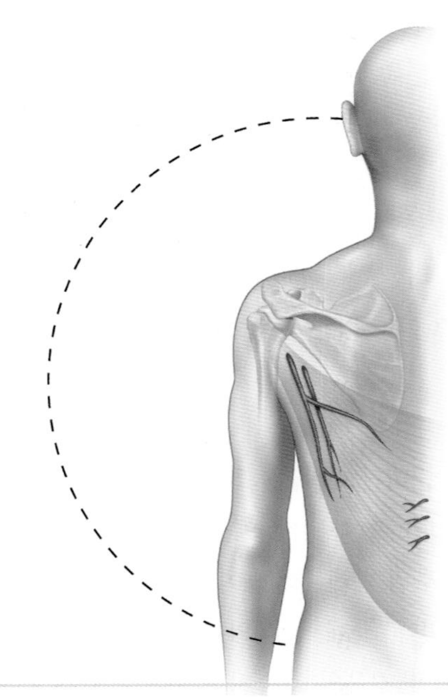

■ 그림 38-29. **광배근 근피판(latissimus dorsi myocutaneous flap)과 연장될 수 있는 회전의 호.** 경부 후부, 어깨, 경부 앞 부위, 안면 하부, 후두개 두피, 구강 내 인두식도부위 재건에 이용된다.

표 38-5. 피판술 합병증의 원인

수술 전 원인
피판 디자인의 불량
수혜부의 필요치를 과소평가
환자의 수술 전 유병
수술 중 원인
기술적 과오
디자인 과오
수혜혈관을 잘못 선택
판단 과오
수술 후 원인
외적 원인
피판경의 꼬임과 압박, 감염, 혈전증(vascular thrombosis)
내적원인
말단부 허혈(distal ischemia)

판을 선택한 후 수술 과정을 결정한다. 가끔 방사선 괴사가 있는 경우 육안으로 보이는 것보다 결손부의 크기를 실제 필요한 것보다 적게 판정하여 피판술이 부적절한 결과를 가져오는 수가 있다. 국소피판은 간단하다는 이유로 자주 사용되나 특정한 피판을 선택하기 위해서는 그 피판의 적용 범위와 제한점에 대하여 잘 알아야 한다. 수술 디자인 시에는 수혜부 요구를 먼저 생각하고 다음 공여부를 고려해야 하며, 공여부는 혈관경과 피판 자체 모두에 제약이 따를 수 있다.

(2) 수술 중 처치

수술 중에는 수술의 기술과 상황 판단이 합병증의 형태를 결정한다. 대부분의 국소피판 수술은 비교적 간단하나 디자인이 좀 더 복잡하며 피판이 복잡할수록 기술적 과오의 가능성이 많다. 국소피판은 절개를 넣고, 올리고 이전하는 것이 비교적 단순하다. 근막피판과 동맥피판으로 갈수록 피판의 디자인이 중요하고 필수 혈관의 박리가 더 요구된다. 도상피판(island flap)으로 가면 더욱 섬세한 기술이 요구된다. 유리피판은 최고의 기술과 노력이 필요하다.

(3) 수술 후 처치

수술 후 피판 합병증의 원인은 외적 원인과 내적 원인으로 나눌 수 있다. 가장 흔한 외적 원인은 드레싱 방법이나 위치의 잘못, 피판경의 긴장이나 꼬임, 창상 문제, 혈관 문합의 기능부전이다.

피판의 부분 소실은 피판 말단부 허혈을 일으키는 내적 요소에 의한 것이다. 충분한 혈관 공급을 가진 피판으로 디자인하고 피판에 해가 될 가능성 있는 외적 요소를 최소화함으로써 내적 피판 실패를 방지할 수 있다.

Ⅵ 유리피판

원하는 조직을 일정한 단위로 지배하는 혈관과 함께 몸의 일부분에서 완전히 분리한 후 다른 부위로 이전하여 재건하는 방법이다. 유리피판술은 이전되는 혈관과 재생 조직을 종양의 제거 후나 수상, 선천성 기형 등으로 인한 조직 소실 후의 결손부분에 대하여 적절하게 맞추어 도안할 수 있고 유경피판에 비하여 조직의 이용이 더 자유롭고 경제적이다. 유리피판으로 이용되는 공여부가 꾸준히 개발되고 공여부의 선택이 다양해짐으로써 좀 더 길고 직경이 큰 혈관경을 가진 피판을 이용할 수 있어, 최근에는 수술의 성공률이 95% 이상으로 보고되고 있다. 또한 객관적인 술 후 감시 기능이 발달하여 혈관 문합에 따른 문제점을 조기에 발견하고 해결함으로써 이 술식의 확실성을 좀 더 높일 수 있게 되었다.

두경부 영역의 임상에서 처음으로 실시된 유리조직이식술은 1957년 두경부외과 의사인 Som과 일반외과 의사인 Seidenberg가 시술한 경부식도 재건 수술이었다. 그들은 식도암을 제거한 후 동시에 한 번의 수술로 유리 공장을 이식하여 경부식도를 재건하였다. 절제술이 발달하면서 결손부가 복잡해지고 혈관경 근피부피판들의 단점들이 명백하게 나타나기 시작했고, 좀 더 개선되고 좋은 공여부를 찾는 피판술의 발달이 계속되어 긴 혈관경과 직경이 큰 혈관들 그리고 다양한 조직, 피부, 근육, 골조직, 신경조직, 지방조직 등을 두경부 재건에 이용할 수 있는 공여부들이 개발되어 왔다. 이렇게 계속 새롭고 개선된 유리피판 공여부가 개발, 연구, 보고되면서, 현대의학에서 유리이식술의 임상적용은 완전히 보편화되었다.

1. 유리피판의 장단점

유리조직이식술은 그 장단점을 잘 생각하여 이용해야 한다. 수술 시간이 길어지는 것, 공여부에 결손이 남는 것, 수술 비용이 비싼 것 등을 고려하여 다른 재건방법인 일차 봉합술이나 단순 피부이식과 비교하여 선택해야 한다. 비록 유리피판이식술이 현재까지 개발된 재건 방법 중 가장 개선된 방법으로 여겨지지만 이 방법으로 재건의 모든 문제를 다 해결할 수 없고, 유리피판술도 다른 재건법과 마찬가지로 여러 가지 단점이 있다.

1) 장점

두경부를 재건할 때는 기능과 미용을 고려해야 하므로, 소실된 결손 부위와 비슷한 조직학적 특징을 가진 조직을 사용하는 것이 중요하다. 유리피판술은 필요에 따라 적절하게 사용할 수 있고 기능적, 미용적으로 가장 좋은 결과를 얻을 수 있는 다양한 조직을 이용할 수 있다.

유리피판술의 장점으로는, 첫째, 피판경 이동에 제한이 없고 피판경 피판에서와 같이 회전축에 의한 피판의 이동제한이나 중력에 의한 견인 현상이 없어 경부에서의 운동제한 없이 사용할 수 있다. 둘째, 미용효율 면에서도 우수하여 대부분 공여부의 모든 조직을 재건에 이용할 수 있고, 피판경 피판에서와 같이 원위부의 혈관성이 좋지 않아 조직이 괴사할 위험이 없으며, 조직 내의 혈액확산이 아주 우수하기 때문에 공여혈관 지배 영역을 넘는 임의부의 이식편이 거의 필요 없는 경우가 많다. 셋째, 이러한 우수한 혈액 조직 확산으로 인하여 창상치유를 중요한 감염 방지와 함께 방사선치료나 항암제를 투여받은 조직 수혜부에서 조직이 쉽게 재생할 수 있다. 넷째, 하악골 재건 시에 방사선 조직괴사나 감염 등에 대한 내구성이 강하여 이식 후 6-8주 이내에 남은 하악골 골편과 골연합을 강력하게 형성하여 생존하므로 추후 인공치아 이식 등을 할 수 있다. 다섯째, 재생 혈관조직이식은 진피, 지방, 골 등의 이식된 조직이 각각의 독립적으로 혈액을 공급받으므로 재건 후 미용이나 안전성 유지에 좀더 효과적이다. 특히 수혜부 운동신경과 신경문합을 실시하면 근육의 위축 방지와 용적 유지가 가능하다. 여섯째, 다양한 공여부를 선택할 수 있어 얇고 가동성이 좋고 감각재생이 가능한 신경근피부피판 등을 구강과 가동설부의 재건에 이용하면 설운동을 용이하게 하고 골짜기 형성(pocketing problem)을 방지할 수 있고, 연하 및 언어기능을 개선할 수 있다. 또한 두개저의 광범위한 결손을 보강하는 데도 유리피판은 아주 적절하게 이용될 수 있다. 특히, 방사선 조사를 받아 골방사선괴사의 위험성이 있거나 뇌척수액 누출이 있어 뇌막염 등의 위험성이 있는 경우 혈관 재생성이 매우 좋은 연부조직으로 재건이 가능하다.

최근 노령 인구가 증가하면서 고령 환자에서도 유리 피판을 이용한 재건이 시행되고 있다. 최근 보고에 의하면 유리피판을 70세 이상의 고령 환자에서도 합병증 없이 안전하게 사용할 수 있는 방법으로 보고되고 있다.

2) 단점

유리피판술의 단점으로는 기술적으로 어렵고 복잡하여 마취와 수술 시간이 길어진다는 것, 미세혈관 문합과 피판 도안 등으로 수술 시간이 길어진다는 것 등이 있다. 하지만 미세혈관 문합 재건 등에 걸리는 수술 시간은 평균 4시간 정도 길어지지만 환자의 재원 기간이나 의학적 합병증 등은 우리가 일반적으로 사용하는 종래의 재건법과 비교하여 별 차이가 없다고 한다. 또한 최근에는 공여부가 수술 부위와 서로 겹치지 않게 함으로써 두 수술팀의 접근이 가능해져 수술시간을 많이 줄일 수 있게 되었다.

유리피판술은 특별한 기술과 장비가 필요하며, 이전에

경부 수술이 시행된 경우나 방사선치료로 심한 조직섬유화가 일어난 경우, 심한 동맥경화증이나 교원혈관 질환 등이 있는 경우, 또한 이전에 경부절제술을 받은 경우에는 사용하기 어렵다. 공여부의 장애는 다른 재건술과 비교하여 비슷한 경우가 많지만 일부에서는 감각소실이나 공여부를 장기간 고정시켜야 하는 등의 문제가 남을 수 있다. 또한 모든 병원에서 두 수술팀의 협력이 가능하지 않을 수 있으며 미세혈관 기법과 기구의 사용 그리고 수술실의 장시간 사용 등이 가능하지 않을 수 있다. 또한 쇠약한 환자에게는 종래의 덜 복잡한 방법인 근피판 등으로 재건하는 것이 더 안전하며, 대부분의 두경부 결손은 근피판을 사용하여도 재건할 수 있다는 점을 알아야 한다.

2. 유리피판 사용 시 고려할 점

유리피판을 선택할 때 고려할 점으로는 필요한 조직의 양과 조직의 종류, 신경지배 필요 여부, 예상할 수 있는 기능적 장점, 공여부의 장애 정도, 성공률, 환자의 일반적인 전신상태, 수술 시 환자의 위치, 공여부의 위치, 수술시간, 필요한 수술기법 등이 있다. 이러한 점을 고려하여 피판을 선택할 때는 다음과 같은 세부사항을 염두에 두어야 한다.

1) 환자의 선택

유리피판을 선택하는 데 고려해야 할 환자에 관한 사항으로는 환자의 동반된 질병의 상태나 사회적인 습성과 환경, 그리고 환자 자신의 선택 등이 있다. 동반된 전신질환으로 장시간 수술을 지속할 수 있는지, 그리고 미세혈관 혈행장애를 일으킬 수 있는 질환들이 있는지 염두에 두어야 한다.

(1) 연령

미세혈관이식술은 18개월부터 70세 이상까지 성공적으로 시행되었다고 보고되고 있어 연령 자체가 장애요소가 아니지만 고령으로 인한 동맥경화증 등의 문제가 있을 수 있다. 이 경우 세동맥 벽이 두꺼워져 혈관의 탄력성이나 유연성이 감소하고 동맥경화 병변 때문에 문합이 어려워 기술적으로 실패할 수 있다. 어린아이에서는 공여부 수혜부 혈관이 작아서 술 전에 철저히 준비해야 한다. 고령에 동반되는 당뇨나 폐질환 등 여러 가지 전신적 질병 또한 위험요소가 될 수 있다.

(2) 전신상태

혈액응고 장애나 교원혈관 질환, 겸상혈구병(sickle cell disease), 적혈구 과다증 등이 있으면 미세혈관 수술의 실패율이 높다. 당뇨 환자도 수술 후 감염의 가능성이 높고 혈관의 동맥경화 빈도가 높은 것으로 알려져 있지만 유리피판을 실시하는 데 심각한 문제를 초래할 정도는 아니다. 그러나 수술 후 창상감염이나 혈관경 폐쇄의 위험성이 있으므로 철저히 감시한다. 동맥경화나 동맥염, 고혈압, 혈액질환, 고지혈증이 있는 경우도 혈관이 좁아지거나 막혀서 미세혈관 수술이 금기시되는 수가 있으므로 수술 전에 이를 잘 관찰하여 예측해야 한다.

(3) 흡연

흡연은 창상치유 과정에서 혈관수축을 일으켜서 창상치유에 악영향을 미치게 된다. 흡연 환자인 경우에는 반드시 수술 일주일 전부터 창상이 완치될 때까지 금연해야 한다. 기타 비만 환자나 스테로이드제제, 아스피린 등을 전신적으로 사용하던 환자의 경우 수술 후 혈종형성 등을 조심하여야 한다.

(4) 수술 전 방사선치료

수술 전 방사선치료는 방사선으로 인해 정상 조직 내 혈관의 섬유성 변화가 일어나서 정상 창상치유 과정을 방해하고 경부에 심한 섬유화가 일어나 공여부 혈관의 적절한 이용이나 선택이 제한을 받을 수 있다. 혈관내막에서 섬유화, 탄성섬유의 퇴화, 동맥경화판의 형성, 섬유화 동맥경화증 등이 일어나 수술 후 이환율이나 혈전증을 유발하는 확률이 다소 높아지며 다른 악영향을 미칠 수 있는 요소들과 동반되는 경우 혈관 섬유화가 비가역적으로 발생할 수 있고 혈관 내막증식이 일어나서 피판의 실패를 야기할 수 있으므로 방사선요법을 받았던 경우에는 좀 더 주의 깊게 혈관을 문합하고 혈관의 취급과 준비, 봉합 과정에서 아주 세심한 주의가 필요하다.[7]

2) 수혜부 처치와 준비

유리피판술을 할 때 수혜부에서는 적절하게 피부절개를 해야 하고, 이식이 위치할 적절한 자리를 선택해야 하며, 수혜부의 질 좋은 혈관을 유지해야 하고, 수혜부의 혈관이 꼬이거나 뒤틀리거나 혈관경이 압박받지 않도록 잘 위치할 수 있게 준비하여야 한다. 종양의 절제와 재건술을 동시에 시행하는 경우에는 재건하여야 할 결손 부위를 재건하는 팀이 이해할 수 있도록 종양을 잘 절제하여야 한다.

경부피부의 절개에서는 절개선의 위치, 특히 세 절개선이 주요 구조물 위에서 만나는 것을 피해야 하며, 수술 후 피부가 분리되거나 특히 방사선치료를 받은 경우 피부봉합의 장애가 일어난 경우 혈관경 특히 정맥계통이 노출될 가능성을 염두에 두어야 한다.

공여 혈관과 비교하여 이상적인 직경과 길이의 혈관을 수혜부에 준비하는 것이 좋으며 수용혈관을 선택할 때는 혈관직경의 크기가 서로 잘 맞는가, 결손부 창상의 모양이나 질감, 혈관벽의 두께 그리고 피판경이 놓이는 적절한 위치 등을 잘 고려하여 선택한다. 경부절제술을 실시한 경우에는 남은 내경정맥의 길이가 결찰하기에 충분한지 또는 혈관문합을 하는 데에 충분한지, 단단문합뿐만 아니라 단측경정맥문합(end-to-side transvenous anastomosis)을 하는 것이 좋은지 등을 고려해야 한다.

흔히 현미경 시야에서 문합 전에 동맥, 정맥을 서로 이동시켜 보았을 때 혈관이 압력 없이 위치하여야 하고 깨끗한 스폰지 위에서 문합할 방향으로 위치시켜 장력을 관찰하여 보는 것이 좋다. 단측문합술(end-to-side anastomosis)은 내경정맥의 경우처럼 특히 직경의 비율이 3:1 이상으로 조화가 맞지 않거나 차이가 나는 경우에 사용한다.

또한 혈액의 와류가 최소한으로 발생하도록 피판혈관이 수혜부 혈관으로 들어가는 부위에서의 각도를 유지하여 주는 것이 중요하다. 이전에 경부 청소술을 받았던 환자의 재수술이나 구제 수술의 경우와 같이 경부에서 수혜부 혈관을 구하기 어려운 경우에는 흉부 전방에 위치한 내유혈관(internal mammary vessel)을 경부로 이전시켜 사용하는 방법이 유용하게 이용되고 있다.

3) 피판의 삽입

피판은 혈관문합을 하기 전 또는 한 후에 삽입하는데 이것은 재건의 형태나 결손 조직의 상태, 수술 전의 판단에 따라 결정된다.

혈관문합 전에 피판을 삽입하는 것은 창상 내에서 정확한 위치를 판단하여 피판경, 혈관경의 위치를 결정할 수 있고, 정확한 혈관경의 길이를 측정할 수 있으며 문합 후에 생기는 혈관의 조작 과정을 최소화할 수 있다. 문합 후 피판을 삽입하면 허혈 시간을 최소한으로 줄일 수 있고 혈관문합 부위로 접근하는 데 소요되는 시간을 줄일 수 있다. 하악골의 재건 등에서 문합 전에 골 이식을 한 경우 수술 부위가 재건한 골에 의해 가려져서 물리적으로 혈관경으로의 접근이 어려울 수 있다. 이러한 경우에는 이식 후 피판이 재건한 부위 내에서 어떻게 위치하는가 또는 창상 내의 위치나 하악절골 부위 등이 피판을 압박하지 않는가 등을 고려하여야 한다. 또한 창상을 대강 폐쇄해보아 용적이 과도하면 창상폐쇄에 지장이 없도록 미리 다듬어 주어야 한다. 비골을 이용한 하악골 재건 시에 절골로 모양을 만들어 주는 것과 같이 절제된 구조물들을 서로 다듬어서 조직 내에 위치시키는 경우에도 이를 고려하여 피판 삽입 위치를 결정하여야 한다. 구강이나 설 재건의 경우 연부조직 피판의 봉합 부위와 주름지는

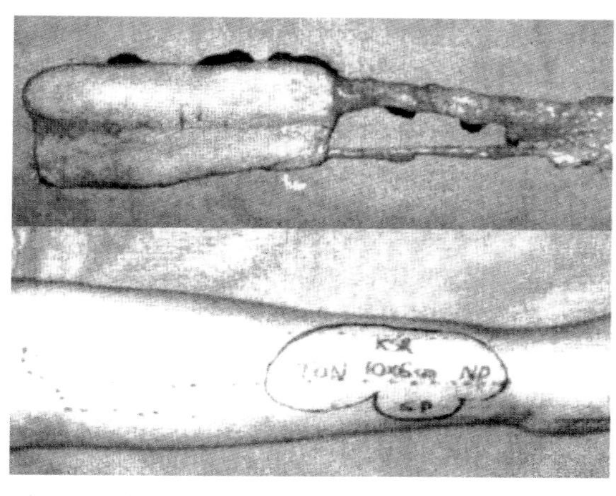

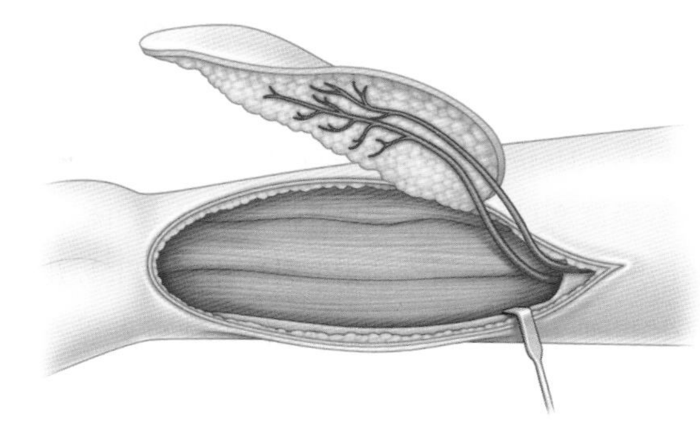

■ 그림 38-30. **요전완 유리피판.** 요골을 같이 떼어 낼 경우 둘레 40%, 길이 12 cm까지 가능하다.

부위 등이 원래 절제된 구조물의 모양에 가깝도록 그 위치를 잘 정해야 환자의 수술 후 기능회복을 꾀할 수 있다.

신경문합은 이러한 일련의 조작 후 적절한 시기에 실시한다. 피판 위치와 신경문합을 확인하는 동안에도 수술현미경을 사용할 수 있으므로, 혈관문합 후에 조직 내 혈액 확산을 확인하는 동안 신경문합을 실시하는 것이 좋다. 공여신경에 대한 접근이 가능하여도 피판을 지나치게 조작하여 신경문합을 실시하는 것은 바람직하지 않다.

4) 감각 유리피판

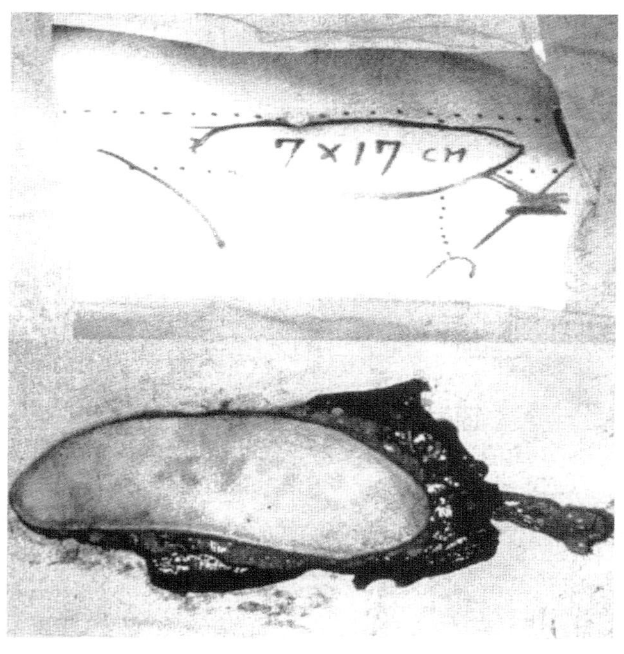

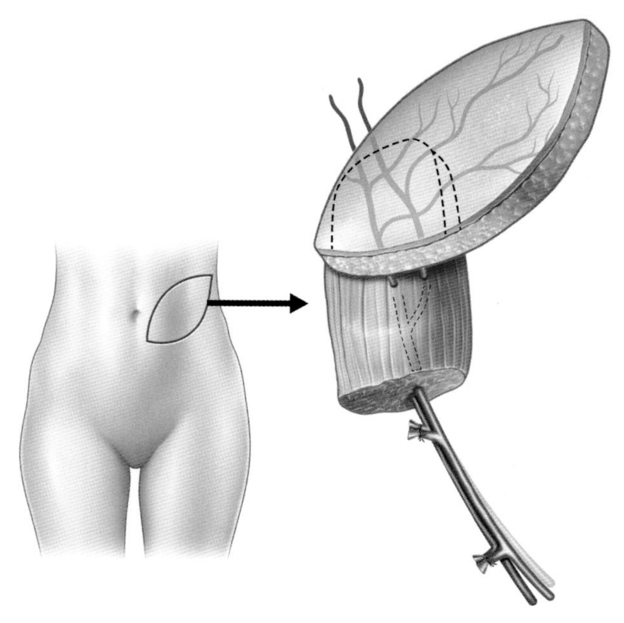

■ 그림 38-31. **복직근 유리피판(rectus abdominis free flap).** 용적이 필요하거나 경동맥 같은 중요한 기관을 보호하기 위하여 흔히 사용된다.

최근에는 감각신경을 보존하여 이를 수혜부의 감각신경에 문합하여 감각의 회복을 꾀하는 감각 유리피판(sensory free flap)을 이용함으로써 재건 후 기능 재활에 도움을 주고 있다. 감각 유리피판은 컴퓨터를 이용한 객관적인 방법을 통하여 감각신경의 회복이 입증되고 있고 비감각피판과 비교하여 우수한 기능을 보여 향후 많은 이용이 기대되는 피판이다.[34]

3. 두경부 재건에 사용되는 유리피판들

두경부 재건에 사용되는 유리피판의 종류는 유리 피부피판, 유리 근 또는 근피부피판, 복합조직 유리피판(골조직 포함), 유리 내장피판 등이 있다.

1) 유리 피부피판

유리 피부피판(free cutaneous flap)은 신축성이 좋아서 피부의 결손을 재건할 때 일차적으로 고려되는데, 결손 부위의 특성에 따라 용적을 적절하게 조절하여 만들 수 있다. 또한 점막결손의 재건에도 가장 이상적인 방법이며, 근피부피판 등에서와 달리 근육을 제거한 상태의 피부피판만을 이동하여 사용할 수 있으므로 두경부 재건에 이상적인 피판이다. 두경부 재건에 사용되는 유리 피부피판은 길고 좋은 혈관경을 가지고 있고 피판 모양이나 두께 등이 다양하므로, 체모 유무, 공여부의 결손 정도에 따라서 여러 가지 피판을 선택할 수 있다. 현재 주로 사용되는 유리 피부피판으로는 요전완 유리피판(radial forearm free flap)(그림 38-30), 외대퇴 유리피판(lateral thigh free flap,) 견갑 및 부견갑 유리피판(scapular or parascapular free flap) 등이 있다.

2) 유리 근피부피판

유리 근피부피판(free myocutaneous flap)은 용적이 필요하거나 경동맥 같은 중요한 기관을 보호하기 위하여 흔히 사용된다. 특히 혈관분포가 좋은 조직과 긴 혈관경을 가지는 유리 근피판이나 유리 근피부피판이 두경부 각 부위 재건에 이용되고 있다. 현재 두경부 재건에 이용되는 종류로는 유리 복직근피판과 유리 광배근피판 등이 있다(그림 38-31).

3) 복합 유리피판

하악골과 주변 연부조직에 광범위 절제술을 받은 환자, 특히 수술 전에 방사선치료를 받았거나 수술 후 방사선치료를 받을 환자에서의 재건은 어려움이 있다. 단순 골 이식이나 인공물질 이식술 후 방사선치료를 실시할 경우 합병증이 빈번히 발생하므로 이러한 경우의 하악골 재건 시에는 반드시 혈관성이 좋은 골조직을 이식해야 한다. 피판경 피판으로는 혈관분포가 좋고 연부조직을 풍부하게 포함하는 피판을 도안하기 어려우므로 새로 형성된 하악에 인공치아 이식술을 성공적으로 수행하기 위해서도 혈관성이 좋은 골조직을 이식해야 한다. 현재 이러한 다양한 목적으로 하악골 재건과 복합 재건에 주로 사용되는 복합 유리피판(free composite flap)으로는 견갑골 유리피판, 장골 유리피판, 요골 유리피판, 족배골 유리피판, 비골 유리피판 등이 있다(그림 38-32).

연부조직과 피부–점막에 광범위한 결손이 있는 경우에 연부조직 재건을 위한 근육을 분리된 혈관경으로 피판을 채취하여 떨어진 부위의 재건이 용이하도록 도안하는 전외측대퇴부피판(anterolateral thigh flap)을 이용한 복합피판이나 키메라성 피판(chimeric flap,) 또는 두 개의 유리피판을 동시에 사용하는 방법도 유용하게 사용되는 복합피판이다(그림 38-33).

4) 유리 내장피판

유리 내장피판(free visceral flap)은 두경부 점막결손을 같은 점막조직으로 대체할 수 있어, 점액을 분비할 수 있으며 얇고 가동성이 좋고 부드러운 점막으로 연결된 재건을 실시할 수 있다. 또한 대망피판 등은 강한 면역기능을 가지므로 두경부 감염이 우려되는 오염된 결손 부위의 재건에 사용할 수 있다. 현재 두경부 재건에 흔히 사용되는 유리 내장피판으로는 위대망피판과 유리 공장피판이 있다.

4. 유리피판에 따른 술기 및 장단점

1) 요전완 유리피판 (radial forearm free flap)

요전완 유리피판은 1978년 중국의 Yang 등[33]에 의해 도입되어 두경부 영역의 화상 후 발생한 비부 구축에 사

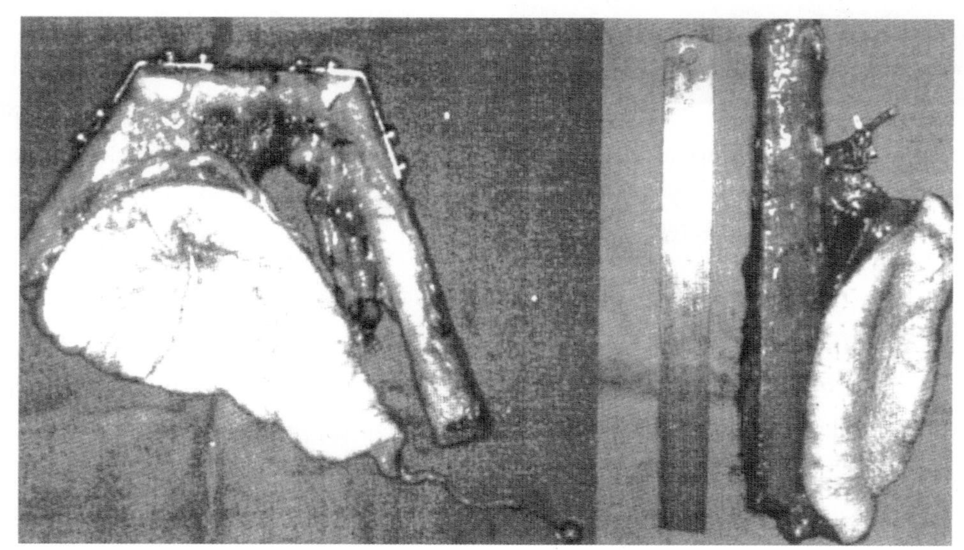

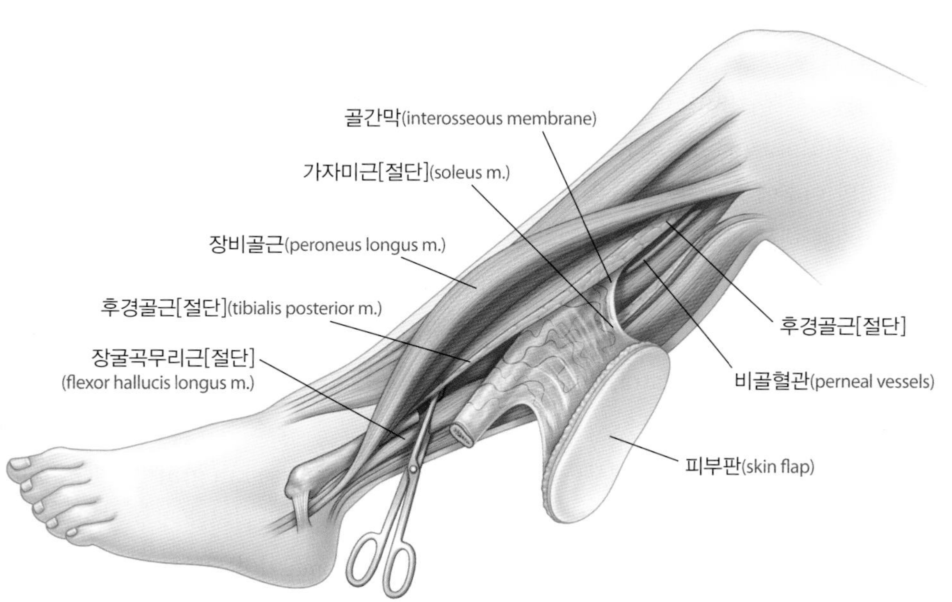

■ 그림 38-32. **비골 복합 유리피판(fibular composite free flap).** 비골동맥(peroneal artery)이 주 공급혈관이고, 가장 긴 골을 얻을 수 있다.

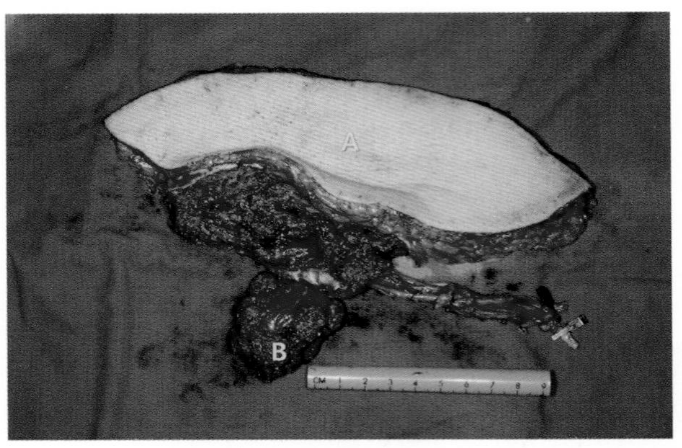

■ 그림 38-33. **전외측대퇴부피판을 이용한 키메라성 피판(chimeric flap)의 도안.** **A)** 상피와 연부조직 재건에 사용되는 근피부피판. **B)** 분리된 혈관경을 가진 근육피판

용되다가 1983년 Soutar 등이 구강 내 재건에 사용하면서 두경부 재건에 대표적으로 사용되는 피판이다. 요전완 유리피판은 요골동맥(radial artery)을 공급동맥으로 사용하고 요골측피부정맥(cephailc vein)이나 동반정맥(venae comitantes)을 정맥으로 하는데, 요골(radial bone)을 포함하거나, 건(tendon)이나 신경을 포함한 다양한 형태의 복합피판으로 이용할 수 있다.

상완동맥(brachial artery)은 팔오금(antecubital fossa)에서 요골동맥과 척골동맥(ulnar artery)으로 나뉘어 지는데, 요골동맥이 제거된 이후에 척골 동맥을 통한 전완의 혈액 공급이 원할할지에 대한 판단을 위해 술전 (palmar arch test)나 알렌 검사(Allen test)를 시행하여 평가하여야 한다.[23] 심부근막을 통해 혈액을 공급하는 근막피부 관통혈관(fasciocutaneous perforator)은 심근막보다 천층에 위치하므로 피판 채취 시 심근막을 꼭 포함시킬 필요는 없으며, 심근막을 보존하면 피판 공여부를 피부이식으로 재건하는 경우 구축(contracture) 등의 합병증을 줄일 수 있다. 피부피판은 평균 5×12 cm 정도 크기로 채취 가능하며, 골 피판을 얻을 경우는 10 cm (6–14 cm)의 골을 채취할 수 있다.[12] 감각피판으로 사용할 경우에는 내측 및 외측 전완피신경(medial and lateral antebrachial cutaneous nerve)을 포함시킨다.

전완의 원위부에서 요골동맥의 위치를 확인한 후, 도플러를 이용하여 혈관의 주행을 따라가며 도안을 하며, 피판의 도안은 원발 병소의 결손 형태에 따라 다양하게 변형시킬 수 있다. 주로 비우성팔(non–dominant arm)을 공여부로 삼게 된다. 피판 채취가 쉽도록 팔을 자연스럽게 신전시킨 후 피부 절개를 시작하는데, 척골쪽의 절개선부터 시작하여 피하지방층까지 연장하며 이때 주변의 피하조직층의 지방이나 피부신경을 보존하도록 한다. 근위부에서는 근육 위로 피판박리를 시행하고 원위부에서는 건(tendon) 위로 진행하게 된다. 이 후 요골쪽 피부절개선을 따라 절개할 때 피판의 정맥 배출에 사용할 요골측 피부정맥을 보존하면서 진행하여야 한다. 상완요골근(brachioradialis muscle)을 제친 후 요골동맥의 원위부를 절단 및 결찰 후 혈관 줄기를 따라 근위부의 혈관 가지를 결찰하여 박리한다. 요골을 이용한 골피부피판의 경우 이용할 수 있는 요골은 10~12 cm 정도이나 골 채취 후 공여부의 병적 골절(pathologic fracture)이 1/3 정도에서 발생한다고 보고되고 있어, 최근에는 사용 빈도가 많지 않다.

요전완 유리피판의 합병증은, 공여부인 상완의 기능장애 및 흉터, 외관의 변형으로 인한 미용적 장애가 대표적이다. 또한, 요골동맥 채취 이후 공여부인 손의 혈류 감소가 발생하는 것은 가장 심각한 합병증으로, 이를 예방하기 위해 술 전 알렌검사 등을 통해 공여부의 척골동맥 혈류과 공급영역을 예측하는 것이 중요하다. 요전완 유리피판의 공여부는 피판의 크기가 작은 경우를 제외하고 대부분의 경우 부분층 혹은 전층 피부이식(split–thickness or full–thickness skin graft)이 필요하다. 피부결손이 작아서 일차 봉합을 고려할 경우 구획증후군(compartment syndrome)이 발생하지 않도록 해야 하며, 피부이식을 시행할 경우 이식물을 주변 피부에 고정하고 압박한 후 전완을 고정(immobilization)함으로써 이식물의 생착 성공률을 높일 수 있다.

2) 전외측 대퇴부 유리피판(anterolateral thigh free flap)

전외측 대퇴부 유리피판은 Song 등[25]에 의해 1984년 처음으로 보고되었고 1990년대 Koshima와 Kimata 등에 의해 두경부 영역에서의 유용성이 보고된 이후, 요전완 유리피판과 함께 두경부 재건에 많이 이용되고 있다. 전외측 대퇴부 유리피판은 대퇴직근(rectus femoris muscle)과 외측광근(vastus lateralis muscle) 사이에 존재하는 외측 대퇴회선동맥의 하행분지(descending branch of lateral circumflex femoral artery)를 공급동맥으로 이용한다. 특히, 외측광근의 내측을 주행하는 천공지(perforator)를 이용하는 피판으로, 혈관의 변이가 많아 수술 전이나 수술 중 도플러를 이용하여 천공지의 위치를 파악하여 피판을 디자인하는 것이 도움이 된다.

전외측 대퇴부 유리피판의 천공지는 대부분 전상장골극(anterior superior iliac spine), ASIS과 슬개골의 외측연(lateral border of patella)을 연결하는 선의 중앙부분에서 반지름 3 cm 안에 분포하고 있다.[32] 피판의 상부 절개 후 근막하층으로 피판을 거상하여 아래로 진행하면서 직경 0.5~1.5 mm의 2~3개 정도의 천공지를 찾아 이용할 수 있다. 대퇴직근을 상내측으로 견인하면 외측광근의 내측으로 외측대퇴회선동맥의 하행분지를 확인할 수 있다. 운동신경의 경우 술 후 생길 수 있는 보행장애를 줄이기 위해 최대한 보존하는 것이 좋다. 대퇴부 피부의 경우 평균 8×16 cm 정도로 요전완보다 넓게 피부피판을 채취할 수 있으며, 많은 양의 근육도 채취 가능하다.

전외측 대퇴부 유리피판도 비우성다리(non-dominant leg)를 공여부로 삼게 된다. 자연스럽게 약간 외회전된 상태에서, 전상장골극과 외측 슬개골의 경계를 잇는 선을 긋고 중간 부위를 중심으로 도플러를 이용하여 적절한 천공지를 찾은 후 이 혈관을 중심으로 결손 부위에 맞는 피판을 디자인한다. 내측으로 대퇴근장막(tensor fascia lata)이 나올 때까지 절개를 한 다음, 심부근막 상부를 따라 외측으로 박리하면서 천공지를 찾거나 심부근막을 먼저 절개하고 근육과 심부근막 사이에서 찾을 수도 있다. 천공지를 확인하면 대퇴직근과 외측광근 사이의 공간을 손가락으로 박리하고 대퇴직근을 상내측으로 견인하면서 외측대퇴회선동맥의 하행분지를 확인할 수 있다. 충분한 길이의 혈관경을 얻을 수 있는 위치에서 혈관을 결찰 후 절단한다.

전외측 대퇴부 유리리판의 경우 공여부의 합병증은 요골 유리피판에 비해 매우 드물며, 요전완 유리피판의 공여부에 비해 외부에 적게 노출되는 부위이며, 대부분 일차 봉합이 가능하며, 넓은 피판을 사용한 경우나 결손 부위가 무릎에 가까울 경우는 동측이나 반대측 대퇴부로부터 부분층 혹은 전층 피부이식물을 채취하여 봉합한다.

3) 비골유리피판(fibular free flap)

비골유리피판은 골피부피판의 일종으로 두경부 영역에서는 1989년 Hildalgo가 비골을 이용한 하악 재건에 처음 시도한 이후 현재까지 두경부 재건의 대표적인 골유리피판술로 사용되고 있다.[17] 두경부 재건에 쓰이는 골피판은 비골 이외 견갑골(scapula), 장골능선(iliac crest) 등이 있으나 비골의 특성상 20 cm 이상의 충분한 길이를 확보할 수 있어서 하악과 유사한 모양을 재현할 수 있으며 저작과 발성 등 기능적인 측면에서도 도움을 줄 수 있어서 선호된다.

비골피판 거상 시 주된 영양동맥혈관인 비골동맥(peroneal artery)은 슬와동맥(popliteal artery)에서 후경골동맥(posterior tibial artery) 이 분지되는 지점의 3 cm 하방에서 분리된 다음, 비골 후면에서 측하방으로 비스듬히 주행하면서 비골 및 주변 근육에 혈류를 공급한다. 하지의 감각신경은 슬와신경(popliteal nerve)이 하방주행하면서 비골 두부주변에서 분지되는 총비골신경(common peroneal nerve)으로써 이는 다시 천층과 심층으로 갈라지면서 다리 감각을 지배한다.

비골피판은 비골과 주변근막과 피부 그리고 비골동맥과 동반정맥으로 구성되는데, 피판의 부피를 유지하기 위해 가자미근(soleus muscle) 일부를 피판에 포함시키는 경우도 있다. 비골은 평균 22-27 cm까지 채취할 수 있으나 발목의 안정성을 위해 비골원위부에서 6 cm 이상은 보존하는 것이 좋다. 피부피판으로 가는 혈류공급은 후방근육사이막(posterior intermuscular septum)의 격막피부천공지(septocutaneous perforator)로부터 받는다.[9]

앙와위에서 피판을 수확하려는 하지의 무릎관절을 90도 굴전하면서 내전시켜 자세를 정하고 비골의 외측복사(lateral malleolus)와 비골두부(fibular head)를 연결하는 선을 그린다. 선의 후방부위와 비골의 중앙부가 만나는 지점에서 도플러를 통해 후방근육사이막의 동맥천공지를 확인하고 이를 중심으로 피판을 도안한다. 피판 도안 후 전방절개선부터 피부절개를 시작하고 근막이 나올 때까지 연장하는데, 근막을 확인하면 후방으로 박리를 진행하며 비골근의 후면을 확인한다. 비골근의 후면을 따라 근막을 절개하면 격막피부천공지를 확인할 수 있고 근막을 포함하여 거상하면 피부로 공급되는 혈관분지를 보존할 수 있다. 후방근육사이막의 비골 부착부까지 박리를 진행하여 비골근을 비골에서 분리시키되 비골의 근육일부를 남겨놓으면 골막의 혈류공급을 보존하기 용이하다. 이후 전방근육사이막을 절개하고 전방구역으로 진입한다. 후방피부절개를 가하여 가자미근의 전방을 확인하고 근막하 박리를 진행하여 후방근육사이막과 동맥천공지를 보존하며 가자미근을 비골에서 박리하여 골간막에 도달할 때까지 진행한다. 비골원위부의 혈관을 결찰한 후 원위부를 절골한 다음, 근위부를 절골하여 비골을 수확한다. 절골을 시행한 후 골간막을 원위부에서 먼저 자르고 유경혈관을 근위부로 향하여 후경골동맥에서 분지되는 지점까지 박리하여 피판을 획득한다.

비골피판은 평균 20 cm 정도 길이의 골조직 확보가 가능하여 광범위 골결손, 특히 하악재건에 유리하며 일정 시기가 지난 후에는 골유착성 치아이식물 이식도 가능하여 저작기능에 많은 도움을 줄 수 있다. 또한 풍부한 혈관공급과 분절단위의 혈관공급으로 다양한 절골술을 통해 다양한 모양의 재건이 가능하여 자연스러운 안면윤곽을 얻을 수 있는 장점도 있다. 동시에, 충분한 양의 연부 조직 및 피부피판을 얻을 수 있고 부피가 필요한 경우 하지 근육도 일부 수확이 가능하다. 이식피판의 면적이 작은 경우 공여부의 일차봉합이 가능하지만 피판이 커서 긴장이 과도하다면 무리하게 봉합하는 것은 구획증후군 등의 합병증을 유발할 수 있으므로 피하도록 하고, 피부이식을 추가로 시행해주는 것이 좋다. 발목 관절의 보호를 위해 부목을 90도 신전시켜 유지시켜 주고, 수술 후 5-7일 사이에 보행 연습을 시작한다. 발가락 및 발등의 감각저하, 운동력 감소 등이 일시적으로 나타날 수 있으나 대부분 호전되며 드물게 발목의 강직, 경골의 불안정이 나타날 수 있다.

5. 유리피판의 술 후 처치

1) 합병증

유리피판 후 발생하는 합병증은 전신 합병증과 국소 합병증으로 구분할 수 있다. 이 중 전신 합병증은 일반적인 외과수술에서 올 수 있는 합병증과 같으나 유리피판 수술에서는 특히 조작 시간이 길기 때문에 더욱 문제가 될 수 있다.

공여부에는 국소 합병증으로 출혈, 창상파열, 심경부의 손상, 반흔, 기능적 장애, 미용적 장애 등이 올 수 있다.[8] 수혜부에서는 수술 후 즉시, 조기, 말기에 오는 합병증이 있다. 즉시 올 수 있는 문제점으로는 문합부의 노출, 문합의 실패, 피판압박 등이 있고, 조기 합병증으로는 문합의 폐쇄, 혈관부전, 피판의 부종, 이차 출혈, 감염 등이 있으며, 말기 합병증으로는 감염, 열개(dehiscence), 누공, 미용적인 문제, 기능적 소실 등이 있다.

2) 피판의 감시

유리피판술의 실패 여부는 대부분 수술 후 72시간 내에 결정되므로 이 시간 동안 문합의 실패를 조기에 발견할 수 있도록 지속적으로 감시하여야 한다. 유리피판을 감시하는 방법은 현재 주관적 혹은 객관적인 지표로 감시하는 방법이 있다.

(1) 주관적인 지표

색깔, 탄력성, 모세혈관 재충혈, 온도, 진피출혈 등으로 피판의 상태를 평가한다. 그러나 때로는 평가하기가 어려울 수 있고 피판의 표면이나 말초, 중심부의 온도가 각각 다양하고 다르게 측정되어 오판하기 쉽다. 피판의 탄력성도 수술 후 피판부종 등으로 측정하기 쉽지 않은 경우가 있으며, 복합피판의 골조직의 경우 피부가 생존하더라도 그 아래 존재하는 피판구조물이 생존하지 못할 수도 있다.

(2) 객관적인 지표

지난 10여 년 동안 많은 객관적인 방법들이 임상과 실험에 이용되어 왔다. 그러나 이들 객관적인 지표들은 감시체계의 지속적인 유지가 불가능하거나, 이전하기 어렵거나, 또는 피판의 허혈 상태와 궁극적인 생존율이 일치하지 않는 등의 제한점이 있어 임상적·주관적인 평가보다 널리 사용되고 있지는 않다. 현재 임상에서는 9 MHz의 도플러로 피판경과 피부의 혈류를 측정하는 방법이 비교적 합리적인 방법으로 사용되고 있다.

3) 유리피판의 구제술

유리피판의 구제에는 약물사용과 미세혈관 재수술이 주로 이용되고 있다. 보고에 따르면 보온허혈 후 4시간 이내에 재관류가 일어나면 조직괴사 없이 완전히 회복할 수 있고, 보온허혈 후 4–8시간 이후에는 재관류가 일어나더라도 어느 정도의 부분괴사를 피할 수 없게 된다. 보온허혈 후 8–12시간이 지난 후에는 모세혈관 폐쇄(no flow) 현상에 의하여 피판의 생존은 기대할 수 없게 된다.

이러한 조직괴사는 과산소유리기 등이 혈관내막을 손상하여 모세혈관 투과성을 높이고 피판부종과 과점성을 유도하여 혈류의 저류가 일어나고 미세혈관 순환 장애와 미세혈전증을 일으켜서 발생하는 비가역적인 반응 때문에 일어난다고 생각하고 있다. 유리기를 없애는 물질이나 산소유리기를 없애는 약제들이 허혈조직의 생존 개선을 위하여 실험적으로 사용되고 있지만, 그 효과는 모세혈관 폐쇄 현상의 시작을 약간 지연시키는 정도에 불과하다.

피판괴사 후 미세혈관 문합 실패의 조기발견과 재수술은 임상적으로 발견한지 1시간 반 이내에 실시하는 경우 구제술의 성공률이 75–98%로 보고되고 있다. 주로 피판의 일차실패가 동정맥문합의 실패로 야기되는 것이 대부분이지만, 때로는 혈관의 혈관경련, 혈전증, 혈관꼬임 등으로 인한 폐쇄도 문제가 될 수 있다. 또한 외부에서 가해지는 지나친 환상압박이나 기관절개 부위의 압박으로 인해 조여지거나, 산소마스크 때문에도 피판관류가 방해받을 수 있다.

일반적으로 유리조직이식 후 72시간 내에 허혈 증세가 나타나면 즉시 재수술을 하고 혈액관류를 교정해야 한다. 혈전이 심하고 광범위한 경우에는 혈전 용해제인 streptokinase 또는 thrombolysin, urokinase 등을 혈관 내에 주사하는 것이 좋다.[20] 이러한 약제들은 전신적인 출혈성 합병증을 일으킬 위험성이 있기 때문에 국소적으로 사용하는 것이 안전하다.

일주일 이후에 문합 실패가 발견된 경우에는 수혜부 혈관재생의 정도에 따라서만 피판의 일부가 생존할 수 있으므로 혈관문합부의 재수술이나 약물치료가 불필요하다. 수술적 접근이 불가능할 경우에는 출혈성 합병증을 잘 관찰하면서 전신적 헤파린을 사용한다. 때로는 최후의 수단으로 거머리를 사용하는데, 한 보고에 따르면 60–70%의 성공률을 기대할 수 있다고 한다.

Ⅶ 두경부 부위별 재건의 기본 개념

두경부의 외관이나 기능의 정상적 재건을 위하여 결손부의 상태를 파악하고 각 재건방법의 특징을 잘 파악하여 가장 간단하고 경제적인 방법을 선택하는 것이 원칙이다. 그러나 두경부 결손 시에는 상처부가 타액에 노출되거나 술 전 방사선치료 등으로 인하여 혈류 상태가 좋지 않으므로 근피판이나 유리피판 등의 혈관 분포가 양호한 재건술이 보편화되고 있다. 피판은 개개의 장단점을 잘 파악하여 선택한다.

1. 안와부의 재건

부비동이나 비강의 악성 종양으로 상악전적출술(total maxillectomy) 후에 안와의 하벽이나 내측벽에 결손이 생겨서 안구를 지지하는 구조의 결손으로 안구함몰(enophthalmus)이 발생하거나 종양이 안구에 직접 침범해 안구 전체를 제거하는 경우에 이를 적절히 재건해야 한다.

1) 안와벽의 재건

인조합성 물질(synthetic materials)인 실리콘이나 테프론 판(sheet)을 사용한다. 쉽고 간단한 방법이나 상피화가 잘 되지 않고 쉽게 감염되거나 돌출(extrusion)된다.

식피술은 부비동 점막의 재건에 흔히 사용되는 방법이나, 주위 점막으로부터의 재상피화(re-epithelialization)에 오랜 시간이 걸리고 육아조직이나 가피(crust) 형성이 많고 결손부가 크거나 안면의 피부결손이 동반된 경우에는 부적절하며 안면부의 함몰이 생겨 외관상 기형을 초래하기 쉽다.

그 외에도 대퇴근막(fascia lata m.)을 사용하거나 두정부(parietal portion)의 두개골(calvarial bone), 늑골, 장골능(iliac crest)을 자가이식하는 방법도 있고, 인접한 부위에서 전두피판(forehead flap)이나 측두두정근막판(temporoparietal fascial flap)을 사용할 수도 있다.[19]

2) 안구적출 후 재건

안와 결손부를 전부 폐쇄하는 방법으로 측두근 피판(temporalis m. flap)이나 혈관경이 긴 광배근피판 등의 유경 근피판을 이용하거나 복직근이나 광배근피판을 유리근피판술로 재건한다. 안와벽을 재건한 후 인조 안구를 삽입하는 방법이 있는데, 견갑골, 장골, 비골피판 등의 골피판술을 선택하면 술 후에 점진적인 연부조직의 위축이 없어 이상적이다.

2. 안면중앙부의 재건

1) 수술 전 고려할 사항과 재건의 원칙

안면중앙부(midface)는 구개, 상순(upper lip), 코와 상악골, 안와, 두개저를 포함하는 부위로 재건이 까다로운 곳이다. 먼저 외관상의 기형, 안와 문제, 연하와 구음 등의 생리적인 기능, 교합 등 치과적인 면 등을 고려하여야 한다.[31] 재건의 목적은 상순에서 두개저까지의 여러 복잡한 조직의 결손을 재건하며 비강과 구강을 분리시키고 두개 내 구조를 보호하며 치과적 재활을 적절히 시행하는 것이다. 이를 위해서는 안면피부의 결손 범위, 상악골과 구개의 절제 정도, 안구지지조직의 손실 등을 파악하여야 한다. 술 전에 방사선치료를 받았을 경우에는 유리피판술이 이상적이나, 여의치 않으면 4–6주 후에 유리골이식(free bone graft)을 하는 것이 바람직하다.

표 38-6. 안면중앙부결손의 분류

분류	내용
제 1 형	안면 피부 결손만 있는 경우 상악, 안와저, 구개의 버팀벽(buttress)은 보존됨
제 2 형	구개와 안와저 결손이 없는 상악 부분 적출술
제 3 형	구개의 일부분이 제거된 상악부분절제술 안와저와 Lockwood 인대는 보존됨
제 4 형	안와벽은 보존되는 상악전적출술
제 5 형	안와의 지지조직이나 안구가 같이 제거되는 상악 전적출술

2) 결손부의 분류와 그에 따른 재건법

안면중앙부의 결손은 연부조직의 결손, 상악골의 제거 범위, 구개결손의 크기, 안와지지조직의 유무에 따라 다섯 가지 형태로 분류될 수 있다(표 38-6).

제1형은 안면의 외부 피부의 결손만 있는 것으로 크기가 작으면 일차 봉합이나 전층식피술(full-thickness skin graft)만으로도 충분하다. 한쪽 안면의 1/3 이상의 결손에는 인접한 부위에서 국소피판을 채취해 이식하는 것이 피부의 색깔과 질감이 비슷하여 바람직하다. 특히 외비의 결손에는 전두피판(forehead flap)이 흔히 사용되고 있다.

제2형은 구개와 안와의 결손이 없이 상악골의 내측만 제거된 상태이며, 제3형은 구개의 일부분이 같이 제거된 경우, 즉 상악골부분적출술을 시행한 경우인데, 내측 점막의 결손에는 식피술을 하고 구개부의 결손은 보철물(prosthesis)을 삽입하여 구강과 비강을 분리시키고 안면의 함몰을 예방한다. 그 외 구개의 부분 결손에는 설피판(tongue flap), 협부점막피판(buccal mucosal flap), 구개피판(palatal flap) 등을 사용할 수 있다. Pribaz 등은 안면동맥의 분지가 분포하는 협부의 점막, 지방 및 협근(buccinator m.)을 이용한 안면동맥근점막피판(facial a. musculomucosal flap; FAMM)으로 재건하기도 하였다.

제4형은 안와벽을 보존한 채 상악골 전체가 제거된 것으로 종양의 재발 여부를 추적 관찰하기 위하여 일차적인 재건은 피하여야 한다는 주장이 있어 대개 식피술과 보철물 삽입술을 많이 시행하지만, 시간이 지남에 따라 안면부의 함몰과 근육의 전위로 인한 부정 교합 등의 후유증이 많다. 이 결손의 재건에는 부피가 큰 피판이 필요하여 국소피판은 부적당하고, 광배근피판이나 복직근피판 등의 근피판은 시간이 지남에 따라 근육이 위축되는 단점이 있어 상악골의 전벽을 유리골이식(free bone graft)으로 재건한 후, 대망피판(omental flap), 견갑근막피판(scapular fasciocutaneous flap)이나 요전완피판(radial froearm flap)으로 안와벽과 상악골의 내측벽을 재건하는 방법도 있다. 최근 들어서는 견갑골피판(scapular osteocutaneous flap), 비골피판(fibular osteocutaneous flap,) 장골피판(iliac osteocutaneous flap) 등으로 안와하벽, 상악골의 내측 및 전벽과 연부조직을 동시에 삼차원적으로 재건하는 방법도 이용되고 있다. 또 치과적 재활을 위하여 치아이식이나 인공치아이식을 같이 사용할 수 있는데 이때는 상악치조궁(maxillary alveolar arch)의 하방 위치와 적당한 두께의 골이 필요하다.

제5형은 안와의 지지조직이나 안구 전부가 같이 제거되는 경우로 위에서 언급한 안와부의 재건법과 동일하다.

3. 두개저부의 재건

두개저(skull base)는 안와의 상벽, 접형동, 비인두의 후상벽, 측두하와(infratemporal fossa)로 이루어져 있다. 두개저 재건의 목표는 탈뇌(brain herniation) 및 뇌척수액의 누출을 막고, 감염을 막기 위해 경막 폐쇄(dural seal)가 견고해야 하며, 사강(dead space)을 없애고 뇌신경 조직을 보호하며, 골과 연부조직으로 완전하게 덮어주어 기능적·미용적으로도 만족하게 재건하는 데 있다. 두개저 수술 후 특히 방사선이나 항암치료를 받은 경우에는 약 20%에서 심각한 창상감염이나 중추신경계 합병증이 병발하므로 이런 경우에는 유리피판을 이용한 재건이 안전한 재건법이다.[14]

1) 재건법

과거에는 식피술이나 대퇴근막(fascia lata)을 이용하였으나 믿을 만한 방법은 아니고, 모상건막피판(galeal flap)은 작은 결손부에 적당하다. 현재 가장 보편적으로 많이 사용되는 방법은 상안와신경혈관경(supraorbital neurovascular bundle)이 분포하는 두개골막피판(pericranial flap)이다.

그 외 사강과 광범위한 결손을 재건하기 위해서는 근피판을 이용한다. 유경근피판은 혈관경의 길이에 제한이 있고 피판의 원위부의 혈행이 좋지 않다는 단점이 있어, 크고 긴 혈관경을 가진 전완부피판 등의 유리 피판 또는 부피가 필요하면 복직근과 광배근 피판 등의 유리 근피판이 좋다.

2) 두개저의 분류와 그에 따른 재건법

제1 영역은 두개저의 전반부로 사대(clivus)와 대공(foramen magnum)부까지인데, 결손 부위의 크기가 작으면 모상건막피판만으로도 재건이 가능하다. 가장 흔하게 사용되는 것은 두개골막피판이나, 이 방법만으로 탈뇌의 위험이 있는 경우에는 두개골(calvarial bone)을 경막하에 삽입하거나 드물게는 전완유리피판을 병용한다.

제2 영역은 중두개저의 전반부로 안와후벽에서부터 측두골의 추체부 후면까지로 내경동맥, 삼차신경과 안면신경 등의 중요한 구조물이 있고 측두하의 악성 병변은 흔히 경막을 침범하므로 이에 유념하여야 한다. 제3 영역은 중두개저의 후반부와 후두개저부를 포함하는 곳으로 내경정맥과 제9번에서 12번 뇌신경이 있다. 위 두 영역의 결손은 대개 광범위하여 사강이 생길 수 있으므로 부피가 큰 광배근피판이나 복직근 유리피판이 좋다.

4. 구순의 재건

구순을 재건할 때는 외양적인 면과 구음(articulation), 구강 괄약기능(oral competence) 등의 기능적인 면을 고려하여야 한다. 해부학적으로 구순은 피부, 구륜근(orbicularis oris m.), 점막의 세 층으로 이루어져 있는데 피부점막경계부(vermilion border)가 매우 중요하므로 재건 시 반드시 보존한다.

재건의 목적은 구강 괄약기능을 유지하면서 구강의 운동성을 보존하여야 하므로 근육의 연속성을 유지하며 감각기능을 보존하며 구강의 둘레를 최대화하여 정상적인 구조로 재건해야 한다. 동측의 남아있는 부분이나 반대측의 구순 혹은 인접한 부위의 조직을 이용해 재건하는데, 이 부위들이 불가능한 경우에는 원격피판을 사용한다.[16]

1) 하순의 재건

하순(lower lip)의 부분적인 결손은 일차 봉합이나 전진피판만으로도 재건할 수 있으며, 결손이 크고 외측부인 경우는 비순피판(nasolabial flap)으로 재건한다. 하순의 전층에 결손이 있는 경우에 크기가 1/3 이하면 일차 봉합을 하며, 1/3–2/3의 결손은 Abbe나 Estlander 피판으로 재건하고, 전결손은 족배피판 혹은 장측인대를 포함한 전완부피판(radial forearm free flap with palmaris longus tendon) 등의 얇은 근막유리피판술로 재건한다.[22]

2) 상순의 재건

상순(upper lip)의 부분적인 결손은 일차 봉합이나 전진피판으로 충분하며, 외측부의 2 cm 이하의 결손은 비익주위겸상 전진피판이 적당하며, 그 이상은 비순피판으로 재건한다. 전층의 결손이 인중부에만 국한된 경우는 Abbe 피판을 이용하며, 외측부가 전부 제거되면서 구순연합부(oral commissure)가 침범된 경우는 Estlander 피판으로 재건한다. 인중과 외측부가 동시에 2/3 이상 제거된 경우는 Gilles 부채피판(Gilles fan flap)이나 유리피판술을 이용한다.

5. 구강 및 하악의 재건

구강이나 하악을 재건할 때는 침의 정상적인 흐름을 방해하지 않으면서 혀의 운동을 저해하지 않고, 가능한 한 연하와 구음에 최소한의 장애만 남도록 하고, 교합과 저작의 기능을 보존하며, 기도를 보호해야 한다.[21,27]

이와 같은 기능적인 재건을 위해서는 구강점막 감각의 보존과 회복이 중요하다. 이러한 점들을 만족시킬 수 있는 피판은 얇은 근막피부 유리피판(fasciocutaneous free flap)으로서, 전완유리 피판, 외측 상완 피판, 외대퇴부 피판 등이 있다. 하악골은 안면하부의 외관을 유지하

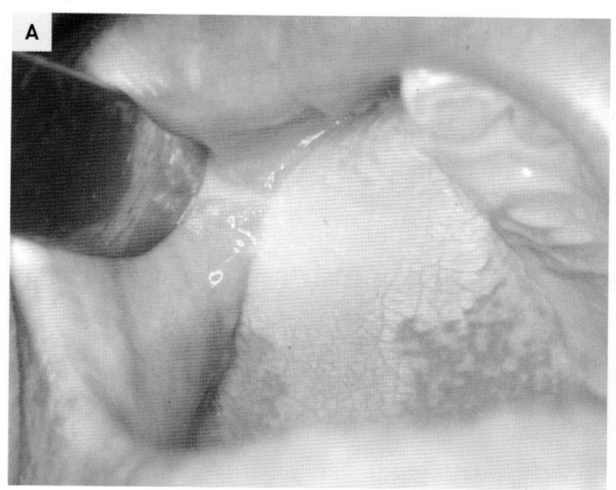

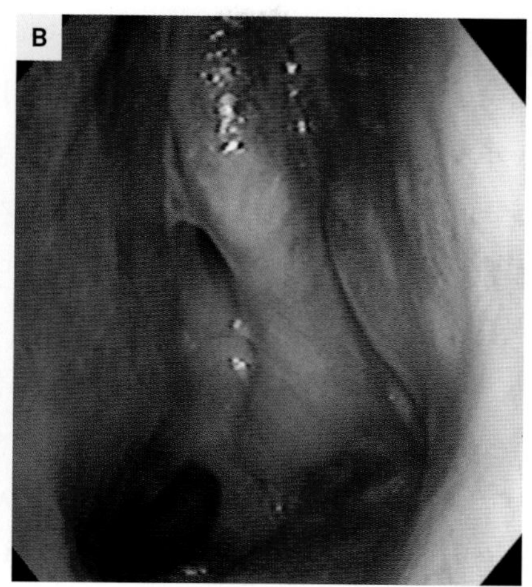

■ 그림 38-34. **상악재건 후 구강(A)과 비강(B)의 모습.** 상피의 재생과 비강과 구강의 누공이 완전히 폐쇄되어 있다.

고 설부나 이와 연관된 여러 근육 등을 지지하므로 골의 연속성과 연부조직의 모양을 적절히 재건해야 한다.[29]

1) 구개 및 상악골의 재건

구개(palate)와 상악골 재건의 목적은 적절한 연하작용(deglutition)을 유지시키고 구음 기능을 최대한으로 보존하는 데 있다. 특히 연구개의 경우 연하작용의 구강기(oral phase)의 시작을 도와주기 위하여 감각기능이 있는 얇은 피판으로 재건해야 하나, 이 경우에 구개의 운동성이 없으므로 구개인두부전증(velopharyngeal incompetence)을 피할 수 없다. 따라서 인두후벽과 그에 상응하는 피판의 중간 부위를 탈상피화하여 봉합하면 비인두의 입구를 좁힐 수 있어 구개인두부전증을 감소시킬 수 있다. 구개의 2/3 이상이나 전구개 결손의 경우에는 유리피판과 구개피판을 동시에 사용하여 재건하는 방법이 유용하다. 상악골 전적출술 후에는 보통 조음, 공명, 연하기능에 심각한 장애가 남게 된다. 최근에는 아직 논란의 여지는 있으나 상악골 적출 후 결손을 분류하여 그 정도에 따라 다양한 유리피판을 이용한 일차 재건을 시도하여 기능 및 미용적 장애를 최소화하려는 방법들이 보고되고 있으며 우수한 종양학적 및 기능적 결과를 보고하고 있다(그림 38-34).

2) 혀의 재건

혀는 연하 시에 구강준비기(oral preparatory phase), 구강기 및 인두기의 시작에 관여하며 설음(lingual sounds)과 모음 등의 구음 및 기도 보호의 기능이 있다. 설과 구강저는 서로 연결되어 있고 하악골에 인접해 있어 악성 종양에 동시에 침범되는 경우가 많으므로 구강저·하악골의 재건을 함께 고려해야 하는 경우도 많다. 이상적인 피판은 적당한 부피를 가지고 가동성과 유연성이 있으며 감각이나 운동신경피판으로 기능해야 한다.[30]

(1) 결손의 크기에 따른 재건

결손이 전체 설부의 1/4 이하이면 일차 봉합이나 피부이식 혹은 설판(tongue flap)으로도 기능적 장애를 거의 남기지 않고 재건할 수 있다. 이때는 구강저나 하악의 내면 점막과의 당겨짐에 의한 운동제한이 없어야 한다.

결손이 설부의 1/4에서 1/2에 달할 경우 남아있는 혀에 운동기능이 있으면 혀의 감각기능과 결손 부위의 모양과 부피의 재건에 주안점을 두어야 한다. 식피술이나 국소 피판은 부적당하며, 유경근피판으로 대흉근피판이나 승모근피판 등이 사용되나 부피가 너무 커서 혀의 가동성에 지장을 초래할 수 있다. 이에 따라 최근에는 감각기능이 있고 피판이 얇은 전완부 피판, 족배부 피판, 외측 대퇴부 피판, 외측 상완부 피판들이 널리 이용되고 있으며 장 피판(intestinal flap)도 고려할 수 있다. 장피판은 공장피판(jejunum flap) 혹은 위의 일부분을 이용하여 재건하는데 이들 피판은 얇고 유연성이 있으며 수술 후 방사선치료로 발생할 수 있는 구내건조증(xerostomia)을 방지할 수 있으나, 감각기능을 얻을 수 없고 복부를 열어야 하는 부담과 재건 후 초기에 과다한 점액 분비가 있다는 단점이 있다.

가동부 설이나 설기저부의 대부분이 제거된 경우에는 혀와 연구개 그리고 설기저부와 인두벽이 접촉해야 연하작용이 가능하므로 용적이 충분하도록 재건하며, 부피가 비교적 크고 감각기능의 회복이 가능한 피판이 이상적이다. 대흉근피판이나 광배근피판 등의 근피판이나 복직근피판 등의 유리근피판들은 충분한 부피의 제공은 가능하나 감각기능의 회복이 불가능하다는 단점이 있다. 특히 설근부의 결손 부위가 작을 경우에는 일차봉합으로도 기능에 장애가 없으나, 결손 부위가 큰 경우는 감각 유리 피판 중 부피가 비교적 큰 외측 상완부 피판(lateral arm free flap)이 다른 감각 피판보다 좋고, 전완부 유리 피판을 사용할 경우에는 피하 연부조직을 포함시켜 피판의 두께를 두껍게 하는 것이 좋다.[11]

설기저부를 포함한 혀의 전결손이 있을 때 후두를 보존하는 경우에는 흡인(aspiration)을 방지하면서 연하가 원활하도록 하는 것이 가장 중요하고, 가능하면 구음기능도 보존해야 한다. 이를 위하여 운동기능, 감각기능, 적절한 부피 모두를 가진 피판이 필요하나 불행하게도 현재로서는 이러한 조건을 충족시키는 피판은 없다. 유경근피판은 재건 초기에는 충분한 부피가 있으나 시간이 지남에 따라 근육이 위축해 피판이 아래로 처져 흡인이나 연하곤란 등의 문제가 발생할 수 있고, 감각이나 운동신경의 재분포가 불가능하다는 단점이 있다. 전완부 피판이나 외측 상완부 피판 등의 근막피판(fasciocutaneous flap)은 부피가 적다는 단점이 있어 운동기능과 부피의 충족이 가능한 광배근 피판(latissimus dorsi musculocutaneous flap)과 복직근 피판(rectus abdominis musculocutaneous flap) 등의 유리피판이 주로 이용된다.

후두가 보존된 경우는 흡인이 가장 큰 문제인데 이를 예방하기 위하여 하악골에 후두를 걸어 당겨 올려주거나(laryngeal suspension), 후두개 후두성형술(epiglottic laryngoplasty,) 혹은 윤상인두근절개술(cricopharyngeal myotomy) 등을 시행한다. 요약하면 전설절제 후 기능적 재건을 위해서는 복직근 피판 등 넓고 큰 피판을 사용하고, 피판의 위축을 감안하여 피판을 결손부보다 30% 정도 크게 도안하고 후두 거상을 반드시 시행해야 하며 수술 후 초기에 충분한 영양섭취가 이루어지도록 하여야 한다.[21]

3) 구강저의 재건

구강저(mouth floor)의 전반부는 설첨부와 연결되어 구음 작용에 중요한 역할을 하며 하악 및 설과 연결되어 있어 종양을 적출할 때 동반되는 인접한 부위의 결손도 함께 재건하여야 한다. 구강저의 재건에 사용되는 피판은 우선 얇아야 한다. 악설골근이 보존된 작은 결손은 식피술만으로도 충분하며 약간 큰 결손에는 비순피판(nasolabial flap), 전두피판(forehead flap) 등의 국소피판이 가능하다. 근피판은 부피가 너무 커서 부적절하며 가장 선호되는 피판은 얇은 전완 유리피판이다.

결론적으로 구강의 재건에 있어 유경근피판은 부피가 너무 크며 유연성(pliability)이 적고 감각 기능의 회복이 불가능하며 시간이 지남에 따라 경(pedicle)의 근육이 위축되고, 경부의 조직에 고정되어 피판을 아래로 잡아당기게 되어 피판이 아래로 처지므로 기능상 문제점이 많다. 그러므로 설기저부나 결손이 아주 큰 경우를 제외하고는

표 38-7. 피판의 종류와 사용 가능한 감각신경

피판	감각신경
족배 유리피판(dorsalis pedis free flap)	총비골신경(superficial peroneal nerve)
외측 상완부 유리피판(lateral arm free flap)	후부 피부신경(posterior cutaneous nerve)
외측 대퇴 유리피판(lateral thigh free flap)	외측 대퇴 피부신경(lateral femoral cutaneous nerve)
요전박 유리피판(radial forearm free flap)	전완 피부신경(antebrachial cutaneous nerve)
대퇴근막 긴장근 유리피판(tensor fascia lata free flap)	외측 대퇴 피부신경(lateral femoral cutaneous nerve)
척전박 유리피판(ulnar forearm free flap)	전완 피부신경(antebrachial cutaneous nerve)

주로 얇은 유리근막피판이 선호된다. 그러나 피부피판(cutaneous flap)을 이용한 재건도 점액 분비가 없으면서 피지선의 지속적인 분비가 있고, 털이 자라며, 표피층에서 계속적인 탈상피화가 일어나는 등의 단점도 있다.

4) 감각피판에 의한 구강재건

단순 피판으로 모양은 재건할 수 있지만 기능적인 면, 특히 구강이나 인두에서의 감각신경의 회복 또한 중요하므로 최근 들어 유리피판을 사용할 때 공여부에서 피판에 분포하는 감각신경을 혈관경과 같이 수혜부의 감각신경에 연결하는 감각유리피판술이 보편화되고 있다. 구강점막의 감각은 구강준비기와 구강기에 연하를 돕고 구강위생, 저작 등에 있어서도 기능적인 도움을 준다. 인두의 감각은 연하할 때 반사적 후두폐쇄를 유도하고 하인두에 남아있는 음식 잔재물을 다시 한번 더 삼키게 하며 윤상인두수축근을 반사적으로 이완시키는 역할도 한다. 감각피판으로 사용 가능한 여러 피판과 그에 따른 신경들이 (표 38-7)과 같이 많이 있으며, 이들을 수혜부의 신경 즉 설신경(lingual n.), 하치조신경(inferior alveolar n.), 설인신경(glossopharyngeal n.), 경신경총(cervical plexus), 대이개 신경(greater auricular n.) 등에 연결한다.[28]

5) 하악골의 재건

하악골의 기능은 구인두(oropharynx)의 연부조직과 근육의 복합체를 지지하고 고정하는 역할이다. 하악골이 변형되면 정상적인 교합, 발음, 저작, 연하, 외모의 장애를 초래한다. 두경부 악성 종양으로 인한 하악골의 결손은 피부, 그리고 구강 점막과 연부조직의 결손을 같이 동반하는 경우가 흔하다. 하악 재건의 목적은 골의 연속성을 유지하며 복합조직의 재건을 동시에 시행하고 생리적인 기능 및 치과적 재건을 하는 데 있다.[6]

과거에는 감염을 우려하여 이차적인 재건술을 사용하였으나, 술 후 주위조직의 섬유화와 반흔 수축으로 인해 남아있는 하악이 편위되어 정확한 교합을 맞추기가 힘들고 재건 후에도 저작근과 하악골 주위 연부조직의 섬유화와 수축으로 완벽한 외관과 기능 회복이 어렵기 때문에 유리피판술이 소개된 이후에는 절제와 동시에 일차적 재건술을 하는 것이 보편화되고 있다.

유리피판재건술은 적용범위가 넓고 골모양도 하악골 모양으로 만들 수 있으며 안면부와 구강 연조직 결손을 동시에 재건할 수 있다. 또한 혈류공급이 확실하여 감염에 강하고, 골의 돌출이나 흡수가 적으며, 조기 골융합으로 고정기간이 짧고, 방사선치료 후 골괴사(osteoradionecrosis)도 적으며, 치아 매식술(osseointegrated implants)로 치아도 회복시킬 수 있다. 그러나 공여부의 결손이 크며, 수술수기가 난해하고, 시간이 많이 걸리며, 혈관장애가 있을 때 전체 피판이 괴사할 위험이 있다.

(1) 결손의 정도와 부위별 재건

하악 결손의 크기가 2–4 cm이면서 구강점막이나 피부의 결손이 없는 경우는 이형성 물질(alloplastic materials)이나 유리골이식(free bone graft)만으로도 충분하나 4-6 cm 이상 되는 결손에는 골생성 능력이 있는 해면골 이식이나 복합피판술 등이 적절하다. 하악골이 제거되는 부위와 주위의 연부조직의 제거 정도가 수술 후 외관과 기능에 밀접한 관계가 있다.

외측 결손(lateral defect)은 기능 및 외관의 장애가 적어 수술 후에 하악골이 편위되어 부정교합(malocclusion)이 발생하여도 환자가 적응을 잘하여 재건이 필요 없는 경우도 있으나 하악결합부(symphysis)나 하악지(mandibular ramus)의 결손은 술 후 기형이 심하여 대부분 재건이 필요하다. 특히 결합부(symphysis) 결손은 Andy Gump 변형을 초래하며, 굴곡진 모양 때문에 재건할 때 어려움이 많다.

하악지의 결손은 근돌기(coronoid process), 하악과(condyle)와 악관절의 절제 여부에 따라 나누어지는데, 근돌기와 하악지의 상행지(ascending ramus)가 남아있는 경우와 상행지의 일부와 하악과돌기(condylar process)가 남아있는 경우는 술 후의 골편위와 악관절의 탈구를 방지하기 위하여 근돌기를 제거한 후 재건하는 것이 좋다. 하악지의 남아있는 부분이 너무 적거나 하악과 전체가 절제된 경우는 하악과돌기의 재건을 위하여 이형성 물질로 만들어진 관절보철물(alloplastic joint prothesis)을 삽입하거나 장골유리피판술(iliac free flap)을 할 수 있다.

(2) 재건방법

여러 가지 장비의 개발과 수술수기의 발달로 재건방법이 다양해졌으며 이들은 크게 비혈관성 이식(nonvascularized graft)과 혈관성 이식(vascularized graft)으로 나누어진다. 전자에는 이형성물질 삽입술(alloplastic implants)과 골이식술(free bone grafts)이 있고 후자에는 근골피판이나 유리피판 등의 복합피판술(composite flap)이 있다. 각 방법들은 결손 원인과 부위 등에 따라 적용 범위가 다르고 각각의 장단점이 있으나 현재 유리 복합피판술이 가장 많이 사용되고 있다.

피판의 골 부분이 가지고 있어야 할 이상적인 요건은, 혈관 분포가 풍부하고, 재건 후의 치아매식을 위하여 적당한 폭과 높이 및 충분한 길이를 가지고 있어야 하며, 하악의 모양과 유사한 것이 좋고, 수술 시간을 절약하기 위해 동시에 두 팀의 시술이 가능하고, 공여부의 후유증이 적어야 한다는 점 등이다.

복합피판술은 유경피판(pedicled flap)과 유리피판(free flap)으로 나누어지는데, 유경피판은 포함되는 연조직의 종류에 따라 골피판과 근골피판으로 세분된다. 이 중 골피판술은 피판과 인접한 골을 공여부로 사용하는 방법으로 확실한 혈관경이 없어 진정한 유경피판이라 말하기 힘들고 근피판이나 유리피판술이 보편화되면서 잘 사용하지 않게 되었다. 근골피판술로 흔히 사용되는 것은 대흉근, 광배근, 흉쇄유돌근 및 승모근골피판 등인데, 피판에 포함되는 골의 크기에 제한이 있고 혈관 분포가 유리피판보다는 불확실하다는 단점이 있다.

유리 골피판으로는 비골(fibula), 장골(iliac crest), 견갑골(scapula)이 가장 흔히 사용되며, 드물지만 요골(radius), 제2 중족골(second metatarsal bone), 늑골도 사용할 수 있다.

요골을 포함하는 전완부 피판은 많은 양의 얇은 연부조직을 얻을 수 있으나 이용할 수 있는 골부위는 요골의 약 40%, 길이 10 cm 정도까지여서 하악재건에 적용하기에는 길이의 제한이 많으며, 손의 배부 감각이상이나 전완부에 반흔을 초래한다. 또한 단피질골(unicortical bone)만을 얻을 수 있으며 수술 후 요골에 병적 골절(pathologic fracture)이 발생할 수 있어 오랜 기간 동안 공여부를 고정해야 하기 때문에, 광범위한 구강 점막과 안면부의 연부조직 재건이 필요하면서 외측 하악골(lateral mandible)의 짧은 골 결손만 있는 경우에만 주로 사용된다.[18]

견갑부 골피판은 견갑골의 외측에서 약 10-12 cm까지의 골을 얻을 수 있고, 유연성이 있는 많은 양의 피부와 흉배동맥(thoracodorsal a.)이 분포한 광배근과 전거근(serratus anterior m.)의 일부도 같이 사용할 수 있어 연부조직을 가장 다양하게 이용할 수 있다. 흉배 동맥의 각 분지(angular branch)를 같이 이용할 경우 견갑골의 외측 연을 두 개로 나누어 이용할 수도 있다. 그러나 골의 두께가 얇아 치아 매식술을 하기에는 두께가 부적절하며 연부 조직이 너무 두껍고, 수술 중 환자의 위치를 바꾸어야 하므로 견갑부 피판은 대부분의 하악골을 재건할 때 우선적으로 선택할 수 있는 피판은 아니다. 하지만 하악골의 재건이 아닌 구강 내외의 연부조직을 동시에 재건해야 할 경우 고려할 수 있다.

장골피판은 사용할 수 있는 골부위가 14-16 cm로 크며, 장골능(iliac crest)의 자연 곡선이 하악의 굴곡과 비슷하여 결손이 큰 경우나 하악과(condyle)의 재건에도 사용할 수 있고, 피질(cortex)이 치밀하고 단단하여 치아매식술이 가능하다. 또한 장골 능과 함께 많은 양의 피부와 내복사근(internal oblique abdominal m.)을 얻을 수 있어 한 번의 수술로 하악골, 구강 내막, 구강의 연부조직을 재건할 수 있다. 그러나 피판을 거상하기가 어렵고, 피부가 구강재건을 하기에는 두꺼우며, 잠정적인 보행장애, 술 후 공여부에 혈종 혹은 장액종(seroma), 대퇴부의 동통과 무감각 등의 합병증이 흔하며, 복벽이 약해지고(abdominal weakness), 탈장(hernia)이 드물게 발생할 수 있다.[27]

비골피판은 가장 긴 골(25 cm)을 사용할 수 있고 일정한 모양과 굵기를 갖고 있어 하악재건에 이상적이며, 치아매식에 적절한 높이와 두께를 가지고 있고, 혈관이 비골을 따라 주행하면서 분절로 공급되므로 설상절제(wedge resection)를 하여 하악의 굴곡진 부분의 모양으로 만들 수 있어 하악결합부의 재건도 가능하다. 수술 중 환자의 위치를 바꾸지 않고도 두 팀이 동시에 수술을 할 수 있으며, 공여부의 이환율도 적다. 그러나 혈관분포가 다양해서 술 전에 혈관조영술이나 도플러 검사를 하여 확인하여야 하고, 골모양이 직선형태이기 때문에 경우에 따라 골절단이 필요하며, 피부피판의 혈관 분포상태가 제한적이라 구강점막 재건에는 적당하지 않다.

6) 구강 및 하악의 재건 후 기능적 재활과 삶의 질의 비교

재건 후 기능적 재활은 수술 전후의 여러 요인들의 영향을 받을 수 있으므로 저작, 연하, 구음, 구강괄약기능 등의 다양한 관점에서 평가해야 한다. 재건 후 시간이 경과함에 따라 연조직의 섬유화와 하악골의 재편위에 의한 개구장애와 부정교합(malocclusion) 등이 발생할 수 있으며, 구강의 구(oral sulcus)는 일차적 재건 시 거의 모두 소실되므로 이들을 이차적으로 피판의 부피를 줄이거나 피부를 추가 이식하여 만들어 주어야 한다. 특히 전치은협측구(anterior gingivobuccal sulcus)는 치과적 재활 등의 구강기능에 중요하므로 다시 재건해 주는 것이 좋다.

치과적 재활은 유리피판술을 제외한 기타 재건방법에서는 만족할 만한 재건 후에도 의치 사용이 가능한 경우가 약 10% 정도로 낮다. 장골이나 비골피판의 경우는 치아매식(osseointegrated dental implant)이 술 후 4개월

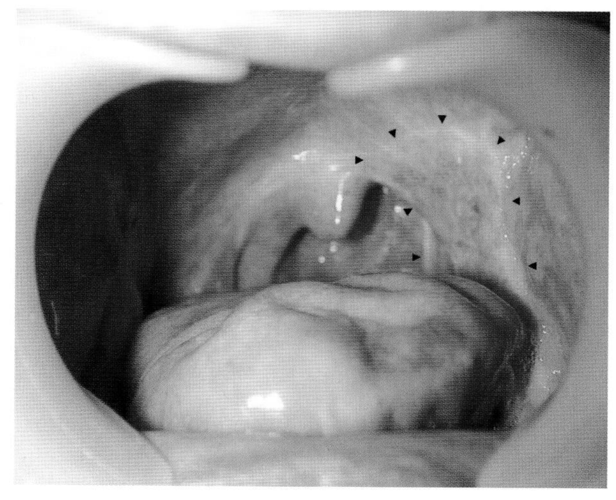

■ 그림 38-35. **전완유리피판을 이용한 구강의 기능적 재건 후 모습.** 피판의 모양 및 위치(▶)가 적절하여 기능 유지가 가능하다.

이면 가능하며 정상인과 비교하여도 기능적으로 손색이 없다.

최근에는 구강 재건 후 기능재건에 대한 관심이 높아지고 있다. 수술 후 기능 비교에서는 유리피판이 유경피판보다 우수한 기능을 나타내고 있으며 음성언어 및 연하기능의 재활에 보다 좋은 결과를 보이고 있다.[26] 구강 및 구인두암 수술 후 재건 방법에 따른 삶의 질(quality of life)에 관한 보고는 최근 많이 있으며 상반되는 보고도 있으나 대부분의 보고는 유리피판을 이용한 재건 방법을 추천하고 있으며 기능적 재건에 주안점을 두고 있다(그림 38-35).

6. 인두와 식도의 재건

인두와 식도 재건의 목적은 기도 흡인이나 폐쇄 없이 연하작용을 원활하게 하는 데 있다. 이를 위해서는 점막이 어느 정도 남아야 일차적 봉합이 가능한지를 알아야 한다. 대개 비위관을 삽입한 상태에서 긴장 없이 봉합이 되면 재건은 필요 없다.[13] 사용이 가능한 피판은 과거에 많이 사용되었던 삼각흉부피판이나 경부피판 등의 국소피판, 대흉근피판이나 승모근피판 등의 유경근피판, 유리피판술, 위나 대장을 이용하는 방법이 있다. 유리 피판술에는 전완부(radial forearm), 외측 상완부(lateral arm), 외측 대퇴부피판(lateral thigh flap) 등의 근막피판(fasciocutaneous flap)과 공장유리피판(jejunum free flap) 등이 있다.

1) 결손에 따른 재건법

인두나 식도 전부를 재건하거나 일부만 재건하여야 하는 두 가지 경우가 있는데 부분적 재건에는 대흉근피판이나 전완부피판이 좋으며 전결손(circumferential defect) 중 짧은 길이는 전완부피판을 말아서 사용하거나 공장 등으로 재건하며 흉부식도 상부까지의 결손은 인두위문합법(gastric pull-up)으로 재건한다.

2) 재건방법에 따른 특징

유경 근피부 피판(pedicled musculocutaneous flap), 특히 대흉근 근피부 피판은 한 번의 수술로 재건이 가능하며, 혈행이 풍부하므로 상처 치유에 도움이 되고, 경부청소술 후 노출된 경동맥을 보호할 수 있다. 그러나 부피가 커서 모양이 좋지 않고 전체 인두와 식도를 재건하기 힘들고 가슴의 변형을 초래하는 등의 단점도 있다.

유리피판 중에는 공장, 전완부, 외측 대퇴부 피판이 많이 사용된다. 공장은 Treitz 인대로부터 40–70 cm 사이의 충분한 길이를 사용할 수 있어 혀의 기저부로부터 흉강 내의 식도까지 재건이 가능하다. 점액의 분비로 윤활에 도움을 줄 수 있고 구조나 크기 면에서 식도와 비슷하며 장간막(mesentery)으로 경동맥을 덮어줄 수 있다. 수술 후 대부분의 환자에서 연하작용이 좋으므로 경부 식도를 재건할 때 가장 선호되는 피판이다. 재건한 후에도 공장의 연동운동이 남아 있기 때문에 연동운동과 같은 방향(isoperistaltic orientation)으로 위치시켜야 한다.[24] 단점으로는 복부를 열어야 하고, 혈관경이 짧으며, 시간이 지나도 두터운 장액막(serosa)에 의해 주위 조직으로부터의 재혈관화가 안 되어 지연 혈류장애(delayed vascular insufficiency)가 생길 수 있고, 후두전적출 후의 기관식도삽입술(tracheoesophageal prosthesis)에 의한 음성재활이 잘 안된다는 것 등이 있다. 술 후에 원위부가 협착할 수 있으므로 봉합 부위를 2 cm 정도 절개하여 크기를 키우거나 계단식 봉합(staggered anastomosis)을 하는 것이 좋다.[10]

전완부 유리피판은 얇고 유연하며, 피판을 관상형태로 하면 설기저부에서 상흉골절흔(suprasternal notch)까지도 재건이 가능하고, 혈관경이 굵고 길며, 공장보다는 허혈(ischemia)에 더 오래 견디고, 수술 후 음성 재활(voice rehabilitation)의 결과가 좋다는 장점이 있다. 그러나 봉합선(suture line)이 길어 누출(leakage)이 많이 발생할 수 있고, 공여부에 피부이식을 해야 하므로 미용상 좋지 않고, 피부이식의 괴사로 전완부의 건들이 노출될 수 있다는 점이 단점이다. Anthony 등은 경부식도 재건에 공장 유리피판을 사용할 경우 복강 내 수술이 필요하므로 장유착, 장폐색, 장출혈, 창상 열개(wound dehiscence) 등의 합병증이 발생할 수 있고, 전완부 피판보다 혈관경의 길이가 짧고 정맥이 약하며, 연동운동이상(dyskinetic peristalsis)으로 연하곤란이 발생할 수 있고, 재건 후 연하작용과 음성기능이 전완부 유리피판을 사용했을 경우보다 못하므로 인두식도 재건에 전완부 유리피판을 선호한다고 보고하였다.[4]

그 외에도 외측 대퇴부 피판은 피부의 두께가 충분하며 공여부의 이환율이 적다는 장점이 있어 일부에서 선호되고 있지만, 털이 있고 혈관경이 가늘고 짧으며 박리하기가 힘들다는 단점도 있다.

인두위문합법(gastric pull-up)은 원위부 한쪽만 문합하므로 협착이 올 위험이 적고, 식도 전부를 포함한 병변의 충분한 제거가 가능하나, 복부와 흉부를 박리해야 하고 술 후 위산의 역류나 덤핑증후군(dumping syndrome)이 올 수 있다.

7. 경부의 재건

피부와 피하조직만 재건하는 경우와 인두피부누공으로 인하여 외부와 내부를 동시에 재건하여야 하는 두 가지 경우가 있다. 재건의 목표는 일정한 색깔과 질감을 가진 조직으로 재건하여 정상적인 외관을 가능한 한 유지하고, 이차적인 수축으로 인한 경부의 굴전이나 신전운동의 장애를 예방하고, 아울러 경부의 여러 중요한 조직을 보호하는 것이다. 재건법은 작은 결손부의 경우에는 식피술, 경부피판, 삼각흉부피판 등의 국소피판으로 충분하나, 대개는 경부청소술 후의 경동맥이나 신경 등의 중요한 조직을 보호할 수 있는 대흉근피판이나 승모근피판 등의 근피판이 이상적이다.

참고문헌

1. 강진성. 최신성형외과학. 계명대학교 출판부, 1994, p185-204
2. 대한성형외과학회편저. 성형외과학. 여문각, 1994, p92-113
3. 안희창, 박철수. 피판술. 임상이비 1997;8:197-220
4. Anthony JP, Singer MI, Mathes SJ. Pharyngoesophageal reconstruction using the tubed radial forearm flap. Clinic Plastic Surg 1994;21:137-147
5. Aston SJ, Beasley RW, Thorne CM. In: Grabb and Smith (eds). Plastic Surgery-Wound healing, Basic techniques and priciples in plastic surgery, 5th ed. Philadelphia: Lippincott-Raven Publishers, 1997, p3-25
6. Aydin A, Emekli U, Erer M, Hafiz G. Fibula Free Flap for Mandible Reconstruction. Journal of Ear Nose and Throat.2004;13:62-66
7. Baker SR, Krause CJ, Panje WR. Radiation effects on microvascular anastomosis. Arch Otolaryngol Head Neck Surg 1978;104:103-109
8. Baker SR. Complications of microvascular surgery. In: Baker SR(ed). Microsurgical reconstruction of the head and neck. New York: Churchill Livingstone, 1989, p159-205
9. Beppu M,Hanel DP,Johnston GHF,Carmo JM, Tsai TM.The Osteocutaneous Fibula Flap: and Anatomic Study.J ournal of Reconstructive Microsurgery.1992;8(3):215-223.
10. Biel MA, Maisel RH. Free jejunal autograft reconstruction of the pharyngoesophagus. Review of a 10-year experience. Otolaryngol Head Neck Surg 1996;96:369-375.
11. Bokhari WA, Wang SJ. Tongue reconstruction: recent advances. Current opinion in Otolaryngology & Head and Neck Surgery 2007;15:202-207
12. Fu-chan Wei, Flaps and reconstructive surgery, Saunders elsevier, 2009, 321-338
13. Fujino T, Saito. Repair of pharyngoesophageal fistula by microvascular transfer of a free skin flap. Plast Reconstr Surg 1975;56:549-556
14. Ganly I, Patel SG, Singh B. Complications of craniofacial resection for malignant tumors of the skull base: report of an International Collaborative Study. Head Neck 2005;27:445-451
15. Gurtner GC, Evans GRD. Advances in head and neck reconstruction. J Plast Reconstr. Surg. 2000;106:672
16. Hamilton MM, Branham GH. Concepts in lip reconstruction. Otolaryngol Clin North Am 1997;30:593-606
17. Hidalgo DA. Fibular free flap : a new method of mandible reconstruction. Plast Reconstr Surg 1989;84:71-79
18. Hidalgo DA. Fibular free flap mandibular reconstruction. Clinics in Plastic Surgery 1994;21:25-35
19. Howard G, Osguthorpe JD. Concepts in orbital reconstruction. Otolaryngol Clin North Am 1997;30:541-562
20. Johnson PC, Barker JH. Thrombosis and antithrombotic therapy in microvascular surgery. Clin Plast Surg 1992;19:799-806
21. Kimata Y, Sakuraba M, Hishinuma S, Ebihara S. Analysis of the rela-

tions between the shape of the reconstructed tongue and postoperative functions after subtotal or total glossectomy. Laryngoscope. 2003;113:905-909
22. Luce EA. Reconstruction of the lower lip. Clinic Plast Surg 1995;22:109-121
23. Mark L.Urken. Atlas of regional and free flaps for head and neck reconstruction. 2012. p176-205
24. Reece GP, Bengtson BP, Schusterman MA. Reconstruction of the pharynx and cervical esophagus using free jejunal transfer. Clinics in Plastic Surgery 1994;21:125-136
25. Song YG, Chen GZ, Song YL. The free thing flap: a new free flap concept based on the septocutaneous artery. Br J Plast Surg 1984;37:149-156
26. Su WU, Hsia YJ, Chang YC, Chen SN. Functional comparison after reconstruction with a radial forearm free flap or a pectoralis major flap for cancer of the tongue. Otolaryngol Head Neck Surg 2003;128:412-418
27. Taylor GI. Reconstruction of the mandible with free composite iliac bone grafts. Ann Plast Surg 1982;9:361-368
28. Urken ML, Biller HF. A new bilobed design for the sensate recial forearm flap to preserve tongue mobility following significant glossectomy. Arch Otolaryngol Head Neck Surg 1994;120:26-32
29. Urken ML. Weinberg H, Vikery C. Oromandibular reconstruction using microvascular composite free flaps : Reports of 71 cases and a new classification scheme for bony, soft tissue and neurologic defects. Arch Otolaryngol Head Neck Surg 1991;117:733-744
30. Wells MD, Edwards AL, Luce EA. Intraoral reconstructive techniques. Clinic Plast Surg 1995;22:91-108
31. Wells MD, Luce EA. Reconstruction of midfacial defects after surgical resection of malignancies. Clinic Plast Surg 1995;22:79-89
32. Xu DC. Applied anatomy of the anterolateral femoral flap. Plast Reconstr Surg 1988;82:305-10.
33. Yang, A, Chen, B, and Gao, Y. Forearm free skin flap transplantation. Natl Med. J China 1981;91:139-145
34. Zur KB, Genden EM, Urken ML. Sensory topography of the oral cavity and the impact of free flap reconstruction: a preliminary study. Head Neck 2004;26:884-9

CHAPTER

39

원발부위 불명암

송시연

원발부위 불명암(carcinoma of unknown primary site; CUP)이란 조직학적으로 증명된 전이암이 있음에도 불구하고 필요한 모든 임상적 검사를 시행해도 원발부위가 확인되지 않는 암을 의미한다.[49] 위에서 말한 임상검사란 철저한 병력 청취와 전신적인 신체 진찰, 진단검사의학적 검사, 분자생물학적 검사, 핵의학적 및 영상의학적 검사 등을 의미한다. CUP는 전체 암 중 2.3~4.2%에 해당하며, 빈도순으로는 7번째를 차지하는 암이다.[46] 암종의 전이는 신체 어느 곳에나 나타날 수 있으므로 두경부에서 전이암이 발견되었다고 반드시 두경부에 원발부위가 있다고 생각해서는 안 된다. 물론, 경부의 CUP, 특히 상경부에서 CUP가 발견되는 경우 대부분 쇄골상부에 원발부위가 있는 것으로 생각되고 있다. 최근에는 PET(positron emission tomography) 등의 영상검사나 내시경, 혹은 면역화학염색과 같은 진단 기법의 발달로 두경부 CUP의 빈도가 감소하는 등 비교적 드물게 발견되며 전체 두경부암의 약 3%(2–9%)를 차지한다.[20,46]

1882년 von Volkmann[67]이 처음 원발부위가 확인되지 않는 경부 림프절 전이를 deep branchiogenic carcinoma of neck이라는 용어로 보고를 했고, 이는 1940년대까지 통용되었다. 이후 1957년 Comess 등[9]이 metastatic cervical carcinoma from an unknown primary라고 보고한 이후로 unknown primary tumor, occult primary tumor, carcinoma of unknown primary, 혹은 metastasis of unknown origin 등으로 불리다가 근래에는 carcinoma of unknown primary가 가장 널리 쓰이고 있다. 원발부위를 찾지 못하는 이유는 원발종양이 어떤 원인에 의해 퇴화되어 전이암이 발견되었을 때는 이미 원발암이 사라져버린 경우, 원발암이 너무 늦게 자라는 경우, 너무 작아서 발견이 안 되거나 혹은 편도의 소와(crypt of tonsil)와 같은 곳에 숨어 있는 경우 등으로 추측하고 있다. 추후에 원발부위가 발견되는 경우는 13–55% 정도라고 보고되고 있다.[68]

조직학적으로는 원발부위 불명암은 신체의 다른 부위에서는 선암(adenocarcinoma)이 90%를 차지하는 것과 달리 두경부에서는 편평상피암(squamous cell carcinoma)이 2/3(53–90%)를 차지하며 상대적으로 다른 조직유형은 드물게 발견된다.[18,24] 특히 경부의 상부 2/3에 CUP가 존재하는 경우 대부분 원발부위가 두경부에 있는 것을 시사한다. 다른 조직 유형으로는 선암, 미분화암(undifferentiated carcinoma), 악성 림프종, 흑색종, 갑상선 유두암 등이 있다. CUP가 경부의 하부 1/3에 존재하는 경우는 원발부위가 쇄골하부에 있을 가능성이 매우 높으며 특히 조직 유형이 선암인 경우 더 그렇다.

원발부위 불명암으로 진단이 되면 환자나 치료하는 의사는 원발부위를 찾지 못해 불안해한다. 또한 이러한 불안으로 인해 예후가 나쁠 것으로 가정하여 과도한 치료를 하는 경향이 있다. 그러나 원발부위 불명암도 예후가 다양한 하나의 질병군에 속한다. 2003년 이후 학자들은 전체 CUP를 예후가 불량한 군(unfavorable prognostic subset, 80%)과 예후가 양호한 군(favorable prognostic subset, 20%)으로 분류하고 있는데 경부림프절의 편평상피암은 다행스럽게도 예후가 양호한 군 20%에 속하며,[46] 적절한 치료 시 5년 생존율이 61%까지 보고될 정도로 경부의 CUP는 예후가 좋은 편이다.[47]

최근 전신적으로 보았을 때 다양한 조직 유형이 존재하고 조직 유형에 따라 생존율이 다를 정도로 다양한 양상을 보임에 따라 원발부위와 상관없는 새로운 질환으로 보려는 학자들도 생겨났다.[50]

I 임상 소견

국내에서는 원발부위 불명암의 빈도에 대한 보고는 없으나, 문헌에 따르면 CUP의 빈도는 대략 3%(1.5–9%) 정도로 생각되고 있다.[20,46] 1975년에서 1995년까지 이루어진 네덜란드의 연구에서 CUP 중 경부 편평상피암은 매년 인구 10만 명당 0.34명이 발생하는 것으로 보고되었다. 또한 진단 기법이 발달하면서 전체 두경부암에서 차지하는 비율이 2.5%에서 1.7%로 감소하는 경향을 보였다.[20]

전형적인 CUP 환자는 일반적인 두경부암 환자군과 유사하여 50–60대의 흡연과 음주력이 있는 남성이지만[11,19,20,22,48] 최근 인간유두종바이러스(human papilloma virus, HPV)와 연관된 젊은 구인두암 환자가 증가[10,41]하는 것처럼 CUP 환자에서도 이런 변화가 나타날 것으로 예측되고 있다.[71]

II 병인(Pathophysiology)

일부 연구자들은 원발부위 불명암이 원발부위와는 상관이 없고 전이를 유발하는 독립적인 유전적 소인을 가지고 있을 것이라 생각하고 있으며 실제로 이를 뒷받침하는 연구들도 존재한다.[50] 또한 많은 종양유전자들이 CUP 환자에서 과발현되며 특히 VEGF (vascular endothelial growth factor)–A와 MMPs (matrix metalloprotein-ase)등은 일정하게 나타나고 실제로 CUP에서 혈관생성이 활발하게 일어나고 있음이 보고되었다.[29,30] 그러나 이러한 것들은 개별적으로 각각의 유전자 연구가 이루어졌기 때문에 전체적인 흐름을 알 수는 없는 상황이다.

III 증상과 징후

원발부위 불명암의 가장 흔한 주 호소(chief com-plaints)는 경부의 무통성 종괴로 거의 모든 환자(94% ~)가 호소하며 그 외에 통증이나 체중감소, 연하곤란 등은 10% 이하이다. 편평상피암인 경우 가장 흔히 침범되는 림프절 부위는 level II이고 다음은 level III이다.[14,20,61] 대부분이 편측성이고 양측성은 10% 이하이며[20] 양측에서 확인되는 경우 원발부위로 비인강을 가장 먼저 생각해야 한다.[14,70] 림프절 병기는 N2a, N2b, N2c 순이며[26,68] 평균 크기는 3.5–5 cm 정도로 알려져 있다.[5,14] 보통 종괴의 발생에서부터 진단까지 2–5개월 정도 걸리는 것으로 보고 있다.[61]

경부의 상부에 발생하는 경우 대부분 그 원발부위가 두경부에 있을 것으로 예측할 수 있지만 level IV 혹은 Vb와 같은 쇄골 상부의 경우에는 갑상선이나 폐 혹은 위장관과 같은 쇄골하부로부터의 전이를 먼저 생각해 보아야 한다. 후방 삼각(posterior triangle)에 림프절이 있다면 비인강암, 두피의 피부암 또는 림프종 등을 우선 생각할 수 있다. 여러 level에 걸친 거대 림프절의 경우 원격전이도 염두에 두어야 한다. 특히 쇄골상부를 침범하는 경우 원격전이를 27%까지 보고한 연구도 있다.[11] 조직학적으로 편평상피암이 아닌 경우 다양하게 나타날 수 있다. 갑상선암의 경우 중심구획에 먼저 나타날 수 있지만 경부의 다른 구역에서 먼저 나타날 수도 있다. 악성 림프종은 특정 부위를 논하기 곤란하며 반대로 악성 흑색종의 경우에는 발생 부위가 원발부위와 연관성이 있는 경우가 많아서 원발부위를 역추적해서 확인하는 경우도 있다.

 진단

진단적 검사의 주 목적은 원발부위 불명암의 조직 유형을 확인하고 이를 기반으로 원발부위를 예측하고 찾는 것으로 볼 수 있다. 또한 N-병기와 M-병기를 확인하여 최종 임상 병기를 확인하고 나아가서 치료 계획을 수립하고 예후를 예측하는 데 있다고 하겠다. 진단적 검사는 다른 질환과 마찬가지로 상세한 병력 청취와 내시경술을 포함하는 세심한 신체검사로부터 시작하여 분자생물학적 검사를 포함한 조직학적 검사, 영상검사, 진단검사학적 검사, 핵의학적 검사 등을 시행하게 된다.

1. 병력 청취 및 신체검사

병력 청취는 모든 질환에서와 마찬가지로 원발부위 불명암에서 원발부위를 찾는 첫걸음으로 볼 수 있다. 음주와 흡연의 병력이 심한 경우 비인강보다는 다른 곳을 생각해 볼 수 있고 성적으로 문란한 경우 구인두암을 고려해 볼 수 있다. 과거 병력에서 다른 암을 치료한 적은 없는지도 반드시 확인하여야 한다. 또한 암을 제외한 다른 피부의 병변이 있었는지도 확인하여 흑색종 등의 원발암을 예측할 수도 있다. 호흡기(애성, 호흡곤란)나 소화기(연하곤란, 연하통)와 관련된 증상도 반드시 확인해야 하며 통증도 확인해야 한다. 귀에 통증이 있는 경우 연관통도 가능하므로 구개편도, 설기저부 혹은 하인두 등을 확인해야 한다. 종괴의 성장 속도가 매우 빠른 경우 HPV와 연관된 구인두암을 고려해 볼 수 있겠으나 절대적이지는 않으며 역형성 암의 가능성도 염두에 두어야 한다.

신체검사는 먼저 종괴 자체부터 시작하게 된다. 종괴의 위치, 개수, 압통이나 통증 유무, 가동성, 성상 등을 확인한다. 위치는 level에 따라 원발부위를 예측할 수 있기에 매우 중요하다.[56] 앞에서도 언급했듯이 level I–III의 경우 두경부에 원발암이 있을 것으로 예측할 수 있다. 그러나 level IV 혹은 쇄골상부림프절의 경우 쇄골하부에서 기원한 원발부위 불명암을 고려하는 것이 우선이다. Level V의 경우는 조금 다른데, 주로 비인강암이나 후두부(occipital area) 등의 피부암을 먼저 생각해 볼 수 있겠다(표 39-1). 양측성으로 발생하는 경우 비인강암, 설기저암 또는 하인두암 등을 먼저 고려해야 한다. 경부뿐만 아니라 쇄골 하부의 다른 부위에도 종괴가 있을 경우에는 두경부보다는 다른 부위의 원발암을 먼저 생각해야 한다.

표 39-1. 경부 CUP의 위치에 따른 추정 원발부위[56]

Level	추정 원발부위
I	구강저부, 입술, 가동설, 타액선(악하선)
II	비인강, 구인두, 설기저부, 후두, 타액선(이하선)
III	후두(성문상부), 하인두,
IV	하인두, 후두(성문하부), 식도, 갑상선
V	비인강, 폐, 유방, 복부위장관
VI	갑상선, 식도

종괴에 대한 검사가 완료되면 두경부 전체를 세심하게 검사를 해야 하며 이때는 적절한 조명이 준비되어야 하고 특히 후두나 인두의 검사 시에는 굴곡형 내시경을 사용하는 것이 안전하다. 굴곡형 내시경을 사용할 경우 최근에 개발되어 사용되고 있는 narrow-band image (NBI) 기법을 사용할 수 있다면 보다 효과적일 수 있다.[59]

2. 세침흡인검사(fine needle aspiration; FNA)

FNA는 원발부위 불명암의 진단에서 가장 먼저 시행되어지는 검사이다. 이는 최소 침습적이고, 비용이 적게 들며, 바늘의 경로를 따라 종양이 파급될 위험성도 무시할 수 있다는 장점들이 있다.[35] FNA에 의해 획득된 검체는 이후 Hematoxylin-Eosin stain이나 면역조직화학적 염색(immunohistochemical stain) 등을 통해 진단이 이루어진다. FNA로 진단이 되지 않는 경우 FNA를 재차 시행하거나 core-needle biopsy, 혹은 개방생검(open biopsy)을 시행하게 된다. 그러나 개방생검의 경우는 아직도 국소 재발의 가능성이나 예후에 미치는 영향 때문에 반대하는 편이다.[40] 개방생검 후에 방사선치료나 경부청소술 등의 적절한 경부 치료가 이루진다면 예후에 미치는 영향은 문제가 안 되며, 따라서 동결절편검사에서 악성으로 진단이 되더라도 즉각적인 경부청소술이 반드시 시행돼야 하는 것은 아니라는 주장도 있지만[8] 아직까지는 논란이 많으며 통상적으로는 임상적, 영상학적, 내시경적으로 원발부위에 대한 검사가 완료되기 전에는 개방생검을 시행하지 않아야 하는 것으로 생각되고 있다.

3. 영상검사 및 핵의학 검사

원발부위 불명암에서 영상학적 검사의 목적은 두경부에 있는 원발부위를 확인하는 것과 림프절의 병기를 확인하는 것이다.[71] 그뿐만 아니라 림프절의 주변 구조물의 침범, 피막 침범, 후인두 림프절, 반대측 림프절 침범 등도 확인해야 한다. 영상 검사는 진단적 오류를 피하기 위해 반드시 침습적 시술이나 치료 전에 시행되어야 한며 주로 경부 조영증강 CT나 gadolinium-contrast MRI가 먼저 시행된다. 림프절의 위치에 따라 다른 검사가 추가될 수 있는데 특히 level IV 혹은 V에 림프절이 위치하는 경우 흉부/복부/골반부 CT도 같이 시행하는 것이 좋다.

처음 PET이 도입될 당시 해부학적인 위치에 대한 정보가 정확하지 않아 CUP의 원발부위 발견율이 24.5%에 불과했으나,[55] 이후 fusion-PET/CT 혹은 PET/MRI가 시행되면서 원발부위 발견율이 48-73%로 향상되었다.[69] PET의 도입으로 두경부 외에 원발부위가 있는 경우 그 발견이 더욱 용이하게 되었다. 그러나 PET도 5 mm 이하의 병변은 찾기가 어렵고 침이 고이거나 염증이 심한 경우 구별이 어려운 단점이 있음을 명심하여야 한다.[31] PET/CT와 PET/MRI의 비교에서는 PET/CT는 흉부에서 PET/MRI는 경부에서 더 우수한 원발부위 진단율을 보였다.[54]

기타 동위원소 촬영들이 CUP의 진단에 이용되고 있으나 주로 두경부 외에 원발부위가 있는 경우 이용되며 두경부에 원발부위가 있을 것으로 생각되는 상경부의 CUP에는 효과를 기대하기 어렵다.

4. 분자생물학적 검사

두경부암의 원인과 병인의 발견을 위해 많은 특수 검사들이 발견되었고 이를 통해 진단율이 향상되었다. Epstein-Barr virus (EBV)는 비인강암에서만 특이적으로 발견되므로 림프절에서 EBV가 발견될 경우 이전에 찾지 못 하였던 원발부위를 비인강에서 발견하게 될 수도 있다. 따라서 젊은 원발부위 불명암 환자에서 분화가 나쁜 편평상피암의 경우 EBV 검사를 고려해 보아야 한다.[36] 또한 고위험군 인유두종바이러스(HPV)가 두경부암 특히 구인두암의 원인으로 밝혀지면서 림프절에서 HPV가 발견되는 경우 원발부위가 구인두에 있을 가능성이 높으므로 CUP의 진단적 검사에 HPV에 대한 검사를 추가하는

것을 고려해야 한다.[13]

원발부위가 밝혀진 두경부암과 두경부를 제외한 다른 부위의 CUP에서 다양한 유전적 변화가 관찰되고 있음에도 불구하고 두경부 CUP에 대한 이러한 연구들이 진행되지 않아 원발부위가 밝혀진 두경부암과 동일한 양상의 유전적 변이를 보일지는 알 수가 없는 상태이다. 특히 편평상피암의 경우 혈청 내 종양표지자도 없는 상태이다.[66] 분자생물학적 검사가 다양하게 진행된다면 그 결과를 조직학적 검사, 병력 및 영상학적 검사 등과 종합적으로 고려할 경우 원발부위의 발견이 더 정확해질 수 있을 것이다. 특히 흡연이나 음주의 병력이 없으면서 영상학적 검사나 내시경 검사에서 아무런 이상을 발견할 수 없는 경우 매우 유용할 것으로 생각된다.

5. 내시경 검사 및 생검

원발부위 불명암의 원발부위에 대한 가장 확실한 검사 방법은 전신마취하에서 상부 호흡소화기계에 대한 내시경을 시행하면서 임상적으로나 영상학적으로 의심되는 부위를 직접 촉지하고 무작위 생검(random directed biopsy, directed biopsy)을 시행하는 것이다. 영상검사에서 원발부위로 의심되는 부위가 없는 경우에는 내시경적 생검을 하더라도 진단율이 17% 정도에 불과하지만 원발부위로 의심되는 부위가 발견된다면 진단율이 65%까지 상승한다는 보고[7,27]가 있기에 통상적인 진단검사에서 원발부위를 발견하지 못 한 경우 반드시 전신마취하에서 내시경을 시행하면서 생검을 해야 한다.[9]

기도나 식도에 의심되는 부위가 있을 경우 기관지경이나 식도경을 시행한다. 특히 CUP가 level IV 혹은 Vb에 있는 경우에는 반드시 식도경술을 시행해야 한다. 1차 내시경적 생검에서 의심스럽지만 진단이 제대로 되지 않은 경우 내시경을 재차 시도할 수도 있다.

두경부영역에서 CUP의 발견되지 않은 원발부위 중 가장 흔한 곳이 구개편도와 설기저부로 많게는 40–82% 정도까지 보고된다. 이외에는 비인강과 이상와가 많은 것으로 보고된다.[33] 따라서 무작위 생검은 주로 이 네 부위에서 행해지며, 때에 따라 성문상부가 추가될 수 있다. 구개편도의 경우 HPV 감염과 연관이 있는 것으로 밝혀졌으므로 CUP의 검사에 있어서 과거부터 행해지던 심부 생검이나 일측 편도절제술보다는 양측 편도절제술을 하는 것이 감춰진 원발부위를 발견하는 데 유리하며 이를 통해 26%의 원발부위 발견을 보고하기도 하였다.[32,33] 이외의 부위에 대해서도 의심되는 부위가 없더라도 심부에서 생검을 시행하는 것을 맹생검 혹은 맹검(blind biopsy)이라고 한다.

최근 CUP에서 로봇을 이용한 원발부위의 조사 연구에서 TORS (transoral robotic surgery)를 이용하여 구개편도와 설기저부를 제거하는 경우 일반적인 편도절제와 무작위 설기저부 생검에 비해 원발부위 발견율이 더 높다고 보고하면서 CUP에서 수술용 로봇의 효용성을 제기하였다[28,44]

이상에서 보듯이 CUP의 진단은 먼저 환자의 병력 청취와 영상검사 후, 조직검사, 전신마취하 내시경술 및 편도절제술 혹은 생검, 분자생물학적 검사 등의 순으로 체계화할 필요가 있을 것으로 보인다.[71]

 치료

두경부 원발부위 불명암의 치료는 확실하게 정해진 것이 없으므로 환자의 나이와 전신상태, 림프절의 수와 위치, 범위 및 조직학적 진단 등에 따라 다학제적으로 치료의 방법과 범위를 결정해야 한다. 일반적으로는 국소진행된 두경부암에 준하는 강력한 다학제적 치료를 요한다. 따라서 대부분의 연구에서 경부청소술 후 술 후 방사선치료를 시행하는 것에 동의하고 있다. 그렇지만 CUP 환자에게 경부청소술이란 진단적 검사의 최종 단계인 동시에 치료의 첫 단계이므로 반드시 가능한 모든 진단적 검사를 시행한 후에 시도되어야 한다.

1. 수술

원발부위 불명암으로 최종 확인된 경우의 수술적 치료는 경부청소술을 시행하는 것이며, 일반적인 경부청소술처럼 주변 구조의 손상을 최소화하면서 종양학적으로 안전해야 한다. 경부청소술의 범위는 임상적 혹은 영상학적 판단에 의하지만 최소한의 술식이 이환된 림프절의 구역을 완전히 제거하는 선택적 경부청소술(selective neck dissection)이며 경부곽청술(radical neck dissection)은 영상학적으로 또는 수술장 소견 상 내경정맥이나 흉쇄유돌근이 침범된 경우에만 시행한다.[71] 악성 림프종이 강력히 의심되는 경우를 제외하고는 개방생검이나 의심되는 림프절만 제거하는 것은 피해야 한다. CUP의 초치료로서 수술의 장점은 림프절 병기를 가장 정확하게 알 수 있고, 이를 통해 추가 치료(adjuvant treatment)의 여부와 방법을 결정할 수 있으며, 방사선치료의 용량을 줄임으로써 방사선 치료와 관련된 부작용 등을 최소화할 수 있다는 점 등이다.[11,61,68]

경부청소술만 시행하는 것은 일반적으로는 권장되지 않지만 피막외 침범이 없는 pN1 혹은 Level I의 pN2a의 병기이면서 병소에 절개 혹은 절제 생검의 병력이 없는 선택된 환자에서는 고려할 수 있다. 반대로 병리학적으로 N1(pN1)인 경우에도 이전에 절개 혹은 절제 생검을 한 병력이 있다면 술 후 방사선치료가 필요하다.[4,23]

CUP의 원발병소로 구개 편도가 가장 많이 거론되고 있지만 실제로 정확한 통계는 없으며 대략 18–40% 정도로 추정되고 있다.[7] 특히 HPV 양성인 경우 구인두에 원발부위가 있는 경우가 많으며, 이 중 특히 level Ib와 II에 전이 림프절이 있는 경우 구개편도가 가장 흔한 병소로 인식되고 있다.[56] 따라서 동측의 편도절제술이 CUP의 수술적 치료 혹은 진단 과정에서 중요한 요소로 인식되고 있으며, 구개편도암의 경우 10% 정도에서 동측의 림프절 없이 반대측 림프절로의 전이가 확인되므로 CUP의 치료로 경부청소술과 더불어 양측 구개편도 절제술을 주장하기도 한다.[61]

2. 방사선치료

원발부위 불명암에서 가장 흔히 이용되는 치료법은 수술 후 방사선치료나 항암방사선치료를 추가하는 것이다. 원발부위가 있는 다른 두경부암과 마찬가지로 경부청소술 전에 절제 혹은 절개 생검을 했거나, 림프절의 피막외 침범이 있는 경우, 그리고 다발성 전이 림프절(N2b 이상)인 경우에는 경부청소술 후에 방사선치료 혹은 항암방사선치료 등의 추가 치료를 시행해야 한다.[16,58,62]

원발부위로 의심되는 혹은 추정되는 점막 부위(비인강, 편도, 설기저부, 이상와)를 포함하여 치료할 수 있다는 장점 때문에 N1이나 N2a와 같은 제한된 병변에는 방사선치료 단독요법이 많이 이용되고 있으며 실제로 그 결과도 나쁘지 않다.[23] 크기가 큰 림프절이 경동맥과 같은 주변 구조물을 침범했거나 완전히 고정이 되어 있는 경우 혹은 환자의 신체 상태가 좋지 않거나 동반질환이 많은 경우 방사선치료가 단독으로 시행되거나 방사선치료 후 4–6주에 계획된 구제수술(planned salvage neck dissection)을 시행하기도 한다.[71]

방사선 치료의 범위에 대해서는 논란이 많지만, 대부분 경부를 포함하여 원발부위의 가능성이 있는 두경부의 점막에 광범위하게 시행하는 것을 권하고 있다.[4] 그 결과로 추정되는 원발부위나 경부의 재발은 일부 줄일 수 있었으나 최종 생존율에는 영향을 미치지 못하며 도리어 이로 인한 부작용이 문제로 제기되기도 한다.[14,15,23] 광범위 방사선치료가 제한적인 방사선치료에 비해 5년 생존율의 향상을 보인다는 보고는 있지만 이러한 결과는 후향적 연구일 뿐이고[70] 전향적 무작위 추출 연구의 경우 환자의 발생건수가 적어서 조기에 종료되었다.[71] 반대로 광범위 방사선치료가 제한적인 방사선치료에 비해 장점이 없다는 보고도 있는 상태이다.[37,38,64] 이에 Arrangoiz 등[2]은 CUP에서 점막부에 대한 방사선치료의 여부는 여러 보고가 서로 상충하는 결과를 보이고 환자 선택의 오류를 배제할 수 없기에 결론을 내릴 수 없다고 보고했다.

방사선치료의 방법 중 세기조절 방사선치료(intensity modulated radiotherapy, IMRT)가 광범위 방사선치료에 비해 독성은 현저히 감소하면서 치료의 효과에는 차이가 없거나, 도리어 생존율에 좋은 영향을 미친다는 보고가 있기는 하지만 특정 target이 없기에 치료에 포함되지 않는 부위가 있을 수 있다는 점을 명심해야 한다.[17,39]

초치료로서 방사선치료의 용량은 병측 경부에 65-70Gy, 건측 경부와 점막부에는 50-56 Gy 정도이다. 그러나 의심되는 점막 부위가 있다면 점막부에 한해서 60-64 Gy 정도로 증량하기도 한다. 술 후 방사선치료의 경우 병측에도 54-60 Gy 정도로 선량을 줄일 수 있으나 피막외 침범이 확인된다면 64-66 Gy로 증량해야 한다.[4,37]

3. 병합요법

국소 진행된 두경부 편평상피암에서 동시 항암방사선치료가 수술 혹은 방사선치료 단독요법에 비해 치료반응률과 생존율을 높인다는 것은 이미 알려진 바 있다.[3,11] 또한 platinum-based 항암제와 표적치료제(예: cetuximab)의 병합치료가 재발성 혹은 전이성 두경부암에서 효과를 보이고 있다.[65] 그렇지만, 아직까지 원발부위 불명암의 항암화학방사선치료에 대한 무작위 연구는 없고, 항암화학요법을 방사선치료 전, 방사선치료 중 혹은 방사선치료 후에 투여하고, 그 결과를 문헌상 결과와 비교한 몇 개의 후향적 연구만 있는 상태이다.[1,12,57,65] 이 중 1989년 de Braud 등[12]이 항암화학방사선치료가 수술 및 술 후 방사선치료에 비해 생존에서 우위를 보인다고 하였지만 항암약제와 치료 계획이 일정하지 않고, 방사선치료의 범위와 용량이 일정하지 않다는 제한이 있다. 이후 약제를 추가한 연구에서 생존율에 대한 이점은 있었으나 점막염 등의 심한 부작용을 동반하였으며 N3 병변에 대한 생존율은 향상시키지 못하였다.[57] 향후 이러한 연구들을 기초로 전향적인 다기관 연구가 진행되어야 할 것이다.

4. 재발암의 치료

이상의 다양한 치료 노력에도 불구하고 아직도 40-50%의 원발부위 불명암 환자가 국소든 전신이든 다양한 형태의 재발을 경험하게 된다. 이 중 구제수술과 54 Gy 미만의 방사선 재치료가 가능했던 약 20% 정도의 일부 선택된 환자에서만 장기 생존이 가능한 것으로 보고되고 있다.[6,8,48] 나머지 대부분의 재발 환자에서의 치료는 증상의 완화, 삶의 질 향상, 혹은 생명의 연장에 목표를 둔 구제치료일 수밖에 없다. 주된 치료는 항암화학요법으로, 약제는 platinum-based 제제와 5-fluorouracil이 기본적인 약제이다. 최근 cetuximab과 항-EGFR (epidermal growth factor receptor) 단클론 항체(anti-EGFR monoclonal antibody)제 등이 추가되면서 수개월의 생명이 연장되는 효과를 얻게 되었으며[65] 그 외에도 methotrexate, taxanes, doxorubicin, bleomycin 등이 이용되기도 한다.[12]

Ⅵ 추적조사

효과적인 구제치료를 위해서는 철저한 추적 관찰을 통한 재발의 조기발견이 중요하다. 그렇지만 ESMO (European Society of Medical Oncology clinical practice guidelines) 지침서[45]에서는 증상이 없는 환자에서 추적 관찰은 이득이 없고 증상이 나타나면 철저한 검사가 필요하다고 하였다. 따라서 병원의 사정 및 치료자의 관점에 따라 추적 관찰의 계획이 다를 수는 있겠지만 다른 두경부암에 준하여 추적관찰 계획을 세우는 것이 바람직할 것으로 생각된다. 추적 관찰에는 정기적인 외래진료 및 두경부의 철저한 내시경 및 신체검사, 일정한 간격의 영상의학적 검사, 의심스러운 병변에 대한 적극적인 조직

검사 등이 이용될 수 있겠다.

Ⅶ 예후와 예후인자

원발부위 불명암의 치료 후 원발부위가 나타나는 경우는 약 10%(5-55%) 정도로 보고되고 있으며[51] 대부분 2년 내에 나타나는 것으로 보고되고 있다. 흔한 부위는 비인강, 설기저부, 구개편도, 및 이상와로 일반적으로 맹검을 시행하는 부위와 일치하고 있다. 편도절제술을 하는 경우 원발부위의 발견율이 3배 정도 증가하고, 반대로 양측 경부와 점막에 광범위 방사선치료를 시행하는 경우 원발부위가 나타나는 비율이 현저히 감소하는 반면 상대적으로 경부재발과 원격전이의 비율이 높아진다. 즉 치료의 방법에 따라 재발의 양상이 달라진다.

최근 유전자 분석이 발전하면서 CUP와 원발부위의 유전자 표현형이 일치하는 것에 근거해서 여러 개의 유전자 표현형을 동시에 조사하여 전신적인 CUP의 원발부위를 70-85%의 높은 비율로 추정할 수 있다고 보고되고 있으며 상용화된 유전자 chip이 이용되기도 한다. 그렇지만 대부분 두경부편평상피암에 대한 증례가 10%로 미만으로 나타나서 아직까지 두경부 CUP에 대해서는 유용성에 의문이 있는 상태이다.[51]

따라서 정확하게 원발부위를 추정하여 원발부위에 따른 적절한 치료를 사용한다면 CUP의 예후를 향상시킬 수는 있겠으나 아직까지 원발부위를 정확히 추정할 수 있는 방법은 없는 상태이다.

예후의 결정에 여러 가지 종양이나 치료에 관련된 요소들이 있겠지만 가장 중요한 예후인자는 림프절의 병기와 림프절의 피막외 침범이다. Jereczek-Fossa 등[25]은 경부 림프절을 남기지 않고 완전히 제거하고 양측 경부에 대한 방사선치료를 적절한 시기에 시작하는 경우 두경부 CUP의 예후를 증가시킬 수 있다고 보고하였다. 두경부 CUP에 있어서 양호한 예후와 연관된 인자들은 양호한 전신상태, 젊은 나이, 체중감소가 없는 경우, 림프절의 체적이 적은 경우, 고정이 되지 않았거나 level IV가 아닌 경우, 피막외 침범이 없고 분화도가 좋은 경우 등이다.[6,8,16,24,43,61] HPV 양성인 경우에는 HPV 음성에 비해 예후가 더 좋고 방사선량을 줄일 수가(deceleration) 있어 환자들의 삶의 질도 향상시킬 수 있다.[21,48,52] 또한 당연한 결론이기는 하지만 치료가 종료된 후 원발부위가 발견된다는 것은 재발과 같으므로 원발부위가 발견되지 않는 경우에 비해 예후가 나쁠 수밖에 없다.[17,24,60,66]

CUP의 원격전이는 11-38% 정도로 보고되고 있으며 가장 중요한 관련 요소는 역시나 림프절의 병기와 림프절의 피막 외 침범이다.[19,42] 원격전이는 CUP에서 경부의 재발이나 원발부위의 발현은 줄어든 것에 비해 생존율이 개선되지 않고 있는 중요한 요인으로 여겨진다. 그러나 다른 보고에 의하면 림프절의 병기가 높더라도 수술 후 동시항암화학방사선치료를 추가하는 경우 그렇지 않은 경우에 비해 원격전이를 줄일 수 있었다.[53]

Ⅷ 결론

지난 수십 년간 진단방법의 발전으로 보다 정확한 경부 병변의 범위를 알게 되고 반 이상에서 감춰진 원발부위를 찾을 수 있게 되었지만 여전히 원발부위 불명암이 원발부위가 있는 두경부암과 다른 질환인지는 분명치 않다. 또한 방사선치료의 범위 역시 여전히 논란거리이다. 이를 밝히기 위해서는 대단위 전향적 연구가 필요한 상태이나 발생 건수가 많지 않기에 실현되기 어려운 실정이다. 최근 발표된 10년간의 장기 추적조사에 의하면 수술 후 방사선 치료를 시행한 경우 가장 재발이 적었고 방사선치료를 생략한 경우 재발률이 가장 높았으며 전체적인 예후는 다른 두경부암에 비해 못하다고 하였다.[64]

따라서 지금까지 알려진 면역화학적검사 등의 진단 기법 및 환자의 상태 등의 예후인자들을 고려하여 다학제적인 접근으로 치료에 대한 결정으로 내리고 치료로서는 수술 후 방사선치료를 시행하는 병합요법이나 초치료로 방사선 치료만 시행하는 것이 권장되며 이후 적극적인 추적 관찰을 통해 원발부위 및 재발을 조기에 발견하도록 노력하는 것이 중요하다.

참고문헌

1. Argiris A, Smith SM, Stenson K, et al. Concurrent chemoradiotherapy for N2 or N3 squamous cell carcinoma of the head and neck from an occult primary. Ann Oncol 2003;14:1306-11.
2. Arrangoiz R, Galloway TJ, Papavasiliou P, et al. Metastatic cervical carcinoma from an unknown primary: Literature review. Ear Nose Throat J 2014;93:1-13.
3. Bataini JP, Rodriguez J, Jaulerry C, et al. Treatment of metastatic neck nodes secondary to an occult epidermoid carcinoma of the head and neck. Laryngoscope 1987; 97 (9): 1080-4.
4. Cerezo L, Raboso E, Ballesteros AI. Unknown primary cancer of the head and neck: A multidisciplinary approach. Clin Transl Oncol 2011; 13 (2): 88-97.
5. Chen AM, Farwell DG, Lau DH, et al. Radiation therapy in the management of head-and-neck cancer of unknown primary origin: how does the addition of concurrent chemotherapy affect the therapeutic ratio? Int J Radiat Oncol Biol Phys 2010;81:346–52.
6. Christiansen H, Hermann RM, Martin A, et al. Neck lymph node metastases from an unknown primary tumor: retrospective study and review of literature. Strahlenther Onkol. 2005;181:355-62.
7. Cianchetti M, Mancuso AA, Amdur RJ, et al. Diagnostic evaluation of squamous cell carcinoma metastatic to cervical lymph nodes from an unknown head and neck primary site. Laryngoscope 2009;119:2348-54.
8. Colletier PJ, Garden AS, Morrison WH, et al. Postoperative radiation for squamous cell carcinoma metastatic to cervical lymph nodes from an unknown primary site: outcomes and patterns of failure. Head Neck 1998;20:674-81.
9. Comess MS, Beahrs OH, Dockerty MD. Cervical metastasis from occult carcinoma. Surg Gynecol Obstet 1957;104:607-17.
10. Compton AM, Moore-Medlin T, Herman Ferdinandez L, et al. Human papillomavirus in metastatic lymph nodes from unknown primary head and neck squamous cell carcinoma. Otolaryngol Head Neck Surg 2011;145:51-7.
11. Davidson BJ, Spiro RH, Patel S, et al. Cervical metastases of occult origin: The impact of combined modality therapy. Am J Surg 1994;168:395-9.
12. de Braud F, Heilbrun LK, Ahmed K, et al. Metastatic squamous cell carcinoma of an unknown primary localized to the neck. Advantages of an aggressive treatment. Cancer 1989;64:510-5.
13. El-Mofty SK, Zhang MQ, Davila RM. Histologic identification of human papillomavirus (HPV)-related squamous cell carcinoma in cervical lymph nodes: a reliable predictor of the site of an occult head and neck primary carcinoma. Head Neck Pathol 2008;2:163-8.
14. Erkal HS, Mendenhall WM, Amdur RJ, et al. Squamous cell carcinomas metastatic to cervical lymph nodes from an unknown head and neck mucosal site treated with radiation therapy with palliative intent. Radiother Oncol 2001;59:319-21.
15. Erkal HS, Mendenhall WM, Amdur RJ, et al. Squamous cell carcinomas metastatic to cervical lymph nodes from an unknown head-and-neck mucosal site treated with radiation therapy alone or in combination with neck dissection. Int J Radiat Oncol Biol Phys 2001;50:55-63.
16. Fernandez JA, Suarez C, Martinez JA, et al. Metastatic squamous cell carcinoma in cervical lymph nodes from an unknown primary tumor: prognostic factor. Clin Otolaryngol 1998;23:158–63.
17. Frank SJ, Rosenthal DI, Petsuksiri J, et al. Intensity-modulated radiotherapy for cervical node squamous cell carcinoma metastases from unknown head-and-neck primary site: M. D. Anderson Cancer Center outcomes and patterns of failure. Int J Radiat Oncol Biol Phys 2010;78:1005-10.
18. Galer CE, Kies MS. Evaluation and management of the unknown primary carcinoma of the head and neck. J Natl Compr Canc Netw 2008;6:1068-75.
19. Gandini S, Botteri E, Iodice S, et al. Tobacco smoking and cancer: A meta-analysis. Int J Cancer 2008;122:155-64.
20. Grau C, Johansen LV, Jakobsen J, et al. Cervical lymph node metastases from unknown primary tumours. Results from a national survey by the Danish Society for Head and Neck Oncology. Radiother Oncol 2000;55:121-29.
21. Hansson BG, Rosenquist K, Antonsson A, et al. Strong association between infection with human papillomavirus and oral and oropharyngeal squamous cell carcinoma: A population-based case-control study in southern Sweden. Acta Otolaryngol 2005;125:1337-44.
22. Hashibe M, Boffetta P, Zaridze D, et al. Evidence for an important role of alcohol- and aldehyde-metabolizing genes in cancers of the upper aerodigestive tract. Cancer Epidemiol Biomarkers Prev 2006;15:696-703.
23. Iganej S, Kagan R, Anderson P, et al. Metastatic squamous cell carcinoma of the neck from an unknown primary: management options and patterns of relapse. Head Neck 2002;24:236-46.
24. Issing WJ, Taleban B, Tauber S. Diagnosis and management of carcinoma of unknown primary in the head and neck. Eur Arch Otorhinolaryngol 2003;260:436-43.
25. Jereczek-Fossa BA, Jassem J, Orecchia R. Cervical lymph node me-

tastases of squamous cell carcinoma from an unknown primary. Cancer Treat Rev 2004;30:153–64.

26. Jesse RH, Neff LE. Metastatic carcinoma in cervical nodes with an unknown primary lesion. Am J Surg 1966;112:547-53.
27. Jones AS, Cook JA, Phillips DE, Roland NR. Squamous carcinoma presenting as an enlarged cervical lymph node. Cancer 1993;72:1756-61.
28. Kang SY, Dziegielewski PT, Old MO, et al. Transoral robotic surgery for carcinoma of unknown primary in the head and neck. J Surg Oncol 2015;112:697-701.
29. Karasavasilis V, Malamou-Mitsi V, Briasoulis E, et al. Angiogenesis in cancer of unknown primary: clinicopathological study of CD34, VEGF and TSP-1. BMC Cancer. 2005;5:25
30. Karasavasilis V, Malamou-Mitsi V, Briasoulis E, et al. Matrix metalloproteinases in carcinoma of unknown primary. Cancer. 2005;104:2282-7.
31. Keller F, Psychogios G, Linke R, et al. Carcinoma of unknown primary in the head and neck: comparison between positron emission tomography (PET) and PET/CT. Head Neck 2011;33:1569–75.
32. Koch WM, Bhatti N, Williams MF, et al. Oncologic rationale for bilateral tonsillectomy in head and neck squamous cell carcinoma of unknown primary source. Otolaryngol Head Neck Surg 2001;124:331-3.
33. Kothari P, Randhawa PS, Farrell R. Role of tonsillectomy in the search for a squamous cell carcinoma from an unknown primary in the head and neck. Br J Oral Maxillofac Surg 2008;46:283-7.
34. Lanzer M, Bachna-Rotter S, Graupp M, et al. Unknown primary of the head and neck: a long-term follow-up. J Craniomaxillofac Surg. 2015;43:574-9.
35. Layfield LJ. Fine-needle aspiration in the diagnosis of head and neck lesions: a review and discussion of problems in differential diagnosis. Diagn Cytopathol 2007;35:798-805.
36. Lee WY, Hsiao JR, Jin YT, et al. Epstein-Barr virus detection in neck metastases by in-situ hybridization in fine-needle aspiration cytologic studies: an aid for differentiating the primary site. Head Neck 2000;22:336-40.
37. Ligey A, Gentil J, Crehange G, et al. Impact of target volumes and radiation technique on loco-regional control and survival for patients with unilateral cervical lymph node metastases from an unknown primary. Radiother Oncol 2009;93:483-7.
38. Lu X, Hu C, Ji Q, et al. Squamous cell carcinoma metastatic to cervical lymph nodes from an unknown primary site: The impact of radiotherapy. Tumori 2009; 95 (2): 185-90.
39. Madani I, Vakaet L, Bonte K, et al. Intensity-modulated radio- therapy for cervical lymph node metastases from unknown primary cancer. Int J Radiat Oncol Biol Phys 2008;71:1158-66.
40. Martin H, Morfit HM. Cervical lymph node metastasis as the first symptom of cancer. Surg Gynecol Obstet 1944;78:133-59.
41. Motz K, Qualliotine JR, Rettig E, et al. Changes in unknown primary squamous cell carcinoma of the head and neck at initial presentation in the era of human papillomavirus. JAMA Otolaryngol Head Neck Surg 2016;142:223-8.
42. Nieder C, Gregoire V, Ang KK. Cervical lymph node metastases from occult squamous cell carcinoma: cut down a tree to get an apple? Int J Radiat Oncol Biol Phys 2001;50:727-33.
43. Park GC, Jung JH, Roh J-L, et al. Prognostic value of metastatic nodal volume and lymph node ratio in patients with cervical lymph node metastases from an unknown primary tumor. Oncology 2014;86:170-6.
44. Patel SA, Magnuson JS, Holsinger FC, et al. Robotic surgery for primary head and neck squamous cell carcinoma of unknown site. JAMA Otolaryngol Head Neck Surg 2013;139:1203-11.
45. Pavlidis N, Briasoulis E, Pentheroudakis G. Canver of unknown primary site; ESMO clinical practice guidelines for diagnosis, treatment and follow-up. Ann Oncol 2010:21;v228-31(suppl 5).
46. Pavlidis N, Fizazi K. Cancer of unknown primary. Crit Rev Oncol Hematol 2009;69:271–80.
47. Pavlidis N, Khaled H, Gaafar R. A mini review on cancer of unknown primary site: A clinical puzzle for the oncologists. J Adv Res 2015;6:375–82.
48. Pavlidis N, Pentheroudakis G, Plataniotis G. Cervical lymph node metastases of squamous cell carcinoma from an unknown primary site: a favourable prognosis subset of patients with CUP. Clin Transl Oncol 2009;11:340–8.
49. Pavlidis N, Pentheroudakis G. Cancer of unknown primary site. Lancet 2012;379:1428–35.
50. Pentheroudakis G, Briasoulis E, Pavlidis N. Cancer of unknown primary site: missing primary or missing biology? Oncologist 2007;12:418–25.
51. Pentheroudakis G, Golfinopoulos V, Pavlidis N. Switching benchmarks in cancer of unknown primary: from autopsy to microarray. Eur J Cancer 2007;43:2026–36.
52. Psyrri A, DiMaio D. Human papillomavirus in cervical and head-and-neck cancer. Nat Clin Pract Oncol 2008;5:24-31.
53. Rödel RM, Matthias C, Blomeyer BD, et al. Impact of distant metastasis in patients with cervical lymph node metastases from cancer of an unknown primary site. Ann Otol Rhinol Laryngol. 2009;118:662-9.
54. Ruhlmann V, Ruhlmann M, Bellendorf A, et al. Hybrid imaging for detection of: A preliminary comparison trial of whole-body PET/MRI versus PET/CT. Eur J Radiol 2016;85:1941-7.
55. Rusthoven KE, Koshy M, Paulino AC. The role of fluorodeoxyglucose positron emission tomography in cervical lymph node metastases from an unknown primary tumor. Cancer 2004;101:2641-9.
56. Shah JP. Patterns of cervical lymph node metastasis from squamous

carcinomas of the upper aerodigestive tract. Am J Surg 1990;160:405-9.

57. Shehadeh NJ, Ensley JF, Kucuk O, et al. Benefit of postoperative chemoradiotherapy for patients with unknown primary squamous cell carcinoma of the head and neck. Head Neck 2006;28:1090-8.
58. Sher DJ, Balboni TA, Haddad RI, et al. Efficacy and toxicity of chemoradiotherapy using intensity-modulated radiotherapy for unknown primary of head and neck. Int J Radiat Oncol Biol Phys 2011;80:1405-11.
59. Shinozaki T, Hayashi R, Ebihara M, et al. Narrow band imaging endoscopy for unknown primary tumor sites of the neck. Head Neck. 2012;34:826-9.
60. Shoushtari A, Saylor D, Kerr KL, et al. Outcomes of patients with head-and-neck cancer of unknown primary origin treated with intensity-modulated radiotherapy. Int J Radiat Oncol Biol Phys 2011;81:83-91.
61. Strojan P, Anicin A. Combined surgery and postoperative radiotherapy for cervical lymph node metastases from an unknown primary tumour. Radiother Oncol 1998;49:33-40.
62. Strojan P, Ferlito A, Langendijk JA, et al. Contemporary management of lymph node metastases from an unknown primary to the neck: II. A review of therapeutic options. Head Neck 2013;35:286-93.
63. Strojan P, Ferlito A, Medina JE, et al. Contemporary management of lymph node metastases from an unknown primary to the neck: I. A review of diagnostic approaches. Head Neck 2013;35:123-32.
64. Strojan P, Kokalj M, Zadnik V, et al. Squamous cell carcinoma of unknown primary tumor metastatic to neck lymph nodes: role of elective irradiation. Eur Arch Otorhinolaryngol. 2016;273:4561-9.
65. Vermorken JB, Mesia R, Rivera F, et al. Platinum-based chemotherapy plus cetuximab in head and neck cancer. N Engl J Med 2008;359:1116-27.
66. Villeneuve H, Després P, Fortin B, et al. Cervical lymph node metastases from unknown primary cancer: A single-institution experience with intensity-modulated radiotherapy. Int J Radiat Oncol Biol Phys 2012;82:1866-71.
67. von Volkmann R. Das tiefe branchiogene Halscarzinom. Zbl Chir 1882;9:49-51.
68. Wang RC, Goepfert H, Barber AE, Wolf P. Unknown primary squamous cell carcinoma metastatic to the neck. Arch Otolaryngol Head Neck Surg 1990;116:1388-93.
69. Wartski M, Le Stanc E, Gontier E, et al. In search of an unknown primary tumour presenting with cervical metastases: performance of hybrid FDG-PET-CT. Nucl Med Commun 2007;28:365-71.
70. Weir L, Keane T, Cummings B, et al. Radiation treatment of cervical lymph node metastases from an unknown primary: an analysis of outcome by treatment volume and other prognostic factors. Radiother Oncol 1995;35:206-11.
71. Zhuang SM, WU XF, Li JJ, et al. Management of lymph node metastases from an unknown primary site to the head and neck. Mol Clin Oncol 2014:2;917-22.

CHAPTER 40

두경부 악성림프종

이비인후과학 Otorhinolaryngology - Head and Neck Surgery

도남용, 박준희

림프종은 면역 세포들이 분화가 이루어지는 다양한 단계로부터 악성화된 질환군으로 각각의 림프종의 아형마다 형태학과 면역표현형이 서로 다른 특징을 갖고 임상 경과도 양순한 유형(indolent lymphoma)에서부터 공격적 유형(aggressive lymphoma)까지 매우 다양한 아형들이 집합되어 있다. 악성 림프종은 림프조직에 속하는 세포들인 림프구 및 조직구의 악성종양으로서 리드스턴버그세포(Reed-Sternberg cell)와 많은 비종양성 염증세포의 침윤을 특징으로 하는 호지킨 림프종(Hodgkins lymphoma)과 병리소견, 면역형, 임상양상이 다른 다양한 여러 림프종을 포함하는 질병군인 비호지킨 림프종(non-Hodgkins lymphoma)으로 크게 나눌 수 있다. 호지킨 림프종은 1832년 토마스 호지킨(Thomas Hodgkin)이 처음 보고하였으며 악성종양 및 만성 육아종성 염증 그리고 면역질환의 양상을 갖는 복잡한 질환이나 이제는 치유가 가능한 림프종으로 인정되고 있다. 비호지킨 림프종은 발생빈도와 형태는 지역적으로 큰 차이를 보이며, 두경부 영역에서는 호지킨 림프종보다 훨씬 많이 발생하며 림프절외 장기의 침범을 잘하는 특성이 있다. 우리나라는 비호지킨 림프종이 절대 다수를 차지하나, 서구에서는 호지킨 림프종의 빈도도 비교적 높다. 림프종은 선천성 또는 후천성 면역결핍증, 자가면역질환, 장기이식을 위해 사용하는 면역억제제 등의 원인으로 최근 증가되고 있다.

두경부에 발생하는 림프종은 비대한 경부 림프절로 나타나는 경우가 많은데 림프절 외 부위로는 구개인두편도환(Waldeyer's ring), 부비동, 타액선, 구강, 후두 등에 발생할 수 있으며 다른 종류의 종양과 감별해야 하기 때문에 림프종의 임상양상에 대해 숙지해야 한다. 특히 다수의 큰 무괴사성 림프절 또는 림프절외 부위에 병변이 있으면서 감염이나 염증성 질환에 의한 림프절 비대와는 달리 통증이 없으며 커지는 정도가 심한 경우와 한 개의 림프절에서 시작되어 다른 림프절로 퍼져나가는 성질을 가지는 경우 등은 림프종을 고려해야 한다. 두경부에 생긴 림프종은 다른 부위에 비해 적절한 진단과 치료를 하면 치유율이 높고 예후도 비교적 양호하다.

I 악성림프종의 평가와 진단

1. 병력 및 이학적 검사

진단은 자세한 병력으로부터 시작하는데 뚜렷한 감염의 증거가 없으면서 38도 이상의 고열이 지속되거나, 야간 발한(night sweats), 6개월 동안 지속되는 체중의 10% 이상 감소 등의 전신증상(B symptoms)을 주의하여야 한다.[7,59] 림프절증(lymphadenopathy) 및 편측성 편도비대와 같은 림프절외 질환에 대한 병력도 확인하여야 한다. 이학적 검사는 모든 림프절 부위에 대해 주의를 기울여야 하는데 림프절증의 확산 범위, 간이나 비장의 비대, 구개인두편도 환의 비후, 뼈의 압통 혹은 피부 병변 등을 주의 깊게 관찰하여야 한다.[5,7]

2. 진단적 검사

말초혈액검사와 혈액화학검사와 함께 두경부, 흉부, 복부 및 골반부의 방사선학적 검사를 시행하고 핵의학검사와 골수검사를 시행한다. 혈액학적검사는 전혈구계산(complete blood cell count), 적혈구침강속도(erythrocyte sedimentation test, ESR), 혈청(lactate dehydrogenase, LDH), β2-microglobulin, Ig M, 혈청단백 전기영동 검사(serum protein electrophoresis), 간기능 검사 등이 포함되어야 한다. 전혈구계산은 일반적으로 정상이지만 골수 침범으로 수치의 저하를 보일 수 있다. 간기능 검사에서 SGOT, SGPT 또는 bilirubin 수치는 간 침범이 있어도 정상범위인 경우도 있지만, 이상이 있으면 간 침범 또는 간의 기능이상을 초래할 수 있는 다른 가능성에 대해서도 고려하여야 한다. Alkaline phosphatase는 질병 활동도(disease activity)의 비특이적 표지가 될 수 있지만 간 또는 골 침범의 경우에도 증가될 수 있다. ESR도 경우에 따라 질병 활동도의 비특이적 지표로 이용될 수 있다. LDH와 β2-microglobulin은 질병 활동도의 유용한 표지로서 수치가 높으면 예후가 불량할 수 있다. 특히 비호지킨 림프종의 경우는 혈청 LDH, β2-microglobulin과 혈청단백 전기영동 검사 등이 초진 평가에 필요하며 때로는 요산(uric acid)검사를 위한 뇨검사도 필요하다.[5]

전산화단층촬영(computed tomography, CT)과 자기공명영상(magnetic resonance imaging, MRI) 검사는 두경부영역의 일차병변의 확산정도를 정확히 평가할 수 있는 검사법이다. 단순 흉부촬영 보다는 흉부 CT가 종격동(mediastnum)이나 폐문(hilum) 등의 림프절 병변의 정도를 보다 정확히 파악할 수 있다. 간, 비장, 복부 및 복막의 침범여부와 이학적 검사로 알 수 없는 림프절 부위를 검색할 수 있어 복부 및 골반 CT도 필수 검사가 되었다.[5,7] 구개인두편도환과 위장관 림프종의 연관성은 3–11%의 환자에서 보고되므로 상부 위장관 및 소장 조영촬영(upper gastrointestinal series with small bowel) 및 상부 위장관 내시경검사가 필요하다.[10]

핵의학 검사인 양전자방출 단층촬영술(positron emission tomography, PET)과 갈륨스캔(Gallium scan)은 과거에는 초진 평가에서 제한적으로 이용되었으나 치료 종료 후 치료효과 판정을 위한 병기 재평가를 할 경우, 특히 영상학적 검사로 종격동 내에 지속적으로 잔존하고 있는 병소를 평가하고자 할 때 유용하며,[38] 특히 방사선치료를 시행하기 전 병기평가에 유용하다.[18] 최근에는 PET-CT를 시행한 경우 호지킨병이나 PET 음성반응인 미만형 대세포성 B세포 림프종을 제외하고는 정기적인 골수조직검사를 할 필요성이 없으며, FDG-avid 림프종의 경우 PET CT는 병기 결정을 위한 표준검사법으로 추천되고 있다.[7]

두경부 림프종 환자의 18%에서 골수 침범이 있으므로 후장골능(posterior iliac crest bone)의 골수조직검사와 요추 천자를 통한 뇌척수액(CSF) 검사도 병기 결정을 위해 필요하다. 침습성 진단검사(invasive diagnostic test)인 병기평가 개복술(staging laparotomy)은 주로 후복

표 40-1. 림프종의 진단적 평가

A. 필수검사 1. 병력 ; B 증상의 유무 2. 이학적 검사 3. 검사실 평가 1) 말초혈액검사, ESR 2) 간기능검사, LDH, β2-microglobulin, 혈청단백 전기영동 검사 3) 뇨검사 4. 방사선학적 검사 1) 흉부 X-ray 2) CT, MRI ; 흉부, 복부 및 골반강 3) Gallium 스캔 5. 골수검사 6. 조직생검
B. 보조검사 1. 상부 위장관 및 소장 조영술 또는 상부 위장관 내시경 검사 2. 뇌척수액 검사 3. CT, MRI ; 두경부, 뇌 및 척추 4. PET 스캔 5. 간 생검 6. 병기평가 개복술(staging laparotomy)

막(retroperitoneum)에 있는 림프절에 대한 검사 및 생검, 비장절제술(splenectomy), 그리고 간의 세침생검 및 쐐기생검(wedge biopsy)을 시행하는 것인데 진행되지 않은 병변에 방사선치료를 시행하려는 경우에 시행되었으나 현재는 다른 검사들의 정확도가 높아지고 국소적 치료보다 화학요법 등 전신적 치료의 중요성이 강조되면서 거의 시행되지 않고 있다(표 40-1).[2]

3. 조직 생검(tissue biopsy)

림프종이 의심되면 가장 먼저 시행할 것은 조직생검이다. 경부 림프종의 경우에는 가능한 한 커진 림프절을 절개 혹은 절제생검(incisional or excisional biopsy)해야 하는데 심층 부위에서 가장 큰 림프절을 선택하고 피막을 포함하여 생검을 하는 것이 좋다. 두경부의 점막병변은 직접 소편생검(punch biopsy)을 하며 림프절의 종창이 없는 두부의 종물은 소편생검 보다는 절개생검을 하는 것이 좋다. 생검은 가능한 한 조직이 눌리고 늘어지지 않게 하여 손상이 없는 단일 부분의 조직을 얻어 건조해지지 않도록 주의하여 신선한 상태로 즉시 병리조직 검사실로 보내야 한다.[2] 절개생검이 불가능한 경우는 핵-세침생검(core-needle biopsy)이 도움이 된다.[20]

세침흡입생검(fine needle aspiration biopsy)은 림프종과 전이성 암종이나 다른 악성변화와의 감별에는 유용하나 초기 진단에는 부족하다. 동결절편(frozen section)은 채취된 조직이 림프조직인지 아닌지의 감별에는 유용하나 림프종을 확진하는 데는 충분하지 않다.[7,20]

4. 병리학적 검사

림프종의 진단은 조직소견으로 하는데 경우에 따라 조직의 면역지표검사, 세포유전자 검사, 염색체검사 등을 이용한다. 면역지표검사는 같은 항원을 인지하는 유사한 항체들을 한 개의 그룹으로 표시하는 CD (cluster designation system)을 사용하고 있으며 림프계 세포의 기원이 B 세포 계열인지 T 세포 계열의 림프종인지를 확인할 수 있다. 림프종의 75-80%는 B 세포 기원이고 T 세포 기원은 10-15%로 적고 비강과 부비동에 호발한다. 이들 대부분은 신선한 조직이나 세포부유액 및 세포도말표본에 이용되고 있으나 파라핀 포매조직에서도 이용 가능한 단핵구에 대한 단클론 항체가 증가되고 있다.[5,45]

염색체 검사는 밴딩기법(banding technique)으로 핵형 변화를 관찰함으로써, 일정한 염색체 변형과 각종 림프종과의 연관성을 알 수 있다. 유전자 재배열 검색은 southern blot hybridization기법을 많이 이용하는데 이는 순수 분리된 단핵세포나 동결조직에서 DNA를 추출하여 특이한 탐색자(probe)를 이용하여 보합 결합시킨 후 자가방사 기록법으로 필름에 감광시켜 유전자 재배열을 관찰하는 매우 예민한 방법으로 B 세포 또는 T 세포 지표로 이용된다. DNA 배수성 검사는 유세포계측기(flow

표 40-2. Ann Arbor 병기체계

병 기	기 준
병기 I	한 개의 림프절 영역(I)이나 한 개의 림프절 외 장기 혹은 부위(IE)를 침범
병기 II	횡격막을 기준으로 동측에 두 개 이상의 림프절 부위를 침범(II) 또는 동시에 인접한 림프절 외 장기나 부위를 국소침범(IIE)
병기 III	횡격막을 기준으로 양쪽에 있는 림프절 부위를 침범했을 때(III), 비장을 포함한 경우(IIIS) 혹은 인접한 림프절 외 장기나 부위를 국소침범(IIIE)하거나 양쪽 다 침범할 때(IIES)
병기 Ⅳ	림프절 침범 여부와 관계없이 한 개 이상의 림프절 외 장기를 범발성 혹은 광범위하게 침범했을 때
증 상	
A	전신증상 없음
B	뚜렷한 원인 없는 38oC 이상의 고열, 야간발한 혹은 진단전 6개월간 10% 이상의 체중감소

cytometry)를 이용하여 세포 부유액이나 조직표본에서 시행하며 악성림프종의 조직학적 등급과 예후를 추정하는 인자로 이용되고 있다.[29,36]

5. 병기체계

림프종의 병기 결정은 정확한 해부학적 병기 평가를 시행하는 것이 매우 중요하다. 1971년 호지킨병의 병기 평가 목적으로 고안된 Ann Arbor 병기체계(staging system)는 현재 비호지킨 림프종의 병기 평가에서도 공통으로 사용되고 있다(표 40-2).

Ann Arbor 병기 체계는 림프절이나 장기의 침범부위에 기초를 두고 분류하는 방법으로 국소적 침범인 제1기에서 확산된 침범인 제4기까지 있으며 전신증상이 없는 A와 있는 B, 그리고 림프절외 침범(E)과 비장침범(S)으로 분류한다. 뚜렷한 원인이 없이 38℃ 이상의 발열이 지속적 혹은 반복적으로 발생한 경우, 병기평가 전 6개월 동안 특별한 이유 없이 원래 체중의 10% 이상 감소한 경우, 수면 중 식은땀을 자주 흘리는 경우의 증상이 있으면 'B' 증상으로 분류된다. 두경부 림프종 900예 이상의 연구에서 병기별 발생 빈도는 제Ⅰ기 31%, Ⅱ기 35%, Ⅲ기 14%, Ⅳ기 19%라는 보고가 있다.[24]

표 40-3. The Lugano classification : 림프종에 침범된 부위에 따른 병기

병기	림프절 침범*	림프절외 침범(있으면 "E" 추가)
I	하나의 림프절 또는 하나의 주위 림프절 그룹을 침범	림프절 침범이 없는 단일 림프절외 병변
II	횡격막을 중심으로 같은 쪽으로만 두 개 이상의 림프절을 침범	인접한 림프절외 침범이 있고 림프절 침범이 I 또는 II 병기
II bulky**	II 병기의 경우 "bulky"의 정의는 조직학적분류에 따른다	해당사항 없음
III	횡격막을 중심으로 양쪽의 림프절 침범 또는 비장침범이 있는 횡격막 상방의 림프절 침범	해당사항 없음
IV	인접하지 않은 림프계외 침범	해당사항 없음
* 편도, Waldeyer's 편도환, 그리고 비장은 림프절 조직으로 간주한다. ** 10 cm 이상의 호지킨 림프종, 6-10 cm 크기의 미만형 대세포성 B세포 림프종, 6 cm 이상의 여포형 림프종		
호지킨 림프종에서 부가되는 A or B		
A	증상 없다.	
B	6개월 이상 체중의 10%가 줄어든 경우 38℃ 이상의 고열 심한 발한	

최근 스위스 루가노의 악성 림프종 국제회의에서 Ann Arbor 병기 체계를 수정한 Lugano 분류법이 발표되어 많이 이용되고 있다. 그 개요는 병의 확산범위에 대한 해부학적인 기술은 Ann Arbor 병기체계와 유사하나, 특정한 증상의 유무를 표현하는 A, B는 호지킨 림프종에만 적용되고, 특정한 림프절외 부위의 표시는 삭제되었다. 그리고 Ann Arbor 병기체계에서 부피가 큰 병변을 나타내는 "X" 대신에 가장 큰 종양의 직경을 기록한다(표 40-3).[7]

Ⅱ 호지킨 림프종 (Hodgkin's lymphoma)

1. 역학과 원인

호지킨 림프종은 B세포 기원으로 보고 있으며 미국에서는 인구 10만명 당 2.6명이 발생하며 흑인보다 백인에서 흔하며 남자에 많고 호발연령은 20대와 80대에서 두 번의 정점이 있다.[17,29] 아시아에서는 발생이 적어 우리나라의 암등록 자료에 의하면 2014년 호지킨 림프종은 인구 10만 명당 남자 0.7명, 여자 0.4명의 조발생율이 보고되었다.[1]

림프구 우위형(lymphocyte-predominance)과 결절 경화형(nodular sclerosing)과 같이 비교적 예후가 좋은 유형은 미국에서는 상류층 핵가족의 청장년층에서 많이 발생한다. 나이 많은 환자들이나 HIV 감염과 관련된 경우, 개발도상국 어린이에서는 예후가 불량한 유형인 혼합세포형(mixed cellularity)과 림프구 결핍형(lymphocyte-depleted)이 흔하다. 호지킨 림프종 발생과 관련성이 높은 것은 Epstein-Barr 바이러스 감염, 면역결핍, 자가면역질환 등[5,29]이다.

2. 병리조직학적 분류

호지킨 림프종 특유의 병리조직 소견은 봉입체와 유사한 호산성의 핵소체를 중심으로 주변에 투명한 태(halo)를 보이는 두 개의 핵을 가지는 다핵거대세포인 R-S세포의 출현이다. 호지킨 림프종의 분류는 세계보건기구(World Health Organization, WHO)에서 제시한 분류법을 따르고 있는데[16,50] 이 분류는 호지킨 림프종을 결절 림프구 우위형 호지킨 림프종(nodular lymphocyte-predominance hodgkin's lymphoma, NLPHL)과 전형적 호지킨 림프종(classical hodgkin's lymphoma, CHL)의 2가지 유형으로 나누고 전형적 호지킨 림프종은 림프구 풍부형(lymphocyte-rich), 혼합세포형(mixed-cellularity), 결절 경화형(nodular-sclerosis), 림프구 결핍형(lymphocyte-depleted),의 4가지 아형(subtype)으로 분류하였다.

CD30 (Ki-1)에 양성인 R-S세포의 출현이 특징인 전형적 호지킨림프종은 전체 호지킨 림프종의 약 95%를 차지하며 림프구우위형 호지킨 림프종은 전체의 4-5%를 차지한다.[33] 전형적 호지킨림프종의 아형 중 대부분은 결절 경화형이며 소수의 혼합세포형이 있고, 림프구 풍부형과 림프구 결핍형은 극소수 발생한다. 그러나 HIV에 감염된 환자에서는 혼합세포형과 림프구 결핍형이 더 흔하게 발생한다.[39]

3. 임상양상

호지킨 림프종은 상당 기간 림프절에 국한되어 있다가 근접한 림프절 부위로 퍼지고 경부에서 종격동으로 확산된다. 그 후 비장과 횡격막 아래의 림프절로 퍼지고 진행된 후에는 간이나 골수 등에 혈행성 전파를 할 수 있다. 가장 흔한 증상은 통증이 없고 단단하며 여러 개가 융합되어 있는 경부 림프절의 종창이다. 침범부위는 경부 하부, 특히 쇄골 상부 주변의 림프절이 가장 흔하고 그 밖에 겨드랑이, 서혜부, 대동맥 주변부, 흉곽에서도 발생한다.[44] 환자들의 절반 이상이 진단 당시에 종격동 내 림프절종대의 소견을 보이며 때로는 이러한 종격동 내 림프절종대가 최초의 임상적 표현인 경우도 있다.[11] 종격동의 커다란 림프절증은 결절 경화형 호지킨 림프종의 특징이다. 구개인두편도환이나 림프절외 침범은 희귀하나 골수의 침범은 가끔 있으며 비장의 침범은 30% 이상에서 나타난다.

B 증상인 발열, 야간발한, 체중감소 등은 환자들의 25-30%에서 나타나며, 환자의 50%는 진단 시 제 I기 혹은 II기로 나타난다. 드물게는 발열이 수일에서 수 주간 지속되다가 발열이 없는 시기가 왔다가 다시 발열이 재발현되는 발열 패턴인 Pel-Epstein fever를 보이는 경우도 있다. 이러한 B 증상은 복강 내에 종괴가 있는 혼합세포형의 나이 많은 호지킨 림프종 환자에서 흔하게 나타난다. 뼈를 침범 시 골통증이 있을 수 있고 복부를 침범한 때에는 복부통, 소화장애가 있을 수 있다. 종격동을 침범한 경우 드물게 흉통, 기침 혹은 숨찬 증상을 동반하기도 한다. 발열과 체중감소가 있는 경우는 예후가 불량하나 야간발한은 예후와 관련성이 없다고 한다.[4] 호지킨 림프종의 비전형적인 증상으로는 음주 후 림프절의 통증이나 전신 가려움증이 발생할 수 있고, 피부병변으로 결절성 홍반(erytherma nodosum), 신증후군(nephrotic syndrome), 면역 용혈성 빈혈과 혈소판감소증, 고칼슘혈증 등이 있다.[5,29]

4. 치료

호지킨 림프종 환자는 예후가 좋은 초기단계(early-stage favorable)(제I,II병기, 위험 인자 존재하지 않는 경우)와 예후가 좋지 않은 초기 단계(early-stage unfavorable)(제I, II병기, 위험 인자 존재하는 경우) 그리고 진행단계(advanced-stage)(제III, IV병기)로 나눌 수 있으며 이에 따라 다소 다른 치료법이 필요하다. 국소적 호지킨 림프종 환자는 90% 이상이 완치 될수 있다.

전형적 호지킨 림프종 치료에 있어서 이전에는 국소적 질환(제I, II병기) 등에서는 방사선치료 단독요법이 주된 치료였으나 이차암 발생 등의 문제로 현재는 국소적 질환 혹은 예후가 좋을 것으로 예상되는 환자들의 경우는 ABVD (adriamycin+bleomycin+vinblastine+dacarbazine)요법이나 StanfordV (doxorubicin+vinblastine+mechlorethamine+ etoposide+vincristine+bleomycin+prednisone)요법으로 화학요법을 시행하거나 짧은 기간 화학요법을 시행 후 병소부위의 림프절에 저용량의 방사선치료를 추가하는 방법이 활용되고 있다.[23]

제III,IV병기의 환자에게도 ABVD요법이나 Stanford V 요법 등이 사용되며, 유럽에서는 알킬화제를 포함하는 상승된 용량의 BEACOPP (bleomycin+etoposide+adriamycin+cyclophosphamide+vinclistine+procarbazine+prednisone)요법이 병용되어 치료 방법으로 사용된다. 진행된 호지킨 림프종 치료에 이용되는 MOPP (mechlorethamine+vincristine+procarbazine+predinsone)요법은 높은 치료율을 보이지만 대개의 남성에서 불임을 유발하며 척수형성부전(myelodysplasia)이나 치료 후 급성백혈병을 유발할 수 있다.[5]

조기 병기의 병용 화학요법에서는 4주기(cycle)가 사용되나, 진행된 병기에서는 4-6주기 투여 후 병기를 재평가하여 6-8주기까지 투여한다.[25] 재발하거나 확산 된 경우 고용량 화학요법과 자가골수 이식을 하고 있으며, 단크론항체를 이용한 면역요법도 사용이 증가되고 있다.[18]

5. 예후

호지킨 림프종의 가장 중요한 예후인자는 조직학적 아형과 병기로서 림프구 우위형이 림프구 결핍형보다 양호하며 결절 경화형과 혼합세포형은 중간 정도이다. 초기 병기에서 나쁜 예후와 관련된 인자는 광범위한 종격동 침범 혹은 10 cm 이상의 종괴, 전신 증상의 유무, 적혈구 침강속도가 높거나 세 곳 이상의 림프절외 침범이 있는 경우이다. 또한 진행된 전형적 호지킨 림프종(classical hodgkin's lymphoma)의 경우에는 45세 이상, 남자, 낮은 혈청 알부민수치와 헤모글로빈 수치, 백혈구증가증, 림프구감소증이 나쁜 예후와 관련이 있다.[47]

적절히 치료하면 약 85%의 환자가 완치되는데 국한된 호지킨 림프종의 경우 방사선 치료로 80% 이상, 진행된 경우에도 화학요법으로 68% 정도의 완치율을 보인다.[9] 우리나라의 경우 2010-2014년 기간의 5년 생존율은 남자 81.6%, 여자 78.8% 남녀 평균은 80.6%이다.[1] 호지킨 림프종은 그 자체로 사망하기보다는 후기 합병증으로 더 많은 환자들이 사망한다고 알려져 있는데 중요한 합병증은 혈액학적 암과 고형암의 발생이며 이는 5%의 빈도를 갖는다.[56]

Ⅲ 비호지킨 림프종 (Non-hodgkin's lymphoma)

1. 역학과 원인

비호지킨 림프종은 미국에서의 발생빈도는 인구 10만명당 19.5명으로 호지킨 림프종보다 약 7.5배 정도 높다.[37] 두경부 암의 5%를 차지하며 전체 악성종양의 4.3%를 차지하고 1970년대 이후 점차 증가하는 추세이다.[29] 호발 연령은 50대 이후의 노인과 남자에서 더 흔하여 평균연령은 67세 정도이다.[13] 우리나라 암등록 자료에 의하면 2014년 비호지킨 림프종은 남녀비는 1.3 : 1로 남자에서 많았고, 발생 연령대는 70대에서 21.9%로 가장 많았고 다음 50대 60대의 순이었다. 인구 10만 명당 발생률은 남자에서 10.9명, 여자는 8.6명이며 남녀를 합쳐 9.7명으로 비호지킨 림프종의 발생률은 전체암 중 2.3%를 차지하고 해마다 약간씩 증가하고 있다.[1]

비호지킨 림프종의 위험인자는 Epstein-Barr 바이러스감염, HIV 감염, Human T cell lymphotropic 바이러스(HTLV-1)감염, Chlamydia psittaci 감염 등이 있고 Helicobacter pylori의 감염은 점막관련 림프조직형(mucosal-associated lymphoid tissue, MALT) 림프종 발생에 관여한다고 한다. 그 외 자가면역질환, 면역억제제 투여, 만성림프구성 갑상선염(Hashimoto thyroiditis), 쇼그렌 증후군(Sjögren syndrome) 등과 환경인자로는 살충제, 고령 등이다.[3,5]

비호지킨 림프종의 다양한 아형의 발생빈도는 지역에 따라 다른데 T세포 림프종은 서구보다 아시아에서 더 흔하고, 여포성 림프종(follicular lymphoma)과 같은 B세포 림프종은 서구에서 흔하다. 혈관중심성 비형 NK-/T 세포 림프종(angiocentric nasal NK-/T cell lymphoma)은 남부 아시아와 라틴 아메리카 일부에서 높은 빈도로 발생하는 지역적 편중현상을 보인다 림프모구성(lymphoblastic) 림프종이나 Burkitt's 림프종 같은 고악성도의 공격적인 질환은 소아와 청장년에 많고, 양순한 저악성도의 종양은 60대 이상의 고령에 많이 발생한다.[42]

2. 병리조직학적 분류

비호지킨 림프종의 임상 및 병리학적 분류는 1982년 미국의 국립암연구소(National Cancer Institute)(NCI)에서 임상 이용을 위한 실용공식(Working Formulation for Clinical Usage)이 제창되어 예후 및 치료방침 결정의 유용한 지표로 많이 이용되고 있다(표 40-4). 1994년에

표 40-4. 비호지킨 림프종의 분류(임상이용을 위한 실용공식)

저악성도(low grade)
소림프구성(small lymphocytic)
여포형, 소균열세포 현저(follicular small cleaved cell)
여포형, 혼합 소균열 및 대균열 세포(follicular mixed small cleaved and large cell)
중간악성도(intermediate grade)
여포형, 대세포 현저(follicular large cell)
미만형, 소균열세포(diffuse small cleaved cell)
미만형, 혼합 소균열 및 대균열 세포(diffuse mixed small cleaved and large cell)
미만형, 대세포(diffuse large cell)
고악성도(high grade)
면역모구성 대세포(large cell immunoblastic)
림프모구성(lymphoblastic)
비균열 소세포(small non-cleaved cell)

면역학 및 유전학 그리고 임상적 특성을 고려하여 분류한 REAL (Revised European-American Classification of Lymphoid Neoplasms)분류법이 발표되었고 이후 WHO에서 이를 변형한 REAL/WHO 분류법으로 개정되었다.[17] 림프계종양의 WHO 분류는 형태학적, 임상적, 면역학, 유전학 등의 정보를 고려하여 비호지킨 림프종과 다른 림프계 악성종양을 나누어 분류하여 계속 수정 보완되어 많이 사용되고 있다.[50]

임상 이용을 위한 실용공식은 비호지킨 림프종을 종양의 악성도에 따라 저악성도(low grade), 중간악성도(intermediate grade), 고악성도(high grade)로 분류하고 각 군을 3-4개의 아형으로 분류하였다. 각 등급별 발생빈도는 중간악성도가 80%를 차지하여 가장 많고, 저악성도 15%, 고악성도는 5%를 차지한다.[24] 10년 생존율은 저악성도 45%, 중간악성도 26%, 고악성도 23%로 저악성도가 가장 높다.[5] 비호지킨 림프종의 대부분(80-90%)은 B 세포 기원이며, 그 나머지는 T 혹은 NK 세포 기원이고 조직구 기원은 대단히 드물다. 저악성도와 중간악성도 림프종의 대부분은 B 세포 기원이며 중간악성도 림프종으로 가장 많은 유형은 미만형 대세포성 B 세포 림프종 이다. 림프모구성(lymphoblastic)과 면역모구성(immunoblastic) 림프종 등의 일부는 T 세포 계열이다.[29]

3. 임상양상

두경부에 발생한 비호지킨 림프종의 가장 흔한 증상은 점차 커지거나 지속되는 무통성의 경부 림프절 종창이며 이는 림프종 환자의 약 15%에서 나타나고 상부와 하부 림프절에 동일한 빈도로 발생한다. 발열, 야간발한, 체중감소 등과 같은 전신증상(B) 발현은 호지킨 림프종보다 적어 20% 미만이고 그 외 피로감, 권태감, 가려움증 등이 있을 수 있다.[5] 비호지킨 림프종은 일반적으로 호지킨 림프종과는 달리 종격동 침범이 적고 국한된 경우가 드물지만, 림프절외 비호지킨 림프종은 국한되어 있는 경우가 많다. 전체 비호지킨 림프종의 13%에서 림프절외 두경부 침범을 동반하고 비호지킨 림프종의 1/4 이상에서 림프절외 두경부 영역을 이차적으로 침범하며 두경부 림프종 환자의 약 20%는 다발성 병소를 가진다.[55] 두경부의 림프절외 부위로는 구개인두편도 환, 부비동, 비강, 후두, 구강, 타액선, 갑상선, 안와(orbit) 등이다. 림프절외 부위 중에서 구개인두편도 환에서의 발생이 50% 이상이며 구개인두편도 환 중에서는 구개편도가 가장 많이 발생하며 다음으로 비인두, 혀 기저부에 잘 발생한다.[31] 구개인두편도 환 이외의 부위에서는 비강과 부비동이 가장 발생빈도가 높다. 림프절외 영역을 침범한 경우의 증상은 일반적으로 그 부위에 발생한 편평상피암과 비슷한 증상을 나타낸다.

종양의 악성도에 따른 임상양상은 저악성도 림프종 중 소림프구성(small lymphocytic) 림프종의 경우는 무증상의 경과를 가져서 증상발현 전 수개월에서 수년간 치료를 않는 경우도 있다. 저악성도 림프종은 노인에 많이 생기며 진단시점에서 골수를 침범하는 경우가 많고, 조기에 혈행성 전파를 하여 4% 정도만이 조기병기(제 I, II기) 이다. 중간악성도 림프종 중 미만형 대세포성 림프종은 전체 비호지킨 림프종의 30%를 차지하며 증상 출현 때의 평균연령은 50세이다. 흔히 빠르게 진행하는 림프절 종대와 광범위한 림프절외 침범을 가지며 전신증상도 흔하고, 종괴가 크다. 이 등급은 저악성도 보다 완전관해는 적으나 재발도 적다. 고악성도 등급은 비균열소세포(small non-cleaved cell)림프종(Burkitt's 림프종)이 포함되며 임상적으로 가장 공격적이며 소아와 청장년에 호발한다.[29,37]

4. 치료

두경부 비호지킨 림프종의 적절한 치료는 림프종의 병기와 조직학적 아형 및 악성도, 환자의 나이와 사망률에 따라 결정된다. 저악성도 림프종은 치료에 상관없이 수년간 생존하나 완치가 되는 환자의 비중은 높지 않아 증세가 없는 경우 특별한 치료 없이 경과 관찰을 하기도 한다.

그러나 고악성도 림프종은 완치를 목표로 치료한다. 치료 방법은 방사선치료, 화학요법, 면역요법, 이들의 병합요법 등이 있다.

방사선치료는 일반적으로 저악성도 에서는 총 2,000-4,000 cGy를 중간 악성도 림프종은 3,000-5,000 cGy를 조사한다. 림프종은 cyclophosphamide, chlorambucil, vincristine, prednisone, doxorubicin (adriamycin), bleomycin, methotrexate, fludarabine과 같은 항암제에 잘 반응한다. 최근에는 단크론 항체를 이용한 면역요법이 효과적이고 유망하다고 보고되는데 치료용 단클론 항체들은 정상세포에는 없는 림프종세포의 세포 표면에 많이 있는 리간드(ligands)를 목표로 한다.[34] 약제는 Rituximab (anti-CD20 monoclonal antibody)가 사용되며 이때 치료 반응율은 새로 진단된 림프종환자에서는 70%, 재발된 공격적인 림프종환자에서는 30%의 치료효과를 보인다.[40] Rituximab과 인터페론 알파의 병용요법도 사용되고 있다. 그리고 또다른 항CD20 단클론 항체로 ^{131}I-tositumomab(Bexxar)와 ^{90}Y-ibritumomab (zeyalin)이 재발성과 저항성의 저악성도 림프종이나 고악성도 림프종으로 전환된 환자에게 사용이 미국 FDA에 의해 승인 되었다.

화학요법 중 흔하게 사용되는 약물의 조합은 CVP 요법(cyclophosphamide+vincristine+ prednisone)과 CHOP (cyclophosphamide+doxorubicin+vincristine+prednisone)요법이며 다른 방법으로 위의 요법에 bleomycin과 고용량의 methotrexate를 추가할 수 있다. 또한 Rituximab®은 1주마다 375 mg/m²을 4주 동안 정맥주사 하는데 R-CVP 나 R-CHOP 요법으로 투여하기도 한다.[21] 화학요법은 일반적으로 완전관해가 될 때까지 투여하고 2주기 정도를 추가한다. 제 I기나 II기의 조기병기에서 방사선 치료와 화학요법의 병용 때에는 3주기에서 6주기 정도가 적당하며, 약물의 용량은 가능한 한 최대의 용량을 투여하는 것이 좋다. 최근 화학요법 등의 표준치료에 실패한 경우 골수나 말초혈액의 줄기세포(stem cell) 이식을 많이 시도하고 있다.

저악성도 비호지킨 림프종 중 제Ⅰ,Ⅱ기의 경우는 방사선치료에 잘 반응하여 높은 치유율을 보여 화학요법을 병행하여도 특별한 이점은 없다고 한다. 방사선 조사량은 병기, 조직학적 유형, 발생부위와 확산범위에 따라 20-30 Gy 정도면 충분하며 10년간 무병생존율은 제 I기 80%, II기 60%라는 보고가 있다.[35] 하지만 10-20년 후에도 재발할 수 있기 때문에 완전히 치료되었는지는 논란의 여지가 있다. 제 III, IV기 에서는 알킬화(alkylating) 제제 단독요법과 CVP 또는 CHOP 요법 등이 사용되고 있다.[4] 이들 각각의 약물들로 약 60-80%의 환자가 완전관해 되나 대부분의 환자는 언젠가는 재발하여 20-30%의 환자는 10년간 무병생존하나 50-60%의 환자는 질환을 가지고 생존한다. 이 병기는 어떠한 치료적 접근도 생존율에서 큰 차이를 보이지는 않는다.[5]

중간악성도 비호지킨 림프종은 3-6주기의 RCHOP 요법을 시행하고 침범된 부위의 방사선 조사를 화학요법의 반응 정도와 종양의 크기에 따라 30-50 Gy를 부가한다. 이때의 무병율은 제 I기 80%, II기 60%, III기 40% 이다.[11] 미만형 대세포성 림프종에서 CHOP 요법으로 치료한 경우 5년 생존율이 45%였으나 RCHOP 요법의 경우 58%로 상승되었다는 보고도 있다.[43] 진행된 병기의 환자들과 1차 치료에 반응이 없거나 치료 후 재발한 중간악성도 질환의 환자들은 2차 화학요법에 반응이 적으므로 줄기세포 이식을 동반한 고용량 치료가 선택된다.[16]

고악성도 림프종은 빠른 성장을 하므로 국소적인 치료는 효과가 적다. 림프모구성 림프종의 경우는 중추신경계와 골수를 잘 침범하므로 일차적으로 중추신경계 예방요법을 포함하는 화학요법으로 치료한다. 공격적인 치료로 약 60%의 환자가 치유된다.[36] 방사선치료는 화학요법에 불완전한 관해이거나 중추신경계나 고환(testicle)처럼 화학요법 후 재발의 가능성이 높은 부위에 시행한다. Burkitt 림프종은 cyclophosphamide를 포함하는 병용 화학요법으로 65%의 환자에서 2년 정도 생존하나 골수나 중추신경계 침범이 있는 환자들은 예후가 매우 불량하다. 소아 림프종의 대부분은 고악성도 이고 화학요법 단독으로 치료한다.[28]

5. 예후

치료전 특성을 고려한 국제 예후 인자(International Prognostic Index, IPI)가 중요한 예후 인자로 활용되고 있는데 5가지의 임상적 위험요소로 구성되어있다. (1) 나이가 60세 이상인 경우, (2) Ann Arbor 병기 제3기나 4기, (3) 2곳 이상의 림프절외 침범, (4) 활동능력(performance status) 감소: ECOG (Eastern Cooperative Oncology Group) 2 이상, Karnofsky 70% 이하, (5) 높은 혈청 LDH치 이다. 이 예후 인자는 악성림프종의 여포형 림프종(follicular lymphoma)을 제외한 모든 유형에 적용될 수 있는 매우 효과적인 예측 지수로 5가지 불량한 예후 인자 중 몇 개를 갖고 있는가를 평가하여 4가지 위험군으로 분류하였다. 즉 점수 0, 1은 저 위험군, 점수 2는 중간 위험군, 점수 3은 고-중간 위험군, 점수 4, 5는 고 위험군으로 분류하였다.[53] 각 위험군에 따른 5년 생존율은 저위험군부터 73%, 51%, 43%, 26%로 5가지 모두를 갖고 있는 고위험군 환자의 경우 예후가 가장 불량해진다.[5] 우리나라의 경우 2010-2014년 기간의 5년 생존율은 남자 67.4%, 여자 71.1% 남녀 평균은 69.1% 이다.[1]최근에 여포형 림프종 국제 예후인자(Follicular Lymphoma International Prognostic Index, FLIPI)가 사용되는데 이는 IPI의 5가지 위험요소 중 (3) 4곳 이상의 림프절 침범, (4) 활동능력 대신 말초혈색소 12 이하인 경우로 대체된 유사한 체계가 사용되고 있다.[46] 여포형 림프종에서 위험인자가 없거나 한 개인 경우 10년 생존율은 83%이나 2 이상인 경우는 40%로 급감한다는 보고도 있다.[46]

조직학적 유형에 따른 예후를 보면 미만형 대세포 소견을 보이는 경우보다 여포형이나 소림프구 세포 소견을 보이는 경우에 예후가 양호하다. 중추신경계를 침범하는 경우는 치료 후에 완전한 관해를 보이지 않으면 생존율은 진단받은 시점에서 2년 미만인 경우가 많다.

Ⅳ 두경부의 림프절외 림프종(Extranodal lymphoma of the head and neck)

1. 비강 및 부비동 림프종(Lymphomas of the nasal cavity and paranasal sinuses)

비강 및 부비동 림프종은 서구에서는 전체 비·부비동 암의 약 10%를 차지하며 비호지킨 림프종의 2% 정도를 차지한다.[15] 서구에는 미만형 대세포성 B 세포 림프종이 많으며 이 유형은 부비동에 호발하고 노년층에서 많이 발생한다. 아시아에서는 비호지킨 림프종의 7% 정도를 차지하고 B-세포 림프종보다는 NK-/T 세포(natural killer(NK)-/T-cell) 림프종이 많다.[41] NK-/T 세포 림프종은 비강에서 많이 생기고 보다 젊은 층에 호발하며, 공격적인 국소 경과를 가져 광범위한 조직괴사와 혈관 침범 등으로 예후가 나쁘다.[41,54] 그 외 비강과 부비동을 침범하는 림프종은 수외형질구종(extramedullary, plasmacytoma), MALT 림프종, Burkitt's 림프종 등이다. 증상은 비폐색이 주증상이고 비출혈, 궤양, 중추신경계 손상 증상, 안면 종창, 안검하수, 통증 등이다. 치료는 화학요법과 방사선치료이다.

비형 림프절외 NK-/T 세포 림프종(Extranodal NK-/T-cell lymphoma of nasal type)은 혈관중심성 림프종(angiocentric lymphoma)이라고도 하며 과거에는 치사성 중심선 육아종(lethal midline granuloma) 등으로 불렸으나 현재는 NK-/T 세포 림프종으로 확인되었다. 혈관중심성인 종양 침범과 EBV가 악성세포에서 검출되는 점이 특징인 이 유형은 비강, 비인두, 구개 등의 림프절외 영역을 가장 잘 침범하며 진단시점에는 국소적이다.[37] 림프절과 골수의 침범은 적으나 종양세포가 클수록 공격성이 높으며 혈구탐식증(hemophagocytic syndrom)을 일으켜 급격히 사망하기도 한다.[52] 이 유형은 대부분이 중간악성도 또는 고악성도인데 아시아 환자는 더 악성이어서 조기에 사망하는 경우가 많다.

수술적인 치료는 비효율적이며 오히려 질환의 빠른 진행을 유도해서 병변이 더 심해지도록 할 수 있다. 따라서 수술적 절제는 진단적 목적이나 괴사성 비강의 배농을 목적으로 했을 때 시행한다. 대부분 병소가 상기도에 국한되어 있고 방사선 치료에 잘 반응하므로 방사선 요법이 가장 적절한 치료방법으로 사용되어 왔다. 덜 진행된 병기(병기I, II)에서는 방사선 단독 치료를 시행한 경우 완전관해율은 40–80%이며 5년 생존율은 40–59% 정도이다.[19] 그러나 높은 국소제어 실패와 원격전이 때문에 공격적이고 국소적인 경과를 갖는 NK–/T 세포 림프종에서는 화학요법과 동시 또는 화학요법 시행 전에 방사선치료를 한다.[58] 진행된 병기(병기III, IV)에서 치료 후 완전 관해율은 15% 미만이다.[51]

2. 구개인두편도환 림프종(Lymphomas of the Waldeyer's ring)

구개인두편도환의 악성림프종은 전체 림프종의 약 15–20%를 차지하며 두경부 림프절외 비호지킨 림프종 제 I, II기의 50–60%를 차지한다.[14] 50세 이상의 남자에 많이 발생하며 편도의 침범이 50% 이상으로 가장 많으며 비인두와 혀의 기저부의 침범이 많다.[59] 구개인두편도환의 림프종의 80–90%는 B 세포 계열의 비호지킨 림프종이며 중간악성도 또는 고악성도이다. 미만형 대세포성 림프종이 70–80%이며 그 외 점막관련 림프조직형(MALT) 림프종이 15%, 말초 T 세포 림프종 8%, 여포형 림프종 6% 등의 순으로 발생하며 이들은 진단시점에서 이미 확산된 상태를 보인다.[34] 림프구 풍부형과 결절 경화형의 호지킨 림프종도 이 부위에 가끔 발생한다. 임상양상은 지속적인 인후통, 연하곤란, 기도폐쇄, 청력 감소, 통증 등이다. 이학적 소견상 편도의 비대, 비인두나 설기저부의 점막 팽윤, 연구개의 팽윤 또는 밀림현상이 발생하나 점막의 궤양은 드물다. 치료는 병기 I, II기의 저악성도에서는 방사선 단독요법을 시행하며 중간악성도의 경우는 RCHOP 화학요법과 방사선치료를 병행한다. 5년 생존율은 60–90% 정도이다.[11]

3. 타액선 림프종(Lymphomas of the salivary glands)

타액선에서 발생한 원발성 림프종은 전체 타액선 종양의 3%로서 매우 드문데 약 80%는 이하선에 발생하며, 악하선 16%, 설하선 2%의 순으로 발생한다. 남여 비는 1:2로 성인여자에 많으며 Sjogren 증후군의 림프상피성 타액선염(lymphoepithelial sialoadenitis)을 가진 환자에서는 타액선 또는 타액선외 림프종의 발생 위험성이 44배나 높다고 한다.[60] 조직학적으로 미만형 대세포성(B)세포 림프종과 MALT 림프종이 많으며 절반 이상이 저악성도로 양순한 형태이다.[49] 주증상은 무통의 편측 이하선 종물이고 극소수에서 안면신경마비나 통증을 동반 한다. 타액선의 림프종은 세침흡인검사나 수술 중 동결 절편검사로는 진단이 어려울 수 있으며, 정확한 진단을 위해서 이하선에 발생한 경우에는 이하선 부분 절제술이 추천된다. 치료는 병기에 따라 병기 I, II기에는 수술적 치료나 방사선 치료를 시행하고, 병기 III, IV기에서는 항암화학요법을 시행하고 추가적으로 방사선 치료를 시행할 수도 있다. 타액선의 림프종은 예후가 양호하고 재발하더라도 치료에 잘 반응한다. 또한 다발성으로 발생한 경우도 생존율에 큰 차이는 없다.[48]

4. 갑상선 림프종(Lymphomas of the thyroid gland)

갑상선 림프종은 전체 갑상선 종양의 4–5%를 차지하며 남여비는 1:3–4로 여자에 많고 평균 연령은 60대에 흔하다. Hashimoto's 갑상선염을 가진 환자에서 일반인 보다 67-80배 발생율이 높다.[26] 조직학적 유형은 중간악성도로 미만형 대세포성 B 세포 림프종이 가장 많으며 MALT 림프종과 호지킨 림프종도 발견된다.[23] 증상은 빠르게 커지는 무통성 갑상선 종물, 애성 또는 천명, 연하통 또는 연하곤란, 주위 림프절증 등이며 약 절반의 환자는 갑상선 기능검사에서 비정상 소견을 보이나 무증상인 경우도 있다. 갑상선 종괴 평가에 유용한 세침흡인 검사는 원발성 갑상선 림프종과 하시모토 갑상선염의 조직 병리학적 유사성 때문에 원발성 갑상선 림프종을 60% 정도 밖에 진단하지 못한다.[22] 치료는 CHOP 등의 화학요법이며 방사선치료의 병용도 효과적이다. 초기 병기의 MALT 림프종은 방사선 단독으로 치료하나 국소적인 미만형 대세포성 림프종은 화학요법과 방사선치료를 병용한다. 다른 부위의 미만성 대세포성 B세포 림프종과 동일하게 중간악성도 이상 병기가 진행된 경우에는 3 cycle의 CHOP+IFRT가 표준치료로 사용되고 있다.[37] 수술적 치료는 일차치료로 선택하지는 않으나 호흡곤란의 증상이 있으면 갑상선절제술과 림프절제술을 고려한다. 하지만 최근에는 병합항암요법을 통한 보존적 치료가 갑상선 절제술을 대체하고 있는 추세이다. 부피가 큰 종양, 피막외 침범, 고정된 경우, 흉골 후방 침범 등의 불량예후요소가 있는 환자에서는 중간 악성도 림프종과 같은 치료를 받아야 한다. 예후는 조직학적 악성도와 갑상선외 침범 여부에 따라 다르나 5년 생존율은 50% 정도이나, 갑상선 내에 국한된 경우는 85%, 갑상선 외로 침범된 경우는 40% 정도의 생존율이다.[22]

5. Burkitt 림프종

Burkitt 림프종은 고악성도인 비균열 소세포(small, non-cleaved cell) 유형으로 중앙아프리카에서 소아의 턱에서 발견되었는데 아프리카에서 풍토병으로 발생하는 경우와 이외의 지역에서 산발적으로 발생하는 비풍토병형 그리고 면역력 결핍형의 세 가지 아형으로 나눌 수 있다.[5,6] 아프리카의 풍토병형은 상악이나 하악에 많이 발생하며 발생연령은 5-7세이나, 비풍토병형인 경우는 장, 후복강, 난소 등의 복부 종양으로 나타나는 경우가 많고 발생연령도 6-31세로 높다.[57] 증상으로는 무통성종물, 부실한 치아, 경부림프절 종창, 인후통, 안면비대, 편측 편도비대 등이 있고 매우 빠르게 진행하며 중추신경계로 전이되는 경향이 있어 뇌척수액 검사를 포함한 신속한 진단을 요하며 진단 후 48시간 이내에 치료가 시작되어야 한다.[5] Burkitt 림프종은 인체에 발생하는 암 중 가장 공격적인 암종의 하나로 세포의 배증시간(doubling time)이 최저 2시간에서 26시간가량으로 보고되고 있다.[29] 가장 효과적인 치료는 증가된 용량의 CODOX-M (cyclophosphamide,vincristine,doxorubicin,high-dose methotrexate)/IVAC(ifosfamide,etoposide and high dose cytarabine) 등과 수막강 내(intrathecal) methotrexate 혹은 cytarabine 투여를 포함하는 복합화학요법이다. 화학요법으로 65%의 환자에서 최소 2년간의 생존을 기대할 수 있다.[29]

참고문헌

1. 국가통계포털. 암등록통계. Available at: http://www.kosis.kr. Accessed May 19, 2017.
2. 도남용: 두경부 악성 림프종. 대한이비인후과학회 편. (이비인후과학 두경부외과학.) 개정판. 서울. 일조각. 2009. 1856-1866
3. Ambrosetti A, Zanotti R, Pattaro C, et al. Most cases of primary salivary mucosa associated lymphoid tissue lymphoma are associated either with Sjogren syndrome or hepatitis C virus infection. (Br I Haematol) 2004;126:43-49
4. Armitage JO. Treatment of non-Hodgkin's lymphoma. (N Engl J Med) 1993;328: 1023-1030
5. Armitage JO, Longo DL. Malignancies of lymphoid cells. In: Kasper DL, Braunwald E, Fauci AS, et al, (eds) Harrison's principles of internal medicine. 16th ed. New York: McGran Hill; 2005. p.641-655
6. Banthia V, Jen A, Kacker A, Sporadic Burkitt's lymphoma of the head and neck in the pediatric population. (Int J Pediatr Otorhinolaryngol) 2003;67:59-65
7. Cheson BD, Fisher RI, Sally F. et al. recommendations for innitial evaluation, staging, and response assessment of Hodgkin and Non-

Hodgkin lymphoma: The Lugano classification. (J Clin Oncol) 2014;32(27):3059-3067
8. Dale DC. Colony-stimulating factors for the management of neutropenia in cancer patients. (Drugs) 2002;62:1-15
9. DeVita VT, Simon RM, Hubbard SM, et al. Curability of advanced Hodgkin's disease with chemotherapy. (Ann Intern Med) 1980;92:587-595
10. Finn D. Lymphoma of the head and neck and acquired immunodeficiency syndrome:clinical investigation and immunohistological study. (Laryngoscope) 1995;105(4 Pt 2 Suppl 68):1-18
11. Fuller LM, Krasin MJ, Velasquez WS, et al. Significance of tumor size and radiation dose to local control in stage Ⅰ-Ⅲ diffuse large cell lymphoma treated with CHOP-Bleo and radiation, (Int J Radiat Oncol Biol Phys) 1995;31:3-11
12. Fung H, Nademanee A. Approach to Hodgkin's lymphoma in the new millennium. (Hematol Oncol) 2002;20(1):1-15
13. Glass AG, Karnell LH, Menck HR. The National Cancer Data Base report on non-Hodgkin's lymphoma, (Cancer) 1997;80: 2311-2320
14. Gospodarowicz MK, Sutcliffe SB: The extranodal lymphomas, (Semin Radiat Oncol) 1995;5:281-300
15. Grau C, Jakobsen MH, Harbo G, et al. Sino-nasal cancer in Denmark 1982-1991: a nationwide survey, (Acta Oncol) 2001;40:19-23
16. Hagemeister FB. Treatment of relapsed aggressive lymphomas: regimens with and without high-dose therapy and stem cell rescue. (Cancer Chemother Pharmacol) 2002;49:13-20
17. Harris N, Jaffe E, Diebold J, et al. Lymphoma classification-from controversy to consensus: the REAL and WHO classification of lymphoid neoplasms. (Ann Oncol) 2000;11(Suppl. 1):S3-10
18. Hasenclever D, Diehl V. A prognostic score for advanced Hodgkin's disease. International Prognostic Factors Project on Advanced Hodgkin's Disease. (N Engl J Med.)1998 Nov 19;339(21):1506-1514
19. Hatta C, Ishida M, Matsumoto T, et al. Cases of lethal midline granuloma (polymorphic reticulosis) at our department in a recent 10-year period. (Nippon Jibiinkoka Gakkai Kaiho) 1993; 96: 879-885
20. Hehn ST, Grogan TM, Miller TP. Utility of fine-needle aspiration as a diagnostic technique in lymphoma. (J Clin Oncol) 2004;22:3046-3052
21. Hiddemann W, Dreyling MH, Forstpointner R, et al. Combined immuno-chemotherapy (R-CHOP) significantly improves time to treatment failure in first line therapy of follicular lymphoma results of a prospective randomized trial of the German low Grade Lymphoma Study Group (GLSG). (Blood) 2003,102:104a
22. Hwang YC, Kim TY, Kim WB, et al. Clinical characteristics of primary thyroid lymphoma in Koreans. Endocr J 2009;56(3):399-405
23. Isaacson PG. Lymphoma of the thyroid gland. (Curr Top Pathol) 1997;91:1-14
24. Jacobs C, Weiss L, Hoppe R. The management of extranodal head and neck lymphoma. (Arch Otolaryngol Haed Neck Surg) 1986;112(6):654-658
25. Josting A, Wolf J, Diehl V. Hodgkin disease: prognostic factors and treatment strategies. (Curr Opin Oncol) 2000;12(5):403-411
26. Kossev P, Livolsi V. Lymphoid lesions of the thyroid: review in light of the revised European-American lymphoma classification and upcoming World Health Organization classification. (Thyroid) 1999;9:1273-1280
27. Le Dortz L, De Guibert S, Bayat S. et al. Diagnostic and prognostic impact of 18F-FDG PET/CT in follicular lymphoma. (Eur J Nucl Med Mol imaging.) 2010; 37:2307-2314
28. Link MP, Donaldson SS, Berard CW, et al. Results of treatment of childhood localized non-Hodgkin's lymphoma with combination chemotherapy with or without radiotherapy, (N Engl J Med) 1990;322:1169-1174
29. Longo Dan L. Malignancies of lymphoid cells. In: Kasper, et al, (eds) (Harrison's principles of internal medicine.) 19th ed. New York: Mc-Graw-Hill; 2015. p695-710
30. Lopez-Guillermo A, Colomo L, Jimenez M, et al. Diffuse large B-cell lymphoma: clinical and biological characterization and outcome according to the nodal or extranodal primary origin. (J Clin Oncol) 2005:23:2797- 2804
31. MacDermed D, Thurber L, George TI, et al. Extranodal nonorbital indolent lymphomas of the head and neck: relationship between tumor control and radiotherapy. (Int I Radial Oncol Biol Phys) 2004;59:788-795
32. Magrath I, Adde M, Shad A, et al. Adults and children with small non-cleaved-cell lymphoma have a similar excellent outcome when treated with the same chemotherapy regimen. (J Clin Oncol.) 1996 Mar;14(3):925-934
33. Mason DY, Banks PM, Chan J, et al. Nodular lymphocyte predominance Hodgkin's disease: a distinct clincopathologic entity. (Am J Surg Pathol) 1994;18(5):526-530
34. McCune S, Gockerman H, Rizzieri D. Monoclonal antibody therapy in the treatment of non-Hodgkin lymphoma. (JAMA) 2001;286(10):1149-1152
35. Mendenhall NP, Lynch JW, Jr. The low-grade lymphomas, (Semin Radiat Oncol) 1995;5:254-266
36. Mendenhall NP, Schmalfuss IM, Hull MC. Lymphomas presenting in the head and neck. In: Cummings CW, et al, (eds) (Otolaryngology head & neck surgery.) 4th ed. St Louis: Elsevier Mosby; 2005. p2577-2589
37. National cancer institute. statistics. Available at: http://www.cancer.gov. Accessed May 18, 2017.
38. Podoloff DA, Advani RH, Allred C, et al. NCCN task force report: positron emission tomography (PET)/computed tomography (CT) scanning in cancer. (J Natl Compr Canc Netw.) 2007 May;5 Suppl

1:S1-22; quiz S23-2

39. Poluri A, Shah K, Carew J, et al. Hodgkin's disease of the head and neck in human immunodeficiency virus-infected patients. (Am J Otolaryngol) 2002;23(1);12-16
40. Press O, Leonard J, Coiffier B, et al. Immunotherapy of non-Hodgkin's lymphomas. (Hematology) 2001;221-240
41. Quraishi MS, Bessell EM, Clark D, et al. Non-Hodgkin's lymphoma of the sinonasal tract, (Laryngoscope) 2000;110:1489-1492
42. Raber M. Clinical applications of flow cytometry. (Oncology) 1988; 2:35-39
43. Reagan PM, Friedberg JN. Reassessement of Anti-CD20 theraphy in lymphoid malignancies : Impact, Limitation, and New direction. (Oncology.) 2017;31(5):402-411
44. Rowley H, Mcrae RD, Cook JA et al. Lymphomas presenting to a head and neck clinic. (Clin Otolaryngol) 1995;20:139-144
45. Shima N, Kobashi Y, Tsutsui K , et al. Extranodal non-Hodgkin's lymphoma of to head and neck. (Cancer) 1990; 66: 1190-1197
46. Solal-Celigny P, Roy P, Colombat P, et al. Follicular lymphoma^" ^ international prognostic index. (Blood) 2004;104:1258-1265
47. Stupp R, Vokes EE. Diagnosis and treatment of lymphomas. In: Thawley SE, Panje WR, Batskis JG, et al, (eds) (Comprehensive management of head and neck tumors.) 2nd ed. Philadelphia: WB Saunders; 1999. p1919-1930
48. Suchy BH, Wolf SR. Bilateral mucosa-associated lymphoid tissue lymphoma of the parotid gland. Arch Otolaryngol Head Neck Surg 2000;126(2):224-6
49. Sung SS, Seibani K, Fishleder A. et al. Monocytoid B-cell lymphoma in patients with Sjogren's syndrome: A clinico-pathological study of 13 patients. (Hum Pathol) 1991;22:422-427
50. Swerdlow SH, Campo E, Pileri SA, et al. The 2016 revision of the World Health organization classification of lymphoid neoplasms. (Blood) 2016;127:2375-2390
51. Tababi S, Kharrat S, Sellami M, et al. Extranodal NK/T-cell lymphoma, nasal type: report of 15 cases.(Eur Ann Otorhinolaryngol Head Neck Dis) 2012;129(3):141-147
52. Takahashi N, Miura I, Chubachi A, et al. A clinicopathological study of 20 patients with T/natural killer (NK)-cell lymphoma-associated hemophagocytic syndrome with special reference to nasal and nasal-type NK/T-cell lymphoma.(Int J Hematol) 2001;74:303-308
53. The International Non-Hodgkin's Lymphoma Prognostic Factors Project. A predictive model for aggressive non-Hodgkin's lymphoma. (N Engl J Med) 1993;329: 987-994
54. Tse E, Kwong YL. How I treat NK/T-Cell lymphoma. (Blood.) 2013;121(25):4997-5003
55. Urquhart A, Berg R. Hodgkin's and non-hodgkin's lymphoma of the haed and neck. (Laryngoscope) 2001;111(9):1565-1569
56. Varady E, Deak B, Molnar Z, et al. Second malignancies after treatment for Hodgkin's disease. (Leuk Lymphoma) 2001;42(6):1275-1281
57. Wang M, Strasnick B, Zimmerman M. Extranodal American Burkitt's lymphoma of the head and neck. (Arch Otolaryngol Haed Neck Surg) 1992;118(2):193-199
58. Yang Y, Zhu Y, Cao JZ, et al. Risk-adapted therapy for early stage extranodal type NK/T-cell lymphoma: analysis from a multicenter study. (Blood.)2015;126(12):1429-1432
59. Yuen A, Jacobs C. Lymphomas of the head and neck. (Semjn Oncol) 1999;26: 338-345
60. Zulman J, Jaffe R, Talal N. Evidence that the malignant lymphoma of Sjogren's syndrome is a monoclonal B-cell neoplasm, (N Engl J Med) 2003;299:1215-1220

CHAPTER

41

두경부 흑색종

류준선, 유창환

흑색종(악성흑색종)은 피부나 점막의 멜라닌세포에서 발생하는 악성종양으로 1809년 Rene Lannec에 의해 처음 기술되었다.[29] 비교적 드물게 발생하지만 그 빈도가 전 세계적으로 꾸준히 증가하고 있으며, 현재 피부질환으로 인한 가장 흔한 사망 원인으로 알려져 있다.[8] 그러나 조기에 발견하여 적절히 치료한다면 생존율을 높일 수 있기 때문에 이 종양에 대한 관심이 점차 높아지고 있다.

흑색종의 대부분은 피부에서 발생하나 멜라닌 세포를 가지고 있는 모든 조직, 즉 점막, 안구, 중추신경계에도 발생할 수 있다. 두경부에서는 흔히 노출되어 있는 안면부, 두피, 경부, 귀 등에 호발한다. 흑색종의 병기는 1967년 Clark[14]과 1970년 Breslow[9] 등에 의해 제안된 종양의 침습 깊이에 따라서 예후를 평가하는 분류를 전통적으로 사용하여 왔다. 그러나 최근에는 과거 중요시되던 종양의 침습 깊이와 함께, 흑색종의 예후 인자인 종양의 궤양 유무, 위성 병소(satellite), in-transit 전이, 침범된 림프절의 수 등이 반영되는 병기 분류가 널리 사용되고 있다.[24]

피부 흑색종은 특히 두경부 영역에서 많이 발생하기 때문에 두경부외과의사는 흑색종의 자연 경과, 진단, 병기 및 치료 등에 대해 잘 이해하고 있어야 한다. 또한 비강, 부비동, 구강의 점막에도 발생할 수 있으며, 경부 림프절에 일차성 또는 전이성으로도 드물게 발생할 수 있기 때문에 드문 형태의 흑색종에 대한 이해도 필요하다.

I 역학

멜라닌세포는 신경능선(neural crest) 세포에서 발생하여 태생 12주경 피부로 이주하여 멜라닌을 생성하며, 이 멜라닌이 멜라닌소체(melanosome)라는 세포소기관에 저장된다. 인종 간에 멜라닌세포 수는 차이가 없으며, 피부색 차이는 멜라닌소체의 분포, 변성, 크기와 멜라닌 용량에 기인한다.[33]

흑색종의 빈도는 인종마다 차이가 있어 백인종에서는 전체 암의 2–3%로 암 중에 많은 편이나 흑인종이나 황인종에서는 드문 편이다.[29] 국내에서 흑색종은 전체 암의 약

0.2%를 차지한다. 그러나 과거에 비해 점점 그 빈도는 인종을 불문하고 증가하고 있는 추세이다. 국내의 통계를 보면 1999년 인구 10만 명당 약 0.45명이 발생했던 것에 비해, 2012년에는 인구 10만명당 약 1명이 발생하고 있다.[2] 미국의 통계를 보더라도 과거 50년 동안 발생율이 매년 4.3%씩 점진적으로 증가하고 있다.[2,25] 전 세계적으로 보면 2012년 기준으로 볼 때 전 세계적으로 약 232,000명이 새롭게 흑색종으로 진단되며, 55,000명이 사망하는 것으로 보고되고 있다.[21]

두경부 흑색종은 남성이 여성보다 많이 호발하는 것으로 보고되고 있으며, 주로 40-60세에서 많이 생기며 사춘기 이전에는 드물게 발생한다.[1] 두경부는 체표면적의 9%이지만, 흑색종의 발생 빈도는 전체 흑색종 중 약 15-30% 정도를 차지하는데[2] 이는 두경부 영역이 자외선에 쉽게 노출되는 영역이고 다른 신체 어느 부위보다 뺨과 이마 부위의 표피에 멜라닌세포의 수가 2-3배 많은 것이 위험인자로 작용하기 때문이다. 일단 흑색종이 진단되면 이시성(metachronous)의 이차 원발암 가능성은 3.5%이다.[33]

II 원인과 위험인자

1. 햇빛 노출

햇빛은 흑색종 발생의 가장 중요한 원인이며 특히 일광화상으로 인해 피부가 벗겨지거나 수포가 생겼던 과거력이 있는 경우 위험도가 더 증가한다. B형 자외선(UV B; 280-320 nm)이 흑색종의 형성에 가장 중요한 요소로 작용한다고 알려져 있지만, 최근 A형 자외선(UV A; 320-400 nm)과 가시광선도 중요한 역할을 하는 것으로 보고되고 있다.

2. 전구병변

흑색종의 대부분은 기존의 색소성 병변에서 기원하기 때문에 이 병변의 변화를 관찰하는 것이 중요하다. 피부 흑색종 환자의 81%에서 기존의 색소성 병변을 가지고 있다는 보고도 있다. 흑색종의 전구병변으로는 선천성 모반(congenital nevi), 이형성 모반(dysplastic nevi), 악성 흑색점(lentigo maligna)이 있다.

선천성 모반은 출생 시 나타나고 병변이 큰 경우 흑색종의 발병 위험도는 5-20%에 이른다.[53] 이형성 모반은 산발성으로 나타나거나 가족성 이형성 모반증후군(familial dysplastic nevus syndrome)의 한 부분으로 나타난다. 산발성의 경우에는 흑색종의 발병이 알려져 있지 않지만 가족성 이형성 모반증후군에서는 거의 대부분 발병하는 것으로 알려져 있다. 악성 흑색점은 두경부에 흔히 발생하는 악성 흑자 흑색종(lentigo maligna melanoma)의 전단계로 여겨지며 흑색종의 발병위험도는 5-33%이다.

3. 환자의 특성

피부색이 희고 푸른 눈과 금발 혹은 붉은 모발, 신체에 주근깨 혹은 모반을 많이 가지고 있는 사람이 야외에서 많은 시간을 보내는 경우 흑색종의 위험이 높다. 또한 20세 이전에 3회 이상의 수포성 일광화상의 과거력이 있는 경우, 광선각화증(actinic keratosis)이 있는 경우에도 흑색종의 발생위험이 높다.

4. 유전

1) 가족성 흑색종/이형성 모반증후군(familial melanoma/dysplastic nevus syndrome)

Clark 등의 기술에 의하면 가족성 흑색종/이형성 모반증후군 가계의 가족은 생존 동안 흑색종이 발생할 확률이 100%에 달하며, p16 유전자의 돌연변이가 가족성 흑색종의 발생에 연관된 것으로 보고 있다.[28]

2) 색소성 건피증(xeroderma pigmentosum)

상염색체 열성으로 유전되며 이 질환을 가진 환자의 섬유모세포는 자외선으로 인해 손상받은 DNA를 복구하는 능력이 감소되거나 소실되기 때문에 기저세포암, 편평세포암종, 흑색종 등 피부암으로 진행된다. 보통 10세 이전에 피부암으로 진행되며 흔히 어린 나이에 사망에 이른다.

 분류

1. 피부 흑색종(cutaneous malignant melanoma; CMM)

피부 흑색종은 임상조직학적으로 네 가지 유형으로 분류할 수 있으며 이중 말단 흑자성 흑색종은 두경부 영역에서는 드물게 생기는 유형이다.

1) 악성 흑자 흑색종(lentigo maligna melanoma)

전 흑색종의 6–10%를 차지하며, 60–70대 노인의 안면에 잘 발생하나[10] 햇빛을 많이 받는 어떤 부위에서도 생길 수 있다. 5–20년에 걸쳐 방사성의 수평적 증식기를 가진 후에 아주 서서히 진피로 침범해 들어가는 수직적 성장기를 가지는 것이 특징으로 예후는 아주 좋은 것으로 알려져 있다.

병리조직학적 소견은 병변의 진행정도에 따라 다양하게 나타날 수 있는데 처음에는 비정형의 멜라닌세포가 표피–진피 경계에서 보인다. 점차 멜라닌세포가 증식함에 따라 표피–진피 경계가 불규칙해져 멜라닌세포들이 경계부에서 소(nest)를 형성하여 좀먹는 것 같은 형상을 띠는데, 이러한 세포들은 점차 수직적 증식을 통해 진피를 침범하여 결절성 흑색종이 될 수 있다.

2) 표재 확장성 흑색종(superficial spreading melanoma)

두경부 영역에서 가장 흔한 유형으로 전 흑색종의 65–75% 정도를 차지한다.[10] 모든 연령에서 나타날 수 있으나 평균 발생연령은 50대이다. 남녀 모두 등의 상부에서 호발하며, 여자의 경우 정강이에서도 호발한다. 병변의 색은 다양한데 황갈색뿐만 아니라 흑색, 적색, 청색, 백색 등 여러가지 색상을 띨 수 있다. 대개 1–7년간의 표재성으로 수평적, 방사성 증식기를 거치고 난 후에 심부 진피로 침범해 들어간다. 보통 지름 2 cm까지는 궤양이나 출혈이 없고, 궤양이나 출혈이 동반되는 경우는 진피로의 수직적 성장을 의미하며 예후가 불량하다. 이러한 수직적 성장을 보이기 전에 조기에 발견하여 치료하는 것이 중요하다.

3) 말단 흑자성 흑색종(acral lentiginous melanoma)

한국인, 일본인, 흑인, 미국 인디언에서 가장 흔한 유형으로 전 흑색종의 약 5–7%를 차지한다.[10] 두경부 영역에 일차적으로 생기는 경우는 드물고 주로 사지 말단 부위, 손바닥, 발바닥에 생기며, 특히 발가락이나 손가락의 말단부에 생긴다. 수평적 성장과 수직적 성장은 다양한 양상을 보이는데 성장의 속도로 보아서는 악성 흑자 흑색종과 표재 확장성 흑색종의 중간 형태로 생각된다.

손바닥, 발바닥, 손가락 끝, 또는 조갑상이나 조갑추벽에 불규칙한 흑색반이 성장하고 있으면 본 질환을 의심하여 철저히 조사하여야 하는데, 초기의 생검소견이 흔히 양성병변으로 잘못 진단될 수 있으므로 신중을 기해야 한다. 진단이 지연되는 경우에는 활차상과(epitrochlea)나 액와부 림프절로 전이를 일으키는 수가 있어 주의해야 하며, 감별 진단이 필요한 질환으로는 조갑진균증, 만성 조갑주위염, 조갑하 과각하증, 화농성 육아종, Kaposi 육종, 사구종, 조갑하 혈종 등이 있다.

4) 결절성 흑색종(nodular melanoma)

전 흑색종의 10–15%를 차지하며,[10] 여성보다 남성에서 더 흔하게 나타나고 햇빛에 노출된 부위뿐만 아니라 노출되지 않은 부위에서도 생길 수 있다.

색은 보통 균일하지 않고 불규칙하게 퍼져 있으며, 회

갈색, 청흑색, 혹은 흑색을 띠는 경우가 많고 뚜렷한 수평적 증식 없이 초기에 수직적 성장을 거쳐 진피를 침범하는 것이 특징이다. 네 가지 유형 중 가장 나쁜 예후를 보이며 침범된 깊이가 깊을수록 예후가 불량하다. 점막 흑색종은 대부분 병리조직학적으로 결절 형태를 보이는데, 이는 점막흑색종이 불량한 예후를 나타내는 원인이 된다.

2. 결합조직형성-신경친화 흑색종(desmoplastic-neurotropic melanoma)

결합조직형성 흑색종(desmoplastic melanoma; DM)은 1971년 Conley[15] 등에 의해 기술된 드문 형태의 흑색종 아형으로 아교질이 많은 방추성 세포로 구성되어 있고 조직학적으로 섬유종과 유사하여 결합조직형성 흑색종으로 명명되었다. 그 후에 Reed[41] 등은 이 종양이 신경주위와 신경내막을 침윤하므로 결합조직형성–신경친화흑색종으로 다시 세분하게 되었다.

전체 피부 흑색종 중 약 1%로 드물지만 이 질환의 75%는 두경부에 위치한다.[43] 다른 형태의 흑색종보다 고령에서 호발하고 남성에서 발생률이 높다.[8] 무멜라닌성 흑색종(amelanotic melanoma)이 피부 흑색종의 경우에는 4–5%를 차지하나 결합조직형성–신경친화흑색종의 경우에는 73%를 차지한다. 대부분 색소가 없는 무멜라닌성 흑색종이며 흑색종의 전형적인 ABCD기준이 없는 비정형의 형태를 보이므로 진단이 늦어져 치료가 지연되기도 한다. 이 아형은 국소적으로 높은 침윤성을 보이고 신경주위로 침윤할 수 있어서 작은 크기의 종양도 두개신경과 두개저부에서 두개 내로 침범이 이어질 수 있고 국소 재발이 많다.

치료로는 광범위 국소절제와 보조적 방사선치료가 권장된다. 이 종양은 다른 종류의 흑색종보다 두께가 두꺼우나 그것이 예후인자로 작용하지 않을 수 있고 국소림프절 전이율도 다른 종류에 비해서 낮으나,[46] 생존율은 다른 종류와 비슷하다.

3. 점막 흑색종(mucosal melanoma)

점막 흑색종은 자외선에 흔히 노출되는 부위가 아닌 두경부 영역의 점막에 생긴다는 점과 무증상의 경과를 취하다가 급속히 진행하는 과정을 거치는 것이 피부 흑색종과는 다른 점이다.

점막 흑색종은 전체 두경부 흑색종의 2%를 차지하나, 점막 흑색종이 발생하는 부위 중에서는 두경부가 40–50%로 가장 많다. 호발연령은 60–70세이고,[4] 남성에서 조금 더 많이 발생한다.[4,32,46] 비강에 가장 많이 발생하며 그 외에 부비동, 비인두, 구강, 구인두, 후두에서도 발생한다. 비강에서는 비중격 전부, 중비갑개, 하비갑개에서 많이 발생하고, 구강에서는 경구개와 상악치조에 주로 발생한다.[43,46]

원인은 명확히 밝혀진 것은 없으나 흡연과 포름알데히드(formaldehyde)가 점막 흑색종을 일으킬 수 있다는 보고가 있다. 특히 흡연은 기존의 멜라닌세포를 활성화시켜 멜라닌증식을 증가시키거나 멜라닌성 이형성(melanogenic metaplasia)에 중요한 역할을 하는 것으로 알려져 있다. 또한 점막 흑색종을 일으키는 세포가 주로 외배엽성 점막에 있는 멜라닌세포라는 것은 명확히 알려져 있으며, 이러한 사실은 점막 흑색종이 내배엽성 점막으로 이루어진 비인강, 후두, 기관기관지분지(tracheobronchial tree), 식도 등에는 아주 드물게 발생하는 이유를 설명해 준다. 구강에 발생하는 점막 흑색종은 30–37%에서 구강 흑색증(oral melanosis)이 선행한다는 보고들이 있다.[12,35]

증상과 징후는 발생 부위에 따라 다양한데 비강 내에 발생하면 비폐색과 비출혈이 흔하고 진행되면 안구돌출, 복시, 동통, 안면변형 등이 생긴다. 구강에서는 종괴로 나타나는데 흔히 증상이 없어서 진단이 지연되기 쉽다.[46] H&E 염색으로는 진단이 어려운 경우가 많고 Fontana silver염색, Prussian blue염색 등의 특수염색도 정확도가 75% 정도로 알려져 있어, 진단의 정확성을 높이기 위해서 점차 면역조직화학적 염색방법의 중요성이 대두되고 있다. 대체로 흑색종은 antivimentin, NKI/C-3 항체, S-100, HBM-45에 양성을 보인다.[46]

1970년 Goldsmith 등은 병기를 원발성 부위에만 국한되어 있는 경우는 제Ⅰ기, 국소림프절 전이가 있는 경우는 제Ⅱ기, 원격전이가 있는 경우는 제Ⅲ기로 분류하는 방법을 제안하였다.[27] 피부 흑색종보다는 빈도가 낮지만 병의 경과 중 또는 치료 후에도 림프절전이가 발생하고 점막하 혈관과 림프관이 풍부하여 원격전이도 흔하여 예후가 불량하다. 광범위 절제수술이 가장 중요한 치료이고 보조적인 방사선치료는 국소치료율을 향상시키는 것으로 보이지만 원격전이가 많아서 전체적인 생존율에 미치는 영향은 미흡하다. 5년 생존율은 10-45%로 보고되어 있다.[6,16,32,36,39]

4. 원인불명 전이암

흑색종의 2-8%는 암의 원발병소를 알지 못한다. 이런 환자의 3분의 2는 국소전이이고 나머지는 피하조직, 폐, 뇌 등으로의 원격전이이다. 원발병소를 찾기 위해서는 전신의 피부와 모든 점막의 검진이 필요하며 과거의 피부 생검이나 저절로 사라진 피부병변들에 대한 재검토가 필요하다.[43]

 Ⅳ 진단

1. 병력

조기진단이 매우 중요하다. 가장 흔한 조기 징후는 기존의 색소성 병변의 크기와 색깔의 변화이고 가장 흔한 조기 증상은 지속적인 소양감이며, 병이 진행되면 출혈, 궤양, 통증이 생긴다. 흑색종의 가족력, 햇빛의 노출 정도, 일광화상 등의 병력을 물어보아야 한다.

2. 신체검사

색소성모반의 수와 형태를 측정하는 것이 중요하며 특히 선천성모반, 이형성모반, 악성흑색점이 있는지를 찾아보아야 한다. 병변을 검사할 때는 밝은 조명하에 확대경을 사용하여 전신의 피부를 검사하고 병변의 색깔변화, 불규칙하게 융기된 표면, 불규칙한 경계, 궤양 유무를 평가해야 한다.

일단 흑색종으로 의심되는 병변이 있으면 소위 흑색종의 ABCD 기준인 비대칭성(A, asymmetry: 이등분했을 때 두 부분이 서로 다른 정도), 경계(B, border: 불규칙적이고 물결 모양이거나 경계가 불명확한), 색상(C, color: 부위에 따라 다르고 칠흙색이거나 적색·백색·청색의 명암), 지름(D, diameter: 6 mm보다 큰 경우 의심) 등에 대해서 정확히 평가하여 기록해야 한다. 최근에는 병변의 시간에 따른 변화가 중요하기 때문에 E (evolving changes)를 추가하기도 한다. 또한 다발성 피부 흑색종의 빈도가 5-8% 정도로 보고되므로 흑색종으로 의심되는 병변이 있는 경우 전신의 피부를 검사해야 한다.[43]

3. 생검

병변이 작고 제거할 수 있는 경우 1-2 mm의 변연을 두고 절제생검(excisional biopsy)을 시행하여 종양의 깊이, 궤양, 유사분열, 혈관과 림프관 침범, 신경주위 침범 등의 병리학적 소견을 평가한다. 절제생검을 한 경우가 다른 형태의 생검보다 전체적인 생존율이 좋고 림프섬광촬영술(lymphoscintigraphy)과 같은 다음 시술에도 영향으로 미치지 않는 것으로 보이나 0.5-2 cm의 변연을 둔 광범위 국소절제술을 시행할 경우에는 림프배액 형태에 영향을 주어 감시림프절을 정확히 평가하는 데 어려움을 준다.

해부학적 위치나 큰 크기로 인해 절제생검이 여의치 않은 경우에는 병변의 가장 두꺼운 부위에서 적절한 절개생검이나 펀치생검을 시행할 수 있다. 면도기법(shave technique)을 통한 생검이나 세침흡인검사는 종양의 두께를 정확히 측정할 수 없고 정확한 측정을 방해할 수 있기 때문에 피하는 것이 좋다.

전통적인 H&E 염색 이외에 S-100, HMB-45, melan-A 등에 대한 면역염색이 감별진단에 도움을 준다.[8]

4. 검사

최근 NCCN guideline에 따르면 I기, II기의 표재성병변의 경우에는 원격전이의 가능성이 매우 낮으므로 CT, MRI, PET/CT와 같은 영상검사는 특이한 증상이나 징후가 있지 않는 한 일상적으로 권장되지 않는다. III기의 경우는 감시림프절 전이, 임상적 림프절 전이, in-transit 전이의 유무에 따라 영상검사와 전이검사를 시행할 수 있고, stage IV의 경우에는 혈청 LDH측정, 흉부/복부/골반 CT, 뇌 MRI, PET/CT 등의 모든 검사가 필요하다.[39]

V 병리조직학적 소견

흑색종의 세포는 대부분 표피 내에서 유래되며 초기에는 세포들이 표피 내에서 현저히 증식하는 방사성 또는 수평 성장기가 선행되고, 그 후 진피내로 세포들이 본격적으로 침습하여 유두진피 내에 증식함으로써 망상진피와 피하조직에까지 확산되는 수직 성장기로 진행된다. 수직 성장기로 되기 전 단계에서는 표피내에 종양세포가 국한되어 있으므로 전이 능력이 없는 것이 보통이나, 수직 성장기가 되면 비교적 편평했던 병소가 융기되거나 결절을 형성하게 되고 전이 능력을 갖게 된다.

핵분열의 존재, 림프구나 형질세포로 이루어진 염증반응, 표피·진피 경계활성, 흑색종으로 진피 간질이 파괴되어 소실된 소견 등으로 흑색종의 악성도를 규정할 수 있다.

VI 병기

1. 원발 종양의 정의(T)

원발 종양의 두께를 측정할 수 없는 경우 TX, 원발 종양의 증거가 없거나, 원인불명암(unknown primary tumor)의 경우 T0, 상피내 흑색종의 경우 Tis로 기록한다. 궤양이 없고 종양의 두께가 0.8 mm 미만이면서 궤양이 없으면 T1a으로 분류하고, 궤양이 있거나 또는 종양의 두께가 0.8-1.0mm 사이이면 T1b로 분류한다. 종양의 두께가 1.1 mm 에서 2.0 mm 사이이고 궤양이 없는 경우 T2a, 궤양이 있는 경우는 T2b, 종양의 두께가 2.1 mm에서 4.0 mm 사이이고 궤양이 없는 경우는 T3a, 궤양이 있는 경우는 T3b, 종양의 두께가 4 mm를 초과하면서 궤양이 없는 경우는 T4a, 궤양이 있는 경우는 T4b로 분류하였다. 종양 두께 측정의 최소 단위를 0.01 mm가 아닌 0.1 mm단위로 기록하며 0.01 mm 단위는 반올림하여 기록한다. (예를 들어 0.75 mm- 0.84 mm범위로 측정되는 흑색종은 0.8 mm두께로 보고한다. 종양의 유사분열률(mitotic rate)은 T1 종양의 병기 결정에는 영향을 미치지 않는다.[24]

2. 림프절 전이의 정의(N)

국소림프절 전이 유무를 파악할 수 없는 경우 NX, 국소림프절 전이가 없는 경우 N0, 전이된 국소림프절이 하나인 경우 N1, 2-3개인 경우 N2, 4개 이상인 경우 N3로 분류한다. 각각의 N 병기에서 영상의학적으로는 확인이 되지 않았지만 감시림프절 생검에서 확인된 잠복전이는 N1a, N2a, N3a로, 임상적전이가 있는 경우 N1b, N2b, N3b로 분류한다. 만약 위성 병소가 있거나, in-transit 전이가 존재하면, 림프절 전이 개수에 따른 병기에 한 등급을 올려 N1c, N2c, N3c로 분류한다. 여기에서 in-transit 전이란 원발 종양과 국소림프절 배액 사이에

표 41-1. 흑색종의 TNM 분류(AJCC, 2017)

분류		기준
원발 종양 (Primary Tumor) (T)		
TX	원발 종양의 두께를 알 수 없는 경우	
T0	원발 종양이 없는 경우	
Tis	상피내 흑색종	
T1	종양의 두께가 1.0mm 이하	
	T1a	궤양이 없고 종양의 두께가 0.8mm 미만
	T1b	궤양이 있고 종양의 두께가 0.8mm 이상에서 1.0mm 이하
T2	종양의 두께가 1.0mm 초과에서 2.0mm 이하	
	T2a	궤양이 없는 경우
	T2b	궤양이 있는 경우
T3	종양의 두께가 2.0mm 초과에서 4.0mm 이하	
	T3a	궤양이 없는 경우
	T3b	궤양이 있는 경우
T4	종양의 두께가 4.0mm 초과	
	T4a	궤양이 없는 경우
	T4b	궤양이 있는 경우
림프절 전이 (Regional lymph node) (N)		
NX	국소림프절 전이 유무를 파악할 수 없는 경우	
N0	국소림프절 전이가 없는 경우	
N1	림프절 전이가 1개인 경우 또는 림프절의 전이 없이 위성 병소가 있거나 in-transit*전이가 있는 경우	
	N1a	1개의 잠복 전이 (감시 림프절 생검에 의해 확인된 전이)
	N1b	1개의 임상적 전이
	N1c	국소림프절 전이가 없으며 위성 병소가 있거나 in-transit 전이가 있는 경우
N2	림프절 전이가 2-3개인 경우 또는 1개의 림프절 전이와 함께 위성 병소가 있거나 in-transit전이가 있는 경우	
	N2a	2-3개의 잠복 전이
	N2b	2-3개의 림프절 전이 중 적어도 1개 이상의 임상적 전이
	N2c	1개의 림프절 전이와 위성 병소가 있거나 in-transit 전이가 있는 경우
N3	림프절 전이가 4개 이상인 경우 또는 2개 이상의 림프절 전이와 함께 위성 병소가 있거나 in-transit전이가 있는 경우 또는 전이된 림프절의 윤곽이 뚜렷하지 않고 퍼져(matted) 있는 경우	
	N3a	4개 이상의 잠복 전이
	N3b	4개 이상의 림프절 전이 중 적어도 1개 이상의 임상적 전이 또는 림프절의 윤곽이 뚜렷하지 않고 퍼져있는 경우
	N3c	2-3개의 림프절 전이와 위성 병소가 있거나 in-transit 전이가 있는 경우
원격전이 (Distant metastasis) (M)		
M0	원격전이가 없는 경우	
M1	원격전이가 있는 경우	
	M1a	피부, 피하조직 또는 국소림프절의 범위를 벗어나 림프절에 전이가 있는 경우
	M1a(0)	혈청 LDH (lactate dehydrogenase)의 상승이 없음
	M1a(1)	혈청 LDH (lactate dehydrogenase)의 상승
	M1b	폐에 전이가 있는 경우
	M1b(0)	혈청 LDH (lactate dehydrogenase)의 상승이 없음
	M1b(1)	혈청 LDH (lactate dehydrogenase)의 상승
	M1c	중추신경계를 제외한 다른 내장에 전이가 있는 경우
	M1c(0)	혈청 LDH (lactate dehydrogenase)의 상승이 없음
	M1c(1)	혈청 LDH (lactate dehydrogenase)의 상승
	M1d	중추신경계의 전이가 있는 경우
	M1d(0)	혈청 LDH (lactate dehydrogenase)의 상승이 없음
	M1d(1)	혈청 LDH (lactate dehydrogenase)의 상승

*in-transit 전이: 원발 종양과 국소림프절 배액사이에 위치한 피부 또는 피하조직에 흑색종의 존재를 특징으로 하는 림프관 내 종양 파종

표 41-2. 흑색종의 임상적 병기(AJCC, 2017)

병기	기준		
0	Tis	N0	M0
IA	T1a	N0	M0
IB	T1b	N0	M0
IB	T2a	N0	M0
IIA	T2b	N0	M0
IIA	T3a	N0	M0
IIB	T3b	N0	M0
IIB	T4a	N0	M0
IIC	T4b	N0	M0
III	Any T	≥ N1	M0
IV	Any T	Any N	M1

표 41-3. 흑색종의 병리학적 병기 (AJCC, 2017)

병기	기준		
0	Tis	N0	M0
IA	T1a	N0	M0
IA	T1b	N0	M0
IB	T2a	N0	M0
IIA	T2b	N0	M0
IIA	T3a	N0	M0
IIB	T3b	N0	M0
IIB	T4a	N0	M0
IIC	T4b	N0	M0
IIIB	T0	N1b, N1c	M0
IIIC	T0	N2b, N2c, N3b, or N3c	M0
IIIA	T1a/b-T2a	N1a or N2a	M0
IIIB	T1a/b-T2a	N1b/c or N2b	M0
IIIB	T2b/T3a	N1a-N2b	M0
IIIC	T1a-T3a	N2c or N3 a/b/c	M0
IIIC	T3b/T4a	Any N ≥ N1	M0
IIIC	T4b	N1a-N2c	M0
IIID	T4b	N3 a/b/c	M0
IV	Any T, Tis	Any N	M1

위치한 피부 또는 피하조직에 흑색종의 존재를 특징으로 하는 림프관 내 종양 파종을 의미한다. 림프절의 윤곽이 뚜렷하지 않고 퍼져 있는 경우 N3b로 분류한다. 육안적 림프절외 침범과 감시림프절 생검에서 확인된 림프절 전이의 크기는 N 병기 분류에 사용되지 않는다.[24]

3. 원격전이 (M)

원격전이가 없는 경우 M0, 원격전이가 있는 경우 M1으로 분류한다. 피부, 피하조직 혹은 국소림프절의 범위를 벗어난 림프절에 전이가 있는 경우는 M1a, 폐에 원격전이가 있는 경우는 M1b, 중추신경계를 제외한 다른 내장에 원격전이가 있는 경우는 M1c, 중추 신경계에 전이가 있는 경우는 M1d로 분류하였다. 만약 혈중 LDH 수치가 상승한 경우에는 각각의 병기에 포함되어 M1a(1), M1b(1), M1c(1), M1d(1)로 분류한다(표 41-1, 2, 3).[24]

4. 점막 흑색종의 병기

종양이 점막내에 국한되어 있는 경우는 T3, 심부 연조직, 연골, 뼈, 피부까지 침범한 경우는 T4a, 뇌,경질막, 두개저부, 하부 뇌신경 침범 (IX, X, XI, XII), 저작근공간,

표 41-4. 두경부 점막 흑색종의 TNM 분류 (AJCC, 2017)

분류	기준
T3	점막 내에 국한되어 있는 경우
T4a	심부 연조직, 연골, 뼈, 피부까지 침범한 경우
T4b	뇌, 경질막, 두개저부, 하부 뇌신경 침범 (IX, X, XI, XII), 저작근공간, 경동맥, 척추전공간, 종격동까지 침범한 경우
NX	국소림프절의 전이를 평가할 수 없는 경우
N0	국소림프절의 전이가 없는 경우
N1	국소림프절의 전이가 있는 경우
M0	원격전이가 없는 경우
M1	원격전이가 있는 경우

경동맥, 척추전공간, 종격동까지 침범한 경우 T4b로 분류한다. 국소림프절의 전이를 평가할 수 없는 경우 NX, 국소림프절의 전이가 없는 경우 N0, 전이가 있는 경우 N1으로 분류한다. 원격전이가 없으면 M0, 원격전이가 있는 경우는 M1으로 분류 한다(표 41-4).[24,37]

 치료

1. 원발병소의 수술적 치료

조기에 진단하여 수술적으로 절제하는 것이 가장 중요하다. 병변의 경계에서 얼마까지 절제하는 것이 타당한가에 대하여 과거에는 5 cm까지라는 주장이 있었으나, 세계보건기구의 임상연구에서 2 mm의 얇은 흑색종을 1 cm와 3 cm 이상의 변연을 두고 절제하여 두 그룹을 8년간 비교한 결과, 무병생존율과 전체생존율에 차이가 없었고,[48] The Intergroup Melanoma Surgical Trial에서 1.1-4.0 mm의 중등도 두께의 흑색종을 2 cm와 4 cm의 변연을 두고 절제하여 두 그룹을 비교한 결과 국소재발률과 10년 생존율의 차이가 없었다.[7] 또한 다른 연구에서는 4 mm 이상의 두꺼운 흑색종을 2 cm와 2 cm 이상의 변연을 두고 절제하여 두 그룹간의 국소재발률, 무병생존율, 전체생존율에도 차이가 없어서 절제변연을 2 cm로 권고하게 되었다.[27] 최근의 절제변연에 대한 지침에 따르면 원발종양의 두께를 기준으로 하여 상피 내 흑색종은 0.5-1 cm, 종양의 두께가 1.0 mm 이하인 경우는 1.0 cm, 종양 의 두께가 1.1-2.0 mm인 경우는 1.0-2.0 cm, 종양의 두께가 2.1-4 mm의 경우는 2.0 cm, 4 mm 보다 큰 경우에도 2.0 cm의 절제변연을 둔다.[39]

절제의 깊이는 피부전층과 피하조직을 포함하는데, 이전에 생검을 했거나 종양의 침범정도에 따라서는 근막, 연골막, 골막까지도 제거한다.

2. 국소림프절전이의 수술적 치료

두경부 피부 흑색종은 경부와 이하선 림프절에 가장 흔히 전이된다.[22] 림프절전이가 있으면 치료적 경부절제술이 필요하고 원발종양의 위치에 따라 림프절제술의 형태가 결정된다. 두피의 전외측, 측두부, 외측 전두부, 뺨의 측면, 귀에 발생한 경우는 이하선 림프절 유역을 통해서 경정맥 림프계로 배액되므로 이하선의 천엽절제술과 변형근치적 경부절제술을 시행하며,[13] 이보다 아래쪽인 턱과 목에 위치한 경우는 이하선의 천엽절제술이 필요하지 않다. 두피와 뒤통수에 위치한 흑색종의 경우는 후외측 경부절제술이 필요하다.

3. N0 경부의 평가

국소림프절 전이유무는 흑색종 환자에서 가장 중요한 생존인자이다. 임상적으로 전이가 의심되지 않는 경우에 경부림프절에 대한 치료를 하는 것에 대해서는 현재 논란이 있는데, 일반적으로 예방적 경부절제술은 추천되지 않는다.[32,39]

최근의 NCCN 권고사항은 임상 병기 IB, II 이상인 환자에서는 감시림프절의 평가가 필요하다. 만약 종양의 두께가 0.8 mm미만이며 궤양이 없는 경우 (T1a) 감시 림프절에서 양성으로 나올 확률은 5% 정도이므로 일반적으로 감시림프절 생검은 필요가 없다. 그러나 T1b이상의 병기, T1a병기에서도 mm^2 당 2개 이상의 유사분열이 관찰되거나, 림프혈관침범이 있는 경우 감시림프절의 평가를 고려한다.[39]

전이를 평가할 수 있는 방법은 예방적 경부청소술과 감시림프절 생검이다. 최근에는 감시림프절 생검이 발달함에 따라 경부청소술을 많이 대치하였다. 이러한 평가의 목적은 재발의 위험이 높은 환자들에게 전신적 치료를 추가하기 위함이다.

1) 감시림프절 생검(sentinel lymph node biopsy)

흑색종의 림프절 전이를 알기 위해서 광범위 국소절제를 할 때 병기와 예후를 측정하는 수단으로 감시림프절 생검을 많이 시행한다. 감시림프절 생검은 잠재림프절 전이를 확인하는 민감도와 특이도가 높고 침습이 적은 시술로서 최근의 보고들에 따르면 감시림프절 생검상 음성의 경우에 국소재발의 위험은 2-8%에 불과하다고 알려져 있다.[10]

감시림프절 생검은 Morton 등에 의해 도입되었으며 수술 약 2-4시간 전 원발종양 주위 사분역에 방사성 콜로이드를 피내주사 하여 림프섬광촬영술(lymphoscintigraphy)을 시행한다.[47] 림프섬광촬영술은 전이의 위험이 있는 림프절의 수, 위치, 편측성을 파악하는 데 도움을 주는데 특히 두경부의 중앙부에 위치한 흑색종은 양측으로 림프배액이 가능하므로 위 시술이 도움이 된다.

수술을 위한 마취 후 isosulfan blue dye 1 ml를 원발종양 주위에 피 내 주사하고 원발종양에 광범위 국소절제술을 시행한 다음 감마탐침을 이용하여 전이의 위험이 있는 림프절에 방사능의 증가여부를 평가하여 방사능이 증가한 부위에 1-3 cm 절개를 가하고 isosulfan blue dye와 감마탐침으로 발견된 감시림프절을 주위조직으로부터 박리하여 절제하여 병리조직학적인 검사를 한다.[43]

감시림프절 생검에서 양성인 환자는 진단 후 2주 이내에 치료적 림프절절제술을 시행한다. 감시림프절의 동결절편검사 후 즉시 치료적 림프절절제술을 시행할 수도 있으나 흑색종의 동결 절편검사에 대한 신뢰도가 낮기 때문에 영구 절편검사를 토대로 치료적 림프절절제술을 시행하는 것이 현재 치료의 표준으로 여겨진다.

감시림프절의 생검은 병기를 정확하게 측정하게 되어 예후에 중요한 정보를 주고, 잠재적 경부림프절 전이환자를 식별해서 조기에 치료적 경부림프절 절제술과 보조적 치료를 시행할 수 있고 정확한 병기 결정으로 임상적 연구에 도움을 줄 수 있다.

4. 원격전이의 수술적 치료

IV병기의 흑색종 환자는 예후가 매우 불량하며 수술적 치료의 역할이 제한적이다. 뇌, 폐, 위장관, 피하 연부조직, 원격림프절에 전이된 환자들에게 완화적 목적으로 수술치료를 해왔다. 그러나 비교적 안정적인 연조직병변, 고립된 장기병변은 근치적 절제를 시행하는 것도 고려해야 한다. 폐는 흑색종이 가장 흔하게 전이되는 장기이고 고립된 폐 원격전이 병변은 절제하여 완화를 기대할 수도 있다. 간, 폐, 뇌 전이환자 일부에서 전이된 병변을 절제하여 생존율을 연장시켰다는 보고도 있다.[20]

IV병기의 환자에서 AJCC 병기에 반영된 여러가지 예후지표가 있다. 여러 곳에 다발성으로 전이된 병변이 있으면 예후가 나쁘고, 무병간격이 짧거나 진단 후 1년 이내 원격전이가 나타난 경우 예후가 좋지 않다. 피하조직이나 원격림프절로 전이된 경우가 내장으로 전이된 경우보다 예후가 좋고 장기에 전이된 환자들 중에서 폐전이는 타장기에 비해 예후가 좋다.[5, 43]

5. 방사선치료

일차 치료로 방사선 치료는 일반적으로는 사용되지 않으나, 수술하기 어려운 고령의 환자, 재수술이 어려운 절제연 양성의 환자, 광범위한 안면부 악성 흑자 흑색종에서 미용적인 문제로 적절하게 절제하지 못할 경우 방사선치료가 일차적 치료의 대안으로 사용 될 수 있다.[8] 그러나 이러한 고선량 방사선치료는 신경조직에 유해하므로 눈 주위 병변 또는 중추신경계 병변에는 사용하지 않는다. 결합조직형성 흑색종, 절제연이 충분하지 않은경우(근접 절제연, close margin), 병리 소견상 광범위 신경친화형을보이는 경우(extensive neurotrophism), 육안적 림프절 피막 침범, 1개 이상의 이하선 림프절 전이가 있는 경우 보조 방사선 치료를 고려할 수 있다. 점막 흑색종의 경우 수술 후 방사선 치료를 적극적으로 고려하고, 림프절의 전이가 있으면, 수술 후 방사선 치료를 시행하는 것을 권고하고 있다.[39] 수술 후 보조적으로 방사선 치료를 사용하면 국소 조절을 향상 시킬 수 있지만 재발율과 전체생존율은 증가시키지는 못하는 것으로 알려져 있기 때문에 방사선 치료의 부작용과 이점을 고려해서 신중히 선택할 필요가 있다.[32,39]

6. 전신 치료(systemic therapy)

국소치료를 마치고도 재발의 위험이 높은 고위험 환자군(Stage IIB, III)이나 원격전이가 동반되어 있는 경우 전신 치료가 필요하다. 전신 치료에 사용되는 약제는 크게 3개의 그룹으로 분류할 수 있다. 고전적인 항암치료(cytotoxic therapy), 분자표적치료(molecular targeted therapy), 면역치료 (immunotherapy)이다. 항암치료와 분자표적치료는 암세포의 확산과 관련된 세포 작용을 방해하여 암세포에 직접적으로 작용하는 반면 면역치료법은 주로 암세포에 대한 숙주의 면역 반응을 조절하여 치료하는 방법이다. 과거에는 전이성 흑색종에서 알킬화제(dacarbazine, temozolomide, nitrosoureas), 미세소관독성 물질(paclitaxel 등), 플라티늄 아날로그제등의 세포 독성 약물이 사용되었다. 세포 독성 제제들의 병행 치료는 단일 치료보다 더 높은 반응을 나타냈지만 약물 사용과 관련된 높은 부작용과 전체 생존율의 증가에는 실패하였다. 면역 치료의 한 종류인 고용량 인터루킨-2(Interleukin-2, IL-2)는 6-7%에서 완전 반응(complete response, CR)을 보였으나 전체적으로 낮은 반응율(Objective response rate, ORR), 치료 관련 독성, 바이오마커의 부족으로 인해 사용이 제한되고 있다. 다행히 최근에는 분자표적치료법과 면역 치료에서 전체 생존 기간을 포함한 중요한 환자 결과들의 향상을 이끌 수 있는 새로운 치료법이 이루어지고 있다.[19]

1) 면역관문억제제(check-point inhibitor)

면역치료는 종양반응성 T 세포들을 증가시키고, T세포의 기능을 조절하는 면역관문(Immune checkpoint)을 조절하는 것을 기반으로 하고 있다. PD-1(programmed cell death protein-1) 억제제와 CTLA-4(cytotoxic T lymphocyte associated antigen-4) 억제제가 사용되고 있다. PD-1은 T세포막에 붙어있는 단백질로 종양세포내에 있는 PD-L1, PD-L2가 PD-1과 결합하면 T세포의 고갈이 일어나게 되는데, PD-1을 억제함으로서 종양반응성 T세포의 기능을 증가시키는 기전을 가지고 있다. T 림프구에 의해 발현되는 억제 수용체인 CTLA-4는 반응 T 세포(effector, Teff)와 조절 T 세포(regulatory, Treg) 모두에서 발현되는데, CTLA-4을 억제함으로서 종양을 억제하는 항암 작용 T 세포의 기능을 향상시킨다. 현재 PD-1 억제제는 Pembrolizumab, Nivolumab이, CTLA-4 억제제는 Ipilimumab이 임상에서 승인이 되었다.[19] PD-1 억제제는 단독 사용은 수술이 불가능하거나 전신 전이된 흑색종에서 Iplimumab 또는 항암화학요법에 비해 전체생존율의 증가와 함께 적은 부작용을 보였다.[42] Nivolumab과 Ipilimumab의 병합요법은 Ipilimumab의 단독 요법보다 무진행생존율과 전체생존율의 증가가 입증되었다.[31] 국소치료 후 보조 요법으로서의 치료에서도 Nivolumab은 무재발 생존율을 증가시키는 것으로 알려져 있고, 감시림프절 생검에서 1mm이상의 전이가 확인된 경우 고용량의 Ipilimumab이 무재발생존율과, 전체생존율의 증가를 보였다.[19]

2) 인터페론 알파(interferon-α)

인터페론 알파는 면역증강 효과와 함께 항혈관생성효과를 함께 가진 단백질로 작용기전은 대식세포의 포식작용과 유리기(free radical)의 생성을 증가시키고, 자연살해세포의 활성을 증강시킨다. 인터페론 알파는 현재 수술적 절제 후 재발의 높은 Stage IIB, IIC, III에서 보조요법으로 사용되고 있다. 저용량과 중간용량의 임상 실험은 생존율 증가에 효과가 없기 때문에 고용량으로 치료하는 것이 현재 권장되고 있다. 고용량의 인터페론이 고려되는 경우는 IIB 이상의 병기를 가진 경우 이다.[39]

3) 분자표적치료(molecular targeted therapy)

주로 BRAF와 MAPK(mitogen-activated protein kanase)를 표적으로 하는 약제들이 사용되고 있다. 약 50%의 흑색종은 BRAF V600E 돌연 변이를 가지고 있다.[17] BRAF 억제제 중 Vemurafenib, Dabrafenib이 현재 사용되고 있는 약제이며, Vemurafenib은 수술적 절제가 불가능하거나 진행된 흑색종에서 무진행생존율과 전체 생존율의 증가가 입증되었고,[11] Dabrafenib는 Dacarbazine에 비해 무진행생존율의 연장을 보였다.[26] MAPK 억제제는 Trametinib, Cobimetinib이 현재 사용되고 있다.[19] Trametinib은 BRAF V600E 또는 V600K 변이가 있는 수술적 절제가 불가능거나 전이성 흑색종에서의 사용이 승인 되었다.[23] 분자표적치료의 병합요법도 활발히 사용되고 있는데, Dabrafenib과 Trametinib의 병합요법이, Cobimetinib과 Vemurafenib과의 병합요법이 승인되었다.[30,34] 국소치료후 보조 요법으로서의 치료에서도 BRAF V600의 변이가 있는 환자에서는 Dabrafenib과 Trametinb의 병합 요법을 사용할 수 있다.

4) 항암치료

주로 알킬화제 약물이 사용된다. Dacarbazine은 1970년에 승인 받은 약물로서 약10-20%의 반응율을 보이고 있으나 전체생존율을 증가시키지 못하는 것으로 알려져 있다.[44] Temozolomide 역시 dacarbazine과 비슷한 효과를 보이고 있다. 흑색종은 비교적 항암제에 잘 듣지 않는 종양으로 항암화학요법은 고위험군 환자에서 보조적인 요법 또는 원격전이나 재발된 환자에서 완화요법으로 사용되고 있다.

Ⅷ 예후

피부 흑색종의 전체적인 5년 생존율이 1963년 보고에서는 6%였으나 흑색종에 대한 충분한 교육과 암의 조기 진단이 가능해지면서 1980년 보고에서는 79%로 향상되었고, 2001년 발표된 미국 암연구소 보고에 의하면 1989-96년 사이에는 생존율이 88%로 향상된 성적을 보이고 있다.[46]

일반적으로 고령, 남성, 원발병소가 두경부와 두피에 존재하는 경우, 무색소성 종양, 결절성 아형 등에서는 예후가 불량하며 여성, 백피증(leukoderma) 또는 원발부위를 모르는 경부림프절 전이에서는 예후가 양호하다. 해부학적 발생부위는 여러 연구 기관에서 중요한 인자로 증명되기는 하였지만, 과거에 예후가 좋지 않은 것으로 알려져 왔던 BANS (upper Back, posterolateral upper Arms, posterior and lateral Neck, and posterior Scalp) 부위 중 두피와 경부 Ⅰ병기 환자에서는 예후에 영향을 미치지 않았다는 보고가 있다.[18]

최근의 병기에서 과거 예후에 중요시되던 종양의 깊이와 국소림프절의 크기보다는 종양의 궤양유무와 깊이, 위성증, in-transit 전이, 침범된 림프절의 수가 더 중요하게 여겨지고 있다.[8]

참고문헌

1. 대한병리학회 편. 병리학. 제7판. 고문사; 2010. p.2017
2. 보건복지부. 국가암등록사업 연례보고서; 2014. p.42
3. 이환서, 이종숙, 이봉재. 비부비동 악성흑색종: 38 명 환자의 임상 양상 및 치료 결과. 대한이비인후과학회지 2014;57:384-89.
4. 홍성룡, 김시환, 원태빈, et al . 비강 및 부비동에 발생하는 점막형 악성 흑색종의 임상 양상 및 치료 결과. 대한이비인후과학회지 2006; 49:1176-80.
5. Allen PJ, Coit DG. The surgical management of metastatic melanoma. Ann Surg Oncol 2002;9(8):762-70.
6. Bachar G, Loh KS, O' Sullivan B, et al. Mucosal melanomas of the head and neck: experience of the Princess Margaret Hospital. Head Neck 2008;30(10):1325-31.
7. Balch CM, Soong SJ, Smith T, et al. Long-term results of a prospective surgical trial comparing 2 cm vs. 4 cm excision margins for 740 patients with 1-4 mm melanomas. Ann Surg Oncol 2001 ;8(2):101-8.
8. Berger AJ, Myers JN, Nemechek AJ, et al. Malignant Melanoma of Head and Neck Region. In: Johnson JT, Rosen CA, editors. Bailey's Head & Neck Surgery Otolaryngology. 5th ed. Baltimore & Philadelphia: Lippincott Williams & Willikins, a Wolters Kluwer business;

2014. p.1739-59.
9. Breslow A. Thickness. Cross-sectional areas and depth of invasion in the prognosis of cutaneous melanoma. Ann Surg 1970;172(5):902-8.
10. Carlson GW, Page AJ, Cohen C, et al. Regional recurrence after negative sentinel lymph node biopsy for melanoma. Ann Surg 2008;248(3):378-86.
11. Chapman PB, Hauschild A, Robert C, et al. Improved survival with vemurafenib in melanoma with BRAF V600E mutation. N Engl J Med 2011;364(26):2507-16.
12. Chaudhry AP, Hampel A, Gorin RJ. Primary malignant melanoma of the oral cavity: a review of 105 cases. Cancer 1958;11(5):923-28.
13. Cheriyan J, Wernberg J, Urquhart A. Head and neck melanoma. Surg Clin North Am 2014;94(5):1091-1113.
14. Clark WHJ, From L, Bernardino EA, et al. The histogenesis and biologic behavior of primary human malignant melanomas of the skin. Cancer Res 1969;29(3):705-27.
15. Conley J, Lattes R, Orr W. Desmoplastic malignant melanoma (a rare variant of spindle cell melanoma). Cancer 1971;28(4):914-36.
16. Dauer EH, Lewis JE, Rohlinger AL, et al. Sinonasal melanoma: a clinicopathologic review of 61 cases. Otolaryngol Head Neck Surg 2008;138(3):347-52.
17. Davies H, Bignell G , Cox C, et al. Mutations of the BRAF gene in human cancer. Nature 2002;417(6892):949-54.
18. Diaz EMJ, Austin JR, Burke LI, et al. The posterolateral neck dissection. Technique and results. Arch Otolaryngol Head Neck Surg 1996;122(5):477-80.
19. PDQ Cancer Information Summaries[Internet]. Available from: https://www.ncbi.nlm.nih.gov/books/NBK66034/
20. Essner R. Surgical treatment of malignant melanoma. Surg Clin North Am 2003;83(1):109-56.
21. Ferlay J, Soerjomataram I, Ervik M, et al. GLOBOCAN 2012 v1.1, Cancer Incidence and Mortality Worldwide: IARC CancerBase No. 11. Available from: http://globocan.iarc.fr.
22. Fisher SR. Elective, therapeutic, and delayed lymph node dissection for malignant melanoma of the head and neck: analysis of 1444 patients from 1970 to 1998. Laryngoscope 2002;112(1):99-110.
23. Flaherty KT, Robert C, Hersey P, et al. Improved survival with MEK inhibition in BRAF-mutated melanoma. N Engl J Med 2012;367(2):107-14.
24. Gershenwald JE, Scolyer RA, Hess KR et al. Melanoma staging: evidence-based changes in the American Joint Committee on Cancer Eighth Edition Cancer Staging Manual. CA Cancer J Clin 2017;67(6):472-92.
25. Golger A, Young DS, Ghazarian D, et al. Epidemiological features and prognostic factors of cutaneous head and neck melanoma: a population-based study. Arch Otolaryngol Head Neck Surg 2007;133(5):442-47.
26. Hauschild A, Grob JJ, Demidov LV, et al. Dabrafenib in BRAF-mutated metastatic melanoma: a multicentre, open-label, phase 3 randomised controlled trial. Lancet 2012;380(9839):358-65.
27. Heaton KM, Sussman JJ, Gershenwald JE, et al. Surgical margins and prognostic factors in patients with thick (>4 mm) primary melanoma. Ann Surg Oncol 1998;5(4):322-28.
28. Kamb A, Gruis NA, Weaver-Feldhaus J, et al. A cell cycle regulator potentially involved in genesis of many tumor types. Science 1994;264(5157):436-40.
29. Laennec RTH. Sur les melanoses. Bull la Fac Med paris 1812;1:2.
30. Larkin J, Ascierto PA, Dréno B, et al. Combined vemurafenib and cobimetinib in BRAF-mutated melanoma. N Engl J Med 2014;371(20):1867-76.
31. Larkin J, Chiarion-Sileni V, Gonzalez R, et al. Combined Nivolumab and Ipilimumab or Monotherapy in Untreated Melanoma. N Engl J Med 2015;373(1):23-34.
32. Lazarev S, Gupta V, Hu K, Harrison LB et al. Mucosal melanoma of the head and neck: a systematic review of the literature. Int J Radiat Oncol Biol Phys 2014;90(5):1108-18.
33. Lee K. Carotid Body Tumors, Vascular Anomalies, Melanoma , and Cysts and Tumors of the Jaws. In: Essential otolaryngology, Head & Neck Surgery, 8th ed. Appleton & Lange, 2003. p.655-81.
34. Long GV, Stroyakovskiy D, Gogas H, et al. Combined BRAF and MEK inhibition versus BRAF inhibition alone in melanoma. N Engl J Med 2014;371(20):1877-88.
35. Manolidis S, Donald PJ. Malignant mucosal melanoma of the head and neck: review of the literature and report of 14 patients. Cancer 1997;80(8):1373-86.
36. Meleti M, Leemans CR, de Bree R, et al. Head and neck mucosal melanoma: experience with 42 patients, with emphasis on the role of postoperative radiotherapy. Head Neck 2008;30(12):1543-51.
37. Mucosal melanoma of the head and neck. In: Edge SB, Byrd DR, Compton CC, et al. editors.: AJCC Cancer Staging Manual. 7th ed. New York, NY: Springer, 2010, p. 97-100.
38. NCCN Clinical Practice Guidelines in oncology: Head and Neck cancer. 2018 Version 2. 2018. Available from: http://www.nccn.org
39. NCCN Clinical Practice Guidelines in oncology: melanoma. 2018 Version 2. 2018 . Available from: http://www.nccn.org
40. NCI. Surveillance, Epidemiology, and End Results. 2015. Available from: http://seer.cancer.gov
41. Reed RJ, Leonard DD. Neurotropic melanoma. A variant of desmoplastic melanoma. Am J Surg Pathol 1979;3(4):301-11.
42. Robert C, Ribas A, Wolchok JD, et al. Anti-programmed-death-receptor-1 treatment with pembrolizumab in ipilimumab-refractory advanced melanoma: a randomised dose-comparison cohort of a phase 1 trial. Lancet 2014;384(9948):109-17.
43. Schmalbach CE, Durham AB, Johnson TM, et al. Management of

Cutaneous Head and Neck Melanoma. In: Flint PW, Haughey BH, Lund VJ, et al, editors. Cummings Otolaryngology-Head and Neck Surgery. 6th ed. Philadelphia: Elsevier; 2015. p.1163-75.

44. Serrone L, Zeuli M, Sega FM, et al. Dacarbazine-based chemotherapy for metastatic melanoma: thirty-year experience overview. J Exp Clin Cancer Res 2000;19(1):21-34.

45. Siegel R, Ma J, Zou Z, et al. Cancer statistics, 2014. CA Cancer J Clin 2014;64(1):9-29.

46. Stern SJ, Guillamondegui OM. Mucosal melanoma of the head and neck. Head Neck 1991;13(1):22-27.

47. Uren RF, Howman-Giles RB, Shaw HM, et al. Lymphoscintigraphy in high-risk melanoma of the trunk: predicting draining node groups, defining lymphatic channels and locating the sentinel node. J Nucl Med 1993; 34(9):1435-40.

48. Veronesi U, Cascinelli N. Narrow excision (1-cm margin). A safe procedure for thin cutaneous melanoma. Arch Surg 1991;126(4):438-41.

CHAPTER

42

연조직 악성 종양

정영호, 성명훈

연조직 악성 종양은 조직학적으로 육종(sarcoma)에 해당한다. 육종의 80%는 간엽세포(mesenchymal cell) 기원의 내피세포, 근육 그리고 결합 조직 등에서 발생하고 20%는 뼈에서 골종양으로 발생한다.[35] 이 장에서는 연조직 악성 종양보다는 육종이라는 익숙하고 통합적인 병명으로 질환을 설명하고자 한다.

육종은 성인에서 2~15%, 소아에서는 35% 정도가 두경부 영역에서 발생하며, 전체 두경부 악성 종양의 1% 이하의 빈도를 차지한다.[7] 전체적으로 악성 섬유성 조직구종(malignant fibrous histiocytoma)의 빈도가 가장 높으나 소아와 성인에서 호발하는 육종의 종류는 다르다. 소아에서는 횡문근육종(rhabdomyosarcoma)이 가장 빈번하게 발생하며 성인에서는 악성 섬유성 조직구종 외에도 골육종(osteosarcoma), 혈관육종(angiosarcoma) 그리고 섬유육종(fibrosarcoma)이 호발한다.

육종은 기원 조직에 따라 종양을 명명하게 되며, 이 외 조직학적 등급과 발생 부위에 따라 종양을 분류한다(표 42-1). 육종은 기원하는 조직이 다양하고 동일한 부위에서 발생한 육종의 경우에도 서로 다른 조직학적 양상을 보인다. 이로 인하여 매우 천천히 자라는 종양에서부터 매우 공격적인 양상을 보이는 경우까지 다양한 임상 양상을 보인다.[12]

육종의 치료에서 충분한 절제연을 확보하여 종양을 완전 절제하는 것이 중요하다. 하지만 두경부는 해부학적으로 복잡하며 중요한 기능을 가지는 구조물들이 많기 때문에 육종의 외과적 안전 절제범위를 확보하기 힘든 경우가 많다. 이로 인하여 국소 재발이 많고 생존율도 다른 부위의 육종에 비해 낮다.[14]

육종이 두경부에 발생하는 빈도는 매우 낮기 때문에 치료 방법들에 대한 비교 연구가 힘들어 표준적으로 사용되는 치료방법이 명확하지 않으며 예후 인자에 대한 분석도 한계가 있다. 따라서 현재 치료방법의 선택과 예후 예측에 어려움이 있다. 더불어 면역조직학의 발전으로 인하여 육종에 대한 분류가 빠르게 변화하고 있기 때문에 정확한 진단과 적합한 치료를 제공하기 위해 다양한 전문가들과 협진이 필요하다.

표 42-1. 육종의 조직학적 분류(World Health Organization classification, 2013)

Malignant tumors of soft tissue	
Histopathologic Type	
Adipocytic tumors	Dedifferentiated liposarcoma Myxoid fibrosarcoma Pleomorphic liposarcoma Liposarcoma, not otherwise specified
Fibroblastic/Myofibroblastic Tumors	Adult fibrosarcoma Myxofibrosarcoma Low-grade fibromyxoid sarcoma Sclerosing epithelioid fibrosarcoma
Smooth-muscle tumors	Leiomyosarcoma
Skeletal-muscle tumors	Rhabdomyosarcoma (Embryonal, Alveolar, Pleomorphic, Spindle/Sclerosing)
Nerve sheath tumors	Malignant peripheral nerve sheath tumor Epithelioid malignant nerves sheath tumor Malignant Triton tumor Malignant granular cell tumor Ectomesenchymoma
Vascular tumors	Epithelioid hemangioendothelioma Angiosarcoma of soft tissue
Tumors of uncertain differentiation	Synovial sarcoma NOS (spindle cell, biphasic) Epithelioid sarcoma Alveolar soft-part sarcoma Clear cell sarcoma of soft tissue Extraskeletal myxoid chondrosarcoma Extraskeletal Ewing sarcoma Desmoplastic small round cell tumor Extra-renal rhabdoid tumor
Undifferentiated/Unclassified sarcomas	Undifferentiated spindle cell sarcoma Undifferentiated pleomorphic sarcoma Undifferentiated round cell sarcoma Undifferentiated epithelioid sarcoma Undifferentiated sarcoma NOS
Malignant tumors of Bone	
Chondrogenic tumors	Chondrosarcoma Dedifferentiated chondrosarcoma Mesenchymal chondrosarcoma Clear cell chondrosarcoma
Osteogenic tumors	Osteosarcoma

I 분류

육종은 주로 기원 조직에 따라 명명하는데 기원 조직에 따라 임상 양상이 다양하며 예후도 다르다. 악성도가 높은 육종은 골육종, 악성 섬유성 조직구종, 횡문근육종, 혈관육종, 활막육종(synovial sarcoma), Ewing 육종(Ewing sarcoma)이며, 융기성 피부섬유육종(dermato-fibrosarcoma protuberans), 데스모이드 종양(desmoid tumor), 비정형지방종양(atypical lipomatous tumor) 등은 비교적 양호한 임상 경과를 가진다. 과거에는 육종이 발생하는 기원 조직을 명확하게 밝혀내지 못한 경우가 많았으나 최근 면역조직화학검사법(immunohistochemistry)과 세포유전검사의 발달 및 다양한 종양 표지자가 알려져 이전에 분류하지 못하였던 육종의 기원을 밝혀내게 되었다. 하지만 현재에도 육종 중 20% 정도에서는 명확한 분류가 어렵다.[35]

같은 조직에서 기원한 육종의 경우에도 조직학적 소견에 따라 다양한 임상 경과를 관찰할 수 있는데 연골육종(chondrosarcoma), 섬유육종(fibrosarcoma), 평활근육종(rhabomyosarcoma), 지방육종(liposarcoma) 등이 있다. 이 육종들은 병리조직학적 특성에 따라 고등급 종양에서부터 저등급 종양으로 분류할 수 있다. 이런 조직학적 등급 역시 예후를 예측할 수 있는 주요 인자이며 American Joint Committee on Cancer (AJCC 8th edition, 2016)의 병기 설정에 반영되어 있는 요소이다.

해부학적 위치에 따른 분류의 경우는 치료 방침을 결정하는 데 유용한 분류이다. 두피 및 안면부, 비부비동 및 전두개저 부위, 이개 및 측두개저 부위 그리고 상부 호흡소화관 부위로 세분화할 수 있다.[43] AJCC에서는 두경부(head and neck) 부위의 육종을 다른 신체 부위와 분리하여 서술하고 있으며 골종의 경우 안면골과 두개골을 나누어 서술하고 있다.

II 원인

많은 육종의 명확한 발생 원인이 알려져 있지 않지만 일부 육종에서 유전적 원인이 알려져 있으며, 육종의 발생과 관련된 환경적 요인들도 알려져 있다. 유전적 원인 중 종양억제유전자인 p53과 Rb1의 변이가 있는 경우 육종의 발생이 증가한다. p53의 생식세포 돌연변이(germline mutation)가 있는 경우 육종을 비롯한 유방암, 백혈병 등의 다양한 악성 종양이 발생하는데 이는 Li-Fraumeni 증후군으로 알려져 있고 상염색체 우성으로 유전된다.[31] Rb1의 결손이 있는 경우 역시 골육종 및 연조직 육종의 발생이 증가한다.[18] 더불어 신경섬유종증 1형(neurofibromatosis type 1) 환자에서는 NF1의 변이가 관찰되며 소아기에는 횡문근육종, 지방육종, 섬유육종 발생 가능성이 높으며 이 후 신경원성 육종의 발생 위험이 증가한다.[49] 이 외 Gardner 증후군(APC mutation), 모반모양 기저세포암 증후군(nevoid basal cell carcinoma syndrome, PTC gene mutation), Carney 삼주징, 유전성 혈색소증(hereditary hemochromatosis), Werner 증후군(WRN mutation) 등도 육종과의 연관성이 알려져 있다.[49]

환경적 요인 역시 육종의 발생과 연관성을 가지는데 이는 유전적 소인과의 상호작용이 있는 것으로 생각된다. 두경부 영역에 방사선을 조사 받은 경우 육종 발생의 위험이 명확하게 증가한다. 두경부에 방사선 치료를 받은 환자 중 0.14%-2.2%에서 육종이 발생한다고 알려져 있으며 그 중 악성 섬유성 조직구종이 가장 흔하게 발생한다. 육종은 방사선 조사 후 주로 11.5년에서 13년 후에 발생한다고 알려져 있으며 최근 방사선 치료의 빈도가 증가하여 방사선 조사와 연관된 육종의 발생 빈도는 증가할 것으로 생각된다.[12] 감염성 질환 중 사람면역결핍바이러스(human immunodeficiency virus;HIV)에 감염된 환자에서 Kaposi육종의 발생이 증가하나, 최근 Kaposi육종을 실제 육종으로 분류하는 것에 대한 이견이 많다. 이 외 외상, 만성 염증 및 신체에 삽입된 금속 등의 이물과도 연관성이 알려져 있지만 이에 대한 명확한 인과 관계가 증명되지는 않았다.[12]

III 임상양상 및 진단

두경부 육종의 경우 비특이적 증상과 징후를 보인다.

가장 흔한 징후는 무통성 종괴이며 종양의 위치와 침범 범위에 따라 다양한 증상이 발생할 수 있다.[43] 주로 종양이 성장함에 따라 기능적 폐쇄에 인한 증상 또는 주변 조직 침습에 의해 증상이 발생한다. 통증이 동반되는 경우는 14-25% 정도로 알려져 있다. 비부비동과 전두개저에서 발생한 육종의 경우 비폐색감, 안구돌출, 복시, 비출혈이 발생할 수 있으며, 귀와 측두개저를 침범하면 청력소실, 현훈, 안면신경마비 등이 발생할 수 있다. 인두, 하인두, 후두 및 경부 식도를 침범한 경우에는 연하 곤란, 애성, 호흡 곤란 등이 발생할 수 있다.

신체검사에서 비부비동과 상부 호흡소화관의 육종은 점막하의 종괴, 경부의 육종은 피하종괴의 형태로 나타나는데 이것은 편평세포암종과 감별하는 데 도움을 준다. 피부와 연부조직의 혈관육종은 자색의 반점(macule)을 관찰할 수 있으며 융기성 피부섬유육종에서는 검붉은 병변을 관찰할 수도 있다.[43] 종양의 인접 구조 침범에 의해

표 42-2. 두경부 연조직 육종의 TNM 분류 및 병기 (AJCC 8판, 2016)

Primary tumor(T)		
Tx		원발 부위를 평가할 수 없는 경우
T1		원발 종양의 경우가 2 cm 이하
T2		원발 종양의 경우가 2 cm 초과 4 cm 이하
T3		원발 종양이 4cm 초과 (〉4 cm)
T4		원발 종양이 주변 구조를 침범하였을 때
	4a	원발 종양이 안구(orbit), 두개저(skull base)/경막(dura), 중심구역의 내장(central compartment viscera), 안면 골격(facial skeleton), 혹은 익상근(pterygoid muscles) 침습한 경우
	4b	원발 종양의 뇌 실질(brain parenchyme) 침습, 경동맥이 종양에 의해 둘러 싸임 (carotid aretery encasement), 전척추근 침습(prevertebral muscle invasion), 혹은 중추신경계의 침습(central nervous system via perineural spread)이 관찰되는 경우
Regional lymph node(N)		
N0		국소 림프절 전이가 없거나 평가가 되지 않은 경우
N1		국소 림프절 전이가 있는 경우
Distant Metastasis(M)		
M0		원격전이가 없는 경우
M1		원격전이가 있는 경우
Histologic grade(G)*		
Gx		분화도를 결정할 수 없는 경우
G1		종양의 분화, 유사분열 수, 그리고 종양의 괴사 정도의 총합이 2 또는 3점
G2		종양의 분화, 유사분열 수, 그리고 종양의 괴사 정도의 총합이 4 또는 5점
G3		종양의 분화, 유사분열 수, 그리고 종양의 괴사 정도의 총합이 6,7 또는 8점

* 종양의 분화(tumor differentiation) (score 1:간엽 기원 조직과 유사한 육종의 경우, score 2: 육종의 분류를 명확하게 할 수 있는 경우, score 3: 배아형(embryonal)과 미분화(undifferentiated) 육종, 활막육종(synovial carcinoma), 연조직 골육종(soft tissue osteosarcoma), Ewing sarcoma, 원시 신경외배엽성종양)

유사분열 수(mitotic count) (score 1: 0-9 mitoses per 10 high-power fields, score 2: 10-19 mitoses per 10 high-power fields, score 3: ≥20 mitoses per 10 high-power fields)

괴사정도(tumor necrosis) (score 1: 괴사가 없을 때, score 2: 50% 미만의 괴사, score 3: 50% 이상의 괴사)

변형된 해부학적 구조를 관찰할 수도 있으며 경부 전이도 3–10%에서 발생하기 때문에 경부 촉진을 시행하도록 한다.[27] 원격전이의 경우 폐에 가장 잘 발생한다.

영상학적 검사는 각 육종들의 영상학적 특성을 비교하

표 42-3. 두경부 골조직 육종의 TNM 분류 및 병기 (AJCC 8판, 2016)

Primary tumor(T)		
Tx		원발 부위를 평가 할 수 없는 경우
T0		원발 종양이 관찰되지 않을 때
T1		원발 종양이 8 cm 이하
T2		원발 종양이 8 cm 초과
T3		연속적이지 않은 골육종이 존재하는 경우
Regional lymph node(N)		
Nx		국소 림프절 전이 유무를 파악할 수 없는 경우
N0		국소 림프절 전이가 없는 경우
N1		국소 림프절 전이가 있는 경우
Distant Metastasis(M)		
M0		원격전이가 없는 경우
M1		원격전이가 있는 경우
	1a	폐 전이
	1b	폐 이외 부위로의 원격 전이

병기		T-병기	N-병기	M-병기	G-병기*
Stage I	A	T1	N0	M0	G1 또는 Gx
	B	T2	N0	M0	G1 또는 Gx
	B	T3	N0	M0	G1 또는 Gx
Stage II	A	T1	N0	M0	G2 or G3
	B	T2	N0	M0	G2 or G3
Stage III		T3	N0	M0	G2 or G3
Stage IV	A	모든 병기	N0	M1a	모든 병기
	B	모든 병기	N1	모든 병기	모든 병기
	B	모든 병기	모든 병기	M1b	모든 병기

Histologic grade(G)*	
Gx	분화도를 결정할 수 없는 경우
G1	분화도 좋음
G2	중등도 분화
G3	분화가 나쁨

여 정확한 진단에 도움이 되나 영상학적 검사만으로는 진단을 내릴 수는 없다. 하지만 영상학적 검사는 육종의 범위, 침범 구조 및 전이 여부 등의 자세한 정보를 얻을 수 있는데 주로 고해상도 전산화 단층 촬영(CT) 및 자기공명영상촬영(MRI)을 이용한다. 이 검사들은 수술 전 병기 설정과 수술 계획 수립을 위하여 필수적으로 시행하는 것이 추천되며 가능한 경우에는 조직 검사 전 시기에 시행하는 것이 좋다.

육종을 진단하기 위해서는 병리조직검사가 필수적이다. 추가적으로 면역조직화학검사와 종양 표지자 검사를 시행하면 정확한 진단에 도움이 된다. 육종에서 검체를 얻기 위한 다양한 방법들이 알려져 있는데, 세침흡입검사(fine needle aspiration;FNA)을 시행할 수 있으며 많은 검체가 필요한 경우 중심부바늘생검(core needle biopsy)이나 절개생검(incisional biopsy)을 시행할 수 있다. 수술적으로 조직을 획득해야 하는 경우 수술 중 주변 조직이 오염되지 않도록 유의하고 이하선, 경부 및 부인두 공간의 종양의 경우에는 완전 절제가 추천되기도 한다. 다만 소아의 경우 완전 절제로 중대한 기능상, 미용상의 장애가 예상되는 경우에는 절개생검을 시행할 수 있다.[43] 비부비동이나 상부호흡소화관의 경우 점막하 조직에 대하여 경점막조직생검 역시 가능하다.

양전자방출 단층촬영(positron emission tomography; PET)의 경우 원발 육종의 범위, 림프절 전이 여부 및 원격전이를 평가하는 데 있어 높은 정확성을 보이기 때문에 매우 유용한 검사 방법이다.[40] 최근에는 종양의 FDG 섭취 정도와 육종의 종양학적 등급과의 연관성도 알려져 있다.[45] 추가적으로 흉부 CT 또는 골스캔 등을 시행하여 원격 전이 여부를 판단할 수도 있다.

Ⅳ 병기

2016년 TNM 분류를 기준으로 병기를 설정하는 American Joint Committee on Cancer, AJCC 분류의 경우 두경부 연조직 육종과 골육종으로 구분하여 병기 설정을 한다. AJCC 병기 설정은 조직학적 등급, 종양의 크기 및 주변 조직의 침습 그리고 경부 혹은 원격 전이의 여부를 반영한다.[15] 연조직 육종의 경우 2 cm를 기준으로 T1과 T2를 분류하고 T2와 T3는 4 cm을 기분으로 구분된다(표 42-2). 만약 주변 조직을 침습하였을 경우는 T4로 정의하고 침습 조직에 따라 T4a와 T4b로 분류하고 있다.

골육종의 경우 8 cm을 기준으로 T1과 T2를 분류하고 T3의 경우 단일 종양이 아닌 경우로 분류하였다. 더불어 골육종은 원격전이의 경우 폐로 전이된 경우를 M1a, 이 외 부위로의 전이를 M1b로 정의하였다(표 42-3). 육종의 경우 일반적으로 종양의 크기가 중요한 예후인자이며 조직학적 등급 역시 예후와 관련이 있다. 연부조직 육종의 경우 종양의 분화(tumor differentiation), 유사분열(mitoses), 그리고 괴사정도(necrosis)를 고려하여 조직학적 등급을 구분하였으며 골육종의 경우에는 분화도에 따라 분화 하였다. 이 외 핵의 다형성(nuclear pleomorphism), 괴사(necrosis), 세포 충실도(cellularity) 그리고 종양 기질의 양(amount of tumour matrix) 등을 반영한 분류도 있다.[24] 조직학적으로 고등급인 종양은 원격전이 가능성도 매우 높다. 이런 예후 인자들이 AJCC 병기 설정에 반영되어 있으며 이 외 경부 전이와 원격 전이 역시 AJCC 병기 설정에 영향을 미치는 중요한 요소이다.

Ⅴ 조직학적 형태와 치료

두경부 육종은 조직학적으로 50개 이상으로 분류할 수 있다.[12] 일반적으로 육종의 치료에서 종양의 절제는 중요한 치료방법인데 적절한 절제연을 확보하여 종양을 제거하는 것이 중요하다. 종양의 크기가 큰 경우(종양에 따라 기준이 다름), 수술 후 국소 재발, 중등도 혹은 고등급의 조직학적 소견 그리고 불충분하게 절제연이 확보된 경우 보조방사선요법(adjuvant radiation therapy)를 시행한다. 항암화학요법의 경우 안전한 절제연의 확보가 어려운 경우에는 종양에 따라 선행항암화학요법을 시행할 수 있으며 보조항암화학요법(adjuvant chemotherapy)의 경우 재발을 줄일 수 있을 것으로 생각된다. 다만 절제할 수 없는 종양의 경우 방사선 단독 치료 혹은 항암화학방사선 치료를 시행할 수도 있다.

1. 횡문근육종(rhabdomyosarcoma;RMS)

횡문근으로 분화하는 간엽세포에서 유래하는 악성 종양으로 40% 이상이 두경부에 발생한다. 주로 안면, 비강, 경부, 부비동, 부뇌막 부위에서 발생하며 두경부 육종 중 25% 정도를 차지한다. 성인에서는 드물게 발생하지만 소아에서 발생 빈도가 높은데, 전체 소아암 중 3.5~4.5%를 차지하고 있으며 점차 발생 빈도가 증가하고 있다.[46] 소아의 횡문근육종을 발생 위치에 따라 분류하였을 때 안와형(orbital), 부뇌막성 영역형(parameningeal) 및 두경부 영역형(nonorbital nonprameningeal)으로 나눌 수 있다. 안와형이 가장 흔하게 발생하며 부뇌막성 영역형의 경우 중이, 비강, 부비동, 비인강, 측두하 부위를 지칭하는데 두개저 침습 가능성으로 인하여 좋지 않은 예후를 보인다. 두경부 영역형은 두피, 이하선, 구강, 구인두, 하인두, 후두, 갑상선, 부갑상선 등을 포함된다.

증상은 발생부위와 종양의 크기에 따라 다양한 증상이 발생할 수 있으며 주로 딱딱한 무통성 종괴로 관찰된다. 생검을 시행하는 것이 추천되며 치료 전 CT와 MRI는 종양의 범위와 전이 여부를 판단하고 향후 치료 반응에 대한 평가에도 사용된다. 횡문근육종은 다른 육종보다 경부림프절 전이 빈도가 높기 때문에 유의하여야 하며,[26] 실제로 내원한 환자 중 30% 이상에서 골수, 뇌척수액, 복수 그리고 폐로의 전이가 발견되기도 한다.

조직학적으로 림프종, 신경아세포종, 림프내피종과 감별이 필요하여 면역조직화학적 검사를 시행하는 것이 좋다. 현미경소견상 세포충실성, 방추상세포의 형태, 주위 간질, 성장양식의 차이에 따라 구분할 수 있는데 배아형(embryonal)과 포상형(alveolar)이 흔하게 관찰되며 이외 다형성형(pleomorphic) 등으로 분류할 수 있다.[35] 실제로 배아형이 가장 흔하며 핵이 중심에 분포하는 작은 방추형세포와 소세포 원형세포들이 관찰되며 포상형의 경우 포상형태로 느슨하게 결합되어 있는 세포들을 관찰할 수 있는데 예후가 좋지 않은 것으로 알려져 있다.[39]

표 42-4. 횡문근육종의 치료 전 병기
(Intergroup Rhabdomyosarcoma Study IV)

분류		기술
T1	a	원발 부위에 국한된 종양 5 cm 미만
	b	원발 부위에 국한된 종양 5 cm 초과
T2	a	주변조직으로 침부 5 cm 미만
	b	주변조직으로 침부 5 cm 초과
N0		림프절 전이가 없음
N1		림프절 전이가 있음
M0		원격 전이가 없음
M1		원격 전이가 있음

표 42-5. 초치료 후 병기
(Intergroup Rhabdomyosarcoma Study IV)

치료 결과		질환의 범위 및 치료 결과
I	A	원발 부위에 국한된 종양으로 완전 절제가 시행됨
	B	원발 부위 이외의 부위로 침습한 종양으로 완전 절제가 시행됨
II	A	원발 부위에 국한된 종양으로 육안적으로 종양이 완전 절제되었으나 현미경적으로 국소 침습이 남아있는 경우
	B	림프절 전이가 있으나 완전 절제가 시행됨
	C	림프절 전이가 있으나 절제 후 현미경적 국소 침습이 남아 있는 경우
III	A	육안적으로 국소 종양이 남아 있는 경우
	B	절제 후 50%이상의 잔여 종양이 있는 경우
IV		원격 전이가 있고 수술적으로 절제가 불가능한 경우

치료 전 병기를 결정할 때 TNM 분류 이외에 종양의 크기, 침습 정도, 경부 전이 및 발생 부위를 기준으로 횡문근육종을 분류한 횡문근육종연구회(Intergroup Rhabdomyosarcoma Study:IRS) 분류를 사용할 수 있으며, 치료에 대한 반응을 예측할 수 있다.(표 42-4)[11] 또한 횡문근육종의 초 치료 후 잔여 종양에 따른 분류 역시 치료 방법과 예후를 결정하는 데 중요한 기준이며(표 42-5), 이 분류 역시 치료방법의 결정 및 예후를 예측할 수 있다.

치료는 발생 부위에 따라 수술적 치료, 항암화학요법 및 방사선 치료를 병용할 수 있다. 두경부의 횡문근육종의 경우 복잡한 해부학적 구조로 인하여 완전 절제가 어려운 경우가 많으며 넓은 절제범위로 인하여 기능적 혹은 미용적으로 심각한 이상이 발생할 수 있다. 따라서 완전 절제가 불가능한 경우나 수술로 인하여 중대한 기능 및 미용의 장애가 예상되는 경우 초 치료로 유도 항암요법 후 방사선 치료를 사용할 수 있다.[8] 수술의 경우 종양의 부피를 줄일 때에도 사용할 수 있으며 최근 수술 기법과 재건 기술의 발달로 인하여 많은 환자에서 완전 절제와 충분한 기능의 보전 그리고 개선된 미용적 결과를 얻을 수 있게 되었다.

림프절 전이의 빈도는 3~20% 정도로 보고되나, 예방적 경부 절제술은 추천되지 않는다. 원격 전이가 있는 경우에도 통증 조절과 기능 개선을 위하여 수술적 치료를 시행할 수 있다. 방사선치료의 경우 수술이나 보조적 항암 치료 후에 잔여 종양이 남아 있는 경우나 림프절 전이가 있는 경우 사용한다. 하지만 소아의 경우 방사선 치료로 두개안면골 부위의 성장 제한이 발생할 수 있음을 유념하여야 한다.

예후의 경우 나이, 발생 부위, 조직학적 분류, 종양의 크기 및 전이 여부와 관련이 있다. 소아의 경우 치료법의 발전으로 생존율이 많이 향상된 반면 성인의 경우 5년 생존율이 30% 정도로 매우 낮다.[35]

2. 악성 섬유성 조직구종(malignant fibrous histiocytoma)

악성 섬유성 조직구종은 성인 연조직 육종 중 가장 흔하게 발생하는 종양이다.[48] 이전 WHO분류에서는 섬유조직구성 종양(fibrohistiocytic tumor)로 분류되었으나 최근 연구에서 종양의 기원 조직에 대한 명확한 결론을 얻지 못하여 2013년 WHO에서는 미분류(undifferentiated/unclassified) 그룹의 미분류 육종(undifferentiated sarcoma)으로 분류되었다. 악성 섬유성 조직구증의 3~10% 정도가 두경부에 발생하지만 두경부에서 진단되는 육종의 40% 이상을 차지한다.[43] 남성에서 호발하고 40–60대에 주로 발견되며 가장 흔하게 발생하는 부위는 부비동이다. 이외에 후두, 두개안면골, 경부, 타액선 및 구강에서 발생하는데 드물게 다병소로 나타난다. 방사선조사의 과거력은 매우 잘 알려진 원인 인자이며 이 경우 예후는 좋지 않다.[48]

현미경적으로 조직구, 섬유모세포, 거대세포, 방추상세포 등과 교원질이 나선형–다형 형태(storiform–pleomorphic form)를 주로 보인다. 피하나 점막하에 무통성 종괴로 관찰되며 발생 부위에 따라 다양한 증상을 보인다. 수술 전 절개 생검을 시행하고 영상학적 검사로 질환의 범위를 명확하게 하는 것이 치료에 도움이 된다.

광범위 절제가 가장 중요한 치료 방법이며 종양이 경계를 침범하였거나 충분한 절제연을 얻지 못한 경우 보조적으로 방사선 요법을 사용할 수 있다. 더불어 절제가 불가능할 때에도 방사선 치료를 시도할 수 있다. 림프전이는 드물어 예방적 경부 절제술은 필요하지 않으며 원격전이 역시 드물다.[4] 항암요법의 경우 그 효과는 확실하지 않다.

5년 생존율은 20~75% 사이로 다양하게 보고되고 있으며 폐로의 원격전이로 인하여 사망하는 경우가 많다.[5] 예후는 방사선 조사 후 발생한 육종, 절제연에 육종의 침범이 있는 경우, 두경부에 발생한 경우, 5 cm보다 큰 종양, 심부 침습 그리고 조직학적으로 고등급인 경우 좋지 않은 것으로 알려져 있다.

3. 섬유육종(fibrosarcoma)

섬유모세포에서 기원하는 종양으로, 섬유육종의 5% 정도가 두경부에 발생한다. 두경부에서 가장 흔하게 진단되는 육종 중 하나인데 경부, 얼굴 그리고 두피에서 많이 발생한다. 주로 40-70대에 발생하지만 2세 이전에 발생한 증례도 있다. 섬유육종 환자 중 10% 정도에서 방사선 조사의 과거력이 있으며 간혹 화상, 궤양 부위의 흉터에 발생하기도 한다.[17] 주로 안면, 두피 및 경부의 무통성 종괴의 형태로 관찰된다.

조직학적으로 악성섬유모세포의 증식과 방추형세포가 긴 다발을 이루면서 서로 교행하는 청어가시 모양이 관찰되나 유아의 경우 이런 특징이 두드러지지 않는다. 그리고 현미경적 소견상 종양세포의 다형성은 흔하지 않다.

국소재발이 치료 실패의 중요한 원인이므로 충분한 변연을 가진 완전절제가 중요하다. 조직학적으로 저등급의 섬유육종은 적절한 절제연만 확보한 경우 추가적인 치료는 필요하지 않으나,[35] 고등급의 섬유육종이나 종양이 큰 경우 그리고 적절하게 절제연을 확보하지 못한 경우에서 추가적인 보조방사선요법을 시행한다.[17] 림프절 전이의 빈도는 낮아 예방적 경부절제술은 추천되지 않는다.[32]

성인에서는 재발률이 50%에 이르고 진단 당시 원격전이가 있는 경우는 25% 정도이다. 원격전이는 5년 뒤 63%까지 보고되는데 20년이 지난 후에도 원격전이가 발견된 경우도 있다. 5년 생존율이 82%로 다른 육종에 비하여 좋은 예후를 보이는데,[43] 가장 중요한 예후인자는 종양의 조직학적 등급이며 종양의 크기와 절제 부위의 종양 침습 여부도 예후인자이다. 소아의 경우에도 재발률은 20% 정도이며 10~15%에서만 원격 전이가 관찰되는 등 성인보다 더 좋은 예후를 보인다.

4. 융기성 피부섬유육종(dermatofibrosarcoma protuberans)

저등급의 피부육종으로 흑인에서 백인보다 빈도가 높은 것으로 알려져 있으며, 전체 육종의 중 5%의 발생빈도를 보이며 두경부 육종의 10%를 차지한다.[9] 30~50세 사이에 호발하고 남자에서 조금 더 흔하게 발생하는 것으로 알려져 있다. 발생 부위는 두피에서 가장 많이 발생하고 안면과 경부에서도 흔하게 발생한다. 융기성 피부섬유육종 환자 중 90%에서 염색체 17:22 전위 t(17;22)(q22;q13)가 발견된다.[42]

임상적으로 피부색의 변화가 뚜렷하지 않은 결절의 형태를 보이고 수개월에서 수년까지 천천히 자라기 때문에 다른 피부질환으로 오인되기 쉬워 진단이 늦어지는 경우가 많다. 간혹 피부 궤양이 생기면서 통증을 동반할 수 있으며 피부와 종양의 유착 부위에 위축성 변화가 발생할 수 있다. 주변 근막이나 뼈를 침습하지 않은 경우 촉진상 종양은 유동성을 가진다.

조직학적으로 진피의 방추형세포 증식이 관찰되며 세포들은 회오리 모양으로 배열되는 특징이 관찰되며 주변 피하지방층으로 침윤하는 양상을 보여 종양의 경계가 명확하지 않다. 세포분열은 활발하지 않으며 핵의 다형성 역시 거의 관찰되지 않는다.[28] 융기성 피부섬유육종의 변이는 비교적 잘 알려져 있는데 색소침착변이(pigmented variant), 점액양변이(myxoid variant)이 있다. 진단을 위해 많은 경우 절개생검을 시행하고 다양한 면역조직화학검사법이 감별 진단을 위해 사용된다. 세침흡인검사의 경우 명확한 진단을 할 수 없는 경우가 있다.[13]

수술적 치료가 중요한 치료법이다. 조직학적으로 종양의 경계가 명확하지 않기 때문에 국소 재발을 줄이기 위하여 2-4 cm 정도의 변연을 확보하여 광범위하게 절제하는 것이 추천된다.[6] 절제 후 국소 재발이 흔한 것으로 알려져 있어 절제부위에 종양의 침습이 있거나 종양의 크기가 큰 경우 보조적 방사선 치료를 시행할 수 있다.[44] 항암치료의 경우 그 효과가 제한적으로 알려져 있으나 전이가 있는 경우 사용해 볼 수 있다. 최근 수술 후 절제변연을 충분하게 확보하지 못한 경우나 원격전이가 있는 경우 imatinib도 사용할 수 있다.[6] 원격전이는 거의 없으며 5년 생존율이 94% 이상으로 매우 예후가 좋다.

5. 혈관육종(angiosarcoma)

혈관육종은 혈관 내피세포에서 기원하는 악성 종양으로 약 50% 정도가 두경부 영역에 발생한다. 두피에서 가장 흔하게 발생하고 이 외 경부, 구강 그리고 상악동에서 빈발한다.[30] 그 빈도는 연조직 육종의 1% 이하이며 주로 60세 이상에서 발생한다.[2] 발병 원인은 아직 명확하게 밝혀 지지 않았지만 방사선조사, 만성 림프부종, 염화비닐과 비소(arsenic)에 노출, 합성대사스테로이드(anabolic steroid)의 사용 그리고 BRCA1, BRCA2, NF-I 등의 가족성 증후군 등과의 연관성이 알려져 있다.[35]

임상적으로 초기 딸기 모양의 결절이나 멍든 것 같은 반이나 판이 두피나 이마에 발생하는데 양성 질환과 유사하게 관찰되며 출혈, 궤양 및 통증은 2~3개월 뒤 혈관육종이 진행한 후 나타나 진단이 지연되는 경우가 흔하다. 이런 특징으로 인하여 새롭게 혈관 육종으로 진단되는 환자의 20~45%에서 원격전이가 관찰된다.[1]

병리조직학적으로 분화가 좋은 부위에서는 단층의 비전형적인 내피세포들로 이루어진 혈관과 종양세포로 이루어진 비정형 혈관들이 관찰되며, 종양세포들이 주변 교원질의 섬유를 박리하는 양상을 보인다. 분화가 좋지 않은 부위에서는 큰 비정형 핵과 풍부한 호산성 세포질을 가진 상피양세포로 구성된 결절 형태가 관찰된다.

치료는 수술이 중요한 치료 방법인데 혈관육종의 경우 여러 부위에서 기원하는 경우가 있어 적절한 경계를 얻기 힘들어 국소 재발이 50%까지 보고된다. 따라서 수술 후 보조방사선치료가 추천된다. 항암치료의 경우 그 효과가 증명되지 못하였다.

림프절 전이는 10% 정도에서 관찰되며 1/3에서는 혈관육종이 여러 개 존재한다.[35] 두피에 발생한 경우 비교적 림프절전이가 흔하고 원격전이의 경우 가끔 폐와 간에서 발견된다. 두피에 발생한 경우 예방적 경부 절제술을 고려해 볼 수 있다. 큰 종양, 고등급, 두피에 발생한 혈관육종인 경우 예후가 좋지 않은 것으로 알려져 있으며, 생존율의 경우 매우 좋지 않아 5년 생존율이 25% 미만으로 알려져 있다.[16]

6. 지방육종(liposarcoma)

지방육종은 매우 많은 빈도를 차지하지만 두경부 육종 중에는 5% 미만의 빈도를 보인다. 두경부 영역에서는 후두와 하인두에서 가장 호발하며 경부에도 비교적 많이 발생한다. 남성에서 빈발하며 평균 진단 나이는 50세이다.[19] 발생원인으로는 이전부터 존재하였던 지방종, 방사선 조사, 외상, NF-1 염색체 변이 등이 알려져 있다.

육안적으로 주위와의 경계가 명확한 종양으로 관찰되며 얇은 피막으로 둘러싸인 다엽상 형태를 가지고 주위조직으로 돌출하는 모양이다. 조직학적으로 지방육종을 세부적으로 고분화형(well-differentiated subtype), 점액형(myxoid), 다형성형(pleomorphic) 그리고 원형세포종양(round cell tumor)으로 분류할 수 있다. 고분화형과 점액형은 저등급의 종양으로 분류할 수 있으며 다형성형과 원형세포종양의 경우 고등급의 종양으로 예후가 좋지 않다.[19]

지방육종의 치료에는 수술적 치료가 주로 시행되는데 국소 재발이 많기 때문에 충분한 절제연을 확보하여 절제하는 것이 가장 추천된다. 보조적인 방사선요법은 국소 재발을 줄일 수 있어 진행된 지방 육종이나 조직학적으로 고등급인 유형, 큰 종양 그리고 충분한 절제연을 확보하지 못한 경우 사용할 수 있다.[47] 일반적으로 고등급 종양의 경우 전이율이 매우 높아 예후가 좋지 않으며 육종의 크기와 발생 부위 역시 생존율과 관련이 있다.

7. 평활근육종(leiomyosarcoma)

평활근 또는 원시 미분화 간엽세포에서 기원하는 악성 종양으로 전체 육종의 6%를 차지하고 두경부 육종 중 3~4%를 차지한다. 중년이나 노인에서 호발하며 주로 구강, 비부비동과 두피 등의 피하조직에서 발생한다. 육안적으로 서서히 자라는 부드럽고 단단한 무통성 피하 종양으로 관찰되는데 일반적으로 주변조직을 침윤하지 않는다. 피부의 검붉은색 결절 형태 혹은 피부 침윤 없이 심경부 종양의 형태로 발견되기도 한다. 임상양상은 발생한 부위에 따라 다양하게 나타난다.

조직학적으로 담배 모양의 핵을 가진 근육다발들이 수직으로 분포하고 있는 전형적인 특징과 함께 호산구성 세포질 그리고 핵 주변으로 공포들이 관찰되어 섬유육종과 감별할 수 있다.

치료로는 1 cm 이상의 변연을 확보하여 광범위하게 절제하고 보조적인 방사선치료 요법을 시행한다. 예방적인 경부 절제술의 경우 일반적으로 추천되나, 이에 대한 명확한 결론은 없다. 고등급의 육종으로 분류되며 국소 재발하는 경향이 있어 특히 피하조직에서 발생한 경우 재발 가능성이 높고 예후도 좋지 않다. 구강에 발생한 경우에도 국소재발, 림프절 전이 및 원격전이의 빈도가 높다. 예후는 발생 부위와 병리학적 특성에 따라 매우 다양한데 피부, 비강 및 후두에 발생한 경우 종양의 완전 절제가 용이하여 예후가 좋은 편이다.

8. 활막육종(synovial sarcoma)

활막육종은 활막세포에서 직접적으로 발생하지는 않고 활막세포로 분화할 수 있는 원시적인 간엽세포에서 기원하는 종양으로 생각된다. 두경부 육종 중 3~10%를 차지하는데, 구강, 구인두, 하인두 및 후두에 주로 발생한다. 주로 30대에 발생하고 남성에서 약간 더 많이 발생한다.[21] 임상적으로 백색 혹은 회색의 경계가 명확한 다결절성 낭종 형태로 관찰된다. 통증을 동반할 수 있으며 활막육종 역시 발생 부위에 따라 다양한 증상을 유발한다.

조직학적으로 방추형세포와 상피양세포가 모두 존재하는 이상형(biphasic type)과 방추형세포가 주를 이루는 단상형(monophasic type)으로 분류할 수 있으며 30% 이상에서 석회화가 동반된다.[22] 90% 이상의 환자에서 18 염색체의 SYT 유전체와 X 염색체의 SSX-1 혹은 SSX-2 사이에 유전자 전위가 관찰되는데 SSX-1은 이상형 활막육종과 연관 있으며 SSX-2의 경우 단상형 활막 육종과 연관되어 있음이 알려졌다.[25]

치료로는 광범위 절제가 중요하며 수술 전 항암치료도 시행할 수 있다.[41] 림프절 전이는 10~20% 정도에서 발견되며 예방적인 경부 절제술을 시행하지 않는 경우가 많다. 수술 후 보조적인 방사선 치료 및 항암화학요법으로 국소재발과 혈행성 원격전이를 줄일 수 있다. 국소재발률은 40% 정도이며 폐가 가장 흔한 원격전이 기관이다. 5년 생존율은 47~58% 정도이며 종양의 크기, 유사분열 정도, 조직학적 등급 및 국소 재발 여부와 예후의 연관성이 알려져 있다.[22]

9. 신경육종(neurosarcoma)과 악성말초신경초종양 (malignant peripheral nerve sheath tumor)

신경육종(neurosarcoma)은 중추신경계에 발생하는 경우는 드물고 주로 말초신경에서 발생한다. 전체 육종의 5~10% 정도의 빈도를 보이며 20% 정도 두경부에 발생한다. 악성말초신경초종양은 신경육종의 한 종류로 주로 성인에서 발생하고 남녀 발생 정도는 비슷하다. 경부에서 가장 흔하게 발생하고 비부비동, 인두 주변, 이하선 및 갑상선에서 발생할 수 있다.

특발성으로 발생하거나 혹은 1형 신경섬유종증 환자에서 이전에 존재하던 신경섬유종에서 발생한다. 1형 신경섬유종증 환자 중 2% 정도에서 악성화 변화가 관찰되는데 비교적 어린 40대에 발생하고 예후도 좋지 않다[29]. 임상적으로 신경이 지배하는 근육의 쇠약이나 이상 감각이 발생할 수 있으며 신경섬유종증 환자의 경우 기존에 있던 신경초종이 갑자기 커지고 통증을 호소하는 경우가 많다.

조직학적으로 Schwann 세포와 유사한 비전형 방추형 세포가 말초신경 주변에서 관찰되고 세포의 유사분열, 괴사 그리고 핵의 역형성도 관찰된다. 이는 섬유육종이나 악성 섬유성 조직구종과 감별이 필요하다.

광범위 절제술이 주로 시행되며 수술 후 보조적 방사선 치료가 추천된다. 적극적으로 치료하여도국소 재발은 40% 정도에서 발생한다고 보고되어 있다. 하지만 림프절 전이의 빈도는 높지 않다. 원격 전이의 빈도는 높은 것으로 알려져 있어 항암화학요법을 고려할 수 있으나 그 효과는 명확하지 않다.[23]

10. 포상연부육종(alveolar soft part sarcoma)

포상연부육종은 육종 중 1% 미만으로 발생하는 매운 드문 질환으로 근육 혹은 신경조직에서 기원하는 것으로 추정된다. 최근 der(17)t(X:17)(p11;p25)의 전위로 ASPL-TFE3이 융합하고 이로 인하여 포상연부육종이 발생한다고 밝혀졌다. 포상연부육종 25% 정도가 두경부에 발생하나 빈도 자체는 매우 낮으며 비교적 혀와 안와에 잘 발생한다. 안와에 발생하는 경우 예후가 좋은 것으로 알려져 있다.

대부분 무통성 종괴로 발견되며 10~30세 환자에서 호발하고 여성에서 많이 관찰된다. 포상연부육종은 천천히 자라는 특성을 보이며, 경부 전이도 비교적 드물어 7-10% 정도 발생하는 것으로 알려져 있다. 하지만 원발 종양을 치료한 후 수년 혹은 수십 년이 지나서 폐, 뇌 그리고 뼈에 원격전이가 발견되는 경우가 있어 장기적인 예후는 좋지 않다.[3]

치료로 광범위 절제술이 중요한 치료이며, 일반적으로 림프절 전이는 10% 미만으로 예방적 경부절제술은 시행하지 않는다.[3] 국소재발의 위험성이 높을 때 보조적 방사선 치료가 국소 재발을 줄일 수 있을 것으로 생각되며,[36] 항암요법의 경우 효과가 미흡한 것으로 알려져 있으나 최근 항혈관형성 약물(antiangiogenic agent)의 좋은 치료효과를 보고하였다.[33] 안와에 발생한 경우 예후가 좋으며, 원격전이의 경우 초 치료 후 10년 후에도 발생할 수 있다. 5년 생존율은 65% 정도이나 10년 생존율의 경우 50%로 떨어진다.[37]

11. 골육종(osteosarcoma)

골육종은 육종의 10%를 차지하고 두경부 악성 종양 중 1%를 차지한다. 10대에 장골에 주로 발생하지만 두경부 골육종의 경우 20-40대에 호발한다.[35] 하악골에서 가장 흔하게 발생하고 상악골과 두개골에서도 호발한다. 임상적으로 무통성 종괴로 발견되거나 하악골 혹은 상악골에서 발생하는 경우가 많기 때문에 치통 등의 치아 증상을 호소하여 내원하는 경우가 많다.[43] 경부의 연부조직은 잘 침습하지 않는다.

조직학적으로 미숙한 골형성 간엽성 실질세포들이 관찰되며 세포는 짙게 염색되는 핵을 가진 방추형 세포가 관찰된다. 영상검사에서 골용해성 병변이 관찰되며 alkaline phosphatase (ALP)가 상승하는데 이를 추적 검사에 이용할 수 있다.

골육종의 치료에는 완전 절제가 중요하며 추가적으로 방사선치료 혹은 항암화학요법을 추가로 시행할 수 있다. 경부 전이율은 10% 정도로 예방적 경부 절제술은 시행하지 않으나 종양이 주변 연부 조직을 침습하였을 때 림프절 절제술을 고려할 수 있다.[35] 방사선 요법은 림프절 전이가 있거나 절제부위에 종양침습이 있는 경우 국소 재발을 줄이고 생존율 향상시키는 데 도움된다.[20] 선행항암화학요법을 사용할 수 있는데 소아 골육종 환자의 경우 좋은 치료 결과를 보고한 반면 성인의 경우 명확한 결론은 없으나, 고등급 종양이나 절제연을 충분하게 확보하지 못할 것으로 예상되는 경우 사용을 고려할 수 있다.[35]

전체 생존율의 경우 42~55%로 보고되어 있는데 절제연에 종양의 침습이 관찰되는 경우, 방사선과 관련하여 골육종이 발생한 경우 그리고 후두에 발생한 경우 예후가 좋지 않다. 상악골이나 하악골 등 완전 절제가 용이한 곳에서 발생한 경우에는 비교적 예후가 좋다. 원격전이는 전체 7~17% 정도 관찰되며 주로 폐와 뇌로 전이된 경우가 많다.

12. Ewing 육종(Ewing's sarcoma)과 원시 신경외배엽성 종양(peripheral primitive neuroectodermal tumor)

Ewing 육종의 경우 이전에 혈관내피 기원 종양으로 분류되었으나 최근 염색체 11:22 전좌 t(11;22)(q24;q11.2-12)가 Ewing육종과 원시 신경외배엽성 종양에서 공통적으로 나타나는 특징을 발견한 이후 원시 신경외배엽에서 유래하는 골종양으로 분류한다. 약 7% 정도가 두개안면골에 발생하고 주로 20세 이전에 75%가 발생한다고 알려져 있다. 임상적으로 종양이 성장함에 따라 통증, 연조직 종창 및 부종이 발생한다. 하악골에 가장 많이 발생하고 상악골, 두개골, 비부비동 부위에서도 비교적 흔하게 발생한다.

영상검사에서 골용해성 병변과 골막하에 신생골이 형성에 의한 양파껍질 모양을 구조가 관찰될 수 있다. 조직학적으로 소원형 미분화세포가 균등한 형태를 보이며 섬유혈관중격에 의하여 소엽으로 분리되어 있고 골막성 신생골이 관찰된다.

수술적 치료가 주 치료가 되며 방사선 치료와 항암화학요법와의 병합 요법이 추천된다. 림프절 전이는 드물어 예방적 경부절제술은 추천되지 않는다. Ewing 육종의 경우 항암치료와 방사선치료에 반응이 좋은 것으로 알려져 있는데 수술과 항암화학요법을 병합하였을 때 생존율의 향상을 기대할 수 있으며 방사선 요법의 경우 충분한 절제연을 확보하지 못하였을 경우 사용한다. 소아의 경우 방사선 요법은 수술적 치료보다 단기적인 외형적 변형은 적지만 성장함에 따라 40% 정도에서 안면성장장애를 초래할 수 있기 때문에 유의하여야 한다.[38] 원격전이는 최고 50%까지 보고되고 있으며, 최근 생존율은 50~74% 정도로 알려져 있다. 발생부위, 종양의 크기, 국소 재발 여부 및 항암화학요법에 대한 반응 정도가 중요한 예후인자이다.

13. 연골육종(chondrosarcoma)

연골육종은 연골에서 기원하는 종양으로 전체 골육종 중 5~10% 정도가 두경부에서 발생한다. 30~60세가 호발 연령이며 주로 비부비동, 하악골 및 후두에서 발견된다.

종양이 성장함에 따라 주변 조직의 압박 및 침습으로 인하여 증상이 발생하며 발생 위치에 따라 다양한 증상이 발생한다. 육안적으로 대부분 회백색의 부드러운 종양으로 관찰되어 양성 종양과 비슷한 형태로 관찰되는 경우가 많다.[35] 병변이 진행하면 주변 연조직, 연골막 혹은 골피질로의 침습이 발생하며 병리조직학적으로 양성과 유사한 형태를 보이는 저등급 종양에서부터 공격적인 성장 양상을 보이는 고등급 종양까지 다양한 특성을 보인다.

치료는 광범위 절제술이 주로 사용된다. 만약 수술적으로 완전 절제가 가능하지 않은 경우 최대한 절제한 이후 보조적 방사선 요법을 시행할 수 있다. 고등급 종양인 경우에도 보조적 방사선 요법을 적극적으로 고려할 수 있다. 림프절 전이의 경우 5% 정도로 알려져 있으며 예방적 경부 청소술은 권장되지 않는다. 두개저에 발생한 연골육종 치료에 수술 후 양자선치료(proton beam therapy)를 시행한 경우 국소재발을 15% 미만으로 줄일 수 있다고 보고되었다.[34] 원격 전이는 7~18%에서만 발생한다고 알려져 있으나 폐로의 원격전이가 발견되는 경우가 비교적 많으며, 고등급의 조직학 소견을 보이는 연골 육종의 경우 71%까지 원격 전이가 보고되어 있다. 생존율 44~88%까지 다양하게 보고되어 있으며 종양의 특성상 국소 재발이 흔하고 수년이 지난 후에도 원격 전이되는 경우가 있어 장기간의 추적 관찰이 필요하다.

VI 예후

육종은 두경부에 발생한 편평세포암종(squamous cell carcinoma)과 비교하여 국소림프절 전이 비율은 낮은 것으로 알려져 있다. 원발 종양에 대한 수술적 치료가 가장 중요한 치료방법이며, 고등급 종양, 큰 종양, 수술절제연의 종양 침범 그리고 특정한 조직학적 형태의 육종의 경우 보조적으로 방사선 및 항암치료를 시행할 수 있다. 현재 5년 국소 재발율은 19~59%로 알려져 있으며, 5년 무병생존율은 45~62% 그리고 5년 생존율은 50~80% 정도로 알려져 있다[10]. 하지만 종양의 조직학적 다양성과 드문 빈도로 인하여 치료 결과를 단순하게 비교하고 예후를 예측하는 것은 힘들다.

조직학적 등급, 절제변연부 종양 침범 여부 그리고 종양의 크기가 예후와 연관되어 있으며, AJCC병기 설정에도 반영되어 있는 요소이다.[15] 조직학적 등급 역시 종양은 치료에 대한 반응, 국소 재발 그리고 생존율과 관련 있는 인자이다.[27] 조직학적으로 고등급으로 분류된 육종의 경우 원격 전이의 가능성도 높으며 생존율도 감소한다. 수술 후 절제 변연의 상태 역시 중요한 예후 인자이다. 두경부 영역에서는 실제로 절제 변연을 충분하게 얻을 수 있는 경우가 다른 부위의 육종에 비하여 낮기 때문에 더 좋지 않은 예후를 보이나 최근 재건술이 발달함에 따라 더 광범위한 수술적 절제가 가능해지고 있다.[12] 종양의 크기가 큰 경우 국소 재발이 증가하고 생존율이 감소한다고 알려져 있지만 종양의 조직학적 등급과 수술 후 절제연의 상태보다는 그 연관성이 낮은 것으로 알려져 있다.[14]

참고문헌

1. Abraham JA, Hornicek FJ, Kaufman AM, et al. Treatment and outcome of 82 patients with angiosarcoma. Ann Surg Oncol 2007;14:1953-1967
2. Albores-Saavedra J, Schwartz AM, Henson DE, et al. Cutaneous angiosarcoma. Analysis of 434 cases from the Surveillance, Epidemiology, and End Results Program, 1973-2007. Ann Diagn Pathol 2011;15:93-97
3. Baglam T, Kalender ME, Durucu C, et al. Alveolar soft part sarcoma of the tongue. J Craniofac Surg 2009;20:2160-2162
4. Barnes L, Kanbour A. Malignant fibrous histiocytoma of the head and neck. A report of 12 cases. Arch Otolaryngol Head Neck Surg 1988;114:1149-1156
5. Blitzer A, Lawson W, Zak FG, Biller HF, Som ML. Clinical-pathological determinants in prognosis of fibrous histiocytomas of head and neck. Laryngoscope 1981;91:2053-2070
6. Bogucki B, Neuhaus I, Hurst EA. Dermatofibrosarcoma protuberans: a review of the literature. Dermatol Surg 2012;38:537-551
7. Brockstein B. Management of sarcomas of the head and neck. Curr Oncol Rep 2004;6:321-327
8. Callender TA, Weber RS, Janjan N, et al. Rhabdomyosarcoma of the nose and paranasal sinuses in adults and children. Otolaryngol Head Neck Surg 1995;112:252-257
9. Chuang TY, Su WP, Muller SA. Incidence of cutaneous T cell lymphoma and other rare skin cancers in a defined population. J Am Acad Dermatol 1990;23:254-256
10. Cormier JN, Pollock RE. Soft tissue sarcomas. CA Cancer J Clin 2004;54:94-109
11. Crist WM, Anderson JR, Meza JL, et al. Intergroup rhabdomyosarcoma study-IV: results for patients with nonmetastatic disease. J Clin Oncol 2001;19:3091-3102
12. de Bree R, van der Waal I, de Bree E, Leemans CR. Management of adult soft tissue sarcomas of the head and neck. Oral Oncol 2010;46:786-790
13. Domanski HA, Gustafson P. Cytologic features of primary, recurrent, and metastatic dermatofibrosarcoma protuberans. Cancer 2002;96:351-361
14. Dudhat SB, Mistry RC, Varughese T, Fakih AR, Chinoy RF. Prognostic factors in head and neck soft tissue sarcomas. Cancer 2000;89:868-872
15. Edge SB, Compton CC. The American Joint Committee on Cancer: the 7th edition of the AJCC cancer staging manual and the future of TNM. Ann Surg Oncol 2010;17:1471-1474
16. el-Sharkawi S. Angiosarcoma of the head and neck. J Laryngol Otol 1997;111:175-176
17. Franco Gutierrez V, Llorente Pendas JL, Coca Pelaz A, Cabanillas Farpon R, Suarez Nieto C. Radiation-induced sarcomas of the head

and neck. J Craniofac Surg 2008;19:1287-1291

18. Friend SH, Bernards R, Rogelj S, et al. A human DNA segment with properties of the gene that predisposes to retinoblastoma and osteosarcoma. Nature 1986;323:643-646
19. Golledge J, Fisher C, Rhys-Evans PH. Head and neck liposarcoma. Cancer 1995;76:1051-1058
20. Guadagnolo BA, Zagars GK, Raymond AK, Benjamin RS, Sturgis EM. Osteosarcoma of the jaw/craniofacial region: outcomes after multimodality treatment. Cancer 2009;115:3262-3270
21. Harb WJ, Luna MA, Patel SR, Ballo MT, Roberts DB, Sturgis EM. Survival in patients with synovial sarcoma of the head and neck: association with tumor location, size, and extension. Head Neck 2007;29:731-740
22. Hasegawa T, Yokoyama R, Matsuno Y, Shimoda T, Hirohashi S. Prognostic significance of histologic grade and nuclear expression of beta-catenin in synovial sarcoma. Hum Pathol 2001;32:257-263
23. Hoffmann DF, Everts EC, Smith JD, Kyriakopoulos DD, Kessler S. Malignant nerve sheath tumors of the head and neck. Otolaryngol Head Neck Surg 1988;99:309-314
24. Hogendoorn PC, Collin F, Daugaard S, et al. Changing concepts in the pathological basis of soft tissue and bone sarcoma treatment. Eur J Cancer 2004;40:1644-1654
25. Kawai A, Woodruff J, Healey JH, Brennan MF, Antonescu CR, Ladanyi M. SYT-SSX gene fusion as a determinant of morphology and prognosis in synovial sarcoma. N Engl J Med 1998;338:153-160
26. Kraus DH, Saenz NC, Gollamudi S, et al. Pediatric rhabdomyosarcoma of the head and neck. Am J Surg 1997;174:556-560
27. Kraus DH. Sarcomas of the head and neck. Curr Oncol Rep 2002;4:68-75
28. Llombart B, Sanmartin O, Lopez-Guerrero JA, et al. Dermatofibrosarcoma protuberans: clinical, pathological, and genetic (COL1A1-PDGFB) study with therapeutic implications. Histopathology 2009;54:860-872
29. Loree TR, North JH, Jr., Werness BA, Nangia R, Mullins AP, Hicks WL, Jr. Malignant peripheral nerve sheath tumors of the head and neck: analysis of prognostic factors. Otolaryngol Head Neck Surg 2000;122:667-672
30. Lydiatt WM, Shaha AR, Shah JP. Angiosarcoma of the head and neck. Am J Surg 1994;168:451-454
31. Malkin D, Li FP, Strong LC, et al. Germ line p53 mutations in a familial syndrome of breast cancer, sarcomas, and other neoplasms. Science 1990;250:1233-1238
32. Mark RJ, Sercarz JA, Tran L, Selch M, Calcaterra TC. Fibrosarcoma of the head and neck. The UCLA experience. Arch Otolaryngol Head Neck Surg 1991;117:396-401
33. Mullins BT, Hackman T. Adult alveolar soft part sarcoma of the head and neck: a report of two cases and literature review. Case Rep Oncol Med 2014;2014:597291
34. Noel G, Habrand JL, Jauffret E, et al. Radiation therapy for chordoma and chondrosarcoma of the skull base and the cervical spine. Prognostic factors and patterns of failure. Strahlenther Onkol 2003;179:241-248
35. O'Neill JP, Bilsky MH, Kraus D. Head and neck sarcomas: epidemiology, pathology, and management. Neurosurg Clin N Am 2013;24:67-78
36. Ogura K, Beppu Y, Chuman H, et al. Alveolar soft part sarcoma: a single-center 26-patient case series and review of the literature. Sarcoma 2012;2012:907179
37. Portera CA, Jr., Ho V, Patel SR, et al. Alveolar soft part sarcoma: clinical course and patterns of metastasis in 70 patients treated at a single institution. Cancer 2001;91:585-591
38. Raney RB, Asmar L, Vassilopoulou-Sellin R, et al. Late complications of therapy in 213 children with localized, nonorbital soft-tissue sarcoma of the head and neck: A descriptive report from the Intergroup Rhabdomyosarcoma Studies (IRS)-II and - III. IRS Group of the Children's Cancer Group and the Pediatric Oncology Group. Med Pediatr Oncol 1999;33:362-371
39. Raney RB, Anderson JR, Barr FG, et al. Rhabdomyosarcoma and undifferentiated sarcoma in the first two decades of life: a selective review of intergroup rhabdomyosarcoma study group experience and rationale for Intergroup Rhabdomyosarcoma Study V. J Pediatr Hematol Oncol 2001;23:215-220
40. Roh JL, Moon BJ, Kim JS, et al. Use of 18F-fluorodeoxyglucose positron emission tomography in patients with rare head and neck cancers. Clin Exp Otorhinolaryngol 2008;1:103-109
41. Rosen G, Forscher C, Lowenbraun S, et al. Synovial sarcoma. Uniform response of metastases to high dose ifosfamide. Cancer 1994;73:2506-2511
42. Sandberg AA, Bridge JA. Updates on the cytogenetics and molecular genetics of bone and soft tissue tumors. Dermatofibrosarcoma protuberans and giant cell fibroblastoma. Cancer Genet Cytogenet 2003;140:1-12
43. Sturgis EM, Potter BO. Sarcomas of the head and neck region. Curr Opin Oncol 2003;15:239-252
44. Sun LM, Wang CJ, Huang CC, et al. Dermatofibrosarcoma protuberans: treatment results of 35 cases. Radiother Oncol 2000;57:175-181
45. Tateishi U, Yamaguchi U, Seki K, Terauchi T, Arai Y, Hasegawa T. Glut-1 expression and enhanced glucose metabolism are associated with tumour grade in bone and soft tissue sarcomas: a prospective evaluation by [18F]fluorodeoxyglucose positron emission tomography. Eur J Nucl Med Mol Imaging 2006;33:683-691
46. Turner JH, Richmon JD. Head and neck rhabdomyosarcoma: a critical analysis of population-based incidence and survival data. Otolar-

yngol Head Neck Surg 2011;145:967-973

47. Van Glabbeke M, van Oosterom AT, Oosterhuis JW, et al. Prognostic factors for the outcome of chemotherapy in advanced soft tissue sarcoma: an analysis of 2,185 patients treated with anthracycline-containing first-line regimens--a European Organization for Research and Treatment of Cancer Soft Tissue and Bone Sarcoma Group Study. J Clin Oncol 1999;17:150-157
48. Zagars GK, Ballo MT, Pisters PW, et al. Prognostic factors for patients with localized soft-tissue sarcoma treated with conservation surgery and radiation therapy: an analysis of 1225 patients. Cancer 2003;97:2530-2543
49. Zahm SH, Fraumeni JF, Jr. The epidemiology of soft tissue sarcoma. Semin Oncol 1997;24:504-514

CHAPTER

43

두경부외상

이비인후과학 Otorhinolaryngology - Head and Neck Surgery

봉정표

I 관통성 경부외상

경부의 관통성 외상은 총알에 의한 관통이나 칼과 같은 날카로운 도구에 의한 자상이 그 원인으로, 전체 외상 환자의 약 5~10%를 차지하며, 적절한 치료가 시행되지 않으면 사망을 초래할 정도로 위험한 경우가 많다. 주된 사망 원인은 주 혈관 손상으로 인한 출혈이며, 척수 손상, 뇌경색, 기도폐쇄, 공기색전증, 폐색전증, 진단되지 못한 식도 손상으로 인한 패혈증(spesis) 등이 포함된다. 2차 세계대전 전까지는 사망률이 11~18% 정도로 높았으나 최근 들어서는 혈관조영술(angiography), 혈관조영전산화단층촬영(computed tomographic angiography) 같은 진단 방법의 발달과 경부개방술을 통한 손상혈관의 복원 등 적극적인 치료로 3~6%까지 줄어들었다.[23]

경부에는 혈관, 호흡기, 소화기, 신경, 내분비, 골격계통에 속하는 다양한 중요 구조물이 작은 공간에 밀집해 있으며 골격에 의해 보호되지 않기 때문에 외상에 취약하다. 관통성 경부외상 환자의 적절한 평가와 치료를 위해서는 경부의 해부학적 구조 및 원인 도구의 특성, 탄도학 등에 대한 지식이 충분해야 한다.

1. 경부의 분류

해부학적으로 경부를 3개의 구역(zone)으로 분류함으로써 외상환자의 진단 및 치료방침을 달리 결정할 수 있다(그림 43-1).

제1 구역은 윤상연골 하부에 해당하는 부위로 총경동맥의 근위부, 척추동맥, 쇄골하동맥, 폐의 첨부, 식도, 기관, 흉관 등이 이 구역에 해당하는 중요 구조물이다. 이런 혈관들이 손상되면 근위부를 처치하기가 어렵고, 쇄골과 흉곽(bony thorax) 때문에 흉강 내로 접근하기가 어려워 세 구역 중 치사율이 가장 높다.

제2 구역은 윤상연골과 하악골의 각(angle of mandible) 사이 부분으로 경동맥, 경정맥, 척추동맥, 후두, 기관, 경부 식도, 미주신경, 반회후두신경, 척수 등이 중요 구조물이다. 경부외상의 60~75% 정도가 이 구역에 해당

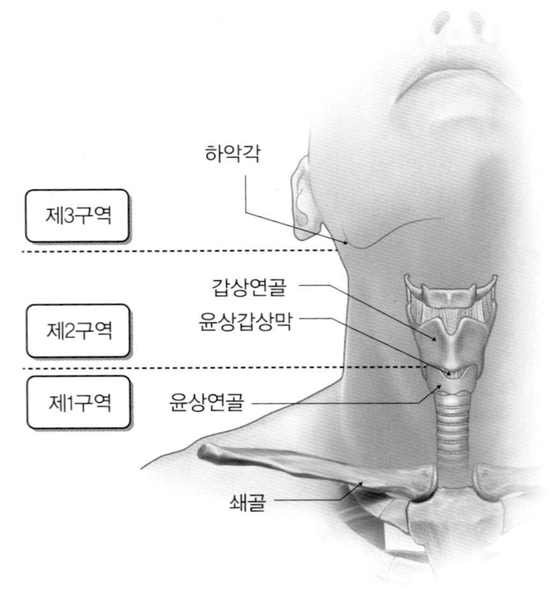

■ **그림 43-1. 경부의 구역 분류 구역.** I: 윤상연골 하부구역, 구역 II: 하악각과 윤상연골 사이, 구역 III: 하악각과 두개저 사이

하며,[18] 경부개방술을 통한 처치가 비교적 용이하다.

제3 구역은 하악골의 각과 두개저 사이의 부분이며, 경동맥의 원위부, 척추동맥, 이하선, 인두, 척수, 9, 10, 11, 12번 뇌신경들이 이에 포함되어 있다. 해부학적 구조상 이 구역도 손상 부위로의 접근 및 노출이 어렵고 출혈부위의 원위부 처치가 힘들어 개방적 수술 뿐 아니라 혈관조영술을 이용한 진단 및 치료가 필요한 구역이다. 신경학적 증상의 유무가 혈관 손상 가능성의 지표가 되므로 뇌신경 기능검사가 필수적이다.

2. 초기 치료 및 평가

관통성 외상 환자의 초기처치는 외상환자 치료의 ABCs 순서에 따른다. 수상 현장에서 기도확보를 위하여 무리하게 기도 내 삽관이나 윤상갑상막절개술을 시도하면 오히려 상황을 악화시킬 수 있으므로 특별한 경우가 아니라면 가능한 한 빨리 병원으로 후송하는 것이 원칙이다. 그러나 후송시간이 오래 걸릴 것으로 예상될 때, 심한 천명(stridor)이 있을 때, 무호흡 상태이거나 심박동이 없을 때는 응급 기도확보술이 필요하다. 상처부위를 거즈 등으로 덮어 압박하고, Trendelenberg 자세를 유지하여 정맥손상 시 발생할 수 있는 공기색전증을 예방한다. 척추손상에 의한 신경학적 증상 유무를 반드시 확인해야 하며, 손상 가능성이 있으면 경추를 고정하여 후송한다. 저혈압 소견이 있는 경우 출혈에 의한 혈액량감소(hypovolemia) 외에 척수쇼크(spinal shock)도 원인이 될 수 있음을 인지하고 있어야 한다.[25]

응급실에 도착한 후에도 가장 먼저 시행해야 하는 것은 기도확보이다. 환자의 상태에 따라 기관 내 삽관, 응급 기관절개술, 윤상갑상막절개술 등을 시행한다. 구강 또는 인두에 혈종이나 부종이 있거나, 후두 및 기관손상이 있는 경우에 좋지 않은 시야에서 반복적으로 기관 내 삽관술을 시도하면 손상을 더 심하게 하거나 기도폐쇄를 촉발할 수 있으므로 응급 기관절개술을 시행하는 것이 좋다. 수액 및 혈액 공급을 위한 정맥관을 삽입하는데, 가능하면 중심정맥관을 확보하며 손상 부위의 반대 측에 시행한다.

손상을 입힌 무기의 종류와 특성을 파악하며, 총알에 의한 손상이면 탄환의 진행경로, 사입구와 사출구의 존재 여부를 확인한다. 칼이나 날카로운 도구에 의한 손상이면 외부에서 육안으로 관찰해 정확한 창상의 깊이와 방향, 손상 정도를 파악하기 어려우므로 탐침(probing)하거나 혈전을 제거하지 않는 것이 좋다.

모든 경부 관통상 외상 환자에 대해 두부, 경부 및 흉부의 단순방사선촬영을 시행하여 총알 등 이물질의 유무 및 위치, 피하기종, 기관의 편위 유무, 혈흉, 기흉, 기종격동 등을 파악한다.

출혈이 지속될 때는 상처를 즉시 압박하며, 출혈부위를 정확히 확인하지 않은 상태에서 지혈을 위해 아무 부위나 겸자로 잡으면 정상 중요 구조물의 손상을 더 크게 만들 수 있으므로 하지 않는 것이 좋다. 급격한 출혈이 지

표 43-1. 관통성 경부 외상의 증상 및 진단

진 단	증상 및 징후	검사
혈관손상	쇼크	혈관조영술
	혈종	경부개방술
	출혈	
	맥박소실	
	신경학적 손상	
	경부 혈류 잡음	
후두기관손상	피하기종	후두경술
	기도폐쇄	경부개방술
	객혈	전산화단층촬영
	호흡곤란	
	천명	
	애성 및 발성장애	
인두식도손상	피하기종	식도조영술
	토혈	식도경술
	연하곤란 또는 연하통	경부개방술

속되거나, 혈종이 확장되거나, 혈액량감소성쇼크(hypovolemic shock) 등의 소견이 있을 때는 즉시 경부개방술을 시행한다. 위와 같은 위급한 상황이 아니고 생체 징후 및 혈역학적으로 안정적인 상태이면 철저한 전신 신체검사와 단순방사선촬영을 시행하고 증상과 징후에 따라 두부 및 경부전산화단층촬영, 혈관조영전산화단층촬영, 혈관조영술, 각종 내시경술 등의 검사들을 시행한다(표 43-1).

3. 혈관손상

관통성 경부외상 시 가장 흔히 손상되는 구조물은 경부 혈관으로 약 40% 정도이며,[6] 내경정맥과 경동맥의 손상이 가장 많다. 혈관손상 시 나타나는 증상은 맥박 소실(pulse deficit), 급성출혈, 진행성 혈종(expanding hematoma), 혈류잡음(bruit), 신경학적 손상(neurologic deficit), 저혈압 등이다.[16]

제1 구역의 혈관손상은 치사율이 높아 약 12% 정도로 보고되고 있으며,[18] 1/3 정도에서는 임상적으로 증상이 나타나지 않을 수도 있으므로 환자가 안정적일 때는 전산화단층촬영, 굴곡형 후두경 검사 등을 시행하고 혈관조영술을 시행하여 쇄골하동맥, 대동맥궁 등의 혈관손상 여부를 확인한 후 만약 손상이 있으면 개방술을 시행한다. 우측의 경우 정중흉골절개술(median sternotomy)을 시행하고 좌측의 경우 개흉술(thoracotomy)을 통해 지혈한다. 쇄골하동맥과 정맥, 무명동맥(innominate artery)의 손상은 상지의 절단, 뇌졸중 혹은 신경학적 손상을 유발할 가능성이 매우 높으므로 반드시 수복한다. 특히 이 구역은 식도가 손상될 가능성이 다른 부위보다 높으므로 반드시 식도손상 여부를 확인해야 한다.

제 3 구역도 수술적 접근에 어려움이 있는 부위이기 때문에 모든 환자에서 개방술을 시행하기 보다는 혈관조영술 및 신경학적 검사를 먼저 시행하는 것이 일반적이다. 내경동맥의 원위부, 외경동맥의 분지, 척추동맥, 뇌신경 등이 손상받을 수 있으며, 뇌신경 손상의 증상이 있다면 해부학적 위치상 서로 근접한 주혈관의 손상이 강력히 의심되므로 반드시 혈관조영술을 시행하여 확인한다. 외과적 수술을 통한 지혈이 어려우므로 상황에 따라 중재적 혈관조영술(interventional angiography)을 통한 치료를 시행한다. 급성 증상이 없어 관찰을 요하는 경우에는 구강검사를 통해 부인두강과 후인두강의 부종이나 혈종이 진행되는지를 자주 확인한다.

제2 구역은 신체검사만으로도 혈관의 손상 여부를 파악할 수 있는 부위이다. 급성출혈이 있거나, 경부의 부종이 진행되거나, 쇼크 상태일 때는 단순방사선촬영 후 지체 없이 경부개방술을 시행하여 손상된 혈관 및 다른 구조물의 동반 손상들을 복원한다. 안정적인 경우 모든 예에서 의무적 경부개방술(mandatory neck exploration)을 시행해야 하는지에 대하여는 논란이 있다. 과거에는 혈관 및 다른 구조물의 손상여부 확인에 대한 민감도가 높고, 비교적 안전하며, 초기에 손상이 확인되지 않고 지나가는 경우 가성동맥류(pseudoaneurysm), 종격동염 등 이환율이 비교적 높기 때문에 경부의 활경근(platysma muscle)을 관통한 모든 외상환자에서 시험적 경부개방술을 시행하는 것이 일반적이었다. 그러나 30% 이상이 음성이고,[13] 혈관조영술, 도플러 초음파검사, 각종 내시경술 등의 검사와 중재적 치료술의 발달로 비수술적치료도 가능해졌으므로 최근에는 시험적 경부개방술을 선택적으로 시행하자는 의견도 많다. 따라서 증상이 없거나 생체징후가 안정적인 환자에서는 혈관조영술을 시행하여 혈관 손상이 발견되면 경부개방술을 시행하고, 음성이면 다른 진단적 검사를 체계적으로 시행하여 증상의 발현 여부에 대해 주기적인 신체검사를 시행한다.

후두경, 식도경 검사를 시행하여 후두, 기관, 식도의 손상이 발견되면 혈관 손상이 없더라도 조기에 수술을 시행한다. 경부개방술 시에는 흉쇄유돌근의 앞쪽에 표준절개를 하여 환부를 충분히 노출시켜 좋은 시야를 확보한다. 혈관 손상의 치료 술식으로는 결찰, 측동맥봉합술(lateral anteriorrhaphy), 단단문합술(end to end anastomosis), 정맥이식술(vein graft), 합성물질이식술(synthatic material graft) 등이 있다(그림 43-2).

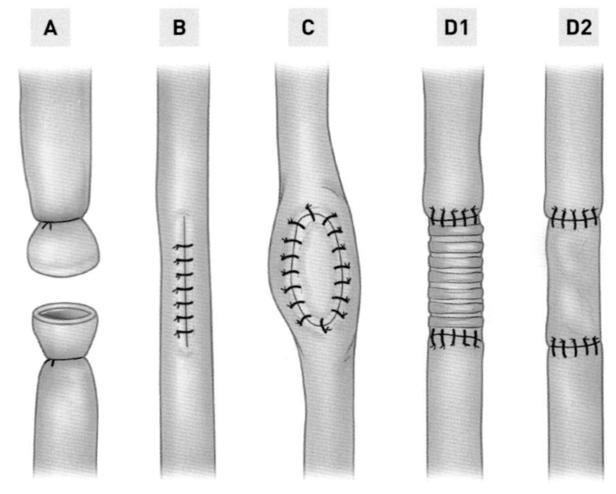

■ 그림 43-2. **혈관 손상의 복원 유형.** **A)** 결찰(ligation), **B)** 일차봉합(primary repair), **C)** 패치 혈관성형술(patch angiography), **D1)** polytetrafluoroethylene 이식, **D2)** 정맥이식(vein graft)

경동맥 손상의 경우 경동맥초가 출혈을 차단함으로써 혈종이 만들어져 외관상 출혈이 없는 것처럼 보일 수 있으며, 기도유지에도 영향을 줄 수 있으므로 경부 부종의 진행여부를 세심히 관찰해야 한다. 수술 시에도 경동맥초(carotid sheath) 내의 혈종 유무를 잘 관찰하고 초에 절개를 가할 때도 갑자기 대량의 출혈이 발생할 수 있다는 점을 유념해야 한다.

진찰 당시 의식이 없는 환자에서의 경동맥 복원 여부에 대하여도 논란이 있다. 혈액량감소증이 의식저하의 원인이 아니고 뇌의 허혈로 인한 뇌경색으로 의식이 저하되거나 혼수상태인 경우 뇌로 가는 혈류를 복원하면 출혈성 뇌경색으로 전환될 가능성이 있기 때문이다.[33] 이는 허혈로 생긴 심한 뇌부종으로 인해 혈관이 약해지기 때문으로 생각되며, 경동맥 복원 후에도 의식상태가 개선되지 않을 수 있다. 따라서 혼수상태 등 의식이 좋지 않은 경동맥 손상 환자에서 시간이 오래 경과하였거나, 전산화단층촬영 결과 뇌부종 소견이 심한 경우에는 경동맥을 무조건 복원하기보다는 결찰술을 시행하는 것도 고려해야 한다. 단 의식이 좋지 않더라도 짧은 기간 동안이거나, 혈액량감소증의 개선으로 의식상태가 호전된 경우에는 손상된 혈관을 복원해야 한다.

4. 식도 및 인두 손상

경부의 관통성 외상 환자를 평가할 때는 식도와 인두의 손상 여부를 반드시 확인한다. 천공 후에도 50% 이상에서는 증상이 나타나지 않아 검사 시 이를 간과하기 쉽고, 조기에 치료하지 않으면 나중에 종격동염, 패혈증 등의 합병증으로 환자가 사망할 수도 있기 때문이다.

식도 손상을 의심할 수 있는 소견으로는 피하염발음(subcutaneous crepitus), 연하곤란(dysphagia), 토혈(hematemesis), 연하통(odynophagia), 후인강 내 공기

음영(retropharyngeal air in lateral neck X-ray) 등이 있다.

식도손상이 의심되면 gastrografin을 사용한 식도조영술이나 식도경술을 시행하고 천공이 확인되면 경부개방술을 시행한다. 내시경검사에서 정상이더라도 방사선촬영에서 경부 연조직 내에 기포 소견이 있으면 경부개방술을 시행한다. 술 전에 확인하지 않았더라도 경부개방술을 시행할 때는 반드시 수술 중에 강직형 식도경술(intraoperative rigid esophagoscopy)을 시행하여 손상여부를 확인해야 한다. 식도경술 시에는 메틸렌블루(metylene blue)나 공기를 주입하여 수술 시야로 배출되는지를 관찰하여 천공 유무 및 위치를 확인할 수 있다. 술 전 검사 시에는 굴곡형 식도경검사를 많이 하게 되는데, 전신마취가 필요 없다는 장점이 있으나 강직형 식도경술에 비하면 민감도가 떨어지는 것으로 보고되고 있으며, 하인두나 윤상인두괄약근 부위 손상 시에는 과잉성 점막 때문에 관찰하기가 더 힘들다. 이때는 식도조영술과 굴곡형 내시경술을 병행하면 진단적 정확성을 높일 수 있다. 치료는 손상부위를 세척하고, 천공부위를 변연절제한 후 흡수사를 사용하여 점막층을 단순반전봉합(simple inverting suture)하고 피대근(strap muscle)으로 보강해준 다음 배액관을 삽입하는 것이다. 기관 손상이 동반된 경우에는 기관식도누공을 예방하기 위하여 기관과 식도 사이에 근피판을 삽입해준다. 식도 손상의 치료는 수상 후 24시간 이내에 시행하는 것이 좋다. 그 이후에는 천공부위를 봉합하는 데 어려움이 있고 합병증의 발생 위험도 높아 생존률도 64% 정도로 감소한다.[27]

5. 후두 및 기관 손상

관통성 외상 환자에서 후두나 기관 부위에 직접적인 개방창이 없더라도 애성, 호흡곤란, 피하기종, 골성 염발음(bony crepitus), 객혈 등의 증상이 있으면 후두 또는 기관의 손상을 의심해야 한다.[10]

호흡곤란이 심한 경우에는 우선 기도를 확보해야 한다. 무리하게 기관 내 삽관을 시도하지 않는 것이 좋으며 개방창을 통한 삽관이나 기관절개술을 시행한다. 손상을 확인할 수 있는 분명한 징후가 없고 호흡이 잘 유지되는 안정적인 상태일 때는 외상의 병력을 문진하고, 신체검사를 시행한다. 검사로는 굴곡형 후두경검사 및 경부전산화단층촬영을 시행한다. 굴곡형 후두경술을 통하여 부종, 출혈 등 점막의 상태와 성대의 기능, 기도의 내부 직경 등을 관찰하고 후두전산화단층촬영을 통하여 연골의 골절 유무 및 변위 상태 등을 파악할 수 있다.

열상의 크기가 아주 작거나 깊지 않은 경우, 후두연골의 골절이 있으나 변위가 없는 등 손상정도가 경미할 때는 목소리 및 호흡기능의 변화를 면밀히 관찰한다. 개방창을 통하여 연골이 노출되거나 점막의 열상이 관찰되는 등 후두나 기관의 손상이 확실할 때는 개방술을 통하여 손상된 구조를 복원하고 스텐트를 삽입한다. 수상 후 손상된 후두 점막이 복원되기까지의 경과시간이 추후 후두 협착 및 음성장애 등의 후유증 발생에 영향을 많이 주므로 가능하면 수상 후 24시간 이내에 수술을 시행하는 것이 좋다.

기관 손상 시 자상에 의한 단순한 열상은 기관절개술 없이 흡수사를 이용한 단순봉합만으로도 치료가 가능하다. 총알에 의한 관통상은 주위 연조직을 포함하여 기관의 손상 정도가 심할 수 있다. 6 cm 이하의 결손은 괴사조직제거술(debridement) 후 일차 봉합할 수 있으며, 그 이상의 경우는 근막피판이나 합성물질 등을 사용하여 복원할 수 있다. 결손부위가 큰 경우 일차적 복원술보다는 기관절개술 후 이차적 치료가 더 안전하다는 주장도 있다.

6. 갑상선과 부갑상선 손상

갑상선은 경부에서 가장 크기가 큰 구조이지만 직접적으로 손상을 받는 경우는 많지 않다. 표재성 손상이면 단순 봉합술을 시행하고 출혈이 심한 경우 하갑상동맥의 결찰이 필요할 수도 있다. 손상 정도가 심하면 엽절제술을 시행한다. 부갑상선의 손상은 극히 드문 것으로 알려져 있다. 드물지만 저칼슘혈증이 나타날 수 있으며 대개 일시적이다.

7. 요약

경부의 관통성 외상 환자의 올바른 처치를 위해서는 경부의 해부학적 구조, 손상을 입힌 도구의 특성, 탄도학 등에 대한 지식이 필요하다. 초기 처치에서는 기도 확보가 가장 중요하며, 급성 출혈, 진행성 혈종, 쇼크 등의 생명이 위급한 상황에서는 응급 경부개방술을 시행해야 한다. 모든 관통성 외상 환자에게 의무적 경부개방술을 시행하여 중요 구조물의 손상 여부를 확인하는 것이 최선의 방법이나, 손상 여부가 확실하지 않고 생체 징후 등 환자의 상태가 비교적 안정적일 때는 증상 및 징후에 따른 여러 가지 검사의 결과에 기초하여 선택적으로 경부개방술을 시행하는 것이 바람직할 수도 있다(그림 43-3). 정확한 문진 및 신체검사만으로도 중요 구조물의 손상 여부를 진단할 수 있으며, 모든 환자에게 단순방사선촬영도 시행한다. 그 외에 시행할 수 있는 검사로는 혈관조영술, 식도조영술, 식도위내시경술, 후두경술, 기관지경술, 전산화단층촬영 등이 있다. 제2 구역의 손상빈도가 높으며 경동맥 및 내경정맥의 손상이 가장 흔하다. 제1 구역과 제3 구역의

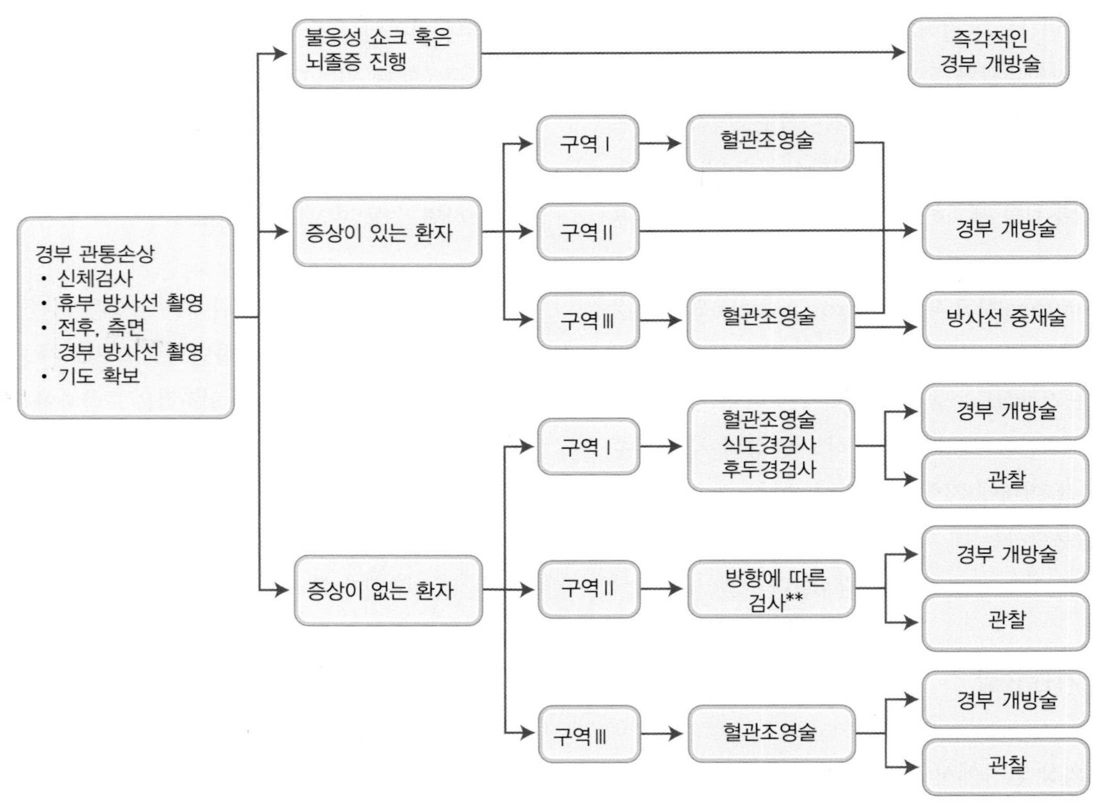

■ 그림 43-3. **관통성 경부 외상 환자의 초기 치료 및 평가**

혈관이 손상되었을 때는 수술적 접근이 어렵고 사망률이 높으며, 중재적 혈관조영술을 통한 진단과 치료가 유용하다. 인두 및 식도 손상 여부를 반드시 확인하여야 하며, 초기에 진단하지 못한 경우 종격동염으로 인한 패혈증 같은 합병증이 뒤늦게 나타나 사망할 수 있다.

II 후두외상

후두외상으로 병원에 오는 경우는 매우 드물다. 왜냐하면 손상 정도가 심해서 병원까지 후송되지 못하고 사망하거나, 교통사고 등 다발성으로 손상을 받은 경우 다른 부위의 치료를 우선 시행하느라 후두 손상을 간과할 수 있기 때문이다. 후두는 유연성을 가진 연골로 이루어져 있어 가동성이 있고, 상부는 하악골, 하부는 흉골, 좌·우 측부는 흉쇄유돌근 사이에 위치하며, 특히 두경부가 굴전된 상태에서는 완전히 가려지므로 외상을 입는 경우가 적다.[9]

소아는 성인에 비해 후두외상을 입는 경우가 드물다. 이는 후두가 경부의 상부에 위치하여 하악에 의해 보호되기 때문이다. 또한 연골조직의 탄력성이 높고, 섬유조직의 지지가 부족하며, 주변 점막층과 약하게 부착되어 있기 때문에 손상을 받게 되면 연골 골절의 빈도가 적고 대신 연조직 손상이 증가한다.[11] 특히 소아의 기도 단면적은 성인보다 작기 때문에 후두손상이 발생했을 때 초기에 철저히 평가해야 한다.

1. 원인

후두의 외상은 폐쇄성 손상(blunt injury)과 관통성 손상(penetrating injury)으로 대별된다. 원인으로는 자동차사고로 인한 타박상, 좌상, 자해 폭력으로 인한 열상, 절개상, 관통상 등 그 종류가 다양하며, 사회적 여건에 따라 주된 발생 원인이 조금씩 다를 수 있다.[9,12,14,24] 일반적으로 교통사고로 인한 후두 손상이 가장 많은 것으로 알려져 있다. 서구에서는 총상으로 인한 후두의 개방성 손상이 가장 많다. 우리나라에서도 개인이 공기총 등을 소유하는 경우가 늘어나고 있어 총기로 인한 후두 손상이 증가할 가능성이 있다.

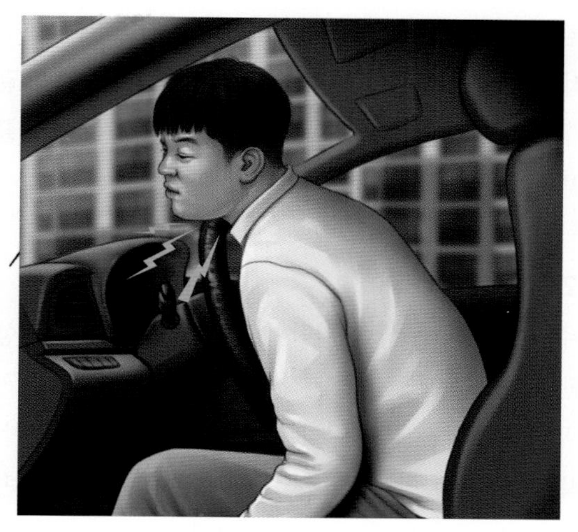

■ 그림 43-4. **폐쇄성 후두 손상**

1) 폐쇄성 손상

자동차사고, 폭력 또는 스포츠 손상 등이 폐쇄성 손상의 주원인이다(그림 43-4). 후두가 전방으로부터 충격을 받게 되면 후두근과 연골내막 사이에서 성대주름의 전단력에 의해 후두점막의 열상, 부종, 혈종 등이 유발될 수 있다. 더 강한 충격을 받으면 후두연골이 골절되고 후두인대(vocal ligament)가 파열된다.

빨랫줄 손상(clothesline injury) 때는 밀집되고 과도한 양의 힘이 경부에 전달되어 후두연골을 분쇄하거나 후두-기관 분리(laryngotracheal seperation)를 일으킬 수도 있으며. 이때 양측 반회후두신경이 손상될 수 있다. 여성은 목이 길고 가늘어 후두의 상부가 손상될 가능성이 크고 노인은 후두가 석회화되기 때문에 분쇄골절의 위험이 더 높다.[8]

감돈 손상(strangulation injury)은 가해지는 힘이 비교적 정적이고 속도가 느리기 때문에 다른 손상과 달리 즉각적으로 점막 열상, 점막하혈종 또는 다발성 연골골절이 발생한다.[22]

2) 관통성 손상

주로 자상과 총상이 원인이며, 손상의 정도는 손상을 입힌 도구의 속도, 질량과 직접적으로 연관이 있다.[24] 군용 무기나 사냥총 같은 무기는 후두의 완전 파열, 심한 연조직 부종 등을 일으키고 저속의 총알이나 자상은 손상이 통과 경로에 국한되는 양상을 보인다.

2. 증상과 징후

후두가 손상을 입었을 때에는 애성, 동통, 연하곤란, 호흡곤란, 피하기종, 객혈이 주로 나타나는 증상과 징후이지만 호흡곤란을 제외하고는 손상 정도와는 별로 상관관계가 없는 것으로 알려져 있다.[12,20,21] 그러나 애성, 객혈, 천명, 피하기종, 골성 염발음, 후두부 압통 등을 보이거나, 경부의 외형이 비정상적인 경우에는 후두손상을 의심해야 한다.

3. 진단

후두외상을 진단하려면 우선 사고에 대한 정확한 문진과 전신에 대한 철저한 신체검사를 시행해야 한다. 그리고 경부 연조직, 경추의 손상 여부를 확인하기 위한 방사선 검사, 흉부 방사선검사를 시행한다.[3,20] 손상기전이 폐쇄성 손상이든 개방성 손상이든 간에 경추의 손상 여부를 확인하기 전에는 경추를 보호하기 위해 환자의 경부를 주의해서 다루어야 한다. 간접 후두경이 전통적인 검사였으나, 최근에는 환자가 더 편하고 술자에게 더 좋은 시야를 제공하는 굴곡형 후두경 검사가 많이 사용된다. 성대의 운동성, 기도 유지 여부, 후두 내 혈종이나 열상이 있는지 등을 관찰해야 한다. 개방성 손상 환자에서 혈관 손상을 평가하지 않으면 환자에게 치명적일 수 있다. 경부 전산화단층촬영은 신체검사에서 후두 내 점막이 관찰되지 않거나, 윤상피열관절의 상태, 후두골격 등을 평가하기 위해 선택적으로 시행하며, 심한 개방성 손상같이 임상적으로 손상 여부가 확실할 때에는 시행할 필요가 없다.[19] 경부 전산화단층촬영은 폐쇄성 손상 환자군의 평가에 유용하고, 보존적 치료의 시행여부를 결정하는 데 큰 도움을 준다.[15]

표 43-2. 후두 손상의 분류

I 군	골절 소견을 보이지 않는 경한 후두내 혈종 또는 점막 열상
II 군	연골노출이 없는 부종, 경한 점막 파괴와 CT에서 비전위골절
III군	심한 부종, 점막 열상, 연골노출, 전위 골절, 성대마비
IV군	III군의 경우에다 2개 이상의 골절 또는 기관-후두 분리에 준하는 심한 손상
V 군	후두-기관의 완전 분리

후두외상 때 손상에 대한 Cherian 등의 분류에 따르면 경도 손상은 연골 노출이 없는 가벼운 표재성 열상, 후두 내 소혈종 및 부종, 후두 연골의 비전위성 골절이고 중증 손상은 연골이 노출된 점막파열, 심한 후두 내 부종, 인두의 부종 또는 후두의 해부학적 구조를 변형시킬 정도의 큰 혈종, 후두 연골의 전위골절, 성대마비 등이 있는 경우이다.[12] Schaefer 등은 손상 정도에 따라 다섯 군으로 분류하였는데, 현재 주로 이 방법이 사용되고 있다(표 43-2).[21]

손상부위에 대한 여러 보고에 의하면 흔한 후두 골절은 설골 골절, 갑상연골 골절, 윤상연골 골절, 윤상연골-기관 분리(cricotracheal seperation)였으며,[12,27] 국내에서도 갑상연골 골절이 가장 많다고 보고되어 있다.[1,3-5,7]

후두 손상이 있거나 의심되는 경우, 특히 관통성 손상 환자군에서는 이상와(pytiform sinus)나 경부 식도의 천공이 있을 가능성을 항상 염두에 두어야 하며, 진단이 24시간 이후로 늦어지면 36%가 패혈증으로 사망할 수도 있다. 후두손상과 인두나 식도 손상이 동반되면 예후가 좋지 않으므로 후두개방술 시 항상 식도경검사를 시행하여 인두와 식도의 손상 여부를 확인해야 한다. 폐쇄성 손상일 때는 관통성 손상일 때에 비해 식도 손상의 가능성이 적고, 중증 손상에 비해 경도 손상은 식도 손상의 가능성이 더 적기 때문에 폐쇄성 손상이면서 경상인 경우에 식도경검사를 반드시 해야 하는지에 대해서는 논란이 있다.[5]

4. 치료

치료에서 가장 중요한 것은 적절한 기도유지이며 이를 위해서 원칙적으로는 기도에 가장 적은 손상을 주는 방법을 선택해야 한다. 기도유지 방법으로 기관 내 삽관술과 기관절개술에 대한 논란이 있으나, 기관 내 삽관술을 하면 손상부위를 더 악화시킬 수 있고, 불안정한 기도를 완전히 폐쇄시킬 가능성도 있기 때문에 대부분 부분마취하의 기관절개술을 선호하고 있다.[3,20,26] 긴박한 응급상황에서 윤상갑상막절개술을 시행할 수 있는데 이럴 때에는 가능한 한 빨리 정상적인 기관절개술로 전환한다. 성인에서는 기도 확보를 위해서 기관절개술 후에 직접후두경과 강직형 식도경검사를 시행한다. 반면 소아에서는 기도를 확보하는데 특별히 신경을 써야 하는데 직접적으로 관찰하여 기도를 확보하기 위해 강직형 기관지경을 기관 내로 삽입한 후 기관절개술을 시행하는 것이 좋다.

후두 손상 환자의 치료 목적은 치료 후 기도 협착의 방지와 후두의 중요 기능인 발성기능 유지이다. 보존적 치료 여부는 기본적으로 수술적 치료 없이도 손상부위의 회복이 가능한지 아닌지에 따른다. 성대의 전연합부(anterior commissure) 및 성대의 자유연 부위를 제외한 곳에 경미한 열상이 있거나, 전산화단층촬영에서의 단독의 비전위성 갑상연골 골절이 관찰되면 최소 24시간의 관찰, 두위거상, 가습기 사용 등을 시행하며 스테로이드의 사용을 고려할 때는 수상 후 급성기에 사용한다.[20] 어떤 이유이든지 후두의 즉각적인 복원을 시행할 수 없다면 스테로이드와 1세대 cephalosporin 혹은 clindamycin 등의 항생제

표 43-3. 후두 손상 환자의 치료

내과적 치료
성대휴식
전신적 스테로이드 투여
두위 거상
가습
항생제
위식도역류 억제
수술적 치료
기관절개술
내시경술
후두개방술
갑상연골 절개
열상봉합
전연합부 열상을 위한 스텐트 삽입
심한 점막 손실에 대한 이식술
골절의 정복 및 고정

를 투여하여 육아조직과 교원질의 침착을 감소시킨다(표 43-3). 경미한 손상이라도 부종이 심해져 기도유지에 문제가 생길 가능성이 있으면 기관절개술을 시행해야 한다. 최근에는 비전위성 연골골절이라도 치유과정에서 전위가 일어나 변형을 일으킬 수 있으므로 개방술을 시행하여 고정하는 것이 좋다는 의견도 있다.[2]

후두점막 열상이 크거나 특히 전연합부의 열상이 있거나, 후두연골의 노출, 연골의 골절이 있는 전위성 또는 복합골절인 경우, 성대마비, 피열연골의 탈구 등이 있을 때는 후두개방술이 필요하다.[12] 관통성 후두 손상일 때는 대부분 이에 해당하므로 수술적 치료를 하게 된다. 이 외에도 보존적 치료나 후두절개술에도 불구하고 피하기종이 더 커질 때나 지속적인 내출혈이 있을 때도 개방술을 시행한다.[29]

후두손상을 수술적으로 복원할 때는 모든 점막을 주의 깊게 봉합해야 하고 후두개나 구강점막으로부터 얻은 국소피판이나 유리점막 이식으로 결손부위를 덮어주어야 한다(표 43-3). 후두연골 골절은 다른 골절과 마찬가지로 정복 후 고정해야 하는데 복원은 수상 후 7~10일 내에

시행하는 것이 좋다. 수술시기에 대해서는 많은 논란이 있어 왔으나, 최근 대부분 조기수술이 술 후 결과와 예후가 더 좋은 것으로 보고하고 있다. 조기 수술을 하면 손상을 완벽하게 평가할 수 있고 술 후 감염률이 더 낮고 회복이 빠르며 육아조직 형성이 적고 반흔이 적기 때문이다.

수술을 시행할 때 후두로의 접근은 주로 정중 갑상연골 절개를 통하지만 골절선이 정중에서 2~3 mm 내에 위치할 때는 골절부위를 통하여 시행할 수도 있다.

먼저 반흔을 최소화하기 위하여 후두부에 수평절개를 가한다. 피판을 설골까지 들어 올리고 피대근을 중앙에서 가른 다음 정중 갑상연골 절개(median thyrotomy)로 후두에 접근한다. 후두연골 골절은 철사나 비흡수 봉합사로 봉합하거나 다양한 종류의 miniplate를 사용하여 고정하는데, 봉합 시에는 후두점막과 골격의 손상에 더 커지지 않도록 모든 골절이 정복될 때까지 봉합을 너무 촘촘히 하지 않는 것이 좋다. 간단한 비전위성 골절은 비흡수 봉합사로 연골외막에 봉합하고 피열연골은 완전하게 점막이 벗겨지거나 전위되면 정복을 시도하기보다는 제거하는 편이 낫다. 부분적인 피열연골 손상이 있으면 정복시키고 점막을 복원한다. 조직손실이 큰 경우에는 국소 점막 피판이나 피부이식으로 후두의 내면을 만들어준다.

손상된 조직을 복원한 후 필요에 따라 스텐트를 삽입하게 되는데 주로 전연합부 손상이 있을 때, 점막손상이 심할 때, 복합 골절 시, 후두의 구조가 수술만으로는 유지되지 않을 때 삽입하게 된다.[11,19] 스텐트는 전연합부의 격막(web) 형성을 막아주고, 치유과정 중에 후두의 구조를 잘 유지해 주며, 연하운동이나 발성 시 후두의 가벼운 운동을 가능하게 한다. 다양한 종류의 스텐트 재료들이 있으나, 주위 점막에 손상을 주지 않을 정도로 부드럽고, 가성대에서 제1 기관륜까지 충분한 길이가 유지되며, 후두 내에서 고정될 수 있고, 후두 내의 모양과 유사한 것이 이상적이다.[11,20] 일반적으로 사용되는 T자형 실리콘 튜브는 유연성이 있어 삽입과 제거가 편리하고 조직반응이 거의 없어 장기간 유지되며, 점액의 표면에 잘 부착되지 않아 가피가 잘 형성되지 않고, 협착부위에 따라 다양한 길이로 잘라 사용할 수 있으며, 튜브가 유지된 상태에서 정상적인 발성이 가능하며, 교체하지 않고 최고 15개월까지 유지되는 등의 장점을 가지고 있다. 하지만 삽입 후 1주일간은 가피 때문에 튜브가 막히지 않도록 습도를 유지하고 4시간마다 표면용해제 투여 후 분비물을 흡인하는 등 세심하게 보살펴야 한다.[17] 스텐트의 유치기간에 대해서는 2~6주라는 의견이 있으며, 되도록 빠른 시일 내에 제거하는 것이 바람직하다. 2~4주 후에 제거하여 예후가 좋았다는 주장도 있고, 손상된 점막과 골격구조가 만족할 만큼 복원되면 10일~2주 후 제거할 수 있다.

술 후 봉합할 때 전연합부를 복원하는 것은 정상적인 모양을 유지하고 음성을 보존하는 데 필수적인 조치이다. 스텐트를 넣는 경우에는 진성대를 연골외막에 봉합하여 재위치시킨다. 갑상연골 절개는 비흡수 봉합사나 철사로 봉합한다. 윤상연골과 기관지 전면 1/3 정도가 손실된 경우에는 흉골설골근(sternohyoid muscle)과 근막으로 복원이 가능하고 갑상연골 전 1/3이나 외측 1/2 정도가 손실된 경우에는 스텐트 위로 점막열상을 봉합하여 복원한다. 괴사조직 제거술은 외부 상처에는 실시하나 후두골격에서는 주변으로부터 혈액공급이 차단된 골편에만 시행한다.

반회후두신경이 손상됐을 때는 신경봉합술을 시행하는데 차후 후두의 복잡한 외전근 및 내전근의 기능이 회복되지 않으면 신경재식술(reinnervation)을 시행할 수 있다.

과다한 손상과 조직손실로 개방정복과 내부 고정 및 스텐트로 후두구조를 복원하는 데 성공하지 못하면 후두부분절제술이나 후두전절제술이 필요할 수도 있다.

후두외상 후 성대의 반흔으로 인한 기능적 장애 때문에 발성장애가 생길 수 있으므로, 이를 방지하려면 수술 전후에 주의 깊게 관리해야 한다. 따라서 술 후 수상부위의 회복 정도를 자주 관찰하며 육아조직 형성과 감염을 줄이기 위해 항생제를 5~7일간 사용하고, 단기간의 음성

안정이 필요하다. 수상부위가 회복되기 전에는 환자가 원래의 목소리를 내지 않도록 주의시킨다. 모든 후두손상 환자는 수술 후 봉합부분이 장력을 받지 않도록 두부를 굴전상태로 수일간 유지해야 한다. 그리고 위산 역류를 방지하기 위해 양전자펌프차단제(proton pump inhibitor)와 H2 차단제를 등을 사용하고, 가능하면 비위관(nasogastric tube)은 삽입하지 않는다. 성대기능과 성문하부의 협착을 평가하기 위해 최소한 1년 동안 외래 추적관찰을 해야 한다.

5. 합병증

술 후에 생길 수 있는 육아조직을 방지하기 위하여 수술할 때 모든 점막열상을 철저하게 봉합하고, 술 후 항생제를 사용하며 스텐트를 조기에 제거한다. 과도한 육아조직은 내시경을 사용하여 제거한다. 양측 성대마비가 있으면 이로 인해 기관 캐뉼러의 발관이 곤란해진다. 반회후두신경의 손상이 심하지 않다면 회복이 지연될 수 있기 때문에 적어도 6개월 동안은 보상작용을 기대하며 관찰한다. 일측 성대마비가 6~12개월 후에도 호전되지 않으면 발성 강화 및 흡인을 방지하기 위해 갑상성형술(thyroplasty) 및 피열연골내전술(arytenoid adduction) 등의 성대내전술(vocal cord medialization), 또는 성대주입술(injection laryngoplasty)을 시행하고 양측 마비가 있거나 환자가 기관캐뉼러의 발관을 적극 원하면 성대후방절개술(posterior cordotomy) 및 피열연골 부분 절제술(medial partial arytenoidectomy) 등을 시행한다. 성문하 협착증이 발생하면 기관캐뉼러의 발거가 곤란해지는데 성대마비 때와 마찬가지로 6~12개월간 반흔 형성을 위해 복원을 시행하지 않고 직접 후두경이나 기관지경으로 병변을 살피면서 복원을 계획한다. 이에 대한 치료는 다른 여러 가지 원인에 의한 후두 및 기관협착증의 치료 방법과 같다(표 43-4).

표 43-4. 후두 손상의 합병증 및 치료

육아조직
노출된 연골의 복원
가능한 한 스텐트 삽입을 피함
신중한 절제
후두협착
절제 및 점막봉합
스텐트 삽입
후두-기관성형술
기관절제 및 문합
성대마비
관찰
일측인 경우 성대내전술, 성대내주입술
양측인 경우 성대후방절개술 및 피열연골부분절제술

Ⅲ 의인성 후두 및 기관 손상

인위적인 후두 및 기관 손상의 가장 큰 원인은 기관 내 삽관이다. 특히 장기간 기관 내 튜브를 유지해야 할 때에 심각하다. 이를 예방하기 위해서는 숙련되고 경험 많은 의사가 삽관해야 하고 적당한 크기의 튜브를 선택해야 하며 장기간 기관 내 삽관이 예상될 때는 가능한 빨리 기관절개술로 전환하도록 한다. 그 외 기관절개술, 후두종양 제거술 그리고 이미 손상된 후두를 복원하기 위한 술식을 시행할 때에도 후두에 손상을 일으킬 수 있다.

기관 내 삽관으로 인한 손상일 때는 주로 전방부에 손상을 주어 치유 시 격막이 형성될 수 있고 장기간 기관 내 삽관을 할 때에는 피열연골의 성대돌기 안쪽이 손상되기 쉽다. 합병증으로 설신경, 설하신경, 상후두신경이나 반회후두신경이 손상될 수 있으나 대부분 가역적이므로 관찰한다. 인두열상이 있을 때에는 가벼운 손상이면 단기간의 항생제를 사용하고 이상와 천공 같은 심한 손상이면 수술적 복원을 시행하며 5~7일간 비위관을 삽입한다. 윤상피열연골 탈구(dislocation)가 조기에 진단되면 내시경적 정복을 시행한다. 기관 내 삽관을 할 때 너무 무리하게 힘을 주거나 큰 튜브를 사용하여 생긴 손상은 대부분 가벼운 병변이므로 보존적 치료를 시행한다.

장기간의 기관 내 삽관으로 인한 기관 손상은 저압력 기낭(low pressure cuff)의 사용으로 그 빈도가 감소하는 추세이지만 일반적으로 기관 내 삽관 후 7~10일이 지나면 기관절개술에 의한 손상의 위험도를 능가한다. 고압의 공기를 삽입하거나 삽관한 상태로 너무 과다하게 움직이고 이미 성문하부에 원형의 점막손상이 동반되었으면 조기에 기관절개술로 전환해야 한다. 환자가 우발적으로 발관하였을 때에는 기도 부종으로 재삽관이 어렵거나 불가능할 수 있으므로 조기에 기관절개술을 시행하여 치명적인 사고를 방지한다.

기관절개술을 시행할 때 후두나 기관에 손상을 줄 수 있는데 이는 응급상황에서 지혈과 해부학적 지표를 확인하기 어려운 시야일 때 일어난다. 특히 소아에서는 윤상연골과 기관을 구별하기가 어려우므로 윤상연골의 손상이 흔히 일어날 수 있다. 기관절개를 너무 높게 시행하면 윤상연골에 손상을 주거나 기관지 측방으로 너무 박리하여 반회신경에 손상을 줄 수 있다. 기관캐뉼러의 크기가 부적절하면 지속적으로 자극이 가해지므로 기관내벽에 손상을 일으킬 수 있다. 상기관절개술(high tracheotomy)을 시행하였을 때에는 튜브를 제거하고 재차 제2~3 기관륜에 기관 절개를 시행해야 하는데, 24~48시간 안에 시행하면 더 이상의 치료가 필요 없다. 2~10일 사이에는 스텐트 삽입이 가능하지만 10일 이상 경과하면 미만성 연골막염 때문에 스텐트를 사용하더라도 만성 협착이 발생할 수 있다.

유두종이나 육아종 같은 양성 질환을 외과적으로 절제할 때 너무 과다하게 조직을 제거하거나 후두미세수술의 원칙을 따르지 않으면 손상을 초래한다. 양성 질환을 제거할 때는 연골 노출을 피하여 연골막염을 예방해야 한다. 특히 격막형성을 방지하기 위해 전연합부 점막은 한번에 양쪽 모두 벗겨내지 않는 것이 중요하며, 최소 2주 간격을 두고 시행해야 한다. 성문하부의 조직을 제거할 때는 내경의 1/4 이하 정도에만 수술을 시행하여 반흔과 성문하 협착을 예방한다.[11]

참고문헌

1. 반영덕, 박기현. 전산화단층촬영술로 진단한 후두골절의 치험 4예. 한이인지 1985;28:610-613
2. 백승재, 봉정표. 후두외상. 한이인지 2015;58:236-42
3. 봉정표. 개방성 후두 손상 환자의 치료. 한이인지 1990;33;1166-1172
4. 봉정표, 유기원, 홍기수 등. 급성 후두 손상 환자의 치료. 한이인지 1998;41:1459-1463
5. 이종원, 조숙, 조성운. 후두 및 기관외상의 즉각적인 처치. 한이인지 1983;26:684-687
6. 조광재. 경부외상. 대한두경부외과연구회. 두경부외과학, 제2판. 한국의학사, 2005, p.247
7. 황의기, 박정제, 전시영 등. 급성 후두 외상의 후향적 분석. 한이인지 1999;42:97-101
8. Ballenger JJ. Snow JB, eds. Otolaryngology: Head and Neck Surgery, 15th ed. Baltimore: Williams & Wilkins, 1996, pp.518-531
9. Bent JP, Silver JR, Porubsky ES. Acute laryngeal trauma: a review of 77 patients. Otolaryngol Head Neck Surg 1993;109:3441-3449
10. Britt LD, Peyser MB. Penetrating and blunt neck trauma. In: Mattox KL, Feliciano DV, Moore EE, eds. Trauma. New Yok: McGraw-Hill, 2000, pp. 437
11. Brown PM, Schaeffer SD. Laryngeal and esophageal trauma. In: Cummings CW, Fredrickson JM, Harker LA, et al, eds. Otolaryngology: Head and Neck Surgery, 3rd ed. St. Louis: Mosby Year Book, 1998, pp. 2001-2012
12. Cherian TA, Rupa V, Raman R. External laryngeal trauma: analysis of thirty cases. J Laryngol Otol 1993;107:920-923
13. Demetriades D, Asensio J, Velmahos G, et al. Complex problems in penetrating neck trauma. Surg Clin North Am 1996;76:661-683
14. Fuhrman GM, Stieg FH, Buerk CA. Blunt laryngeal trauma: classification and management protocol. J Trauma 1990;30:87-92
15. Gussack GS, Jurkovich GJ, Luterman A. Laryngotracheal trauma: a protocol approach to a rare injury. Laryngoscope 1986;96:660-665
16. Hartling RP, McGahan JP, Lindfors KK, et al. Stab wounds to the neck: role of angiography. Radiology 1989;172:79-82
17. Montgomery WW. Silicone tracheal T-tube. Ann Otol 1974;83:71-75
18. Rao PM, Bhatti MF, Graudino J, et al. Penetrating injuries of the neck: criteria for exploration. J Trauma 1983;23:47-49
19. Schaeffer SD. The accute management of external laryngeal trauma.

Arch Otolaryngol Head Neck Surg 1992;118:598-604
20. Schaefer SD. The treatment of acute external laryngeal injuries. Arch Otolaryngol Head Neck Surg 1991;117:35-39
21. Schaeffer SD, Close LG. Acute management of laryngeal trauma. Ann Otol Laryngol 1989;98:98-104
22. Stanley RB, Hanson DG. Manual strangulation injuries of the larynx. Arch Otolaryngol Head Neck Surg 1983;109:344-347
23. Stewart MG. Penetrating face and neck trauma In: Bailey BJ, Johnson JT, Newlands SD, eds. Head and Neck Surgery: Otolaryngology, 4th ed. Philadelphia: Lippincott Williams & Wilkins, 2006, p. 1017
24. Thompson JN, Strausbaugh PL, Koufman JA, et al. Penetrating injuries of the larynx. South Med J 1984;77:41-45
25. Thompson EC, Porter JM, Fernandez LG. Penetrating neck trauma: an overview of management. J Oral Maxillofac Surg 2002;60:918-923
26. Trone TH, Scheffer SD, Carder HM. Blunt and penetrating laryngeal trauma: a 13-year review. Otolaryngol Head Neck Surg 1980;88:257-261
27. Velmahos GC, Souter I, Degiannis F, et al. Selective surgical management in penetrating neck injuries. Can J Surg 1994;37:487-491
28. Wylie EJ, Hein MF, Adams JE. Intracranial hemorrhage following surgical revascularization for treatment of acute strokes. J Neurosurg 1964;21:212-215
29. Yen PT, Lee HY, Tsai MH, et al. Clinical analysis of external laryngeal trauma. J Laryngol Otol 1994;108:221-225

갑상선의 양성 질환

이비인후과학 Otorhinolaryngology - Head and Neck Surgery

이병주

갑상선 질환은 비교적 흔한 질병으로 갑상선 호르몬의 분비 기능에 장애가 발생하는 기능성 질환과 갑상선의 형태와 크기에 변화가 있는 결절성 질환으로 구분할 수 있다. 갑상선 기능장애는 갑상선 기능저하증과 기능항진증으로 구분할 수 있고, 특이적인 증상이 있으나 때로는 비특이적인 정신과적 증상을 호소하기도 하므로 진단에 유념하여야 한다. 또한 갑상선 이외의 질환이 갑상선 호르몬의 생리적 기능에 장애를 야기하여 갑상선 기능을 평가하는 데 혼란을 줄 수 있어 주의를 요한다. 결절성 갑상선 질환에서는 갑상선 결절이 양성인지 악성인지를 구별하는 것이 중요하다. 최근 갑상선 질환은 두경부외과 영역의 수술 중 자주 다루게 되는 질환으로 이비인후-두경부외과 의사는 갑상선 질환의 특성을 잘 이해하여야 한다.

I 갑상선 기능저하증(hypothyroidism)

갑상선 기능저하증은 남성에 비해 여성에서 4-6배 정도 많이 발생한다. 미국 자료에 의하면 증상이 있는 임상적 갑상선기능저하증(clinical hypothyroidism)의 유병률은 0.3%이지만, 증상을 보이지 않은 무증상 갑상선기능저하증(subclinical hypothyroidism)의 유병률은 4.3%이었다.[14]

1. 원인

갑상선 기능저하증은 갑상선 자체의 기능 이상에 의한 원발성(primary), 뇌하수체(hypophysis, pituitary gland) 이상에 의한 이차성(secondary), 시상하부(hypothalamus) 이상에 의한 삼차성(tertiary) 갑상선 기능저하증으로 구분할 수 있다. 원발성 갑상선 기능저하증이 대부분의 갑상선 기능저하증의 원인이 된다. 세계적으로는 요오드 결핍이 갑상선 기능저하증의 가장 많은 원인으로 알려져 있으나, 한국과 같이 요오드 섭취가 많은 지역에서는 Hashimoto 병과 출산 후 나타나는 갑상선염, 아급성 림프구성 갑상선염(무통성 갑상선염) 등의 자가면역성 갑상선 질환과 방사성 요오드 치료가 주된 원인이다.[27] 그 외에도 수술이나 외부 방사선 조사 등에 의한 갑상선 조직에 대한 직접적인 결손, 기타 선천성 효소 결핍, 항갑상선 제제의 복용, 요오드 결핍 등에 의해 발생한다.[28]

2. 임상 증상

갑상선 기능저하증에 의한 임상 증상은 원인보다 갑상선 호르몬의 결핍 정도에 따라 다양하게 발현한다. 유리 T4(free T4) 혈중 농도는 정상이지만, TSH가 증가된 무증상 갑상선 기능저하증은 갑상선 호르몬 감소에 의한 증상이 없다. 그러나 갑상선 호르몬이 매우 심하게 감소한 경우에는 점액부종성 혼수상태(myxedema coma)를 유발하기도 한다. 갑상선 기능저하증이 급격하게 발생한 경우에 증상이 심하며, 노인에서 젊은 사람에 비해 증상이 경한 경향을 보인다. 그래서 노인에서는 갑상선 기능저하증의 일반적인 증상인 피곤, 변비, 피부 건조, 추위 민감증 등의 증상을 노화의 과정으로 오해하기도 한다.[28]

갑상선 호르몬의 결핍으로 조직 내 세포의 산화가 저하되고 세포의 에너지 사용이 감소되면서 기초대사율이 저하된다. 일반적인 전신 증상으로는 건조하고 두꺼운 피부나 모발을 보이며, 피로 및 쇠약, 졸음, 부종(푸석한 손, 얼굴, 눈) 등이 나타난다. 또 안면 홍조를 동반한 창백한 얼굴을 보이며, 추위에 민감해지고, 체중은 증가하고, 대머리, 발한 감소 등이 나타난다. 이 밖에도 기억력이 떨어지고, 말이 느려지며, 식욕 감퇴, 변비, 근육통, 근육 강직 등의 다양한 증상이 나타난다(표 44-1). 이비인후과 영역의 증상으로는 설 종창, 농, 현훈, 이명, 애성, 삼출성 중이염 등이 나타날 수 있다.[28]

3. 진단

일차성 갑상선 기능저하증은 임상 증상을 기초로 의심

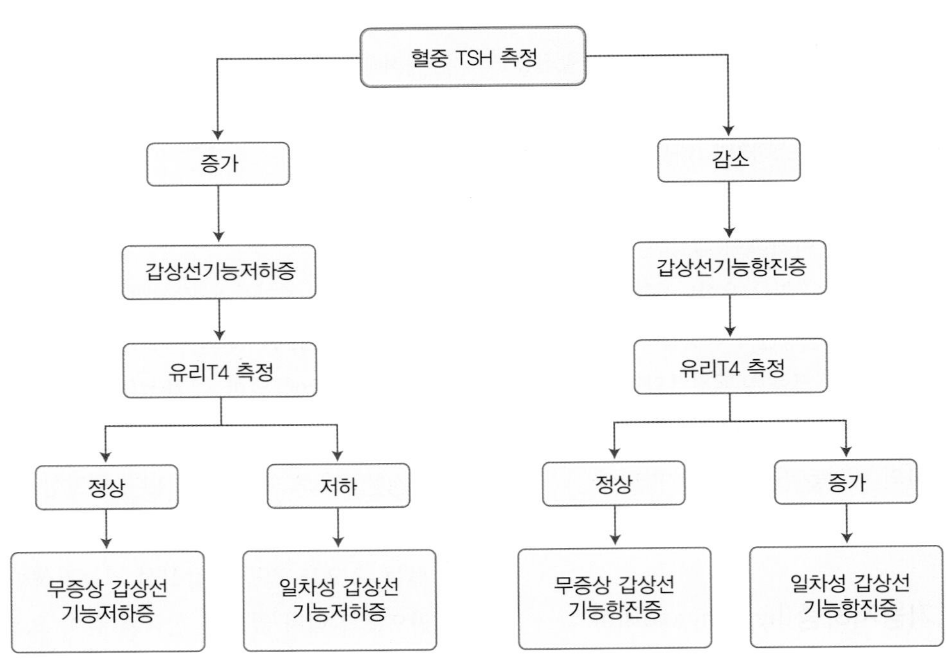

■ 그림 44-1. **갑상선 기능장애의 진단**

할 수 있고, 혈중 TSH와 유리T4 측정에 의해 진단할 수 있다(그림 44-1).

4. 치료

상승된 TSH를 다시 정상 범위로 유지하기 위하여 경구용으로 갑상선 호르몬(T4)을 1.6 ㎍/kg/day의 용량으로 단독 투여하는 것이 가장 효과적이고 안전한 방법이다.[28] 갑상선 호르몬 투여 4-6주 후에는 TSH를 측정하여야 한다. 그러나 심장 질환이 있거나 노인에서는 갑상선 호르몬의 투여량을 점진적으로 증량시켜야 한다. 갑상선 호르몬의 과다한 사용은 심장관련 합병증과 여성에서 골다공증을 유발할 수 있다.[21,31]

II 갑상선중독증(Thyrotoxicosis)

갑상선중독증(thyrotoxicosis)은 갑상선 호르몬이 과다한 상태를 의미하는 것으로 갑상선 기능이 항진된 갑상선 기능항진증(hyperthyroidism)과는 동의어가 아니다. 아급성 갑상선염(subacute thyroiditis)이나 과도한 갑상선 호르몬의 투여에 의해서도 갑상선중독증이 발생할 수 있기 때문이다. 그러나 Graves병, 중독성 다결절성 갑상선 종대(toxic multinodular goiter), 중독성 선종(toxic adenoma) 등의 갑상선 기능항진증이 갑상선중독증의 주원인이다.[28]

1. 원인

임상적 갑상선중독증(overt thyrotoxicosis)은 높은

표 44-1. 갑상선 기능저하증과 항진증의 증상 비교표

갑상선 기능저하증	갑상선 기능항진증
증상(Symptoms)	증상
피로감, 허약	활동과다, 과민성, 불쾌감(dysphoria)
건조한 피부	열과민증, 발한
추운 느낌	두근거림
탈모	피곤, 허약
집중력장애, 기억력저하	식욕 증가와 체중 감소
변비	설사
체중 감소, 식욕부진	다뇨
호흡곤란	희소월경
음성 변화	성욕상실
월경과다(후기에 희발월경 또는 무월경)	
감각이상, 청력장애	
징후(Signs)	징후
건조하고 거친 피부, 사지가 차가움	빈맥, 노인의 심방세동
얼굴, 손, 발이 부음(점액부종)	떨림(Tremor)
전반적인 탈모	갑상선종(Goiter)
서맥	따뜻하고 축축한 피부
말초 부종	근육약화, 근위부 근육병증
건반사 이완의 지연	눈꺼풀 뒤당김(Lid retraction or lag)
손목굴증후군(Carpal tunnel syndrome)	여성형유방
점액강 삼출액(Serous cavity effusions)	

T3, T4 혈중 농도를 보이면서 낮은 TSH 혈중 농도를 보이는 경우로 불안증, 흥분, 체중 감소, 빈맥 등의 전형적인 갑상선중독증 증상을 야기한다(표 44-1). 무증상 갑상선중독증(subclinical thyrotoxicosis)은 T3, T4는 정상 혈중 농도를 보이지만, TSH가 낮은 경우로 일반적인 갑상선중독증 증상을 보이지 않는다. 갑상선중독증은 남성에 비해 여성에서 10배 정도 많이 발생한다.

갑상선중독증은 갑상선 자체의 질환에 의한 T3, T4의 합성 및 분비가 증가하는 경우(일차성 갑상선기능항진증)와 갑상선호르몬의 합성과 생성을 촉진하는 TSH 또는 융모막 성 생식선 자극 호르몬(chorionic gonadotropin)이 증가하는 경우(이차성 갑상선기능항진증)에 발생한다. 그 외에도 갑상선 기능항진증 없이 갑상선염에서 갑상선 여포의 파괴에 의한 과도한 갑상선호르몬이 분비되는 경우, 방사선 조사나 약물에 의해 갑상선이 파괴되어 일시적으로 과도한 갑상선호르몬이 방출되는 경우, 과도한 갑상선호르몬을 섭취하는 경우에도 발생할 수 있다. 원인으로 가장 많은 것이 Graves병으로 60–85%를 차지하며, 그 외에는 중독성 다결절성 갑상선 종대(toxic multinodular goiter)는 10–30%, 중독성 선종(toxic adenoma)은 2–20%이다.[7] 중독성 다결절성 갑상선 종대와 중독성 선종(toxic adenoma)은 주로 요오드 섭취가 부족한 지역에서 많이 발생한다.

2. Graves병

Graves병은 갑상선중독증의 가장 흔한 원인 질환으로, 갑상선자극 면역글로불린에 대한 항체가 TSH 수용체를 자극하는 자가면역질환이다. 여성에서 남성보다 약 5~10배 정도 많은 것으로 알려져 있으며, 30~60대에 많이 발생한다.

1) 임상 양상

갑상선중독증을 동반하는 갑상선 기능항진증(hyperthyroidism with thyrotoxicosis), 미만성 중독성 갑상선 종대(diffuse thyroid enlargement), 침윤성 안병증(infiltrative ophthalmopathy (exophthalmos)), 침윤성 피부병증, 국소적인 점액수종(localized myxedema (dermopathy)), 갑상선 지단비대(thyroid acropachy)의 임상증상을 보일 수 있다. 갑상선 종대는 단독으로 나타나기도 하고 안병증의 발현 전, 후 또는 동시에 동반하기도 한다. 안병증은 경한 안구주위 종창에서부터 안구 돌출을 동반한 외안근 장애, 각막 미란, 실명을 동반하는 안신경염 등의 심한 증상까지 다양하게 나타난다. 하직근(inferior rectus muscle)의 장애로 인한 상방 주시의 장애가 초기 증상으로 나타나는데 이때는 특별한 치료가 필요 없다. 안병증이 없을 때에도 자기공명영상을 통해서 외안근의 확대를 볼 수 있다. Graves병의 자연 경과는 매우 다양하다. 일과성으로 끝날 수도 있지만 계속 중독증을 보이기도 하고 관해와 재발을 반복하기도 한다. 비록 자연 관해를 보이더라도 지속적인 항갑상선 약물치료, 방사성 요오드(^{131}I), 수술 등이 갑상선중독증을 조절하기 위해 필요하다.[28]

일반적으로 Graves병 환자에서는 고분화 갑상선 암종이 2배 이상 더 잘 발생한다. 대부분의 고분화 갑상선 암종은 갑상선자극 면역글로불린에 의해 자극을 받을 수 있는 TSH 수용체를 가지고 있다. Graves병에서 동반하는 갑상선암은 더 크고, 공격적이며, 국소 침범과 국소 림프절 전이를 잘 일으킨다.[6] Graves병 환자에서 저기능성 결절이 촉진될 때는 약 45% 정도가 갑상선 암종일 가능성이 있기 때문에 보다 적극적인 치료를 해야 한다.[20]

2) 진단

임상 증상을 기초로 Graves병을 의심할 수 있고, 혈중 TSH가 낮고, 혈중 유리T4, T3가 높으면 갑상선 기능항진증을 진단할 수 있다(그림 44-2). 2–5%의 환자에서는 유리 T4의 증가 없이 혈중 T3만 증가하는 경우도 있다. 진단이 불확실하다면 TPO (thyroid peroxidase) 항체와 Thy–

rotropin Binding Inhibiting Immunoglobulin (TBII)을 측정하는 것이 도움이 되기도 한다.

3) 치료

Graves병의 치료는 약물 치료, 방사성 요오드 치료, 수술 등이 있다. 유럽이나 일본에서는 약물치료를 첫 치료로 하는 경우가 많고, 북미 지역에서는 방사성 요오드 치료를 첫 치료로 적용하는 경우가 많다. 이러한 의미는 최상의 유일한 치료방법은 없으며 여러 치료방법을 이용하여 치료해야 한다는 것을 의미한다.

(1) 약물 치료

현재 많이 사용되는 항갑상선 약물로는 thionamide 계열의 prophylthiouracil (PTU), methimazole, 간에서 methimazole로 바뀌는 carbimazole 등이 사용된다. 이러한 약물의 작용은 갑상선 과산화효소(TPO)를 억제하여 요오드의 산화와 유기화반응을 억제하여 갑상선호르몬의 합성을 감소시킨다. 또한 prophylthiouracil은 말단기관에서 T4가 T3로 전환되는 것을 방해하는데 이는 갑상선 급성발작(thyroid storm) 등의 응급 상황에 적절히 사용할 수 있다.[23] 또한 항갑상선 약제는 Graves병의 관해에 기여할 것으로 생각되는 면역억제능력(immuno-

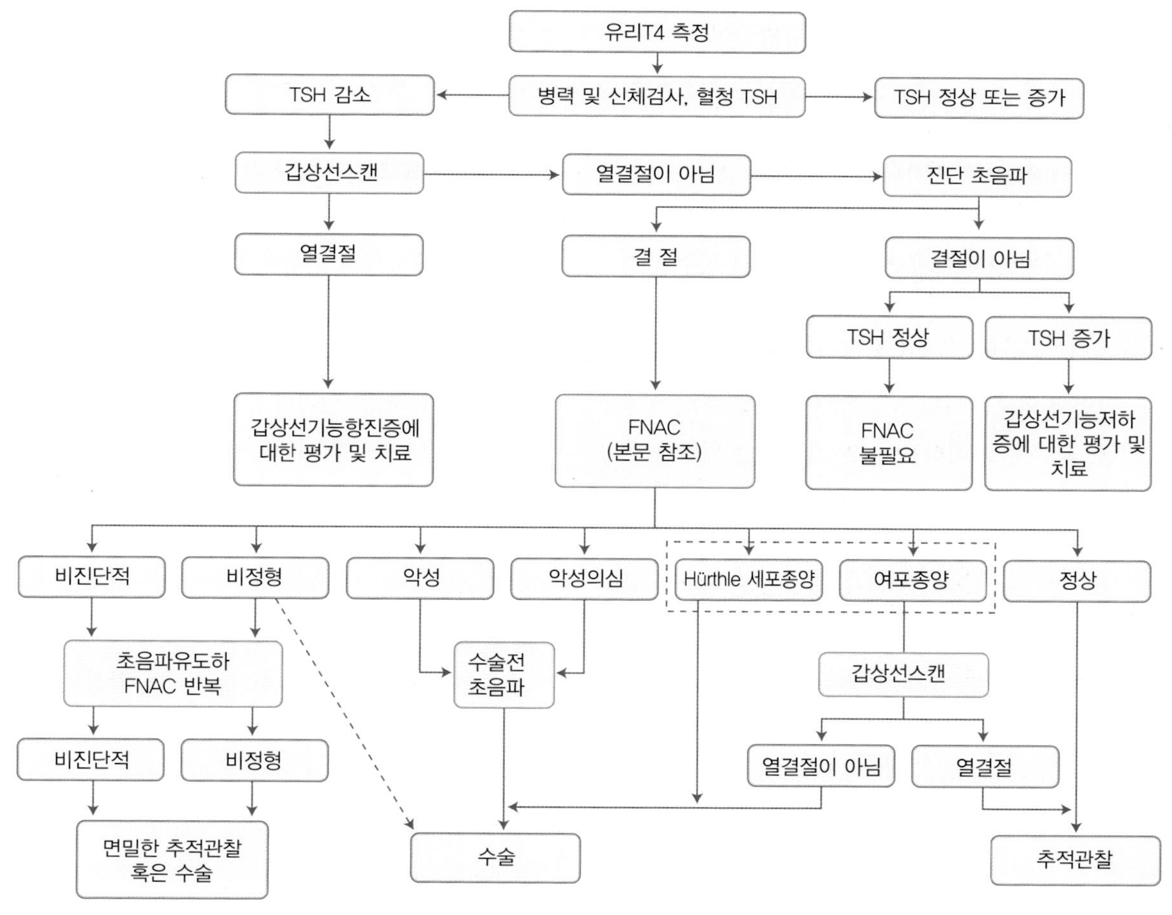

■ 그림 44-2. **갑상선 결절의 평가 알고리즘**

suppressive action)도 있다.[34] Prophylthiouracil의 반감기는 90분 정도로 methimazole의 6시간에 비해 짧다.

항갑상선 약물은 갑상선호르몬의 생성을 억제하는 것이 주 작용으로 이미 만들어진 갑상선호르몬의 분비를 차단하지는 못한다. 그러므로 항갑상선 약물을 투여하여도 계속적으로 이미 만들어진 갑상선호르몬이 분비되기 때문에 증상이 지속될 수 있다. 항갑상선 약물 투여 후 3-4주에 갑상선 기능검사를 시행하여야 한다. 항갑상선 약물 치료에 의한 관해률은 보고자마다 다양하지만, 18-24개월 치료 후에 30-50%의 관해률을 보고하고 있다. 갑상선 기능항진증과 갑상선 비대가 심한 경우 재발하는 경우가 많으나 치료 결과를 예측하기는 어렵다.

항갑상선 약물의 부작용은 환자의 1-5%에서 발생하며 발진, 두드러기, 발열, 관절통이 흔한 합병증이다. 다른 중요한 합병증으로 급성 간염과 전신성 홍반이 발생할 수 있다. 그리고 가장 위험하고 중요한 합병증은 무과립구증(agranulocytosis)으로 환자의 0.2%에서 발생한다.[32] 약제에 따른 이러한 합병증의 빈도는 비슷하지만, prophylthiouracil에 의한 합병증이 보다 심하고 위중한 경향을 보인다.

베타수용체 차단제는 갑상선 기능항진증에서 보이는 교감신경과민에 의해 나타나는 증상, 즉 빈맥, 다한, 신경과민, 진전, 과운동성 심작용 등을 완화하는 역할을 한다.[17] 대표적인 약물로는 propranolol, atenolol, metoprolol, nadolol, esmolol 등이 있다. 고용량을 사용하면 T4에서 T3로의 전환을 방해하는 역할도 한다. 항갑상선 약물이 효과를 보이기 전 치료 초기에 유용하며, 방사성 요오드 치료 전이나 후, 갑상선절제술 전, 갑상선염이 있는 경우에 유용하다.[4]

Lugol 용액(KI, saturated solution of potassium iodide)은 갑상선호르몬의 형성과 유리를 모두 방해하는 역할을 한다.[4] 그래서 갑상선 폭풍과 같은 상황에 유용하게 쓸 수 있다. 하지만 갑상선 종대의 일반적인 치료에는 사용하지 않는다. 이는 정상 기능 Graves병 환자에서 갑상선 중독증을 유발할 수 있기 때문이다. 그리고 태반을 통해 태아에서 영향을 미칠 수 있으므로 주의하여야 한다. 그러나 수술 전에 투여하면 이론적으로 갑상선으로 가는 혈류가 감소하여 수술 중 출혈을 줄일 수 있다.

(2) 방사성 요오드 치료

방사성 요오드를 투여하여 갑상선을 파괴함으로써 호르몬 합성능력을 감소시키는 치료법으로 Graves병의 첫 치료 또는 항갑상선 약물 치료 후 재발한 경우에 적용할 수 있다. 방사성 요오드 치료 후에 갑상선 중독위기(thyrotoxic crisis)의 가능성이 있으므로 방사성 요오드 치료 전에 항갑상선 약물을 최소 1개월 이상 사용하여야 한다. 그러나 항갑상선 약물은 방사성 요오드 투여 2-3일 전에는 중단해야 한다. 방사성 요오드의 적절한 용량은 갑상선 기능항진증이 재발하지 않으면서 영구적인 갑상선 기능저하증이 없이 정상적인 갑상선 기능을 가지는 용량이다. 그러나 방사성 요오드에 대한 각 개인의 반응이 달라 치료 후 갑상선 기능항진증이 재발하기도 하고, 점차적으로 갑상선 기능저하증으로 진행하기도 한다. 고용량의 방사성 요오드 치료 후 갑상선 기능저하증의 빈도는 40-80%이다.[5]

임신을 예정하고 있거나 수유를 하고 있는 경우에는 방사성 요오드 치료를 시행하면 안 된다. 또한 방사성 요오드 치료는 일시적으로 안병증이 심해질 수 있기 때문에 안병증이 심한 경우에는 주의하여야 한다.[4]

(3) 수술

수술은 신속하고 효과적인 치료법이다. 갑상선 아전절제술(subtotal thyroidectomy)이 전통적인 수술 방법으로 양쪽 또는 한쪽의 갑상선 중 상부의 갑상선 조직 3-6 g 정도를 남기는 것으로 Graves병이 재발하지도 않고, 갑상선 기능저하증 없이 정상적인 갑상선 기능을 유지하면서 부갑상선을 보전하고자 하는 수술 방법이다. 그러나 실제로는 갑상선 아전절제술 후에 재발하는 경우가 많아 최근 미국

갑상선학회의 권고안은 갑상선 전절제술(total or near-total thyroidectomy)을 권고하고 있다.[4] 갑상선 전절제술은 재발 가능성은 없지만, 갑상선 아전절제술의 재발률은 8%로 보고되고 있다. 갑상선 전절제술 후 영구적인 부갑상선 기능저하증, 반회후두신경 마비, 수술 후 출혈 등의 합병증이 발생할 수 있기 때문에 경험이 많고 수술을 많이 시행하는 술자에 의해 시행하는 것을 좋다. 수술 전에 항갑상선 약물을 투여하여 정상적인 갑상선 기능을 유지하여야 한다. 수술 전 처치로 베타수용체 차단제와 요오드 화합물을 충분하게 사용하여야 한다. 수술 전 10일 동안 요오드 화합물 (Lugol solution or SSKI)을 투여하면 갑상선의 혈류를 감소시켜 수술 중 출혈을 감소시킬 수 있다.[4]

수술적 치료가 필요한 경우는 1. 항갑상선 약물에 대한 심각한 부작용(심한 피부 발진, 간 손상, 무과립구증)이 있는 경우, 2. 80 g 이상의 갑상선 종대가 있거나 동반하는 악성 종양이 의심되는 경우, 3. 수유나 임신을 예정하고 있는 젊은 여성, 4. 방사성 요오드 치료를 시행하기에는 안병증이 너무 심한 경우 등에서 수술적 치료를 시행할 수 있다.[4]

3. 그 외의 갑상선중독증

1) 중독성 다결절성 갑상선종대(toxic multinodular goiter)

중독성 다결절성 갑상선종대는 병리조직학적으로 갑상선 여포(follicle)의 국소적인 과증식(hyperplasia) 부위가 결절을 형성하는 질환으로, 그 경계선이 불분명한 소견을 보이고, 갑상선 기능항진에 의해 갑상선 중독증이 발생할 수 있다. Graves병과 달리 자가면역질환이 아니므로 갑상선 자극호르몬 수용체에 대한 항체가 음성이고, 안병증이나 국소적인 점액수종은 관찰되지 않는다. 또한 자발적인 관해는 발생하지 않는다. 다결절성 갑상선 종대에 의한 갑상선 중독증의 첫 치료는 방사성 요오드 치료이다. 방사성 요오드 치료를 거부하거나 적절한 대상자가 아닌 경우 수술적 치료를 시행한다. 수술은 갑상선결절의 크기를 줄일 수 있는 매우 효과적인 방법으로 갑상선 아전절제술이나 전절제술을 시행할 수 있다.[28]

2) 중독성 갑상선선종(toxic adenoma)

중독성 갑상선선종은 자율기능성(autonomously functioning) 갑상선 결절로 T3 및 T4를 과잉 분비하는 경우이다. 주위의 정상 갑상선은 갑상선 자극호르몬의 작용으로 위축된 소견을 보인다. 특징적인 소견으로는 3 cm 이상의 갑상선 결절이 있으면서 방사성 핵종섭취영상(radionuclide uptake imaging)에서 만져지는 결절에 강한 섭취 영상이 있지만 다른 갑상선 조직에는 매우 낮은 섭취를 보이는 것이다. 치료는 방사성 요오드 치료나 일측 갑상선절제술(lobectomy)을 시행할 수 있다. 최근 유럽에서는 ethanol 주입술을 시행하기도 한다. 이러한 방법은 간단하지만 반복하여 시행하는 경우가 있어, 수술이나 방사성 요오드 치료를 거부하거나 시행할 수 없는 경우에 ethanol 주입술을 시행할 수 있다.[28]

3) 외인성 갑상선중독증(exogenous thyrotoxicosis)

의도적이거나 사고로 고용량으로 갑상선호르몬을 섭취하는 경우 외인성 갑상선중독증이 발생할 수 있다. 특징적인 소견은 갑상선 종대가 없다는 것이다. T3 갑상선 호르몬을 고용량으로 섭취하였다면 정상이거나 낮은 T4 혈중 농도를 보일 수 있다. 또한 낮은 갑상선 방사성 요오드 섭취를 보이면서 Tg 혈중 농도가 낮은 특징을 보인다.

4) 이소성 갑상선중독증(ectopic thyrotoxicosis)

난소의 유피낭종(dermoid cyst)이나 기형종(teratoma)조직 내에 있는 이소성 갑상선조직에서 과도하게 갑상선호르몬을 분비하여 갑상선중독증이 발생하는 것이다. 이러한 상태를 Struma Ovari라고 부르기도 한다. 일반적으로 Graves병이나 중독성 다결절성 갑상선종대과 동반하는 경우가 많다.

5) 갑상선 폭풍(thyroid storm)

매우 심하여 생명이 위험한 갑상선중독증이 갑상선 폭풍이다. 급성 감염이나 다른 내과적 질환, 외상이나 수술에 의해 갑작스럽게 발생할 수 있다. 또한 방사성 요오드 치료 후 또는 항갑상선약물을 갑자기 중단한 후에 발생할 수 있으나 아무 이유없이 자발적으로 발생할 수도 있다. 특징적인 임상 소견으로 38.5도 이상의 고열, 빈맥, 여러 형태의 중추신경 증상이 보인다. 중추신경 증상은 불안, 섬망, 경련 등의 증상이 발현하고, 심한 경우 혼수 상태가 발생할 수 있다. 또한 울혈성심부전증(congestive heart failure)이나 심방세동(atrial fibrillation)과 같은 심한 심혈관계 증상이 발생할 수 있다. 특징적인 갑상선 폭풍의 갑상선 기능 검사 소견은 없다.

갑상선 폭풍의 치료는 혈중 갑상선호르몬의 형성을 감소시키면서 심혈관계와 중추신경계의 기능을 적절하게 유지시키는 것이다. 고용량의 prophylthiouracil과 methimazole을 투여하며, 필요한 경우에는 비위관(nasogastric tube)이나 항문을 통해 투여하여 갑상선 호르몬 형성을 막는다. Propranolol과 같은 베타 차단제는 빈맥과 신경근육 기능장애(neuromuscular dysfunction)에 대한 효과적인 치료 방법이다. Dexamethasone을 투여하여 말단 기관에서 T4의 T3 전환과 갑상선 호르몬 분비를 억제한다. 염화 요오드(sodium iodide) 1 g을 혈관주사하고, 수액과 전해질을 충분히 공급하며 고열치료를 병행한다. 이러한 치료에도 반응이 없는 경우에는 혈장투석을 실시한다.[28]

III 갑상선염(Thyroiditis)

갑상선염은 발생과 기간에 따라 급성, 아급성, 만성 갑상선염으로 나눌 수 있다 (표 44-2).[9]

표 44-2. 갑상선염의 원인

급성 갑상선염
1.세균(bacterial infection) 2.진균(fungal infection) 3.방사성 요오드 치료 후 4.아미오다론 (amiodarone, 아급성 또는 만성 가능)
아급성 갑상선염
1. 바이러스 또는 육아종성 갑상선염(viral or granulomatous thyroiditis) 2. 무통성갑상선염(silent thyroiditis including postpartum thyroiditis) 3. 미코박테리아성(mycobacterial infection)
만성 갑상선염
1. 자가면역질환(국소갑상선염, 하시모토 갑상선염, 위축성 갑상선염) 2. 리델 갑상선염(Riedel's thyroiditis) 3. 기생충성 갑상선염 4. 외상성

1. 급성 화농성 갑상선염 (acute suppurative thyroiditis)

갑상선은 풍부한 혈관과 림프계를 가지며 경부 심부에 위치하고 있고, 살균력이 있는 요오드를 함유하고 있어 감염에 매우 안전하다. 그래서 급성 갑상선염은 매우 드문 질환이다. 대부분 세균 감염에 의해 발생하며, 소아에서 주로 좌측에 존재하는 이상와 누공(pyriform sinus fistula)이나 새루(branchial fistula)가 가장 흔한 원인이다. 증상으로는 국소 압박에 의한 연하 곤란 및 발성 장애가 있으며, 동측 귀와 하악으로 방사되는 통증을 호소하기도 한다. 갑상선 부위는 피부의 발적 등과 함께 종창이 나타나며, 발열 등의 전신적인 증상을 나타나기도 한다. 농양이 생기면 파동이 나타나게 되며, 경부 림프절이 촉진되기도 한다. ESR과 백혈구는 증가하나, 일반적으로 갑상선 기능은 정상 소견을 보인다. 대개 세침흡인세포검사 상에 염증세포의 침윤을 관찰되며 세균 배양 검사를 통해 균을 확인할 수 있다. CT나 초음파에서 농양이 확인되면 수술적으로 배농을 하고 적절한 항생제를 투여한다.[28]

2. 아급성 갑상선염(subacute thyroiditis)

아급성 갑상선염(subacute thyroiditis)은 바이러스에 의한 것으로 생각되며 통증이 심한 아급성 육아종성 갑상선염(subacute granulomatous thyroiditis)과 자가면역질환으로 생각되며 통증이 없는 무증상갑상선염 또는 아급성 림프구성 갑상선염(subacute lymphocytic thyroiditis, painless thyroiditis, silent thyroiditis)으로 구분할 수 있다.

아급성 갑상선염은 일반적으로 아급성 육아종성 갑상선염을 의미한다. 아급성 육아종성 갑상선염은 바이러스성 감염에 의한 것으로 생각되며 주로 상기도 감염 후에 발생한다. 인후염과 증상이 유사하여 간과될 수 있고, 남성보다 여성에서 3배 정도 많이 발생한다. 자연 치유되는 질환으로 계절적, 지리적인 경향이 있다. 초기에는 갑상선 내 림프구 침윤과 갑상선 여포가 파괴되어 갑상선 호르몬이 과도하게 분비되어 갑상선 중독증 증상을 보인다. 파괴된 갑상선 여포가 섬유화와 육아종으로 점차적으로 변화면서 결국에는 정상적인 갑상선으로 돌아온다. 대략 6개월 동안 1) 갑상선 중독증기(thyrotoxic phase), 2) 갑상선 기능저하증기(hypothyroid phase), 3) 회복기(recovery phase)의 3가지 단계를 점진적으로 보인다. 그러나 간혹 영구적인 갑상선 기능저하능으로 지속되는 경우도 있다.[28]

임상적으로는 통증이 갑자기 혹은 진행적으로 나타나며, 머리를 돌리거나 연하 시 동측의 턱, 귀, 두정부 등으로 방사통이 생기며, 근육통, 약한 열, 나른함, 인후통, 연하 곤란 등의 바이러스성 전구 증상이 있다. 촉진 시 압통이 있고, 단단하며, 경계가 불분명한 결절성 병변으로 나타난다. 혈액 검사에서는 적혈구침강속도(ESR)의 급격한 증가와 방사성 요오드의 섭취가 낮은 것이 특징이다. 백혈구가 증가될 수 있으며, 갑상선 항체는 음성이다. 치료로는 Aspirin이나 NSAID를 사용하여 통증을 조절하고, 부신피질호르몬 제제를 사용한다. 갑상선 중독증의 임상증상이 있으면, 베타 수용체 차단제인 propranolol을 사용하나 항갑상선 약물은 별로 효과가 없다. 갑상선 기능저하증이 있는 경우에는 갑상선호르몬을 투여한다.

1) 무통증성 갑상선염(silent thyroiditis)

무증상갑상선염은 아급성 림프구성 갑상선염(subacute lymphocytic thyroiditis) 또는 painless thyroiditis, silent thyroiditis 등으로 표현되며 아급성 갑상선염과 같은 임상경과를 보이지만 무통성으로 자가면역질환으로 생각되고 있다. 출산 후 3-6개월 후 갑상선염이 발생하는데 이것을 산후갑상선염(postpartum thyroiditis)라고 한다. 일반적인 경과는 2-4주 갑상선 중독증, 4-12주의 갑상선 기능저하증, 그리고 회복되는 경과이다. 특징적으로 ESR이 정상이고 TPO 항체가 증가한다. 치료에 부신피질호르몬은 사용하지 않는다. 갑상선 중독증이 심한 경우에는 베타 수용체 차단제를 사용하고, 갑상선 기능저하증에서는 갑상선 호르몬을 처방한다.

3. 만성 갑상선염(chronic thyroiditis)

만성 갑상선염의 주 원인은 하시모토 갑상선염(Hashimoto thyroiditis)이다. 갑상선 기능저하증의 가장 많은 원인이 하시모토 갑상선염이다. 하시모토 갑상선염은 갑상선에 림프구가 침윤하면서 갑상선 여포가 위축되고 갑상선이 섬유화되어 단단하고 불규칙한 형태의 갑상선 증대가 발생하는 자가면역질환이다. 갑상선 세포의 파괴에 의해 갑상선 호르몬의 분비가 감소하여 갑상선 기능저하증이 발생하고, TPO항체와 TG항체가 발현된다. 갑상선 암이 병발하는 경우도 있으므로 세침흡인세포검사로 확인하여야 한다. 특별한 치료법은 없으며, 갑상선 기능저하증이 있을 때는 갑상선 자극호르몬이 정상 범위가 되도록 조절을 하면서 갑상선 호르몬을 섭취하도록 하고, 암이 의심될 때는 수술을 하여 확진하여야 하고, 미용이 문제가 되거나 압박증상이 있을 때에도 수술을 할 수 있다.[15]

1) 침윤성 섬유성 갑상선염

침윤성 섬유성 갑상선염(invasive fibrous thyroiditis), 즉 Reidel's thyroiditis는 원인이 아직 잘 밝혀지지 않은 만성 갑상선염의 일종으로 매우 드문 질환이며 중년 여성에서 발생한다. 특징적으로 갑상선의 광범위한 섬유화를 보이며, 후종격동, 후복막강의 섬유화를 동반하기도 한다. 이러한 섬유화로 인해 기관, 식도, 경부 혈관, 반회후두신경 등의 주위 구조물에 대한 압박증상이 나타난다. 갑상선 조직을 생검하여 진단하고, 경부 압박증상이 있는 경우 수술을 요하며 수술 후 조직 검사로 악성 종양과 감별하여야 한다.

Ⅳ 결절성 갑상선 질환

갑상선 결절은 매우 흔한 질병으로 나이가 많을수록 발생 빈도가 높다. 갑상선 결절의 약 5%는 악성 결절이며, 나머지 대부분이 양성 결절로 콜로이드 낭종(colloid cyst), 선종(adenoma), 국소 갑상선염(focal thyroiditis) 등이 해당된다. 최근 초음파를 이용한 검진이 많이 증가하여 갑상선 결절과 갑상선 암의 발견 빈도가 한국을 비롯한 외국의 여러 나라에서 급속히 증가하고 있다. 이러한 갑상선 결절에 대한 평가는 양성과 악성 결절을 구분하는 것이 중요하며 대한갑상선학회에서 2009년 개정한 갑상선결절 및 암 진료 권고안에 따른 갑상선 결절 환자의 평가 과정에 대한 알고리즘을 소개한다(그림 44-2).[1]

1. 병력 청취와 신체 검사

결절에 대한 병력 청취는 악성의 가능성을 예측하는데 도움이 된다. 환자의 나이가 많거나 나이가 어릴수록 악성 가능성이 많다. 20세 이하의 환자에서 단일성 갑상선 결절에서 악성일 가능성은 20-50%이다. 어린 환자의 갑상선 암은 림프절 전이가 많지만, 나이가 많은 환자에서 발생한 갑상선 암은 예후가 나쁘다. 여자보다 남자에서 갑상선 암이 더 공격적인 경향을 보이며, 갑상선 결절과 암의 빈도는 남자보다 여자에서 높다.[18] 갑상선암에서 가족력에 대해 자세한 문진이 필요하며, 특히 수질성 갑상선암종의 경우 반드시 부갑상선 기능항진증 이나 크롬친화성세포종(pheochromocytoma)에 대한 가족력을 조사하여야 한다. Gardner 증후군이나 Cowden 병은 분화갑상선암과 매우 연관성이 있다. 방사선 조사를 받은 경우에는 갑상선 결절이 악성 종양일 가능성이 매우 증가한다.

새로운 또는 기존의 갑상선결절의 급격한 크기 증가는 낭종에서 발생한 출혈에 의한 것일 수 있지만, 악성 종양의 가능성이 있으므로 주의하여 관찰하여야 한다. 인두통이나 목의 통증은 악성 종양에 의해 발생하기보다는 양성 결절의 출혈에 의해 발생하는 경우가 많다. 음성 장애, 음성 변화, 연하곤란, 호흡 곤란 등의 증상은 결절에 의한 주위 조직의 압박이나 침습을 의미하므로 주의 깊은 문진을 시행하여야 한다. 음성장애나 연하장애가 없는 성대마비가 발생할 수 있다. 대부분의 갑상선암은 정상 갑상선기능을 보이지만, 간혹 갑상선 기능저하증 또는 항진증을 동반하는 경우가 있다. 정상 갑상선 조직이 갑상선암으로 대체된 큰 갑상선암은 갑상선 기능저하증을 보일 수 있고, Hashimoto 갑상선염은 갑상선 림프종과 연관성이 있다.

전경부에서 만져지는 종양은 갑상선 결절일 가능성이 많다. 일반적인 갑상선 결절은 침을 삼키면 올라간다. 그러나 기관이나 후두와 연관성이 없는 비갑상선 전경부 종양은 침을 삼켜도 올라가지 않는다. 갑상선 결절이 1 cm 보다 큰 경우는 만져질 수 있지만, 1 cm보다 작은 경우에는 우연히 발견되는 경우가 많다. 결절이 단단한 경우 악성의 가능성이 2-3배 높다. 2 cm보다 큰 단일 결절은 갑상선암을 동반하는 경우가 많다. 결절이 큰 경우 세포흡인세포검사의 위음성 가능성이 있어 주의하여야 한다. 갑상선 결절이 종격동까지 침범할 가능성이 있는 경우 쇄골과의 관계에 대해서도 평가하여야 한다. 환자의

표 44-3. 갑상선암의 공격성에 대한 위험 인자

환자 인자
20세 이하, 40세 이상 남자, 50세 이상 여자, 남성>여성, 방사선 조사 과거력, 갑상선암 가족력
국소 소견
단단하고 고정된 결절, 급속한 성장, 동통, 림프절 종대, 성대 마비, 상기도 압박 증상(연하곤란이나 호흡곤란)
조직학적 소견
4 cm 이상, 갑상선 피막 침범, 혈관 침범, 림프절 전이, 원격전이, 공격적인 조직 형태(갑상선유두암의 Tall cell variant, 여포암, 휘르트레세포 악성 종양)

팔을 얼굴에 닿을 때까지 올리면 정맥이 폐쇄되어 얼굴이 붓고 붉게 변화되면서 호흡곤란이 발생하는 Pemberton sign은 종격동에 위치한 종양이 상대정맥(superior vena cava)을 압박하여 발생하는 것으로 종격동까지 침범한 갑상선 결절에 의해 발생할 수 있고, 방사선학적 검사에 의해 보다 정확하게 평가할 수 있다. 갑상선 결절이 있는 환자에서 림프절 종대가 있는 경우 갑상선 악성 종양의 가능성이 많으나 하시모토 갑상선염, Graves병, 또는 다른 감염성 질환에서 림프절 종대가 발생할 수 있기 때문에 주의하여야 한다. 또한 갑상선 결절이 후두, 기관, 식도, 주위 근육에 단단하게 고정된 경우에는 악성 종양일 가능성이 높다. 성대 마비가 있어도 임상적으로 증상이 없는 경우가 있어 갑상선 결절을 가진 모든 환자는 후두경 검사를 시행하여 성대와 후두 상태에 대해 평가하여야 한다.[18]

여러 가지 병력이나 국소 소견으로 갑상선암을 판정할 수는 없지만, 이러한 중요한 병력이나 국소 소견은 갑상선암과 연관성이 많다(표 44-3).[18] 또한 결절이 여러 검사에서 양성이라고 생각된다고 하여도 중요한 병력 소견을 무시하면 안 된다.

2. 진단학적 검사

1) 임상병리학적 검사

대부분의 갑상선 결절은 정상 갑상선기능을 보인다. 갑상선 기능저하증이나 기능항진증을 보이는 경우 갑상선 악성종양 보다는 하시모토 갑상선염이나 중독성 갑상선결절로 생각해야 한다. 갑상선 결절에서 시행하는 가장 좋은 선별 갑상선 기능검사는 TSH 측정이다. TSH 측정에서 이상 소견이 관찰되면 추가적인 검사를 시행한다. Tg는 갑상선 양성 결절과 악성 결절 모두에서 분비되기 때문에 악성과 양성을 구분하는 데 도움이 되지 않기 때문에 Tg 검사는 갑상선 결절의 평가에는 사용하지 않는다. 그러나 혈중 Tg 측정은 갑상선 전절제술 후 갑상선 암의 재발을 평가하는 데에는 매우 유용한 방법이다. 항갑상선글로불린항체(antithyroglobulin antibody)는 Tg 측정에 혼란을 줄 수 있어 주의해야 한다.

혈중 칼시토닌 측정은 다발성 내분비 종양 증후군 또는 세포흡인세포검사상 수질성 암종이 의심되면 시행하지만, 일반적으로 갑상선 결절의 평가에는 시행하지 않는다. RET 유전자 돌연변이가 있는 환자에서는 복부 MRI와 24시간 소변에서 metanephrines과 catecholamines을 측정하여 크롬친화성세포종의 가능성을 확인하여야 한다. 혈중 칼슘 농도도 부갑상선 기능항진증을 평가하기 위해 시행한다.

2) 영상학적 검사

(1) 초음파 검사

초음파 검사는 갑상선결절의 평가에 있어 가장 중요한 검사이다. 갑상선결절이 낭종 또는 고형종(solid tumor)인지를 구별할 수 있다. 만져지지 않는 작은 결절을 발견할 수 있고, 결절의 크기, 위치와 구조에 대한 기본적인 정보를 제공할 수 있다. 초음파 검사는 비침습적이고 비용이 싼 검사로 경제적이다. 또한 의심되는 갑상선 결절에 대해 세포흡인세포검사를 같이 시행할 수 있어 결절의 진단율을

표 44-4. K-TIRADS을 기초로 한 갑상선결절의 암 위험도와 세침흡인세포검사 기준

카테고리	초음파 유형	암 위험도(%)	계산된 암 위험도 (%)	세침흡인 세포검사[b]
5 높은 의심	암 의심 초음파 소견[a]이 있는 저에코 고형결절	>60	79 (61-85)	>1cm (선택적으로 >0.5cm[c])
4 중간 의심	1) 암 의심 초음파 소견이 없는 저에코 고형 결절 2) 암 의심 초음파 소견이 있는 부분 낭성 혹은 등고에코 결절	15-50	25 (15-34)	≥1cm
3 낮은 의심	암 의심 초음파 소견이 없는 부분 낭성 혹은 등/고에코 결절	3-15	8 (6-10)	≥1.5cm
2 양성	1) 해면 모양 2) comet tail artifact 보이는 부분 낭성 결절 혹은 순수 낭종	<3	0	≥2cm
1 무결절		<1	0	

a 미세석회화, 침상 혹은 소엽성 경계, 비평행 방향성(nonparallel orientation) 혹은 앞뒤가 긴 모양 (taller than wide)
b 원격전이 혹인 경부 림프절전이가 의심되는 경우에는 결절 크기와 무관하게 의심 결절과 림프절에서 세침흡인검사를 시행
c 1cm 미만의 결절에서는 환자 선호도 및 상태를 고려하여 시행

높일 수 있다. 초음파 검사는 림프절 전이를 평가하여 수술 전 병기 설정, 만져지지 않는 결절에 대한 수술 중 위치 확인, 수술 후 경부 림프절 전이 및 재발을 평가하는 데 유용하다.[18]

악성을 의심할 수 있는 갑상선 결절의 초음파 소견은 1) 앞뒤가 긴 모양(taller than wide), 2) 침상(speculated) 혹은 불규칙한 경계, 3) 고형 성분의 현저한 저에코, 4) 미세 및 거대 석회화, 5) 경부 림프절 종대 등이다.[11,25] 또한 초음파 검사는 림프절 전이를 발견하는 데 도움이 된다. 악성 림프절 전이를 의심할 수 있는 초음파 소견은 1) fatty hilum 소실, 2) 둥근 림프절(round shape), 3) 낭성 림프절, 4) 내부 석회화, 5) 고에코 림프절, 6) 과혈관성(hypervascularity) 등의 소견이다. 초음파 검사는 갑상선암의 종격동과 주위 장기로의 침습을 평가하는 데 제한점이 있다.

두경부암으로 방사선조사의 과거력이 있는 경우, 갑상선암의 가족력이 있는 경우, 갑상선암으로 엽절제술을 받은 경우, FDG-PET 양성인 경우, RET 유전자 변이가 있는 경우, 혈청 칼시토닌이 100 pg/ml 이상인 경우 등의 고위험군과 초음파 검사상 악성을 시사하는 소견이 보이는 경우에는 1 cm 미만의 결절에서도 검사가 필요하다.[1,8] 2009년 한국과 미국갑상선학회에서는 갑상선 결절이 악성소견을 보인다고 하여도 0.5 cm 이상인 경우에만 세침흡인세포검사를 하도록 권고하고 있다.[1,8] 그러나 림프절 전이가 의심되는 경우에는 크기에 관계없이 세침흡인세포검사가 필요하다. 1 cm보다 작은 갑상선 결절에 대한 초음파 검사 및 세침흡인세포검사의 가이드라인에 대해 아직 여러 가지 논란이 있다.[1,8] 최근 개정된 2015년 미국갑상선결절의 진단과 치료에 대한 가이드라인에서는 초음파상 악성 결절이 의심되는 1 cm보다 큰 결절에 대해 세포검사를 권고하고 있다.[13]

갑상선 결절에 대한 다양한 초음파 소견을 이용하여 갑상선 결절의 악성 가능성을 예측하여 불필요한 세침흡인세포검사의 빈도를 줄이고 영상의학과 의사와 임상 의사와의 소통을 원활하게 위한 갑상선 악성 위험도 분류체계 (Thyroid Imaging Reporting and Date System, TIRADS)가 여러 기관에서 발표되었다. 최근 대한 갑상선영상의학회에서 제시한 한국형 갑상선 악성 위험도 분류체계 (K-TIRADS)는 갑상선 결절의 초음파 유형에 따라 갑상선암 높은 의심, 중간 의심, 낮은 의심, 양성으로 분류하였다(표 44-4) (그림 44-3).[13,33]

(2) CT와 MRI 검사

갑상선 결절의 평가에 있어 CT와 MRI보다는 초음파

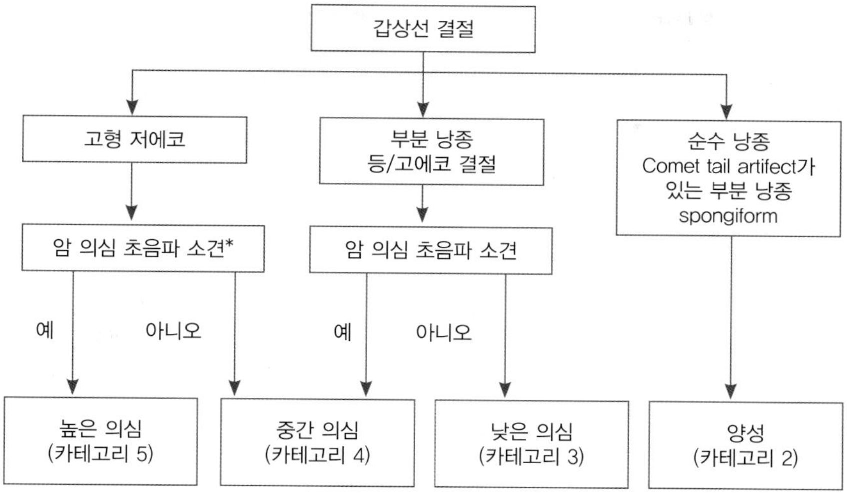

갑상선 결절

고형 저에코
암 의심 초음파 소견*
예 → 높은 의심 (카테고리 5)
아니오 → 중간 의심 (카테고리 4)

부분 낭종
등/고에코 결절
암 의심 초음파 소견
예 → 중간 의심 (카테고리 4)
아니오 → 낮은 의심 (카테고리 3)

순수 낭종
Comet tail artifect가 있는 부분 낭종
spongiform
→ 양성 (카테고리 2)

■ **그림 44-3. K-TIRADS의 평가 알고리즘.**

*미세석회화, 침상 혹은 소엽성 경계, 비평행 방향성(nonparallel orientation) 혹은 앞뒤가 긴 모양 (taller than wide)

검사가 유용하다. 그래서 일반적인 갑상선 결절의 평가하기 위해서 CT와 MRI는 적용되지 않는다. 그러나 CT 또는 MRI 검사는 해부학적 구조에 대한 정보를 보다 더 잘 제공할 수 있다. 진행한 갑상선암에서 초음파 검사로 평가가 어려운 기관, 식도, 종경동으로 갑상선 암의 침범을 평가하는 것은 초음파 검사에 비해 CT 또는 MRI가 우수하다. 또한 측경부의 림프절 전이도 초음파 검사를 단독 사용한 것보다는 초음파와 CT를 같이 사용한 경우 정확도를 높일 수 있다. CT 검사 시 사용하는 요오드를 포함하는 조영제는 갑상선 수술 후 시행하는 방사성 요오드 치료에 영향을 줄 수 있어 주의하여야 한다.

(3) 갑상선 스캔(Radioisotope scanning)

I^{123} 또는 ^{99m}Tc을 이용한 갑상선 스캔은 갑상선 결절과 갑상선의 기능 상태를 평가할 수 있다. 주위의 갑상선 조직에 비해 방사성 요오드 섭취가 낮은 결절을 냉결절(cold nodule)이라고 한다. 대부분(95%)의 갑상선 결절이 냉결절이며, 냉결절의 10–15%가 악성 종양이라고 한다. 그러나 열결절(hot nodule)에서는 갑상선암의 가능성이 4%로 매우 낮아 세침흡인세포검사를 시행하지 않고, 갑상선 기능항진증에 대한 검사를 시행한다. 최근 세침흡인세포검사의 발달로 일반적인 갑상선 결절의 평가에서 갑상선 스캔을 사용하지 않는다. 갑상선 기능항진증 환자의 평가 도중에 냉결절이 발견되는 경우가 많다.[18]

(4) PET-CT

갑상선 결절의 평가를 위해 PET–CT의 적용은 아직 논란이 있다. 다른 부위에서 발생한 암의 평가 도중에 우연히 갑상선 결절이 PET–CT에서 발견되는 경우가 1–8%로 보고되고 있다.[3,16] PET–CT상 발견된 갑상선 결절에서 악성 가능성이 많게는 50%까지 보고되고 있다. SUV 수치가 높은 경우나 국소적으로 섭취(focal uptake)가 있는 경우 악성의 가능성이 많다는 보고가 있다.[3,16]

3) 병리학적 검사

(1) 세침흡인세포검사

갑상선 내 단일 결절에서 세침흡인세포검사(fine needle aspiration cytology; FNAC)는 일차적인 병리학적

표 44-5. 갑상선 결절의 세침흡인세포검사의 Bethesda system

범주	분류	Bethesda system에 의한 악성 예측도	수술 후 결절의 실제 악성도	일반적 권고 사항
Class I	비진단적	1-4%	20 (9-32)	반복적인 세침흡인세포검사와 초음파 검사
Class II	양성	0-3%	2.5(1-10)	경과 관찰
Class III	비정형	5-15%	14(6-48)	반복적인 세침흡인세포검사
Class IV	여포종양 또는 여포종양 의심	15-30%	25(14-34)	엽절제술
Class V	악성 의심	60-75%	70(53-97)	엽절제술 또는 전절제술
Class VI	악성	97-99%	99(94-100)	전절제술

검사이다. 세침흡인세포검사는 비용이 저렴하고 간편하게 시행할 수 있을 뿐만 아니라 수술적 치료가 필요한 환자를 골라내는 데 있어서 다른 검사들보다 월등히 좋은 검사로 높은 특이도와 민감도를 가지고 있다. 그러나 세침흡인세포검사의 정확도는 검사자의 술기와 판독의사의 경험과 연관성이 많다.

갑상선은 혈관이 풍부한 기관이므로 혈종을 피하기 위해 22~25 게이지 정도의 가는 주사침을 10 mℓ 주사기에 끼워 시행한다. 결절의 중앙부에서만 흡인을 시행하면 괴사 조직만 흡인될 수 있으므로 주의한다. 낭의 경우 낭 내의 저류액을 제거한 후에 낭을 싸고 있는 벽에서 세침흡인세포검사를 시행한다. Hashimoto 갑상선염과 같은 매우 단단한 섬유성 종괴에서 흡인할 때는 약간 굵은 22 게이지 주사침이 필요할 수 있다. 건조 오류(drying artifact)가 생기지 않도록 지체 없이 도말하여 고정액에 넣는다. 검체 채취 시 오류는 1 cm 이하의 작은 결절이나 4 cm 이상의 매우 큰 결절, 출혈성 결절, 다발성 결절의 경우 잘 발생한다. 이런 오류를 줄이기 위해서는 표본을 여러 번 채취하거나 초음파 유도하 흡인(ultrasono-guided aspiration)을 이용할 수 있다.

FNAC 결과는 Bethesda system에 의한 6개의 범주, 즉 1) 비진단적, 2) 양성, 3) 비정형(atypia of undetermined significance or follicular lesion of undetermined significance), 4) 여포종양 혹은 여포종양 의심, 5) 악성 의심, 6) 악성으로 분류한다.[2] 비진단적 결과는 검체의 적절성 기준에 미흡한 경우로 약 15%의 보고된다. 비정형 결과는 여포종양의심, 악성 의심, 또는 악성으로 진단하기에는 불충분한 세포의 구조적 혹은 핵 모양의 이형성을 보일 때 진단할 수 있고, 악성 위험도는 5-15%이다. 이런 경우 반복적인 FNAC을 시행한다. 반복적인 FNAC에도 20-25%는 다시 비정형으로 진단된다. 이러한 경우 결절에 대한 진단의 정확성을 높이기 위해 특정 분자 표지자(BRAF, RAS, RET/PTC, Pax8-PPARγ, galectin, cytokeratin-19 등) 검사를 고려할 수 있다.[10] 각 범주에 따른 Bethesda system으로 예측한 악성 위험도, 실제 결절을 수술 후에 확인된 악성 위험도와 권고 사항은 표 44-5에 기술되어 있다.[2,13] 세침흡인세포검사의 민감도(sensitivity)는 85% 전후, 특이도(specificity)는 90~99%이며, 악성 종양의 위음성률(false negative rate)은 1-6%, 위양성률(false positive rate)은 1~5% 정도이다. 위양성이 보이는 경우는 하시모토 갑상선염, Graves병, 중독성 결절에서 주로 관찰된다. 여포종양과 여포암은 혈관 침범과 피막 침범으로 구분하기 때문에 세침흡인세포검사로 구분할 수는 없다.

(2) Core needle 조직검사

22~25 게이지의 작은 바늘을 사용하는 세침흡인세포검사와는 달리 16-18 게이지의 큰 바늘을 사용하여 갑상선

조직을 얻을 수 있는 검사 방법이다. 최근에는 Bethesda 범주 3에 대해 반복적인 세침흡인세포검사를 시행하는 것보다 초음파하에서 core needle 조직검사를 시행하는 것이 악성을 진단할 가능성이 높다는 연구가 있다.[24,30,33]

(3) 동결절편 조직검사

동결절편(frozen section) 검사는 세침흡인세포검사의 보완적인 성격을 가진 검사로 갑상선 암종의 진단에 있어서 세침흡인세포검사에 비하여 민감도는 낮지만 특이도는 높다. 따라서 위양성률이 매우 낮으므로 수술 중 갑상선 전절제술을 시행하기 전에 확인하는 방법으로 바람직하다.[22,35] 최근에는 갑상선암에서 동결절편조직검사로 갑상선외 피막 침습과 중심경부림프절의 전이 유무를 파악하여 수술범위를 결정하고자 하는 연구가 있다.[19,26]

V 양성 갑상선 결절

1. 갑상선 선종(Thyroid adenoma)

1) 임상 양상

갑상선 선종은 갑상선 여포세포에서 발생하는 양성종양으로 정상 갑상선, 갑상선염, 갑상선 종대가 있는 상태에서도 발생할 수 있다. 하나의 가동성이 있는 종물 형태로 30대 이상의 여성에서 많이 발견된다. 주로 우연히 발견되는 경우가 많고 특별한 증상을 유발하지는 않는다. 선종에서 출혈이 발생하는 경우 갑자기 크기가 커지고 동통을 호소하기도 한다. 갑상선 여포선종(follicular adenoma)이 가장 흔한 양성 종양이다. 조직 검사에서 양성 여포선종은 혈관 침습이나 갑상선 피막 침습이 없어 갑상선 여포암과 구별할 수 있으나 세침흡인세포검사에서는 구별할 수 없다.

2) 치료

세침흡인세포검사에서 Bethesda 범주 II로 '양성'으로 판정된 갑상선 결절은 악성 가능성이 낮기 때문에 경과관찰을 시행한다. 결절의 크기가 커지는 것은 악성을 의미하지는 않지만 반복적인 세침흡인세포검사를 시행해야 한다. 6-18개월의 주기로 반복적인 초음파 검사를 시행할 수 있고, 크기 변화가 없다면 검사 간격을 더 길게 할 수 있다. 기능항진증에 동반된 결절의 경우는 대부분 수술을 시행한다. 정상 기능을 보이는 양성 갑상선 결절 환자에서 결절이 식도나 기관을 압박할 때, 결절이 성장할 때, 낭성 결절을 흡인한 후 계속적인 재발을 보일 때, 경부 불쾌감 및 미용 상의 문제가 있을 때, 암의 발생에 대한 두려움이 있을 때 수술을 시행할 수 있다.

세침흡인세포검사에서는 여포선종과 여포암을 구별할 수 없기 때문에 세침흡인세포검사에서 Bethesda 범주 IV로 '여포종양 혹은 여포종양 의심'으로 보고되면 암의 가능성이 있으므로 갑상선 일엽 절제술을 시행한다. 부분적인 일엽 절제술은 시행하지 않는다. 두경부 영역에 방사선 조사를 받은 과거력, 다른 두경부암의 과거력, 고위험군, 동반 질환이 있는 경우에는 전절제술을 시행할 수 있다. 고전적인 방법으로 전경부 피부 절개을 통해 수술을 시행하지만, 최근에는 전경부의 흉터가 없는 내시경이나 로봇을 이용하여 수술하는 것을 보고하고 있다.

2. 갑상선 낭종

갑상선 낭종은 임상적으로 많이 불리지만 정확한 진단명은 아니다. 갑상선 결절의 15-25%가 낭성 병변을 가지고 있다. 갑상선 유두암의 14-32%에서 낭성 병변을 가지고 있기 때문에 낭성 병변이 있다고 양성을 의미하는 것은 아니다. 그러나 대부분의 낭종은 양성 선종이거나 콜로이드 결절이다.

갑상선 낭종에 대한 세침흡인세포검사 중 액체 성분을 완전히 흡입배액 할 수 있다. 1-2번의 추가적인 흡입 배액으로 간단한 갑상선 낭종이 완전히 치유될 수 있다. 반복적인 흡입 배액에도 빠르게 낭종이 형성된다면 악성의 가능성이 있다. 흡입 배농 시 액체의 색깔이 갈색이면 갑상선 선종의 오래된 출혈을 의미한다. 붉은 색이면 악성 가능성이 있고, 맑고 투명한 액체는 부갑상선 낭종으로 부갑상선 호르몬 검사를 할 수 있다.

초음파하 세침흡인세포검사를 낭종을 동반하고 있는 고형부위에서 시행할 수 있고 악성 가능성이 있으면 확실한 조직 검사를 위해 일측 엽절제술을 시행한다. 수술을 거부하거나 수술을 할 수 없는 경우, 결절에 의한 증상이 있는 갑상선 낭종에서 에탄올이나 고주파를 이용하여 치료하는 것은 낭종의 부피를 75–85% 까지 감소시켜 미용적으로 효과적이고, 합병증의 비율이 2–3%로 비교적 안전한 술식으로 생각된다. 반회후두신경 등 주요 구조물 주위에 있는 종양에서는 재발하는 경우가 많으며 정확한 조직 결과를 알 수 없다는 점에서 단점이다.[12,31,35]

참고문헌

1. 이가희, 박영주, 궁성수, 김정한, 나동규, 류진숙, 박소연, 박인애, 백정환, 송영기, 이영돈, 이재태, 이정현, 정재훈, 정찬권, 최승호, 조보연. 대한갑상선학회 갑상선결절 및 암 진료 권고안 개정안. 대한이비인후과학회 2011;54:8-34.
2. Ali SZ, Cibas ES. The Bethesda system for reporting thyroid cytopathology. New York: Springer, 2010.
3. Bae JS, Chae BJ, Park WC, Kim JS, Kim SH, Jung SS, Song BJ Incidental thyroid lesions detected by FDG-PET/CT: prevalence and risk of thyroid cancer. World J Surg Oncol. 2009 10;7:63
4. Bahn RS, Burch HB, Cooper DS, Garber JR, Greenlee MC, Klein I, Laurberg P, McDougall IR, Montori VM, Rivkees SA, Ross DS, Sosa JA, Stan MN; American Thyroid Association; American Association of Clinical Endocrinologists. Hyperthyroidism and other causes of thyrotoxicosis: management guidelines of the American Thyroid Association and American Association of Clinical Endocrinologists. Thyroid. 2011 Jun;21(6):593-646.
5. Beckers C. Regulations and policies on radioiodine 131I therapy in Europe. Thyroid. 1997 ;7(2):221-4.
6. Belfiore A, Garofalo MR, Giuffrida D, Runello F, Filetti S, Fiumara A, Ippolito O, Vigneri R. Increased aggressiveness of thyroid cancer in patients with Graves' disease. J Clin Endocrinol Metab. 1990 Apr;70(4):830-5.
7. Brownlie BE1, Wells JE. The epidemiology of thyrotoxicosis in New Zealand: incidence and geographical distribution in north Canterbury, 1983-1985. Clin Endocrinol (Oxf). 1990;33(2):249-59.
8. Cooper DS, Doherty GM, Haugen BR, Kloos RT, Lee SL, Mandel SJ, Mazzaferri EL, McIver B, Pacini F, Schlumberger M, Sherman SI, Steward DL, Tuttle RM. Revised American Thyroid Association management guidelines for patients with thyroid nodules and differentiated thyroid cancer. Thyroid. 2009 Nov;19(11):1167-214.
9. Farwell AP, Braverman LE. Inflammatory thyroid disorders.(Otolaryngol Clin North Am)1996 ; 29(4): 541-556
10. Ferris RL, Baloch Z, Bernet V, Chen A, Fahey TJ 3rd, Ganly I, Hodak SP, Kebebew E, Patel KN, Shaha A, Steward DL, Tufano RP, Wiseman SM, Carty SE; American Thyroid Association Surgical Affairs Committee. American Thyroid Association Statement on Surgical Application of Molecular Profiling for Thyroid Nodules: Current Impact on Perioperative Decision Making. Thyroid. 2015;25(7):760-8.
11. Frates MC, Benson CB, Charboneau JW, Cibas ES, Clark OH, Coleman BG, Cronan JJ, Doubilet PM, Evans DB, Goellner JR, Hay ID, Hertzberg BS, Intenzo CM, Jeffrey RB, Langer JE, Larsen PR, Mandel SJ, Middleton WD, Reading CC, Sherman SI, Tessler FN; Society of Radiologists in Ultrasound. Management of thyroid nodules detected at US: Society of Radiologists in Ultrasound consensus conference statement. Radiology. 2005;237(3):794-800.
12. Ha EJ, Baek JH, Kim KW, Pyo J, Lee JH, Baek SH, DØssing H, Hegedüs L. Comparative efficacy of radiofrequency and laser ablation for the treatment of benign thyroid nodules: systematic review including traditional pooling and bayesian network meta-analysis. J Clin Endocrinol Metab. 2015 ;100(5):1903-11.
13. Haugen BR., Alexander EK, Bible KC, Doherty G, Mandel SJ, Nikiforov YE, Pacini F, Randolph G, Sawka A, Schlumberger M, Schuff KG, Sherman SI, Sosa JA, Steward D, Tuttle RM, Wartofsky L. 2015 American Thyroid Association Management Guidelines for Adult Patients with Thyroid Nodules and Differentiated Thyroid Cancer. Thyroid. 2015 Oct 14. [Epub ahead of print]
14. Hollowell JG, Staehling NW, Flanders WD, Hannon WH, Gunter EW, Spencer CA, Braverman LE. Serum TSH, T(4), and thyroid antibodies in the United States population (1988 to 1994): National Health and Nutrition Examination Survey (NHANES III). J Clin Endocrinol Metab. 2002 Feb;87(2):489-99.
15. Holm LE, Blomgren H, Lowhagen T. Cancer risks in patients with chronic lymphocytic thyroiditis. (N Engl J Med) 1985 ; 312: 601-604
16. Jamsek J, Zagar I, Gaberscek S, Grmek M. Thyroid lesions incidentally detected by (18)F-FDG PET-CT - a two centre retrospective study. Radiol Oncol. 2015 25;49(2):121-7.
17. Klein I, Trzepacz PT, Roberts M, Levey GS Symptom rating scale for

assessing hyperthyroidism. Arch Intern Med. 1988 Feb;148(2):387-90.

18. Lai SY, Mandel SJ, Weber RS. Management of thyroid neoplasms In: Cummings CW, Flint PW, Haughery BH, et al, eds. Otolaryngology: Head and Neck Surgery, 6th ed. SAUNDERS, 2015, pp1901-1928.
19. Lim YS, Choi SW, Lee YS, Lee JC, Lee BJ, Wang SG, Son SM, Kim IJ, Shin DH. Frozen biopsy of central compartment in papillary thyroid cancer: quantitative nodal analysis. Head Neck. 2013 ;35(9):1319-22..
20. Mazzaferri EL. Thyroid cancer and Graves' disease. J Clin Endocrinol Metab. 1990 Apr;70(4):826-9.
21. Mazzaferri EL. Adult hypothyroidism. 2. Causes, laboratory diagnosis, and treatment. Postgrad Med. 198615;79(7):75-86.
22. McHenry CR, Rosen IB, Walfish PG, et al. Influence of fine-needle aspiration biopsy and frozen section examination on the management of thyroid cancer. (Am J Surg) 1993;166: 353-356
23. Mercado M, Mendoza-Zubieta V, Bautista-Osorio R, Espinoza-de los Monteros AL. Treatment of hyperthyroidism with a combination of methimazole and cholestyramine. J Clin Endocrinol Metab. 1996;81(9):3191-3.
24. Min HS, Kim JH, Ryoo I, Jung SL, Jung CK. The role of core needle biopsy in the preoperative diagnosis of follicular neoplasm of the thyroid. APMIS. 2014 Oct;122(10):993-1000.
25. Moon WJ, Baek JH, Jung SL, Kim DW, Kim EK, Kim JY, Kwak JY, Lee JH, Lee JH, Lee YH, Na DG, Park JS, Park SW; Korean Society of Thyroid Radiology (KSThR); Korean Society of Radiology. Ultrasonography and the ultrasound-based management of thyroid nodules: consensus statement and recommendations. Korean J Radiol. 2011;12(1):1-14.
26. Park YM, Wang SG, Goh JY, Shin DH, Kim IJ, Lee BJ. Intraoperative frozen section for the evaluation of extrathyroidal extension in papillary thyroid cancer. World J Surg. 2015 Jan;39(1):187-93. doi: 10.1007/s00268-014-2795-5.
27. Pearce EN, Andersson M, Zimmermann MB. Global iodine nutrition: Where do we stand in 2013? Thyroid. 2013;23(5):523-8.
28. Pellitteri PK, Ing Steven, Jameson B. Disorders of the thyroid gland. In: Cummings CW, Flint PW, Haughery BH, et al, eds. Otolaryngology: Head and Neck Surgery, 6th ed. SAUNDERS, 2015, pp1884-1990.
29. Shaha AR, DiMaio T, Webber C, et al. Intraoperative decision making during thyroid surgery based on the results of preoperative needle biopsy and frozen section. (Surgery) 1990;108(6): 964-971.
30. Shin JH, Baek JH, Chung J, Ha EJ, Kim JH, Lee YH, et al. Ultrasonography diagnosis and imaging-based management of thyroid nodules: revised Korean Society of Thyroid Radiology consensus statement and recommendations. Korean J Radiol 2016;17(3):370-95
31. Suh CH, Baek JH, Ha EJ, Choi YJ, Lee JH, Kim JK, Chung KW, Kim TY, Kim WB, Shong YK. Ethanol ablation of predominantly cystic thyroid nodules: evaluation of recurrence rate and factors related to recurrence. Clin Radiol. 2015;70(1):42-7.
32. Sung JY, Na DG, Kim KS, Yoo H, Lee H, Kim JH, Baek JH. Diagnostic accuracy of fine-needle aspiration versus core-needle biopsy for the diagnosis of thyroid malignancy in a clinical cohort. Eur Radiol. 2012 Jul;22(7):1564-72.
33. Uzzan B, Campos J, Cucherat M, Nony P, Boissel JP, Perret GY. Effects on bone mass of long term treatment with thyroid hormones: a meta-analysis. J Clin Endocrinol Metab. 1996;81(12):4278-89.
34. Vanderpump MP, Tunbridge WM, French JM, Appleton D, Bates D, Clark F, Grimley Evans J, Hasan DM, Rodgers H, Tunbridge F, et al. The incidence of thyroid disorders in the community: a twenty-year follow-up of the Whickham Survey. Clin Endocrinol (Oxf). 1995;43(1):55-68.
35. Wang B, Han ZY, Yu J, Cheng Z Liu F, Yu Z, Chen C, Liu J, Liang P. Factors related to recurrence of the benign non-functioning thyroid nodules after percutaneous microwave ablation. International Journal of Hyperthermia 2017;33(4):459-464.
36. Weetman AP. The immunomodulatory effects of antithyroid drugs. Thyroid. 1994;4(2):145-6.
37. Yoon RG, Baek JH, Lee JH, Choi YJ, Hong MJ, Song DE, Kim JK, Yoon JH, Kim WB. Diagnosis of thyroid follicular neoplasm: fine-needle aspiration versus core-needle biopsy. Thyroid. 2014 Nov;24(11):1612-7.

CHAPTER 45

갑상선의 악성 종양

이비인후과학 Otorhinolaryngology - Head and Neck Surgery

태 경, 지용배

I 역학 및 빈도

갑상선의 악성종양은 지난 20여 년간 지속적으로 증가하고 있다. 국내 암등록 자료에 의하면 1999년 연간 3,325례가 발생한 데 비해 2012년에는 44,007례가 발생하여, 같은 기간 연령 표준화 발생률은 10만 명당 7.2명에서 73.6명으로 약 10배가 증가하였다. 그 결과 한국에서 갑상선암 빈도는 전체 악성 종양의 19.6%로 전체 암 중에서 가장 빈도가 높은 암이 되었으며, 여성에서는 32.2%로 유방암, 대장암, 위암을 합한 빈도에 해당될 만큼 압도적인 1위이며, 남성에서는 7.2%로 6위를 차지하게 되었다.[1] 갑상선암 빈도의 증가는 전 세계적인 현상이며, 미국에서도 갑상선암의 연령 표준화 발생률이 1975년 인구 10만 명당 4.8명에서 2011년에는 14.7명으로 증가하였으며,[19] 한국, 이스라엘, 이탈리아, 미국, 영국, 호주 등에서 비교적 높은 증가율을 보이고 대부분 유두 암종의 증가에 기인한다.[41] 국내에서의 5년 상대생존율은 1993-1995년에 94.2%에서 2008-2012년에 100%로 상승하였으며, 미국에서의 사망률은 1975년 이후 2011년까지 10만 명당 0.5명으로 변화가 없다.[1,19] 갑상선암의 증가는 고해상도 초음파 및 세포검진의 발전에 인한 발견의 증가가 가장 주된 원인으로 생각되나, 미세암뿐만 아니라 크기가 큰 암도 같이 증가한 점, 조직학적으로 주로 유두 암종만 증가한 점, 연령 보정 발생률의 증가율이 성별이나 인종에 따라 다르다는 점 등의 근거로 실질적인 갑상선암 발생률이 증가하였다는 주장도 있다.[41]

갑상선 결절의 빈도는 국내 건강검진 자료를 분석한 보고에 의하면 14-53%이며, 이중 악성인 경우는 0.9-12%로 대상 집단 및 지역 등에 따라 다양하다. 갑상선암은 여성에서 남성에 비해 약 3배 정도 발생률이 높으나, 갑상선 결절 중 암의 발생빈도는 남자에서 높다. 연령대로 보면 20대 이하의 젊은 연령층과 60대 이상의 고 연령층에서 갑상선 결절 중 암의 빈도가 상대적으로 높다.[4]

갑상선암 발생과 관련된 환경적 요인으로는 요오드 섭취가 관련되는 것으로 보고되나 명확하지 않으며, 전리 방사선 노출은 갑상선암의 발병과 관련이 있다. 1986년 체르노빌 원전 사태 후 인근 지역의 소아 갑상선암이 60배 증가했다는 보고가 있으며,[31] 일본 원폭 피해자에 대한 연구에서는 방사선 노출 시점에서의 연령이 관련되는데, 10세 미만에서 가장 위험이 높고 20세 이상에서는 발생률이 증가하지 않았다고 보고되었다.

가족력 또한 중요한 위험인자로서 유두 암종 환자의 6%에서 가족력이 있으며, 유방, 난소, 신장, 중추신경계 악성 종양의 가족력이 있는 경우 유두 암종의 발생이 증가한다는 보고가 있으며, Gardner 증후군, Cowden 병도 분화성 갑상선암의 발생과 관련된다고 알려져 있다. 수질 암종(Medullary carcinoma), MEN 2A나 MEN 2B의 가족력이 있는 경우 RET point mutation을 확인하여야 한다.[27]

II 갑상선암의 병리학적 분류

갑상선은 태생학적으로나 기능적으로 다른 두 가지 세포로 구성된다. 즉 내배엽(endoderm)에서 발생하여 T4와

표 45-1. 갑상선 종양의 조직학적 분류 (WHO 2017)

상피성	비상피성
1. 여포세포기원 1) 양성 • 여포 선종 follicular adenoma • Hyalinizing trabecular tumor • Hurthle cell adenoma 2) Encapsulated follicular patterned thyroid tumors • Follicular tumours of uncertain malignant potential (FT-UMP) • Well differentiated tumours of uncertain malignant potential (WDT_UMP) • Non invasive follicular thyroid neoplasm with papillary-like nuclear feature (NIFTP) 3) 악성 • 유두 암종 papillary carcinoma papillary microcarcinoma, encapsulated, follicular, diffuse sclerotizing, tall cell, columnar cell, cribiform-morular, hobnail cell variants, fibromatosis/fasciitis stroma, solid/trabecular, oncocytic, fusiform cell, clear cell, Warthin type variants • 여포 암종 follicular carcinoma minimal invasive, encapsulated angioinvasive, widely invasive • Hurthle 세포 암종 Hurthle cell carcinoma • 저분화 암종 poorly differentiated carcinoma • 미분화 암종 anaplastic (undifferentiated) carcinoma **2. C-세포 기원** • 수질 암종 medullary carcinoma **3. 여포세포와 C-세포 혼합기원** • Mixed medullary and follicular carcinoma • Mixed medullary and papillary carcinoma **4. 다른 상피세포 또는 불명확한 기원** • Mucoepidermoid carcinoma • Sclerosing mucoepidermoid carcinoma with eosinophilia • Squamous cell carcinoma • Mucinous carcinoma • Spindle cell tumor with thymus-like differentiation (SETTLE) • Carcinoma showing thymus-like differentiation (CASTLE) • Ectopic thymoma	**1. Paraganglioma and mesenchymal/stromal tumor** • Paraganglioma • Peripheral nerve sheath tumors • Benign vascular tumor • Angiosarcoma • Smooth muscle tumors • Solitary fibrous tumor **2. Hematolymphoid tumors** • Langerhans cell histiocytosis • Rosai-Dorfman disease • Follicular dendritic cell tumor • Primary thyroid lymphoma **3. Germ cell tumor** • Teratoma **4. 이차성 (전이성) 종양**

갑상글로불린(thyroglobulin, Tg)을 합성하는 여포 세포(follicular cell)와 신경내분비 조직(neuroendocrine tissue)에서 발생하여 칼시토닌(calcitonin)을 생성하는 부여포 C-세포(parafollicular C-cell)로 구성된다. 갑상선 암은 이 두 가지 세포에서 기원하며, 조직병리학적으로 유두 암종(papillary carcinoma), 여포 암종(follicular carcinoma), 저분화 암종(poorly differentiated carcinoma), 수질 암종(medullary carcinoma), 미분화 암종(undifferentiated carcinoma) 등으로 나뉜다.[29]

유두 암종과 여포 암종은 여포 세포에서 기원하며, 전체 갑상선 암종의 90% 이상을 차지한다. 이들은 조직학적 특성과 임상적 특성이 상이하지만, 비교적 예후가 양호하다는 공통점이 있어 고분화 갑상선 암종으로 분류된다.

수질 암종은 부여포 C-세포에서 유래된 암종으로 전체 갑상선암의 5% 미만을 차지하며, 칼시토닌, 암종배아항원(carcinoembryonic antigen, CEA)을 비롯하여 다양한 물질을 분비한다. 가족형과 산발형이 있으며, 경부 림프절 전이가 조기에 발생하고, 예후는 고분화 갑상선 암종보다 나쁘나 미분화 암종보다는 좋다. 수술이 주된 일차 치료이며, 칼시토닌은 술 후 추적검사의 지표가 된다.

미분화(역형성) 암종은 대부분 60세 이상의 고령층에서 발생하며, 과거 수년 혹은 수십 년간 갑상선 결절이 있던 사람에서 수주 또는 수개월 사이에 갑자기 종물이 커지거나 연하곤란, 성대마비 등의 증상이 발생하는 특징적인 병력이 있다. 성장 속도가 매우 빠르기 때문에 종양이 경부에 국한된 경우는 평균 생존기간이 8개월, 그렇지 않은 경우는 3개월이다.[35] 갑상선의 악성 림프종은 매우 드물며, 자가 면역 갑상선염(Hashimoto 갑상선염)과 관련이 있다.

갑상선 종양의 분류는 표 45-1과 같다.

III 갑상선암의 분자생물학적 발병기전

다른 암종과 마찬가지로 유전자 변이의 축적이 갑상선암의 발병에 관여한다. 여포세포에서 유래되는 악성종양은 2가지 종양 형성 경로, 즉 RAS-RAF-MEK-ERK의 인산화로 이어지는 Mitogen-activated protein kinase; MAPK 경로와 Phosphoinositide 3-kinase; PI3K 경로와 관련된다(그림 45-1).[26,27]

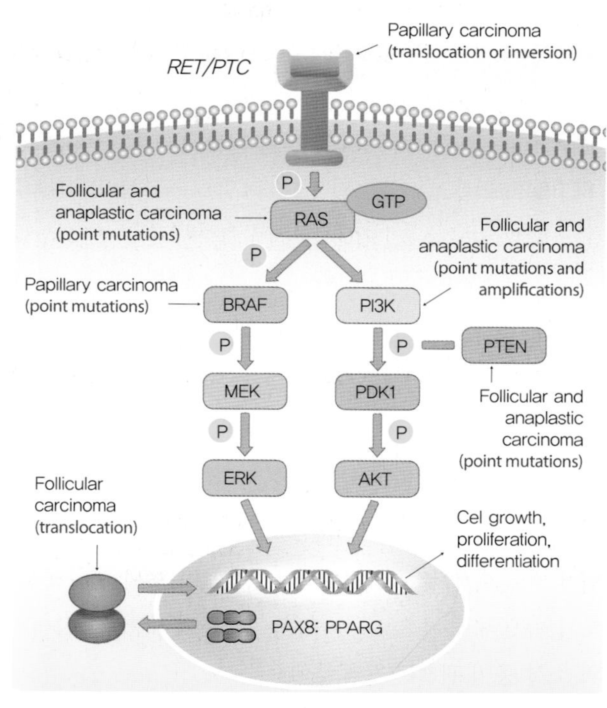

■ 그림 45-1. **갑상선 암종 발병과 관련된 신호전달체계.** 여포세포 기원 갑상선 암종의 발병에는 RAS-RAF-MEK-ERK로 이어지는 MAPK 경로와 PI3K 경로가 관련된다.

유두 암종에 관여하는 유전자이상은 BRAF 돌연변이, RET/PTC 재조합, NTRK1 재조합, AKAP9-BRAF 재조합, RAS 돌연변이 등이 알려져 있으며, 여포 암종에는 RAS 돌연변이, PAX8-PPARγ 재조합, PTEN 돌연변이와 메틸화, PIK3CA 돌연변이 등이 알려져 있다. 이런 여러 유전자 이상은 갑상선 종양 발생에 함께 작용하는 것이 아니라 각각이 따로 유두 암종의 발생에 연관되는 것으로 생각된다. 저분화 암종은 고분화암에서, 미분화 암종은 저분화암에서 각각 진행되어 발생하는 것으로 생각

표 45-2. 갑상선 암종과 관련된 유전자 변이 빈도

유전자 변이	유두암	여포암	저분화암	미분화암	수질암
RET 재배열	20%		드묾		
NTRK1 재배열	5-13%				
RET 돌연변이					산발성 30-50% MEN2 95%
BRAF 돌연변이	45%		15%	44-83%	
RAS 돌연변이	10%	40-50%	44%	20-60%	
PIK3CA 돌연변이	드묾	드묾	드묾	20%	
PPARG 재배열		35%	드묾		
TP53	드묾	드묾	15-30%	60-80%	

되며, 미분화 암종은 고분화 갑상선암보다 염색체 이상 빈도가 높으며 특히 3p13-14 또는 11q13의 추가, 5p11-31의 소실 등이 관찰된다(표 45-2).[27]

BRAF 돌연변이는 대부분 600번째 코돈(codon)의 발린(Valine) (V)이 글루탐산(Glutamate) (E)으로 대체되는 경우이며 BRAF V600E로 표기한다. 비정상 BRAF 단백질은 항상 인산화되어 하위 종양형성 신호전달체계를 활성화한다. 유두 암종의 약 45%에서 발견되나, 국내에서는 이보다 높아 63-83%에서 발견된다. BRAF 돌연변이의 존재는 갑상선외 침범(extrathyroidal extension), 림프절전이, 요오드 친화성 감소와 같은 공격적인 인자들과 상관성이 있어 나쁜 예후와 관련된다고 알려져 있다.[30]

RET는 본래 갑상선 여포세포에서는 발현하지 않고 신경내분비세포에서만 발현하나 갑상선 유두 암종에서 10번 염색체의 중앙부위 전좌 혹은 10번과 17번 염색체의 상호전좌를 통해 발현된다. 이러한 재조합이 일어난 RET를 RET/PTC라고 하는데, 유두 암종의 약 20-40%에서 발견되나 지역에 따라 편차가 크다. 방사선 노출로 인해 발생하는 경우 빈도가 증가하며, 소아 갑상선암과 관련된다는 보고가 있다. 10여개 이상의 RET/PTC가 알려져 있으나, RET/PTC1, RET/PTC2, RET/PTC3가 대부분이다. 재조합된 RET/PTC는 여포세포 내 티로신 인산화효소가 항상 인산화되어 결과적으로 MAPK 신호전달체계가 활성화 된다.[36]

RAS 단백질은 TSH 수용체에서 신호를 받으면 비활성 상태에서 결합하고 있던 GDP;guanosine diphosphate가 GTP;guanosine triphosphate로 치환되면서 활성화되고 MAPK 경로와 PI3K경로로 신호를 전달하게 된다. RAS 유전자에 돌연변이가 생기면 항상 GTP와 결합함으로써 지속적인 활성상태가 된다. 여포 암종의 40-50%에서 발견되며, 유두 암종에서는 여포성(follicular variant) 유두 암종에서 발견된다. 저분화 암종과 미분화 암종에서도 20-60%의 높은 빈도로 발견된다.[37]

여포세포의 성장에 관여하는 전사인자(transcription factor)인 PAX8과 종양억제단백인 PPARγ 단백이 염색체 재조합에 의해 결합되어 발현하는 것을 PAX8-PPARγ 재조합이라고 하며 이때 PPARγ는 비활성화된다. 여포 암종의 33-62%, 여포선종의 4-55%, 여포성 유두 암종의 0-37%에서 발견된다.[43]

NTRK1 재배열은 유두 암종의 5-13%에서 발견되며, 그 결과로 융합단백질이 여포세포 내에서 발현되어 MAPK 신호전달경로를 활성화 한다.

PI3K 신호전달체계는 세포 표면의 수용체에서 EGF

등의 성장인자 신호를 감지하면 PI3K가 세포막 내부의 PIP3를 활성화 시키고 PDK, AKT를 차례로 활성화 시키는 경로이며, AKT는 세포사멸을 억제하는 단백질이다. PTEN은 PI3K가 PIP3를 활성화시키는 것을 억제하며, PTEN의 돌연변이는 PIP3의 활성을 초래한다. 그 외에도 PIK3CA의 유전자수 증가 또는 활성화 돌연변이나 AKT의 활성화 돌연변이가 종양발생에 관여한다.[42]

Ⅳ 갑상선암의 진단

1. 영상의학 검사

갑상선 결절의 진단에서 가장 우선적인 검사법은 고해상도 초음파 검사이다. 촉진되는 결절을 확인할 수 있을 뿐만 아니라 촉진되지 않는 결절의 선별 검사로도 유용하여 2–3 mm 크기이면 초음파로 발견할 수 있다. 또한 초음파는 갑상선의 크기, 종양의 크기 및 양상, 전이 림프절의 확인, 치료 후 추적관찰, 세침흡인 세포검사의 유도 등의 목적으로 사용된다.

악성 종양의 진단에서 초음파 검사의 민감도는 86–95%, 특이도는 52–94%로 보고되며, 초음파검사에서 악성을 시사하는 소견은 1) 앞뒤가 긴 모양(taller than wide), 2) 침상(spiculated) 혹은 불규칙한 경계, 3) 고형 성분의 현저한 저에코, 4) 미세 및 거대 석회화, 5) 주위조직 침범, 6) 경부 림프절 종대의 동반 등이다(그림 45-2).[34]

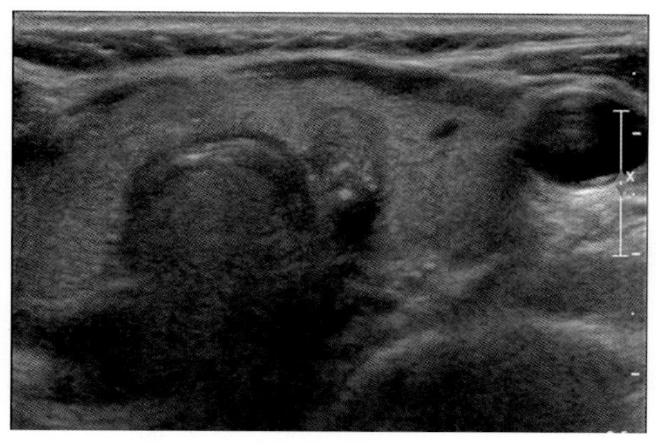

■ 그림 45-2. **갑상선암의 초음파 소견.** 미세석회화를 포함하며 불규칙한 경계를 보이는 앞뒤가 긴 종괴.

경부 전산화 단층촬영(computed tomography) (CT)은 결절의 위치, 크기, 주변 장기로의 침범 여부 및 범위의 평가에 유용하다. 경부 림프절 전이에 대한 민감도는 초음파 검사보다 다소 높으며, 초음파 검사와 병용하면 림프절 전이의 발견에 추가적인 이득이 있다.[28] 또한 상부 종격동(mediastinum)이나 갑상선과 그 주변 구조에 대한 해부학적 정보를 제공한다. 자기공명영상(magnetic resonance imaging) (MRI)은 겉보기 확산계수(apparent diffusion coefficient) (ADC)가 갑상선 결절의 감별 진단에 도움이 될 수 있으며, 주변 기관 침범 여부 및 범위를 확인하는 데 도움이 된다.

2. 핵의학 검사

갑상선 스캔은 주로 ^{99m}Tc이 사용되며, 일부 특수한 경우 ^{123}I, ^{131}I 등을 사용할 수 있다. 냉결절(cold nodule)은 선종성 갑상선종(adenomatous goiter), 선종(adenoma), 낭(cyst), 종양의 낭성 변화, Hashimoto 갑상선염 등에서 관찰되며 10–15%가 악성종양이다. 열결절(hot nodule)은 주로 선종이나 선종성 갑상선종 등에서 관찰되며 악성종양일 가능성은 4% 이하로 낮다.[2]

양전자방출 단층촬영(positron emission tomography) (PET)은 전산화 단층촬영과 병합하여 PET/CT가 보편적으로 이용되며, 동위원소는 18F, 11C, 13N, 15O 등이 있는데 가장 많이 사용되는 것은 18F를 포함한 18F–Fluorodeoxyglucose(FDG)이다. 악성세포에서 포도당대사가 정상 세포에 비해 증가하기 때문에 PET/CT는 다양한 악성종양의 검사에 사용된다. 갑상선 악성종양에서 PET/CT는 병기설정이나 재발암의 진단에 주로 이용되며, FDG 섭취만으로는 악성과 양성을 감별하는 데 어려움이 있어 갑상선 결절의 일차 감별 검사로는 권고되지 않는다.[4,25] 분화도가 좋은 갑상선암의 경우 FDG 섭취가 상대적으로 낮으며, 반면 분화가 나쁜 갑상선암은 요오드스캔에서는 음성이나 높은 FDG 섭취를 보이기 때문에 FDG PET에서 잘 보이게 된다. 따라서 재발이 의심되는 환자에서 요오드스캔이 음성인 경우 FDG PET이 병소의 확인에 도움이 된다.[47]

3. 조직병리 검사

초음파 검사나 기타 방사선학적 검사에 의해 우연히 발견된 갑상선 결절에 대한 병리 진단의 필요성에 대해서는 다소 논란이 있지만 일반적으로 0.5–1 cm 이상 크기의 결절에서 병리 진단이 필요할 수 있다. 초음파 검사상 악성을 시사하는 소견이 있거나 두경부에 방사선조사의 과거력, 갑상선암의 가족력, 갑상선암으로 엽절제술을 받은 경우, 18-FDG-PET 양성인 경우, MEN 2/FMTC와 연관된 RET 유전자 변이가 발견된 경우, 혈청 칼시토닌이 100 pg/ml 이상인 경우 등의 고위험군에서는 세침흡인(Fine needle aspiration, FNA) 검사가 필요하다. 초음파를 이용한 세침흡인검사는 갑상선 암종을 진단하는 데 가장 효율적인 검사로서 정확도는 95%까지 보고되며, 그 결과는 6개의 계층적 진단 체계를 기본으로 하는 Bethesda system에 따라 분류된다(표 45-3).[10]

4. 임상병리 검사

대부분의 갑상선 암종에서 갑상선 기능은 정상이나, Graves 병이나 Hashimoto 갑상선염 등이 동반되는 경우 갑상선 기능을 평가하기 위해 갑상선 기능검사는 필수적이다. 갑상글로불린은 대부분의 갑상선 질환에서 증가하기 때문에 술 전 진단적 의미는 없지만 술 후 암의 재발의 추적관찰에 이용된다. 수질 암종에서 칼시토닌이 증가하나 C-세포 증식증, 신부전, 소세포 암종 등에서도 증가할 수 있으며, CEA도 증가하지만 위, 대장, 췌장, 유방암 등에서도 증가될 수 있다. RET 종양유전자 변이가 있는 수질 암종 환자에서는 크롬친화세포종(pheochromocytoma)을 확인하기 위해 24시간 소변 metanephrine 또는 cathecholamine을 검사해야 하며, 부갑상선 항진증을 확인하기 위해 혈청 칼슘과 부갑상선 호르몬을 확인해야 한다.[27]

5. 분자의학적 검사

혈청이나 세침 흡인 검체에서의 분자의학적 검사는 악성종양의 진단, 예후, 치료 반응에 대한 예측에 도움을 준다. 특히 세침흡인 검사상 불확정(indeterminate) 결절에서의 BRAF, RET/PTC, RAS, PAX8/PPARγ 유전자의 돌연변이나 galectin-3 발현의 분자의학적 진단은 악성종양의 진단 및 치료계획에 큰 영향을 미칠 수 있다.[4]

표 45-3. 갑상선 결절의 세포학적 진단의 Bethesda 분류

진단 분류	악성 위험도 (%)
I. Non-diagnostic or Unsatisfactory	1-4
II. Benign	0-3
III. Atypia of Undetermined Significance or Follicular Lesion of Undetermined Significance	5-15
IV. Follicular Neoplasm or Suspicious for a Follicular Neoplasm	15-30
V. Suspicious for Malignancy	60-75
VI. Malignant	97-99

하지만 이러한 분자의학적 검사들은 특이도는 비교적 높지만 민감도는 높지 않아 한 가지 유전자에 대한 검사보다는 여러 유전자들의 돌연변이를 포함하는 검사가 권고된다. 몇몇 전향적 연구는 세침흡인 세포검사상 진단되지 않는 결절에서 여러 유전자 발현을 한번에 검사하는 것이 악성종양을 감별하는 데 도움이 된다고 보고하였다.[38]

V 갑상선암의 예후 인자와 병기

1. 갑상선암의 예후 인자

갑상선암의 예후에 영향을 미치는 인자들은 종양, 환자, 치료 요소 면에서 각각 다양하며 이를 정리하면 표 45-4와 같다.

표 45-4. 고분화 갑상선 암종에서 예후와 관계된 인자

종양 요소
원발 종양의 크기
국소 침범
혈관 침범
림프절 전이
원격 전이
조직학적 형태
Variant of papillary carcinoma
Diffuse sclerosing variant, Tall cell variant, Columnar cell variant, Solid variant
Widely invasive follicular carcinoma
Hurthle cell carcinoma
환자 요소
나이
20세 이하 또는 55세 이상
성별
남성 〉 여성
치료 요소
치료 시기
수술 범위
초치료에 대한 반응
방사성 요오드 치료
갑상선 자극 호르몬 TSH 억제 요법

1) 종양 요소

전형적인 유두 암종은 30년 암 사망률이 약 6%, 재발률이 31%이며, 피막이 잘 형성된 경우에는 예후가 좋고 원격 전이가 적다. 유두 암종 중 미만성 경화성 변이형, Tall cell 변이형 및 그 외의 일부 변종은 예후가 나쁘고 잦은 재발과 원격 전이를 보인다. 혈관 침범이나 유사분열이 많은 종양은 예후가 나쁘다. 여포 암종은 30년 암 사망률이 약 15%, 재발률이 약 24%이다. 유두 암종과 마찬가지로 변종인 경우 더 침습적이고 예후가 나쁘다.

종양의 크기도 중요한 예후 인자의 하나이다. 고분화 갑상선 암종에서 종양의 크기와 암 사망률 및 재발률은 매우 밀접한 관계가 있다. 국소 침윤성 암종의 경우 재발률과 사망률이 매우 높다. 약 20%의 환자에서는 갑상선 동측 엽에서 또 다른 암 병소를 발견할 수 있으며, 이들 중 1/3에서는 반대 엽에서도 암 병소가 발견된다. 림프절 전이, 특히 종격동 전이가 있거나 양측 측경부 림프절 전이가 있는 경우에는 재발률과 사망률이 매우 높다. 원격 전이도 중요한 예후인자이다.[33]

미분화 암종으로 전환되면 공격적인 국소 침범과 광범위한 전이로 인해 경과가 급속도로 진행하여 예후가 치명적으로 나쁘다.

2) 환자 요소

나이는 주된 예후 인자로, 암 사망률은 40세를 기준으로 지속적으로 증가하고, 재발률은 20세 미만이나 60세 이상에서 가장 높다. 20세 미만의 소아나 젊은 환자에서는 진행된 병기로 발견되는 경향이 있으며, 소아에서는 진단 당시 64%에서 경부 림프절 전이와 23%에서 원격 전이가 동반된다. 젊은 환자 군에서도 적극적인 수술과 방사성 동위원소 치료를 시행해야 예후가 좋다.

남자에서의 사망률은 여자보다 약 2배 정도 높다. 그러므로 남자에서는 더욱 적극적인 치료와 세밀한 추적관찰

표 45-5. 갑상선암종의 TNM 분류 (AJCC, 8th ed. 2017)

T Criteria
Tx 원발종양을 평가할 수 없는 경우
T1 원발종양 크기 2 cm 이하이고 갑상선에 국한
T1a 원발종양 크기 1 cm 이하이고 갑상선에 국한
T1b 원발종양 크기 1 cm 초과 2 cm이하이고 갑상선에 국한
T2 원발종양 크기 2 cm 초과 4 cm 이하
T3 원발종양 크기 4 cm 초과이거나 크기와 상관없이 피대근에 국한한 육안적 갑상선외 침범이 있는 경우
T3a 원발종양 크기 4 cm 초과이고 갑상선에 국한
T3b 원발종양 크기와 상관없이 피대근(흉골설골근, 흉골갑상근, 갑상설골근, 견갑설골근)에 국한한 육안적 갑상선외 침범이 있는 경우
T4 육안적 갑상선외 침범이 있는 경우
T4a 피하조직, 후두, 기관, 식도, 되돌이후두신경의 육안적 침범
T4b 척추 전근막 침범, 경동맥이나 종격동 혈관을 둘러싼 경우
N Criteria
NX 림프절 전이를 평가할 수 없는 경우
N0 림프절 전이가 없는 경우
N0a 1개 이상의 림프절이 조직병리학적으로 양성으로 확인된 경우
N0b 영상의학적 또는 임상적으로 림프절전이가 없는 경우
N1 림프절 전이가 있는 경우
N1a Level VI 또는 VII(기관전, 기관주위, 전후두/Delphian 림프절, 상종격동) 림프절 전이. 일측 또는 양측
N1b 일측성 양측성 반대편 측경부 림프절(level I-V), 후인두 림프절 전이
M Criteria
M0 원격 전이가 없는 경우
MI 원격 전이가 있는 경우

병기 분류		
	나이 < 55세	나이 ≥ 55세
유두 암종/여포 암종		
Stage I	모든 T, 모든 N, M0	T1-2, N0/NX, M0
Stage II	모든 T, 모든 N, M1	T1-3, N1, M0
Stage III		T4a, 모든 N, M0
Stage IVA		T4b, 모든 N, M0
Stage IVB		모든 T, 모든 N, M1
수질 암종		
Stage I	T1, N0, M0	
Stage II	T2-3, N0, M0	
Stage III	T1-3, N1a, M0	
Stage IVA	T1-3, N1b, M0 T4a, 모든 N, M0	
Stage IVB	T4b, 모든 N, M0	
Stage IVC	모든 T, 모든 N, M1	
미분화 암종		
Stage IVA	T1-T3a, N0/NX, M0	
Stage IVB	T1-T3a, N1, M0 T3b-T4, 모든 N, M0	
Stage IVC	모든 T, 모든 N, M1	

이 요구된다. 특히 나이가 많은 경우에는 더욱 주의를 요한다.[33]

갑상선자극호르몬 수용체 항체가 종양의 성장을 촉진하므로 Graves 병이 있을 때의 갑상선암은 더욱 공격적이고 경부 전이도 증가한다는 보고가 있지만 아직 논란이 있다.

3) 치료 요소

종양의 발견과 치료 시기도 예후와 밀접한 연관이 있다. 근전절제술이나 전절제술이 재발과 암 사망률을 낮추지만, 종양의 크기가 1 cm 미만일 때는 예후가 수술 범위와 큰 연관이 없다. T4 병기라도 치료하면 재발과 암 사망률이 낮아진다. 방사성 동위원소 치료는 저위험군에서는 논란이 있으나 T4 종양, 육안적 피막외 침범, 원격전이 등을 동반한 고위험군에서는 재발률과 사망률을 낮추는 것으로 보고된다.[15,18]

2. TNM 병기

American Joint Commission on Cancer (AJCC)와 Union Internationale Contre le Cancer (UICC)의 TNM 분류체계는 생존율을 예측하기 위한 목적으로 고안되었다.[5] TNM 병기의 분류는 표 45-5와 같다(AJCC 8th ed. 2017). 기존 7판의 TNM 병기 의한 10년 생존율은 I, II병기 97–100%, III병기 88–95%, IV병기 50–75%로 보고되었다.

3. 다른 병기 분류법

TNM 병기체계에 의한 분류가 가장 널리 사용되나 갑상선암의 임상소견, 수술소견, 병리소견 등을 조합하여 보다 정확한 예후를 예측하기 위한 다양한 병기 체계가 연구되었으며 그중 EORTC 체계, AMES 분류, AGES 점수, MACIS 점수, Memorial Sloan Kettering Cancer Center 분류 등이 비교적 예후를 잘 반영하여 자주 사용된다.

EORTC에서 1979년 처음으로 나이, 성별, 조직학적 분류, 피막침범, 원격전이를 기초로 한 점수를 산정하여 예후를 5단계로 분류하였다.[8] 이후 분화성 갑상선암종에서 연령, 원격 전이, 피막침범, 종양의 크기를 기초로 하여 고위험군과 저위험군으로 분류한 AMES 임상 분류가 제시되었다(표 45-6).[9] Mayo 클리닉에서는 유두 암종을 대상으로 연령, 조직학적 등급, 종양의 침윤 정도, 종양의 크기에 따라 점수를 산정하여 예후를 4 군으로 분류하는 AGES 점수체계를 발표하였고,[17] 이후 이를 보완하여 원격전이, 연령, 종양의 완전 절제 유무, 국소 침습 유무, 크기에 따라 각각 점수를 산출하는 MACIS 점수 분석체계

표 45-6. 고분화 암종에서의 AMES 분류

저위험군(사망률: 1.8–4%)
1. 남자 40세 이하, 여자 50세 이하의 원격 전이가 없는 환자
2. 남자 41세 이상, 여자 51세 이상의 나이가 많은 환자 중 갑상선 피막 침범이 없는 유두 암종이나 약간의 피막 침범이 있는 여포 암종이면서, 원발 부위 종양의 크기가 직경 5 cm 이하이고, 원격전이가 없는 경우
고위험군(사망률: 38–53%)
1. 원격 전이가 있는 모든 환자
2. 남자 41세 이상, 여자 51세 이상의 나이가 많은 환자 중 갑상선 피막 침범이 있는 유두 암종이나 중요한 피막 침범이 있는 여포 암종이면서, 침범 정도와 관계없이 직경 5 cm 이상의 종양

표 45-7. 유두 암종에서의 MACIS 분류

MACIS 점수=3.1(Age<39) or 0.08×(Age>40) +0.3×종양크기(cm) +1(불완전한 절제) +1(국소침습) +3(원격전이)		
20년 생존율		
MACIS 점수	6<	99%
	6~7	89%
	7~8	56%
	>8	24%

를 제시하였다(표 45-7). 이 체계에 따른 20년 암 사망률은 6점 미만에서는 1%, 6-6.99점에서는 11%, 7-7.99 에서는 44%, 8점 이상에서는 76%이다.[16]

Memorial Sloan Kettering Cancer Center에서는 45세를 기준으로 연령, 전신 전이, 종양의 크기, 병리학적 등급에 따라 저, 중, 고위험군으로 분류했으며, 20년 생존율이 각각 99%, 85%, 57%였다고 보고하였다.[45]

오하이오 주립대학의 병기는 종양의 크기, 경부 림프절 전이, 다발성 종양(3개 이상), 국소 침범 및 원격 전이 유무를 기준으로 병기를 4단계로 분류하였다. 병기가 높아질수록 재발률과 사망률이 증가하였고, 재발을 예측할 수 있는 가장 중요한 위험 인자는 국소침범, 경부전이, 종양의 크기와 방사성 동위원소 치료 여부이며, 사망에 대한 위험 인자는 연령, 1년을 기준으로 한 치료시기, 국소침범, 경부 전이, 종양의 크기, 남자, 보존적 절제술이라고 보고하였다(표 45-8).[33]

이와 같이 다양한 임상 병기 체계에 고려된 위험인자는 조금씩 차이가 있고, 장단점이 있지만 보고된 병기 체계 모두 종양관련 사망률을 예측하는 데는 모두 유용하다(표 45-9). 이들 병기 분류법에서 고위험군은 적극적인 치료를 통해 재발률을 줄이고 생존율을 향상 시켜야 하며, 저위험군에서는 합병증을 유발할 수 있는 과도한 치료를 줄여야 한다.

 유두 암종

1. 발생빈도

유두 암종은 전체 갑상선암 중 가장 흔한 암종으로 약 80-90% 정도를 차지한다. 미국의 SEER database에 의하면 88.5%를 차지하였으며, 일본의 보고는 85%를 차지하였다.[19] 우리나라의 2002년 조사에서는 84.2%로 조사되어 비슷한 분포를 보였지만 최근 10여 년간 유두 암종의 급격한 증가로 2000년대 중반부터는 90% 이상을 차지하게 되었다.[1]

유두 암종은 대부분의 저자들이 90% 이상의 10년 생존율을 보고할 정도로 매우 예후가 좋은 암이다. 미국, 유럽에서는 여자가 남자보다 약 2-3배 많이 발생하며, 한국에서는 약 4배 많다. 40대와 50대에 많으며, 어린 나이

표 45-8. 고분화 암종의 오하이오 주립대학 병기 분류

원인요소	병기 I	병기 II	병기 III	병기 IV
종양의 크기(cm)	< 1.5	1.5~4.4	≥ 4.5	모든
림프절 전이	아니오	예	모든	모든
다발성 종양(3개 이상)	아니오	예	모든	모든
국소 침범	아니오	아니오	예	모든
원격 전이	아니오	아니오	아니오	예
환자 수(%)	170(13)	948(83)	204(15)	33(2)
평균 연령	38	34	38	48
p values	-	0.001	<0.05	0.01
재발(%)	10 (8)	210 (31)	59 (36)	10 (62)
p values	-	0.001	0.001	Not significant
암 사망(%)	0	34(6)	19(14)	17(65)
p values	-	0.01	0.001	0.001

표 45-9. 갑상선 유두 암종의 병기 체계 비교

	TNM	EORTC	AGES	AMES	MACIS	MSKCC
환자요소						
연령	O	O	O	O	O	O
성별		O		O		
종양요소						
크기	O		O	O	O	O
조직학적 등급		O	O			O
갑상선외 침범	O	O	O	O	O	
림프절 전이	O					
원격 전이	O	O	O	O	O	O
수술요소						
불완전 절제					O	

에 발생한 경우 경부나 원격전이를 동반한 진행된 경우가 많지만 예후는 양호하다.

과거에 방사선 조사를 받은 환자의 17-30%에서 갑상선 결절이 발생하고, 방사선 조사 후 발생한 갑상선 결절 환자의 약 50%에서 악성종양이 있으며, 방사선 조사로 인한 갑상선 암종의 약 85%는 유두 암종이다. 방사선에 의한 유두 암종은 주로 다발성으로 발생하지만 예후에는 큰 차이가 없다. 보통 방사선조사 후 5-40년이 지나서 암이 발생한다. 따라서 흉선이 큰 경우, 편도 혹은 아데노이드 비후, 여드름(acne vulgalis), 혈관종과 같은 양성 질환에서 치료 목적으로 사용되었던 저용량의 방사선치료는 1950년대 이후로 중단되었다. 어린이 갑상선암의 발생빈도는 10만 명당 1명꼴로, 1986년 체르노빌 원전 사태 후 Belarus 지역은 30배, 가장 가까운 Gomel 지역은 약 100배 높게 발생하였다.[31]

유두 암종의 6%에서 가족력을 보이며, 드물게 Gardner 증후군(familial adenomatous polyposis)이나 Cowden 증후군(familial goiter and skin harmatomas)과 관련이 있다는 보고가 있다. 유전적인 병변에서는 RET 및 PTC 종양유전자가 유두 암종과 관련이 있다 보고되었다.[27]

2. 임상양상

과거에는 대부분의 환자가 만져지는 무증상의 전경부 종괴를 주소로 내원하였으나, 최근 국내에서는 건강검진으로 시행한 경부 초음파 검사에서 우연히 발견된 종양이 가장 많은 부분을 차지한다. 종양은 독립적인 갑상선만의 종괴로 나타날 수 있고, 또 갑상선 종괴 없이 측경부 림프절 전이로 발현되기도 한다. 유두 암종은 단단하고 표면이 불규칙한 경우가 많지만 때로는 낭종성 종괴로 나타나기도 하며, 미만성 종대를 보이기도 하며, 비대칭적이며, 다발성결절을 보이기도 한다. 급격히 자라는 경우나 국소 침범이 있으면 통증, 애성, 연하곤란, 각혈 등의 증상이 나타난다.

약 10-20% 정도에서는 피대근(strap muscle), 반회후두신경, 인두, 후두, 기관 등을 침범하며, 이는 원발 종양의 직접 침범이나 전이된 림프절의 침범에 의해 일어난다. 혈관침범은 약 10%에서 동반되며 예후가 나쁘다.

유두 암종은 림프 친화적인 특성을 띠기 때문에 국소

림프절 전이는 물론 갑상선 내 림프 전이를 잘 일으킨다. 경부 림프절 전이는 임상적으로 약 30–40%의 환자에서 발견되며 종종 원발종양 보다 먼저 발견되기도 한다. 잠재 또는 현미경적 미세 전이는 이보다 높아 50–80%에서 경부 림프절 전이가 있다. 하지만 잠재 미세 전이의 임상적 중요성은 불분명하여 국소 재발은 10% 미만에서 일어난다. 이러한 현미경적 병소의 존재는 대부분의 유두 암종이 완만한 경과를 보이며 일부에서만 임상적 질환으로 나타난다는 것을 방증하나 어떤 암종이 자라서 임상적 질환으로 나타날 것인가를 예측할 수 있는 인자는 아직 밝혀지지 않았다. 따라서 임상적으로 림프절 전이가 없는 경우(cN0)에 예방적 경부 절제술이나, 일엽에 국한된 종양의 반대 엽의 절제에 대해서는 아직도 논란이 많다.[32]

경부 림프절 전이는 젊은 연령에서 빈도가 더 높으며, 체르노빌 사고 후 방사선조사에 의해 발생한 갑상선 암종에서는 60%까지 경부 전이가 동반되었다.[31] 경부 중심 림프절이 우선적으로 먼저 침범되며, 다음 측경부 림프절, 종격동 림프절(mediastinal node) 등이 침범되나 약 11–18%에서 도약 전이(skip metastasis)가 있다.[39]

유두 암종의 경우 이전에는 림프절 전이가 재발률 증가와는 관련되지만 생존율에 결정적인 영향을 미치지는 않는다고 보고된 바 있으나, 최근의 대규모 연구에서는 45세 이상의 환자에서는 생존율에도 부정적인 영향을 미친다고 보고되었다.[50] 젊은 연령에서는 비록 림프절 전이가 많지만 예후는 오히려 나이가 많을수록 나빠진다. 림프절 전이는 재발과 암 특이적 사망률(cancer-specific mortality)의 독립적 위험인자이며, 종격동이나 양측 측경부 림프절 전이가 있는 환자는 예후가 나쁘다.

원격전이는 처음 진단할 때는 1% 정도이나 치료 도중 계속 발생하여 약 5–10%에서 발견된다. 연령이 많아질수록 그 빈도가 높아진다. 폐와 골이 주된 원격전이 부위이고, 다른 연조직에도 전이될 수 있다. 폐 전이는 아주 큰 결절로 나타나기도 하나, 미세한 현미경적 결절로 눈송이를 뿌려놓은 양상의 흉부 방사선 소견을 보이기도 한다. 때로는 ^{131}I 주사에서만 양성으로 나타나는 경우도 있고, 갑상글로불린 수치의 상승만을 보이는 경우도 있다.

유두 암종 중에서 크기가 1 cm 미만으로 초음파검사 등에서 우연히 발견되는 경우를 미세 유두 암종(papillary microcarcinoma)이라 하며, 핀란드에서는 부검한 경우 약 35%에서 미세 유두 암종이 발견되었다 보고하였다.[14] 비록 원발 부위의 크기는 작지만 경부 림프절 전이를 일으키기도 한다. TNM 병기 체계(AJCC, UICC)에서는 1 cm 이하를 병기에서 T1a로 정의하고 있다.

3. 병리소견

육안적으로 단단하고 흰색의 피막이 없는 종양으로 관찰되며, 절개 시 튀어나오기 보다는 정상 갑상선 조직이나 양성 종양에서와 같이 편평하게 관찰되며, 석회화, 괴사, 낭성 변화가 동반되기도 한다.

조직학적으로는 갑상선 여포에서 기원하기 때문에 입방상피세포의 단일층 혹은 다층으로 덮여 있는 섬유혈관 줄기를 갖는 분지된 유두 형태를 보인다. 대부분의 경우 유두를 덮고 있는 상피는 분화가 잘 된 균일하고 규칙적인 입방세포로 구성된다. 유두 암종의 세포핵은 미세하게 산재된 염색사를 포함하는데 이는 간유리핵(ground glass nuclei) 혹은 Orphan annie eye nuclei라고 불린다. 세포질의 함입에 의해 핵 내 고랑(intranuclear groove)도 특징적으로 관찰된다. 종종 동심원적으로 석회화된 구조가 관찰되며 이를 모래종체(psammoma body)라고 하며 이는 유두 암종의 강력한 지표가 된다.[26]

4. 치료

유두 암종의 주된 치료방법은 수술이다. 수술 후 재발 위험도가 높은 군에서는 갑상선 종양에만 많은 양의 방사선을 투여할 수 있는 ^{131}I을 이용한 방사성 동위원소 치료를 시행한다. 외부 방사선 조사는 육안적으로 불완전하게 절제된 침습적 종양 또는 방사성 요오드 치료가 불가능하거나 또는 반응하지 않는 경우 국소 제어를 위해 시행할 수 있다.

저위험도의 미세 유두 암종에서 수술 없이 적극적인 감시만을 하는 시도가 일본의 몇 병원을 중심으로 이루어지고 있는데, 위험도가 낮은 미세 유두 암종 환자에서 전신적인 질환이 동반된 경우에 유용할 수 있다. 적극적 감시(Active surveillance)에서 제외되어야 할 경우는 종양의 주위 조직 침범, 림프절 전이 또는 전신 전이가 있거나, Tall cell 변이형, 저분화 암종 등의 고악성도 암종이다. 일본 Kuma병원의 결과에 의하면 10년의 적극적 감시 동안 종양이 3 mm 이상 커진 경우는 8%, 림프절 전이가 일어난 경우는 3.8%였으며, 적극적 감시 도중 결국 15.5%의 환자가 여러 이유로 인하여 수술을 받았다.[21]

1) 수술

(1) 갑상선 절제술의 범위

분화 갑상선암은 대체로 양호한 예후를 보이기 때문에 갑상선 절제술의 범위에 있어서 논란이 있다. 수술의 첫번째 목적은 암종의 잔존 가능성이 없도록 하여 재발을 막고 생존율을 향상시키면서 수술로 인한 환자의 불편을 최소화하는 것이다. 갑상선 전절제술은 잠재적인 다발성 종양을 치료할 수 있을 뿐만 아니라 수술 후 재발의 진단과 치료에 방사성 요오드를 사용할 수 있고, 수술 후 추적관찰 시 갑상글로불린을 종양 표지자로 이용할 수 있으므로 재발을 조기에 발견하는 데 도움이 된다. 하지만 한편으로는 전절제술로 인한 합병증, 즉 반회후두신경 마비와 영구적인 부갑상선기능저하증이 문제가 된다.

갑상선암에서 아전절제술(subtotal thyroidectomy)은 인정되지 않으며 최소한 협부를 포함한 일엽절제술(lobectomy and isthmectomy) 이상이 되어야 한다. 저위험군에서 일엽절제술은 수술 시간 및 반회후두신경, 상후두신경, 부갑상선 손상과 같은 합병증을 줄일 수 있으며, 생존율에서 전절제술과 차이가 없다.[15] AGES 분류에 의한 저위험군의 유두 암종에서 25년 사망률은 전절제술과 일엽절제술군 모두 2%로 차이가 없었으며,[17] 4 cm 이하의 갑상선내 암종을 대상으로 한 연구에서도 20년 생존율에서 차이가 없는 반면 합병증의 빈도는 전절제술군에서 높았다.[44]

하지만 생존율에서 차이가 없다 하더라도 일엽 절제술군이 전절제술군에 비해 재발률은 높다는 보고들도 있으며, 국소 또는 원격재발 뿐 아니라 생존율에서도 전절제술이 도움이 된다는 보고들도 있다.[33] 또한 숙련된 술자에 의해 시행되는 경우 전절제술이 일엽절제술에 비해 합병증이 높지 않다는 주장이 있어 논란의 여지는 있지만 고위험군에서는 전절제술 또는 갑상선 근전절제술(near total thyroidectomy)을 시행해야 한다는 데에는 이견이 없다. 2010년 대한갑상선학회에서는 단일 병소로서 갑상선 내에 국한되고 림프절 전이가 없는 1 cm 미만의 분화 갑상선암에서 일엽절제술을 고려할 수 있고 그 외의 경우 전절제술 또는 근전절제술을 권고하였다.[3]

최근에는 갑상선 수술의 이환율을 줄이고자 미세 침습 내시경 보조 하 갑상선 수술(Minimally invasive video-Assisted thyroidectomy, MIVAT)이나 경부의 절개 흉터를 피하여 미용적 만족도를 높이고자 액와, 유방, 전흉부, 후이개 절개를 통한 로봇 또는 내시경 갑상선 수술이 시행되고 있는데, 주로 미세 유두 암종 등 저위험도 유두 암종을 대상으로 하고 있다.[22,46]

(2) 경부 림프절 절제술

갑상선 유두암은 예후가 좋기는 하지만 림프절 전이가 빈발하여 중앙 경부(level VI)는 30-80%, 측경부로는 10-30% 정도의 림프절 전이가 있다.[39] 술 전 검사상 림프절 전이가 명백한 경우 원발부위와 동시에 림프절 절제술을 시행해야 하며, 측경부 림프절 전이의 경우 전이된 측경부 림프절만을 골라내기보다는 부신경(accessory nerve), 흉쇄유돌근, 그리고 경정맥을 보존하면서 level II, III, IV, V를 모두 포함하는 선택적 경부 절제술을 시

행하는 것이 바람직하다. level I의 림프절은 전이가 거의 없기 때문에 생략해도 무방하다.[24]

술 전 경부 림프절 전이가 임상 및 영상 검사에서 관찰되지 않더라도 유두 암종은 잠재 전이율이 높아 예방적 중심경부 림프절 절제술을 시행할 수 있으나 아직 많은 논란이 있다. 예방적 중심경부 림프절 절제술은 중앙경부에 잠재 전이율이 높은 반면 술 전 또는 술 중에도 이를 확인할 신뢰할 만한 검사가 없고, 잠재전이를 제거함으로써 재발률을 낮출 수 있으며, 정확한 병기설정을 가능하게 하고, 중심경부에서 재발하여 재수술을 해야 하는 경우는 합병증이 생길 가능성이 더 높아진다는 이유로 권고되기도 하나, 경부 수술로 인한 합병증이 늘어나며, 미세전이가 재발률과 생존율에 미치는 영향이 적다는 점을 들어 반대하는 의견도 많아 아직도 논란이 되고 있다. 하지만 측경부에서의 예방적 림프절 절제술은 일반적으로 추천되지 않는다.[3,15]

(3) 국소침습병변

갑상선 피막외 침습이 있는 고분화 암종에서 피대 근육이 침범된 경우에는 그 부분만을 절제함으로 충분하며, 반회후두신경을 침범하였으나 술 전 후두경 검사에서 성대마비가 없는 경우에는 가능하면 신경을 보존하는 것이 원칙이며, 성대마비가 있는 경우에도 육안적으로 침범이 확인된 경우에는 절제를 하지만 그렇지 않은 경우에는 가능한 종양을 박리하여 반회후두 신경을 보존한다. 기관이나 후두를 침범한 경우 육안적인 암종은 모두 제거하여야 하나, 가능하면 기관, 후두의 내측 점막을 보존하기 위해 면도 절제술(shaving off procedure)을 시행할 수 있다.[23] 국소 침범 고분화 암종의 치료에서 일부 남아 있을 잔존 미세암의 치료를 위해 술 후 방사성 요오드 치료를 시행하여야 한다.

2) 수술 후 방사성 요오드 치료

^{131}I를 이용한 수술 후 방사성 요오드 치료는 갑상선 조직과 분화된 갑상선암에서 요오드가 섭취되는 특성을 이용하여 갑상선 유두 암종, 여포 암종, Hürthle 세포 암종에서 시행된다. 자주 혼용되어 사용하지만 잔여 갑상선 조직을 제거하기 위한 방사성 요오드 제거(radioiodine ablation)와 잠재적인 미세 병소 또는 전이 암종을 치료하기 위한 방사성 요오드 치료(radioiodine treatment)의 개념으로 나뉜다. 방사성 요오드 제거는 국소재발 위험도를 감소시키고, 수술 후 추적관리에 사용되는 주요 수단인 전신 방사성 요오드 스캔과 혈청 갑상글로불린 측정의 민감도를 높이기 위해 시행한다.

방사성 요오드 치료는 미국 갑상선학회의 권고안에 따르면, 모든 고위험군에서는 시행해야 하며, 중위험군에서는 재발에 영향을 미칠 수 있는 환자 및 종양의 특성, 술 후 환자 추적 관찰의 용이성 및 환자의 선호도 등을 고려하여 시행여부를 결정할 것 권고하였으나 저위험군에서는 통상적으로는 사용하지 말 것을 권고하였다.[15]

방사성 요오드의 투여량은 경험적인 방법과 원격전이의 경우 골수가 견디는 최대용량을 계산하여 투여하는 방법이 있다. 경험적인 방법은 보통 체격의 성인의 경우 잔여 갑상선 제거를 목적으로 하는 경우에는 30–100 mCi, 경부 림프절전이가 있는 경우에는 150–175 mCi, 원격전이가 있는 경우에는 200 mCi를 투여한다. 30 mCi 이상을 투여할 경우 주변 사람의 방사선 피폭을 예방하기 위해 4일 이내의 격리를 요한다. 잔존 갑상선 조직이 2 g 이하일 경우 96%까지 제거 가능하고 재발률을 50~70%까지, 사망률은 75%까지 줄일 수 있다. 방사성 요오드를 투여할 경우 갑상선 자극 호르몬 농도가 높아야(TSH>30 mU/L 이상) 방사성요오드 섭취가 충분히 일어난다. 이를 위해 levothyroxine (T4)을 3–4주간 중단하거나, 반감기가 짧은 Levotriiodothyroxine (T3)로 바꾸어 2주 투여한 후 2주 중단 후 시행하는 방법이 주로 사용되며, 재조합 인간 갑상선자극호르몬 rhTSH도 갑상선 기능저하를 피하면서 동일한 효과를 달성할 수 있다. 갑상선 자극 호르몬에 의한 자극뿐 아니라 방사선 효과의 증대를 위해 방사성 요오드 투여 전 하루 50 μg 미만의 저요오드 식이가 권장되며, 기간은 평소 식이 요오드섭취량에 따라 국가별로 차이가 있는데 우리나라는 2–4주간의 저요오드 식이가 권장된다.[3]

방사성 요오드치료 전 전신스캔은 잔여 갑상선의 양을 정확히 확인할 수 없을 때 시행한다. 단, ^{131}I에 의해 치료 목적으로 두 번째 투여하는 ^{131}I의 섭취가 감소하는 기절효과가 나타날 수 있으므로 치료 전 요오드 스캔은 생략하거나 2 mCi 이하의 저용량의 ^{131}I를 사용하거나 베타선을 방출하지 않는 ^{123}I를 사용한다. 방사성 요오드 치료 후 전신스캔은 방사성 요오드 투여 후 2–8일 사이에 시행하며 잔존 또는 전이 병소에 대한 평가를 시행해야 한다. 치료 후 전신 스캔에서 추가로 전이 병소가 발견되는 경우는 10–26%에 이른다.[2]

방사성 요오드 치료의 합병증으로는 급성기에 종양의 부종과 출혈, 방사선에 의한 갑상선염, 알레르기성의 무통성 경부부종, 방사선 타액선염 등이 올 수 있고, 후기에는 골수 손상, 골수에서의 종양 발생, 성선 기능저하증, 폐 섬유화 등의 증상이 나타날 수 있다.[2]

3) 갑상선 자극 호르몬 억제요법

고분화 갑상선암의 성장에는 갑상선자극호르몬이 필요하다. 따라서 수술 후 생리적 요구량 이상의 갑상선 호르몬 투여는 갑상선 자극 호르몬을 떨어뜨려서 갑상선암의 성장을 억제할 수 있다. 갑상선 자극 호르몬 억제요법은 고위험군에서는 재발률을 감소시키나 저위험군에서는 이득이 확립되지 않았다.[15]

4) 항암 화학 요법 및 표적 치료

분화 갑상선암에서 항암화학요법을 하는 경우는 매우 드물지만 국소적으로 진행하여 완전한 절제가 불가능하거나 전신 전이가 있을 때 필요하다. 하지만 현재까지 분화 갑상선암에 대한 항암화학요법에 대한 연구는 제한적이며, 일부 연구에서 doxorubicin이나 paclitaxel의 단독 또는 병용요법을 추천하기도 하며, 갑상선자극호르몬 자극 후 carboplatinum과 epirubicin의 복합치료에 대한 보고가 있었지만 효과는 명확하지 않다.

하지만 최근에는 표적치료 약물들에 대한 연구가 시행되면서 일부 약물에서 긍정적인 결과가 제시되고 있다. 특히 Sorafenib은 BRAF, CRAF, VEGFR 및 PDGFR의 kinase inhibitor로서 갑상선암 발생기전에서 MAPK 경로를 표적으로 한다. ^{131}I 불응성 분화성 갑상선암을 대상으로 한 최근의 3상 시험에서 무진행 생존기간을 위약군 5.8개월에 비해 Sorafenib 투여군은 10.8개월로 유의하게 증가됨이 보고되면서 미국과 한국 식품의약품안전청에서 분화 갑상선암에 대해 적응증이 승인되었다.[7] 하지만 피부 독성 등의 부작용 빈도가 높아 사용에 주의를 요한다.

Motesanib은 VEGFR 1–3, PDGFR-β, RET 그리고 c-KIT 등을 억제하며, 93명의 분화 갑상선암에서 시행된 2상 연구에서 14%의 부분 관해, 67%의 안정, 8%의 진행과 35%의 6개월 이상 생존율이 보고되었다.

Sunitinib은 VEGFR 1–3, KIT, PDGFR, FLT-3, RET의 억제제로, 분화 갑상선암을 대상으로 한 2상 시험에서 부분 관해 13%, 안정 68%, 진행 10%의 결과를 보였다. 그 외 Axitinib, Vandetanib, Gefitinib 이나 Thalidomide, Lenalidomide, Celecoxib, Vorinostat, Romodepsin 등과 같은 약물이 분화 갑상선암을 대상으로 임상시험이 진행되고 있다.

5) 외부 방사선 조사 치료

외부방사선 조사는 육안적으로 불완전 절제된 공격적인 종양이나 방사성 동위원소를 효과적으로 흡수하지 못하는 종양의 국소조절을 위해 사용되며, 재발률을 낮추고 생존율을 향상시킬 수 있다. 육안적으로 모든 종양이 제거된 경우에는 다소 논란이 있으나 미세 잔존암의 재발률을 낮추는 것으로 알려져 있다. 또한 반복적 ^{131}I 치료에도 재발한 국소 또는 전이성 병변에서도 국소제어를 위해 사

용될 수 있다.[27]

5. 추적관찰

추적관찰은 재발 여부를 정확하게 찾아내어 완치 또는 장래의 이환율과 사망률을 낮추는 것을 목표로 한다.

1) 혈청 갑상글로불린

혈청 갑상글로불린의 측정은 갑상선 전절제술과 잔여 갑상선의 방사성 요오드 제거를 시행한 경우 잔여 갑상선암을 발견하는 데 민감도와 특이도가 높다. 갑상선 자극 호르몬이 갑상글로불린의 분비를 자극하므로 갑상글로불린의 측정은 T4를 중단하거나 rhTSH를 투여 후에 TSH가 증가한 상태에서 측정하는 것이 가장 예민한 방법이다. 단, 혈청에 항갑상글로불린 항체가 있는 경우 위음성을 보일 수 있으므로 항갑상글로불린 항체를 함께 검사해야 한다. 방사성 요오드 치료 후에 혈청 갑상글로불린이 검출되지 않는 경우에도 항갑상글로불린 항체가 지속적으로 상승하면 갑상선암 재발의 위험이 높다. 분화도가 떨어진 암에서는 갑상글로불린의 농도가 낮더라도 암이 존재할 수 있으며, 반대로 위험도가 낮은 환자에서는 조금만 상승해도 암의 존재를 시사할 수 있다. 일반적으로 TSH 자극 후의 혈청 갑상글로불린 농도가 2 ng/ml 이상이면 재발을 시사하며, 0.5 ng/ml 미만인 경우 암이 없을 확률은 98%에 달한다. 또한 TSH 자극 또는 억제와 관계없이 지속적으로 증가하는 추세를 보이면 임상적으로 유의하게 재발을 암시하는 소견이 된다.[27]

2) 진단적 방사성 요오드 스캔

분화 갑상선암의 잔존, 재발 또는 전이 여부를 알아보기 위해 시행한다. 진단 목적인 경우 2–10 mCi의 저용량을 투여한 후 스캔을 시행하며, 정상 갑상선 조직이 있으면 전이 병소가 관찰되지 않을 수 있다. 이러한 병변은 치료 목적의 고용량 ^{131}I를 투여 후의 스캔에서 발견될 수 있다.

3) 경부 초음파 검사

초음파 검사는 수술 부위의 재발 종양을 발견하거나 남아있는 반대편 엽 또는 경부 림프절에서의 재발을 진단하는 데 매우 예민한 검사이다. 갑상글로불린이 음성인 저위험군에서는 초음파만으로도 추적이 가능하며, 경부 초음파검사상 림프절 전이가 의심되는 경우에는 세침흡인검사와 세침흡인물에 대한 갑상글로불린검사가 진단에 도움이 된다.

4) ^{18F}FDG PET 스캔

지속적으로 혈청 갑상글로불린이 상승되어 있으나 방사성 요오드 스캔상 음성을 보이는 환자에서 ^{18F}FDG PET 스캔이 유용하며, 민감도는 83%, 특이도는 84%이다. FDG-PET/CT의 민감도는 종양의 분화도, 종양의 부피와 TSH 자극에 영향을 받으며, 조직학적으로 공격적인 종양에서 민감도가 높다. 분화 갑상선암에서 FDG 섭취가 되는 전이성 병소는 방사성 요오드 치료에 잘 반응하지 않으며 예후가 나쁘다.[47]

6. 예후

유두 암종의 10년 생존율은 99%에 이를 만큼 예후는 매우 양호하나 재발은 약 12% 정도이고, 부위별로는 국소 림프절 재발이 8–9%, 원발 부위 재발이 5–6%, 원격전이가 4–11%로 보고된다. 경부 림프절 전이가 있는 경우 재발률이 상승하며, 45세 이상에서는 생존율에도 부정적 영향을 미친다. 갑상선 피막 외 침범이 있는 경우, 원발 종양이 큰 경우, 연령이 높은 경우, 술 후 방사성 동위원소 치료를 받지 않은 경우, 전절제술을 시행하지 않은 경우에 재발 가능성이 높아진다.[33]

 여포 암종

1. 임상양상

여포 암종은 유두 암종과 함께 고분화 갑상선암의 범주에 속하나 유두 암종과는 임상 양상이 다르다. 빈도는 유두 암종에 비해 현저히 낮아 전체 갑상선암 중 약 10-15%를 차지하는 것으로 알려져 있으며, 우리나라는 5.8%로 비교적 낮다.[1] 요오드 결핍 지역에서 빈도가 높으며, 이는 TSH 상승에 의한 것으로 생각된다. 방사선 노출과도 관련이 있으며 체르노빌 원전사고 이후 유두 암종과 함께 여포 암종도 증가한 것으로 보고되었다.[31]

세침흡인세포검사에서 세포 충실성이 증가하면 여포 암종을 의심할 수 있지만 수술 후 병리 조직학적으로 피막의 침범이나 피막주위 혈관 침범이 확인되어야만 암종으로 확진할 수 있으므로 전체 피막에 대한 검사가 필요하다. 여포 암종도 여자에서 많이 발생하며, 유두 암종보다 발병 연령대가 약간 높고 평균 연령이 40-50대 이상이다.

임상적으로는 무증상의 종괴가 대부분이며, 약 30%에서 크기가 3 cm 이상이다. 유두 암종과 달리 경부 림프절 전이가 매우 드물어서 약 5% 미만에서 발생한다. 하지만 원격 전이율은 매우 높아 20%로 보고된다. 심지어 침윤도가 적은 암종에서도 원격 전이가 간혹 있으며, 특히 크기가 3 cm 이상이거나 60세 이상이면 원격 전이율이 증가한다. 원격 전이는 주로 폐, 골, 뇌 등과 함께 기타 연조직에도 전이될 수 있다. 폐 전이는 방사성 동위원소 치료 후 5년 생존율이 50-60%이고, 골 전이는 폐 전이에 비해 10% 정도 낮으나 일반적으로 2-3년 정도 생존하는 것으로 알려져 예후가 불량하다. 전이 암종의 크기가 크면 갑상선호르몬을 분비하여 갑상선중독증이 생기기도 한다. 치유율도 유두 암종에 비하면 떨어져 약 15%의 환자에서만 재발한 병변을 제거할 수 있다. 여포 암종의 재발은 근본적으로 수술의 범위보다는 처음 병변의 침습 정도와 더 연관이 있다. 재발률은 방사성 요오드 치료를 하거나 T4 억제요법을 시행하면 떨어진다. 50세 이상의 나이, 광범위한 혈관 침범 및 전신전이는 여포 암종의 예후에 나쁜 영향을 미치는 가장 중요한 인자이다.[49]

2. 병리소견

여포 종양은 여포 선종에서부터 분화도가 나쁜 여포 암종까지 광범위한 병리적 소견을 보인다. 세침흡인검사상에는 일반적으로 콜로이드가 적거나 없고 많은 수의 여포세포 덩어리가 납작한 여포상 구조를 보이며 일정한 모양의 핵염색질(nuclear chromatin)이 관찰된다. 여포 암종은 최소 침습성 여포 암종(minimally invasive follicular carcinoma)과 광범위 침습성 여포 암종(widely invasive follicular carcinoma)의 두 군으로 분류되는데 일반적으로 미세침습인 경우 예후가 좋다. 광범위 침습성 여포 암종은 갑상선 실질과 갑상선 외 연조직 내로 침투된 소견을 보이며, 분화도가 나쁘거나 유사분열 활성이 증가된다. 특히 혈관 침범은 여포 암종의 침윤정도와 밀접한 관계가 있으며 예후가 나쁘다. 종양의 크기가 커질수록 피막 침습 가능성이 높아 여포 암종의 가능성이 높아진다.[26]

3. 치료

여포 암종의 치료는 수술적 치료가 원칙이나 여포 암종의 특성상 수술 전 검사로 악성 여부를 판별하기가 어렵기 때문에 치료방법에 대해서는 논란이 있다. 일반적으로 세침흡인검사상 여포 종양으로 보고된 경우 악성 위험도는 15-30%이다. 4 cm 이상이거나 세포 소견상 심한 비정형, 갑상선암의 가족력, 방사선조사의 과거력이 있는 경우는 악성의 가능성이 높으므로 초치료로 전절제술을 고려할 수 있으며, 엽절제술만 시행된 경우 병리 결과가 피막이나 혈관 침범이 있는 침습성 여포 암종이면 잔존

갑상선절제술(completion thyroidectomy)을 고려할 수 있다.[3] 미국 갑상선학회에서는 세침흡인검사에서 여포 종양인 경우 수술적 절제는 임상적, 초음파 소견, 분자의학적 검사 결과를 고려하여 결정할 것을 권고하였다[15]

4. 예후

예후인자로서 나이, 종양의 크기, 원격전이 여부, 주위 조직 침윤, 조직학적 유형 등이 알려져 있으며, 여포 암종의 5년, 10년, 20년 생존율은 각각 85%, 80%, 76%이며, 위험인자에 따라 저위험군, 중위험군, 고위험군으로 나누어 분석하면 10년 생존율이 각각 98%, 88%, 56%이다. 원격전이가 있는 경우는 예후가 나빠 평균 생존 기간이 3.1년에 불과하다.[49]

Hürthle 세포 종양

1. 임상양상

Hürthle 세포 종양은 이전에는 여포종양의 아형으로 분류되었으나 세포 형태학적 및 유전학적으로 여포종양과 다르며 임상적으로도 여포종양과 다른 특성을 보인다. 병리소견은 여포 종양과 유사하나 호산성(oxyphilic) 세포질을 갖는 Hürthle 세포가 관찰된다. Hürthle 세포는 TSH 수용체를 가지며 갑상글로불린을 만든다. 세침흡인검사상 진단되는 Hürthle 세포 종양의 15-30% 정도가 악성이며, 여포종양과 마찬가지로 악성 종양으로 진단하기 위해서는 피막 침범여부가 중요하기 때문에 피막 전체에 대해 병리학적 평가가 필요하다.

평균 발병 연령은 여포 암종에 비해 다소 높으며, 여포 암종보다 더 공격적인 특성을 지녀, 다발성 또는 양측성인 경우가 더 많으며 경부 림프절 또는 원격 전이도 더 높다.[13]

2. 치료

치료적 접근은 여포 종양과 유사하다. Hürthle 세포 양성 종양인 경우 엽절제술로 충분하지만 병리 소견 상 침습 소견이 관찰되면 전절제술 또는 잔존 갑상선절제술 시행을 고려해야 한다. 이는 Hürthle 세포 악성종양이 여포 암종에 비해 공격적인 특성이 있을 뿐 아니라 요오드 섭취 능력 또한 감소하여 방사성 요오드 치료의 효과가 적기 때문이다. 림프절 전이도 빈발하기 때문에 중심 경부 및 측경부에 대한 면밀한 조사도 필요하다.

IX 수질 암종

수질 암종은 전체 갑상선암종 중 약 5% 미만을 차지하며 약 30%에서 상염색체 우성 유전의 가족력이 있다. 종양의 기원 세포는 다른 갑상선 암종과 달리 부여포 C-세포로서 분화 갑상선암과는 확실하게 구분되는 생화학적, 유전적, 임상적 특징을 지닌다. 칼시토닌, 암종 배아항원을 비롯하여 다양한 물질을 분비하며, 특히 혈청 칼시토닌은 종양 표지자로서 진단과 종양의 잔존과 재발을 평가하는 지표로 이용된다.

조기에 경부와 종격동 림프절 전이를 하고 국소 재발도 자주 발생한다. 그리고 혈행성 원격 전이를 일으켜 폐, 간, 골 등을 침범한다. 10년 생존율은 61-75% 정도이나 경부 전이가 있는 경우는 45% 정도로 떨어진다. 임상양상은 고분화 갑상선암종과 미분화 암종의 중간 정도이다.[28] 수질 암종의 분류는 표 45-10과 같다.

1. 산발형 수질 암종

갑상선 수질 암종의 75-80% 정도가 가족력이 없이 나타나는 산발형 수질 암종(sporadic medullary carcinoma)으로 50-60대가 호발 연령이며, 보통 일측성의 단일 결절로 발생하며, C-세포 증식과는 크게 관련이 없다.

표 45-10. 수질 암종의 분류

산발형(sporadic)
다른 내분비 병변 없음 정상표현형(normal phenotype)
유전형(hereditary)
MEN 2A형 (Sipple 증후군) 가족력(상염색체 우성) 갑상선 수질암종 또는 C세포 증식 부갑상선 기능항진증(hyperparathyroidism) 크롬 친화 세포종(pheochromocytoma) 또는 부신수질 증식 정상표현형 MEN 2B형 가족력(상염색체 우성) 또는 산발형 갑상선 수질암종 또는 C세포 증식 드문 부갑상선 질환 크롬 친화 세포종 또는 부신수질 증식 비정상 표현형 다발성 점막 혹은 장내 신경절종 근골격계 이상(Marfan형 체형) 각막 신경의 과증식 가족형(familial) 가족력 (상염색체 우성) 갑상선 수질 암종 또는 C세포 증식 다른 내분비 질환 동반하지 않음 정상표현형

종양은 매우 단단한 종괴로 경계는 분명하지만 피막은 없다. 약 절반 정도에서 석회화를 보이며, 심지어 골 형성을 보이기도 한다. 경부 림프절 전이가 조기에 발생하여 60–75%에서 경부 림프절 전이가 있고, 40%가량에서 종격동 림프절 전이가 있다. 림프절 전이는 원발 종양의 크기가 매우 작아도 생기는 것으로 알려져 있다. 15% 정도에서 혈류를 따라 원격 전이를 하며, 폐 전이가 가장 많고, 다음으로 간, 골, 뇌, 부신 등을 주로 침범한다.[27]

2. 유전성 수질 암종

유전성 수질 암종(hereditary medullary carcinoma)은 수질 암종의 20–25%를 차지하며, 산발형보다 젊은 연령에 발생한다. 상염색체 우성으로 유전되며, 염색체 10q11.2에 위치하는 RET 전암유전자의 germline 돌연변이에 의해 발생한다. 산발형과는 달리 갑상선 양측 엽을 동시에 침범하는 경우가 많으며, 특징적으로 여러 군데의 C–세포 과증식을 보인다. 이러한 C–세포 과증식은 수질 암종의 전구병변으로 알려져 있으며 주로 갑상선의 상극(upper pole)에서 발생한다.

다른 내분비 질환과 함께 발생하는 다발성 내분비 종양(multiple endocrine neoplasia, MEN) 중 일부로 나타나거나 다른 내분비 질환을 동반하지 않는 가족성 수질 암종(familial medullary thyroid carcinoma, FMTC)으로 나뉜다. RET 유전자의 germline 돌연변이가 발생하는 위치에 따라 표현형이 달라진다. 코돈 918, 883의 돌연변이는 다발성 내분비 종양 MEN 2B와 연관되며, 코돈 634의 돌연변이는 다발성 내분비종양 MEN 2A의 가장 흔한 유전자 변이이다. 코돈 609, 611, 618, 620, 630, 631의 돌연변이는 다발성 내분비종양 MEN 2A 또는 가족성 수질 암종의 표현형과 관련되며, 코돈 649, 768, 790, 791, 804, 891의 돌연변이는 가족성 수질 암종의 표현형을 보인다.[12] 다발성 내분비종양 MEN 2A 형은 주로 20–30대에 주로 발병하며, MEN 2B형은 10–20대에 주로 발생한다. MEN 2B형은 수질 암종 중에서 가장 공격적인 양상을 나타내며, 진단 당시 림프절 전이가 환자의 약 80%에서, 원격 전이가 약 20%에서 발견된다. 가족형 수질 암종은 40대 이상에서 주로 발생 하며, 환자는 천천히 자라는 갑상선 종괴를 주소로 내원하게 된다.[11]

1) 다발성 내분비종양 증후군 2A형(MEN 2A)

MEN 2A형(Sipple 증후군)은 갑상선 수질 암종이나 C–세포증식을 보이고, 부갑상선 기능항진증이 나타나며, 크롬친화 세포종(pheochromocytoma)이나 부신 수질 증식(adrenal medullary hyperplasia)이 있다. 크롬친화 세포종은 약 50%에서 나타나고, 부갑상선 기능항진증은 15%에서 나타난다. MEN 2형의 90%를 차지하며 크롬친화 세포종을 동반하는 수질 암종은 그렇지 않은 경우보다 양측성 갑상선 병변이 10배 정도 많이 발생하고, 이러한 가족에서 Cushing 증후군, 당뇨병, carcinoid 증후군 등이 잘 병발한다. 이런 질환들은 아민 대사의 장애이며, 세로토닌(serotonin), 칼시토닌, 프로스타글란딘(prostaglandin)의 증가가 있다.[40]

2) 다발성 내분비종양 증후군 2B형(MEN 2B)

MEN 2B형은 MEN 2형의 5%를 차지하며, 갑상선 수질 암종과 함께 약 50%에서 크롬친화 세포종이나 부신수질증식이 있고 드물게 부갑상선 질환이 있을 수 있으나 대부분 없다. MEN 2B형에서는 비정상적인 표현형이 나타나 Marfanoid 체형이 90%에서 나타나며, 다발성 점막 혹은 장 내 신경 절종(multiple mucosal ganglioneuroma)이 흔히 나타나며 드물게 말초신경병증, 안구건조증, 구강건조증, 치아이상 등이 나타난다.[40]

3) 가족성 수질 암종(FMTC)

가족력을 보이는 수질 암종에서 다른 내분비 이상이 없는 경우 가족성 수질 암종으로 분류하며 이 경우에도 C-세포 증식을 동반한다. 이 역시 상염색체 우성으로 유전된다. MEN 2 증후군에서 보다 발생 연령이 높고, 임상적으로 덜 공격적이어서 예후는 수질 암종 중에서 가장 좋다.

3. 진단

임상적으로 대부분 무통성의 갑상선 종괴나 경부 종괴를 주소로 내원하며, 약 절반의 환자에서 진단 당시 경부 림프절 전이가 있다. 다른 증상과 징후로는 안면 홍조, 설사, Cushing 증후군과 같은 내분비 이상 등이 있다. 경우에 따라서는 통증, 연하곤란, 애성과 같은 국소 침윤에 의한 증상을 동반하기도 한다. 또 부갑상선 기능항진증을 동반한 MEN 환자에서는 고칼슘혈증이 나타나며, 칼슘을 포함한 신장 결석을 동반하기도 한다. 그 외에 약 10%의 환자에서 안면 홍조가 발생하고, 약 1/3의 환자가 설사를 호소하는데, 특히 진행된 병변으로 혈중 칼시토닌치가 매우 높은 환자에서 잘 발생한다. 설사의 기전은 대장에서의 짧은 통과시간 때문이라고 알려져 있다.

CT 등의 영상검사에서의 특징은 석회화 음영으로 약 1/2의 환자에서 나타난다. 종격동 림프절 전이가 흔하기 때문에 흉부 단순촬영에서 종격동 확대의 소견을 보이기도 한다. 갑상선 스캔에서는 대부분 냉결절이며, 갑상선호르몬 검사는 정상이다. MEN 2 증후군을 가진 환자의 가족에서 증세가 없는 경우, 과거에는 Pentagastrin 자극검사를 통해 칼시토닌의 최대치를 측정하여 수질 암종을 조기 발견하려 하였으나 부작용과 효율성 때문에 최근에는 유전자 검사로 대체되고 있다. 그리고 수질 암종이 의심되는 모든 환자에 대해 부갑상선기능과 크롬친화 세포종의 진단을 실시해야 한다. 부여포 C-세포는 정상적으로 칼시토닌을 분비하는데, 이는 중요한 종양 표지자로 가족형 수질 암종의 진단에 유용한 정보를 제공할 뿐만 아니라 종양의 재발을 조기에 발견할 수 있는 추적 검사로 이용된다. 따라서 모든 환자에서 술 전에 칼시토닌과 혈청 CEA를 검사해야 한다.[27]

유전성 수질 암종 환자와 산발성 수질 암종의 모든 환자에게 RET 전암유전자(protooncogene) 변이에 대한 검사가 권고된다. 이는 수질 암종은 임상적으로 진단 시 조기에 림프절 및 원격 전이를 잘 하고 특히 유전성 수질 암종의 경우 진단이 늦어지면 예후가 좋지 않으므로 임상적으로나 생화학적으로 발현하기 전에 조기 진단하여 치료하는 것이 중요하기 때문이다.[48]

RET 전암유전자는 신경능(neural crest)의 발달과 분화에 관여하는 tyrosine kinase 수용체를 코딩하는 유전자이다. 따라서 RET의 germline 돌연변이는 신경능에서 기원한 갑상선 C-세포, 부갑상선 세포, 부신의 크롬친화성 세포, 장 자율신경총에 영향을 끼쳐 갑상선 수질 암종,

크롬친화세포종, 부갑상선 선종, 점막 신경종, 장의 신경절 신경종 등의 종양을 발생시킨다. MEN 2A, MEN 2B, FMTC 환자와 그 가족들 중 RET 전암유전자 돌연변이 보유자는 생애 어느 시점에서든 반드시 갑상선 수질 암종이 발생하기 때문에 예방적 갑상선 수술의 대상이 된다.[11]

4. 치료

수술이 가장 중요한 근치 방법이며, 진단과 동시에 신속하게 수술을 시행한다. 우선 수술 전에 크롬친화 세포종의 동반 여부를 확인해야 한다. 이 종양은 수술 당시 혈압상승을 초래할 수 있으므로 술 전에 진단하는 것이 중요하며, 24시간 요검사에서 catecholamine, metanephrine, VMA (vanillymandelic acid) 등을 측정하거나, 복부 초음파검사로 병변을 찾을 수 있다.

수술로는 갑상선 전절제술과 중앙 림프절 절제술이 모든 갑상선 수질 암종 환자에게 권고된다. 이는 종양이 다발성 경향이 있으며, 심지어 어린이라 할지라도 조기에 림프절 전이가 일어나므로 중앙 경부 림프절 절제술이 필요하다. 그리고 부갑상선을 모두 찾아서 과증식이 있는지를 확인해야 한다. 측경부 림프절 절제술은 측경부 전이가 있는 경우 시행해야 하며, 일부에서는 종양이 크거나 중심경부 전이가 있는 경우에도 예방적으로 시행할 것을 권고하기도 한다.[2,48]

수질 암종은 부여포 C-세포 기원이므로 방사성 요오드치료나 TSH 억제요법은 효과가 없다. 잔류 종양이나 절제 불가능한 종양에 대한 외부 방사선조사(external beam radiation therapy)의 효과에 대해서는 논란이 있으며, 항암화학요법도 효과가 좋지 않다. 따라서 일차 수술에서 완벽하게 절제하는 것이 가장 중요하다.[27]

5. 예방적 갑상선 수술

유전성 수질 암종의 가족력이 있는 소아에서 유전자

표 45-11. 수질 암종의 유전자 변이 위험도에 따른 검사와 예방적 갑상선 수술

위험도	Codon	표현형	신체검사, 초음파, 칼시토닌 검사 연령	예방적 수술 연령	수술 범위	추적 검사
최고도	918	MEN 2B	1세 이하 가능한 빨리	1세 이하, 1개월도 가능	갑상선 전절제술; 예방적 중심경부림프절절제술은 부갑상선 보존 여부를 고려하여 시행	술 후 1년간은 6개월 이후 연1회, 11세부터 크롬친화세포종 검진
고도	634, 883	MEN 2B, MEN 2A	3세	5세 또는 5세 이전이라도 혈청 칼시토닌이 증가할 때	갑상선 전절제술; 중심경부림프절절제술은 혈청 칼시토닌이 40 pg/mL 이상이거나 임상적으로 전이가 확인될 때	술 후 1년간은 6개월 이후 연1회, 11세부터 크롬친화세포종 검진
중등도	533, 609, 611, 618, 620, 630, 631, 666, 768, 790, 804, 891, 912	MEN 2A	5세	혈청 칼시토닌 농도가 상승할 때 또는 소아기에 보호자가 장기간의 검진을 원치 않을 때	갑상선 전절제술; 중심경부림프절절제술은 혈청 칼시토닌이 40 pg/mL 이상이거나 임상적으로 전이가 확인될 때	술 후 1년간은 6개월 이후 연1회, 16세부터 크롬친화세포종 검진

검사를 통해 RET 돌연변이의 보인자로 확진되면 공격적인 치료가 필요하며 예방적 갑상선 전절제술을 시행한다. 미국 갑상선학회에서는 RET 유전자의 germline 돌변변이의 위치에 따라 수질 암종의 위험도를 최고도, 고도, 중등도의 3단계로 분류하고 혈청 칼시토닌 농도와 같은 임상적 소견을 고려하여 검사와 치료시기를 권고하였다(표 45-11). 최고 위험도에 해당하는 MEN 2B형은 가능한 빨리 1세 이전에 갑상선 전절제술을 시행해야 하며, 중등 위험도의 MEN 2A형이나 가족성 수질 암종은 5세 이전에 혈청 칼시토닌 농도를 고려하여 수술시기를 결정할 수 있으며, 칼시토닌 수치와 초음파 검사상 정상인 중등 위험도의 수질 암종은 5세 이후로 수술을 연기할 수 있다.[48]

6. 수술 후 추적 관찰

수술 후 치료 결과의 평가를 위해 술 후 2–3개월 후 혈청 칼시토닌과 CEA 수치를 확인한다. 종양이 완전히 제거되어 칼시토닌 치가 정상으로 돌아온 환자에서는 칼시토닌을 6개월마다 측정 하여 재발 유무를 평가할 수 있다. 칼시토닌과 CEA의 doubling time을 평가하는 것은 중요한 지표로서, 칼시토닌의 doubling time이 6개월 미만일 때 5년, 10년 생존율이 각각 25%, 8%, 6–24개월일 때 92%, 37%, 24개월 이상일 때는 100%이며, CEA의 doubling time이 6개월 미만일 때는 5년 생존율 0%, 6–24개월일 때는 5년, 10년 생존율이 각각 75%, 23%, 2년 이상일 때는 100%, 96%로 보고되었다.[6] 비록 CT나 초음파검사에서 재발의 증거가 없더라도 칼시토닌이나 CEA의 수치가 상승하면 PET–CT 등을 포함한 핵의학 영상진단을 통해 재발의 증거를 발견할 수도 있다.[48]

7. 예후

예후에 영향을 미치는 인자로는 연령, 성별, 질환의 정도, 가족력, 초치료의 완전성 등이다. 갑상선 내에 국한된 종양은 10년 생존율이 약 90%이며, 림프절 전이가 있으면 70%, 원격 전이가 있으면 약 20%로 현저히 감소하게 된다. 생화학적 완치를 달성하였을 때의 10년 생존율은 97.7%에 달한다. 산발형이나 50세 이상의 환자, MEN 2B형 등일 때 예후가 더 나쁘다. 산발형의 예후가 더 나쁜 이유는 진단 당시의 나이가 많기 때문인 것으로 알려져 있다.[11]

 X 저분화 암종

WHO 분류에 의한 저분화 암종은 고분화 암종과 미분화 암종의 중간형이다. 조직학적 아형으로는 insular형, trabecular형, solid형이 있으며, 일부분에 유두 암종이나 여포 암종의 조직 소견을 보인다. 진단 시 갑자기 커지는 종괴와 경부 전이 및 폐와 골 전이가 많다. Insular 암종은 여포 암종의 분화가 나쁜 아형으로 여겨지는데, 여포 암종에 비해 예후가 나쁘다. 이 암종은 여포 암종에 비해 공격적이며, 특히 원격전이를 더 잘한다. 국소침윤이 심한 경우 방사선 치료를 하여 재발을 줄일 수 있다. 5년 생존율은 50% 정도로 보고된다.[27]

 XI 미분화(역형성) 암종

1. 임상양상

갑상선 미분화 암종은 전체 갑상선암종의 5% 미만을 차지하며, 국내 보고는 약 1% 정도이다.[1] 지방병성 갑상선종(endemic goiter)에서 비교적 발생률이 높다. 성비는 비슷하나 여자에게 다소 호발하며, 60세 이상의 고령층이 대부분이다. 발생원인으로는 분화 갑상선암에서 변이되어 발생한다는 가설과 미분화 암종이 새로이 발생한다는 가설이 있으나 확실치 않다.

환자는 대부분 70대의 고령이고, 광범위한 부분을 침범하며, 후두와 기관을 침범하는 경우도 흔하고, 반회후두신경 마비도 흔하며, 대부분에서 경부 림프절 전이가 있으며, 진단 당시에 이미 폐, 뇌, 식도, 늑골 등으로 원격전이가 발생한 경우가 40% 이상이다. 특징적으로 수년 혹은 수십 년 동안 지속된 갑상선 결절의 기왕력이 있으며, 이 결절이 최근에 갑자기 커져서 내원하는 경우가 많다. 종양이 주위 상부 호흡소화관을 침범 하면 호흡곤란, 연하곤란 등의 동반증상이 나타날 수 있다. 드물기는 하지만 갑상선조직의 급속한 괴사로 인한 갑상선중독증의 증상이 나타날 수도 있으며, 이 때문에 갑상선염으로 오진하는 경우도 있다.

갑상선절제 후 우연히 병리조직에서 발견되어 진단되는 일부의 경우를 제외하고는 예후는 매우 불량하여 진단 후 약 6-8개월 이내에 대부분이 사망하는 것으로 알려져 있으며, 평균 생존기간이 4-6개월이다.[35]

2. 병리소견

육안적으로는 갑상선 외 인접조직, 즉 기관, 연조직, 혈관 등을 침윤한 거대한 종괴가 보이며, 부분적으로 출혈과 괴사된 부분을 가진 백색의 육질 소견을 보인다. 어느 한 부위에서는 피막이 잘 형성된 결절이 관찰되기도 하는데 이는 기존에 있던 양성 혹은 고분화 암병변을 시사한다. 약 1/3에서 고분화 갑상선암종의 조직을 발견할 수 있다.

모든 미분화 암종에서 비정상적인 세포분열이 다수 관찰되며, 괴사도 흔하고 갑상선과 주위 연조직으로의 침윤이 쉽게 관찰된다. 편평세포로의 분화도 보일 수 있으며, 원발성 갑상선 편평세포암종(squamous cell carcinoma)이 미분화 암종과 비슷한 형태를 보이기도 한다. 따라서 후두, 식도, 폐 등에서 기원한 전이성 편평세포암종과 반드시 감별해야 한다. 이는 갑상선 상피세포 기원임을 나타내는 갑상글로불린의 면역조직화학적 검사로 확인할 수 있다.[26]

3. 진단

절개 생검을 시행하면 종양 세포의 파종을 일으킬 가능성이 많고 국소 치유율이 떨어지므로 세침흡인세포검사가 더 유용하다. 특히 세포검사는 결과를 빨리 확인하여 신속하게 치료를 시작할 수 있다. 세포검사를 반복한 결과가 계속 음성이나 고분화 암종으로 나오면 최종적으로 절개 생검을 할 수밖에 없기 때문에, 세심한 촉진과 CT 등의 소견을 종합하여 가장 가능성이 높은 부위에서 반복하여 세침흡인세포검사를 시행하는 것이 중요하다. 방사성 동위원소 스캔에서는 ^{123}I, ^{131}I, ^{99m}Tc 등이 흔히 사용되나 Tl- 201 chloride와 Ga-67 citrate scintigraphy를 비교하여 역형성 암종에서는 전자가 음성이고 후자가 양성이므로 이를 고분화 암종과의 감별진단, 원격전이의 확인, 방사선 조사 범위의 결정, 기타 치료효과의 평가 등에 이용할 수 있다.[35]

4. 치료

미분화 암종에 대한 효과적인 치료법은 없다. 종양의 크기가 작고 갑상선에만 국한되어 제거하기가 용이한 경우를 제외하고는 대부분 완벽한 수술적 제거는 불가능하고 실제로 다수의 미분화 암종에서 초치료로 수술이 부적절한 경우가 많다.

효과적인 표준 치료법은 없으나 수술, 방사선치료, 항암화학요법의 병합요법이 표준적으로 쓰인다. 효과가 입증된 항암화학제제는 없으나 doxorubicin, 5-FU, cyclophosphamide의 병용요법이 있으며, 최근에는 paclitaxel이 동물 실험과 제한된 임상시험에서 가장 효과적으로 보고되고, 다른 taxane 계열 제제들의 다양한 임상시험이 시도되고 있다.

결론적으로 미분화 암종의 치료 원칙은 진단 당시 주

위 침윤이 심하지 않고 육안적 완전 절제가 가능하다면 수술적 절제를 시행한 후 방사선 조사 및 항암화학요법을 시행하는 것이 좋고, 초기에 주위 침윤이 심하고 완전 절제가 불가능할 경우에는 방사선 조사를 먼저 시행한 후 그 반응을 보아 수술을 고려할 수 있다. 물론 초치료나 치료 도중 기도 폐쇄가 우려되면 기관절개술을 시행해야 한다. 전이 병소의 치료는 전신 방사성 요오드 스캔을 시행하여 흡수가 있는 경우 미분화 암종으로 변하기 전의 고분화 암종의 전이로 간주하여 방사성 요오드 치료를 하고, 흡수가 없다면 미분화 암종의 전이로 간주하고 전신적 항암화학요법을 시행하는 것이 바람직하다. 그리고 설령 진단 당시 전이 병소가 발견되었더라도 적극적인 국소 치료로 환자의 삶의 질을 향상시킬 수 있다.[2,27]

 기타 갑상선 암종

1. 악성 림프종

갑상선의 악성 림프종(malignant lympoma)은 전체 갑상선암의 5% 미만으로 보고되나, 우리나라에서는 1% 미만으로 보고된다. 여성이 남성보다 약 3배가량 많으며, 대개 50세 이상에서 발병한다. 비록 드물지만 다른 갑상선 종양과 치료가 완전히 다르므로 갑상선 종양의 감별진단으로 항상 고려해야 한다. 임상적으로 이전에 갑상선 종대를 동반한 경우가 많고, 급속히 자라는 종양으로 종종 미분화 암종으로 혼동되기도 한다.

병리학적으로 모두 비호지킨 림프종(non-Hodgkin's lymphoma)이며, 주로 diffuse large B cell 림프종과 Mucosa-associated lymphoid tissue (MALT) 림프종이다. 혈관벽이 흔히 침범되며, 갑상선외 조직의 침범이 흔하다. 매우 빨리 자라며 단단하고 무통성의 종괴이다. 갑상선 외 침범으로 반회후두신경마비, 연하곤란, 경부 림프절 종대가 조기에 나타난다. 급속히 성장하여 폐색 증상을 나타내며, 보통 오랜 기간의 갑상선종이 있고, Hashimoto 갑상선염으로 진단된 병력이 있다. 대부분 경부 종창과 함께 압통, 애성, 연하곤란, 경부압박 등의 증상이 나타나며, 심한 경우 안변 부종, Horner 증후군이 나타나기도 한다. 조직검사에서 미분화 소세포로 나타나면 악성 림프종을 의심해야 한다. 90%에서 Hashimoto 갑상선염을 동반하며, Hashimoto 갑상선염이 있는 환자에서 발생률이 60배 정도 증가한다. 평균 연령은 약 60~65세이며, 여성이 3-4배 많다.[20]

악성 림프종의 병기는 IE가 갑상선 내 질환, IIE기가 횡격막 상부의 림프절 양성, IIIE기는 횡격막 상부와 하부의 림프절 병변, IVE기는 미만성 병변으로 나눈다. 대체로 항암화학요법에 잘 반응하는 편으로 방사선 치료와 병행하기도 한다. 수술이 주된 치료는 아니나 기도 압박증상이 있는 경우 시행할 수 있다.

종양의 크기가 클수록, 병기가 높을수록, 압박 증상이 있는 경우, 종격동 침범이 있는 경우, 성장 속도가 빠른 경우에 예후가 나쁘며, 조직학적으로는 MALT 림프종이 diffuse large cell 림프종보다 예후가 좋다. 5년 생존율은 갑상선에 국한된 경우 85%에 이르나 미만성 질환인 경우 40%정도이다.[27]

2. 전이암

매우 드물며 주로 부검에서 현미경적인 전이의 소견으로 발견된다. 전체 갑상선암의 1-7.5%로 보고되나 국내에서는 전체 갑상선암 중 0.46%로 보고된 바 있다. 전이암의 원발부위는 유방, 폐, 흑색종, 신장이 많으나 임상적으로 발현되는 경우는 신세포암종(renal cell carcinoma)이 가장 많다.

갑상선 기능은 대개 정상이며, 세침흡인세포검사를 통해 악성을 진단할 수 있지만 원발암과 전이암을 구분하기는 쉽지 않다. 원발종양의 성장이 느릴 때 완화치료로서 갑상선 절제술을 고려할 수 있다.[26]

표 45-12. 분화 갑상선암의 재발 위험도 분류 (미국갑상선학회)

저위험군	국소 및 원격전이 없음 모든 육안적 종양 제거 주변 조직이나 기관 침범 없음 공격적인 병리소견(tall cell, insular, columnar cell)이나 혈관침범 없음 cN0 또는 ≤5 pN1 이며 장경 0.2 cm 이내의 미세전이 첫번째 술 후 전신요오드스캔상 갑상선부위 이외에 131I 섭취 관찰되지 않음 갑상선내 유두 암종의 여포 아형(follicular variant) 피막만 침범하고 갑상선 내 분화 갑상선암 경미한 혈관침범을 동반한 갑상선 내 분화 갑상선암 갑상선 내 단일, 다발성 미세유두암종 (V600E BRAF돌연변이 포함)
중위험군	주변조직에 미세 침윤 cN1 또는 〉5 pN1 이며 전이림프절의 장경이 3 cm 미만 방사성요오드 갑상선 제거 후 갑상선 부위 외에 131I 섭취 첫번째 술 후 전신요오드스캔상 131I 섭취되는 경부 전이 공격적인 병리소견이나 혈관침범 갑상선 내 종양크기 1-4 cm, V600E BRAF돌연변이 유두암종 피막 외 침범과 V600E BRAF돌연변이를 동반한 다발성 미세 유두암종
고위험군	주변 조직의 육안적 침윤 불완전 절제 원격전이 장경 3 cm 이상의 전이성 림프절을 동반한 pN1 원격전이를 시사하는 술후 갑상글로불린 광범위한 혈관침범을 동반한 여포암종 (4곳 이상)

표 45-13. 분화 갑상선암의 치료 후 반응 분류

분류	정의	임상적 결과
우수한 반응 (Excellent response)	영상으로 관찰되지 않고, 억제 Tg〈0.2 ng/mL 또는 TSH 자극 Tg〈1 ng/mL	재발률 1-4% 질환 특이 사망률〈1%
생화학적 불완전반응 (Biochemical incomplete response)	영상으로 관찰되지 않고, 억제 Tg〉1 ng/mL 또는 TSH 자극 Tg〉10 ng/mL 또는 항 Tg 항체 지속적 상승	30% 이상에서 무병생존 20%는 추가치료를 통해 무병생존 20%만 구조적 재발 질환 특이 사망률〈1%
구조적 불완전반응 (Structural incomplete response)	구조적 잔존 또는 재발	추가치료에도 50-85%는 종양 잔존 질환특이 사망률은 국소나 구역 전이가 있는 경우 11%, 구조적 원격전이가 있는 경우 50%
중등도 반응 (Intermediate response)	영상검사상 비특이적 소견 방서성요오드스캔상 미약한 섭취 억제 Tg 양성이지만 〈1 ng/mL, TSH 자극 Tg 양성이지만 〈10 ng/mL 또는 구조적 병변이 없으면서 항 Tg 항체가 안정적이거나 감소	15-20%에서 구조적 질환 발견됨. 나머지에선 비특이적 변화들이 지속되거나 소실됨. 질환특이 사망률〈1%

3. 편평세포암

갑상선의 편평세포암은 매우 드물어 1% 미만으로 알려져 있다. 대개 고령에서 발생하여 빠르게 성장하고 주위 조직의 침윤과 전이를 유발한다. 상부 호흡소화기관에서의 전이를 감별해야 하며, 조기 진단과 적극적인 치료가 필요하며 방사선 치료가 도움이 될 수 있다.

XIII 갑상선암의 동적 위험도 평가

갑상선암의 예후를 평가하기 위한 기존의 주요 임상 병기 체계들은 주로 생존율을 고려하여 만들어져 재발의 위험도를 예측하기에는 한계가 있었으며, 초치료의 역할이 간과되는 약점이 있었다. 이에 2015년 미국 갑상선학회에서는 이러한 기존의 병기 체계를 보완하고 임상에서 치료 및 추적관찰 계획에 도움이 되도록 재발의 위험을 기준으로 분화 갑상선암을 저위험군, 중위험군, 고위험군 등 3단계로 분류하였다(표 45-12).[15]

또한 초치료에 대한 반응이 최종 예후에 지대한 영향을 미친다는 점을 반영하기 위해 초치료 후의 반응에 따라 분류하는 동적 위험 평가(dynamic risk assessment)를 제시하고 이에 따른 치료를 권고하였다(표 45-13).

참고문헌

1. 국가암등록사업 연례보고서(2012년 암등록통계) 중앙암등록본부. 2014.
2. 심윤상. 갑상선 질환. 대한이비인후과학회 편저. 이비인후과학 두경부외과학. 개정판. 일조각 2009. p.1812-42.
3. 이가희, 박영주, 궁성수, 등. 갑상선결절 및 암 진료 권고안 개정안. 대한갑상선학회지 2010;3(2):65-96.
4. Alexander EK. The evaluation and management of thyroid nodules. In: Randolph GW, editor. Surgery of thyroid and parathyroid glands. 2nd Ed. Philadelphia: Philadelphia: Elsivier Saunders, 2013, p.107-14.
5. American Joint Committee on Cancer. AJCC cancer staging manual, 8th ed. Philadelphia, Springer, 2017.
6. Barbet J, Campion L, Kraeber-Bodere F, et al. Prognostic impact of serum calcitonin and carcinoembryonic antigen doubling-times in patients with medullary thyroid carcinoma. J Clin Endocrinol Metab 2005;90(11):6077-84.
7. Brose MS, Nutting CM, Jarzab B, et al. Sorafenib in radioactive iodine-refractory, locally advanced or metastatic differentiated thyroid cancer: a randomised, double-blind, phase 3 trial. Lancet 2014 Jul 26;384(9940):319-28.
8. Byar DP, Green SB, Dor P, et al. A prognostic index for thyroid carcinoma: a study of the E.O.R.T.C. Thyroid Cancer Cooperation Group. Eur J Cancer 1979;15:1033-41.
9. Cady B, Rossi R. An expanded view of risk-group definition in differentiated thyroid carcinoma. (Surgery). 1988;104:947–953.
10. Cibas ES, Ali SZ. The Bethesda System for Reporting Thyroid Cytopathology. Thyroid 2009;19(11):1159-65.
11. Dralle H, Machens A, Brauckhoff M. Syndromic medullary thyroid carcinoma: MEA 2A and MEN 2B. In: Randolph GW, editor. Surgery of thyroid and parathyroid glands. 2nd Ed. Philadelphia: Elsivier Saunders, 2013, p.225-36.
12. Frank-Raue K, Rondot S, Raue F. Molecular genetics and phenomics of RET mutations: Impact on prognosis of MTC. Mol Cell Endocrinol. 2010;322(1-2):2-7.
13. Grant CS. Operative and postoperative management of the patient with follicular and Hürthle cell carcinoma. Do they differ? Surg Clin North Am 1995;75:395-403.
14. Harach HR, Franssila KO, Wasenius VM. Occult papillary carcinoma of the thyroid. A "normal" finding in Finland. A systematic autopsy study. Cancer. 1985;56(3):531-8.
15. Haugen BR, Alexander EK, Bible KC, et al. 2015 American Thyroid Association Management Guidelines for Adult Patients with Thyroid Nodules and Differentiated Thyroid Cancer. Thyroid 2016;26(1):1-133.
16. Hay ID, Bergstralh EJ, Goellner JR, et al. Predicting outcome in papillary thyroid carcinoma: development of a reliable prognostic scoring system in a cohort of 1779 patients surgically treated at one institution during 1940 through 1989. Surgery 1993;114:1050-8.
17. Hay ID, Grant CS, Taylor WF, et al. Ipsilateral lobectomy versus bilateral lobar resection in papillary thyroid carcinoma: a retrospective analysis of surgical outcome using a novel prognostic scoring system. Surgery 1987;102:1088-95.
18. Hay ID, McConahey WM, Goellner JR. Managing patients with papillary thyroid carcinoma: insights gained from the Mayo Clinic's experience of treating 2,512 consecutive patients during 1940 through 2000. Trans Am Clin Climatol Assoc 2002;113:241-60.
19. Howlader N, Noone AM, Krapcho M, et al, editors. SEER Cancer Statistics Review, 1975-2012, National Cancer Institute. Bethesda, MD, http://seer.cancer.gov/csr/1975_2012/, based on November 2014

SEER data submission, posted to the SEER website, April 2015.
20. Hyjek E, Isaacson PG. Primary B-cell lymphoma of the thyroid and its relationship to Hashimoto's thyroiditis. Hum Pathol 1988;19:1315-26.
21. Ito Y, Miyauchi A. Nonoperative management of low-risk differentiated thyroid carcinoma. Curr Opin Oncol 2015;27(1):15-20.
22. Ji YB, Song CM, Bang HS, et al. Long-term cosmetic outcomes after robotic/endoscopic thyroidectomy by a gasless unilateral axillo-breast or axillary approach. J Laparoendosc Adv Surg Tech A 2014;24(4):248-53.
23. Ji YB, Tae K, Lee YS, et al. Surgical management of tracheal invasion by differentiated thyroid cancer: how we do it. Clin Otolaryngol 2009;34(6):565-7.
24. Keum HS, Ji YB, Kim JM, et al. Optimal surgical extent of lateral and central neck dissection for papillary thyroid carcinoma located in one lobe with clinical lateral lymph node metastasis. World J Surg Oncol 2012;10:221.
25. Kim TH, Ji YB, Song CM, et al. SUVmax of 18F-FDG PET/CT in the differential diagnosis of benign and malignant thyroid nodules according to tumor volume. World J Surg Oncol 2015;13:217.
26. Kumar V, Abbas AK, Aster JC. Endocrine system. In: Robbins, editor. Basic pathology. 9th Ed. p.721-30.
27. Lai SY, Mandel SJ, Weber RS. Management of thyroid neoplasms In: Cummings CW, Flint PW, Haughery BH, et al, editors. Otolaryngology: Head and Neck Surgery, 6th ed. Saunders, 2015, p.1901-28.
28. Lee DW, Ji YB, Sung ES, et al. Roles of ultrasonography and computed tomography in the surgical management of cervical lymph node metastases in papillary thyroid carcinoma. Eur J Surg Oncol 2013;39(2):191-6.
29. Lloyd RV, Osamura RY, KlÖppel G, Rosai J, editors. WHO classification of tumours of endocrine organs. 4th ed. Lyon: IARC; 2017.
30. Lupi C, Giannini R, Ugolini C, et al. Association of BRAF V600E mutation with poor clinicopathological outcomes in 500 consecutive cases of papillary thyroid carcinoma. J Clin Endocrinol Metab 2007;92:4085-90.
31. Malone J, Unger J, Delange F, et al. Thyroid consequences of Chernobyl accident in the countries of the European Community. J Endocrinol Invest 1991;14:701-7.
32. Mazzaferri EL, Doherty GM, Steward DL. The pros and cons of prophylactic central compartment lymph node dissection for papillary thyroid carcinoma. Thyroid 2009;19(7):683-9.
33. Mazzaferri EL, Jhiang SM. Long-term impact of initial surgical and medical therapy on papillary and follicular thyroid cancer. Am J Med 1994;97:418-28.
34. Moon WJ, Jung SL, Lee JH, et al. Benign and malignant thyroid nodules: US differentiation-multicenter retrospective study. Radiology. 2008;247(3):762-70.
35. Nel CJ, Van Heerden JA, Goellner JR, et al. Anaplastic carcinoma of the thyroid: a clinicopathologic study of 82 cases. Mayo Clin Proc 1985;60:51-8.
36. Nikiforov YE. RET/PTC rearrangement in thyroid tumors. Endocr Pathol 2002;;13(1):3-16.
37. Nikiforov YE. Genetic alterations involved in the transition from well-differentiated to poorly differentiated and anaplastic thyroid carcinomas. Endocr Pathol 2004;15(4):319-27.
38. Nikiforov YE, Ohori NP, Hodak SP, et al. Impact of mutational testing on the diagnosis and management of patients with cytologically indeterminate thyroid nodules: a prospective analysis of 1056 FNA samples. J Clin Endocrinol Metab 2011;96:3390-7.
39. Noguchi M, Yamada H, Ohta N, et al. Regional lymph node metastases in well-differentiated thyroid carcinoma. Int Surg 1987;72(2):100-3.
40. O'Riordain DS, O'Brien T, Weaver AL, et al. Medullary thyroid carcinoma in multiple endocrine neoplasia types 2A and 2B. Surgery 1994;116:1017-23.
41. Pellegriti G, Frasca F, Regalbuto C, et al. Worldwide increasing incidence of thyroid cancer: update on epidemiology and risk factors. J Cancer Epidemiol 2013;2013:965212.
42. Riesco-Eizaguirre G, Santisteban P. New insights in thyroid follicular cell biology and its impact in thyroid cancer therapy. Endocr Relat Cancer 2007;14(4):957-77.
43. Şahpaz A, Onal B, Yeilyurt A, et al. BRAF(V600E) mutation, RET/PTC1 and PAX8-PPAR gamma rearrangements in follicular epithelium derived thyroid lesions - institutional experience and literature review. Balkan Med J 2015;32(2):156-66.
44. Shah JP, Loree TR, Dharker D, et al. Prognostic factors in differentiated carcinoma of the thyroid gland. Am J Surg 1992;164:658-61.
45. Shaha AR, Loree TR, Shah JP. Intermediate-risk group for differentiated carcinoma of the thyroid. Surgery 1994;116:1036-41.
46. Tae K, Ji YB, Cho SH, et al. Early surgical outcomes of robotic thyroidectomy by a gasless unilateral axillo-breast or axillary approach for papillary thyroid carcinoma: 2 years' experience. Head Neck 2012;34: 617-25
47. Wang W, Larson SM, Tuttle RM, et al. Resistance of [18f]-fluorodeoxyglucose-avid metastatic thyroid cancer lesions to treatment with high-dose radioactive iodine. Thyroid 2001;11(12):1169-75.
48. Wells SA Jr, Asa SL, Dralle H, et al. Revised American Thyroid Association guidelines for the management of medullary thyroid carcinoma. Thyroid 2015;25(6):567-610.
49. Young RL, Mazzaferri EL, Rahe AJ, et al. Pure follicular thyroid carcinoma: impact of therapy in 214 patients. J Nucl Med 1980;21:733-7.
50. Zaydfudim V, Feurer ID, Griffin MR, et al. The impact of lymph node involvement on survival in patients with papillary and follicular thyroid carcinoma. Surgery 2008;144(6):1070-7.

CHAPTER

46

갑상선과 경부수술

이비인후과학 Otorhinolaryngology - Head and Neck Surgery

정광윤, 조재구

갑상선암의 첫 번째 치료방법은 수술이다. 수술 후 남은 눈에 보이지 않는 잔여 조직을 제거하기 위하여 사용하는 것이 ^{131}I을 이용한 동위원소 치료이며, 그 외 외부방사선 조사나 항암약물치료를 보조적으로 사용할 수 있다.

갑상선의 수술은 최근 다양한 방법이 개발되어 널리 적용되고 있으며 우리나라가 그 선두에 서있다. 기존의 고식적 갑상선 절제술로부터 갑상선 내시경 수술, 로봇을 이용한 갑상선 수술과 경부수술까지 다양한 방법이 사용되고 있다.

I 갑상선의 수술

1. 갑상선 절제술의 범위

갑상선 절제술의 범위를 어떻게 할 것인가는 암종의 잔존 가능성이 없도록 하면서 수술로 인한 환자의 불편을 최소화해야 하는 양면성이 있기 때문에 논란이 있다. 대한갑상선학회에서 2016년에 발표한 "대한갑상선학회 갑상선결절 및 암 진료 권고안 개정안"에 따르면 갑상선 분화암에 대한 적절한 수술은 갑상선엽절제술(lobectomy), 갑상선근전절제술(near total thyroidectomy, Berry 인대 가까이 반회후두신경이 윤상갑상근으로 들어가는 부위에 약 1 g의 갑상선 조직만 남기고 눈에 보이는 모든 갑상선을 제거하는 것), 그리고 갑상선전절제술(total thyroidectomy, 육안적으로 보이는 모든 갑상선조직을 제거하는 것)의 세 가지에 한정되어야 한다.[5] 그러나 이는 갑상선암종의 경우이며 양성결절로 인하여 수술받는 경우 아전절제술, 협부절제술 등도 시행할 수 있다. 갑상선절제술 범위의 분류는 그림 46-1과 같다.

2015년 미국 갑상선 학회(American thyroid association, ATA)에서 제시한 갑상선 결절과 분화암의 치료 권고안에 따르면 갑상선 암이 4 cm 보다 크거나, 거시적인 갑상선 피막 외 침범이 관찰되거나, 림프절전이나 타 장기로의 원격전이가 분명한 경우, 수술적 치료로 갑상선 근전

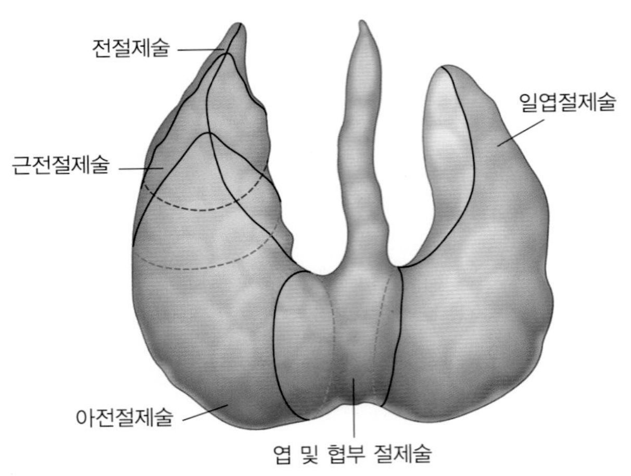

■ 그림 46-1. **갑상선절제술의 범위**

절제술이나 전절제술을 시행하여야 함을 강력히 권고하고 있다. 1 cm보다 크지만 4 cm보다 작은 갑상선암의 경우, 갑상선 피막외 침범과 암종의 전이가 임상적으로 없는 경우에는 양측 갑상선을 모두 절제하는 수술이나 암종이 있는 일측의 갑상선을 절제하는 수술 중 어느 것을 선택하여도 무방하다. 또한 주변 림프절 전이나 갑상선 피막외 침범의 증거가 없는 1 cm 미만의 갑상선 분화암종에 대한 치료로는 갑상선엽 절제술을 시행할 것을 권고하고 있다.[14] 이것은 2009년 발표된 치료 권고안에서 제시한 갑상선 분화암의 수술범위와 많이 변화한 것으로 최근 발표된 연구들에서 적절하게 선정된 환자에서 갑상선전절제술과 갑상선엽절제술 후 생존율과 재발율 등에 차이가 없다는 보고가 많기 때문이다.[9,13,18,20,23]

갑상선전절제술을 시행하면 수술 후 재발의 진단과 치료에 방사성 요오드를 사용할 수 있고, 수술 후 추적관찰 시 갑상글로불린을 종양 표지자로 이용할 수 있으므로 재발을 조기에 발견하는 데 도움이 된다. 하지만 중간 위험도 이하의 환자에서 방사성 요오드 치료를 위해 갑상선전절제술을 시행하는 것이 환자에게 얼마나 도움이 될지는 다시 평가해 봐야 하며 전절제술로 인한 합병증, 즉 되돌이후두신경의 마비와 영구적인 부갑상선기능저하증이 발생할 가능성이 엽절제술보다 크다는 것도 고려해야 한다. 수술범위는 수술 전 갑상선 초음파검사 등을 통해 철저히 검사하고 술 중 반대엽 및 경부 림프절 전이 유무를 잘 촉진한 후 결정해야 한다. 대한갑상선학회의 권고안에서도 2015년 발표된 미국 갑상선학회 가이드라인과 동일한 갑상선분화암의 수술범위를 권고한다.[5]

잔존갑상선절제술은 갑상선엽절제술 후에 암의 진단이 확실해진 경우 필요할 수 있다. 처음 수술 전 갑상선분화암임을 알았다면 갑상선전절제술이나 근전절제술이 권고되었을 모든 환자에게 잔존갑상선 절제술을 고려해야 한다.[1] 대부분 연구에 의하면 갑상선 유두상 암종에서 먼저 절제한 갑상선 엽에 수술 전 확인되지 않은 다발상 병변이 있는 경우, 단일 병변에 비해 반대쪽 갑상선에 암이 있을 가능성이 높다. 그러므로 이러한 위험요소가 수술 후 확인되는 경우 재발율을 낮추고 생존율을 높이기 위한 방법으로 사용된다. 잔존갑상선절제술의 수술위험도는 갑상선전절제술이나 근전절제술과 비슷하다.

2. 갑상선 수술 술기

갑상선 수술의 방법은 최근 국내에서 다양하게 발전되었다. 고식적인 경부절개를 통한 수술부터 액와부나 후이개를 통한 내시경 수술, 그리고 내시경적 접근법을 이용한 로봇 수술까지 빠른 발전을 이루어 왔다.

1) 개방형 갑상선 절제술(그림 46-2)

먼저 환자를 침대에 눕히고 공기주머니나 모래주머니 등을 이용하여 경부를 완전히 신전시킨 후 두부를 고정한다. 만약 수술 중 되돌이후두신경의 기능을 확인할 계획이면 근육이완제의 사용을 최소화한다.

피부를 절개할 때는 흉골절흔(sternal notch) 위에서 한두 손가락 넓이 위에 자연적으로 생성되어 있는 주름살을 따라서 곡선으로 절개한다(그림 46-2A). 경부청소술이 필요한 경우에는 위쪽, 바깥쪽으로 절개를 연장한다. 광

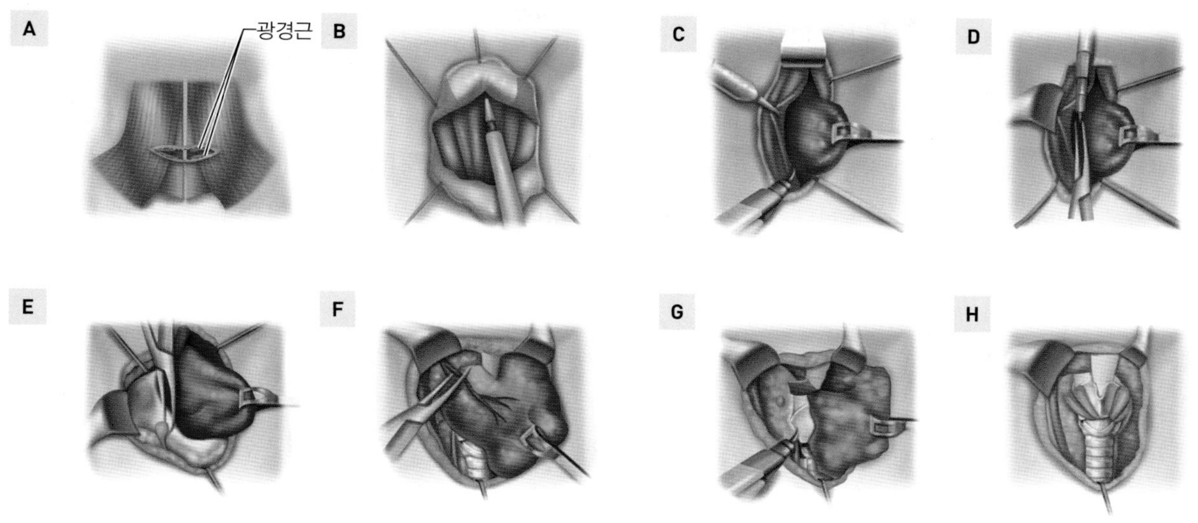

■ **그림 46-2. 갑상선전절제술의 수술 술기.**
A) 피부는 피부, 피하층, 그리고 광경근까지 절개한다. **B)** 광경근하 박리면으로 피판을 들어올린다. **C)** 피대근 사이 백색면을 분리하고 갑상선이 나타나면 Babcock으로 잡아 내측으로 견인한 후 피대근과 갑상선을 분리한다. **D)** 중갑상정맥을 결찰한다. **E)** 하부갑상선을 갑상선으로부터 분리하고 심부의 기관주변조직을 박리하면 반회후두신경을 확인할 수 있다. **F)** 상갑상혈관의 분지를 박리하여 결찰하고 상후두신경의 외분지와 상부갑상선을 분리한다. **G)** 되돌이후두신경이 후두로 들어가는 것을 확인하면서 Berry 인대를 절제한다. **H)** 수술 후 되돌이후두신경과 상하부갑상선의 상태를 확인한다.

경근하 피부피판(subplatysmal skin flap)은 위쪽으로 갑상연골절흔까지 박리하나, 아래쪽 피부피판은 대부분 박리가 필요하지 않다(그림 46-2B). 피대근(strap muscle)의 중앙부를 따라 박리하여 갑상선의 협부를 찾는다. 그리고 바깥쪽으로 피대근과 갑상선의 사이를 박리한다(그림 46-2C). 이 과정에서 근육의 침범이 발견되면 그 부위를 같이 절제한다. 만약 피대근을 바깥쪽으로 견인하여도 갑상선이 완전히 관찰되지 않으면 피대근을 절단할 수 있다. 바깥쪽으로 박리를 계속하면 중갑상선 정맥(middle thyroidal vein)을 확인할 수 있다(그림 46-2D). 이는 경정맥과 연결되는 분지로서 이를 결찰하면 갑상선의 바깥쪽 대부분을 확인할 수 있다. 중앙부에서는 윤상연골과 기관을 확인하고 협부의 위치를 파악하여 수술 시 기준점으로 잡는다. 간혹 중앙부에는 무명동맥에서 직접 분지하는 최하갑상선동맥이 있으므로 주의한다.

되돌이후두신경의 확인을 위하여흉곽입구에서 되돌이후두신경의 삼각주위를 조심스럽게 박리하면 신경을 찾을 수 있으며(그림 46-2E), 피대근과 흉쇄유돌근을 외측으로 견인하고 갑상선과 후두 및 기관을 내측으로 견인하며, Berry 인대 부근까지 신경을 박리한다. 이때 무리한 힘을 가하여 신경이 늘어나지 않도록 주의한다. 우측 되돌이후두신경은 좌측에 비해 외측에서 비스듬히 위쪽으로 주행하며, 좌측신경은 대부분 기관식도 홈을 따라 주행한다. 또 드물지만 직접 미주신경으로부터 옆으로 들어오는 비되돌이후두신경이 있다는 것을 명심해야 한다. 비되돌이후두신경은 우측에서 더 흔히 관찰할 수 있다. 또한 되돌이후두신경의 주행은 갑상선종의 크기가 매우 크거나, 암종이 침범하는 경우 고유한 해부학적 위치에서 벗어나는 경우가 많으므로 항상 찾아서 확인해야 한다.

흉곽입구에서 되돌이후두신경을 확인한 후 위쪽으로 박리하면 하갑상선동맥이 신경을 가로질러 갑상선에 분포한 것을 볼 수 있다. Berry 인대는 신경의 위쪽에 놓이게 되는데 이 부분이 갑상선 수술에서 가장 민감하고 주의를 요하는 곳이다. 출혈이 있으면 반드시 지혈하여 신경을 시야 내에 두고 박리하여야 하고, 10-20%의 환자에서 신경이 갑상선 실질을 통과하는 경우가 있으므로 갑상선의 피막을 따라서 박리하는 술식은 피해야 한다. 되돌이후두신경을 관찰하는 방법으로 수술 시 눈으로 확인하는 방법과 전기자극으로 기능을 평가하는 방법이 있다.

부갑상선은 되돌이후두신경보다 먼저 확인해야 하는 구조물로 상, 하갑상선동맥의 분지를 보존하여야 그 기능을 보존할 수 있다. 갑상선을 절제한 후 부갑상선의 색깔이 정상적인 황갈색인지를 확인하고, 약간 검게 변하더라도 혈관이 잘 보존되었으면 그대로 놓아두고, 만약 색깔이 완전히 검은색으로 변했으면 동결절편 검사로 부갑상선인지를 확인한 후 여러조각으로 분쇄하여 흉쇄유돌근에 심어준다. 갑상선이 모두 박리되면 협부를 결찰하는데 이때 추체엽이 있는지를 확인해야 한다.

갑상선 상극의 박리는 갑상선엽이 완전히 자유로울 때에 마지막으로 시행하며, 아래로 견인하여 피막부위의 혈관들을 직접 관찰하며 결찰한다. 이때 상후두신경의 외측분지가 손상되지 않도록 두 번에 걸쳐 앞쪽과 뒤쪽 분지를 따로따로 결찰한다(그림 46-2F, G). 이제 남아있는 상극부를 아래로 견인하면 약 20%의 환자에서는 상후두신경의 외측분지가 갑상선 피막 근처에서 상갑상선동맥, 정맥과 밀접한 관계를 가지며 윤상 갑상근에 분포하는 것을 관찰할 수 있다. 이 신경을 절단하면 음성의 높낮이에 차이가 나타나 환자가 음성변화를 느끼게 되므로 주의해야 한다.

동결절편검사로 암종임을 진단하면 수술범위에 대하여 수술 중에 판단할 수 있으며 수술을 끝낸 뒤에는 상처를 봉합하게 되는데 봉합 전 수술창을 깨끗이 닦아내고 출혈 부위를 확인한 후 지혈을 시행한다. 그리고 배액을 위하여 적절한 장치를 삽입할 수 있다. 피대근과 광경근을 차례로 3-0 vicryl로 봉합한 후 피부를 봉합한다. 피부봉합은 nylon을 사용할 수도 있으며 수술용 피부접착제를 사용할 수도 있다(그림 46-2H).

국소 침습을 갖는 고분화암종은 약 10% 정도인데, 이때 피대근 다음으로 많이 침범되는 것이 되돌이후두신경이다. 수술 중 되돌이후두신경이 암종에 침범당했음을 확인한 경우 신경을 어떻게 처리할 것인가에 대해서는 논란이 있다. 수술 전 성대마비가 있으며, 수술 중 암종의 신경 침범을 확인한 경우 대부분 절제하는 것에 동의한다. 하지만 수술 전 성대 기능이 보존되어 있었으나 수술 중 육안적인 침범이 확인된 경우에는 논란이 있다. 박리가 가능하면 신경을 보존하고 술후 방사성동위원소 치료를 해야한다는 주장이 있는 반면, 육안적 침범이 있으면 절제해야한다는 주장도 있다. 전자는 두 방법 사이에 예후의 차이가 없다고 하고, 후자는 보존적으로 처치한 경우 재발이 많다고 주장한다. 육안적 침범이 없으면 당연히 신경을 보존해야 한다. 수술 중 되돌이후두신경을 희생하는 경우 몇 가지 고려해야 할 점이 있다. 양성 병변에 의한 침습이 아니어야 하며, 수술 전 기능 장애가 있는 경우 이것이 양성 병변에 의한 눌림이나 견인에 의한 마비가 아닌지, 그래서 수술 후 기능이 회복될 가능성이 있는지를 고려해야 한다.

되돌이후두신경이 수술 중 절단된 경우 이를 봉합하여 결과가 좋았다고 보고한 저자들도 있으나 대부분은 후두의 기능이 정상적인 내전 및 외전이 아닌 발작적인 증상을 나타내기 때문에 일차 봉합보다는 설하신경을 문합하거나 신경-근 이식, 갑상연골 성형술 등을 시행하는 것이 효과적이다.

2) 내시경과 로봇 갑상선절제술(그림 46-3)

내시경과 로봇 갑상선절제술은 접근방법에 따라 액와 접근법, 후이개접근법, 그리고 양측 액와-유방 접근법으로 분류된다.[1-4,7,8] 대부분 양성 갑상선 종양에만 적용되어 왔고 최근 소수의 임상의들에 의해 갑상선암에 대하여 적용되면서 그 적응증이 빠르게 넓어지고 있다. 내시경 갑상선수술의 가장 큰 장점은 좋은 미용적 결과를 제공할 수 있다는 것이다. 최근 미세유두암종의 유병률이 급격히 증

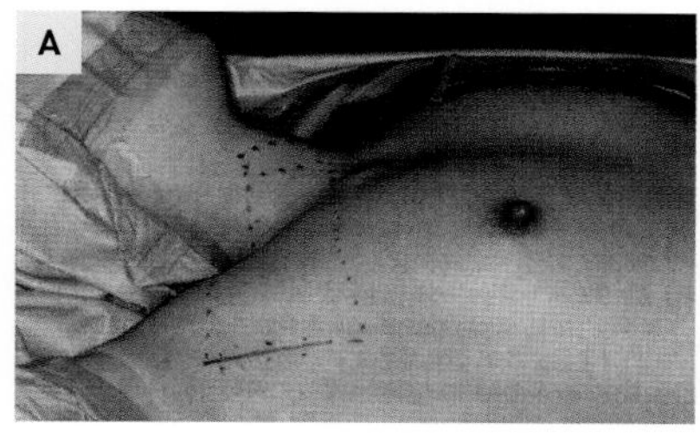
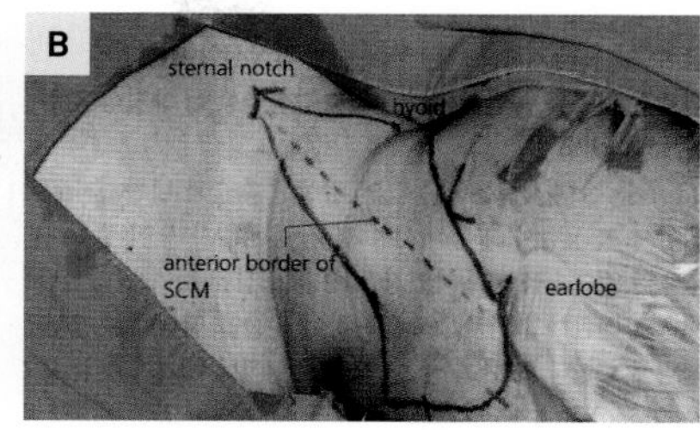

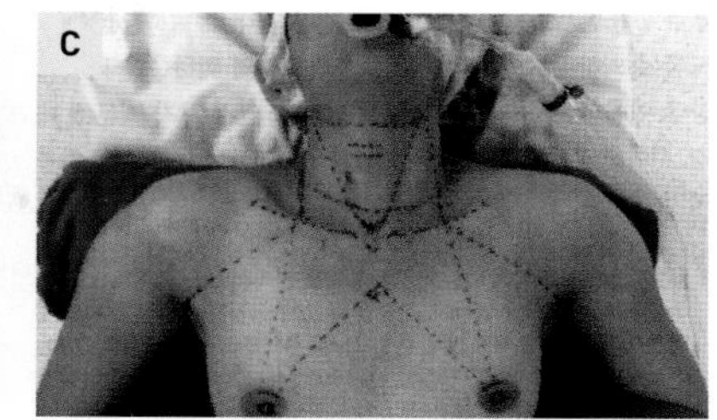

■ **그림 46-3. 내시경 및 로봇 갑상선 수술의 접근법.**
A) 액와접근법에서 환자의 자세와 피부절개의 위치. **B)** 후이개접근법에서 환자의 자세와 피부절개의 위치. **C.**양측 액와-유두 접근법에서 환자의 자세와 피부절개의 위치.

가하고, 이환되는 연령이 낮아지면서 젊은 미혼 여성에서 수술의 필요성이 증가하고 있다. 이러한 환자군은 주로 미용적인 측면이 삶의 질과 큰 연관관계를 갖게 되므로 내시경 갑상선 수술의 요구도 자연히 증가하게 되었다. 특히 한국을 포함한 아시아 인종에서는 수술 후 목에 비후성 반흔이 발생할 가능성이 높아 미용 효과가 뛰어난 내시경 혹은 로봇수술이 점차 증가하여, 현재 국내 갑상선 수술의 약 20%를 차지하고 있다.[3]

액와접근법은 환자의 병변측 액와에 절개선을 넣고 피부피판과 근육피판을 갑상선에 이르기까지 열어 거상시킨 후 내시경과 내시경 기구들을 통하여 갑상선을 절제하는 것으로 기존의 수술과 접근 방법이 다르므로 새로운 해부학적 구조물들에 익숙해져야 하며 내시경을 통해 충분한 수술시야의 확보가 가능해야 한다.[1]

후이개접근법은 귓불 뒤쪽에서 시작하여 이개 뒤쪽을 거쳐 모발선을 따라 아래쪽으로 길게 절개하여 액와접근법과 같은 내시경 기구들을 이용하여 갑상선을 절제한다. 액와접근법과 비교하여 피판범위가 좁고 두경부외과의사에게 친숙한 수술부위이므로 비교적 안전하게 수술을 시행할 수 있는 장점이 있다. 또한 수술접근방향이 중심 경부림프절에 대한 접근이 용이한 장점이 있다.[7]

양측 액와-유방 접근법은 양측 유륜과 양측 액와에 약 0.5 cm-1 cm의 작은 절개를 만들고 이를 통하여 수술기구를 삽입하여 수술하기 때문에 흉터가 육안적으로 눈에 띄지 않는다는 매우 큰 장점이 있다. 또한 대칭적인 양측 절개선을 통해 접근하므로 갑상선전절제술과 중심경부림프절절제술을 한 시야에서 할 수 있다는 장점이 있다.[4]

내시경 갑상선 수술은 훈련기간이 필요하고 수술시간이 오래 걸리며, 수술공간이 협소하고 이차원적인 내시경 영상으로 인하여 수술시야가 제한적인 단점이 있다. 또한 복강경 수술에 사용되는 수술기구를 사용하므로 기구가 크고 유연하지 않아 섬세하고 정교한 수술이 제한적일 수밖에 없다. 이러한 내시경 수술의 단점을 극복하고자 내시경 갑상선절제술에 다빈치로봇을 적용한 로봇갑상선절제술이 개발되었다. 로봇갑상선절제술은 내시경 수술법에 비하여 고화질의 3차원 영상을 통해 수술할 수 있고, 10-12배 확대하여 관찰할 수 있어 되돌이후두신경이나 부갑상선등의 주요 구조물을 잘 찾고 보존할 수 있다. 또한 로봇팔에 사용하는 기구가 인간의 손목과 손가락 같이 자유자재로 편리하게 움직일 수 있기 때문에 정교한 수술이 가능하고 중심경부림프절절제술이 더욱 용이하다.[2,3,8]

Ⅱ 경부 림프절청소술

갑상선 유두상 암종에서는 진단 당시 주변 림프절 전이가 있는 경우가 40-80%이지만, 많은 경우에서 임상적으로 이상을 발견할 수 없다. 치료적 중앙 경부 림프절청소술은 중앙 경부 림프절 전이가 임상적으로 명백한 경우, 갑상선전절제술과 함께 양쪽 중앙 림프절청소술을 시행하는 것이 재발의 위험도를 낮추므로 권고된다. 또한 측경부의 림프절 전이가 있거나, 림프절의 전이가 명백하지 않더라도 갑상선 유두상 암종의 T3, T4 병변이 의심되는 경우, 예방적 중앙 경부 림프절청소술을 고려할 수 있고, T1, T2의 작고 비침습적인 유두상 암종일 경우와 여포상암종의 경우 림프절 전이율이 낮으므로 예방적 중앙 경부 림프절청소술을 고려하지 않는다.[14] 이러한 중앙 림프절청소술은 되돌이후두신경 마비와 부갑상선기능저하증 등의 합병증을 증가시킬 수 있으므로 신중하게 선택해야 한다. 중앙 경부림프절의 미세전이는 재발을 일으킬 가능성이 높지만 생존율에는 큰 영향을 미치지 않는다는 보고도 있고, 측경부 림프절 전이율이 높기 때문에 예방적으로 수술을 시행해야 한다는 보고도 많아 여전히 논란의 대상이 되고 있다.

임상적으로 측경부의 림프절 전이가 확인되면 전이가 의심되는 림프절만을 골라내어 제거하기보다는 부신경, 흉쇄유돌근, 그리고 경정맥을 보존하는 변형 경부 청소술을 시행하는 것이 바람직하다. 그리고 구역 I의 림프절 전이는 거의 없으므로 이 부분의 림프절청소술을 생략하여도 무방하다.[11,14-16,19]

Ⅲ 국소 침습 병변

갑상선피막외 침습이 있는 고분화 암종에서 근육이 침범된 경우에는 그 부분만을 절제하더라도 충분하며, 되돌이후두신경을 침범하였으나 기능이 있는 경우에는 신경을 보존하는 것이 원칙이며, 기능이 없는 경우에도 육안적으로 침범이 확인된 경우에는 절제를 하지만 그렇지 않은 경우에는 되도록 보존한다. 기관이나 후두를 침범한 경우에는 육안으로 보이는 병변은 제거하지만 기관과 후두는 가능한 보존한다. 술 후 방사성 동위원소 치료와 T4 억제요법을 시행하며, 필요한 경우 외부 방사선 조사도 시행할 수 있다.[14] 일차 수술 시 후두 적출술을 시행하는 경우는 거의 없지만 중앙경부에 재발한 경우 불가피하게 시행될 수 있다.[12,17]

Ⅳ 수술의 합병증

가장 흔한 합병증은 일시적이거나 영구적인 되돌이후두신경의 마비, 상후두신경의 마비, 그리고 부갑상선기능저하증이다. 다른 합병증으로는 출혈, 감염, 장액종, 켈로이드 형성 등이 있다. 특히 과도한 출혈은 기도 압박의 위험성이 있으므로 즉시 재수술을 해야 한다.

영구적인 되돌이후두신경의 마비는 숙달된 외과의의 경우 1-2%에서 발생하나 일반적으로 약 6-7%에서 발생하는 것으로 알려져 있다. 그리고 양측 수술, 재수술, 악성종양의 수술, 출혈로 인한 응급 재수술 등일 때 빈도가 증가한다. 일시적인 되돌이후두신경의 마비는 보통 6개월 내에 회복되며 수술 전후에 스테로이드를 사용하는 것이 예방에 도움이 된다. 상후두신경 마비는 0.4-3%로 드물지만 수술 당시에 항상 갑상선의 상극을 아래로 견인하여 결찰하고, 경우에 따라서는 흉골갑상근을 절제하여 시야를 확보하는 것이 합병증을 피하는 방법이다.

부갑상선 기능저하증은 갑상선절제술 후 매우 중요한 합병증으로 칼슘이나 비타민 D를 하루 수차례 복용해야 한다. 혈중 칼슘치를 관찰하며 그 양을 조절해야 하고, 너무 과량을 투여하면 신장 결석이 생기기도 한다. 칼슘이 떨어지면 입 주위와 사지에 이상 감각이 나타나고, 심해지면 자발적인 손, 발목의 연축, 복부 경련, 후두 천명, 의식 변화, 심전도에서 QT연장, 강직성 수축 등의 증상도 나타날 수 있다. Chvostek 증상은 가벼운 안면신경 자극에 안면 연축이 나타나는 증상이며, Trousseau 증상은 압박으로 인한 허혈로 손목의 연축이 오는 것을 말한다. 칼슘치는 증상이 나타나는 초기에는 정주 형태의 칼슘으로 조절하고, 그 후에는 경구용 칼슘과 비타민 D를 투여한다. 일시적인 부갑상선 기능저하증은 술 후 17–40%로 보고되며, 영구적인 기능저하는 약 8% 정도로 보고되어 있다.[10, 21, 22, 24]

참고문헌

1. 고윤우. 액와접근법을 통한 내시경 갑상선절제술. In: 이강대, 고윤우, 이병주 editors. 갑상선-두경부외과학 1st ed. 범문에듀케이션;2014. p.159-67.
2. 고윤우. 후이개 접근법을 통한 로봇 갑상선 절제술.In: 이강대, 고윤우, 이병주 editors. 갑상선-두경부외과학 1st ed. 범문에듀케이션;2014. p.199-208
3. 김훈엽. 양측 액와-유방 접근법을 통한 로봇 갑상선 절제술.In: 이강대, 고윤우, 이병주 editors. 갑상선-두경부외과학 1st ed. 범문에듀케이션;2014. p.187-92.
4. 손영익. 양측 액와-유방 접근법을 통한 내시경 갑상선절제술.In: 이강대, 고윤우, 이병주 editors. 갑상선-두경부외과학 1st ed. 범문에듀케이션;2014. p. 169-77.
5. 이가희, 이은경, 강호철 등. 대한갑상선학회 갑상선결절 및 암 진료 권고안 개정안. 대한갑상선학회지 2016;9(2):59-126.
6. 이강대. 갑상선전절제술. In: 이강대, 고윤우, 이병주 editors. 갑상선-두경부외과학 1st ed. 범문에듀케이션;2014. p.105-11.
7. 정광윤. 후이개 접근법을 통한 내시경 갑상선절제술.In: 이강대, 고윤우, 이병주 editors. 갑상선-두경부외과학 1st ed. 범문에듀케이션;2014. p.193-8.
8. 태경. 액와접근법을 통한 로봇 갑상선 절제술.In: 이강대, 고윤우, 이병주 editors. 갑상선-두경부외과학 1st ed. 범문에듀케이션;2014. p.179-86.
9. Barney BM, Hitchcock YJ, Sharma P, Shrieve DC,Tward JD Overall and cause-specific survival forpatients undergoing lobectomy, near-total, or total thyroidectomyfor differentiated thyroid cancer. Head Neck 2011;33:645–9.
10. Falk SA, Birken EA, Baran DT. Temporary postthyroidectomy hypocalcemia. Arch Otolaryngol Head Neck Surg 1988;114:168-74.
11. Frankenthaler RA, Sellin RV, Cangir A, et al. Lymph node metastasis from papillary-follicular thyroid carcinoma in young patients. Am J Surg 1990;160:341-3.
12. Fujimoto Y, Obara T, Ito Y, et al. Aggressive surgical approach for locally invasive papillary carcinoma of the thyroid in patients over forty-five years of ages. Surgery 1986;100:1098-106.
13. Haigh PI, Urbach DR, Rotstein LE Extent of thyroidectomyis not a major determinant of survival in loworhigh-risk papillary thyroid cancer. Ann Surg Oncol 2005;12:81–9.
14. Haugen BR, Alexander EK, Bible KC, et al. 2015 American thyroid association management guidelines for adult patients with thyroid nodules and differentiated thyroid cancer. Thyroid 2016;26:1-133.
15. Hutter RV, Frazell EL, Foote FW. Elective radical neck dissection: an assessment of its use in the management of papillary thyroid cancer. CA Cancer J Clin 1970;20:87-93.
16. Lore JM. Surgery for advanced thyroid malignancy. Otolaryngol Clin North Am 1991;24:1295-319.
17. Lipton RJ, McCaffrey TV, Heerden JAV. Surgical treatment of invasion of the upper aerodigestive tract by well-differentiated thyroid carcinoma. Am J Surg 1987;154:363-7.
18. Matsuzu K, Sugino K, Masudo K, Nagahama M, KitagawaW, Shibuya H, Ohkuwa K, Uruno T, Suzuki A,Magoshi S, Akaishi J, Masaki C, Kawano M, SuganumaN, Rino Y, Masuda M, Kameyama K, Takami H, Ito K Thyroid lobectomy for papillary thyroid cancer:long-term follow-up study of 1,088 cases. World J Surg 2014;38:68–79.
19. McHenry CR, Rosen IB, Walfish PG. Prospective management of nodal metastases in differentiated thy roid cancer. Am J Surg 1991;162:353-356
20. Mendelsohn AH, Elashoff DA, Abemayor E, St JohnMA Surgery for papillary thyroid carcinoma: islobectomy enough? Arch Otolaryngol Head Neck Surg 2010;136:1055–61.
21. Moosa M, Mazzaferri EL. Management of thyroid neoplasms. In: Cummings CW, Fredrickson JM, Harker LA, et al, eds. Otolaryngology: Head and Neck Surgery,3rd ed. St Louis: Mosby Year Book, 1998, pp.2480-518.
22. Netterville JL, Aly A, Ossoff RH. Evaluation and treatment of complications of thyroid and parathyroid surgery. Otolaryngol Clin North Am 1990;23:529-52.
23. Nixon IJ, Ganly I, Patel SG, Palmer FL, Whitcher MM,Tuttle RM, Shaha A, Shah JP Thyroid lobectomyfor treatment of well differentiated intrathyroid malignancy.Surgery 2012;151:571–9.
24. Singer PA. Evaluation and management of the solitary thyroid nodule. Otolaryngol Clin North Am 1996;29:577-92.

CHAPTER

47

갑상선 종양의 수술 후 관리

이비인후과학 Otorhinolaryngology - Head and Neck Surgery

하정훈

I 갑상선호르몬제 복용 및 갑상선자극호르몬 억제요법

갑상선 전절제술 및 완결 갑상선 절제술(completion thyroidectomy) 이후 갑상선 기능저하를 치료하는 목적으로 갑상선호르몬 제제의 복용은 필수적이다. 갑상선자극호르몬(thyroid-stimulating hormone, TSH)에 의한 분화 갑상선암의 재발과 진행을 억제하기 위해서도 갑상선호르몬 제제의 복용은 필요하다. 분화 갑상선암은 세포막에 TSH 수용체를 가지고 있고, TSH 자극에 반응하여 세포성장이 증가한다. 생리적 용량 이상의 고용량의 갑상선호르몬제를 투여하면 TSH 분비를 억제하여 갑상선암의 재발률을 감소시킨다.[10] TSH 억제치료의 부작용으로는 불현성 갑상선중독증, 허혈성 심질환의 악화, 고령 환자에서 심방세동 위험의 증가, 폐경 후 환자의 골다공증 위험증가 등이 있다.[2] TSH를 0.1 mU/L 미만으로 억제시킬 경우 고위험군 환자에서는 예후를 향상시키지만 저위험군에서는 확실하지 않다.[16] 엽절제술 후 갑상선자극호르몬 억제요법의 효용에 대해서는 잘 연구된 바 없다.

II 방사성요오드치료

방사성요오드치료는 1) 수술 후 남아 있는 잔여 갑상선의 제거(remnant ablation), 2) 수술 후 눈에 띄지 않게 남아 있을 가능성이 있는 미세잔존암에 대한 보조 치료(adjuvant therapy), 3) 지속암, 특히 원격 전이암에 대한 치료(therapy)의 목적으로 시행된다. 잔여 갑상선을 제거함으로써 재발의 발견을 용이하게 할 뿐 아니라, 혈청 갑상글로불린(thyroglobulin, TG) 값을 측정하거나 전신스캔을 얻음으로써 초기 병기 설정에 도움이 된다. 수술 후에는 고위험군의 갑상선 유두암이나 대부분의 갑상선 여포암 환자에서 보조 치료로 고려되고 있다. 2015년 미국갑상선학회 가이드라인에서는 분화 갑상선암이 크기와 관계없이 갑상선외 조직침범이 있는 경우(T4)와 원격전이가 있는 경우(M1)에 방사성요오드치료를 강력히 권고하였다.[3] 현미경적 갑상선외 침범, 4 cm 초과하는 크기, 중심경부림프절의 전이, 혹은 측경부림프절의 전이가 있는 환자는 재발 위험 평가, 환자의 선호 등에 따라 고려할 수 있다고 하였다.

1. 방사성요오드 치료 전 전신스캔 촬영

방사성요오드 전신스캔은 요오드를 섭취하는 갑상선 조직의 존재여부에 대한 정보를 제공한다. 따라서 수술 후 병리결과나 경부 초음파에서 잔존 병변의 범위가 불분명할 때 유용하게 사용될 수 있다. 하지만 전신스캔에서 잔여 정상 갑상선조직의 양이 많을 때에는 대부분의 요오드가 정상 갑상선 조직에 의해 섭취되기 때문에, 국소 림프절, 상부 종격동 등의 국소적 갑상선암이나 원격전이된 갑상선암을 놓칠 수 있다. 그래서 전신스캔 결과가 방사성요오드 잔여갑상선제거술 시행 여부의 결정에 미치는 영향이 적은 점과 ^{131}I에 의해 생기는 정상 갑상선 조직이나 갑상선암의 기절효과(stunning effect)를 고려하여 최근에는 일상적으로 시행하지 않는다. 요즘에는 ^{123}I을 이용한 전신스캔의 사용이 증가하는 추세인데 ^{123}I은 ^{131}I에 비해 방출하는 방사능이 적고 더 좋은 해상도의 이미지를 얻을 수 있으며 ^{131}I을 이용한 방사성요오드 치료를 방해하지 않는 장점이 있다. 하지만 ^{123}I은 고가이고 반감기가 짧아서 다루기가 어려운 단점이 있다.[15]

2. 방사성요오드 치료 전 갑상선호르몬제 중단

방사성요오드 투여로 잔여갑상선을 제거할 때, 전신스캔 및 혈청 갑상글로불린 농도측정을 이용한 경과관찰 등에는 TSH 자극이 필요하다. 후향적 연구에 의하면 혈청 TSH 농도가 30 mU/L 이상일 경우 종양의 방사성요오드 섭취가 증가함이 관찰되었다. 한편, 외인성 TSH를 1회 주사할 경우에는 TSH 농도가 51~82 mU/L 사이일 때 갑상선 세포에 대한 최대 자극효과를 관찰할 수 있었다. TSH 농도를 증가시키기 위해 3~4주간 레보티록신(levothyroxine, LT4)를 중단하거나, LT4를 리오티로닌(liothyronine, LT3)으로 바꾸어 2~4주간 투여한 후 마지막 2주간 LT3를 중단한다.[8]

3. 방사성요오드 치료 전 저요오드 식이

방사성요오드 치료의 효과는 갑상선 조직에 도달하는 방사선량에 달려있다. 방사성요오드 투여 전에 유효 방사선량을 증가시키기 위해 저요오드 식이(〈 50 μg/day)와 요오드의 오염을 줄이기 위한 사항들을 환자에게 권고한다. 저요오드 식이의 적절한 기간에 대한 연구보고는 국가별로 다르며 이는 식이를 통한 요오드 섭취량이 국가별로 다르기 때문이다. 우리나라처럼 식이를 통한 요오드섭취량이 높은 국가에서는 2주 이상이 권장되기도 한다. 요오드의 섭취원으로 식이 이외에 약물이나 컴퓨터단층촬영 조영제에 포함된 요오드도 있어서 치료 전에 점검해야 한다. 저요오드 식이를 적절히 수행했는지는 파악하기가 힘들고 요오드를 포함한 약물은 다양하여 사전 점검에서 누락될 수도 있으므로, 방사성요오드 치료 전 소변 요오드 배설량을 측정함으로써 체내 요오드량이 치료에 충분할 만큼 감소되었는지 판단하여 치료 일정을 결정하는 데 도움을 받을 수도 있다.[12]

4. 방사성요오드의 투여용량

잔여 갑상선 제거술의 성공은 방사성요오드 투여 후 시행하는 전신스캔에서 방사성요오드 섭취가 보이지 않거나 TSH 자극 혈청 TG가 측정되지 않는 것으로 정의한다. 잔여 갑상선 제거를 위한 투여용량은 30 mCi가 권장된다. 현미경적 잔여병소가 의심되거나 확인되었을 경우, 혹은 예후가 나쁜 조직형(키큰세포 변이종, 원주형세포 변이종, 미만성 경화 변이종, 고형 변이종)일 경우 고용량(100~200 mCi, 3.7~7.4 GBq)이 적절할 수 있다.[11]

5. 방사성요오드 치료의 합병증

방사성요오드 치료는 충분히 안전한 방법으로 생각되나, 누적 용량과 관련하여 타액선 손상, 누비관 폐색 그리고 이차성 종양과 같은 합병증의 위험이 있다. 따라서 방사성요오드 치료는 치료에 의한 이득이 잠재적인 위험성보다 높을 경우에 사용하여야 한다. 완전히 안전한 방사성요오드 용량이란 것은 없으며 사용하면 안 되는 최대 누적 용량의 한계도 없다. 그러나 단일치료 용량이나 누적 용량이 높을수록 부작용의 위험성도 증가한다. 장기 추적을 통한 연구에서 방사성요오드 치료를 받은 갑상선암 생존자들에서 일부 암(골 및 연조직암, 유방암, 대장암, 타액선암, 다발성 골수종, 백혈병) 발생의 상대 위험도는 약간 증가하는 것으로 나타났으며, 위험도의 증가는 치료용량과 밀접한 연관이 있다.[1]

생식선의 조직들은 혈액이나 소변, 대변 등에 의해 방사성요오드의 방사능에 노출된다. 여성의 임신은 치료 후 6개월 내지 1년 뒤로 미루어야 한다. 누적 용량이 400 mCi 이상인 남자 환자는 정자은행에 정자를 보관할 것을 고려하여야 한다. 생식선에 대한 방사선의 노출을 줄이기 위해서는 방사성요오드 투여 직후 수분의 공급과 방광을 비우기 위해 자주 소변을 보는 것이 좋고, 변비를 피하는 것이 좋다는 보고도 있다.[18]

Ⅲ 외부 방사선치료 및 항암화학요법

1. 분화 갑상선암에서의 역할

일반적으로 분화 갑상선암에서는 외부 방사선치료나 항암화학요법이 수술을 이용한 완전 절제 후 보조치료로서의 역할은 없다. 단, 호흡소화기계의 침습이 있는 갑상선암에서는 방사선치료가 방사성요오드치료와 함께 보조치료로 사용된다. 뼈로 원격전이된 분화 갑상선암에서의 방사선치료가 완화치료로 도움이 될 수 있다.[17]

2. 갑상선 수질암에서의 역할

림프절 전이가 있는 갑상선 수질암에서도 방사선치료의 이득에 대해서는 잘 연구된 적이 없다. 주위조직으로 육안적인 침범이 있거나 광범위한 국소 림프절 전이가 있는 경우, 종양이 완전절제가 되지 못한 경우에는 외부 방사선치료를 고려한다.[9]

3. 갑상선 역형성암(미분화암)에서의 역할

갑상선 역형성암에서의 방사선치료에 대한 이득에 대해서도 잘 연구된 바는 없다. 절제가 가능한 갑상선 역형성암에서 수술 후 보조치료로서, 혹은 완전 절제가 불가능한 갑상선 역형성암에서 일차적 치료로서 방사선치료가 생존기간을 연장했다는 보고들은 있다.[7]

Ⅳ 추적관찰 및 관리

1. 분화 갑상선암에서의 갑상글로불린 추적

혈청 갑상글로불린(TG) 농도의 측정은 갑상선 전절제술과 방사성요오드를 이용해 잔여 갑상선을 제거한 경우 잔여 갑상선암을 발견하는 데 있어서 민감도와 특이도가 높다. 특히 갑상선 호르몬 투여중지 후나 TSH 투여 후 측정한 혈청 TG 농도는 잔여 갑상선암 발견에 있어 가장 예민한 검사법이다. 종양이 작을 때에는 TSH가 억제된 상태에서 혈청 TG 농도를 측정하면 잔여 병소를 찾아내지 못할 수 있다. 또한 TSH를 자극한 경우에도 혈청에 항 TG 항체가 있거나 드물지만 종양 세포에서 TG를 생산하거나 분비하는 능력이 떨어진 경우 상당한 양의 종양이 있어도 혈청 TG 농도 측정으로 종양을 발견해내지 못할 수 있다. 갑상선 전절제술 또는 갑상선 근전절제술과 방사성요오드를 이용한 잔여 갑상선 제거를 시행받은 저위험군 환자의 초기 추적검사는 주로 갑상선호르몬 투여 중(TSH 억제)의 혈청 TG 농도 측정과 경부 초음파검사로 하며 TSH 억제 TG 농도가 음성인 경우에는 TSH 자극 TG 농도를 측정한다. 일반적으로 TSH 자극 후의 혈청 TG 농도가 2 ng/ml 이상인 것을 기준으로 하면 잔여 병소를 가진 환자를 예민하게 찾아낼 수 있는 것으로 알려져 있다. 한편, 항TG 항체는 갑상선암 환자의 25%에서 일반인의 10%에서 발견되는데, 항체가 존재하면 TG 농도가 실제보다 낮게 측정된다. 경부 림프절에 작은 전이 병소만 있거나 분화도가 낮은 갑상선암의 경우 혈청 TG의 진단 예민도는 떨어진다. TSH 억제 또는 자극에 관계없이 혈청 TG 농도가 지속적으로 증가하면 임상적으로 유의한 병소의 존재를 암시한다.[13]

2. 분화 갑상선암에서의 초음파 추적

경부 초음파검사는 분화 갑상선암 환자에서 경부 전이를 발견하는 데 매우 예민한 검사다. TSH 자극 TG가 음성인 환자에서도 전이 병소를 발견할 수 있다. 경부 초음파검사 소견상 림프절 전이가 의심되는 경우에는 세침흡인검사와 세침내용물에 대한 TG 검사가 진단에 도움이 된다. 하지만 5 mm 미만의 작은 림프절의 경우에는 세침흡인검사 후 비진단적인 결과를 얻을 가능성이 높다. 세침흡인검사로 림프절 전이가 확인이 되더라도 크기가 작아서 수술 시 전이된 림프절을 발견하지 못할 가능성도 있다. 이런 경우에는 림프절 절제술에 따른 합병증 가능성을 고려하여, 바로 세침흡인검사를 시행하지 않고 면밀한 추적관찰을 시행할 수 있다. 관찰 중 크기가 증가하거나, 경부의 주요 주변 기관으로의 침범이 의심이 될 때 세침흡인검사를 시행한다.[14] 2015년 미국갑상선학회 가이드라인에서는 중심경부림프절의 재발 병소가 최소 직경 8 mm 이상일 때, 측경부림프절 병소는 최소 직경이 10 mm 이상일 때 경부절제술을 권고하였다.[3]

3. 분화 갑상선암에서의 전신스캔 추적

진단적 방사성요오드 전신스캔을 환자의 추적에 이용할 때 두 가지 사항이 고려되는데, 기절효과와 정확도이다. 환자 추적에서 진단적 전신 스캔은 정상 갑상선조직이 없거나 거의 없어야 진단 검사로 가장 유용하다. 간혹 진단 스캔에서 발견되지 않던 병소가 치료 목적의 고용량 ^{131}I 투여 후 촬영한 전신스캔에서 발견될 수 있다. 방사성요오드 잔여갑상선제거술을 시행한 후 전신스캔을 시행한 저위험군 환자에서는 TSH 억제 TG가 측정되지 않고 경부 초음파검사가 음성이라면 추적 관찰 중에 진단적 방사성요오드 전신스캔을 일상적으로 시행할 필요는 없다.[4]

4. 분화 갑상선암에서의 PET-CT 추적

PET-CT는 TG는 양성이면서 방사성요오드스캔에서는 음성인 환자들의 병소를 찾거나 원격전이를 확인하는 데 이용될 수 있다. 하지만 염증성 림프절, 봉합 육아종, 근육의 섭취 등이 흔한 위양성의 원인이 되므로 PET-CT 양성인 병변은 조직 또는 세포학적 확인이 필요하다.[6]

5. 갑상선 수질암에서의 추적

수술후 혈청 칼시토닌(calcitonin)과 암배아항원(carcinoembryonic antigen, CEA) 농도를 측정하는 것이 필요하다. 칼시토닌은 잔존암과 재발을 발견하는 데 민감도가 높고 CEA는 생존을 예측하는 지표로 사용된다. 수술 후 칼시토닌 수치가 증가하거나 유지된다면 잔존이나 재발을 의심하여야 한다. 칼시토닌 기저치가 측정한계 미만이면 칼슘에 의한 자극검사를 고려할 수 있다. 칼시토닌 기저치는 정상이고 칼슘자극 칼시토닌 수치만 증가되어 있는 경우에 재발이 있을 수도 있다. 칼슘자극 후에도 칼시토닌 농도가 측정되지 않는다면 매년 칼시토닌과 CEA 측정 및 정기적인 영상학적 진단을 시행하고 추가로 칼시토닌 자극 검사를 고려할 수 있다.

다발내분비샘종양(multiple endocrine neoplasia)(MEN) 2A, 2B의 경우에는 매년 갈색세포종(pheochromocytoma)이나 부갑상선 기능 항진증에 대한 선별검사를 시행하여야 한다. 잔존 또는 전이 병변의 위치 확인에 실패하였을 경우 매년 칼시토닌과 CEA 측정 및 상부 종격동, 양측 중심구획 그리고 양측 경부를 확인하는 고해상도 경부초음파를 포함하는 영상 검사를 반복 시행한다. 기저 칼시토닌 농도가 1,000 pg/ml 이상이고 경부 및 상부 종격동에 이상이 없는 경우에는 원격전이의 가능성을 고려하여야 하는데, 간에 전이되는 경우가 가장 흔하다. 칼시토닌과 CEA가 증가하는 환자는 더 자주 영상학적 검사를 시행하여야 한다.[5]

참고문헌

1. Almeida JP, Sanabria AE, Lima EN, et al. Late side effects of radioactive iodine n patients with thyroid cancer. Head Neck 2011;33:686-90.
2. Biondi B, Cooper DS. Benefits of thyrotropin suppression versus the risks of adverse effects in differentiated thyroid cancer. thyroid 2010;20:135-46.
3. Haugen BR, Alexander EK, Bible KC, et al. 2015 American Thyroid Association Management Guidelines for Adult Patients with Thyroid Nodules and Differentiated Thyroid Cancer. Thyroid. 2015 Oct 14. [Epub ahead of print].
4. Koh JM, Kim ES, Ryu JS, et al. Effects of therapeutic doses of 131I in thyroid papillary carcinoma patients with elevated thyroglobulin level and negative 131I whole-body scan: Comparative study. Clin Endocrinol (Oxf) 2003;58(4):421-7.
5. Laure Giraudet A, Al Ghulzan A, Auperin A,, et al. Progression of medullary thyroid carcinoma: assessment with calcitonin and carcinoembryonic antigen doubling times. Eur J Endocrinol 2008;158:239-246.
6. Leboulleux S, Schroeder PR, Busaidy NL, et al. Assessment of the incremental value of recombinant thyrotropin stimulation before 2-[18F]-Fluoro-2-deoxy-D-glucose positron emission tomography/computed tomography imaging to localize residual differentiated thyroid cancer. J Clin Endocrinol Metab 2009;94:1310-16.
7. Lee DY, Won J-K, Lee SH, et al. Changes of clinicopathologic characteristics and survival outcomes of anaplastic and poorly differentiated thyroid carcinoma. Thyroid. 2016;26:404-13.
8. Lee J, Yun MJ, Nam KH, et al. Quality of life and effectiveness comparisons of thyroxine withdrawal, triiodothyronine withdrawal, and recombinant thyroid-stimulating hormone administration for low-dose radioiodine remnant ablation of differentiated thyroid carcinoma. Thyroid 2010;20;173-9.
9. Martinez SR, Beal SH, Chen A, et al. Adjuvant external beam radiation for medullary thyroid carcinoma. J Surg Oncol 2010;102:175-8.
10. Mazzaferri EL. Long-term outcome of patients with differentiated thyroid carcinoma: effect of therapy. Endocr Pract 2000;6:469-476.
11. Sabra M, Grewal R, Ghossein RM, et al. Higher administered activities of radioactive iodine are associated with less structural persistent response in older, but not younger, papillary thyroid cancer patients with lateral neck lymph node metastases. Thyroid 2014;24:1088-95.
12. Sawka AM, Ibrahim-Zada I, Galacgac P et al. Dietary iodine restriction in preparation for radioactive iodine treatment or scanning in well-differentiated thyroid cancer: a systematic review. Thyroid 2010;20:1129-38.
13. Schlumberger M, Hitzel A, Toubert ME, et al. Comparison of seven serum thyroglobulin assays in the follow-up of papillary and follicular thyroid cancer patients. J Clin Endocrinol Metab 2007;92:2487-95.
14. Shin JH, Han BK, Ko EY, et al. Sonographic findings in the surgical bed after thyroidectomy: comparison of recurrent tumors and nonrecurrent lesions. J Ultrasound Med 2007;26:1359-66.
15. Silberstein EB. Comparison of outcomes after (123)I versus (131)I preablation imaging before radioiodine ablation in differentiated thyroid carcinoma. J Nucl Med 2007;48:1043-46
16. Sugitani I, Fujimoto Y. Effect of postoperative thyrotropin suppressive therapy in patients with papillary thyroid carcinoma: a prospective controlled study. Surgery 2011;150:1250-57.
17. Terezakis SA, Lee KS, Ghossein RA, et al. Role of external beam radiotherapy in patients with advanced or recurrent nonanaplastic thyroid cancer: Memorial Sloan-kettering Cancer Center experience. Int J Radiat Oncol Biol Phys 2009;73:795-801.
18. Wu JX, Young S, Ro K, et al. Reproductive outcomes and nononcologic complications after radioactive iodine ablation for well-differentiated thyroid cancer. Thyroid 2015;25:133-8.

CHAPTER

48

부갑상선 질환

이국행

I 부갑상선의 발생학

부갑상선은 태생 8-10주에 제3, 제4 인두낭(pharyngeal pouch)에서 발생을 시작한다. 제3 인두낭의 배측(dorsal portion)에서 하부갑상선(inferior parathyroid gland)이 발생하며, 복측(ventral portion)에서 흉선이 기원하여, 하부갑상선을 흉선 부갑상선(thymic parathyroid)이라 부르기도 한다. 제4 인두낭의 배측에서 상부갑상선(superior parathyroid gland)이 기원한다. 태생학적으로 제4 인두낭의 복측의 역할은 명확히 알려져 있지 않다. 제4 인두낭과 제5 인두낭이 융합되기 때문에, 상부갑상선의 발생은 후사체(ultimobranchial body)와 연관된다. 즉, 상부갑상선은 갑상 부갑상선(thyroid parathyroid)이라 부른다(그림 48-1, 2).

각각 태생 13, 14주에, 하부갑상선은 흉선과 상부갑상선은 후사체와 같이 이동을 한다. 하부갑상선-흉선 복합체는 인두벽에서 분리되어 미측(caudal) 그리고 중앙부(median)를 향해 이동한다. 경추(cervical spine)와 심장, 대혈관의 하강으로 인해, 흉선과 하부갑상선은 상종격동 방향으로 이동하게 된다. 태생 20주에 흉선의 두측(cephalic)과 하부갑상선이 분리되어 흔적기관인 갑상흉선인대(thyrothymic ligament)를 형성한다. 즉, 하부갑상선의 주행은 이동거리가 길다. 반면, 상부갑상선은 후사체를 따라서 이동하여, 중앙 갑상선 원기(rudiment)의 외측에 위치한다. 그렇기 때문에, 상부갑상선의 경부에서의 하강은 상대적으로 제한적이고, 갑상선 중앙부 엽의 후측에 남아있게 된다. 결과적으로 하부갑상선의 주행과 상부갑상선의 주행은 교차를 하게 되며, 그 과정에서 하갑상선동맥과 부갑상선의 위치는 밀접한 연관성을 가지게 된다.

II 부갑상선의 해부학

부갑상선은 기본적으로 주세포(chief cell)와 호산성세포(oxyphylic cell)로 이루어져 있으며, 주변에 지방세포

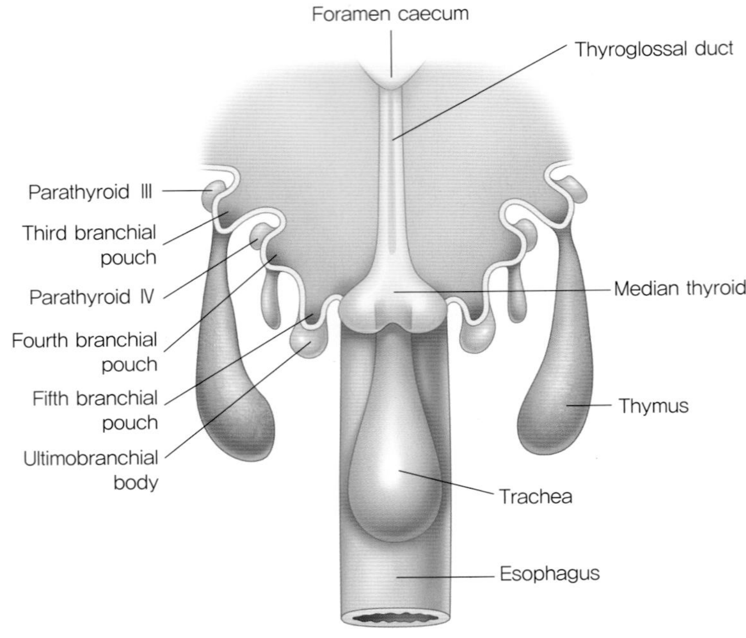

■ 그림 48-1. **8-10 mm 배아의 원시 인두.**
좌상부터 시작하여 시계 반대 방향으로 부갑상선 (parathyroid Ⅲ), 제3 인두낭(third branchial pouch), 부갑상선(parathyroid Ⅳ), 제4 인두낭(fourth branchial pouch), 제5 인두낭(fifth branchial pouch), 후사체(ultimobranchial body), 식도(esophagus), 기관(trachea), 흉선(thymus), 중앙갑상선(median thyroid), 갑상설관(thyroglossal duct), 맹공(foramen caecum).

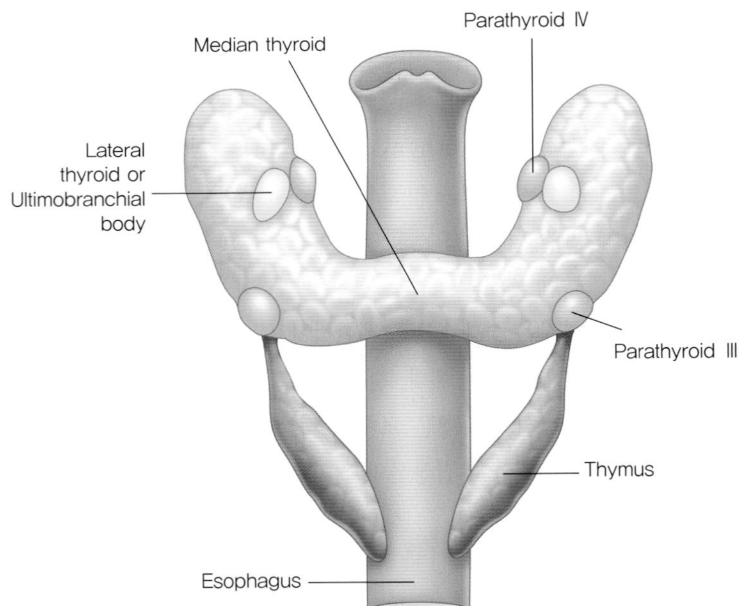

■ 그림 48-2. **14 mm 배아에서 갑상선, 부갑상선 조직의 위치.**
좌상부터 시작하여 시계 반대 방향으로 중앙갑상선(median thyroid), 외측갑상선(lateral thyroid) 혹은 후사체(ultimobranchial body), 식도(esophagus), 흉선(thymus), 부갑상선(parathyroid Ⅲ), 부갑상선(parathyroid Ⅳ).

가 존재한다. 주세포는 부갑상선 호르몬을 분비하며, 호산성세포의 역할은 분명치 않으며, 나이가 증가함에 따라 비율이 증가하므로 젊은 사람에서는 상대적으로 드물게 존재한다. 일반적으로 각각 1쌍으로 총 4개의 상하 부갑

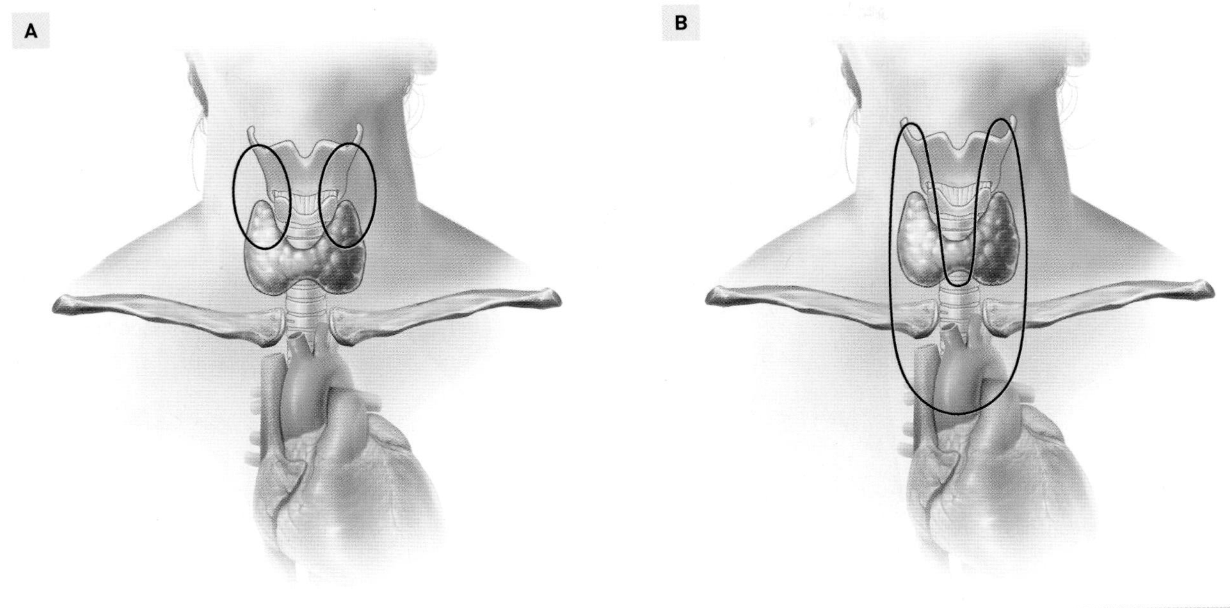

■ 그림 48-3. **상부갑상선(A)과 하부갑상선(B)의 위치 분포**

상선이 존재하나, 6–13%에서는 4개 이상이 존재할 수 있다.

상부갑상선의 약 85%는 갑상선엽의 후면에 있으며, 하갑상선동맥과 반회신경이 교차하는 부위의 1 cm가량 위에 중심을 둔 2 cm 직경의 원 안에 대개 위치한다. 반대로 하부갑상선의 위치영역은 훨씬 광범위하다. 약 61%에서 갑상선의 하극(inferior pole) 부위의 전·후·외측에 위치하며, 약 26%에서 갑상흉선인대나 그 상부인 경부 흉선에 있게 된다. 흉곽에 있게 되면, 전종격동에 위치한다. 매우 드물지만 약 7%에서 하부갑상선은 훨씬 상부에, 갑상선엽 중간 1/3 부위 후측에 위치하여 상부갑상선과 혼동되는 경우가 있고, 그 밖의 위치에 존재하는 경우도 있다(그림 48-3).

부갑상선의 모양은 거의 일정하며, 밝은 갈색부터 붉은 황갈색까지 다양한 색으로 보일 수 있는데 이는 부갑상선 내의 지방성분, 혈관분포도, 호산성세포의 양에 의해 결정된다. 따라서 비만인 경우 상대적인 지방량의 과다로 좀 더 노란색에 가깝고, 소아는 성인에 비해 지방량이 적으므로 좀 더 어두워서 분홍빛 갈색을 보인다. 여자가 남자보다 체내 지방량이 상대적으로 높아, 부갑상선 내 지방량도 더 높은 경향을 띤다. 평균 3–6 mm 길이, 2–4 mm 폭, 0.5–2 mm 두께로, 대략 5×3×1 mm의 크기이다. 무게는 40 mg 정도이며, 정상적으로 50–60 mg까지 보고되고 있다. 피막으로 싸여 있으며 경계가 분명하고 매끄러우며 반짝이는 표면을 갖고 있다. 매우 작으며, 주위의 지방이나 림프절, 흉선 등과 구분하기가 쉽지 않다. 그러나 부갑상선은 고유의 피막이 있어 비교적 일정한 모양을 이루고, 부드럽고 탄력이 있는 특성을 갖고 있는 반면, 지방 조직은 부갑상선보다 더 부드럽고 창백한 노란색을 띠고 일정한 모양을 갖고 있지 않기 때문에 어느 정도는 구별이 가능하다. 그리고 부갑상선 주위의 지방조직을 만지면 파도 속에서 미끄러지는 보트 같은 움직임이 관찰되는 gliding sign을 보여 식별할 수도 있다. 또한 부갑상선에 비해 갑상선 조직은 보다 더 견고하고, 일정한 모양이 아니며, 림프절 역시 더 견고하며 더 둥근 모양을 띠고 대개 회색을 띠며 검은 점이 섞여 있고 주위의 지방 조직

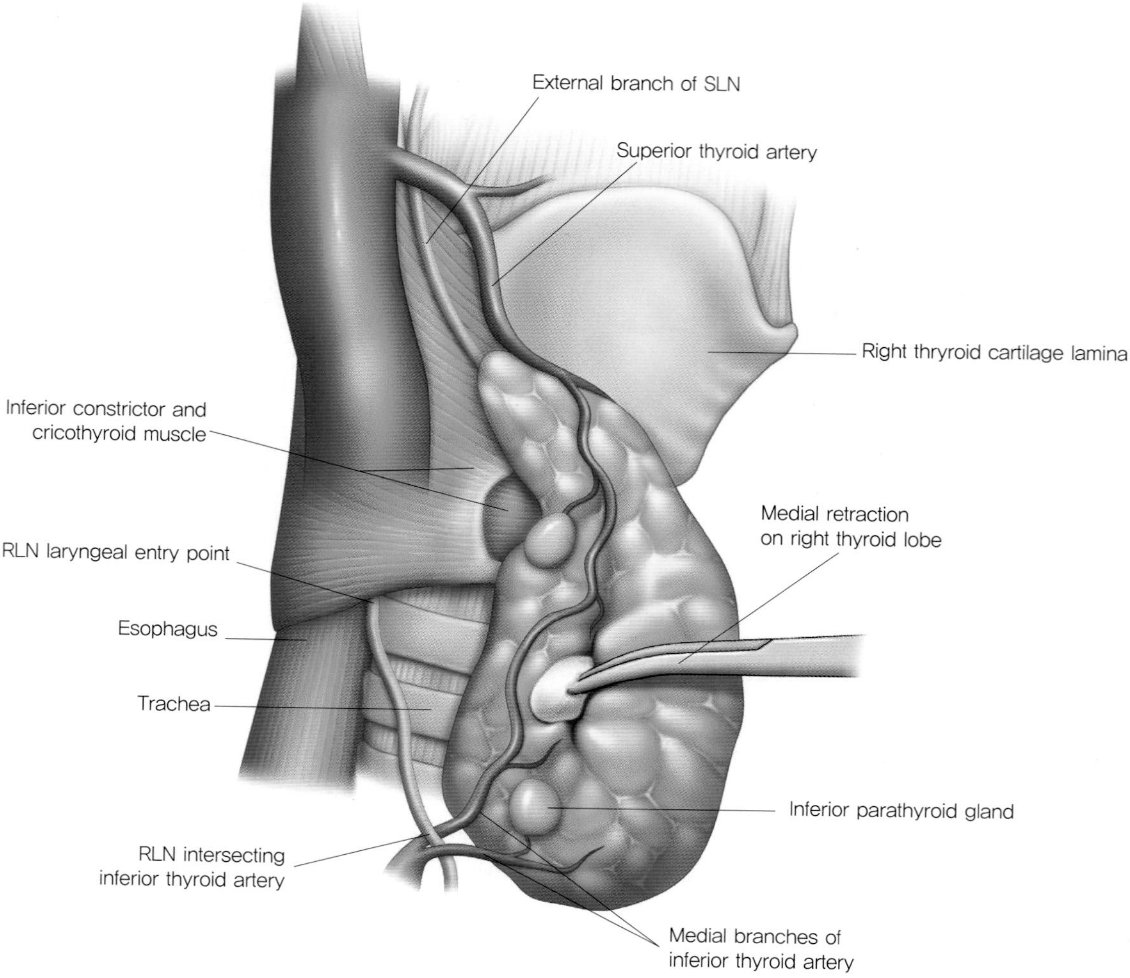

External branch of SLN
Superior thyroid artery
Right thryroid cartilage lamina
Inferior constrictor and cricothyroid muscle
Medial retraction on right thyroid lobe
RLN laryngeal entry point
Esophagus
Trachea
Inferior parathyroid gland
RLN intersecting inferior thyroid artery
Medial branches of inferior thyroid artery

■ 그림 48-4. **부갑상선과 하갑상동맥.**
좌상부터 시작하여 시계 반대 방향으로 하인두수축근(inferior constrictor)과 윤상갑상근(cricothyroid muscle), 반회후두신경이 후두 내로 들어가는 부위, 식도(esophagus), 기관(trachea), 반회후두신경과 하갑상동맥과 교차하는 부위, 하갑상동맥의 내분지(medial branches of inferior thyroid artery), 하부갑상선(inferior parathyroid gland), 우측 갑상선 엽을 내측으로 견인, 우측 갑상연골판(right thyroid cartilage lamina), 상갑상동맥(superior thyroid artery), 상후두신경의 외분지(external branch of SLN).

과의 분리가 어렵고 여러 개가 모여 있다. 흉선 조직은 창백하고, 회황색 또는 회홍색으로 과립상이며 지방에 부착되어 있다.

상·하 부갑상선은 모두 기본적으로 하갑상선동맥의 분지에서 혈류 공급을 받기 때문에 갑상선수술 중 하갑상선동맥은 최대한 갑상선의 피막에서 가깝게 결찰을 해야 하며, 체부에서의 결찰은 피해야 한다. 상부갑상선의 경우, 상갑상선동맥의 후분지에서도 혈류 공급을 받게 된다. 그렇기 때문에, 상부갑상선을 보존하기 위해서는, 하갑상선동맥 뿐만 아니라, 상갑상선동맥의 후분지를 보존하면서, 나머지 분지들을 각각 주의 깊게 결찰해야 한다(그림 48-4). 또한 상부갑상선과 하부갑상선을 구분하는 가장 중요한 구별점으로 반회후두신경과의 위치관계가 있다. 상부갑상선은 반회후두신경의 후방에 존재하고, 하부갑

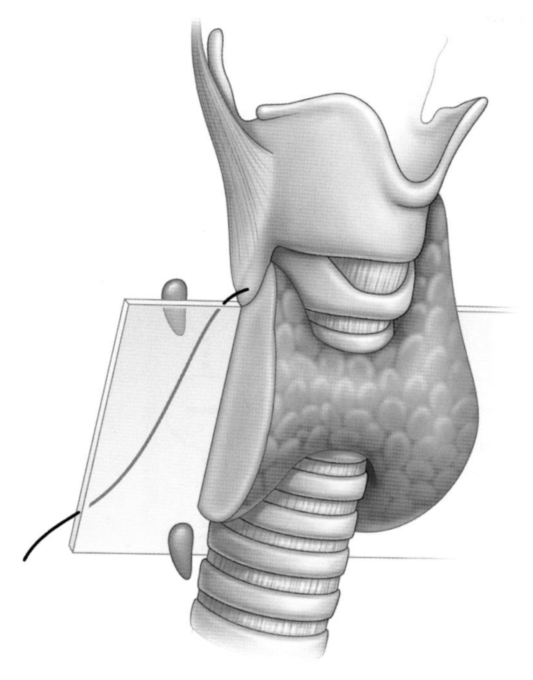

■ 그림 48-5. 부갑상선과 반회후두신경의 관계

상선은 전방에 존재한다. 여타 구조물, 특히 하갑상선동맥과의 관계에 비하여 반회후두신경과 부갑상선의 위치관계는 일관성 있는 정보를 제공하여 수술 시 유용하게 활용된다(그림 48-5).

부갑상선의 정맥은 갑상선의 피막그물, 갑상선의 정맥총을 통해 배출된다. 림프관은 갑상선의 림프관에서 기원하며, 신경지배는 갑상선의 혈관을 감싸는 신경총으로부터 받는다. 이들은 분비성 신경이 아닌 혈관운동성 신경이어서 부갑상선의 자가이식 시에도 부갑상선 호르몬이 분비되게 된다.

Ⅲ 부갑상선 호르몬과 칼슘대사

체내 칼슘의 항상성은 부갑상선 호르몬, 비타민 D와 대사물, 칼시토닌(calcitonin)의 복잡한 상호작용에 의해 유지된다. 부갑상선호르몬 다당체(polypeptide)는 84개의 아미노산(amino acids)을 함유한다. 부갑상선으로부터 분비된 호르몬은, 아미노기 N-terminal와 카르복실기 C-terminal 조각(fragment)으로 분해된다. 아미노기는 생물학적으로 활성을 가지나 체내순환에서 빨리 소실되며, 카르복실기는 불활성이나 주로 신장을 통해 배출되기 때문에, 신기능이 떨어져 있는 환자에서는 좀 더 체내에 오래 머물게 된다. 완전한 1-84 분자가 체내순환에서 주로 존재하는 활성을 가진 부갑상선 호르몬이다. 즉, 완전한(intact) 호르몬을 정확하게 측정하면 부갑상선 호르몬 대사의 역동적인 변화를 알 수 있다.

부갑상선 호르몬의 분비는 주로 혈청 이온화(ionized) 칼슘 수준에 의해 조절된다. 혈청 이온화 칼슘이 감소하면 부갑상선 호르몬의 분비가 증가되며, 혈청 이온화 칼슘이 증가하면 부갑상선 호르몬의 분비가 억제된다. 이온화 칼슘은 총 혈청 칼슘의 생리학적으로 활성된 성분으로 생각된다.

부갑상선 호르몬의 표적 말단 장기는 신장, 골격계, 내장이다. 부갑상선 호르몬이 골격계나 신장의 수용체 부위에 부착하면, cAMP의 생성을 촉진시켜 세포 내 반응을 일으키게 한다. 신장에서 부갑상선 호르몬의 일차적인 반응은 칼슘의 재흡수를 증가시키고, 인(phosphorus)의 재흡수를 감소시키는 것이다. 뼈에서는 조골세포(osteoblast)와 파골세포(osteoclast)의 활성과 관련된 뼈의 재형성 효과와 관련해 부갑상선 호르몬이 혈청 칼슘을 조절한다. 뼈에서 조골세포와 전구세포(precursor cell)는 부갑상선 호르몬 수용체 부위를 갖고 있고, 이 부위에 호르몬이 부착되면 cAMP를 생성한다. 파골세포에는 부갑상선 호르몬 수용체 부위가 없으나, 간접적으로 조골세포에서 생성된 cAMP를 통해 자극이 된다. 또 다른 중요한 부갑상선의 작용은 신장에서 25-hydroxy 비타민 D3인 calcifediol을 1,25-dihydroxy 비타민 D3인 calcitriol로 전환하는 것이다. 부갑상선 호르몬의 골격계와 신장, 내장에서의 복합작용은 세포외액으로 칼슘의 이동을 증가

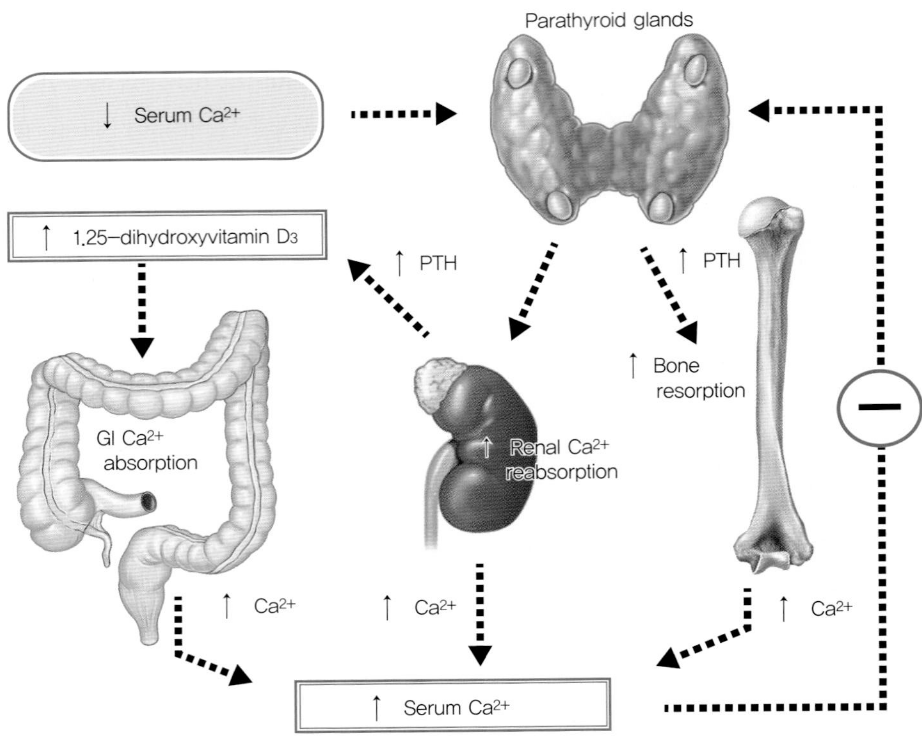

■ **그림 48-6. 부갑상선의 기능.**
부갑상선(parathyroid gland), 혈청(serum), 위장관 칼슘 흡수(GI Ca^{2+} absorption), 신장 칼슘 재흡수(renal Ca^{2+} reabsorption), 골흡수(bone resorption), 부갑상선호르몬(PTH).

시키고 결과적으로 혈청 칼슘을 증가시키게 된다(그림 48-6).

부갑상선 호르몬은 세포외 칼슘을 직접적으로 재빨리 변화시키는 데 반해, 비타민 D는 천천히 칼슘 균형을 변화시킨다. 칼시토닌은 갑상선의 부여포세포(parafollicular cell)에서 분비되어 뼈의 재흡수를 억제하나, 칼슘 체내 항상성에서의 역할은 훨씬 미약하다. 따라서 갑상선 수질성 암종에서 칼시토닌이 매우 높아도 저칼슘혈증을 유발하지는 않는다.

펩타이드, 스테로이드 호르몬, 아민(amine) 같은 몇몇 내인성 물질이 부갑상선 호르몬의 분비에 영향을 준다고 알려져 있다. 하지만, 가장 강력한 부갑상선 호르몬 분비의 조절인자는 칼슘이다. 약간의 칼슘 농도 변화에도 부갑상선 호르몬 분비는 크게 영향을 받는다.

혈청 총 칼슘의 약 50%는 단백질, 특히 알부민과 결합하며, 나머지 50%는 이온화 칼슘의 형태로 존재한다. 총 칼슘 양은 단백질의 양에 따라 다르지만, 이온화 칼슘은 항상 일정한 수준을 유지한다. 부갑상선이 선종성 혹은 과증식을 보이면, 부갑상선 호르몬이 증가하고, 고칼슘혈증이 나타나게 된다.

Ⅳ 기능성 부갑상선 질환

부갑상선호르몬(parathyroid hormone, PTH)은 1) 뼈에서 칼슘을 방출(신체의 칼슘은 대부분 뼈에 저장된다), 2) 음식으로부터 칼슘을 흡수하는 신체의 능력을 증가, 3) 소변으로 손실되는 칼슘에 유지하는 신장의 능력을 증가함으로써 혈중 칼슘치를 상승하게 한다. 정상 부갑상선은 자동으로 제어되는 온도조절장치처럼 매우 엄격하게 혈액의 칼슘 농도를 조절한다. 적절한 칼슘 균형은 심장, 신경계, 신장, 뼈의 정상적인 기능에 매우 중요하다.

1. 부갑상선 기능항진증

1) 원발성 부갑상선 기능항진증(primary hyperparathyroidism, PHPT)

원발성 부갑상선 기능항진증은 하나 이상의 부갑상선의 기능항진으로 지속적으로 많은 부갑상선 호르몬을 생산하는 질환이다. 특별한 생리적인 자극이 없는 상태에서 부갑상선 호르몬이 과도하게 분비되어, 결과적으로 고칼슘혈증으로 인한 일련의 증상들이 나타나는 질환이다. 이때 혈중 인산은 감소한다. 발생빈도는 50세 이상에서 1,000명당 4-6명이며, 남녀비는 약 1:2에서 1:4로, 특히 65세 이상의 폐경기 여성에서 빈도가 높다.

가장 많은 원인으로 약 85%에서는 단일 부갑상선 선종에 의해 발생하나 경우에 따라 다발성 내분비선종증후군과 동반되기도 한다. 부갑상선 증식증에 의한 원발성 부갑상선 기능항진증은 약 12-15% 정도이며, 다발성 부갑상선 선종의 경우는 더욱 드물어 1-2% 정도이다. 드물지만 부갑상선 암종에 의해 유발될 수 있으므로, 칼슘과 부갑상선 호르몬이 아주 높은 경우에는 악성 종양을 의심해야 한다(표 48-1). 최근 건강 검진의 활성화로 인한 혈액 생화학 검사의 발달과 보편화로 진단율이 높아지는 추세이다.

표 48-1. 부갑상선 호르몬 매개 고칼슘혈증의 원인

원발성 부갑상선기능항진증(primary hyperparathyroidism) 부갑상선 선종(parathyroid adenoma) 부갑상선(parathyroid lipoadenoma) 부갑상선 과증식(parathyroid hyperplasia) 부갑상선 암종(parathyroid carcinoma)
경부 혹은 종격동 부갑상선낭(neck or mediastinal parathyroid cyst)
이차성 부갑상선기능항진증(secondary hyperparathyroidism)
삼차성 부갑상선기능항진증(tertiary hyperparathyroidism)

(1) 원발성 부갑상선 질환의 위험 인자

① 여성

여성은 남성보다 부갑상선 기능항진증이 2배 정도 잘 발생한다. 질병이 발견되는 평균 연령은 약 65세(대부분의 환자가 45세 이상)이다. 이러한 이유로 부갑상선 기능항진증은 일반적으로 노인 여성에서 흔한 질병이다.

② 머리, 목, 가슴의 방사선치료

방사선치료는 부갑상선 기능항진증의 위험 인자이다. 항진증의 원인이 될 수 있는 방사선량은 전형적으로 일상생활이나 일반적인 X-선보다 훨씬 더 높다. 방사선에 의한 부갑상선 기능항진증 환자는 악성림프종이나 유방암, 두경부암 등으로 목, 가슴에 방사선치료를 받은 경우에 발생할 수 있다. 다른 원인으로는 핵실험이나 원전사고에서 발생한 방사성 낙진에 의해서도 발생할 수 있다. 하지만 일반적인 X-선, CT 스캔, 휴대 전화, 전자 레인지와 같은 장치의 사용과 관련된 방사선량은 부갑상선 질환을 야기하기에 너무 낮다.

③ 리튬(lithium)

조울증(양극성 장애)을 치료하는 데 사용하는 리튬의 사용이 부갑상선 질환의 가능성을 증가시킬 수 있다.

④ 가족력

원발성 부갑상선 기능항진증의 대부분(95% 이상)은 산발적 질병, 즉 우연히 발생한 것이다. 일부 소수의 부갑상선 기능항진증은 가족성(유전성) 증후군의 일부분일 수 있다. 유전적 증후군에 의한 부갑상선 기능항진증은 대부분이 다발성내분비종양(multiple endocrine neoplasia,

MEN) 1형과 2형이다. MEN 1형은 뇌하수체, 부갑상선, 췌장의 종양(pituitary, parathyroid, pancreas, three P's)을 나타내고, 이와 동반된 부갑상선 기능항진증은 20-30대에 발현되고, 이 증후군에서 가장 먼저 발생하는 내분비 이상 소견이다. 뇌하수체 및 췌장의 종양은 호르몬 수치가 정상인 경우도 많지만, 비정상적으로 호르몬 분비가 나타나면 쿠싱증후군, 유즙분비, 거인증, 소화성 궤양 및 저혈당 등 다양한 질병의 형태를 보일 수 있다. MEN 2형은 갑상선 수질암, 갈색세포종, 부갑상선 기능항진증을 동반하는 증후군으로 환자의 일부에서 원발성 부갑상선 기능항진증이 발생한다. 다른 내분비종양을 동반하지 않는 가족성 부갑상선 기능항진증이 발생할 수 있으나 매우 드물다. 이러한 가족성 증후군을 동반한 부갑상선 기능항진증 환자에서는 네 개의 부갑상선 모두 활동성으로 가지는 증식증이 종종 관찰된다.

2) 이차성 부갑상선 기능항진증

만성 신부전, 골연화증, 흡수장애 증후군 등의 저칼슘혈증이 유발되는 질환에서 부갑상선 기능이 보상적으로 항진되어 원발성 부갑상선 기능항진증과 같은 특징적인 증상이 유발되는 경우를 이차성 부갑상선 기능항진증이라 한다. 그밖에 불완전한 골생성증, Paget 병, 저비타민 D 혈증, 비타민 D 의존성 구루병, 고인산염 혈증 등의 질환에서도 발생할 수 있다. 주로 골과 관절 통증, 특발성 골절, 난치성 소양증, 두통, 권태감, 연조직 석회화 등의 증상을 호소한다. 투석이 요구되는 환자 중 평균 6년이 경과하면 약 70%의 환자에서 이차성 부갑상선 기능항진증으로 부갑상선 수술이 필요하게 된다고 한다.

3) 삼차성 부갑상선 기능항진증

저칼슘혈증 상태가 장기적으로 지속되면, 표적 장기 등에 이차성 변화가 시작되어, 신장이식이나 투석을 통한 원인 질환의 교정으로 혈청 칼슘농도가 정상으로 회복됨에도 불구하고, 지속적으로 부갑상선 호르몬의 수치가 높게 나타나는 상태이다. 이는 부갑상선 호르몬에 대한 칼슘이온농도의 양성 되먹임 기전(feedback mechanism)에 기인한다. 신장이식 후에도 고칼슘혈증이 지속되는 이유는 명확하지 않지만, 신부전증의 병력 및 투석치료의 기간과 수술 전 부갑상선 기능항진증의 심한 정도, 비타민 D 수용체와 관련이 있다고 알려져 있다.

4) 가성 부갑상선 기능항진증

부갑상선 호르몬이나 부갑상선 호르몬과 비슷한 호르몬을 생성하는 종양에 의해 초래되는 것을 가성 부갑상선 기능항진증이라 한다.

2. 부갑상선 기능저하증

부갑상선 기능저하증의 원인으로는 갑상선 수술이나 경부청소술 등의 수술 후 부갑상선 기능이 떨어지는 경우가 대부분이다. 그 밖의 원인으로 특발성 기능저하증이 있으며, 부갑상선 기능이 단독으로 저하되는 경우도 있고, DiGeorge 증후군에 수반되는 경우, 그리고 다른 유전적 원인이나 자가면역 질환으로 발생할 수도 있다.

가성 부갑상선 기능저하증은 유전적 소인에 의한 자가면역질환으로 여겨지고 있으며, 말초 장기에서 부갑상선 호르몬에 대한 반응이 없는 것으로, 칼슘은 감소하고 인산은 증가하며 부갑상선 호르몬은 증가한다. 대부분의 경우 혈청학적 검사와 특징적인 임상증상으로 진단할 수 있으며, 치료는 칼슘과 비타민 D를 투여하여 혈중 칼슘치를 정상으로 유지하도록 한다.

 종양성 부갑상선 질환

1. 부갑상선 선종

상부갑상선보다 하부갑상선에서 주로 발생하며 크기는

다양하다. 대부분 한 개의 부갑상선에서 발생하며, 두 개 이상에서 생기는 경우는 드물다. 크기가 큰 경우 경부에서 촉지되기도 하고, 식도조영술에서 식도 벽의 결손으로 오인되기도 한다. 크기가 클수록 골 병변이 증가한다.

2. 부갑상선 과증식

원발성 부갑상선기능항진증의 12–15%를 차지한다. 다발성으로 두 개 이상의 부갑상선을 침범하며, 대부분은 네 개 모두에서 볼 수 있다. 가장 흔한 조직학적 소견은 주세포가 증식하는 것이다. 특히 이 경우는 다발성 내분비 종양 증후군과 관련이 있다.

3. 부갑상선 암종

부갑상선 암종은 2백만 명당 1명 정도로 매우 드물게 발생하며, 원발성 부갑상선 기능항진증 환자의 1% 미만을 차지한다. 환자는 일반적으로 30세 이상이며, 남녀비는 비슷하거나 남자가 약간 많다고 알려져 있다. 부갑상선 암종 환자는 일반적으로 매우 높은 혈중 칼슘 수치(14 mg/dL 이상)를 보이고, 부갑상선호르몬도 정상에 비해 5배 이상으로 높은 경우가 많다(300 pg/mL 이상). 부갑상선암 환자의 약 절반에서는 단단한 갑상선 부위의 종양 형태를 보이며, 현미경적으로 증식증, 선종, 암종의 감별이 불가능한 경우가 많다. 그래서 부갑상선암은 수술 시 관찰되는 종양의 양상, 혈액 검사, 환자의 증상 등으로 바탕으로 임상적인 진단을 해야 한다. 부갑상선암 치료는 초기에 질병을 발견하여 수술로 제거하는 것이 가장 좋은 방법이다. 진단 당시에도 부갑상선암은 갑상선 등 주변 조직을 침범할 수 있기 때문에 암이 의심되면 같은 쪽의 갑상선엽과 함께 제거하는 것이 최선의 치료이다. 부갑상선암의 수술 후 칼슘과 부갑상선호르몬 수치로 재발을 확인할 수 있으며, 초음파영상이나 PET 스캔 등의 검사로 재발을 확인할 수 있다. 재발이 확인되면 다시 수술로 제거하여야 한다. 항암화학요법과 방사선치료는 부갑상선암의 치료에 별 도움이 되지 못한다. 부갑상선암은 비교적 천천히 성장하기 때문에 재발 후에도 다시 수술을 할 수 있는 경우가 많다. 물론 반복적인 수술은 수술 합병증을 증가

표 48-2. Definitions of AJCC TNM (Parathyroid 75)

Definition of Primary Tumor (T)

T Category	T Criteria
TX	Primary tumor cannot be assessed
T0	No evidence of primary tumor
Tis	Atypical parathyroid neoplasm (neoplasm of uncertain malignant potential)*
T1	Localized to the parathyroid gland with extension limited to soft tissue
T2	Direct invasion into the thyroid gland
T3	Direct invasion into recurrent laryngeal nerve, esophagus, trachea, skeletal muscle, adjacent lymph nodes, or thymus
T4	Direct invasion into major blood vessel or spine

*Defined as tumors that are histologically or clinically worrisome but do not fulfill the more robust criteria (i.e., invasion, metastasis) for carcinoma. They generally include tumors that have two or more concerning features, such as fibrous bands, mitotic figures, necrosis, trabecular growth, or adherence to surrounding tissues intraoperatively. Atypical parathyroid neoplasms usually have a smaller dimension, weight, and volume than carcinomas and are less likely to have coagulative tumor necrosis.

Definition of Regional Lymph Node (N)

T Category	N Criteria
NX	Regional nodes cannot be assessed
N0	No regional lymph node metastasis
N1	Regional lymph node metastasis
N1a	Metastasis to level VI (pretracheal, paratracheal, and prelaryngeal/Delphian lymph nodes) or superior mediastinal lymph nodes (level VII)
N1b	Metastasis to unilateral, bilateral, or contralateral cervical (level I, II, III, IV, or V) or retropharyngeal nodes

Definition of Distant Metastasis (M)

M Category	M Criteria
M0	No distant metastasis
M1	Distant metastasis

시킨다. 만약 수술이 가능하지 않은 경우에는 칼슘 농도를 낮추는 약물 치료와 같은 다른 치료는 증상을 개선하고 수명을 연장할 수 있다. 적극적인 치료에도 불구하고 예후는 불량하여 5년 생존율이 50%, 10년 생존율이 10%로 알려져 있다. 2018년부터 적용되는 개정된 AJCC 8판 TNM 분류에서 부갑상선암종에 대해 TNM 분류가 새롭게 추가되었다. 하지만 아직까지 병기를 분류하기에는 충분한 증례가 수집되지 않아 TNM 분류만을 제시하였다(표 48-2).

4. 이소성 부갑상선 기능항진증

부갑상선 종양이 아닌 여러 종양에서 부갑상선 호르몬이 분비되는 것으로 신세포 암종, 기관지성 폐암, 수질성 갑상선 암종 등에서 볼 수 있다.

VI 부갑상선 질환의 진단

1. 부갑상선 기능이상의 진단

고칼슘혈증이나 저칼슘혈증의 특징적인 임상 증상이 있을 때 진단할 수도 있지만, 혈중 칼슘과 인산 치를 측정하거나, 방사선면역측정법(radioimmunoassay, RIA)으로 부갑상선 호르몬을 직접 측정하여 진단한다. 비교적 간단히 진단할 수 있으며, 1960년대 이후로 혈액 화학 자동분석기의 보급에 따라 혈중 칼슘 수치 측정이 보편화되고 방사선면역측정법의 개발 등에 힘입어 최근 진단율이 증가하고 있다.

1) 부갑상선 기능항진증의 진단

(1) 임상양상

신장 및 비뇨기계 증상으로 신결석이나 신장석회증(nephrocalcinosis) 등이 있으나, 혈중 칼슘치 측정의 보편화로 인해 빈도가 많이 감소하였다. 신결석과 관련된 증상으로 급성 신장통, 혈뇨, 농뇨 등이 있다.

골격계 증상으로 골의 탈무기질화(demineralization)에 의하여 말단사지골의 골막하 미란, 골의 흡수와 연화, 연골석회증(chondrocalcinosis) 등의 변화가 나타나게 되며, 임상적으로 관절통, 병적 골절, 골의 낭종성 변화 혹은 골의 부분적인 종창 등의 형태로 발현된다. 골밀도 검사를 이용하여 골결핍이나 골다공증 등을 조기에 발견할 수 있다. 그 밖에 지속적인 피로와 식욕부진 등의 증상과 동반된 사지의 근위부 근력약화, 근육통, 그리고 그로 인한 일상생활의 장애나 보행의 장애를 초래하기도 한다.

신경계 증상으로 경미한 정서불안에서 정신병까지 다양하게 나타날 수 있고, 우울증, 신경쇠약, 인지장애가 흔히 발현되며, 청력감소, 연하장애, 후각장애, 이상감각 등을 호소할 수 있다. 또한 소화기계 증상으로 소화성 궤양, 췌장염, 담석증 등을 유발할 수 있다.

이러한 부갑상선 기능항진증과 더불어, 고칼슘혈증의 경우에는 다음증, 다뇨증, 식욕부진, 구토, 변비, 근력약화, 피로, 의식변화, 피부 건조증 등의 증상이 나타날 수 있다. 혈중 칼슘이 15 mg/dL 이상이 되면 심각한 의식장애와 혼수까지 이를 수 있으며, 이 상태가 지속되면 급성 신부전증과 부정맥 등으로 사망에 이를 수도 있다. 그 밖에 안질환이나 심전도 이상, 소양증 등이 발생할 수 있다.

(2) 부갑상선 기능항진증의 감별진단

원발성 부갑상선 기능항진증은 혈액 검사를 통해 진단된다. 부갑상선호르몬 수치는 혈중 칼슘 농도를 제어하기 때문에, 일반적으로 두 검사 수치는 반대 방향으로 이동한다. 예를 들어, 혈중 칼슘 수치가 높을 때, 부갑상선호르몬은 정상 이하이다. 반대로 혈중 칼슘이 낮을 때는 부갑상선호르몬은 증가한다. 원발성 부갑상선 기능항진증은 두 수치가 모두 증가한다. 하지만 혈중 칼슘이 정상치인 부갑상선 기능항진증(normocalcemic hyperparathyroidism)에서는 두 수치 중 하나 또는 둘 모두 정상인 경우도 있다. 이러한 원발성 부갑상선 기능항진증에서는 혈중 인산, 비타민 D, 소변 칼슘, 혈중 크레아티닌 등의 검사가 진단에 도움이 된다. 가족성 저칼슘요증 고칼슘혈증(familial hypocalciuric hypercalcemia) 환자에서는 24시간 소변 칼슘 수치가 진단에 도움이 된다. 비타민 D 수치도 반드시 측정하여야 하며, 비타민 D 수치가 낮은 경우 이차성 부갑상선 기능항진증을 의심해야 하기 때문이다. 또한 골밀도 검사가 진단에 도움이 될 수 있다. 원발성 부갑상선 기능항진증은 신장 결석과 골다공증과 같은 장기적 건강 문제를 일으킬 수 있지만, 대부분의 경우 응급 상황은 아니다. 그래서 원발성 부갑상선 기능항진증으로 의심되면 일련의 검사를 통해서 국소화 진단(localizing tests)을 통해 정확한 위치를 찾고 수술을 결정해야 한다.

혈중 칼슘이 증가되고 부갑상선 호르몬 수치가 상승되면서 신장기능이 정상일 때 원발성 부갑상선 기능항진증이라고 진단할 수 있으나, 부갑상선 호르몬은 정상이면서 고칼슘혈증을 유발하는 다음과 같은 질환, 즉 악성종양의 골전이, 육아종성 질환, 비타민 D 중독, thiazide 계 이뇨제, 갑상선 기능항진증, 부신피질 기능항진증, 갈색세포종, 췌장의 islet cell 종양, 호르몬 치료 등을 감별해야 한다.

또한 고칼슘혈증의 가족력에 대해서도 반드시 병력청취를 하여 다발성 내분비선종증후군(multiple endcrinologic neoplasia, MEN)도 감별해야 한다. MEN-1은 90%에서 부갑상선 기능항진증을 동반하며, MEN-2 경우 50%에서 갈색세포종이 발생하며, 특히 MEN-2A 환자 중 40%에서 부갑상선 기능항진증이 발생한다. MEN-2B에서는 이환빈도가 드물다.

2) 부갑상선 기능저하증의 진단

(1) 임상양상

임상적으로 칼슘의 저하에 따른 여러 가지 신경, 근육 증상이 나타난다. Tetany 경직, 경련, Chvostek 증상, Trousseau 증상, 연조직 석회화, 골격 및 성장 결손 등을 보인다.

(2) 부갑상선 기능저하증의 감별진단

흡수 장애, 이차성 골연화증, 신부전증, 저단백혈증, 췌장염 등을 감별해야 한다.

2. 부갑상선 병소의 국소화(localization) 진단(표 48-3)

원발성 부갑상선 기능항진증으로 진단되어 수술을 시행할 경우, 수술 전 부갑상선 병소를 확인해야 한다. 특히 재수술이나 재발한 경우에는 수술 중 확인이 매우 어렵기 때문에, 반드시 필요하다. 부갑상선 기능항진증에 대한 수술의 성패는 수술 전 혹은 수술 중 부갑상선 국소화(위치) 진단과 밀접하게 관련이 있다. 부갑상선 국소화 진단이 성공적으로 이루어지면 수술시간의 단축, 수술실패율의 감소, 수술범위의 축소 및 합병증의 감소 등의 장점이 있다.

표 48-3. 갑상성기능항진증에서 병소의 국소화 진단법

비침습적인 술전 방법(noninvasive preoperative methods)
초음파검사(ultrasonography)
갑상선 스캔(thyroid scan) (방사성 요오드나 technetium 이용)
Thallium-technetium 스캔
99mTechnetium-sestamibi 스캔
CT
MRI
침습적 술전 방법(invasive preoperative methods)
세침흡인세포검사(fine-needle aspiration cytology)
선택적 혈관조영술(selective angiography)이나 디지털감쇄혈관조영술(digital subtraction angiography)
부갑상선호르몬 분석을 위한 선택적 정맥 시료채취 (selective venous sampling for PTH assay)
Selenium-ethionine 동맥 내 주사 arterial injection
수술 중 검사방법(intraoperative methods)
수술 중 초음파검사(intraoperative ultrasonography)
Toluidine blue나 methylene blue 염색법
소변 adenosine monophosphate (AMP) 측정
수술 중 부갑상선호르몬 PTH 측정
감마선 탐침자(gamma probe)

과거에는 경부 전산화단층촬영, 핵자기공명영상, 초음파검사 및 thallium–technetium substraction 검사법 등이 이용되었으나 특히 재수술의 경우에는 검사의 민감도가 떨어져서 유용성에 대해서는 이견이 있었다. 최근에는 technetium 99m sestamibi scan이 소개되면서 가장 많이 이용되고 있다.

1) 초음파검사

부갑상선은 전형적으로 균일한 초음파 영상을 보이며, 주위 갑상선 조직보다 음영이 낮고, 경계가 분명한 종양으로 관찰된다. 부갑상선 선종은 대개 고형성으로 관찰되며, 이에 대한 민감도는 약 85%이고, 특이도는 약 94%이다. 특히 종격동이나 기관식도구에 위치하는 이소성 부갑상선 종양에서는 진단율이 떨어진다는 단점이 있다.

2) 전산화단층촬영

초음파에 비하여 유용하지만, 촬영 시 호흡, 연하에 의해 오류가 생길 수 있고, 주변 림프절이나 혈관과 구별이 힘들 수 있다는 단점이 있다. 또한 요오드를 함유한 조영제를 이용한 경우, 6–8주 가량 부갑상선 주사검사를 지연시켜야 하는 불편함이 있다 부갑상선 선종에 대해 약 45%의 민감도, 98%의 특이도를 보이며, 부갑상선 증식증에는 약 40%의 민감도를 보인다.

3) 자기공명영상

전산화단층촬영보다 부갑상선 선종에 대한 민감도가 우수한 것으로 보고되고 있다. 전산화단층촬영처럼 림프절이나 경부의 신경절이 부갑상선과 오인될 수 있으나, 혈관과의 구별은 좀 더 용이하다. 부갑상선 선종은 전형적으로 T2 강조영상에서 고강도의 신호를 보이며, T1 강조영상에서는 주위조직과 동일한 중등도의 신호를 보인다. Gadolinium에 의해서 조영증강이 되며 균일한 내부구조를 확인할 수 있다. 부갑상선 선종에 대한 민감도는 약 78%이며 종격동 내 부갑상선 선종의 경우 약 90%까지 증가한다. 부갑상선 증식증에 대한 민감도는 약 71%로 보고된다.

4) 핵의학 주사검사

(1) 201-thallium-pertechnetate substraction 스캔

Thallium은 갑상선과 부갑상선 모두에서 흡수되며, pertechnetate는 갑상선에만 흡수되므로, 먼저 두 가지 동위원소를 같이 투여하여 두 영상을 각각 촬영한 뒤, 컴퓨터에 의해 갑상선 조직을 제거하면 thallium이 흡수된 부갑상선의 영상만을 얻어낼 수 있다(그림 48-7). 부갑상선 선종의 경우 약 62–90%의 민감도와 87%의 특이도를 보이며, 부갑상선 증식증에는 약 42%의 민감도를 갖는다. 염증성 질환, 림프종이나 갑상선 결절이 있는 경우에는

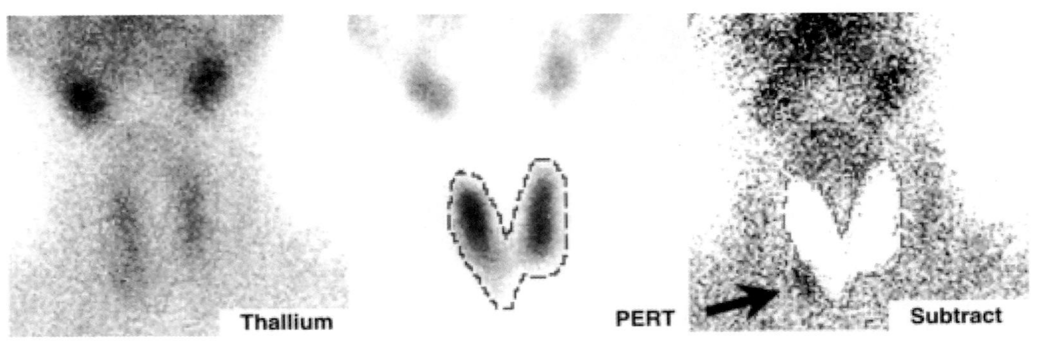

■ 그림 48-7. Thallium/pertechenate (PERT) 부갑상선 스캔

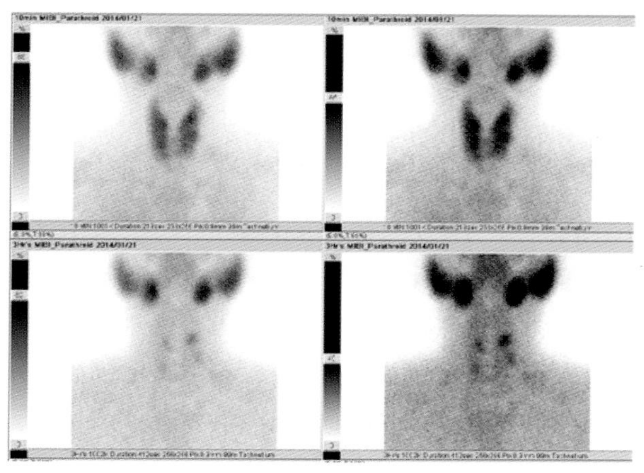

■ 그림 48-8. **좌측 상극에 위치한 부갑상선 선종의 99mTc-sestamibi 스캔**

위양성으로 나타날 수 있고, 0.5g 이하의 부갑상선 종양, 미토콘드리아가 결핍된 종양, 갑상선 억제요법을 시행 중이거나 갑상선절제술을 시행받은 환자의 경우 위음성으로 나타나기도 한다.

(2) 99mTc-sestamibi 스캔

갑상선조직에도 흡수되나 재빨리 방출되고, 비정상 부갑상선조직에는 흡수된 뒤 장시간 유지되는 특성이 있는 99mTc-sestamibi를 이용한 검사법으로, 가장 우수한 핵의학 검사법으로 알려져 있고, 현재까지 가장 많이 사용되고 있다(그림 48-8, 9). 특히 Thallium 스캔에 비하여 우수한 영상을 얻을 수 있고, 좀 더 많은 용량을 안전하게 투여할 수 있으며, 갑상선보다 부갑상선에 높은 농도로 흡수되는 장점이 있다. 부갑상선에 대한 재수술을 시행하고자 할 때 특히 더 유용하다. 부갑상선 선종에 대한 민감도와 특이도는 85–100%로 보고되고 있어 여타 검사보다 높은 정확도를 보인다. 하지만, 부갑상선 선종의 경우에 미토콘드리아의 성분이 낮은 경우에는 위음성으로 나올 수 있고, 부갑상선 증식증에서는 선종보다 동위원소가 신속히 방출되기 때문에 결과해석에 유의해야 한다. 그 밖에, 다결절성 갑상선 종양, 하시모토 갑상선염, 갑상선 선종 및 갑상선암의 경우 해석에 어려움이 있을 수 있고, 부갑상선 이외의 조직인 경부 림프절이나 흉선종 등에도 흡수가 될 수 있다.

5) 수술 중 감마선 탐침자를 이용한 부갑상선 식별법

수술 당일 아침에 99mTc-sestamibi를 미리 주사하고 수술실에서 휴대용 감마선 탐침자(gamma probe)를

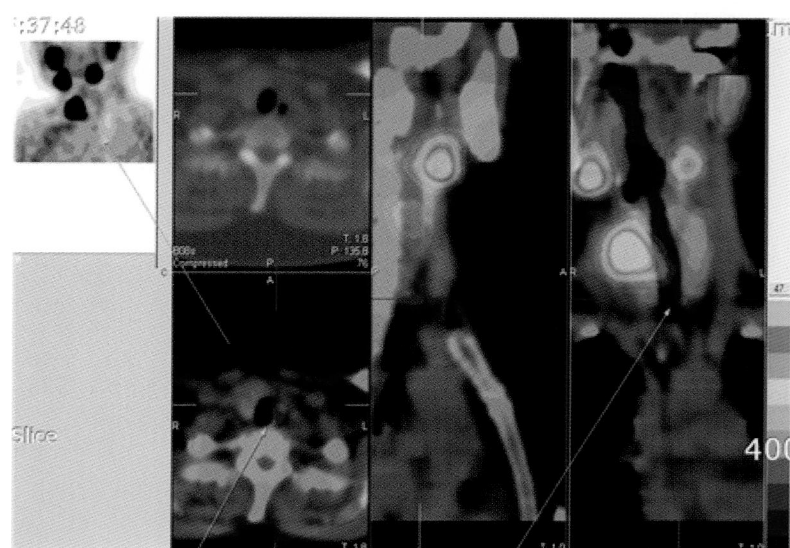

■ 그림 48-9. **좌측 하극에 위치한 부갑상선 선종의 99mTc-sestamibi 스캔과 SPECT 영상**

이용하여 비정상적인 부갑상선을 찾을 수 있다. 또한 제거된 조직이 실제로 부갑상선 조직임을 확인하는 데도 감마선 탐침자을 이용할 수 있다. 이 방법의 가장 큰 장점은 재수술이나 이소성 부갑상선과 같이 해부학적 구조를 확인하기 어렵거나, sestamibi 스캔이 명확하지 않을 때 등의 상황에서 식별을 용이하게 하여 수술 시간을 단축할 수 있다는 것이다. 하지만 검사에 필요한 장비가 필요하고 방사선 노출, 비용 증가의 단점도 있다.

6) 기타 검사법

그 밖에 SPECT (single photon emission computed tomography)(그림 48-9), PET (positron emission tomography), 세침흡인세포검사, 메틸렌블루 염색법 등의 검사법을 이용할 수 있다.

Ⅶ 부갑상선 질환의 치료

원발성 부갑상선 기능항진증으로 진단이 되면 수술적 치료를 시행해야 완치가 가능하나, 몇 가지 약물요법을 통하여 보조적인 도움을 줄 수 있다. 충분한 수분공급을 통해 탈수를 방지하며, 보행을 권장하여 부동화로 인한 골흡수의 증가를 막도록 한다. 그밖에 다음과 같은 약물을 사용할 수 있다.

1. 내과적 치료

1) 경구 인산염

경구 인산염의 투여로 혈청 칼슘을 최대 1 mg/dl까지 낮출 수 있다. 장내에서 칼슘 흡수를 억제하고, 골흡수를 억제하며, 신장에서 1.25(OH)2D의 생성을 억제하는 효과가 있다. 하지만 위장관에서의 효과가 제한되어 있고, 부갑상선 호르몬의 상승을 유발할 수 있으며, 장기간 사용 시 연부조직에 석회 침착을 일으킬 수 있는 단점이 있어 원발성 부갑상선 기능항진증의 장기 치료에는 적합하지 않다.

2) Bisphosphonates

전반적인 체내 골대사를 감소시키는 항골흡수(anti-resorptive) 역할을 하는 bisphosphonate는 부갑상선 호르몬의 분비에 직접적인 영향을 주진 않지만, 혈청과 요중 칼슘치를 낮출 수 있다. Etidronate나 clodronate 같은 1세대 bisphosphonate의 효과가 좋지 않는 데 비해, 2세대 bisphosphonate인 alendronate는 현재 연구 중이며, 3세대인 resedronate는 원발성 부갑상선 기능항진증에서 7일 단기투여로 체내 칼슘치를 낮췄다는 보고가 있다.

3) 에스트로겐 치료

원발성 부갑상선 기능항진증을 가진 폐경기 여성에서 에스트로겐 치료를 시행하여, 부갑상선 호르몬의 변화없이 0.5에서 1.0 mg/dl의 총 혈청 칼슘 치를 낮출 수 있다. 에스트로겐을 투여받는 원발성 부갑상선 기능항진증 환자들에서 대퇴골 경부와 요추에서 골무기질 밀도의 호전을 보였다는 보고도 있다. 따라서, 특별히 호르몬 치료에 금기가 되지 않는 폐경기의 경증 원발성 부갑상선 기능항진증 환자에서는 에스트로겐 치료가 도움을 줄 수 있다.

4) Calcimimetic 제제

최근 개발된 세포외 칼슘효과를 비슷하게 낼 수 있는 제제로, 부갑상선 세포의 칼슘감지 수용체를 활성화시켜 부갑상선 세포기능을 억제할 수 있다. 실험적으로 phenylalkylamine인(R)-N-(3-methoxy-alpha-phenylethyl)-3-(2-chlorophenyl)-1-propylamine (R-568)이 세포 내 칼슘을 증가시키고 부갑상선 호르몬 분비를 억제했다는 것이 증명되었다. 최근 여러 연구를 통하여 원발성 부갑상선 기능항진증 환자에서 수술을 대체할 수 있는 유용한 수단으로서의 가능성을 보이고 있다.

표 48-4. 무증상 원발성 부갑상선 기능항진증에서 부갑상선 수술에 대한 신규 및 기존 진료지침의 비교[a]

	1990년	2002년	2008년
혈중 칼슘치(정상 범위보다)	1-1.6 mg/dl 상승	1.0 mg/dl 상승	1.0 mg/dl 상승
24시간 요중 칼슘치	400 mg 이상	400 mg 이상	제외[b]
크레아티닌 청소율	30%이상 감소	30%이상 감소	60 ml/min 미만
골밀도	Z 점수 < -2.0 (전완)	T 점수 < -2.5[c]	T 점수가 -2.5 미만이거나 골절에 취약한 과거력이 있을 때[c]
나이	50세 미만	50세 미만	50세 미만

a. 무증상으로 경과 관찰이 불가능하거나 수술을 원하는 환자에서의 수술은 할 수 있다.

b. 일부 의사들은 여전히 24시간 요중 칼슘이 400 mg 이상인 경우에는 수술을 고려한다.

c. 요추, 고관절, 대퇴골 경부, 요골.

2. 부갑상선 질환의 외과적 치료

1) 증상이 있는 경우(Symptomatic disease)

현재 골다공증이 있거나 신장 결석의 기왕력이 있는 경우, 또는 고칼슘혈증으로 인해 생명을 위협할 사건이 있었던 환자 등은 반드시 수술을 해야 한다. 그리고 선진국에서는 매우 드물지만 골연화가 나타나는 극단적인 골질환의 형태인 낭성 섬유성 골염(osteitis fibrosa cystica)이 있는 경우도 수술을 해야 한다. 그리고 50세 미만의 환자에서는 증상이 나타나거나 악화될 가능성이 높기 때문에 수술을 해야 한다.

2) 무증상 질환(Asymptomatic disease, NIH Criteria)

무증상 원발성 부갑상선 기능항진증은 전형적인 증상(신장 결석 또는 낭성 섬유성 골염)의 병력이 없는 환자로 정의된다. 하지만 이런 환자들도 전형적인 골 증상과는 다른 증상(피로, 기억력 감퇴, 불면증, 심혈관 질환 등)을 많이 가지고 있다. 그리고 이러한 무증상 환자들도 시간이 지남에 따라 질병이 악화되기 때문에 수술을 하는 것이 도움이 된다. 그리고 50세 미만의 환자는 질환이 악화될 것이기 예상되기 때문에 이론의 여지가 없이 수술을 하는 것이 좋다. 고칼슘혈증에 동반된 증상이 있는 경우에는 수술의 적응증이 되나, 검사기법의 발달로 무증상인 환자의 발견이 늘어감에 따라, 이 환자군에 대해서도 수술 기준의 필요성이 제시되었다. 1990년부터 이러한 무증상 원발성 부갑상선 기능항진증 환자들의 수술에 대해 미국 내분비외과의(The American Association of Endocrine Surgeons, AAES)들은 진료지침(NIH Criteria)을 발표하였고, 2002년과 2008년에 각각 워크숍(International Workshop on Asymptomatic Primary Hyperparathyroidism)에서 약간의 수정된 진료지침을 발표하였다(표 48-4). 특히 무증상의 50세 이하의 사람에게 수술이 적용되는 이유는, 이 환자군의 25%에서 결국 부갑상선 기능장애로 인한 합병증이 발생하기 때문이다. 하지만 많은 의사들은 이 진료지침이 우수한 기준이라는 것을 알지만 실제로 많은 무증상 환자들에서 수술을 함으로써 얻을 수 있는 이득이 많다. 그러므로 궁극적으로 수술을 해야 하는지에 대한 결정은 내과의와 외과의 등 관련 의료진에 의해 위험 요소와 잠재적인 이익을 비교 평가함으로써 이루어진다. 그리고 미국 국립보건원(NIH)에서는 수술을 하지 않을 경우의 추적 관찰에 대해서도 진료지침을 제시하였다(표 48-5).

일반적으로 부갑상선 수술 시 고려해야 할 원칙들이 있는데, 출혈이 없는 수술시야를 확보해야하고, 수술 전 국소화 진단을 하였더라도 결과에 대한 지나친 신뢰는 금물이다. 부갑상선을 찾기 위한 가장 안정적인 지표로 반

표 48-5. 부갑상선 수술을 하지 않는 무증상 원발성 부갑상선 기능항진증 환자에 대한 신규 및 기존 관리 지침의 비교

	1990년	2002년	2008년
혈중 칼슘	2년	2년	매년
24시간 요중 칼슘	매년	권고하지 않음	권고하지 않음
24시간 크레아티닌 청소율	매년	권고하지 않음	권고하지 않음
혈중 크레아티닌	매년	매년	매년
골밀도	매년(전완)	매년(3군데)	1-2년(3군데)[a]
복부 X-선(±초음파)	매년	권고하지 않음	권고하지 않음

a. 이 권고사항은 임상적으로 필요하다면 더 자주 검사하는 국가별 권고사항을 인정한다.

회후두신경을 활용하는 것이 좋으며, 하갑상선동맥과 부갑상선의 관계는 매우 다양한 변이가 존재하므로 적절치 않다(표 48-6).

특히, 부갑상선 암종을 제외한 원발성 부갑상선 기능항진증의 수술 원칙은 첫째, 양측 경부탐색을 통해 4개의 부갑상선을 모두 확인하며, 둘째, 수술 중 확실한 판단이 없는 경우라면 정상으로 보이는 부갑상선을 제거하지 않으며, 셋째, 정상으로 생각되는 부갑상선을 보존하기 위하여 동결절편검사를 시행하고, 넷째, 제거한 모든 조직에 대해 동결절편 검사를 실시하고, 다섯째, 술 후 부갑상선 기능저하증이나 재수술 시를 대비하여 부갑상선 조직을 냉동보관하는 것이다. 특히 술 중 동결절편검사를 시행할 경우는 가능한 크기가 작은 부갑상선에서 시행하고, 4개의 부갑상선을 모두 확인한 뒤에 하는 것이 원칙이다.

표 48-6. 부갑상선 수술 시 고려해야 할 일반 원칙

- 확대경을 이용하여 무혈박리(bloodless dissection)를 시행한다.
- 여러 부갑상선에 병변이 있을 가능성을 고려하여 수술한다.
- 국소화 검사 결과를 완전히 신뢰하지 않는다.
- 굳이 반회후두신경을 확인할 필요는 없다. 그러나 상부와 하부 부갑상선을 찾기 위해 확인하는 수도 있다.(상부 부갑상선은 신경보다 뒤쪽, 하부 부갑상선은 신경보다 앞쪽에 위치한다.
- 경상 대칭(mirror image symmetry)을 활용한다.
- 정상으로 보이는 선을 발견했을 때는 선종이 붙어있을 가능성을 배제하기 위해 조심스럽게 박리한다.
- 부갑상선이 있을만한 부위를 각각 촉진해 본다(특히 술중 PTH 측정 시 도움이 된다).
- 정상 갑상선은 제거하지 않는 것이 원칙이다.
- 경험적인 갑상선절제술을 하지 않아야 한다.
- 하갑상동맥을 원위부까지 조심스럽게 따라가면서 부갑상선을 찾는다.
- 의심되는 부위의 갑상선에 대해 조직검사를 할 수 있다. 단, 눈으로 확인 가능한 모든 부갑상선을 찾은 후에 시행되어야 한다.
- 수술 중 density test 대신 동결절편검사를 이용하여 확인한다.
- 부갑상선호르몬 PTH의 하강 정도에 대한 엄격한 기준을 적용한다면 수술 중 PTH 측정이 매우 도움이 된다.

3) 부갑상선질환의 수술

(1) 양측 및 일측 경부탐색법

고식적인 부갑상선절제술은 양측 경부탐색법이 원칙으로, 양측 경부를 박리하여 4개의 부갑상선을 모두 찾아 확인한 뒤 계획을 세운다. 하지만 술 전 국소화 진단법과 술중 호르몬 측정법의 발달과 더불어 부갑상선 단일 선종의 비율이 높다는 점에 착안하여 일측 경부탐색을 주장하는 이들도 있다.

부갑상선 선종은 1개인 경우, 종양을 절제하여 동결절편검사로 확인하고, 나머지 3개의 정상 부갑상선 중 1개의 부갑상선 조직을 동결절편검사로 확인하여 정상인 경우 수술을 마치게 된다. 부갑상선 선종이 2개라면, 나머지 2개의 정상 부갑상선 모두에서 동결절편검사를 시행하여 정상임을 확인한 뒤 절제하도록 한다. 부갑상선 선종은 대부분이 주세포에서 발생하지만, 간혹 호산성세포에서 발생하는데, 술 중 동결절편검사에서 호산성세포 선종이 확인되었다면, 이 종양은 기능을 하지 않기 때문에, 반드시 4개의 부갑상선을 모두 확인해야 한다.

(2) 부갑상선 아전절제술

부갑상선 증식증에서 주로 시행하는 부갑상선 아전절제술은, 4개의 부갑상선 중 3개의 부갑상선을 제거하고, 가장 크기가 작고 정상으로 보이는 1개를 남기거나 부갑상선이 큰 경우 약 50 mg만 남긴다. 그리고 동결절편 검사를 통해 부갑상선임이 확인되고 혈류공급이 원활하면 남은 조직을 비흡수 봉합사나 헤모클립으로 표시하도록 한다. 간혹 5번째 부갑상선이 존재하기 때문에, 흉선절제술을 동시에 시행하기도 한다. 이렇게 시행한 부갑상선 아전절제술에서 술후 지속적인 부갑상선 기능저하증 발생률은 1% 미만으로 낮다.

(3) 부갑상선 전절제술 및 자가이식

부갑상선 전절제술 및 자가이식은 4개의 부갑상선을 모두 제거하고, 흉선도 같이 제거하며, 제거한 조직 중 크기가 가장 작고 정상으로 보이는 부갑상선에서 약 60-80 mg의 조직을 얻어 0.5-1.0 mm 크기로 잘게 조각내어 흉쇄유돌근이나 상완요골근에 삽입한 뒤 비흡수 봉합사로 봉합하고 헤모클립으로 표시한다. 이식한 근육의 혈액공급이 원활하면 대개 2-3개월 지나 부갑상선기능이 정상화된다. 하지만, 이식한 부갑상선의 기능이 회복되지 않아 발생할 수 있는 부갑상선 기능저하증에 대비하여 남은 부갑상선 조직을 냉동 보관하도록 한다.

(4) 최소접근 부갑상선절제술

전통적인 부갑상선 절제술은 4개의 부갑상선을 모두 찾아야 하기 때문에, 전신마취가 필요하고 절개부위의 통증이 있으며 입원기간이 길다는 단점이 있어, 이를 보완하기 위해 최근 시도되는 것이 최소 침습 혹은 최소 접근 부갑상선절제술(minimal invasive or access parathyroidectomy, MIP or MAP)이다.

최소접근 부갑상선절제술의 장점은 피부절개를 작게 할 수 있고 일측 경부만 절제하며 국소마취로 수술이 가능하고 수술시간이 짧아 외래에서 시행이 가능하다는 점이다. 최소접근 부갑상선절제술의 이론적 근거는 대부분 부갑상선 선종은 단일 선종이 80% 이상이며, 단일 선종의 제거만으로 약 90% 이상의 수술 성공률을 보인다는 것이다. 하지만 성공적인 최소접근법을 위해서는 술 전 정확한 국소화 검사가 필수적이고, 술 중 부갑상선 호르몬의 측정이나 감마프로브를 이용하여 도움을 받도록 한다.

따라서, 최소접근 부갑상선절제술의 적응증은 술 전 확인된 단일 선종의 부갑상선 기능항진증이며, 다발성 내분비선종증후군(MEN) 등의 가족력이 있거나 술 전 종양의 위치가 파악이 안 된 경우, 갑상선절제가 같이 필요하거나 재수술일 경우, 환자가 원하지 않는 경우에는 시행하지 않는다.

(5) MIVAP, 내시경, ROBOT을 이용한 부갑상선 수술

최근에 들어서는 내시경과 수술용 로봇의 발달과 함께 여러 접근법을 이용한 부갑상선절제술이 시행되고 있다. 초기에는 목의 중간이나 측면에서 비디오를 이용한 최소침습 부갑상선절제술(minimally invasive video-assisted parathyroidectomy)이 시행되었고, 최근에는 액와, 유륜, 귀뒤 등의 여러 경로를 통한 내시경 및 로봇을 이용한 갑상선 및 부갑상선절제술이 시행되고 있다. 미용적인 면에서 우수할 뿐만 아니라 확대된 시야를 통해서 정교한 수술을 할 수 있는 장점이 있는 반면 상대적으로 긴 수술 시간과 숙련도, 비용적인 면에서는 제한점이 있다.

(6) 부갑상선 악성 종양의 수술적 치료

부갑상선 암종으로 인한 부갑상선 기능항진증은 1% 미만으로 매우 빈도가 낮기 때문에, 약 20%에서 술 전 혹은 술 중에 암종임을 진단하지 못한다고 알려져 있다. 수술 시 주변장기와 유착이 있다면 악성 종양임을 강력하게 의심해야 하며, 이때 동결절편검사로 확인하는 경우,

피막만 절개하지 말고 암종과 주위조직을 함께 일괴(En bloc)로 절제하는 것이 중요하다. 가급적 동결절편검사를 피하도록 한다. 또한 술 전 검사에서 악성이 의심된다면 세침흡인검사나 절개 생검은 피해야 한다. 수술을 계획하는 경우는 절개선을 연장하여 충분히 넓은 수술시야를 확보하도록 한다. 경부전이는 20% 이하에서 발견되며, 경부림프절 전이가 있으면 보존적 경부절제술을 시행한다. 성대마비가 없으면 반회후두신경을 보존하고, 신경에 유착이 심하고 성대마비가 있으면 신경을 절제한다. 예후는 불량하여 술 후 약 3년 내에 41–70%에서 재발하며, 대개 국소재발을 한다. 재발한 경우 항암화학요법은 효과가 없고, 암종 자체보다는 고칼슘혈증에 의한 합병증으로 인해 사망하게 된다.

(7) 수술 후 관리

수술 후 혈청 칼슘은 대개 술 후 48시간 이내에 정상으로 회복된다. 하지만 일부 환자에서는 저칼슘혈증이 올 수 있으며, 이는 정상 부갑상선이 수술 후 칼슘에 대한 감수성을 회복하는 데 수 일이 걸리기 때문이다. 그러나 3–5일 이상이 지나도 저칼슘혈증이 지속된다면 골기아증후군(hungry bone syndrome), 수술로 인한 부갑상선기능저하증, 저마그네슘 혈증이 동반된 경우 등을 감별해야 한다. 골기아증후군이란 부갑상선 수술 전에 명백한 골질환이 동반되어 있는 경우에 수술 후 혈중 칼슘과 인산염이 빠른 속도로 뼈 속으로 이동하여 저칼슘 혈증이 보다 오래 심하게 지속되는 경우를 말한다. 수술 후 발생하는 보다 심각한 저칼슘혈증은 부갑상선기능저하증에 의한 것이며, 이는 평생 치료를 요한다. 대개는 수술 직후 발생하나, 술 후 수년이 경과한 뒤 발생하기도 한다.

부갑상선 전절제술 후 자가이식을 받은 경우와 술전에 골격계질환이 심했던 경우에는 술 후 칼슘의 감소가 예상보다 심하기 때문에, 칼슘보충이 절대적으로 필요하며, 자가이식한 부갑상선은 기능을 회복하는 데 대략 2–3개월이 필요하므로, 이 기간 동안 경구 칼슘 투여를 하도록 한다.

특히 부갑상선 암종의 경우 술 후 혈청 칼슘과 부갑상선 호르몬을 주기적으로 검사하여 재발을 확인하도록 한다.

참고문헌

1. 최종욱. 갑상선 부갑상선 질환. 5차 고려대 두경부종양의 최신치료 연수회, 1998.
2. Agur AM. Anterior of neck and thyroid gland. Grant's Atlas of Anatomy, 9th ed. Baltimore: Williams & Wilkins, 1991, p569-577
3. Akerstrom G, Malmaeus J, Bergstrom R. Surgical anatomy of human parathyroid glands, Surgery 95:14, 1984
4. Broadus AE et al.. A detailed evaluation of oral phosphate therapy in selected parients with primary hyperparathyroidism, J clin Endocrinol Metab 56:953, 1983.
5. Brown EM and others. Secretory control in normal and abnormal parathyroid tissue, Recent Progr Horm Res 43:337, 1987.
6. Brown EM. PTH secretion in vivo and in vitro: regulation by calcium and other secretagogues, Miner Electrolyte Metab 8:130, 1982.
7. Cattan P and others. Re-operation for secondary uremic hyperparathyroidism: are technical difficulties influenced by initial surgical procedure? Surgery 127:562, 2000.
8. Dequeker J. Treatment with estrogens of primary hyperparathyroidism in post-menopausal women, Lancet 1:747, 1972.
9. Dufour DR, Wilderson SY. Factors related to parathyroid weight in normal persons, Arch Pathol Lab Med 107:167, 1983.
10. Freidman J, Raisz LG. Thyrocalcitonin inhibitor of bone resorption in tissue culture, Science 150:1465, 1965.
11. Gilmour JR. The gross anatomy of the parathyroid glands, J Pathol Bact 46:133, 1938.
12. Gluckman JL et al. Renewal of certification study group in otolaryngology head and neck surgery. Kendall/Hunt publishing company 1998;515-28.
13. Graney DO, Hamaker RC. Anatomy. In: Cummings CW, Fredrickson JM, Harker LA(eds). Thyroid/Parathyroid: Otolaryngology-Head and Neck Surgery, 2nded. St. Louis:Mosby-Year Book Inc, 1993, p2403-2407
14. Grey AB et al. Effect of hormone replacement therapy on BMD in post-menopausal women with primary hyperparathyroidism, Ann Intern Med 125:360, 1996.
15. Grinelius L, Akerstrom G, Johansson H, Bergstrom R. Anatomy and histopathology of human parathyroid glands. Paholo A 1981, 1-24.
16. Grisoli J. Etudes sur l'anatomie des parathyroides. Travaux de 1. l' Institud'Anatoie de la Faculte de Medecine de Marseille 3:1, 1946
17. Habener JF and others. Immunoreactive parathyroid hormone in cir-

culation of man. Nature 238:152. 1972.
18. Heath H Ill, Hodgson SF, Kennedy NA. Primary hyperparathyroidism: incidence, mortality and potential economic impact in a community. N Engl J Med 1980;302:189-93.
19. Hindie E et al. Primary hyperparathyroidism: higher success rate of first surgery after preoperative Tc-99m sestamibi-I-123 subtraction scanning. Radiology 1997;204:221.
20. Hollinshead WH. Anatomy for surgeons. The Head and Neck. 3rd ed. Philadelphia: Harper & Row Publishers Inc., 1982, p499-519
21. Kahn AA et al: A double blind randomized placebo controlled trial of aldendronate in primary hyperparathyroidism. J Bone Miner Res 16:S226, 2001.
22. Lee VS, Spritzer CE. MR imaging of abnormal parathyroid glands. AJR 1988;170:1097.
23. Loevner LA. Imaging of the parathyroid glands. Simin Ultrasound CT MR 1996;17:563.
24. Majors JD et al. Technetium-99m-sestamibi scan for localizing abnormal parathyroid glands after previous neck operation: preliminary experience in reoperative cases. South Med J 1995;88:327.
25. Malhotra A et al. Preoperative parathyroid localization with sestamibi. Am J Surg 1996;172:637.
26. Marcus R et al. Conjugated estrogens in the treatment of postmenopausal women with hyperparathyroidism. Ann Intern Med 100:633, 1984.
27. Mawer EB and others. Vitamin D metabolism and parathyroid function in man. Clin Sci Met Med 48:349, 1975.
28. McSheehy PMJ, Chambers TJ. Osteoblastic cells mediate osteoclastic responsiveness to parathyroid hormone. Endocrinology 118:824, 1986.
29. Michelangoli VP, Hunt NH, Martin TJ. States of activation of chick kidney adenylate-cyclase induced by parathyroid hormone and guanylyl nucleotides. J Endocrinol 72:69, 1977.
30. National Institutes of Health. Consensus development conference statement on primary hyperparathyroidism. J Bone Miner Res 6(suppl):S9, 1991.
31. Nguyen BD. Parathyroid imaging with Tc-99m sestamibi planar and SPECT scintigraphy. Radiographics 1999;16:601.
32. Nordin BEC and others. Plasma calcium homeostasis. In: Talmage RV, Owen M, Parsons JA, editors: Calcium-regulating hormones, New York, 1975, Excerpta Medica, p239.
33. Nussbaum S, Gaz R, Arnold A. Hypercalcemia and ectopic secretion of parathyroid hormone by an ovarian carcinoma with rearrangement of the gene for parathyroid hormone. N Engl J Med 323:1324, 1990.
34. Oates E. Improved parathyroid scintigraphy with Tc-99m MIBI, a superior radiotracer. Appl Radiol 1994;13:37.
35. Peacock M et al. The calcimimetic AMG 073 reduces serum calcium (Ca) in patients with primary hyperparathyroidism (PHPT). J Bone Miner Res 16:S163, 2001.
36. Potts JT Jr, Deftos LJ. Parathyroid hormone, calcitonin, vitamin D, bone and bone mineral metabolism. In: Bondy PK, Rosenberg LE, editors: Duncan's diseases of metabolism, Philadelphia, 1974, WB Saunders, p1225.
37. Reading CC et al. High-resolution parathyroid sonography. AJR 1982;139:539.
38. Reasner CA et al. Acute changes in calcium homeostasis during treatment of primary hyperparathyroidism with risedronate. J Clin Endocrinol Metab 77:1067, 1993.
39. Selby PL, Peacock M. Ethinyl estradiol and norethinedrone in the treatment of primary hyperparathyroidism in postmenopausal women. N Engl J Med 314:1481, 1986.
40. Sfakianakis GN et al. Efficient parathyroidectomy guided by SPECT-MIBI and hormonal measurements. J Nucl Med 1996;37:798.
41. Shoback DM et al. An evaluation of the calcimimetic AMG 073 in patients with hypercalcemia and primary hyperparathyroidism (PHPT). J Bone Miner Res 16:S303, 2001.
42. Spiegel AM and others. Clinical implications of guanine nucleotide-binding proteins as receptor-effector couplers. N Engl J Med 312:26, 1985
43. Sreenivas VI, Radhakrishna SM. Thyroid and parathyroid glands. In: Lee KJ(ed). Essential Otolaryngology-Head and Neck surgery. 6th ed. New York: Medical Examination Publishing Co, 1999, p573-643
44. Stark DD, Gooding GAW, Moss AA. Parathyroid imaging: comparison of high-resolution CT and high-resolution sonography. AJR 1983;141:633.
45. Steffey ME et al. Calcimimetics: structurally and mechanistically novel compounds that inhibit hormone secretion from parathyroid cells. J Bone Miner Res; 8(suppl):S17, 1993.
46. Stock JL, Marcus R. Medical management of primary hyperparathyroidism. In: Bilezikian, JP, editor: The parathyroids: basic and clinical concepts. New York, 1995, Raven.
47. Wang CA. The anatomic basis of parathyroid surgery. Ann Surg 183:271, 1976.
48. Barczynski M, Cichon S, Konturek A, Cichon W. Minimally invasive video-assisted parathyroidectomy versus open minimally invasive parathyroidectomy for a solitary parathyroid adenoma: a prospective, randomized, blinded trial. World J Surg 2006; 30(5):721-31.
49. Miccoli P, Berti P. Minimally invasive parathyroid surgery. Best Pract Res Clin Endocrinol Metab 2001; 15(2):139-47.

CHAPTER

49

음성평가

이비인후과학 Otorhinolaryngology - Head and Neck Surgery

김한수

음성은 폐로부터 나온 호기류가 성대를 진동시켜 만들어낸 후두원음이 성도를 통과하면서 공명 및 조음이 되어 만들어진 것으로 음성생성에는 호흡기, 후두 및 인두, 구강 등 여러 해부학 구조의 밀접한 상호작용이 관여한다. 따라서 음성평가를 위해서는 해부학적 구조를 이해해야 함은 물론이고 복잡하고 다양한 요소의 상호작용을 고려해야 한다. 음성평가방법에는 단순히 귀로 듣고 평가하는 간단한 방법부터 고가의 음향분석장비를 이용하는 것까지 매우 다양하며, 어떠한 검사방법도 단독으로는 음성을 완전히 분석하고 평가할 수 없다. 따라서 피검자의 음성 상태와 요구를 이해하고 의료기관의 상황을 고려하여 최선의 평가방법을 택하는 것이 필요하다.

I 병력청취

음성에 이상을 가지고 내원한 환자는 일반적으로 '목소리가 쉬었다'라는 표현을 많이 한다. 그런데 '쉰 목소리' 라고 표현되는 증상에는 사실 매우 다양한 형태의 다른 증상이 포함되어 있다. 예를 들면, 고음불가, 거친 소리(roughness), 바람 빠지는 소리(breathiness), 음성피로(early vocal fatigue) 등의 증상을 환자들은 단순히 '쉰 목소리'라고 표현하는 경우가 흔하다. 특징적인 음성 양상은 질환 감별에 큰 도움이 되므로 증상 발생시기, 음성의 변화정도, 하루 중 시간에 따른 변화, 약물에 대한 반응 등 다양한 정보에 대해 자세한 문진이 필요하다.

호흡은 목소리를 만드는 데 가장 중요한 에너지원이다. 고령, 만성흡연, 만성폐쇄성폐질환의 경우 호흡 기능에 문제가 있어 후두부에 문제가 없이도 음성장애가 나타날 수 있다. 인후두역류질환, 류마티스질환, 신경학적질환의 동반 여부 및 월경 주기에 따른 변화, 수술력에 대한 청취도 중요하다. 또한 술, 담배, 커피와 같은 기호식품의 섭취 여부 및 직업력에 대한 병력 청취는 필수적이다.[13]

Ⅱ 청지각적 음성검사

청지각적 음성검사는 검사자가 피검자의 음성을 직접 듣고 평가하는 검사법이다. 특별한 기구가 필요 없기 때문에 간단하며 음성을 전반적으로 평가할 수 있는 유용한 방법으로 '청각심리검사' 또는 '청각인지검사'라고도 한다. 청지각적 음성검사의 단점은 검사자에 따라 결과가 주관적일 수 있다는 것이다. 따라서 주관적인 척도를 객관화시키기 위한 다양한 방법들이 개발되었는데 우리나라에서 가장 많이 사용되고 있는 방법으로는 'GRBAS 척도'와 'CAPE-V'가 있다.

1. GRBAS 척도

일본음성학회에서 개발된 방법으로 피검자의 음성을 듣고 다섯 개의 항목에 대해 평가를 하는데 평가항목은 다음과 같다. R은 Roughness로 '조조성'이라고 한다. 조조성은 거친 소리를 뜻하는데 성대점막에 폴립, 결절, 과각화증 등 점막 표면 병변에 의해 성대가 불규칙하게 진동하여 발생하는 거친 음성이다. B는 Breathiness로 '기식성' 이라고 한다. 기식성은 바람 빠지는 소리로 발성 시 성대가 완전히 접촉하지 못해서 발생하는 음성으로, 대표적으로 일측성 성대마비에서 나타나는 목소리다. S는 Strained voice로 '노력성' 이라고 한다. 발성 시 과도한 힘이 들어가서 쥐어짜듯이 목소리를 내는 것으로 긴장성 발성장애, 진행된 후두 종양에서 나타난다. A는 Asthenic voice로 '무력성'이라고 한다. 음성이 힘이 없고 가냘프게 들리는 것으로 노인성 음성에서 느낄 수 있는 목소리다. G는 Grade로 이 모든 것을 총괄해서 판단하는 척도이다. 평가 단계는 0,1,2,3의 4단계로 0은 청각적 이상이 전혀 없는 상태이고 3은 정도가 가장 심한 상태를 의미한다. 표기는 'G2R1B2A0S0' 와 같은 식으로 한다.

GRBAS 척도는 배우기 쉽고 검사자 내(intra-rater) 신뢰도가 높은 장점이 있으나 음의 높이, 음의 크기에 대한 평가 항목이 없고 단지 음질만을 평가하는 단점이 있다.[1]

2. CAPE-V (Consensus Auditory Perceptual Evaluation of Voice)

GRBAS검사처럼 0,1,2,3의 단계로 측정하는 방법을 "리커트척도(Likert scale)"라 한다. 리커트척도는 특성상 주어진 척도점수 이외에 음질을 보다 세분화하여 평가할 수 없다는 단점이 있다.[1] 반면 Visual analog scale (VAS)는 대표적인 "연속척도" 방법으로 100 mm 길이의 연속선 위에 검사자가 판단하는 어떤 특징의 수준을 적절한 지점에 사선으로 표시하는 방법이다. CAPE-V 는 연속척도 방식에 의한 청지각적 검사방법으로 2002년 미국에서 개발되었다. CAPE-V는 검사자가 연장 모음, 주어진 문장 및 자발화 샘플을 듣고 '전반적인 중증도', '거친 소리', '바람새는 소리', '쥐어짜는 소리', '음의 높이', '음의 크기' 등 6개의 항목에 대해 기본적으로 평가하고, 추가로 '공명', '이중음성', '성대튀김소리', '가성발성', '무성증', '불안정음도', '떨림', '가래끓는 소리' 등이 있는 경우 이를 평가한 후 100 mm의 선에 표시하여 기록한다. CAPE-V는 음의 높이, 음의 크기, 음질을 전반적으로 평가할 수 있고, GRBAS 척도와는 달리 기타 음질의 특성을 보다 구체적으로 평가할 수 있으며, 훈련된 검사자의 경우 검사자 내 신뢰도 및 검사자 간 신뢰도가 높은 장점이 있다.[1] 그러나, 훈련되지 않은 검사자의 경우 연속척도 검사의 특성상 검사자 간 신뢰도가 리커트척도에 비해 다소 낮은 단점이 있다.[10]

Ⅲ 주관적 음성평가

음성장애에 대한 증상은 환자의 성격, 장애에 대한 인식, 직업, 생활에 미치는 정도 등 다양한 요인에 따라 다르게 나타난다. 음성장애에는 객관적 음성평가 에서 나온 수치로는 평가할 수 없는 신체적, 기능적, 사회적 불편감이 동반되므로 환자 자신이 직접 자신의 불편한 정도를 주관적으로 평가하는 것이 필요하다.[1] 국내에서 많이 사용하는 주관적 음성평가방법에는 음성장애지수(Voice Handicap Index, VHI), 음성과 관련된 삶의 질(Voice-Related Quality of Life, V-RQOL) 등이 있다.

1. 음성장애지수(Voice Handicap Index: VHI)

VHI는 기능(functional), 신체(physical), 감정(emotional)의 세 가지 세부영역으로 구성된 문항으로 음성장애가 생활에 미치는 영향을 평가하는 도구이다.[2] 기능 영역은 음성장애가 일상생활을 영위하는 데 미치는 불편함 정도를 평가하고, 신체 영역은 실제 음성 생성 시 나타나는 어려움을 평가하며 감정 영역은 음성장애로 인한 심리적인 반응이나 감정에 대하여 평가한다.[1,2]각 영역 당 10문항씩 총 30문항의 설문으로 구성되어 있고 각 문항은 5점 척도로 총 점수는 0점에서 120점까지 산출된다(표 49-1). 점수가 높을수록 음성으로 인한 장애가 높다고 평가한다. VHI-10은 VHI의 설문 문항을 세부영역 구분 없이 10개의 문항으로 축소하여 간단하게 만든 것으로 임상현장에서 시간을 줄이기 위해 개발된 것이다. SVHI (Singing Voice Handicap Index)는 노래를 부를 때 나타나는 장애 정도를 평가하는 방법으로 주로 성악인, 가수 등 전문적인 직업군에서 사용한다.

2. 음성과 관련된 삶의 질(Voice-Related Quality of Life, V-RQOL)

V-RQOL은 사회-심리 영역(social-emotional) 4문항과 신체 영역 6문항 등 총 10개의 문항으로 구성된 설문 도구이다.[2] 각 영역별로 점수를 계산하는 공식에 원점수를 대입하여 0점에서 100점까지 점수를 표준화한다. 0점은 음성장애로 인해 삶의 질이 가장 나쁜 것이고 100점은 음성장애가 삶의 질에 아무런 영향을 미치지 않는다는 것을 의미한다(표 49-2).

Ⅳ 후두내시경 검사

후두내시경 검사는 목소리 생성의 가장 중요한 기관인 후두(성대)를 직접 눈으로 관찰하는 검사법으로 음성검사에 있어 가장 중요한 축을 담당한다. 후두내시경은 크게 경성내시경(rigid endoscope)과 연성내시경(fiber endoscope)의 두 가지 종류가 있다. 연성내시경의 가장 큰 장점은 구역반사가 적고 자연스러운 발성 상태에서 후두를 관찰할 수 있다는 점이다. 그러나 기기적 특성으로 인해 경성내시경에 비해 이미지의 밝기, 명도가 떨어진다. 최근 들어 디지털내시경이 개발되어 HD급의 이미지를 제공하게 되었으나 파이버를 통해 이미지를 받는 것이기 때문에 하드웨어적으로 경성내시경보다 좋은 이미지를 제공하기는 어렵다. 실제 임상에서 연성내시경 사용 시 고려해야 할 점은 이미지 왜곡현상이다. 연성내시경은 비강을 통해 삽입하게 되는데 내시경이 비강, 인두의 굴곡에 따라 휘게 되면서 관찰하고자 하는 후두면과 정확히 평행을 이루지 못하고 비스듬히 위치하게 되는 경우가 발생한다. 이 경우 병변의 크기, 성대의 움직임 정도 등을 정확히 측정하기 어렵게 된다. 따라서 이러한 점을 고려하여 질환의 상태를 평가해야 한다.

경성내시경은 연성내시경이 가지는 장단점을 바꾸어 가졌다고 볼 수 있다. 가장 큰 단점은 검사 시 환자의 혀를 잡아 당겨가면서 관찰을 하기 때문에 구역반사가 발생할 수 있고 자연스러운 발성상태가 아닌 상태에서 후두를 관찰해야 하는 것이다. 경성 후두내시경에는 70도와 90도의 두 종류가 있다. 90도 후두내시경은 검사면과 후두의 성문면이 평행하기 때문에 상의 왜곡이 많지 않다. 그러나 후두개가 누워 있거나 혀의 기저부가 큰 경우 성대

표 49-1. **한국어판 음성장애지수 (Korean-Voice Handicap Index: KVHI)**

다음은 목소리와 목소리가 생활 속에 미치는 영향을 설명하는 것들입니다. 여러분이 얼마나 자주 경험하는지를 동그라미로 표시해 주십시오.

0 = 결코 그렇지 않다	1 = 거의 그렇지 않다	2 = 때때로 그렇다	3 = 거의 항상 그렇다	4 = 항상 그렇다

Part I-F

F1. 다른 사람들이 내 목소리 때문에 내 말을 알아듣기 어려워한다.	0	1	2	3	4
F2. 시끄러운 곳에서 사람들이 내 말을 이해하기 어려워한다.	0	1	2	3	4
F3. 집 안에서 가족을 부를 때 가족들이 내 말을 알아듣기 힘들어한다.	0	1	2	3	4
F4. 전화통화를 하고 싶지만 피하게 된다.	0	1	2	3	4
F5. 내 목소리 때문에 사람들이 많은 곳에 가는 것을 꺼리는 경향이 있다.	0	1	2	3	4
F6. 내 목소리 때문에 친구, 이웃이나 친척들과 상대적으로 덜 이야기한다.	0	1	2	3	4
F7. 얼굴을 마주보고 말할 때에도 상대방이 못 알아듣고 말한 것을 반복해달라고 한다.	0	1	2	3	4
F8. 내 목소리 때문에 나의 일상생활이나 사회생활에 어려움을 겪는다.	0	1	2	3	4
F9. 내 목소리 때문에 대화에 끼어들지 못한다는 느낌을 갖는다.	0	1	2	3	4
F10. 내 목소리로 인해 내 수입에 영향을 받는다.	0	1	2	3	4

Part II-P

P1. 말할 때 숨이 찬다.	0	1	2	3	4
P2. 내 목소리는 하루에 시간에 따라 변한다.	0	1	2	3	4
P3. 사람들은 내게 "목소리에 무슨 문제 있어요?"라고 물어본다.	0	1	2	3	4
P4. 내 목소리가 갈라지고 탁하게 들린다	0	1	2	3	4
P5. 목소리를 내기 위해 힘을 줘야 된다고 느낀다.	0	1	2	3	4
P6. 내 목소리가 언제 명료하게 들릴지 예측하기가 힘들다.	0	1	2	3	4
P7. 내 목소리를 변화시키기 위해 노력한 적이 있다.	0	1	2	3	4
P8. 나는 말할 때 많은 노력이 필요하다.	0	1	2	3	4
P9. 저녁에 내 목소리가 더 나빠진다.	0	1	2	3	4
P10. 말하는 도중에 내 목소리가 "지쳐서" 나오지 않을 때도 있다.	0	1	2	3	4

Part III-E

E1. 내 목소리 때문에 다른 사람들에게 말할 때 긴장하게 된다.	0	1	2	3	4
E2. 사람들이 내 목소리를 거슬려 한다.	0	1	2	3	4
E3. 다른 사람들이 내 목소리 문제를 잘 이해해 주지 못한다.	0	1	2	3	4
E4. 내 목소리 문제 때문에 화가 난다.	0	1	2	3	4
E5. 내 목소리 문제 때문에 덜 등향적이다.	0	1	2	3	4
E6. 내 목소리로 인해 나는 장애가 있다라고 느낀다.	0	1	2	3	4
E7. 사람들이 다시 말을 해 달라고 할 때마다 비참하다.	0	1	2	3	4
E8. 사람들이 다시 말을 해 달라고 할 때마다 당황스럽다.	0	1	2	3	4
E9. 내 목소리로 인해 무능력하다고 느낀다.	0	1	2	3	4
E10. 내 목소리 장애가 부끄럽다.	0	1	2	3	4

표 49-2. 한국어판 음성과 관련된 삶의 질 (Korean-Version of Voice-Related Quality of Life: K-VQOL)

당신의 목소리 문제가 당신의 일상생활에 어떻게 영향을 미치는지를 알고자 합니다. 본 설문지에서 목소리와 관련되어 발생 가능한 문제들을 찾고자 합니다. 지난 2주 동안 목소리가 어떤지를 고려해서 각 문항에 응답해 주시기 바랍니다. 옳고 틀린 정답은 없습니다.

목소리 문제가 생겼을 때의 심각한 정도와 얼마나 자주 목소리 문제가 생기는지를 고려하여 각 항목에 얼마나 "나쁜지(당신이 가지고 있는 문제의 정도가)"를 체크해 주시기 바랍니다. 다음의 평가척도를 참고로 하여 체크해 주시기 바랍니다.

1 = 문제가 전혀 없다.

2 = 약간 문제가 있다.

3 = 중간 정도 문제가 있다.

4 = 문제가 많다.

5 = 문제가 더 이상 나쁠 수 없을 만큼 심각하다.

내 목소리 때문에 얼마나 큰 문제인가?					
1. 내 목소리 때문에 시끄러운 상황에서 크게 말하기가 힘들거나 남들이 내 말을 잘 알아듣기 힘들어한다.	1	2	3	4	5
2. 말할 때 숨이 차고 숨을 자주 쉰다.	1	2	3	4	5
3. 때때로 말을 시작할 때 어떤 소리가 나올지 예측하기 힘들다.	1	2	3	4	5
4. (내 목소리 때문에) 때때로 불안하거나 당황스럽다.	1	2	3	4	5
5. (내 목소리 때문에) 때때로 우울해진다.	1	2	3	4	5
6. (내 목소리 때문에) 전화 통화하는데 어려움이 있다.	1	2	3	4	5
7. (내 목소리 때문에) 직업이나 전문적인 일을 하는 동안 어려움이 있다.	1	2	3	4	5
8. (내 목소리 때문에) 등부로 나가 사회 생활하는 것을 피하게 된다.	1	2	3	4	5
9. 남들이 이해할 수 있도록 반복해서 말을 해야만 한다.	1	2	3	4	5
10. 내 목소리 때문에 덜 등향적이다.	1	2	3	4	5

KVQOL 측정을 위한 점수 환산표(표준화 점수)

KVQOL 전반적인 점수 환산 공식 $100 - \left(\frac{(\text{원점수} - \text{영역별 혹은 전체에 해당하는 문항수})}{(\text{가능한 최고 원점수} - \text{문항수})} \times 100\right)$

사회-심리 영역 (문항: 4, 5, 8, 10) $100 - \left(\frac{(\text{원점수} - 4)}{16} \times 100\right)$

신체 기능 영역 (문항: 1, 2, 3, 6, 7, 9) $100 - \left(\frac{(\text{원점수} - 6)}{24} \times 100\right)$

총점수 (문항 1-10) $100 - \left(\frac{(\text{원점수} - 10)}{40} \times 100\right)$

총점수 산출의 예

원점수가 30인 경우(가령, 모든 문항에서 "중간 정도의 문제가 있다"라고 표시한 경우):

$100 - \left(\frac{(50 - 30)}{40} \times 100\right) = 100 - (0.5 \times 100) = 100 - 50 = 50$ 표준점수

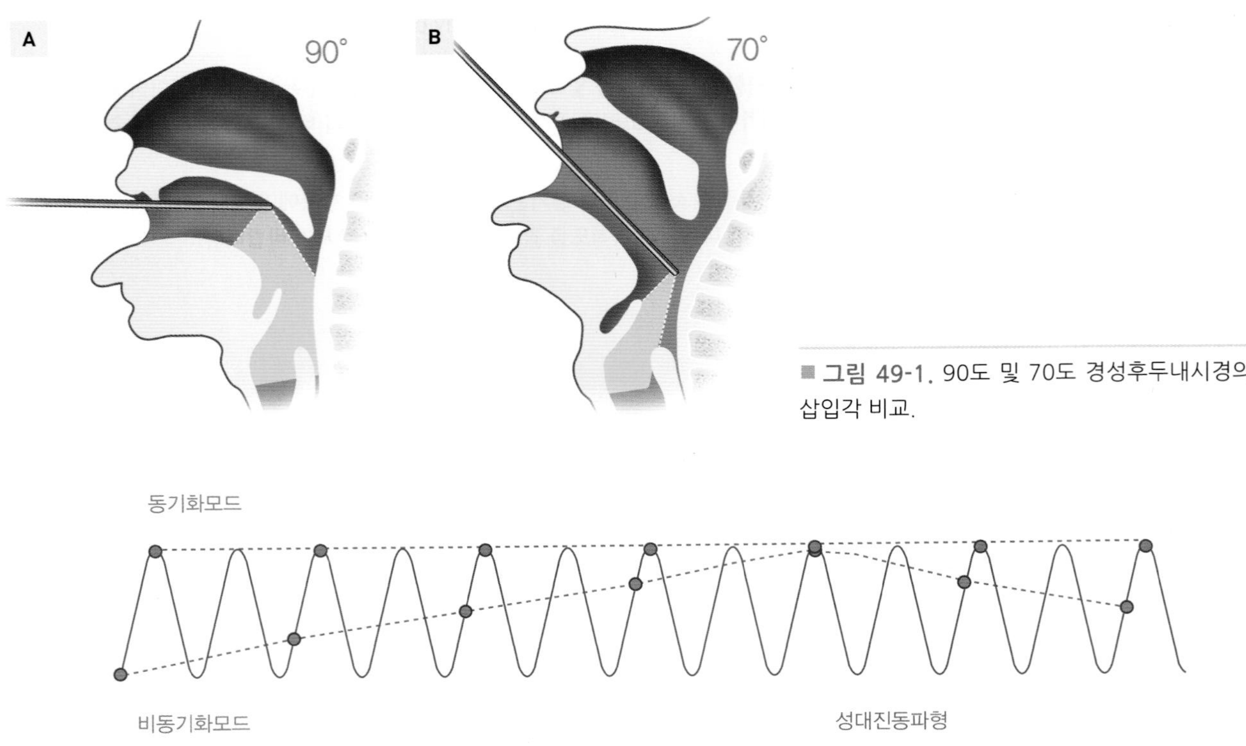

■ 그림 49-1. 90도 및 70도 경성후두내시경의 삽입각 비교.

■ 그림 49-2. **후두스트로보스코피의 촬영원리.** 비동기화모드(붉은색)에서는 성대진동 주파수보다 광원을 느리게 발광하여 성대점막의 진동을 느린 영상으로 관찰한다. 반면 동기화모드(녹색)에서는 성대진동 주파수에 맞추어 광원을 발광함으로써 정지 영상을 얻을 수 있다.

의 전연합부를 관찰하기 어려운 단점이 있다. 반면 70도 내시경의 경우 위에서 아래로 향하듯이 내시경을 삽입하기 때문에 좀 더 가까이 후두를 관찰할 수 있으나 삽입 과정에서 구역 반사가 발생할 가능성이 좀더 많다(그림 49-1). 그러나 실제 임상에서 이러한 차이는 별로 크지 않고 검사자의 숙련도와 환자의 협조가 더 중요하다.

V 성대진동검사

발성 시 성인남성은 100-150 Hz, 성인여성은 200-250 Hz 정도의 주파수로 성대가 진동한다(발화 기저주파수, speaking fundamental frequency). 따라서 일반적인 후두내시경으로는 성대의 진동양상을 세밀하게 관찰하기가 힘들고 성대구증, 성대결절 등, 점막 표면의 작은 병변 또한 구별하기가 쉽지 않다. 따라서 성대의 진동양상을 정확하게 파악하기 위한 여러 가지 검사법들이 개발되어 사용되고 있다.

1. 후두스트로보스코피(Laryngeal stroboscopy)

초고속촬영과 같이 실상(real image)은 아니지만 느린 영상으로 성대점막의 진동을 관찰할 수 있으며 후두카이모그래피와는 달리 후두 전체를 관찰할 수 있는 장점이 있어 실제 임상에서 가장 많이 사용하고 있는 검사방법이다.

1) 원리

스트로보스코피는 단속광원을 이용하여 빠르게 진동하는 물체를 느리게 관찰하는 촬영방법으로 사람 눈이 영상에 노출되었을 때 약 0.2초간 망막에 잔상이 남는 Talbot 법칙에 의한 현상을 이용한 촬영 방법이다.[8] 발성 시 마이크로폰 또는 갑상연골양측에 부착한 전극을 통해 측정한 발화주파수를 기기가 인식한 후 이에 맞춰 단속광원을 발생시켜 성대진동을 관찰한다. 광원을 발생시키는 방법에 따라서 여러 종류의 영상을 촬영할 수 있다. 동기화모드(synchronization)는 발화주파수에 맞추어 동일하게 발광을 하는 것으로 성대진동이 멈춘 정지영상으로 관찰이 된다. 비동기화모드는 발화주파수보다 느리게 광원을 발광하여 성대진동을 느린 영상으로 관찰한다(그림 49-2). 후두스트로보스코피의 영상을 보면 점막 진동이 마치 슬로우 비디오를 보듯이 천천히 나타나는데, 여기서 관찰되는 점막의 진동주기는 실제 주기가 아니라 광원의 주기적 발광에 의해 여러 주기의 점막 진동이 합쳐져서 나타나는 허상의 합이다(그림 49-2).

2) 관찰항목

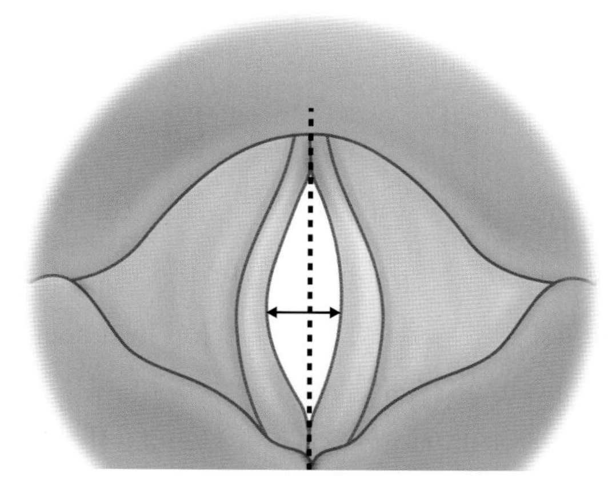

■ 그림 49-3. **스트로보스코피 관찰항목; 대칭성.**
정중앙에 거울이 놓여 있는 것으로 생각하고 양측 진성대의 진동 양상을 비교한다. 정중앙으로부터 외측으로 점막이 진동한 정도를 진폭이라 한다.

후두스트로보스코피 검사 시 다양한 항목과 기준을 가지고 검사 결과를 판독하게 되는데 일반적으로는 다음과 같은 사항들을 관찰한다.[8,15]

(1) 대칭성(Symmetry)

좌우 양측 성대의 진동양상을 서로 비교하는 것이다. 진폭(amplitude)과 위상(phase)의 두 항목을 관찰한다. '진폭'이라 함은 발성 시 진성대의 표면에서 수평선상(mediolateral)으로 마치 파도 물결과 같은 점막의 진동파형이 나타나는데 이의 운동거리를 나타낸다. 양측 성대를 비교해서 운동거리가 같은 때에는 대칭, 다를 때에는 비대칭으로 판정한다. 위상은 양측 성대의 점막 진동파형이 거울상(mirror image)인 경우는 대칭, 그렇지 않은 경우는 비대칭으로 판정한다(그림 49-3).

(2) 규칙성(Regularity)

주기성(periodicity)이라고도 한다. 연속적으로 일어나는 성대진동의 진폭이나 간격이 규칙적인지 여부를 관찰하는 것이다. 규칙성을 관찰할 때는 동기화모드를 이용한다. 동기화모드에서 진동이 규칙적이라면 마치 성대진동이 정지된 것처럼 관찰된다. 그러나 비규칙적인 진동이 있다면 성대점막의 움직임이 관찰된다. 이런 경우 비규칙성 또는 비주기적이라고 판정한다. 규칙적/비규칙적 성대 진동이 공존할 경우 불일치(inconsistent)라고 판정을 한다.

(3) 성문폐쇄(Glottic closure)

성대점막이 진동하면서 양측 성대가 서로 만나 성문이 폐쇄되는 정도를 관찰한다. 양측 성대가 완전히 만나게 되면 '완전폐쇄'이고 진동주기 동안 양측 성대가 서로 만나지 않으면 '불완전폐쇄'이다. 불완전폐쇄인 경우 성문의 모양을 그려 놓는 것이 좋다(그림 49-4). '불일치폐쇄'는 주기마다 완전폐쇄와 불완전폐쇄가 불규칙적으로 반복되는 경우이다.

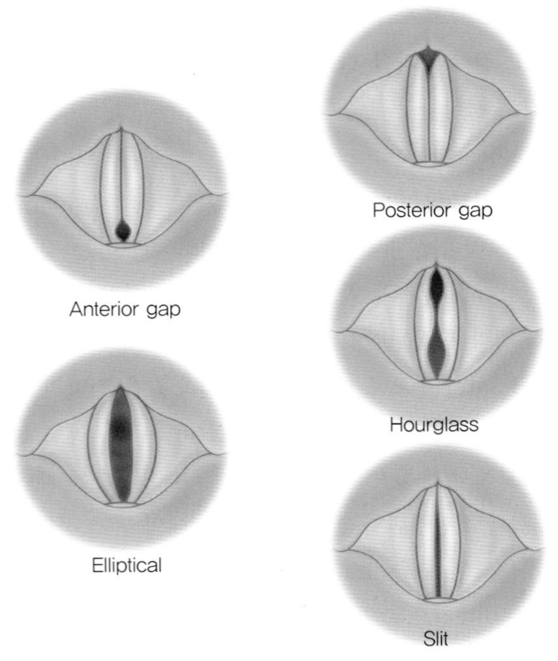

■ 그림 49-4. **성문폐쇄의 양상**

(4) 무진동 부위(Non-vibrating portion)

발성 시 성대 점막 표면에 점막파동이 없는 부위의 유무를 관찰한다. 무진동 부위가 있다면 그 범위(none/partial/entire)와 지속 시간(occasionally/always)을 함께 기록한다. 무진동 부위의 발생 원인은 Body-cover구조에 문제가 있는 경우로 급성 후두염, 성대반흔, 후두결핵 및 악성 종양 등에서 나타나므로 주의를 기울여 관찰하여야 한다.[17]

(5) 가성대 내전도(Ventricular fold adduction)

정상에서 성문상부의 구조는 발성 중 진동 운동에 관여하지 않지만, 성대구증, 노인성성대와 같이 진성대의 성문폐쇄가 불완전 한 경우 이를 보상하기 위해 가성대가 내전하는 경우가 있다. 따라서 이의 유무를 기록한다.

3) 제한점

정상인에 있어서도 발성방법에 따라서 성대의 진동양상이 서로 다르게 나타날 수 있다. 고음 발성 시 진폭과 점막파동은 작아지고 폐쇄기가 짧아진다. 반면 소리를 크게 내면 진폭과 점막파동이 커지고, 성문폐쇄기가 길어진다. 가성에서는 폐쇄기가 없어진다는 점도 염두에 두고 관찰하여야 한다.[8] 또한 피검자에 따라서는 후두경검사 시에 평상시의 발성과 다르게 발성하는 경우가 있으므로 검사자는 이를 감안하여 검사 전 후에 피검자의 일반적인 대화를 충분히 듣고 판단해야 한다.

2. 초고속 비디오 후두경 검사(Ultra-high speed video-laryngeal endoscopy)

1) 원리

후두내시경에 달린 초고속카메라를 이용하여 1초에 약 3,000에서 5,000프레임 정도의 이미지를 촬영한 후 이를 초당 60프레임 정도의 표준속도로 재생하여 느린 영상을 구현하는 검사방법이다. 후두스트로보스코피에서 관찰되는 성대점막 진동의 느린 영상은 허상(illusion)의 집합인 반면 초고속 후두경검사에서의 검사결과는 실제 성대 진동 양상을 그대로 보여주는 것이다. 따라서 성대진동의 주기성 여부에 관계 없이 좀더 객관적이고 정확하게 진동양상을 평가할 수 있으며 단속광원이 아닌 연속광원으로 촬영된 이미지이므로 각 프레임간 정보소실이 거의 없는 장점이 있다.

2) 관찰항목

초고속 후두경검사에서의 평가항목은 후두스트로보스코피와 대부분 유사하고 수직폐쇄높이(vertical closure level), 성대자유연(free margin)에 대해서는 좀 더 자세한 관찰이 가능하다. 초고속 후두경검사에만 관찰 가능한 항목으로는 발화 시점 및 종료시점(phonation onset/offset), 가성대를 포함한 주변조직의 진동여부, 간헐적 진동단절(intermittent vibration break), 진성대 점막의 부분에 따른 진동주파수의 차이 등이 있다.[8] 주변

조직의 진동여부 항목은 연축성발성장애와 음성진전과 같은 질환의 감별에 도움이 된다.

3) 제한점

기기의 가격이 매우 고가이며 방대한 데이터의 양 때문에 촬영시간에 제한이 있고 또한 분석 및 저장에도 많은 시간이 소요되는 것이 단점이다. 따라서 성대진동양상을 분석하는 연구, 교육에는 유용하나 임상현장에 널리 사용되기에는 제한적이다. 아직 초고속 후두경검사를 이용한 임상 데이터가 많이 축적되어 있지 않기 때문에 검사지표의 표준화, 규격화가 되어 있지 않은 점도 해결해야 할 문제이다.

3. 후두카이모그래피(Laryngeal kymography)

1)원리

카이모그래프(Kymograph)의 어원은 'wave writer'란 뜻으로 시간에 따른 일정 지점의 변화 양상을 기록하는 장치이다. 예를 들어 해수면의 높이 변화를 기록하기 위하여 일정 지점에 부표를 놓고 이 부표의 높낮이 변화를 그래프로 표현하면 해수면의 카이모그래프를 얻을 수 있다.[24] 이 카이모그래프의 원리를 성대점막 진동을 관찰하는데 적용한 것이 후두카이모그래피(Laryngeal kymography), 또는 비디오 카이모그래피(Videokymography)이다.[16] 후두 카이모그래피 검사는 두 단계로 진행한다. 먼저 표준촬영모드로 일반 후두내시경 검사와 동일하게 후두 전체의 상태를 검사한 후 중점으로 관찰하고자 하는 부위에 화면에 표시된 선을 맞춘 후 고속촬영모드로 촬영을 하면 선으로 지정한 부위만 초당 8,000프레임으로 촬영되면서 시간 흐름에 따라 위에서 아래로 연속적으로 표현이 된다(그림 49-5A, B).

2) 관찰항목

후두카이모그래피의 관찰항목은 후두스트로보스코피의 관찰항목에 비해 대중적이지는 않다. 일반적으로 Svec 등이 발표한 '10가지 임상적 지표'를 많이 사용한다(표 49-3).[24,25]

3) 제한점

고속촬영모드 시 다른 부위를 관찰할 수 없고 부적절

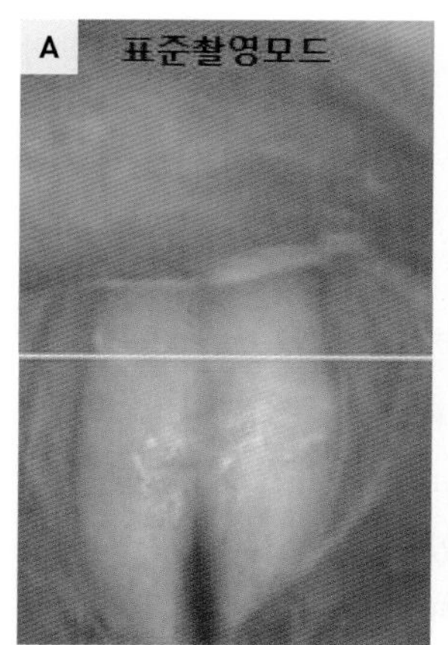

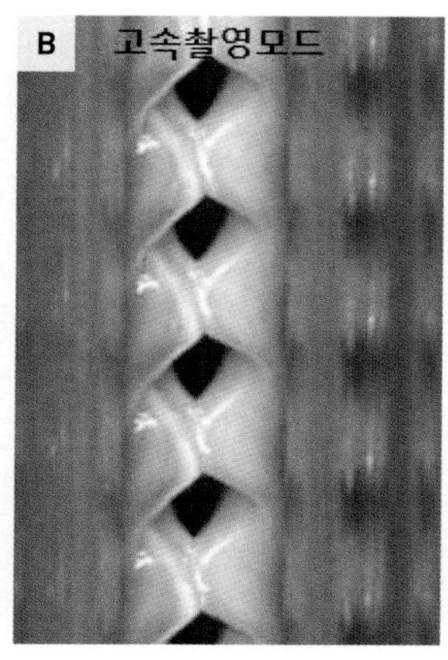

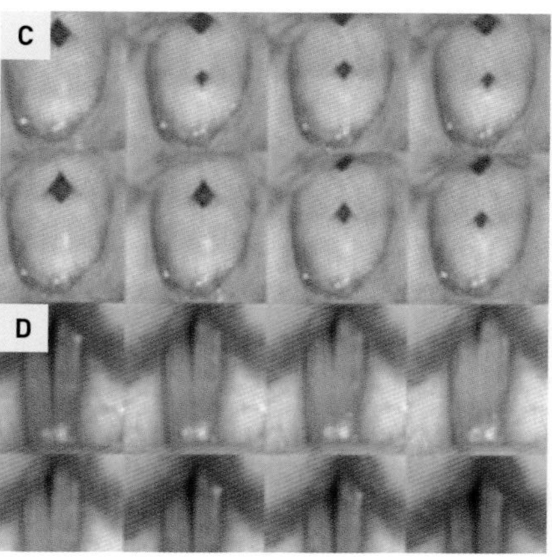

■ 그림 49-5. **후두카이모그래피.** 일반 후두카이모그래피는 표준촬영모드에서 중점적으로 관찰하고자 하는 부분을 라인으로 표시한 후(A) 고속촬영모드를 촬영하여 관찰한다(B). 2D 카이모그래피에서는 성문부 전체 영상에서 각 라인이 위에서 아래로 내려오면서 영상을 재생하며(C) 후두스트로보스코피와 비교가 가능하다(D).

표 49-3. 후두카이모그래피의 관찰항목

지표	특징
성대점막의 진동소실	완전 소실
	부분 소실
주변환경에 따른 간섭	가성대의 심한 진동
	저류액의 동반 진동
주기 다양성	주기간 다양성
폐쇄 지속기	성문폐쇄의 소실
	짧은 폐쇄기(closed quotient of <20%)
	긴 폐쇄기(closed quotient of >60%)
좌우 비대칭	진폭의 차이
	진동수의 차이
	위상의 차이
	폐쇄기 축의 이동
외측 경계 (lateral peaks)	외측 경계의 날카로운 모양 감소
점막 파동	파동의 감소 또는 소실
	성대자유연에서 떨어져 관찰되는 파동 (distant mucosal wave)
개대기와 폐쇄기 차이 비교	개대기가 짧은 경우
	개대기가 긴 경우
내측 경계 (medial peaks)	내측 경계의 날카로운 모양 증가
주기 이상 (cycle aberrations)	주기 이상의 존재
	잔물결ripple
	이중내측경계double medial peak
	불규칙한 내측경계medial unsmoothness

한 부위를 촬영한 경우 얻을 수 있는 정보가 별로 없다는 제한점이 있다. 또한 일정한 결과를 얻기 위해서는 촬영하는 동안 내시경과 후두면의 거리 및 각도를 일정하게 유지해야 한다. 양측 성대진동을 비교하는 관찰항목은 의미가 크지만 결과 화면 표시의 특성상 성대점막의 미세한 병변 여부를 감별하기에는 후두스트로보스코피에 비해 부족한 점이 많다. 최근에는 이러한 단점을 보완한 2D 카이모그래피가 개발되었다. 2D 카이모그래피는 고속촬영모드에서도 성문부 전체를 관찰가능하고 후두스트로보스코피 영상과 비교가 가능하다(그림 49-5C, D).[21] 또한 실시간으로 카이로그래피, 2D 카이모그래피 및 멀티프레임 스트로보스코피를 동시에 촬영할 수 있는 기기도 개발되어 후두학 연구 및 임상 진단에 큰 도움이 되리라 기대된다.[19, 20]

4. 전기성문파형검사(Electroglottography, EGG)

1) 원리

전기성문파형검사의 원리는 Ohm's법칙을 이용한 것으로 물체를 통해 흐르는 전류량에 반비례하여 표현되는 전기저항 값을 측정하는 것이다. 즉, 갑상연골 양측 피부에 각각 두 개의 전극을 부착시킨 후 두 전극 사이에 형성되는 전기저항을 측정한다. 발성과정 동안 성대점막은 진동을 하면서 양측 점막이 접촉을 반복하게 되는데 성문폐쇄 시에는 양측 진성대의 접촉면이 증가하면서 전기저항이 감소하게 되어 전류량이 증가하고 성문개방 시에는 양측 진성대 사이의 공기가 절연체로 작용하여 전기저항이 증가하여 전류량은 감소한다. 이러한 전류량의 변동양상을 연속적으로 기록하면 특정한 그래프가 나오는데 이것을 성문파형이라고 한다(그림 49-6).[15,18] 따라서 전기성문파형검사는 먼저 기술한 후두내시경 기반의 검사방법과는 달리 성대진동 자체를 직접 관찰한 것이 아니고 양측 성대의 접촉 정도만을 외부에서 측정하는 비침습적 검사방법이다.

2) 측정항목

성대점막진동 시 양측 진성대는 개폐를 반복하는데 이는 성문폐쇄진행기(closing phase), 성문폐쇄기(closed phase), 성문개대진행기(opening phase), 성문개방기(open phase)로 구분할 수 있다. 전기성문파형검사에서 나온 그래프도 이 구분에 따라 나누어 각 구간에서 시간 및 진폭에 따른 변화를 계량화하여 객관적 수치를 추출할 수 있다. 그러나 이때 문제가 되는 것이 전기성문파형검사에서 나온 그래프는 전기저항을 측정한 연속적인 선

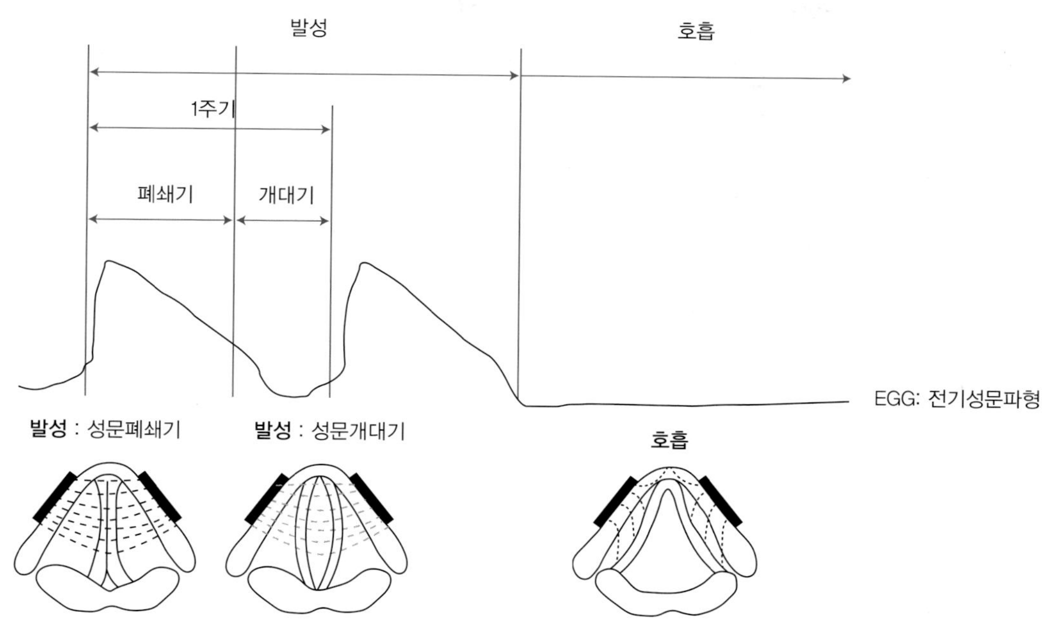

■ **그림 49-6. 전기성문파형검사의 원리.** 발성 시 양측 성대의 접촉 정도에 따라 양측 갑상연골에 위치한 전극 사이를 통과하는 전류의 변화량을 측정하여 성문의 접촉 정도를 간접적으로 계량화한다. 호흡 시에는 성문이 열려 있으므로 전기성문파형이 생성되지 않는다.

으로써 실제 성대의 개폐기가 어느 부분에서 정확히 시작하고 끝나는지를 알 수가 없다는 것이다. 검사기기마다 각 구간을 구분하는 방법이 다른데 진폭의 일정한 높이에서 일률적으로 선을 그은 후 그래프와 만나는 점을 각 구간으로 지정하는 criterion-level 방법과 그래프의 파형을 미분화한 후(differentiated electroglottography, DEGG) 각 꼭지점 사이를 기준으로 구간으로 구분하는 방법이 있다. 따라서 동일한 측정항목이라고 할지라도 검사기기마다 구간을 나누는 기준점이 다르기 때문에 서로 다른 기기에서 나온 결과를 일률적으로 비교할 수는 없다. 전기성문파형검사측정항목 중 가장 의미 있는 항목은 전체 성대진동 주기 중 성문폐쇄기가 차지하는 시간비를 뜻하는 성문폐쇄율(closed quotient, CQ)이다. 이 외 '성대 접촉면적이 증가하는 시간'과 '성대접촉면적이 감소하는 시간'의 비율인 성대접촉속도율(Speed quotient, SQ), 성문폐쇄속도(closing velocity)와 성문개대속도(opening

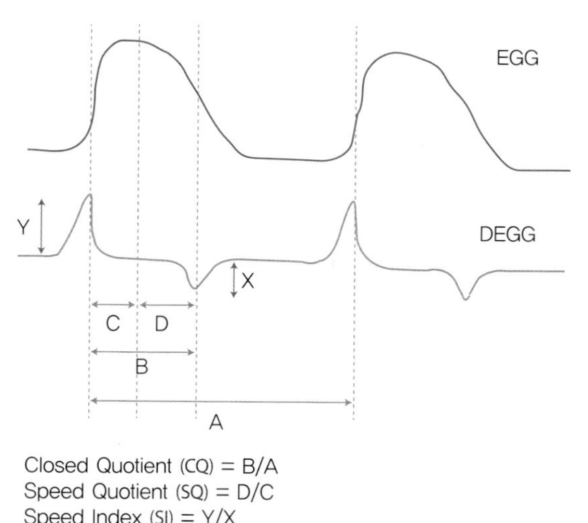

■ **그림 49-7. 전기성문파형검사의 측정항목.** EGG 파형을 미분한 파형이 DEGG 파형이다. DEGG파형에서 그래프의 꼭지점 사이를 성문폐쇄기(B)로 정의한다. B를 전체주기(A)로 나눈 값을 성문폐쇄율이라고 한다.

velocity)의 비율인성문접촉속도지수(Speed index of glottal contact,SI)와 .Jitter, Shimmer 등이 있다(그림 49-7).

3) 제한점

전기성문파형을 해석하는 데에는 다음과 같은 점들을 고려해야 한다.

(1) 피검자의 신체적 특징

경부피하 조직이 두껍거나 여성, 소아에서 후두가 좁고 작은 경우에는 검사 자체가 어려울 수 있다.

(2) 발성 시 후두의 상하 움직임 또는 목의 움직임

후두가 상승하면 피부의 전극은 그대로 있으나 성대가 상승하므로 양측 전극 사이의 전류의 흐름이 하강하고 저항은 증가한다. 후두가 하강할 때도 같은 현상으로 저항이 증가한다.

(3) 성대병변 여부

전기성문파형검사에서 나오는 파형은 전기저항이 표현된 것으로 실제 성문의 개폐 정도를 나타내는 것은 아니다. 성대폴립이 있는 경우 실제 양측 진성대의 접촉면은 감소하지만 성문개대기에도 성대폴립을 통해 전류가 흐르게 되므로 성문파형검사에서는 성문폐쇄율은 증가되어 나타난다. 마찬가지로 점액이 묻어있는 경우 또는 발성 중 가성대가 접촉하는 경우에도 성문폐쇄율은 증가한다(그림 49-8). 반면 일측 성대마비 환자에서 마비의 외전 정도가 심해 성대접촉이 이루어지지 않으면 파형 자체가 만들어지지 않아 검사가 불가능하다.

VI 음향학적 검사

사람의 목소리를 음향신호(acoustic signal)로 전환한 후 분석하여 여러 가지 수치로 객관화할 수 있는데 이러한 수치를 이용하여 음성을 검사하는 방법을 음향학적 검사라고 한다. 음향분석에 사용되는 기기는 매우 다양하며 각 기기마다 분석에 사용하는 측정 변수가 다르다. 따라서 모든 기기에 대해 자세히 아는 것은 필요하지 않지만 분석에 사용되는 기본적인 음향학의 개념과 변수를 숙지하는 것은 음향학적 검사를 이해하는 데 도움이 된다.

1. 음파(sound wave)

소리는 음원으로부터 만들어진 압력파가 공기, 물과 같은 매질을 통해 전달되는 물리학적인 현상으로 소리가 유발하는 파동을 음파라고 한다.[14] 소리를 묘사할 때 일반적으로 소리의 크기와 높낮이를 말하는데 음파는 소리의

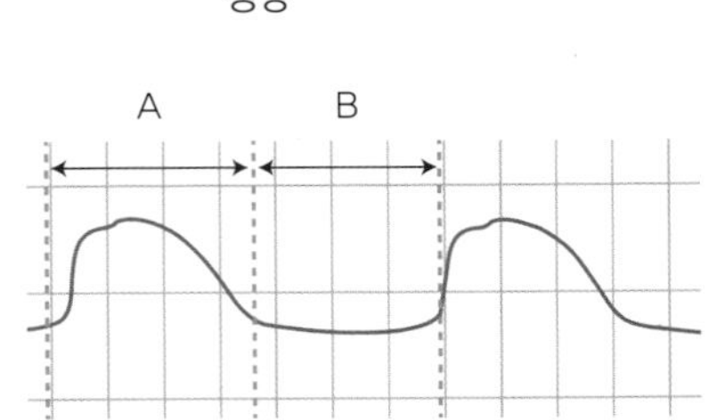

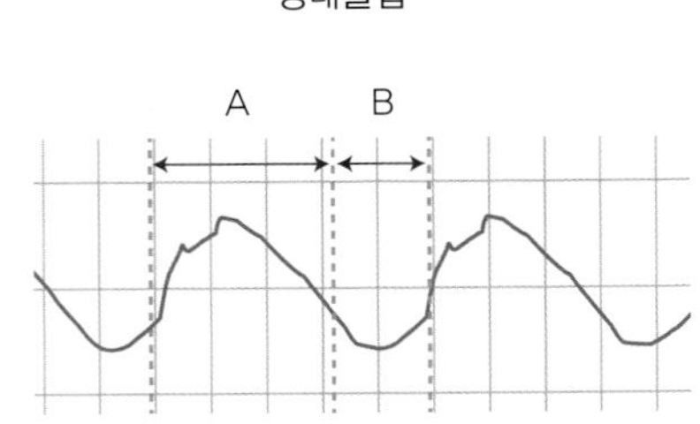

■ 그림 49-8. **성대폴립의 EGG파형.** 정상 성인 남성에서 성문폐쇄기(A)와 성문개대기(B)의 비율은 일반적으로 1:1이다. 그러나 성대폴립이 있는 경우 성문개대기 동안에 성대폴립을 통해 전류가 흐르게 되어 성문폐쇄기가 길어지는 효과를 가져온다.

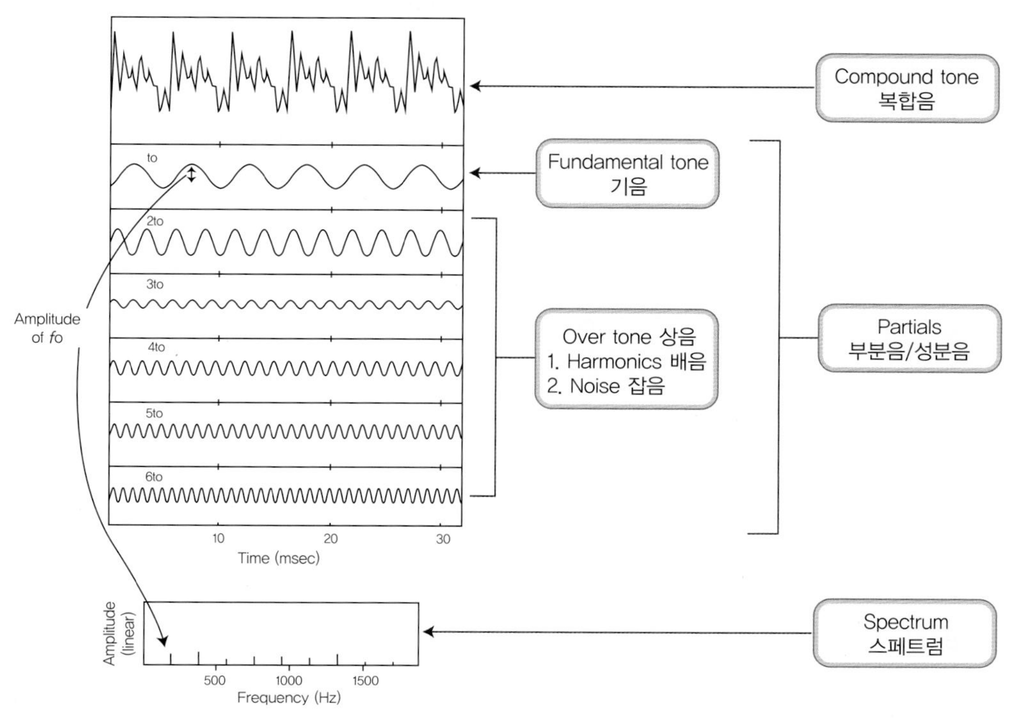

■ **그림 49-9. 배음분석.** 복합음은 각 성분음으로 분석할 수 있다. 각 성분음을 주파수와 진폭으로 표시한 것이 스펙트럼이다.

크기를 뜻하는 진폭이 세로축으로, 높낮이에 해당하는 주파수가 가로축으로 나타내는 그래프로 표현할 수 있다. 하나의 음파(simple wave)로 구성된 음을 단순음(pure tone, simple tone)이라 하며 여러 개의 음파가 합쳐져서 만들어진 음을 복합음(compound tone)이라고 한다.[15]

2. 스펙트럼(spectrum)

단순음의 경우 하나의 사인파(sine wave)로 구성이 되어 진폭과 주파수를 쉽게 알 수 있지만 복합음의 경우 여러 개의 단순음이 합쳐진 것으로 특성을 파악하기가 쉽지 않다. 스펙트럼은 복합파를 구성하는 단순파들을 각각 분리해 분석하는 방법이다. 일반적으로 음파를 그래프로 표시하면 x축은 시간, y축은 진폭으로 표시하나 스펙트럼에서는 x축은 주파수, y축은 진폭인 그래프로 표시된다. 복합음을 구성하는 단순음들을 그 복합음의 성분음 또는 부분음(partials)이라고 하며 부분음 가운데 주파수가 가장 낮은 음을 기음 또는 기저주파수(fundamental tone)라고 하고 나머지 음을 상음(over tone)이라고 한다. 상음 가운데 그 주파수가 기본음의 정수배, 즉 2배, 3배, 4배 등인 음을 배음(harmonics)라고 하며 정수배가 아닌 음을 잡음(noise)라고 한다. 이와 같이 복합음을 그 구성요소인 기본음과 배음들로 분석하는 것을 배음분석(harmonics analysis)이라고 한다(그림 49-9).[15]

스펙트럼을 분석하는 방법에는 고속푸리에변환(Fast Fourier transform (FFT))과 z 변환(z transform)이 있다. 고속푸리에변환을 이용하여 얻은 스펙트럼은 각 주파수별 에너지 분포정도의 파악이 용이하며 z 변환으로 얻어지는 스펙트럼은 LPC (line predictive coding) 스펙트럼으로 음형대(formant)에 대한 정보를 보기가 유용하

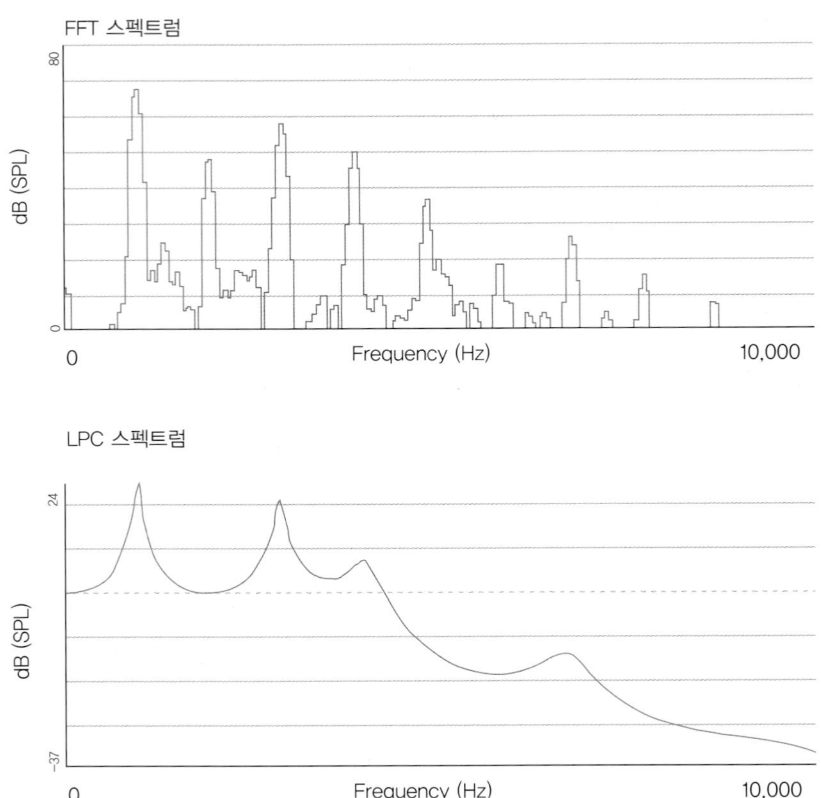

■ 그림 49-10. 스펙트럼의 종류

다(그림 49-10).[14]

3. 스펙트로그램(spectrogram)

사람의 목소리는 시간에 따라 지속적으로 변화한다. 따라서 음성을 분석하기 위해서는 시간에 따른 변화를 반영해야 한다. 스펙트럼은 특정 일정 시간의 음성을 분석하여 진폭, 주파수로만 표현이 되는 반면 스펙트로그램은 시간에 따른 변화를 함께 반영하여 x축에 시간, y축에 주파수, z축에 진폭(강도)을 표현한다. z축의 경우 진폭(강도)이 크면 색깔이 진하게 표시되고 진폭이 작으면 연하게 표시된다.[14]

스펙트로그램은 음성을 분석하는 주파수 대역폭에 따라 협대역스펙트로그램(narrow–band spectrogram)과 광대역스펙트로그램(wide–band spectrogram)으로 나뉜다.[14,15] 협대역스펙트로그램은 일반적으로 45 Hz 이하의 주파수 대역폭을 이용하며 광대역스펙트로그램은 300 Hz 이상의 넓은 주파수 대역폭을 필터로 이용하여 분석한다. 광대역스펙트로그램에서 사용한 300 Hz의 분석 필터란 것은 1/300초의 짧은 간격으로 음향신호를 분석한다는 것으로 결과 그림에서는 세로선(striation)이 특징적으로 나타나며 시간과 관련된 정보를 세밀하게 알 수 있다. 조음에 관한 연구에서는 모음의 특징과 관련된 음형대 정보와 자음의 특징들과 관련된 시간정보가 중요하기 때문에 광대역스펙트로그램을 이용하여 분석을 한다. 반면 협대역스펙트로그램에서는 광대역스펙트로그램에 비해 긴 1/45초의 필터를 가지고 음성신호를 분석하므로 복합음을 구성하고 있는 주파수 성분을 분석하는 데 유용

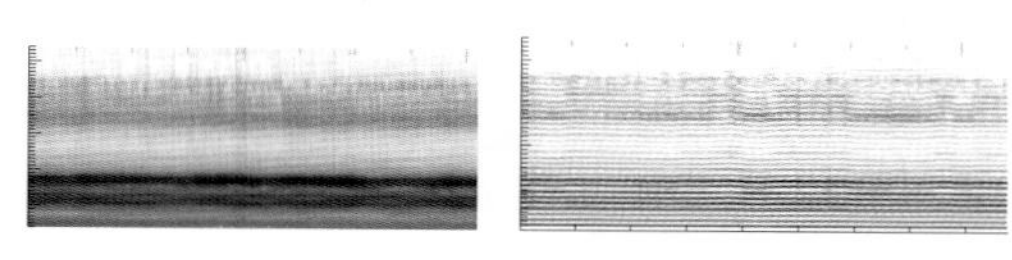

	광대역 스펙트로그램	협대역 스펙트로그램
분석필터	300 Hz	45 Hz
분석시간	3.3 ms	22 ms
시간해상도	높음	낮음
주파수해상도	낮음	높음
용도	음형대 분석	배음 분석, 음조 분석

■ 그림 49-11. **부스펙트로그램의 종류 및 특징**

하다. 결과그림에서는 가로의 긴 줄이 관찰되며 배음분석, 음조 분석에 유용한 방법이다(그림 49-11).

4. 음형대(formant)

어떤 물체가 진동하여 전파되어 가는 도중에 고유진동수가 같은 다른 물체를 만나게 되면 그 물체도 같이 진동을 유발하여 울리게 되는데 이런 현상을 공명(resonance)이라고 한다. 공명을 하는 물체를 공명체(resonant)라고 하고 공명체가 3차원적인 공간을 가지고 있다면 공명실(resonant chamber)라고 한다.

인간의 인두, 구강, 비강으로 구성된 성도(vocal tract)는 일종의 공명실로 발성에 의해 만들어진 후두원음을 공명현상에 의해 증폭시킨다. 복합음인 후두원음 중 어떤 부분음들은 고유진동수가 일치하여 소리가 증폭이 되고 어떤 부분음들은 약화되는데 공명의 조절 작용에 의해 배음들이 강화되는 주파수를 음형대 주파수(formant freqeuncy)라고 한다.

음형대의 물리적 특성을 이해하기 위해 성도를 일자로 펴진 한쪽만 열린 단일 음향관으로 모형화할 수 있다. 음향관의 끝이 닫혀 있으면 반사파와의 위상차가 180도가 되어 닫힌점에서는 마디(node)가 형성되고 열린 끝에서는 배(antinode)가 형성된다. 이 경우 공명파의 파장은 4L, 4L/3, 4L/5 …로 나타내게 된다(L은 공명강의 길이, 한쪽 끝만 열려 있으므로 홀수배로 증폭이 됨). 공명주파수는 소리속도(C)/파장(λ)으로 계산할 수 있으므로 상온에서의 소리 속도인 340 m/sec와 성인남성의 성도의 대략적 길이인 17 cm를 음향관의 길이(L)로 대입해보면 F1=500 Hz, F2=1,500 Hz, F3=2,500 Hz에서 공명주파수가 형성된다.[15] 여기서 F1은 공명에 의해 증폭된 음형대 주파수 중 가장 낮은 주파수로 제1 음형대(first formant)라고 한다.

1) 모음과 음형대

말을 하는 동안 혀, 입술, 연구개, 인두 등 성도의 모양이 변함에 따라 음형대가 형성되는 주파수가 달라지게 된다. 제1 음형대는 인구강의 높이, 즉 혀의 높이에 영향을 받아 혀의 높이가 높을수록(공명강의 길이가 길어질수록) 주파수는 낮아진다. 예를 들어 /이/와 같은 고설모음에서는 제1형 음형대는 낮아지고 /아/와 같은 저설모음에서는 높아진다. 반면 제2 음형대는 구강의 앞쪽 공명강의 길이, 즉 혀끝에서 입술까지 공간의 길이에 영향을 받는다. /이/와 같은 전설모음에서는 공명강의 길이가 짧아지므로 제2 음형대 주파수는 높아지고 /우/와 같은 후설모음에서는 낮아진다. 이처럼 모음의 형성에는 제1, 2 음형대 주파수의 형성이 매우 중요하다. 따라서 말소리의 모음분석에는 음형대 분석이 기본을 이룬다(그림 49-12).

2) 음악음형대

현대적인 음향시스템이 없는 과거에도 성악가는 마이크 없이 오케스트라 반주와 함께 공연을 해왔으며 오케스트라의 큰 소리의 반주에 목소리가 묻히지 않고 아름다운 연주를 할 수 있었다. 이러한 현상을 설명하는 할 수 있는 이론 중의 하나가 '음악음형대' 또는 '성악가 음형대(singer's formant)의 형성이다.[14,15] 가수가 부르는 노래의 스펙트럼 분석을 보면 2.5–3 KHz 근처에서 에너지의 증폭현상이 두드러지게 나타난다. 일반적으로 제3, 제4 음형대

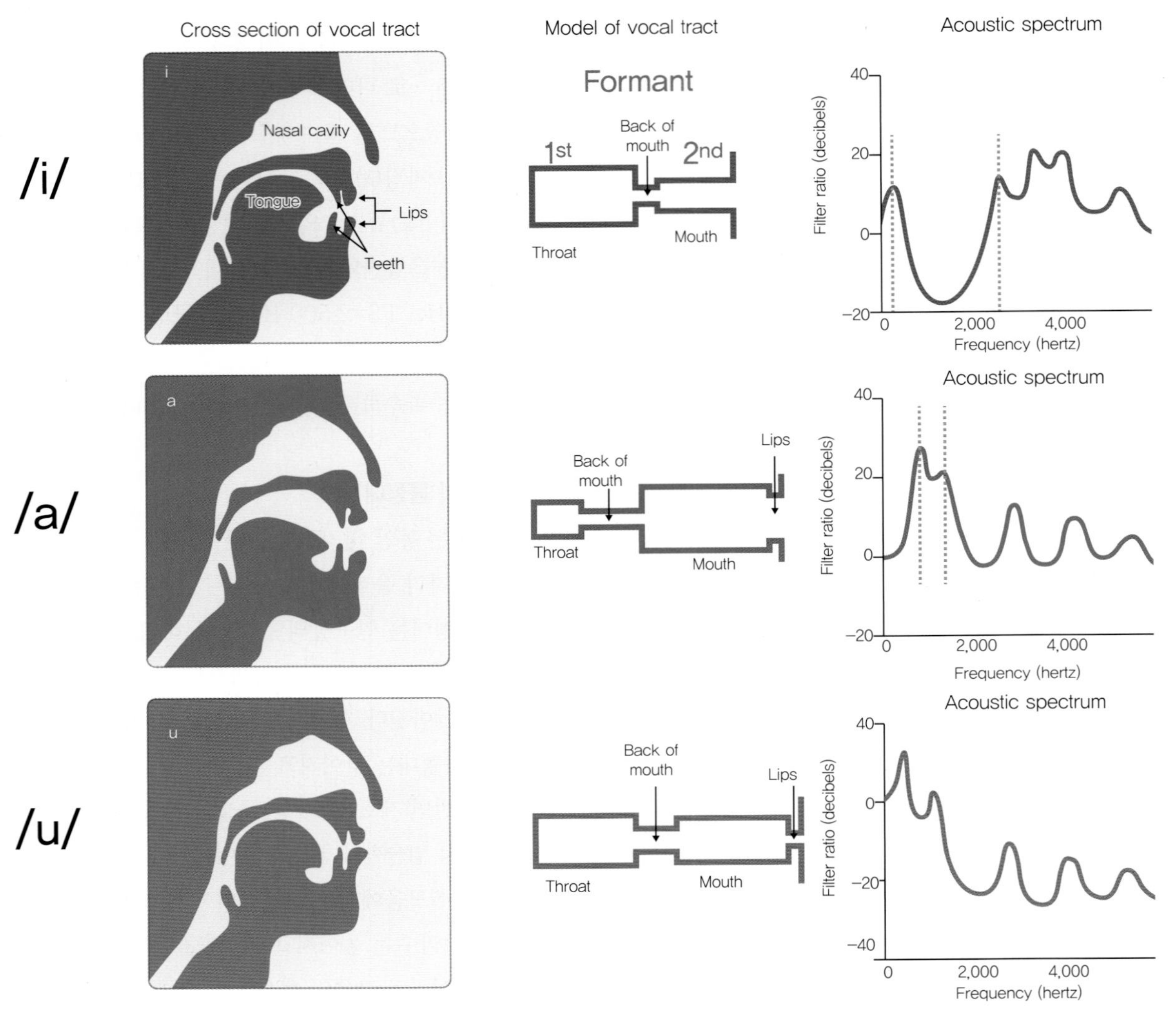

■ 그림 49-12. 모음에 따른 음형대의 형성

가 합쳐진 형태로 음역 파트에 따라 형성되는 주파수 위치는 다르게 나타난다(그림 49-13).[23]

음악음형대 형성을 위해서는 노래를 부를 때 후두의 적절한 위치가 매우 중요하다. 후두의 위치가 적절하게 아래 쪽에 위치함으로써 공명강의 길이가 길어지고 인두가 넓어짐으로써 혀의 운동 범위가 커지게 되고 발성 및 조음이 자유로워진다. 또한 진성대 바로 윗부분 및 이상와(pyriform sinus)에 독립적인 공명강이 형성되어 고유한 음형대를 형성하는 데 중요한 역할을 하게 된다.

5. 기타 음향지표

소리는 물리학적으로 높낮이(시간 관련 지표)와 강도(크기 관련 지표)로 표현할 수 있다. 그러나 목소리의 경우 항상 일정하지 않으며 조금씩 변이가 나타나게 되며 잡음이 섞이기도 한다. 시간 관련 지표는 성대점막이 진동하는 횟수 및 패턴에 대한 분석으로 jitter, frequency, pitch, Hz 등의 단어가 들어가는 지표들이 여기에 해당한다. 강도는 소리 크기와 관계되는 것으로 shimmer,

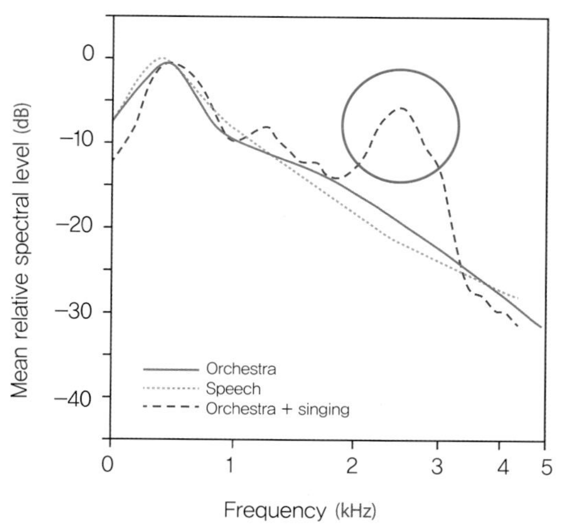

■ 그림 49-13. **성악가 음형대.** 2.5-3 KHz 부위에 두드러진 소리의 증폭 현상이 관찰된다.

amplitude, dB 등의 단어가 들어가는 지표들이다.[22]

1) 소리의 높낮이 관련 음향 지표

주파수(frequency)는 음의 높낮이를 나타내는 물리학적인 용어로 객관적인 지표이다. 반면 pitch는 주파수에 비해 다소 주관적인 개념으로 사용된다. 기본주파수(fundamental frequency)는 복합음을 구성하는 성분음 중 가장 낮은 주파수를 가진 음의 주파수를 의미하며 영문약자 f0 또는 F0로 표기한다. 발화기본주파수(speaking fundamental frequency)는 편안한 크기로 말을 할 때 측정되는 기본주파수를 뜻한다. Jitter는 일정기간 동안 한 주기의 기본주파수와 그 다음 주기의 기본주파수의 가변성(variability)을 측정하는 것으로 주파수변이율(frequency perturbation)이라고 한다.

2) 소리의 강도 관련 음향 지표

진폭(amplitude)은 소리를 구성하는 사인파의 폭을 의미하며 dB은 그 소리의 크기를 물리학적으로 표현한 것이다. Shimmer는 Jitter와 비슷한 개념으로 각 주기당 진폭의 가변성을 나타내는 것으로 진폭변이율(amplitude perturbation)이라고 한다.

3) 잡음 대 배음비

복합음을 구성하는 성분음 가운데 배음(harmonics)과 잡음(noise)의 비율을 의미하는 지표로, 불규칙하고 거친 소리일수록 잡음의 비율이 높아진다. 분석 프로그램에 따라 harmonic to noise ratio (HNR) 또는 signal to noise ratio (SNR)로 표현한다.[15]

Ⅶ 공기역학적 검사

음성을 생성하는 에너지를 제공하는 공급원은 호흡으로 호흡기류에 의해 성대점막이 진동하여 공기 에너지가 소리에너지로 전환이 된다. 따라서 좋은 호흡기류가 있어야 좋은 발성이 되며, 음성검사 중 이러한 공기흐름과 관련 된 검사를 공기역학적 검사라고 한다. 공기역학적 검사에 사용되는 기기는 Phonatory function analyzer[4,5], Aerophone II, PAS (Phonatory Aerodynamic System)[26]등이 있으며 현재에는 PAS가 임상현장에서 가장 많이 사용되고 있다.[9] 기기마다 조금씩 다르지만 공기역학적 검사의 분석지표는 다음과 같다.

1. 최장발성지속시간(maximum phonation time)

공기역학적 검사 중 가장 간단히 측정할 수 있는 지표이다. 분석기기를 이용할 수도 있지만 간단히 초 시계를 이용하여 측정할 수 있다. 피험자에게 최대로 공기를 들어 마시게 한 후 편안한 자세에서 일정하고 편안한 음의 높이와 강도를 가진 /아/ 모음 발성을 하게 하여 시간을 측정한다. 3회 연속 시행하여 가장 긴 최대치를 검사결과로 한다.[9,15] 성인에서 검사결과가 40초 이상인 경우 각 측정 사이에 쉬는 시간을 두고 수회 심호흡을 시킨 후 다음 측정을 하며 40초 이하인 경우 별도의 쉬는 시간은 필요 없다.[15] 정상치는 성인 남성의 경우 20초 전후이며 여성의 경우 18초 전후이다.[6,9] 성대마비, 성대폴립, 성대구증 등 성문폐쇄부전이 발생하는 질환에서 특징적으로 결과치가 감소하며 이외에도 폐활량이 감소하는 질환이나 뇌성마비와 같은 운동장애, 검사에 대한 이해 부족, 피로 시에도 지속시간이 감소하므로 결과 해석에 유의해야 한다.[7]

2. 평균호기류율(mean phonatory flow rate, MFR)

평균호기류율은 발성 시 단위 시간당 성문을 통과하는 기류의 양으로, '발성 시 총 호기량'을 '발성시간'으로 나눈 값으로 구한다. 정상 범위는 남자는 100–140 ml/sec, 여자는 90–120 ml/sec 이다.[6] 검사장비와 피험자 개개인에 따라 다양한 정상 범위를 나타낼 수 있기 때문에 피험자 사이에 비교를 하는 것은 주의를 요하나 동일한 환자에게서 음성치료나 수술 전후에 치료 효과를 비교하는 데는 유용하게 사용 가능하다.[9] 성대마비, 성대폴립과 같이 성문 폐쇄 부전이 있을 경우 증가하게 되고 반면 연축성발성장애와 같이 성문이 과도하게 폐쇄되는 경우에는 감소한다.

3. 성문하압(subglottic pressure, Psub)

성문하압은 성대점막 진동 시 성문을 여는 데 작용하는 힘을 뜻한다. 성문하부에 측정침을 넣어서 측정하는 것이 가장 정확하나 침습적이여서 사용하지 않으며 임상에서는 기류저지법에 기초를 둔 간접적 방법을 이용한다. 정상 범위는 검사기기마다 다르기 때문에 일률적인 비교는 불가하며 Aerophone II를 이용한 국내 연구 결과를 보면 남성 4.1 cmH_2O (1.3–8.7), 여성 3.5 cmH_2O(1.2–8.8) 이다. 성문(하)협착, 진행된 성문암 등에서 성문하압은 증가하며 폐기능저하, 기관절개공 상태 등에서는 감소한다. 일측성 성대마비의 경우 이론적으로는 성문 저항이 감소하므로 성문하압은 감소하게 되나 발성을 위해 많은 과도한 힘을 넣어 과보상을 하게 되는 경우 오히려 증가된 성문하압이 관찰되기도 한다.[6,9] 반면 양측성성대마비가 존재하는 경우 성문 폐쇄 자체가 형성이 되지 않기 때문에 성문하압이 낮아져 측정하기 힘든 경우가 발생한다.

4. 발성지수(phonation quotient)

폐활량을 최장발성지속시간으로 나눈 값을 발성지수라고 한다. 평균호기류율과 양의 상관관계가 있으므로 공기역학적 검사기기가 없는 경우 별도로 측정한 폐활량 값을 이용하여 발성지수를 구하면 평균호기류율을 대신해서 사용할 수 있다.[9]

5. 후두저항도(glottal resistance)

후두저항도는 성문하압을 평균호기류율로 나눈 값으로 후두의 실제 물리적인 저항을 뜻하기보다는 성문폐쇄 정도를 반영하는 값이다.[9]

Ⅷ 신경생리학적 검사

근육의 운동장애를 감별하기 위한 신경생리학적 검사는 크게 신경전도검사(nerve conduction study), 후두근전도검사(laryngeal electromyography), 유발전위검사(evoked response study) 등이 있는데 음성검사 영역에서는 주로 후두근전도검사를 이용한다.

후두근전도검사는 후두의 근육과 신경의 전기생리상태를 검사하는 것으로 이전에 서술한 다른 음성검사방법에서 얻을 수 없는 다양한 정보를 얻을 수 있다. 또한 진

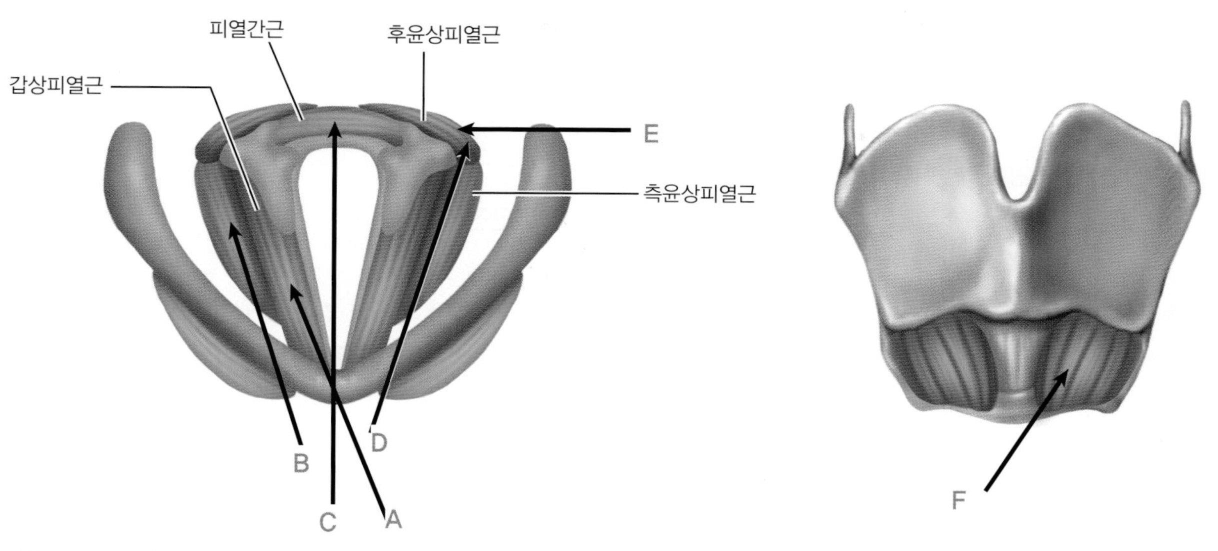

■ 그림 49-14. **후두근전도검사 시 침전극의 삽입 방향.** A: 갑상피열근, B: 측윤상피열근, C:피열간근, D;후윤상피열근(중앙접근법), E:후윤상피열근(외측접근법), F: 윤상갑상근

단 목적 외에도 보툴리눔독소 주입 시 주사부위를 결정하는 데에도 널리 사용되고 있다.[11]

1. 후두근전도 검사방법

1) 근전도 장비

근전도 장비는 각 상품마다 다소 차이는 있지만 일반적으로 증폭장치, 기록장치, monitor oscilloscope, 확성기, 자극장치 등으로 구성되어 있다.[12] 근육의 활동전위를 기록하는 데 이용하는 전극에는 표면전극(surface electrode)과 침전극(needle electrode) 두 종류가 있다. 표면전극은 비침습적이나 전극과 피부 사이에 저항이 발생할 수 있으며, 부착면적이 넓어 후두의 미세한 근육을 검사하는데는 제한적이어서 후두근전도에서는 침전극을 사용한다. 침전극에는 단극침전극(monopolar needle electrode), 동심침전극(concentric needle electrode), 유구선침전극(hooked wire electrode) 등이 있는데, 후두근전도에서는 전극의 굵기가 가늘어 통증이 적고 검사가 용이한 단극침전극을 주로 사용한다.[11,12]

2) 검사방법

어깨 밑에 얇은 베개를 넣어 목을 약간 신전시켜 후두를 완전히 노출시킨 상태에서 검사를 시행한다. 검사 전 윤상갑상근막이 위치하는 피부 주변에 국소마취를 하여 전극 삽입 시 통증을 느끼지 못하게 해야 불필요한 근육수축에 의한 검사결과 오염을 방지할 수 있다. 내후두근을 모두 검사할 수 있지만 일반적으로 반회후두신경이 지배하는 갑상피열근과 상후두신경이 지배하는 윤상갑상근을 주로 검사한다(그림 49-14).

(1) 윤상갑상근

윤상 연골 하연 정중으로부터 5 mm 외측에 바늘을 삽입한 다음, 상외측의 갑상연골 하결절(inferior thyroid tubercle)을 향하도록 측방 30–45° 각도로 침전극을 1 cm 정도 삽입한다.[12] 위치확인은 고음발성 시 근방전이 증가하고 연하 시 현저하게 감소하는 것으로 확인할 수 있다.

(2) 갑상피열근

윤상 연골상연 정중에서 5 mm 정도 외측에서 바늘을

삽입하여 윤상갑상막을 뚫은 다음 환자에게 가볍게 숨을 참거나 저음 발성을 시키면서 바늘을 상외측 방향으로 30-45°로 찔러서 바늘 끝의 깊이가 2 cm 정도 되도록 삽입한다. 저음발성, 숨참기, 연하 등의 동작에서 현저한 방전을 보이면 위치를 확인할 수 있다.[12]

(3) 측윤상피열근

윤상갑상근의 검사와 동일한 경로를 이용하거나[12] 외측에서 갑상연골을 뚫고 접근할 수도 있다.[15] 위치확인은 갑상피열근과 마찬가지로 성문폐쇄 동작 시 근방전이 증가하는 것으로 확인한다. 그러나 측윤상피열근은 갑상피열근과 분리하여 검사하는 것이 임상적으로 의미가 크지 않아서 독립하여 검사하는 경우는 드물다.[12]

(4) 후윤상피열근

측윤상피열근과 같은 경로로 5-10 mm 정도 더 깊이 찔러서 도달하는 방법이 있으나 다른 근육과 오염이 일어날 수 있는 단점이 있어 일반적으로 외측접근법이 주로 사용된다. 외측접근법은 엄지손가락으로 후두를 검사하는 쪽으로 돌려서 바늘을 윤상갑상관절 후방에서 내상방으로 삽입하여 윤상연골에 침전극이 닿는 느낌이 있으면 바늘을 약간 뒤로 빼서 후윤상피열근에 침전극이 위치하도록 한다.[12] 위치확인은 발성과 짧고 깊은 흡기를 반복시키면서 흡기 때는 근활동이 증가하고 발성 시는 억제되는 것으로 확인한다. 이 외 경구적으로 간접후두경하에서 이상와의 전내벽의 점막을 뚫고 전극을 바로 삽입할 수도 있다.[15]

(5) 피열간근

피열간근은 양측에서 신경지배를 받기 때문에 임상적으로 의미는 크지 않아 검사를 많이 시행하지는 않는다. 전경부 중앙에서 윤상갑상막을 뚫고 전극을 후두 내로 통과시킨 후 후상방으로 전진하여 피열간근 내에 삽입하거나, 경구적으로 간접후두경하에서 양측 피열융기 사이의 중앙부에서 전극을 삽입할 수 있다. 위치확인은 짧은 발성을 반복적으로 할 때 근방전이 증가하는 것으로 확인할 수 있다.[12]

2. 후두근전도 판독

신경생리학적 검사의 판독은 매우 숙련도를 요구하는 것으로 환자의 상태 외에도 검사기기의 종류, 검사환경에 따라 영향을 받기 때문에 해석에 주의를 요한다. 후두에서는 신경전도검사를 시행하지 않고 근전도검사만을 시행하므로 이에 대해서만 살펴본다.

1) 이완상태

근육이 수의수축을 일으키지 않고 이완된 상태에서는 자발전위가 발생하지 않는다. 그러나 근전도검사 시 정상

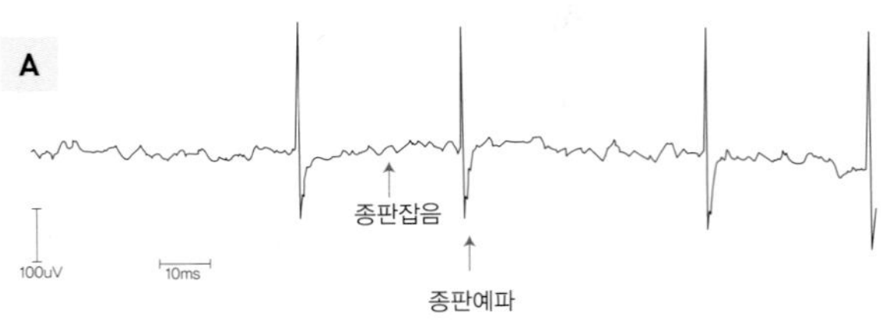

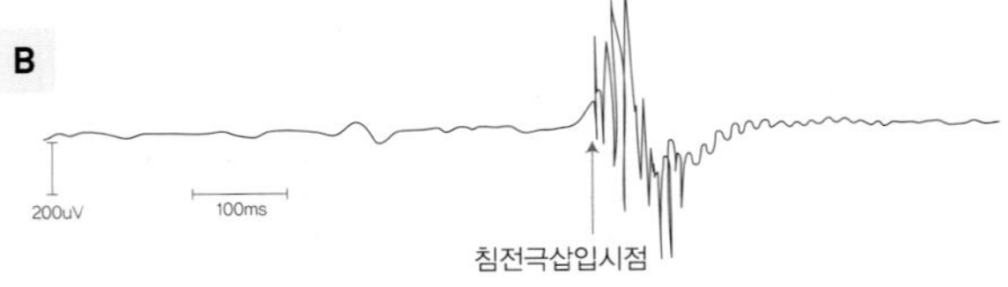

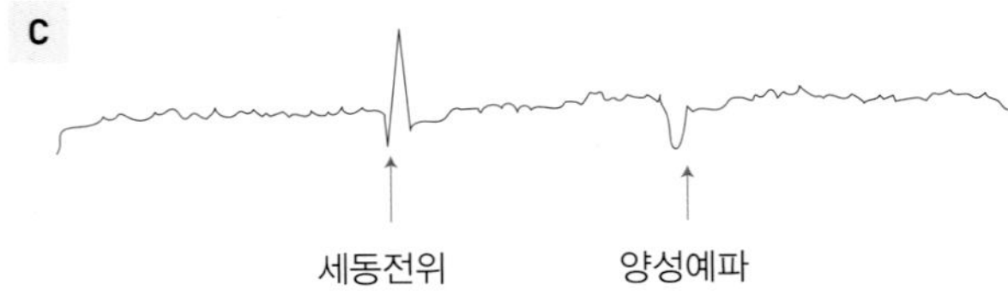

■ **그림 49-15. 근이완상태에서 관찰 가능한 자발전위.** **A)** 종판잡음 및 종판예파, **B)** 삽입전위 **C)** 세동전위는 기시부가 아래로 내려간 후에 예파가 나오는 형태이며 양성예파는 기시부가 아래로 향하는 느린 형태의 파형을 보인다.

근육에서도 자발전위가 발생하는데 종판잡음(end plate noise)과 삽입전위(insertional activity)가 있다. 종판잡음은 신경 말단부에서 아세틸콜린의 자발적 세포외유출에 의해 나타나는 정상방전이고 삽입전위는 전극이 근육을 찌를 때 근섬유가 탈분근되면서 발생하는 순간적인 방전이다.[12] 이 2가지를 제외한 이완된 상태에서의 모든 자발전위는 일반적으로 비정상적인 소견이다. 대표적인 비정상적인 자발전위로는 세동전위(fibrillation potential), 양성예파(positive sharp wave)등이 있다. 세동전위와 양성예파는 근육이 이완된 상태에 있을 때 신경지배를 받지 않는 개개의 근섬유의 자발방전에 의한 것이다(그림 49-15).

2) 근육의 최소수축상태

근육의 최소수축상태에서는 운동단위활동전위(motor unit action potential, MUAP)의 진폭(amplitude), 지속시간(duration), 파형(waveform) 등을 관찰한다. 정상적인 운동단위 활동전위는 4~10 msec의 지속시간, 100uv–2v진폭과 2~4위상을 보인다(그림 49-16).[12] 근육손상이 있는 경우 근방전 자체가 감소하기 때문에 지속 시간이 짧고 진폭이 작은 다상성(polyphasic)의 활동전위가 나타난다. 신경손상의 경우 손상시기에 따라 다양한 형태가 관찰된다. 신경손상 직후에는 근육으로의 신경자극이 없기 때문에 아무런 운동활동전위가 관찰되지 않는다. 그러나 신경이 재생되어 근육에 신경재지배(reinnervation)가 일어나면 진폭과 지속시간이 증가되고 위상이 4개 이상인 다상성 파형이 관찰된다. 이는 신경이 회복되는 과정에서 하나의 운동신경원이 여러 개의 근섬유에 분포하게 되면서 나타나는 현상이다. 따라서 근전도 검사에서 거대 운동단위 활동전위(giant MUAP)가 관찰되면 신경손상 후 최소한 3개월 정도 이상의 시간이 지난 것으로 생각할 수 있다.[11,12]

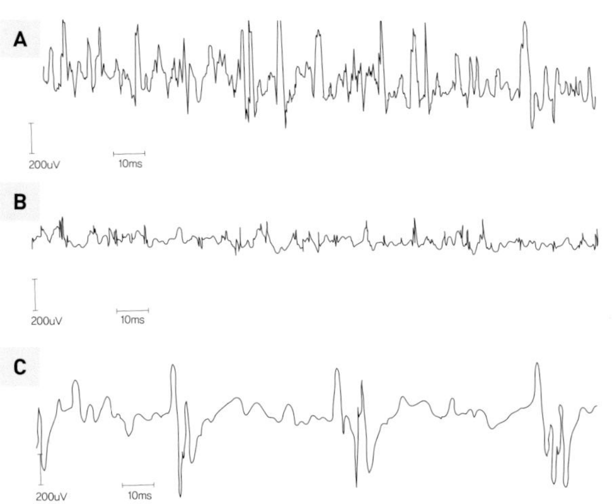

■ **그림 49-16. 운동단위활동전위의 다양한 형태.** **A)** 정상, **B)** 근육손상 시의 파형. 진폭이 감소한 형태가 특징적이다. **C)** 신경재지배가 발생한 병변의 근전도 검사소견. 진폭이 매우 큰 giant MUAP가 관찰된다.

3) 근육의 최대수축상태

피검자에게 최대한으로 근육을 수축하도록 요구한 후 근전도의 간섭양상(interference pattern)을 검사한다. 간섭양상은 근육의 수축강도가 증가하면 각 운동단위의 방전이 중첩되어 나타나는 현상이다. 정상의 경우 각각의

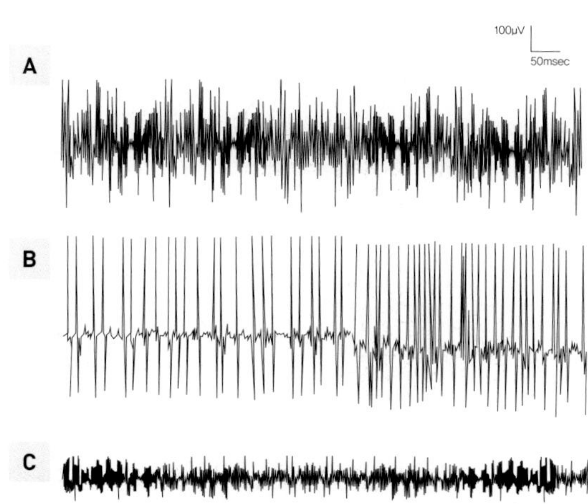

■ **그림 49-17. 근육의 최대운동상태에서의 간섭양상.** **A)** 정상, **B)** 신경병변, **C)** 근육병변

운동단위 활동전위가 겹쳐서 각각을 구별할 수 없는 형태로 관찰되며 이를 완전간섭양상(full interference pattern)이라 한다.[3] 근육병변이 있는 경우 간섭양상은 정상이나 진폭이 감소된 형태의 결과를 보이며 신경병변의 경우 중첩효과가 감소된 불완전 간섭양상으로 관찰된다(그림 49-17).[12]

참고문헌

1. 김재옥. 청지각검사. 후두음성언어의학. 대한후두음성언의학회편. 일조각 2012. 407-416
2. 김재옥·임성은·박선영·최성희·최재남·최홍식(2007). 한국어판 음성장애지수와 음성관련 삶의 질의 타당도 및 신뢰도 연구. 말소리와 음성과학, 14(3), 111-125.
3. 김현지, 박혜상, 김한수 등. 성대부전 마비의 진단에서 후두근전도 검사의 유용성. 대한 음성언어의학회지 2011;22:1-7
4. 문영일. 기류 저지법을 이용한 발성시의 공기역학적 검사에 관한 연구. 대한이비인후과학회지. 1996;39(7):1087-92.
5. 문영일, 이윤영, 김문정, 이재연. 후두질환 환자에서 기류저지법을 이용한 공기역학적 검사에 관한 연구. 대한이비인후과학회지. 1998;41(3):350-9.
6. 서장수, 송시연, 권오철, 김준우, 이희경, 정옥란. 음성검사 중 공기역학적 검사에서 한국인의 정상 평균치. 대한음성언어의학회지. 1997;8(1):27-32.
7. 서장수, 송시연, 정유선, 김정수, 지덕환, 이무경. 정상인과 성대용종 환자에서의 공기역학적 검사. 대한음성언어의학회지. 1999;10(1):5-11.
8. 왕수건. 성대진동검사. 후두음성언어의학. 대한후두음성언의학회편. 일조각 2012. 376-395
9. 유영삼. 호흡기능검사. 후두음성언어의학. 대한후두음성언의학회편. 일조각 2012. 369-375
10. 이영아•김형태•김재옥(2010). 청지각적 음성평가 훈련이 음성평가 신뢰도에 미치는 효과. 언어청각장애연구, 15(4), 526-536.
11. 정성민. 후두근전도. 대한음성언어의학회지 2006;17:5-13
12. 정성민. 박기덕.신경생리학적검사. 후두음성언어의학.대한후두음성언어의학회편.일조각. 2012. 417-427.
13. 조승호.문진 및 신체검사.후두음성언어의학.대한후두음성언어의학회편.일조각. 2012. 363-368
14. 진성민. 음향분석. 후두음성언어의학. 대한후두음성언의학회편. 일조각 2012. 376-406
15. 홍기환. 음성장애.이비인후과학.대한이비인후과학회편.일조각, 2002. 1580-600.
16. Ahn CM, Chung DH. A study of the availability and parameters of videokymography. Korean J Otolaryngol 2000, 43, 758-64.
17. Casiano RR, Zaveri V, Lundy DS. Efficacy of videostroboscopy in the diagnosis of voice disorders. Otolaryngol Head Neck Surg 1992; 107: 95-100.
18. Choi HS. Glottic vibration test II: Glottographic examination. J Korean Soc Logo Phon.1997;8:117-27.
19. Kang DH, Wang SG, Park HJ, et al. Real-time Simultaneous DKG and 2D DKG Using High-speed Digital Camera. J Voice. 2017;31(2):247.e1-247.e7
20. Lee JC, Wang SG, Sung ES, Bae IH, Kim ST, Lee YW. Clinical Practicability of a Newly Developed Real-time Digital Kymographic System. J Voice. 2017 Dec 22. [Epub ahead of print]
21. Park HJ, Cha W, Kim GH, Jeon GR, Lee BJ, Shin BJ, Choi YG, Wang SG. Imaging and Analysis of Human Vocal Fold Vibration Using Two-Dimensional (2D) Scanning Videokymography. J Voice. 2016 May;30(3):345-53.
22. Sataloff RT. Voice science. San Diego: Plural Publishing: 2005.p.185-201.
23. Sundberg J. Vocal tract resonance. In Satalloff RT. The Professional Voice: The Science and Art of Clinical Care. 2nd ed. New York: Raven Press; 1991.
24. Svec JG, Schutte HK. Videokymography: high-speed line scanning of vocal fold vibration. J Voice 1996; 10:201-205.
25. Svec JG, Sram F, Schutte HK. Videokymography in voice disorders: what to look for? Ann OtolRhinolLaryngol 2007; 116:172-180
26. Zraick RI, Smith-Olinde L, Shotts LL. Adult Normative Data for the KayPENTAXPhonatory Aerodynamic System Model 6600. J Voice(epub). 2011

음성치료

권택균, 박성신

I 음성치료 정의

음성치료(voice therapy)는 환자로 하여금 본인의 음성 병리에 대한 인식을 가능하게 하고, 발성과 관련되는 행동 양식을 교정, 음성사용을 보다 효율적으로 수행할 수 있도록 유도하는 일련의 행동교정(behavioral modification) 과정으로 정의할 수 있다. 또한 음성치료 시 행동수정과 더불어 심리적, 정서적 측면에 대한 고려가 필수적이다.

음성치료는 환자의 직업, 연령, 음성요구도, 동기, 치료에 대한 반응에 따라 음성치료 방법이 달라질 수 있으므로 환자의 개인 상태에 따라 적절한 접근법을 적용하여 음성치료를 진행해야 한다.[1-3] 일반적으로 주 1~2회 시행하여, 한 회기(session)당 30~40분 진행한다. 일반적인 치료 방법은 호흡(respiration), 발성(phonation), 공명(resonance)과 조음(articulation) 순으로 진행하되, 환자의 상태를 최우선으로 하여 필요에 따라 치료 방법을 선택한다. 또한 임상가는 청각(auditory), 시각(visual), 촉각적(tactile) 피드백을 통해 환자의 적절한 발성 패턴(phonatory pattern)을 일반화할 수 있도록 도움을 줄 수 있다.[5]

II 음성치료 접근법

현재 임상에서 사용되는 Boone 등(2014)의 25가지 방법[4] 중 많이 사용되는 것은 다음과 같다.

1. 문제의 설명(Explanation of problem)

문제에 대한 설명은 상담(counseling)의 기술과 더불어 음성치료의 중요한 부분이며 성대 병리에 대한 구체적인 설명과 문제를 치료하기 위한 단계들에 대한 설명을 필요로 하는 과정이다. 또 환자가 죄책감을 느끼지 않고 자신의 문제를 받아들이는 것이 중요하며, 성대폴립이나 성대결절과 같이 성대의 구조적인 변화가 있는 환자들에게는 오랫동안의 음성 오용 때문에 구조의 병리 현상이 발생했을 가능성이 많이 있기 때문에 음성 오용을 제거함으로써 환자의 성대병리가 감소될 것이라고 설명해 주는 것이 필요하다. 이러한 설명을 할 때는 차트나 그림들을 보충적으로 사용하는데, 이는 음성의 기능과 병리에 대한 이해 및 다양한 치료 전략들을 적용하는 데 동기부여(motivation)에 용이할 것이다.

2. 남용의 제거(Elimination of abuses)

음성 남용에는 울기, 소리치기, 고함지르기, 헛기침, 기침, 그리고 부적절한 음도, 강도, 음질을 사용하는 사례들이 있다. 매일 극소량의 음성 남용으로도 부전실성증이 유지되거나 후두 병리가 발생되고 또한 유지된다. 성대접촉, 혹은 무게-크기 문제가 생겼거나 음성을 남용하는 음성 환자라면 누구라도, 이를 제거하거나 최소한 감소해야 한다. 따라서 메모지 혹은 체크리스트 등을 사용하여 환자가 자신의 음성남용을 체크하도록 함으로써[9], 자신의 목소리에 대해서 인지하고 음성의 남용을 예방하도록 하는 것이 중요하다.

3. 긴장 이완

적절한 심리적인 긴장과 근육 조직의 긴장은 정상적이고 건강한 것이다. 그러나 대부분의 부전실성증과 후두병리는 성대의 과기능(hyperfunction)이나 긴장과 관계있는데, 이 과기능의 감소가 대부분의 음성치료의 목표가 된다. 따라서 쇄골호흡보다는 복식호흡을 하도록 해야 하는데, 이를 위해서 근육 이완(muscle relaxation)을 시행토록하면 좋다.

전반적인 신체의 긴장을 풀어주고 긴장이 되어 있는 신체부위를 인식하게 하는 방법(progressive relaxation technique)으로 신체의 말단에서 중심부위로 각각의 근육에 초점을 맞추어 긴장과 이완을 시킴으로써 어떤 부위에서 긴장이 되어 있고 그 부분의 근육을 이완시킬 수 있음을 인식하게 한다. 이는 스트레스 관리, 혈압관리, 통증관리 등 여러 행동요법에 적용되고 있는 방법이다. 음성과 관련된 긴장이완 요법은 주로 어깨 이상의 근육에 대한 자세교정 및 스트레칭과 마사지로 요약할 수 있다. 다양한 형식이 기술되어 있지만 흔히 포함되는 방식은 고개 운동(head forward/backward & side to side), 어깨 운동(shoulder rolls & shoulder shrugs), 턱 이완(jaw relaxation), 혀 운동(tongue stretch & tongue tension in speech) 등이 있다.[2]

4. 후두마사지

긴장이완의 또 다른 방법으로 후두마사지(laryngeal massage)가 있는데 방법은 다음과 같다. 먼저 엄지와 검지를 이용하여 환자의 설골을 감싸 쥐고 서서히 뒤쪽으로 이동하면서 설골의 대각(greater horn)을 확인하고 둥글리면서 압력을 가한다. 갑상설골 간격(thyrohyoid space)에서도 갑상절흔(thyroid notch)에서부터 시작하는 방법으로 압력을 가하는 방식으로 마사지를 시행한다. 갑상연골의 후연을 확인한 뒤 갑상연골도 같은 방법으로 시행한다. 갑상연골의 상연을 손가락으로 확인한 뒤 지긋이 눌러 내리면서 후두의 위치를 아래로 내려주고 가끔 좌우로 움직여 준다. 필요할 경우 설골 상부 및 주변 경부 근육에도 같은 방식으로 마사지[4,6]를 시행한다.

마사지를 시행하는 동안 환자가 통증을 호소하거나 근육의 긴장이 느껴지는 부분이 있는 경우 그 부위를 부드럽게 주무르거나 지긋이 눌러주었다 놓는 과정을 반복한다. 처음일 경우에는 적은 힘으로 표면만을 자극하고 환자가 견딜 수 있으면 점차 깊은 근육층을 자극하면서 점차 압력을 증가시켜 나간다.

후두 마사지 도중 환자로 하여금 지속적인 모음을 발성 시키거나 콧소리를 산출시켜 변화를 관찰한다. 이때 음성의 호전을 보일 경우 적절한 근육 긴장완화를 얻었음을 확인, 모음-단어-어구-문장 및 대화로 점차 확대시켜 나간다.

5. 호흡 훈련

소리를 생성하기 위해서는 성대를 움직이게 하는 공기의 이동이 있어야 한다. 호흡활동은 이러한 공기의 이동을 제공하는 과정에서 이루어지는데 소리의 생성은 주로 호기 활동에서 이루어진다. 호흡훈련(respiration training)을 통해 폐활량 증가와 짧은 호흡으로 인한 잘못된 발성습관을 교정시키고 효과적인 호흡법을 습득하게 한다. 즉, 환자들이 호흡관련 근육들의 협응(coordination)과 움직임의 범위, 속도를 증가시켜 효율적인 발성과 말명료도의 개선을 가져올 수 있도록 한다.

6. 한숨-하품 접근법

한숨–하품 접근법(yawn–sigh method)는 임상에서 가장 많이 쓰이는 형태로 부드러운 발성을 유도할 수 있다. 성대 과기능의 문제나 후두 병리가 없는 기능적 부전실성증, 성대결절, 폴립, 성대비대 등으로 인한 부전실성증, 부드러운 성대 접촉하기를 원하는 환자들에게 유용하다.[7] 의도적으로 하품을 하고 한숨을 내쉬는 동작을 천천히 반복함으로써 인두 근육을 이완시키고 부드러운 음성시작(easy onset)을 도와준다. 그러나, 하품을 끝까지 진행시키지 않도록 주의하여야 하는데 이는 일단 하품 반사가 시작되면 혀와 인두 근육의 원하지 않는 수축을 유발할 수 있기 때문이다. 하품의 동작 후, 서서히 많은 숨을 내뱉으면서 단어들을 발음하도록 한다. 익숙해지면서 좀 더 긴 단어와 문장으로 진행한다. 긴장을 푼 상태에서 발성의 시작을 유도하는 연습으로 주로 모음으로 된 단음절로 이루어진 단어를 사용한다. 처음 시작할 때에는 앞에 /h/ 발음으로 시작하여 성대 접촉이 없는 상태에서 점차 성대를 접촉시키는 모음으로 이행시키는 것이 좋다. 다른 촉진접근법들과 쉽게 복합적으로 사용될 수 있다.

7. 청능훈련(Auditory feedback)

각 개인에게 적절한 발성을 익히는 데 기본적인 출발점은 환자가 스스로 들었을 때 음도 식별과 음색 인지이다. 환자는 자신의 '좋은' 음성과 '나쁜' 음성, 그리고 다른 사람들의 음성들을 비평적으로 듣는 방법을 배운다. 즉 체크리스트를 사용해 자신의 음성에 대한 비평적인 청취자가 되어야만 한다.

8. 심한 성대 접촉의 제거(Glottal attack changes)

과기능적 음성장애가 있는 환자들의 남용적인 음성행동들 중에서는 심한 성대 접촉이 빈번하다. 예를 들어 심한 성대 접촉은 접촉궤양과 같이 성대 뒷부분인 피열연골에 현저하게 병리가 있는 환자들에게 특히 보편적이다. 가수나 강사가 장시간 말을 할 때 심한 성대 접촉은 종종 전반적인 성대 부종이라는 결과를 초래하며, 이는 음질 변화를 가져올 수 있다.[7,8] 따라서 환자에게 음성문제를 인지시키고, 하품–한숨 접근법 및 부드러운 성대 접촉 유지하기 등을 통해 심한 성대 접촉을 제거하도록 하여야 한다.

9. 새로운 음도의 확립(Establishing a new pitch)

성대의 무게 문제가 있는 경우 즉, 저음도(low pitch), 순수하게 기능적인 이유로 저음도를 사용하는 환자, 잘못된 습관에 의해 부적절한 고음도의 음성을 사용하는 환자 등이 있다. 이들에게는 습관적인 음도와 최적 음도와의 뚜렷한 차를 녹음하여 재생하여 들려주어 차이를 인지하도록 한다. 우선 모음으로 된 단단어를 사용하여 단음도(최적 음도에서)로 반복 산출한다. 이 방법에서 확립이 보다 쉽도록 하게 하기 위해서 단음으로 일반화하도록 하는 것이 중요하다. 연령과 성별에 맞는 수준에 접근하도록 음도수준을 증가시키면서 천천히 신체에 익히도록 하는 것이 최상의 방법이다.

10. 강도 변화(Change of loudness)

일부 환자들은 지나치게 부드럽거나 혹은 큰 음성을 지닌다. 부적절한 강도수준을 오랫동안 사용하는 것은 성대 혹이나 폴립 같은 성대기관의 병리를 초래할 수 있다. 강도 변화는 이런 환자에게 사용할 수 있는 적절한 기법이며, 또한 습관적으로 고함을 지르거나 소리를 치면서 말하는 아동들의 성대 병리를 개선하는 데도 사용할 수 있다. 강도의 감소와 강도의 증가, 강도의 변화 등에 대한 절차적 치료는 Computerized Speech Lab (CSL)을 사용하여 피드백을 제시하기도 하다.

11. 손가락 조작법(Digital manipulation)

너무 높은 음도를 사용하거나 지나친 음도의 변화 양상을 보이는 환자의 경우, 인위적인 조작으로 적절한 음도를 확립시킬 수 있다. 이러한 방법으로 매우 유용한 기법이 손가락 조작법이다. 그 절차와 방법이 매우 간단하여 환자들이 쉽게 배울 수 있으며, 그와 같은 이점 때문에, 스스로 정상 음도의 확립을 원하는 환자에게 있어서 매우 빠른 효과를 보인다고 할 수 있다. 이 밖에도 음성의 남용으로 인해 성대가 비대해졌거나, 결절이 생긴 환자의 경우, 음도를 낮춤으로써 기질적 음성문제의 해결을 부차적으로 도울 수 있다. 변성발성장애 환자의 경우, 심리적 현상으로 어릴 때 발성이 이루어지는데, 이때 손가락 조작법을 사용해 고개와 후두를 낮춰서 발성을 유도한다. 나중에는 손을 떼고도 변화된 음성이 산출될 수 있도록 한다. 이때 음성을 녹음시켜 피드백을 제공하는 것도 좋은 방법이다. 이 기법이 음도수준을 낮추는 데 효과적이지만, 다른 치료적 접근법을 병행할 때 그 효과가 극대화될 수 있다.[2]

또한 정상음도를 즉각적으로 산출하더라도, 상담이나 심리적 접근 없이는 영구적으로 음성을 변화시키는 데 효과가 없을 수 있기 때문에 원활한 라포(rapport) 형성을 통해 심리적 문제도 함께 해결해 나아가야 한다.

12. 구강개방 접근법(Open-mouth approach)

음성 치료의 초반부에 입을 크게 벌리는 근육운동을 선행하면 좋다. 이 접근법은 보다 자연스러운 크기-무게 조절과 최적의 상태로 성대 접촉을 증진시켜서 강도, 음도, 음질의 문제를 돕는다. 이러한 방법은 저작하기 접근법(chewing method)과 병행해서 하면 더 효과적이다. 특히 노래나 연기를 수행할 때는 입을 종종 잘 벌리지만 대화하는 동안 입 여는 것을 잊는 사람들에게 특히 효과적이다.

13. 흡기 발성(Inhalation phonation)

기능성 발성장애(functional dysphonia) 중 성대접촉이 어려운 환자, 가성대 발성 환자 혹은 사춘기 이후 성대기관이 성숙되었음에도 불구하고 부적절하게 높은 음도의 음성을 유지하는 환자 등 발성 시 성대 접촉이 불완전한 환자에게 적용이 가능하다. 흡기 발성을 통하여 충분한 성대접촉을 유도하여 호기 발성 시 강한 성대 접촉을 경험하게 함으로써 발성을 유도한다.

14. 함수 접근법

함수음 발성(glottal fry or gargle)은 인후에서 액체가 부글부글 소리를 내며 함수가 호기 시에 이루어진다는 것을 확인하는 한 방법이며 정상적인 성대접촉과 호기에서의 발성을 촉진하도록 돕는다. 뒤쪽으로 연장된 머리, 열린 입, 함수 시 대부분의 환자들이 경험하는 부드러운 목소리 등은 환자에게 비교적 완화된 발성 방법을 제공한다.

15. 밀기 접근법(Pushing approach) 혹은 당기기 접근법(Pulling approach)

밀기 운동은 성대마비와 같이 성대 접촉에 문제가 있는 환자에게 유용하고, 강도 증가와 음질 향상에 도움이 될 수도 있다. 일반화된 음성피로(vocal fatigue), 근무력증, 편측 성대마비 등과 같은 여러 요인들로 인해 약한 음성(asthenic voice)을 산출하는 환자에게 효과적이다.[3,7] 성문하압을 이용해서 발성을 유도하는 것으로 음성치료 초반에는 단음적 발성을 유도하여 모음을 끊어서 발성하도록 한다. 후반에는 모음의 연장발성하면서 단어를 산출하고, 이후 구, 문장, 자발적 발성 등으로 유도하여야 한다.

밀기가 효과적이기 위해서는 음성 시작과 완전히 동시에 해야 한다. 일단 환자가 밀기를 하지 않고서도 '밀기' 음성에 맞출 수 있으면 연습은 점진적으로 최소화시켜야 한다. 따라서 일단 밀기 접근법으로 더 강한 음성이 산출되면, 다른 치료 접근법들을 이용하여 밀기를 하지 않고도 동일한 음질과 강도를 유지할 방법을 찾아야 한다.

Ⅲ 결론

음성은 사람들 간의 의사소통에서 의사전달에 사용되는 가장 중요한 방법이다.[3] 따라서 개개인이 느끼는 음성장애의 정도는 음성요구정도(vocal demand)와 사회적인 상황에 따라 차이가 있으므로 음성치료 시 정확한 의학적 진단과 더불어 환자의 요구에 주의를 기울여 치료 방법을 선택해야 한다.

참고문헌

1. 권택균, 박성신. 임상의사를 위한 음성치료의 개요. 이비인후과학 Seoul symposium 2008;14:255-71.
2. 권택균. 기능성 발성장애. 이비인후과학 Seoul symposium 2006;12:101-12.
3. 권택균. 노인성 음성. 이비인후과학 Seoul symposium 2007;13:472-81.
4. Boone, D. R., McFarne, S. C., Von Berg, S. Sl, et al. The voice and voice therapy. New York: Pearson Education Inc.; 2014.
5. Holmberg, EB., Hillman, RE., Hammarberg, B., et al. Efficacy of a behaviorally based voice therapy protocol for vocal nodules. Journal of Voice 2001;15(3):395-412.
6. Kaufman, TJ. & Johnson, TS. An exemplary preventative voice program for educators. Seminars in Speech and Language. 1991;12:40-8.
7. Stemple, JC., & Roy, N. Clinical Voice Pathology: Theory and Management. 5th ed. Plural Publishing, Inc.; 2014.
8. Stemple, JC. & Hapner, ER. Voice Therapy: A Clinical Studies. 4th ed. Plural Publishing, Inc.; 2014.
9. Wilson, DK. Voice problems of Children. 3rd ed. Baltimore: Willams and Wikins. 1987.

CHAPTER

51

후두의 양성 점막 질환

남순열

I 후두의 양성 점막 질환

성대 질환, 음성 장애를 정확히 진단하려면 음성 장애의 시작, 원인, 동반 증상, 다른 위험인자, 환자 자신이 느끼는 질환에 대한 중증도와 치료에 대한 기대감, 알레르기나 폐 질환 같은 전신 질환의 유무, 인후두 역류 질환의 유무, 직업, 음성 남용 정도 등에 대한 자세한 문진을 시행한다. 그리고 후두내시경, 후두 스트로보스코피, 굴곡형 후두경검사를 통해 후두에 대한 정확한 진찰과 음성평가를 내린다. 음성검사 방법으로는 주관적인 청각인지검사, 스트로보스코피를 이용한 성대진동검사, 공기 역학검사, 음성 분석 검사, 근전도를 이용한 신경생리학적 검사 등이 있다. 후두의 양성 점막 질환을 진단하는 데는 후두 스트로보스코피가 흔히 사용되는데, 성대 진동 특성을 확인하는 가장 유용한 검사 방법이다.

1. 성대 결절(vocal nodule)

1) 원인과 병리기전

지속적인 음성남용이나 무리한 발성으로 인해 생기며 6~7세경의 남자 어린이 혹은 30대 초반의 여자, 가수, 교사 등에서 많다. 특히, 구개열이 있는 어린이에서는 연구개 인두 부전을 보상하기 위해 성대를 무리하게 사용하여 생기는 경우가 많다. 반복되는 진동으로 성대점막이 자극받게 되면 초기에는 점막하 부종과 혈관저류로 인해 Reinke 공간에 울혈, 출혈, 섬유아세포의 증식, 제4형 콜라겐과 fibronectin의 침착이 생기고, 진행되면 기저막의 비후, 유리질 변성(hyaline degeneration)과 섬유화가 발생하여 결절이 점점 단단해진다. 상피가 두꺼워져서 각화증, 극세포증(acanthosis), 과각화증(hyperkeratosis) 등을 일으키는 경우도 있다.[2,3]

2) 임상양상

증상은 음성남용이나 상기도 감염 후 자주 재발되는 애성이며, 일반적인 대화를 할 때보다 노래할 때 더 민감하게 느껴지고, 결절이 성대진동을 방해하여 자연발성, 고

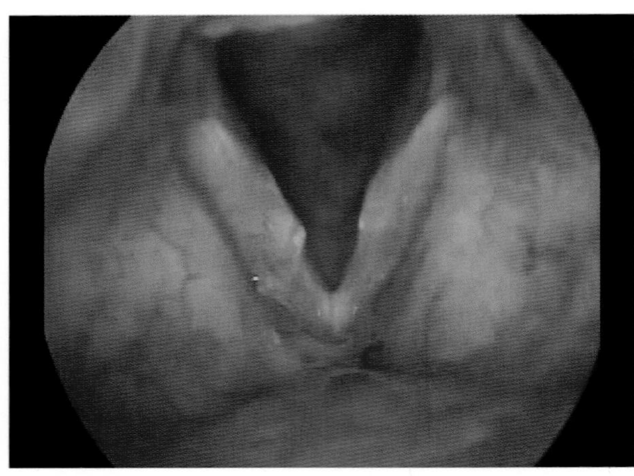

■ 그림 51-1. **성대 결절**

음에서의 분열 혹은 부드럽지 못한 소리, 이중음성(diplophonia) 등이 발생한다. 병의 경과나 음성남용 등에 따라 크기, 색깔, 대칭도가 다르며, 일반적으로 양측성이고, 미세혈관 확장이 동반되기도 한다.

3) 진단

발성 시 마찰이 가장 많은 부위인 막성 성대의 중간 지점에 넓은 기저부를 가진 하얗고 두꺼워진 성대 점막이 관찰된다(그림 51-1). 성대 낭과 감별이 필요한데 성대 낭은 주로 편측성이며 후두 스트로보스코피상에서 성대진동이 중단되는 특징이 있으나, 성대 낭의 크기가 작으면 감별하기 어려워 수술 중에 확인되기도 한다.

4) 치료

우선 성대점막의 윤활작용을 원활하게 하기 위하여 충분한 가습과 함께 성대안정, 음성치료, 인후두역류 질환 치료와 같은 보존적 치료를 시행하는 것이 원칙이다. 음성치료를 통해 80% 이상 증상을 호전시킬 수 있다. 초기의 성대 결절은 음성치료로 호전되나, 만성적인 성대 결절은 음성 치료만으로는 치료가 힘들며 수술적 치료가 필요하다. 수술적 치료는 최소 3개월 이상 보존적 치료를 받았음에도 불구하고 음성장애가 있는 경우에 시행하며, 겸자나 CO_2 레이저를 이용한 후두 미세수술, 미세 피판법이 사용되고 있다. 소아의 성대 결절에 대해서는 음성치료 효과가 우수하며, 원칙적으로 수술을 시행하지 않는다. 이는 첫째, 술 후 재발이 잦고, 둘째, 후두의 크기가 작아 병소를 정확히 제거하기가 어렵고, 셋째, 사춘기 이전에 대부분 자연 소멸되며, 넷째, 술 후 음성 휴식에 대한 협조가 곤란하기 때문이다. 치료 후 효과 판정에서는 후두 내시경 소견이나 음성 분석 결과보다는 본인의 만족도가 더 중요하다.[6]

2. 성대 폴립(vocal polyp)

1) 원인과 병리기전

대부분 편측성(90%)으로 발생하며 성인 후두질환 중 가장 흔하다. 성별과 나이에 따른 차이는 없으나 편측 출혈성 폴립은 남자에게 많다. 과격한 발성과 흡연이 주된 원인이고, 항응고제의 장기간 사용, 음주, 위산역류에 의한 만성적인 후두자극, 갑상선 기능저하증 등이 영향을 줄 수 있다. 병리조직학적으로 성대 결절과 유의한 차이는 없으며, 육안적으로 점액형(mucous type)과 혈관종형(angiomatous type)의 두 가지 형태로 구분할 수 있다. 과도한 성대마찰에 의한 미세혈관 파열로 인해 점막하 공간에 혈포가 형성되고, 이것이 장기간 흡수되지 않고 유리질 변성이 생긴 후 반투명, 무혈관, 회색을 띠는 점액형으로 나타난다. 이러한 점막하 부종이 국소적으로 제한되어 커지면 유경성 폴립(pedunculated polyp)이 형성되며, 넓은 부위에 걸쳐 부종이 생기는 경우는 범발성 폴립(polyposis)이 된다. 가끔 유경성 폴립에 이형성 상피가 존재할 수 있으므로 폴립 아래 부위를 신중하게 관찰할 필요가 있다.

음성남용으로 급성 점막하 출혈이 발생한 경우 초기에 안정하면 회복될 수도 있지만, 자극이 만성적으로 반복되

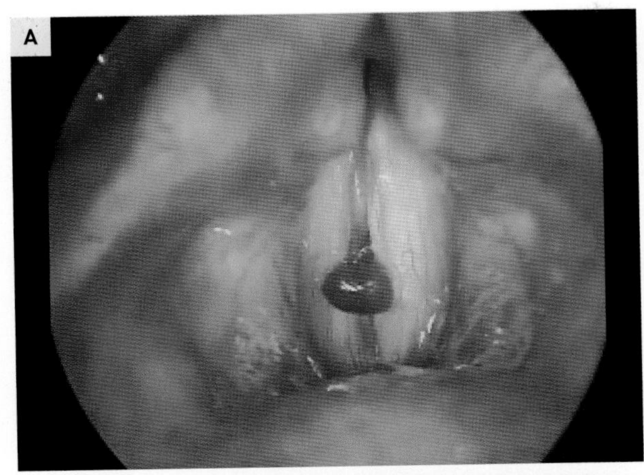

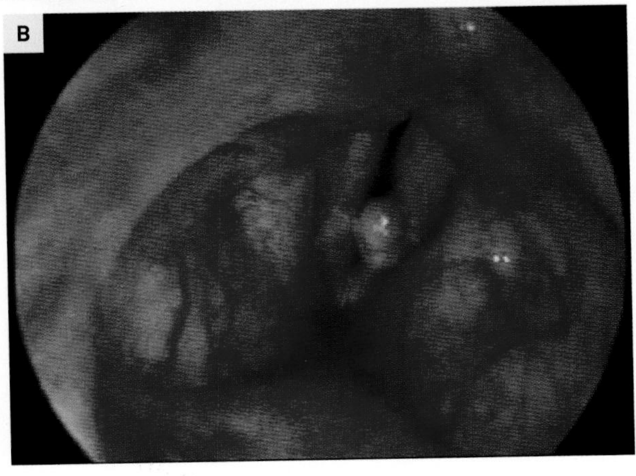

■ 그림 51-2. **성대 폴립.** **A)** 점액형(mucous type). **B)** 혈관종형(angiomatous type).

면 염증 반응, 섬유화로 진행하는 경우가 많다.

2) 임상양상

급성 출혈로 인하여 애성이 갑자기 발생하며 발병 직후 수일간은 발성이 곤란한 경우가 많다. 대부분 편측성이며, 반대측 성대에 접촉 흔적(contact reaction)이 있는 경우가 많다(그림 51-2). 유경성 폴립에서는 호흡 때마다 기류를 따라 위아래로 움직임이 관찰되기도 한다.

3) 치료

보존적 치료로 음성오용, 흡연 등의 원인을 없애고, 작은 폴립이나 초기에 형성된 폴립일 경우 단기적으로 음성치료를 시도할 수 있다. 하지만 대부분의 경우에 수술적 치료가 필요하다. 후두 미세수술 시에는 술 후 치유기간을 단축하고 음성 호전을 위해 반드시 성대의 정상 점막과 점막하 조직을 보존하는 것이 필수적이다. CO_2 레이저는 비접촉성 지혈작용이 용이하며 술 후 부종이 적다는 장점이 있다.

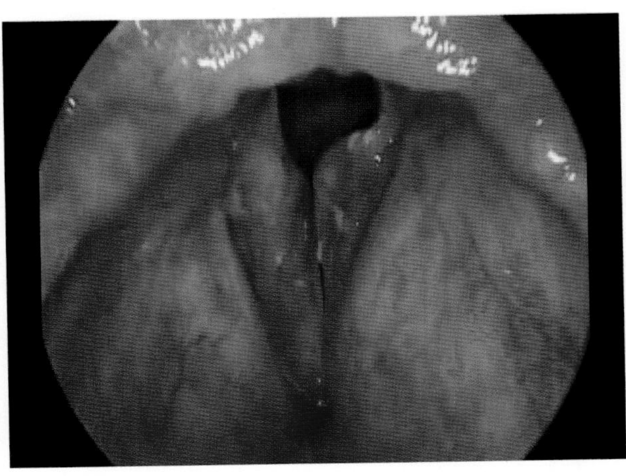

■ 그림 51-3. **Reinke 부종**

3. Reinke 부종(Reinke's edema)

1) 원인과 병리기전

음성의 과다사용과 흡연이 주 원인이며 갑상선 기능저하증, 인후두 역류 질환, 환경오염, 만성 비부동염으로 인한 후비루의 자극이 영향을 줄 수 있다. 이러한 원인에 의해 Reinke 공간 내에 림프액의 저류, 정맥 울혈 등으로 액체 저류가 일어난 것이 Reinke 부종이다. 성대 돌기 부위에서 전연합부 방향으로 진행한다. 점차 크기가 커지면서 영구적인 병변이 되며, 매우 커지게 되면 후두검사에서 양측 성대 조직의 부종이 광범위해져 진성대가 방추모양의 아교질 주머니처럼 보이게 된다(그림 51-3).

2) 임상양상

장기간의 흡연력이 있고, 음성을 많이 사용하는 중년의 여성에서 호발한다. 지속적인 애성이 주 증상이며 목소리가 저음역인 경우가 대부분이다. 병변이 매우 커지면 성문을 막아 호흡곤란이 발생하기도 한다. 대부분 양측성, 좌우 대칭형이고, 표면에 백반증을 동반하는 경우도 있으나 병리조직학적으로 상피층의 비대가 있을 뿐 과각화증이나 각질의 형성은 보이지 않아 암종으로 진행하는 경우는 거의 없다.

3) 치료

일차적으로 금연해야 하고 성대안정과 음성치료가 필요하며, 갑상선 기능저하증, 인후두 역류 질환에 대한 치료를 시행한다. 보존적 치료만으로 완전히 소실될 가능성은 희박하지만, 병변의 크기가 감소하고 음성치료로 발성 양상이 호전되어 환자가 만족할 경우에는 수술적 치료가 필요 없다.

보존적 치료에 반응이 없거나 호흡곤란 증상이 있으면 후두 미세수술을 실시한다. 미세피판법을 이용하여 Reinke 부종을 치료하며, 성대 유리연의 점막을 최대한 보존하는 것이 중요하다. 술 후에도 흡연과 음성남용이 계속될 경우, 재발률이 높아지므로 수술 후 반드시 환자 교육을 실시한다.[8]

4. 성대 낭(intracordal cyst)

1) 원인과 병리기전

병리조직학적으로 성대낭은 중층의 편평상피로 둘러싸인 유표피종(epidermoid cyst)과 점액성 상피로 둘러싸인 저류낭(mucous retention cyst)으로 분류하며, 저류낭이 유표피종보다 더 흔하게 발생하는 것으로 알려져 있다. 유표피종은 진단이 용이하고, 저류낭의 경우 성대 폴립 혹은 성대 부종으로 오진되는 경우가 많다. 유표피종은 선천적으로 상피하층에 함몰된 상피세포의 잔류물에 의하여, 또는 음성남용으로 인해 손상된 점막이 파묻힌 상피세포 위로 치유되면서 파묻힌 상피세포에서 발생하는 것으로 생각되며, 조직학적으로는 케라틴을 함유한 중층의 편평상피세포로 구성된다. 저류낭은 염증 혹은 외상에 의한 점액 분비선의 폐쇄로 점액이 저류되어 발생하는 것으로 조직적으로는 원주 혹은 입방세포로 이루어진 낭종 벽과 주위의 염증 세포로 구성된다.[1]

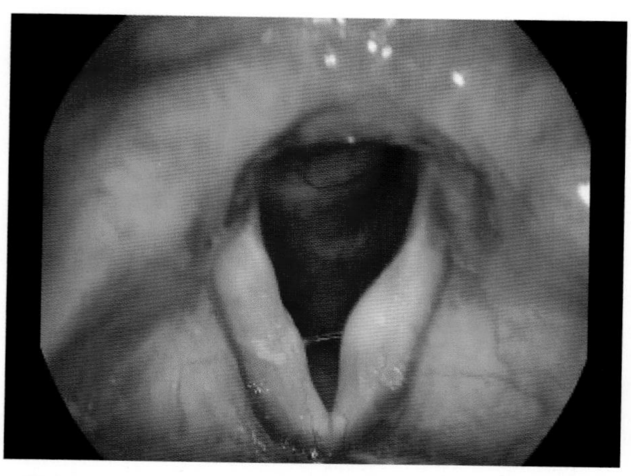
■ 그림 51-4. 성대 낭(intracordal cyst)

2) 임상양상

유표피종 환자는 성대 결절 환자와 같이 음성을 과도하게 사용한 과거력을 가지고 있다. 발성의 특성도 성대 결절 환자와 유사하며 저류낭 환자보다 증상이 더 심한 편이다. 유표피종은 성대에서의 돌출이 미미하고, 저류낭은 성대점막 직하방에서 기시하여 후두 내부로 돌출하는 양상을 띤다(그림 51-4). 후두 내시경검사로는 성대 결절이나 성대 폴립과 구분하기 어려운 경우가 많으나, 후두 스트로보스코피상에서 낭의 형태를 뚜렷이 보이는 경우가 대부분이고 점막 파동의 전달이 낭 상부의 점막에서 단절되는 소견이 관찰되기 때문에 쉽게 진단할 수 있다. 그러나 낭의 크기가 작으면 수술 중에 진단되는 경우도 있다.

3) 치료

보존적 치료로 후두의 전반적인 위생 상태를 개선하고 음성치료를 시행할 수는 있으나 근본적 치료를 위해서는 수술을 시행해야 한다. 수술을 할 때에는 정상 성대점막과 고유층을 보존하는 것이 중요하고, 낭 전체를 적출하지 않으면 재발률이 상당히 높다. 수술로는 미세 피판법이 주로 시행되며, 진동하는 유리연을 손상하지 않기 위해 성대의 상측면에 절개를 가하고 낭과 주위 정상 조직을 박리하여 낭을 적출한다. 이때 반대측 성대의 접촉면에 종창이나 결절성 병변이 있는 경우 종창은 대개 낭이 제거되면 소실되므로 제거할 필요가 없으며 결절성 병변은 제거하는 것이 좋다. 만약 성대 유리연에서 발생하여 표피와 박리하기 어려워 완전 적출이 불가능할 때에는 낭의 일부와 낭을 덮고 있는 점막만을 벗겨 제거해도 비교적 만족할 만한 결과를 얻을 수 있다. 대체로 수술 전후의 수술 만족도는 성대 결절이나 폴립에 비해 균일하지 않으며 술 후 회복 기간도 오래 걸린다. 또한 성대 결절이나 폴립과 달리 점막의 유착과 강직을 방지하기 위해 술 후 수일간의 성대안정을 권유하는 것이 좋고, 음성치료가 회복을 촉진할 수 있다.[5]

5 . 성대구증(sulcus vocalis)

성대의 유리연을 따라 평행하게 홈이 나 있는 것을 성대구라 하는데, 주로 양측성으로 발생하며, 이로 인해 음성장애가 발생하는 것을 성대구증이라 한다. Bouchayer와 Cornut은 성대구를 sulcus proper와 sulcus vergeture로 분류하였는데, sulcus proper는 성대점막 고유층의 상층으로부터 성대 인대에 걸쳐 상피세포층이 성대 내연을 따라 함입되어 생긴 성대 유리연에 평행한 홈이며, sulcus vergeture은 성대 내연을 따라 위축함몰이 일어나 성대 내연이 궁상으로 휘어지고 하순(lower lip)은 단단하고 상순(upper lip)은 하순보다 유연한 것이라고 정의하였다.[4]

1) 원인과 병리 기전

발생 원인으로는 후천적 질환이라는 가설과 선천적 질환이라는 가설이 대립하고 있다. 후천적 질환이라는 가설은 인후두 역류 질환, 성대낭의 파열, 노인성 후두증(presbylaryngis), 그 외 염증성 질환, 후두손상 등으로 인해 성대구가 발생하며, 과도한 음성 사용자에서 호발하고 대다수에서 중년기 이후에 음성장애가 나타난다는 데 근거하고 있다. 반면, 상피성 낭종, 성대구, 점막교각(mucosal bridge)은 성대남용이나 후두염이 없는 환자에서도 발생하며, 후두 발생과정 중 제4, 6 새궁에서 생기는 선천성 이상으로 이를 가진 환자 중 55%가 유년기에 음성 장애가 발생한다는 보고 등이 선천성 질환이라는 가설을 뒷받침한다.[4]

2) 임상양상

과도한 애성, 고음과 고성 발성장애의 증상이 뚜렷하다. 다른 양성 성대 병변이 약 10%에서 동반되며, 성대구로 인한 음성장애를 극복하기 위한 성대근의 보상작용으로 성대 결절, 성대 폴립, Reinke 부종, 근긴장성 음성장애 등이 발생한다. 후두 내시경검사에서는 증상을 설명할 만한 이상 소견을 발견하지 못하는 경우가 많다. 하지만

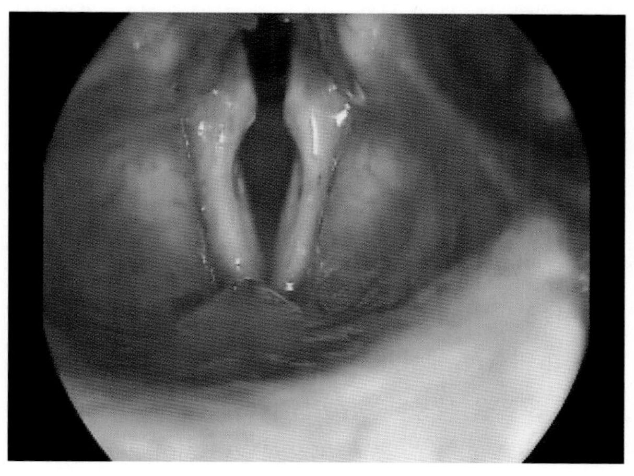

■ 그림 51-5. **성대구증(sulcus vocalis)**

후두 스트로보스코피에서 저주파수 음역에서는 성대점막의 전장이 진동하지만 고주파수 음역에서는 파동이 정지되는 부위가 관찰되고 이 부위에 성대구의 형태가 저명하게 나타난다. 성대 내연이 궁상으로 휘어져 성문 폐쇄부전을 보이며 발성 시, 성문이 방추형으로 열려 있고 성대 내연의 진동 운동이 감소하며, 가성대가 과도하게 내전되는 소견이 관찰되면 쉽게 진단할 수 있다(그림 51-5).

3) 치료

음성 치료가 성대의 부적절한 보상기전을 교정하는 데는 도움이 되나 한계가 있다. 수술방법으로는 지방, 근막, 실리콘 등을 성대 내에 주입하거나 성대를 내전시키는 갑상성형술 I형, 성대점막의 직접적인 복구를 위한 성대구절제술(sulcussectomy) 등 여러 가지 방법이 시도되고 있다. 수술이 성문폐쇄부전의 개선에 어느 정도 성과가 있고 수술 전에 비해 음성은 호전되지만 만족스럽지는 못하다.

6. 성대위축증(vocal atrophy)

1) 원인과 병리기전

성대 위축증은 성대의 표면구조는 정상이나 성대근의 위축으로 발성 시 성대접촉이 원활하지 못해 나타나는 현상으로, 과기능성 음성을 지속적으로 사용하는 경우, 상기도염이나 후두염 후에 성대근의 근염으로 위축이 오는 경우, 심한 전신질환 후에 성대근의 위축 현상이 오는 경우, 노인성 후두증, 후두근무력증, 상후두신경 손상, 성대 수술 후 발생할 수 있다.

2) 증상

흔히 기식성 애성, 노력성 애성을 호소하고, 발성 시 충분한 호흡을 사용하는 것이 힘들어져 보상작용으로 상후두의 수축과 후두 주변 근육의 지속적인 긴장으로 인한 음성 피로, 인후두 이물감, 발성통, 만성적인 기침과 객담 등의 증상을 호소할 수 있다.

3) 치료

성대위축에 의한 후두의 과기능 상태를 해결하기 위해서는 후두 부위의 이완을 유도하는 음성치료가 효과적이다. 음성치료는 발성 시 필요한 충분한 호흡을 얻기 위해 복식호흡을 유도하고, 이로 인해 충분한 호기를 얻어 편안한 발성을 할 수 있게 하며, 발성 시 지나친 힘이 가해지지 않고 충분한 공명으로 말할 수 있도록 이완법을 사용함으로써 최소의 힘과 적은 노력으로 최상의 발성을 하도록 한다. 수술적 치료로 갑상성형술, 성대 내 주입술, 근육삽입술이 시행되어 왔으나 그 결과는 만족스럽지 못하다.

7. 접촉성 궤양(contact ulcer)과 육아종(granuloma)

1) 원인과 병리기전

지나치게 낮은 톤으로 음성을 과도하게 사용하거나 만성적인 기침과 습관적인 헛기침, 인후두역류 질환이 있을 때 발생한다. 이와 같은 원인으로 인해 피열연골의 성대돌기가 과도하게 내전되어 점막과 연골에 외상을 주며 소리가 커질수록 점막 외상이 더욱 증가하게 된다. 피열연골의 성대돌기 부위의 점막과 연골막에 염증이 발생하고 이것이 인후두 역류에 의해 악화되어 궤양 혹은 육아종이 형성되며 3~6개월이 지나면 성숙한 육아종을 형성한다. 흡연은 접촉성 궤양과 큰 연관이 없다.

2) 임상양상

주로 40~50대의 남자에서 발생하고 직업적으로 행정적 직위가 높은 간부에서 흔한 경향이 있다. 가장 흔한 증상은 애성이며 그 외에도 인후두 통증과 이물감을 호소한다. 육아종은 호흡에 따라 움직이기도 하며, 저절로 떨어질 수도 있다.

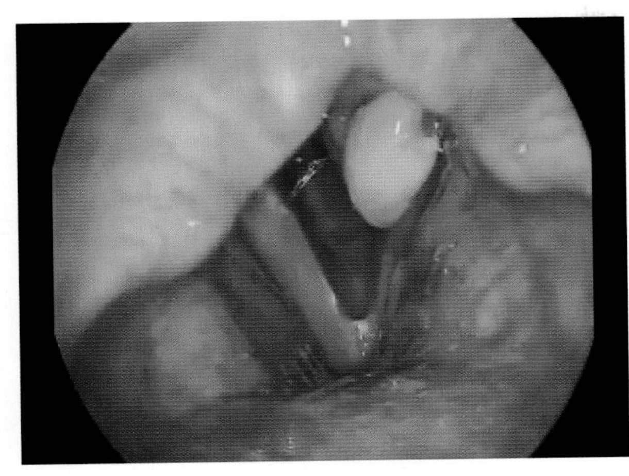

■ 그림 51-6. **접촉성 육아종(contact granuloma)**

3) 진단

후두 내시경 검사에서 피열연골의 성대돌기 부위에 함몰된 궤양이나 돌출된 육아종이 관찰된다(그림 51-6). 궤양의 경우에는 악성종양과 감별하기 위해 조직검사가 필요하고, 육아종인 경우에는 결핵, 사르코이드증(sarcoidosis), 악성종양, 진균증 등과 감별해야 한다.

4) 치료

습관적인 헛기침이나 지나친 저음 발성을 자제하고 음성치료와 인후두 역류 질환 치료를 선행해야 하며 병변에 스테로이드를 직접 주사하는 방법도 시도되고 있다. 보존적 치료만으로 치료 효과가 우수하나, 거대 육아종을 형성한 경우와 수개월간의 보존적 치료 후에도 효과가 없는 경우에 한하여 후두 내시경과 CO_2 레이저를 이용한 절제술을 시행할 수 있다.

8. 삽관육아종(intubation granuloma)

1) 원인과 병리기전

기관 내 삽관이나 강직형 기관지경 검사 등으로 삽관과 발관에 의한 직접적인 손상, 튜브에 의한 압박, 오랜 삽관 등 성대 피열연골부의 점막이나 연골막에 손상이 가해지는 모든 경우가 원인이 될 수 있으며, 손상된 점막과 연골막이 치유되는 과정 중 육아조직이 증식하여 삽관육아종이 발생한다. 이때 인후두 역류가 동반되면 삽관육아종의 발병률이 증가하게 된다.

2) 임상양상

비교적 드문 질환으로 편측성이 양측성보다 많고, 우측에 호발하며, 대개 20~60세의 성인, 주로 여자에서 발생하고 소아에서는 드물다.[7] 소아에서 드문 이유는 기관 내 삽관의 빈도가 적고, 점막하 조직에 풍부한 혈관과 림프관을 가진 결체조직이 많아 압박 허혈(pressure ischemia)이 잘 나타나지 않기 때문으로 추정되고 있다. 여자가 많은 이유는 남자보다 갑상연골이 이루는 각도가 좁고 성대길이가 짧으며 점막과 조직의 두께가 얇아 삽관 등에 의해 쉽게 손상받기 때문으로 추정되고, 여성의 성대 점막에는 스테로이드 호르몬에 대한 수용체가 존재하여 성 호르몬과의 관련성도 제기되고 있다.[8] 대개 성대의 막양부는 침범하지 않으므로 음성은 비교적 정상이거나 약간의 애성을 초래하고 이물감, 인후두 통증을 호소하기도 한다. 육아종은 피열연골의 성대돌기에 발생하고, 심한 경우 피열연골 고정을 초래하기도 한다.

3) 치료

삽관 육아종은 완전히 자라면 저절로 떨어져 나가는 특성이 있으므로 먼저 보존적 치료를 시도하는 것이 원칙이다. 보존적 치료로는 성대안정, 음성치료, 금연, 국소 스테로이드 분무와 항생제 투여, 인후두 역류 치료 등이 있다. 이러한 치료 후에도 육아종이 없어지지 않으면 후두 미세 수술이나 CO_2 레이저를 이용한 절제술을 시행할 수 있다. 수술 전이나 후에 스테로이드를 병변에 주사하거나 전신적으로 투여하면 재발 방지에 효과가 있다.[7] 최근 손상된 피열 연골 점막과 연골막 부위에 섬유아세포의 증식과 육아종의 재발을 억제하기 위해 mitomycin C를 이용한 치료를 시도하고 있다.

9. 모세 혈관확장증(capillary ectasia)

음성을 많이 사용하는 여성에서 주로 발생하며 약간의 성대사용 후에도 쉽게 애성을 유발한다. 반복적인 진동성의 미세 손상이 모세혈관 신생을 초래하고 이로 인해 점막의 부종, 성대 점막하 출혈을 초래하는 질환이다. 후두 검사에서 진성대의 전방에서 후방으로 향하는 확장된 모세혈관들이 나타난다. 대개 1~2주간의 완전한 성대안정으로 잘 회복되지만 확장된 혈관이 남아 있을 때 또다시 성대에 손상이 가해지면 출혈을 일으킬 수 있다. 위의 방법으로 만족할 만한 치료 효과를 얻지 못한 경우에 후두 미세수술이 효과적일 수 있다. CO_2 레이저나 전기소작기를 이용하여 확장된 모세혈관을 따라서 수 mm 간격으로 응고시키면 효과적으로 혈류를 차단할 수 있다.

참고문헌

1. 홍기환. 후두 질환. 대한두경부외과 연구회 편, 두경부외과학, 개정판. 한국의학사, 2005, 645-683.
2. Bastian RW, Keidar A, and Verdolini-Marston K: Simple vocal tasks for detecting vocal fold swelling. J Voice 1990; 4: 172.
3. Bastian RW: Vocal fold microsurgery in singers. J Voice 1996; 10: 389.
4. Bouchayer M, Cornut G. Epidermoid cysts, sulci, and mucosal bridge of the true vocal cord: a report of 157 cases. Laryngoscope 1985;95:1087-1094.
5. Cho SH, Kim HT, Lee IJ, et al. Influence of phonation on basement membrane zone recovery after phonomicrosurgery; a canine model. Ann Otol Rhinol Laryngol 2000;109:658-666.
6. Cornut G, and Bouchayer M: Phonosurgery for singers. J Voice 1989; 3: 269.
7. De Lima Pontes PA, De Biase NG, Gaclelha EC. Clinical evolution of laryngeal granulomas: treatment and prognosis. Laryngoscope 1999;109:289-294.
8. Sataloff RT, Hawkshaw MJ, Nagorsky M. Vocal fold polyp, scar, and sulcus vocalis. Ear Nose Throat J 1998;77:728-739.

CHAPTER

52

후두의 양성 질환

김동영

I 후두의 양성 질환

후두에 생기는 양성 질환으로는 음성에 영향을 주는 성대의 점막 질환과 염증성 질환 외에도 혈관 병변, 접촉육아종, 양성신생물 및 후두낭종 등이 있다.

1. 혈관 병변

1) 모세혈관확장증

모세혈관확장증(capillary ectasia)은 음성을 많이 사용하는 여성에서 주로 발생하며 약간의 발성 후에 쉽게 애성을 유발한다.[1,2] 반복적 물리적 손상이 혈관의 신생을 초래하여 발생하는 것으로 알려져 있고 점막하 출혈, 출혈성 폴립을 유발하는 위험성을 가지고 있다.[3] 후두 내시경 검사로 성대의 점막 혈관이 확장된 것을 볼 수 있으며 폴립이나 결절 주위에서 관찰되기도 한다(그림 52-1). 부종이나 점막하 출혈은 대개 1~2주간의 음성 안정으로 회복되지만 확장된 혈관이 남아 있을 경우에는 또다시 출혈을 유발할 수 있다. 치료 방법으로는 음성장애가 있고 혈관확장을 보이는 경우에 반복적인 출혈이 있거나 종괴를 형성한 경우 또는 진단이 불확실한 경우 수술적 치료를 시행할 수 있으며 확장된 모세혈관을 소작하거나 응고시키는 방법으로

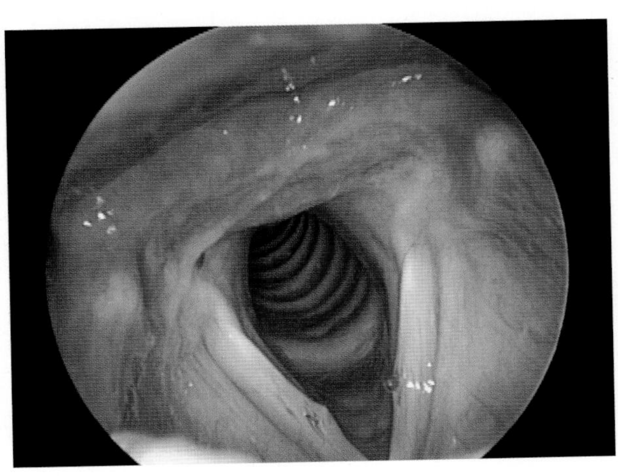

■ 그림 52-1. **모세혈관확장증.** 성대 중간부의 점막 아래 모세혈관 확장이 보이고 주변 점막의 결절성 융기와 출혈성 폴립 소견이 관찰된다.

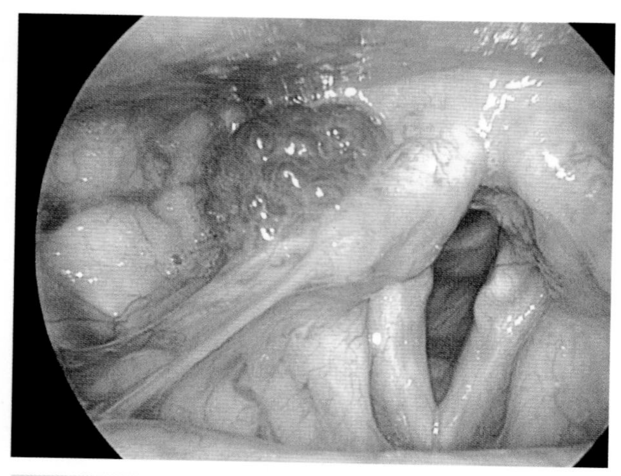

■ 그림 52-2. **우측 피열부 외측, 이상와 내측에 융기한 혈관종.** 표면은 매끄러우나 거품 모양의 검붉은 다결절성 융기를 보여 혈관종의 특징적인 소견을 볼 수 있다.

CO_2 레이저를 이용한 후두 미세수술이 효과적이나 미세수술용 전기소작기나 KTP 레이저를 이용할 수도 있다.

2) 후두혈관종

후두혈관종(laryngeal hemangioma)은 대부분 유아에서 천명(stridor)으로 발견되며 여아에서 2배 정도 많다. 혈관종은 병리조직학적으로 단순 또는 모세(capillary), 해면상(cavernous), 비후성(hypertrophic) 그리고 가성혈관종성(pseudoangiomatous) 혈관종으로 나눌 수 있다. 해면상 혈관종은 성인에서 주로 볼 수 있으며 성문상부 또는 성문부에서 유경성이고 경계가 뚜렷하며 유동적인 경향을 띈다(그림 52-2). 반면 소아에서는 모세혈관종이 많고 무경 미만성이다. 소아형은 주로 선천성이고 주위와 경계가 명확하지 않고 성문하부에 발생하며 생후 1~3개월경에 시작하여 6~12개월까지 성장한다. 초기의 빠른 성장기에 천명을 시작으로 증상이 나타나며 심하면 호흡부전으로 이어질 수 있다. 후두혈관종은 후두연화증과 감별이 필요하며 상기도염 증상이 없이 반복적인 크루프성 기침과 쉰 목소리, 그리고 호흡곤란이 있다면 후두혈관종을 의심해 볼 수 있다. 후두혈관종의 약 반수에서는 다른 두경부 영역, 주로 이개 앞, 전경부, 아랫입술 아래에 피부혈관종이 동반되기도 하며, 3~4세 때 자연 소실한다.[9]

진단은 후두 내시경으로 가능하며, 검붉거나 검푸른 색조의 성문하 종창으로 관찰된다. 또한 직접 후두경에서 약간의 압박에 의해 쉽게 눌리는 비교적 단단한 종괴를 확인하고 피부혈관종이 동반되어 있다면 진단이 용이해진다. 임상적 진단이 내려지면 조직검사는 잘 시행하지 않는다. 하지만, 진단이 불분명할 경우 미리 출혈이나 기도유지에 대비하여 조직검사를 시행해야 한다.

혈관종의 치료 방법은 발생부위, 연령, 증상의 경중 정도에 따라 선택한다. 증상이 경한 혈관종은 추적 관찰하기도 하며, 하지만 일반적으로 기도 폐쇄 증상이 있는 경우 전신 스테로이드 요법을 초기에 시행하기도 한다. 기도 폐쇄가 심한 경우 환아의 안전과 적절한 치료를 위해 기관절개술을 우선 시행할 수 있지만 기관 협착과 같은 합병증이 발생할 가능성이 높다. 또 다른 효과적 치료방법으로는 레이저를 이용한 내시경 절제술이 있으나 성문하 협착의 가능성이 높으며, 외과적 절제술이 가장 확실한 방법으로 알려져 있다. 2008년 New England Journal of Medicine에는 propranolol 사용 초기에 빠른 혈관종 위축을 보였다는 보고가 있어 이후 새로운 초기 치료 약제로 선택되고 있다.[8]

3) 림프기형

후두의 림프기형(lymphatic malformation)은 매우 드물다. 대개 출생 시에 관찰되며, 2세 이내 발견되는 경우가 대부분이다. 발생부위와 크기에 따라 증상이 다르며, 낭의 크기에 따라 거대낭형(macrocystic)과 미세낭형(microcystic)으로 나눌 수 있다. 경부의 낭성 림프관종(cystic hygroma)이 기도 폐쇄 증상을 주로 보이나 후두의 림프기형은 다른 후두 종양과 비슷한 증상을 보인다. 자연적으로 크기가 줄어드는 경우는 드물며, 환아가 성장하면서 크기가 커진다. 때로 감염이나 내부 출혈이 동반되면 갑작스럽게 증상이 악화되기도 한다. 증상 및 내시경 소견이 진단에 도움이 되며 조영증강 경부 CT와 MRI는 종양의 크기를 진단하는 데 도움이 된다.

림프기형의 치료는 수술적 절제, 레이저 위축술, 스테로이드 투여 및 경화요법 등이 알려져 있으나 후두에 단독으로 생긴 경우 레이저를 이용한 절제가 유용하다.[10] 후두 림프기형의 치료를 위해 대부분 기관절개술이 필요하며, 종괴가 갑자기 커져서 상기도 폐쇄를 유발하면 일시적인 개선을 위해 스테로이드를 사용할 수 있다. 경화 요법은 염증 유발로 인한 합병증이 발생할 수 있다.

2. 접촉육아종

접촉육아종(contact granuloma)은 성문의 뒤, 피열연골 성문돌기 내측에 생기는 염증성 종물이다. 접촉궤양(contact ulcer)은 접촉육아종의 초기 병변으로 육아종이라는 포괄적 의미에 포함되어 사용된다. 접촉육아종은 양쪽 성문돌기가 부딪혀 기계적 손상이 일어난 후 염증 변화에 의해 생기는 것으로 알려져 있다. 유발 인자로는 음성의 과용과 관련이 있으며, 먼지, 상기도감염, 기침, 흡연, 음주 등이 있으며 위산 역류증과도 관련이 있다. 자연 발생되는 육아종의 경우 정신적 스트레스와 위산 역류증과 관련이 높은 것으로 보고된 바 있다.[7]

접촉육아종에서 보이는 발성장애는 대체로 경미한 편이다. 작은 육아종의 경우 증상이 없거나 가벼운 불편감 정도를 호소하며, 심한 경우에는 이통을 동반한 경부 통증을 호소할 수도 있다. 육아종이 큰 경우에는 호흡곤란이나 기침, 객혈 증상을 보이기도 한다.

진단은 내시경 소견에서 2~15 mm 정도의 회백색에서 진홍색까지의 점막 종괴를 관찰할 수 있다(그림 52-3). 접촉육아종은 폴립, 결절, 돌출성 종괴, 그리고 궤양 등 다양한 모양으로 관찰되며 이전 수술이나 기관삽관과 같은 병력이 있는지 확인해야 한다.

음성 남용자의 치료로는 절대적 음성 휴식과 발성방법에 대한 음성 치료가 효과적이며 위산역류증이 확인되면 양성자펌프억제제 사용을 포함한 약물 치료가 필요하다.

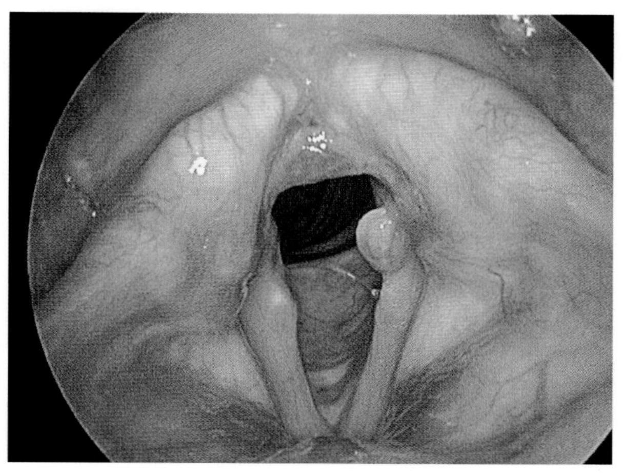

■ 그림 52-3. **접촉육아종.** 좌측 성대 후방 피열부 내측 점막에 연분홍빛의 폴립성 종괴가 돌출되어 있다.

항생제는 초기치료에 흔히 쓰이지만 그 효과를 입증할 만한 연구는 없다. 하지만 접촉육아종 환자의 조직병리나 혈액에서 세균 또는 세균의 항체가 발견된 보고는 있다. 광범위 항생제와 더불어 보존적 치료에 흔히 쓰이는 약물로는 스테로이드제가 있다. 이는 성문돌기 육아종에 의한 염증과 통증을 완화시키는 데 효과가 있으며 흡입형 스테로이드 사용이 효과가 있다는 보고도 있다. 육아종의 높은 재발률로 인해 수술적 치료의 적용에는 논란이 있지만 기도를 막을 정도로 크거나 성문암 등 병리적 감별이 필요한 경우, 또한 약물치료에 효과가 없을 경우에는 외과적 절제를 시도할 수 있다. 수술적 방법으로는 레이저를 이용하여 육아종 또는 성문돌기 연골 일부를 함께 절제하는 방법이 있다. 약물치료나 수술 후에도 반복적으로 재발하는 경우 수술 후 방사선 조사나 보툴리눔 독소 A를 갑상피열근에 주사하면 효과적이라는 보고가 추가적인 치료 방법으로 소개되고 있다.

3. 후두의 양성 신생물

1) 후두유두종

후두유두종(laryngeal papilloma)은 후두에서 발생

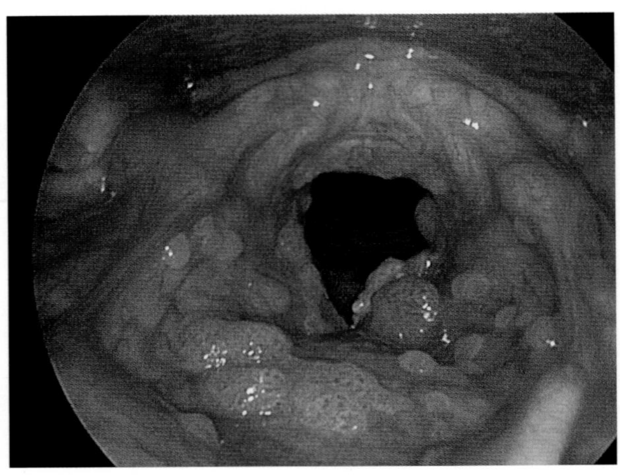

■ 그림 52-4. **다발성 종괴를 보이는 소아형 유두종.** 후두개와 양쪽 성대, 가성대를 침범한 다발성 유두종성 종괴가 관찰된다. 완전 절제는 힘들어 재발이 흔하여 여러 차례의 제거수술이 필요하다.

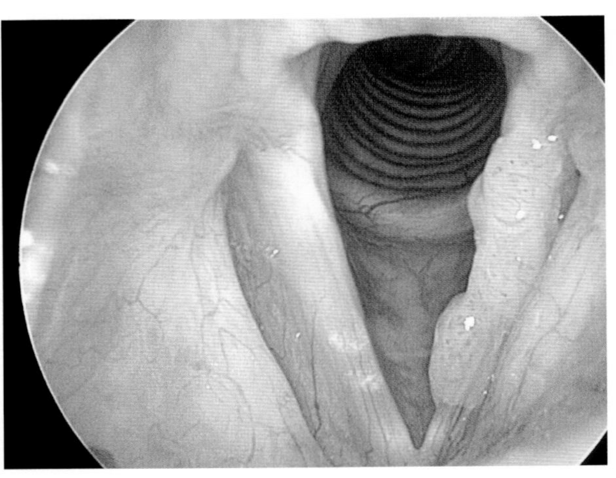

■ 그림 52-5. **성대에 생긴 성인형 유두종** 연분홍 색을 보이는 종괴가 왼쪽 성대를 따라 융기되어 있다. 표면이 거품과 같은 양상을 보여 후두내시경으로 쉽게 진단할 수 있다.

하는 가장 흔한 양성종양이며 대부분 재발성 호흡기 유두종증(recurrent respiratory papillomatosis, RPP) 양상을 보인다. 병리조직학적으로 양성이나 병변의 위치, 다발성, 높은 재발율과 치료의 어려움으로 인하여 임상적으로는 악성과 유사한 경과를 보인다.

유두종은 사람유두종바이러스(human papilloma virus, HPV)의 감염에 의해 발생하며 고위험군인 아형 16, 18은 자궁경부암 및 편도암에 흔하나 후두유두종의 경우 아형 6과 11이 주를 이룬다.[16]

발생의 연령 분포가 양극성을 보이는데 대부분의 소아형 유두종은 성문상부나 성문부에 생기고 주로 상피 세포가 이행하는 부위, 즉 편평세포에서 섬모세포로 이행하는 부위에 호발한다. 다발성이 많고 단발성에 비해 재발이 흔하다(그림 52-4). 추측되는 발병기전으로는 출생 시 산도를 통과할 때 산모의 HPV에 의해 호흡기 감염이 일어난다는 흡입접촉설이 가장 유력하다.

모든 연령층에서 생길 수 있으나 소아에서 흔하다. 대부분 5세 이하에서 발생하고 애성이 가장 흔한 초기 증상이며, 크기가 크고 성장이 빨라 기도 폐쇄, 호흡곤란을 야기한다. 수술적 치료 후에도 재발이 많으나 저절로 퇴화하는 경향이 있다. 세포의 비정형성(atypism)이 있으면 편평세포암종과 구분이 어렵고 악성으로 전환 가능성이 높다.

성인형 유두종은 단발성이 흔하고 크기가 크지 않고 애성이 흔하며 재발이 드물다(그림 52-5). 성행위 후 구강을 통한 감염 가능성이 있으나 면역장애나 헤르페스와 같은 동시 감염도 발생 인자가 될 수 있다.[13]

진단으로는 애성과 천명을 호소하는 환자에서 후두내시경검사에서 분홍 또는 창백한 색의 점막 돌기를 확인하면 쉽게 진단할 수 있다.

수술이 주된 치료이며 잦은 재발로 인하여 짧은 주기의 CO_2 레이저를 이용한 반복 절제 방법이 가장 선호된다. 유두종증에 대한 약물치료는 여러 차례 시도되었지만 현재는 완전히 제거할 수 있는 약물은 없는 것으로 알려져 있다. 최근 레이저에 의한 화상으로 성문 상흔 형성을 줄이기 위해 미세절삭기(microdebrider)를 이용해 절제하면 정상 상피를 더 잘 보존할 수 있다는 보고도 있다.[11]

외과적 절제후 성인형은 40%, 소아형은 80%에서 재

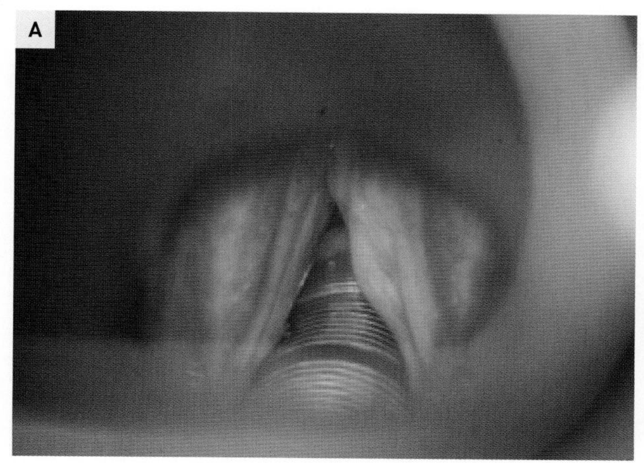

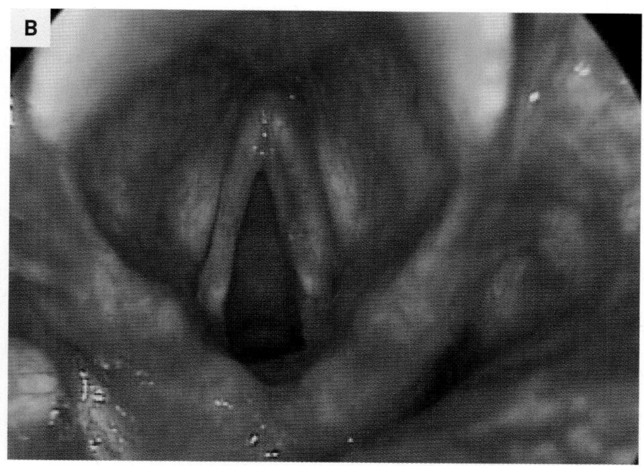

■ 그림 52-6. **성문 과립세포종 수술 전(A), 후의 후두 소견(B).** 우측 성대 중앙에 점막하 종괴가 관찰된다.
(Figure from Park JH, Do NY, Cho SI, Choi JY. Granular cell tumor on larynx. Clin Exp Otorhinolaryngol. 2010 Mar;3(1):52-55.)

발한다. 소아형은 사춘기에 저절로 치유되는 반면, 성인형은 자연소멸되는 경우는 드물며, 절제 후 격막(web), 성문하협착, 기관협착 등이 생길 수 있다.

2) 과립세포종

두경부의 과립세포종(granular cell tumor)은 점막과립세포종양(mucosal granular cell tumor)과 선천성 치은종(congenital epulis) 혹은 치은거대세포종(gingival giant cell tumor)의 2가지 유형이 있다. 과립세포종의 발생 빈도는 남녀 차이가 없으며 혀와 연조직에 주로 발생하고 후두는 2.5%를 차지한다. 후두의 과립세포종은 작은 결절로 성대폴립과 결절처럼 보이기도 하며 성대 후방 2/3의 점막 또는 피열연골 표면에 잘 생긴다(그림 52-6). 보통 특별한 증상은 없으나 발생 위치에 따라 애성, 인후통, 호흡곤란 등이 올 수 있다. 확진은 후두미세수술 후 병리조직검사를 통해서 가능하다. 병리조직학적으로 종양 상피의 가성상피종성 증식(pseudoepitheliomatous hyperplasia)이 현저하고 이형성(dysplasia)은 없다. 종양세포들은 둥글거나 다각형이며 중앙에 수포성 핵들과 함께 드물게 호산성 과립세포질을 보인다. S-100 protein, neuron-specific enolase 면역조직화학검사 양성을 보이며 근육 관련 항원에는 음성을 보인다. 전자 현미경에서 신경외막(perineurium)모양 기저세포와 신경축삭 등이 주변에서 관찰되어 Schwann's cell에서 기원하였다는 이론을 뒷받침한다.[6]

근치를 위하여 수술을 통한 완전절제가 필요하다. 1~3%에서 악성으로 변하며, 악성인 경우 예후가 좋지 않다.

3) 연골종

연골종(chondroma)은 후두종양의 1% 미만의 드문 질환으로 40~60세에 호발하며 남자에서 4배 흔하고, 윤상연골을 많이 침범한다. 증상은 발생 위치에 따라 애성, 호흡곤란, 연하곤란 및 압박감 등이며, 경부의 혹으로 나타나는 경우도 있다. 대부분 유리연골로 구성되어 있고 평활한 표면의 점막하 종양의 형태로 나타난다. 발생 원인은 알려진 것이 없지만 불규칙한 석회화와 방사선 조사 그리고 teflon 주입과 관련이 있다는 보고가 있다. 연골화생(chondrometaplasia), 연골육종(chondrosarcoma), 다른 종양의 연골화를 감별하여야 하며, 완전히 절제를 해

야 하지만 서서히 성장하기 때문에 보존적 수술을 시행할 수도 있다.[5]

4) 신경원성 종양

신경원성 종양(neurogenic tumor)이 후두에 생기는 경우는 매우 드물다. 신경초종이 신경섬유종보다 더 발생하며 여자에서 호발하는 경향을 가진다. 신경원성 종양은 서서히 크기가 증가하여 주위 조직을 압박하면서 압박감, 음성변화, 잦은 헛기침, 이물감, 호흡곤란, 흡기성 천명 등의 증상을 보인다. 보통 점막하에 발생하며 성대 마비는 일어나지 않는다.

진단을 위해서는 후두내시경검사와 함께 영상 검사를 시행하며, 조직검사를 통해 확진한다.

치료는 기도확보와 연하기능 보존에 중점을 두며, 내시경 또는 외부 접근을 통해 완전 절제하는 것이 원칙이다.

4. 후두 낭

후두 낭(laryngeal cyst)은 드문 질환이며 후두 양성 질환의 약 5% 정도를 차지한다. 하지만 대부분 우연히 발견되는 경우여서 빈도가 더 높을 것이라는 추정을 해볼 수 있다. 전 연령에서 발견할 수 있으나 중년기에 빈발하며, 남녀 차이는 없고 후두나 인두의 기형을 거의 동반하지 않는다. 점액을 분비하는 선조직이 풍부한 성문상부에 호발하는데 후두개의 설측면이 가장 흔하고 후두개의 후두면, 피열후두개주름, 피열부, 성대, 이상와(piriform sinus)의 점막을 침범하기도 한다.

소낭 낭(saccular cyst)은 기도를 막는 원인으로는 아주 드문 질환으로 신생아 또는 유아기 때 발견되는 경우가 많다. 후두소낭에 점액이 차 있고 피열후두개주름이나 후두개곡, 후두실 같은 성문상부 또는 이상와에 발견된다. 증상은 낭의 크기와 위치에 따라 다르며 출생 시 심각한 호흡곤란과 흡입성 천명이 들리며, 청색증, 비정상 울음소리, 그리고 연하곤란 등을 보일 수 있고 대부분 생후 6개월 이내 증상이 시작된다.[14] 후두 소낭(laryngela saccule)은 후두실(ventricle) 앞에 위치하며 편평세포와 호흡세포로 이루어져 있다. 낭은 상방으로 뻗어 있으며, 이 안에는 많은 점액선이 있어 성대의 윤활작용에 관여하는 것으로 추정된다. 소낭 입구의 개방성이 막히면서 점액이 차 소낭 낭이 발생하는 것으로 알려져 있다.[2] 성문과 가성대 사이로 후두의 내측과 후방으로 성장하는 전방형(anterior) 소낭 낭과 가성대와 피열후두개주름 사이 후상방으로 성장하는 측방형(lateral) 소낭 낭으로 나눈다.[4] 큰 소낭 낭은 갑상설골막을 통해 탈출하여 경부에서 촉지되기도 한다. 진단으로는 방사선 검사로 측경부 연조직 촬영, 경부 CT가 도움이 되며, 직접 후두내시경검사를 통해 진단이 가능하다. 후두내시경검사 소견으로 청색 또는 분홍색의 액체가 저류된 확장된 낭을 성문상부에서 관찰할 수 있다. 치료는 외과적 절제가 필요하다. 전방형 소낭 낭의 경우에는 직접 후두경을 통하여 흡인하거나 조대술 또는 절제술을 시행한다. 측방형 소낭 낭이 갑상설골막을 통해 경부로 진행된 경우 완전절제를 위해 측인두절개(lateral pharyngotomy) 또는 후두절개(laryngofissure)를 이용한 경부 접근법을 이용할 수도 있지만 최근에는 가능한 내시경적 절제술을 시행하는 추세이다.

후두기낭(laryngocele)은 후두소낭(laryngeal saccule)이 공기에 의해 비정상적으로 팽창하여 후두를 탈출하는 경우를 말한다. 후두기낭의 발생원인은 명확하지 않지만 경성문압의 과도한 증가로 인한 것으로 알려져 있다.[15] 후두기낭의 형태는 갑상연골 안에 국한된 내후두기낭(internal), 갑상설골막을 통해 진행되어 경부로 돌출된 외후두기낭(external)이 있으며 갑상연골 안팎으로 걸쳐진 형태로 복합형(combined)으로 구분할 수 있다. 후두기낭은 입구를 통해 유입된 공기가 차는 형태지만 급성염증으로 인해 애성, 종창, 천명, 발성장애, 인후통 등의 증상을 나타내기도 한다. 약 6%에서 악성종양과 연관이 있다고 알려져 있다.[1] 치료는 대개 외과적 절제가 필요하며, 직접 후두경을 통하여 내용물을 흡인하거나 조대술

(marsupialization)을 시행할 수 있다.

참고문헌

1. Amin M, Maran AG. The aetiology of laryngocele. Clin otolaryngol Allied Sci 1988;13(4):267-72.
2. Bajin MD, Yilmaz T, Yilmaz G. Rare laryngeal anomaly or spontaneously drained bilateral saccular cyst? J Voice 2011;25:269–71.
3. Cipriani NA, Martin DE, Corey JP, Portugal L, Caballero N, Lester R, et al. The clinicopathologic spectrum of benign mass lesions of the vocal fold due to vocal abuse. Int J Surg Pathol. 2011 Oct. 19(5):583-7.
4. DeSanto LW, Devine KD, Weiland LH. Cysts of the larynx–classification. Laryngoscope 1970;80:145–76.
5. Devaney KO, Ferlito A, Silver CE. Cartilaginous tumors of the larynx. Ann Otol Rhinol Laryngol 1995;104(3):251–255.
6. Fisher ER, Wechser H. Granular cell myoblastoma-a misnomer. Electron microscopic and histochemical evidence concerning its Schwann cell derivation and nature (granular cell schwannoma). Cancer 1962 Sep-Oct;15:936–954.
7. Kiese-Himmel C, Pralle L, Kruse E. Psychological profiles of patients with laryngeal contact granulomas. Eur Arch Otorhinolaryngol, 1998;255(6):296-301.
8. Leaute-Labreze C, Dumas de la Roque E, Hubiche T, Boralevi F, Thambo JB, Taieb A. Propranolol for severe hemangiomas of infancy. N Engl J Med 2008;358(24):2649-51.
9. Orlow S, Isakoff M, Blei F. Increased risk of symptomatic hemangiomas of the airway in association with cutaneous hemangiomas in a "beard" distribution. J Pediatr. 1997;131:643–6.
10. Orvidas LJ, Kasperbauer JL. Pediatric lymphangiomas of the head and neck. Ann Otol Rhinol Laryngol. 2000 Apr; 109(4):411-21
11. Pasquale K, Wiatrak B, Woolley A, Lewis L. Microdebrider versus CO_2 laser removal of recurrent respiratory papillomas: a prospective analysis. Laryngoscope. 2003;113(1):139–143.
12. Postma GN, Courey MS, Ossoff RH. Microvascular lesions of the true vocal fold. Ann Otol Rhinol Laryngol. 1998 Jun. 107(6):472-6.
13. Pou AM, Rimell FL, Jordan JA, et al. Adult respiratory papillomatosis: human papillomavirus type and viral coinfections as predictors of prognosis. Ann Otol Rhinol Laryngol. 1995;104(10):758–762.
14. Rodríguez H, Zanetta A, Cuestas G. Congenital saccular cyst of the larynx: a rare cause of stridor in neonates and infants. Acta Otorrinolaringol Esp 2013;64:50–4.
15. Stell PM, Maran AG. Laryngocele. J Laryngol Otol 1975;89:915-24.
16. Wiatrak BJ, Wiatrak DW, Broker TR, Lewis L. Recurrent respiratory papillomatosis: a longitudinal study comparing severity associated with human papilloma viral types 6 and 11 and other risk factors in a large pediatric population. Laryngoscope. 2004;114(11 Pt 2 Suppl 104):1–23.

CHAPTER

53

후두의 선천성 질환

이비인후과학 Otorhinolaryngology - Head and Neck Surgery

김진환

I 후두의 선천성 질환

후두의 선천성 질환은 태아 발달의 배아기에 오류가 있어 발생하게 되며, 이는 소아의 호흡과 발성에 영향을 미칠 수 있다.[16] 호흡곤란이 있는 경우에는 빠른 시간 안에 진단을 내려야 하며, 진단은 철저한 병력 청취와 신체적 검사로 시작한다. 환아가 안정된 경우 연성 내시경이나 영상학적 검사를 시행할 수 있지만, 환아가 불안정한 경우 수술방에 들어가서 치료를 하는 동시에 진단을 내리기도 한다. 소아의 후두는 성인과 달라 질환을 진단을 할 때에 다음과 같은 점을 고려해야 한다. 첫째, 소아의 후두는 성인에 비해 높게 존재하여, 신생아의 경우 후두개의 끝이 연구개와 닿아 있으며 제2 경추체 높이에 위치하고, 이는 점차 하강하여 소아기 동안에 윤상연골 하연이 제4 경추 부위에서 제6 경추 부위로 하강한다. 둘째, 영유아의 후두개는 오메가 Ω모양 또는 U자 모양으로 풍부한 피열후두개주름이 좁은 후두관을 막을 수 있으며, 후두개와 성문각이 성인에 비해 더 예각이기 때문에 폐쇄가 더 쉽게 발생할 수 있다.[4] 셋째, 영유아의 후두점막과 점막하 조직은 성인보다 연약하고 섬유질이 적기 때문에 외상에는 강한 반면에 쉽게 부종이 발생하여 기도 폐쇄의 위험이 크다. 성인의 기도에서 가장 좁은 부위는 성문부이지만, 소아에서는 성문하부의 윤상연골궁(cricoid arch) 부위가 제일 좁다.[2] 천명의 양상에 따라 폐쇄 부위를 추측해 볼 수 있는데, 흡기성 천명은 성문상부의 병변, 흡기와 호기에 모두 나타나는 천명은 성문부나 성문하부의 병변, 호기성 천명은 기관지나 폐의 병변을 의미한다.

1. 후두연화증

후두연화증(laryngomalacia)은 후두의 선천성 질환 중 가장 흔한 것으로, 남아에서 2배 정도 많이 발생한다. 대부분의 환아는 흡기성 천명 혹은 호흡곤란을 주소로 내원하게 된다.

1) 원인

성문상부 조직이 약한 경우 흡기 시 내측으로 함몰되어 기도 폐쇄를 일으키게 되며 이는 후두 연골의 미성숙, 후두 근육의 부조화, 전신 근육 부전의 일부, 신경학적 질환 등으로 인해 발생한다고 보고되고 있지만, 아직까지 명확한 원인은 밝혀져 있지 않다. Chen 등은 피열후두개주름(aryepiglottic folds)과 설상연골(cuneiform cartilage)의 내측 함몰, 후두개 자체의 과신전, 피열연골(arytenoid cartilage)의 전내측 함몰, 후두개의 후하측 이동, 짧은 피열후두개주름, 후두개의 과도한 급경사 등의 6가지 중 2가지 이상이 상기도 폐쇄의 원인으로 작용한다고 하였다.[6] 위식도 역류, 저체온증, 폐쇄성 또는 중추성 무호흡증 등도 원인으로 보고되고 있다.

2) 증상

흡기성 천명은 고음의 불규칙한 소음으로 대개 출생 시 혹은 생후 수주 내에 나타나며, 산발적인 상기도 폐쇄 및 호흡곤란이 동반될 수 있다. 이는 생후 약 8개월까지 악화되며, 9~12개월경에 변화가 없다가 그 이후 완화되기 시작한다. 또한, 증상은 활동 상태, 흥분 상태, 울 때, 수유 중, 목을 숙이거나 앙와위일 때, 상기도 감염이 있을 때 악화되고, 목을 신전시키거나 복와위일 때 완화된다. 울음소리나 성장 및 발육은 대개 정상이다.

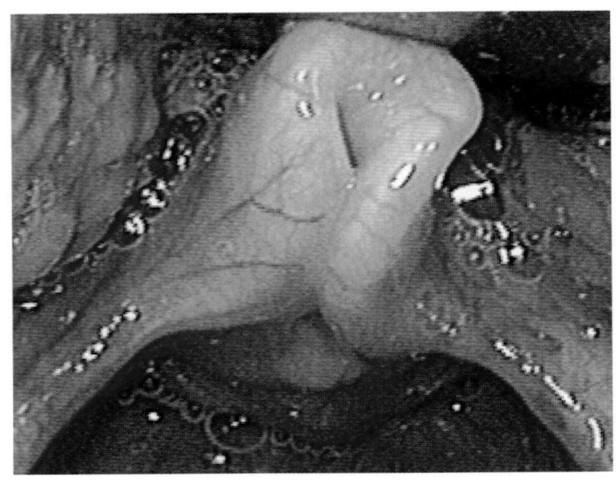

■ 그림 53-1. **후두연화증**

3) 진단

후두연화증의 진단은 강직형 직접 후두경이나 가는 굴곡형 후두경을 사용하여 호흡 시 후두의 역동적 운동을 관찰하는 것으로, 흡기 시 성문상부조직이 기도 내로 흡입되는 소견을 관찰하면 확진된다(그림 53-1). 후두의 모양은 대부분 길고 좁은 튜브 모양이거나 오메가(Ω)모양이나, 이는 정상에서도 관찰될 수 있는 소견이므로 주의해야 한다. 측경부 연조직 방사선 검사는 성문하 협착증 등을 감별하는 데 도움이 되며, 방사선 검사에서 동반 질환이 의심되는 경우 기관지경검사가 필요할 수도 있다.

4) 치료

대부분의 환아는 12~24개월 이내에 자연 호전되므로 관찰이 가장 좋은 치료이다. 하지만 심한 호흡곤란이나 수유 장애로 인한 성장 장애 등 중증의 후두연화증의 경우에는 수술이 필요할 수 있다. 수술은 후두개성형술(epiglottoplasty), 성문상부성형술(supraglottoplasty), 피열후두개성형술(aryepiglottoplasty) 등을 시행할 수 있으며, 피열후두개주름의 분리, 후두개의 부분절제, 후두개고정, 피열점막과 후두개 가장자리의 과잉점막 제거, 소각연골과 설상연골 및 주위 점막 제거 등의 방법도 있다.[12,14] 수술은 레이저로도 시행할 수 있으며, 레이저는 수술 시간이 짧고, 출혈이 거의 없다는 장점이 있다.

2. 성대마비

선천성 성대마비(vocal cord paralysis)는 후두의 선천성 질환 중 두 번째로 흔한 것으로 약 10%를 차지한다. 일측 혹은 양측으로 발생 가능하며, 일측성인 경우 왼쪽에서 2배 정도 흔하게 발생한다.

1) 원인

대부분은 원인을 알지 못하나, 중추신경병변, 분만 손상, 외상, 종양 등이 원인이 될 수 있다. 양측 성대마비의 경우 Arnold–Chiari 기형, 뇌수막류, 수두증, 연수마비(bulbar palsy) 등이 동반될 수 있으며, 다른 뇌신경 질환, 호흡기계, 심혈관계, 선천성 기형과도 동반될 수 있다.[8] 출생 시 외상에 의한 경우는 반회후두신경의 견인에 의한 것으로 일측성 혹은 양측성일 수 있고, 이는 출생 시부터 증상이 있으며 대부분 6개월 이내에 자연 호전된다.

2) 증상

일측성인 경우 천명, 약하고 헐떡이는 울음소리, 흡인, 기침, 수유 시 청색증, 질식 등이 나타날 수 있다. 양측성인 경우 심한 천명, 호흡곤란, 청색증 등이 나타나나 음성은 정상일 수 있다.

3) 진단

진단은 내시경으로 확진할 수 있으며, 강직형 직접 후두경검사 혹은 굴곡형 후두경 검사를 사용할 수 있다. 직접 후두경 검사의 경우 너무 깊이 넣지 말고 팁을 후두개곡(vallecula)까지만 진입시키고 성대의 움직임을 관찰한다. 후두 초음파 검사로도 성대의 움직임을 확인할 수 있으며, 다른 동반 질환의 유무에 대해서도 확인해야 한다.

4) 치료

일측성인 경우 우선 경과 관찰하면서 자연 회복을 기다려 볼 수 있으나, 증상이 심한 경우 시행할 수 있는 기관절개술이 필요할 수도 있다. 자연 회복이 안 되는 경우 시행할 수 있는 성대 내전 수술은 소아의 경우 음성언어의 발달을 고려해야 하므로 신중해야 한다. 양측성인 경우에는 기도 확보가 중요하므로 기관절개 후 자연 회복을 기다린다. 자연 회복이 안 되는 경우 성문 확장을 위해 성대절개술(vocal cordectomy), 피열연골절제술(arytenoidectomy), 신경 재지배술(reinnervation) 등을 시행하며, 수술은 적어도 4세 이후에 시행하는 것이 좋다.[15] Arnold–Chiari 기형이 원인인 경우 기관삽관 후 shunt 수술을 하고 호전을 기다린다.

3. 성문하 협착증

성문하 협착증(subglottic stenosis)은 세 번째로 흔한 선천성 후두 질환이며, 남아에서 2배 정도 더 많이 발생한다. 심한 기도폐쇄로 인해 1세 미만 소아 기관절개의 가장 흔한 원인이기도 하다. 성문하부의 직경은 정상 신생아에서 4.5~5.5 mm, 미숙아에서 3.5 mm이나, 신생아에서 직경이 4 mm 이하이거나 미숙아에서 3 mm 이하인 경우 성문하 협착이라 할 수 있다.

1) 원인

선천성 성문하 협착증은 태아의 발생 과정에서 후두강의 재소통이 부적절하게 이루어지는 경우 나타나게 된다.[17] 이는 병리조직학적으로 연골형과 막성형으로 나눌 수 있다. 연골형은 윤상연골의 발달 결함으로 인해 연골이 작거나 기형인 경우, 비후되어 좁은 경우 등이 있다. 막성형은 비후된 점막선 조직이나 섬유성 결체조직의 과잉으로 인해 성대 하방 2~3 mm를 포함하여 원형의 협착이 발생하며, 성대나 성대 상부로 확장되기도 한다.[10]

2) 증상

협착이 심하여 출생 직후 증상이 나타나는 경우는 드물고, 대개는 시간이 지나 생후 첫 수 주나 수개월 이후에 증상이 나타난다. 흡기나 호기 시의 천명, 호흡곤란이 가장 흔한 증상이고 크루프성 기침, 거친 울음소리 등이 나타나며, 상기도 감염으로 인해 점막 부종이 생기면 증상은 더욱 심해진다. 반복되는 급성 후두기관염(croup), 마취 시 평균 크기의 기도삽관 튜브로 삽관이 잘 안 될 때, 기관절개나 기도삽관 후 발관이 잘 안 될 때에도 성문하

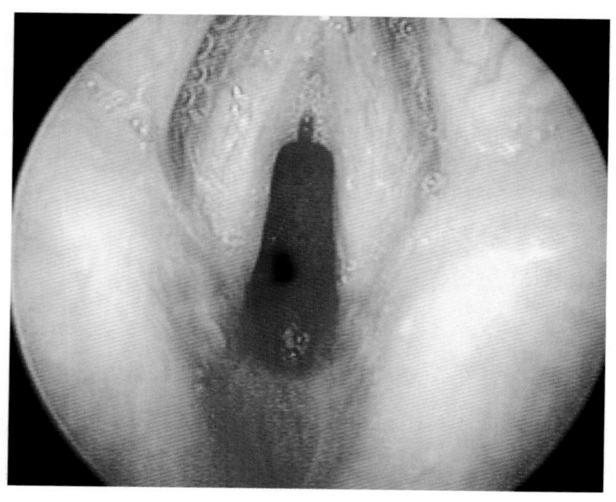

■ 그림 53-2. **성문하 협착증**

협착증을 의심할 수 있다.

3) 진단

직접 후두경 혹은 굴곡형 후두경 검사로 확진할 수 있고(그림 53-2), 측경부 연조직 방사선 검사로도 확인할 수 있다. 가장 좁은 부위는 진성대 위쪽 끝에서 2~3 mm 아래 부분이며, 외경의 크기는 기관지경이나 기도삽관 튜브의 외경으로 측정할 수 있다.

4) 치료

대부분의 경우는 성장하면서 후두강이 넓어지기 때문에 적극적인 치료는 필요하지 않다. 경도의 성문하 협착증은 기관삽관이나 기관절개를 요하지 않으며, 상기도 감염 시 약물치료로 대부분 조절된다. 기도유지가 필요할 정도의 심한 성문하 협착증은 기관절개술이 필요하고, 수개월에서 수년 뒤 반복적인 내시경 검사로 성문하 직경이 발관 가능한 수준으로 되었는지를 확인한 후 발관해야 하며, 발관 전후에 스테로이드와 항생제를 사용한다.[11] 기관절개 후 발관이 불가능한 심한 협착증의 경우에는 개방성 후두기관교정술이 필요하며, 이는 대개 1~1.5세 이후에 시행한다.[9]

4. 후두격막

후두격막(laryngeal web)은 드문 질환으로 발생학적으로 후두강의 형성 부전에 의해 생긴다. 선천성 후두 질환의 5% 정도를 차지하며, 성별의 차이는 없다. 15% 정도에서 다른 선천성 기형을 동반하는데, 기관식도누공을 동반하는 경우가 가장 많다.[13] 발생 부위는 성문부가 75%로 가장 많고, 다음으로 성문하부이며, 성문상부에서 생기는 경우는 드물다. 대부분이 성대 전연합부에서 발생하며, 후방부에 발생하는 경우는 극히 드물다. 후두가 완전히 막히게 되는 경우는 후두 폐쇄(laryngeal atresia)라고 하며, 이는 즉각 기관절개술을 해주어야 한다.

1) 원인

태생 7~8주경 정상적으로 편평상피의 흡수가 이루어지지 않으면, 섬유조직이 후두강을 완전히 혹은 부분적으로 막게 되는 격막이 남게 된다.

2) 증상

증상은 대개 출생 직후부터 나타나며 후두강 폐쇄의 정도에 따라 천명, 연하장애, 발성장애, 애성, 호흡곤란, 청색증 등이 나타날 수 있다. 재발성 또는 비특이적 크루프가 동반되는 경우가 흔하다.

3) 진단

진단은 후두경이나 기관지경으로 직접 격막을 확인함으로써 가능하고(그림 53-3), 경부측면방사선검사 혹은 컴퓨터단층촬영 등도 가능하다. 성문부의 격막은 대개 얇고 막성이며, 성문하 격막은 두껍고 윤상연골 부위에 생기는 경우도 있다. 치료 계획을 위해 격막의 두께를 파악하는 일이 필요한데, 대개 앞쪽 부분이 뒤쪽에 비해 더 두껍다. 다른 동반 기형이 있는지도 살펴보아야 한다.

4) 치료

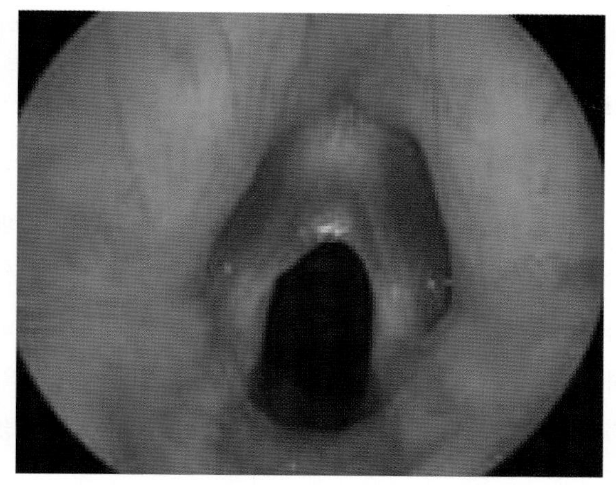

■ 그림 53-3. **후두격막**

증상이 없으면 특별한 치료가 필요 없으며, 소아의 약 60%에서만 수술적 처치가 필요하다. 수술 방식은 격막의 두께에 따라 결정되며 후두 내 절제술 혹은 반복된 확장술, 격막 절개 후 keel 삽입, 후두 내 피판술, CO_2 레이저 수술 등이 있다. 후두 감염이나 외상으로 호흡곤란이 발생하면 즉시 기관삽관술이나 기관절개술을 시행하며, 기관절개술 후 장기적인 예후는 좋아 3~5세경이면 발관이 가능하다.

5. 후두실낭종

후두낭종(laryngeal cyst)에는 후두 내에서 발생하는 다양한 낭성 질환이 포함된다. 병리학적으로는 중층 편평상피로 둘러싸인 표피양낭종(epidermoid cyst)과 점액성 상피로 둘러싸인 점액저류낭종(mucus-retension cyst)으로 분류할 수 있다. 실제 임상에서는 위치에 따른 분류가 더 흔히 사용되는데, 후두개 주변에서 발생하는 후두개낭종(epiglottic cyst), 후두전정과 관계하여 발생하는 후두실낭종(laryngocele), 진성대 점막하에 발생하는 성대낭종(vocal fold cyst) 등이 있다.

1) 원인

해부학적으로 후두전정 앞쪽에 외측으로 향한 조그마한 주머니 모양의 소낭(saccule) 또는 후두부속기(laryngeal appendix)가 있는데, 이 주머니가 커지면서 발생하는 질환을 후두실낭종(laryngocele) 혹은 소낭낭종(saccular cyst)이라고 한다. 후두실낭종은 소낭이 확장되어 커진 것으로, 소낭의 개구부가 열려 있는 상태로 안에는 공기가 차 있고 후두강과 통해 있다. 반면에 소낭낭종은 개구부가 막혀 낭이 형성되고 안에 점액이 찬 경우이다. 소낭낭종에 염증이 발생하여 안에 화농성 고름이 차게 되면 후두실농류(laryngopyocele) 라고 한다.

2) 증상

증상은 출생 직후에 나타날 수 있으며, 전형적인 천명을 보이며 호흡곤란으로 약 20%에서 응급 기도확보가 필요하다. 후두실낭종은 급성 염증이나 감염 동안에만 증상이 나타날 수도 있다. 후두실낭종은 후두강 내압의 상승에 따라 크기가 증가할 수 있으며, 후두강을 침범하는 내측형과, 갑상설골막을 통해 경부로 확장되어 경부의 종물 형태로까지 증상을 나타내는 외측형, 그리고 두 가지가 혼합된 복합형이 있다.[3]

3) 진단

후두내시경 검사에서 점막하 종물의 형태로 관찰할 수 있으며, 정확한 병변의 위치 및 크기를 진단하기 위해서 컴퓨터단층촬영을 시행할 수 있다.

4) 치료

치료는 수술적 완전 절제이며, 대부분의 내측형 후두실낭종은 내시경하에서 완전 절제가 가능하다. 외측형 혹은 복합형의 경우 경부를 통한 외부 접근법을 함께 해야 완전 절제가 가능할 수 있다. 단순흡입술은 재발 가능성이 높아 추천되지 않으며, 낭종벽 일부를 제거한 후 내용물을 제거하고 낭종 내부의 점막을 벗겨내는 조대술도 일

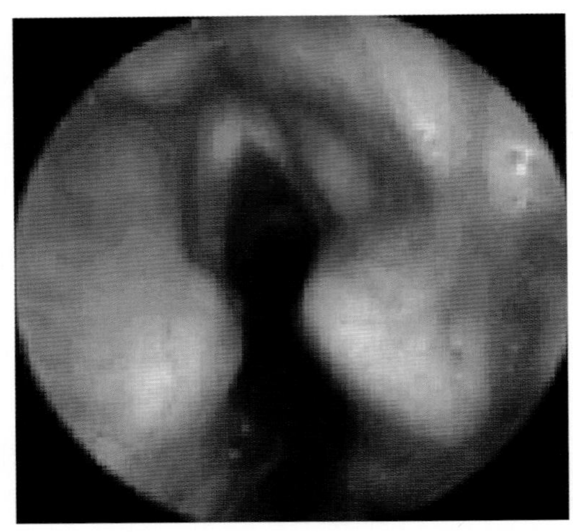

■ 그림 53-4. **후두열**

정 정도의 치료효과를 기대할 수 있다.[1]

6. 후두열

선천성 후두열(congenital laryngeal cleft)은 신생아 수유곤란과 호흡곤란을 유발하는 매우 드문 질환으로, 발생 과정에서 외측 후두기관구의 내측 융합이 중단되어 발생한다(그림 53-4). 기관식도누공, 후두연화증, 구순구개열, 호흡기계, 소화기계, 비뇨기계, 심혈관계 기형 등 다른 선천성 기형이 흔히 동반된다.[7]

1) 원인

외측 후두기관구의 내측 융합 장애로 인해 발생하며, 정도에 따라 전체 기관식도벽을 침범하는 후두기관식도열(laryngotracheoesophageal cleft)에서 후두 후방에만 국한된 후두후열(posterior laryngeal cleft)까지 다양한 정도로 발생 가능하다.[5]

2) 증상

결손 정도에 따라 증상이 나타나며 수유 시 흡인, 청색증, 출산 후 질식, 과도한 점액 분비, 발성 곤란, 재발성 폐렴 등의 증상이 나타날 수 있다. 경한 경우에는 특이 증상이 나타나지 않을 수 있다.

3) 진단

후두 내시경 검사로는 후두열의 가장자리가 연조직에 가려져 진단이 힘들 수 있으므로, 확진을 위해서는 전신마취하 직접 후두경, 기관지경, 혹은 식도경 검사가 필요하다. 후두 소식자(probe)를 이용하여 피열연골 사이의 점막을 분리하면 윤상연골의 결함을 촉지할 수 있다. 광범위한 후두열이 있는 경우에는 바륨연하검사로 후두열이 있는 부위에서 조영제가 기관과 식도로 유입되는 것을 확인할 수 있다.

4) 치료

후두에 국한된 국소적인 후두열은 수술적 치료 없이 식이요법과 보존적 치료로 증상의 호전을 기대할 수 있으나, 증상이 있는 대부분의 후두열은 수술적 치료가 필요하다. 범위가 작은 경우에는 전방 후두절개술 혹은 내시경적 수술로 복원할 수 있으며, 범위가 큰 경우에는 경부절개 혹은 개흉술이 필요할 수 있다. 기관절개술은 봉합부위 손상 때문에 피해야 하며 대신 기관삽관술이 사용될 수 있다.

참고문헌

1. 김한수. 양성 후두질환. 대한후두음성언어의학회 편. 후두음성언어의학 Ⅱ. 후두음성질환의 이해와 치료. 일조각;2012. p.455-65.
2. 남순열. 후두의 양성 질환. 대한이비인후과학회 편. 이비인후과학-두경부외과학. 개정판. 일조각;2009. p.1659-88.
3. 손진호. 후두와 하인두의 양성질환. 대한이비인후과학회 편. 이비인후과학-두경부외과학. 일조각;2002. p.1362-76.
4. 홍기환. 후두질환. 대한두경부외과연구회 편. 두경부외과학. 개정판. 한국의학사;2005. p.645-83.
5. Benjamin B, Inglis A. Minor congenital laryngeal clefts: diagnosis and classification. Ann Otol Rhinol Laryngol 1989;98:417-20.
6. Chen JC, Holinger LD. Congenital laryngeal lesions: pathology study using several macrosections and review of the literature. Pediatr Pathol 1994;14:301-4.

7. Cohen SR. Cleft larynx. Ann Otol Rhinol Laryngol 1973;84:747-56.
8. Cohen SR, Geller KA, Birns JW, et al. Laryngeal paralysis in children: a long-term retrospective study. Ann Otol Rhinol Laryngol 1982;91:417-24.
9. Cotton RT. Pediatric laryngotracheal stenosis. J Pediatr Surg 1984;19:699-704.
10. Fearon B, Cotton RT. Subglottic stenosis in infants and children: the clinical problem and experimental surgical correction. Can J Otolaryngol 1972;1:281-8.
11. Holinger PH, Kutnick SL, Schild JA, et al. Subglottic stenosis in infants and children. Ann Otol Rhinol Laryngol 1976;75:591-9.
12. Kelly SM, Gray SD. Unilateral supraglottic epiglottoplasty for severe laryngomalacia. Arch Otolaryngol Head Neck Surg 1995;121:1351-9.
13. Mcguirt WF, Salmon JS, Blalock D. Normal speech for patients with laryngeal webs. An achievable goal. Laryngoscope 1984;94:1176-9.
14. Roger G, Denoyelle F, Triglia JM, et al. Severe laryngomalacia: surgical indications and results in 115 patients. Laryngoscope 1995;105:1111-7.
15. Tucker HM. Infectious and inflammatory disorders. In: Tucker HM, ed. The Larynx, 2nd ed. New York: Thieme;1993. p.231-44.
16. Wootten CT, Myer CM. Congenital aerodigestive tract anomalies. In: Johnson JT, Rosen CA, editors. Bailey's Head and Neck Surgery-Otolaryngology. 5th ed. Philadelphia: Lippincott Williams & Wilkins;2014. p.1306-27.
17. Zalzal GH, Cotton RT. Glottic and subglottic stenosis. In: Flint PW, Haughey BH, Lund VJ, Niparko JK, Robbins KT, Thomas JR, Lesperance MM, editors. Cummings Otolaryngology-Head and Neck Surgery. 6th ed. Philadelphia: Saunders;2014. p.3158-70.

CHAPTER

54

성대마비

정성민, 우주현

I 성대마비

1. 후두의 신경해부

대뇌피질(cerebral cortex)에서부터 피질연수 섬유(corticobular fiber)가 속섬유막(internal capsule)을 통해 뇌간(brain stem)으로 하강한다. 하강한 신경섬유는 뇌간 내의 의문핵(nucleus ambiguous)에 있는 운동 신경세포(motor neurons)에 시냅스 한 후 미주신경(vagus nerve)의 발생에 기여한다. 하부 운동 신경세포(lower motor neuron)는 의문핵를 떠나 외측으로 주행하여 올리브(olive)와 모뿔(pyramid) 사이에서 여러 잔뿌리(rootles) 형태로 수질(medulla)을 빠져나온다.[33] 수질을 빠져 나온 잔뿌리들이 합쳐지면서 미주신경이 형성되고 목정맥구멍(jugular foramen)을 통해 두개저 밖으로 나온다. 미주신경은 경동맥막(carotid steath) 내에서 아래로 주행하며 3개의 주 가지인 인두가지(pharyngeal branch), 상후두신경(superior laryngeal nerve), 되돌이후두신경(recurrent laryngeal nerve)들을 낸다. 상후두신경은 목정맥 구멍에서 약 36 mm 아래의 절상신경절(nodose ganglion)에서 분지되어 속가지(internal branch)과 바깥가지(external branch)로 나뉜다(그림 54-1A).[40] 속가지는 갑상설골막(thyohyoid membrane) 외측에서 후두로 들어와 성문상부(supraglottis)와 성문부(glottis)의 감각를 담당한다. 바깥가지는 성대의 길이와 음조(pitch)를 조절하는 윤상갑상근(cricothyroid muslce)을 신경지배 한다. 되돌이후두신경은 가슴 위쪽 부분에서 미주신경으로부터 나와서 좌측은 대동맥궁(aortic arch), 우측은 쇄골하정맥(subclavian vein)을 감아 돌아 기관식도구(tracheoesophageal groove) 내에서 위쪽으로 주행하고 윤상갑상관절(cricothyroid joint) 부근에서 후두 내로 들어간다. 되돌이후두신경은 윤상갑상근을 제외한 모든 후두내재근(intrinsic laryngeal muscle)들을 신경지배하며 성문부와 성문하부의 감각신경분포를 담당한다.[47] 후윤상피열근(posterior crioarytenoid muscle), 외측윤상피열근(lateral cricoarytenoid

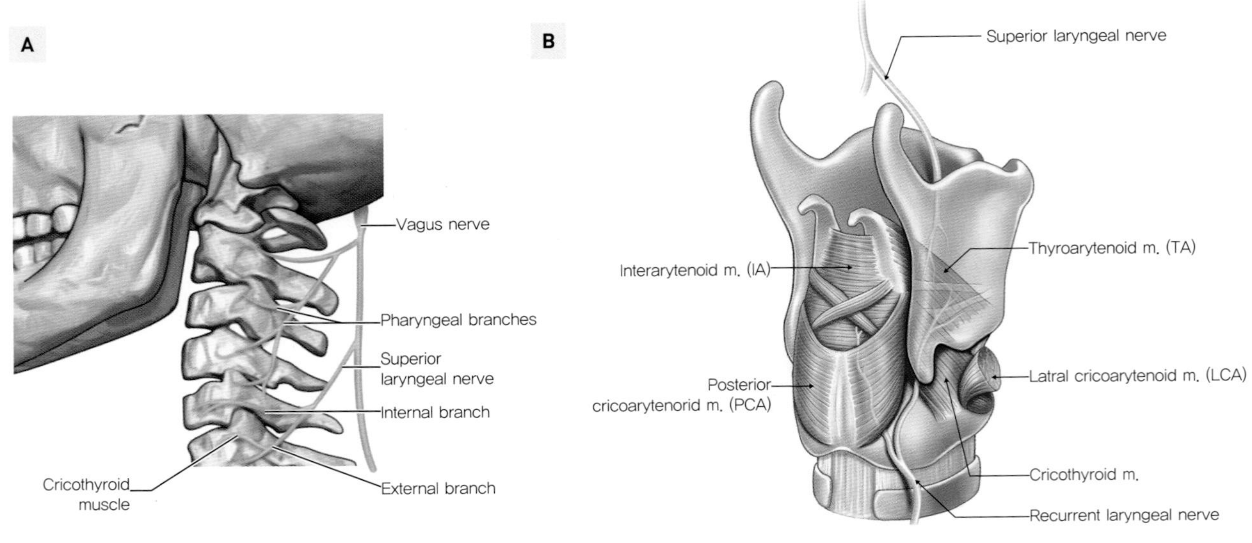

■ 그림 54-1. **미주신경의 해부.** **A)** 미주신경은 목정맥구멍을 나와서 인두가지 및 상후두신경을 내고, 상후두신경은 속가지 및 바깥가지를 낸다. **B)** 되돌이후두신경은 기관식도구 내에서 위로 주행하여 윤상갑상관절 부근에서 후두 내로 들어가 후윤상피열근, 피열사이근, 외측윤상피열근, 갑상피열근을 신경지배한다.

muscle,) 갑상피열근(thyroarytenoid muscle) 등은 동측 되돌이 후두신경으로부터 신경지배를 받으며 피열사이근(interarytenoid muscle)은 양측 되돌이 후두신경으로부터 동시에 신경지배받는다(그림 54-1B).

2. 일측성 성대마비(Unilateral vocal fold paralysis)

1) 원인

일측성 성대마비의 원인은 다양하지만 흔한 원인으로 의인성, 종양성, 특발성 등이 있다.[5,26,38]

(1) 의인성

의인성 성대마비는 되돌이후두신경 또는 미주신경이 수술 중에 견인, 절단되거나 전열기구에 의한 손상으로 발생한다. 갑상선절제술, 전경부 접근 경추 디스크 수술, 식도절제술, 대동맥궁 수술을 포함한 심흉부 수술, 경부 청소술, 경동맥 내막 절제술, 종격동경검사, 관상동맥우회 수술, 폐엽절제술 등의 수술에서 성대 마비가 발생한다.[28] 드물지만 기관 내 삽관에 의한 성대마비도 가능하며, 이때 피열연골 탈구나 부분탈구(subluxation) 와 감별이 필요하다.[47]

(2) 종양성

후두암 이외에 폐암, 식도암, 갑상선암, 두개저종양 등이 되돌이후두신경 또는 미주신경을 침범하여 성대마비를 일으킨다. 몇몇 연구에서는 비후두암에 의한 신경 침범이 성대 마비의 가장 흔한 원인으로 보고되었으며, 비후두암 중에서는 폐암이 가장 흔한 원인이다.[11,12] 따라서 성대 마비가 의심될 경우 성대운동장애 또는 비후두암의 침습에 의한 성대마비에 대한 감별이 필수적이며, 성대 마비의 원인이 뚜렷하지 않을 경우 미주신경과 되돌이 후두신경의 전체 경로를 관찰할 수 있는 영상검사가 필요하다.[11]

(3) 특발성

자세한 병력청취를 포함한 여러 진단적 검사에서 원인이 밝혀지지 않을 때 특발성으로 진단한다. 특발성 성대

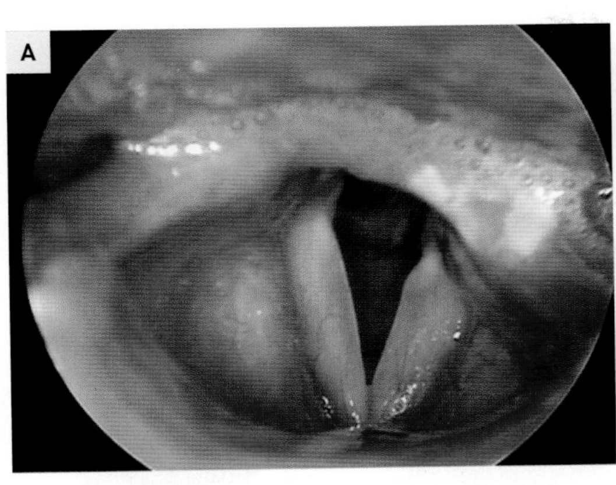

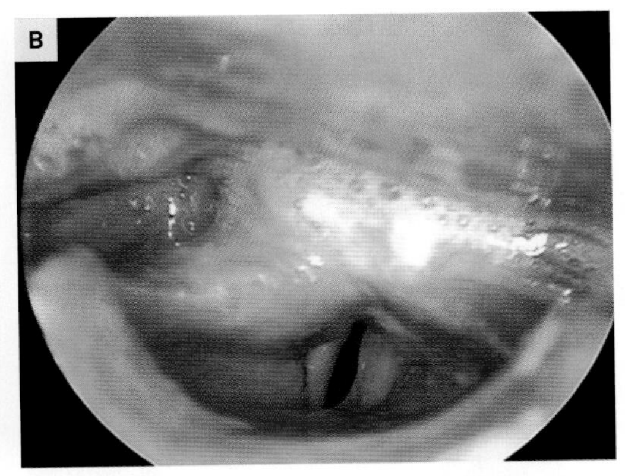

■ 그림 54-2. **좌측 성대마비 환자의 후두스트로보스코피 소견.** 발성 시 좌측 성대의 고정과 성문틈이 관찰된다. **A)** 흡기, **B)** 발성

마비는 일시적인 음성 장애 이후에 자연 치유되는 경우가 있으므로 실제 발생률은 보고된 것보다 많을 수 있다.[11] 헤르페스바이러스 감염에 의한 염증반응이 원인으로 추측되고 있지만 과학적인 증거는 부족하다.

(4) 전신적질환

드물지만 통풍, 육아종증, 결핵, 류마티스 관절염, 점액부종을 동반한 갑상선기능항진증 등과 같은 전신질환에 의해 성대마비 또는 윤상피열관절고정이 발생할 수 있다.[26]

(5) 신경질환

뇌졸중은 성대마비와 관련된 가장 흔한 신경질환이다.[11] 그 외 Arnold-Chiari 기형, 근육위축가쪽경화증(amyotrophic lateral sclerosis), Guillain-Barre 증후군, Eaton-Lamber 증후군, 파킨슨병, Shy-Drager 증후군, 진행성 연수마비(progressive Bulbar palsy), 중증근육무력증(myasthenia gravis), 다발 경화증(mutiple sclerosis), postpolio 증후군 등이 원인이 될 수 있다.[28] 하지만 진행성 신경질환들은 성대마비만 단독으로 오는 경우는 드물고 대개 다른 신경학적 증상들이 선행하거나 동반된다.[47]

2) 진단

(1) 병력청취

환자의 증상, 증상 발현 기간, 과거 병력, 수술력 등은 성대마비를 진단하고 향후 치료를 결정하는 데 중요한 자료가 된다. 병력 청취를 통해 전이암 또는 전신질환에 의한 성대마비가 의심되는 경우 이에 해당하는 영상검사 또는 혈청 검사를 진행할 수 있으며, 수술력은 의인성 성대마비를 진단하는 데 중요한 요소이다. 성대마비의 주증상은 음성변화이며 음성변화의 정도는 근긴장의 유지 정도, 성대의 고정위치, 반대측 성대의 보상 정도에 따라 경미한 음성피로에서부터 심각한 쉰 목소리까지 다양하게 나타날 수 있다. 연하장애도 가능하며 고형식보다 음료를 섭취할 때 더 쉽게 나타난다.

(2) 후두내시경검사(Laryngoscopy)

성대마비를 진단하는 데 가장 기본이 되는 검사로 성대운동장애를 확인할 수 있다(그림 54-2). 70° 또는 90° 경성후두내시경(rigid laryngoscope), 연성후두내시경(flexible laryngoscope) 등을 이용하여 성대의 움직임을 관찰할 수 있으며, 연성후두내시경은 혀를 당길 필요가 없기 때문에 자연 상태의 후두를 관찰할 수 있는 장점이 있다.[11] 내시경 검사에서 '/이/ 발성과 힘껏 코로 들이쉬기(sniff)'를

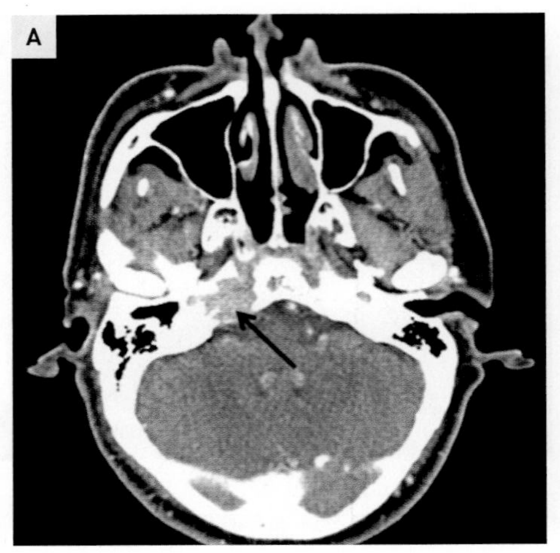

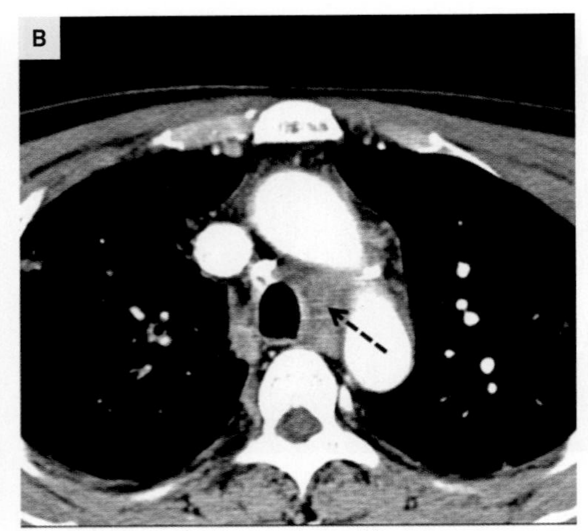

■ 그림 54-3. **전산화단층촬영.** **A)** 우측 성대 마비로 진단된 간암 환자에서 두개저 전이가 관찰된다(검은색 화살표). **B)** 좌측 성대 마비로 진단된 폐암 환자에서 종격동 전이가 관찰된다(점선 화살표).

반복하면 성대의 내전과 외전 움직임을 극대화하여 운동성을 더욱 명확히 할 수 있다. 이때 성대 움직임이 관찰되지 않는다면 성대마비로 진단할 수 있다.[34,37] 마비된 성대는 길이가 짧아지고 피열연골이 전방으로 회전되는 경향이 있다.[44] 하지만 피열연골이 전방으로 돌출(overhanging)되어 있는 경우는 피열연골 탈구와 감별이 필요하다.

(3) 스트로보스코피(Stroboscopy)

스트로보스코피는 성대의 운동장애뿐만 아니라, 성문폐쇄부전, 궁형변형(bowing), 성대 높이 차, 성대 점막물결의 비대칭성(asymmetry of mucosal wave)을 정확히 평가할 수 있다.[44] 마비된 성대의 근육이 위축되는 경우 점막물결의 진폭(amplitude of mucosal wave)이 건측보다 더 커지고 늘어진(floppy) 양상을 보일 수 있다.[34]

(4) 최대발성지속시간(maximum phonation time, MPT)

최대발성지속시간은 성대의 발성 효율을 측정하는 간단하고 유용한 검사이다. 방법은 최대한 숨을 들이쉰 후 편안한 목소리로 최대한 길게 /아/ 발성하여 시간을 측정한다. 3회 시행하며 그중 가장 길게 발성한 시간으로 정의한다. 정상적으로 성인 남성은 20초 이상, 성인 여성은 15초 이상이지만 성대마비 환자는 성문틈으로 공기가 쉽게 빠져나가므로 MPT가 감소한다. 성문틈이 클수록 MPT가 짧고 음성변화가 심한 경향이 있다. 그러나 MPT는 환자의 폐활량에 의해 크게 좌우되므로 이를 고려하여 해석해야 한다.[1,42]

(5) 영상학적검사

성대마비가 발생할 수 있는 개연성이 충분한 원인이 있을 경우에 반드시 영상검사를 시행할 필요는 없다. 그러나 특별한 원인이 밝혀지지 않은 경우에는 영상검사가 진단에 도움이 되며, 미주신경과 되돌이 후두신경의 전 주행을 관찰하기 위해 두개저에서부터 상부 종격동을 포함하는 전산화단층촬영을 시행하는 것이 좋다(그림 54-3).[25] 변형바륨연하검사(modified barium swallowing), 기능성내시경검사(functional endoscopic evaluation) 는 연하능력이나 흡인 유무를 파악함으로써 성대마비환자에서 연하장애에 대한 치료를 계획하는 데 도움이 된다.[47]

(6) 후두근전도(Laryngeal electromyography)

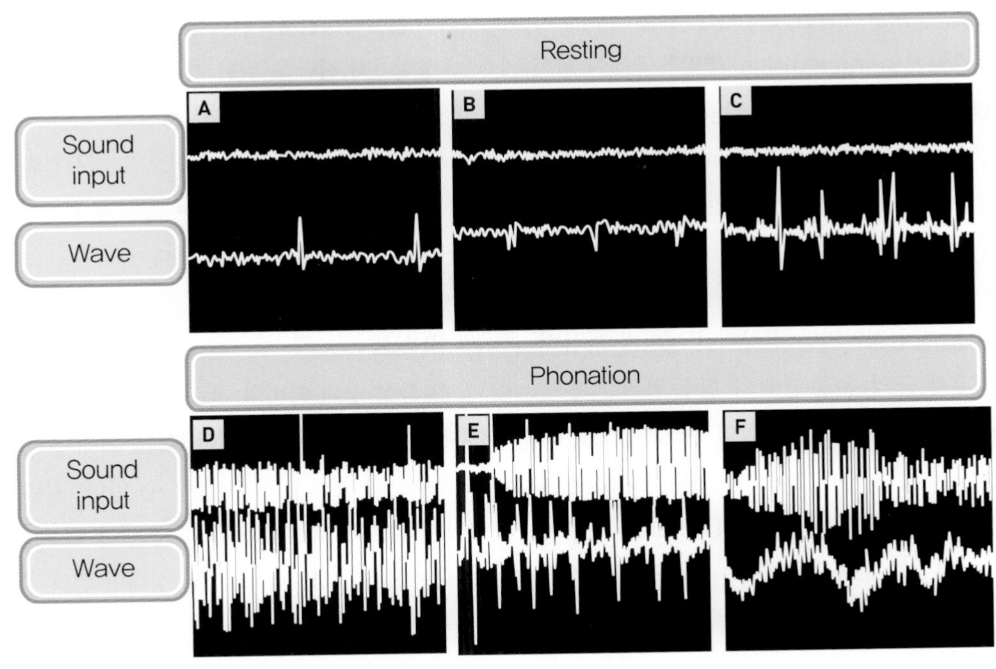

■ 그림 54-4. **후두근전도파형.** **A)** 마비된 성대 자발전위의 세동전위. **B)** 마비된 성대 자발전위의 양성예파. **C)** 마비된 성대 자발전위의 복합방전전위. **D)** 정상 성대 운동전위의 간섭 및 점증 양상. **E)** 마비된 성대 운동전위의 picket fence 점증양상. **F)** 마비된 성대 운동전위의 완전 탈신경지배에 의한 무반응.

① 의의

후두근전도는 성대마비의 예후를 예측하고 성대부전, 윤상피열관절고정과 성대마비를 감별진단함으로써 치료 방향을 결정하는 데 도움이 된다.[13] 너무 이른 시기에는 탈신경(denervation)과 신경재분포(reinnervation)의 해석에 오류가 발생할 수 있고 너무 늦을 경우에는 치료방향의 설정에 별 도움이 되지 못하므로 성대마비 발생 후 1개월에서 6개월 사이에 시행하는 것이 좋다.[29]

② 방법

후두근 검사에 사용되는 기록전극(recording electrode)은 바늘전극과 표면전극등이 있다. 바늘전극에는 단극바늘전극, 단극동심바늘전극, 양극동심바늘전극, 유구선전극 등 여러 종류가 있으나 후두근전도에서는 주로 37 mm, 25–27 게이지, 단극성 바늘전극(monopolar needle electrode)이 사용된다.[8] 성대마비를 진단하기 위해서는 주로 갑상피열근(thyroarytenoid muscle)이 검사 대상이 된다. 검사방법은 윤상연골 상연 중간의 약 5 mm 정도 외측에서 바늘전극을 삽입 후, 바늘전극의 방향을 약 30° 상외측으로 향하여 윤상갑상막을 뚫으면서 2 cm 정도 전진시키면 갑상피열근에 삽입된다.[6] 삽입된 전극을 통해 이완상태와 운동상태 각각에서 전위를 평가한다.

③ 평가

i) 자발전위(Spontaneous activity)

정상적으로 이완 상태에서는 탈분극이 일어나지 않거나 아주 미약한 전위 변화만을 보이지만 신경병변이 있는 경우는 세동전위(fibrillation potential), 양성예파(positive sharp wave), 복합방전전위(complex repetitive discharge)와 같은 비정상적인 자발전위가 나타난다(그림

54-4).[8] 이와 같은 비정상 자발전위가 손상 후 2–3주에 나타나서 신경이 재분포(reinnervation)되거나 근육이 퇴화(muscle degenerate)될 때까지 지속될 수 있다.[30]

ii) 수의적운동전위(Volitional activity)

근 수축 상태에서 운동단위 활동전위(motor unit action potential) 파형의 지속시간(duration), 진폭(amplitude), 위상(phases spike) 수를 측정함으로써 정성적인 평가 또는 제한적이지만 정량적인 평가가 가능하다. 정상적인 후두근의 운동단위의 활동전위는 3–7 mseconds의 지속시간, 100–800 mV의 진폭과, 2 또는 3 위상을 보이는데, 신경병변이 있을 경우에는 지속시간이 길어지고, 진폭이 증가하고, 다상성(polyphasic) 파형이 관찰된다.[22,42] 정상적인 운동단위전위는 둘 또는 세 개의 위상(bi– or triphasic)인 것에 비해 네 개의 위상(four phase) 이상을 다상성(polyphasic)이라 한다. 이것은 근섬유운동과 신경자극의 동기화(synchronize)가 잘 이루어지지 않아서 발생하는 비정상적인 운동단위전위이다. 다상성 위상은 여러 상태에서 나타나지만 주로 신경손상 이후에 신경재분포가 일어날 때 관찰되며 정상에 비해 긴 지속시간과, 큰 진폭을 보인다(그림 54-4). 근육병증(myopathy)에서는 신경자극은 괜찮지만 기능할 수 있는 근섬유가 줄어들기 때문에 운동단위전위의 진폭이 감소한다.

정상적인 신경지배를 받는 상태에서 성대근육이 수축하면 근육내 모든 운동단위들이 폭발적으로 탈분극한다. 이때 각각의 운동단위에서 발생한 전위의 위상이 겹쳐지면서 기저선(base line)이 없어지고 빽빽한 간섭양상(interference pattern) 또는 점증양상(recruitment pattern)이 나타난다. 그러나 신경손상이 있을 때에는 기저선도 유지되고 간섭양상도 줄어들어 피켓–팬스(picket–fence) 모양으로 나타난다. 완전한 신경손상이 있을 경우에는 탈분극이 전혀 일어나지 않는 무반응으로 나타날 수 있다. 근육병증에서는 진폭이 감소된 간섭양상이 나타난다.[30]

(7) 혈청학적검사

성대마비 진단을 위한 기본검사로 혈청학적 검사를 시행할 필요는 없다.[32] 환자의 증상이나 신체검사, 영상학적 검사 등에서 성대마비의 원인으로 전신질환을 의심할 만한 소견이 보인다면 의심되는 질환과 관련된 혈청학적 검사를 시행하는 것이 바람직하다.

3) 치료

일측성 성대 마비의 치료 목적은 쉰목소리를 호전시키고 흡인을 방지하는 것이다. 이를 위해 추적관찰, 음성치료, 수술적 치료 등을 시행할 수 있다. 치료 방법을 선택할 때 환자의 직업력, 목소리에 대한 필요성, 흡인 유무, 성대마비의 유병기간, 고정된 성대의 위치, 마비된 성대의 회복가능성 등을 신중히 고려해야 한다. 한쪽의 성대가 마비되었더라도 반대측 성대의 보상 작용에 의해서 쉰목소리가 호전될 수 있다. 명확한 신경손상이 있는 경우가 아니라면 성대 운동이 자연 회복될 수 있으므로 6–12개월 정도 추적 관찰이 가능하다.[21,34,47] 음성치료는 성문폐쇄 및 음성강도를 향상시킴으로써 성문틈이 크지 않은 경우에는 수술과 거의 유사한 효과를 보일 수 있다.[27] 또한 중등도 이상의 성문틈이 있는 환자에서도 수술의 시기를 늦출 수 있다.[20] 하지만 성문틈이 크고 자연 회복 가능성이 없거나 흡인이 동반되는 경우, 조속한 음성 회복이 필요한 경우에는 수술적 치료를 시행하는 것이 바람직하다. 수술적 치료에는 성대내주입술(injection laryngoplasty), 갑상성형술(thyroplasty), 피열연골내전술(arytenoids adduction), 신경재생술(reinnervation) 등이 있다.[9]

3. 성대 부전 마비(Vocal fold paresis)

1) 정의

성대 마비는 완전 탈신경지배(complete denervation)로 인해 성대 운동이 없어지는 것에 반해, 성대 부전 마비는 성대의 운동 장애를 말하며 주로 되돌이후두신경이나

상후두신경의 신경손상에 인해 발생한다.[13]

2) 원인

성대 부전 마비의 원인은 특발성이 가장 흔하며 의인성, 종양의 침습, 신경질환, 갑상선질환 등 다양한 원인이 있다.[17,24]

3) 증상

일측성 성대마비와 다르게 명확한 음성변화를 나타내기보다는 다소 미묘한 형태의 발성장애를 호소한다. 목이 잠기는 증상, 음성피로, 말할 때 숨이 차거나 과도한 음성사용 이후 음소실, 소란스런 환경에서 말하기 어려움, 발성통(odynophonia), 노래할 때 목소리 변화 등이 나타날 수 있다.[24]

4) 진단

일측성 성대마비와 마찬가지로 후두내시경 또는 후두스트로보스코피 검사를 시행하여 성대의 내전-외전 운동성, 성문폐쇄부전, 성대점막물결의 진폭이나 대칭성을 확인해야 한다.[46] 내시경검사에서 성대의 운동성 감소가 가장 흔한 소견이고 궁형성대가 두 번째로 흔히 관찰되는 소견이지만 경증의 경우 정상으로 관찰될 수 있으므로 내시경 소견 단독으로 성대 부전마비를 진단하는 것은 민감도가 낮다.[3,41] 따라서 내시경 검사의 민감도를 높이기 위해 반복적인 발성을 요구함으로써 신경병증이 있는 근육의 피로도를 높여 성대의 운동성 감소를 유발시키는 방법이 제안된다.[36] /이히/-/이히/-/이히/, 또는 /파타카/-/파타카/-/파타카/ 등의 발성을 반복시키거나, /이/ 발성을 하면서 음의 높낮이를 연속하여 변화시키는 글리산도 방법(glissando maneuver)을 시행할 수 있다.[3,7,36,37] 확진은 후두근전도를 통해서 가능하며 되돌이후두신경이나 상후두신경의 각각의 지배영역에서 세동파(fibrillation), 양성예각파(positive sharp wave), 다형운동전위(polyphasic action potensial), 감소된 점증현상(reduced recruitment) 등을 확인함으로써 성대부전마비를 진단할 수 있다.[4,18,39]

5) 치료

스테로이드, 항바이러스제, 음성치료, 성대내주입술 등과 같은 보전적인 치료가 주로 시행된다. 성대의 운동성이 어느 정도 남아 있으므로 피열연골내전술(arytenoids addcution), 또는 신경재분포술(reinnervation)과 같은 영구적, 비가역적 수술은 추천되지 않는다. 갑상선염 등의 기저 질환이 있을 경우 이를 해결하는 것이 치료에 도움이 될 수 있다.[3,30,34,41]

4. 양측성 성대마비(Bilateral vocal folds paralysis)

1) 원인

양측성 성대마비의 주된 원인은 수술에 의해 발생하는 의인성 손상이며 갑상선 수술이 가장 흔한 원인이다. 그 이외 침습암, 기도삽관, 특발성, 진행성 신경성질환 등의 원인이 있다.[16,38]

2) 증상

기도폐쇄에 의한 호흡곤란이 주된 증상이다. 일측성 성대마비와 다르게 음성변화나 삼킴곤란을 호소하는 경우는 드물다.

3) 진단

후두경 검사를 통해서 고정된 성대를 확인해서 양측 성대마비를 진단할 수 있다. 그러나 성문후방협착(posterior glottic stenosis)에 의한 양측 성대고정과 감별이 필요하며 후두근전도와 윤상피열관절 운동성 검사가 감별진단에 도움이 된다. 단 후두근전도는 바늘전극을 후두로 삽입하면 호흡곤란이 심해질 수 있으므로 기도확보를 위한 응급 처치가 준비된 수술실에서 시행하는 것이 바람직하다. 관절 운동성 검사는 관절 고정을 확인할 수 있는 유일한 검사이며 전신 마취를 통해 근육이 충분히 이완된 상태에서 시행한다. 현수후두경을 거치하고 한 손으로 후두를 고정한 상태에서 다른 한 손으로 후두수술기구를 이용하여 피열연골을 외측으로 밀면서 관절 고정 여부를 확인한다. 이때 검사하는 피열연골의 움직임에 따라 반대측 피열연골도 같이 움직이는지를 관찰하여 피열연골간 협착 유무를 알아볼 수 있다.[19]

4) 치료

양측 성대마비의 치료 목적은 수술을 통해 안정적인 기도를 확보하는 것이다. 그러나 기도를 넓히는 수술을 시행한다면 수술에 의해 만들어진 성문틈으로 인해 어느 정도의 음성변화는 피할 수 없다. 또한 경우에 따라 흡인이 발생할 수 있으므로 이러한 사항들에 대해서 환자와 충분히 상의 후 수술을 시행해야 한다.[2,19] 다음과 같은 수술적 치료를 시행할수 있다.[35,47]

(1) 기관절개술

자연 회복을 기다리며 기도확보를 위해 시행할 수 있다.

(2) 보톡스 주사

보툴리눔 독소를 이용하여 흡기 시 갑상피열근의 연축(synkinesis)을 차단한다. 심각한 호흡곤란은 없으며 노력성 호흡곤란이 있을 때 약간의 호흡 개선 효과를 기대할 수 있다. 효과는 일시적이며 쉰 목소리, 흡인 등의 부작용이 발생할 수 있다.

(3) 성대 후방절제술 또는 성대 후방 횡절개술 (posterior cordectomy or posterior transverse cordotomy)

성대 후방절제술은 현수후두경하 레이저를 이용하여 성대 돌기 앞쪽 4mm 정도를 C자 모양 또는 쇄기 모양으로 절제한다. 성대 후방 횡절개술은 성대조직의 제거 없이 성대돌기 앞쪽에서 수평으로 성대를 절단한다. 절단된 갑상피열근이 앞쪽으로 수축하면서 성대후방의 공간이 넓어진다.[2,33]

(4) 피열연골 전절제술 (total arytenoidectomy)

양측 성대마비의 표준적인 수술 방법으로 시행되었으며 외부 접근법, 현수 후두경하 내시경적 절제법, 현수후두경하 CO_2 레이저 기화법 등이 있다. 성문 후방 협착을 막기 위해 수술 중에 양측 윤상연골 사이의 점막이 손상되지 않도록 주의해야 한다.[2,33]

(5) 내측 피열연골 절제술(Medial arytenoidectomy)

피열연골의 내측을 절제하고 외측을 남김으로써, 이론

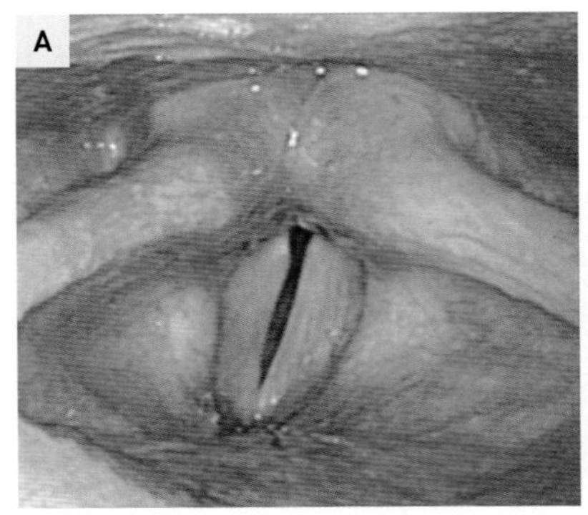

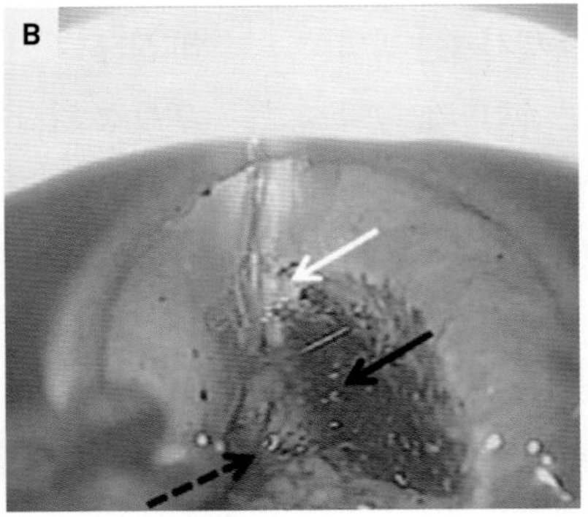

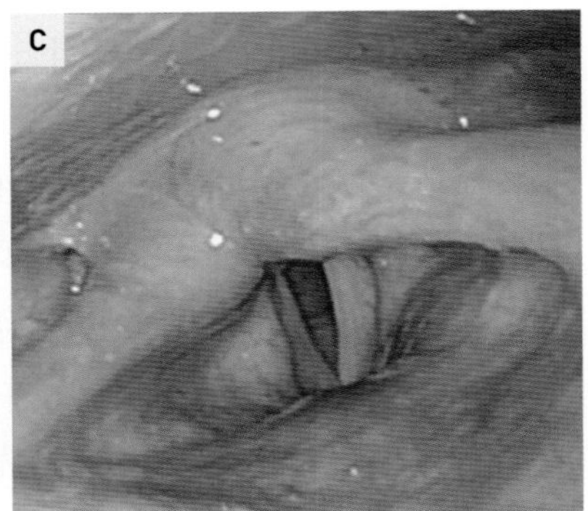

■ 그림 54-5. **양측 성대 마비의 수술.** **A.** 특발성 양측 성대마비로 진단된 67세 남자 환자의 수술 전 흡기 시 연성 후두내시경 소견. **B.** 우측 레이저 내측 피열연골절제술. **C.** 수술 3개월 후 흡기 시 연성후두내시경 소견. 흰색 화살표: 우측 성대돌기, 검은색 화살표: 제거된 내측 피열연골, 검은 점선 화살표: 내측 피열연골 점막 피판.

적으로 전체 피열연골을 제거하는 것에 비해 흡인의 위험성을 줄이고 보다 나은 음성결과를 기대할 수 있다. 현수후두경하 피열연골의 장축을 따라 점막을 절개 후 내측 점막 피판을 올린다. 피열연골의 내측면이 노출되면 노출된 피열연골을 CO_2 레이저로 기화시켜 제거한 후 점막 피판을 봉합하여 피열연골의 절제연을 덮어준다. 성대 후방 절제술 또는 성대 후방횡절개술을 동시에 시행함으로써 기도확보 효과를 높일 수 있다.[33]

(6) 내시경적 봉합 외전술(Endoscopic suture lateralization)

비흡수성 봉합사를 이용하여 성대 후방을 외측으로 견인한다. 봉합의 매듭이 갑상연골의 외측 또는 피부 바깥쪽에 위치 할수 있다.

5. 상후두신경 손상(Superior laryngeal nerve injury)

1) 원인

상후두 신경의 속가지는 성문상부의 감각을 담당하며, 바깥가지는 윤상갑상근을 지배하는 운동신경으로 갑상연골의 기울기를 유지하고 성대 긴장을 유발하여 고음을 내는 데 중요한 역할을 한다.[22] 상후두신경 손상은 갑상선 수술, 경부청소술 후에 주로 발생하며, 바이러스 감염에 의한 것으로 추정되는 특발성 마비도 주된 원인 중 하나이다.[10,15]

2) 증상 및 징후

(1) 속가지(internal branch) 손상

일측성인 경우 헛기침, 기침, 이물감 등이 나타날 수 있으며, 양측성에서는 성문상부와 성문부의 전체적인 감각소실로 인해 심각한 흡인이 발생할 수 있다.

(2) 바깥가지(external branch) 손상

가장 두드러진 증상은 음조(pitch) 조절 장애로 인해 고음 발성이 어렵게 되며, 저음 발성도 제한을 받게 된다. 그뿐만 아니라 음성피로, 이중음성(diplophonia) 등이 발생 할 수 있다.[30,31]

3) 진단

후두내시경검사에서 병변 측 이상와의 분비물 저류를 관찰할 수 있다. 발성 시 정상 윤상갑상근의 항진으로 인해 병변 측으로 후두가 편위되거나, 고음 발성 시 성대 길이 차이가 더 커질 수 있다. 확진을 위해서는 후두근전도를 이용하여 신경손상 여부를 확인하는 것이 필요하다.[7,47]

4) 치료

모든 환자에서 치료가 필요한 것은 아니지만 초기에 정확히 진단해서 적합한 치료를 시행하는 것이 보상적 음성 과용에 의한 추가적인 성대 손상을 막을 수 있다. 치료 방법으로는 음성치료, 성대내주입술, 또는 윤상갑상연골접근술(cricothyroid approximation, type 4 thyroplasty)을 시행할 수 있다.[15]

참고 문헌

1. 권택균, 임윤성. 공기역학검사. 대한후두음성언어의학회지 2008;19:85-8.
2. 김태욱, 손영익. 양측성 성대 마비의 치료 원칙. 대한후두음성언어의학회지 2009;20:118-25.
3. 김태욱, 손영익. 불완전 성대 마비: 논란과 합의. 대한후두음성언어의학회지 2010;21:27-31.
4. 김현지, 박혜상, 김한수 외. 성대 부전 마비의 진단에서 후두 근전도 검사의 유용성. 대한후두음성언어의학회지 2011;22:126-32.
5. 박영학, 최지영, 정현철 외. 성대마비 197례에 대한 임상적 고찰. 대한후두음성언어의학회지 2006;17:138-42.
6. 박중환, 이병주, 김창수 외. 성대마비환자에서 부위별 진단에 있어 후두근전도검사를 근간으로한 전기성문파형검사의 유용성. 한이인지 2000;43:1328-36.
7. 성명훈. 후두신경계의 질환. In 대한후두음성언어의학회 편. 후두음성질환의 이해와 치료. 서울; 일조각: 2012. P.521-35
8. 정성민. 후두근전도. 대한후두음성언어의학회지 2006;17:5-13.
9. 한주희, 한명월, 남순열. 일측성 성대 마비의 치료 원칙. 대한후두음성언어의학회지 2009;20:110-6.
10. Barczynski M, Randolph GW, Cernea CR et al. External branch of the superior laryngeal nerve monitoring during thyroid and parathy-

roid surgery: International Neural Monitoring Study Group standards guideline statement. Laryngoscope 2013 Sep;123 Suppl 4:S1-14.

11. Benninger MS, Crumley RL, Ford CN et al. Evaluation and treatment of the unilateral paralyzed vocal fold. Otolaryngol Head Neck Surg 1994;111:497-508.
12. Benninger MS, gillen JB, Altman JS. Changing etiology of vocal fold immobility. Laryngoscope 1998;108:1346-50.
13. Blitzer A, Crumley RL, Dailey SH, et al. Recommendations of the Neurolaryngology Study Group on laryngeal electromyography. Otolaryngol Head Neck Surg 2009;140:782-93.
14. Blitzer A, Sadoughi B, Guardiani E. Neurological disorder of the larynx. In Flint RW, Haughey BH, Niparko JK editors. Cummings Otolaryngology Head and Neck Surgery. 6th ed. Philadelphia: Elsevier Inc.; 2015. p.860-7.
15. Dursun G, Sataloff RT, Spiegel JR, et al. Superior laryngeal nerve paresis and paralysis. J Voice 1996;10:206-11.
16. Feehery JM, Pribitkin EA, Heffelfinger RN, et al. The evolving etiology of bilateral vocal fold immobility. J Voice 2003;17:76-81.
17. Heman-Ackah YD, Batory M. Determining the etiology of mild vocal fold hypomobility. J Voice 2003;17:579-88.
18. Heman-Ackah YD, Barr A. Mild vocal fold paresis: understanding clinical presentation and electromyographic findings. J Voice 2006;20:269-81.
19. Hillel AD, Benninger M, Blitzer A, et al. Evaluation and management of bilateral vocal cord immobility. Otolaryngol Heda Neck Surg 1999;121:760-5.
20. Isshiki N. Mechanical and dynamic aspects of voice production as related to voice therapy and phonosurgery. J Voice 1998;12:125-37.
21. Jeannon JP, Orabi AA, Bruch GA, et al. Diagnosis of recurrent laryngeal nerve palsy after thyroidectomy: a systematic review. Int J Clin Pract 2009;63:624-9.
22. Kierner AC, Aigner M, Burian M. The external branch of the superior laryngeal nerve: its topographical anatomy as related to surgery of the neck. Arch Otolaryngol Head Neck Surg 1998;124:301-3.
23. Koivu MK, Jaaskelainen SK Falck BB. Multi-MUP analysis of laryngeal muscles. Clin Neurohysiol 2002;113:1077-81.
24. Koufman JA, Postma GN, Cummins MM, Blalock PD. Vocal fold paresis. Otolaryngol Head Neck Surg 2000;122:537-41.
25. Laccourreye O, Malinvaud D, Menard M et al. Unilateral laryngeal nerve paralysis in the adult: Epidemiology, symptoms, physiopathology and treatment. Presse Med 2014;43(4 Pt 1):348-52.
26. Merati AL, shemirani N, Smith TL et al. Changing trends in the nature of vocal fold motion impairment. Am J Otolaryngol 2006;27:106-8.
27. Miller S. Voice therapy for vocal fold paralysis. Otolaryngol Clin North Am. 2004;37:105-19.
28. Misono S, Merati AL. Evidence-based practice: evaluation and management of unilateral vocal fold paralysis. Otolaryngol Clin North Am 2012;45:1083-108.
29. Munin MC, Murry T, Rosen CA. Laryngeal electromyography. Otolarygngol Clin North Am 2000;33:759-70.
30. Ney JP, Meyer TK. Neurologic disorders of the larynx. In Johnson JT, Rosen CA. editors Bailey's Head and Neck Surgery-Otolaryngology. 5th ed. Baltimore: Lippincott Williams & Wilkins; 2014. p.1026-47.
31. Orestes MI, Chhetri DK. Curr Opin Otolaryngol Head Neck Surg 2014;22:439-43.
32. Reiter R Hoffmann TK, Rotter N, et al. Etiology, diagnosis, differential diagnosis and therapy of vocal fold paralysis. 2014;93:161-73.
33. Rosen CA, Simpson CB. Anatomy and physiology of the larynx. In operative techniques in laryngology. Berlin: Springer; 2008. P.3-8.
34. Rosen CA, Simpson CB. Glottic insufficiency: vocal fold paralysis, paresis, and atrophy. In operative techniques in laryngology. Berlin: Springer; 2008. p.29-35.
35. Rosen CA, Simpson CB. Bilateral vocal fold paralysis. In operative techniques in laryngology. Berlin: Springer; 2008. p.167-74.
36. Rubin AD, Praneetvatakul V, Heman-Ackah Y, et al. Repetitive phonatory tasks for identifying vocal fold paresis. J Voice 2005;19:679-86.
37. Rubin AD, Sataloff RT. Vocal fold paresis and paralysis. Otolaryngol Clin North Am 2007;40:1109-31, viii-ix.
38. Rosenthal LHS, Benninger MS, Beeb RH. vocal fold immobiliity : a longitudinal analysis of etiology over 20 years. Laryngoscope 2007:117:1864-70.
39. Simpson CB, Cheung EJ, Jackson CJ. Vocal fold immobility: a longitudinal analysis of etiology over 20 years. 2007;117:1864-70.
40. Sulica L. The superior laryngeal nerve: function and dysfunction. Otolaryngol Clin North Am. 2004;37:183-201.
41. Sulica L, Blitzer A. Vocal fold paresis: evidence and controversies. Curr Opin Otolryngol Head Neck Surg 2007;15:159-62.
42. Sulica L. Voice: Anatomy, physiology and clinical evaluation. In: Flint RW, Haughey BH, Niparko JK editors. Cummings Otolaryngology Head and Neck Surgery. 6th ed. Philadelphia: Elsevier Inc.; 2015. p945-57.
43. Takeda N, Thomas GR, Ludlow CL. Aging effects on motor units in the human thyroarytenoid muscle. Laryngoscope 2000;110:1018-25.
44. Woodson GY. Laryngeal and pharyngeal function. In Flint RW, Haughey BH, Niparko JK editors. Cummings Otolaryngology Head and Neck Surgery. 6th ed. Philadelphia: Elsevier Inc.; 2015. p.825-33.
45. Woodson GE. configuration of the glottis in laryngeal paralysis. I: Clinical study. Laryngoscope 1993;103:(11 Pt 1):1227-34.
46. Wu AP, Sulica L. Diagnosis of vocal fold paresis: current opinion and practice. Laryngoscope. 2015;125:904-8.
47. Young VN, Simson CB. Treatment of vocal fold paralysis. In Johnson JT, Rosen CA. editors Bailey's Head and Neck Surgery-Otolaryngology. 5th ed. Baltimore: Lippincott Williams & Wilkins; 2014. p.1004-25.

CHAPTER

55

후두의 감염성 및 기타 질환

김정규

I 후두의 감염성 및 염증성 질환

후두 조직의 급성 손상에 대한 반응은 손상의 종류에 상관없이 주로 부종, 염증, 삼출 등으로 나눌 수 있으며, 이런 급성 손상이 지속되는 경우 점막의 비대 및 화생(metaplasia), 후두 조직의 섬유화 등 만성적인 단계를 거치게 된다. 따라서 염증성 후두질환의 증상은 질병의 종류와 상관없이 유사한 경우가 많고, 감별하기도 어렵다.

후두의 감염성 및 염증성 질환의 증상으로는 애성이 가장 흔하고 발성장애, 호흡곤란, 연하곤란, 통증 등이 있다. 증상의 형태와 정도는 환자의 나이와 신체적 크기에 따라 주로 결정된다. 즉 후두 부종에 의한 호흡곤란은 성인에 비해 소아가 흔하고 정도도 심해, 생명을 위협할 수도 있다.

1. 소아의 후두질환

1) 바이러스성 후두염(viral laryngititis)

후두염 중 가장 흔한 바이러스성 후두염(viral laryngitis)은 임상적으로 증상이 심하지 않으며 흔히 바이러스성 상기도 감염과 연관되어 발생한다. 흔한 원인 바이러스로는 *rhinovirus, parainfluenza virus, adenovirus, respiratory syncytial virus* 등이 있다. 증상으로는 발열, 발성장애, 기침, 비염 증상을 호소할 수 있다.

진단은 문진과 신체검사로 가능하다. 후두 내시경검사 시 후두의 발적, 부종, 분비물 증가를 관찰할 수 있으며, 성대의 움직임은 정상이고, 기도 폐쇄는 관찰되지 않는다. 세균에 의한 이차 감염이 없는 한 농성 분비물은 관찰되지 않는다.

수액 공급이 가장 중요하며, 해열제와 소염제를 투여하고, 비점막 수축제를 코에 점적하여 후두자극 증상을 완화할 수 있다. 또한 농성 객담이나 고열이 있는 경우는 세균에 의한 이차감염이 의심되므로 항생제를 투여한다.[33]

2) 백일해(whooping cough)

백일해(whooping cough)는 *Bordetella pertussis*균에 의해 발생하며 예방접종의 보편화로 발생이 현저히 감소하였으나 최근 그 빈도가 증가하는 추세에 있다.[2,19] 주로 6개월 이하의 영아에서 흔한데, 홍역, 유행성 이하선염, 풍진 등의 다른 소아과 질환과 달리 임신 시 모체에서 태아로 수동 면역이 되지 않으므로 신생아는 생후 6개월에 실시하는 예방접종 이전에 *B. pertussis*균에 노출될 경우 감염된다.

환자와 접촉한 병력, 2주 이상의 기침과 함께 발작적 기침 Whooping, 기침 후 구토 등의 증상이 있을때 진단에 도움이 된다.[19] 성인과 소아에서는 심한 발작적 기침을 하게 되나, 신생아는 발열과 백혈구 수의 증가를 보이며 발작적 기침이 뚜렷하지 않은 경우가 많다.

고식적인 치료와 함께 객담을 제거하면 도움이 된다. Erythromycin은 조기에 투여하면 임상경과를 경하게 할 수 있으나 이미 기침 증상이 시작되었다면 임상 경과를 변화시키지는 못하고 1–2일 후 환자로 하여금 저항력을 갖게 하므로 예방적 치료제로 사용되며, 전염력을 감소시킬 수 있다. 하루에 50 mg/kg/day을 4번에 나누어 2주간 복용하도록 한다.[2]

3) 크루프(croup)

크루프(croup)란 목이 쉬거나 목소리에 변화가 오고, 흡기 시에 소리가 나며 stridor, 개가 짖는 듯한 기침(barking cough), 호흡곤란, 흉벽 함몰 등의 증상을 일으키는 증후군이다. 후두의 염증으로 야기된 상기도 폐쇄로 나타나며 대부분 기관 또는 기관지에도 염증이 동반된다. 크루프의 유형은 경련성 크루프, 감염성 크루프, 세균성 기관염으로 나눌 수 있다(표 55-1).

(1) 경련성 크루프(spasmodic croup)

연축성 크루프라고도하며 흔히 가성 크루프(false croup) 또는 성문하 알레르기성 부종(subglottic allergic edema)으로 알려져 있고, 일반적으로 1–3세에 잘 일어난다. 원인은 알레르기, 바이러스감염, 위산 역류, 심리적 요인 등과 관련이 있을 것으로 생각되나 아직까지 명확한 원인은 밝혀지지 않았다.

증상은 한밤중에 돌발적으로 발생하며, 발열이 동반되는 경우는 드물다. 환자는 몹시 아파 보이지만 청색증은 거의 없으며, 응급조치가 필요할 정도로 기도가 폐쇄되는 경우는 드물다. 발작이 있을 때 내시경으로 성문하부를 관찰하면, 성문하부의 부종과 창백한 빛깔을 관찰할 수 있다.[14]

발작은 대개 수 시간 후에 완화되며 다음 날 낮이 되면 약간의 애성과 기침 외에는 증상을 호소하지 않는다. 이런 발작이 2–3일간 밤마다 혹은 겨울마다 재발하는 경향이 있을 수 있다. 치료로 습기 있는 시원한 공기를 쐬어 주거나, 응급실로 내원 시 에피네프린을 분무해 주면 수분 내에 증상이 호전된다.[19,30]

(2) 감염성 크루프(infectious croup)

크루프의 대표적인 형태이고 급성 후두기관염(acute laryngotracheobronchitis)이라 명명하기도 한다. 대부

표 55-1. 크루프 증후군의 감별 진단

	감염성 크루프	세균성 기관염	경련성 크루프
나이	3세 이하의 유아	1개월 – 6세	소아기 연령
원인균	주로 바이러스	바이러스/세균	알레르기 관여
증상의 시작	상기도 감염후	상기도 감염 후	갑작스러운 기침
후두경 소견	부종과 염증	부종, 염증, 화농	부종
임상 경과	악화와 회복의 반복	갑자기 악화 가능	후유증 없이 회복 가능
치료	보존적 치료	기도 확보, 항생제	자연 치유

분은 바이러스성으로 Ⅰ형 *parainfluenza virus*가 가장 흔하며, Ⅱ형 *parainfluenza virus*, A형 *influenza virus*, *rhinovirus*, *respiratory syncytial virus* 등이 원인이다. 주로 6개월에서 3세 사이의 남아에서 흔하고, 6세 이후에는 드문 질환으로, 3–7일 정도의 유병기간을 가지며, 가을과 겨울에 호발한다.

초기엔 미열과 콧물, 기침 등을 동반한 상기도 감염 증상으로 시작하여, 1–3일 후 특징적인 짖는 듯한 기침과 약 60%에서 흡기성 천명, 애성을 호소한다. 이때 발생하는 기침은 보통 객담을 동반하지 않으며 밤에 악화된다. 드물게 성문하 부종으로 인한 호흡곤란을 호소할 수 있다.[19]

진단은 증상과 측경부 연조직 방사선검사로 가능하며, 방사선검사에서 부종으로 인해 성문하부가 좁아져 보이는 탑상 징후(steeple sign)가 특징적이다.[14]

치료 원칙은 부종을 감소시키고, 분비물을 묽게 하며, 호흡곤란이 심한 경우 기도를 확보하는 것이다. 분비물을 묽게 하고, 기도 내 가피를 부드럽게 하기 위해 충분한 수액 요법, 습도조절, 산소 공급이 필요하다. 이런 치료에도 불구하고 증상이 계속 악화될 경우 부종을 감소시키기 위해 에피네프린을 분무하고, 국소 염증, 림프 부종, 성문하 부종을 감소시키기 위해 스테로이드를 투여한다.[15,30] 저산소증과 청색증을 보이거나 창백하고 의식이 약화된 경우 즉시 기관삽관술이나 기관절개술이 필요하며, 기관삽관술을 시행할 경우 성문하 협착이 초래될 수 있으므로 되도록 작은 튜브를 삽관해야 하고, 대부분 5–7일 사이에 발관하게 된다. 세균에 의한 이차감염이 의심될 경우에는 항생제를 투여해야 한다.[15]

(3) 세균성 기관염(bacterial tracheitis)

6세 이하의 소아에서 흔히 발생하는 것으로 알려진 세균성 기관염은 바이러스에 의한 상기도 감염 증상이 있은 후 합병증으로 기관에 중복감염이 발생하여 고열과 기도 폐쇄를 특징으로 하는 질환으로 가장 흔한 원인균은 *Staphylococcus aureus*와 *Hemophilus influenzae*이다. 증상은 빠르게 진행하며, 내시경검사에서 윤상연골 아래쪽에서 농을 관찰할 수 있다.

치료는 기도확보가 가장 중요하고, 필요한 경우 기관지경을 통해 농을 제거한다.[7] 또한 광범위 항생제를 사용하고, 적당한 습도를 유지하며 수액을 공급한다. 환자의 60%에서 치료 도중 이차적인 합병증으로 폐렴이 동반된다.[7]

4) 급성 후두개염(acute epiglottitis)

급성 성문상부염(acute supraglottitis)이라고 하며, 원인균은 B형 *Hemophilus influenzae*가 대부분이며, *Pneumococci*나 *β–hemolytic streptococcus*에 의해 발생할 수 있다. 주로 3세 이상의 소아에서 흔히 발생하나 *H.influenza* type B에 대한 예방접종이 보편화되면서 소아에서 발생빈도가 감소하고 있다.[25] 성인에 비해 소아에서 기도폐쇄 증상이 흔하게 발생하며, 염증에 의한 부종은 후두개의 설측면과 주위의 가성대, 피열후두개주름, 피열연골에서 주로 발생하며, 진성대와 성대하부는 보존된다.[29]

증상으로 고열과 연하통, 발성장애, 호흡곤란, 흡기시 천명, 맥박 및 호흡 상승을 관찰할 수 있다. 또한 마치 뜨거운 감자를 먹을 때 내는 목소리와 같다고 하여 이름 붙은 hot potato voice 또는 muffled voice라는 특징적인 목소리를 나타내지만, 크루프에서와 같은 짖는 듯한 기침은 없다. 환아는 종창이 있는 후두개가 기도를 막는 것을 피하기 위해 눕기보다는 앉아 있으려고 하고 몸을 앞으로 기울이고 목을 뒤로 젖히기도 하며, 연하 시 생기는 통증으로 인하여 침을 삼키지 못하고 흘린다(표 55-2). 이러한 증상은 급성으로 발생하며, 4–5시간 이내에 기도폐쇄 등의 증상이 급격히 악화될 수도 있어, 이비인후과적 응급질환으로 간주해야 한다. 후두개염이 있을 때 기도폐쇄에 관여하는 요소는 발적과 종창이 있는 후두개로 인한 기도 협착과 연하통으로 인해 구강 및 인두에서 발생하는 끈적한 분비물을 삼키지 못하는 것이다.

문진과 신체검사 소견을 통해 진단하게 되며, 기관삽

표 55-2. 크루프와 급성 후두개염의 감별

	크루프	급성 후두개염
나이	3세 이하의 유아	3세 이상
원인	대부분 바이러스	박테리아
발현 양상	점진적	급성
기침	짖는 듯한 기침	정상
침흘림(drooling)	없음	있음
자세	누운 자세	약간 앞으로 숙이고 앉은 자세
방사선적 특징	탑상 징후 (steeple sign)	엄지상 징후 (thumb sign)
치료	보존적 치료	기도 확보 및 항생제 투여

관이나 기관절개를 준비하지 않고 후두를 건드려서는 안 된다. 가능하면 수술실에서 소아과, 이비인후과, 마취과 의사의 협동하에 후두 내시경검사, 세균배양, 기관삽관술을 시행하는 것이 좋으며, 기관삽관은 24-48시간 동안 유지한다. 후두 내시경검사에서 빨갛게 발적되어 있는 후두개를 관찰할 수 있다. 측경부 연조직 방사선검사에서 종창된 후두개가 엄지손가락같이 보이는 'thumb print' 소견이 특징적이다.[12]

치료 원칙은 우선 기도를 확보하는 것이 가장 중요하며, 그 후에 항생제를 투여하고 보존적인 치료를 해야 한다. 기관삽관술이나 기관절개술이 필요한 경우에는 그 시기를 판단하는 것이 중요하다. 즉 환자의 증상이 차츰 심해지고, 맥박수와 호흡수가 빨라지며, 흉벽 함몰이 심해지면 기관삽관술이나 기관절개술의 적응증이 된다. 최근 기도확보를 위해 94%에서는 기관삽관술을 시행하고, 6%에서는 집중적인 관찰을 시행하며, 기관절개술을 시행하는 예는 감소하는 추세이다.[27]

항생제는 *H. influenzae*를 포함한 대부분의 그람 음성균과 그람 양성균에 효과가 좋은 2세대와 3세대의 cephalosporin인 cefuroxime과 ceftriaxone이 주로 사용된다. 후두개의 염증에 의한 부종을 완화시킬 목적으로 스테로이드를 사용할 수 있으며, 스테로이드를 사용함으로써 발관까지의 기간을 단축시킬 수 있다.[15] 기타 보존적 요법으로 습도를 유지시키며, 수액을 공급하고, 끈적한 분비물을 연화시키는 과정이 필요하다.

5) 후두 디프테리아(laryngeal diphtheria)

후두 디프테리아(laryngeal diphtheria)는 디프테리아-백일해-파상풍(DPT) 백신이 대중화된 이후 거의 사라졌지만 상기도 폐쇄를 일으키는 질환 중 하나로 꼭 감별해야 한다. *Corynebacterium diphtheriae*가 원인균이며, 대개 구인두의 디프테리아에서 파급되어 발생하는 경우가 많다. 보통 애성과 발열이 있은 후 2-3일 내에는 호흡곤란과 천명은 발생하지 않으나, 한번 기도폐쇄 증상이 나타나기 시작하면 급격히 악화되는 양상을 띤다.

진단은 환자의 증상과 후두 내시경검사를 통해 후두 내에 디프테리아를 의심할 수 있는 위막(pseudomembrane)을 확인함으로써 가능하며, 확진을 위하여 배양이 필요한 경우도 있다. 후두 디프테리아가 의심되면 즉시 치료를 시작해야 한다. 디프테리아 독소는 후두를 직접 침범하지 않고도 성대 마비를 일으킬 수 있다. 또 독소에 의해 10%의 환자에서 뇌신경 마비, 10-25%의 환자에서 심근염이 발생할 수 있다. 치료가 성공적으로 진행되면 뇌신경 마비, 심근염은 느리지만 완전히 회복된다.[12,18]

치료는 기도를 확보하고, 항독소와 항생제를 사용한다. 기도의 안정성을 유지하기 위해 적당한 습도를 유지하고 산소를 공급하며, 경우에 따라서는 기관절개술이 필요하다. 항독소는 나이와 체중에 따라 20,000-100,000 U를 정맥 또는 근육 내에 주입하며, 항생제는 페니실린과 erythromycin이 효과가 좋다고 알려져 있다.[12]

2. 성인의 후두염

성인의 후두염은 소아에서처럼 기도폐쇄 등의 심각한 문제를 일으키지 않고, 대부분 목소리의 변화 같은 후두

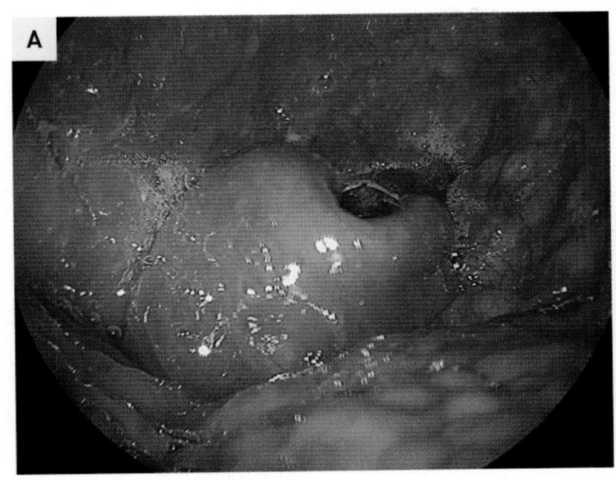

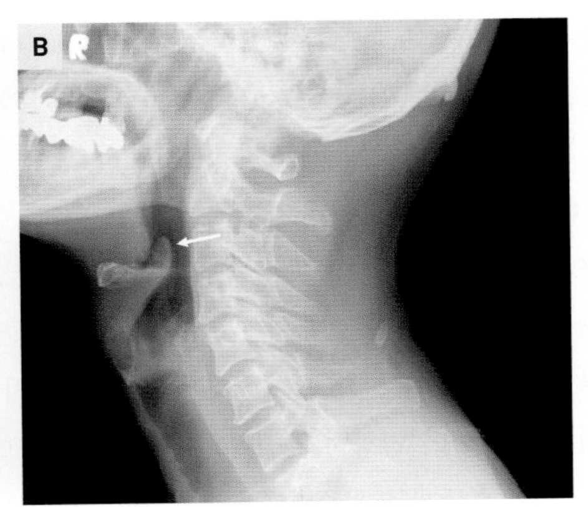

■ 그림 55-1. **급성 후두개염.** **A)** 급성후두개염의 후두경 소견. **B)** 급성 후두개염의 측경부 연조직 방사선검사 소견.

자체에 국한된 증상을 보인다. 가장 흔한 원인은 바이러스성 상기도 감염, 흡연 혹은 인후두역류 질환 등이다.

1) 감염성 후두염(infectious laryngitis)

(1) 바이러스성 후두염(viral laryngitis)

성인의 감염성 후두염으로는 바이러스성 후두염이 가장 흔하며, 감기 증상의 일부분으로 여겨진다. 임상증상으로 발성장애, 인후통, 기침, 발열 등을 호소하는 경우가 많다. 가장 흔한 원인 바이러스는 *rhinovirus*이고, 습도 부족, 흡연, 그리고 음성남용과 관련이 있다. 후두 내시경 검사에서 점막의 발적을 보이는데, 특히 진성대 주위의 종창과 발적이 두드러진다. 대개 5~7일 이내에 저절로 호전되며, 습도 조절, 성대안정, 금연, 충분한 수분 섭취 등을 권장하고 필요한 경우에는 소염제를 투여한다. 2주 이상 증상이 지속될 경우 다른 원인이 있는지 확인이 필요하며, 고열이나 다른 세균 감염의 증거가 있는 경우에는 항생제를 투여한다.[1]

(2) 급성 성문상부염(acute supraglottitis)

급성 성문상부염은 18-40세 사이에 많이 발생하고 남자에 2배 이상 흔하게 발생한다. 소아에서처럼 B형 *Hemophilus influenzae*가 가장 흔한 원인균이지만, *Pneumococci*나 *β-hemolytic streptococcus, staphylococcus*에 의해 발생할 수 있다. muffled voice, 연하통 등 인후부에 제한적인 증상에서부터 기도폐쇄까지 일으킬 수 있다. 성문상부중에서 후두개와 피열후두개주름이 가장 흔히 침범되는 부위이며, 후두 내시경검사에서 심한 발적과 종창이 동반된 후두개를 관찰할 수 있다(그림 55-1A). 지속적인 후두 내시경검사를 통해 후두개를 관찰해야 하며, 기도폐쇄 가능성이 의심되면 기관삽관술이나 기관절개술을 고려한다. 측경부 연조직 방사선검사는 성인에서 진단에 유용한 검사로 후두개나 상부 후두의 종창을 관찰할 수 있으며, 'thumb print' 소견이 특징적이다(그림 55-1B).

치료는 산소 공급, 가습과 같은 보존적인 치료와 함께 cefuroxime이나 ceftriaxone 또는 ampicillin-sulbactam 정맥 투여가 필요하며, 가능하면 후두 및 혈액 배양검사를 통해 원인균의 동정과 항생제 감수성 검사를 실시하는 것이 좋다. 부종 완화를 위해 스테로이드를 사용할 수 있다.[15] 이러한 치료에도 불구하고 호흡곤란이 심해지면 기관절개술 또는 기관삽관술을 시행해야 한다. 24시간 이내에 증상이 급격히 진행되는 경우, 혈액검사에서 좌측 전이를 동반하면서 백혈구가 15,000/㎣이상으로 증가하거나, 천명, 호흡곤란, 빈맥이 있는 경우는 기도폐쇄의 위험성이 높으며 즉각적인 기도확보가 필요할 수 있다. 그러나 성인의 기도는 크고 부종이 잘생기지 않으며, 성문상부가 후두개에 비해 더 크기 때문에 9-16% 정도에서만 기도유지가 필요하다는 보고가 있다.[32]

후두 농양은 성문상부염의 드문 합병증으로, 주로 *Streptococcus, Staphylococcus*에 의한 감염이며, 세균 감염에 따른 연골 손상이나 점액낭종, 후두 낭종의 이차적 세균감염, 악성 종양, 방사선 조사, 혹은 후두 외상으로 인해 발생한다. 후두개의 설측면에 농양이 형성되는 경우가 흔하며, 후두 내시경검사와 전산화단층촬영이 진단에 도움이 된다. 기도폐쇄가 급속하게 진행되므로 급성 성문상부염이 의심되면 신속하게 기관절개술과 전신적인 항생제 투여, 후두 농양의 절개 배농을 시행한다.

(3) 방선균증(actinomycosis)

방선균증은 만성 육아종성 화농성 질환으로 구강 및 장 내에 상재하는 그람 양성, 혐기성 세균인 *Actinomyces israeli*가 주된 원인균이다. 대개 불량한 구강위생을 가진 환자의 치아나 점막의 외상을 통해 감염되며 당뇨, 면역저하, 장기간 스테로이드제의 사용, 영양실조 등에서도 호발한다. 분비물은 대개 세균 군락의 작은 집합체인 유황과립(sulfur granule)을 함유한다. 방사선 치료 후나 수술 후가 아니면 후두에만 침범하는 경우는 드물며, 구강이나 경부안면에 호발한다. 생검 혹은 조직이나 분비물에서 균주를 발견할 경우 진단할 수 있다. 치료는 3주 이상의 페니실린 투여이며, 페니실린을 투여하지 못하는 경우에는 tetracycline, macrolides, clindamycin 등을 투여할 수 있다.[1,17]

(4) 진균 감염(fungal infection)

후두의 진균 감염은 비교적 드물지만 소모성 질환, 당뇨병, 혹은 장기간의 스테로이드 사용과 같은 면역억제상태에서 진균 감염의 기회가 높으며, 잠재적이고, 치료에 잘 반응하지 않는 후두염이 있으면 반드시 감별해야 할 질환이다.

① 분아균증(blastomycosis)

분아균증은 북미형과 남미형의 두 가지가 있다. 북미형은 *Blastomyces dermatitidis*로 인해, 남미형은 *Blastomyces brasiliensis*로 인해 발생한다. 두 가지 형 모두 건락성 속립성 육아종을 보이는데, 이것은 결핵에서 보이는 육아종과 구별하기 힘들다. 감염경로는 주로 오염된 토양으로부터 포자의 흡인으로 발생하며 호흡기 감염은 증상이 없거나 자연치유되는 급성폐렴을 유발하거나 만성폐렴을 일으키기도 한다. 전신성 감염도 드물게 발생 가능하다. 후두를 침범하면 심한 발성장애와 기침을 일으킨다. 후두 점막에 작은 결절성 병변을 일으키며 농양이나 궤양으로 진행할 수 있다. 생검이나 배양을 통해 균을 관찰하면 확진할 수 있고, 치료는 장기간의 amphotericin B 투여인데, 치료하지 않으면 섬유화가 진행되어 성대 고정과 누관이 형성될 수 있다.[17]

② 칸디다증(candidiasis)

흔히 존재하는 기회감염균주인 *Candida albicans*에 의한 감염으로 후두에만 생길 수도 있지만, 대부분 구강 내 혹은 질내 칸디다 감염증과 동반되어 발생한다. 칸디다에 의한 구인두 및 후두 침범은 칸디다성 식도염과 동반되어 나타나며, 범발성 칸디다증 또는 만성 점액피부 칸디다증 환자에서 발생한다. 장기간의 항생제치료, 스테로이드치료, 당뇨, 후천성면역결핍증, 방사선치료, 항암제치료, 면역저하 등이 유발요인이다. 인후통과 애성이 가장 흔한 증상이며 후두 내시경검사에서 광범위한 홍반과 종창, 그리고 특징적인 하얀색 삼출액이 보이고 막을 벗겨내면 쉽게 출혈한다. 드물지만 성대에 국한하여 발생한 경우 악성병변 혹은 전암성병변 등과 감별이 필요하다. KOH 검사에서 yeast form이 관찰되고, 배양하여 확진할 수 있다. 치료를 위해 유발 요인의 중단 또는 개선이 필요하며, 국소 치료제로 nystatin을 사용할 수 있고 전신적인

투약이 필요한 경우에는 amphotericin B를 투여한다.[13,17]

③ **아스페르길루스증**(aspergillosis)

*Aspergillus fumigatus, Aspergillus flavus*는 가장 흔한 병원성 진균이다. 드물게 단독으로 후두 감염이 발생할 수 있지만, 대개 비부비동염 혹은 폐렴 등에 이차적으로 발생한다. 병리조직학적으로 침윤이 적은 기저상피의 국소성 이형성을 동반한 불규칙한 증식이 관찰되어, 편평세포암종과 혼돈될 수 있다.[1]

2) 비감염성 후두염(noninfectious laryngitis)

(1) 인후두역류 질환(laryngopharyngeal reflux disease, LPRD)

인후두역류 질환은 구역이나 구토 없이 위의 내용물이 인후두로 역류하여 후두에 영향을 미치는 경우를 말하며, 후두는 식도에 비해 위산에 더욱 취약하여 소량의 위산역류로도 다양한 후두 증상이 나타날 수 있다. 비감염성 후두염의 가장 흔한 원인이며, 이비인후과 외래방문 환자의 약 10%, 그리고 후두 음성 증상을 호소하는 환자의 반 이상이 역류와 관련된 원인을 가지고 있으리라 추정된다.[20] 급·만성 후두염과 관련이 있고, 후두협착, 재발성 후두경련, 윤상피열연골 고정, 후두암 등 다른 많은 인후두 질환과 관련이 있음이 보고되고 있다.

위식도역류 질환과 증상, 징후에서 차이가 있다. 위식도역류 질환은 속쓰림, 식도염이 주된 증상인 반면, 인후두역류 질환은 발성장애, 기침, 인후두 이물감 등의 증상을 주로 호소한다. 또한 인후두역류 질환에서는 식도조영술 소견이 정상이며, 식도 내시경 검사에서 식도염이 잘 동반되지 않을 뿐만 아니라, 주로 기립 시와 낮 시간에 역류가 발생한다. 위식도역류 질환이 주로 식도의 운동장애, 식도내 산 제거 지연, 하부식도괄약근의 기능이상과 관련 있는데 반해 인후두역류 질환은 상부식도괄약근의 기능 저하를 원인으로 생각한다.[31]

후두 소견은 매우 다양한데, 주로 후두 뒷부분을 침범하여 피열연골 사이 점막의 발적과 비후(pachyderma), 성문하 부종으로 인한 위성대구증(pseudosulcus vocalis, Reinke) 부종이나 전반적인 후두 부종, 혹은 발적 없이 비후된 점막소견, 성대돌기의 육아종을 관찰할 수 있다(표 55-3).[3]

표 55-3. 인후두역류 질환[3]

인후두역류 질환의 증상
쉰 목소리 또는 음성의 변화
습관적인 인후두 청소
과도한 인후두 점액과 후비루
연하곤란
식사 후나 누웠을 때 발생하는 만성 기침
호흡곤란이나 목 조이는 증상
만성적인 기침
인후두 이물감
속쓰림, 위산역류증상
인후두역류 질환의 스트로보스코피 소견
성문하 부종
후두실 폐쇄
후두점막의 발적과 충혈
성대 부종
전반적인 후두 부종
후연합부의 점막 비후
육아종 형성
과다한 후두 점액

환자의 증상, 식도조영술, 내시경검사, 이중 탐침 24시간 산도검사 등으로 진단하며, 산도 검사법은 역류패턴을 알 수 있으므로 치료방침을 결정하는 데 유용한 검사법이다. 치료는 환자 증상 정도에 따라 단계별로 식이와 생활 습관을 개선하고 제산제를 투여하며, H2 수용체 차단제 혹은 proton pump inhibitor (PPI), 위장관 운동 촉진제(prokinetics)를 투여한다. 내과적 치료에 반응하지 않는 경우에는 위저추벽성형술(fundoplication)과 같은 외과적인 역류방지술이 필요하다.

(2) 외상성 후두염(traumatic laryngitis)

대개 음성남용으로 유발되지만, 지속적인 기침이나 경련성 발성장애(spasmodic dysphonia) 혹은 직접적인 후두 손상 때문에 생길 수도 있다. 발성장애나 발성통의 정도는 환자마다 다양하며, 성대의 발적과 Reinke 부종, 점막하 출혈 소견이 보인다. 대개 수일 내에 저절로 치유되므로, 치료는 성대 안정과 습도 조절로 충분하다.

(3) 방사선 후두염(radiation laryngitis)

방사선 치료 후 발생하며, 발성장애, 연하장애, 통증, 인후두 이물감의 증상을 호소한다. 후두 소견은 가피와 삼출액이 동반된 발적, 종창이 특징이며, 악성 종양의 재발, 인후두역류 질환, 방사선 괴사 등과 감별해야 한다. 치료로는 충분한 습도와 수분 섭취, 위산억제제 그리고 경우에 따라 스테로이드와 항생제를 사용할 수 있다.

(4) 혈관부종(angioedema)

혈관부종은 심부 진피나 피하조직 혹은 점막하 조직에 혈관 확장과 혈관 투과성 증가를 특징으로 하는 염증반응으로 인해 간질공간으로 체액이 유입되어 국소적으로 비함몰성(nonpitting) 부종이 생긴 상태를 말한다. 눈주위와 입술, 구강점막에 잘 나타나며 후두, 위장관 점막을 침범하기도 한다. 증상이 급격히 진행되고 소양감을 동반하고, 특히 후두를 침범하면 발성장애를 일으키며, 기도폐쇄로 생명에 지장을 초래할 수 있다.

후천성 혈관부종은 음식, 식품첨가물, 곤충에 의한 교상 또는 물리적 자극에 의한 알레르기, 아토피, 안지오텐신 전환효소 억제제(angiotensin-converting enzyme inhibitor; ACEI), 감염, 교원성 질환 등이 원인으로 알려져 있다. 선천성 혈관부종은 상염색체 우성으로 유전되는 C1 esterase inhibitor 결핍증으로, 반복적인 점막과 피부의 종창을 유발하는 질환이다.

신속한 진단과 치료가 중요하며, 산소를 공급하고, 에피네프린, 스테로이드, 항히스타민제, 아미노필린을 투여한다. 기도폐쇄가 진행되는 경우에는 기관삽관술이나 기관절개술을 시행한다. 선천성 혈관부종 환자에게 danazol을 투여하면 C1 esterase가 억제되어 재발을 예방할 수 있다.[8,9]

(5) 알레르기 후두염(allergic laryngitis)

호흡이 통하는 코와 기관지, 폐가 이어져 있다는 one airway, one disease 개념에 따라 상부 기도 질환인 알레르기 비염과 하부 기도 질환인 천식을 하나의 통합된 질환 범주로 인식하여 연구가 활발히 진행되고 있으며 후두 또한 통합된 호흡기관의 한 부분으로 알레르기 반응이 나타날 수 있다고 생각하고 있지만 아직 논란의 여지가 많다. 재발하는 만성적인 발성장애의 원인 중 하나로 받아들여지기도 하지만 후두의 화학물질에 대한 감수성이나 지연성 음식 알레르기에 대해서는 그리 알려져 있지 않은 실정이다.

후두 내시경검사에서 성대 점막의 종창과 발적, 후비루나 하부 기관지에서 유래된 끈적한 점액을 관찰할 수 있고, 증상으로 만성적인 헛기침, 후두이물감, 경련성 발성장애 등을 보일 수 있다. 병력을 자세히 청취하고 다른 질환을 배제하면 진단이 가능하고 알레르기 검사와 의심되는 물질에 의한 유발반응검사를 실시해야 한다. 적절한 수분 공급, 음성남용 금지, 그리고 동반된 인후두역류 질환에 대한 치료를 실시하고, 음성치료와 유발인자 회피를 권유한다. 구갈의 부작용이 없는 2세대 항히타민제를 시도해 볼 수도 있다.[1,6]

3. 만성 육아종성 후두염(chronic granulomatous laryngitis)

1) 후두결핵(tuberculosis)

후두결핵은 후두에서 발생하는 육아종성 질환 중 가장 흔하며, 최근 발생 빈도가 증가하고 있다. 폐결핵의 증거가 없는 후두결핵이 증가하고 있으며 약 20~40%의 환자에서 관찰된다.[26,28] 소아에서는 드물고 주로 장기간의 흡연력과 음주력을 가지는 노인, 남성에서 호발한다. 후두결핵은 기존의 폐결핵 없이 발생하는 원발성과 폐결핵에

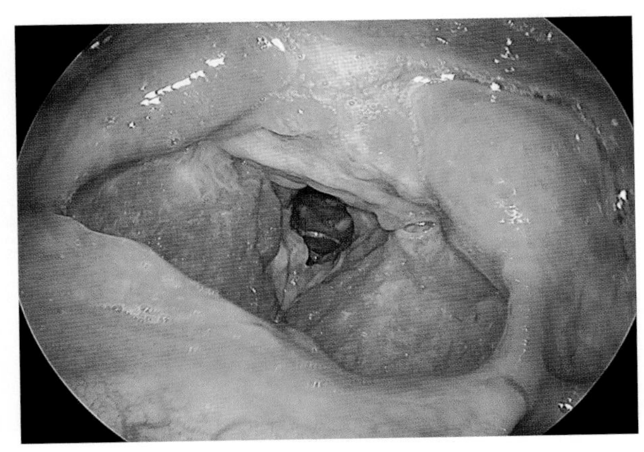

■ 그림 55-2. **후두결핵의 후두경 소견**

속발하여 발생하는 속발성으로 나눌 수 있다. 원발성의 감염 경로는 결핵균이 포함된 공기 입자가 직접 후두 점막을 감염시킴으로써 발생하고, 속발성의 감염 경로는 결핵균의 혈행성 전파, 림프를 통한 전파, 기존의 폐결핵으로부터 결핵균이 포함된 객담을 통해 후두 점막이 감염되는 경우 등으로 나눌 수 있다.

증상으로는 애성이 가장 흔하며, 연하통, 연하곤란, 만성 기침, 체중감소, 야간 발한, 객혈 등을 동반할 수 있다. 후두의 모든 영역에서 결핵이 발생할 수 있으나, 진성대, 후두개, 가성대, 피열후두개주름, 피열연골부위, 그리고 성문하 영역의 순서로 호발한다.[21,28] 후두 검사에서 국소적인 발적과 부종의 비특이적인 소견부터 육아종 또는 궤양, 폴립모양의 병변까지 다양하게 관찰되며(그림 55-2),[28] 진행한 경우 연골막염, 연골 괴사를 동반할 수 있다. 후두결핵은 비특이적 만성 후두염과 감별하기 어려우며, 궤양이나 육아종이 동반된 경우에는 후두암과의 감별진단이 필요하다.

진단을 위해서는 병력과 후두 검사가 중요하며, 흉부방사선 촬영 혹은 과거력에서 결핵의 증거가 있으면 진단에 도움을 줄 수 있다. 확진을 위해서는 객담 도말과 배양검사로 결핵균을 동정하거나, 조직검사를 통해 확진할 수 있다. 병리조직학적 소견으로는 세포의 침윤과 증식, 결절 또는 궤양의 형성, 육아조직의 발생, 연골막염과 연골괴사가 있을 수 있다.

후두결핵의 성공적인 치료를 위해서는 즉각적인 진단과 항결핵제의 빠른 투약이 중요하다. rifampin, isoniazid, ethambutol, pyrazinamide의 항결핵제를 9–12개월 동안 병용투약하며, 성대안정이 필요하다.[28] 후두결핵이 진행하여 기도폐쇄가 동반된 경우 기관절개술을 시행할 수 있다. 진단과 치료가 빨리 이루어질수록 예후는 좋으며, 연골을 침범하게 되면 예후는 불량하다.

2) 후두매독(syphilis)

후두매독은 최근에는 드물지만, 후두의 만성 염증성 혹은 종양성 병변에서 감별해야 할 질환 중 하나이다. 1차 매독에 의한 후두의 하감(chancre)은 후두개의 일시적인 병변으로 지나가며, 2차 매독에 의한 후두 병변은 보다 흔하게 볼 수 있는데, 전반적인 림프절 종대와 구강 내 병변을 동반하며, 후두검사에서 전반적인 발적과 점막의 반상 병변을 볼 수 있는데, 대개 치료하지 않아도 1–2주 내에 저절로 없어진다. 3차 매독은 소절형 또는 궤양형의 gumma를 형성하며, 연골염과 병발하여 후두협착을 일으킨다. 조직검사와 혈청검사(VDRL, TPHA, FTA-ABS)를 통해 진단한다. 치료는 페니실린의 투여와 고식적인 치료를 시행하며, 기도폐쇄 시 기관절개술을 실시하고, 심한 후두협착이 있는 경우에는 재건술을 시행하기도 한다. 초기 병변일 경우는 예후가 좋으나, 연골의 손상은 영구적인 변화를 초래한다.

3) Wegener 육아종증(Wegener's granulomatosis)

Wegener 육아종증은 기도와 신장을 침범하며 괴사성 육아종과 혈관염을 특징으로 하는 전신 질환이다. 비강이나 부비동의 침범이 없이 후두 증상만 보이는 경우는 드물다. 비폐색, 만성 부비동염, 비중격의 궤양 및 천공과 함께 발열, 오한, 체중감소 등의 전신 증상을 나타낼 수 있다. 후두 병변은 괴사성 궤양형성과 위상피성(pseudoepitheliomatous) 증식이 관찰되며, 혈관염의 소견은 대개 보이지 않는다. 확진이 될 때까지 생검을 시행하는 것이 원칙이다. 치료는 스테로이드와 cyclophosphamide 등의 면역억제제를 투여하고, trimethoprim – sulfamethoxazole을 투여하기도 한다.[1]

4) 사르코이드증(sarcoidosis)

사르코이드증은 원인불명의 만성질환으로 전신적으로 어느 장기에나 침범 가능하나 주로 폐, 피부, 눈, 간 등을 침범하며 1–5%에서 후두를 침범할 수 있다.[4] 그중 후두개의 침범이 가장 흔하며 점막하를 침범하여 심한 종창을 일으킨다. 궤양, 결절, 반흔 조직 형성 등의 여러 가지 침범형태가 알려져 있다.[11] 애성, 호흡곤란, 연하통, 마른기침 등의 증상이 나타날 수 있으며, 진단은 합당한 임상적 소견과 영상학적 소견, 결핵과 구분되는 비건락성(non-caseating) 육아종이 조직학적으로 관찰되며, 육아종을 보일 수 있는 다른 질환인 결핵, 진균 감염, Wegener 육아종증 등을 배제함으로써 가능하다. 치료는 기도확보가 중요하며 자연적으로 호전되는 경우도 있다. 후두병변에 대해서는 후두 내시경하 레이저 수술을 시행하거나, 스테로이드 투여가 도움이 된다.[4]

II 후두의 전신 질환

1. 재발성 다발성 연골염(relasping polychondritis)

재발성 다발성 연골염은 자가면역질환으로 추정되는 원인 불명의 질환이다. 귀, 코, 후두와 같은 연골조직에 재발성 염증을 일으킨다.[5] 발열, 홍반, 종창, 관절염 증상을 일으킬 수 있으며, 악화되었다가도 저절로 호전되는 양상을 보인다. 병력 청취와 침범된 연골 조직을 생검하여 진단할 수 있다. 조직학적으로는 호염기성 연골 기질이 호산성 물질로 대체되고 염증세포 침윤을 관찰할 수 있으며, 질병이 진행할수록 섬유화와 연골괴사가 더욱 뚜렷해진다. 후두를 침범하였을 때 애성, 기관과 후두의 종창, 기도폐쇄, 연하곤란 등의 증상이 나타날 수 있다. 후두, 기관, 기관지에 발생한 경우 가장 심각한 병의 경과로 보아야 하며 사망율이 10~50%로 보고되어 있다.[17] 치료제로는 스테로이드[22]와 dapsone 100 mg을 1일 2회 사용한다. 그 외에도 indomethacin이나 salicylate를 사용할 수 있으며, 병의 후기에 기관절개술이 필요할 수 있다. 진행성의 질환이므로 코 혹은 이개의 재건 시도는 제한적이다.[22]

2. 전신성 홍반성 낭창(systemic lupus erythematosis, SLE)

전신성 홍반성 낭창은 혈중에 순환하는 자가항체와 면역복합체로 인해 전신 장기 및 조직에 손상을 가져올 수 있는 자가면역질환으로 알려져 있으며, 피부, 관절 신장, 폐 등이 가장 흔히 침범되는 기관이지만 후두침범 또한 전신성 홍반성 낭창 환자의 0.3~30%에서 발생할 수 있다고 알려져 있다.[16] 전신성 홍반성 낭창의 활성기에 다양한 형태로 후두를 침범할 수 있으며, 후두개염, 급·만성 후두염, 육아종 형성, 그리고 성대마비 등이 유발될 수 있다. 진단과 치료는 전신성 홍반성 낭창에 준해서 시행하며, 후두 병변에 대해서는 레이저를 이용한 후두 수술을 시행하여 병변 자체의 제거와 궤양과 관련된 통증을 감소시킬 수 있다.

3. 아밀로이드증(amyloidosis)

아밀로이드증은 부정형의 단백양 물질이 섬유소 형태로 세포 외에 침착되는 질환으로 일차적 혹은 이차적으로 발생한다. 일차적 아밀로이드증은 전신질환과 관련 없이 아밀로이드가 간엽조직인 혀, 후두, 심장에 침착하는 경우이고, 이차적 아밀로이드증은 만성 질환인 결핵, 장기간의 혈액투석, 류마티스성 관절염, 다발성골수종 등과 동반되어 주로 세망내피세포가 풍부한 조직인 비장, 간 등에 아밀로이드가 침착하는 질환이다. 후두 아밀로이드증은 대부분 일차적으로 발생하며, 이차적으로 발생되는 경우는 매우 드물며 40대에서 60대의 여자가 호발하는 것으로 보고되어 있다.

호흡기 내 국소적 아밀로이드 침착은 후두에서 가장 많은데, 성문상부, 성문부, 성문하부 순이고,[10] 기관, 기관지, 혀, 갑상선, 침샘, 인두 등을 침범할 수도 있다.[24]

침착물이 발성장애를 일으킬 때까지는 아무런 증상이 없고, 애성, 천명, 연하곤란, 이물감 등이 나타날 수 있으며, 점막을 침범하는 경우는 드물어 객혈은 거의 나타나지 않는다. 주변과 경계가 명확한 황색 종괴가 점막하에 결절 형태로 나타난다.

조직생검과 특수 조직 염색으로 확진할 수 있는데, HE 염색에서 세포외 무형의 분홍빛 물질(extracellular amorphous pink material)로 보이며 편광현미경하 Congo red 염색에서 전형적인 연두색의 복굴절을 띠는 이색성(apple-green birefringence)을 볼 수 있다. 확진된 이후에는 이차적 아밀로이드증과의 감별이 필요하다. 이를 위해 선행되는 만성 질환의 유무를 조사해 보아야 하며, 전신적인 침범을 알아보기 위해 구순 점막과 복부 지방조직, 직장 점막조직 생검을 시행한다.

보존적인 수술적 제거로 좋은 결과를 기대할 수 있으며,[24] 스테로이드나 항대사물질 등의 약물치료는 도움이 되지 않는다. 광범위하게 침범한 경우 재발이 가능하다.[10] 2차성인 경우 아밀로이드의 제거와 함께 선행되는 질환의 치료가 필수적이다.

참고문헌

1. 남순열. 후두감염과 염증성 질환. In: 김종선 등. 이비인후과학 두경부외과학. 일조각, 2002, p1385-1394
2. Bass JW, Stephenson SR. The return of pertussis. Pediatr Infect Dis J 1987;6:141
3. Belafsky PC, Postma GN, Koufman JA. Symptoms and findings of laryngopharyngeal reflux. Ear Nose Throat J 2002;81(suppl2):10-13
4. Bower JS, Belen JE, Weg JG, Dantzker DR. Manifestation and treatment of laryngeal sarcoidosis. Am Rev Respir Dis 1980; 122:325-332
5. Clark LJ, Waheel RA, Ormerod AD. Relapsing polychondritis: two cases with tracheal stenosis and inner ear involvement. J Laryngol Otol 1992;106:841
6. Dworkin, James P. Laryngitis: types, causes, and treatments. Otolaryngologic Clinics of North America 41.2 (2008): 419-436.
7. Eckel HE, Widemann B, Damm M, et al. Airway endoscopy in the diagnosis and treatment of bacterial tracheitis in children. Int J Pediator Otolaryngol 1993;27:14
8. Farkas H, Harmat G, Gyeney L et al. Danazol therapy for hereditary angioedema in children. Lancet 1999;354:1031-2
9. Farkas H. Gyeney L. Gidofalvy E. Fust G. Varga L. The efficacy of short-term danazol prophylaxis in hereditary angioedema patients undergoing maxillofacial and dental procedures. J Oral Maxillofac Surg 1999; 57: 404
10. Finn DG, Farmer JC Jr. Management of amyloidosis of the larynx and trachea. Arch Otolaryngol 1982; 108:54-56
11. Fogel TD, et al. Radiotherapy in sarcoidosis of the larynx: a case report and review of the literature. Laryngoscope 1984;94:1223
12. Gupta SK, Postma GN, Koufman JA. Laryngitis. In Bailey BJ. Head and neck surgery-otolaryngology, 4th ed. Philadelphia: Lippincott-Williams & Wilkins, 2005, p829-836
13. Hicks JN, Peters GE. Pseudocarcinomatous hyperplasia of the larynx due to Candida albicans. Laryngoscope 1982;92:641
14. Jones KR. Infections and manifestations of systemic disease of the larynx. In Cummings CW, Fredrickson JM, Harker LA, et al. Otolaryngology head and neck surgery, 4th ed. Elsevier Mosby, 2005, p2065-2076
15. Kairys SW, Olmstead EM, O'conner GT. Steroid treatment of laryngotracheitis: a meta-anaylsis of the evidence from randomized trials. Pediatrics 1989;83:683
16. Karim A, Ahmed S, Siddiqui R, Marder GS, Mattana J. Severe upper airway obstruction from cricoarytenoiditis as the sole presenting manifestation of a systemic lupus erythematosus flare. Chest 2002;121:990-3
17. Kevin PL, Laryngeal and Tracheal Manifestations of systemic disease. In Cummings CW, Fredrickson JM, Harker LA, et al. Otolaryngology head and neck surgery, 5th ed. Elsevier Mosby, 2010, p889-893
18. Kliegman, Robert M. Nelson textbook of pediatrics. Saunders Elsevier, 2012, P1345-1348
19. Kliegman, Robert M. Nelson textbook of pediatrics. Saunders Elsevier, 2012, P1377-1381
20. Koufman JA. Amin MR. Panetti M. Prevalence of reflux in 113 ronsecutive patients with laryngeal and voice disorders. Owlaryngol Head Neck Surg 2000;123(4):385-388
21. Levenson, Ingerman M,Grimes C, et al. Laryngeal tuberculosis: a re-

view of twenty cases. Laryngoscope 1984;94:1094

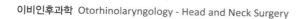

22. Lipnick RN, Fink CW. Acute airway obstruction in relapsing polychondritis : treatment with pulse methylprednisone. J Rheumatol 1991;98
23. Ludman, H. Airway Obstruction and Stridor. In ABC of ear, nose, and throat (6th ed.). Chichester, 2013, p105
24. Mitrani M. biller HF. Laryngeal amylosis. Laryngoscope 1985;95:1346-1347
25. Newton OD, Infections of the Airway in Children. In Cummings CW, Fredrickson JM, Harker LA, et al. Otolaryngology head and neck surgery, 5th ed. Elsevier Mosby, 2010, p2803-2811
26. Rizzo PB, Da Mosto MC, Clari M, Scotton PG, Vaglia A, Marchiori C. Laryngeal tuberculosis: An often forgotton diagnosis. Int J Infect Dis 2003;7:129-31
27. Senior BA and others. Changing patterns in pediatrics supraglottitis: a multi-institutional review, 1980-1992. Laryngoscope 1994;104:1314
28. Shin JE, Nam SY, Yoo SJ, Kim SY. Changing trends in clinical manifestations of laryngeal tuberculosis. Laryngoscope 2000;110:1950
29. Shumrick KA, Shumrick DA, Vietti MJ. Inflammatory diseases of the larynx. The larynx: a multidisciplinary approach, 2nd ed. St. Louis, 1996, p 283-306
30. Singer OP, Wilson WJ. Laryngotracheobroncheitis: 2 years' experiences with racemic epinephrine. Can Med Assoc J 1976;115:132
31. Sivarao OV, Goyal RK. Functional anatomy and physiology of the upper esophageal sphincter. Am J Med 2000;108(Suppl 4a): 27S-37S.
32. Solomon P and others. Adult epiglottitis: the Toronto hospital experience. J Otolaryngol 1998;27:332
33. Tucker HM. Infectious and inflammatory disorders. The larynx, 2nd ed. New York: Thieme, 1993, p231-244

CHAPTER 56

비기질적 음성장애

이비인후과학 Otorhinolaryngology - Head and Neck Surgery

이승원

I 비기질적 음성장애 정의

비기질적 음성장애(nonorganic dysphonia)는 내시경 소견상 비정상 후두 소견이 보이지 않는 음성장애를 말한다. 연구에 의하면 음성 질환 환자의 40% 정도라는 보고가 있을 정도로 흔하다.[11] 일반적으로 근긴장성 발성장애(muscle tension dysphonia), 연축성 발성장애(spasmodic dysphonia)와 기능성 발성장애(functional dysphonia) 등의 질환을 포함한다.

II 연축성 발성장애(spasmodic dysphonia)

1. 정의

연축성 발성장애는 후두에 국한적으로 발생한 근긴장 이상증의 한 형태로서, 후두근육의 불수의적인 연축(involuntary spasm)을 초래하는 발성장애이다.

2. 역사

연축성 발성장애는 1871년 Traube에 의해서 처음 신경성 애성(nervous hoarseness)으로 기술되어 보고되었고, 이후 경직성 발성장애(spastic dysphonia)로 변경 사용되었다.[8] 거의 100년 동안 이 질환은 과도한 긴장과 억눌린 감정으로 인해 나타나는 정신적인 질환이 원인이 되어 발생한다고 생각되었지만, 현재는 발성 중 후두근육에 영향을 주는 국소성 근긴장이상증(focal laryngeal dystonia)의 한 종류로 분류되고 있다.[18]

3. 원인

현재까지 원인이나 병태생리가 정확하게 밝혀져 있지 않으며, 특발성(idiopathic)인 경우가 가장 많다. 과거에는 정신과적인 문제로 발생하는 것으로 여겼으나, 현재는 중추신경계의 후두 운동 조절 장애로 추정하고 있다. 의심되는 병변부위는 기저핵(basal ganglia)의 운동 조절부위(motor regulation) 등이 제시되고 있다.[13] 약20%의 환자는 자동차 사고와 같은 외부손상이나 상기도 바이러스 감염 후에 증세가 발생하며, 약 45-65%의 환자는 소아기에 볼거리(mumps)나 풍진(measles)을 앓은 과거력이 있다.[16]

4. 증상

연축성 발성장애는 대부분 30-50대 여성에서, 초기에는 약한 증세로, 간헐적으로 증세가 나타나다가, 점차 자주 심해지는 경향을 보인다. 주로 스트레스가 많은 시기나 상기도 감염 후 또는 발성 수행 후에 첫 증상을 느끼게 되는 경우가 많다. 전화 통화나 일상 대화, 혹은 글을 읽을 때 증세가 악화되는 소견을 보이나, 노래나 웃음, 울음과 같은 생리적인 발성(physiologic voice)은 정상 소견을 보인다.[13]

문장 읽기에서 유성자음이 많은 문장에서는 음성 단절(voice break)과 노력성 음성(strained strangled voice)을 보이고 반대로 무성자음이 많은 문장에서는 증세가 완화되는 소견을 보인다. 특징적인 음성 단절은 웃을 때나 노래할 때는 잘 나타나지 않지만 정신적 긴장이 있을 때는 더욱 악화되는 경향이 있다.

연축성 발성장애는 내전형, 외전형, 그리고 복합형으로 분류하는데, 보통 내전형이 90% 이상으로, 대부분을 차지하며, 외전형은 10% 이내로 보고되고 있다.

내전형 연축성 발성장애의 경우 갑상피열근(thyroarytenoid muscle)과 외측 윤상피열근(lateral cricoarytenoid muscle)의 불수의적이고 과도한 성대 수축에 의한 긴장성 노력음(strained-strangled)의 특징을 보인다. 이는 주로 유성자음 'ㅂ, ㅁ, ㄷ, ㄱ, ㅈ '을 말하는 경우에서 악화되고, 무성자음 'ㅍ, ㅌ, ㅋ, ㅅ' 이나, '아', '이'와 같은 연속모음의 발성 시에는 완화되는 소견을 보인다. 이를 말과제 특이성(task specificity)이라고 부른다. 외전형 연축성 발성장애는 성대를 여는 후윤상피열근(posterior cricoarytenoid muscle)의 갑작스러운 연축에 의해 발생하는 기식성 단절(breathy speech break)이 특징이다. 이는 무성자음 혹은 부드럽게 발성하는(soft utterances) 경우에 악화되는 특징을 보인다.[2]

5. 진단

연축성 발성장애는 진단을 위한 질병 특유의 증세(pathognomonic sign)를 보이지 않는다. 경험이 풍부한 이비인후과 의사가 환자의 음성을 듣고, 말 시작이 어려운지, 음성단절이 있는 음성 떨림이 동반되었는지 파악하는 것이 가장 중요하다. 공기역학적 검사, 음향학적 검사, 후두근전도 검사 등의 검사는 보조검사로서, 다른 질환 여부를 배제하기 위한 것으로 그 진단적 가치는 그리 크지 않다.

6. 치료

연축성 발성장애는 후두 말초신경이나 근육 문제가 아닌 중추신경계의 운동조절 장애이므로 아직까지 근본적인 치료가 어려운 상황이다. 주된 치료는 음성증세 조절을 통한 환자의 삶의 질을 유지하는 데 초점이 맞추어져 있고, 질환을 완치시키는 치료법은 현재까지 확립된 바 없다.

사용되는 주된 치료방법은 보툴리눔 독소 치료, 언어치료(speech therapy), 약물치료, 수술 등의 방법이 있으며, 이 중 언어치료와 약물치료는 다른 치료 방법의 보조치료로서 그 효과는 제한적이다. 현재는 보툴리눔 독소(botulinum toxin)의 주기적 성대 주사로 화학적 탈신경(chemical denervation)이 표준치료로 사용되고 있다.[5] 보툴리눔 독소는 보툴리누스균(Clostridium botulinum)이 생산하는 신경독소로서 신경접합부의 절전(節前)신경종말(presynaptic terminals)에 작용하여 시냅시스 소포의 세포 외 배출작용(exocytosis of acetylcholine containing presynaptic vesicles)을 억제한다(그림

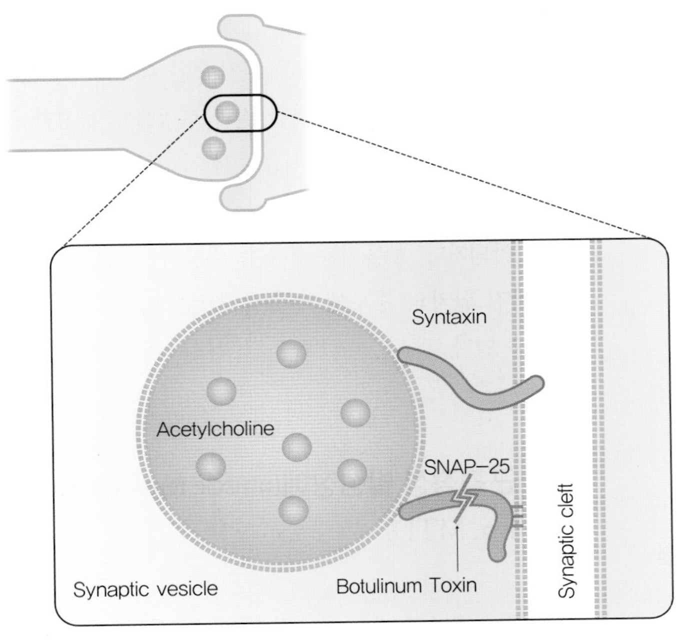

■ 그림 56-1. **보툴리눔 독소의 신경 전달 차단기전.** SNAP25 단백질 분쇄하여 아세틸콜린의 분비를 차단하여 신경 정보 전달을 방해한다.

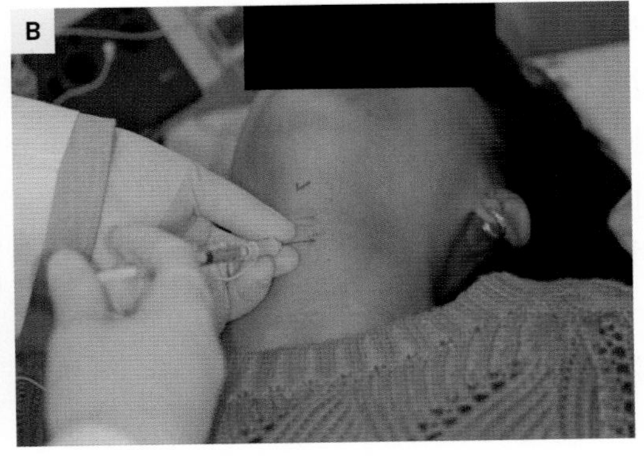

■ 그림 56-2. **A)** 근전도 기계. **B)** 근전도 유도하에 갑상 피열근에 보툴리눔 독소 주입술을 시행하고 있는 모습.

56-1). 보툴리눔 독소는 신경근 접합부위에서의 신경 정보 전달을 위해 필요한 아세틸콜린의 분비에 관여하는 SNAP-25를 분쇄하여 신경 전달을 막는다.

1984년 Blitzer A가 안면 경련환자 보툴리눔 독소 주입술에서 아이디어를 얻어 처음 시도한 후, 현재 보툴리눔 독소를 양측 갑상피열근(thyroarytenoid muscle)에 주입하는 것이 표준치료로 자리잡고 있다.[1] 주로 근전도 유도하에서 양측 갑상 피열근에 근전도 바늘이 제 위치에 들어간 것을 삽입전위(insertional activity) 증가소견으로 확인하면서 보툴리눔 독소를 주입한다(그림 56-2). 후두 근전도 사용이 어려울 경우 굴곡형 내시경(flexible fiberscope)을 사용하여 성대를 관찰하면서 갑상피열근에 직접 보툴리눔 독소를 주입할 수 있으며, 2014년 이승원 등은 두 방법 간의 동등한 치료효과를 보고하였다.[9]

연축성 발성장애의 수술적 치료로 과거에는 갑상피열근으로 가는 반회후두신경을 자르는 술식을 많이 시행하

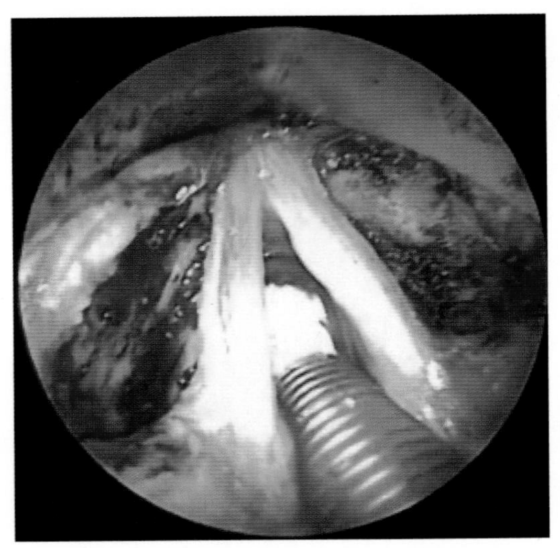

■ 그림 56-3. **경구강 레이저 성대근육 및 반회후두신경 말단절제술 후의 성대 내시경 소견**

였으나, 반회후두신경을 자르더라도 시간이 지나면서 증세가 재발하는 경우가 많았다. 최근에는 이의 변형으로 갑상 피열근으로 가는 말단 신경 분지를 자르고 이를 다시 주변의 목 신경고리(ansa cervicalis)와 연결하여 주는 선택적 신경 절제 및 문합술(selective laryngeal adductor denervation and reinnervation)이 시도되고 있으나, 수술부위가 광범위하고, 술 후 1년 정도 기식성 목소리(breathy voice change)와 장기추적 시 재발 소견을 보이는 단점이 있다.[6]

대만 및 한국에서는 입을 통하여 성대 근육과 가성대 일부를 레이저로 제거한 후, 성대 근육으로 가는 말단 신경(motor end plate) 및 반회후두신경 말단 절제술(laser thyroarytenoid muscle myoneurectomy with resection of terminal branch of RLN) 등이 시도되어 좋은 결과를 보고하고 있다(그림 56-3).[12,21]

일본의 Ishikki 등은 '성대가 붙어있을 때 연축이 발생한다'는 아이디어에 근거하여, 갑상 연골의 가운데 절개를 가하여 양측 성대가 조금 떨어지게 하는 티타늄 고정술(titanium bridge type II thyroplasty)을 시도하고 있다.[20]

위의 수술적 시도들은 적은 환자수를 대상으로, 효과 및 재발에 대한 장기 추적 관찰 결과 부족으로 확고한 근거를 제공하지 못하여 표준치료로서 자리잡고 있지 못하고 있다. 하지만 주기적인 보툴리눔 독소 주사요법을 받을 여건이 안되거나, 보툴리눔 독소를 주사하기 힘든 후두구조를 가진 환자의 경우에 수술적 치료방법이 대안 치료가 될 수 있다.

Ⅲ 근긴장성 발성장애(muscle tension dysphonia, MTD)

근긴장성 발성장애는 구조적 또는 신경학적 후두 병변 없이 후두내근 및 후두외근의 조절 장애로 인한 발성 시 근육의 과도한 긴장으로 인하여 발생하는 질환이다. 기능성 발성장애(functional dysphonia)와 혼동되어 사용되고 있으나, 정확하게 말하면 기능성 발성장애가 좀 더 포괄적인 개념이며 근긴장성 발성장애, 변성 발성장애(mutational dysphonia), 심인성 발성장애(psychogenic dysphonia)는 하부에 포함되는 개념이다.[7]

근긴장성 발성장애와 비슷한 개념으로 과기능성 음성장애(hyperfunctional dysphonia), 근육 오용 발성장애(muscle misuse), 성대긴장 피로 증후군(tension fatigue syndrome) 등이 사용되었으나 최근에는 근긴장성 발성장애로 통일되어 사용되고 있다.

Koufman 등은 근긴장성 발성장애를 내시경 소견에 근거하여 후성문 틈(posterior glottic gap)이 특징적으로 발생하는 제1형, 가성대가 내측으로 접근하는 제2형, 성문 상부가 앞뒤로 좁아지는 제3형, 성문 상부의 완전 수축으로 인하여 앞 뒤, 좌 우로 좁아지는 제4형으로 분류하였다.[10] 하지만 이들 내시경 소견들은 내전형 연축성 발성장애와 같은 음성장애뿐만 아니라 일부 정상인에서도 관찰되는 소견으로 근긴장성 발성장애만의 특이소견은 아니다.

환자들은 주로 상기도 감염 후, 부적절한 음성 사용 후, 음성 남용, 인후두 역류 질환 후에 증세를 보이는 원발성 근긴장성 발성장애(primary MTD), 혹은 성대결절, 성대마비 등으로 성대부전(glotal insufficiency)을 보상하기 위해 발생한 과도한 근육 수축으로 인하여 이차성 근긴장성 발성장애(secondary MTD)가 발생한다.

치료는 후두 마사지와 성대의 긴장과 높이를 감소시키는 음성치료를 시행하는 것이 치료원칙이다. 음성치료에 반응하지 않는 일부 환자의 경우 성대의 긴장을 감소시키는 리도케인국소마취제를 기관에 점적시키거나, 상후두신경 차단(superior laryngeal nerve block) 등의 방법 등이 시도되기도 한다.[15]

1. 연축성 발성장애와 근긴장성 발성장애와의 감별진단

증세가 심한 근긴장성 발성장애는 연축성 발성장애와 감별하기가 어려운 경우가 많다. 감별점으로 연축성 발성장애는 말 과제 특이성(task specificity)과 비자발성(involuntariness)을 보이며 울기, 웃기, 속삭이기, 노래, 하품하기 등의 비언어적인 발성에서는 정상 소견을 보이나, 근긴장성 발성장애는 모든 발성에 영향을 받는다. 음성단절의 경우 두 질환 모두에서 보일 수 있으나, 연축성 발성장애에서 근긴장성 발성장애에 비하여 빈도와 기간이 더 심한 양상을 보인다. 임상적으로 근긴장성 발성장애는 음성치료나 정신과 치료에 잘 반응하나, 연축성 발성장애는 치료효과가 떨어지는 경향이 있다. 반대로 연축성 발성장애는 보툴리눔 독소 성대주입술에 증세 호전을 보이나, 근긴장성 발성장애는 그 효과가 떨어진다. 또한 근긴장성 발성장애는 후두 근육을 완화시키는 마사지를 시행하면 증상이 호전되는 소견으로는 보이나 연축성 발성장애는 그 호전이 미미하다.[19]

Ⅳ 기능성 발성장애(functional dysphonia)

1. 민감화 반응(sensitization response)과 기능성 발성장애(functional dysphonia)의 발생 기전

기능성 발성장애의 발생 기전으로 역류, 후비루, 혹은 해로운 외부 자극에 대한 민감화 반응 이후 성대 및 성대

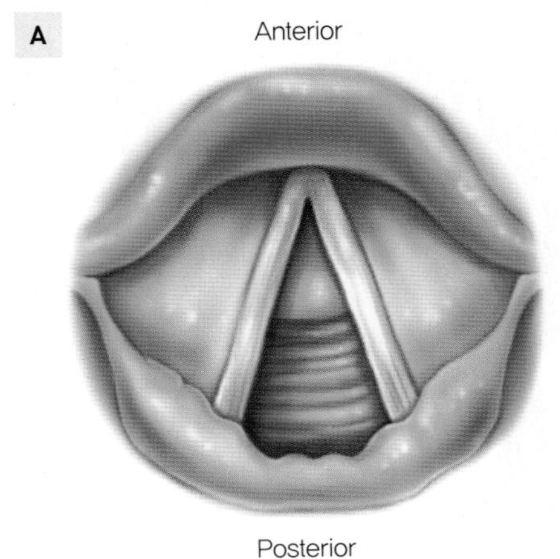

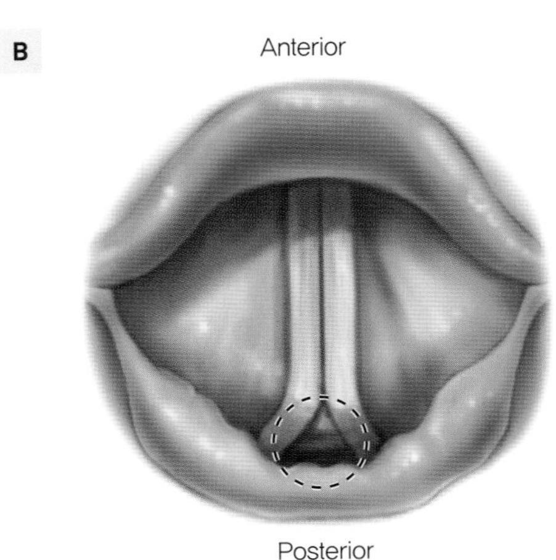

■ 그림 56-4. **흡기 시 정상 성대 소견(A)과 호기 시 역행성 성대 운동장애(B)의 성대 소견.** 역행성 성대 운동장애의 경우 정상 호흡과는 반대로 숨을 들이쉴 때 성대가 닫히는 현상을 보인다.

주변 근육의 과도한 수축으로 이해할 수 있다. 대표적으로 역행성 성대 운동장애(paradoxical vocal fold motion disorder)는 일명 과민성 후두 증후군(irritable laryngeal syndrome)로도 불리는데 이는 성대 민감화 반응 이후 폐를 보호하기 위한 성대 과민 반응의 일환으로 이해할 수 있다.

2. 역행성 성대 운동장애(paradoxical vocal fold motion disorder)

역행성 성대 운동장애란 흡기와 호기 시 정상 성대 운동과 반대로 성대 움직임이 나타나는 질환으로 성대가 흡기 시에 내전하고 호기 시에는 외전되는 질환이다(그림 56-4).

과거에 Muchausen's stridor, vocal fold dysfunction, factitious asthma, psychogenic asthma, irritable laryngeal syndrome 등의 여러 명칭으로 혼용되어 사용되었다. 정확한 원인은 아직 밝혀지지 않은 상태이나, 기능성 원인으로 전환장애, 불안장애, 우울증, 성격장애, 스트레스성 장애 등이 있으며, 기질적 원인으로는 중추 신경계 질환이나 호흡기 질환, 천식, 위식도 역류 등이 거론되고 있다.

환자는 흡기 천명, 기도 폐쇄감 등의 증세를 보이며, 흔히 천식으로 오진되는 경우가 많다. 또한 질식감, 음성 이상, 만성 기침, 무음과 같은 증세도 보이게 된다.[14] 진단은 굴곡형 내시경으로 역행성 성대 운동을 보고, 진단하는 것이 원칙이다.

치료는 자극 원인이 되는 역류, 알레르기 유발 물질을 우선적으로 제거하며, 단기적으로 호흡 곤란 해소를 위하여 호흡 훈련법(respiration retraining therapy), 양압 호흡기 치료(continuous positive airway pressure) 등이 사용된다. 근본적 치료로는 인지행동치료(cognitive behavioral therapy)를 통하여 환자가 질병의 발병 및 악화 기전에 대한 이해를 높이는 방법이다.

3. 변성 발성장애(mutational dysphonia)

변성 발성장애는 사춘기가 지난 후에도 지속적으로 어린아이와 같은 고음도 음성(high pitch voice)을 나타내는 음성장애이다. 일명 mutational falsetto, puberphonia, adolescent transitional dysphonia, persistent falsetto, incomplete mutation 또는 pubescent falsetto라고 불린다. 2차 성징 발현에 의한 성대 길이 증가와 후두 하강에 따른 음도저하로, 저음으로 변한 자신의 목소리에 심리적 적응을 못하여 사춘기 이전의 고음을 유지하려고 지속적으로 가성화 발성(falsetto register)을 시도하여 발생한다. 기질적, 해부학적 원인이 있는 경우는 드물며 심리적인 문제가 대부분이며, 정확하게 원인을 찾아내기 어려운 경우가 많다. 환자는 변성기 이전의 남자아이 목소리와 같은 비정상적으로 높은, 가늘고 약한 음성을 내는 것이 특징이다. 저음을 낼 수 없고, 호흡이 가늘며 바람 새는 듯한 기식음이나 거친 소리 가 동반되기도 한다. 내시경 소견으로 가성 발성 시와 비슷하게 성대

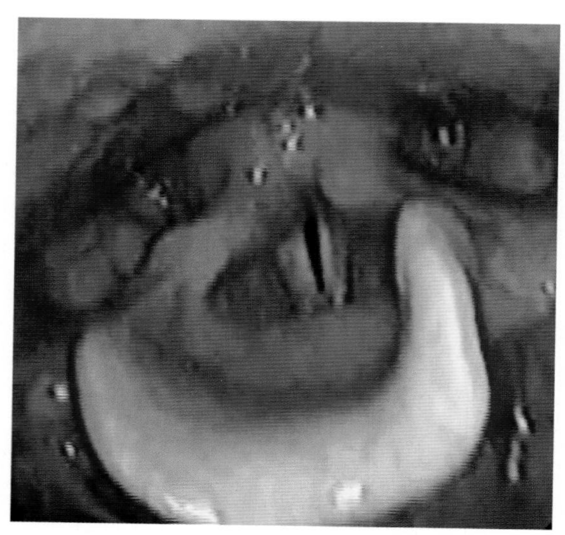

■ 그림 56-5. **변성 발성장애의 후두 내시경 소견.** 윤상갑상근과 설골상근의 과도한 수축으로 성대 긴장의 증가와 성문틈 소견이 관찰된다.

의 긴장도가 증가되면서 성대의 점막 파동이 감소된 소견을 보이며, 근긴장성 발성장애와 같은 성문틈(glottic gap)의 소견이 관찰된다(그림 56-5).

치료는 후두 근육의 긴장을 완화시키는 후두 근육 긴장 완화 요법에 좋은 반응을 보인다. 후두마사지 치료 효과가 없을 경우에는 고음을 내기 위하여 과도하게 사용하는 설골상근(suprahyoid muscle)과 윤상갑상근(cricothyroid muscle)에 보툴리눔 독소를 주입하여, 강제적으로 고음을 억제하는 방법을 사용하기도 한다.[23] 과거에는 강제적으로 음도를 낮추는 제3형 갑상 연골 성형술이나 설골상근과 설골을 분리시키는 방법(suprahyoid release)이 시도 되기도 하였으나, 현재는 거의 사용되지 않고 있다.

4. 본태성 음성 진전(essential vocal tremor)

본태성 진전(essential tremor)은 노화과정에 의해 생기는 무의식적인 진전으로, 진전 환자의 약 20-30%에서 성대 떨림을 동반하는 본태성 성대 진전이 발생한다. 성대 운동장애의 가장 흔한 원인으로, 40세 이상 성인의 약 0.4-0.5%에서 보이며, 유전적인 경향이 있다.[4] 주로 머리, 손, 성대 부위에 진전이 있으면서 10-20 Hz의 주기적인 음성 진전이 동반된다. 약 50%의 환자는 머리 떨림을 동반한다. 말과제 특이성(task specificity)을 보이는 연축 발성장애와는 달리 주로 후두내근뿐 아니라 인두근육, 구개근육, 후두외근들도 주기적인 수축하는 소견이 보이며, 발성 시뿐만 아니라, 생리적인 호흡 중에도 규칙적인 떨림(rhythmic oscillatory motion)을 보이면서 말과제 특이성이 없는 점이 특징이다.[22]

치료는 primidone과 propranolol 같은 약물치료를 주로 시행하며, 사지 떨림에는 효과적이나 음성 떨림에는 그 효과가 떨어진다. 최근에는 떨리는 성대 근육에 보툴리눔 독소를 주입하는 방법이 시도되고 있으나, 연축 발성장애와는 달리 떨리는 모든 후두 근육에 보툴리눔 독소를 주입하여야 하기 때문에 치료 효과가 떨어진다. 진전이 매우 심하고 약물 치료에 반응을 하지 않는 경우에는 시상하부 절개술(thalamotomy) 혹은 뇌심부자극술(deep brain stimulation)이 시도되기도 한다.[24]

5. 전환 발성장애(conversion dysphonia)

전환 발성장애는 기능성 음성장애의 일종으로 일명 히스테리성 실성증(hysterical aphonia), 심인성 실성증(psychogenic aphonia)으로도 불린다. 신경 정신과 질병 분류인 DSM IV에서는 신체형 장애(somatoform disorder)로 분류되며, 이의 음성장애 형태라 할 수 있다.

여성에서 남성보다 8배 정도 흔하며, 특징적으로 갑작스러운 음성 소실 증세를 보인다. 과기능 형태(hyperfunctional type) 보다는 과소기능 형태(hypofunctional type)를 주로 보이며, 주로 과도한 심적 스트레스나 긴장 후에 발생하게 되며, 환자들은 속삭이는 소리로 목소리를 내거나, 완전한 음성 소실을 보인다. 내시경 소견으로는 비록 성대의 움직임이 있으나, 성대 내전 시에도 성대가 완전히 붙지 않는 소견을 보인다.

일반적으로 음성 치료와 인지 행동 치료에 좋은 반응을 보인다. 꾀병(malingering)과의 감별점으로는 기침, 웃음소리와 같은 생리적인 현상에서 전환 발성장애는 정상 소견을 보이나, 꾀병에서는 이들 생리적 음성 조차도 내지 않는 소견을 보인다.

V 기타 신경성 음성장애(neurological dysphonia)

1. 파킨슨병 관련 성대 떨림(vocal tremor related with Parkinson's disease)

파킨슨병은 매우 흔한 진행성 퇴행성 신경질환으로 기저핵(basal ganglia)의 흑질선조체 경로(nigrostriatal tract)의 신경 퇴행으로 인한 도파민 분비 저하로 발생한다.[17] 질환이 진행된 환자의 70%에서 음성 관련 증세를 동반하며, 기식성 단조음(breathy monotone voice), 음성 떨림을 보이는 것이 특징이다. 질병이 진행되면 발음이 부정확해지면서 대화를 시작하기가 어렵고, 말더듬과 비슷한 증세를 보이게 된다. 후두스트로보스코피상 성대 위축(vocal fold bowing)에 따른 성대 폐쇄부전과 성대 파동 감소를 보인다.[3]

전신적 약물 치료로 운동장애에는 증세 호전에는 도움이 되나 음성 문제에는 효과가 떨어지는 경우가 많다. 최근에는 음성크기와 발음 정확도 향상에 중점을 둔 LSVT, Lee Silverman Voice Therapy가 파킨슨병 관련 음성질환에 표준치료 사용되고 있다. Parkinson's plus syndrome은 다기관 신경 퇴행, 샤이-드래거 증후(Shy Drager syndrome), 기저핵의 신경 퇴행, 진행성 상핵 마비(supranuclear palsy)를 함께 보이는 경우로 일반적인 파킨슨병보다 더 심한 운동장애 및 음성장애 보인다.

참고문헌

1. Blitzer A, Brin MF, Fahn S, Lange D, Lovelace RE. Botulinum toxin (BOTOX) for the treatment of "spastic dysphonia" as part of a trial of toxin injections for the treatment of other cranial dystonias. Laryngoscope 1986;96:1300-1301
2. Blitzer A, Brin MF, Stewart C, Aviv JE, Fahn S. Abductor laryngeal dystonia: a series treated with botulinum toxin. Laryngoscope 1992;102:163-167
3. Blumin JH, Pcolinsky DE, Atkins JP. Laryngeal findings in advanced Parkinson's disease. Ann Otol Rhinol Laryngol 2004;113:253-258
4. Brin MF, Koller W. Epidemiology and genetics of essential tremor. Mov Disord 1998;13 Suppl 3:55-63
5. Cannito MP, Kahane JC, Chorna L. Vocal aging and adductor spasmodic dysphonia: response to botulinum toxin injection. Clin Interv Aging 2008;3:131-151
6. Chhetri DK, Berke GS. Treatment of adductor spasmodic dysphonia with selective laryngeal adductor denervation and reinnervation surgery. Otolaryngol Clin North Am 2006;39:101-109
7. Deuschl G, Bain P, Brin M. Consensus statement of the Movement Disorder Society on Tremor. Ad Hoc Scientific Committee. Mov Disord 1998;13 Suppl 3:2-23
8. Henschen TL, Burton NG. Treatment of spastic dysphonia by EMG biofedback. Biofeedback Self Regul 1978;3:91-96
9. Kim JW, Park JH, Park KN, Lee SW. Treatment efficacy of electromyography versus fiberscopy-guided botulinum toxin injection in adductor spasmodic dysphonia patients: a prospective comparative study. ScientificWorldJournal 2014;2014:327928
10. Koufman JA, Blalock PD. Classification and approach to patients with functional voice disorders. Ann Otol Rhinol Laryngol 1982;91:372-377
11. Koufman JA, Blalock PD. Functional voice disorders. Otolaryngol Clin North Am 1991;24:1059-1073
12. Koufman JA, Rees CJ, Halum SL, Blalock D. Treatment of adductor-type spasmodic dysphonia by surgical myectomy: a preliminary report. Ann Otol Rhinol Laryngol 2006;115:97-102
13. Ludlow CL, Adler CH, Berke GS, et al. Research priorities in spasmodic dysphonia. Otolaryngol Head Neck Surg 2008;139:495-505
14. Maschka DA, Bauman NM, McCray PB, Jr., Hoffman HT, Karnell MP, Smith RJ. A classification scheme for paradoxical vocal cord motion. Laryngoscope 1997;107:1429-1435
15. Mathieson L. The evidence for laryngeal manual therapies in the treatment of muscle tension dysphonia. Curr Opin Otolaryngol Head Neck Surg;19:171-176
16. Merati AL, Heman-Ackah YD, Abaza M, Altman KW, Sulica L, Belamowicz S. Common movement disorders affecting the larynx: a report from the neurolaryngology committee of the AAO-HNS. Otolaryngol Head Neck Surg 2005;133:654-665
17. Meyer TK. The larynx for neurologists. Neurologist 2009;15:313-318
18. Pearson EJ, Sapienza CM. Historical approaches to the treatment of Adductor-Type Spasmodic Dysphonia (ADSD): review and tutorial. NeuroRehabilitation 2003;18:325-338
19. Roy N. Differential diagnosis of muscle tension dysphonia and spasmodic dysphonia. Curr Opin Otolaryngol Head Neck Surg;18:165-170
20. Sanuki T, Isshiki N. Overall evaluation of effectiveness of type II thyroplasty for adductor spasmodic dysphonia. Laryngoscope 2007;117:2255-2259
21. Su CY, Chuang HC, Tsai SS, Chiu JF. Transoral approach to laser thyroarytenoid myoneurectomy for treatment of adductor spasmodic dysphonia: short-term results. Ann Otol Rhinol Laryngol 2007;116:11-18
22. Sulica L, Louis ED. Clinical characteristics of essential voice tremor: a study of 34 cases. Laryngoscope;120:516-528
23. Woodson GE, Murry T. Botulinum toxin in the treatment of recalcitrant mutational dysphonia. J Voice 1994;8:347-351
24. Zesiewicz TA, Elble R, Louis ED, et al. Practice parameter: therapies for essential tremor: report of the Quality Standards Subcommittee of the American Academy of Neurology. Neurology 2005;64:2008-2020

CHAPTER

57

후두 미세수술

홍기환, 정은재

후두미세수술의 기본 개념은 성대의 특별한 해부학적 구조, 즉 점막과 점막하공간(cover) 및 근육(body)으로 구성되어 있는 성대의 이른바 'Body-cover'를 이해하는 데에서 비롯된다. 성대는 크게 구분하여 상피(epithelium), 고유층(lamina propria)의 표층, 중간층 및 심층, 그리고 근육(muscle)층 등의 5층으로 나누어진다. 이 중 실제 음파가 발생되어 음성산출에 중요한 역할을 담당하는 성대 점막과 고유층에 후두미세수술의 대상 질환의 대부분이 발생하게 된다. 이러한 성대점막병변의 수술적인 치료 후 점막파동과 발성장애를 유발하는 반흔이 만들어지는 곳은 고유층의 중간 및 심층과 근육층이라고 알려져 있다.[2] 이 부위는 한번 손상되면 재생되지 않음을 고려해 볼 때 후두미세수술 중 고유층의 중간층이 손상되거나 점막(상피와 고유층의 표층)의 결손이 발생할 경우 치유과정에서 발생하는 비가역적인 변화가 수술 후 지속적인 음성장애의 원인이 된다. 따라서, 후두미세수술 시에는 병변은 완전히 제거하면서 주변 정상 성대 미세구조를 최대한 보존하는 것이 가장 중요하다.[36]

후두 양성 점막 질환의 수술을 시행할 경우 다음 4가지의 원칙을 만족하여야 한다. 첫째, 성대점막은 부족해도 안 되며 여분의 점막이 많이 남아서도 안 된다. 성대점막이 부족한 경우 고유층이 노출되고 반흔 조직으로 치유되어 성대진동에 장애를 일으킨다. 또한 여분의 점막이 많으면 성대 유리연이 불규칙해지며 육아종이 형성될 수 있어 음성의 질이 저하된다. 둘째, 고유층은 재생이 되지 않으며, 손상을 받는 경우 성대의 유연성과 부피의 손실로 인해 성문폐쇄부전을 유발할 수 있으므로 정상 고유층은 최대한 보존하여야 한다. 셋째, 점막의 과도한 손상은 반흔 조직으로 대체될 뿐만 아니라 점막 진동에도 영향을 미치기 때문에 과도한 점막의 손상을 피해야 한다. 넷째, 부드러운 성대 유리연을 만들도록 해야 한다.[14,36]

이 장에서는 후두 양성점막 병변을 수술하는 방법인 후두미세수술에 관하여 고려해야 할 사항, 술식 및 술 후 환자 관리 등에 대하여 살펴보고자 한다.

I 후두미세수술 전 고려사항

1. 일반적 수술 전 고려사항

후두미세수술을 시행하기 전 환자가 수술을 받기에 적합한 상태인지, 그리고 환자가 음성에 대한 수술 시 발생할 수 있는 문제점에 대하여 잘 인지하고 있는지를 점검하는 것은 매우 중요하다. 수술환자를 선택함에 있어서, 수술적 치료 이전에 다른 비수술적 치료로 병변을 해결하고 음성을 개선시킬 수 있는지에 대한 부분을 우선 고려하여야 하며, 수술을 시행하기로 결정을 하였다면 환자 본인이 질환을 치료함으로써 음성을 개선하고자 하는 의지가 있어야 함이 우선되어 있어야 한다. 또한 환자가 성악가 또는 가수와 같이 직업적 음성사용자라면 술 후 환자 목소리의 개선도와 수술에 따른 위험도 간에 어떤 것이 더 유리할지를 판단하여야 한다.

수술 후 치유과정에서 반흔 조직의 형성, 성대조직 손상이 일어날 수 있으므로, 모든 후두미세수술 후에는 상당기간의 음성안정이 필수적이므로 이를 고려하여 환자의 일정과 수술일정을 조율해야 한다. 음성안정 기간은 질환 및 수술 범위에 따라 다르지만 약 2일에서 14일 동안의 절대음성안정(한마디의 말도 하지 않는 것)이 필요하고 일반적으로는 약 일주일간의 절대음성안정 기간이 필요하다.[1]

일반적으로 급성 출혈성 성대질환이나 악성 종양이 의심되는 경우, 일측성 성대마비, 큰 성대폴립 등 보존적 치료에 명확히 효과가 없는 질환을 제외하고는 양성 성대점막 질환의 후두미세수술 전에는 가급적 수술 전 음성치료를 시행하는 것이 좋다.[9] 특히 직업적으로 음성사용이 많은 경우나 음성의 오남용이 의심되는 경우에는 수술 전 음성치료를 시행하는 것이 좋다.

술 전 환자의 음성과 후두의 상태를 기록으로 남기는 것은 환자의 술 후 결과를 평가함에도 중요하지만 법률적 문제 발생에 대비하는 목적도 있다. 우선 환자의 술 전 목소리를 녹음하여야 하는데, 이는 의사나 환자 모두 수술이 끝나고 나면 수술 전 목소리를 기억하지 못하는 경우가 많고 이에 따라 수술결과에 대한 평가를 하기가 어려워지는 경우가 많기 때문이다. 또한 환자의 후두 스트로보스코피 등의 검사는 후두 상태를 저장하고, 음성분석을 시행함으로써 수술 전후의 상태를 파악하고 추가 치료 방법 등을 생각해 볼 수 있기에 필요한 검사이다.[37-38]

2. 수술 전 환자 설명

후두미세수술 시에는 전신마취하 수술에서 발생할 수 있는 일반적인 합병증에 대한 설명은 물론이고, 후두경 삽입에 의해 발생할 수 있는 턱 관절, 치아, 설신경의 기능 저하 가능성에 대해 설명해야 하며 수술 후 절대음성안정 기간이 필수적임을 환자에게 꼭 주지시켜야 한다. 음성개선을 최종 목표로 하는 후두미세수술은 음성 개선 정도에 대하여 환자의 주관적 만족도에 따른 문제 발생 소지가 있으므로, 술 후 목소리가 예전과 같이 완전히 정상으로 회복된다고 보장하지 않는 것이 유리하며, 아무리 섬세한 수술을 시행한다 하더라도 수술 중 병변의 상태에 따른 예상치 못한 상처를 남길 수 있음을 환자에게 설명할 수 있어야 한다. 일반적으로 양성 성대점막 질환의 후두미세수술 후 결과는 대부분 만족스러우나 약 1-2%의 환자는 별 차도가 없으며 심지어 수술 전에 비해 음성의 상태가 더 나빠지고 재수술이 필요할 수 있음을 설명하고 수술을 진행하도록 한다.[27]

II 후두미세수술을 위한 마취

후두미세수술이 이루어지는 부위는 마취가 시작되는 상부 호흡기관의 관문으로 수술에 방해가 되지 않는 최상의 마취가 이루어져야 하므로 이비인후과 의사와 마취과 의사와의 팀워크가 매우 중요하다. 기관삽관 과정 동안 이비인후과 의사가 수술실 내에 함께 있어 마취유도 과정

중에서 기관삽관이 되지 않거나 기도 확보가 이루어지지 않는 등 응급상황이 발생할 경우 빠른 대처를 할 수 있도록 준비해야 한다.[27] 후두미세수술 마취 시에는 작은 기관삽관 튜브(6.0–6.5)를 사용하여 전신마취를 시행한다.[27] 튜브 삽관 시 병변이 성문부에 위치하므로 병변 및 주변부에 손상을 주지 않도록 세심한 주의가 필요하며 마찬가지로 발관 시에도 수술 부위에 손상을 유발하지 않고 과도한 기침이 발생하지 않도록 주의하면서 튜브를 제거해야 한다.

대부분의 후두미세수술은 기관 내 삽관을 통한 마취하에서 수술이 가능하나 병변이 기관 내 삽관 튜브가 위치하는 성문의 후방, 후교련 부위, 피열 연골 주변에 있거나 기관 내 삽관이 어려운 경우에는 제트환기법(Jet ventilation)이나 무호흡기법(apneic technique)으로 마취를 한 후 수술을 시행한다.[28]

Ⅲ 후두미세수술을 위한 수술 기구

구강을 통한 후두수술은 19세기 초 후두를 직접 눈으로 관찰하면서 시행되었다. 그 이후 직접후두경(direct laryngoscope)이 개발되고 여기에 수술현미경(surgical microscope)을 접목함으로써 후두미세수술은 비약적으로 발전하였다. 또한, 현미경을 이용한 정교한 수술이 가능해짐에 따라 병변을 제거할 때 정상 조직의 손상을 최소화함으로 후두기능을 보존하는 데 큰 도움이 되었다. 후두경과 수술현미경뿐만 아니라 광학기계 그리고 마취방법의 개선은 후두수술을 현재의 방법으로 발전시키는 밑거름이 되었다.[5]

후두부 수술을 위해서는 수술현미경 외에도 특별히 고안된 다양한 수술기구 및 레이저, 내시경 등을 사용하기 때문에 이러한 수술 장비에 대한 충분히 숙지하는 것이 필요하며 수술 전후 환자에 대한 교육 및 관리에 대해 이해하는 것이 매우 중요하다.[1,5]

1. 후두경 및 현수장치

실제적인 직접후두경을 사용한 것은 1895년 Alfred Kirstein이 손잡이가 달린 설압자를 이용하여 후두를 직접 관찰한 것이 최초이다.[19] 20세기 초 Gustav Killian은 Kirstein의 후두경 수술을 보고 같은 영감을 얻어 후두경의 다양한 날 모양 개발을 하였다.[20-21] Chevalier-Jackson은 Killian의 원통형 후두경에 "ㄷ(C)" 모양의 손잡이를 고안하였으며 이를 통해 성문 상부 조직을 밀어낼 때 보다 적절하게 힘이 분포할 수 있게 하였다.[39]

이러한 현수 후두경에는 다양한 종류가 있고 환자의 체형, 수술방법, 후두노출 정도에 따라 적절한 후두경을 선택해야 한다. 가능한 한 직경이 큰 직접 후두경을 사용하여 수술 시야를 확보하는 것이 중요하다. 수술 시야가 확보되지 않은 경우 진단을 잘못 내리거나, 불완전한 수술, 정상 성대점막 구조의 손상을 일으킬 수 있다. 특히, 비만한 경우(BMI>25), 목이 굵고 짧은 경우, 입을 벌리기 힘든 경우, 하악 후퇴증(retrognathia)이 있거나, 하악이 작은 경우, 대설증(macroglossia)이 있는 경우, 경추 이상으로 경부 신전이 안되는 경우에는 직접 후두경의 삽입이 힘들다.[16] 성대의 전연합부를 잘 관찰하기 위해서는 성대 전반부의 시야 확보가 용이한 전연합부 후두경(anterior commissure laryngoscope)을 사용한다. 그리고 성대 후반부의 수술 시야를 확보하기 위한 방법으로는 첫째, 가능한 한 작은 기관삽관 튜브의 사용, 둘째, 기관삽관 없이 제트 환기(jet ventilation) 사용, 셋째, 기관삽관 튜브를 전방으로 밀어주는 후연합부 후두경(posterior commissure laryngoscope) 사용 등의 방법이 있다.[14]

최초의 현수장치는 20세기 초 후(Kilian)에 의해 고안되었다.[22] 현수장치는 기존에 후두경의 손잡이를 잡고 시술하는 것과는 달리 양손을 이용하여 수술을 가능하게 만들었으며,[17,25] Brunings은 후두경과 연결된 지렛대를 후두연골에 고정시켜 반대압력(counter pressire)으로 눌러주는 효과를 고안하였고, Seiffert는 지렛대를 가슴에

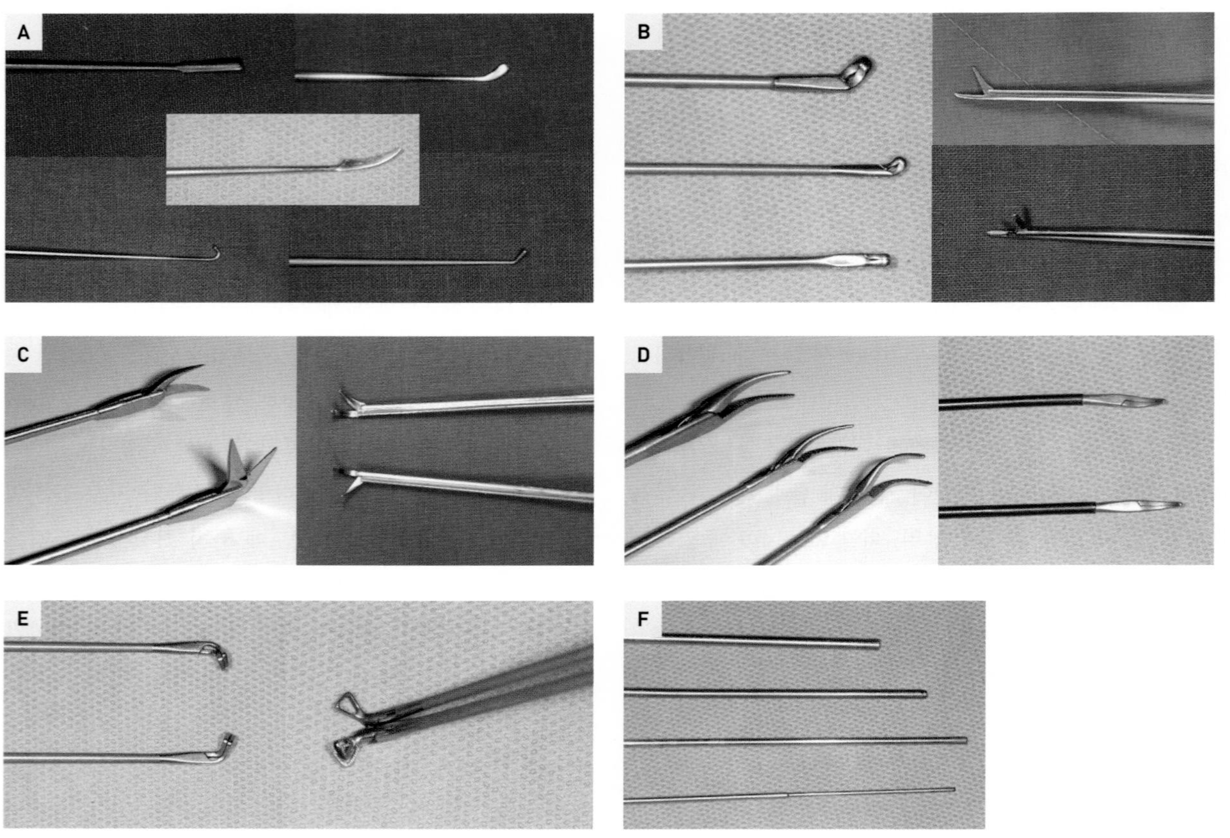

■ 그림 57-1. **다양한 미세수술 기구.** **A)** Blunt microelevators and knife. **B)** Microcup forceps and Micro-ovoid cup forceps. **C)** Microscissors. Curved and angle up. **D)** Curved alligators. **E)** Triangular (Bouchayer) forceps. **F)** Various sized microlaryngeal suctions.

위치시키는 안정고정장치를 개발하였다.[23,24,26,40]

2. 미세수술 기구

후두 미세수술에 필요한 고해상도 현미경과 큰 구경의 후두경 및 팔을 지탱할 수 있도록 만들어진 수술 의자 등 기본적인 기구 이외의 다음과 같은 미세 기구들이 필요하다(그림 57-1).

1) Specialized blunt microelevators

기구 끝 부분이 무디면서도 다양한 각도로 만들어져 성대 점막 피판을 들거나 병변을 주변조직으로부터 분리할 때 용이하게 사용된다. 술자가 다양한 상황에서 여러 각도로 쉽게 접근이 가능하도록 다양한 각도의 미세거상기가 필요하며 microdissector를 사용하면 고유층의 상층에서 중, 심층으로 전환되는 적절한 위치에서 박리가 용이하다.[2]

2) Microcup forceps (1-2 mm)

180도가량 벌려 사용할 수 있으며 맞닿은 면에 절제가 가능한 날카로운 부분이 있다. Straight forcep과 angle-up forcep 등이 있으며, ovoid 형태의 forcep은

소량의 조직을 잡을 때 편리하다.[2]

3) Microscissors

거의 모든 수술에서 절개를 비롯하여 박리까지 다양하게 이용되며 기본적으로 right & left curved scissors과 straight up scissors가 필요하다. Microscissors 는 비교적 날카로운 도구로 혈관을 가로지르는 점막의 절개나 섬유조직의 박리나 절단에 사용된다.[2]

4) Alligator forceps

끝이 구부러져 있고 날카로워 작고 얇은 조직을 잡거나 견인할 때 많이 사용된다.[2]

5) Microlaryngeal suctions (1, 1.5, 2 mm)

가능한 가늘고 다양한 구경의 suction tip을 구비하여 수술과정 중 출혈과 분비물을 효과적으로 suction하고 필요 시 피판이나 병변을 견인할 때 사용한다.

6) Triangular forceps (bouchayer forceps)

미세피판을 만든 후 retraction하는 기구로 피판의 손상을 최소화한다. 일반적으로 절제하려고 하는 피판은 forceps를 이용하여 잡아도 무방하지만 보존하려고 하는 피판은 forceps를 이용하여 잡을 경우 찢어지거나 손상될 가능성이 있으므로 가능한 피해야 한다.

7) Sickle knife

Sickle knife는 성대점막의 절개에 필수적인 기구이며 간혹 매우 섬세한 박리에도 사용된다. 성대점막과 점막하층은 성대의 종축에 평행한 단백질 배열을 가지고 있으므로 약간 무딘 기구를 이용해서 박리하는 것이 손상을 줄일 수 있다. 특히 자유로운 기구조작이 어려운 후두미세수술의 경우 절개를 위한 knife가 지나치게 날카로울 경우 오히려 원하지 않는 손상을 유발할 수 있으므로 sickle knife와 같은 기구를 사용하게 된다.[2]

3. 수술현미경

후두수술에 있어서 처음 수술현미경을 사용한 것은 1060년 Scalco 등[34]에 의해서이다. 수술 현미경으로 인해 고배율의 확대된 영상과 3차원의 입체적인 수술 시야를 확보하게 됨으로써 정교한 후두수술이 가능해졌다. Jako는 처음으로 현미경용 수술 기구들을 개발하였으며, Kleinsasser는 400 mm 렌즈를 장착하여 후두수술의 초점거리를 늘려 기구 이용을 용이하게 만들었다.[5] 이러한 수술현미경의 발전을 통해 더욱 정교한 후두수술이 가능해 졌으며 현재 성대의 미세층 봉합이 가능할 정도로 발전하는 밑거름이 되었다. 수술현미경은 일반적으로 귀 수술과는 달리 초점 거리 400 mm의 렌즈를 이용해야 한다. 초점 거리가 이보다 짧으면 후두미세수술 도구를 후두경에 삽입하기 어려워 수술을 진행하기가 힘들다.

4. 레이저 시스템

1960년 중반 CO_2 레이저를 비롯한 다양한 레이저가 발명된 이후 수술에 이용되기 시작하였다. 특히 CO_2 레이저를 후두 수술 현미경에 접목하면서 출혈 없이 수술하는 방법이 발전하게 되었다. Jako, Strong 등은 후두 수술에 CO_2 레이저를 적용하였고[18,35] 레이저의 탁월한 지혈 효과뿐만 아니라 레이저용 미세수술 기구의 발전에 힘입어 후두경을 통한 악성종양의 수술이 가능해졌다. 레이저 빔을 조종하는 미세조종기(micromanipulator)는 익숙하지 않은 손으로도 정밀한 조작이 가능하여 수술 중 정상 조직의 손상을 최소화시킬 수 있다. 이외에도 최근에는 PDL (pulsed-dye laser)도 이용되고 있다.

5. 내시경

후두미세수술에서는 후두경을 통과해야 하기 때문에 30 cm 길이의 내시경이 주로 사용된다. 0° 내시경은 근접한 상태에서 넓은 시야로 확대된 상을 보여 주며 30°, 70° 내시경은 후두전정, 전연합부, 후연합부, 성문하부의 병변을 관찰하는 데 효과적이다.[27] 수술 전에 내시경을 이용하여 병변에 대한 3차원적인 정보를 얻을 수 있으며 현미경 수술 후에는 병변이 제대로 제거되었는지 확인하는 데 이용 가능하다.

6. 치아보호대

후두경 삽입과정 중에서 치아 및 잇몸에 손상이 발생할 수 있기 때문에 이를 보호하는 것이 매우 중요하다. 실리콘으로 된 마우스피스, 치과용 모델링 고무, 납판 등을 이용하여 상악 치아를 싸서 보호한다. 치아가 없는 경우에는 물에 적신 거즈 여러 장을 겹쳐 사용할 수도 있다. 치과에서 환자의 구강 구조에 맞는 전용 보호대를 만들어 사용하는 것도 좋다.

Ⅳ 후두미세수술의 실제

1. 환자의 체위

환자를 수술대에 똑바로 눕힌 후 목관절(목-가슴관절)은 굽히고 머리관절(머리-목관절)은 펴는 자세를 취하면 구강과 성문부가 일직선상에 놓여 후두의 노출이 용이하게 된다.[1] 외부에서 성대부위의 갑상연골을 눌러주면 성대 전방부의 시야확보에 도움이 된다.

2. 후두경의 삽입

후두경의 삽입요령은 다음과 같다. 오른손으로 후두경을 잡고 왼손으로는 환자의 입을 벌린 상태에서 후두경을 혀의 표면을 따라서 위로 드는 느낌을 가지면서 인두후벽 또는 구개수가 보일 때까지 삽입한다. 이후 이미 삽입되어 있는 기관 튜브를 후두경을 통해 확인하면서 전진하다 보면 후두개의 상부가 나타나는데 다시 후두개 아래로 삽입하여 조금 더 전진하면 후두의 뒤쪽 부위인 피열연골부위가 관찰된다. 이후 현수장치를 이용하여 후두부를 거상하여 성문부를 완전히 노출한 후 고정하면 된다.[1,27]

3. 후두부의 외부 압박

적절한 후두경의 삽입에도 불구하고 성문부, 특히 전연합부가 잘 관찰되지 않는다면 외부에서 윤상연골 부위를 압박하여 주면 노출이 용이하게 된다. 이런 경우 압박끈이나 실크 테이프를 이용하여 후두부위를 압박한 후 수술 테이블에 고정하면 장시간 수술을 할 경우 편하다.

4. 수술현미경의 위치 및 수술자의 자세

후두 미세수술은 수술 현미경을 통해 비교적 먼 거리에 위치하고 있는 병변을 확대시킨 상태에서 수술을 진행하기 때문에 수술자의 작은 손 움직임도 실제 수술시야 내에서는 많은 거리를 움직이는 효과가 나타난다. 따라서 후두 미세수술 도중에는 수술자의 손과 팔을 적절히 지탱해 주는 것이 필수적이다. 이를 위해서 팔걸이가 있는 수술 의자나 메이요스탠드(Mayo stand)를 사용하는 것이 좋다.[3,27]

먼저 수술자가 의자에 허리를 펴고 편하게 앉은 자세에서 맨눈으로 후두경을 통해 성문부를 관찰할 수 있는 높이로 수술대 높이를 조정한다. 수술대의 높이가 너무 높은 경우에는 수술대를 reverse Trendelenberg 위치로 놓아 환자의 머리 위치를 좀 더 낮출 수 있다. 이 후에 수술 현미경을 환자와 수술자 사이에 들여 놓은 후 대안렌즈가 수술자의 눈에 편하게 닿을 수 있게 위치한다.

수술현미경은 전술한 대로 초점거리 400 mm의 대물렌즈를 사용해야 한다. 최근에는 대물렌즈를 교환할 필요없이 조동나사를 조절하여 250 mm부터 400 mm까지 초점 거리를 조정할 수 있는 대물렌즈가 장착된 수술현미경의 사용이 늘고 있다. 이 경우 수술을 시작할 때 항상 초점 거리가 400 mm에 있는지 꼭 확인한 후 수술 현미경의 위치를 앞뒤로 움직이면서 큰 초점을 맞추어야 한다. 이후 조동나사를 돌려 상이 명확해지도록 미세 초점을 맞추어야 한다.

5. 미세피판술(Microflap approach)

대부분의 양성 성대질환은 상피층과 고유 층의 천층(superficial later of lamina propria)에 국한된 경우가 많고, 이 부분은 고유층의 중간층(intermediate layer)과 심층(deep later)에 비하여 상처를 남길 가능성이 매우 낮기 때문에 수술 시 어느 정도의 손상에도 정상적인 점막진동이 이루어질 수 있도록 재생된다. 그러나 상피 층과 고유층의 천층이 완전하게 재생되는 것이 아니므로 가능한 한 이 부위의 정상적인 조직을 남기고 병변을 제거

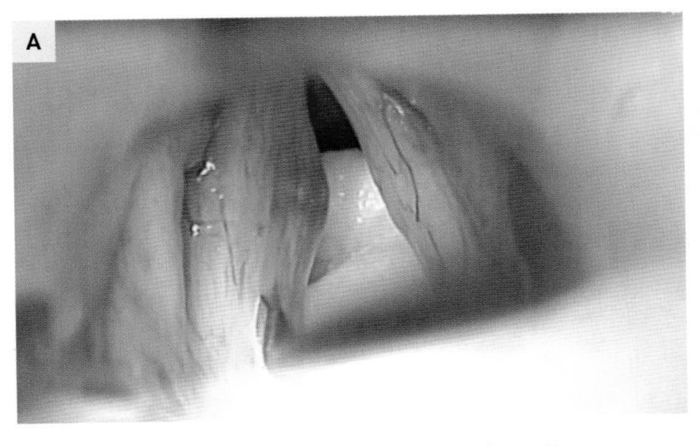

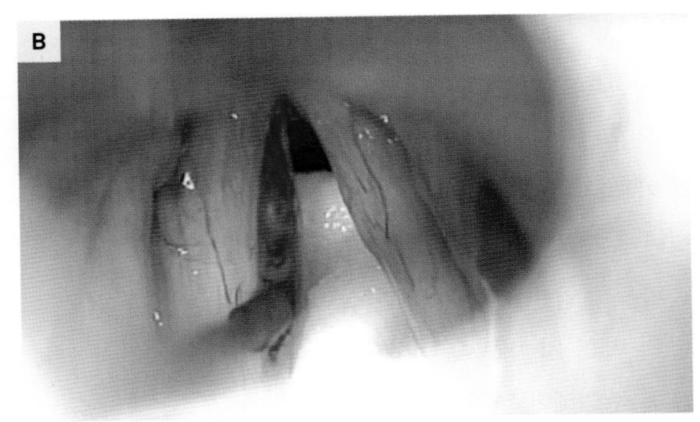

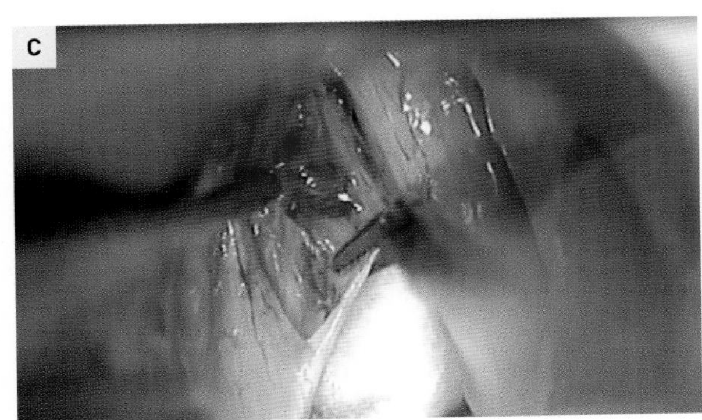

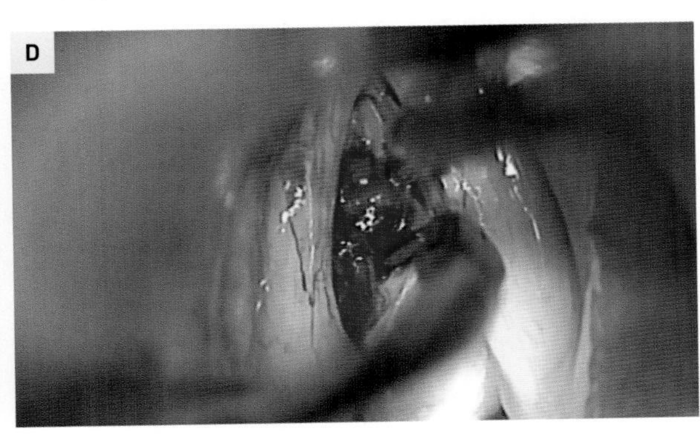

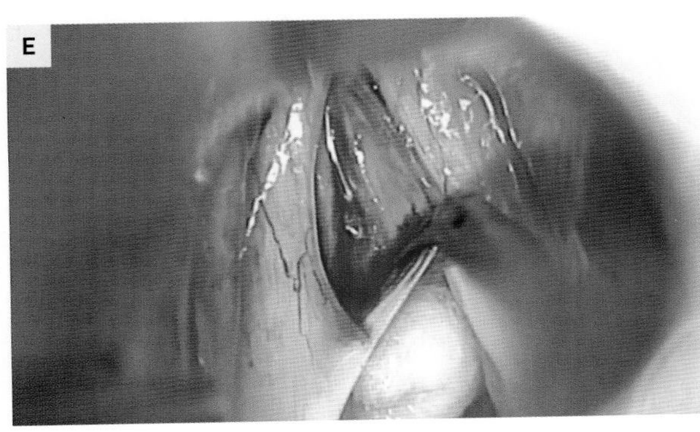

■ 그림 57-2. **성대내 낭종의 미세피판술 과정.** **A)** Epithelial cordotomy. **B)** Curved dissector를 이용하여 낭종을 손상 없이 내측부터 박리한다. **C)** 낭종조직을 주변으로부터 손상없이 분리한다. **D)** 미세가위를 이용하여 조직간 섬유밴드를 제거한다. **E)** 미세피판을 이용한 후두미세수술 후 소견.

하는 것이 중요하다. 따라서 상피층과 고유층의 천층에 국한된 병변의 경우 점막하 박리(subepithelial dissection)를 통하여 병변을 제거하는 것이 바람직하며, 이와 같은 술식은 2차적인 상피재생을 막음으로써 술 후 성대에 남는 상처를 최소화 시킬 수 있다.[36]미세피판술은 말 그대로 병변 부위 근처 점막에 절개를 한 후 점막 피판을 들어 점막하 병변을 제거한 후 점막 피판을 원위치에 놓는 방법으로 술 후 수술부위가 정상 점막으로 덮이기 때문에 고유층의 노출을 최소화함으로써 빠른 창상 치유를 유도할 수 있고, 점막과 고유층에 대한 반흔조직을 최소화함으로써 성대의 점막을 정상에 가깝게 회복시켜 우수한 음성회복의 결과를 얻을 수 있다.[15]

다음은 일반적으로 교과서에 기술되어 있는 미세피판술의 기본 원칙이다.[2,10,13,30,33]

1) 병변에 가장 근접한 곳의 상피에 절개선을 만든다
2) 병변을 제외한 주위 정상 조직은 최대한 보존해야 한다.
3) 조직 박리 시 병변이 위치해 있는 층에서 벗어나지 않도록 주의해야 한다.
4) 상피와 고유층 상층을 포함한 성대병변의 정상 점막은 보존해야 한다.

미세피판술은 다음과 같이 시행한다(그림 57-2). 병변의 표면 또는 바로 외측에 낫 칼(sickle knife)을 이용하여 점막절개를 한다. 점막절개 시 상피하 낭종등을 손상시켜 터지지 않도록 주의하며, 절개면 아래 조직을 보호하기 위해 점막을 드는 느낌으로(tent-up) 앞뒤로 절개선을 확장해 간다. 수술 조작의 편의를 위해 병변의 실제 크기보다 약간 더 길게 절개하는 것이 좋다. 병변이 충분히 노출될 정도로 절개선이 만들어 지면 병변과 점막 사이를 curved elevator를 이용하여 박리한다. 0.2 mm 정도의 두께로 얇고 투명한 피판을 만들어 피판을 통해 수술기구를 보면서 피판과 병변을 확인해 가며 수술할 수 있게 한다. Dissector의 tip 방향은 성대 내측으로 향하도록 한다. 병변과 피판의 유착이 있는 경우, 유착이 없는 부위부터 박리를 시작하여 유착부위 전후로 박리면을 만들며 병변의 가장 아래부위까지 충분히 박리하며 조심스럽게 외측으로 박리한다. 박리과정 중 가장 중요한 것은 병변으로부터 성대내측 점막을 먼저 분리하는 것이다. 대부분의 병변이 성대인대와의 유착이 있기 때문에 성대 내측 점막부터 박리하면 자연스럽게 박리방향과 반대측으로 당겨지기 때문에 조작이 용이해진다. 이때 점막이 찢어지지 않도록 주의하면서 인내를 가지고 천천히 점막을 박리하여야 하는데 elevator의 등면(convex side)을 이용하여 적절한 힘으로 피판 아래쪽 전반을 성대 외측방향으로 밀면서 누르는 느낌으로 박리를 시행한다.[2] 이후 가장 적은 직경의 suction tip 등을 사용하여 손상 없이 낭종을 주위로부터 분리시킨다. 박리 도중 병변과 주위 조직간에 섬유성 밴드가 나타나면 미세가위를 이용하여 절제할 수도 있다. 내측 점막 박리가 충분히 되면 병변과 성대인대 사이, 즉 외측 부위의 박리를 진행한다. 이 부위에는 성대인대와 갑상피열근이 존재하는 부위므로 이 해부학적 구조에 손상을 주지 않도록 주의하여야 한다. 내외측의 박리가 모두 끝나면 병변의 앞뒤로 섬유성 조직이 붙어 있는데 이것들을 미세가위로 정리하면 병변을 제거할 수 있다. 최종적으로 점막 피판을 제자리에 놓고 절개선이 잘 맞는지 확인한다. 점막의 일부가 남는다면 절개선이 잘 맞도록 미세가위를 이용하여 남는 부위를 제거한다.[10]

성대 전연합부는 수술 시야 확보가 힘들며, 이로 인해 잘못된 진단, 불완전한 치료를 할 수 있고, 창상 치유과정에서 반흔 조직이나 후두 격막, 유착이 형성될 수 있다. 양쪽 성대의 전연합부에 병변이 있는 경우 전연합부 쪽 2-3 mm 정도의 점막을 보존하여 격막형성을 방지해야 하고, 전연합부 3 mm 정도의 정상 점막을 확보하기 힘들 경우 양측을 동시에 수술하는 것을 피하고 단계적인 수술을 시행해야 후두 격막이나 성대 유착을 피할 수 있다.[11]

성대낭종의 경우 주로 성대인대보다 표층에 발생하고 주변조직을 밀면서 형성되기 때문에 주위조직을 보존하는 미세피판술이 가장 적절하다. 얇은 낭종이 찢어지지 않고 완전히 적출되는 것이 재발을 방지하는 가장 좋은 방법이겠으나, 수술의 최종 목적이 파열되지 않은 낭종적출이 아니라 낭종을 구성하고 있는 피막의 완전 적출이므로 만약 박리과정 중 파열되더라도 남아있는 피막을 완전히 제거한다면 수술의 목적이 달성되는 것임을 상기해야 한다.[2]

6. CO_2 laser surgery

앞서 언급한 미세피판법이 성대 폴립, 성대 낭종, 레인케 부종 등과 같은 비종양성 후두 양성점막 병변의 수술법으로 주로 이용되었다면, CO_2 레이저는 후두 유두종(laryngeal papilloma)이나 후두 이형성증(laryngeal dysplasia) 등과 같은 종양성 후두 양성점막 병변에 대한 수술에 주로 사용된다.[7] 종양성 후두 양성점막 병변에 대한 CO_2 레이저 수술은 임상적으로 문제가 되는 점막부위를 제거하고 침범되지 않은 점막하 조직을 보존하며 수술을 하는 것이 목표라 할 수 있다. 사용 목적에 따라 초점면에서는 조직절개(excision/shaving)가 가능하고 흐릿한 초점의 레이저 광을 이용하면 단위면적당 에너지가 감소하여 절개보다는 조직의 용해(ablation)나 기화(vaporization) 또는 응고(coagulation)가 가능하다.[6] 후두미세수술에 사용되는 레이저는 아직까지는 CO_2 레이저가 주를 이루며, 특히 후두 내 병변 자체가 크거나, 비교적 혈관이 풍부하고 깊게 침범한 경우는 가장 이상적인 레이저로 평가되고 있다.[6-7] 그 외 최근 보고되어 사용되어지는 585-nm pulsed dye laser (PDL)는 혈관 분해성 레이저로 PDL이 헤모글로빈에 선택적으로 흡수되어 주위 조직의 손상을 최소화하면서 미세혈관의 응고를 유발하여 병변을 파괴한다.[6]

V 후두미세수술 후 관리

후두미세수술을 시행받은 환자에게 술 후 관리 지침을 제시하는 것은 수술 부위의 반흔 형성을 최소화시키고, 병변의 회복을 촉진시킴으로써 술 후 만족할 만한 목소리로 회복되는 데 매우 중요한 역할을 할 수 있다.

1. 수술 후 일반적인 관리

후두미세수술 후 모든 환자는 성대점막이 완전히 재생될 때까지 음성을 전혀 사용해서는 안 된다(완전음성휴식, total voice rest). 완전음성휴식 기간은 성대점막질환의 원인, 제거된 점막의 크기, 환자의 순응도 등에 따라 다르지만 일반적으로 7일 정도이다.[1,3,31] 완전음성휴식에는 단순히 목소리를 전혀 사용하지 않는 것뿐만 아니라 속삭임, 허밍, 목청소, 흡연 등도 하지 않는 것이다. 완전음성휴식 기간이 끝나면 후두스트로보스코피 검사를 하여 점막 재생 상태를 확인한다. 검사상 별 문제가 없으면 약 7-10일 동안 가벼운 발성(light voice)을 하도록 한다. 이는 부드럽고 일상적인 대화를 한 시간에 5-10분 정도씩 하고 나머지 시간은 목 사용을 쉬는 것이다. 노래 부르기 등 일상적인 목소리 사용은 수술 후 약 3-4주부터 시작하도록 권유한다. 속삭임(whispering)은 과기능성 발성장애(hyperfunctional dysphonia)와 같은 잘못된 발성 습관이 생길 수 있으므로 피하도록 하여야 한다. 따라서 수술 후에 꼭 말을 해야 할 경우에는 알맞은 크기로 짧게 용건만 말하도록 한다.[8] 성악가들의 경우는 완전하게 발성을 통하여 노래를 하려면 경우에 따라서 약 1년에 걸쳐 성량을 끌어 올리는 노력이 필요함을 설명하면 좋다.[2,7] 음성안정기간에는 충분한 수분섭취와 함께 기침이나 목을 깨끗하게 하려는 헛기침을 하지 않도록 하고, 감기에 걸리지 않도록 주의하며, 무거운 것을 들거나, 수영, 에어로빅 등의 힘든 운동은 피하도록 안내 한다.[2,7]

술 후 6-8주가 지나면 환자의 주관적인 청각인지검사, 후두 스트로보스코피를 이용한 성대 운동성 검사, 공기역학 검사, 음성분석검사를 통한 음성의 재평가가 필요하며, 일상생활로 완전히 복귀하는 시기는 술 후 2-3개월 이후가 좋다. 후두의 양성 점막 질환의 치료를 위해 후두 미세수술을 시행할 경우 정상 음성의 약 90%까지 회복 가능하다. 하지만 점막 치유의 지연, 감염, 육아종 또는 반흔 조직 형성, 수술 전후 음성남용과 오용으로 인한 조직 손상으로 인하여 수술 후 음성이 나빠질 수 있음을 기억해야 한다.[12]

후두미세수술 후 감염 등의 특별한 소견이 없다면 항생제 투여는 필요하지 않다. 인후두역류증이 수술 부위를 손상시킬 수 있으므로 의심되는 환자에게는 양성자펌프 억제제와 같은 인후두역류증에 대한 약물을 처방한다. 이 외 알레르기, 축농증에 의한 후비루가 있는 경우 성대 위생에 문제를 일으키므로 증상에 따라 적절한 약물 치료를 해야 한다. 항히스타민제의 사용은 후비루를 감소시키나 점막 건조를 유발할 수 있으므로 신중하게 투여한다. 충분한 수분 섭취와 금주, 금연, 그리고 항히스타민제와 같이 건조를 유발할 수 있는 약제, 비스테로이드계 소염제, 아스피린 등은 피하는 것이 좋다.

적절한 수분 섭취는 성대 건강에 필수적이다. 음식을 먹을 때마다 되도록 물을 많이 마시도록 하고 건조한 환경을 되도록 피하며 가습기를 이용하여 주위를 건조하지 않게 하는 것도 좋은 방법이다. 지나친 카페인 섭취는 소변량을 늘리는 효과가 있으므로 성대의 수분공급에 장애가 온다. 그러므로 카페인이 함유된 커피나 탄산음료, 차 등을 피하며 특히 목소리를 사용하기 전에는 반드시 피하고, 커피나 탄산음료를 마실 경우에는 한 잔당 물 한 컵을 마시도록 권유한다.

2. 수술 합병증

(1) 후두미세수술 후 음성장애(postoperative dysphonia)

후두미세수술 후 불만족스러운 음성결과를 초래하는 가장 흔한 원인으로 성대반흔(vocal fold scar)을 들 수 있다. 이러한 성대반흔을 줄이기 위해 수술 중 중요한 원칙은 collagen과 fibroblast 성분이 많이 함유되어 있는 성대 인대(vocal ligament)에 손상을 주지 않는 것이다. 이를 위해 미세 후두 수술 기구로 해당 병변에 적절한 수술 기법을 사용해야 한다.[4] 후두 스트로보스코피를 이용하여 성대점막의 진동, 양측 성대의 균형, 성대점막의 반흔이나 위축을 확인하는 것이 중요하다. 세심한 주의 후에도 성대반흔이 발생하였다면 적극적인 치료가 요구되며 점막 진동을 향상시키고, 손상된 점막을 효과적으로 보상하기 위한 성대근의 능력을 강화시키는 음성치료가 우선적으로 적용되고 있다.[4] 점막 표면이 함몰되거나 위축된 경우 성대 내 주입술을 시행할 수 있으나 수술 결과는 만족스럽지 못한 경우가 대부분이어서 정확한 후두 미세수술을 시행하며 단계적인 술 후 음성치료를 시행하여 예방하는 것이 최선의 방법이다.[3]

(2) 구강 및 인두 부위 손상

후두경을 구강 내 삽관하여 진행하는 과정에서 입술, 혀, 구강점막 및 편도궁 등의 연조직 열상은 가장 흔한 합병증 중 하나이다. 후두 미세수술 후 발생한 치아 손상에 대한 연구는 이비인후과 영역에서는 미미하지만 기관 삽관을 위해 후두경을 사용하는 마취과 영역의 여러 연구결과에 따르면 0.005% 내외에서 12%까지 상당수에서 치아손상이 발생하였다고 보고하였다.[39] 마취과의 기관삽관에 비해 상대적으로 오랜 시간 강한 힘을 가하게 되는 현수 후두경을 이용한 후두 미세수술에서는 다소 많은 환자의 치아 손상이 일어날 것으로 예상할 수 있다. 주요 손상부위는 상악골의 절치 부위로 방향은 연구에 따라 다소 차이는 있지만 좌측 절치 부위 손상이 흔하다.[4] 이러한 치아 손상을 예방하기 위해 술 전에 치아 상태를 확인하고 치주질환이 심하거나 치아가 약한 소아나 노인환자의 경우 더욱 주의가 필요하다. 또한 인두부통증, 혀의 일반감각 및 맛 감각 이상, 턱관절장애의 악화 등의 합병증 역시 발생할 수 있다. 대부분의 합병증은 과도하게 큰 후두경을 삽입하거나 수술 시간이 길어져서 후두경에 의한 압박증상에 의해 발생하게 되므로 일정 시간이 경과하면 후두 현수를 잠시 느슨하게 풀었다가 다시 고정하면 혈류 공급과 신경 손상등 압력에 의한 합병증을 감소시킬 수 있다.[4]

참고문헌

1. 김광문. 후두미세수술의 원칙. In 후두음성언어의학. 1sted.서울: 일조각; 2012. P573-86
2. 권택균, 손희영. 후두미세수술에서 미세피판술의 원칙. 대한음성언어의학회지 2010;21:105-10
3. 남순열. 후두와 하인두의 양성질환. In 이비인후과학 두경부외과학. 2nded.서울: 일조각; 2009. P1670-74
4. 손희영, 우승훈, 김진평. 현수 후두미세수술과 관련된 합병증. 대한음성언어의학회지 2011;22:23-9
5. 우주현, 김동영. 후두미세수술의 역사와 기구의 발전. 대한음성언어의학회지 2010;21:97-100
6. 이상준, 정필상. 후두질환에서 경구강 CO_2 레이저 미세수술. 대한음성언어의학회지 2010;21:112-20
7. 진성민. 후두 양성점막 병변의 수술적 치료. 대한후두음성언어의학회지 2013;24:83-7
8. Behrman A, Sulica L. Voice rest after microlaryngoscopy: current opinion and practice Laryngoscope 2003;113(12):2182-6
9. Bouchayer M, Cornut G.Microsurgicaltreatmentofbenignvocalfoldlesions:indication,technique,results.FoliaPhoniatr1992;44(3-4):155-84
10. Coursey MD, Garrett CG, Ossoff RH. Medial microflap for excision of benign vocal fold lesions. Laryngoscope 1997;107(3):340-4
11. Desloge RB, Zeitels SM. Endolaryngeal microsurgery at the anterior glottal commissure: controversies and observations. Ann Otol Rhinol Laryngol 2000;109(4):385-92
12. Emerich KA, Spiegel JR, Sataloff RT. Phonomicrosurgery III: Pre-and Postoperative care. Otolaryngol Clin North Am 2000;33(5):1071-80
13. Fleming DJ, McGuff S, Simpson CB. Comparison of microflap healing outcomes with traditional and microsuturing techniques: initial results in a canine model. Ann Otol Rhinol Laryngol 2001;110(8):707-12
14. Garrett CG, Ossoff RH.PhonomicrosurgeryII:Surgicaltechniques.OtolaryngolClinNorthAm2000;33(5):1063-70
15. Hochman II, Zeitels SM. Phonomicrosurgical management of vocal fold polyp: the sub-epithelial microflap resection technique. J Voice 2000;14(1):112-8
16. Hsiung MW, Pai L, Kang BH, etal.Clinicalpredictorsofdifficultlaryngealexposure.Laryngoscope2004;114(2):358-63
17. Jackson C, ed. Instruments. In: Jackson C, editor. Peroral endoscopy and laryngeal surgery. St Louis, MO: Laryngoscope Co; 1915.p11-51
18. Jako GJ. Laser surgery of the vocal cords. Laryngocope 1972;82(12):2204-16
19. Kirstein A. Autoskopic des Larynx und der Trachea (Laryngoscopia directa. Euthyskopie, Besichtigung ohne Spiegel). Arch Laryngol Rhinol 1895;3:156-64
20. Killian G. Ueber direkte Bronchoskopie. Muncg Med Wochenscr 1898;45:844-7.
21. Killian G. Demonstration of an endoscopic spatula. J Laryngol Rhinol 1910;25:549-50.
22. Killian G. Suspension laryngoscopy and its practical use. J Laryngol Rhinol 1914;24:337-60.
23. King NE. Direct laryngoscopy aided by a new laryngoscope "stabilizer". Arch Otolaryngol 1951;53(1):89-92
24. Lewy RE. Suspension fixation gear power laryngoscopy (with mition pitures). Laryngocope 1954;64(8):693-5
25. Lynch RC. Suspension laryngoscopy and its accomplishments. Ann Otol Rhinol Laryngol 1915;24:429-78
26. Roberts S, Forman FS. Direct laryngoscopy- a simplified technique. An aid to the early detection of laryngeal cancer. Ann Otol Rhinol Laryngol 1948;57(1):245-56.
27. Rosen CA. Principles of phonomicrosurgery. In: Rosen CA, Simpson CB, editors. Operative techniques in laryngology. 1sted. Berling:Springer;2008.P63-75: Springer; 2008.
28. Rosen CA. Anesthesia and airway management for laryngeal surgery: In: Rosen CA, Simpson CB, editors. Operative techniques in laryngology. 1sted.Berling:Springer;2008.P53-8
29. Rosen CA, Andrade Filho PA, Scheffel L, etal.Oropharyngealcomplicationsofsuspensionlaryngoscopy:aprospectivestudy.Laryngoscope2005;115(9):1681-4
30. Rosen CA, Simpson CB. Operative techniques in laryngology. 1sted. Berling:Springer;2008.
31. Rosen CA. Perioperative care for phonomicrosurgery. In: Rosen CA, Simpson CB, editors. Operative techniques in laryngology. 1sted. Berling:Springer;2008.P77-9
32. Rosen CA, Andrade Filho PA, Scheffel L, et al. Oropharyngeal complications of suspension laryngoscopy: a prospective study. Laryngoscope 2005;115(9):1681-4
33. Sataloff RT, Spiegel JR, Heuer RJ, et al. Laryngeal mini-microflap: a new technique and reassessment of the microflap surgery. J Voice 1995;9(2):198-204
34. Scalco AN, Shipman WF, Tabb HG. Micoscopic suspension laryngoscopy. Am Otol Rhinol Laryngol 1960;69:1134-8
35. Strong MS, Jako GJ. Laser surgery in the larynx. Early clinical experience with continuous CO_2 laser. Am Otol Rhinol Laryngol 1972;81:791-8.
36. 36.(2) Zeitels SM, Healy GB.LaryngolodyandPhonosurgery.NE-

nglJMed2003;349(9):882-92

37. Zeitels SM. Phonomicrosugery I: Principles and Equipment. Otol Clin North Am 2000;33(5):1047-62
38. Zeitels SM. Premalignant epithelium and microinvasive cancer of the vocal fold: The evolution of phonomicrosurgical management. Laryngoscope 1995;105(3 pt 2):1-51
39. Zeitels SM. Universal modular glottiscope system: the evolution of a century of design and technique for direct laryngoscopy. Ann Otol Rhinol Laryngol 1999;179:2-24
40. Zeitels SM. The origin and development of chest-support torsion laryngoscope holders. Laryngocope 1995;105:14-5.

CHAPTER

58

후두골격수술

최홍식, 김재욱

I 후두골격수술

후두골격수술은 성대에 직접적인 외상을 가하지 않고 수술 후 반흔형성과 같은 합병증이 없이 성대진동에 영향을 주지 않고 좋은 음성을 기대할 수 있다는 배경에서 시작되었다. 1915년에 Payr가 편측 성대마비 환자에서 갑상연골의 수평유경피판(horizontal pedicle flap)으로 마비된 성대주름의 내측전위를 시도한 이후, 여러 변형된 술식이 개발되어 왔다.[1,2] 1970년도 들어 Issiki는 이러한 술식을 후두골격수술(laryngeal framework surgery)이라고 명칭하고 기능적인 결과에 따라 네 가지로 분류하였다. 후두의 골격을 이루는 구조를 조작함으로써 간접적으로 성대의 모양과 위치, 장력 등을 교정하려는 술식으로서 이것을 갑상성형술 제1형(성대의 내측전위), 제2형(성대의 외측전위), 제3형(성대의 이완 ; 전후길이의 단축), 제4형(성대의 긴장 ; 전후길이의 연장)으로 분류하였다.[7,8] 이후로 다양한 술식과 명칭이 소개되며 후두골격수술의 정확한 개념이 불분명해져서 이와 관련된 용어의 재정립이 필요하게 되었다. 유럽후두학회(European Laryngological Society)에서는 2001년에 후두골격수술을 1) 음성을 향상시키거나 회복시키기 위한 수술로서 2)후두골격 및/또는 연관근육들에 행해지며 3) 성대의 위치 및/또는 긴장도를 교정하기위한 것으로 정의하였다. 이전의 갑상성형술 분류를 재정립하여 근접후두수술(approximation layngoplasty), 확장후두수술(expansion laryngoplasty), 이완후두수술(relaxation laryngoplasty), 긴장후두수술(tensioning Laryngoplasty)의 네 가지로 분류하였다.[4] 후두골격수술이 기술적인 어려움과 피부절개가 필요한 침습적인 단점을 가지고 있어 후두주입술 등 다른 수술로 대체하려 하고 있으나 여전히 음성수술에 있어서 후두골격수술만이 가지고 있는 독자적인 역할이 존재한다.

1. 수술 전 검사

후두골격수술을 시행하기 전에 환자에 대해 세심하게 평가하는 것이 중요하다. 여러 형태의 갑상성형술 중에서

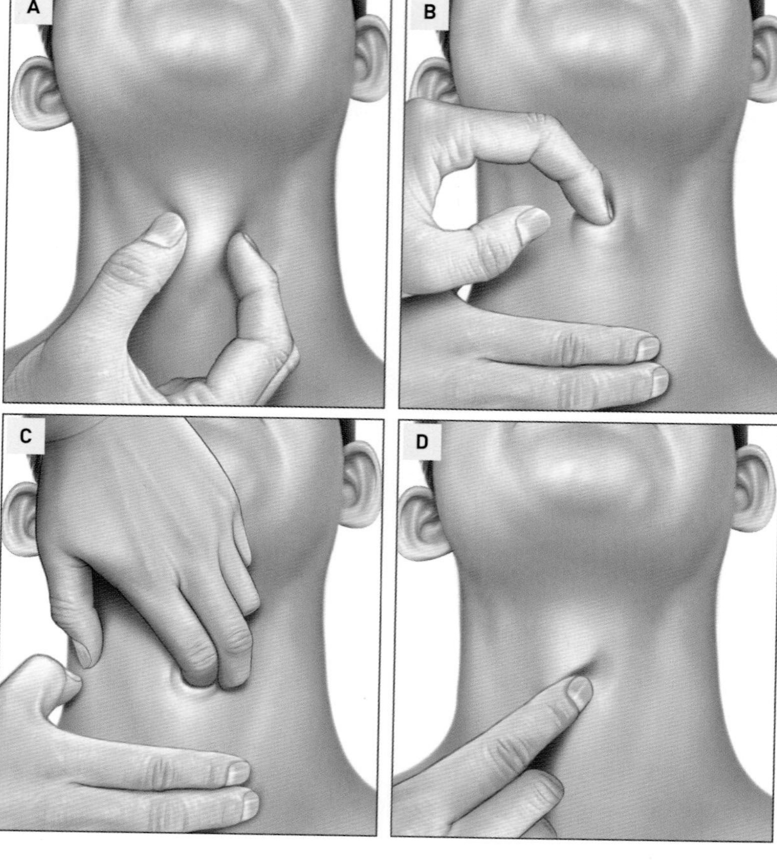

■ 그림 58-1. **후두압박검사.** **A)** 엄지와 검지로 양쪽 갑상연골판을 내측으로 밀면서 가장 만족할 만한 음성이 나올 때까지 환자에게 발성을 시킨다. **B)** 우측 검지의 측면으로 윤상연골의 하연을 상방으로 밀고, 좌측 검지의 끝으로 갑상연골의 절흔을 하방으로 밀면서(성대의 장력을 증가시키면서) 환자에게 발성시킨다. **C)** 엄지와 중지로 양측 갑상연골판을 내측으로 미는 동시에 검지는 갑상연골의 절흔을 하방으로, 반대측 손의 검지는 윤상연골의 하연을 상방으로 밀어올리며 환자에게 발성을 시킨다(A+B). **D)** 갑상연골의 앞쪽 중앙부를 직접 압박하여 성대를 이완시키면서 환자에게 발성하게 한다.

어떠한 술식이 가장 좋은 결과를 가져올 수 있는지 선택하고, 어느 정도 내측전위 혹은 연장 혹은 단축해야 할지 신중하게 평가해야 한다.

수술로 기대되는 실제적인 결과를 정량적으로 분석하기는 쉽지 않지만 다각적인 음성검사법들이 개발되어 병적 상태와 개선된 음성의 질을 객관적으로 비교할 수 있게 되었다. 수술 전에 실행하고 있는 후두압박검사(laryngeal manual compression test), 후두스트로보스코피(laryngostroboscopy), 공기역학 검사(aerodynamic study), 음향분석(acoustic analysis), 청각심리검사(psychoacoustic analysis), 후두근전도(laryngeal electromyography) 음성녹음 및 비디오 등 음성분석이 필요하다.[12]

후두압박검사는 갑상연골과 윤상연골을 손으로 조작해서 마치 후두골격수술의 효과처럼 성대의 위치, 모양, 장력 등에 변화를 줌으로써 음성의 변화를 관찰하는 검사방법이다.[3,8] 검사 결과 음성의 질이 호전되는 양성반응을 보이면 수술의 결과 역시 성공적일 것으로 기대할 수 있어 수술 전에 실행할 수 있는 기본적인 검사이다(그림 58-1). 단, 예외적으로 검사 결과 음성의 호전이 없었다 하더라도 실제 수술 후 증상이 만족스럽게 호전되는 경우도 있는데 이는 성문폐쇄부전을 개선함으로써 성문효율(glottic efficiency)이 호전되기 때문으로 생각된다.

1) 후두외측압박검사(lateral compression test)

편측 성대마비, 성대의 위축, 성대구증(sulcus vocalis)과 같이 성문폐쇄부전이 있는 환자에서 실행하는 유용한 방법이다. 갑상연골의 상갑상절흔을 지표로 해서 갑상연골판을 확인하고 중간되는 부위에 엄지와 검지를 각각 양측에 위치시킨 후 엄지와 검지로 양쪽 연골판을 내측으로 밀면서 환자에게 '에' 발성을 하게 하여 가장 만족할 만한 음성이 나올 때까지 위치를 바꾸어가면서 반복해본다(그림 58-1A).

압박으로도 음성이 호전되지 않을 때는 다음과 같은 요인을 생각해보아야 한다. 즉, 잘못된 부위의 압박, 불충분한 압박, 지나치게 석회화된 갑상연골, 피대근(strap muscle)의 방해 등이 원인이 되어 위음성반응을 보일 수 있다.

후두외측압박검사로 음성이 호전되는 경우는 성문틈이 주된 병인임을 의미하며 제1형 갑상성형술과 피열연골내전술로 좋은 결과를 기대할 수 있다. 음성이 호전되지 않는 환자에서는 후두 스트로보스코피 등의 음성분석을 병행하여 병인을 확인해야 한다. 성문틈이 줄어들고 구조적으로 개선되나 성대의 강직이 함께 있다면 후두압박검사에서 음성이 호전되지 않는다. 성문틈이 개선되지 않는다면 앞에서 기술한 여러 가지 원인들을 확인해보아야 한다.

2) 윤상갑상연골간격단축검사(cricothyroid approximation)

윤상갑상근은 성대의 장력을 조절하는 기능을 갖고 있기 때문에 이 검사는 음조(vocal pitch) 이상이 있는 환자에서 중요한 술 전 검사이다. 환자에게 '에' 발성을 하게 하면서 우측 검지의 측면으로 윤상연골의 하연을 상방으로 밀고, 좌측 검지의 끝으로 갑상연골 절흔을 하방으로 밀어 성대의 장력을 증가시켜 본다(그림 58-1B). 이때 성대주름의 장력이 증가하면서 음성의 음조가 높아진다면 제1형 갑상성형술의 효과를 극대화하기 위한 술식으로 제4형 갑상성형술을 같이 시행할 수 있다.

3) 후두외측압박검사와 윤상갑상연골간격단축검사의 병행

위의 두 가지 검사를 동시에 시행하는 것이다. 편측 성대마비 환자 중에서 성대근이 위축되었거나 노인성 후두에서처럼 성대의 휨과 위축으로 인해 성문폐쇄부전이 있고 동시에 성대의 장력과 긴장도가 감소한 환자에서 시행한다. 엄지와 중지로 양측 갑상연골판을 내측으로 미는 동시에 검지는 갑상연골의 절흔을 하방으로, 반대측 손의 검지는 윤상연골의 하연을 상방으로 밀어올리며 환자에게 발성을 시킨다(그림 58-1C). 검사 결과 음성의 음조가 증가하고 성문틈이 없어진다면 제1형과 제4형의 갑상성형술을 동시에 시행하거나 피열연골내전술을 시행하면 좋은 효과를 기대할 수 있다.

4) 후두전후압박검사(anteroposterior compression test, Brodnitz test)

변성장애(mutational voice)에서와 같이 높은 음조를 가진 남자에서는 성대의 장력과 긴장도를 감소시키는 술식으로 음성을 호전시킬 수 있다. 이 검사는 환자에게 '에' 발성을 시키면서 갑상연골의 앞쪽을 직접 압박하여 성대를 이완시키는 방법이다(그림 58-1D). 검사 결과 양성이면 제3형 갑상성형술의 적응증이 된다.

2. 술식의 종류와 방법

1) 제1형 갑상성형술

성대를 내측전위시키는 갑상성형술로 편측 성대마비 환자에서 가장 흔하게 시행되며 그 밖에 성대의 위축(atrophy)이나 연축성 발성장애(spasmodic dysphonia) 등에도 적용된다.

원인에 따른 성대마비의 자연회복률은 기관삽관술에 의한 마비에서 가장 높고, 흉부수술, 인플루엔자(influenza) 감염, 특발성 성대마비의 순으로 보고된다. 특발성 성대마비에서의 자연회복률은 13~85%까지 다양하게 보고되는데 이와 같은 자연회복은 2~9개월 이내에, 대개 6개월 이내에 일어난다. 회복되지 않는 경우에는 성대마비 후 6~9개월 이후에 후두내근이 위축되고 윤상피열관절이 고정된다. 한편 마비된 성대의 운동회복 없이도 음성이 향상되는 경우가 있는데 이러한 현상은 첫째, 후두근력의 회복, 둘째, 마비된 성대 위치의 정중위로의 이동, 셋째, 건측 성대의 보상작용 때문이다. 신경이 잘려진 것같이 확실한 경우가 아닌 경우에도 제1형 갑상성형술은 원상복구를 시킬 수 있는 술식이므로 환자가 원하면 보다 일찍 시행하여 음성의 회복을 도모할 수 있다.[2,5,6,9,10,11,13,14]

(1) 술 전 준비

국소마취 또는 전신마취하에서 시행할 수 있다. 국소마취하에서 시행하는 것이 수술 중 음성의 피드백을 얻을 수 있다는 큰 장점이 있지만 최근에는 제1형 갑상성형술과 피열연골내전술을 함께 시행하는 예가 많아 전신마취하에서 시행하는 것이 보통이다. 여기에서는 국소마취하에서 시행하는 방법을 기술하고자 한다.

환자를 앙와위(supine position)로 눕히고 어깨받침을 넣어 적절하게 두위를 신전시킨다. 환자의 활력징후(vital sign)을 점검할 수 있는 장치를 부착하고 필요에 따라 마취과의 협조하에 진정제를 이용해 환자를 안정시킨다.

수술 중에 성문부의 구조적 변화를 관찰하기 위하여 굴곡형 후두경을 준비한다. 5cc의 0.5% 에피네프린(epinephrine) 용액과 4% 리도케인(lidocaine)을 비강과 비인두 부위에 분무하여 굴곡형 후두경검사가 용이하도록 한다. 전경부의 피부를 소독하고 환자의 얼굴 위에는 호흡을 원활히 하고 굴곡형 후두경을 조작할 수 있게 충분한 공간을 두면서 소독포를 씌운다.

(2) 국소마취

1:100,000 에피네프린이 혼합된 2% 리도케인 2-4cc를 갑상연골과 주위 조직에 주입한다.

(3) 피부절개

전경부 갑상연골의 중간부위에 수평의 피부절개를 시작한다. 마비측으로 약간더 길게 약 4~5 cm 정도의 절개를 피하조직까지 가한다.

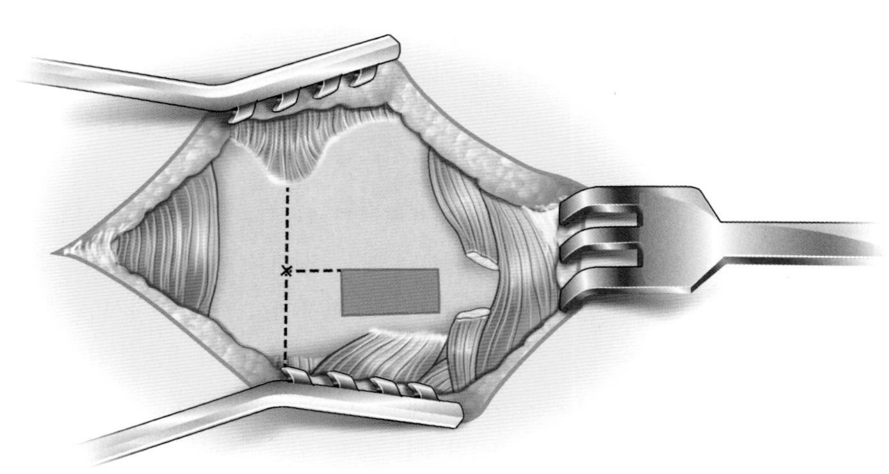

■ 그림 58-2. **창의 도안.** 창의 앞쪽 세로연은 정중앙에서부터 약 5 mm에 만든다. 창의 상연 수평선은 갑상연골의 하연을 신중하게 확인한 후 이에 따라 그린다. 이 선은 성대의 위치에 해당한다. 이 위치를 너무 높이 만들면 예기치 않게 가성대가 돌출될 수 있다.

(4) 갑상연골노출

상하로 광경근하 피부판(subplatysmal skin flap)을 들어올려 적절한 수술시야를 확보한다. 피대근을 정중선에서 외측으로 벌려 갑상연골을 넓게 노출시킨다. 보다 넓은 시야를 위해 흔히 병변측의 흉골설골근(sternohyoid muscle)이나 흉골갑상근(sternothyroid muscle)의 일부를 절단하기도 한다. 전기소작과 박리로 갑상연골의 정중앙과 마비측 갑상연골판의 상연과 하연을 노출시키고 뒤쪽으로 경사선까지 완전히 노출되었는지 확인한다.

(5) 제1형 갑상성형술

제1형은 직사각형의 갑상연골 조각과 갑상피열근으로 이루어진 근연골피판을 내측으로 전위시켜 성대를 눌러주는 술식이다.

① 창(window)의 고안

마비측 갑상연골판을 노출시킨 후 실리콘 조각(silicone block)이 삽입될 창을 도안한다. 창의 상연은 갑상절흔과 갑상연골 하연의 중간부위가 된다. 갑상연골 정중선에서부터 창의 전연까지의 거리가 매우 중요하다. 여자의 경우는 약 5 mm, 남자의 경우는 약 7 mm 정도의 간격을 두게 되는데 남자의 경우는 갑상연골이 예각을 형성하고 있기 때문에 이 거리가 짧을 경우 성대 막성부가 필요 이상으로 내측으로 밀리게 되어, 술 후 목소리의 긴장도가 매우 높아질 수 있다. 창의 크기는 남자의 경우 5 mm X 12 mm, 여자의 경우 약 4 mm X 10 mm가 되도록 도안한다(그림 58-2).

② 창절개

갑상연골 외측 연골막을 들어올리고 이과용 드릴을 이용하여 창을 만든다. 석회화되지 않은 연골일 때는 11번 칼날을 이용하여 절개할 수 있다. 이때 연골막이 손상되지 않게 주의를 해야 한다. 미세거상기(microelevator)를 이용하여 창의 연골을 내측 연골막으로부터 조심스럽게 박리하고 출혈은 에피네프린을 묻힌 거즈를 이용하여 지혈한다. 창의 변연부로부터 내측 연골막을 박리하여 자유롭게 내측으로 전위되고 실리콘 조각을 넣을 수 있는 여유 공간을 만든다(그림 58-3).

③ 창의 내측전위 조정

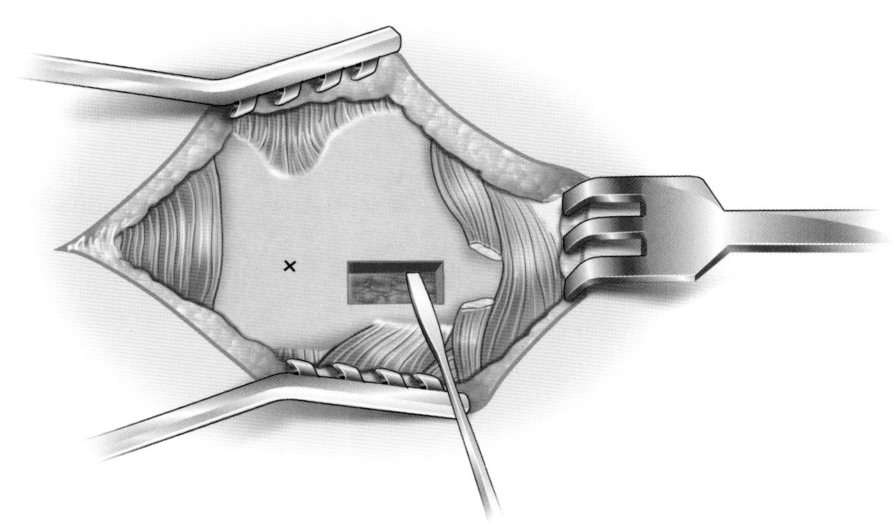

■ 그림 58-3. **창 절개.** 창을 오려낸 후 미세거상기(microelevator)를 이용하여 내측 연골막을 연골에서 박리해낸다.

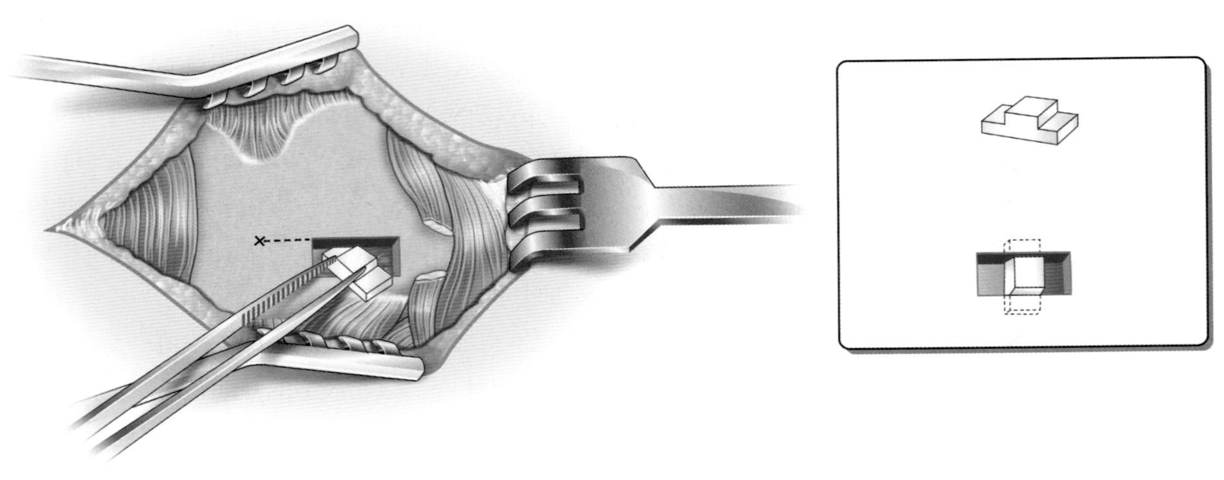

■ 그림 58-4. **쐐기(shim)를 이용한 창의 고정.** 쐐기는 창의 크기와 내측전위시키기 위한 두께를 고려하여 실리콘으로 만든다.

환자의 두위를 신전시켰던 어깨받침을 빼고 발성하기 편안한 자세로 만든 다음 굴곡형 후두경을 코를 통해 넣고 발성 시 성문부의 상태를 관찰할 수 있게 한다. 창의 부위를 눌러가면서 성문부의 모양 변화를 관찰하면 창의 여러 부위와 성문부 사이의 위치관계를 파악할 수 있다. 이때 환자에게 발성하게 하여 음성의 음조와 강도의 변화를 세심히 평가한다.

④ 내측 전위 고정

실리콘 쐐기(silicone shim)나 마개(silicone plug)를 이용하여 내측전위를 고정한다.

고형의 실리콘으로 쐐기모양을 만들고 창 부위의 내측전위를 조정한 상태에 따라 가장자리(flange)의 두께를 결정한다. 대게 2~4 mm 정도의 두께로 만든다. 실리콘이 유연한 재질이기 때문에 애초에 조정한 만큼의 두께로 만들어도 적절한 내측전위가 충분히 이루어지지 않을 수 있음을 감안해야 한다(그림 58-4).

실리콘 마개를 만드는 방식은 쐐기를 만드는 방식에 비해 다소 시간이 걸리지만 많은 장점을 가지고 있다. 창의 부위에 따라 두께를 달리하여 내측으로 전위시키는 정도를 미세하게 조절할 수 있고 창 주위의 연골이 쐐기구조를 지지하기에 충분히 견고하지 못하더라도 확실히 필요한 정도의 압박을 가할 수 있다. 하지만 이 방법의 어려움은 마개를 꿰매어 고정하는 데 있다. 테두리가 없을 때는 마개의 크기를 창의 크기에 빡빡하게 맞도록 하고 테두리

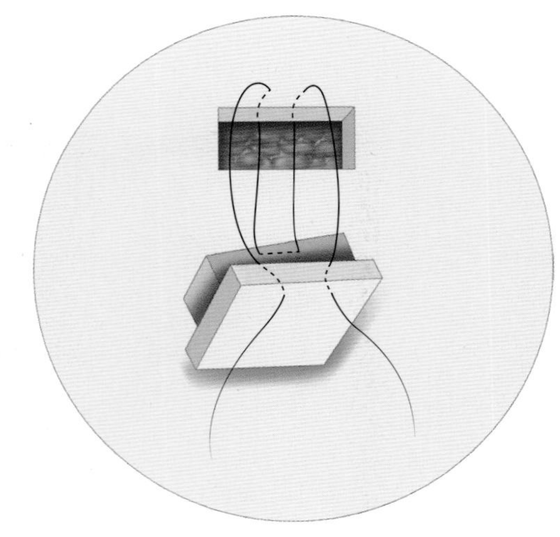

■ 그림 58-5. 가장자리(flange)가 있는 마개(plug)를 이용한 고정 쐐기에 비해 확실하게 고정된다.

가 있을 때는 약간 더 작고 얇게 만든다. 마개의 테두리는 고정할 봉합을 감당할 수 있도록 넓이와 두께에 여유가 있어야 한다. 내측 연골막과 갑상연골 사이에 가는 미세 거상기를 대고 보호하면서 석회화된 갑상연골에 아주 가는 드릴을 이용해 구멍 2~4개를 뚫는다. 1~2개의 나일론 4-0 봉합사를 구멍과 실리콘 마개에 통과시킨 후 석상봉합(mattress suture)으로 고정한다(그림 58-5).

현재까지 다양한 삽입물과 변형된 술식이 소개되었으며 이는 표 58-1에 정리하였다. 또한 현재 세 곳의 회사에서 삽입물을 사용화하여 시판하고 있는데, Mongomery Thyroplasty Implant System에서는 다양한 크기와 모양의 실리콘 쐐기를, VoCom System에서는 hydroxyapatite로 만들어진 제품을, 그리고 티타늄을 이용한 Titanium Vocal Fold Medializing Implant등이 이에 해당한다.[2]

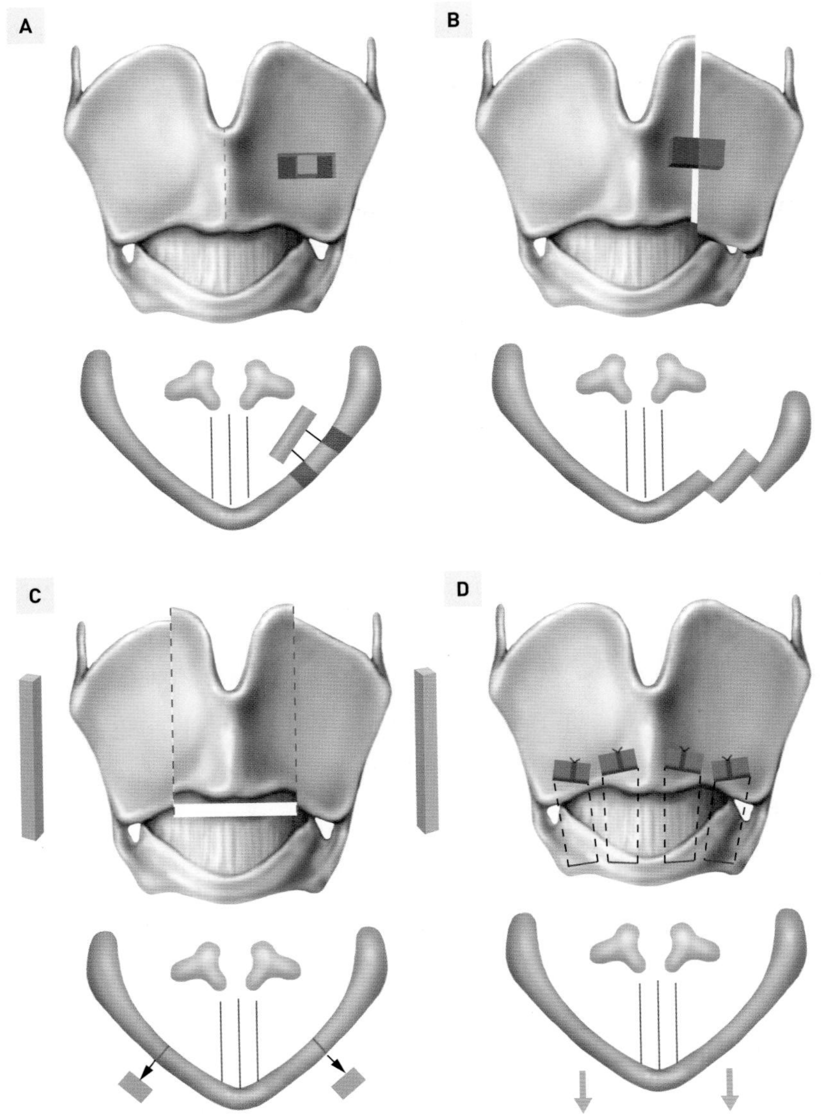

■ 그림 58-6. **갑상성형술의 네 가지 형태.**
A) 제1형 : 직사각형의 갑상연골 조각과 갑상피열근으로 이루어진 근연골피판을 내측으로 전위시켜 성대를 눌러 주는 술식이다. **B)** 제2형 : 성대를 외측으로 외전시키는 술식이다. 갑상연골에 수직의 절개선을 긋고 후반부를 전반부위에 걸쳐 놓으므로 성문부를 뒤쪽으로 넓혀주게 된다. **C)** 제3형 : 성대주름의 전후 길이를 줄여주어 이완시킴으로써 음조를 낮추는 목적으로시행된다. **D)** 제4형 : 3-0 혹은 4-0 나일론을 이용하여 네 곳 정도에서 충분한 정도의 윤상연골을 떠주어 윤상연골과 갑상연골을 접근시킴으로써 윤상갑상근이 수축하는 작용처럼 음성의 음조를 높이는 술식이다.

표 58-1. Medialization thyroplasty : materials and implant systems

Alloplastic	Autogen
Silicone Polyethylene Ceramic Gore-Tex Hydroxyapatitie Titanium	Cartilage Fascia Fat
Free-Formed	**Preformed**
Silicone Polyethylene Gore-Tex Autogen implants	Montgomery Cummings Friedrich

⑤ 봉합

환자와 술자 모두가 호전된 음성에 만족하면 피대근을 봉합하고 절개부위를 층별로 봉합한다.

⑥ 술 후 경과

술 후 1주일간 발성을 완전히 금하고 항생제를 투여한다. 성문부의 부종은 대개 2~3주간 지속되며 이 기간 중에는 거친 음색을 내게 된다. 수술로써 음성이 호전되었다가 수개월이 경과한 후 다시 수술 전의 상태로 되돌아가는 경우가 있다. 이는 수술로 인한 부종의 회복, 갑상연골의 내측 연골막 주변에 반흔조직의 구축, 지속적인 압박으로 인한 내측 전위된 연조직의 위축, 점진적인 성대근의 위축, 조정된 위치로부터 실리콘 쐐기의 이탈 등 때문이다.

가장 가능성이 높은 원인은 근육과 주변 연조직의 위축으로 추정되므로 이를 예방하기 위해서는 음성이 다소 거칠더라도 지나치게 교정되었다고 생각될 정도로 창을 내측으로 압박하여 성문틈이 완전히 없어졌는지 확인해야 한다. 과교정될 경우 약 두 달간은 거친 음성이 지속되므로 그 이유를 환자에게 설명해준다.

(6) 제2형 갑상성형술

제2형은 성대를 위측으로 외전시키는 술식이다. 갑상연골에 수직의 절개선을 긋고 후반부를 전반부위에 걸쳐 놓으므로 성문부를 뒤쪽으로 넓혀주게 된다. 연축성 발성장애 환자에서 시행되었지만 현재 그 효과는 미지수이다(그림 58-6).

(7) 제3형 갑상성형술

제3형은 성대주름의 전후길이를 줄여주어 이완시킴으로써 음조를 낮추기 위해 시행한다. 갑상연골을 노출시키는 과정은 제1형과 같고 노출된 갑상연골판을 가상으로 3등분한다. 정중앙에서부터 양측으로 갑상연골판의 1/3 되는 부위에 약 5 mm 간격으로 각각 2개의 수직절개선을 긋고 절개를 가한다. 절개된 연골편을 제거하고 외측의 갑상연골 절단면을 전반부의 절단면 쪽으로 당겨 접근시킨 후 음성의 호전을 관찰한다. 음성의 호전양상에 따라 후반부 연골부위를 전반부의 내측 혹은 외측으로 겹쳐서 견인한다. 음성이 저음으로 호전되는 것을 확인한 후 4-0 나일론을 이용하여 수평석상봉합(horizontal mattress suture)으로 절단면을 봉합한다(그림 58-6).

(8) 제4형 갑상성형술

제4형은 Isshiki 등이 처음 기술한 것으로 봉합으로 윤상연골과 갑상연골을 접근시킴으로써 윤상갑상근이 수축하는 작용처럼 음성의 음조를 높이는 술식이다.

3-0 혹은 4-0 나일론을 이용하여 네 곳 정도에서 충분한 정도의 윤상연골을 떠주어 힘을 견딜 수 있게 한다. 연골이 충분히 두껍고 견고하지 않다면 실리콘이나 연골로 받침(bloster)을 만들어 갑상연골판이 봉합으로 인해 받는 힘을 분산시켜줄 필요가 있다.

갑상연골판의 전반부는 연골이 가늘고 내측의 연조직도 얇으므로 힘을 충분히 견디지 못한다. 따라서 전방 1/4 부위에서 봉합을 하지 않는 것이 바람직하다. 대개 윤상갑상근의 수직주행 방향에 따라 나란하게 봉합한다. 충분한 넓이의 연골을 잡을 수 있게 봉합사를 통과시키되 바늘을 필요 이상 깊이 통과시키면 점막이 뚫려 환자가 이 부위의 자극증상을 호소하게 되므로 주의한다(그림 58-6).

(9) 피열연골내전술(arytenoid adduction)

원통형의 윤상피열관절의 해부학적 특징 때문에 마비된 성대는 건측 성대와 높이가 다르게 위치하는 경우가 많다. 이와 같은 높낮이 변화는 윤상갑상근의 활동저하로 인한 편측 윤상갑상관절의 비대칭적 회전운동 때문이며 단순히 내전 근력의 저하에 의해서도 나타난다.

성문 후부의 틈이 넓고 높낮이의 차가 있는 경우에는 제1형 갑상성형술로는 만족할 만한 결과를 얻을 수 없고

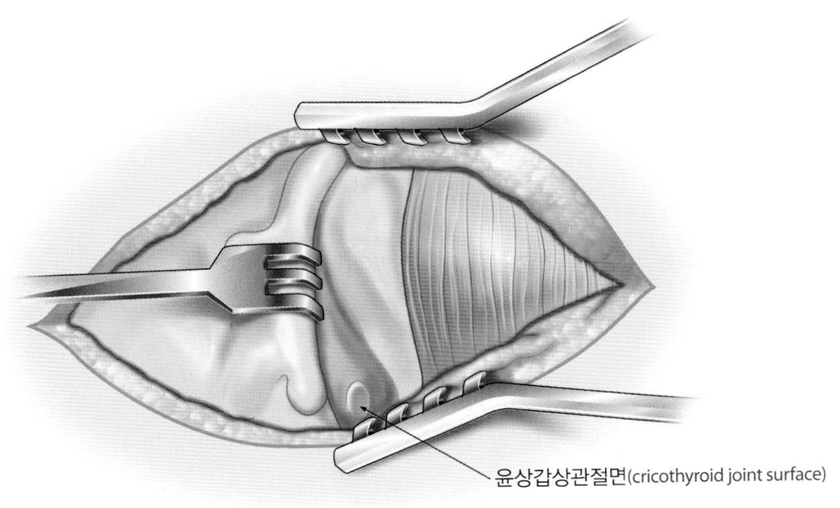

■ 그림 58-7. **피열연골내전술.** 윤상갑상관절을 분리하여 갑상연골의 내측으로 수술 시야를 확보한다.

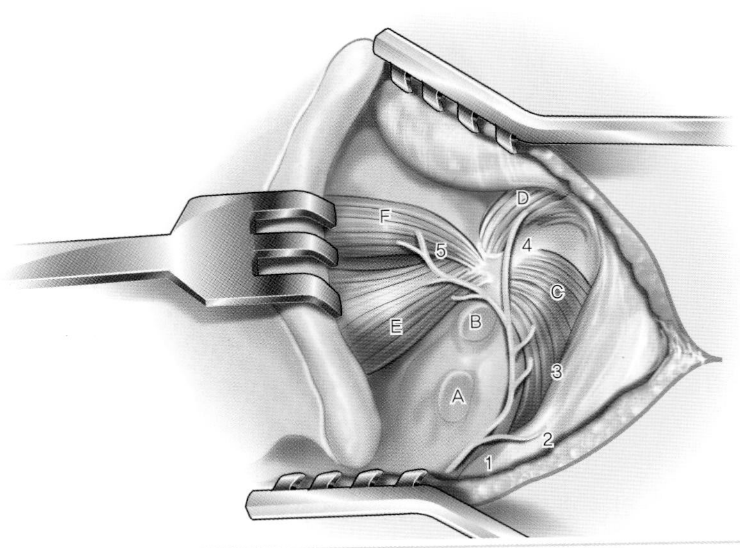

■ 그림 58-8. **윤상갑상관절 주위 구조.** **A)** 윤상갑상관절. **B)** 윤상피열관절. **C)** 후윤상피열근. **D)** 피열근. **E)** 외측 윤상피열근. **F)** 갑상피열근. **1.** 반회후두신경. **2~3.** 외전근으로 가는 분지. **4~5.** 내전근으로 가는 분지.

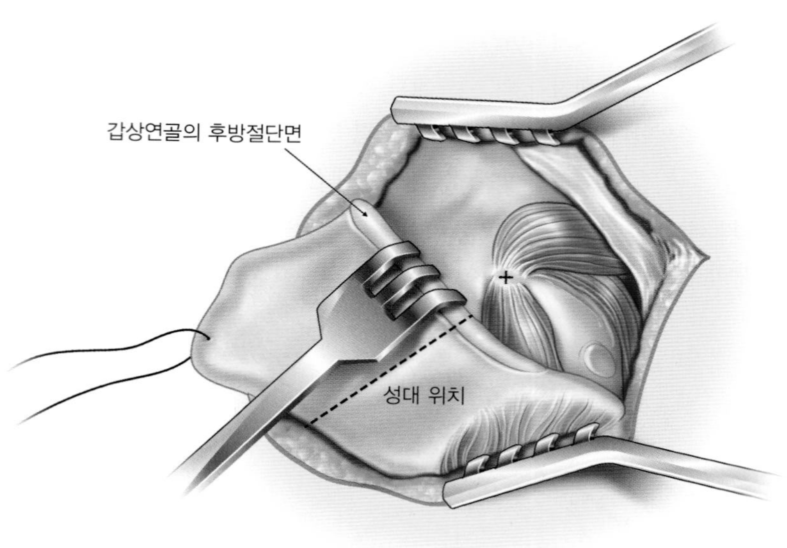

■ 그림 58-9. **근돌기의 위치.** 근돌기는 성대의 높이와 같은 위치에 있다(점선).

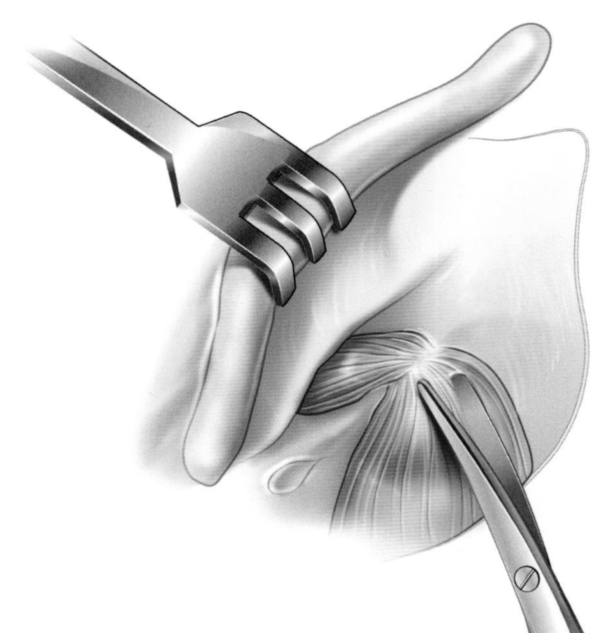

■ 그림 58-10. **피일연골내전술.** 윤상갑상관절을 부분적으로 열고 후윤상피열근의 섬유를 조심스럽게 근돌기에서 잘라낸다.

피열연골내전술이 우선적으로 적용할 수 있는 술식이다. 피열연골내전술은 기술적인 어려움이 있으나 생리적인 방식으로 피열연골의 성대돌기를 내전 및 회전시켜줌으로써 넓은 성문후부 틈이나 높아진 마비측 성대를 충분히 교정해줄 수 있다. 그러나 막성 성대의 위축(atrophy)이나 휨(bowing)이 있는 경우에는 이 술식으로 만족스러운 결과를 얻을 수 없으며, 이때는 제1형 갑상성형술 혹은 후두 내 주입술 등과 동시에 시행하면 좋은 결과를 얻을 수 있다.

수술 전 전처치와 준비, 환자의 자세 및 국소마취, 피부 절개 등은 갑상성형술과 동일하다. 갑상연골을 노출시킨 후 갑상성형술에서 소개한 대로 갑상연골판의 하연과 평행으로 성대의 유리연과 같은 면의 가상선을 긋는다. 이 선은 피열연골의 성대돌기와 일치하게 되며 윤상피열 관절을 찾는 데 지표로 사용할 수 있다. 갑상연골의 후연을 전방으로 견인한다. 갑상연골후연의 내측으로 연골막을 박리한 후 윤상갑상관절을 분리한다(그림 58-7). 윤상피열 관절과 피열연골 근돌기의 노출을 용이하게 하기 위해서 갑상연골의 상각을 절단할 수도 있다.

갑상연골후연을 전내측으로 견인하여 이상와 부위를 노출시킨 후 후두 내로 들어가지 않도록 조심하면서 이상와 점막을 상후방으로 들어올린다. 후윤상피열근을 확인한 후 이를 따라 전상방으로 촉지하면서 피열연골의 근돌기(muscular process)를 확인한다(그림 58-8). 근돌기를 확인할 수 있는 다른 방법은 윤상갑상관절에서 사선으로 약 1 cm 상방에 성대와 같은 높이에서 찾는 것이다(그림 58-9).

어떤 방법을 사용하든지 다음의 해부학적 지표가 피열연골의 근돌기를 찾는 데 중요한 단서가 된다. 첫째, 근돌기는 항상 성대와 아주 근접하여 같은 높이에 존재한다. 따라서 갑상연골 위 성대의 위치에 수평의 가상선을 그리고 이 선을 따라 뒤로 찾아갈 때 도움이 된다. 둘째, 근돌기는 윤상갑상관절의 상연에서 약 1 cm 위 약간 뒤쪽에 위치한다. 셋째, 윤상피열관절의 관절면은 윤상연골의 상외측 봉우리(ridge) 위에 얹혀져 있다. 넷째, 근돌기는 이상과 같은 지표를 따라 세심하게 촉진해가면 발견할 수 있다. 이것은 마치 쌀알의 첨단과 같은 감촉이다.

근돌기를 확인한 후 윤상피열관절을 부분적으로 열어서 수술 후 관절의 경직을 유도하고 술 중에 피열연골이 회전될 수 있게 한다(그림 58-10). 관절낭을 완전히 열면 성대를 전하방으로 견인하는 힘이 작용할 때 전후 길이가 짧아지게 되므로 주의해야 한다. 피열연골의 근돌기를 3-0 나일론으로 꿰고 나서 다시 갑상연골판의 앞쪽을 통과시켜 근돌기를 견인한다. 다른 하나의 봉합은 충분한 양의 근돌기 주위 연조직, 주로 외측 윤상피열근을 통과시켜서 장력에 견딜 수 있도록 한다. 견인하는 갑상연골의 봉합 위치에 따라 성대의 내전되는 정도가 결정되는데, 갑상연골판에 주삿바늘을 이용하여 구멍을 뚫어 묶기도 하고 제1형 갑상성형술과 같이 시행할 때에는 갑상성형술 시 고안된 창(window)의 외측 상방 모서리에 묶기도 한다. 국소마취하에서는 환자가 편안한 자세에서 발성하게 하여 결과가 만족스런 상태일 때 견인하는 실을 묶는다.[1,2,5,8,9]

참고문헌

1. 최홍식, 김광문, 조정일등. 편성마비에 대한 제1형 갑상성형술과 피열연골내전술의 동시수술 효과. 대한이비인후과학회지 1997;40:505-12.
2. Choi SH, Kwon MS. Laryngeal framework surger. J Korean Soc Logoped Phoniatr 2013;24:96-101
3. Ford CN, Bless DM. Phonosurgery: Assessment and Surgical Management of Voice Disorder. New York: Raven Press, 1991.
4. Friedrich G, de Jong FI, Mahieu HF, Benninger MS, Isshiki N. Laryngeal framework surgery: a proposal for classification and nomenclature by the Phonosurgery Committee of the European Laryngological Society. Eur Arch Otorhinolaryngol. 2001;258:389-96.
5. Friedrich G. Laryngeal Framework Surgery. Surgery of Larynx and Trachea. 57-78.
6. Harries ML. Laryngeal framework surgery (thyroplasty). J Laryngol Otol. 1997 ;111:103-5.
7. Isshiki N. Progress in laryngeal framework surgery. Acta Otolaryngol. 2000;120:120-7.
8. Issiki N. Phonosurgery. Tokyo: Springer-Verlag, 1989.
9. Johns ME, Price JC, Mattix DE. Atlas of head and neck surgery. Philadelphia: BC Decker, 1990.
10. Mahieu HF. Practical applications of laryngeal framework surgery. Otolaryngol Clin North Am. 2006;39:55-75.
11. Pou AM, Carrau RL, Eibling DE, Murry T. Laryngeal framework surgery for the management of aspiration in high vagal lesions. Am J Otolaryngol. 1998;19:1-7.

12. Ryu IS, Nam SY, Han MW, Choi SH, Kim SY, Roh JL. Long-term voice outcome after thyroplasty for unilateral vocal fold paralysis. Arch Otolaryngol Head Neck Surg 2012;138:347-51.
13. Storck C, Juergens P, Fischer C, Haenni O, Ebner F, Wolfensberger M, etc. Three-dimensional imaging of the larynx for pre-operative planning of laryngeal framework surgery. Eur Arch Otorhinolaryngol. 2010;267:557-63.
14. Young VN, Zullo TG, Rosen CA. Analysis of laryngeal framework surgery: 10-year follow-up to a national survey. Laryngoscope. 2010;120:1602-8.

CHAPTER

59

후두주입술

손영익

후두주입술(vocal fold injection)은 주삿바늘을 통하여 성대조직에 특정 물질을 주입하는 모든 행위를 통칭한다. 성문폐쇄부전의 교정을 위하여 성대조직 사이의 공간을 채울 수 있는 물질을 주입하는 후두주입성형술(injection laryngoplasty)뿐만 아니라 성대유두종 치료를 위한 항바이러스제 주입, 성대결절 등 성대양성점막질환 치료를 위한 스테로이드 주입, 연축성발성장애 등 성대내근의 과도한 긴장과 수축을 제한하기 위한 보툴리눔독소 주입 등이 포함된다.[1,2]

후두주입성형술은 일측성 성대마비를 비롯하여 성대위축, 노인성성대, 성대구 등 다양한 원인의 성대폐쇄부전의 치료에 시행되는 술식으로 임상적 활용도 및 중요성이 커지고 있다. 이는 다른 외과적 처치나 수술에 비교하여 비침습적이고, 입원이나 전신마취 없이 외래에서도 간단하게 시행할 수 있으며, 시술 직후 환자의 음성을 평가할 수 있고, 비용이 적게 드는 장점이 있다.[5] 또한 다양한 주입물질의 개발이 이루어지면서 생체이물반응으로 인한 문제점을 줄일 수 있게 되었고 술식으로 인한 합병증이 드물어 안정성 측면에서도 위험 부담이 적은 장점이 있다.[8]

I 후두주입성형술 전 고려사항

1. 환자의 선택

후두주입성형술을 결정하기 전에 성대마비의 원인, 성대마비 회복의 가능성, 애성 및 흡인 등 증상의 정도, 환자의 전신상태 및 환자나 가족의 요구도를 함께 고려하여야 한다.

후두주입성형술의 절대적인 금기증은 없다. 가느다란 굵기의 바늘을 사용하므로 출혈의 위험이 높지는 않으나 고용량의 항응고제를 복용 중인 환자 혹은 출혈 경향이 높은 환자의 경우 수술 도중 출혈로 인한 기도폐색의 가능성이 있으므로 약 복용을 일시적으로 중단하거나 용량을 조절한 후 시행하는 것이 안전하다. 양측 성대마비 환자의 경우 후두주입성형술로 음성은 호전될 수 있으나 호

표 59-1. 후두주입성형술에 사용되는 주입물질

	구성 성분	상품명
영구적 주입물질	Calcium hydroxylapatite (CaHA) – Carboxymethylcellulose (CMC) Polymethyl methacrylate (PMMA) – bovine collagen Polyacrylamide hydrogel Autologous fat	Radiesse® Artecoll® Aquamid®
일시적 주입물질	Hyaluronic acid gel Carboxymethylcellulose (CMC) Bovine gelatin	Restylane®, Rofilan® Radiesse voice gel® Gelfoam®, Surgifoam®

흡곤란이 악화될 수 있으므로 주의가 필요하다.

일측성 성대마비에 의한 성대 전반부의 경미한 성문폐쇄부전에서 가장 효과적이다. 그 외 성대위축, 노인성성대, 성대구, 성대반흔 등에 적용할 수 있다.[9] 방사선치료 또는 레이저 성대절제술로 인하여 성대전반에 걸친 심한 반흔이 있는 경우 주입한 물질이 성대를 내전시키지 못하고 성문주위공간으로 밀려 나가기 때문에 폐쇄부전의 개선효과를 기대하기 어렵다.

후두주입성형술을 시행하였으나 애성, 흡인 등의 증상 개선 효과가 충분하지 못하다면 주입술을 추가로 시행할 수 있으나 반복적인 주입술에도 효과가 없는 경우에는 다른 술식을 고려하는 것이 바람직하다. 성대후방의 폐쇄부전이 중등도 이상으로 심하거나 발성 시 양측 성대간에 수직 위상 차가 있는 경우 피열연골내전술 등 후두골격계 수술을 병행함으로써 좋은 결과를 기대할 수 있다.[17]

2. 주입물질의 선택

이상적인 성대주입물질의 조건은 다음과 같다.[24] 첫째, 주입절차가 쉽고 간단해야 한다. 둘째, 생체 내 이물반응 등 면역반응을 유발해서는 안 된다. 셋째, 성대 진동과 탄성 등 고유의 물리적 특성을 저해하지 않아야 한다. 넷째, 주입 위치에 잘 머물러 있어야 한다. 다섯째, 잘못 주입되었을 경우 제거가 용이해야 한다.

1911년 파라핀을 처음으로 성대에 주입한 이후 실리콘, 테플론 등의 무기질 물질이 사용되었으나 육아종을 비롯한 심각한 이물반응으로 사용이 중단되었다. 1970년대에 우형(bovine)콜라겐을 비롯하여 환자의 피부에서 추출한 자가(autologous)콜라겐, 교차결합 콜라겐 등의 생체주입물이 사용되었다. 이후 자가지방, 자가근막, 자가연골, 사체에서 추출한 동종진피 또는 냉동건조근막 등 다양한 종류의 주입물이 개발되었다. 생체주입물은 가격이 비싸거나 준비 과정이 복잡하며 다루기 쉽지 않고, 시간이 지나면서 점차 흡수되는데 그 정도나 유지기간을 예측하기 어려운 문제점이 있다. 최근에는 세포외기질 성분인 hyaluronic acid (HA) 계열이나 calcium hydroxylapatite (CaHA), polymethyl methacrylate (PMMA) 등의 합성물질에 콜라겐 또는 cellulose 성분을 혼합한 합성물질이 보편적으로 사용되고 있다.

성대주입물질은 그 유지 기간에 따라 일시적 주입물질과 영구적 구입물질로 크게 구분할 수 있다(표 59-1). 일시적인 기능회복을 목적으로 후두주입성형술을 시행한다면 효과지속 기간이 짧은 carboxy methylcellulose (CMC) 성분의 Radiesse Voice Gel® 또는 hyaluronic acid 성분의 Restylane®, Rofilan® 등을 흔히 사용하고 있으며, 영구적이거나 장기간 효과 유지를 필요로 하는 경우에는 Radiesse®, Artecoll® 등이 흔히 사용되고 있다.[30,36]

1) 자가조직

지방과 근막이 대표적인 자가조직 재료이다. 자가조직

의 가장 큰 장점은 자신의 체내에서 채취한 조직을 사용하므로 이물반응이 없다는 점이다. 자가지방은 성대 고유의 점탄성과 유사하며 원하는 양만큼 쉽게 얻을 수 있어 주입물질로서 좋은 조건을 갖추고 있다. 하지만 주입 후 체내로 흡수되는 정도가 다양하여 결과를 예측하기 힘든 단점이 있다.[6] 또한 자가지방은 다른 주입물질과 달리 일반 굵기의 바늘로는 주입이 힘들다. 일반적으로 높은 압력으로 지방조직을 밀어줄 수 있는 Bruening syringe를 사용하는데 이 과정에서 바늘을 통해 역유출(backflow) 현상이 발생할 수 있어 시술 시 숙련도를 요하는 점도 고려해야 한다. 자가근막은 지방에 비해 흡수 정도가 적고 콜라겐 함유량이 높은 장점이 있으나 근막을 채취하기가 상대적으로 힘들고 점도와 탄성이 지방에 비해 떨어진다는 단점이 있다.

2) 동종이식조직

인간 사체의 피부조직을 채취하여 진피에서 세포를 제거한 후 나머지 구성물질을 재료로 사용한다. Cymetra® 등이 대표적이며 분말 형태를 띄고 있어 주입 전 생리식염수나 리도케인과 혼합하여 체온 정도의 온도로 올린 후 주입한다. 사체에서 채취한 진피를 사용하기 때문에 자가조직을 이용할 때 발생하는 공여부 합병증이 없으며, 처리과정을 통하여 이물반응이나 과민반응 등의 면역반응이 없도록 만든 장점이 있다. 하지만 주입 후 효과의 지속기간이 3개월 정도로 짧고 성대 표층에 주입되는 경우 흡수가 되지 않아 성대 유리연의 점막진동을 저해하는 단점이 있다.[23]

3) 합성물질

HA, PMMA, CaHA 등이 최근 널리 사용되고 있다. HA는 glycosaminoglycan으로 구성된 물질로 대부분의 생물에서 발견되는 결체조직의 구성물질이기 때문에 이물반응 등의 부작용은 드물다.[20,21] 생체 내에서 완전히 분해되는 성질이 있어 일시적인 효과를 기대할 수 있으며 효과 지속기간은 6개월에서 1년 정도이다. 성대 표층에 잘못 주입하여 점막진동이 저하되더라도 완전 분해되는 특성으로 인해 시간이 경과하면 회복되는 장점이 있다. 반면 HA는 친수성이 있는 물질로 주입 후 체내의 물과 결합하여 조직 내에서 재분포 현상을 일으켜 목표로 한 위치에 원하는 부피를 유지하지 못할 수 있는 단점이 있다. 성대내전의 지속효과가 짧아 영구적인 일측성 성대마비가 있는 경우에는 적합하지 못하지만 일시적인 일측성 성대마비 환자의 음성 장애나 흡인을 해결하기 위한 적절한 주입물질이 될 수 있다. 대표적인 상품으로 Restylane®, Rofilan®, Reviderm® 등이 있다.

PMMA는 국내에서 흔히 사용되고 있는 반영구적 후두주입물질 중 하나이다. 합성물질이지만 이물반응이나 과민반응 등의 부작용은 드물다. Artecoll®이 대표적인 상품이다. Artecoll®은 PMMA와 우형콜라겐을 1:4의 비율로 혼합한 젤 형태로 콜라겐은 PMMA의 운반체 역할을 하여 주입 후 3개월 내 체내로 흡수된다. 주입부위에 남아 있는 PMMA 사이에 자가 섬유아세포(fibroblast)와 자가콜라겐으로 채워지면서 부피를 유지하게 된다.[27,29] PMMA는 체내에서 흡수, 분해되지 않으므로 시술 시 성대 표층에 잘못 주입하는 경우 영구적으로 성대점막의 진동을 저하시킬 수 있다. 또한 운반체로 사용하는 우형 콜라겐이 과민반응을 일으킬 수 있다는 논란이 단점으로 지적될 수 있다.

CaHA는 골조직을 구성하는 물질로 PMMA와 마찬가지로 영구적인 효과를 기대할 수 있다. 또한 cellulose 성분 합성물질인 CMC를 사용하여 이물반응이나 과민반응의 부작용 없이 안전하게 사용할 수 있으며 영구적인 목적의 후두주입용 물질로는 유일하게 미국 FDA 승인을 받았다.[12,35] 대표적인 상품은 Radiesse®이며 Radiesse에서 CaHA를 제거하고 CMC만을 이용하여 일시적인 효과를 목적으로 만든 제품이 Radiesse Voice Gel®이다.

3. 주입 시기

성대마비의 원인이 불분명하면서 증상의 정도가 일상생활에 지장을 주지 않는다면 원인에 대한 평가를 우선적으로 시행하며 6개월에서 1년 정도 자연회복 경과를 관찰한 후 주입 여부를 결정한다. 반면 흡인, 발성 장애가 심한 경우에는 자연회복의 가능성에 관계없이 최대한 빨리 시행하는 것이 바람직하다.[22] 폐암이나 식도암 수술 혹은 기관 및 식도 주변 임파선 절제술 후 갑자기 발생한 일측성 성대마비 환자에서 후두주입성형술은 흡인성 폐렴을 예방하고 식이를 빨리 진행하는 데 도움을 줄 수 있다.[19]

후두암 등 악성 종양으로 인해 성대 일부가 제거되거나 성대마비가 있는 경우에는 치료 경과를 관찰하는 과정에서 주입물질이 재발 판정에 영향을 주거나 종양 파급 효과를 야기할 가능성이 있기 때문에 치료 후 완전 관해 판정을 받은 이후 후두주입술을 시행하는 것이 좋다.

Ⅱ 술식

1. 주입 방법의 선택

후두주입술의 접근 방법은 다양하며 크게 경피적 접근법(transcutaneous approach)과 경구강 접근법(transoral approach)으로 나눌 수 있다. 경피적 접근법은 다시 경윤상갑상막 접근법(transcricothyroid membrane approach), 경갑상연골 접근법(transcartilaginous approach), 경갑상설골막 접근법(transthyrohyoid membrane approach)로 분류할 수 있다. 국소마취하에 경윤상갑상막 접근법을 통한 후두주입술이 가장 널리 사용되고 있다. 주입 방법을 선택할 때 환자의 전신상태, 전신마취나 수술에 대한 두려움, 구역반사의 정도, 과거 경부수술로 인한 해부학적 구조의 변화, 경부의 신전 정도, 비만 여부 등을 종합적으로 평가하여 환자에게 가장 적합한 접근 방법을 정한다.

1) 경피적 접근법(Transcutaneous approach)

(1) 경윤상갑상막 접근법(Transcricothyroid membrane approach)

환자의 비강과 구강에 리도케인을 분무하거나 네뷸라이저를 이용하여 국소마취를 시행하고 시술 전 비강 패킹으로 점막을 수축시켜 굴곡형 후두내시경 삽입을 용이하게 한다. 환자의 자세는 누운 자세나 앉은 자세를 취할 수 있으며 누운 자세에서는 술자가 환자의 옆에 서고 보조의는 술자의 반대편에서 내시경으로 시야를 확보하며 화면은 환자의 머리쪽에 위치시킨다. 시술 과정에서 환자의 경부를 신전시켜 윤갑갑상막의 위치를 확인하고 천자를 용이하게 한다. 경부 강직이나 전신 상태가 불량하여 누운 자세에서 호흡곤란이 있는 경우에는 앉은 자세에서 시행하는 것이 좋다. 앉은 자세로 시행하는 경우는 환자를 앉은 상태에서 약간 뒤로 기대도록 하고 술자는 환자와 마주보거나 환자 뒤편에 서서 주사한다.[16]

윤상갑상막 주변을 베타딘이나 알코올 등으로 소독한 후 2% 리도케인으로 피부의 국소마취를 시행하고 보조의가 비강 내로 굴곡형 후두내시경을 삽입하여 성대 주변의 시야를 확보한다. 바늘 삽입 전에 손가락으로 윤상갑상막 주변을 눌러주며 화면 상의 움직임을 확인하면 삽입 위치를 가늠하는 데 도움이 될 수 있다. 바늘은 23-27게이지 굵기를 사용하며 갑상연골의 하연, 정중선에서 병변 측을 향해 외측으로 5-10 mm 위치에서 삽입한다. 윤상갑상막을 통과하면 상외측을 향해 전진하여 성문주위조직에 위치시킨다. 바늘을 전진시키는 과정에서 항상 화면을 관찰하며 바늘을 상하좌우로 움직이며 위치를 파악한다. 주입할 때에는 성대표층에 주입하지 않도록 주의하며 성대근육층 내 혹은 성대인대(vocal ligament)에 가깝게 갑상피열 근육의 내측에 주사하는 것이 바람직하다. 비만하거나 경부 신전이 자유롭지 못해 윤상갑상막 주변의 촉지가 어렵거나 두경부 수술 등의 병력으로 주사 주입부위에 반흔이 형성된 경우 시술에 어려움이 있을 수 있다.

(2) **경갑상연골 접근법**(Transcartilaginous approach)

갑상연골의 중앙 부위에 성대가 위치하므로 바늘을 갑상연골의 중앙 지점에 위치시킨 후 연골면에 수직이 되도록 한 후 연골을 관통시켜 주사하는 방법이다. 주로 연골의 골화가 진행되지 않은 소아나 젊은 여성이 대상이 되며 연골의 석회화가 진행된 노인에게는 적용하기 어렵다. 두경부 수술 등으로 후두주변의 해부학적 구조의 변화가 있는 경우 도움이 될 수 있으나 바늘이 갑상연골을 통과한 후 방향을 바꾸기 어려운 단점이 있어 제한적으로 사용되는 방법이다.[10]

(3) **경갑상설골막 접근법**(Transthyrohyoid membrane approach)

갑상절흔(thyroid notch) 정중부를 통해 갑상설골막을 관통시켜 성대 상부에서 바늘 끝을 노출시킨 후 후두내시경으로 관찰하면서 주사하는 방법이다. 바늘을 직접 관찰하며 주입할 수 있으므로 원하는 부위에 정확히 주사할 수 있는 장점이 있다.

2) 경구강 접근법(Transoral approach)

(1) **현수후두경을 통한 경구강 접근법**

전신마취하에 현수후두경을 거치한 후 현미경으로 주사 위치를 확인하고 구강을 통해 바늘을 진행시켜 성대에 주사하는 방법이다. 성대를 직접 관찰하며 시행하므로 원하는 부위에 주사할 수 있고 배우기 용이하여 경험이 적은 술자도 쉽게 시도할 수 있는 장점이 있다. 하지만 전신마취를 하므로 마취에 대한 부담, 시술 중 음성 평가가 불가능한 단점이 있다. 주로 자가지방이나 근막 등 높은 주입 압력이 필요한 물질을 주사하는 데 이용된다.

(2) **굴곡형 후두내시경을 통한 경구강 접근법**

구강에서 후두까지 전반적으로 점막 국소마취를 시행한 후 비강으로 굴곡형 후두내시경을 삽입하여 성대를 노출시키고 굴곡형 성대주사기를 구강 내로 진입시켜 주사하는 방법으로 시술 도중 발성을 시키며 음성 평가를 할 수 있는 장점이 있으나 구역반사가 심한 경우에는 시술하기 어려운 단점이 있다.

2. 주입 부위의 선택(그림 59-1)

주입 부위와 깊이는 성대마비의 정도와 주입물질의 종류에 따라 신중하게 선택한다. 일측성대마비에 의한 성문폐쇄부전 환자는 성대 점막이나 고유층의 점탄성(visco-elasticity) 특성을 저해하지 않으면서 성대를 외측에서 내측으로 밀어 주어야 하므로 고유층심층(deep layer of lamina propria)보다 외측에 주입한다. 갑상연골에 가까운 외측의 성대주위공간(paraglottic space) 보다 성대인대나 고유층에 가까운 내측 위치의 갑상피열근에 주입하여야 적은 용량으로도 더 많은 내전의 효과를 얻을 수 있다(그림 59-1). 하지만 성대인대와 고유층의 심층은 견고하게 결합되어 있고, 그 두께가 바늘 침의 사면(bevel)보다

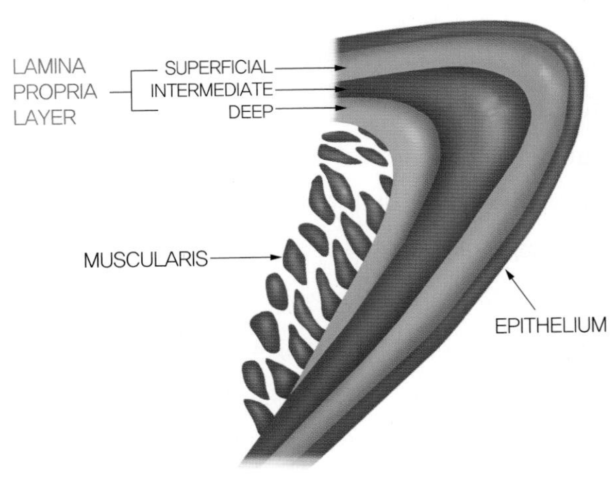

■ 그림 59-1. **후두주입성형술의 올바른 깊이.** 성대인대에 가까운 갑상피열근에 주입한다. 성대점막하층(고유층)에 주입되지 않도록 주의한다.

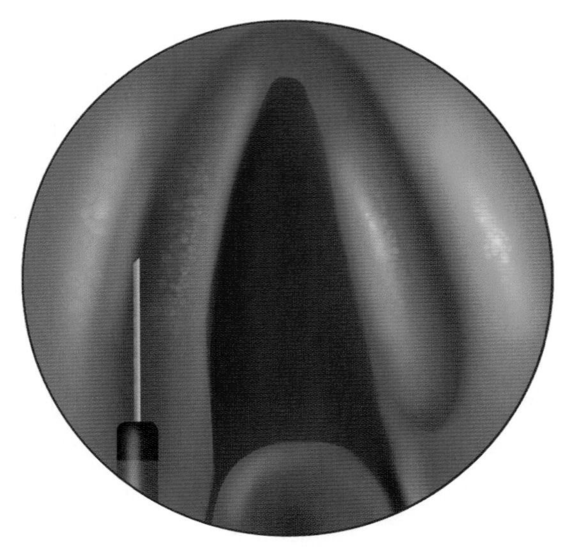

■ 그림 59-2. **후두주입성형술의 올바른 위치.** 성대음성돌기의 외측이나 막양성대의 중간 지점보다 후방에 주입한다. 성대 전체길이의 앞쪽 1/3 이내에는 주입하지 않도록 주의한다.

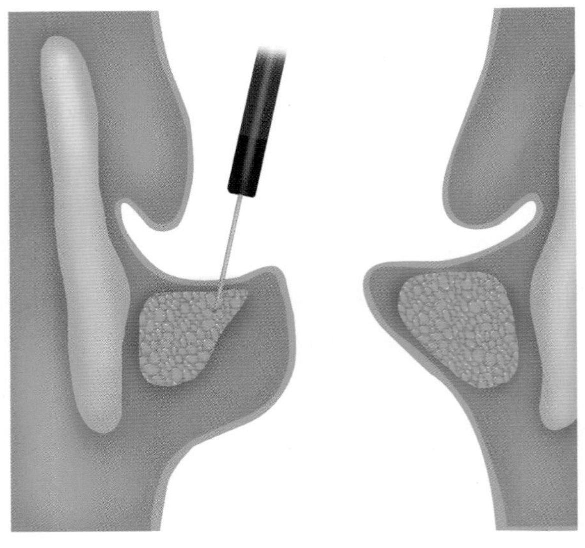

■ 그림 59-3. **후두주입성형술로 보강되는 부위.** 진성대의 유리연과 성문하부위의 부피가 보강되어야 한다. 성대의 윗면이 불룩해지지 않도록 주의한다.

얇기 때문에 저항이 상대적으로 낮은 표층(superficial layer)으로 주입물질이 빠져나가 성대점막의 심각한 진동장애를 초래할 수 있어 주의를 요한다.[34]

막양성대의 중간 부위나 성대돌기(vocal process)의 외측 사이에 주입하며 성대길이의 1/3 지점보다 더 앞쪽에 주입하지 않도록 한다(그림 59-2). 성대의 윗면(superior surface)보다는 성대의 유리연(free margin)이나 아래쪽(subglottic portion)에 주입하여야 한다(그림 59-3). 막양성대의 앞쪽이나 성대의 윗면에 주입되면 폐쇄부전이 오히려 악화되거나 점막진동이 제한될 수 있기 때문이다. 요약하여 후두주입성형술은 성대인대에 가까운 근육층에 주입하되 뒤쪽, 아래쪽에 주입하는 것이 바람직하다.

한편 성대결절이나 유두종 등의 점막질환을 치료할 목적으로 스테로이드, 항바이러스제를 주입하는 경우에는 점막하고유층의 표층에 주사한다. 스테로이드가 성대근육에 주입되면 근육위축이 발생할 수 있다.

Ⅲ 후두주입성형술의 결과

1. 수술 후 관리

주입술 후 출혈, 과민반응에 의한 호흡곤란 여부를 30분에서 1시간 정도 관찰한다. 금식은 일반적인 국소마취 시술에 준하여 시행한다.[28] 시술 후 항생제나 진통제의 투여는 대부분 불필요하다. 주입술 후 음성휴식의 기간이나 필요성에 관련한 연구는 알려진 바가 없지만 바늘구멍을 통한 주입물질의 역유출이나 위치가 변하는 현상을 방지하기 위하여 무리한 발성이나 노래, 목 가다듬기와 같이 성대에 무리를 주는 행위는 삼가도록 한다. 저자의 경우 2시간 정도의 음성휴식을 권고하고 있다.

2. 수술 효과

후두주입성형술에 의한 성문폐쇄부전의 교정은 연하,

발성, 흡인의 개선 효과를 보인다. 가장 즉각적인 효과는 적은 노력으로도 더 큰 목소리를 더 오랫동안 낼 수 있게 되며, 발성 시 과도한 노력이나 통증, 음성피로 등이 줄어드는 현상이다. 환자의 주관적인 증상 개선은 물론, 청지각적인 애성 정도의 평가, harmonics-to-noise ratio, jitter, shimmer 등의 음향학적 호전과 최장발성시간을 비롯한 공기역학적 호전을 기대할 수 있다. 성대진동의 대칭성 및 규칙성이 호전되며 가성대의 보상성 과기능이 감소된다.[11,33]

3. 합병증

가장 흔하게 호소하는 불편은 성문폐쇄부전의 불충분한 개선으로 증상의 호전 정도가 만족스럽지 못하거나 효과기간이 기대보다 짧은 것이다.[4] 반복적인 시술이 효과적일 수도 있지만 후두골격계수술을 병형하면 더 좋은 결과를 얻을 수도 있다. 주입물질이 성대고유층 표층에 주입되면 점막운동을 저하시켜 음성 장애가 심해지게 되며, 영구적이거나 장기간 지속되는 주입물질인 경우 수술을 통해 제거하여야 한다.[3]

이물감이나 경미한 호흡곤란 등이 있을 수 있으며 호흡곤란을 호소하는 경우에는 반드시 후두내시경 등을 통해 부종, 출혈로 인한 혈종 등을 확인해야 한다. 과거 파라핀, 테플론 등을 사용하던 때에는 이물반응이나 과민반응, 육아종 등의 문제가 있었으나, 최근에 개발된 합성물질이나 생체친화적 물질을 사용하면서 이물반응이나 과민반응 같은 합병증은 거의 발생하지 않고 있다.

Ⅳ 기타 후두주입술

1. 스테로이드

스테로이드 후두주입술은 양성 성대점막질환에 의한 성대의 염증, 부종, 육아종 등 염증반응을 감소시킬 목적으로 사용된다. 성대결절, 성대반흔, 성대용종, 성대육아종, 라인케씨 부종 등에서 반복하여 주사하면 약 80% 정도의 호전율을 보인다.[31] 덱사메타손(dexamethasone phosphate), 트리암시놀론(triamcinolone acetonide), 메틸프레드니솔론(methylprednisolone acetate) 등이 주로 사용된다.

가루 성분의 백색 분말이 성대에 침착되어 점막파동이 저해되기도 하나 대개 8주 이내에 소실된다. 국소주입의 용량과 주사 기간 등에 대하여 명확한 기준은 없으나 2~3개월 간격을 두고 반복하여 주사할 때 효과적인 것으로 알려져 있다. 치료 후 30% 내외의 높은 재발률이 보고되고 있는데 이는 음성남용이나 오용이 재발의 주된 원인이므로, 재발 방지를 위하여 음성휴식이나 음성치료 등의 원인적 치료를 병행하는 것이 바람직하다. 성대근육의 위축을 방지하기 위하여 약제가 성대고유층에 국한되도록 성대인대보다 표층에 주사한다.[37]

2. 보툴리눔 독소(Botulinum toxin)

보툴리눔 독소는 Clostridium botulinum에서 분비되는 신경독소로서 말초신경에서 신경전달물질인 아세틸콜린의 분비를 억제하여 근육의 마비를 유발한다.[14] 윤상인두근에 의한 연하장애나 연축성 발성장애 등의 치료에 주로 활용된다. 내전형 연축성발성장애는 근전도 감시하에 또는 내시경으로 성대를 관찰하면서 갑상피열근에 주입한다.[26] 주입 용량은 정해진 기준은 없으나 일반적으로 1-2.5 U 내외의 적은 용량으로 시작하여 효과 지속기간과 부작용의 지속기간 등을 관찰하면서 용량을 조절한다.[16] 일반적으로 3개월 내외의 효과 지속기간과 1-2주 정도의 부작용 기간이 보고되고 있다. 양측 근육에 주입하면 증상의 호전이 강하게 나타나고 효과 지속기간도 길어지지만, 기식성 발성이나 흡인, 호흡곤란 등의 부작용 정도와 그 지속기간도 길어진다.[13]

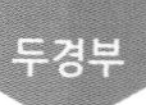

같은 용량이라도 환자에 따른 개인차가 심하고 또 동일한 환자에서도 주사 때마다 치료 효과가 일정하지 않아 결과의 정확한 예측이 어려운 문제점이 있지만, 연축성발성장애의 가장 표준적인 치료로 인정되고 있다. 연축성발성장애는 보툴리눔 독소 성대주입으로 80%-90% 정도의 음성개선 효과가 있으나 음성치료나 후두근 마사지에는 잘 반응하지 않는 반면, 근긴장성 발성장애에서는 음성치료와 후두근 마사지 치료의 효과는 있으나 보툴리눔 독소의 효과는 떨어지는 경향이 있다.

3. 항바이러스제(Cidofovir)

후두유두종의 주된 치료는 수술적 제거이지만, cidofovir 반복주입은 재발 시기를 연장시키거나 완전관해의 치료 효과가 있는 것으로 알려져 있어, 유두종의 재발이 잦거나 성장속도가 빠를 때 또 다발성이거나 범발성(diffuse) 유두종일 경우 cidofovir의 성대주입 적응증이 된다.[7,18] 약제의 적절한 농도, 주입 간격, 주입 횟수는 아직 정설이 없지만 4주 내외로 주기적 반복 주입할 때 90% 내외에서 재발 기간 연장을 포함한 치료 효과가 있는 것으로 보고되고 있다.[15] 치명적인 부작용이 알려진 바는 없으나 임산부에서 안정성이 입증되어 있지 않고, 동물실험에서 고용량의 cidofovir 투여로 악성종양이 발생하였다는 보고가 있어 주의를 요한다.[32]

성문하부의 병변은 윤상갑상막 접근법이 유용하고 성문상부의 병변은 갑상설골막 접근법이 유용하므로 병변의 위치에 따라 주입방법을 결정할 필요가 있다. 후두유두종은 인간유두종바이러스에 의한 점막질환이므로 유두종이 있는 부위나 수술로 제거한 후 유두종이 있었던 부위 점막하층에 주입한다.[25]

참고문헌

1. 권택균. 성대주입술. 대한이비인후과학회지 2006;49:768-80.
2. 권택균. 성대주입술. 대한후두음성언어의학회편, 후두음성의학. 일조각, 2012, pp.606-25.
3. 문정환, 손영익. 후두골격수술의 원칙 및 합병증. 대한후두음성언어의학회지 2011;22(1):18-22.
4. 박영학, 김주환. 성대주입술의 합병증. 대한음성언어의학회지 2011;22(1):13-7.
5. 선동일. 성대주입술. 대한후두음성언어의학회지 2009;24(2):88-95.
6. 손영익, 박주현, 이은경 등. 자가지방을 이용한 성대주입술. 대한이비인후과학회지 1999;42:1568-73.
7. 손진호. 외래에서의 성대내주입술 : Cidofovir, 스테로이드, 보툴리눔 독소. 대한후두음성언어의학회지 2009;20(1):21-4.
8. 오재원 이승원, 김민범 등. 일측성 성대마비 환자에서 Artecoll®을 이용한 성대주입술의 효과 및 안전성. 대한후두음성언어의학회지 2005;16(2):129-34.
9. 윤영선 여진하, 최지은 등. 성대위축증 및 경미한 성대구증에서 Artecoll®을 이용한 후두주입성형술의 효과. 대한후두음성언어의학회지 2014;24(2):112-7.
10. 정성민, 김한수, 박혜상. 음성질환 치료에서의 성대주입술에 대한 고찰. 이화의대지 2011;34(2):13-8.
11. 최홍식, 이준협, 정유삼 등. 자가 콜라겐주입술을 이용한 성대구증환자의 치료. 대한음성언어의학회지 1998;2:128-33.
12. Belafsky PC, Postma GN. Vocal fold augmentation with calcium hydroxylapatite. Otolaryngol Head Neck Surg 2004;131(4):351-4.
13. Bielamowicz S, Stager SV, Badillo A, et al. Unilateral versus bilateral injections of botulinum toxin in patients with adductor spasmodic dysphonia. J Voice 2002;16(1):117-23.
14. Blitzer A, Sulica L. Botulinum toxin: basic science and clinical uses in otolaryngology. Laryngoscope 2001;111(2):218-26.
15. Chadha NK, James AL. Antiviral agents for the treatment of recurrent respiratory papillomatosis: a systematic review of the English-language literature. Otolaryngol Head Neck Surg 2007;136(6):863-9.
16. Chang CY, Chabot P, Thomas JP. Relationship of botulinum dosage to duration of side effects and normal voice in adductor spasmodic dysphonia. Otolaryngol Head Neck Surg 2007;136(6):894-9.
17. Choi J, Son YI, So YK, Byun H, et al. Posterior glottic gap and age as factors predicting voice outcome of injection laryngoplasty in patients with unilateral vocal fold paralysis. J Laryngol Otol 2012;126(3):260-6.
18. Derkay C. Use of cidofovir for treatment of recurrent respiratory papillomatosis. Arch Otolaryngol Head Neck Surg 2009;135(2):198-201.
19. Graboyes EM, Bradley JP, Meyers BF, et al. Efficacy and safety of acute injection laryngoplasty for vocal cord paralysis following thoracic surgery. Laryngoscope 2011;121(11):2406-10.
20. Hertegard S, Hallen L, Laurent C, et al. Cross-linked hyaluronan used as augmentation substance for treatment of glottal insufficiency: safety aspects and vocal fold function. Laryngoscope 2002;112(12):2211-9.
21. Homicz MR, Watson D. Review of injectable materials for soft tissue

augmentation. Facial Plast Surg 2004;20(1):21-9.
22. Jang JY, Lee G, Ahn J, et al. Early voice rehabilitation with injection laryngoplasty in patients with unilateral vocal cord palsy after thyroidectomy. Eur Arch Otorhinolaryngol 2015;272(12):3745-50.
23. Karpenko AN, Dworkin JP, Meleca RJ, et al. Cymetra injection for unilateral vocal fold paralysis. Ann Otol Rhinol Laryngol 2003;112(11):927-34.
24. Kwon TK, Buckmire R. Injection laryngoplasty for management of unilateral vocal fold paralysis. Curr Opin Otolaryngol Head Neck Surg 2004;12(6):538-42.
25. Lee AS, Rosen CA. Efficacy of cidofovir injection for the treatment of recurrent respiratory papillomatosis. J Voice 2004;18(4):551-6.
26. L S, A B. Botulinum toxin treatment of spasmodic dysphonia. Operative Techniques in Otolaryngology-Head and Neck Surgery 2004;15(2):76-80.
27. Lemperle G, Hazan-Gauthier N, Lemperle M. PMMA microspheres (Artecoll) for skin and soft-tissue augmentation. Part II: Clinical investigations. Plast Reconstr Surg 1995;96(3):627-34.
28. Mathison CC, Villari CR, Klein AM, et al. Comparison of outcomes and complications between awake and asleep injection laryngoplasty: a case-control study. Laryngoscope 2009;119(7):1417-23.
29. McClelland M, Egbert B, Hanko V, et al. Evaluation of artecoll polymethylmethacrylate implant for soft-tissue augmentation: biocompatibility and chemical characterization. Plast Reconstr Surg 1997;100(6):1466-74.
30. Min JY, Hong SD, Kim K, et al. Long-term results of Artecoll injection laryngoplasty for patients with unilateral vocal fold motion impairment: safety and clinical efficacy. Arch Otolaryngol Head Neck Surg 2008;134(5):490-6.
31. Mortensen M, Woo P. Office steroid injections of the larynx. Laryngoscope 2006;116(10):1735-9.
32. Pudszuhn A, Welzel C, Bloching M, et al. Intralesional Cidofovir application in recurrent laryngeal papillomatosis. Eur Arch Otorhinolaryngol 2007;264(1):63-70.
33. Rosen CA. Phonosurgical vocal fold injection: indications and techniques. Operative Techniques in Otolalyngology-Head and Neck Surgery 1998;9(4):203-9.
34. Rosen CA. Phonosurgical vocal fold injection: procedures and materials. Otolaryngol Clin North Am 2000;33(5):1087-96.
35. Rosen CA, Thekdi AA. Vocal fold augmentation with injectable calcium hydroxylapatite: short-term results. J Voice 2004;18(3):387-91.
36. Simpson CB, Amin MR. Office-based procedures for the voice. Ear Nose Throat J. 2004;83(7 Suppl 2):6-9.
37. Tateya I, Omori K, Kojima H, et al. Steroid injection to vocal nodules using fiberoptic laryngeal surgery under topical anesthesia. Eur Arch Otorhinolaryngol 2004;261(9):489-92.

CHAPTER

60

말 · 언어장애

이비인후과학 Otorhinolaryngology - Head and Neck Surgery

심현섭

인간이 언어(language)라고 하는 '도구'를 가지고 있다는 것은 축복이다. 왜냐하면 언어를 통해 정보를 전달할 수 있고 또한 자신의 생각과 감정을 상대방에게 전할 수 있기 때문이다. 그렇지만 대화를 할 상대자가 없다고 한다면 축복의 의미는 반쪽으로 감소된다. 언어의 중요한 기능이 의사소통(communication)이기 때문이다. 만일 하나님이 하와를 만들지 않았다면, 즉 아담의 대화 파트너가 없었다면 인류에게 언어가 필요가 있을까 하는 상상을 하게 된다. 외국여행을 하다 보면 본인이 '언어장애인'이라는 생각을 하게 된다. 여행 국가의 언어 체계에 대한 지식이 없거나 미약하기 때문이다. 돈도 있고 신체도 건강한데 스스로 할 수 있는 것이 하나도 없는 신세가 되고 만다.

21세기 정보화 시대에서 의사소통 능력(communication competence)은 삶의 모든 영역에서 요구된다고 할 수 있을 정도로 성공적인 삶에 매우 필수적인 요소이다. 여기서 의사소통 능력이란 특정 언어권의 사회에서 적절히 의사소통하기 위해 요구되는 지식과 그 지식을 실제로 사용할 수 있는 기술을 지칭한다. 이러한 정의에 비추어 보면, 적절한 의사소통이 이루어지기 위해서는 언어적 규칙, 사회-언어적 규칙뿐만 아니라 상호적 의사소통의 맥락을 이해할 수 있는 문화적 규칙을 습득을 하여야 한다. 언어는 서로의 의사소통을 위해서 사회 구성원이 합의해서 만들어 놓은 일종의 상징체계(symbol system)라고 할 수 있기 때문이다. 이러한 의사소통 능력은 하루아침에 저절로 얻을 수 있는 것이 아니다. 특정 언어를 배우려면 우선 말소리(speech sound)를 배워야 한다. 그리고 단어의 의미를 파악하고 단어를 연결하여 문장을 만들 수 있어야 한다. 나아가 상대방의 나이 및 연령뿐만 아니라 상황 등을 고려해서 적절한 표현을 할 수 있어야 하고 신체적 제스처(gesture)나 얼굴 표정 등을 사용할 수 있어야 한다. 상대방의 말을 정확하게 이해하기 위해서는 말하는 사람의 목소리의 억양 및 얼굴 표정과 같은 비언어적인(nonverbal) 요소도 파악할 수 있어야 한다. 이러한 일련의 학습 과정은 갓난아기 때부터 시작되며 부단한 탐구와 수많은 시행착오가 수반되어 이루어진다.

하지만 의사소통을 순전히 생물학적인 측면에서 볼 수

도 있다. 이러한 경우 의사소통은 뇌의 통제를 받는 말 산출 과정과 말 지각 과정으로 구성된다. 말 산출의 과정(process of speech production)을 살펴보면, 화자는 우선 말할 내용을 결정해야 하며, 그 내용을 언어라는 '그릇'에 담아야 하고, 내용을 말소리로 표현하기 위해 많은 근육들이 움직여야 하고, 마지막으로 입 밖의 공기를 진동시켜야 한다. 한편 상대방의 말을 이해하기 위해서는 말소리가 고막을 진동시켜 그 진동이 청각신경을 통해 언어이해를 담당하는 뇌의 영역으로 전달되어야 한다. 미국의 언어학자 스티븐 핑커(Steven Pinker)(1994)는 언어능력을 거미가 거미줄을 치는 것에 비유하면서 일종의 '본능적(instinct)'인 것으로 본다.[15] 거미가 거미줄을 칠 수 있는 것이 교육을 받았거나 건축에 대한 적성이 있어서가 아니라 뇌에서 거미줄을 치라는 충동을 주고 또한 제대로 거미줄을 칠 수 있는 능력이 있기 때문이라고 핑커는 주장한다.

위에서 언급한 바와 같이 의사소통은 복잡한 생리학적 과정을 통해 이루어진다. 따라서 의사소통 문제의 특성, 원인을 이해하고, 문제의 심각성을 파악하기 위한 진단체계를 수립하고 나아가 합당한 치료방법과 치료기기를 개발하는 것은 결코 간단한 일이 아니다.

의사소통장애(communication disorders)란 어떠한 원인에 의해서건 다른 사람과의 의사소통에 어려움이 있는 것을 뜻한다. 의사소통장애는 개인의 교육, 직업 및 삶의 질에 매우 심각한 영향을 미친다. 나아가 의사소통장애는 한 나라의 경제에도 영향을 미칠 수 있다. 왜냐하면 의사소통 능력은 마케팅 및 판매와 같은 경제활동에서 필수적인 요소이기 때문이다.

과거의 특수교육진흥법에서 '언어장애'라는 용어를 사용했으나, 이 용어의 개념을 확장하여 2007년 5월 25일에 제정되어 현재 시행되고 있는 장애인등에 대한 특수교육법에서는 '의사소통장애'라는 용어를 사용하고 있다. 일반적으로 의사소통장애는 언어장애(language disorders)와 말장애(speech disorders)로 대별된다. 언어장애에는 언어발달장애, 실어증 및 치매 등이 포함되며, 말장애에는 조음장애, 유창성장애, 음성장애 및 파킨슨 질병과 같은 말운동장애(speech motor disorders) 등이 포함된다. 의사소통장애의 출현율은 전체 인구의 약 5–10%로 추정한다. 하지만 다른 종류의 장애의 경우에도 의사소통장애가 동반되는 경우가 많기 때문에 의사소통장애를 겪고 있는 사람의 숫자는 더 높을 것으로 예상된다.

의사소통장애를 겪고 있는 연령층은 영유아부터 노인에 이르기까지 매우 폭이 넓다. 언어발달지체 또는 장애를 보이는 아동들, 또는 영어 교육 열풍으로 한국말 습득이 늦어진 어린이들에게서도 언어문제가 나타나며, 노화로 인해 청력이 나빠지거나 뇌졸중 및 치매를 겪고 있는 노인들도 많이 있다.

이러한 말–언어장애를 다루는 학문의 영역을 "언어병리학(speech–language pathology)"이라고 부르며, 국가마다 조금씩 차이는 있으나 말–언어장애 진단 및 치료하는 전문가를 "언어치료사(speech–language pathologist)" 또는 "speech therapist"라고 한다(현재 한국에서의 공식적 명칭은 장애인복지법에 의거하여 언어재활사로 칭하고 있음). 언어병리학의 학문적 특성은 언어학, 특수교육학, 심리학, 생리학, 음성학, 의학 등 다양한 기초학문을 바탕으로 한 응용 학문이라고 할 수 있다.

I 정상적 의사소통 과정(Normal process of communication)

생후 얼마 되지 않은 영아라도 자신의 필요 및 요구사항을 전달하기 위해 울음과 얼굴 표정 같은 의사소통 수단을 사용하기 시작하며, 주위 환경과의 상호작용을 통해 계속적으로 언어적인 기술을 배우게 된다. 아동이 배워야 하는 의사소통 기술(communication skills)에는 다른 사람의 말을 이해하는 기술, 소위 수용적 언어능력(receptive language skills)과 자신의 생각을 말로써 적합하게 표출하는 능력, 소위 표현적 언어능력(expressive language skills)이 있다. 이처럼 의사소통 능력이란 다른 사람의 말을 제대로 이해하고 그에 대한 적절한 언어적인 반응을 할 수 있는 능력을 뜻한다. 정상적 의사소통은 말하는 사람(화자)과 듣는 사람(청자)의 상호작용을 통해 이루어진다. 말하는 사람은 (1) 상대방에게 무엇을 말할 것인가를 우선 결정하여야 하며, (2) 그 후에 결정된 자신의 생각을 어떻게 언어적으로 표현을 할 것인가를 결정하여야 하며, (3) 마지막으로 결정된 언어적인 표현을 어떠한 방식으로 말로서 산출할 것인가를 결정하여야 한다. 청자는 청각기관을 통해 전달된 메시지를 이해하고 그리고 상대방에게 언어적인 반응을 하게 된다. 이처럼 의사소통 과정은 연속적인 언어적 상호작용을 기초로 한다. 이러한 측면에서 정상적 의사소통 과정을 간략히 살펴보기로 한다.

1. 정상적 의사소통의 단계

첫째, 의사소통은 의도적 행동(purposeful behavior)이기 때문에 말하는 사람의 의사소통 의도(communicative intent)가 전제가 된다. 왜냐하면 의사소통을 통해 자신의 생각 및 감정을 전달을 하는 것이 목적이기 때문이다. 만일 상대방에게 어떠한 말도 하고 싶지 않다고 하면 의사소통이 정상적으로 이루어질 수 없다. 예를 들면 자폐아동의 경우 자신의 마음을 닫고 있기 때문에 의사소통을 통한 상호작용에 많은 어려움이 있다.

둘째, 의사소통의 의도가 있다면 말하고자 하는 내용, 즉 생각(idea)이 결정되어야 된다. 의사소통의 내용은 정상적인 정신상태 및 인지적인 능력에 기초한다. 만일 인지능력이 아주 낮거나, 정신질환을 갖고 있는 경우 어떤 말을 산출을 한다고 하더라도 그 내용은 공허할 뿐이기 때문에 대화 상대자의 언어적인 반응을 끌어내기 어렵게 된다.

셋째, 전달하려고 하는 생각은 다양한 의사소통 수단–쓰기, 말하기를 사용하여 외적으로 표출된다. 이러한 과정을 기호화(symbolization) 단계라고 부른다. 왜냐하면 전통적인 의사소통 수단은 문자라는 일종의 기호(symbol)에 기초를 두기 때문이다. 언어는 사회적 구성원의 합의에 기초한 일종의 약속 또는 규칙이기 때문에 학습이 필요하다. 따라서 말을 하려면 자신의 생각을 "언어"라는 수단을 사용하여 변환시킬 수 있어야 한다. 이를 위해서는 기본적인 인지적 능력이 전제가 되어야 한다. 예를 들면, 지적장애 아동의 경우 정상적인 언어발달을 위한 기초적인 인지능력이 갖추어 있지 않기 때문에 적절한 언어사용에 많은 제약이 따른다. 한편으로는 인지적인 능력에는 문제가 없다고 하더라고 신체적인 제한으로 전통적인 의사소통 수단을 사용하지 못하는 사람도 있을 수 있다.

넷째, 기호화 단계를 거친 후에는 머릿속에 있는 내재적인 언어가 다른 사람이 들을 수 있도록 말 산출 기관을 통해 말소리(speech sound)로 변환되어야 한다. 이 단계에서 언어(language)와 말(speech)을 구분할 수 있다. 언어는 의사소통을 위해 사용되는 일종의 "기호"인 반면에, 말은 의사소통을 하는 동안에 연속적인 기호를 말 산출 기관을 통해 소리로 변환시키는 "행동"을 뜻한다. 일반적으로 "언어"는 뇌 조직이 관장하며, "말(speech)"은 주변적인 기관이 담당한다고 생각할 수 있다. 따라서 일상생활에서 사용되고 있는 "언어장애"라는 용어도 "언어장애(language disorders)"와 "말장애(speech disorders)"로 구분된다. 즉, 중추신경인 뇌의 손상 또는 뇌의 불완전 발달에 연유한 장애를 "언어장애"라 하고, 입술, 혀, 입천장, 비강, 성대, 호흡기관 등의 주변적 기관의 손상 또는 잘못으로 인한 장애를 "말장애"라 한다. 말을 관장하는 기관의 심한 손상으로 인해 말을 사용하여 의사소통이 거의 불가능한 중증 말장애인 경우에는 최근에 많이 개발되고 있는 보완대체의사소통(augmentative & alternative communication) 도구를 통해 기초적인 의사소통이 가능하다.

다섯째, 산출된 말소리는 대화 상대자의 청각기관의 여러 경로를 통해 언어이해를 위해 뇌로 전달이 된다. 뇌에 전달된 말소리가 의미 있는 내용으로 바뀌기 위해서는 탈부호화 과정(decoding process)이 요구된다. 왜냐하면 귀에 들리는 것은 단순히 물리학적인 소리, 즉 부호에 불과하기 때문에, 전달된 내용을 파악하려면 뇌에서 부호 차원을 넘어 이것에 어떠한 "의미(meaning)"를 부여해야 하기 때문이다. 상대방이 말한 생각을 탈부호화 과정을 통해 파악한 후에는 이에 대한 언어적인 반응을 대화 상대자에게 하게 된다.

이처럼 정상적인 의사소통은 생각 단계, 기호화 단계, 말소리 산출 단계, 마지막으로 말소리 이해 단계로 구성이 된다고 볼 수 있다.

2. 말소리 지각 및 이해의 과정

상대방의 말을 이해하기 위해서는 세 종류의 과정이 요구된다. 첫째는 말소리를 지각하고 변별할 수 있어야 하며, 둘째로 산출된 문장에 대한 문법적인 구조를 파악해야 하며, 마지막으로 말의 의미를 해석해야 한다. 우선 말소리의 지각에 대해 살펴보면, 갓 태어난 신생아는 끊임없이 특정 언어에 노출되면서 말의 홍수 속에서 살아간다. 태어난 지 얼마 안 된 신생아가 부모의 말을 과연 인지할 수 있을까? 또한 태어난 지 얼마 되지 않은 젖먹이가 사람의 말소리와 주위 소음에 과연 각각 다르게 반응할까? 이러한 질문은 젖먹이의 말소리 지각 능력(speech perception ability)이 생득적인가 또는 후천적인가, 나아가 말소리 지각 능력과 초기의 언어(language)/말(speech) 습득 및 발달의 관계를 밝히는 데 중요한 역할을 한다. 말소리 지각 능력 발달 이론에서, 말소리 지각 능력이 과연 선천적이냐 또는 후천적이냐 하는 것은 중요한 문제 중의 하나이다. 운동 말소리 지각 이론(motor theory of speech perception)에 따르면, 말소리 지각 능력을 인간의 고유한 능력으로 보며 말 지각의 선천적인 측면을 강조한다.[18] 이미 말소리 지각에 관련된 정보를 유전적으로 갖고 있다고 본다. 반면에 모국어 자기장 이론(native magnetic theory)은 말 지각 과정의 전반에 대해 설명하기보다는 젖먹이가 모국어를 어떻게 습득하는가에 대해 설명하려 한다.[20] 이 이론에 따르면, 젖먹이가 자신의 모국어에 지속적으로 노출됨에 따라 모국어의 말소리 지각에 중요한 변별 정보를 지각하는 능력은 계속적으로 발달하는 반면에 모국어의 말소리 지각에 중요한 역할을 하지 못하는 말소리 정보에 대한 지각 능력은 쇠퇴된다고 주장한다. 따라서 이 이론은 이미 모국어를 습득한 후에 외국어를 배우는 것이 왜 어려운 것인가에 대한 설명을 제공한다.

말을 알아듣기 위해서는 우선 청각기관에서의 소리자극에 대한 분석 과정뿐만이 아니라 대뇌피질에서 언어학적인 분석 과정이 요구된다. 이처럼, 말 지각 과정은 복잡하기 때문에 말과학뿐만 아니라, 인지심리학, 컴퓨터공학, 언어학 등의 다양한 분야에서 관심을 갖고 있어 말 지각 이론은 많으나 아직도 과학적으로 증명된 이론은 없다. 말 지각에 대한 연구는 컴퓨터를 사용하여 소리에 관한 음향학적 정보를 빠르고 쉽게 얻을 수 있음으로 인해 급속도로 발전하고 있다. 말 지각을 정보 처리과정(information processing)으로 간주할 때, 말 지각 이론들은 접근방법에 따라 하상(下上)(bottom-up)정보처리 이론과 상하(上下)(top-down)정보처리 이론으로 대별된다. 하상이론에 따르면 말소리에 관한 음향학적 정보가 말지각에 커다란 영향을 미친다고 본다. 반면에 상하이론에서는, 하상이론 만큼 음향학적 정보를 중요하게 다루지 않으며, 말 지각은 감각적인 수준에서 이루어지는 것이 아니라, 인지적 또는 언어학적인 수준에서 이루어지는 가설검증 과정이라고 본다. 하상이론에 의하면, 시끄러운 상황에서 말을 하는 동안 말소리에 대한 음향학적 정보는 변질 또는 왜곡되어 사람들이 상대방의 말을 알아들을 수 없어야 한다.[26] 하지만 우리는 시끄러운 상황에서도 상대방이 무엇을 말하는가를 알 수 있다. 이에 대한 이유를 상하이론 입장에서 설명하면, 말소리에 대한 원래의 음향학적 정보가 음운환경, 말을 하는 사람, 말 속도 등과 같은 다양한 변인에 의하여 변화되었음에도 불구하고 인간은

동일하게 말소리를 지각할 수 있기 때문이라는 것이다.[19]

3. 말 산출의 생리학적 단계

말하는 것이 거의 모든 사람에게는 너무나 쉬운 행동으로 생각되고 있으나, 말을 하는 동안의 과정을 살펴보면, 다양한 말 산출 기관, 즉 복부, 횡경막, 허파, 성대, 연인두, 턱, 혀, 입술, 등은 뇌의 지시에 따라 복잡한 과정을 거쳐 서로 밀접한 연관을 맺고 움직인다. 이러한 정상적인 말 산출 원리(principles of speech production)에 대한 이해는 말장애의 본질 및 특성을 이해하는 데 필수적이다. 말 산출에 관련된 일련의 과정은 호흡 단계, 발성 단계 및 조음/공명 단계로 대별될 수 있다. 즉, 말하기 위해서는 우선 들숨을 통해 소리 에너지의 원천인 공기를 확보해야 하며, 그리고 들이마신 공기를 조금씩 내보내어 성대를 진동시켜야 하며, 마지막으로 성대의 진동으로 생성된 소리는 코 또는 입을 통과하는 동안 조음(articulation) 및 공명(resonance)이 되어야 한다.

1) 호흡 단계(respiration stage)

말이 산출되기 위해서는 우선 들이마신 성대 밑에 있는 공기가 닫혀져 있는 성대를 빠져나갈 정도로 충분히 압축되어야 한다. 일상적인 대화를 하는 동안 성대진동을 위해 필요한 성문하압(subglottal pressure)은 6 cm H_2O 정도가 계속적으로 요구된다. 부드럽게 이야기를 할 때는 3 cm H_2O 정도가 요구되며, 반면에 큰 소리로 말을 하는 경우는 20 cm H_2O 정도가 요구된다.[16]

말을 시작하기 위해서 우선 날숨에 관련된 근육이 작동하여야 한다. 그러나 한편으로는 말을 계속하기 위해서는 일단 들이마신 공기를 흉강에 가능한 한 오래 머물러 있게 하여야 하기 때문에, 날숨근육의 운동이 어느 정도는 억제되어야 한다. 따라서 말을 하는 동안의 날숨시간은 연장이 되어 말이 중간에서 끊어지지 않게 되면 또한 들숨이 효율적으로 사용될 수 있다.

2) 발성 단계(phonation stage)

발성은 성대 밑의 공기가 성대를 지나면서 성대가 진동이 됨에 따라 시작된다. 성대가 진동하기 위해서는 우선 성대가 닫혀져 있어야 한다. 만일 성대가 제대로 닫혀져 있지 않으면 성대진동이 정상적으로 이루어질 수 없다. 닫혀 있는 커다란 문을 열기 위해서 누군가가 문을 밀어야 하는 것처럼, 즉 문에 일정한 힘이 요구되는 것처럼, 닫힌 성대를 열기 위해서는 성대 밑 부분으로부터 올라오는 공기에 의한 압력, 소위 성문아래로부터 올라오는 공기의 압력이 닫혀 있는 성대를 떼어놓을 수 있을 정도로 커져야 한다. 성문 아래 공기압이 충분히 커지면, 붙어 있던 성대근육(vocalis muscle)은 떨어지게 되면서 성대근육 사이의 좁은 공간, 즉 성문(glottis)을 지나 공기는 빠른 속도로 위로 빠져 나간다. 성문 아래 공기압에 의해 성대가 열리고 난 후 어떻게 다시 닫히게 되는가는 베르누이 효과(Bernoulli effect)와 근육 탄력성(muscle elasticity)의 개념으로 설명된다. 베르누이 효과의 요점은 공기속도(velocity)와 압력(pressure) 사이에는 반비례 관계가 존재한다는 것이다. 예를 들면, 고속도로에서 큰 트럭이 빠른 속도로 소형 승용차 바로 옆을 지나가면, 승용차가 트럭이 지나간 방향으로 갑자기 기울어지는 듯한 기분을 느낄 수 있다. 이와 같이, 성문 아래의 공기가 좁은 성문을 통과하면서 공기의 속도가 빨라지기 때문에, 성대근육 주위의 공기압력이 상대적으로 갑자기 낮아지게 된다. 따라서 소형차가 트럭이 지나간 방향으로 쏠리듯이 좌우의 성대근육이 중심선(midline) 쪽으로 끌려 들어가게 된다. 이러한 공기역학적인 요인 이외에, 늘어난 성대근육이 원래의 상태로 돌아가려는 탄력성이 작용하여 성대의 닫힘은 더욱 용이하게 된다. 닫힌 성대는 다시 증가된 성문 아래로 부터의 공기압력으로 인해 열리게 되며, 베르누이 효과 및 근육의 탄력성에 의해 다시 닫히게 된다.[21]

이처럼 성대진동은 성문이 닫히고 열리는 반복적인 과정이라고 할 수 있다. 성대가 1초 동안 열림–닫힘의 과정이 얼마나 자주 반복되는가를 음성 기본주파수(fundamental frequency of voice)라고 하며, 성대의 길이(length) 및 무게(mass)의 변화와 관련이 깊다. 예를 들면, 가느다란 기타 줄이 굵은 기타 줄의 소리에 비해 높은 소리를 내듯이, 성대 길이가 늘어나면 높은 소리가 산출된다. 왜냐하면, 성대의 길이가 늘어남에 따라 단면적의 크기는 줄어들고 단위 면적당 무게도 줄어들기 때문이다. 아동의 경우는 나이가 증가함에 따라 성대의 길이가 계속 길어질 뿐만이 아니라 두꺼워지기 때문에, 음성 기본 주파수는 점차 낮아지게 된다. 성인의 경우, 여성은 남성에 비해 성대가 짧고 가늘어서 진동 횟수가 남성에 비해 2배 정도가 된다(1초당 250회). 음성장애로 인해 성대의 무게 및 탄력성에 현격한 변화가 일어나면, 진동 횟수뿐만이 아니라 성대진동의 양상에도 큰 변화가 초래될 수 있다.

성대는 좌우 양측 모두 10번 뇌신경인 미주신경(vagus nerve)의 미주신경핵(nucleus ambiguous)에 의해 통제를 받는다. 소리의 높낮이를 높여 주는 윤상갑상근만이 미주신경의 가지(branch)인 상후두신경(superior laryngeal nerve)의 통제를 받는다. 다른 모든 성대 내부근육(intrinsic muscles)들은 미주신경의 반회후두신경(recurrent laryngeal branch)의 통제를 받는다. 또한 성대는 자율신경계(autonomic system) 및 대뇌변연계(limbic system)의 지배를 받기 때문에 사람의 감정 상태(emotional state), 즉, 기쁨, 슬픔 또는 공포의 정도에 따라 음성이 변화할 수도 있다.

3) 조음 단계(articulation stage)

말이 산출되는 동안 조음기관들은 동시에 움직인다. 따라서 조음기관 각각의 독립적인 운동은 물론이고 다른 조음기관의 운동과 어떻게 협동하여 움직이는가를 이해하는 것이 매우 중요하다. 일반적으로 턱 및 입술의 운동을 추적하기 위한 방법으로 x-ray, strain-gauge 또는 초음파가 사용되며, 혀 운동을 측정하기 위해서는 구개도(palatogram)가 사용된다. 조음기관들이 말 산출에 직접적으로 어떻게 영향을 미치는가를 조음기(articulator)별로 설명하면 다음과 같다.

(1) 연구개

연구개(velum or soft palate)의 근육인 구개올림근(levator veli palatine muscle)은 연구개를 비강 쪽으로 올림과 동시에 인후의 뒷벽(posterior wall of the pharynx)으로 이동시킨다. 이러한 조음기관의 움직임을 연인두폐쇄(velopharyngeal closure)라고 한다. 비음인 /ㅁ/, /ㄴ/ 및 /ㅇ/과 같은 소리를 산출하기 위해서는 구개올림근육이 작동되지 않고 인두에서 비강으로 통하는 길이 열려 있어야 한다. 반면에 비음 이외의 자음을 정상적으로 산출하기 위해서는 구개올림근육에 의해 연구개를 뒤-위로 움직여 비강을 닫아야 한다. 만일 연구개의 운동이 적절히 이루어지지 않는다면 말소리에 심한 콧소리가 들리거나(hypernasality) 비음을 산출하는 동안에 비성이 거의 들리지 않게 되는 경우(hyponasality)가 발생한다. 자음 중에서 /ㅅ/를 산출하는데 비강이 제대로 닫혀있지 않는 경우 구강을 통과하여 빠져나가야 할 공기의 일부가 비강을 통해 빠져나가기 때문에 공기압이 떨어져, 혀와 경구개 사이를 빠른 속도로 통과할 수 없어서 /ㅅ/소리로 들리기보다는 코로 숨 쉬는 소리와 같이 들리게 된다.

(2) 혀

혀는 다른 어떤 조음기관보다도 말 산출을 하는 데 중요하다. 혀의 상하 및 앞뒤운동은 모음 및 자음의 산출 모두에 영향을 미치기 때문이다. 중요 모음인 /이/, /아/ 및 /우/의 산출에 관여하는 혀의 외부근육의 작용을 요약하면 다음과 같다. 전설모음이며 고모음인 /이/는 혀의 대부분을 차지할 정도로 크며 또한 부채 모양으로 펼쳐진 이설근(genioglossus muscle)이 혀를 앞으로 높이 올림으로써 산출된다. 후설모음이며 저모음인 /아/는 설골설근(hyoglossus muscle)에 의해 혀가 아래로 수축하고 또한 뒤로 당겨짐으로써 산출된다. 후설모음 /우/는 경상설근(styloglossus muscle)에 의해 혀의 뿌리부분이 뒤쪽으로 들려 올려짐에 의해서 산출된다. 다음으로 자음산출에 관련이 있는 근육은 구개설근(palatoglossus muscle)이며, 이 근육은 혀의 뒷부분을 연구개 쪽으로 올리거나 혀 쪽으로 내리게 하며 /k/, /g/ 또는 비음인 /m/, /n/, /ŋ/의 산출에 관여한다.[21]

임상적으로 보면 혀의 내부 또는 외부 근육들 중 어느 한 곳에라도 이상이 있으면 말장애를 일으킨다. 혀운동을 담당하는 신경의 마비로 인한 말장애의 경우 혀의 부적절한 운동은 말명료도(speech intelligibility)를 저하시킨다. 예를 들면, 혀의 근육을 담당하는 설하신경마비로 인해 혀의 기능이 제한된다면 정확한 혀의 모양이 요구되는 /s/의 산출은 대단히 어렵게 된다. 한편 /s/는 다른 자음에 비해 매우 정교한 혀 운동의 통제가 요구되기 때문에 아동의 말소리 발달에서 가장 늦게 습득된다.[23] 또한 혀가 정상적인 크기보다 큰 경우인 대설증(macroglossia) 또는 작은 경우인 소설증(microglossia)이 있는 사람은 혀의 정상적인 운동이 어렵다.

(3) 입술

양순음(/p/, /b/, /m/)의 산출을 위해서는 구강 내의 공기압력이 높아져야 하는데 이를 위해 위·아랫입술이 닫혀야 한다. 입술을 닫는 일은 구륜근(orbicularis oris muscle)이 담당한다. 또한 이 근육은 /u/ 또는 /w/의 산출에도 관여한다. /i/모음의 산출을 위해서는 양쪽 입술가 장자리가 옆으로 움직이는 운동이 요구되는데 이를 위해 입꼬리 당김 근육(risorius muscle)의 작동이 필요하다.

(4) 턱

턱은 혀와 아랫입술과 함께 공동으로(synergistically) 움직인다. 모음산출에서 턱의 상하운동 통제는 고모음과 저모음의 변별 산출 능력과 밀접한 연관이 있다. 그러나 턱의 상하운동이 말명료도에 영향을 미치는 정도는 제한적이다. 예를 들면, 입을 거의 다문 상태에서 턱을 특정 위치에 고정시키고 혀의 위치만을 바꾸어 말을 하는 경우 말명료도는 어느 정도 떨어지지만 상대방이 이해할 정도의 말이 산출된다.

4) 호흡, 발성 및 공명기관의 상호작용

앞에서 이미 언급하였듯이 호흡기관은 음성산출을 위한 힘의 근원지(power source)이다. 음성산출을 위해서는 성대가 진동하여야 하는데, 성대진동은 내쉬는 공기에 의해 이루어지기 때문이다. 나아가 정상적인 음성을 산출하기 위해서는 발성기관과 공명기관은 밀접한 상호협조가 이루어져야 한다. 발성기관, 호흡기관 및 공명기관의 상호작용의 실례를 살펴보면 다음과 같다. 첫째, 발성기관이 정상이더라도 호흡에 문제가 있어 내쉬는 공기의 힘이 너무 약한 사람은 성대가 정상적으로 진동하지 못하여 목소리가 작아져 거의 들리지 않을 수 있다. 호흡에 문제가 있는 음성장애 환자에게 “아” 소리를 가능한 한 길게 발음하라고 했을 경우, 최대발성지속시간(maximum phonation time, MPT)이 아주 짧다면 음성산출을 위한 호흡통제가 적절히 이루어지지 않고 있음을 시사한다. 둘째로, 호흡기관이 정상적인 기능을 한다고 하더라도 성대가 너무나 긴장되어 있어 꽉 닫혀 있다면 쥐어짜는 소리가 나게 된다. 마지막으로, 음성산출은 공명 기관과 밀접한 연관이 있다. 성문에서 산출되는 소리 그 자체는 다양한 주파수가 혼합된 아무런 언어적인 기능을 갖지 못하나, 특정한 모음에 부합한 말소리길 모양을 취함으로써 특정한 주파수대가 증폭되어, 마침내 의사소통의 말소리가 가능하게 된다. 공명의 정도는 혀, 입술 및 턱 등의 위치에 따라 달라진다. 호흡기관과 발성기관이 모두 정상이나 공명 기관에 문제가 생겨 항상 공기가 비강(nasal cavity) 쪽으로 새어 나간다면 소위 콧소리가 산출된다. 인두를 거의 막을 만큼 혀를 뒤쪽으로 수축시키면 농아에게서 흔히 볼 수 있는 맹관공명(cul-de-sac resonance)이 발생하며, 과대비성(hypernasality) 또는 무비성(denasality)과 같은 현상이 나타날 수 있다. 반면에 혀의 위치가 너무 앞으로 옮겨가 있으면 가냘픈 음성(thin voice)이 된다. 이처럼 듣기에 편안한 음성이 산출되기 위해서는 호흡기관, 발성기관 및 공명기관의 적절한 협응 관계(coordination)가 이루어져야 한다.[17]

5) 모음의 산출 과정

성도(vocal tract)를 한쪽이 막혀 있고 다른 한쪽이 열려있는 튜브로 비유하면 모음산출의 과정을 이해하기 쉽다. 막혀있는 쪽의 튜브에 작은 구멍을 만들어 그 곳으로 소리를 넣으면 그 소리는 튜브의 길이 및 모양에 따라 소리의 공명정도가 달라진다. 튜브의 길이가 길면 길수록 파장의 길이는 늘어난다. 일반적으로 파장(λ)은 튜브의 길이의 4배이다. 따라서 성인 남자의 말소리 길의 길이를 17 cm라고 하면 최소공명주파수의 파장은 68 cm(17 × 4)가 된다. 그러나 튜브와는 달리 사람의 입속은 점막으로 둘러싸여 있기 때문에, 소리에너지가 열려 있는 쪽으로(즉 입술 방향으로) 이동하면서 흡수된다. 따라서 단순히 물리학적으로 튜브 내에서 일어나는 공명과는 차이가 있다. 또한 사람의 말소리 길은 굴곡이 있고 또한 단면적은 일정하지 않은 복잡한 모양을 하고 있다. 따라서 모음을 연구하는 데는 모음 각각에 따른 말소리 길의 단면적을 구하는 것이 매우 중요하다.[16]

최근에는 자기공명영상(magnetic resonance imaging, MRI)을 사용하여 특정 모음을 발음하는 동안 성문부터 입술까지의 말소리 길을 매우 좁은 간격으로 잘라 단면적을 구하여 모음을 합성하는 기술에 응용되고 있다. 음향학적으로 성문에서 시작된 시그널이 어떠한 공명이 되어 입 밖으로 나오는가에 대해 많은 관심을 가져왔다. 모든 모음의 성문 시그널이 동일하다고 하면, 모음의 특성은 입 모양에 따라 변화하게 되는데, 입 모양의 변화에 따라 특정 주파수대는 증폭되고 다른 특정 주파수대는 감폭된다. 음향학적으로 입 밖에서 측정한 소리를 가지고 성문에서의 시그널을 유추(inference)하는 방법으로는 역필터링 방법(inverse filtering)이 있다. 이 방법에서는 말소리 길의 공명효과를 제거함으로써 성문에서 발생한 원래의 시그널, 즉 성대의 진동수인 기본 주파수를 확인할 수 있게 한다.[21]

6) 자음의 산출 과정

음향학적인 관점에서 자음의 산출 과정을 파악하기 위해서는 자음 산출 동안의 성문, 구강, 인두강의 막힘이나 좁힘 여부, 성대진동 여부를 우선 파악하여야 한다. 파열음(/ㅂ, ㄷ, ㄱ, ㅍ, ㅌ, ㅋ, ㅃ, ㄸ, ㄲ/) 및 파찰음(/ㅈ, ㅊ, ㅉ/)은 성도의 특정 위치를 완전히 막음으로써 산출된다. 비음(/ㅁ, ㄴ, ㅇ/)은 파열음과 매우 비슷하나 연구개가 내려와 비강이 열린 것이 차이점이다. 마찰음(/ㅅ, ㅆ, ㅎ/)은 파열음, 마찰음 또는 비음과는 달리 성도를 좁힘으로써 산출된다.

이러한 성도의 막힘 또는 좁힘과 같은 자음의 산출 특성으로 인해 막힌 부분이 개방되면서 공기가 갑자기 입 밖으로 빠져나가거나 또는 좁혀진 부분에서 공기의 흐름 속도가 빨라지게 된다. 이와 같은 공기역학적 특성은 자음의 음향학적 특성을 설명하는 데 매우 중요하다.

II 말·언어장애의 진단 및 치료

말-언어장애 치료의 궁극적인 목적은 말-언어장애를 가진 사람의 의사소통 능력을 증진시켜 주는 것이다. 언어치료는 의사가 환자에게 약을 주듯이 처방되어 있는 것이 아니다. 왜냐하면, 말-언어장애의 문제가 사람마다 매우 독특하기 때문이다. 따라서 말-언어장애 치료를 위해서는 개인의 말-언어적 특성을 파악할 수 있는 능력이 요구되며 이때 국어학 또는 언어학적 지식을 필요로 하게 된다. 최근에는 외국인과의 결혼 증가와 외국인 근로자의 수가 증가하면서 다문화배경을 가진 아동들의 수도 높아져 이들의 의사소통 문제가 대두되고 있다.

주요 말-언어장애의 특성, 진단 및 치료에 대해 장애별로 간략하게 소개하면 다음과 같다.

1. 언어발달 및 장애

언어습득은 의사소통을 하기 위한 중요한 전제조건이다. 태어나서부터 유아는 얼굴 찡그림 또는 울음을 통해 자신의 감정 상태를 상대방에게 전달을 한다. 이러한 소통방법은 어떠한 언어권에 살든지 모든 영아가 사용하는 방법이다. 하지만 영아가 성숙됨에 따라 이러한 비언어적인 방법을 통해 의사소통을 하는 것은 점차 감소해야 하고, 언어라고 하는 도구를 통해 의사소통이 이루어져야 한다. 언어습득을 위해서는 유아는 대화 상대자와 끊임없는 상호작용이 이루어져야 하고, 또한 눈앞에 사물이 없다고 하더라도 그 사물의 명칭을 말할 수 있게 하는 인지적 발달이 이루어져야 한다.

영아기의 언어 습득이 이루어지기 위해서는, 영아기 동안의 의사소통 의도와 양상에 대한 정보가 중요하다. 이러한 초기 의사소통 능력 발달 단계는 목표 지향적 의사소통단계(perlocutional level), 의도적 의사소통 단계(illocutional level) 및 언어적 의사소통 단계(locutionary level)로 발전된다.[13] 목표 지향적 단계는 생후 4-7개월 정도에 나타나며, 눈길로 관심 있는 물건을 표현하거나, 짝짜꿍, 까꿍이라는 말에 반응을 한다. 의도적 의사소통 단계에서는 생후 11-14개월 정도에 나타나며, 자신의 행동을 통해 상대방의 주의를 끌게 한다. 예를 들면, 과자 봉지에 손이 닫지 않을 경우 손을 뻗어 보아 과자를 먹고 싶다는 의도를 전달한다. 마지막으로 언어적 의사소통 단계는 14-16개월 정도에 나타나며, 말(speech)을 사용하여 자신의 의사소통 목적을 달성하게 된다.

이와 같은 의사소통 행동의 발달과 더불어 언어발달이 이루어지기 위해서는 언어 이해력 및 언어 표현력의 발달이 함께 동반하여 발달되어야 한다. 언어 이해력의 발달을 살펴보면, 생후 10개월까지는 말소리 및 초분절적(suprasegmental) 특성에 대해 변별을 할 수 있어야 하며, 생후 10-30개월까지는 의미적 이해기로서 친숙한 낱말이나 간단한 문장에 대해 적절하게 반응을 하게 된다. 생후 30-36개월 사이에는 언어 이해력의 마지막 단계로서 문법형태소, 구문 구조 및 낱말 배열 순서 등에 의하여 문장을 이해할 수 있게 된다. 언어 표현력의 발달을 살펴보면, 생후 10-14개월 정도가 되면 기능면에서 옹알이와 구분되는 첫 낱말이 출현하게 된다. 이 시기에는 과대일반화(over-extension or over-generalization) 현상 및 과소일반화(under-extension or under-generalization)가 나타난다. 즉 자신이 습득한 단어를 지나치게 광범위하게 사용하는 오류를 보인다. 예를 들면 다리가 네 개인 동물은 모두 '고양이'라고 하거나, 아니면 자기 집에서 키우는 강아지만 '강아지'라고 한다고 한다.[2] 이 시기에서의 언어 습득은 개인차는 있지만 매우 느리고 일주일에 한 낱말 정도를 습득한다. 이와 같은 느린 언어 습득이 생후 18-24개월 사이에는 매우 속도가 빨라진다. 따라서 이 시기를 어휘폭발기(vocabulary burst) 또는 어휘도약기(vocabulary spurt)라고 부른다. 2살이 되면서 어휘폭발기가 끝나고 아동은 단단어를 사용하여 문장을 만들려고 한다. 예를 들면, "과자 더", "빵 더"와 같은 2낱말 문장들이 관찰된다. 이후부터는 아동이 자신의 의사표현을 위한 언어적 수단을 획득했기 때문에 주위 사람들과 대화를 하게 되면서 대화 참여 기술을 습득하게 된다. 나아가 자기의 경험이나 또는 본 것을 상대방에게 설명하는 이야기 표현능력도 발달하게 된다. 아울러 학령기 학습에서는 읽기 능력이 발달되어야 하며, 그렇지 못하면 읽기 문제로 인해 학교 학습을 제대로 따라가지 못할 수도 있다.

아동언어장애 유형은 말늦은 아동(late talker), 단순언어장애아동(specific language impairment) 및 언어학습장애(language learning disability)로 나뉜다. 말늦은 아동은 청력손실, 반복적인 중이염 발생, 지적장애, 행동장애 및 신경장애 등이 없이 표현 언어 능력이 또래의 10%ile 이하인 경우나 생후 18-28개월에 단어 조합을 하지 못하는 경우에 해당한다. 말늦은 아동은 연령이 증가하면서 일반 아동과 유사한 언어능력을 갖게 된다. 단순언어장애는 언어에만 어려움을 보이는 경우로, 인지장애, 청각장애 및 신경학적 문제 또는 자폐로 인한 언어장애는 배제된다. 일반적으로 일반 아동이 약 11-12개월 정도에 첫 낱말을 습득하는데 비해 단순언어장애 아동은 23개월쯤에 첫 낱말을 습득한다. 또한 새로운 낱말을 습득하는 것뿐만 아니라 낱말찾기(word finding) 또는 이름대기(naming)에 어려움을 보인다. 마지막으로 언어학습장애는 구어와 문어 학습장애를 보이는 장애를 의미한다. 나이가 들어갈수록 언어장애 아동의 문제는 복잡해진다. 예를 들면, 학교 수업에서 어려움을 보이는 학습장애 아동 중 80%의 아동들은 읽기장애를 갖고 있으며 이로 인해 이야기 이해 및 산출에도 결함을 보인다.[10]

언어평가는 면담, 질문지, 표준화 검사, 준거참조검사, 자발화 분석 등을 통해 이루어진다. 부모가 아동이 이해하고 사용하고 있는 어휘와 의사소통을 확인할 수 있는 질문지로 M-BCDI-K이 있다.[9] 표준화 검사로는 2-8세를 대상으로 언어 이해력을 평가하기 위한 그림어휘력검사[6], 2-6세를 대상으로 언어 이해 및 표현을 평가하기 위한 취학전 아동의 수용언어 및 표현언어 발달척도(PRES),[3] 그리고 4-35개월의 영유아의 언어 이해 및 표현을 평가하는 영유아발달검사(SELSI)가 있다.[4] 또한 2세 6개월-만 16세까지 언어이해 및 표현을 평가할 수 있는 수용 및 표현 언어검사(REVT)[7]가 사용되고 있다.

언어발달 능력을 평가하기 위해서는 대상 아동의 어휘, 문법 및 구문 및 화용능력 등 다양한 언어평가가 이루어져야 하는데, 정확한 평가를 위해서는 정상 아동의 연령에 따른 언어능력의 규준(norm)이 확보되어야 한다.

아동의 언어이해 또는 언어표현 능력이 또래 아동에 비해 얼마나 지체되었는가를 확인한 후에 치료목표가 수립된다. 치료목표는 문법, 의미 및 화용적인 측면에서 세분화된다. 치료는 아동 중심 또는 치료사 중심으로 이루어질 수 있으며, 치료실에서 익힌 언어표현 및 언어이해 능력이 일상생활에서도 나타날 수 있도록 하기 위해 부모교육을 실시한다. 치료 시에는 아동의 언어적 수준에 맞는 언어적 자극 및 모델을 체계적이며 반복적으로 제시한다.

언어치료접근법은 치료활동이 실생활과 얼마나 유사한가에 따라 다를 수 있다. 예를 들면 언어치료가 아동의 집과 같은 자연스러운 장소에서 치료가 이루어 질수도 있으며 치료실과 같은 장소에서, 놀이와 같은 자연스러운 활동과 단순한 반복을 통해서 치료가 이루어질 수도 있다. 이와 같이 치료접근법은 자연스러움 정도에 따라 치료사 중심법, 아동 중심법 및 절충법으로 구분된다. 치료사 중심법에서는 치료의 전반에 대한 계획을 치료사가 미리 정해 놓으며, 일반적으로 낱말이나 구와 같은 훈련자극을 모방하게 하고 정확하게 모방하면 강화를 제공한다. 아동 중심법에서는 치료활동을 아동이 주도하게 하며, 아동과 상호작용을 하는 동안 치료사는 아동의 관심이 무엇인가를 잘 관찰해야 하고, 다양한 모델을 제공하기보다는 아동의 반응을 기다려야 한다. 마지막으로 절충법은 치료사 중심법과 아동 중심법을 혼합한 것으로서, 집중적 자극기법, 환경 중재 및 스크립트를 이용한 치료기법이 있다.

2. 조음음운장애

유아가 의사소통을 하기 위해서는 말소리를 산출할 수 있어야 한다. 정상적으로 말소리를 인식하고 산출하기 위해서는 모국어에 지속적인 노출이 이루어져야 한다. 특히 이 시기 동안 유아는 어른들이 사용하는 말소리를 음성학적으로 변별(discrimination)할 수 있어야 한다. 따라서 생후 1-4개월 정도면 모음 /아/, /이/ 및 /우/를 구별할 수 있게 되고, 2-3개월 정도에 /ㅂ/, /ㄷ/, /ㄱ/의 조음위치(articulation place)를 변별하게 된다. 이와 같이, 유아는 어린 나이부터 자음의 조음위치, 즉 자음이 산출되는 위치(입술, 잇몸, 연구개)에 따라 자음을 변별할 수 있게 된다. 하지만 마찰음, 완전히 발음이 되지 않는 종성자음 및 다음절에 포함된 음소들은 변별을 하는 데 많은 시간이 걸린다. 왜냐하면 이러한 변별능력은 유아가 성숙되어야 하고 또한 모국어에 노출되는 시간이 길어짐으로써 발전할 수 있기 때문이다.

유아기에 나타나는 생후 6개월 동안의 말소리 산출 초기 단계를 발성 단계(phonation stage), 웅얼거림 단계(cooing stage) 및 확장 단계(expansion stage)로 분류한다.[8] 발성단계는 출생 후 1개월 동안에 나타나며, 입이 닫힌 상태로 발성이 되기 때문에 비음화된 소리로 들린다. 웅얼거림 단계는 생후 2–3개월 동안 나타나며, 연구개에서 자음이 약간 산출되며 /우/ 소리와 비슷한 웅얼거림 소리가 산출된다. 확장 단계는 4–6개월 동안 나타나며 점차적으로 말소리 산출을 하기 위해 성대와 구강 및 조음기관을 통제할 수 있게 된다. 장난기 소리 또는 양 입술 떨림 등을 시작한다. 생후 6–8개월 정도가 되면 성인과 유사한 말소리를 산출하기 시작한다. 예를 들면 /바바바/, /다다다/, 또는 /마마마/와 같은 중첩적 옹알이(canonical babbling)가 나타난다. 이와 같은 연속적인 음절반복은 말소리 발달적 측면에서 중요한 지표가 된다. 예를 들면, 중첩적 옹알이가 농아 아동에서는 생후 1년에도 보이지 않으나, 반면에 정상 발달 아동에서는 늦어도 10개월 정도에 나타난다고 한다. 중첩적 옹알이가 나타나면 금방 변형적 옹알이(variegated babbling)로 발전된다. 변형적 옹알이는 한 번의 발성으로 다양한 자음과 모음이 산출된다. 생후 1년이 넘어서면서부터 아동은 다양한 종류의 자음과 모음을 산출하며 성인의 말소리와 유사해진다. 이 시기에 들어서면 유아는 의사소통을 하기 위한 초석이 만들어지게 된 것이다. 일반적으로 모국어의 음성학적 특성을 생후 2–3년 정도 지나면 많은 말소리를 습득함에 따라 자신의 의사표현도 가능하고 주위 사람들도 아동이 하는 말을 이해하게 된다.

조음음운장애를 파악하기 위해서는 몇 세경에 어떠한 말소리를 얼마나 많은 아동이 습득하고 있는가를 파악하는 것이 중요하다. 이를 위해 해당 연령 아동의 일부(25–49%)가 습득하는 출현연령, 관습적 연령(50–74%), 숙달연령(75–94%) 및 완전습득연령(95–100%)에 따른 자음의 순서발달을 참고하는 것이 중요하다.[1] 이와 같이 어린 아동이 연령이 증가함에 따라 말소리 산출 능력도 함께 발달하게 된다. /ㅅ/과 같은 자음은 다른 6세 정도에야 모든 아동이 습득할 수 있는 말소리지만, /ㅂ/, /ㅁ/와 같은 양순음은 이른 시기에 모든 아동이 습득된다.

하지만 자음이나 모음이 정상적으로 발달되지 않았을 경우, 정확하게 발음을 할 수 없게 되며 말명료도(speech intelligibility)가 저하되어 부모나 주위 사람이 아동의 말을 이해할 수 없게 된다. 이러한 경우 아동이 말소리를 정확하게 변별할 수 있는지, 부정확한 발음이 과연 한국어 말소리에 대한 아동의 지식이, 소위 모국어에 대한 음운체계(phonological system)에 대한 지식이 부족한 것에서 기인하는지 그렇지 않으면 구강 및 조음기관의 문제 아니면 청각기관의 문제에 기인하는 것인가를 파악하는 것이 중요하다.

조음음운장애를 평가하기 위해서는 우선 자음정확도(percentage of correct consonant)를 평가해야 한다. 자음정확도는 목표모음과 목표자음을 얼마나 정확하게 산출하는가를 평가함으로써 조음장애 정도를 나타내는 지표로 많이 사용하고 있다. 일반적으로 85–100%이면 경도, 64–84.9%이면 경도–중등도, 50–64.9%이면 중등도–중도, 50% 이하이면 중도로 판정이 된다.[22] 자음정확도 이외에 말명료도를 평가해야 한다. 말명료도 개념은 정확도 개념과 대조적으로 청자가 산출된 말을 얼마만큼 이해하였는가를 측정한다. 따라서 자음정확도가 낮다고 하여 반드시 말명료도가 낮은 것은 아니다. 현재 2세부터 6세 아동을 대상으로 조음장애검사를 위해서는 '우리말 조음음운평가(U-TAP)'[5]가 사용되고 있다.

조음평가를 통해 신경운동적인 차원과 음운 지식적인 차원에서 문제가 있는가 여부를 판단하여야 한다. 평가결과에 따라 치료 접근법도 말운동(speech motor) 중심 치료법과 언어학(음운) 중심치료법 치료목표는 나뉠 수 있다. 구순구개열 아동의 경우, 구강기관에 구조적인 문제가 있는 경우는 우선 수술 후에 언어치료를 통해 발음교정을 한다. 또한 청각장애로 인한 조음장애인 경우는 보청기를 착용한 후 언어치료를 받는 것이 일반적이다.

조음음운장애의 치료 접근법은 크게 전통적 접근법(또는 음성적, 말운동 접근법)과 음운론적 접근법으로 나눌 수 있다. 전통적 접근법은 음운오류를 운동적인 결함으로 보고 듣기 훈련 및 청각적 집중자극과 함께 조음기관의 위치 및 운동에 초점을 둔다. 반면에 음운론적 접근법은 언어학 또는 음운론에 기초를 둔 치료법이다. 이 접근법은 복합적인 오류를 보이는 아동에게 음소대조 및 적절한 음운패턴 훈련을 통해 아동이 성인 수준의 음운규칙, 예를 들면, 변별자질, 음소 배열 규칙 등에 관한 규칙들을 확립시키는 것을 목적으로 한다.[8]

조음음운장애의 영역에서는 음운론과 음성학의 지식이 진단과 치료에 직접적으로 관련된다. 조음장애의 치료 접근에서도 음운론적 지식이 관여되기도 한다. 예를 들면, 최소대립쌍(minimal pair)을 지각하는 훈련을 한다거나 여러 오류를 보이는 아동의 경우에, 최소대립쌍을 선정하여 먼저 치료하는 것이 치료 효과나 일반화가 잘 일어나는지 여러 가지 음운자질이 대립되는 음소들을 먼저 치료하는 것이 치료 효과가 좋은지를 결정하거나 치료 목표를 선정하는 경우에 음운론적 지식이 요구된다. 한편 목소리의 문제로 발음이 불명확한 경우, 조음장애인의 음성을 음성분석기기를 이용해 음향학적으로 분석하여, 음성장애의 유무, 분류, 심각 정도를 평가하는데 이를 위해서는 여러 가지 음향 음성학적 지식이 기본적으로 요구된다.

3. 유창성장애

유창성장애, 소위 말더듬은 어린 아동이 인지적, 언어적, 운동적인 측면에서 빠른 발달이 진행되는 동안에 일어나는 말장애(speech disorders)이다. 국가마다 차이는 있지만 관련 연구를 종합하면 일반적으로 전체 인구의 5% 정도가 6개월 이상 말을 더듬은 적이 있으며, 학령기 아동의 1% 정도가 말을 더듬는다고 추정한다.[14] 이처럼 말더듬은 전 세계적으로 나타나는 보편적인 말장애이나, 지금까지 말더듬의 특정한 원인은 밝혀져 있지 않다. 그러나 유전적 요인과 환경적 요인이 말더듬의 발생 및 발달에 기여하는 중요한 요소라는 것에는 어느 정도 학자들 간에 의견이 일치되고 있다. 이러한 맥락에서 특정한 요인이 말더듬을 유발시키는 것이 아니라 다양한 요인들의 복합적인 상호작용의 결과 말더듬이 발생하게 된다는 것이 일반적인 견해이다.

유전연구에 의하면 태어나면서부터 많은 아동이 말을 더듬는 성향을 갖고 있으나, 말더듬을 유발시킬 수 있는 직접적인 요인에의 노출 여부에 따라 말을 더듬기 시작할 수도 있고, 말을 더듬지 않을 수도 있다고 한다. 말을 더듬기 시작한다 하더라도 모든 아동이 계속적으로 말을 더듬는 것이 아니라, 대략 80% 정도는 자연회복 된다고 보고되고 있다. 그러나 나머지 20% 정도의 아동은 성인이 되어서까지 말을 더듬게 된다고 한다. 따라서 말더듬 현상은 잠시 나타나는 일과성(一過性) 말더듬일 수도 있고 성인기까지 계속되는 지속적 말더듬일 수도 있다. 전자의 말더듬 현상을 정상적 비유창성(normal disfluency)이라 부르고, 후자의 말더듬 현상을 유창성장애(fluency disorder)라 부르며 보통 일반인이 지칭하는 말더듬(stuttering)을 뜻한다.[11]

말더듬 아동을 평가해 보면 말을 더듬기 전에 말더듬에 직접적인 영향을 주었던 사건이나 일을 확인하는 것은 쉽지 않다. 실제로, 말더듬 아동의 부모 대부분은 말을 더듬기 전에 말더듬과 직접적인 관련이 있을 수 있는 사건이나 일은 없었다고 말한다. 하지만 진단 평가를 할 때, 말더듬을 말더듬의 자연회복(spontaneous recovery)을 방해하는 요소 또는 말더듬을 더욱 악화시키는 요인들을 확인하는 것은 중요하다.

말더듬을 진단 시 중요한 사항은, 과연 아동이 보여주는 비유창한 정도가 말더듬 증상인지 아니면 발달 과정에서 나타나는 정상적 비유창성(normal disfluency)을 변별하는 데 있어서 매우 중요한 문제이다. 말더듬의 중증도

(severity)를 평가하기 위해서는 (1) 말더듬의 핵심행동(core behaviors) (반복 및 막힘), (2) 부수행동(secondary behaviors) (말이 막히는 동안에 수반되는 행동, 예를 들면 눈 찡그림, 고개 뒤로 하기) 및 (3) 감정과 태도(feelings and attitudes) (말더듬으로 인한 내면적 반응)를 파악된다.

일반적으로 부정적인 심리 및 태도는 중증 말더듬 또는 성인에게만 나타난다고 생각되었으나, 어린 아동에게도 나타난다고 한다. 초기 말더듬의 경우는 말에 대한 부정적인 심리 및 태도가 형성되어 있지 않으나, 말더듬 정도가 점점 심해질수록 말을 하는 것이 어렵다고 생각하게 되어 또래와의 상호작용이 제한된다. 임상에서 학령전기, 학령기 및 성인의 말더듬 정도를 사용되고 있는 표준화된 유창성검사 도구로는 파라다이스-유창성검사(P-FA II)[12]가 있다.

말더듬의 문제가 내면화되어 얼마나 심한 부정적인 의사소통 태도를 보이는가에 따라 치료방법이 달라진다. 말더듬의 횟수를 줄이는 것을 최우선 치료목표로 하는 유창성 형성법(fluency shaping approach)이 있고 말더듬 횟수보다는 좀 더듬더라도 말더듬에 대해 편안한 자세를 갖도록 하는 말더듬 수정법(stuttering modification approach)이 있다. 학령전기 아동의 경우는 자신의 말 문제를 인식하지 못하도록 하기 위해 부모 교육을 통한 간접치료 방법이 일반적이다.

마지막으로 언어치료는 특수교육학, 의학, 심리학, 유아교육학, 사회복지학, 언어학, 컴퓨터공학 등의 전문인들과 협력해서 팀 접근(team approach)을 해야 하는 경우가 많다. 청각장애의 경우에는 청각학과 이비인후과학의 밀접한 협조가 이루어져야 하고, 음성장애는 언어치료사와 이비인후과 의사가, 실어증의 언어재활을 위해서는 언어치료사와 신경외과 및 재활의학과 의사들이 머리를 맞대야 한다. 또한 말·언어발달장애, 유창성장애, 기타 복합장애로 인한 말·언어장애 및 신생아의 청력검사에서는 언어치료 전문인과 산부인과·소아과·이비인후과 의사들이 팀을 이루어야 한다. 복합장애를 가진 영유아의 경우에는 특수교사, 간호사, 사회복지사 및 각종 재활관련 전문인들 사이에 유기적인 협력이 있어야 하며, 학령기 언어장애아동의 경우에는 해당 학교의 교사와 특수교사 그리고 교육청 관계자들의 적극적인 도움이 필수적이며, 보다 효율적인 치료와 교육을 위한 제도적 지원이 이루어져야 한다. 또한 다문화 인구의 언어문제 진단에는 국어교육, 한국어 교육 전문가와의 협력과 교류가 필요할 것으로 보인다.

참고문헌

1. 김영태. 그림자음검사를 이용한 취학전 아동의 자음정확도 연구. 말-언어장애연구 1996;1: 7-33
2. 김영태. 아동언어장애의 진단 및 치료. 2nd ed. 서울, 학지사; 2014
3. 김영태, 성태제, 이윤경. 취학전 아동의 수용언어 및 표현언어 발달척도(PRES). 서울, 서울장애인복지관; 2001
4. 김영태, 김경희, 윤혜련, 김화수. 영유아 언어발달검사. 서울, 파라다이스복지재단; 2003
5. 김영태, 신문자. 우리말 조음음운 검사(U-TAP). 서울, 파라다이스복지재단; 2005
6. 김영태, 장혜성, 임선숙, 박현정. 그림어휘력검사. 서울, 서울장애인종합복지관; 1995
7. 김영태, 홍경훈, 장혜성, et al. REVT(수용·표현 어휘력 검사). 서울, 서울장애인종합복지관; 2009
8. 김영태, 심현섭, 김수진(역). 조음음운장애: 아동의 말소리장애. 6th ed.. 서울, 박학사; 2012
9. 배소영. 영유아기 의미평가도구 MCDI-K 의 타당도와 신뢰도에 관한 연구. 언어청각장애 연구 2003;8(2):1-14.
10. 심현섭, 김영태, 김진숙, et al. 의사소통장애의 이해. 1st ed. 서울, 학지사; 2010
11. 심현섭, 신문자, 이은주, et al.(역) Dr. Manning의 유창성장애. 서울, 센게이지런닝코리아(주); 2013
12. 심현섭, 신문자, 이은주. 파라다이스 유창성검사-II(P-FA II). 서울, 파라다이스 복지재단; 2010
13. Bates, E. Language and context: Studies in the acquisition of pragmatics. New York: Academic Press; 1976.
14. Bloodstein, O. & Ratner, N. B. A handbook on stuttering. 6th ed. New York: Thomson Delmar Learning; 2008.
15. Pinker, S. The language instinct: The new science of language and mind. London: Penguin Press; 1994.
16. Borden, G. J., Harris, K. S. & Raphael, L. J. Speech science primer: Physiology, acoustics, and perception of speech. 3rd ed. Baltimore, MA: Williams &Wilkins; 1994.

17. Fucci, D. J. & Lass, N. J. Fundamental of speech science. Boston, Mass: Allyn & Bacon; 1999.
18. Goodman, J. C. & Nusbaum, H. C.(Eds.) The development of speech perception: The transition from speech sounds to spoken words. Cambridge, MA: The MIT Press; 1994.
19. Kent, R. D. The speech sciences. San Diego, CA: Singular Publishing Group; 1997.
20. Kuhl, P. K. Speech perception. In Minifie, F. D.(Ed.), Introduction to communication sciences and disorders, San Diego, CA: Singular Publishing Groups ; 1994.
21. Ladefoged, P. A course in phonetics. 5th ed. San Diego, CA: Harcourt College Publishers; 2001.
22. Shriberg, L. D. & Kwiatkowski, J. Phonological disorders III: A procedure for assessing severity of involvement. Journal of Speech and Hearing Disorders 1982; 47: 256-270.
23. Zemlin, W. R. Speech hearing science: Anatomy and physiology. 4th ed. Englewood Cliffs, NJ: Prentice Hall; 1998.

CHAPTER

61

기관과 식도의 질환

이비인후과학 Otorhinolaryngology - Head and Neck Surgery

최승호

이비인후과 의사가 접하는 기관과 식도의 질환은 이물, 기도폐색 등 매우 제한적이고 대부분의 질환은 소화기내과, 흉부외과 등의 영역이라고 할 수 있다. 그러나 전통적으로 경성 기관지경(rigid bronchoscopy) 및 식도경(esophagoscopy)은 이비인후과에서 시행해왔고 근래에는 경비식도내시경술(transnasal esophagoscopy)까지 이비인후과에서 시행하는 경우가 늘고 있다. 본 장에서는 기관과 식도의 해부 및 생리, 기관과 식도의 이물, 그리고 경비식도내시경술에 대해 논하고자 한다.

I 해부와 생리

1. 식도의 해부와 생리

식도는 인두와 위를 연결하는 원통형 구조물로 음식물의 통로 역할을 한다. 식도의 길이는 18–26 cm 정도로서 상부 경계는 윤상연골 하연, 6번 경추 정도의 레벨에 해당하며 10번 흉추 레벨에서 횡경막을 통과하여 11번 흉추 레벨에서 위의 분문(cardia)에 연결된다. 식도는 점막층(mucosa), 점막하층(submucosa), 근육층(muscularis

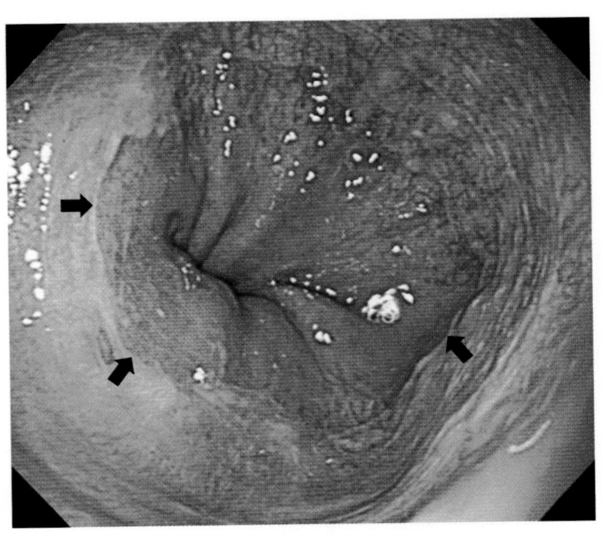

■ 그림 61-1. **정상 식도 원위부의 내시경 소견.** 화살표: 편평원주상피결합부.

propria), 외막층(adventitia)의 4층으로 구성되어 있으며 장막(serosa)은 존재하지 않는다. 점막은 중층편평상피(stratified squamous epithelium)로 구성되어 있으며 하부에서는 위 점막과 같은 원주상피(columnar epithelium)로 이행하여 편평원주상피결합부(squamocolumnar junction (ora serrata or Z-line))를 구성한다(그림 61-1). 식도의 상부 5%는 근육층이 횡문근으로 구성되며 중간 35-40%는 횡문근과 평활근이 혼합되어 있고, 하부 50-60%는 평활근으로 구성되어 있다. 식도의 상단에는 상부식도괄약근(upper esophageal sphincter, UES), 즉 윤상인두근(cricopharyngeus muscle)이 존재하며 참고로 윤상인두근은 갑상인두근(thyropharyngeus muscle)과 함께 하부인두괄약근(inferior pharyngeal constrictor)을 구성한다. 횡경막 열공을 통과하는 부위에는 원형의 평활근인 하부식도괄약근(lower esophageal sphincter, LES)이 존재한다. 상부식도괄약근과 하부식도괄약근은 평소에는 수축한 상태로 위산이나 음식물의 역류를 방지하는 기능을 한다. 연하 과정 중 인두에서 식도로 음식이 진행할 때 인두 근육은 강하게 수축하면서 상부식도괄약근은 이완되어 식도로 음식을 밀어 내리고, 이어서 상부식도괄약근은 다시 수축하며 식도의 연동운동이 시작되어 아래로 음식물을 이동시켜 하부식도괄약근의 이완과 함께 위로 음식물을 내려보내게 된다. 식도는 외부의 정상 구조물에 의해 눌려 좁아지는 부위가 있는데 상부식도괄약근, 하부식도괄약근 부위 이외에 대동맥궁 및 좌측 주기관지와 교차하는 부분에서 자연적인 협착이 있고 식도 이물이 들어가면 이들 협착부에 주로 걸리게 된다(그림 61-2).

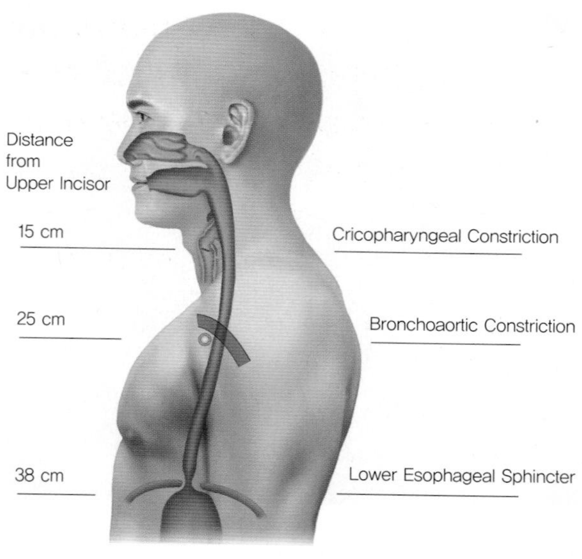

■ 그림 61-2. 식도의 생리적 협착부

2. 기관의 해부와 생리

기관은 윤상연골 하연과 기관분기부(tracheal carina)를 연결하는 원통형 구조물로 길이가 10-14 cm 정도에 18-22개의 기관연골 고리를 가진다. 기관연골 고리는 후방으로 열린 알파벳 C자 형태로서 기관의 후방은 연골이 없이 기관근(trachealis muscle)으로 구성되어 알파벳 D자 형태의 단면을 가지고 있으며 기관연골 고리의 사이사이는 섬유탄성 조직으로 연결되어 있다. 기관의 크기는 성인 남자의 경우 관상직경(coronal diameter) 2.3 cm, 시상직경(sagittal diameter) 1.8 cm, 성인 여자의 경우 관상직경 2.0 cm, 시상직경 1.4 cm 정도로 대체적으로 좌우로 긴 타원 형태를 가지며 점막을 포함하여 기관벽의 두께는 약 3 mm 정도 된다. 윤상연골 하연과 기관이 연결되는 부분은 식도 상연과 마찬가지로 6번 경추 높이에 위치하며 기관분기부는 성인의 경우 제4번과 5번 흉추 사이의 추간판 또는 흉골각(sternal angle) 높이에 위치한다. 기관분기부는 유아에서는 더 높은 위치에 있다가 성장하면서 점차 하방으로 이동한다. 기관은 흉골절흔(sternal notch)을 기준으로 경부 기관과 흉부 기관으로 나뉘어지는데 Grillo는 그의 책에서 소아의 기관은 3/5이 경부 기관이지만 나이가 들면서 젊은 성인은 약 절반, 노인은 약 1/3이 경부 기관이라고 하였다.[5] 목을 신전시키면 기관이 올라오면서 경부 기관도의 비율이 더 커지며 젊은

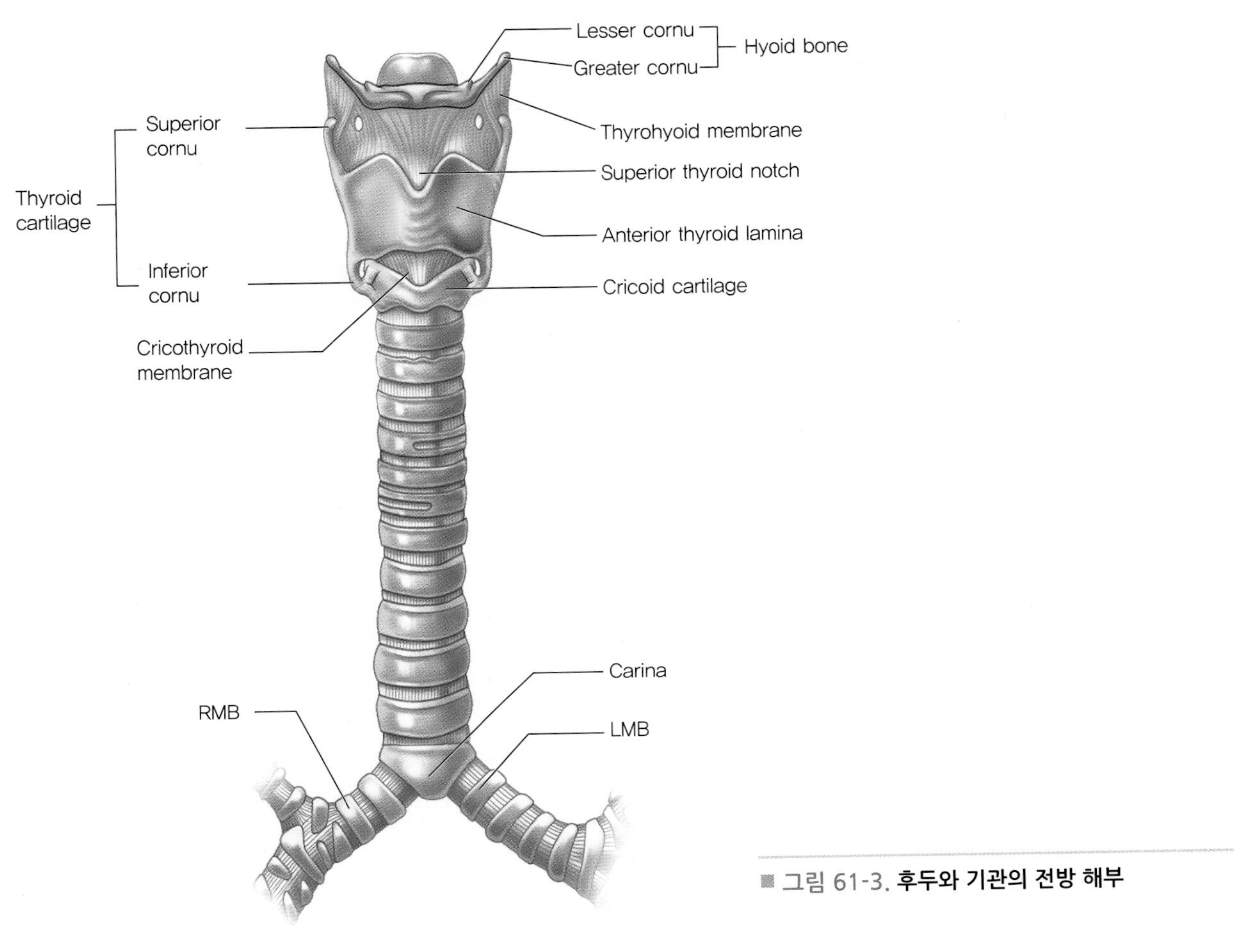

■ 그림 61-3. **후두와 기관의 전방 해부**

연령층에서는 차이가 더욱 크다. 반면 노인은 경부 기관이 짧고 목을 신전시키더라도 기관이 경부로 올라오는 경향이 작으므로 경부 기관 수술 시 어려움이 많다. 기관분기부에 가까워지면서 기관의 직경이 작아지는 경향이 있으므로 상부 기관을 문제 없이 통과한 삽관 튜브라고 하여도 하부 기관을 손상시키는 경우가 있어 튜브의 선택에 주의할 필요가 있다. 기관분기부에서 기관은 좌우 기관지로 나뉘어지며 분지되는 각도는 우측에 비해 좌측이 더 크다(그림 61-3). 유아는 기관지 분지 각도가 커서 성인에 비해 기관지가 좀 더 수평에 가깝다.

Ⅱ 기관 및 식도의 내시경 검사

1. 경성 기관지경

진단적 목적으로는 보편적으로 굴곡성 기관지경이 시행되기 때문에 경성 기관지경은 기도 이물 등에 대해 치료적 목적으로 이루어지는 경우가 대부분이다. 수술 전에 환자 및 보호자와 수술의 필요성과 위험성에 대해 충분히 상의하여야 한다. 완전 기도 폐색, 식도 천공, 기관 또는 기관지 파열, 이물 제거 실패에 대해 설명하되 보호자가 불필요하게 수술을 지연하지는 않도록 한다.

절대 다수를 차지하는 소아 환자는 수술실에 들어오면

심하게 울기 때문에 서둘러 마취를 하는 경향이 있다. 따라서 가능하면 환자가 수술실에 들어오기 전에 기관지경, 겸자, suction tip 등의 기구를 골라 놓는 것이 좋다. 기관지경은 너무 작으면 시야가 좁고 기구 조작이 힘들며 폐환기가 불충분하게 이루지는 반면, 너무 크면 원위 기관지 관찰이 어렵고 기관지에 손상을 줄 수 있으므로, 표 61-1에서 제시한 바와 같이 환자의 연령에 따른 삽관튜브와 내경이 같거나 약간 작은 크기의 것을 고르되 2-3개의 내시경을 꺼내어 놓고 상황에 따라 교체하여 사용한다(그림 61-4). 겸자는 이물의 모양에 적합한 것을 고르는데 부드럽게 작동이 되는지, 끝부분이 벌어지지는 않는지 확인하고 시술 중의 고장에 대비하여 2개 정도를 준비한다. 이물과 동일한 물체가 있으면 여러 가지 기구를 시험해봐서 이물 제거에 적합한 기구를 선택하고 미리 잡는 연습을 해두는 것이 좋다(그림 61-5).[6]

마취가 되어 환자가 완전 이완되면 마스크 환기를 하여 산소포화도를 최대로 올린 후 기관지경을 삽입하는데, 직접 기관지경을 통해 보면서 삽입하기도 하지만 통상 기관내삽관에 사용하는 후두경을 좌측 손으로 조작하면서 후두를 관찰하고 우측 손으로 기관지경을 잡고 삽입하는 방법을 사용한다. 기관지경이 성문부를 통화할 때는 기관지경을 90도 회전시켜서 성대 손상을 피하도록 한다(그림 61-6).[4] 기관지경이 성문부를 통과할 때까지 환자의 자세는 목을 전굴시키고 머리는 신전시켜 구강, 인두, 기관이 일

표 61-1. 소아의 연령별 경성 기관지경 크기

Age	Brochoscopes (I.D in mm X Length in cm)
0 to 3 mo	3.0 X 20 or 3.5 X 25
4-6 mo	3.5 X 25
7 mo-2 yr	3.5 X 30 or 4.0 X 30
3 yr	4.0 X 30
4 yr	4.0 X 35 or 5.0 X 35
5-7 yr	5.0 X 35
8-12 yr	5.0 X 35 or 6.0 X 35 or 7.0 X 40

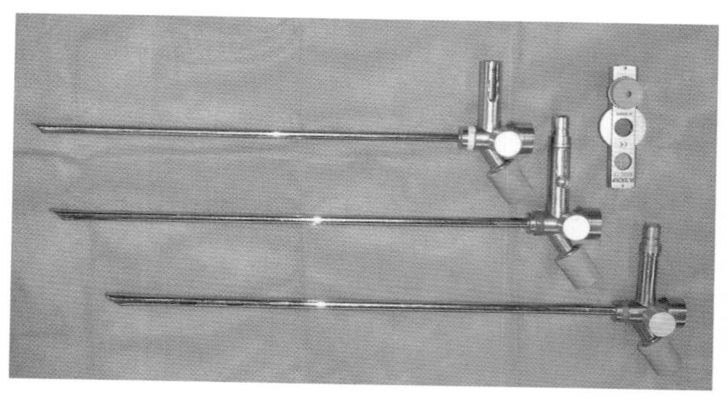

■ 그림 61-4. **경성 기관지경**

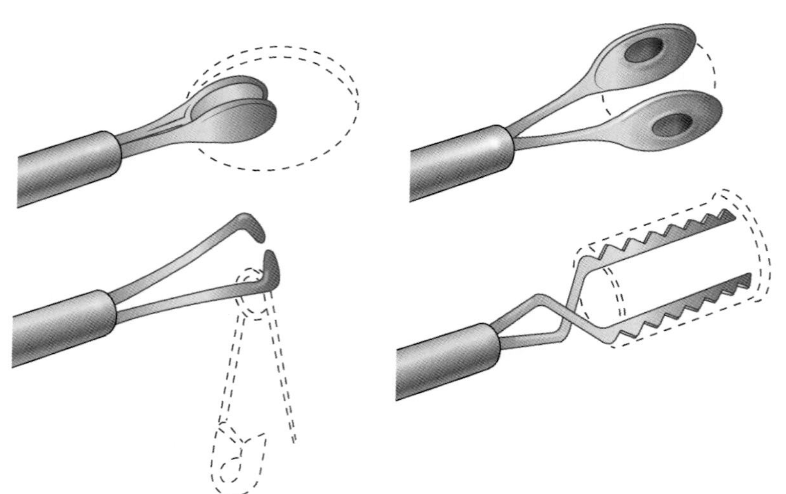

■ 그림 61-5. **이물의 모양에 따른 겸자의 선택**

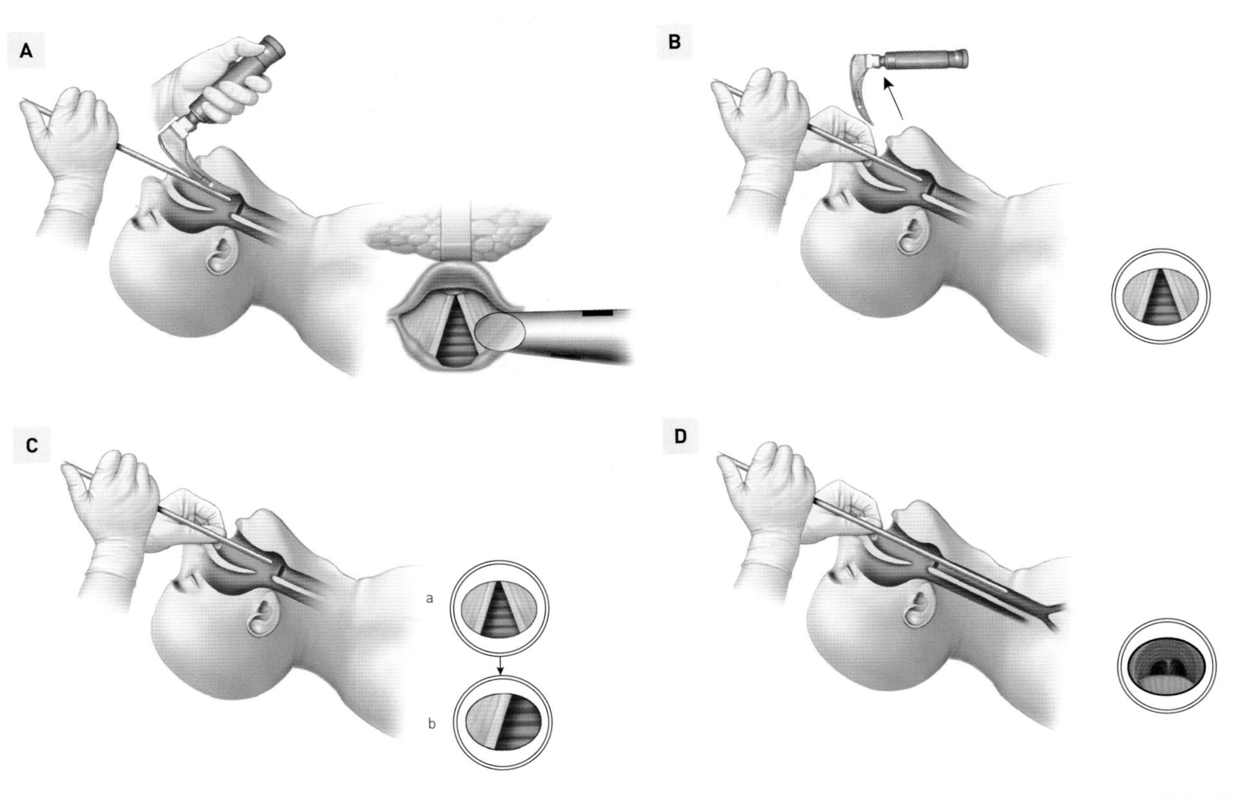

■ 그림 61-6. **경성 기관지경의 술기.** **A)** 직접 후두경을 이용하여 후두를 노출시키고 기관지경을 삽입. **B)** 후두경을 제거하고 기관지경을 통해 후두를 관찰. **C)** 기관지경을 90도 회전시키면서 기관 내 진입. **D)** 기관 및 기관분기부 관찰.

직선상에 놓이도록 한다. 일단 기관지경의 끝이 성문부를 통과하면 기관지경을 다시 회전시켜 bevel이 기관 후벽을 향하도록 한 후 왼손으로 지지한 상태에서 마취관을 연결하여 환기를 시작한다. 기관지경이 기관 속으로 들어가면 환자의 머리를 낮추는 것이 기관 및 기관지의 관찰에 유리한데, 기관경의 장축과 관찰하는 기도의 장축이 일치되도록 머리의 높이와 방향을 조절하여야 하며, 어떤 경우라도 기관지경에 무리한 힘을 가하지 않도록 주의한다. 치아보호대를 사용하거나 젖은 거즈를 환자의 윗니와 기관지경 사이에 끼워서 치아를 보호하고 치아를 지렛대로 사용하지 않도록 주의한다.

기관분기부를 확인한 후 우측 기관지에서 좌측 기관지, 근위 기관지에서 원위 기관지의 순서로 체계적으로 탐색하여 이물을 찾는다(그림 61-7). 겸자를 이용해서 이물을 잡으면 기관지경 끝 밖에 위치시킨 채 기관지경과 함께 잡아당기며 제거한다. 대개의 이물은 기관지경 안으로 제거하기에 크기가 크고, 이물이 기관지경에 부딪혀 깨질 경우 잃어버릴 우려가 있기 때문이다. 큰 이물은 성문부를 통과하면서 저항을 느끼면서 놓칠 수 있으므로 완전히 밖으로 나올 때까지 계속해서 기관지경을 통해 이물을 주시하여야 한다. 기관지경을 통해 겸자를 삽입하면 환기가 되지 않으므로 신속하게 시행해야 하며, 산소포화도를 항상 주시하고 필요하면 작업을 중단하고 기관지경을 통해 환기를 하거나 기관지경을 제거하고 마스크를 통해 환기를 한

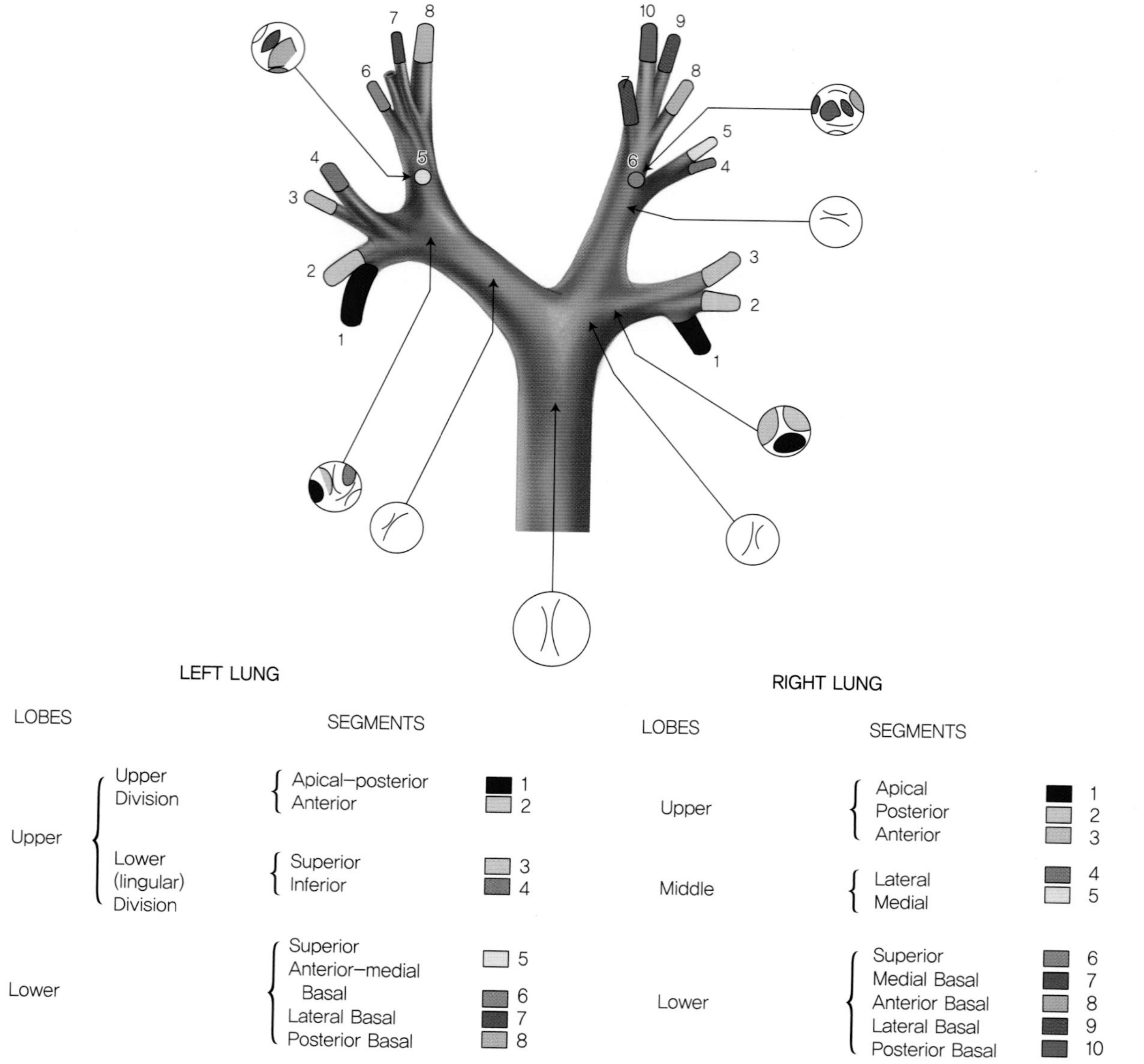

LEFT LUNG

LOBES		SEGMENTS	
Upper	Upper Division	Apical–posterior	1
		Anterior	2
	Lower (lingular) Division	Superior	3
		Inferior	4
Lower		Superior	5
		Anterior–medial Basal	6
		Lateral Basal	7
		Posterior Basal	8

RIGHT LUNG

LOBES	SEGMENTS	
Upper	Apical	1
	Posterior	2
	Anterior	3
Middle	Lateral	4
	Medial	5
Lower	Superior	6
	Medial Basal	7
	Anterior Basal	8
	Lateral Basal	9
	Posterior Basal	10

■ 그림 61-7. **기관지경술적 기관지 구조**

다. 만일 이물을 제거하던 도중 놓치고 기도 폐쇄가 발생하면 이물을 원위 기관지로 밀어 넣어 환기를 먼저 시킨 후 다시 제거를 시도한다. 이물을 제거한 후에는 관찰 가능한 모든 기관지 분지를 체계적으로 관찰하여 잔존 이물이 없는 것을 확인한다. 수술 후에는 회복실에서 단순 흉부방사선촬영을 하여 기흉 등의 합병증 여부를 확인하고, 만일 수술 중 기도의 심각한 손상이 우려되었다면 수 시간 동안 주의 관찰하도록 한다.

2. 경성 식도경

국소마취로도 가능하기는 하지만 대부분 전신마취에

서 시행된다. 환자의 자세는 목을 신전시키기보다는 중립위를 유지하는 것이 좋은데, 목을 신전시키면 경추전만(cervical spine lordosis)이 심해지면서 식도경의 통과를 저해하기 때문이다. 왼손을 이용하여 환자의 입을 벌리고 식도경을 혀 위쪽으로 삽입하여 인두후벽에 이르면 식도경의 방향을 하방으로 향하도록 서서히 바꾸면서 인두후벽을 따라 하방으로 진행하여 하인두에 이른다. 이때 식도경의 bevel 방향은 경성 기관지경과 마찬가지로 식도 후벽을 향하도록 한다. 우측 피열 연골을 확인한 후 우측 이상와를 통하여 식도에 진입한다. 동전 등의 식도 이물은 대개 윤상인두 협착부에 걸려 있으므로 쉽게 관찰, 제거가 가능하지만, 식도경을 전진시키는 과정에서 식도 점막의 주름을 만들면서 들어갈 경우 주름 사이에 숨어 보이지 않을 수 있다. 식도경 검사의 일반적인 원칙은 식도경을 위-식도 접합부까지 진입시켰다가 천천히 나오면서 모든 식도 점막을 관찰하는 것으로 이렇게 하면 들어갈 때 놓친 이물을 대부분 찾을 수 있다.

식도 이물이 윤상인두근보다 아래쪽에 걸리면 식도 협착이나 종괴 등 다른 이상이 있지 않은지 의심해 볼 필요가 있으며 내시경으로 확인이 되지 않으면 이물 제거 2-3주 후에 식도조영술을 시행하는 것이 좋다.

3. 경비식도내시경

20세기 초반 Chevalier Jackson이 경성 식도경을 발명한 이래 굴곡성 내시경이 도입된 1960년대 전까지 식도는 이비인후과적 영역이었다. 굴곡성 내시경은 기관지나 위를 관찰하고자 하는 내과 의사에게 필수적인 도구로 등장하였고 자연스럽게 경성 식도경은 굴곡성 내시경에 의해 대체되게 되었다. 이후 계속된 기술의 발전은 10 mm 정도로 굵었던 굴곡성 내시경을 5 mm 정도로 줄임으로써 구강이 아닌 비강을 통한 내시경이 가능하게 되었고 비강, 비인두, 후두에 익숙한 이비인후과 의사들이 어렵지 않게 식도에 접근하는 계기가 되고 있다.

1) 장비

경비식도내시경 장비는 올림푸스, 후지논, 펜탁스 등 대부분의 업체에서 생산하고 있으며 직경은 4.9-6 mm 정도로 일반적인 굴곡성 후두내시경 장비와 비슷하지만 길이가 600 mm 이상으로 길다는 점에서 다르다. 내시경의 끝에는 디지털 칩 센서가 부착되어 있어 모니터 화면을 통해 소견을 확인하며, 물과 공기를 주입할 수 있는 채널과 석션이나 조직검사 등의 조작을 위한 2 mm 크기의 채널을 가지고 있다. 레버를 조작해서 내시경의 끝을 구부려 방향을 조정하는데 모델에 따라서 후두내시경처럼 상하 방향으로만 조작할 수 있기도 하고 일반적인 위내시경처럼 상하좌우 네 방향의 조작이 가능한 모델도 있다.

2) 적응증 및 금기

연하곤란, 위식도역류질환, 인후두역류질환 환자의 평가, 두경부암 환자의 원발 병변 또는 이차암에 대한 진단, 조직검사, 치료 효과 판정, 세균 또는 진균 감염 시 배양검사 등에 이용될 수 있다. 출혈성 경향이 있거나 비강이 좁아서 내시경이 통과할 수 없는 경우 또는 기도 협착이나 호흡기 질환 등으로 인해 호흡곤란의 위험성이 있는 경우에는 시행하지 않도록 한다.

3) 검사방법

내시경을 비디오 프로세서 및 광원 장비에 연결하고 멸균생리식염수와 공기주입기, 석션, 조직검사 겸자 등의 상태를 점검한다. 내시경 채널로 생리식염수를 통과시켜 혹시 남아있을 수 있는 소독액을 제거하고 채널이 열려있는 것을 확인한다. 시술 중 구토나 흡인이 있을 수 있으므로 환자는 3시간 이상 금식을 시키고 공기 주입으로 인하여 트림과 불편감이 있을 수 있음을 설명한다. 환자의 비강에 리도카인-에피네프린 스프레이 또는 거즈 팩킹을 통해 점막 수축 및 마취를 시행하고 인두에는 10% 리도카인을 분무하여 마취한다. 리도카인 점성액을 5 cc 정도 삼키게 하는 것도 도움이 될 수 있다. 이비인후과 진료 의자에 앉아 상체를 세우도록 한 후 넓은 쪽의 비강을 통해 내시경을 삽입한다. 환자의 상황에 따라 중비도(middle meatus) 또는 하비도(inferior meatus)를 통하여 비강을 통과하면서 비강과 비인두를 관찰하고 환자에게 코로 숨을 쉬도록 하여 구개인두(velopharynx)가 열리게 하여 구인두로 진입한다. 구인두, 후두 및 하인두를 관찰한 후 내시경의 끝을 이상와(pyriform sinus) 또는 후윤상부(postcricoid area)에 위치시키고 환자로 하여금 고개를 숙이고 침을 삼키게 하면서 식도로 진입한다. 식도의 내강이 보이지 않으면 무리하게 진입을 시도해서는 안되며 때로는 연동운동이 지나가기를 기다리거나 소량의 공기나 식염수를 주입할 수 있다. 내시경의 길이가 충분히 긴 경우 위 속으로 진입한 후 내시경을 꺾어 아래쪽에서 위식도결합부(gastroesophageal junction)를 관찰할 수 있으나 짧은 내시경으로는 식도 쪽에서만 관찰이 가능하다. 들어갈 때에도 관찰을 하지만 식도위경계부로부터 서서히 나오면서 식도 점막의 상태를 관찰하는 것이 더 용이하다. 의심스러운 병변이 있을 경우 채널을 통하여 겸자를 삽입하여 조직검사를 시행한다.

4) 소견

경비식도내시경은 전신마취를 하지 않으며 경성 식도경에 비해 직경이 작기 때문에 정상적인 식도의 구조를 변경시키지 않는 장점이 있다. 따라서 식도의 생리적인 굴곡이나 협착을 관찰할 수 있는 장점이 있다. 전술한 바와 같이 식도는 대동맥궁, 좌측 기관지 및 횡경막을 가로지르는 부분에서 생리적 협착이 있으며, T5 레벨에서 좌측으로 굴곡되어 정중앙에 가깝게 진행하다가 T7 레벨에서 다시 더 좌측으로 굴곡되고 횡경막을 통과하기 전에 전방으로 굴곡되는 세 곳의 생리적 굴곡을 관찰할 수 있다. 식도의 편평상피는 회백색을 띄는 반면 위의 원주상피는 분홍색을 띄므로 두 상피의 경계선, 즉 편평원주상피결합부를 볼 수 있다. 위 주름 gastric rugae은 통상 횡경막 상방 2 cm 이내까지는 있을 수 있는데 위 주름의 상연을 위식도경합부로 간주하며 횡경막으로부터 2 cm 이상 상방으로 위 주름이 올라와 있는 경우 열공탈장(hiatal hernia)

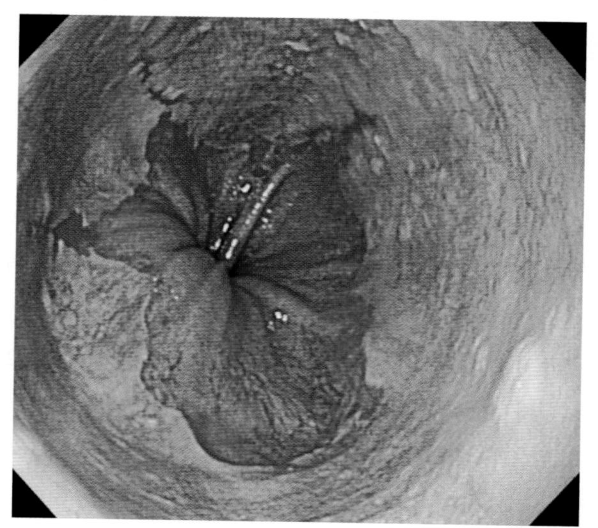

■ 그림 61-8. **열공탈장의 내시경 소견.** 위 주름이 횡경막 2 cm 상방보다 높은 위치에서 관찰되며 역류성 식도염으로 인한 미란도 함께 관찰된다.

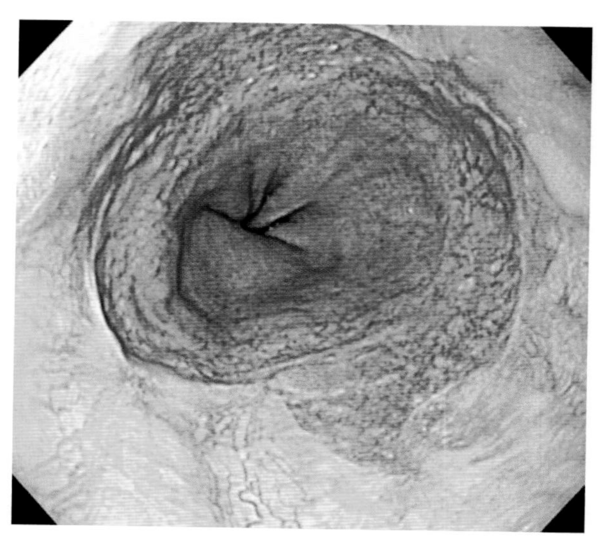

■ 그림 61-9. **바레트식도의 내시경 소견.** 편평원주상피결합부가 위식도결합부 상방에서 관찰되며 경미한 열공탈장도 함께 관찰된다.

으로 진단한다(그림 61-8). 위식도결합부와 편평원주상피결합부는 대개 일치하지만 위식도결합부를 넘어서 위의 원주상피가 상방으로 올라온 경우 바레트식도(Barrett's esophagus)로 진단한다(그림 61-9).

5) 검사 후 처치

시술 중 특별한 문제가 없었던 환자는 바로 귀가하거나 일상으로 복귀가 가능하다. 어렵게 시술을 하여 천공의 위험성이 있다고 판단되면 시술 후 진통제를 쓰지 않고 6–8시간 정도 금식하면서 관찰하여 종격동염 발생 여부를 확인하여야 하며 경부, 흉부, 복부 방사선 촬영도 도움이 될 수 있다.

III 기도 및 식도의 질환

1. 기도 및 식도 이물

미국 National Center for Injury Prevention and Control (NCIPC)의 2003년 통계에 따르면 1–4세 소아의 사고사 중 이물 흡인으로 인한 질식은 9.3%를 차지하고 있다.[12] 소아들은 주변의 세계를 입으로 탐구하려는 경향이 있고, 뒤쪽의 치아가 아직 발육되지 않았으며, 연하와 기도 보호에 관계되는 신경근육계통이 덜 발달되어 있어 이물 흡인의 사고가 잦은 데다가, 기관과 기관지의 직경이 작으므로 작은 이물에도 기도가 폐색될 가능성이 높은 것이 원인으로 생각할 수 있다. 진단 기술의 발달과 내시경 기구 및 기술의 발달로 인해 기도나 식도의 이물로 인한 사망이 과거에 비해 줄어들고 있기는 하나 조기에 진단과 치료가 적절히 이루어지지 않을 경우 사망이나 기관지 확장증과 같은 영구적 합병증이 초래될 수 있어 높은 수준의 주의가 요망되고 있다.

식도 이물의 경우 상당수에서 굴곡성 내시경을 이용한 제거가 가능하기 때문에 경성 식도경을 요하는 예가 차지하는 부분이 크지는 않지만 경성 식도경이 꼭 필요한 경우가 있으며, 기관기관지 이물은 거의 대부분 이비인후과에서 경성 기관지경을 통해 제거해야 하기 때문에 기관지의 해부 및 기관지경 술기에 대해 숙지할 필요가 있다.

1) 역학 및 원인

기관기관지 이물 흡인 환자의 대부분은 유아기 후반과 걸음마 시기의 소아로 남자가 여자보다 2배 가량 많은 것으로 보고되고 있다.[1,2,6] 기도 이물의 발생 양상은 각 나라의 식문화나 생활습관에 따라 달라질 수 있다. 예를 들어 이슬람 문화권에서는 성인 여성들이 머리에 스카프를 두르는데 머리핀을 입에 물고 머리를 만지는 과정에서 흡인이 될 수 있어 젊은 여성에게 머리핀의 흡인이 많다고 보고된 바도 있다.[17] 대부분의 보고에서 공통적으로 가장 흔한 기도 이물은 식물성 이물, 특히 땅콩, 잣, 콩, 옥수수 등이다. 기도 내 이물은 후두나 기관보다는 한쪽의 기관지로 들어가 걸리는 것이 보통이지만 1세 이하의 유아에서는 크기가 크거나 뾰족한 모양을 가진 이물이 성대 위쪽에 걸리는 수도 있다. 일단 성대를 통과한 이물은 기관분기부를 지나 기관지로 들어가지만 기관 협착이 있거나 호흡 기능이 약한 환자에서는 기관분기부 상부 기관에 위치하기도 한다. 기관지 이물은 전형적으로 좌측보다는 우측 기관지에 호발한다고 하는데 그 이유는 첫째, 우측 기관지의 내경이 좌측보다 크고, 둘째, 기관으로부터 분지하는 각도가 더 완만하며, 셋째, 우측 폐로의 호흡기류가 좌측보다 더 많고, 넷째, 기관분지부가 정중앙보다 좌측에 위치하기 때문으로 설명한다.[6] 그러나 좌측 기관지에 더 많다는 보고도 있다.[16] 식도 이물 역시 성인보다는 소아에게 호발하며, 인두 이물이 아닌 식도 이물만 고려했을 때 닭 뼈, 생선가시와 같은 유기물보다는 동전, 장난감, 단추, 디스크형 전지 등 무기물이 더 흔하다. 그중에서도 동전이 가장 흔하고 식도의 협착부 중 제1 협착부인 윤상인두근 부근에 걸리는 경우가 대부분이다.

2) 진단

(1) 병력 청취 및 신체 진찰

이물을 삼켰거나 기도 내로 흡인한 직후, 대부분 목에 무엇인가 걸리는 느낌, 발작적이고 심한 기침, 구역질 또는 호흡 곤란의 증상을 가진다. 많은 경우에 이러한 병력을 청취함으로써 기도 또는 식도 이물을 의심하게 되지만, 불행히도 많은 부모가 이러한 과거 사건의 중요성을 과소평가하여 기억하지 못하거나, 소아 환자들은 혼날 것을 두려워한 나머지 종종 인정하지 않으려는 경향을 보이므로 보다 주의 깊은 병력 청취가 요망된다. 이물이 들어간 후 시간이 경과하면 기도와 식도의 반사 기능이 피로 현상을 일으키고 직접적인 자극 증상도 둔화되면서 합병증이 발생할 때까지 별다른 증상을 보이지 않게 되는데, 이 시기에 의사는 증상이 없더라도 이물을 의심할 만한 병력이나 소견이 있을 경우 적극적으로 검사를 시행하고 진단하여 합병증을 예방하도록 하여야 한다. 더 시간이 경과하면 이물은 기도 혹은 식도의 폐쇄, 점막 미란 또는 감염의 합병증을 유발하게 된다. 기관기관지 이물은 발열, 기침, 객혈 등의 증상과 폐렴, 무기폐, 폐기종 또는 폐농양을 일으킬 수 있으며, 식도 이물은 연하곤란, 성장장애, 종격동염 심지어는 대동맥 손상으로 인한 치명적 출혈까지도 일으킬 수 있다. 진찰 시 쌕쌕거림(wheezing)이나 그렁거림(stridor), 호흡음의 감소, 흉부 함입 등은 기관기관지 이물을 의심하게 하는 주요 소견이다.

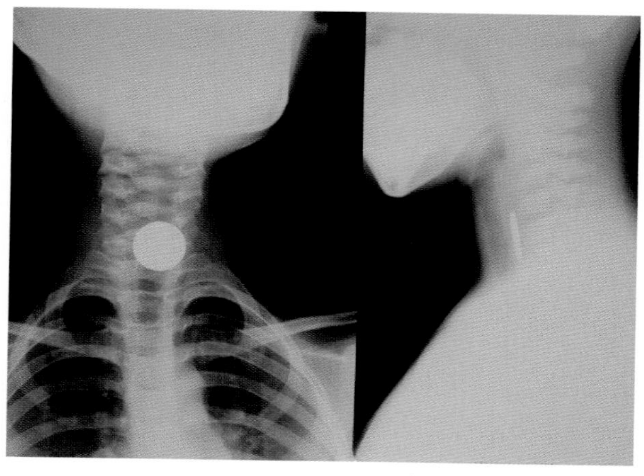

■ 그림 61-10. **4세 환아에서 윤상인두 협착부에 걸린 식도 이물(동전)의 단순 방사선 소견**

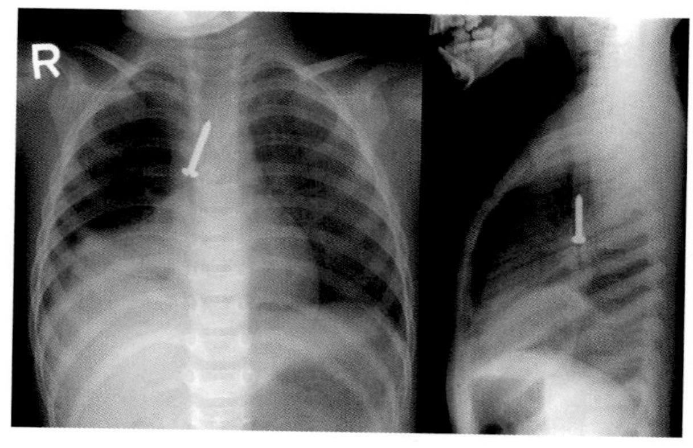

■ 그림 61-11. **2세 환아에서 우측 주기관지와 기관에 걸친 이물(나사못)의 단순 방사선 소견**

(2) 방사선 검사

전후방 및 측방 흉부 또는 경부 단순 촬영을 우선적으로 시행한다. 기관기관지 이물은 단순 방사선 촬영의 15–34%에서는 정상 소견을 보이고, 폐기종 또는 무기폐로 나타나는 경우가 가장 많으며 이물이 들어간 후 시간이 경과되면서 폐렴으로 진행되어 폐의 경화(consolidation) 소견을 보일 수도 있다.[1,3] 육류의 골편, 큰 생선가시, 조개 껍질, 달걀 껍질, 금속성 물체 등은 방사선비투과성이기 때문에 단순 방사선 검사에서 보일 수 있으며 전후방과 측방 촬영을 통해 위치를 확인해야 한다(그림 61-10, 11). 바륨 식도조영술이나 기관지조영술은 권장되지 않으며, 고해상 흉부 CT는 단순 방사선 촬영으로 보이지 않는 이물의 존재 유무 및 정확한 위치를 파악하는 데 도움이 된다.

(3) 굴곡성 기관지경

기관기관지 이물의 진단이 확실하지 않을 때 굴곡성 기관지시경을 시행하면 이물의 존재를 확인할 뿐 아니라,

이물의 성상, 위치, 방향, 동반된 기도점막 변화 등을 파악하여 경성 기관지경으로 이물을 제거하는 데 도움을 줄 수 있다. 굴곡성 기관지경은 특히 9% 정도의 환자에서 경성 기관지경 전에 기관기관지 이물이 없음을 미리 아는 데 유용하였다는 보고가 있다.[15]

3) 치료

기도 또는 식도 이물은 최대의 안전과 최소의 조직손상을 도모하면서 가능한 한 빨리 내시경적으로 제거하는 것이 최선이다. 작은 이물이라면 굴곡성 내시경으로도 제거가 가능할 수 있으며 특히 성인의 식도 이물은 대부분 굴곡성 내시경으로 제거가 가능하여 경성 내시경을 사용하는 경우는 드물다. 그러나 소아의 기도 이물은 기구 조작을 위한 채널이 좁고, 내시경 시에는 폐환기가 매우 제한적이며, 응급상황에 대한 대처에서 경성 기관지경에 비해 불리하여 굴곡성 기관지경은 치료적 측면에서는 널리 사용되고 있지 않다. 굴곡성 기관지경을 사용하여 성인과[8,9] 유소아의[13,18] 기도 이물을 제거한 보고가 있으나 기도 이물, 특히 소아의 기도 이물은 경성 기관지경으로 제거하는 것이 일반적이다. 가급적 이물 제거가 지연되지 않도록 하되 치료를 너무 서두른 나머지 제대로 검사를 하지 않거나 준비가 덜 된 상태에서 섣불리 시도하지 않도록 한다. 특별한 경우를 제외하면 병원까지 오게 된 환자들의 대부분은 사망할 정도의 급성 기도 폐색 상태가 아니므로, 초 응급 상황이 아니라면 환자와 이물의 상태, 병원의 제반 상황을 우선 파악하여야 한다. 기관지의 이물이 빠져나와 기관이나 후두에 걸리면서 완전 기도 폐색을 일으키는 수가 있으므로 전신마취에 필요한 술 전 검사와 기구 및 경험 있는 마취과 의사가 준비된 상태에서 수술을 시작하여야 한다. 보호자가 흡인된 이물을 알고 있으면 집에 가서 같은 물체를 가져오도록 하거나 그림을 그리게 하고 상세히 물어봐서 물체의 모양, 크기, 색, 표면의 성상을 미리 파악하는 것이 좋다. 크고 둥근 물체, 예를 들어 사탕, 구슬, 포도알 등이나 젤리, 고무풍선 등에 의한 급성 기도 폐색 시에는 즉각적으로 기도를 확보하기 위해 시도하여야 한다. 건조된 콩은 흡인된 후 수분을 흡수하면서 팽창하여 완전 폐색에 이를 수 있으므로 제거를 서두르는 것이 좋다. 또한 디스크형 전지는 식도 안에서 1시간만에 점막 손상을 일으키고, 2-4시간에 근육층 손상, 8-12시간 안에 식도 천공을 일으키므로 지체하지 말고 제거한다.[10]

2. 기관연화증

기관연화증(tracheomalacia)은 기관 연골이 연약하여 기도가 폐쇄되는 질환이다. 선천성 기관연화증은 천명, 기침, 청색증, 호흡수 증가 등의 증상이 나타나며 투시검사나 기관지경 검사상 특히 호기 시 하부 기관이나 기관지의 허탈(collapse)을 관찰하는 것으로 진단된다. 일반적으로 출생 시에는 정상이고 첫 해에 점차 증상이 심해지며 흔히 1-2년 만에 자연적으로 호전된다. 후천성 기관연화증은 기관 삽관으로 인한 손상, 갑상선종(goiter)이나 종양, 혈관 구조물로 인한 외부 압박, 또는 재발성 다발성 연골염(relapsing polychondritis) 등의 염증성 질환으로 인해 발생하는 기관연화증이다. 기관연화증 시 기관지경이나 투시검사를 하면 호흡 시 전방 기관벽이 후방으로 허탈되어 기도가 막히는 소견을 관찰할 수 있으며

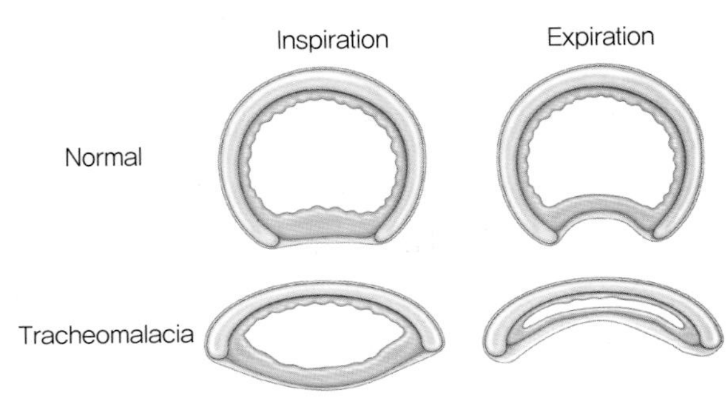

■ 그림 61-12. **흡기와 호기 시 정상 및 기관연화증의 기관 단면**

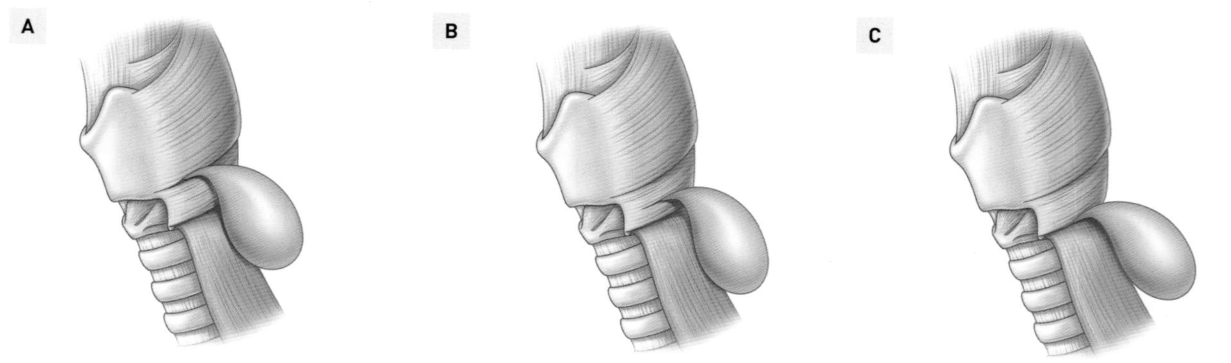

■ 그림 61-13. **젠커 게실의 발생 위치.** **A)** Killian's dehiscence or triangle. **B)** Killian-Jamieson's area. **C)** Laimer's triangle.

기도 유지가 안될 경우 스텐트나 기관절개술이 필요하다(그림 61-12).

3. 젠커 게실

식도게실(esophageal diverticulum)은 발생 위치에 따라 인두식도게실(pharyngoesophageal diverticulum), 식도중간부게실(midesophageal diverticulum) 및 횡경막상부게실(epiphrenic diverticulum)로, 발생 기전에 따라 견인성 게실(traction diverticulum)과 내압성 게실(pulsion diverticulum)로 나눌 수 있다. 젠커 게실(Zenker's diverticulum)은 인두식도 경계부에 생긴 내압성 게실로 전형적으로는 하인두수축근과 윤상인두근 사이의 결손부, 즉 Killian's dehiscence or triangle을 통해 나오는 것이지만 윤상인두근의 transverse fiber와 oblique fiber 사이, 즉 Killian–Jamieson's area를 통하거나, 윤상인두근과 식도 최상부의 circular fiber사이, 즉 Laimer's triangle을 통하기도 한다(그림 61-13). 젠커 게실은 윤상인두근이 적절히 이완되지 않은 상태에서 하인두수축근이 수축하는 협동장애(incoordination)가 원인으로 여겨지며 Killian dehiscence의 선천적 구조 이상도 원인일 가능성이 있다.[21] 젠커 게실은 연간 10만 명당 2명 정도 발생하며 주로 60대 이상의 고년층에서, 여자보다 남자에서 2–3배 많이 발생한다.[7] 서구에서는 흔한 반면 우리나라를 포함한 아시아나 아프리카에서는 매우 드물게 발생하는데 이 지역에서의 낮은 위식도역류질환 유병률로 설명하기도 한다.[19]

1) 임상양상 및 진단

점차 심해지는 식도 이물감 및 연하곤란이 가장 흔한 증상이며 식사 후 게실에 저류되었던 음식물이 역류되거나 흡인되기도 하고, 구취, 체중감소, 만성 호흡기질환 등으로 나타나기도 한다. 내시경상 하인두의 점액 저류 소견이나 경부를 촉진하였을 때 염발음이 나는 Boyce's sign이 있을 수 있으나 특별한 소견을 발견할 수 없는 경우가 더 많으며 확진하기 위해서는 바륨식도조영술이 필요하다.

2) 치료

크기가 작은 무증상의 젠커 게실은 치료가 필요하지 않으나 고령 환자의 경우 연하곤란 및 흡인으로 인한 영양결핍, 탈수, 호흡기능 또는 순환기능 저하 등 심각한 결과가 초래될 수 있으므로 적극적인 치료가 필요하다. 젠커 게실의 치료는 수술적으로 이루어지며 경부접근법과 경구접근법이 있다. 전통적으로는 경부 절개를 통해 윤상인두근절개술 단독 혹은 게실절제술(diverticulectomy)

또는 게실고정술(diverticulopexy)을 함께 시행하는 수술법이 시행되었으나, 근래에는 현수내시경 혹은 굴곡성 내시경으로 접근하여 식도와 게실 사이의 벽을 절제 또는 절개하여 하나의 공간으로 만드는 게실절개술(diverticulostomy)이 선호된다.[11,14,20]

참고문헌

1. Bittencourt PF, Camargos PA, Scheinmann P, de Blic J. Foreign body aspiration: clinical, radiological findings and factors associated with its late removal. Int J Pediatr Otorhinolaryngol 2006;70(5):879-84.
2. Cataneo AJM, Reibscheid SM, Ruiz RL Jr, Ferrari GF. Foreign body in the tracheobronchial tree. Clin Pediatr 1997;12:701-5.
3. Chiu CY, Wong KS, Lai SH, Hsia SH, Wu CT. Factors predicting early diagnosis of foreign body aspiration in children. Pediatr Emerg Care 2005;21(3):161-4.
4. Ferson PF, Eibling DE. Bronchoscopy and Tracheoscopy. In: Myers EN, editor. Operative Otolaryngology Head and Neck Surgery. Philadelphia: W.B. Saunders Company;1997. P. 558-74.
5. Grillo, HC. Anatomy of the trachea. in: Grillo HC editor. Surgery of the trachea and bronchi. London: BC Decker; 2004. p. 39-59.
6. Holinger LD. Foreign bodies of the airway and esophagus. In: Holinger LD, Lusk RP, Green CG editors. Pediatric Laryngology and Bronchoesophagology. Philadelphia: Lippincott-Raven; 1997. p. 233-52.
7. Laing MR, Murthy P, Ah-See KW, et al. Surgery for pharyngeal pouch: audit of management with short and long-term follow-up. JR Coll Surg Edinb 1995;40:315-18.
8. Lan RS, Lee CH, Chiang YC, Wang WJ. Use of fiberoptic bronchoscopy to retrieve bronchial foreign bodies in adults. Am Rev Respir Dis 1989;140:1734-7.
9. Lan RS. Non-asphyxiating tracheobronchial foreign bodies in adults. Eur Respir J 1994;7:510-4.
10. Maves MD, Carithers JS, Birck HG. Esophageal burns secondary to disc battery ingestion. Ann Otol Rhinol Laryngol 1984;93(4 Pt 1):364-9.
11. Narne S, Cutrone C, Bonavina L, et al. Endoscopic diverticulotomy for the treatment of Zenker's diverticulum: results in 102 patients with staple-assisted endoscopy. Ann Otol Rhinol Laryngol. 1999;108:810–815.
12. National Center for Injury Prevention and Control. WISQARS Leading Causes of Death Reports, 1999-2003 [online]. 2003 [cited 2006 Oct 15]. Available from: URL: http://webapp.cdc.gov/sasweb/ncipc/leadcaus10.html.
13. Ramirez-Figueroa JL, Gochicoa-Rangel LG, Ramirez-San Juan DH, Vargas MH. Foreign body removal by flexible fiberoptic bronchoscopy in infants and children. Pediatr Pulmonol 2005;40(5):392-7.
14. Repici A, Pagano N, Fumagalli U, et al. Transoral treatment of Zenker diverticulum: flexible endoscopy versus endoscopic stapling. A retrospective comparison of outcomes. Dis Esophagus. 2011;24:235–239.
15. Rovin J, Rodgers B. Pediatric foreign body aspiration. Pediatr Rev 2000;21:86–90.
16. Sersar SI, Rizk WH, Bilal M, et al. Inhaled foreign bodies: presentation, management and value of history and plain chest radiography in delayed presentation. Otolaryngol Head Neck Surg 2006;134(1):92-9.
17. Soysal O, Kuzucu A, Ulutas H. Tracheobronchial foreign body aspiration: a continuing challenge. Otolaryngol Head Neck Surg 2006;135(2):223-6.
18. Tang LF, Xu YC, Wang YS, et al. Airway foreign body removal by flexible bronchoscopy: experience with 1027 children during 2000-2008. World J Pediatr 2009;5(3):191-5.
19. Veenker EA, Andersen PE, Cohen JI. Cricopharyngeal spasm and Zenker's diverticulum. Head Neck. 2003;25:681–94.
20. Wasserzug O, Zikk D, Raziel A, et al. Endoscopically stapled diverticulostomy for Zenker's diverticulum: results of a multidisciplinary team approach. Surg Endosc. 2010;24:637–641.
21. Westin KM, Ergun S, Carlsoo B. Zenker's diverticulum-a historical review and trends in therapy. Acta Otolaryngol 1996;116:351-360.

CHAPTER

62

인후두 역류질환

이비인후과학 Otorhinolaryngology - Head and Neck Surgery

이상혁

I 서론

인후두 역류(laryngopharyngeal reflux)는 위산을 포함하는 위 안의 내용물이 식도를 거쳐 인두와 후두 부위로 역류하는 현상으로 정의되며, 인후두 역류질환(laryngopharyngeal reflux disease)은 역류로 인하여 점막의 만성적인 염증이 유발되고 이로 인하여 다양한 임상증상과 인후두 조직의 형태학적 변화가 발생한 경우를 이른다.[3] 이비인후과 외래에서 가장 흔하게 접하는 질환 중 하나로 외래 신환 5명 중 1명이 인후두 역류질환을 의심할 수 있는 증상이나 이학적 소견을 보이며, 특히 인후두 이물감이나 음성의 변화로 대학병원 두경부 분야를 방문하는 환자의 절반 이상이 인후두 역류질환과 관련이 있다는 보고도 있다.[3]

위식도 역류질환(gastroesophageal reflux disease)과는 달리 가슴 쓰림(heart burn), 산 역류(acid regurgitation), 오심, 구토, 연하 곤란 등의 소화기 증상은 비교적 적고, 인두 이물감, 만성적인 기침, 목소리 변화, 인두통 등의 비특이적인 증상을 보이는 경우가 많다.[3] 또한, 소량의 위산 역류로도 다양한 후두 증상이 나타날 수 있으며,[19] 기립 시에도 증상이 나타나고 식도 운동장애나 식도 내 산 제거 지연 등이 나타나지 않는 등 위식도 역류질환과는 다른 기전이 작용할 것으로 생각된다.[1,5]

인후두 역류질환의 진단을 위해서는 역류가 유발될 수 있는 환자의 식습관과 생활습관을 포함한 자세한 병력 청취가 기본이며, 환자의 식습관, 생활습관과 특징적인 증상의 연관성을 확인하는 것도 중요하다. 또한, 객관적으로 인후두 역류를 확인하기 위하여 후두경 검사, 위 내시경검사, 위식도 조영술, 이중 탐침 24시간 위산역류검사 등 다양한 검사를 시행할 수 있다. 하지만, 아직까지 인후두 역류질환을 정확하고 효과적으로 진단하는 객관적인 검사방법은 부재하며 현재 시행되고 있는 검사 방법들 역시 많은 한계점을 가지고 있어 진단에 어려움이 있다.[1] 인후두 역류질환의 치료로는 식습관, 생활습관 개선을 위한 환자교육이 선행되어야 하며, 양자펌프 억제제가 현재 주된 약물 치료로 선호되고 있으며, 동반 증상에 따라서

제산제, H2 수용체 차단제, 위장관 운동개선제 등이 사용될 수 있다.[3]

II 인후두 역류질환의 병태생리

위에서 역류하는 위 내용물은 주로 두 가지 기전을 통하여 인후두 역류질환을 유발할 수 있다.[9] 첫 번째 기전은 위산, 펩신, 담즙산과 같은 위 내용물이 직접적으로 인, 후두 점막에 노출이 되어 만성적인 염증과 조직의 손상을 가져오는 것이다. 두 번째 기전은 간접적인 기전으로 역류된 물질이 후두와 기도 부위에 영향을 주고 미주신경의 자극을 통하여 기관지나 후두 부위의 근 수축을 유발하는 것이다. 인후두 역류질환에서는 첫 번째 기전이 발병에 더 밀접하게 연관되어 있을 것으로 생각되며, 위산이나 위 내용물의 역류를 막는 생체의 방어 기전 역시 중요한 역할을 하는 것으로 알려져 있다.

1. 하부 식도 괄약근

하부 식도 괄약근(lower esophageal sphincter)은 위 내용물이 역류되는 것을 방지하는 기전에 있어서 가장 중요한 요소 중 하나이다.[9] 역류를 억제하기 위하여는 하부 식도 괄약근이 위 내부의 압력보다 높은 압력 상태를 유지하고 있어야 하며, 이러한 상황이 역전될 경우 위 식도 역류가 발생하게 된다. 하부 식도 괄약근은 구조적으로 역류를 효과적으로 막아줄 수 있도록 되어 있는데, 횡격막이 하부 식도 괄약근 긴장도의 25%를 담당하여 흡기 시 횡격막이 수축할 경우 그 압력이 상승하게 된다.[9] 식도 열공 탈장이 있는 경우 식도와 괄약근 사이의 조화 부재로 역류 방지 기전이 손상되며, 괄약근의 긴장도를 낮추는 여러 음식이나 약제 등도 역류를 유발할 수 있다. 대다수의 인후두 역류 질환 환자의 경우 안정 시 하부 식도 괄약근의 긴장도는 정상이며, 대부분의 인후두 역류는 지속적인 하부 식도 괄약근의 이완보다는 일시적인 이완(transient relaxation)에 의해 발생하는 것으로 알려져 있다.[13,24] 이러한 하부 식도 괄약근의 일시적인 이완 기전은 아직 명확하게 밝혀져 있지 않지만 미주신경의 자극과 연관이 있을 것으로 생각되고 있다.[37]

2. 위와 십이지장 분비물의 영향

위산 역류에 의한 후두 점막의 손상 외에도 위와 십이지장에서 분비되는 다양한 소화 효소들도 역류가 되어 후두 점막에 영향을 줄 수 있다. 위에서 분비되는 펩신과 십이지장에서 분비되는 담즙산이 산성 환경에서 후두 점막의 발적과 조직학적인 손상을 가장 많이 일으키는 것이 보고되었다.[7] 또한 펩신은 인후두 역류질환 환자의 후두 조직에서 탄산 탈수효소 III (carbonic anhydrase III)를 고갈시킬 수 있으며 이로 인하여 위산의 완충에 중요한 중탄산염 생산에 제한이 발생할 수 있다. 최근 연구에서는 경도의 산 역류 역시 후두 점막의 염증과 손상을 유발할 수 있으며, 펩신의 경우 산성 환경뿐 아니라 비산성 환경에서도 후두 조직의 손상을 유발할 수 있다.[25]

3. 후두 점막 상피세포의 저항 능력

후두 점막의 상피세포는 식도에 비하여 위산 역류에 보다 더 쉽게 손상을 받을 수 있는 것으로 알려져 있다. 식도점막은 상피층이 각화되어 있고 점액과 중탄산염의 분비 능력이 좋아서 역류물질에 대한 효과적인 방어가 가능하다. 따라서, 식도점막의 경우 정상 성인에서 하루에 50회 정도의 위산 역류(pH $<$ 4)도 견딜 수 있지만 후두 점막의 경우 1주일에 단 3차례의 후두 역류로도 심각한 후두 점막의 염증과 손상이 유발될 수 있다.[31] 이러한 후두 점막의 위산 역류에 대한 취약성과 민감성이 인후두 역류질환의 가능한 하나의 원인으로 생각되고 있다.

4. 상부 식도 괄약근

상부 식도 괄약근(upper esophageal sphincter)은 인두 원위부와 식도 근위부로 이루어진 부분으로, 윤상인두근(cricopharyngeus), 갑상인두근(thyropharyngeus) 그리고 경부 식도 근위부의 세 가지 요소로 구성되며, 완전한 환상의 괄약근이 아닌 C자 형태의 근육이 윤상 연골에 연결돼 있는 구조를 보인다.[19] 미주 신경의 분지인 인두 신경총(pharyngeal plexus)과 상부 경부 신경절(superior cervical ganglion)의 교감 신경 지배를 받으며, 미주 신경이 자극을 받으면 상부 식도 괄약근이 이완한다. 또한 뇌간의 무명 신경핵(nucleus ambiguous)이 윤상인두근을 수축시키는 것으로 알려져 있다. 상부 식도 괄약근의 이완이 일어나면 윤상인두근에 의해 윤상 연골이 상방 전방으로 당겨져 음식물이 지나갈 수 있게 된다. 생리적으로 개방이 되는 상황 외에는 닫혀 있으며 역류된 물질이 인두나 후두까지 올라오지 못하도록 막아주는 해부학적 장벽의 역할을 한다. 따라서, 상부 식도 괄약근의 기능저하가 발생되면 역류된 위 내용물이 인, 후두 부위로 역류되어 점막의 손상과 다양한 증상을 초래하게 된다.

Ⅲ 인후두 역류질환의 증상

인후두 역류질환에서는 역류 물질이 인두와 후두, 상부 기관식도에 영향을 주어 다양한 증상이 발생할 수 있다.[43] 대표적인 증상으로 인두 이물감, 만성기침, 만성적인 목청소, 음성변화, 연하곤란 등이 있으며,[20,21] 위식도 역류질환과 달리 가슴 쓰림과 위산 역류 등의 전형적인 역류 증상을 보이지 않는 경우도 많다.[32] 현재 시행되고 있는 검사 방법들의 여러 한계점으로 진단에 어려움이 많아 자세한 병력 청취가 매우 중요하다.[10] 최근 인후두 역류질환에서 흔하게 보이는 9가지 증상을 점수화하여 진단과 치료 경과 평가에 도움을 주기 위하여 역류 증상 지표(Reflux symptom index)가 개발되었다. 아홉 가지 증상의 심한 정도를 최소 0점에서 최고 5점까지 평가하고 점수가 13점 이상이면 인후두 역류질환을 진단할 수 있다고 보고하였다.[13] 하지만, 임상에서는 그 진단적 가치에 대하여 회의적인 의견이 많으며, 치료에 대한 호전 가능성도 예측할 수 없어서 실제 사용은 제한적이다.

Ⅳ 인후두 역류질환과 관련된 질환들

다양한 후두 질환들이 직간접적으로 인후두 역류의 영향을 받는다고 알려져 있다. 접촉성 육아종(contact granuloma), 만성 후두염은 비교적 인후두 역류와 높은 연관성이 증명되었고, 그 외에 인두 신경증(globus pharyngeus), 구강 건조증, 성문하 후두협착, 성대결절, 발작성 후두경련, 후두암 등도 일부 영향을 받는 것으로 알려져 있다.[16,28] 특히, 접촉성 육아종의 발생과 치료에 인후두 역류가 많은 영향을 주는 것으로 보이며, 양자펌프 억제제를 통한 인후두 역류질환의 치료가 좋은 경과를 보인다.[45] 만성 후두염은 다음 4가지 조건 중 하나 이상이 3개월 이상 지속되는 경우 진단할 수 있는데, (1) 목소리 사용으로 악화되는 애성, (2) 상기도 감염 없이 반복되거나 지속되는 목 통증, (3) 후비루 증상, (4) 잦은 목청소 혹은 하기도 및 호흡기 질환이 없는 기침, 인후두 역류와 동반된 만성 후두염 환자의 대부분은 역류질환을 치료함으로 증상의 호전을 보인다.[16]

타액은 구강과 상부 소화기관의 항상성 유지에 중요한데, 단순한 소화 작용뿐 아니라 연하와 발성, 점막의 윤활, 점막의 섬모운동과 방어기능에 많은 역할을 담당한다. 따라서, 구강 건조증 환자에서 타액 분비의 감소와 점액 형성이 저하된 경우에는 구강과 인후두, 식도의 정상적인 점막 기능이 저하되어서 역류로 인한 조직의 손상이 보다 쉽게 초래될 수 있다.[17] 인두 이물감은 인후두 부위의 조이는 느낌, 목 안에 무언가 걸린 듯한 주관적인 느낌으

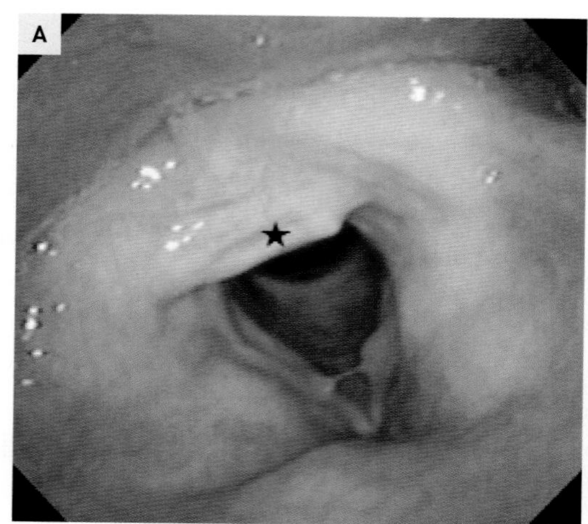

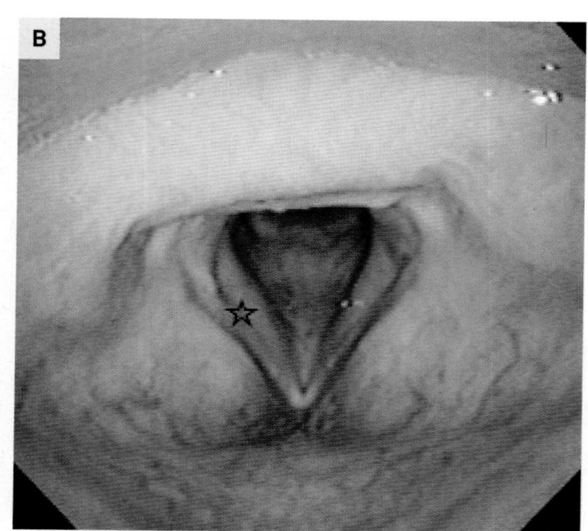

■ 그림 62-1. **인후두 역류질환에서 보이는 다양한 후두 내시경 소견.** 역류로 인한 만성 염증으로 후교련부 비후(★)와 가성 성대구증(☆)이 보인다.

로 아직 정확한 발생 기전은 밝혀져 있지 않지만, 인후두 역류가 적지 않은 영향을 주는 것으로 평가되고 있으며, 실제 인두 이물감이 있는 환자에서 보다 높은 빈도로 역류가 확인이 되었다.[29]

V 인후두 역류질환의 진단

자세한 병력 청취는 인후두 역류질환의 진단에 있어서 가장 중요하다. 병력 청취 시 특징적인 증상을 확인하며, 흡연과 음주 여부, 역류를 일으킬 수 있는 환자의 식습관과 생활습관, 또한 복용하고 있는 약물 등의 조사도 필요하다. 현재 인후두 역류질환을 효과적으로 정확하게 진단하는 검사 방법이 부재하여 진단에 어려움이 많지만, 보다 객관적인 진단을 위하여 다음과 같은 검사들이 시행되고 있다.

1. 후두 내시경 검사

인두와 후두를 정확하게 확인하고 후두암을 포함한 다른 질환을 감별하기 위하여 강직형 또는 굴곡형 후두 내시경 검사가 많이 시행이 된다. 인후두 역류질환에서 흔하게 관찰되는 내시경 소견은 후두의 가벼운 발적과 부종에서부터 후교련부 비후, 가성 성대구증, 육아종 형성 등 다양하게 나타난다(그림 62-1). 하지만, 이러한 후두 내시경 소견은 정상인에서도 흔하게 관찰되는 등 비특이적인 경우가 많고 검사자 간 주관적으로 평가될 수 있다는 문제점이 존재한다. 이러한 후두 내시경 검사의 제한점을 보완하기 위하여 검사 소견과 심한 정도를 표준화된 척도를 사용하여 점수화하는 체계인 역류 소견 점수(Reflux finding score)가 개발되었다.[12] 역류 소견 점수는 성문하 부종(subglottic edema), 후두실 부종(ventricular edema), 후두 홍반(erythema), 성대 부종(vocal cord edema), 범발성 후두부종(diffuse laryngeal edema), 후연합부 점막비후(hypertrophy of the posterior commissure), 육아종 혹은 육아조직(granuloma or granulation tissue), 그리고 후두 내 진한 점액(thick endolaryngeal mucus) 등 8개의 후두 내시경 소견을 바탕으로 각각의 항목에 따라 점수를 부과한다. 총점은 0점(양호)에서 26점(나쁨)까지 분포되며 점수가 7점 이상

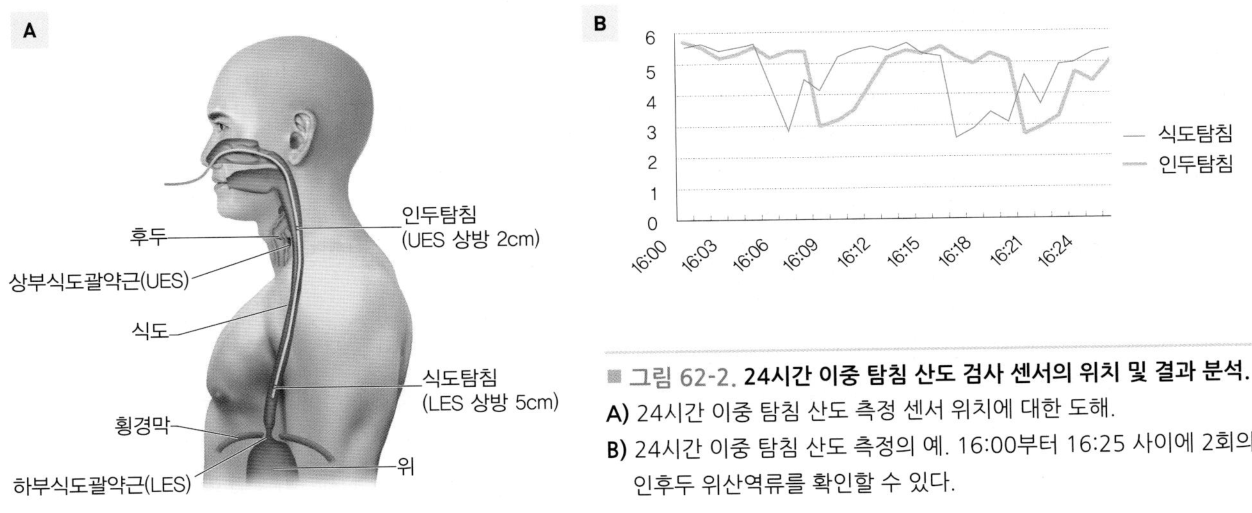

■ 그림 62-2. **24시간 이중 탐침 산도 검사 센서의 위치 및 결과 분석.**
A) 24시간 이중 탐침 산도 측정 센서 위치에 대한 도해.
B) 24시간 이중 탐침 산도 측정의 예. 16:00부터 16:25 사이에 2회의 인후두 위산역류를 확인할 수 있다.

이면 인후두 역류질환의 진단적 가치가 있다고 보고하였다. 하지만, 이러한 역류 소견 점수 역시 환자의 평가와 경과관찰에 일부 도움을 줄 수 있지만, 진단에서는 객관적이지 못하며 그 신뢰도와 임상적 효용성에는 부족한 점이 많다.

2. 24시간 이중 탐침 산도 검사

24시간 이중 탐침 산도 검사는 객관적으로 역류의 존재를 확인할 수 있는 방법으로 인후두 역류질환의 진단에 유용하게 사용되어 왔다. 위산 역류의 정도를 정량적으로 측정할 수 있으며 환자의 일상 생활에서 실제 역류의 정도를 파악하여 증상과 역류의 관계를 확인할 수 있는 장점이 있다. 일반적으로 민감도는 비교적 높게 평가되지만 위음성율도 50%로 높게 보고되며, 검사 시 환자의 불편과 결과의 평가도 어려움이 많아 현재 그 임상적 유용성과 비용대비 효과에 많은 의문이 제기되고 있다.[42] 따라서, 인후두 역류질환 환자에서 일반적으로 양자펌프 억제제 치료를 먼저 시도해 보고 반응을 보이지 않는 경우 다른 질환을 감별하고 위산억제가 적절하게 이루어지는지 여부를 평가하기 위해 시행된다.[2] 검사방법으로는 환자의 코를 통하여 식도 내에 산도를 측정할 수 있는 센서가 두 개 달려있는 활동 전극을 위치시키며, 하부 탐침은 하부 식도 괄약근 상방 5 cm 부위에, 상부 탐침은 상부식도 괄약근 2 cm 상부에 위치시켜서 역류를 탐지하도록 한다.[39] 검사 시 하부 식도 탐침의 산도가 떨어진 직후 상부 탐침의 산도가 4 이하로 떨어지는 경우 의미 있는 인후두 역류로 평가할 수 있다(그림 62-2).[28]

3. 다채널 식도 내 저항 검사

최근 소개된 다채널 식도 내 저항검사(multichannel intraluminal impedance)는 식도 내에서 역류물질에 의하여 발생하는 전기 전도성의 변화를 측정할 수 있다.[29] pH 감지기를 이용한 산도 측정과 함께 식도 내 저항을 동시에 분석할 수 있어서 역류물의 물리적, 화학적 성상을 비교적 정확하게 확인할 수 있다. 이를 통하여 위산의 역류뿐 아니라 비산성(nonacid) 역류의 측정이 가능하며, 역류되는 물질의 방향 확인도 가능하여 인후두 역류질환의 진단의 정확성을 높일 수 있다.[12] 이를 이용하여 위산

억제 치료에 반응을 보이지 않는 환자에서 비산성 역류의 존재를 확인하여 치료에 도움을 줄 수 있지만,[42] 아직 많은 연구가 이루어지지 못하여 향후 임상적인 유용성을 증명하기 위한 대규모의 전향적 연구가 필요하다.

4. 식도 내압 검사

식도 내압 검사는 식도 내부 및 괄약근의 압력을 측정하고 식도체부의 연동운동 등 식도의 기능에 대한 근신경 활성도를 확인할 수 있는 검사이다. 위식도 역류질환에서 많은 환자에서 식도의 운동장애가 확인되었으며,[41] 상부 식도 괄약근의 기능 이상 등 식도 운동장애가 인후두 역류질환의 가능한 병인으로 제시되었다.[44] 최근 고해상도 식도 내압 검사가 개발이 되어서 기존의 검사에 비하여 쉽고 정확하게 식도의 기능 이상을 측정할 수 있게 되었고, 향후 인후두 역류질환에서 식도의 기능이상이 가지는 임상적 중요성에 대한 보다 정확한 연구가 필요하다.

5. 식도 내시경 검사

식도 내시경 검사는 접근 방법에 따라 경비강 또는 경구강으로 나눌 수 있으며, 경비강 식도 내시경 검사는 경구강 식도 내시경 검사와는 달리 마취약이나 진통제 없이 환자의 불편을 최소화하며 외래에서 안전하게 시행할 수 있다.[8] 인후두 역류질환의 일차적인 진단보다는 식도 점막의 상태를 확인하고 식도염이나 식도암 등 다른 질환의 감별에 도움을 줄 수 있다.[14] 일반적인 치료에 반응을 보이지 않는 인후두 역류질환 환자에서 시행될 수 있으며, 그 외에도 연하곤란, 토혈, 두경부 암 환자의 검사에도 사용될 수 있다.

6. 위 내시경 검사

인후두 역류질환의 일차적인 진단을 위하여는 민감도가 낮아 기본검사로 사용되지는 않는다. 그러나 연하곤란이나 속쓰림 등 동반된 소화기계 증상이 있는 경우나 위식도 역류질환의 합병증 평가 및 식도염, 위 궤양 또는 위암의 선별검사 목적으로 위 내시경 검사를 고려해 볼 수 있다.[27]

Ⅵ 인후두 역류질환의 치료

인후두 역류질환은 최근 서구화된 식습관과 생활환경의 변화로 급격히 증가하고 있다. 과거에는 증상의 심한 정도에 따라 단계별 치료를 시행하였지만, 최근에는 환자의 생활습관 및 식이조절에 대한 교육과 함께 양자펌프 억제제(proton pump inhibitor) 사용이 주로 선호되고 있다. 하지만 약물 투여 용량과 용법, 치료기간, 치료에 반응을 보이지 않는 경우 등 아직까지 정확한 치료 기준이 마련되지 못하였다.

1. 환자 교육과 생활습관의 교정

우선 치료에 있어서 역류를 유발할 수 있는 환자 식습관 및 생활습관을 효과적으로 개선시키는 것은 매우 중요

표 62-1. 인후두 역류질환에서 식습관 생활습관의 개선

1. 식습관 개선
- 과식을 하지 않는다.
- 저지방, 고단백 음식을 섭취한다.
- 취침 2-3 시간 전 음식을 먹지 않는다.
- 자극적인 음식(커피, 차, 알코올, 콜라, 오렌지주스, 토마토 등)을 피한다.
- 하부식도 괄약근을 이완시키는 음식(알코올, 초코렛, 페파민트, 박하 등)을 피한다.
- 증상을 악화시킬 수 있는 약물(항콜린제, 진정제, 테오필린, 칼슘통로 길항제 등)을 피한다.

2. 생활 습관 개선
- 너무 꽉 조이는 옷을 입지 않는다.
- 침대의 두부를 거상하고(15 cm), 물침대는 피한다.
- 정상 체중을 유지한다.
- 흡연을 줄이거나 금연한다.

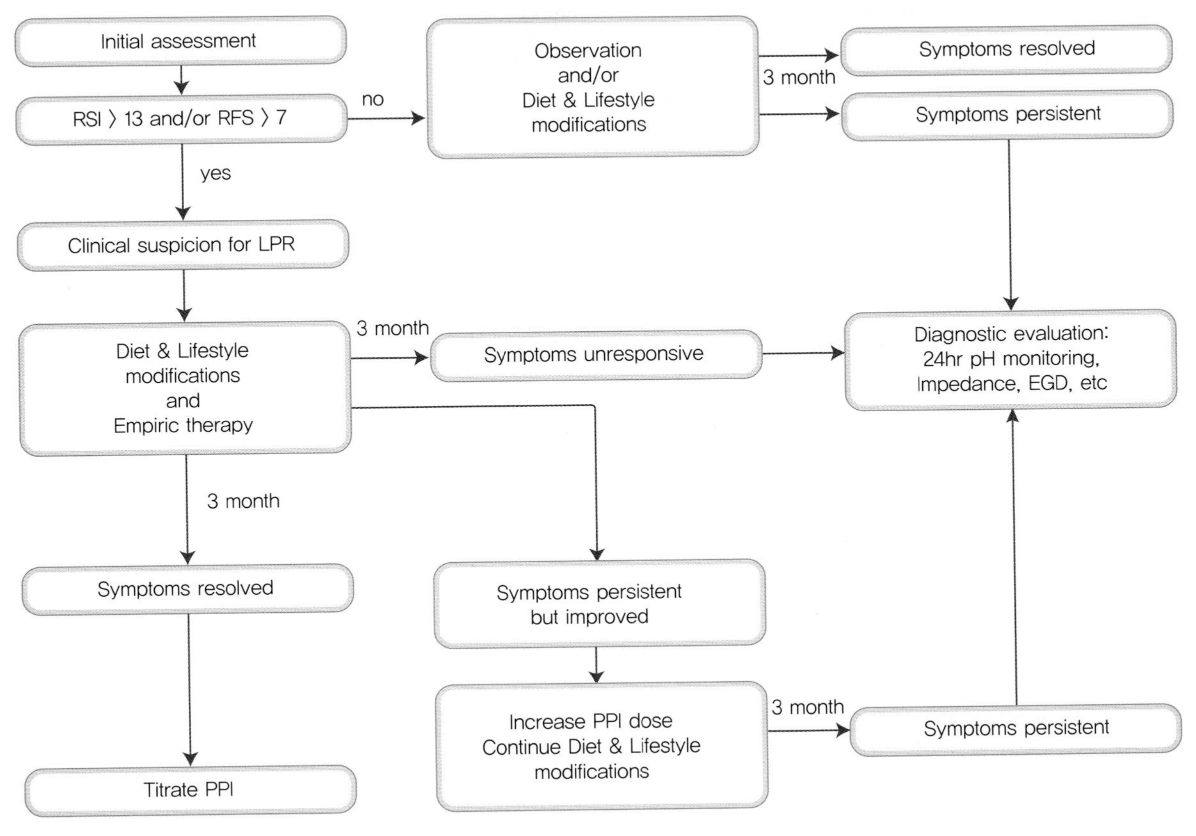

■ 그림 62-3. **인후두 역류질환의 진단 및 치료 과정**

하다(표 62-1).[30] 환자들에게 인후두 역류질환이 만성적으로 지속되고 재발을 잘하는 것을 교육함으로써 장기간 약물치료의 순응도를 높일 수 있고 증상의 악화를 예방하는데 도움이 된다.[40] 너무 몸에 조이는 옷을 입지 않고, 취침 시 머리를 15 cm 정도 높이는 것이 역류를 줄이는 데 도움을 준다.[6] 규칙적인 식사와 과식과 야식을 피하도록 하고, 하부식도 괄약근의 압력을 떨어뜨리거나 위산의 생성을 촉진시켜서 역류를 쉽게 유발할 수 있는 음식의 섭취를 제한하도록 권고한다. 또한, 지방과 같이 위 배출 속도를 낮추는 음식과 점막에 자극을 유발하는 음식, 역류를 유발할 수 있는 약물 복용도 억제하도록 교육하는 것이 필요하다.[22]

2. 약물치료

인후두 역류질환에 도움을 줄 수 있는 약물로는 양자펌프 억제제, 제산제, H2 수용체 차단제, 위장관 운동 개선제, 점막 보호제 등이 있다. 과거에는 증상의 정도에 따라 다양한 약물과 치료가 단계별로 권장되기도 하였으나, 현재는 양자펌프 억제제가 약물치료의 근간을 이루고 있다.[11] 양자펌프 억제제는 위 점막의 벽세포(parietal cell)에서 위산 분비를 완전히 차단하여 전체 위산분비를 감소시키므로 다른 약제에 비하여 좋은 치료 효과를 줄 수 있다.[38] 2–3개월간의 경험적 양자펌프 억제제 사용으로 증상의 호전를 평가하여 인후두 역류질환을 진단하고 치료하는 방법은 비용대비 효과가 좋은 방법이다.[4] 치료에 좋은 반응을 보이면 약물 복용을 지속하거나 용량을 감량할 수 있으며, 반응이 없는 경우에는 다른 질환의 감별과 인후두 역류질환을 확진하기 위한 추가적인 검사가 필요하다(그림 62-3).[22]

일반적으로 인후두 역류질환의 효과적인 치료를 위하여는 위식도 역류보다 더 적극적이고 장기적인 양자펌프 억제제 사용이 필요하다.[33] 양자펌프 억제제 4주간 단기 복용도 좋은 효과가 있다는 보고도 있으나,[5] 대개의 경우는 2~3개월의 치료기간이 필요하며 후두의 이학적 소견까지 개선되기 위하여는 6개월 이상의 치료기간이 필요하다.[35] 하지만, 양자펌프 억제제의 효과에 대하여는 다양한 이견이 존재하여 환자의 증상 개선에 위약과 비교하여 통계적으로 유의한 효과를 보이지 못한 보고도 있다.[34] 이와 같이 인후두 역류질환에서 양자펌프 억제제 사용의 효과와 가치에 대한 서로 다른 이견이 존재하며, 앞으로 최적의 사용 용법과 용량에 대한 많은 연구가 필요하지만 양자펌프 억제제 사용의 중요성은 점차 증가하고 있다.[3]

양자펌프 억제제 이외에도 다른 약물들이 인후두 역류질환 치료에 보조적으로 사용될 수 있다. 제산제는 위산을 중화시켜 담즙에 의한 조직 손상을 막고 펩신이 활성화되는 것을 막는 효과를 가지고 있다. 또한, 역류로 인한 가슴쓰림 증상에 빠르게 작용할 수 있기 때문에 증상이 심하지 않은 역류 환자에게 사용될 수 있다. H2 수용체 차단제는 Histamine type 2 receptor에 경쟁적으로 결합하여 위산 분비와 펩신 생산을 저하시킨다.[36] 과거 양자펌프 억제제와 병합요법으로 야간 위산분비 급증(nocturnal acid breakthrough)을 완화하기 위하여 사용되기도 하였다. 하지만, 현재는 약제 내성 유발 등 인후두 역류질환의 치료 효과는 제한적이라는 보고가 많으며,[20] 양자펌프 억제제와의 병합요법은 일반적으로 권장되지 않는다.[10] 위장관 운동 개선제는 도파민 길항제(dopamine antagonist)로 식도와 위의 연동 운동을 증가시키고 점막의 청소 작용을 촉진하며 하부 식도 괄약근의 압력을 증가시키는 작용을 하지만,[22] 심실 부정맥과 설사 등의 부작용으로 인해 현재는 잘 사용되지 않는다.

최근 양자펌프 억제제의 처방이 급격히 증가되면서 장기 복용에 의한 문제가 제기되고 있다. 장기간의 양자펌프 억제제 사용으로 인한 과도한 위산 분비의 억제는 위점막의 조직학적 변화와 위축성 위염 또는 가스트린 선종의 발생을 증가시킬 수 있다. 하지만, 아직까지 위암이나 식도암 발생을 증가시킨다는 증거는 보이지 않는다.[15] 또한, 위산은 소장에서 칼슘 및 비타민의 흡수와 위장관 감염의 방어기전에 중요한 역할을 하는 것으로 알려져 있다. 따라서 양자펌프 억제제의 장기 사용으로 인하여 골절과 위장관 감염의 발생이 증가할 수 있다.[15]

3. 수술

충분한 치료에도 호전이 없고 많은 양의 역류와 하부 식도 괄약근의 기능부전이 확인된 환자에서 증상의 경감을 위한 수술적 치료가 고려될 수 있다.[22] 최근에는 복강경을 이용한 위저부 주름술(fundoplication)이 선호되는데, 수술을 통한 하부 식도 괄약근의 기능 재건이 역류의 빈도를 줄이고 증상의 개선을 보이는 등 임상적으로 좋은 결과가 보고되기도 하였다.[23] 하지만, 수술의 효과에 대한 다른 이견도 많아 일반적으로 국내에서는 많이 시행되지는 않는다.[18]

참고문헌

1. 김영모. 인후두 역류증의 치료. 대한이비인후과학회지 2002;45(9):835-38.
2. 송치욱. 위식도역류성질환. 제2회 소화기질환 연수 강좌. 고려대학교 소화기연구소. 1999.pp.1-20.
3. 이상혁, 허세형. 인후두 역류질환의 최근 경향. 대한이비인후과학회지 2011;54(8):519-525.
4. 이자현, 신향애, 최현승 등. 인후두 역류증에 대한 양성자 펌프 억제제 단기 치료가 음성에 미치는 영향. 대한이비인후과학회지 2014;57(10):703-6.
5. 정만기, 민진영, 오재원 등. 인후두 역류증에 대한 초치료로서 양성자 펌프 억제제 4주 단기 치료의 효과. 대한이비인후과학회지

2005;48(6):796-800.

6. 최홍식, 김형태, 서장수 등. 우리나라 이비인후과 외래환자의 인후두 역류증상 발병빈도 조사(One Week Survey 결과). 대한후두음성언어의학회지 2000;11:87-97.
7. Adhami T, Goldblum JR, Richter JE, Vaezi MF. The role of gastric and duodenal agents in laryngeal injury: an experimental canine model. Am J Gastroenterol 2004;99(11):2098-106.
8. Andrus JG, Dolan RW, Anderson TD. Transnasal esophagoscopy: a high-yield diagnostic tool. Laryngoscope 2005;115(6):993-6.
9. Aviv JE, Murry T, Zschommler A, Cohen M, Gartner C. Flexible endoscopic evaluation of swallowing with sensory testing: patient characteristics and analysis of safety in 1,340 consecutive examinations. Ann Otol Rhinol Laryngol 2005;114(3):173-6.
10. Barry DW, Vaezi MF. Laryngopharyngeal reflux: More questions than answers. Cleve Clin J Med 2010;77(5):327-34
11. Berardi RR. A critical evaluation of proton pump inhibitors in the treatment of gastroesophageal reflux disease. Am J Manag Care 2000;6(9 Suppl):S491-505.
12. Belafsky PC, Postma GN, Koufman JA. The validity and reliability of the reflux finding score (RFS). Laryngoscope 2001;111(8):1313-7.
13. Belafsky PC, Postma GN, Koufman JA. Validity and reliability of the reflux symptom index (RSI). J Voice 2002;16(2):274-7.
14. Belafsky PC, Postma GN, Daniel E, Koufman JA. Transnasal esophagoscopy. Otolaryngol Head Neck Surg 2001;125(6):588-9.
15. Bruley des Varannes S, Coron E, Galmiche JP. Short and long-term PPI treatment for GERD. Do we need more-potent anti-secretory drugs? Best Pract Res Clin Gastroenterol 2010;24(6):905-21.
16. Cherry J, Margulies SI. Contact ulcer of the larynx. Laryngoscope 1968;78(11):1937-40.
17. Corvo MA, Eckley CA, Rizzo LV, Sardinha LR, Rodriguez TN, Bussoloti Filho I. Salivary transforming growth factor alpha in patients with Sjogren's syndrome and reflux laryngitis. Braz J Otorhinolaryngol 2014;80(6):462-9.
18. de Caestecker J. Prokinetics and reflux: a promise unfulfilled. Eur J Gastroenterol Hepatol 2002;14(1):5-7.
19. DeVault KR, Castell DO, American College of G. Updated guidelines for the diagnosis and treatment of gastroesophageal reflux disease. Am J Gastroenterol 2005;100(1):190-200.
20. Fackler WK, Ours TM, Vaezi MF, Richter JE. Long-term effect of H2RA therapy on nocturnal gastric acid breakthrough. Gastroenterology 2002;122(3):625-32.
21. Farrokhi F, Vaezi MF. Extra-esophageal manifestations of gastroesophageal reflux. Oral Dis 2007;13(4):349-59.
22. Ford CN. Evaluation and management of laryngopharyngeal reflux. JAMA 2005;294(12):1534-40.
23. Fuchs KH, Breithaupt W, Fein M, Maroske J, Hammer I. Laparoscopic Nissen repair: indications, techniques and long-term benefits. Langenbecks Arch Surg 2005;390(3):197-202.
24. Holloway RH, Dent J. Pathophysiology of gastroesophageal reflux. Lower esophageal sphincter dysfunction in gastroesophageal reflux disease. Gastroenterol Clin North Am 1990;19(3):517-35.
25. Johnston N, Wells CW, Samuels TL, Blumin JH. Pepsin in nonacidic refluxate can damage hypopharyngeal epithelial cells. Ann Otol Rhinol Laryngol 2009;118(9):677-85.
26. Kahrilas PJ, Shaheen NJ, Vaezi MF, Hiltz SW, Black E, Modlin IM, et al. American Gastroenterological Association Medical Position Statement on the management of gastroesophageal reflux disease. Gastroenterology 2008;135(4):1383-91, 91 e1-5.
27. Kambic V, Radsel Z. Acid posterior laryngitis. Aetiology, histology, diagnosis and treatment. J Laryngol Otol 1984;98(12):1237-40.
28. Karkos PD, Wilson JA. The diagnosis and management of globus pharyngeus: our perspective from the United Kingdom. Curr Opin Otolaryngol Head Neck Surg 2008;16(6):521-4.
29. Katz PO, Castell DO. Medical therapy of supraesophageal gastroesophageal reflux disease. Am J Med 2000;108 Suppl 4a:170S-7S.
30. Koufman JA. The otolaryngologic manifestations of gastroesophageal reflux disease (GERD): a clinical investigation of 225 patients using ambulatory 24-hour pH monitoring and an experimental investigation of the role of acid and pepsin in the development of laryngeal injury. Laryngoscope 1991;101(4 Pt 2 Suppl 53):1-78.
31. Koufman JA. Laryngopharyngeal reflux is different from classic gastroesophageal reflux disease. Ear Nose Throat J 2002;81(9 Suppl 2):7-9.
32. Oelschlager BK, Eubanks TR, Oleynikov D, Pope C, Pellegrini CA. Symptomatic and physiologic outcomes after operative treatment for extraesophageal reflux. Surg Endosc 2002;16(7):1032-6.
33. Qadeer MA, Phillips CO, Lopez AR, Steward DL, Noordzij JP, Wo JM, et al. Proton pump inhibitor therapy for suspected GERD-related chronic laryngitis: a meta-analysis of randomized controlled trials. Am J Gastroenterol 2006;101(11):2646-54.
34. Reichel O, Dressel H, Wiederanders K, Issing WJ. Double-blind, placebo-controlled trial with esomeprazole for symptoms and signs associated with laryngopharyngeal reflux. Otolaryngol Head Neck Surg 2008;139(3):414-20.
35. Richards DA. Comparative pharmacodynamics and pharmacokinetics of cimetidine and ranitidine. J Clin Gastroenterol 1983;5 Suppl 1:81-90.
36. Schreiber S, Garten D, Sudhoff H. Pathophysiological mechanisms of extraesophageal reflux in otolaryngeal disorders. Eur Arch Otorhinolaryngol 2009;266(1):17-24.
37. Shaw GY, Searl JP. Laryngeal manifestations of gastroesophageal reflux before and after treatment with omeprazole. South Med J 1997;90(11):1115-22.
38. Shoenut JP, Yaffe CS. Ambulatory esophageal pH testing. Referral

patterns, indication, and treatment in a Canadian teaching hospital. Dig Dis Sci 1996;41(6):1102-7.

39. Steward DL, Wilson KM, Kelly DH, Patil MS, Schwartzbauer HR, Long JD, et al. Proton pump inhibitor therapy for chronic laryngopharyngitis: a randomized placebo-control trial. Otolaryngol Head Neck Surg 2004;131(4):342-50.
40. Tsutsui H, Manabe N, Uno M, Imamura H, Kamada T, Kusunoki H, et al. Esophageal motor dysfunction plays a key role in GERD with globus sensation--analysis of factors promoting resistance to PPI therapy. Scand J Gastroenterol 2012;47(8-9):893-9.
41. Vaezi MF, Hicks DM, Abelson TI, Richter JE. Laryngeal signs and symptoms and gastroesophageal reflux disease (GERD): a critical assessment of cause and effect association. Clin Gastroenterol Hepatol 2003;1(5):333-44.
42. Vaezi MF. Therapy Insight: gastroesophageal reflux disease and laryngopharyngeal reflux. Nat Clin Pract Gastroenterol Hepatol 2005;2(12):595-603.
43. Vardar R, Sweis R, Anggiansah A, Wong T, Fox MR. Upper esophageal sphincter and esophageal motility in patients with chronic cough and reflux: assessment by high-resolution manometry. Dis Esophagus 2013;26(3):219-25.
44. Ward PH, Zwitman D, Hanson D, Berci G. Contact ulcers and granulomas of the larynx: new insights into their etiology as a basis for more rational treatment. Otolaryngol Head Neck Surg (1979) 1980;88(3):262-9.

CHAPTER

63

연하장애와 만성 흡인

이비인후과학 Otorhinolaryngology - Head and Neck Surgery

박영학

연하는 상부 소화호흡기를 지배하는 여러 신경과 근육들의 조화로운 조절에 의해 하부 호흡기를 보호하며 음식물을 구강으로부터 인두를 거쳐 식도로 진행시키는 일련의 생리적 과정으로 제5, 7, 9, 10, 12번 뇌신경이 관여한다. 이러한 연하기능에 장애가 발생하는 경우 정상 음식물 섭취가 불가능할 뿐 아니라 하부호흡기에 흡인을 초래하여 폐렴등의 합병증으로 위험에 빠질 수 있다.

연하 과정은 삼키는 물질의 부피, 점도 등의 다양한 성상과 연하에 관계되는 수의적인 조절에 따라 조직적으로 변화하게 된다. 이 밖에 나이도 연하에 영향을 미치게 된다. 유아는 성인과 비교하여 해부학적으로 차이를 보이는데, 상대적으로 혀가 크고 구강이 좁으며 후두가 성인에 비해 높게 위치하여 기도를 자연적으로 보호하고 있으며, 연구개가 후두개까지 내려와 있어 젖을 빨기 쉽게 되어 있다. 또한 구강기에서 수차례의 혀의 후방운동을 관찰할 수 있다. 60세 이상의 노인의 경우는 구강기가 조금 길어지고 인두반사가 조금 늦어진다고 보고되어 있다.

흡인(aspiration)은 구강, 인두, 식도의 연하기능 장애와 후두의 하부기도 보호능력의 장애가 있을 때 음식물이나 타액 등이 진성대 아래의 하기도로 유입되는 현상을 말한다. 침투(penetration)는 연하 시 음식물이 후두 내의 진성대 상부까지 침입해 들어간 상태를 말한다. 흡인은 뇌졸중에서와 같이 급작스럽게 일어날 수도 있고, 인후두 부위의 종양이나 진행하는 신경질환 혹은 근육질환 등으로 인해 서서히 발생할 수도 있으며, 두경부 종양의 수술 후에 의인성으로 올 수도 있다. 정상인에서도 아무런 증상 없이 연하 시 어느 정도의 흡인은 일어날 수 있지만 흡인의 빈도, 흡인된 물질의 양, pH, 화학적 성분, 환자의 폐기능 등에 따라 폐렴, 기관지염, 폐농양, 패혈증 등의 기관지 합병증을 유발할 수도 있으며,[24] 심한 경우 환자가 사망할 수도 있다.

흡인이 반복적으로 일어나는 만성 흡인은 영양장애를 일으키고, 생명을 위협하는 합병증을 초래할 수 있으므로 정확한 원인 분석과 그에 따른 적절한 치료가 필수적이다. 흡인을 가장 효과적으로 치료하기 위해서 이비인후과, 재활의학과, 소화기내과 및 신경과 전문의, 간호사, 영양사, 언어재활사 등 각 분야의 전문가들이 참여하여 그 원인을 분석하고 진단한 후 환자의 예후나 나이 등을 고려하여 치료와 재활방침을 결정해야 한다.

I 연하생리와 흡인

연하과정 중에는 입술(lips), 혀(oral tongue), 연구개 괄약근(velopharyngeal sphincter), 후두(larynx), 설기저부와 인두벽(tongue base and pharyngeal wall), 윤상인두 괄약근(cricopharyngeal sphincter)에 의한 6개의 밸브가 형성된다(그림 63-1). 신경마비나 수술적 결손 혹은 종양에 의하여 해부학적 밸브에 기능장애가 오면 연하장애와 흡인이 발생한다.[39]

입술은 가장 전방의 밸브로서 음식물을 입안에 가두어두고, 저작을 돕고, 압력을 유지시켜 준다. 혀는 볼 근육과 협력하여 저작 시 상하 치아 사이에 음식물을 올려놓고, 침을 혼합하며, 저작한 음식물이 크면 삼키기에 적당한 크기로 나누는 작용을 한다. 또한 혀의 전, 외측면은 경구개와 접촉하여 식괴를 폐쇄 압축하여 후방의 인두를 향하도록 한다. 구강 준비기나 구강기의 혀 운동 조절은 수의적 조절에 의하고 이러한 운동성에 장애가 발생하면 저작이나 구강 내 음식물 조절, 식괴 형성과 후방 전이가 이루어지지 않는다.

연구개 괄약근은 구강기에 연구개가 하강하고 구개설근(palatoglossus muscle)이 수축하여 구강의 후방을 폐쇄함으로써 음식물이 저절로 인두로 넘어가는 것을 방지하며, 인두기에 구개거근(levator palatini muscle), 구개인두근의 수축과 함께 상인두수축근의 전방 수축이동으로 밸브가 폐쇄됨으로써 음식물이 비강으로 들어가는 것을 방지한다. 후두는 성대, 가성대, 피열연골, 후두개와 함께 작용하여 연하 시 호흡기를 폐쇄한다. 이때 후두는 설골과 함께 전상방으로 이동한다. 설기저부와 인두벽은 인두연하 동안 완전히 접촉하여 음식물이 남김없이 인두를 지나가도록 압력을 생성한다. 윤상인두 괄약근은 평상시에는 닫혀 있다가 음식물이 후두개곡에 오면 이완되고, 후두가 전상방으로 이동하면서 식도 상부가 열리게 되며, 또한 음식물 자체의 압력으로 인해 더욱 넓게 벌어지게 된다.

연하의 단계는 수의적 조절이 가능한 구강준비기(oral

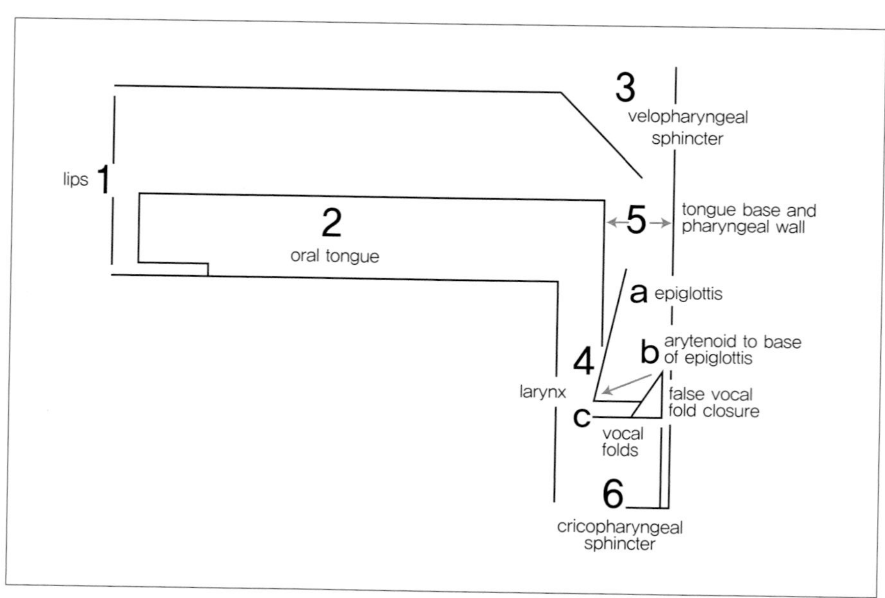

■ 그림 63-1. **연하와 관련된 상부 소화호흡기의 밸브 구조**

preparatory stage)와 구강기(oral stage), 불수의적 반사에 의한 인두기(pharyngeal stage)와 식도기(esophageal stage)로 분류된다.[39]

구강준비기는 연하를 위한 준비 단계로 구순의 폐쇄, 구순 및 협부 근육의 수축, 하악 및 혀의 외회전 운동, 연구개에 의한 구강후부 폐쇄가 조화를 이루어 음식물이 상하 치아 사이에서 저작과 침이 잘 배합되게 한다. 특히 혀의 외회전 운동은 음식물의 저작 및 조절을 위하여 구강 준비기에서 가장 중요한 기능이다.

구강기는 식괴를 구강에서 인두로 보내는 과정으로 혀의 움직임이 가장 중요한 역할을 담당한다. 수축은 설첨부에서 시작하여 후방으로 진행되며 혀의 측면부는 상악의 치조릉에 밀착되어 혀의 중앙부가 식괴를 밀어 넣을 수 있도록 지지하는 역할을 한다. 정상인에서 구강기는 1~1.5초가 걸리지만 나이가 많거나 음식물의 점도가 높을 때는 연장될 수 있다. 식괴가 혀의 기저부를 지날 때 설인두신경(glossopharyngeal nerve, CN IX)에 의하여 인두연하반사(pharyngeal swallow reflex)가 촉발되며, 이는 후두 입구부의 상후두신경에 의해서도 촉발될 수 있다. 인두연하반사의 촉발이 늦어지면 음식물이 기도로 흡인될 수 있다.

인두기는 연하반사에 의하여 시작되는데 전구협궁(anterior faucial arch)과 혀의 기저부에서 제9, 10번 뇌신경의 자극을 받아 일어나며 이 자극은 뇌간의 망상체형성(reticular formation)을 통하여 여러 근육을 자극하여 인두 연하운동이 일어나게 된다. 인두기는 연구개인두폐쇄(velopharyngeal closure), 설근부 후진(tongue base retraction), 인두 수축(pharyngeal contraction), 후두의 거상과 폐쇄(laryngeal elevation and closure), 상부 식도괄약근의 개방(upper esophageal sphincter opening)의 과정으로 이루어진다. 인두 연하가 촉발되면 먼저 구개인두의 폐쇄와 후두의 전상방 거상이 일어나며, 후두구가 폐쇄되고 윤상인두근이 이완되어 경부식도가 열리게 된다. 이러한 인두기는 모두 1초 이내의 짧은 시간에 이루어진다. 후두구의 폐쇄는 3단계로 이루어진다. 진성대, 가성대와 피열연골, 후두개와 피열후두개주름 순서로 폐쇄되며 후두구의 폐쇄는 후두의 거상이 50% 정도 이루어진 후에 일어나게 된다. 윤상인두근은 상부식도괄약근으로 하인두와 식도를 분리하는데, 호흡 시 수축하여 공기가 식도로 유입되는 것을 방지하고, 식도나 위 내용물이 역류되는 것을 방지하며, 연하 시에는 이완되어 음식물이 이곳을 통과한다. 괄약근이 열리는 기전은 먼저 윤상인두근이 이완하고 약 0.1초 후 후두가 전상방으로 상승하여 괄약근이 열리기 시작한다. 식괴가 윤상인두근에 도달하면 식괴의 압력에 의하여 괄약근이 넓혀진다.

식도기는 식괴가 상부괄약근을 통과한 후 연동운동을 통하여 위식도 경계에 도달하기까지의 단계로, 8~20초가 소요된다. 식도의 연동운동은 위에서 아래로 진행되며 보통 약 50 mmHg의 압력을 형성한다. 이러한 일차 연동운동 이외에도 식도 내 국소적인 팽창에 반응하여 이차 연동운동에 의하여 식괴의 완전한 이동이 이루어진다. 식도 연동운동은 식도하부보다 상부에서 빠르게 진행되는데 이는 상부에 있는 횡문근의 운동력 차이 때문이다. 식도 하부에는 약 3 cm의 길이로 평균 8 mmHg 정도 압력이 높아지는 생리적인 괄약근이 있어 하부괄약근으로 작용한다.

흡인은 연하과정 중 인두연하가 일어나기 전이나 후 혹은 인두연하 동안에 일어날 수 있다. 인두연하 전 흡인은 연구개나 설기저부의 해부학적인 결손이 있어 인두연하반사가 일어나기 전인 구강 준비기와 구강기에 음식물이 인두로 넘어가거나, 인두연하 반사의 지연으로 인하여 인두연하가 늦게 일어나면 음식물이 인두를 통하여 기도로 흡인이 일어날 수 있다. 인두연하기 동안 일어나는 흡인은 성대마비나 후두암 수술 등으로 인한 후두폐쇄 장애 시 일어날 수 있다. 인두연하 후 흡인은 후두의 거상 장애, 인두의 수축 장애나 윤상인두근의 이완장애가 있을 때 음식물이 식도로 넘어가지 못하고 하인두에 남아 있으므로 일어나며 미주신경 마비, 식도 게실, 상부식도 괄약근의 협착, 방사선치료 후 인두건조증 혹은 인두근육의 섬유화 등이 원인이다.

Ⅱ 원인

만성 흡인은 후두의 기도보호기능이 소실되거나 연하장애가 있을 때 발생하며, 다양한 원인 질환들이 있다(표 63-1).[15] 만성흡인은 뇌졸중이나 교통사고로 인한 뇌손상이 양측 뇌신경을 포함하는 뇌간을 침범하였을 때 가장 흔히 나타난다. 그 외에 퇴행성 신경질환, 뇌신경 질환, 신경근육계 질환이나 근육 질환이 뇌신경을 침범하였을 때, 두경부암의 광범위 수술이나 방사선 치료 후 해부학적 손상에 의해 흔히 나타날 수 있다. 흡인의 원인을 정확히 밝히는 것은 환자가 앞으로 연하기능을 얼마나 회복할 수 있는지에 대한 예측과 치료 방침을 결정하는 데 있어 중요한 요소다.

표 63-1. 만성 흡인의 원인[10]

뇌혈관질환	**외상**
죽상경화성 혈전증	폐쇄성 두부상
색전증	혈종
두개내 출혈	**무산소성 뇌손상**
퇴행성 신경질환	**두개내 감염**
Parkinson병	**인두장애**
근위축성 측삭경화증	종양
진행성 핵상마비	수술 후 기능부전
다발성 경화증	방사선조사 후 기능부전
신경근 및 근육 질환	Zenker 게실
다발성 근염	윤상인두근 기능장애
중증 근무력증	협착
근이영양증	**식도장애**
근병증	역류
말초신경 질환	무이완증
뇌신경 질환	부식성 외상
Guillain-Barré 증후군	**기타**
뇌종양	심한 질병
종양에 관련된 일차성 기능장애	다발성 장애
수술 후 기능부전	약물중독

Ⅲ 증상

원인 질환에 따라서는 음식물을 먹다가 흡인이 되어 기침을 하고 숨이 막히는 증상이 있다고 환자가 직접 호소할 수 있다. 그러나 중증의 뇌졸중 환자들은 흡인이 되는 것을 호소하지 못하고 간호사나 보호자들도 발견하지 못하여 심각한 상태에 이르는 경우도 있다. 즉, 많은 만성 흡인환자들은 기도로 음식물이 들어가는데도 기침을 하지 않는다.[24] 따라서 기관절개창으로 분비물이 많이 나오거나, 폐렴이 재발하거나, 체중감소가 있으면 만성흡인을 의심해야 한다. 만성 흡인 환자에서 흡인의 등급을 분류하는 것이 보존적 혹은 수술적 치료방법을 결정하는 데 중요하다(표 63-2).[44]

Ⅳ 진단

1. 병력청취

흡인 환자의 진단은 철저한 병력 청취와 후두를 포함한 구인두, 하인두의 세심한 신체검사에서 시작한다. 환자가 연하 장애의 원인이 될 만한 기존 질환이 있었는지, 즉

표 63-2. 흡인의 등급 (Grade I - IV)[38]

I	합병증이 동반되지 않는 간헐적인 흡인
II	간헐적으로 액체의 흡인은 있으나 자신의 분비물이나 고체식은 다룰 수 있음 : 폐렴이나 만성 산소결핍의 임상적 증거 없음
III	안전하게 구강섭취를 할 수 없음(고체식 혹은 액체식) : 간헐적인 폐렴
IV	생명을 위협할 정도의 액체, 고체, 타액의 흡인 : 만성 폐렴

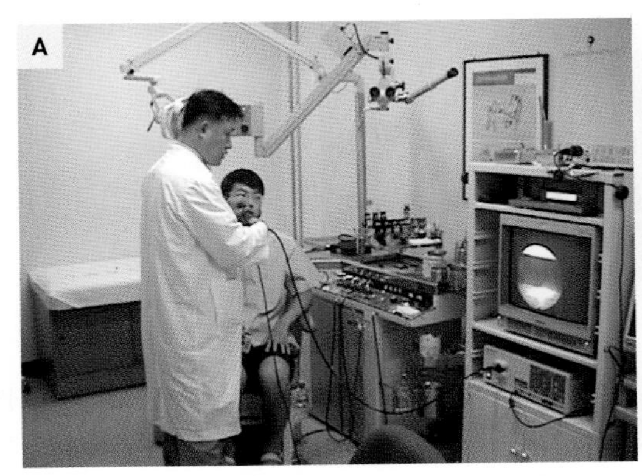

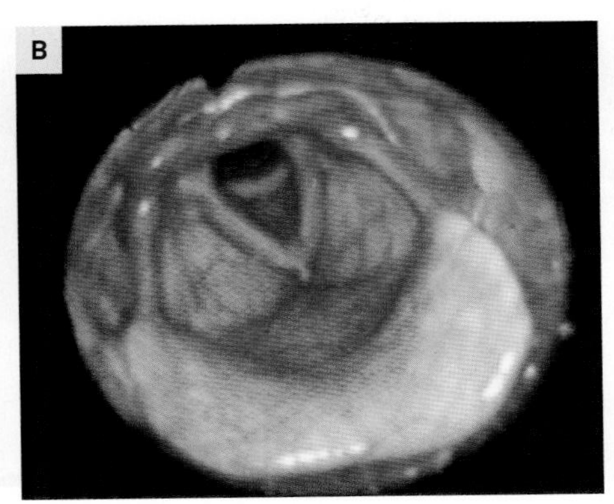

■ 그림 63-2. **내시경적 연하검사.** **A)** 검사 방법 **B)** 내시경 소견

뇌졸중이나 파킨슨 씨 질환과 같은 신경계 이상 여부, 두경부 수술이나 방사선치료 시행 여부, 인공 호흡기 사용이나 기도 삽관 여부 등에 대해서 확인해야 한다. 현재 환자가 섭취하고 있는 식이의 종류, 식사 시 증상, 반복적인 폐렴 증상 유무, 심혈관계 질환이나 폐 질환이 동반되어 있는지, 타액 분비나 연하기능에 영향을 줄 수 있는 약물 복용 여부를 알아보아 음식물의 흡인으로 인하여 합병증이나 사망 할 가능성을 증가시킬 수 있는 위험인자가 있는지 확인해야 한다.

2. 신체검사

신체검사로는 뇌신경을 포함한 두경부 영역의 검사가 필요하다. 먼저 구강에 대한 해부학적 검사를 시행한 후 구순 및 혀의 기능, 저작기능, 구개 반사 및 구역 반사, 구강의 감각 기능에 대한 검사를 시행한다. 두경부 각 부위의 해부학적 이상이나 종양의 유무, 감각운동 기능과 연하반사 기능의 이상 여부를 조사한다. 후두 및 인두의 기능 검사로는 인두의 운동성이나 결손 유무, 성대 및 후두의 운동성, 하인두의 대칭성이나 타액 저류 등을 살펴야 하며, 그 외 폐 기능에 대한 평가를 통하여 연하의 구조적 그리고 생리적인 변화를 관찰한다. 연하반사가 없을 때는 연하장애가 있을 수 있지만 연하반사가 있다고 흡인이나 연하장애가 없다고 판단해서는 안 된다. 그 밖에 환자의 의식의 명료도와 인지 기능을 파악해서 이러한 장애가 연하장애의 원인이 되는지에 대해 평가하고 환자의 호흡기 기능, 심혈관계 기능에 대한 이학적 검사를 시행한다.

간접후두경이나 굴곡형 후두경검사(flexible laryngoscopy)로 후두나 하인두를 쉽게 관찰할 수 있으며, 필요하면 직접후두경이나 식도경검사를 시행한다.

3. 내시경적 연하검사(fiberoptic endoscopic evaluation of swallowing, FEES)

내시경적 연하검사는 연성 내시경을 이용하여 연하기능을 평가하는 검사로 Langmore 등이 1988년 구인두연하장애를 평가하기 위해 후두내시경을 사용한 것이 처음이다. 검사방법은 앉거나 식사 시의 자세를 유지하며 비강을 통해 내시경을 삽입한 후 혀기저부, 인두와 후두의 해부학적, 생리학적 이상을 관찰한다. 두 번째 단계로는 식용색소를 첨가한 음식물을 삼키면서 연하기능을 평가하며, 연하에 이상이 있는 환자의 경우에는 자세를 바꾸거나 음식물의 성상을 바꾸거나 연하요법을 사용하면서 검사를 시행한다(그림 63-2).

내시경을 이용한 연하기능 평가는 연하 장애 환자에서 중요한 평가 방법으로 검사 비용이 비교적 저렴하고, 시간

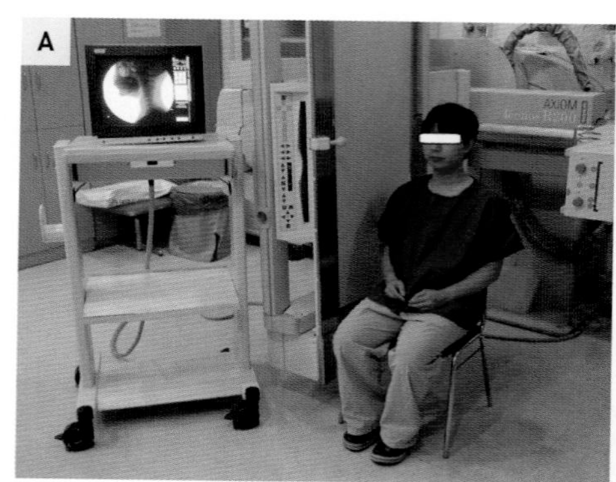

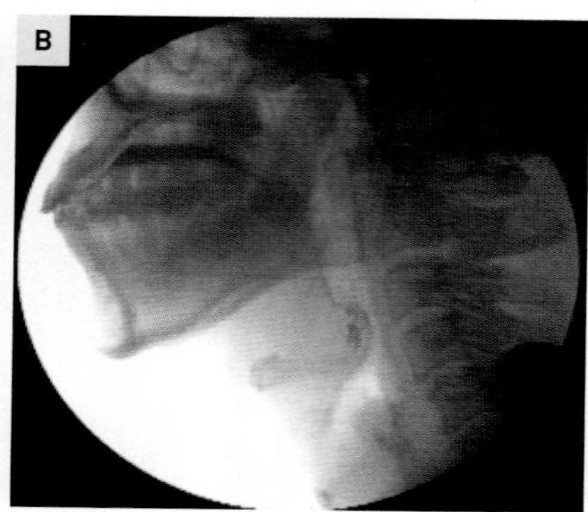

■ 그림 63-3. 비디오투시연하검사.
A) 검사 방법 B) 검사 영상

이 많이 소요되지 않고 침상에서 평가가 가능하며 방사선에 노출을 피할 수 있다는 면에서 비교적 안전하다는 장점이 있다. 연하반사가 일어나기 전후의 연구개, 인두, 후두의 모양과 운동을 관찰할 수 있고 음식물과 분비물의 흡인과 잔류 여부 및 장소를 파악할 수 있다. 특히 후두, 인두, 경부 식도의 내부 강 표면에 구조적인 병변이 의심되는 경우에는 유용한 검사법이며 진단의 정확도가 비디오투시연하검사만큼 높다.[34] 또한 굴곡형 후두경의 내관을 통하여 피열후두개와 이상와 점막에 공기를 분사하고 후두내전근반사(laryngeal adductor reflex)를 관찰하여 상후두신경의 감각기능을 파악할 수 있다.[2]

하지만 구강기와 식도기를 볼 수 없으며, 인두기에서도 후두 상승이나 인두의 수축, 상부 식도 괄약근의 이완과 같은 매우 중요한 삼킴 기전을 확인하기 어렵다는 단점이 있다.

4. 비디오투시 연하검사(videofluoroscopic swallowing study)

조영제가 포함된 실제 음식물을 환자가 삼키게 하면서 X선을 투사하여 얻어지는 영상을 비디오테이프 혹은 디지털 영상으로 기록하여 연하 단계별로 이상 유무를 검사하는 검사로서, 연하의 구강 준비기, 구강기, 인두기, 그리고 경부 식도기에 대한 평가를 위해 고안된 방법이다. 검사를 할 때 실제 음식물을 이용하여 검사한다는 점에서 이상적이며, 연하 기능에 관련된 여러 구조물들의 움직임을 종합적으로 판단할 수 있고, 기도 흡인의 여부나 정도뿐만 아니라 원인을 알 수 있다는 점이 다른 검사에 비해 큰 장점이다.[39] 녹화한 검사 테이프를 천천히 재생하여 분석하면서 그 환자에게 구강섭식을 계속 시킬 것인지 아니면 다른 방법으로 할 것인지를 결정하고, 조영제의 성상을 바꾸어가면서 어떤 성상의 음식이 흡인이 안 되는지 판단하고, 검사를 시행하면서 체위변환이나 흡인을 줄일 수 있는 재활방법을 시도하고 그 효과를 판정함으로써 진단과 치료를 동시에 시행할 수 있는 검사방법이다.[41] 하지만 방사선에 노출된다는 문제점과 함께 차폐가 된 검사실이 필요하고, 환자가 검사실로 가야만 한다는 점에서 환자 상태가 좋지 않아 이동이 어려운 경우 이용에 제한이 있다(그림 63-3).

5. 기타

흡인에 대한 방사선검사로는 여러 가지가 이용된다. 흉부 방사선검사는 흡인성 폐렴, 무기폐 등을 진단하고 회복 여부를 알 수 있고, 뇌, 뇌간 등 흡인의 신경학적 원인을 찾는 데는 CT나 MRI가 도움을 줄 수 있다.

이 외에 연하장애에 대한 검사로는 ^{99m}TC sulful colloid를 함유한 조영제를 마시게 하고 감마 카메라로 연하기능을 검사할 수 있는 핵의학적 평가, 인두내압검사(pharyngeal manometry), 초음파검사, 근전도검사를 시행할 수 있다.[39]

 치료

연하장애와 흡인을 효과적으로 치료하기 위해서는 각각의 환자의 질환 및 질환의 예후에 근거하여 연하의 해부학적, 생리학적 특성을 잘 이해하여야 한다. 치료는 보존적 치료와 수술적 치료를 할 수 있으며 연하장애와 흡인이 있는 환자에게 구강 섭식을 계속 시킬 것인지 아니면 비위관(nasogastric tube) 섭식이나 위루술(gastrostomy)을 할 것인지를 결정하는 것이 중요하다. 현재까지 이에 대한 결정적인 지침은 없으나 비디오투시 연하검사를 시행하여 어떤 음식을 삼킬 때 10초 이상이 소요되면 구강섭식 이외에 다른 방법을 고려하여야 하며, 음식물의 종류와 관계없이 10% 이상이 흡인되면 구강섭식을 중단해야 한다.[39] 위루술은 비위관 섭식이 장기간 지속될 때는 시도할 수 있으나 시기에 대해선 논란의 여지가 있다.

비위관 섭식을 하는 대부분의 환자는 기관절제술을 받았으므로 환자의 상체를 약간 높이고 환자의 구강 내와 기관절개 부위에서 분비물을 자주 청소하는 등 적절한 간호와 폐렴 등의 염증성 합병증에 대한 적절한 항생제 치료를 필요로 하기도 한다. 비위관 섭식은 흡인을 감소시킬 수 있으나 경우에 따라서는 흡인을 조장할 수 있으므로 주의를 요한다.[1]

1. 보존적 치료

만성 흡인 환자 중 흡인의 정도가 심하지 않아 자신이 분비물을 처리할 수 있고 말할 수 있으며 반복되는 폐렴이 없는 등급 Ⅰ,Ⅱ의 흡인인 경우에는 자세교정술(postural technique), 감각증대술(sensory enhancement), 연하요법(swallow maneuver) 및 식이 조절(diet control), 근육운동(muscle exercise), 전기자극 치료(electrical stimulation) 등의 보존적인 방법으로 흡인을 줄일 수 있다.[39]

1) 자세교정술

구인두 연하장애 환자에서 연하검사를 시행하며 동시에 첫 번째로 시도될 수 있는 치료법으로 구인두 연하장애의 50% 이상을 치료할 수 있는 방법이다.[39] 자세 교정술을 통해 흡인을 치료하기 위해서는 검사를 통하여 환자의 연하 기능 및 흡인의 원인에 대한 정확한 평가가 먼저 이루어지는 것이 중요하며, 정확한 평가가 이루어진 후 연하과정 중에 다양한 자세를 취함으로써 구조적 그리고 생리학적 원인에 의한 연하장애를 치료할 수 있다.

자세교정술에는 턱당겨내리기(chin tuck), 머리뒤로젖히기(head back), 머리돌리기(head rotate), 머리기울이기(head tilt), 옆으로눕기(side-lying posture) 등의 방법이 있다.[39,40,56] 턱당겨내리기 자세는 턱을 아래로 기울여 고개를 숙이는 듯한 자세를 취하는 것이다. 턱당겨내리기 자세는 인두반사가 지연될 때에 후두개곡을 넓혀서 기도로 음식물이 직접 들어가는 것을 예방하고, 설근부와 후두개를 후방으로 이동시켜 기도를 보호하며, 설근부의 후진운동이 저하된 경우 설근부를 뒤로 이동하여 인두 후벽과 밀착시키는 방법이다. 머리뒤로젖히기 자세는 구강기에 혀의 운동이 저하된 경우 사용하며 중력에 의하여 음식물을 인두로 이동시키는 방법이다. 머리돌리기 자세는 병이 있는 쪽으로 머리를 돌림으로써 병변측의 이상와나 인두벽의 면적을 줄여서 건강한 쪽으로 음식물이 넘어가게 하는 방법으로 일측의 후두 혹은 인두마비가 있을 때 사용된다. 머리기울이기 자세는 일측 구강이나 인두기능 장애로 연하 후 음식 잔류물이 구강, 인두에 남았을 때 사용되며, 정상 측으로 머리를 옆으로 기울여서 중력을 이용해서 연하를 돕는 방법이다. 옆으로눕기 자세는 인두

마비로 연하 후 잔류물이 인두에 남아서 후두로 흡인될 때 잔류물이 중력의 영향을 적게 받아서 후두로 흡인되는 것을 감소시키는 방법이다.

2) 감각증대술

구강 및 인두의 감각 지각이 감소되어 구강기 연하가 지연되거나 또는 인두 연하반응이 지연되는 환자의 경우 적절한 감각 자극으로 연하 과정을 촉진할 수 있다. 구강기 연하가 지연되는 경우 숟가락을 이용하여 혀에 압력 자극을 주거나 식괴의 맛, 온도, 부피를 변화시키거나, 스스로 음식물을 먹게 함으로써 구강 연하를 촉진시킬 수 있다. 인두 연하반응이 지연되는 경우에는 후두 반사경을 얼음물에 수 초간 담근 후 양측 전 편도 지주를 자극하여 음식을 삼키도록 하는 온도촉각자극법(Thermal/tactile stimulation)을 사용하여 인두연하를 촉진시킬 수 있다.[39]

3) 연하요법

연하요법에는 노력형 연하법(effortful swallow), 맨델슨법(Mendelsohn maneuver), 상성문 연하법(supraglottic swallow), 초상성문 연하법(super-supraglottic swallow)이 있다.[27,39,43,48]

노력형 연하법은 설기저부의 수축이 감소되어 후두개곡에 음식물이 남는 경우 활용할 수 있는 방법으로 환자에서 힘을 주고 삼키게 함으로써 설기저부의 후방이동을 증가시키는 방법이다. Mendelsohn법은 후두의 운동성이 감소되어 있는 환자에게서 후두의 상방운동을 촉진하기 위한 방법이다. 연하 시 상설골근육들을 힘을 주어 수축하게 함으로써 후두거상을 수 초간 유지시켜 주는 방법이다. 상성문 연하법은 성대의 폐쇄가 이루어지지 않거나 인두연하가 지연된 경우에 시행하며, 숨을 들이마신 후 숨을 참고 음식을 삼킨 다음 짧은 기침을 하여 기도를 보호하는 방법이다. 초상성문 연하법은 후두입구부 폐쇄가 적절히 이루어지지 않는 환자에게 시행하며, 상성문 연하법을 시행하며 힘을 주어 숨을 참음으로써 피열연골을 전방으로 전위시켜 성문 폐쇄를 강화하는 방법이다.

4) 식이조절

환자의 병력을 청취하고 구강, 인두 및 후두의 조절 능력을 평가하여 식괴의 성상을 적절히 변화시킴으로써 연하장애를 치료하는 방법이다. 혀의 움직임이 저하되어 있거나 조절 능력이 저하된 경우 점도가 높은 음식은 인두쪽으로 보낼 수 없기 때문에 점도가 낮은 액체식으로 변화시킨다. 인두 연하반응이 지연된 환자에게는 점도가 높은 식이를 섭취하도록 하여 인두 연하 전 흡인을 줄일 수 있다. 후두 폐쇄가 적절하지 않은 환자에게는 높은 점도의 액체나 유동식을 섭취하도록 하여 인두 연하 시 흡인을 줄일 수 있다. 설근부와 인두 벽의 수축력이 감소되어 있거나 후두 거상과 윤상인두괄약근의 개방이 부적절한 경우에는 후두개곡과 이상와에 음식 잔여물이 남게 되므로 액체식이 도움이 된다.

5) 근육운동

연하장애 환자에서 부적절한 신경근육조절과 감소된 근육 운동을 개선하기 위하여 다양한 연하 운동이 도움이 된다. 구순, 혀, 턱의 운동과 기능을 향상시킬 수 있고 후두거상운동, 기도보호연하법, 두부거상운동(head lifting exercise) 등이 연하 장애의 치료에 응용된다.

혀의 운동법은 크게 혀의 운동범위를 넓혀주는 운동, 저작과 운동 조절 능력을 향상시키는 운동, 근육 강화 운동 및 설기저부 운동 등이 있다.

설기저부의 운동성이 떨어진 경우 노력형 연하, 혀고정 연하법(tongue-hold or Masako meneuver)[19] 과 하품을 하듯이 혀를 최대로 후방으로 당기는 운동을 시행한다.

후두 거상을 위한 운동법으로는 맨델슨법과 가성발성법(falsetto voice)이 있다. 이와 더불어 두부거상운동은 설골 상부의 피대근을 강화시켜 후두의 거상 및 전방 전위를 극대화시킴으로써 윤상인두괄약근의 개방을 유도하고 하인두 내의 식괴 내압을 감소시키는 운동이다. 방법은 앙와위에서 어깨를 침대에 댄 상태로 고개만 들어 환자에게 자신의 발가락을 쳐다보도록 지시한다. 고개를 든 상태를 1분간 유지하고 들었다 놓는 운동을 반복하는 운동으로 구성된다.[53]

6) 전기자극 치료

전기자극 치료 중 가장 널리 사용되고 있는 경피적 전기자극 치료기기인 VitalStim®은 1997년에 Freed에 의해 처음 소개되었으며 2001년에 연하장애 환자들을 대상으로 한 치료기기로 FDA 승인을 받은 바 있다.[18]

피부에 전극패치를 부착하여 동조된 경부근육, 특히 피대근의 자극을 줌으로써, 후두를 거상시키는 근육들을 강화시키고, 근위축을 예방하기 위해 사용되고 있으나 아직은 효과에 대한 논란의 여지가 있다.

2. 수술적 치료

보존적인 치료방법으로는 증상을 호전시킬 수 없는 등급 III, IV 만성 흡인에서는 수술적 치료가 필요하다.[13] 치료법으로 기관절개술, 성대내전술, 물리적 확장법, 보톡스 주입술, 윤상인두절개술, 후두현수술, 협영역 후두적출술, 연골막하 윤상연골절제술, 부분 윤상연골절제술, 성문상부 및 성문 폐쇄술, 후두 내 스텐트, 후두기관 분리술 등이 있다. 만성흡인을 치료하는 이상적인 수술법은 흡인을 소실시키고 안전하게 연하작용을 할 수 있어야 하며 발성이 가능하고 가역적이여야 한다. 그리고 수술을 고려할 정도라면 전신상태가 좋지 않은 환자가 많으므로 국소마취 하에서 수술을 시행하는 것이 좋다. 흡인을 방지하는 수술법은 환자의 전신 상태, 흡인의 원인과 정도, 연하기능의 회복 가능성, 환자나 가족의 요구 등 여러 가지를 고려하여 결정해야 한다.

1) 기관절개술

생명을 위협할 수 있는 심한 흡인이 있을 때 처음 시도될 수 있는 치료는 기관절개술과 위루술(gastrostomy)이다. 기관절개술과 위루술은 흡인환자에서 추가적인 흡인으로부터 기도를 보호하고 적절한 영양을 공급해줄 수 있는 방법이다. 다음 단계로 환자의 호흡과 연하에 대한 구체적인 평가를 하게 된다. 일부 환자에서는 보존적 연하치료가 도움이 될 수 있으며, 치료의 선택은 흡인의 회복가능성, 연하장애의 정도, 폐 기능, 인지 상태(cognitive status), 질병의 정도에 따라 결정된다.

기관절개술의 연하장애와 흡인에 대한 영향에는 논란의 여지가 있다. 외상 환자나 두경부암 수술 후 초기엔 기도를 유지하고 흡인을 예방하지만, 장기적 사용은 후두의 상승과 연하 반사에 영향을 주어 흡인의 위험을 증가시킨다. 기관절개 튜브의 기낭(cuff)의 사용도 두경부암 수술 후 초기엔 흡인을 감소시키지만 생리학적으로 기낭에 공기를 넣으면 연하 시 후두의 상승을 막고 성대를 닫아주는 반사(adductor laryngeal reflex)에 영향을 미쳐 흡인을 초래할 수 있다.[12,51] 인공호흡기를 사용하는 환자와 같이 지속적으로 기낭에 공기를 넣고 있어야 하는 경우에는 특별히 고안된 근위흡입기관절개튜브(proximal suction tracheotomy tube)를 사용하면 흡인을 줄일 수 있다.[8]

실질적으로 기관절개술은 기도를 유지하고 기관 내 분비물을 제거하기 위한 방법이지 연하장애를 치료하는 방법은 아니다. 따라서 기관절개술은 흡인의 초기 치료로 고려될 수 있지만 장기간 사용 시 기관협착, 기관연하증, 기관식도 누공 등의 합병증이 발생할 수 있기 때문에 기도가 충분히 유지된다면 조기 발관을 고려하여야 한다.

2) 성대내전술(medialization of vocal fold)

연하 시 기도는 후두개, 가성대, 진성대의 세 단계에서 흡인으로부터 보호되며 가성대와 성대는 되돌이후두신경의 지배를 받는다. 성대마비로 인한 만성흡인 환자는 다양한 수술적 방법으로 치료할 수 있다. 치료의 선택은 흡인을 초래하는 병변의 위치와 심한 정도, 연하장애의 정도, 회복의 가능성과 환자의 전신상태에 따라 결정된다.

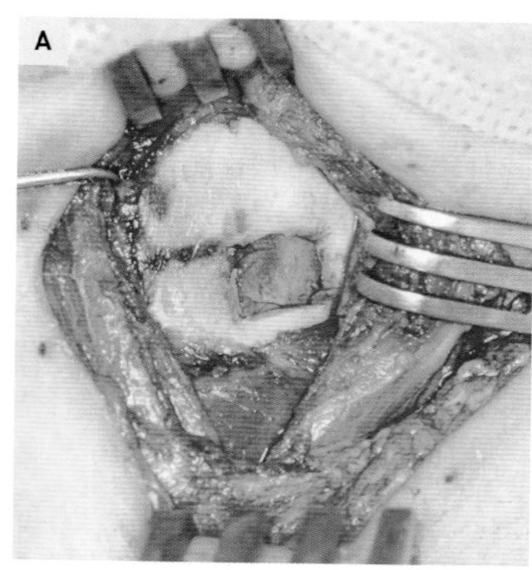

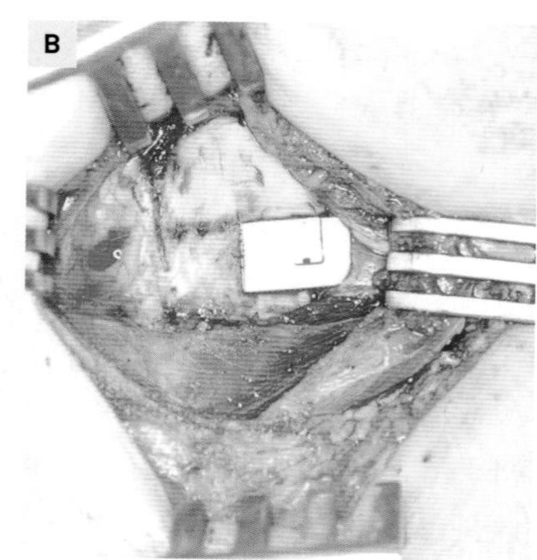

■ 그림 63-4. **제1형 갑상연골성형술 (VoCom)**

성대마비는 되돌이후두신경이나 미주신경의 손상에 의해 생기게 되며, 성대내전술은 목소리를 좋게 할 뿐 아니라 흡인을 예방할 수 있다.

성대내전술 방법은 성대주입술(injection laryngoplasty), 제1형 갑상연골성형술 (thyroplasty Type 1), 피열연골내전술(arytenoid adduction)과 신경재배치(nerve reinnevation)가 있다.

성대주입술은 대부분 국소마취하에 외래에서 시행하게 되며 개방수술을 시행하기 어려운 중한 환자에게서 유용한 방법이다. 주입방법은 경피적, 경구강을 통하여 시행할 수 있으며 내시경, 근전도, 초음파 등을 이용하여 시행할 수 있고 시술 후 즉시 효과를 볼 수 있는 간단하고 안전한 방법이다. 주입물질은 Gelfoam, 콜라젠, 하이알루론산(hyaluronic acid), 자가 지방, 근막(fascia), calcium hydroxyapatite, polymethylmethacrylate (PMMA)등의 필러를 성대 내에 주사하여 성대를 내전시키게 된다. Gelfoam, 콜라젠, 하이알루론산은 단기간 유지되므로 수술 시 반회후두신경이 일시적으로 손상되어 발생할 수 있는 성대마비 환자에게 일차적으로 시도해볼 수 있다. 자가 지방, 근막(fascia), calcium hydroxyapatite, PMMA는 더 오래 유지되기 때문에 성대마비가 회복될 가능성이 없거나 개방수술을 시행하기 어려운 환자에게서 영구적으로 성대를 내전시킬 때 사용된다.

Isshiki에 의한 제1형 갑상연골성형술은 가역적 술식으로 갑상연골 중간 부위에 4-5 cm 길이의 수평피부절개를 가한 후 갑상연골을 노출시키고 성대 높이에 해당하는 갑상연골에 창을 만들어 보형물을 삽입하여 성대를 내전시킨 후 고정하는 방법이다.[25] 보형물의 재료로는 실리콘이나 calcium hydroxyapatite (VoCom®), Gore-Tex® 등이 사용된다. 국소마취가 가능하기 때문에 수술 중 생리적인 성대의 위치를 평가할 수 있다는 점, 성대의 진동점막부위의 손상을 덜 준다는 점과 가역적인 술식이라는 점이 장점으로 알려져 있다(그림 63-4).

피열연골내전술은 1948년 Morrison 등에 의해 처음 소개되었으며 피열연골의 근돌기(muscular process)를 봉합사로 당겨 마비된 성대를 내전시켜주는 방법이다. 성문 후방의 간격이 넓고 성대 높낮이의 차이가 있는 일측성 성대마비의 경우 제1형 갑상성형술만으로는 만족할 만한 결과를 얻기 어려워 함께 시행하는 경우가 많다. 피열연골내전술은 기술적인 어려움이 있으나 성문 후방의 간격이 넓고 성대 높낮이의 차이가 있는 환자에서 효과적으로 성대를 내전시킬 수 있는 방법이다.[26]

3) 물리적 확장법(mechanical dilatation)

식도 확장술은 17세기에 고래뼈를 사용하여 처음 시도되었으며 19세기에 부지(bougienage)가 처음 소개된 이

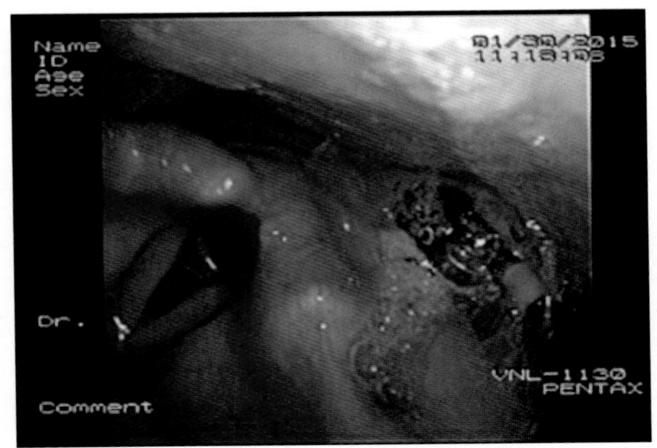

■ 그림 63-5. **풍선확장술**

후 윤상인두근의 섬유화가 심한 환자나 상부식도협착 환자에서 기계적 확장술이 시도되고 있다. 상부식도협착은 두경부암의 방사선치료, 두경부암 수술 시 연합부의 협착, 위산역류, 격막(web) 등의 원인에 의해 2차적으로 발생할 수 있다. 기계적 확장술은 부지나 풍선확장기(balloon dilator)를 사용하게 된다. 부지는 끝이 좁고 점차 굵어지는 형태의 기구로 상부로부터 밀어 넣기 때문에 횡적 확장뿐 아니라 종적 전단력(shearing force)이 작용하며 긴 협착의 확장에 유용하다. 풍선확장기는 횡적으로만 힘이 가해지고 직접 협착부를 확인하며 위치시킬 수 있는 장점이 있으며 국소협착에 유용하다(그림 63-5). 확장술 전 바륨 연하검사나 비디오투시연하검사, 내시경검사, CT촬영 등으로 정확한 진단을 하고 전신 혹은 국소마취 가능 여부, 확장기의 종류 등을 고려하여 시술방법을 선택하여 합병증을 예방하며 충분히 확장하도록 한다. Clary 등[7]은 윤상인두 연하장애 환자의 2/3에서 부지 확장술로 성공적인 치료결과를 보고한 바 있다.

상부식도협착이 확장술로 치료가 되지 않는 경우에는 병변 내 스테로이드주입술, 전기소작기절개, 일시적 스텐트삽입을 시도해볼 수 있다. 방사선 치료 후 상부식도가 완전히 막힌 경우에는 전방과 후방 접근법을 통해 협착부의 확장을 시도할 수 있으며 후방접근은 위루술(gastrostomy) 부위를 통해서 실시한다.[9]

4) 보툴리눔 독소 주입법

보툴리눔 독소는 C. botulinum에 의해 만들어진 신경독(neurotoxin)으로 보툴리눔톡신 A와 B가 있다. 보툴리눔 독소 A와 B의 치료효과는 유사하지만 보툴리눔 독소 B는 전신 항콜린작용이 더 강하기 때문에 윤상인두연하장애 환자에게는 보툴리눔톡신 A를 주로 사용한다.[11]

윤상인두근에 보툴리눔 독소를 주입하는 시술은 1994년 Schneider[52]에 의해 윤상인두 연하장애 환자에게 처음 보고된 이후 현재 임상에서는 윤상인두 연하장애 환자의 진단 및 치료에 사용되고 있다. 가장 이상적인 적응증은 연하검사상 후두의 거상과 설근부 및 인두의 수축이 정상적인 윤상인두근의 기능장애이다. 상부식도괄약근 기능부전이 섬유화나 협착에 의한 경우는 적응이 되지 않는다.

다양한 주사법이 소개되어 있으며 전신마취하에 현수후두경이나 식도경을 사용하는 내시경적 접근법, 근전도를 이용한 경피적 주사법, 근전도와 비디오투시검사를 활용하는 주사법 등이 가능하다.[47,49] Schneider에 의한 내시경적 접근법은 전신마취하에 현수후두경이나 식도경을 윤상연골 후방에 삽입한 후 전방으로 들어올리면 고리모양으로 들어올려지는 윤상인두근을 확인할 수 있다(그림 63-6). 보툴리눔톡신의 주입은 후두주입바늘이나 버터플라이 캐뉼라를 사용하며 주입 위치는 뒤쪽 두 군데나 세 군데에 하게 된다(그림 63-7). 근전도를 이용한 경피적 주사법은 후두를 잡고 반대편으로 회전시켜 후두후방을 노출시킨 후 윤상연골의 하연에서 주입하여 윤상연골을 따라 후내측으로 전진하여 윤상인두괄약근을 확인하여 주사하게 된다.

일반적으로 사용되는 보툴리눔톡신의 양은 20–100 unit를 사용하며 효과는 5–6개월 지속된다. 주입 시 원하지 않는 부위로 확산되는 것을 방지하기 위해서는 고농도의 보툴리눔 독소를 소량 주입해야 한다.

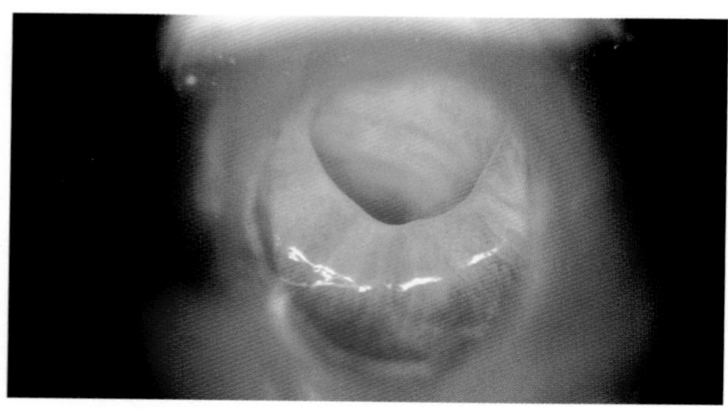

■ 그림 63-6. **윤상인두근**

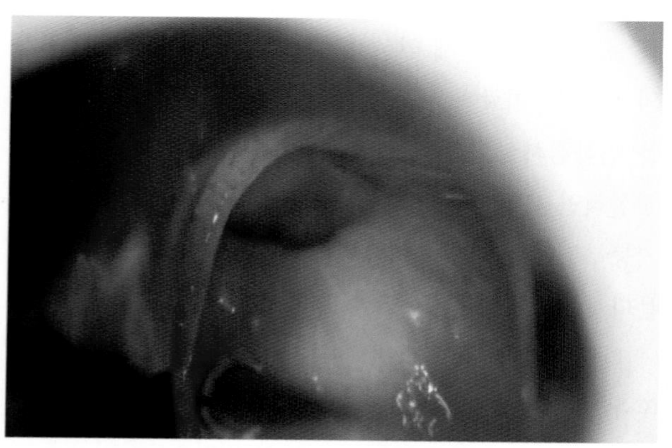

■ 그림 63-7. **보툴리늄 독소주입술**

Moerman 등[45]에 의하면 74%에서 성공률을 보고하였으며, Zaninotto 등[57]은 21명의 환자에서 43%의 성공률을 보였고, 실패한 11명 중 8명에서 윤상인두근절개술을 통하여 윤상인두 연하장애가 호전되었음을 보고하였다. 즉 보툴리늄톡신 주입술은 안전하고 간단한 시술로 윤상인두 연하장애에서 1차적으로 시행할 수 있고, 증상의 호전이 있으면 시행하거나 증상의 호전이 없으면 윤상인두근절개술을 시행하여 윤상인두연하장애에 대한 치료 효과를 기대할 수 있다.

5) 윤상인두근절개술(cricopharyngeal myotomy)

상부식도괄약근(upper esophageal sphincter)은 인두와 경부 식도 사이의 고압력 영역을 말하며 생리학적 역할은 음식물이 기도로 역류하는 것과 공기가 소화기로 유입되지 않도록 하는 것이다. 해부학적 측면에서는 근위 경부식도근육, 윤상인두근(cricopharyngeus), 하인두수축근(inferior constrictor)으로 이루어지며 윤상인두근이 상부식도괄약근의 가장 핵심적인 근육이라고 할 수 있다. 상부식도 괄약근의 이완과 관련된 세 가지 인자로는 윤상인두근의 이완, 상부식도괄약근의 개방과 관련된 근육들의 수축, 그리고 식괴에 의한 인두 내압을 들 수 있다. 이 세 가지 요소의 적절한 기능에 이상이 발생하면 상부식도괄약근의 기능 부전에 의해 윤상인두 연하장애가

표 63-3. 윤상인두근절개술의 적응 및 금기

Indications : Dysphagia secondary to :
Central nervous system disorders
Parkinsonism
Cerebrovascular accident
Multiple sclerosis (MS)
Amyotrophic lateral sclerosis (ALS)
Peripheral nervous system
Vagal injury (laryngeal/pharyneal paralysis)
Diabetic/peripheral neuropathy
Muscular disease
Oculopharyngeal dystrophy
Steiner myotonic dystrophy
Polymyositis
Myasthenia gravis
Hyperthyroidism/hypothyroidism
Postsurgical
Supraglottic laryngeactomy
Total larygectomy
Oral cavity/oropharyngeal resection
Tracheoseophageal speech (spasticity)
Zenker's diverticulum
Cricopharygeal achalasia
Contraindications
Severe weakness of the pharyngeal muscles (unable to propel bolus)
Severe/uncontrolled GER disease
Pharyngeal varices :
Post-bilateral neck dissections
Thoracic oultet syndrome

발생한다.[39]

1951년 Kaplan이 소아마비 후유증으로 발생한 연하장애 환자에서 처음으로 윤상인두근절개술을 시행하여 보고한 이래 이 시술법은 다양한 적용 방법이 고안되어 사용되고 있다.[28] 윤상인두근절개술의 적응증은 다양한 원인에 의한 윤상인두 연하장애이다(표 63-3). 수술의 적응증과 수술 후 결과에 대해서는 논란의 여지가 있으며 성공적으로 환자를 치료하기 위해서는 식괴에 압력을 생성할 수 있는 인두의 기능이 유지되어야 한다.

진단을 위해서는 비디오투시연하검사, 인두내압검사, 근전도검사 등이 사용된다. 수술적 접근법으로는 외측 접근법과 내시경적 접근법이 있다.

외측 접근법은 경부절개를 통한 전통적 수술법으로 수술 시에 굵은 기도삽관 튜브나 부지(bougie dilator)를 식도 내에 넣어 놓으면 수술 중에 윤상연골 뒤에 위치하는 윤상인두근을 쉽게 확인할 수 있으며 절개할 수 있다. 근육을 절개할 때는 원위부 하인두수축근, 윤상인두근, 식도근의 상부 환상근을 모두 포함해야 하고 반회신경의 손상을 피하기 위하여 후두를 반대 방향으로 돌리고 가능한 한 뒤쪽에서 절개해야 한다(그림 63-8).

내시경적 접근법은 수술합병증이 적고 조기에 식이가 가능하다는 장점이 있어서 도입되었다.[3,21] 그러나 다양한 원인으로 윤상인두괄약근의 노출이 되지 않는 경우 시행할 수가 없다. 수술 시엔 전신마취하에 게실경(diverticuloscope)이나 현수 후두경으로 윤상인두괄약근을 노출시킨 후 CO_2 레이저를 이용하여 점막 절개 후 윤상인두괄약근을 buccopharyngeal fascia까지 절개하게 된다(그림 63-9, 10). 절개 시 종격동염을 예방하기 위해서는 근막을 보존하는 것이 중요하다. 윤상인두근 절개 후 근육은 일부 절제할 수도 있으며, 점막은 봉합하거나 fibrin glue를 뿌려주거나 자연치유를 위해 그대로 두기도 한다.[23]

6) 후두현수술(laryngeal suspension)

후두현수술은 후두를 봉합사를 이용하여 하악쪽에 견인하여 후두를 보존하며 만성흡인을 치료하는 술식이다. 수술의 적응증은 심한 흡인이나 재발하는 흡인성 폐렴이 있고 비수술적 연하치료에 실패한 환자에서 비디오투시연하검사상 심한 인두수축부전, 후두거상부전과 상부식도괄약근 개대 부전이 있는 경우이다. 주로 윤상인두근절개술과 동시에 시행된다. 심한 위식도역류가 있거나 후두와 하악에 방사선치료를 받았거나 전신상태가 좋지 않을 경우 시행할 수 없다. 수술 전 환자나 보호자에게 후두현수술은 흡인을 치료하는 것이지 연하를 정상으로 만드는 수술이 아님을 주지시켜야 한다. 특히 수술의 목표는 후두를 보존하는 흡인의 치료이며 수술 성공률은 50–60%이고, 일시적 기관절개술의 필요성, 술 후 트림과 역류의 발

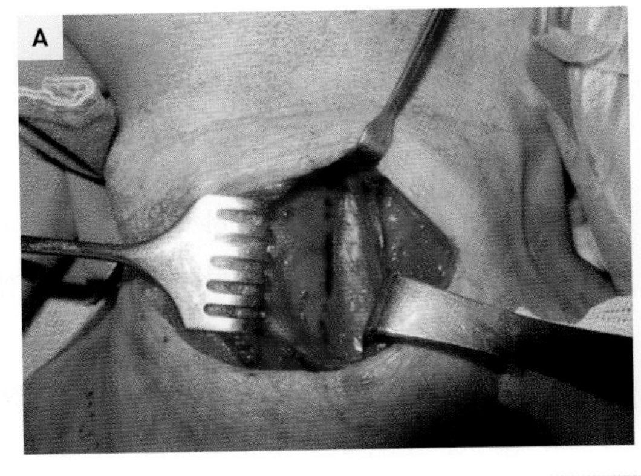

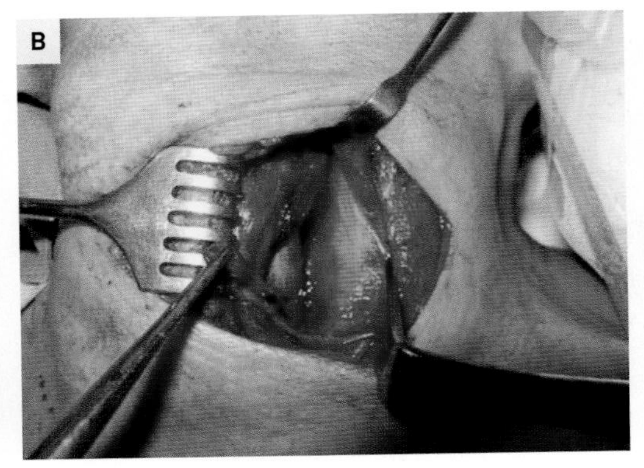

■ 그림 63-8. **윤상인두근절개술(외측 접근법)**

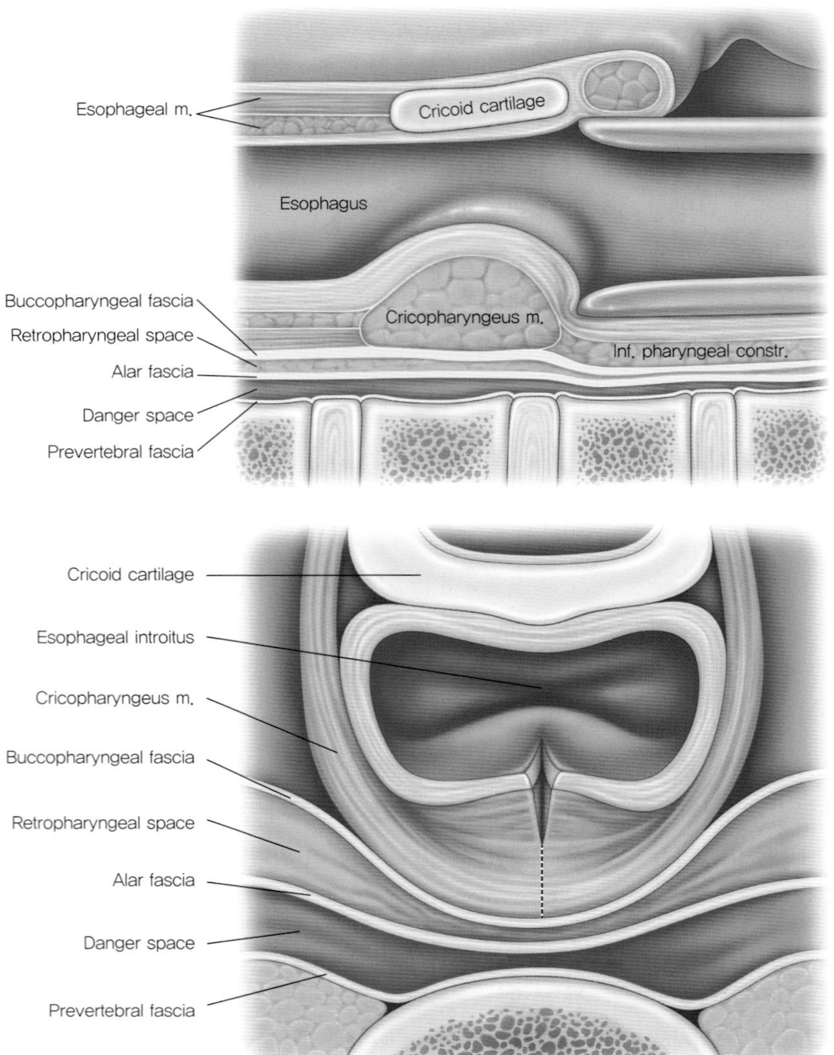

■ 그림 63-9. **윤상인두근절개술(내시경적 접근법)**

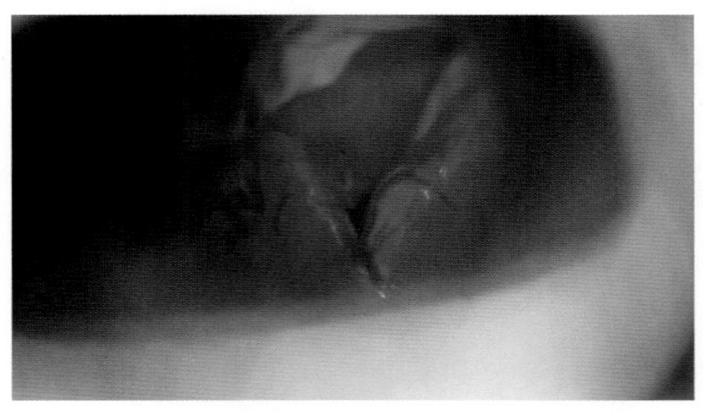

■ 그림 63-10. **윤상인두근절개술(내시경적 접근법)**

생, 술 후 기관삽관의 어려움 등이 있을 수 있음을 설명해야 한다. 수술방법은 윤상인두근절개술을 먼저 시행하고 갑상연골을 설골에 봉합사로 견인하고 설골을 다시 하악의 전방부로 봉합사를 이용하여 견인하게 된다(그림 63-11). 기도를 유지할 수 있도록 수술 시 내시경을 통하여 후두의 위치를 확인한 후 봉합사를 고정하고 기관절개술 후 수술을 마치게 된다. 후두현수술의 장기적 성공률은 50–60%로 보고되고 있다.[31,42] 심한 흡인환자들 중 일부에서 선택적으로 후두전적출술과 후두분리술을 대신해

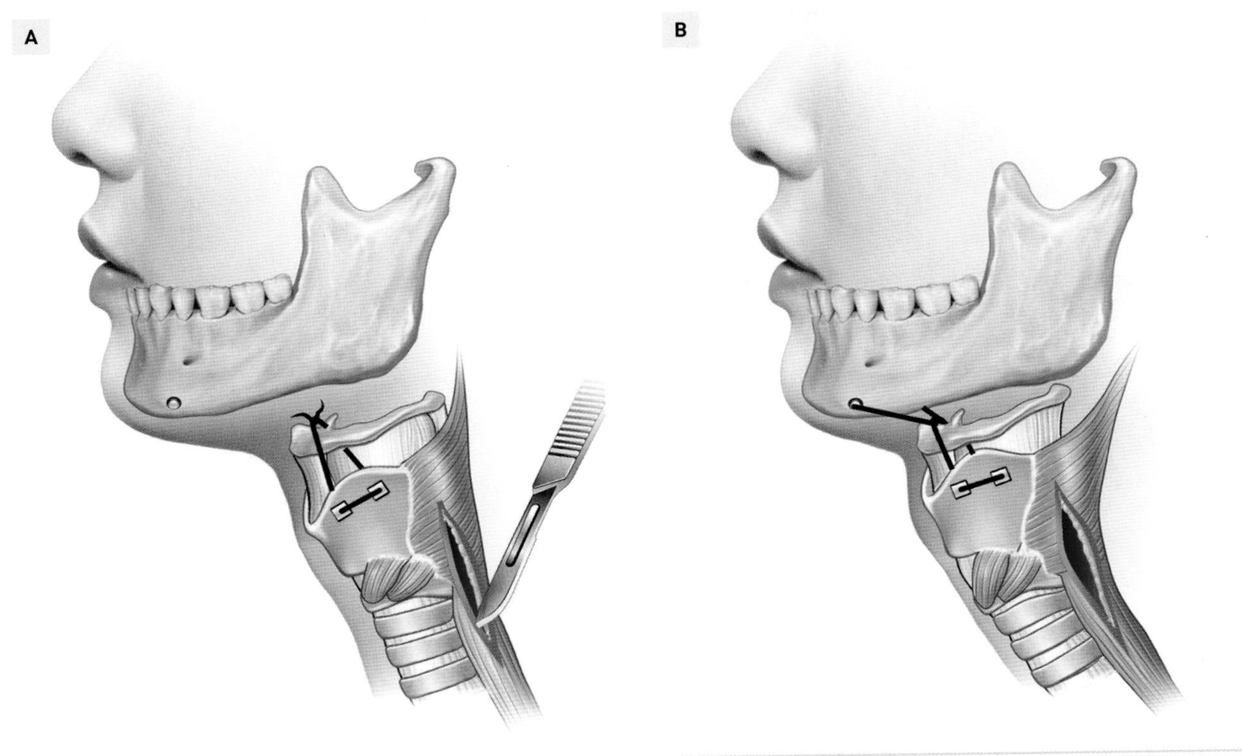

■ 그림 63-11. **후두현수술**

서 시도해 볼 수 있는 치료법이다.

7) 협영역 후두적출술(narrow-field total laryngectomy)

협영역 후두적출술은 생명을 위협하는 흡인이 있으면서 음성을 이미 소실하였거나, 다른 수술로 만성흡인이 치료되지 않는 환자에서 환자의 전신 상태가 나쁜 경우에 가장 효과적이고 확실한 치료법이다.[6,22] 특히 진행 하는 신경근육계 질환(근위축성측삭경화증, amyotrophic lateral sclerosis)이나 신경계 질환(뇌졸중)환자, 두경부암 환자에서 광범위 수술을 받거나 고용량 방사선치료를 받은 환자에서 생명을 위협하는 만성흡인 시 시행될 수 있다. 술 전에 반드시 환자와 보호자에게 충분한 설명을 해야 하는 것이 필수적이며, 술 중에는 후두암수술에서 통상 시행되는 광범위 후두전절제술(wide-field total laryngectomy)과 달리 설골, 피대근, 그리고 가능한 한 많은 하인두 점막을 보존하여 점막의 긴장이 없는 상태에서 접합하여야 인두피부누공 등의 술 후 합병증을 예방할 수 있다(그림 63-12).[5] 후두전절제술은 소화기와 호흡기를 완전히 분리하는 만성 흡인의 가장 효과적인 치료방법이다.

8) 연골막하 윤상연골절제술(subperichondrial cricoidectomy)

연골막하 윤상연골절제술은 흡인 없는 연하기능의 회복이 불가능할 경우 상부 호흡기와 소화기를 분리시키는 술식이다. 윤상연골의 전방을 노출하여 윤상연골 중앙부의 연골막을 수직으로 절개하고 윤상연골을 노출시킨다. 그 후 외측 윤상연골막을 연골판까지 노출시키고 내측연골막을 윤상연골로부터 완전히 분리하여 윤상연골의 앞쪽 부분을 제거한다. 그리고 윤상연골의 내측 연골막과

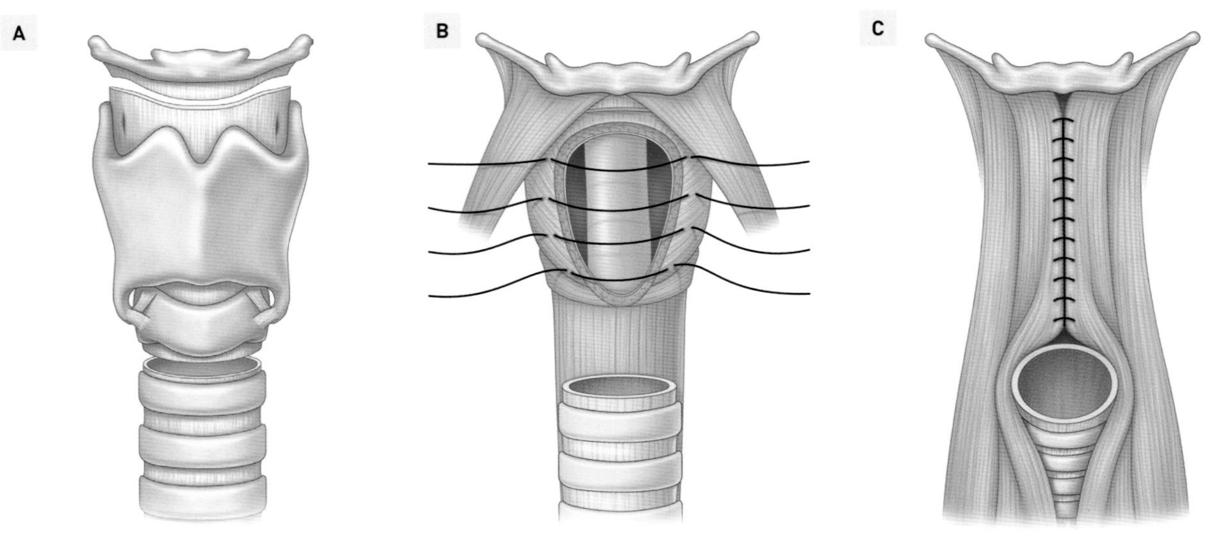

■ 그림 63-12. **협영역후두전적출술**

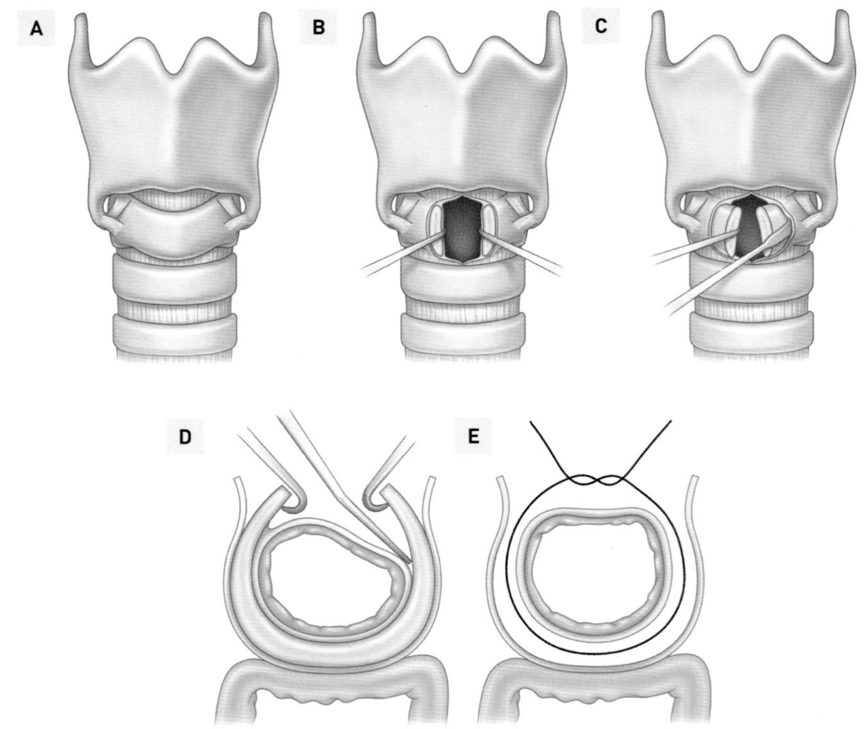

■ 그림 63-13. **연골막하 윤상연골절제술.** **A,B)** 윤상연골의 전방을 노출시키고 윤상연골의 중앙부에서 연골막을 수직으로 절개하고 윤상연골을 노출시킨다. **C)** 외측 윤상연골막을 연골판까지 노출시키고 내측 연골막을 윤상연골로부터 완전히 분리한다. **D)** 윤상연골을 감자로 제거하고 윤상연골의 내측연골막과 성문하 점막을 절개하고 접합하여 맹관을 만든다. **E)** 윤상연골의 결손 부위를 피대근으로 보강하여 접합한다.

성문하 점막을 수평으로 절개한 후 접합하여 맹관을 만든다. 윤상연골의 결손부위를 피대근으로 보강하여 접합하고 수술을 끝낸다(그림 63-13). 이 방법은 간단하고 합병증도 적으며 국소마취하에 시행할 수 있는 장점이 있다. 하지만 영구기관구(stoma)가 남고 역시 가역적인 수술방법은 아니다.[16]

9) 부분 윤상연골절제술(partial cricoid resection)

설근부를 광범위하게 절제하였을 때, 인두절제술, 광범위 후두 수평부분절제술 후에는 하인두 입구부가 좁아져 흡인의 위험성이 많아진다. Krespi에 의하면 부분 윤상연골절제술은 윤상연골의 후방 부위 연골막을 아래로 박리하고 윤상연골의 후방 부위를 제거하여 하인두를 넓히고 기도부위를 좁게 만들어 연하작용을 돕고 흡인되는 것을 방지하는 방법이다.[32] 이 방법은 갑상연골의 후방을 노출시키고 이상와의 점막을 조심스럽게 박리한 뒤 윤상연골의 후부를 노출시킨 후 윤상연골의 후부를 제거하고 윤상인두근절개술을 같이 시행하여 하인두의 입구를 넓혀주는 술식이다(그림 63-14). 음성은 보존할 수 있으나 영구기공이 필요하고 오랫동안 추적관찰된 결과가 없으며 성문하 협착 등의 합병증이 올 수 있다.

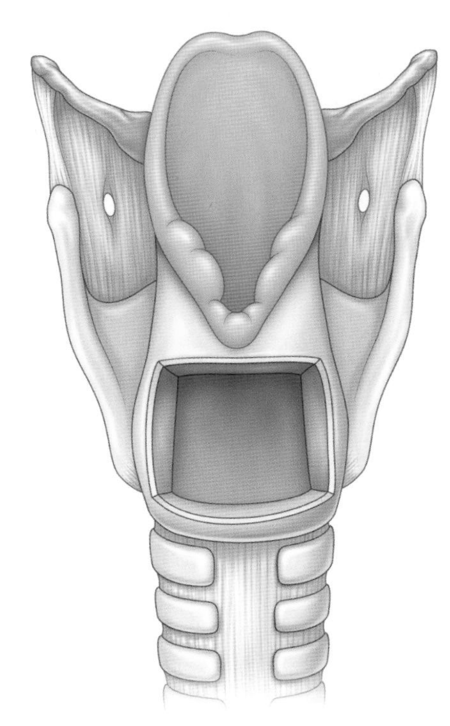

■ 그림 63-14. **부분 윤상연골절제술**

10) 성문상부 및 성문 폐쇄술(supraglottic and glottic closure)

음식물의 통로로부터 후두를 분리하려는 시도로, 후두전절제술 대신 성문상부와 성문부를 폐쇄하는 방법이다.

(1) 후두개피판폐쇄술(epiglottic flap closure)

후두개, 피열후두개주름, 피열연골의 끝을 박리하고 접합하는 방식이다.

수술 후에 접합한 부위가 벌어지는 경우가 많아 이를 감소시키기 위해 후두개 연골을 조각 절개(morselization)와 쐐기형 절제(wedge resection) 등을 시행하거나 설골후두개인대, 갑상후두개인대를 절개하는 방법이 소개되었다(그림 63-15).[20] 또한 후방의 후두 입구를 접합하지 않음으로써 음성을 보존할 수 있는 방법도 소개되었다.[20, 54]

후두개피판폐쇄술은 가역적이고 흡인을 치료하면서도 음성을 보존할 수 있는 장점이 있으나 만성흡인치료 성공률은 50% 정도이고, 경부 접근을 해야하며, 기관절개술이 필요하고, 성문상부 협착 등의 합병증이 올 수 있는 단점들이 있다.[35,54]

(2) 수직 후두성형술(vertical laryngoplasty)

설 전절제술 후 흡인을 막기 위하여 Biller가 소개한 술식으로, 외측 구인두절개술 후 후두개의 외측연을 따라 절개를 가하고 피열후두개주름, 피열간극까지 절개선을 연장하여 윗부분은 열린 상태로 두고 두 층으로 관 형태를 만들어 봉합하는 방법이다(그림 63-16). 이 방법도 음성을 보존하면서 흡인을 막을 수 있는 방법이나 접합부의 벌어짐으로 인해 성공률이 60~70% 정도로 보고되고 있

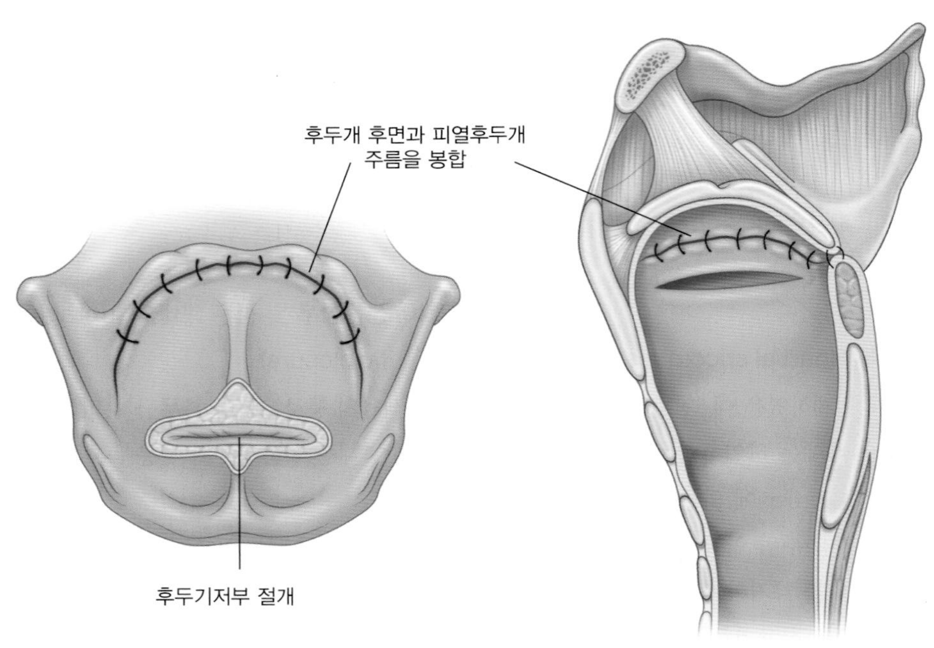

■ 그림 63-15. **후두개피판폐쇄술.** 후두개, 피열후두개주름, 피열연골의 끝을 절개, 박리하여 접합한다.

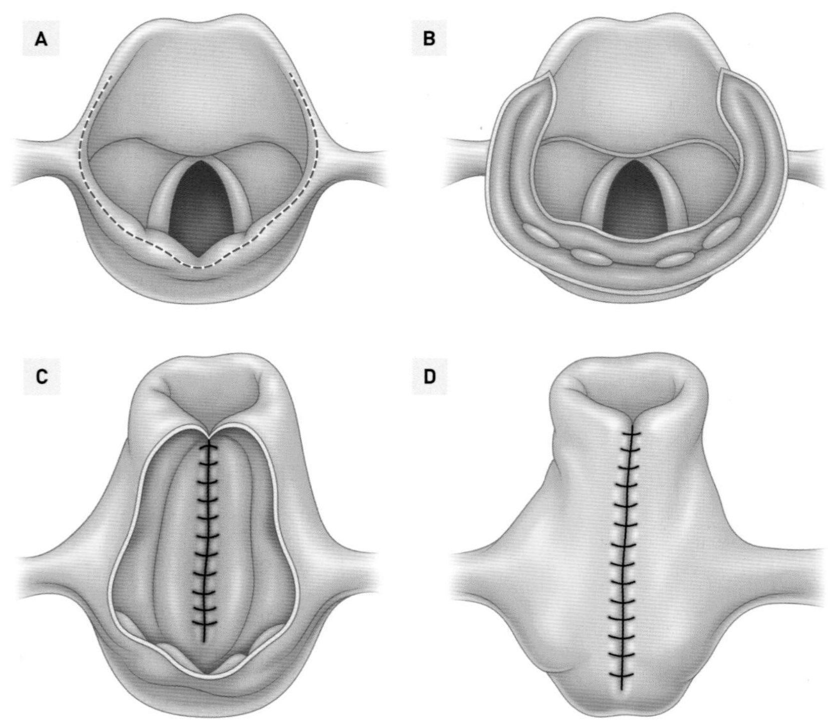

■ 그림 63-16. **수직 후두성형술.** 후두개의 외측연을 따라 절개를 가하고 피열후두개주름, 피열간극까지 절개선을 연장하여 윗부분은 열린 상태로 두고 두층으로 관 형태를 만들어 접합한다.

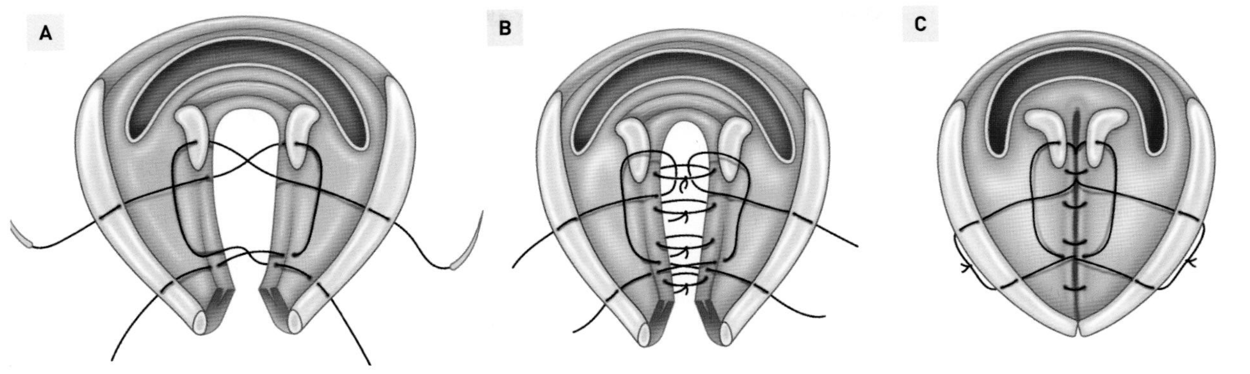

■ 그림 63-17. **성문폐쇄술(Montgomery).** 진성대, 가성대, 후두실, 후연합부의 점막을 제거하고 진성대와 가성대를 접합하는 방법이다.

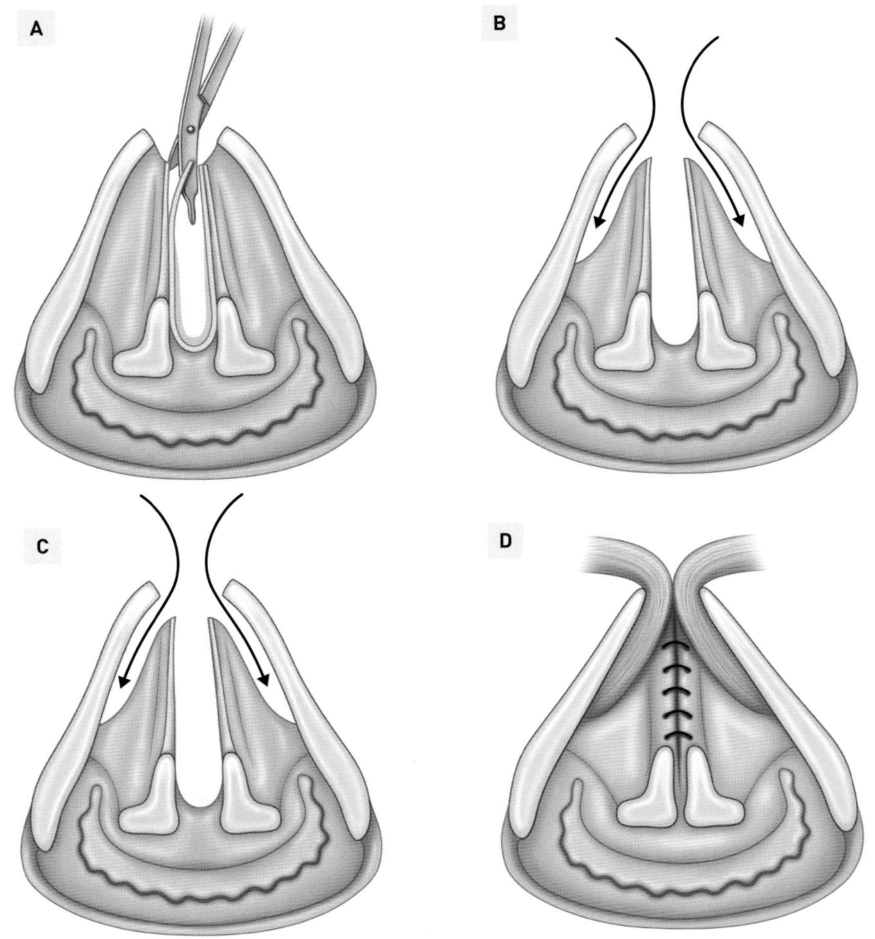

■ 그림 63-18. **성문폐쇄술(Sasaki).** Montgomery 방법의 변형으로, 흉골설골근피판을 추가하여 후두폐쇄를 보강해주는 방법이다.

다.[4] 성공률을 높이기 위해 후두개 연골을 일부 제거하거나, 경골 골막을 내측과 외측점막 사이에 삽입하여 접합부가 벌어지는 것을 예방하는 방법들이 보고되고 있다.[33]

(3) 성문폐쇄술(glottic closure)

Montgomery는 진성대, 가성대, 후두실, 후연합부의 점막을 제거하고 진성대와 가성대를 접합하는 방법을 소개하였고(그림 63-17),[46] Sasaki 등은 이 방법에 흉골설골근을 보강하는 방법을 소개하였다(그림 63-18).[29,50] 이 방법은 영구기관절개구가 남고 음성은 소실되나 성공률은 95%이다. 그러나 피열간극 부위 접합부가 벌어지고 성문협착이 올 수 있어서 가역적인 방법은 아니고 피열간극 부위의 접합이 어려운 술기이다.

11) 후두 내 스텐트(endolaryngeal stents)

하부기도를 스텐트를 이용하여 보호하려는 시도가 여러 사람들에 의하여 시도되었다. 이는 기관절개술을 하고 스텐트로 후두를 막아서 하부기도를 보호하고 음식물이나 타액이 하인두로 흘러 들어가게 하는 방법이다. Weisberger 등은 딱딱한 실리콘을 사용하여 내시경을 통하여 경부에 고정하는 방법을 보고하였는데 이 방법은 기관절개창이 막혀 수술 후 사망률이 높았다(그림 63-19).[55] Eliachar 등은 두 가지 형태의 구멍이 있는 실리콘 스텐트를 보고하였는데, 효과적으로 흡인을 막을 수 있었으나 수술 후 후두에 육아조직, 성문하 격막(web) 등이 발생하였다고 보고하였다(그림 63-20).[17]

후두 내 스텐트는 시술 방법이 간단하고 크기가 환자에게 적당하다면 흡인이 호전될 때까지 시간을 벌 수 있

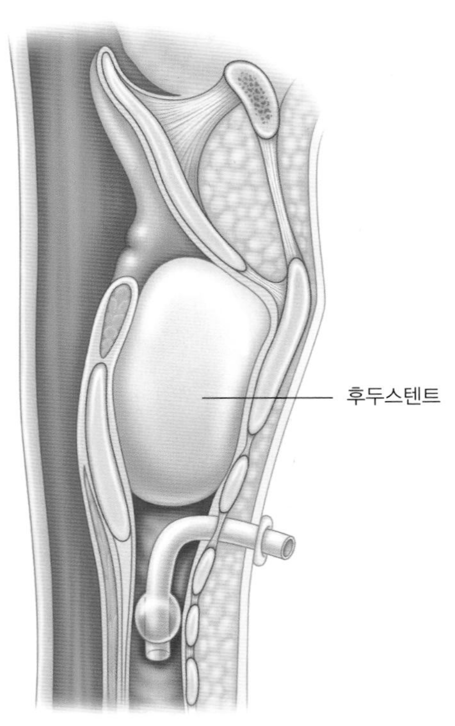

■ 그림 63-19. **항흡인 스텐트법(Weisberger).** 실리콘 스텐트를 경구로 후두에 삽입하고 경피로 봉합사를 이용해 적정한 위치에 고정한다.

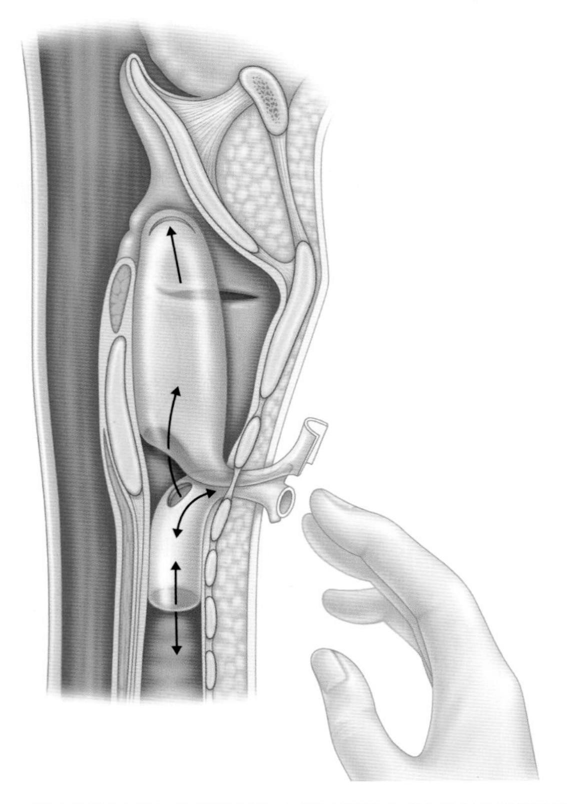

■ 그림 63-20. **통기성 스텐트삽입술(Eliachar)**

는 효과적인 방법이다. 그러나 스텐트 크기가 맞지 않으면 주위로 음식물이 새거나 스텐트가 빠질 우려가 있고 장기간 착용하면 후두 내의 스텐트 압력으로 인하여 합병증이 생길 수 있으므로 단기간만 사용해야 한다.

12) 기관식도전환술(tracheoesophageal diversion) 과 후두기관분리술(laryngotracheal Separation)

후두기관 분리술(laryngotracheal seperation)은 기도와 상부소화기를 완전히 분리하는 술식으로 협영역 후두전적출술에 비해 합병증의 가능성이 높지만 가역적이라는 장점이 있다. 생명을 위협하는 만성흡인 환자에서 환자나 보호자가 후두전적출술을 원하지 않을 경우 유용한 방법이다.

Linderman은 제 3번과 4번 기관환(tracheal ring) 사이를 절제한 후 상부 기관은 식도에 단측(end to side)으로 연결하고, 하부기관은 영구 기관절개창을 만드는 방법으로 만성 흡인을 완전히 제거하고 후두를 보전할 수 있는 방법을 보고하였다(그림 63-21A).[36] 하지만 기관절개

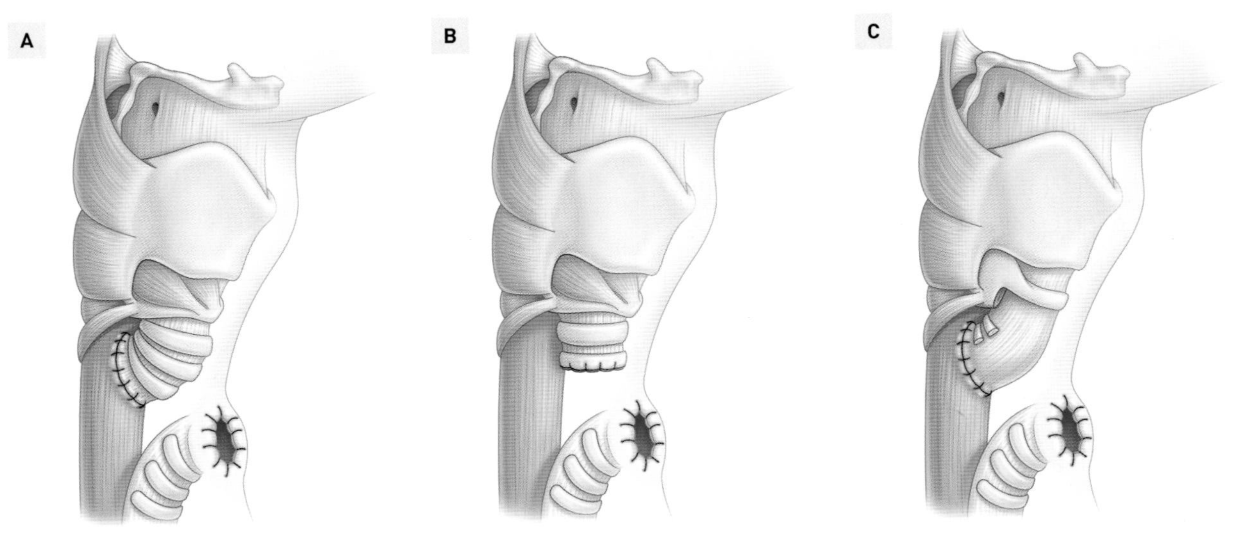

■ 그림 63-21. **후두기관 분리술**

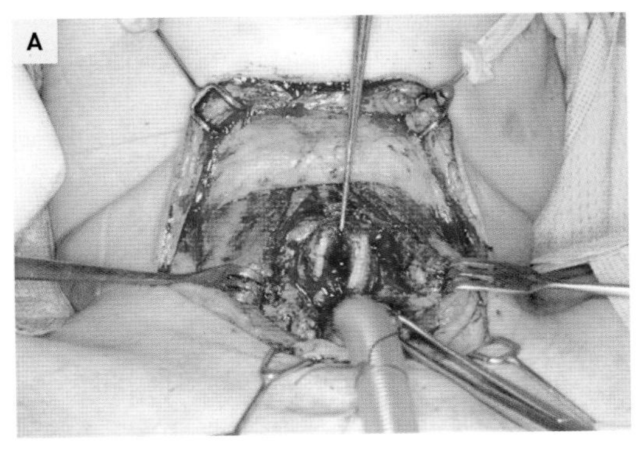

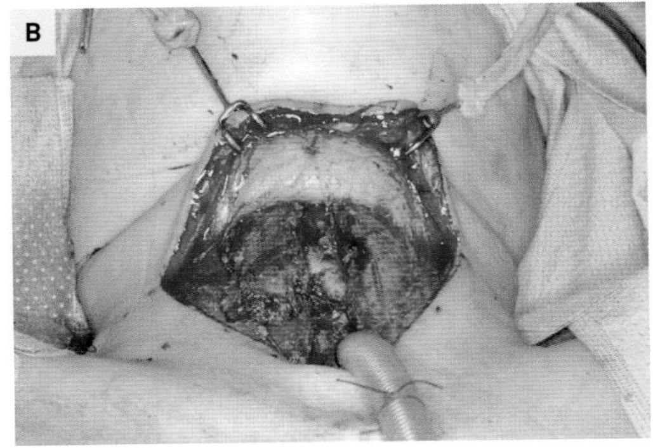

■ 그림 63-22. **후두기관 분리술**

술을 시행받은 환자에는 적용할 수가 없어서 기관의 근위부는 맹관으로 닫은 후 흉쇄유돌근 피판으로 보강해주고 원위부에는 기관절개창을 만들어 주는 변형된 방법이 보고된 바 있다(그림 63-21B, 22).[37] 그러나 이 술식 또한 침과 음식물이 맹관에 저류되는 문제점이 있었다. 이를 해결하기 위해 Krespi 등은 전방 기관연골과 윤상연골의 하부반을 제거한 후 식도에 단측으로 연결하는 개선된 방법을 보고하였다(그림 63-21C).[30]

Eibling에 의하면 34명의 환자에서 흡인은 효과적으로 조절되었으나 13명에서 술 후 누공이 생겼으며 누공은 술 전 기관절개술과 관련이 있어서 기관절개술 전 수술을 시행해야 합병증을 줄일 수 있다고 하였다. 장기적으로 구강식이는 기저신경계질환으로 인해 43%에서 가능하였다고 보고한 바 있으며,[14] 이는 기도와 상부소화기를 분리해도 구강식이가 가능하지 않을 수 있다는 것을 의미한다. 그 원인은 대부분의 만성 흡인 환자들에서 인두수축이 저하 또는 상실되어 연하장애가 발생하기 때문이다. 이러한 인두수축의 문제로 인한 만성 흡인 환자들을 치료하기 위해선 후두기관 분리술과 동시에 상부식도괄약근을 넓혀주는 윤상인두근절제술이나 보툴리눔 독소주입술을 시행하는 것이 구강식이의 회복에 도움을 줄 수 있다. 일부 환자에선 발성과 연하가 가능한 성공적인 복원술의 결과가 보고된 바 있다.[58]

3. 치료 방법의 선택

연하장애와 만성 흡인 환자에서는 원인을 정확히 진단하는 것이 예후나 치료방법을 결정하는 데 가장 중요하다. 신체검사나 방사선검사로 환자의 생명을 위협할 만한 흡인이 있다고 판단되면 보존적 치료를 시도해본 후 효과가 없다고 판단되면 즉시 적절한 수술 방법으로 이를 교정해야 한다. 고전적인 기관절제술과 위루술만으로는 오랫동안 유지하기가 힘들고 특히 환자의 여명이 많이 남아있으면 적절한 방법이 아니다. 성대마비로 인한 흡인의 경우에는 성대내전술을 시행하고 윤상인두 연하장애가 있으면 윤상인두근 보툴리눔톡신 주입술이나 윤상인두근절개술을 시행한다. 생명을 위협할 만한 흡인이 지속된다면 일부 환자에선 후두현수술을 시도해 볼 수 있다. 기능 회복의 가능성이 있으나 장기간의 치료를 요한다면 후두기관분리술이 유효하다. 또 연하기능의 회복을 기대할 수 없는 상황이면 연골막하 윤상연골절제술이나 후두전절제술을 고려한다.

참고문헌

1. Alessi DM, Berci G. Aspiration and nasogastric intubation. Otolaryngol Head Neck Surg 1986;94:486-489
2. Aviv JE, Kim T, Sacco RL, et al. FEESST: a new bedside endoscopic test of the motor and sensory components of swallowing. Ann Otol Rhinol Laryngol 1998;107-378-387
3. Bachy V, Matar N, Remacle M, et al. Long-term functional results after endoscopic cricopharyngeal myotomy with CO2 laser: a retrospective study of 32 cases. Eur Arch Otorhinolaryngol 2013;270:965–8.
4. Biller HF, Lawson W, Baek SM. Total glossectomy: a technique of reconstruction eliminating laryngectomy. Arch Otolaryngol Head Neck Surg 1983:109-69-73
5. Briant TDR. Spontaneous pharyngeal fistula and wound infection following laryngectomy. Laryngoscope 1975;85:829-834
6. Cannon CR, McLean WC. Laryngectomy for chronic aspiration. Am J Otolaryngol 1972;3:145-149
7. Clary MS, Daniero JJ, Keith SW, et al. Efficacy of large-diameter dilatation in cricopharyngeal dysfunction. Laryngoscope 2011:121:2521-2525
8. Coffman HM, Rees CJ, Sievers AE, et al. Proximal suction tracheotomy tube reduces aspiration volume. Otolaryngol Head Neck Surg. 2008:138:441-445
9. Dellon ES, et al. Outcomes of a combined antegrade and retrograde approach for dilatation of tradiation-induced esophageal strictures. Gastrointest Endosc. 2010:71(7):1122-1129
10. Dray TG, Hitel AD, Miller RM. Dysphagia caused by neurologic deficits. Otolaryngol Clin North Am 1998;31:507-524
11. Dressler D, Eleopra R. Clinical use of non-A botulinum toxins: botulinum toxin type B. Neurotox Res. 2006:9(2-3):121-5
12. Eibling DE, Gross RD. Subglottic air pressure: a key component of swallowing efficiency. Ann Otol Rhinol Laryngol 1996;105 :253- 258
13. Eibling DE. Management of intractable aspiration. In: Bailey BJ. Head

and Neck Surgery- Otolaryngology, 2nd ed. Philadelphia: Lippincott-Raven, 1998, pp.1773-1787

14. Eibling DE, Snyderman CH, Eibling C. Laryngotracheal separation for intractable aspiration: a retrospective review of 34 patients. Laryngoscope.1995:105:83-85
15. Eisele DW. Chronic aspiration. In: Cummings CW, Fredrickson JM , Harker LA, et al, eds. Otolaryngology-Head and Neck Surgery, 2nd ed. St. Louis: Mosby Year Book, 1993, pp. 1989-2000
16. Eisele DW, Seely DR, Flint PW. Subperichondrial cricoidectomy: an alternative to laryngectomy for intractable aspiration. Laryngoscope 1995; 105:322-325
17. Eliachar I, Nguyen D. Laryngotracheal stent for internal support and control of aspiration without loss of phonation. Otolaryngol Head Neck Surg 1990;103:837-840
18. Freed ML, Freed L, Chatburn RL et al. Electrical stimulation for swallowing disorders caused by stroke. Respir Care 2001;46(5):466-474
19. Fujiu M, Logemann JA. Effect of a tongue-holding maneuver on posterior pharyngeal wall movement during deglutition. Am J Speech Lang Pathol 1996;5:23-30
20. Habal MB, Murray JE. Surgical treatment of life-endan-gering chronic aspiration pneumonia: use of an epiglottic flap to the arytenoids. Plast Reconstruct Surg 1972;49:305-311
21. Halvorson DJ, Kuhn FA. Transmucosal cricopharyngeal myotomy with the potassium-titanyl-phosphate laser in the treatment of cricopharyngeal dysmotility. Ann Otol Rhinol Laryngol 1994;103:173–7.
22. Hawthorne M, Gray R, Cottam C. Conservative Laryngectomy: an effective treatment for severe aspiration in motor neuron disease. J Laryngol Otol 1987;101:283-285
23. Ho AS, Morzaria S, Damrose EJ. Carbon dioxide laser-assisted endoscopic cricopharyngeal myotomy with primary mucosal closure. Ann Otol Rhinol Laryngol 2011;120:33–9.
24. Horner J, Massey EW, Silent aspiration following stroke. Neurology 1988;38:317-319
25. Isshiki N, Okamura H, Ishikawa T. Thyroplasty type I for dysphonia due to vocal code paralysis or atrophy. Acta Otolaryngol(Stockh) 1975:80:465-473
26. Isshiki N, Tanabe M, Sawada M. Arytenoid adduction for unilateral vocal cord paralysis. (Arch Otolaryngol) 1978;104:555-558.
27. Kahrilas PJ, Logemann JA, Krugler C. Volitional augmentation of upper esophageal sphincter opening during swallowing. Am J Physiol 1991;260:G450-G456
28. Kaplan S. Paralysis of deglutition. A post-polimyelitis complication treated by section of the cricopharyngeus muscle.(Ann Surg) 1951;133:572-573.
29. Kirchner JC , Sasaki CT. Surgery for aspiration. Otolaryngol Clin North Am 1984;17:49-56
30. Klespi YP, Quatela VC, Sisson GA, et al. Modified tracheoesophgeal diversion for chronic aspiration. Laryngoscope. 1984:94:1298-1301
31. Kos MP, David EF, Aslders IJ, et al. Long-term results of laryngeal suspension and upper esophageal sphincter myotomy as treatment for life-threatening aspiration. Ann Otol Rhinol Laryngol. 2008:117:574-580
32. Krespi YP, Pelzer HJ, Sisson GA. Management of chronic aspiration by subtotal and submucosal cricoid resection. Ann Otol Rhinol Laryngol 1985;94:580-583
33. Ku PK, Abdullah VJ, Vlantis A, et al: "Steam-boat" supraglottic laryngoplasty for treatment of chronic refractory aspiration: a modification of Biller's technique. J Laryngol Otol 123(12):1360–1363, 2009.
34. Langmore SE, Schatz K, Olson N. Endoscopic and videofluoroscopic evaluation of swallowing and aspiration. Ann Otol Rhinol Laryngol 1991:100:678-681
35. Laurian N, Shvili Y, Zohar Y. Epiglottic-aryepiglottopexy: a surgical procedure for severe aspiration . Laryngoscope 1986;96:78-81
36. Lindeman RC Diverting the paralyzed larynx: a reversible procedure for intractable aspiration. Laryngoscope 1975;85 :157-180
37. Lindeman RC, Yarington CT, Sutton D. Clinical experience with the tracheoesophageal anastomosis for intractable aspiration. Ann Otol Rhinol Laryngol 1976;85:609-612
38. Logemann JA. A Manual for Videofluoroscopic Evaluation of Swallowing, 2nd ed. Austin: Pro-Ed, 1993
39. Logemann JA. Evaluation and Treatment of Swallowing Disorders, 2nd ed. Austin: Pro-Ed, 1998
40. Logemann JA, Kahrilas P, Hurst P. The benefit of Head Rotation on Pharyngoesophageal Dysphagia. Arch Phys Med Rehabil 1989;70:767-771
41. Logemann JA. Role of the modified barium swallow in management of patients with dysphagia. Otolaryngol Head Neck Surg 1997;116:335-336
42. Mahieu HF, de Bree R, Westerveld GJ, et al. Laryngeal suspension and upper esophageal myotomy as a surgical option for treatment of severe aspiration. Op Tech Otolaryngol Head Neck Surg. 1999:10:305-310
43. Martin BJW, Logemann JA, Shaker R. Normal laryngeal valving patterns during three breath-hold maneuver: a pilot investigation. Dysphagia 1993;8:11-20
44. Miller FR, Eliachar I. Managing the aspirating patient. Am J Otolaryngol 1994; 15:1-17
45. Moerman MB. Cricopharyngeal Botox injection: indications and technique. Curr Opin Otolaryngol Head Neck Surg 2006;14:431–6.
46. Montgomery WW. Surgery to prevent aspiration. Arch Otolaryngol Head Neck Surg 1975;101:679-682
47. Murry T, Wasserman T, Carrau RL, et al. Injection of botulinum toxin A for the treatment of dysfunction of the upper esophageal sphincter. Am J Otolaryngol 2005: 26:157–62.

48. Ohmae Y, Logemann JA , Kaiser P. Effects of two breathhold maneuvers on oropharyngeal swallow. Ann Otol Rhinol Laryngol 1996;105:123-131

49. Parameswaran MS, Soliman AM. Endoscopic botulinum toxin injection for cricopharyngeal dysphagia. Ann Otol Rhinol Laryngol 2002;111:871–4.

50. Sasaki CT, Milmore G, Yanagisawa E. Surgical closure of the larynx for intractable aspiration. Arch Otolaryngol Head Neck Surg 1980;106;422-423

51. Sasaki CT, Suzuki M, Horivchi M. The effect of tracheostomy on the laryngeal closure reflex. Laryngoscope 1977;87:1428-1433

52. Schneider I. Treatment of dysfunction of cricopharyngeal muscle with botulinum A toxin: introduction of new, noninvasive method. Ann Otol Rhinol Laryngol 1994;103;31-5

53. Shaker R, Esterling C, Kern M, et al. Rehabilitation of swallowing by exercise in tube-fed patients with pharyngeal dysphagia secondary to abnormal UES opening. Gastroenterology 2002;122:1314-1321

54. Vecchione TR, Habel MB, Murray JE. Further experiences with the arytenoid-epiglottic flap for chronic aspiration pneumonia . Plast Reconstr Surg 1975;55 :318-323

55. Weisberger EC, Huebsch SA. Endoscopic treatment of aspiration using a laryngeal stent. Otolaryngol Head Neck Surg 1982;90:215-222

56. Welch MY, Logemann JA, Rademaker AW. Changes in pharyngeal dimensions effected by chin tuck. Arch Phys Med Rehabil 1993;74:178-181

57. Zaninotto G, Marchese Ragona R, Briani C, et al. The role of botulinum toxin injection and upper esophageal sphincter myotomy in treating oropharyngeal dysphagia. J Gastrointest Surg 2004;8:997–1006

58. Zocratto OB, Savassi-Rocha PR, Paixao RM. Long-term outcome of reversal of laryngotracheal separation. Dysphagia. 2011:26(2):144-149

CHAPTER

64

후두기도협착

권성근

상기도(upper airway)는 호흡을 통해 공기가 폐로 가는 경로 중 구강에서부터 경부 기관까지를 지칭한다. 상기도의 협착은 발생 원인, 발생 부위 및 협착 정도가 다양하고 그에 따른 치료 방법도 다양하다. 일반적으로 상기도 협착의 진단과 치료에 많은 시간과 노력이 필요하고 만족스럽지 못한 결과를 얻는 경우도 많다. 따라서 상기도 협착의 원인과 기전을 잘 이해하고 협착을 예방하는 것이 매우 중요하다.

선천적 혹은 후천성 원인으로 후두 및 기관의 협착이 발생할 수 있다. 특히 후천적으로 발생하는 경우 협착의 발생 원인은 매우 다양하며 치료를 위해서는 후두와 기관의 발생과 해부 그리고 협착의 발생에 기여하는 다양한 기전에 대한 이해 등 광범위한 지식이 필요하다.

최근 중환자 의학의 발달로 인하여 의인성 손상에 의해 협착이 발생하는 것이 대부분이다. 기관 절개술(tracheotomy)이나 장기간의 기관 내 삽관(prolonged endotracheal intubation)의 합병증으로 기도협착이 발생하게 되는데 기관삽관의 기간, 삽관튜브의 크기, 기관절개창의 감염 및 기낭의 압력 등에 따라 협착의 발생부위와 협착의 중등도가 결정된다.

 원인

선천성과 후천성 원인으로 구분된다. 선천성은 후두에 국한된 협착이 관찰되는 경우가 대부분이고, 후천성의 경우 발생 원인에 따라 후두 및 기관의 여러 부위에서 협착이 발생할 수 있다. 후천적으로 기도 폐쇄가 일어나는 과정을 살펴보면 기관 삽관 등에 의해 손상이 발생한 초기에는 조직의 부종에 의해 상기도 폐쇄가 발생할 수 있는데, 추가적인 손상을 예방하고 보전적인 치료를 시행하여 연골 및 윤상피열관절 부위에 추가적인 손상이 발생하는 것을 방지하여야 한다. 하지만 손상이 지속되는 경우 육아 조직이 형성되어 기도 내강을 좁히게 되며 적절한 치료를 시행하지 않으면 회복 과정에서 반흔조직으로 대체되어 지속적인 기도 폐쇄가 발생할 수 있다.

1. 선천성 후두기관협착

후두의 발생 과정에서 일시적으로 폐쇄되어 있던 후두가 발생 10주에 재소통(recanalization) 과정을 거치는데 재소통이 완전하게 이루지지 않았을 때 선천성 후두협착(congenital laryngeal stenosis)이 발생한다. 협착의 발생부위와 형태에 따라 분류할 수 있으며 협착의 정도에 따라 임상증상이 다양하게 관찰된다. 후두 및 기관 모든 부위에서 발생할 수 있으나 3/4 정도 후두에서 발생한다.[22]

1) 후두격막(laryngeal web) 및 선천성 후두폐쇄(congenital laryngeal atresia)

후두 격막의 경우 대부분 성문의 전교련부(anterior commissure)에서 발생하는데 간혹 격막이 성문하 부위로 연결되어 있는 경우도 있다.[3] 임상 증상은 격막으로 인하여 폐쇄된 후두의 면적에 따라 다양하게 나타날 수 있으며 다른 호흡계 및 심장의 동반 기형이 관찰되는 경우가 많은데 최근에는 22q11 염색체 결손과 후두격막 발생의 연관성이 알려졌다.[35] 격막이 짧은 경우 호흡곤란 증상이 없다가 굴곡후두내시경(Flexible laryngoscope)에서 발견될 수 있고, 격막이 길 경우 출생 직후부터 심한 호흡곤란 증상이 있을 수 있다. 격막이 짧은 경우 레이저 등을 이용한 내시경적 수술이 가능하나 격막이 길 경우 보통은 성문하 부위로 매우 두껍기 때문에 후두를 개방해야 하는 경우도 있다.

선천성 후두폐쇄의 경우 후두의 어느 위치에나 발생할 수 있으며 병변에 의해 기도가 폐쇄된 정도가 증상의 정도와 연관된다. 불완전폐쇄의 경우 단단한 섬유막에 의해 성문이나 그 상방이 폐쇄되는데 기도의 일부가 유지되기 때문에 출산 후 호흡부전(respiratory failure)이 발생하지 않을 수 있다. 완전 폐쇄의 경우 출산 직후 기도를 확보하지 못하면 신생아가 사망하므로, 산 전 검사에서 후두폐쇄를 의심할 수 있는 소견이 있으면 출산할 때 제왕절개를 통하여 태반이 자궁에서 분리되지 않도록 신생아의 머리와 목, 한쪽 어깨만 자궁 밖으로 빼내어서 기관절개술을 시행하여 기도를 확보한 후 출산을 진행해야 한다(EXIT, Ex Utero Intrapartum Treatment).[56]

2) 선천성 성문하협착(congenital subglottic stenosis)

후두연화증(laryngomalacia)과 반회신경마비(recurrent laryngeal nerve palsy)에 이어 3번째로 흔한 후두의 선천성 질환으로 윤상연골의 내강에 섬유성 결합조직의 증식, 점액선의 비후로 인하여 협착이 발생하는 질환이다. 더불어 윤상연골 자체의 비후 또는 변형으로도 협착이 발생할 수 있다. 정상 출생아의 경우 성문하 부위의 내경이 4 mm 이하인 경우, 조산아의 경우 성문하 부위 내경이 3 mm 이하인 경우 선천성 성문하 협착으로 진단할 수 있다.[9] 실제로 경도의 협착이 대부분이며 후천성 성문하 협착보다 증상은 경미하여 상기도 감염 시 협착부위에 부종이 발생하여 증상이 생기거나, 운동 중 증상이 발생하여 진단되는 경우가 많다. 더불어 기관 삽관으로 성문하부 손상이 발생하여 치유 과정 중 협착이 더 심해져서 증상이 나타나는 경우도 많다.

3) 완전 기관륜 변이(complete tracheal ring deformity)

선천적으로 기관(trachea)에서 발생하는 협착의 흔한 형태로 기관 후벽이 막성 구조로 이루어지지 않고 기관연골이 360도 링 형태로 이루어져 있는 질환이다. 이로 인하여 기관 내강이 좁아지게 되는데 증상은 협착의 정도에 따라 다양하게 나타난다. 진단 및 중등도 평가는 주로 경성 후두경(rigid bronchoscope)을 이용하며 CT도 협착의 길이와 중증도를 평가하는 데 유용한 도구이다.[56]

선천적으로 기관륜 변이를 가지고 있는 경우 신체 성장에 비하여 기관의 내경이 적절하게 넓어지지 않기 때문에 주로 수술적 치료가 필요하다. 기관절제술 및 단단문합술(tracheal resection with end-to-end anastomosis) 혹은 활주 기관성형술(slide tracheoplasty)을 시행할 수 있다.[24,56]

2. 후천성 후두기관협착

후천성 후두기관 협착(acquired laryngeal and tracheal stenosis)의 원인은 매우 다양하지만 기관내 삽관 혹은 기관절개술의 합병증으로 발생하는 경우가 대부분 이다. 그 외 경부 외상 및 수술 후 합병증으로 협착이 발생할 수 있으며 드물지만 감염증, 전신적 질환, 화상, 방사선치료 혹은 화학물질에 의한 손상 등에 의해서도 발생한다(표 64-1).[31]

1) 기관 내 삽관에 따른 기도협착증

20세기 중반부터 다양한 원인에 의해 발생한 호흡부전을 치료하기 위하여 기관 내 삽관을 시행하여 기도를 확보하고 기낭(cuff)을 이용하여 충분한 양압(positive pressure)을 하부기도에 제공하는 처치가 보편화되었다.[53] 중환자 의학이 급속하게 발달함에 따라 장기간 기계호흡을 시행하는 환자가 증가하게 되었는데 이로 인하여 기관 내 삽관을 장시간 유지하게 되는 환자의 빈도 역시 급격하게 증가하였다. 이런 변화로 인하여 기관 내 삽관과 연관되어 발생하는 합병증들이 증가하게 되었는데 특히 기관 내 삽관과 연관되어 기관협착의 발생이 새로운 문제로 대두되었다.[54] 유소아의 경우에는 후천성 후두기관협착의 90%가 기관 내 삽관 혹은 기관절개술과 연관되어 발생하는데,[7,8] 후두기관협착 예방에 대한 다양한 연구가 진행되면서 발생 빈도가 이전보다 많이 줄어들었으나 최근 연구에서도 1~11% 정도의 협착 발생 빈도가 보고되고 있다.[21]

일반적으로 기관 내 삽관이 되어있는 환자에서는 튜브에 의해 기도의 내경이 유지되며 튜브로 인하여 시각적으로 적절한 검진이 어렵기 때문에 후두기도협착은 주로 튜브를 제거한 이후 주로 진단된다. 발관 후 3-6주 동안 점

표 64-1. **후두기관 협착증의 병인**

선천성	
1. 후두폐쇄증	
2. 후두격막	
3. 선천성 성문하협착증	
4. 완전 기관륜 변이	
후천성	
1. 기관 내 삽관	
2. 수술 관련 합병증	기관절개술 후두부분절제술 후 윤상갑상막 절개술 내시경 처치 후
3. 외상 및 화상	경부 외상(둔상, 관통성 손상, 빨랫줄 손상) 열성 혹은 화학적 화상
4. 감염성, 염증성 및 자가면역성 질환	육아종성 질환(결핵, 나병, 매독, 유육종증) 교원성질환(Wegener 육아종, 재발성 다발성 연골염) 감염성 질환
5. 위식도역류질환	
6. 방사선치료	
7. 종양	양성(유두종, 연골 종양, 소타액선 종양, 혈관종, 신경원성종양, 피열연구개주름낭종, 골형성 기과병증(tracheopathia osteoplastica) 악성(편평상피암종, 림프종, 갑상선암)
8. 특발성	

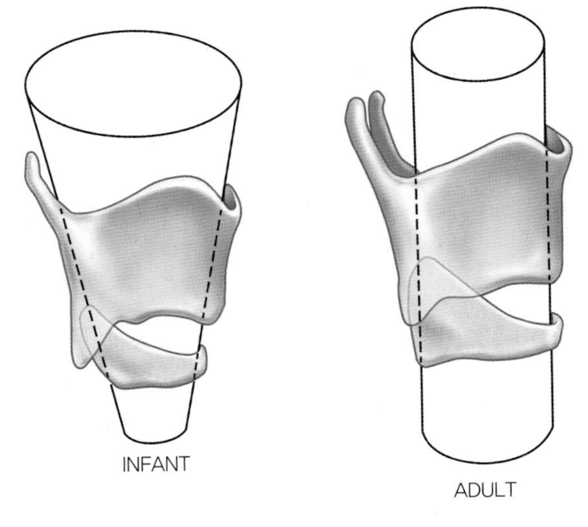

■ 그림 64-1. **소아 후두의 특성.**
소아의 후두는 깔대기 형태를 가지며 성문상부는 넓고 아래로 갈수록 좁아져서 성문하부위가 가장 좁다.

진적으로 협착이 진행되며 간혹 수개월 후에 발견되기도 한다.[53] 후두협착의 증상으로 목소리의 변화 혹은 호흡곤란이 발생할 수 있으나 경도 협착의 경우에는 운동이나 상기도 감염 후 천명이나 호흡곤란이 발생하여 진단되기도 한다.

기관 내 삽관으로 인하여 협착이 발생하는 부위는 소아의 경우 성문하부, 성인에서는 후두의 후방에 잘 발생한다(그림 64-1).[54] 소아의 경우 해부학적으로 윤상연골 부위가 가장 협소하며 이 부위의 점막하 조직은 소성 결합조직(loose connective tissue)으로 이루어져 있어 부종이 쉽게 발생한다. 더불어 윤상연골은 원형을 이루고 있기 때문에 부종이 기도 내강으로 진행하게 된다. 성인의 경우에는 기관 내 삽관을 시행한 경우 튜브가 성대 후방에 위치하게 된다. 이로 인하여 점막의 손상이 유발되고 이 부위에 이차감염이 발생한다. 그리고 연이어 발생하는 교원질 침착에 의하여 반흔이 형성되면서 협착이 발생한다.[55] 후두 검진상 피열연골의 고정이 관찰되는 경우도 있는데 근전도 검사 혹은 윤상피열관절(cricoarytenoid joint)의 수동가동성검사(passive mobility test)를 시행하여 성대마비와 감별할 수 있다.

(1) 기관 내 삽관에 따른 협착의 발생

협착 발생의 중요한 기전은 튜브 주변조직의 압박으로 인한 조직의 손상이다. 삽관된 튜브와 접촉하는 부위 점막이나 튜브의 기낭과 접촉하는 조직에 압력이 발생하는데 이 압력이 조직 말초혈관의 관류압(perfusion pressure)을 초과할 때 허혈(ischemia)이 발생한다.[36,47] 허혈이 지속되면 이차적으로 궤양이 발생하고 정상적인 호흡기 점막의 섬모운동이 저하되면서 이차 감염이 발생하게 된다. 이로 인하여 연골막염(perichondritis)이 일어나고 염증 반응이 지속되면서 연골염(chondritis) 혹은 기관연골의 흡수로 인한 기관연화증(tracheomalacia)이 발생한다. 이러한 과정을 거친 후 조직이 치유되는 과정에서 점막하 조직에 섬유조직이 침착하고 조직의 섬유화, 반흔 조직의 형성으로 후두기관협착이 발생하게 된다.

표 64-2. 후두기관협착 발생에 관여하는 인자들

- 삽관 기간
- 삽관 시의 외상과 삽관 횟수
- 삽관 후 외상
- 삽관 튜브의 크기
- 삽관 튜브 기낭
- 전신질환
  : 만성 질환, 고혈압, 패혈증/감염, 스테로이드, 빈혈, 탈수, 방사선치료, 면역 억제 등
- 비위관
- 위식도 역류

특히 연골의 경우 혈액 공급이 제한적이며 음식물을 삼킬 때 후두와 기관이 동반하여 움직이기 때문에 반복적인 손상을 입게 되고 회복하는 과정에서 협착이 더욱 진행하게 된다.[41] 특히 성문하 부위는 윤상연골에 의해 둘러싸여 있기 때문에 점막 손상 후 부종이 기도 안쪽으로 진행할 수밖에 없어서 기관협착이 더욱 심해진다.

(2) 기관 내 삽관에 따른 협착 발생에 관여하는 인자(표 64-2)

① 삽관 기간

장기간의 기관 내 삽관은 후두 및 기관협착에 가장 중요한 연관인자이나 아직 기관 내 삽관을 안전하게 유지할 수 있는 기간에 대한 명확한 기준은 없다. 이전 진료지침에서는 성인의 경우 기관 내 삽관을 3주 이내로만 유지할 것을 권고하였으나 최근에는 2주 이내로만 유지하고 저명하게 장기간의 기관 내 삽관이 예상되는 경우 빠른 시기에 기관절개술을 시행하기도 한다.[13] 미숙아의 경우 기관 내 삽관을 성인보다 더 오랫동안 유지할 수 있다고 알려져 있으나,[7] 기관 삽관을 오래 유지해야 하는 경우라면 조기에 기관절개술을 시행하는 것이 후두 손상을 줄일 수 있다.

② 삽관 시의 외상 및 삽관 후 외상

표 64-3. **소아에서의 기관내 삽관과 기관절개 튜브의 선택**

나이	기관내 삽관 튜브의 내경 (mm)	기관절개 튜브의 내경 (mm)
미숙아	2.5	2.5-3.0
0-6개월	3.0	3.0-3.5
6-12개월	3.0-3.5	3.5-4.0
1년이상	나이/4+4 mm	나이/4+4 mm

적절한 술기로 기관 내 삽관을 시행하지 못하였을 때 기관 점막의 손상이 발생하고 반복적으로 삽관을 시도한 경우 후두 및 기관의 점막 손상 가능성이 높아진다. 특히 3회 이상의 기관 삽관을 반복하였을 때 점막에 외상을 줄 가능성이 높아 협착의 빈도가 증가하는 것으로 알려져 있다.[15,23] 더불어 삽관 후 고정되어 있는 튜브가 환자 움직임에 의해 과도하게 움직일 경우 후두 및 기관의 내벽을 손상시킨다.

③ 튜브의 외경

기관 튜브나 기관 캐뉼라를 선택할 때는 적절한 환기량을 유지하기 위하여 일반적으로 성인 남자의 경우 내경 7.5 mm 혹은 8.0 mm의 튜브를 사용하며 성인 여자의 경우 내경이 6.5 mm 내지 7.0 mm인 튜브를 사용한다. 내경이 큰 경우 폐환기나 가래 배출에 유리하지만 과도하게 큰 튜브를 사용할 경우 주변 조직에 과도한 손상을 주거나 압력을 발생시켜 후두 및 기관 협착의 원인이 된다. 소아의 경우 나이와 체중을 고려한 적절한 크기의 튜브를 선택하는 것이 필요한데 나이에 따른 튜브 혹은 캐뉼라 내경은 다음과 같다(표 64-3).[4] 다만 외경의 경우 제작 회사에 따라 내경과 외경의 비가 다르므로 이를 고려하여 적절한 튜브를 선택하는 것이 좋다.[52]

④ 기낭

적절한 양압 환기를 위하여 기낭을 사용할 경우 기관 점막에 손상이 발생하는데 특히 기낭의 압력이 30 mmHg 이상으로 유지될 경우 기관 점막의 허혈이 발생할 수 있다(그림 64-2).[41] 이를 예방하기 위하여 최근에는 거의 모든 경우에 고용량 저압력의 기낭을 사용하게 되었으며 이로 인한 기관 협착의 빈도도 줄어들었다. 하지만 고용량 저압력 기낭을 사용하는 경우라도 환기장치를 이용하여 하기도에 높은 양압을 유지하여야 하는 경우 기낭의 압력이 과도하게 높아질 수 있다.[30] 따라서 정기적으로 기낭 압력을 측정하여 조절하는 것이 필요하다.

⑤ 비위관

기관 내 튜브와 비위관이 동시에 삽입되어 있는 환자의 경우 윤상연골 후면 점막이 눌리면서 연골염 또는 조직 괴사가 발생할 수 있고 기관식도누공(tracheoeso-pharyngeal fistula)이 발생할 수도 있다. 더불어 정상적

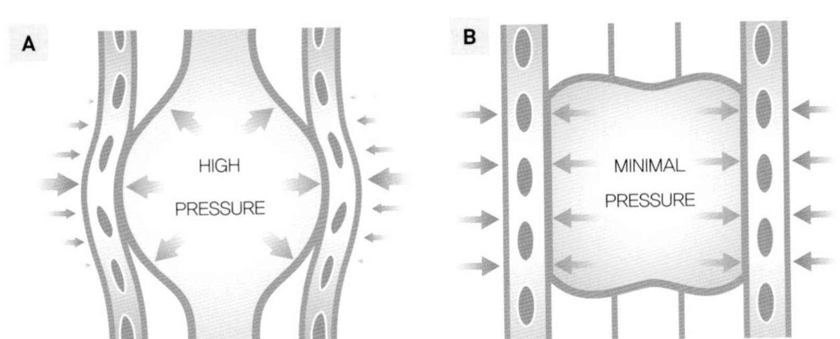

■ 그림 64-2. **기관 협착의 발생기전.** (pathogenesis of tracheal stenosis).
A) 기낭의 압력의 국소적으로 높은 경우 점막하 모세혈관의 관류를 저해하여 점막 및 기관 연골에 허혈을 유발하고 이로 인해 연골 괴사, 점막 손실 등이 발생하며 이들의 재생 과정에서 기관 협착이 발생한다.
B) 고용량 저압력 기낭의 경우 기낭 압력이 골고루 분산되어 점막 및 연골 허혈 발생 가능성을 낮춘다.

으로 활동을 할 수 없는 환자의 경우 비위관의 삽입이 위식도 역류를 유발할 수 있기 때문에,[40] 위식도 역류로 인한 조직의 추가적인 손상 가능성을 줄이기 위해 양이온펌프억제제(proton pump inhibitor, PPI) 사용을 고려하는 것도 좋다.

⑥ 전신인자

만성 질환 및 전신장애, 만성적인 스테로이드 투여 환자 및 면역억제상태, 빈혈, 백혈구 감소, 비타민 부족, 산소결핍증, 저혈압, 혈류장애, 패혈증, 방서선 치료를 받은 병력, 탈수, 면역 장애 및 점막 건조 등이 있는 경우 조직 손상이 쉽게 발생하고 감염에 취약하며 상처 치유 과정이 지연되는데 이로 인하여 후두기관협착이 발생할 수 있다.

2) 수술 후 합병증

윤상갑상막절개술(cricothyroidotomy)와 제1 기관륜에 기관절개술(high tracheostomy)를 시행한 경우 협착의 빈도가 증가한다. 특히 소아에서 2~7% 정도의 성문하협착이 발생이 보고되었다.[5,6] 성인에서도 척추 후만증이 있는 고령자나 내경이 상대적으로 큰 캐뉼라를 사용한 환자에서 윤상연골에 점차적인 손상을 유발하여 성문하 협착이 발생할 수 있다. 더불어 기관절개술 후 부적절한 기관 캐뉼라가 삽입되어 있으면 윤상연골이나 기관 벽에 지속적인 손상을 발생시키고 이로 인하여 이차 감염이 발생하여 반흔이 형성되고 협착이 발생할 수 있다.

성대 전연합부의 병변을 동시에 제거하는 경우는 양측 성대 점막의 손상으로 인하여 격막이 발생할 수 있다. 이외 수직 또는 수평 후두부분절제술 시에도 점막을 과도하게 제거하면 연골이 노출되고 이차적으로 연골염이 발생하여 결과적으로 후두협착이 발생한다. 악성종양 환자에서 반복적인 조직 검사를 시행하는 경우에도 점막의 소실이 발생하고 연골이 노출되어 이차적으로 연골염이 발생하고 기관후두협착이 발생할 수 있다. 이런 협착증에 대한 수술적 치료 역시 협착을 악화시키는 원인이 될 수 있음을 유념하여야 한다. 후두기관 협착을 교정하기 위한 수술을 시행할 때 수술적 조작 자체가 충분하지 않고 이차적으로 세균 감염이 동반된 경우 그리고 부적절한 크기 혹은 위치에 스텐트를 삽입한 경우 협착을 악화시키는 원인이 될 수 있다.

3) 외상 혹은 화상에 의한 후두기관협착의 발생

교통사고, 운동, 자살 시도 등으로 인한 전경부 외상에 의해 후천성 협착이 발생할 수 있다. 외상에 의한 연골의 위치 변화, 점막의 열상 혹은 급성으로 발생하는 혈종이나 기종에 의해 급성으로 상기도의 폐쇄가 발생할 수 있다. 혈종이 형성되면 회복 과정에서 대식세포에 의해 혈종이 흡수되는데 이 과정에서 주변 연골의 흡수가 일어나고 콜라겐의 침착 후 반흔 조직이 형성되어 결국 협착이 발생한다.[50] 전경부에 외상이 발생하면 후두나 기관의 연골 자체가 골절이 발생하는 빈도는 높지 않은데 이는 후두가 가동성이 있는 구조이기 때문이다. 소아의 경우는 성인에 비하여 연골조직의 탄력성이 높기 때문에 역시 연골 골절의 빈도는 높지 않다. 외상으로 협착이 잘 발생하는 부위는 성문상부와 성대 후방이나, 윤상연골에 골절이 있을 경우에는 심한 후두기도협착이 발생할 수 있어 초기에 적절한 평가를 시행하고 치료를 시행하여야 협착을 예방할 수 있다.

후두와 기도 부위의 화상 역시 후두 및 기관협착의 원인이다. 뜨거운 증기 등에 상기도 점막이 노출되어 열성 화상이 발생할 수 있으며 산성 혹은 염기성 물질에 노출되어 화학적 화상이 발생할 수 있다. 이런 기도 화상이 발생한 이후 필연적으로 염증 반응이 일어나게 되는데 이는 심각한 기도 협착을 발생시킬 수 있다. 흡기 시에 상기도의 점막은 공기냉각 기능과 가습 기능을 가지고 있어 열과 건조에 비교적 강하지만 150℃ 이상의 온도에 노출되면 점막의 손상이 발생한다. 뜨거운 증기에 노출될 경우 성문의 폐쇄반사에 의하여 기관 및 폐에 화상이 발생하는 빈도는 0.1~5.0% 정도이지만, 훈증기(fumes)는 열수용능력이 매우 높기 때문에 하기도까지 전달된다. 열에 의한 점막 손상이 발생하면 염증 반응이 일어나면서 부종, 충혈, 출혈 및 궤양이 발생한다.[51] 강산이나 강알칼리를 섭취하거나 증기에 노출되었을 경우 비강, 구강, 인두 및 식도 점막에 화상을 입을 수 있으나 후두에 협착을 일으키는 경우는 드물다. 하지만 성문상부의 부종을 포함한 기도협착을 초래할 수 있으며, 심한 경우에는 후윤상피열근에 염증 반응으로 인한 섬유화가 발생하고 반흔이 형성되어 협착이 발생할 수 있다.

화상이 발생하였을 경우 생존율을 높이고 장기적인 후유증을 줄이기 위하여 초기에 손상 정도를 정확하게 파악하고 치료하여야 한다. 하지만 화상 치료를 위하여 전신적으로 수분을 공급한 후에는 매우 빠르게 상기도의 부종성 변화가 발생하므로 초기 시행한 진단적 내시경으로 향후 협착 정도를 예측하기는 어렵다.[34] 성문상부구조에 비해 성문하부 구조는 화상이 더 발생하기 쉬운 것으로 알려져 있는데 성문하부에는 윤상연골이 존재하고 기관의 경우 제한적인 혈류 공급을 받기 때문인 것으로 생각된다.[17] 손상 후 재생 과정에서 점막을 비롯하여 연골까지 섬유조직으로 대치되면서 협착이 발생한다. 상기도 화상 이후 잘 발생하는 만성 후유증은 후두 후방 격막과 성문하 협착으로 기도 화상 발생 이후 시행하는 기관 삽관과 관련이 있다. 기도 화상 이후 기관 내 삽관을 시행하게 되는 경우 점막에 마찰을 발생시키면서 염증반응을 가중시키고 기낭 상방에 고인 분비물에 세균이 증식하면서 이차 감염을 일으키기 위한 좋은 조건이 형성된다. 또한 기관절개술을 시행한 환자에서 세균감염에 의한 기도협착의 발생 빈도는 더욱 높다.

화상에 의한 기도협착의 치료로는 장기간 동안 스텐트를 삽입하여 기도유지를 도모하는 것이 효과적이다. 1~2개월 정도 스텐트를 유지한 후 제거하는 경우도 있으나 더 일찍 제거하기도 한다.[17] 섬유화가 동반되는 경우가 많기 때문에 단순 확장술이나 레이저를 이용한 확장술의 경우 실패하는 경우가 많은데 효과적인 치료를 위하여 다양한 관혈적 수술이 시행되고 있다. 수술 시기는 반흔조직이 충분하게 성숙하게 되는 수개월 이후 시행하는 것이 좋다.

4) 감염성, 염증성 및 자가면역질환과 연관된 협착

만성 육아종성 질환, 감염성 질환, 진균 감염증에 의해서 후두기관협착이 발생할 수 있다.

만성 육아종성 질환 중 결핵은 피열연골이나 피열연골 간극(interarytenoid notch), 성대의 후방, 연구개의 후두면 등을 침범하는데 폐결핵과 동반하여 발생하는 경우가 많다. 초기에는 전반적인 부종, 종창 등이 발생하고 결절, 궤양의 과정을 거쳐 결국 연골막염이나 연골염으로 진행한다. 간혹 피열연골근(arytenoid muscle)을 직접 침범하는 경우도 있으며 윤상피열관절(cricoarytenoid joint)의 고정이 발생하기도 하는데 적절하게 치료받지 않은 경우 심한 반흔 형성과 협착이 발생한다. 다른 육아종성 질환인 사르코이드증(sarcoidosis)이나 Wegener 육아종의 경우도 후두를 침범하는데 사르코이드증은 성문하부를 침범하는 경우가 많으며 간혹 다발성 신경염이 발생하여 성대마비가 동반될 수 있다.[44] Wegener 육아종은 후두연골의 괴사와 성문하 협착이 발생할 수 있다.[27]

류마티스성 관절염 환자의 25%에서 윤상피열관절의 운동이 제한되거나 관절 고정이 발생할 수 있으며, 통풍도 윤상피열관절의 염증을 초래하여 성대가 부정중위(paramedian)로 고정되고 성문하 협착을 초래할 수 있다.

후두와 기관의 진균 감염은 히스토프라스마증(histoplasmosis), 분아균증(blastomycosis), 콕시디오이데스 진균증(coccidioidomycosis) 등에 의해 점막의 육아종성 병변을 일으킬 수 있으나 매우 드문 질환이다. 나병, 매독과 같은 감염성 질환의 경우 후두의 결절성 병변과 궤양을 유발하고 점진적으로 섬유조직으로 대체되면서 반흔이 형성된다. 크루프(croup), 디프테리아, 혈관 신경성 부종, 장티푸스, 성홍열, 홍역, 백일해 등은 영구적인 협착은 초래하지 않지만 드물게 삽관 도중 염증성 점막에 외상을 입혀 반흔 조직을 형성하여 협착을 초래할 수도 있다.

이 외에도 협착을 초래할 수 있는 만성 염증성 질환으로 홍반성 루푸스, Behcet 증후군, 재발성 다발연골염, 유천포창(pemphigoid), 표피수포증(bullous epidermolysis), 아밀로이드증, 아프타성 궤양 등이 있다.

5) 기관식도 역류 질환

후두와 기관이 위산에 노출되게 되면 협착이 발생할 수 있다.[32] 기관 내 삽관이나 외상 등으로 손상된 점막이 위산에 노출되는 경우 점막의 손상을 악화시키고 협착을 유발하는 것으로 생각되며 기존에 Wegener 육아종증, 사르코이드증 등이 있는 경우 협착 발생에 기여하는 원인으로 생각된다.[31] 따라서 후두기관 협착을 예방하기 위해서, 또한 기존의 후두기관 협착이 있는 경우 그리고 후두기관재건술을 시행한 경우에도 PPI 등을 이용하여 위산 역류를 적극적으로 조절하는 것이 필요하다.

6) 종양과 방사선 조사

암종, 유두종, 연골종, 섬유종, 소타액선 종양, 혈관종, 림프종, 신경성 종양, 갑상선 종양 등 여러 다양한 종양이 후두에 침범하여 종양 자체에 의한 협착이 발생할 수 있다. 또한 악성종양의 치료를 위하여 경부에 방사선 조사를 시행하였을 때 반복적인 부종과 점막염이 발생하고 그 결과 협착증이 발생하며, 방사선 조사 후 연골의 괴사로 인하여 연골이 흡수되고 섬유조직으로 대체되면서 후두 및 기도협착이 발생할 수 있다.[38]

7) 특발성

특별한 원인 없이 윤상연골 부위나 기관의 상부에 반흔성 협착이 발생하는 경우가 있다. 기존에 알려져 있는 원인 질환이나 외상 혹은 기관 삽관의 병력이 없이 발생하는 경우로 가임기 여성에서 주로 발생하는 것으로 알려져 있다.[48] 명확한 원인은 밝혀지지 않았지만 에스트로겐 혹은 프로게스테론의 대사와 연관되어 발생하는 것으로 생각된다.[11,48]

II 증상

만약 최근 기관 내 삽관, 기관절개술 혹은 기계환기의 병력이 있는 환자에서 호흡기 관련 증상이 발생하였다면 명확한 원인이 밝혀지기 전까지 협착이 발생하였을 가능성을 고려해 보아야 한다.[20] 그리고 영유아의 경우 반복적으로 폐렴이 발생하는 경우에도 후두 및 기도협착으로 객담이 잘 배출되지 않을 가능성을 생각해 보아야 한다. 특히 영유아의 경우 기관지천식, 심부전증, 기관지염 등과 혼돈되어 진단이 늦어지는 경우도 있다.

호흡곤란이 주 증상이며 음성 장애 및 연하장애가 동반될 수 있다. 호흡곤란의 경우 협착의 정도에 따라 증상은 다양하게 나타나는데 만약 정상 기관의 30% 이하로 기관 내경이 감소하였다면 휴식 상태에서도 호흡 곤란이 발생할 수 있다.[53] 경도 협착의 경우 평상시 증상이 없다가 운동 시나 상기도 감염 후에 호흡곤란이나 천명이 발생할 수 있다. 호흡곤란과 더불어 음성장애 및 연하장애가 발생할 수 있다.

III 진단

발생 원인을 이해하고 신체검진에서 후두와 기관 협착의 위치와 정도를 정확하게 파악하는 것이 가장 중요하다. 따라서 상세한 병력 청취와 신체검사는 필수적이며 영상검사, 내시경검사를 통하여 명확한 진단을 시행한다. 필요한 경우 폐기능검사 및 음성검사를 시행할 수 있다.

1. 병력 청취와 신체검사

협착의 발생 원인을 명확하게 하기 위하여 원인이 될

수 있는 전신마취 여부 및 기관 내 삽관 여부를 확인하고 만약 기관 내 삽관 병력이 있으면 시기, 기간 및 삽관 튜브의 크기 등에 대하여 추가적으로 확인한다. 이외 기도 외상의 여부 및 동반 질환 여부에 대해서도 문진하는 것이 좋다. 기관절개술을 받은 환자의 경우 호흡곤란의 진행여부도 확인한다. 협착에 의해 후두 및 기관의 내경이 좁아진 정도와 환자 증상의 정도는 연관성을 가지기 때문에 증상에 대한 문진 역시 중요하다. 안정 상태에서 호흡곤란이 발생하는지 혹은 운동이나 상기도 감염 후 호흡곤란이 발생하는지에 대하여 명확하게 문진하고 천명(stridor)의 동반 여부 및 악화 요인을 조사한다. 이외 연하 장애나 음성 장애 동반 여부도 확인하는 것이 필요하다.

신체검진에서 호흡 곤란의 정도를 평가하기 위하여 흉골 상부나 하부 그리고 늑골 간부에 흡기 시 견축(retraction)이 없는지 확인하고 환자의 발성 시간 및 음색들도 주의 깊게 듣는다. 만약 기관절개술이 되어 있는 상태라면 캐뉼라를 막고 호흡이 가능한지 조사해보고, 필요한 경우 캐뉼라를 제거하고 기관절개창, 성문하 부위나 기관을 직접 관찰할 수도 있다.

2. 영상학적 검사

협착의 위치와 범위를 확인하기 위하여 매우 중요한 검사이다. 단순 X-ray 촬영도 기도의 공기음영과 연조직 음영을 비교적 쉽게 구분할 수 있기 때문에 진단에 도움이 된다. 경부 전후 및 측면 단순촬영(AP&lateral view)을 동시에 시행하는 것이 좋으며 이를 통하여 협착의 위치와 범위를 어느 정도 파악할 수 있다. 후두 및 기관의 협착 평가에서 CT와 MRI를 시행할 수 있다. 특히 고해상도 CT를 시행하는 경우 조영제 주입 없이 매우 정확하게 후두 및 기관의 협착 여부와 길이를 확인할 수 있으며 3차원적으로 재구성할 수도 있다(그림 64-3). 그러나 기도 표면에 점액이 묻어 있을 경우 기도 협착과 구별이 어려운

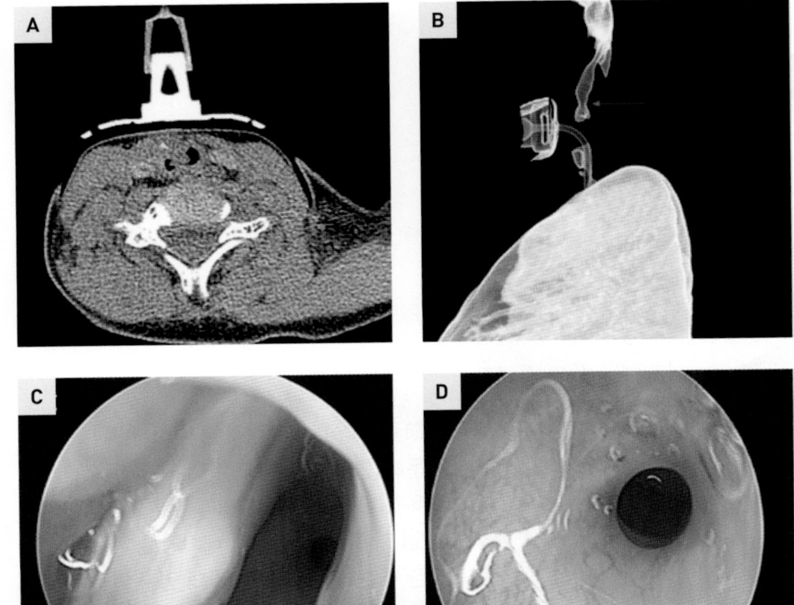

■ 그림 64-3. CT axial view and 3-D reconstruction.
A) 수술 전 시행한 CT. 성문하 부위에 협착이 의심되는 소견이 관찰된다(yellow arrow head).
B) CT를 3차원적으로 재구성하였을 때 성문하 협착 소견이 관찰된다(red arrow).
C,D) 동일 환자의 내시경 검진에서 성문하 협착이 관찰된다(c:진성대 부위, d:성문하 부위).

경우가 있다는 점을 기억해야 한다.

3. 내시경 검사

내시경 검사를 이용하여 많은 정보를 얻을 수 있으며 수술 계획을 수립하는 데 가장 중요한 과정이다. 내시경 검사는 70° 비내시경 또는 굴곡형내시경(flexible laryngoscope)을 이용할 수 있으며 고해상도의 확대된 영상을 통해 후두 및 기관을 관찰할 수 있다. 협착 부위, 정도 및 범위를 비교적 정확하게 평가할 수 있으며 더불어 성대 및 윤상피열관절의 움직임을 관찰할 수 있다.

굴곡형내시경의 경우 간단한 마취를 통하여 성문하부나 기관을 관찰할 수 있으며 경부 신전이 용이하지 않은 환자에서도 매우 유용하다. 기관절개창이 있는 환자의 경우에는 캐뉼라를 제거한 이후 성대 움직임, 성문하 부위 및 기관을 관찰할 수 있다. 성문 후방의 협착이 있는 경우 성대마비와 협착을 구분하기 힘든데 이 경우 양측 피열연골의 위치를 비교하는 것은 진단에 도움이 된다. 이 경우 추가적으로 후두 근전도(laryngeal EMG)를 시행하는 것이 성대마비와 후두협착을 감별하는 데 도움이 된다.

협조가 이루어지지 않는 환자나 소아의 경우 기도 평가를 위해서는 전신마취를 시행한 후 직달후두경(direct laryngoscopy) 혹은 강직형 기관지경(rigid bronchoscope)을 이용할 수 있다(그림 64-4). 이 경우는 현미경을 이용하여 관찰할 수 있으며 필요에 따라 간단한 조작 혹은 수술을 동시에 시행할 수도 있다. 최근에 저자가 속한 병원에서는 근이완제를 투여하지 않고 환자가 자발호흡하는 중에 기도 내시경을 시행하여 더욱 정확한 평가를 시행하고 있다.

4. 폐기능검사와 음성검사

폐기능 검사를 통하여 치료의 필요성 여부를 확인할 수 있으며 치료 전후의 폐기능 검사를 비교하여 치료 결과도 평가할 수 있다. 주로 경도의 상기도 협착에서 사용할 수 있는데, 주로 유량-용량곡선(flow-volume loop)

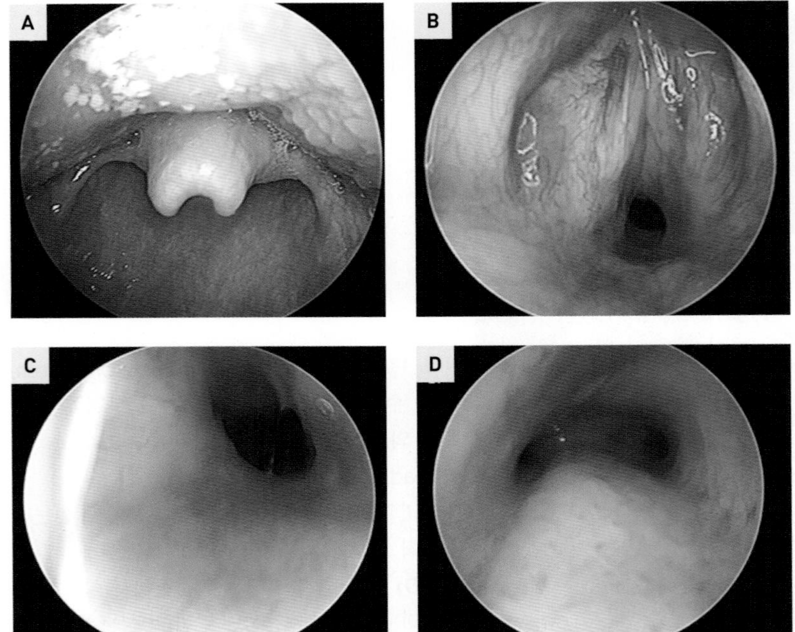

■ 그림 64-4. **내시경적 검사 소견.** 성문하 협착이 있는 환자의 내시경 소견으로 후두개(a) 부위부터 진성대 부위(b), 성문하부위(c),기관 부위(d)까지 내시경을 이용하여 관찰한 소견. 기관 협착 환자의 경우 여러 부위에 병변이 있을 수 있으므로 반드시 이와 같은 순서로 순차적으로 기도 협착을 평가하는 것이 좋다.

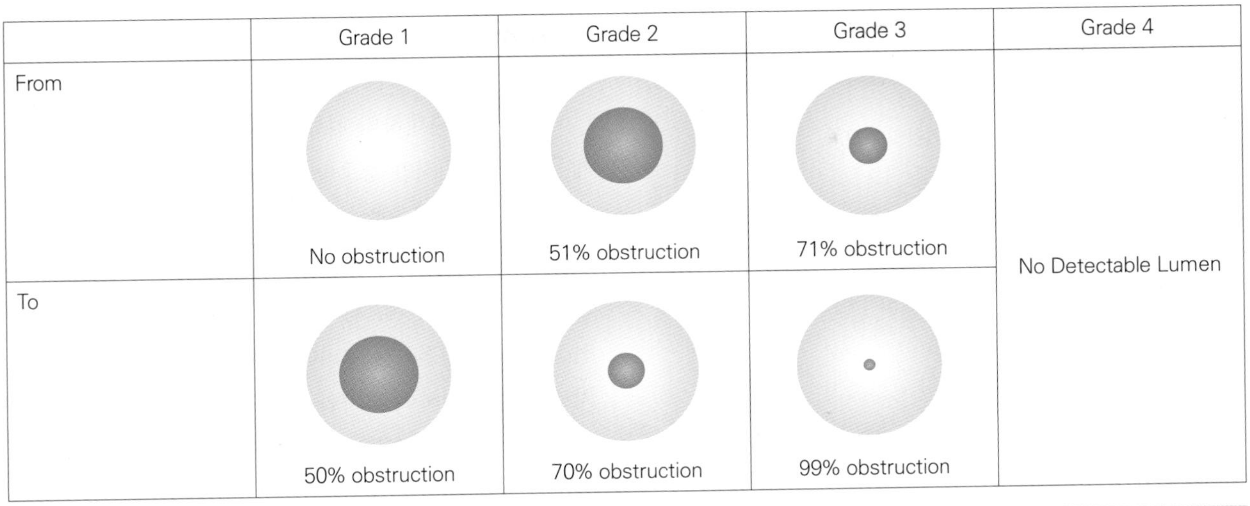

	Grade 1	Grade 2	Grade 3	Grade 4
From	No obstruction	51% obstruction	71% obstruction	No Detectable Lumen
To	50% obstruction	70% obstruction	99% obstruction	

■ 그림 64-5. **Myer-Cotton 분류** [7]

Patient Age		Percentage of Obstruction with Actual Endotracheal Tube Size								
		ID=2.0	ID=2.5	ID=3.0	ID=3.5	ID=4.0	ID=4.5	ID=5.0	ID=5.5	ID=6.0
Premature	No Detectable Lumen	No Obstruction								
		40	No Obstruction							
		58	30	No Obstruction						
0–3 mo		68	48	26	No Obstruction					
3–9 mo		75	59	41	22	No Obstruction				
9 mo–2y		80	67	53	38	20	No Obstruction			
2y		84	74	62	50	35	19	No Obstruction		
4y		86	78	68	57	45	32	17	No Obstruction	
6y		89	81	73	64	54	43	30	16	No Obstruction
	Grade IV	Grade III			Grade II		Grade I			
		71–99%			51–70%		0–50%			

■ 그림 64-6. **Myer-Cotton 분류** [39]

를 이용한다. 기도의 폐쇄가 있는 경우 호기나 흡기 시에 유량이 시간에 따라 변하지 않고 고정되는데 이 경우 상자 형태의 그래프가 관찰되면 성문, 성문하부 혹은 기관의 고정된 협착을 의심할 수 있다.[14] 더불어 수술 전과 후의 그래프 변화를 관찰하여 수술 결과를 평가할 수도 있다.[14] 발생하는 음성장애에 관하여서도 협착의 치료 전과 치료 후에 발성 중의 평균호기류율, 최장 발성 지속시간 등을 포함하는 공기역학적검사(aerodynamic test)를 시

표 64-4. McCaffrey 분류

Mccaffrey Classification
Stage I
1 cm 미만의 성문하 협착 또는 기관의 협착
Stage II
1 cm 이상의 성문하 협착
Stage III
성문을 포함하지 않은 성문하 협착 혹은 기관의 협착
Stage IV
성문 협착 혹은 성대 마비

행할 수 있다. 특히 평균호기류율은 기관의 내경의 변화를 비교적 정확하게 정량적으로 평가할 수 있는 인자이다.[2] 성대 진동과 성대 고정을 평가하기 위해 후두 스트로보스코피(stroboscopy)를 시행하여 치료 결과를 비교할 수 있다.

5. 협착의 정도 평가

병력, 영상학적 검사, 내시경 검사 등을 통해 협착의 정도와 위치를 파악하고 분류할 수 있다. Cotton의 분류의 경우 기도 내강의 70% 미만이 폐쇄된 경우를 I 등급, 70~90% 폐쇄된 경우를 II 등급, 90% 이상이나 최소한의 내강이라도 보존되어 있는 경우를 III 등급 그리고 완전 폐쇄된 경우를 IV 등급으로 정의하고 분류하였다(그림 64-5).[7] 이후 기관 내 삽관 튜브를 이용하여 협착의 정도를 환자의 연령대별로 쉽게 파악할 수 있는 새로운 분류가 Cotton과 Myer에 의해 다시 발표되었는데 I 등급은 50% 폐쇄, II등급은 51~70%, III등급은 71%에서 조금이라도 내강이 유지되는 경우, 그리고 IV등급은 완전 폐쇄로 구분하였다(그림 64-6).[39] McCaffrey분류의 경우는 협착의 발생 위치와 길이를 기준으로 협착을 분류하였는데 이는 발관 가능성을 예측하고 치료 계획을 수립하는 데 도움이 되는 분류이다(표 64-4).[33]

 치료

후두 및 기관협착의 치료 목표는 기관 캐뉼라, 기관절개창 등의 인위적인 경로를 통하지 않고 자연스럽게 호흡하면서 기도 흡인 없는 정상적인 연하와 발성 기능을 회복하는 것이다. 또한 이러한 목적을 달성하기 위해서는 수술 전에 협착의 단계, 위치, 범위, 환자의 연령 및 환자의 전신 상태를 적절하게 고려하여야 하며 치료 전 예상되는 치료 결과에 대하여 환자와 충분하게 상의하는 것이 필요하다. 중풍 환자의 경우 high vagal palsy에 의한 성대 마비가 동반되어 있는 경우 기관협착부위를 재개통하면 흡인이 발생할 수 있어 수술하지 않는 것이 바람직하다. 또한 기관절제 후 단단문합술(tracheal resection and end to end anastomosis, TREE) 이후 경부의 신전을 2주간 제한하는 것이 필요한데 이에 협조할 수 없는 경우도 수술 대상이 되지 못한다.

협착이 발생하는 병태생리는 매우 복합적이고 이에 따른 치료 역시 매우 다양하기 때문에 수술 방법의 적응증과 한계점을 잘 숙지하여 한다. 그리고 수술 후 재협착 및 합병증 발생 가능성에 대해서도 유념하여야 한다. 수술을 시행할 때는 수술 중에 확인되는 소견에 따라 적절한 치료 방법을 선택하게 되는데 기존에 알려진 치료 방법을 단독 사용 혹은 혼합하여 사용할 수도 있다. 이 일련의 과정은 후두기관의 해부학적 지식, 병태생리에 대한 이해 및 적절한 수술 술기가 필요하다.

치료는 일반적으로 기저 질환이 충분하게 조절이 되거나 후두기도협착의 진행이 종료된 이후 철저한 계획하에 시행하는 것이 좋다. 치료는 일반적으로 내시경적 치료와 경부 절개를 통한 개방형 접근법으로 구분할 수 있다. 구강 혹은 비강을 통한 접근법인 내시경적 치료의 경우 레이저 및 미세 기구를 이용한 조직 제거술을 시행할 수 있으며 경우에 따라 스테로이드나 미토마이신 C를 국소 적용할 수 있다. 일반적으로 경부 절개를 통한 개방형 접근법의 경우는 반흔성 협착으로 협착 길이가 길고 협착 정도가 심할 경우 주로 사용된다.

1. 성문상부협착

성문상부의 협착은 장기간 지속된 기관 내 삽관에 의해 발생하는 경우가 가장 많으며, 외상에 의한 설골 손상에 의해 하인두 협착과 동반 가능하다.[12,28] 외상으로 인해 발생한 성문상부-하인두 협착은 후두개연골과 하인두의 후측방 벽 사이의 유착이 있는 경우, 설골의 골절편이 후두개연골과 함께 후방으로 전위되어 성문입구가 좁아진 경우, 하인두의 후벽에 횡으로 격막이 발생한 경우 혹은 후윤상부 협착으로 식도 입구가 좁아진 경우로 구분할 수 있다.[19]

일반적으로 경도의 협착의 경우 CO_2 레이저를 이용하여 치료할 수 있다. 다만 협착 부위가 광범위할 경우 관혈적 수술을 시행하게 되는데 설골 상방에 수평절개를 시행하는 경설골인두절개(transhyoid pharyngotomy)를 이용하고 만약 절개 후 전위된 설골이 관찰될 경우 정복을 시도하는 것이 좋다. 필요에 따라 측인두절개(lateral pharyngotomy)를 시행하여 시야를 추가적으로 확보할 수 있다. 다만 측인두절개를 시행할 때 상후두신경(superior laryngeal nerve)과 설하신경(hypoglossal nerve)의 손상에 유의하여야 한다. 성문입구(laryngeal inlet) 협착의 경우 후두절개술(laryngofissure approach)을 이용할 수 있다.

만약 수술 후 일차봉합이 힘든 경우 국소 점막 피판을 이용하거나 피부이식을 시행할 수 있는데 이때 실리콘 스텐트를 삽입하는 것은 상처치유에 도움이 된다.[19] 하지만 반흔조직이 광범위하여 협착부위를 제거한 후 일차봉합이 불가능하고 인두 내경의 재건이 필요한 경우 요골전완피판(radial forearm free flap)도 이용할 수 있다.

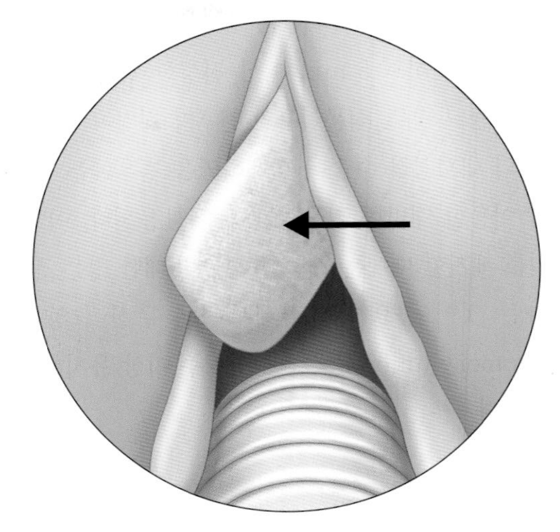

■ 그림 64-7. **후두격막 수술 후 킬 삽입.**
격막을 절개한 다음 성대 상하부위에 바늘을 삽입하고 이를 통해 킬(keel)을 고정한다.

2. 성문협착

1) 전방 성문협착

일반적으로 전방 성문부 협착이 2~3 mm 이내이고 얇은 격막으로만 이루어져 있는 경우 증상이 발생하지 않는다. 하지만 격막이 두꺼운 섬유조직으로 이루어져 있거나 전방 성문부 협착이 3 mm 이상인 경우 증상을 유발할 수 있고 이 경우 치료를 시행하게 된다.[10] 전방 성문협착의 경우 수술적 치료를 할 때 양측 점막이 동시에 손상될 경우 다시 유착이 발생할 수 있음을 유의하여야 한다.

내시경적 접근법의 경우 성문하 부위로 협착 진행이 제한적이고 성문 후방은 정상적일 때 사용하는 경우가 대부분이다. 후두미세수술기구로 협착 부위를 절개하거나 레이저로 절개한 다음 킬(keel)을 삽입하고 경부에 고정하는 방법을 사용한다(그림 64-7). 킬 이외에도 점막을 직접 봉합하거나 협부 점막 및 연골막을 이용하여 손상된 점막의 덮어주어 재협착을 예방할 수도 있다.[26,29] 손상된 점막에 mitomycin-C를 국소 적용하는 경우 섬유아세포

증식을 억제하여 재협착과 반흔 형성을 줄일 수 있다.[1]

협착이 성문하로 5 mm 이상 진행한 경우, 성문입구 협착이 동반된 경우, 성문입구의 전후방 직경이 짧거나 혹은 이전의 내시경적 수술이 실패하였을 경우에는 후두절개술을 이용한 개방형 접근법이 주로 사용된다. 이 때 협착부위를 제거할 때에는 가능한 경우 최대한 많은 점막을 보존하는 것이 중요하며 절제부위에 우산 모양의 킬(Montgomery umbrella keel)을 2주 이상 유지하는 것이 필요하다.[10,37]

2) 후방 성문협착

후방 성문부 협착의 경우 대부분 기관 내 삽관으로 인하여 발생하는데 점막 손상에 의한 지속적인 염증이 발생하고 그 결과 후방 성문부위에 반흔 조직이 형성되면서 협착이 발생한다(그림 64-8). 이때 윤상피열관절의 고정 여부도 치료 방침을 결정하는 데 중요하다.[18] 후방 성문협착의 경우 Bogdasarian's 분류를 이용하여 분류할 수 있다(그림 64-9).

피열연골 사이의 얇은 격막이나 3~4 mm 이내의 협착

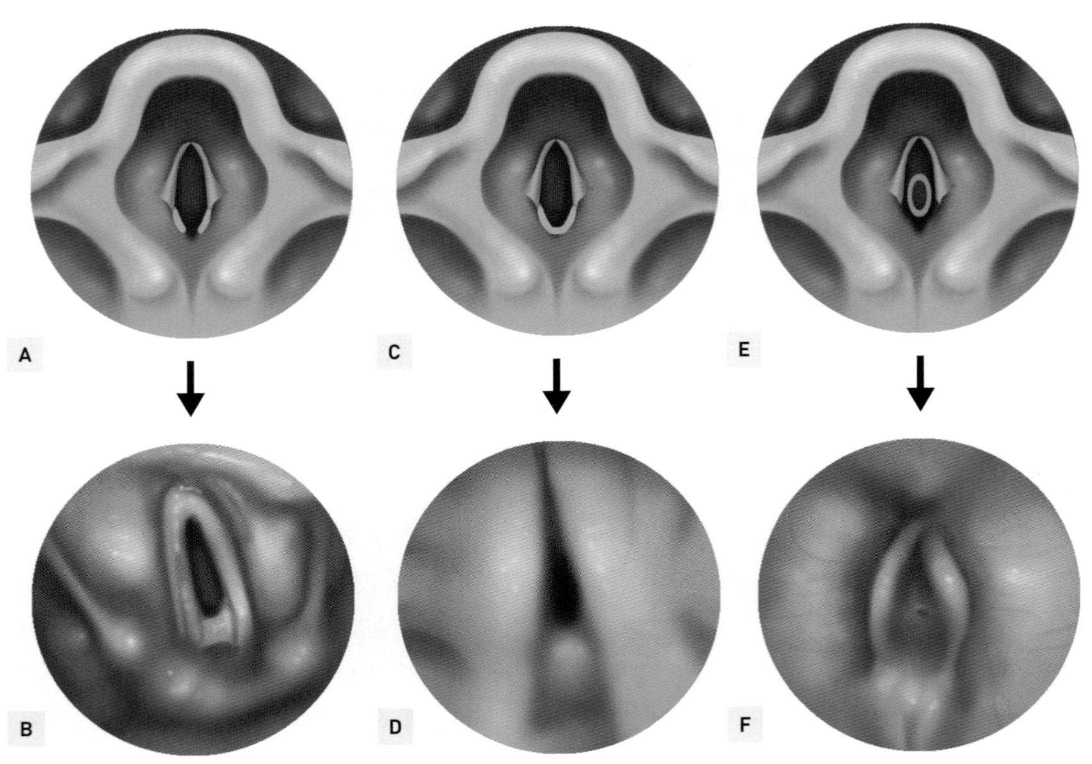

■ 그림 64-8. **기관 삽관과 관련하여 발생하는 협착.**
A. 후교련 부위의 점막 손상이 있으나 중앙부의 점막 손상이 없는 경우
B. 피열연골간극의 유착(interarytenoid adhesion)
C. 후교련부위의 반달형 손상(annular ulceration
D. 후방 성문협착(posterior glottis stenosis)
E. 성문하 부위의 원형 궤양(concentric ulceration)
F. 반흔성 성문하 협착(cicatricial subglottic stenosis)

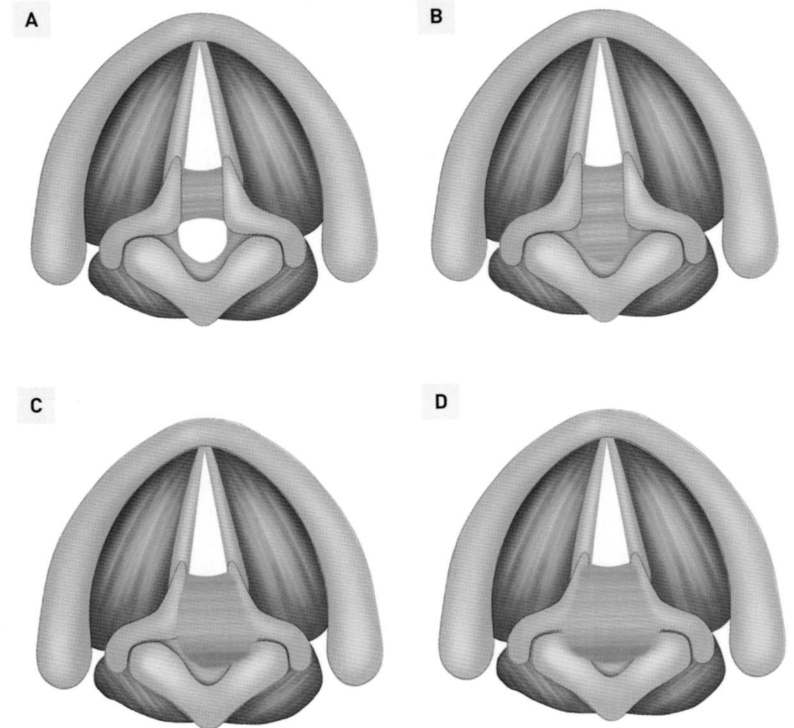

■ 그림 64-9. **후방성문협착의 분류 (Bogdasarian's classification).**
A) 피열연골간극의 유착(interarytenoid adhesion).
B) 피열연골간극의 유착과 후교련부위의 반흔(interarytenoid adhesion and posterior commissure scarring).
C) 후교련부위의 반흔과 편측 윤상상피열관절의 고정(scarring of posterior commissure with unilateral cricoarytenoid joint fixation).
D) 후교련부위의 반흔과 양측 윤상상피열관절의 고정(scarring of posterior commissure with bilateral cricoarytenoid joint fixation).

의 경우 내시경적 치료를 시행할 수 있다. 얇은 격막의 경우 단순 절개로 치료가 가능한데 재발 가능성을 고려하여야 한다. 특히 기관절개가 되어 있는 환자는 후윤상피열근(posterior cricoarytenoid muscle)의 움직임이 감소하여 있기 때문에 수술 후 재협착을 유의 깊게 관찰하는 것이 필요하다. 길이가 짧은 협착의 경우에는 CO_2 레이저로 협착부위를 절제할 수 있으나,[42] 소아의 경우에는 대개 재협착을 일으켜서 개방적 술식을 이용한 연골 이식을 시행하는 것이 좋다.

협착의 길이가 길거나 성문하 부위로 협착이 진행되어 있는 경우에는 개방적 술식을 이용한다. 전통적으로 후두절개술(Laryngofissure)을 통하여 접근하게 되고 윤상연골의 정중앙을 절개한 후 늑연골을 이식하여 후두의 후방 부위를 넓혀준다. 하지만 후방 성문부 협착이 성문하 협착과 동반된 경우 치료 결과는 좋지 않다.

3) 성문부 완전협착

성문부 완전협착의 경우 단순히 성문에만 국한되어 발생하는 경우는 드물며 대부분 성문하 협착과 동반된다. 협착을 중앙선에서 절개하고 반흔조직을 제거하는데 최대한 정상 점막은 보존하는 것이 좋다. 점막이 제거된 부위를 주변 후두 점막을 이용하여 덮어주는데 소실된 점막 부위가 넓은 경우에는 구강 점막, 비강 점막 혹은 부분층 피부 이용하여 덮어준 다음 스텐트를 4~8주간 유지하는 것이 좋다.[25] 이후 스텐트를 제거하고 전연합 부위에 umbrella keel을 2주간 삽입한다.

성문부의 전후방 직경이 50% 이하로 감소되어 있거나, 성문부 협착이 성문상부 혹은 성문하부 협착과 동반되어 있는 경우 중앙선 갑상절개술(midline thyrotomy)을 통하여 반흔 조직을 제거하는 것이 좋다. 점막은 최대한 보전하고 후두개연골을 윤상연골의 전궁에 이르도록 하방으로 끌어 내려 봉합한다. 심한 후두기관협착 환자에서

후두기관 이식술(laryngotracheal transplantation)을 시행한 보고도 있다.[16]

3. 성문하 협착

1) 선천성 성문하 협착

선천성 성문하 협착증의 경우 성장함에 따라 협착부위의 내강이 넓어져서 증상 소실을 기대할 수 있는 경우가 많다. 따라서 경도의 호흡곤란을 호소하는 경우 수술적 치료 없이 경과 관찰을 시행하고 호흡곤란 등의 증상이 심한 경우 기관절개술을 시행하고 2년 정도 경과를 관찰하면서 성장에 맞추어 발관(decannulation)을 시도할 수 있다. 2년이 경과하여도 협착 부위의 발육이 이루어지지 않으면 후천성 성문하 협착 때 시행하는 다양한 술식을 시도할 수 있다.

2) 후천성 성문하 협착

경도의 병변의 경우 내시경적 치료를 시도할 수 있다. 내시경 접근법을 통하여 부지(그림 64-10)나 풍선을 이용한 확장술을 시도할 수 있으며 CO2 레이저나 전기소작기 및 미세절삭기구(microdebrider)를 이용하여 협착부위를 제거할 수 있다. 이때 주변 점막 소실을 최소화하고 주변 정상 연골이 노출되지 않도록 하는 것이 좋으며 필요에 따라 수술 후 주변 조직으로 스테로이드를 국소 주입하거나 Mitomycin C를 국소 적용할 수 있다.[43]

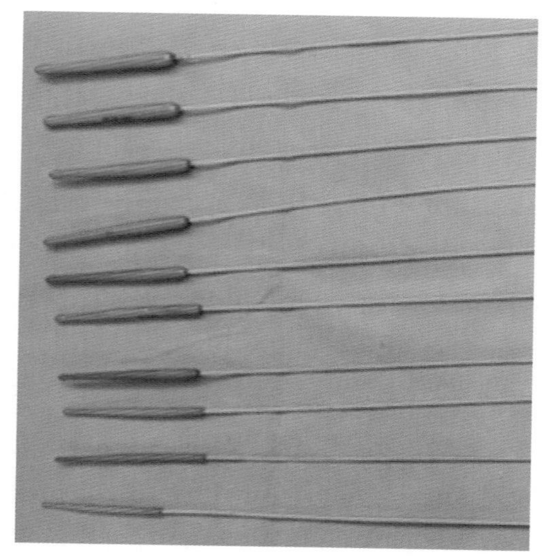

■ 그림 64-10. **부지.**
다양한 외경을 지닌 부지를 이용하여 확장술을 시도할 수 있다.

협착부위의 길이가 1 cm 이상이거나 후두와 기관에 걸친 협착, 피열연골 사이의 단단한 섬유조직에 의한 협착, 연골까지 진행된 협착 혹은 기관절개공 주변의 심한 염증을 동반한 협착의 경우 개방적 접근법을 이용하게 된다. 전윤상연골절개술(anterior cricoid splits)은 정상보다 작은 크기의 윤상연골이거나 연부조직의 협착이 있을 때 사용할 수 있다. 갑상연골의 하방, 윤상연골, 상부기관연골을 전방 부위의 정중앙에서 수직으로 절개하는데 이때 절개가 너무 깊어 성대 전연합부가 손상되지 않도록 유의하여야 한다. 성문부 후방과 성문하부 또는 기관에 걸쳐 심한 협착이 있는 경우에는 후윤상판(posterior cricoid lamina)의 절개 및 후윤상절골이 필요하다. 이때 피열연골간근과 식도입구점막의 손상이 발생하지 않도록 하는 것이 중요하다. 이후 윤상연골 전방 절개부위와 후방 절개부위에 연골이나 골조직을 삽입하여 내경의 확장을 시도하게 된다. 전윤상연골부위는 배 모양(boat shape)으로 이식편을 삽입하게 된다(그림 64-11, 12).

이식재료로는 기도의 골격을 유지할 정도로 단단하고 유연성이 있는 것이 좋다. 더불어 채취 및 고정이 용이하여야 하고 이식편으로 점막의 재생이 잘 일어나는 재료가 좋다. 그리고 가능한 경우 동일한 수술 시야에서 채취할 수 있는 이식편이 좋다. 늑연골, 이개연골, 갑상연골, 비중격연골, 설골 및 흉쇄유돌근골막피판 등을 사용할 수 있는데 이식재료들의 장단점을 파악하고 연령과 협착 정도를 고려하여 선택하는 것이 좋다.

이개연골와 비중격연골을 삽입한 경우 주변 조직을 지지해 주는 힘이 약하고 충분한 양을 얻기 힘들기 때문에 성문하협착의 치료에서는 경도의 협착이나 협착의 범위가

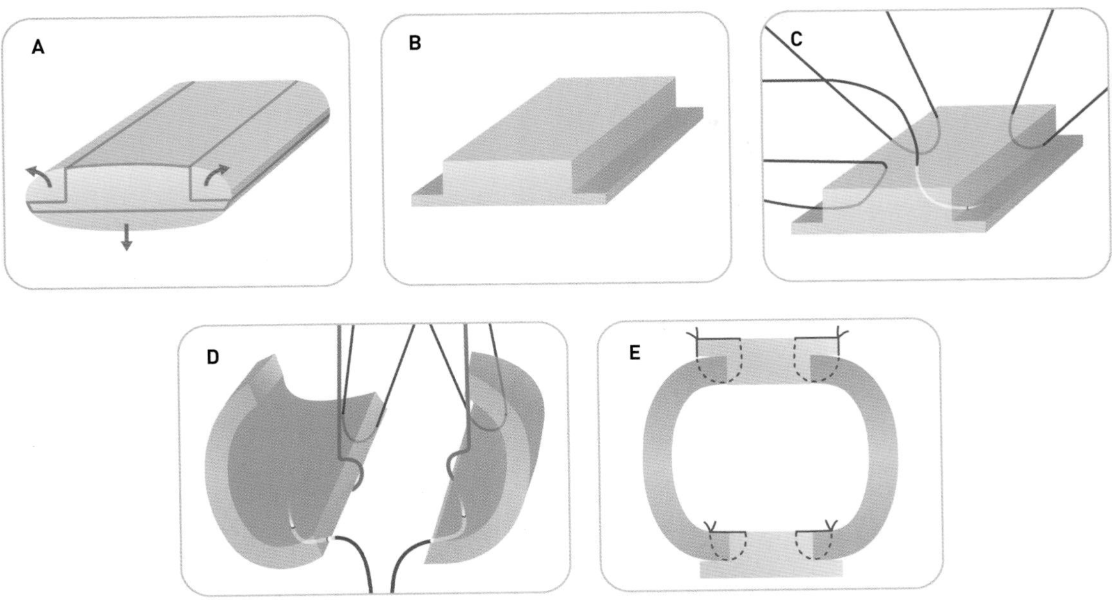

■ 그림 64-11. **후방 연골 재단 및 연골 삽입.**
A) 채취한 연골을 적절한 두께로 재단하고 편측의 연골막을 제거한다. 이때 연골막이 부착된 부위가 기도를 향하도록 한다.
B) 고정할 때 삽입물의 탈출을 예방하기 위해 턱을 만들어 준다.
C, D) 연골 이식편 삽입 후 연골 이식편이 다른 부위로 이동하지 않고 주위로 바람이 새지 않도록 봉합하는 것이 좋다.
E) 전방 및 후방 연골 이식편 이식 및 봉합 후 모식도.

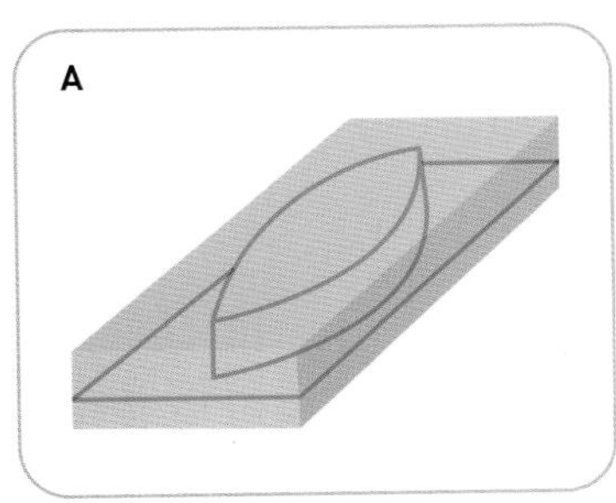

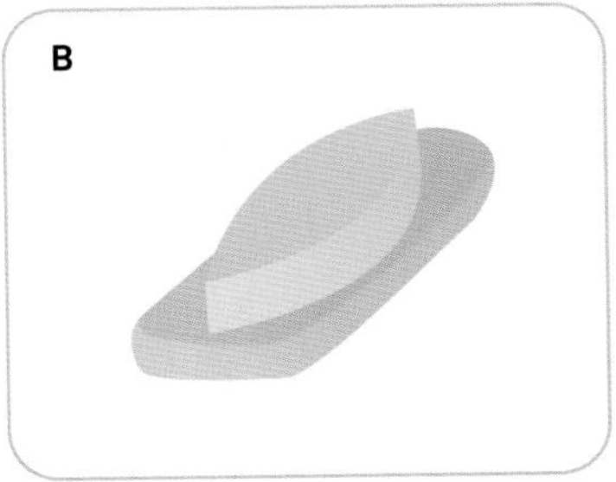

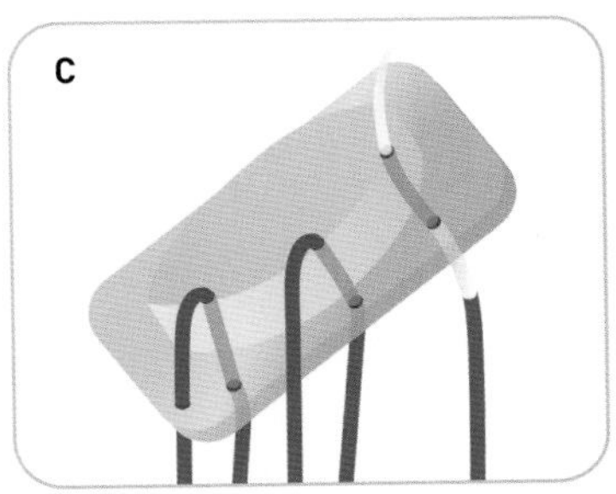

■ 그림 64-12. **전방 연골 삽입을 위한 재단 및 고정.**
A,B) 전윤상연골부위에 삽입할 연골을 배 모양으로 재단한다.
C) 연골 삽입 후 봉합사가 기관 내부로 노출되는 것을 최소화 하도록 하면서 연골 이식편 주위로 바람이 새지 않도록 봉합하는 것이 좋다.

좁은 경우 제한적으로 사용한다. 갑상연골 역시 채취할 수 있는 연골의 양이 제한적이다. 충분한 구조적 지지를 얻기 위해서는 5–7번째 늑연골을 많이 사용하는데 소아에서도 충분한 양을 얻을 수 있는 장점이 있다. 늑연골을 채취할 때 연골막을 보존하는 것이 필요하며 이식할 때에는 연골막을 기관 내강으로 향하도록 삽입하는 것이 점막

재생에 도움이 되며 육아조직의 증식도 줄일 수 있다. 설골의 경우 성인에서 비교적 충분한 길이의 이식편을 얻을 수 있는 장점이 있는데 흉골설골근과 같이 혹은 설골 단독으로 유리이식할 수 있다. 흉쇄유돌근골막피판은 혈관을 가지는 유경피판으로 후두 및 기관 전벽을 밀폐시키는데 유리하고 신생골 형성에도 도움이 된다.

중등도 또는 고도의 협착증을 수술한 후에는 스텐트를 삽입한다. 스텐트의 이상적인 조건은 주변 조직과의 염증 반응이 적으며 주변 점막에 손상을 최소화하는 재료로 만들어야 하고 스텐트의 이동이 적으면서 주변 조직에 대한 압박을 최소화할 수 있는 구조를 가지는 것이 좋다. 스텐트 삽입을 통하여 연골 이식편에 추가적인 지지를 제공하고 이식편의 이탈과 이동을 최소화하며 점막의 재생이 이루어지는 시간 동안 유착을 방지할 수 있다. 하지만 스텐트 삽입 기간이 길어질수록 감염 발생의 위험성이 높고, 주변 점막의 소실이나 과도한 육아조직이 증식할 수 있음을 유의하여야 한다. 스텐트 삽입 기간에 대한 공통된 의견은 없으나 점막의 재생을 돕고 유착을 방지하기 위한 기간으로는 3주 이내로 충분하나,[46] 6주에서 8주 정도 스텐트를 삽입해 두기도 한다.[45] 그리고 협착 부위 주변을 지지해주는 연골 구조가 전혀 없는 경우 스텐트 삽입 기간을 연장할 수 있다. 스텐트 제거를 계획할 때는 제거와 동시에 상기도를 다시 평가하고 과도한 육아조직은 제거해 주는 것이 좋다.

4. 기관협착

장기간의 기관 내 삽관이나 기관 수술 이후 주로 발생하나 화상, 감염, 외상 및 전신 염증성 질환에 의해 발생할 수 있다.

1) 반흔에 의한 막성 협착

연골 자체의 협착이 없는 경우 내시경적 치료를 시도할 수 있다. 육아조직에 의해 발생한 막성 협착의 경우 CO_2 레이저를 이용하여 출혈을 최소화하면서 육아 조직을 절개할 수 있다. 이때 협착 부위를 360도 절제하면 재협착이 일어나는 경우가 많으므로 점막을 일정 부분 남겨두고 4군데 부위만 간격을 두고 레이저를 이용하여 절개한 이후 확장술을 시행하는 것이 필요하다. 이 경우 레이저 창상 부위에 재상피화를 촉진할 수 있다(그림 64-13). 원형 협착의 경우 2-4주 정도의 간격을 두고 반복적인 시술이 필요할 수 있다.

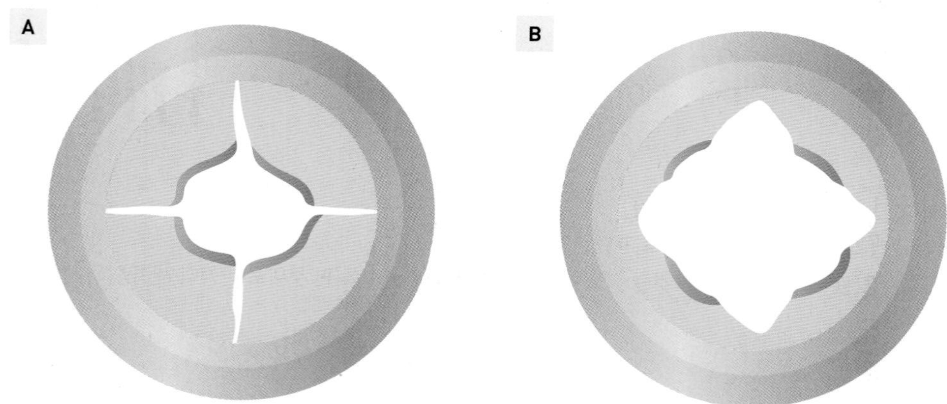

■ 그림 64-13. **기관 협착에서 레이저 수술 후 재유착을 방지하기 위한 방법.**
A, B) 점막을 일정 부분 남겨두고 4군데 부위만 간격을 두고 레이저를 이용하여 절개한다.

개방형 술식의 경우 협착이 있는 기관의 전벽을 모두 노출한 이후 기관에 종절개를 시행하고 직접 협착부위를 관찰하면서 수술을 진행할 수 있다. 수술 중 점막의 소실이 발생하여 연골이 노출되어 있는 경우 표피이식(epidermal graft)을 통하여 덮어주고 스텐트로 고정해 주는 것이 좋다.

2) 전벽함몰

기관의 전벽함몰의 경우 기관절개술에 의해 발생하는 경우가 많으며 경부의 광범위한 둔상(blunt trauma)이후에도 발생할 수 있다. 기관절개공과 기관절개공 주변에서 발생할 수 있는데 기관절개공과 상부에 발생한 협착의 경우 필수적으로 기관의 전벽을 보강해 주는 것이 필요하며 내부에 있는 협착 부위의 경우는 반흔에 의한 협착과 동일하게 치료한다. 기관 전벽의 보강을 위해서는 T 튜브를 이용하여 지지해 주거나 연골 이식을 이용할 수 있다. 만약 전벽함몰부위가 2–3개의 기관연골에 국한되고 기관 후벽이 정상인 경우 문제가 되는 연골을 설상절제(wedge resection) 후 봉합할 수도 있다. 연골막하로 박리를 진행하여 후두되돌이신경의 손상 가능성을 최소화한 이후 협착 부위를 제거하고 정상인 연골을 당겨 봉합해 준다. 만약 수술 부위에 육아조직이 자라는 경우 가능한 빨리 내시경적으로 제거해 주는 것이 좋다.

3) 완전 기관협착(complete tracheal stenosis)

(1) 부분절제 후 단단문합술(tracheal resection and end to end anastomosis)

기관절제 후 단단문합술의 경우 기관의 완전 협착이나 기관을 침범한 종양이 있는 경우 기관의 협착 부위를 절제하고 정상 점막과 정상 연골을 가지는 부위를 서로 문합하는 방법이다. 만약 윤상연골이나 상부기관에 협착이 있는 경우에도 전방의 윤상열골궁(cricoid arch), 후윤상연골판 그리고 상부기관을 절제한 이후 갑상연골의 하연과 기관을 봉합하는 갑상기관문합술(thyrotracheal anastomosis)을 시행할 수도 있다.

수술 전 환자의 나이, 체형, 전신상태, 과거 수술 여부 및 방사선 조사력 등을 면밀하게 평가하는 것이 좋다. 이는 기관의 탄성을 예측할 수 있으며 협착부위의 절제 후 장력 완화 술식(tension–relieving procedure)의 필요성을 예측하는 데 도움이 된다. 더불어 수술 전 협착부위와 협착범위를 정확하게 파악하는 것 역시 매우 중요한데 만약 절제 부위가 매우 긴 경우 장력 완화 술식(tension–relieving procedure)을 계획하는 것이 좋다. 일반적으로 3 cm 이상의 소실이 있는 경우 장력 완화 술식이 필요하나 고령의 환자는 기관륜 사이의 석회화로 탄성이 떨어지기 때문에 1–2 cm만 절제한 경우에도 장력 완화 술식이 필요한 경우가 있다. 목이 두껍거나 짧은 환자의 경우 윤상연골이 비교적 깊게 존재하고 윤상연골과 흉골절흔 사이의 거리가 짧기 때문에 이 술식이 매우 어려울 수 있다.

경구강(orotracheal intubation) 기관 삽관을 통해 협착 상부에 튜브를 거치시키고, 다른 하나의 튜브는 기관절개공을 통하여 삽관한다. 피대근은 수직으로 분리하고 갑상선의 협부를 절개하여 외측으로 견인한다. 기관을 노출한 이후 연골막하 박리를 시행하여 후두되돌이신경의 손상 가능성을 최소화하는 것이 좋다. 기관을 절제할 때에는 수술 전 협착이 의심되는 부위를 충분하게 노출하고 절제하게 되는데 이때 연골의 소실을 최소화하면서 정상 기관의 연골과 점막을 노출시키는 것이 중요하다. 봉합할 때는 흡수가 가능한 봉합사를 사용하고 봉합의 매듭이 기관 밖에 존재하도록 한다. 이 술식의 경우 수술 후 봉합부위가 벌어질 수 있으며 수술 부위에 재협착이 발생할 수 있음을 충분히 설명하고 시행하는 것이 좋으며 수술 중 반회신경손상, 기관식도누공 및 무명동맥손상 발생에도 주의하여야 한다.

봉합부위에 과도한 장력이 발생하거나 문합이 이루어지지 않을 때 장력 완화 술식을 시행하는데 후두 유리술(laryngeal release)이나 기관 가동술(tracheal mobilization)을 시행할 수 있다. 후두 유리술의 경우 설골 상부 또는 하부에서 설골에 부착하는 근육과 갑상설골막을 절개하여 후두를 아래로 끌어내리는 방법으로 동시에 시행한 경우 5 cm 정도의 길이 이완을 기대할 수 있다. 설골하 유리술의 경우 갑상연골의 높이에서 흉골설골근(sternohyoid), 견갑설골근(omohyoid)와 갑상설골근(thyrohyoid muscles)을 절개하게 되는데 이 때 상후두신경(superior laryngeal nerve)의 손상에 유의하여야 한다. 설골상유리술은 악설골근(mylohyoid), 이설골근

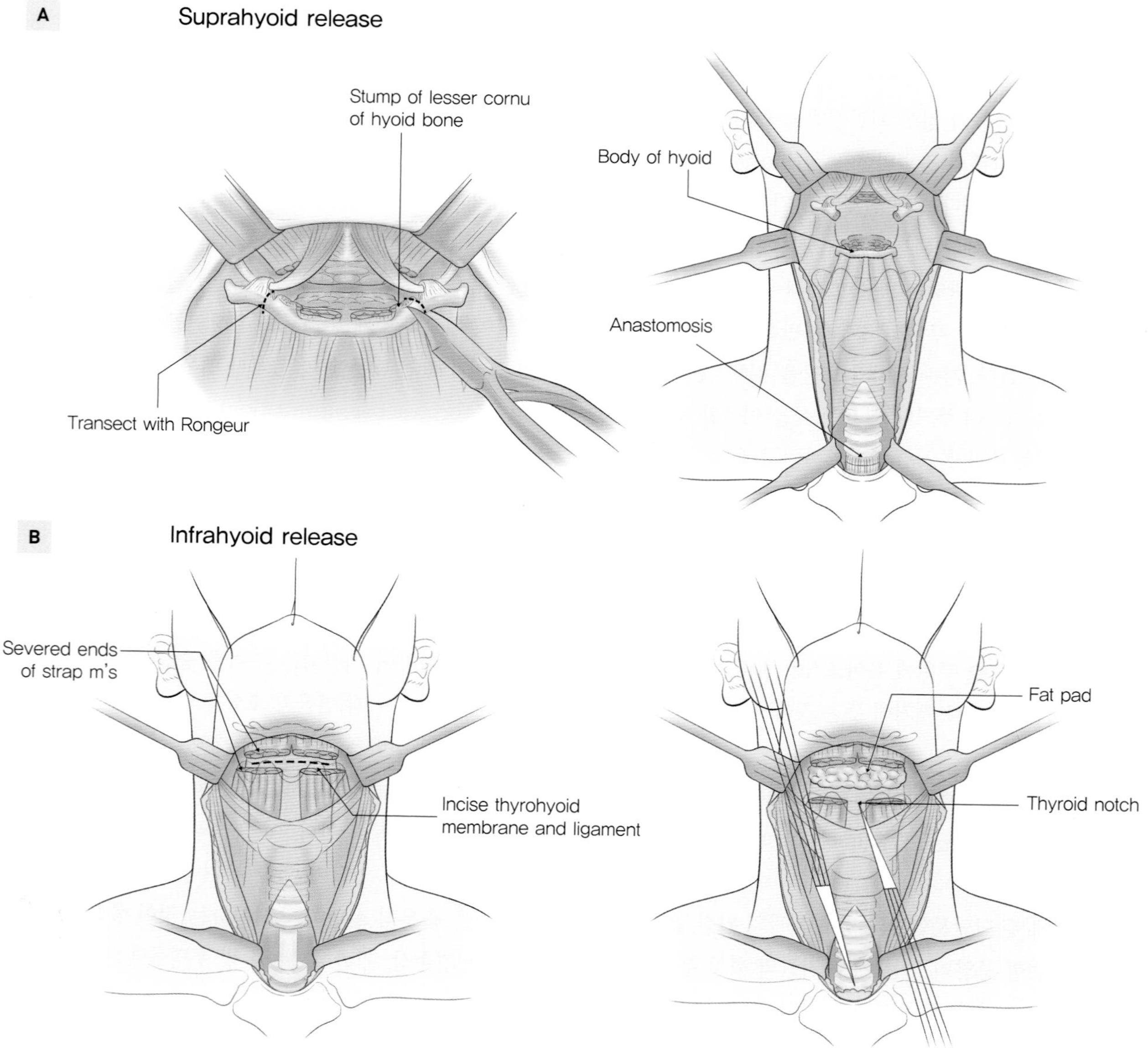

■ 그림 64-14. **설골상유리술과 설골하유리술.**

A) 악설골근(mylohyoid), 이설골근(geniohyoid)와 이설근(genioglossus) 근육을 절개

B) 갑상연골의 높이에서 흉골설골근(sternohyoid), 견갑설골근(omohyoid)와 갑상설골근(thyrohyoid muscles)을 절개

(geniohyoid)과 이설근(genioglossus) 근육을 절개하게 된다(그림 64-14). 추가적으로 경부 굴전을 통하여 1 cm 정도의 길이 이완도 기대할 수 있다. 6 cm 이상의 기관 손상이 발생한 경우 원위기관을 흉곽에서 당겨 올리는 방법을 시행할 수 있는데 좌측 주기관지를 절개하여 우측 주기관지에 연결하는 방법으로 침습도가 높다.

(2) Trough법

광범위한 후두기관협착에서 시행할 수 있는 술식으로 여러 단계를 거쳐 재건하는 방법이다. 우선 큰 직경의 기관공을 만들어 피부와 기관점막을 봉합한다. 필요에 따라 기관 내에 피부이식을 한 후 협착부위를 개방해 두었다가 피하에 연골 혹은 Marlex mesh를 이식하여 단단한 기관 전벽을 만든다. 최종적으로 피부와 mesh를 기관 전방 부위로 말아 넣어 주위 경부 피부판과 함께 봉합하는 방법이다.

참고문헌

1. Amir M, Youssef T. Congenital glottic web: Management and anatomical observation. Clin Respir J 2010;4:202-7.
2. Baker S, Kelchner L, Weinrich B, et al. Pediatric laryngotracheal stenosis and airway reconstruction: A review of voice outcomes, assessment, and treatment issues. J Voice 2006;20:631-41.
3. Benjamin B. Chevalier jackson lecture. Congenital laryngeal webs. Ann Otol Rhinol Laryngol 1983;92:317-26.
4. Bhardwaj N. Pediatric cuffed endotracheal tubes. J Anaesthesiol Clin Pharmacol 2013;29:13-8.
5. Boyd AD, Romita MC, Conlan AA, et al. A clinical evaluation of cricothyroidotomy. Surg Gynecol Obstet 1979;149:365-8.
6. Cole RR, Aguilar EA, 3rd. Cricothyroidotomy versus tracheotomy: An otolaryngologist's perspective. Laryngoscope 1988;98:131-5.
7. Myer CM III, O'Connor DM, Cotton RT, Proposed Grading System for Subglottic Stenosis Based on Endotracheal Tube Sizes Ann Otol Rhinol Laryngol 1994;103:319-23
8. Cotton RT. Prevention and management of laryngeal stenosis in infants and children. J Pediatr Surg 1985;20:8458-51.
9. Daniel SJ. The upper airway: Congenital malformations. Paediatr Respir Rev 7 Suppl 2006;1:S260-3.
10. Dedo HH. Endoscopic teflon keel for anterior glottic web. Ann Otol Rhinol Laryngol 1979;88:467-73.
11. Dedo HH, Catten MD. Idiopathic progressive subglottic stenosis: Findings and treatment in 52 patients. Ann Otol Rhinol Laryngol 2001;110:305-11.
12. Dolan AM, Moore MF. Anaesthesia for tracheobronchial stent insertion using an laryngeal mask airway and high-frequency jet ventilation. Case Rep Med 2013:950437.
13. Durbin CG, Jr.. Tracheostomy: Why, when, and how? Respir Care2010;55: 1056-68.
14. Eber E. Evaluation of the upper airway. Paediatr Respir Rev 2004;5:9-16.
15. Fan LL, Flynn JW, Pathak DR. Risk factors predicting laryngeal injury in intubated neonates. Crit Care Med 1983;11:431-3.
16. Farwell DG, Birchall MA, Macchiarini P, et al. Laryngotracheal transplantation: Technical modifications and functional outcomes. Laryngoscope 2013;123:2502-8.
17. Gaissert HA, Lofgren RH, Grillo HC. Upper airway compromise after inhalation injury. Complex strictures of the larynx and trachea and their management. Ann Surg 1993;218:672-8.
18. Gardner GM. Posterior glottic stenosis and bilateral vocal fold immobility: Diagnosis and treatment. Otolaryngol Clin North Am 2000;33:855-78.
19. Gates GA, Tucker JA. Sliding flap tracheoplasty. Ann Otol Rhinol Laryngol 1989;98:926-9.
20. Grillo HC. Notes on the windpipe. Ann Thorac Surg 1989;47:9-26.
21. Grundfast KM, Camilon FS, Jr., Pransky S, et al. Prospective study of subglottic stenosis in intubated neonates. Ann Otol Rhinol Laryngol 1990;99:390-5.
22. Hartnick CJ, Cotton RT. Congenital laryngeal anomalies. Laryngeal atresia, stenosis, webs, and clefts. Otolaryngol Clin North Am 2000;33:1293-308.
23. Hawkins DB. Hyaline membrane disease of the neonate prolonged intubation in management: Effects on the larynx. Laryngoscope 1978;88:201-24.
24. Herrera P, Caldarone C, Forte V, et al. The current state of congenital tracheal stenosis. Pediatr Surg Int 2007;23:1033-44.
25. Isshiki N, Taira T, Nose K, et al. Surgical treatment of laryngeal web with mucosa graft. Ann Otol Rhinol Laryngol 1991;100:95-100.
26. Izadi F, Delarestaghi MM, Memari F, et al. The butterfly procedure: A new technique and review of the literature for treating anterior laryngeal webs. J Voice 2010;24:742-9.
27. Jordan NP, Verma H, Siddiqui A, et al. Morbidity and mortality associated with subglottic laryngotracheal stenosis in granulomatosis with polyangiitis (wegener's granulomatosis): A single-centre experience in the united kingdom. J Laryngol Otol 2014;128:831-7.
28. Krishna PD, Malone JP. Isolated adult supraglottic stenosis: Surgical treatment and possible etiologies. Am J Otolaryngol 2006;27:355-7.
29. Lahav Y, Shoffel-Havakuk H, Halperin D. Acquired glottic stenosis-the ongoing challenge: A review of etiology, pathogenesis, and surgi-

cal management. J Voice 2015;29:e641-6.

30. Little FB, Koufman JA, Kohut RI, et al. Effect of gastric acid on the pathogenesis of subglottic stenosis. Ann Otol Rhinol Laryngol 1985;94:516-9.
31. Lorenz RR. Adult laryngotracheal stenosis: Etiology and surgical management. Curr Opin Otolaryngol Head Neck Surg 2003;11:467-72.
32. Maronian NC, Azadeh H, Waugh P, et al. Association of laryngopharyngeal reflux disease and subglottic stenosis. Ann Otol Rhinol Laryngol 2001;110:606-12.
33. McCaffrey TV. Classification of laryngotracheal stenosis. Laryngoscope 1992;102: 1335-40.
34. McCall JE, Cahill TJ. Respiratory care of the burn patient. J Burn Care Rehabil 2005;26:200-6.
35. McElhinney DB, Jacobs I, McDonald-McGinn DM, et al. Chromosomal and cardiovascular anomalies associated with congenital laryngeal web. Int J Pediatr Otorhinolaryngol 2002;66:23-7.
36. Miura T, Grillo HC. The contribution of the inferior thyroid artery to the blood supply of the human trachea. Surg Gynecol Obstet 1966;123:99-102.
37. Montgomery WW, Gamble JE. Anterior glottic stenosis. Experimental and clinical management. Arch Otolaryngol 1970;92:560-7.
38. Montgomery WW. Subglottic stenosis. Int Surg 1982;67:199-207.
39. Myer CM, 3rd, O'Connor DM, Cotton RT. Proposed grading system for subglottic stenosis based on endotracheal tube sizes. Ann Otol Rhinol Laryngol 1994;103: 319-23.
40. Nagler R, Spiro HM. Persistent gastroesophageal reflux induced during prolonged gastric intubation. N Engl J Med 1963;269:495-500.
41. Nordin U, Lindholm CE, Wolgast M. Blood flow in the rabbit tracheal mucosa under normal conditions and under the influence of tracheal intubation. Acta Anaesthesiol Scand 1977;21:81-94.
42. Ossoff RH, Karlan MS, Sisson GA. Endoscopic laser arytenoidectomy. Lasers Surg Med 1983;2:293-9.
43. Parker NP, Bandyopadhyay D, Misono S, et al. Endoscopic cold incision, balloon dilation, mitomycin c application, and steroid injection for adult laryngotracheal stenosis. Laryngoscope 2013;123:220-5.
44. Polychronopoulos VS, Prakash UB. Airway involvement in sarcoidosis. Chest 2009;136:1371-80.
45. Preciado D, Pestieau SR, Cohen IT. Laryngotracheal reconstruction: Surgical management of pediatric airway stenosis. Tracheotomy Management: A Multidisciplinary Approach: 2011;87.
46. Preciado D. A randomized study of suprastomal stents in laryngotracheoplasty surgery for grade iii subglottic stenosis in children. Laryngoscope 2014;124:207-13.
47. Salassa JR, Pearson BW, Payne WS. Gross and microscopical blood supply of the trachea. Ann Thorac Surg 1977;24:100-7.
48. Sittel C. [idiopathic progressive subglottic stenosis]. Laryngorhinootologie 2014;93:474-81.
49. Spiegel JR. Posterior glottic stenosis. Operative Techniques in Otolaryngology-Head and Neck Surgery 1999;10:22-8.
50. Stell P, Maran A, Stanley R, et al. Chronic laryngeal stenosis. The Annals of otology, rhinology, and laryngology 1985;94:108.
51. Traber DL, Linares HA, Herndon DN, et al. The pathophysiology of inhalation injury--a review. Burns Incl Therm Inj 1988;14:357-64.
52. Tweedie DJ, Skilbeck CJ, Cochrane LA, et al. Choosing a paediatric tracheostomy tube: An update on current practice. J Laryngol Otol 2008;122:161-9.
53. Wain JC, Jr. Postintubation tracheal stenosis. Semin Thorac Cardiovasc Surg 2009;21:284-9.
54. Weymuller EA, Jr., Bishop MJ, Santos PM. Problems associated with prolonged intubation in the geriatric patient. Otolaryngol Clin North Am 1990;23: 1057-74.
55. Whited RE. Posterior commissure stenosis post long-term intubation. Laryngoscope 1983;93:1314-8.
56. Windsor A, Clemmens C, Jacobs IN. Rare upper airway anomalies. Paediatr Respir Rev 2015.

CHAPTER

65

기도 확보술

이비인후과학 Otorhinolaryngology - Head and Neck Surgery

박헌수, 박준욱

I 급성 상기도폐쇄

1. 급성 상기도폐쇄의 평가

기도폐쇄 정도를 줄이고 적절한 환기가 되도록 처치를 해야 하므로, 우선 가장 낮은 기도폐쇄 부위가 어디인지를 확인하고 그보다 아래에서 기도를 확보해야 한다. 다른 내과적인 문제들을 동반하는 경우가 많으므로 이러한 문제도 항상 고려해야 한다.[10]

1) 원인

기도폐쇄를 일으키는 원인은 매우 다양하며, 유·소아는 선천성 기도 기형이 성인은 종양이 가장 흔한 원인이다. 그 밖에 기도 이물, 염증, 외상, 부식제로 인한 기도 협착, 기관점막의 부종에 의해서도 발생할 수 있다.[16]

2) 증상과 징후

음성변화, 호흡곤란, 연하곤란, 국소통증, 기침 등과 같은 일반적인 증상들이 흔하게 발생한다. 이학적 징후로는 천명, 특히 흡기 시의 천명은 상기도폐쇄의 대표적 징후이나 때로는 천명의 정도와 기도폐쇄의 정도가 일치하지 않는 경우도 있다. 흉골상 수축(suprasternal retraction)이 있으면 심한 폐쇄가 있음을 의미하므로 기도를 확보하기 위한 적극적인 치료를 해야 한다. 쉰 목소리는 성문부의 병변을 암시하고, 'muffled voice'는 성문상부의 폐쇄를 의미한다. 성대마비가 있으면 울음소리가 약하거나 기침이나 질식 등이 동반될 수 있다. 저산소증으로 인하여 환자가 안절부절못하거나 심하면 청색증이 나타나기도 한다.[20]

3) 진단

우선 병력을 청취하여 급성 폐쇄가 있기 전의 상태에 관한 정보를 얻은 후 위에 기술한 증상과 징후들을 잘 살펴보고 처치 방법을 결정한다. 만약 환자의 기도유지가 비교적 안정적으로 보이나 기도의 상태에 대하여 확신이 서지 않을 경우 아래의 검사들을 시행해볼 수 있다.[16]

(1) 간접 후두경검사 또는 굴곡형 후두경검사

환자가 경도 또는 중등도의 기도폐쇄의 소견을 보일 때 성대 마비 여부나 후두 폐쇄의 정도를 쉽게 파악할 수 있는 유용한 검사이다.

(2) 동맥혈가스분석

급성으로 거의 완전한 기도폐쇄가 있는 경우에도 혈중 가스분석에서는 대개 정상으로 나타날 수 있으므로 이 검사의 결과에 따라 기도 확보를 위한 처치 여부를 결정해서는 안 된다.

(3) 방사선검사

① 경부 척추 방사선 검사

외상 환자에서는 우선 경부 척추의 상태를 파악하여 기관삽관이나 기관절개술을 시행할 때의 환자의 자세를 결정해야 한다. 척추 손상이 있는 환자의 두부를 과도하게 신전시키면 추가손상을 줄 수 있으므로 주의해야 한다.

② 경부 방사선검사

연조직 촬영법으로 측면 및 전후로 경부를 촬영하여 후두와 기관의 공기음영을 관찰한다.

③ 흉부 방사선검사

외상이 있는 환자에서 기흉, 종격동 출혈 등을 관찰한다.

④ 안면 방사선검사

하악을 포함한 안면골의 상태를 관찰한다.

⑤ 바륨인도식도조영술

하인두 및 식도 열상의 존재 유무를 알 수 있다.

⑥ 동맥조영술

안면이나 경부에 심한 외상을 입었을 때 주요 혈관 손상 여부를 확인할 수 있다.

⑦ 전산화단층촬영

외상으로 인한 경부 및 후두 손상, 두경부 종양, 심경부감염 등에 의한 기도 폐쇄가 있는 환자에게 시행하여 원인 병변에 대한 평가와 기도 폐쇄 정도를 확인하는 데 매우 유용하다.

(4) 내시경검사

상황에 따라 직접 후두경, 기관경, 기관지경 및 식도경술을 시행해볼 수 있다.

2. 급성 상기도폐쇄의 치료방법

1) 내과적 치료

산소를 공급하여 저산소증을 해결하는 것이 가장 우선인데 만성 기도폐쇄가 있는 환자는 저산소증이 호흡의 자극원이 되어왔기 때문에 산소공급이 오히려 무호흡을 초래할 수 있으므로 유의해야 한다. 스테로이드의 사용은 아직 논란의 여지가 있지만 경·중등도 외상이나, 염증 또는 감염이 진행 중이면 효과를 볼 수 있다. 감염이 의심될 때는 항생제를 투여한다.[10,20] 에피네프린 등의 국소 충혈완화제는 급성 후두기관지염 등에서 연조직 부종이 심할 경우 유용하지만 작용 기간이 짧으며 반동현상이 있을 수 있으므로 지속적으로 관찰을 해야한다.[16]

2) 중재적(intervention) 치료

(1) Heimlich법(Abdominal Thrust)

큰 덩어리의 음식물 등으로 인한 급성 기도폐쇄 시에 폐 안에 남아 있는 공기를 이용하여 이물을 배출하기 위한 방법이다. 환자의 뒤쪽에서 검상하돌기(subxiphoid process)나 흉골 부위를 빠르게 쥐어짜듯이 압박한다.

(2) 기관 삽관

① 경구강 기관삽관(orotracheal intubation)

이비인후과 의사가 기관삽관을 하게 되는 경우는 매우 드물다. 하지만, 두경부 종양이나 외상으로 인해 급성 상기도 폐색이 예상되지 않은 상황에서 발생할 수 있으므로 기본적인 수기를 미리 습득해 두어야 한다. 심한 후두 또는 구강 외상 환자는 개구 장애, 출혈, 점막손상 등으로

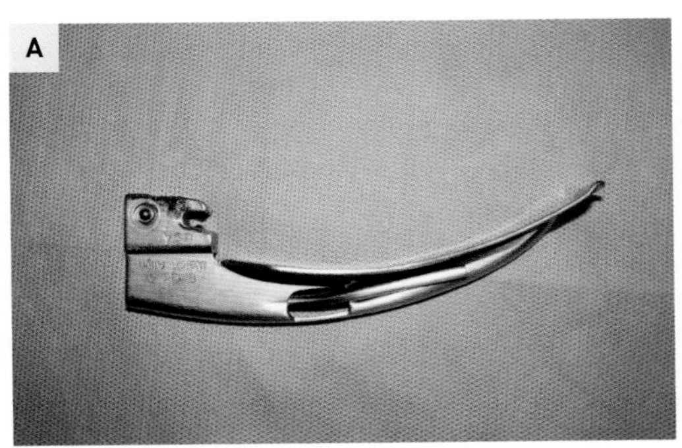

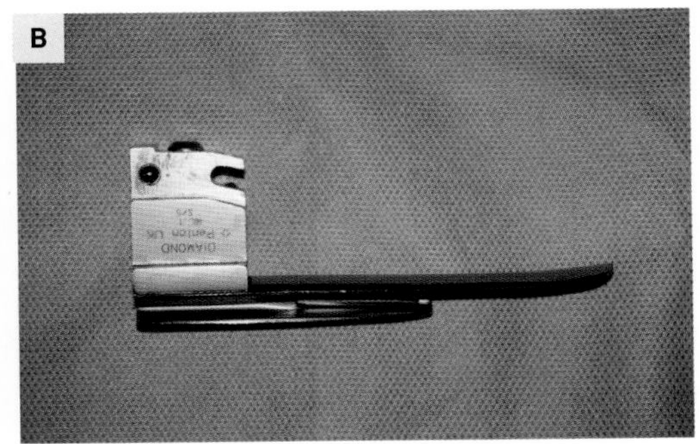

■ 그림 65-1. **직접후두경날.** **A)** 곡형날(Macintosh Blade). **B)** 직형날(Miller).

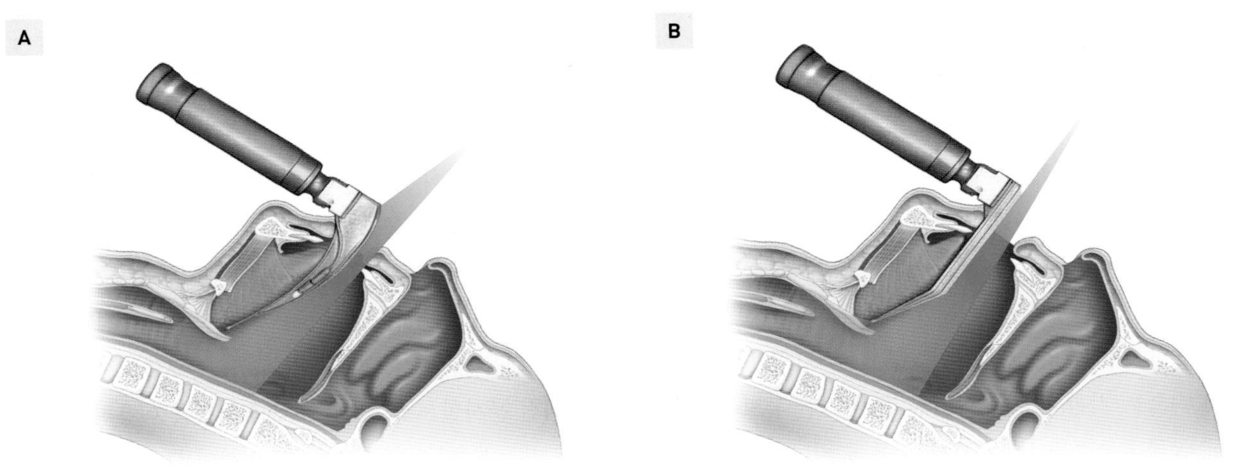

■ 그림 65-2. **기관삽관시 후두경날의 위치.** **A)** 곡형날을 후두개곡으로 밀어 넣어 후두덮개를 들어올리는 모습. **B)** 직형날을 후두덮개의 후두면에 위치시켜 직접 들어올리는 모습.

성대를 관찰하기가 어렵고 손상된 후두를 통해 삽관하는 것이 어려울 뿐만 아니라 기존의 외상을 더욱 악화시킬 수 있으므로 경구강 기관삽관의 상대적 금기증이다. 또한, 경부척추골절이 동반된 환자를 삽관을 위해 경부를 과신전시킨다면 신경손상을 초래할 수 있으므로 주의해야 한다. 비교적 응급상황이 아니라면 국소 마취제 분무, 후두경 날에 마취연고를 바르거나, 경후두주사(translaryngeal injection) 등으로 후두마취를 하면 더 쉽게 삽관할 수 있다. 경구강 기관삽관은 직접후두경 또는 굴곡후두경을 이용하여 할 수 있다.[4,30,32]

직접후두경을 사용한 기관삽관에 필요한 기구들은 직접후두경, 적절한 크기의 기관 튜브, 10 cc 주사기, 윤활제, 흡입기 등이다. 직접후두경은 손잡이(handle), 날(blade), 광원(light source)으로 구성되어 있으며 좌측 손으로(오른손잡이나 왼손잡이에 상관없이) 다루도록 제작되어 있다. 직접후두경의 날은 곡형날(curved (Macintosh))과 직형날(straight (Miller))의 두 종류가 있으며(그림 65-1), 삽관 시 곡형날은 후두개곡 쪽으로 밀어 넣고 후두덮개를 들어올리지만, 직형날로는 후두덮개를 직접 들어올린다(그림 65-2).[4,30,32] 환자의 자세는 머리에 10 cm 정도의 베개를 받쳐서 경부 굴전, 두부 신전 자세인 "sniffing position"을 취하도록 하여 구강, 인두, 후두 축이 최대한 일직선상에 올 수 있도록 한다. 입을 가능한 한 크게 벌린 후 직접후두경의 날을 우측 하악 대구치들을 따라 진행시키고 좌측으로 혀를 밀어낸다. 직접후두경을 설기저부를 따라 전진시킨 후 후두덮개가 보이면 곡형날은 후두개곡 방향으로 밀어 넣고 직형날로는 후두덮개를 직접 들어올린다. 필요하면 오른손으로 방패연골 부위를 눌러 성문이 잘 보이도록 한 후에 보조자가 이 행위를 지속하고 삽관을 하면 된다. 기관 튜브는 오른쪽으로 삽입하고 기낭의 상부가 성대를 지나 3~4 cm 길이 정도 들어갔을 때 삽입을 멈춘다.[4,30,32]

굴곡후두경을 사용한 기관삽관을 위해서는 입인두기도유지기(Ovassapian airway)가 있으면 혀와 후두경을 고정시키고 환자가 후두경을 깨물지 못하도록 방지하여 보다 용이하게 시술을 할 수 있다(그림 65-3). 입인두기도유지기 속으로 기관 튜브를 삽입한 후에 기관 튜브 내강을 통해 굴곡후두경을 삽입하여 구인두를 지나 후두상부에 이르게 한다. 성문부가 확인되면 굴곡후두경의 흡인통로를 통해 리도카인을 주입하여 마취한다. 굴곡후두경을 기관으로 삽입하고 굴곡후두경을 따라 기관 튜브를 밀어 넣은 후 후두경은 제거하면 된다.[4,30,32]

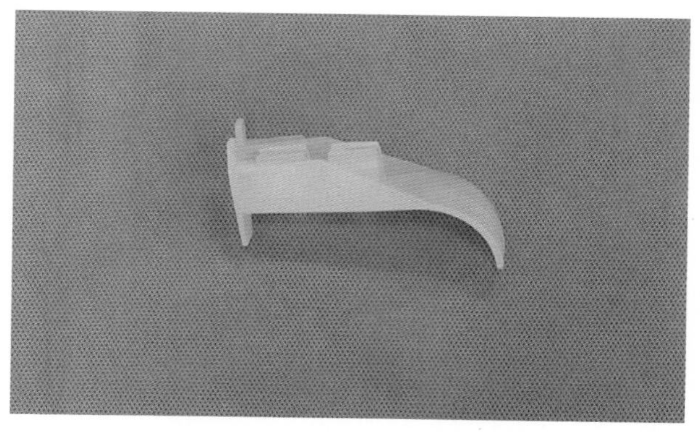

■ 그림 65-3. **입인두기도유지기(Ovassapian airway)**

② **경비강 기관삽관**(nasotracheal intubation)

경비강 기관삽관은 의식이 있는 환자가 더 편안해하며 구강식이가 가능하다는 장점이 있지만 비교적 작은 튜브를 사용해야 하며 비출혈과 같은 합병증이 발생할 가능성이 있다. 일반적인 방법으로 기관삽관이 어렵다고 판단되는 경우, 구강을 통한 접근이 힘든 경우, 경추 손상으로 경부 신전이 힘든 경우 등에 주로 시행한다. 응급 상황, 협조가 안 되는 환자, 출혈 성향의 환자, 기도 내에 출혈이 있는 경우 등에는 시행해서는 안 된다. 직접후두경 또는 굴곡후두경을 이용해서 할 수 있으며 경우에 따라 맹목(blind) 삽관을 할 수도 있다.[4,30,32]

환자가 의식이 있다면 기도에 대한 적절한 마취가 중요하다. 리도카인과 국소혈관수축제가 적셔진 거즈를 비강과 비인두강에 패킹하고 성문부 마취를 위해 리도카인을 구강을 통해 분무하거나 윤상갑상막을 통해 주사한다. 굴곡후두경을 이용한다면 후두경의 흡인통로를 통해 성문부에 직접 분사할 수도 있다. 직접후두경을 이용하는 경우 먼저 기관 튜브를 비강을 통해 삽입하여 그 끝이 구인두에서 보이도록 해둔다. 이때 기관 튜브에 윤활제를 충분히 발라준 후에 튜브의 경사면을 내측으로 하비갑개에서 멀리 향하도록 한 후 비강의 바닥을 따라 삽입한다. 일단 튜브의 끝이 구인두에 보이면 경구강 기관삽관과 마찬가지로 직접후두경을 이용하여 후두를 노출시키고 기관 튜브를 기관으로 밀어 넣는다. 이때 기관 튜브가 기관 내로 삽관이 잘 안 된다면 Magill 겸자를 이용하여 기관튜브의 원위부를 잡고 삽관하면 더 쉽게 할 수 있다(그림 65-4).[4,30,32]

굴곡후두경을 이용하는 경우 굴곡후두경에 윤활제를 잘 발라준 후에 기관튜브의 내강을 통해 삽입해 둔다. 환자를 약간 진정시키면 좋으나 반드시 기도 반사 및 협조가 될 정도의 각성된 상태를 유지해야 한다. 환자가 각성 상태라면 앉은 자세나 semirecumbent 자세를 취하고 시술자는 환자의 앞에 마주보고 서게 된다. 굴곡후두경을

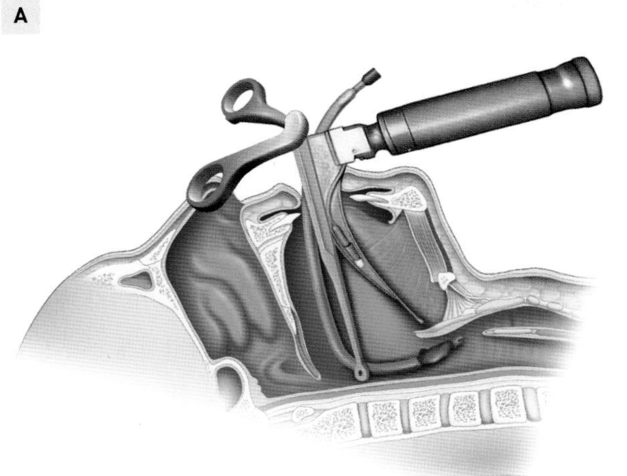

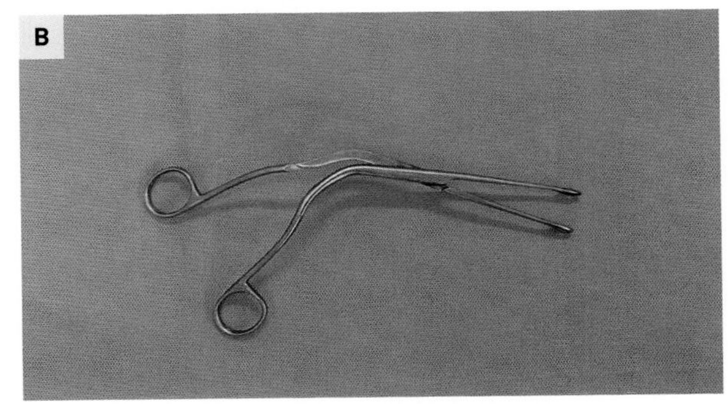

■ 그림 65-4. **A)** 직접후두경과 Magill 겸자를 이용하여 경비강 기관삽관을 하는 모습. **B)** Magill 겸자.

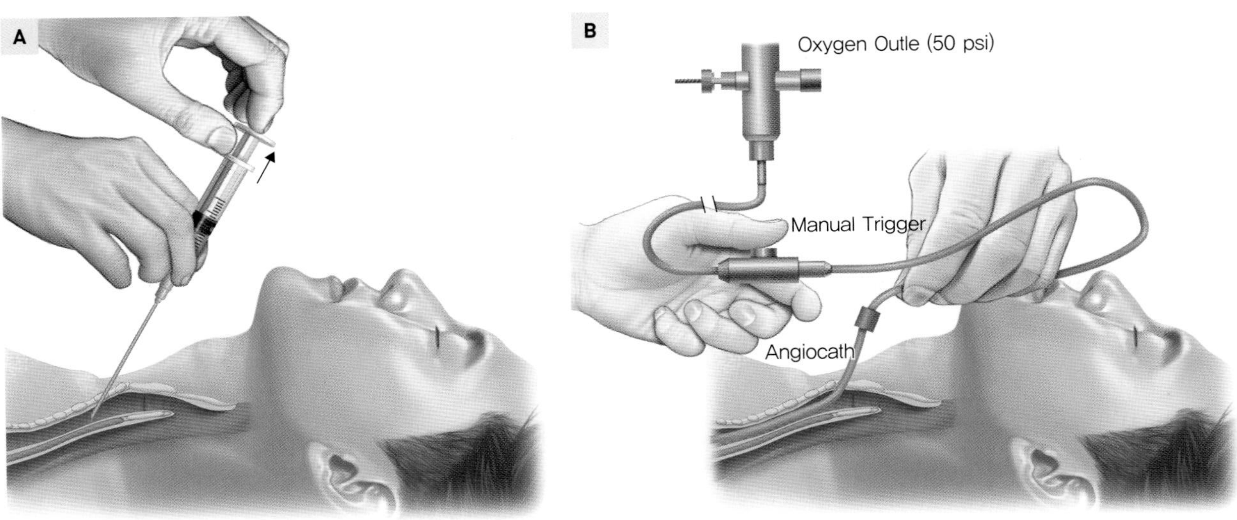

■ 그림 65-5. **경기관 환기(transtracheal needle ventilation).** **A)** 주사기를 피부에서 약 30° 각도를 이루도록 윤상갑상막을 관통시켜 음압을 유지하면서 진행하여 기관에 진입. **B)** 카테터를 Jet ventilation system에 연결한 후에 환기시키는 모습.

비강을 통해 진입하여 후두가 보일 때까지 삽입한다. 성문부가 확인되면 굴곡후두경의 원위부를 성문부를 통해 기관분기부까지 진행시킨 후 기관지경에 걸려 있던 기관튜브를 비강을 통해 기관으로 삽입한다. 기관 튜브를 비강을 통해 비인두까지 삽입해 놓은 후 굴곡후두경을 기관튜브를 통해 삽입하여 기관으로 진입시키고 마지막으로 기관튜브를 더 삽관하기도 한다. 굴곡후두경을 제거하기 전에 기관 튜브가 기관 내에 있는 것을 확인해야 하며 굴곡후두경을 제거한 후에도 다시 한 번 확인한다.[4,30,32]

(3) **경기관 환기**(transtracheal needle ventilation)

윤상갑상절개술보다 빠르고 간단하고 출혈이 적어 대

체방법으로 사용할 수 있으며 윤상갑상절개술의 금기 대상인 소아에서도 사용할 수 있어 응급상황에서 매우 유용한 방법으로 좀 더 확실한 기도 유지 방법을 사용하기 전에 시행할 수 있다. 이 방법으로 환자는 적어도 약 30분 정도 환기가 가능하다. 하지만, 기도가 완전히 막혀 있다면 주입된 산소가 배출될 수 없어 폐에 압력손상을 줄 수 있으므로 성문상부 기도가 어느 정도 열려 있어야 한다. 따라서, 기도 완전 폐색인 경우에는 윤상갑상절개술이 선호된다. 필요한 장비는 12-16게이지 정도의 큰 플라스틱 바늘이나 상용화된 카테터, 물이 어느 정도 채워진 20 ml 주사기, 평방 인치당 50파운드의 고압산소와 이를 서로 연결하는 관과 이음장치이다. 환자의 두부를 가능하면 신전시키고 술자가 오른손잡이인 경우 환자의 오른편에 서서 왼손으로 갑상연골을 감싸 쥐고 검지손가락으로 윤상연골과 윤상갑상막을 촉지한다. 오른손으로 주사기를 잡고 바늘을 피부에서 약 30° 각도를 이루도록 윤상갑상막을 관통시킨다. 이때 주사기의 음압을 유지하면서 진행하면 바늘이 기관에 진입하면 주사기 내에 공기 방울이 발생하게 된다. 바늘을 약간 뒤로 빼고 카테터를 기관 내로 밀어 넣는다. 카테터를 bag ventilator나 Jet ventilation system에 연결한 후에 환기시킨다(그림 65-5). 합병증으로 피하기종, 기흉, 카테터 변위 및 폐색, 식도 천공 등이 생길 수 있으므로 조심해야 한다.[15,26,32]

(4) **후두 마스크 기도**(laryngeal mask airway)

기관삽관이 여의치 않을 때 시행할 수 있으며, 기관삽관용 튜브와 실리콘 마스크 기도 유지기를 혼합한 형태로, 성대를 직접 관찰하지 않고도 하인두로 용이하게 삽입할 수 있다. 폐흡인이나 후두 경련 등의 합병증이 있을 수 있으며, 후두의 큰 종양으로 인한 상기도폐쇄가 있거나 분비물의 양이 너무 많은 경우에는 사용할 수 없다.[16]

3) 수술적 방법

(1) **윤상갑상막절개술**(cricothyroidotomy)

완전한 기도폐쇄가 있거나 부적절한 환경에서 후두의 손상이 의심될 때 최소한의 장비로 빠르게 시행할 수 있다. 장기간의 삽관이 필요하다면 통상적인 기관절개술로 바꾸어 주어야 한다.

(2) **기관절개술**(tracheotomy)

응급으로 기관절개술을 시행하는 것은 어렵기 때문에 일반적으로 추천하지 않는다. 윤상갑상막절개술이 응급상황에서 우수한 방법으로 보다 쉽게 할 수 있다. 만약 부득이 시행한다면 피부절개는 수직절개를 하며 경험이 많은 의사가 시행해야 한다.

II 기관절개술

일부 저자들은[10,14,40] 기관절개술을 tracheotomy와 tracheostomy로 구분하기도 하지만 통상적으로 구분 없이 사용하고 있다. tracheotomy는 기관에 일시적인 개방을 만드는 경우 또는 특정한 목적으로 기관을 개방하는 수술 자체를 의미하며, tracheostomy는 기관에 영구적인 개방을 만드는 경우 또는 기관에 생긴 구(stoma) 자체를 지칭한다.

1. 기관절개술의 역사

기관절개술은 기관 내 삽관에 비해 훨씬 오랜 역사를 가지고 있다. 최초의 기관절개술은 B.C. 100년경에 Asclepiades에 의해 시행되었다. Brasavola가 최초로 기관 농양 환자에서 기관절개술에 성공하여 자세히 기록한 1546년부터 1833년까지는 일부 의사들이 시도하였으나 성공한 경우가 극히 드물었다. 1833년부터 1932년까지는 Trousseau가 200명의 디프테리아 환자에게 기관절개술을 시행하여 50명이 생존함으로써 기관절개술이 비로소 적절한 수술로서 널리 인정받고 주로 급성 질식 환자에게

표 65-1. 기관절개술의 적응증

다음과 같은 증상을 통반한 상기도폐쇄
천명
흉부 함몰
동맥산소불포화를 동반한 폐쇄성 수면무호흡증
양측성 성대마비
인후두 외상으로 인한 수술 병력
경부의 방사선조사 병력
지연되거나 지연될 가능성이 높은 기관삽관 상태
다음과 같이 분비물 관리가 어려울 때
흡인
과도한 폐기관지 분비물
인공호흡보조
기관삽관이 불가능할 때
두경부 수술, 외상의 수술 보조

응급수술로 시행하게 되었다. 1932년부터 1965년까지는 Chevalier Jackson이 기관절개술의 적응증 및 기술을 표준화 하였다. 그 후 현재까지 많은 의사들이 기관 내 삽관과 기관절개술을 비교하여 장단점을 연구해 발전을 거듭해왔다.[10,14,28,40]

2. 기관절개술의 적응(표 65-1)

기관절개술의 적응증은 분비물에 의한 환기부전, 기계적 호흡부전, 상기도폐쇄가 발생한 경우의 크게 세 가지가 있다. 그 외 구강이나 위 내용물의 흡인을 방지하기 위하여 시행할 수 있으며 구강, 인두 및 후두의 대수술 시에 특히 노인 환자나 심혈관계 또는 호흡기계 부전이 있는 환자에게는 수술 전에 선택적 기관절개술을 고려하기도 한다.[1,35,36,40]

1) 분비성 환기부전

1911년 Jackson이 환자가 자신의 분비물로 인해 질식될 수 있음을 처음으로 보고하였다. 그 이후로 기도 분비물을 제거하여 호흡곤란을 구제하는 목적으로 기관적개술을 시행하게 되었으며 현재 기관절개술의 가장 흔한 적응증이 되었다.

2) 기계적 호흡부전

두부 또는 흉부 외상, 신경마비, 약물중독 등에 의한 급성 호흡부전이 기관절개술의 적응증이 될 수 있다. 이때 간헐적인 혹은 지속적인 양압호흡이 필요한 경우가 많은데 기관절개술은 환기를 도와주며 상기도의 사강(dead space)을 줄여주며 분비물의 제거를 도와준다.

3) 상기도 폐쇄

현재 가장 빈도가 낮은 기관절개술의 적응증이다. 후두개염과 같은 후두염증, 후두 및 인두의 악성 종양, 후두나 기관의 이물, 후두 외상, 부식제나 가스, 화재 등에 의한 후두 및 기관점막의 부종, 심경부감염, 성문 상하부착이 등이 원인이 될 수 있다.

3. 기관절개술의 생리적 기능

기관절개술은 상기도 폐쇄 부위를 우회하는 역할 이외에도 다음과 같은 여러 가지 역할을 한다.[1,34,42] 기관 및 기관지 내 사강의 용적(보통 70~100 mL)을 약 10~50% 정도 줄여서 폐가 좀 더 원활하게 환기할 수 있게 된다.[2] 공기 저항을 줄여서 전체 유순도(compliance)를 증가시키며 효과적인 폐포환기가 가능하다.[3] 흡인을 방지하며, 반사성 무호흡(reflex apnea)없이 연하가 가능하게 되는데 이는 호흡기에 문제가 있는 환자에게 중요하다.[5,6] 기도 내 분비물을 용이하게 제거할 수 있으며,[7] 주기적인 양압호흡을 제공할 수 있고, 기관 및 기관지에 약물투여와 가습이 가능하다.[8] 반면에, 소리를 상실하며 기관튜브로 인해 후두의 움직임이 방해를 받아 음식물을 삼킬 때 어려움이 발생하고 직접 기도로 차갑고 건조한 공기가 들어가서 가습작용과 섬모운동의 장애로 분비물이 증가하게 된다. 또한 성문밸브 폐쇄의 상실로 효과적으로 기침을 할 수가 없다.

4. 수술 전 고려사항

급성 호흡부전을 일으키는 환자의 기저질환의 생리적인 원인으로는 호흡이나 기침을 하기 위한 힘이 약해졌을 때, 환기의 조절장애 또는 환기를 방해하는 원인이 있을 때, 대사가 항진되거나 환기의 증가를 요구하는 기저질환이 있는 경우, 폐포에서 산소와 이산화탄소의 교환을 방해하거나 지장을 초래하는 경우 등이 있다. 병리적 호흡부전의 원인은 (표 65-1)과 같다.

5. 기관절개술의 종류

기관절개술의 종류는 기관의 절개 위치와 절개 시기에 따라 나눌 수 있다.[16,29]

1) 기관의 절개 위치에 따른 분류(그림 65-6)

갑상선의 협부를 기관에서 박리한 후 아래로 끌어내려 첫 번째 기관륜(tracheal ring)에 절개를 하는 상기관절개술(high tracheotomy), 갑상선 협부를 중앙에서 양측으로 절개분리하고 두 번째 혹은 세 번째 기관륜에 절개를 하는 중기관절개술(middle tracheotomy), 갑상선 협부를 위쪽으로 끌어올리고 보통 네 번째 기관륜에 절개를 하는 하기관절개술(low tracheotmy)이 있다.

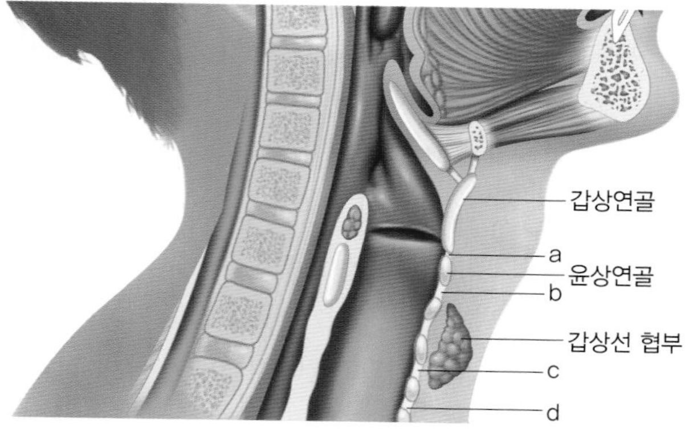

■ 그림 65-6. **기관절개술의 위치.** **a:** 윤상갑상막절개술, **b:** 상기관절개술, **c:** 중기관절개술, **d:** 하기관절개술

2) 기관절개술의 시기에 따른 분류

(1) 응급 기관절개술(emergent tracheotomy)

무산소증이 4~5분 정도 지속되어 사망하기 전에 2~3분 이내에 시행하는 기관절개술을 말한다. 위험성이 높으므로 가능하면 시행하지 말아야 할 술식으로 꼭 필요한 경우에만 해야 한다. 윤상연골을 촉지하고 하방으로 3~5 cm 정도 피부에 수직절개를 가한다. 오른손잡이의 경우 왼손으로 갑상선 협부를 아래쪽으로 내리고 기관을 촉지한 후 두세 번째의 기관을 절개한다.

(2) 적시 기관절개술(timely tracheotomy)

5 – 10분 이내에 시행하는 기관절개술을 말하는 것으로, 보통 적절한 조명이나 기구가 갖추어진 경우가 대부분이다. 피부에 수직절개를 한 후 피대근을 확인하고 박리한 후 갑상선의 협부를 노출한다. 보통 갑상선 협부를 중앙에서 절개 분리한 후 기관절개를 시행한다.

(3) 선택적 기관절개술(elective tracheotomy)

보통 수술실에서 적절한 기구와 보조자의 도움이 있는 상황에서 시행되는 기관절개술을 말한다.

6. 기관절개술(선택적 기관절개술)의 절차

1) 수술 전 준비

환자를 앙와위로 놓고 어깨 밑에 베개를 받쳐서 경부가 신전되도록 한다. 환자에게 안전하게 기관삽관을 할 수 있다면 가능한 한 전신마취하에서 수술을 하는 편이 좋으나 경우에 따라 국소마취하에서 시행하기도 한다. 심한 비만이나 경부의 커다란 종물, 이전에 기관절개술의 과거력이 있는 환자의 경우에는 기관의 위치를 정확히 파악하기 어려우므로 가능하다면 기관삽관 후 굴곡형 후두

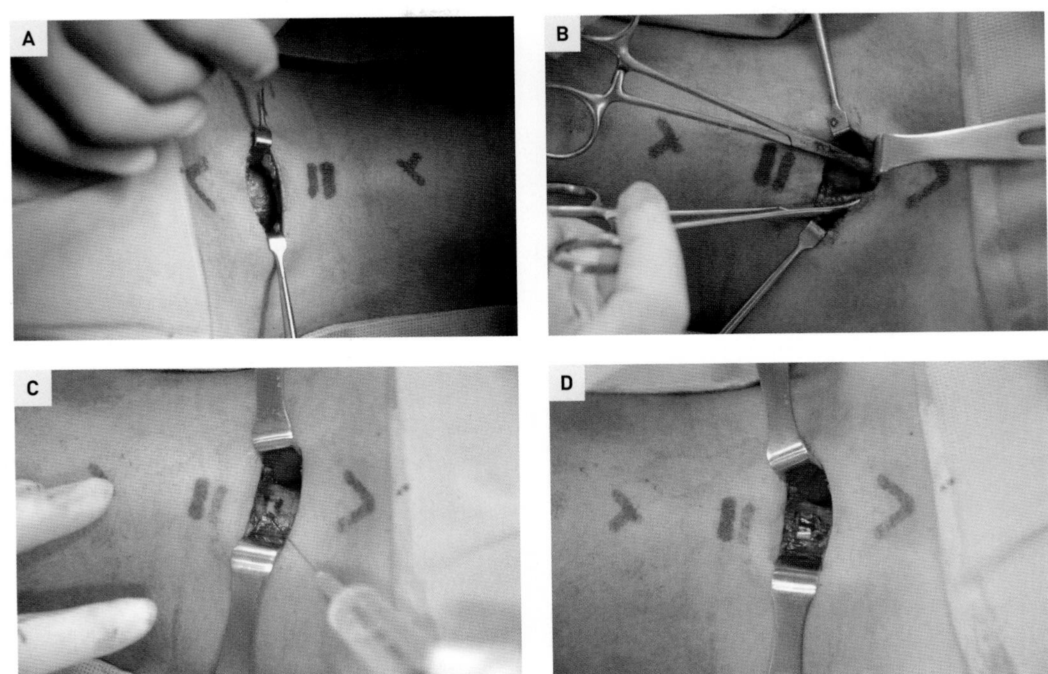

■ 그림 65-7. **성인 기관절개술 수술 방법.** **A)** 경부에 수평 또는 수직절개를 가하고 피대근의 정중앙을 박리하여 양측으로 견인하면 갑상선 협부가 노출된다. **B)** 갑상선 협부를 양쪽에서 클램핑한 후 중앙에서 절단하고 양측을 봉합, 결찰한다(중기관절개술). **C)** 리도카인과 에피네프린 혼합용액을 기관 내 점막에 주사한다. **D)** 제2~4 기관륜 중 1개의 기관륜을 절제하거나 난원형의 구멍을 만들어서 기관에 개구한 후 기관튜브를 삽관한다.

경 혹은 기관지경을 기관삽관 튜브를 통하여 삽입하면 쉽게 수술할 수 있다.[17]

2) 수술방법

(1) 성인 기관절개술(그림 65-7)

환자는 경추 손상이 있는 경우가 아니라면 등 밑에 베개를 받쳐 경부를 충분히 신전시킨다. 기도 폐색으로 힘들어하는 성인 환자의 경우 바로 누운 자세가 증상을 악화시킬 수 있으므로 45도 정도 앉은 자세에서 수술을 한다.[26] 포를 깔 때는 수술 시 지표로 사용할 수 있는 윤상연골, 흉골절흔이 잘 노출되도록 한다. 0.5% 리도카인과 1:100,000 에피네프린을 이용하여 절개부의 피부와 피하조직에 주사한다. 윤상연골과 흉골상와 사이의 중간에 수평 또는 수직절개를 가한다. 수평절개를 한다면 흉골절흔 약 1 cm 상방 또는 윤상연골 약 2 cm 하부에 절개를 가한다. 피부, 피하조직, 광경근을 절제한 후 피대근을 노출시킨다. 전경정맥을 확인하면 측면으로 견인하여 수술 시야를 가리지 않도록 한다.[26] 양쪽 피대근을 연결하는 근막을 중앙에서 수직으로 절개하여 양측으로 분리한 후 견인기로 피대근을 양측으로 당기면 갑상선 협부가 노출된다. 환자에 따라서 다양한 방법으로 기관륜을 노출시킬 수 있다. 갑상선 협부를 상방으로 올리거나(하기관절개술), 윤상연골을 덮고 있는 근막을 갑상연골의 하연을 따라 절개한 후 기관 앞쪽을 따라 갑상선의 협부를 하방으로 내리거나(상기관절개술) 또는 갑상선 협부를 중앙에서 절단하고 양측을 봉합 결찰할 수 있다(중기관절개술). 거즈를 사용하여 기관 전벽을 박리하면 기관륜이 깨끗이 노출된다. 기관에 절개를 가하기 전에 리도카인과 에피네프린 혼합

용액을 기관 내 점막에 주사하면 출혈을 줄이고 기침반사를 줄일 수 있다. 기관에 가하는 최선의 절개방법에는 어느 정도 논란이 있다.[10] 성인의 경우 일반적으로 제2~4기관륜 중 1개의 기관륜을 절제하거나 난원형의 구멍을 만들어 준다. 이 외에도 제2 또는 제3 기관륜의 하부를 피판으로 만들어 이를 피부절개선 하연에 봉합하는 하부기저피판(inferior based flap)을 Bjork[9]가 처음 도입하여 소개하였다. 수술 후 뜻하지 않은 발관의 위험성을 줄이고 만약 발관이 되어도 쉽게 재삽관을 할 수 있다는 장점이 있으나 기관피부 누공의 위험이 있으므로 일시적 기관절개술에는 바람직하지 않다. 장기간의 기관절개술을 필요로 하는 환자에게는 1981년 Eliachar18가 고안한 상부기저피판(superiorly based flap)이 기관누공 상부의 협착을 예방할 수 있어 널리 사용된다.[3,19] 또한, 단순 또는 수평 H형 절개 역시 기관 협착을 예방할 수 있는 좋은 방법이다.[16] 기관륜을 절개할 때는 수술용 칼이나 가위, 기관절개용 펀치를 사용하는 것이 좋고 비만한 환자의 경우에는 최소 경부 지방제거술(minimal cervical lipectomy)을 시행하는 것이 도움이 된다.[20,43] 개구부를 벌리고 미리 준비된 기관튜브를 삽입하는데 튜브의 크기는 기관안 지름의 약 75% 정도 되는 것이 좋다.

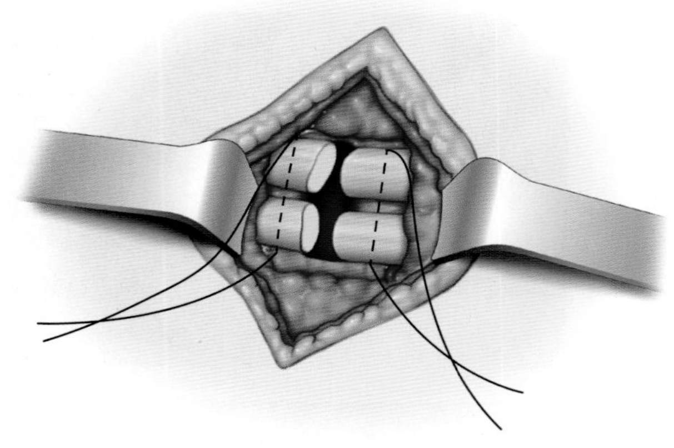

■ 그림 65-8. **소아 기관절개술 시의 유도봉합과 기관의 수직절개**

(2) 소아 기관절개술

성인에 비하여 작은 해부학적 구조, 짧은 목, 불안정한 기관과 인접한 주요 구조물들로 인하여 더욱 세심한 주의를 기울여야 하며, 응급 기관절개술을 절대 피해야 한다. 반드시 기관삽관이나 환기형 기관지경을 삽입하여 기도를 확보한 전신마취 하에 수술실에서 시행하는 것이 원칙이다. 일반적인 수술 방법은 비슷하지만 성인과 다른 몇 가지 사항은 유의해야 한다.[5,14,16] 첫째, 수평절개도 할 수 있지만 일반적으로 수직절개가 선호된다. 견인이 쉬우며 수술 후 기관튜브를 더 잘 지지할 수 있고 기관튜브의 무게에 의하여 절개 부위의 피부가 아래로 처지는 것을 방지할 수 있기 때문이다. 둘째, 기관 전벽의 제거나 Bjork 피판의 사용은 기관협착을 일으킬 수 있으므로 시행하지 않고, 제2 혹은 제3 기관륜의 단순 수직절개를 한다. 셋째, 수술 후 기관이 빠지는 경우가 흔하므로 기관절개부위 양측을 봉합하여 만일의 경우에 재삽관이 용이하게 한다. 일반적으로 4-0 또는 5-0 비흡수(monofilament)를 봉합실로 사용하며 수술 후 처음으로 기관 튜브를 교환할 때에 봉합실을 제거한다(그림 65-8). 넷째, 소아용 튜브로는 일반적으로 기낭(cuff)이 없는 것이 선호되며, 기낭이 있더라도 팽창시키지 않는 것이 좋다.

(3) 수술 후 관리

환자를 지속적으로 관찰할 수 있는 중환자실에서 돌보는 것이 바람직하며, 환자 곁에 현재 사용 중인 튜브와 같은 크기의 소독된 튜브를 준비해 만일의 사태에 대비해야 한다. 흡인과 가습이 가능한 시설이 준비되어 있어야 하며 소독된 도관과 장갑을 사용해야 한다. 환자가 의사표시를 할 수 있도록 필기구를 준비하고 응급 시에 즉시 호출을 할 수 있도록 준비되어 있어야 한다. 수술 직후 흉부 방사선 사진을 촬영하여 튜브의 길이와 위치를 확인하고 기종격증이나 기흉의 유무를 확인한다. 처음 2 - 3일간은 내관을 1~2시간마다 꺼내어 소독하며 마른 점액에 의한 튜브의 폐쇄를 방지한다. 기관튜브는 상황에 따라 2일에서 5일까지 발관하지 않고 둘 수 있으며, 이 시기에 영구로(permanent tract)가 형성되는데 이전에 튜브를 교환하면 재삽관할 때 기관의 개구부를 찾지 못하여 치명적인 위험이 발생할 수 있으므로 주의해야 한다. 튜브가 빠져나올 수 있으므로 목을 둘러싸는 줄을 환자의 편의를 위하여 느슨하게 해서는 절대로 안 된다. 가능한 한 조기에 발관하면 기관-기관지염, 기관협착, 기관연화증 및 영구 기관피부누공 등의 빈도를 줄일 수 있으며, 특히 소아 어린이에게 환자에게 필요 이상으로 오래 기관삽관을 하지 않도록 한다.[15] 기낭을 지나치게 팽창시키면 기관점막의 괴사가 발생할 수 있으므로 지나친 압력이 가해지지 않게 주의하며 매 시간 약 15분 정도 주기적으로 감압을 시행한다.

표 65-2. 기관절개수술 후 합병증

- 수술 중 합병증
  - 출혈
  - 기흉
  - 주위 손상
    - 반회후두신경마비
    - 수술 중 기관식도누공(tracheoesophageal fistula)
  - 사망
- 수술 후 조기 합병증
  - 무호흡
  - 출혈 및 혈종
  - 피하기종
  - 기종격증, 기흉
  - 튜브 폐쇄
  - 예기치 않은 발관(accidental decannulation)
  - 기관식도누공
  - 후폐쇄성 폐부종(postobstructive pulmonary edema)
  - 연하곤란
- 수술 후 후기 합병증
  - 기관육아종
  - 기관 염증과 기관 괴사
  - 지연성 기관식도누공
  - 기관동맥누공(tracheoartelial fistula) 출혈
  - 기관 협착
    - 기관절개공 부위의 협착
    - 기낭 부위의 협착
  - 튜브 끝 부위의 협착
  - 성문하 협착(subglottic stenosis)
  - 기관피부누공(tracheocutaneous fistula)
  - 기관연화증(tracheomalacia)

3) 기관절개술의 합병증

발생 시기에 따라 수술 중에 일어날 수 있는 합병증, 수술 후 조기 합병증, 수술 1주일 이후에 발생할 수 있는 후기 합병증의 세 종류로 구분할 수 있다(표 65-2).[12,16,35,42]

발생 빈도는 5~40%로 평균 15% 정도이며 가장 흔한 합병증은 출혈, 튜브 폐쇄, 튜브 변위의 순이다. 기흉, 무기폐, 기관협착이나 기관식도누공 등은 1% 이하로 드물다.[36] 소아의 경우 가장 흔한 조기 합병증은 튜브 폐쇄이며 후기 합병증은 기관육아종이다.[40] 수술 시 주의해야 할 인근 구조물은 (그림 65-9)와 같다. 가능한 한 응급 기관절개술을 피하고 적절한 도구와 조수의 도움을 받으면서 기본 술기에 충실하게 수술을 하는 것이 합병증을 줄일 수 있는 방법이다.[10,14,22,33]

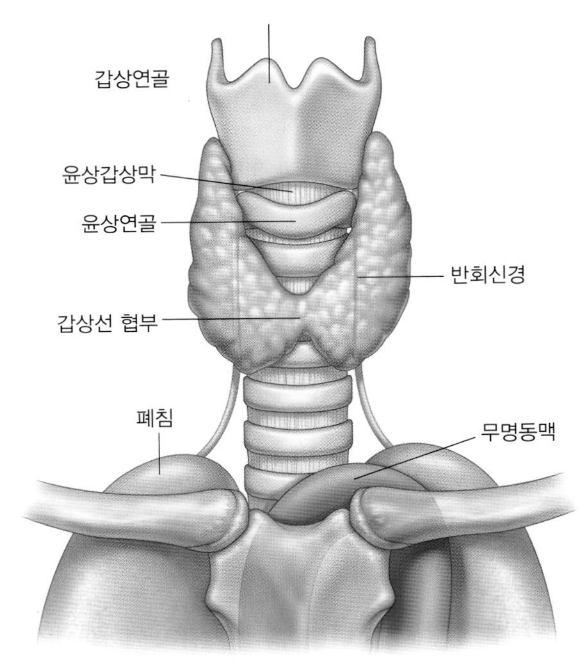

■ 그림 65-9. **기관절개술 시 주의해야 할 인근 해부학적 구조물**

(1) 수술 중 합병증

① 출혈

가장 흔한 수술 중 합병증으로 흔히 전경정맥이나 갑상선에서부터 출혈이 발생한다. 전기응고 또는 결찰, 충전 등의 방법으로 지혈해야 한다.

② 기흉

수술 중 흉막의 상부 첨단을 손상하여 발생한다. 소아 환자나 기관삽관이나 기관지경으로 기도를 확보하지 못한 기관절개술에서 발생 빈도가 더 높다.

③ 주위손상 중요 구조물의 손상

응급수술의 경우 급하게 수술을 하다 보면 정중앙이 아닌 기관의 측면으로 진행을 하여 한쪽 혹은 양쪽 반회후두신경을 손상시킬 수 있으며 기관 후벽을 과도하게 깊게 절개를 하면 식도손상도 발생할 수 있다.

(2) 수술조기합병증

① 무호흡

이는 그동안 오랫동안 기도가 폐쇄되어 있었던 환자는 체내의 저산소증이 호흡을 자극하여 겨우 호흡을 유지하고 있었는데 기관절개술을 하여 로 갑자기 동맥혈 내 산소분압이 증가하게 되면 자극원이 없어지게 된다. 이런 경우 환자가 기관절개술 후 갑작스런 무호흡이 발생할 수 있으므로 환자를 방치하지 말고 잘 관찰해야 한다.

② 출혈 및 혈종

수술 중 부적절한 지혈로 인해 출혈과 혈종이 발생할 수 있다.

③ 피하기종

수술 중에 경부의 연조직으로 공기가 들어가서 발생하며 비교적 흔한 합병증이다. 지나치게 기관절개를 크게 하거나 기관삽관 주위의 피부나 연조직을 촘촘하게 봉합하는 경우, 환자가 기침을 심하게 하는 경우에 발생할 수 있다. 수술 시 기관의 중심에 국한하여 박리하면 이 같은 합병증을 어느 정도 줄일 수 있다. 보통 수술 하루 이내에 발생하며 일주일 이내에 저절로 소실된다. 대개 경부에 국한되어 발생하지만 간혹 얼굴이나 흉부로 퍼질 수 있고 기종격증이나 기흉으로 진행할 수도 있다.

④ 기종격증, 기흉

기종격동은 보통 국소마취하에서 환자가 급격히 많이 움직이거나 심한 기침 등을 할 때 발생하며, 기흉은 흉막 상부의 손상으로 인해 발생할 수 있다. 기종격증은 일반적으로 수술적 치료가 필요 없으나 기흉의 경우는 14~16 게이지 바늘이나 흉곽튜브(chest tube)를 삽관해야 하는 경우가 많다.

⑤ 튜브폐쇄

생명을 위협할 수 있으며, 가장 흔한 원인은 기관이나 튜브 내의 점액이나 딱지로 인한 폐쇄이므로 적절한 가습과 흡인이 중요하다.

⑥ 예기치 않은 발관

비만한 성인이나 소아에서 튜브가 짧은 경우에 주로 발생한다. 튜브를 확실하게 묶어 두면 예방하는 데 도움이 되며 기관절개부위의 견인 봉합을 해 놓으면 발관이 되더라도 재삽관을 하는 데 도움이 된다.

⑦ 기관식도누공

기관절개를 너무 깊게 해서 기관과 식도 경계벽이 손상되었을 때 발생할 수 있다.

⑧ 후폐쇄성 폐부종(postobstructive pulmonary edema)

기관절개술로 상기도 폐쇄가 갑자기 풀려서 발생할 수 있으며, 기계적 환기와 이뇨제를 사용하여 치료한다.

(3) 지연성 술후 합병증

① 기관육아종

기관삽관 부위 바로 위쪽의 기관 전벽에 흔히 발생한다. 초기에는 육아조직의 형태로 발생하나 점차 섬유화된다. 과도하게 큰 튜브나 수술 부위의 부적절한 소독이 원인이다. 커지는 경우에는 제거하는 것이 좋다.

② 기관 염증과 기관 괴사

과도하게 큰 기관튜브, 튜브의 부적절한 만곡, 과도한 기낭 압력 등에 의한 국소 압력이 기관 중간, 하부의 염증이나 궤양을 유발하여 치료하지 않으면 기관식도누공이나 기관동맥누공 또는 기관협착이 발생할 수 있다.

③ 지연성 기관식도누공

과도한 기낭 공기압이나 부적절하게 위치한 튜브 끝과 식도의 비위관에 의한 기관 후벽과 식도 전벽의 괴사 및 양압 환기도 중요한 원인이 된다. 증상으로 식사 중 격렬한 기침이나 침을 삼킬 때와 연관된 만성 기침이 있을 수 있다. 흡인이 반복되면 폐렴을 유발하여 환자의 생명을 위협할 수 있다. 바륨을 삼키거나 메틸렌블루를 식도에 점적한 뒤 굴곡형 내시경으로 진단할 수 있다. 수술적 치료를 해서 누공을 막아줘야 한다.[20]

④ 기관동맥누공 출혈

기관과 무명동맥(innominate artery) 사이에 발생하는 누공으로 기관절개술을 시행한 환자의 약 0.4%에서 보고된다. 약 60% 정도가 수술 후 2주 이내에 발생하고 치사율이 80~90%에 이른다. 발생 요인으로는 부적절한 만곡 혹은 길이의 튜브 사용, 부적절한 위치의 튜브, 기낭 압력에 의한 대혈관의 손상, 무명동맥이 높이 위치한 경우, 기관절개술이 너무 낮은 위치에 시행된 경우 등이 있다. 환자의 약 50% 정도에서 출혈이 발생하기 전에 경미한 출혈(sentinel bleeding)이 발생하므로 수술 후 3일에서 3주 사이에 이런 소견이 보인다면 신속히 굴곡형 내시경으로 기관지를 검사해야 한다. 출혈이 발생하면 즉시 출혈부위 아래로 기관삽관 튜브나 기관절개술 튜브를 삽입한 후 기낭을 부풀린다. 기관절개술 부위를 통해 손가락을 넣어 흉골 앞쪽으로 무명동맥을 압박하고 수술실로 옮겨 응급수술을 시행한다. 기관벽의 미란이나 괴사가 있는 경우 종격동 탐색(mediastinal exploration) 및 개흉술(thoracotomy)을 시행하여 무명동맥의 양끝을 봉합한다.[13,20,23,40]

⑤ 기관협착

주로 기관절개구, 기낭 부위, 튜브의 끝에 협착이 발생할 수 있다. 대부분은 기낭의 지나친 압력으로 인한 국소 연골막염으로 인해 발생하며, 때로는 부적절하게 시행된 기관절개 후의 반흔 협착으로 인해 발생할 수 있다. 소아에서는 기관연골을 일부 절제하여 기관창을 만든 경우에 협착을 초래할 수 있으므로 일반적으로 기관창을 만들지 않는다.[19]

⑥ 성문하 협착

상기관절개술을 피하고 감염방지와 항생제 치료 등의 세심한 수술 후 관리로 협착을 방지할 수 있다. 특히 소아에서 윤상갑상막절개술은 성문하협착을 잘 일으키므로 가능한 한 시행하지 않는다.

⑦ 기관피부누공

기관절개술이 장기간 지속될 때 기관과 피부 사이에 누공이 지속되는 경우가 있으며, 대부분 4개월 이내에 저절로 막히나 그 이상 지속되면 수술로 치료해야 한다.[2,7,8,33]

4) 발관

발관 전에 기관절개술을 필요로 하였던 문제가 해결되었는지를 살피고 그동안 기관절개술 자체로 인하여 기도에 새로운 문제가 발생하지 않았는지를 내시경으로 검사해야 한다. 동시에 성대의 움직임을 관찰하며 육아조직

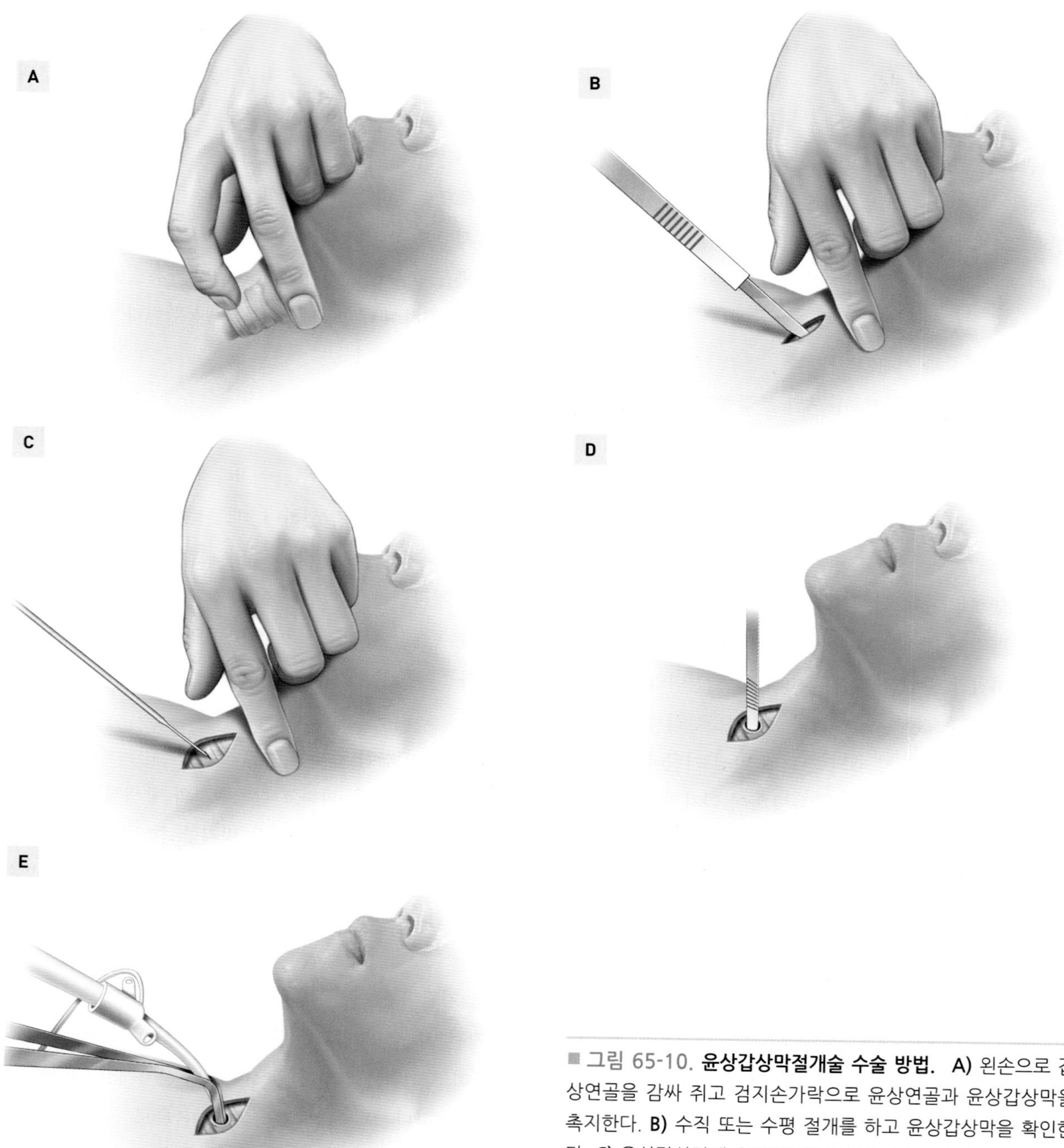

■ 그림 65-10. **윤상갑상막절개술 수술 방법.** **A)** 왼손으로 갑상연골을 감싸 쥐고 검지손가락으로 윤상연골과 윤상갑상막을 촉지한다. **B)** 수직 또는 수평 절개를 하고 윤상갑상막을 확인한다. **C)** 윤상갑상막에 수평절개를 가한다. **D)** 수술용 칼 손잡이를 넣어 수직으로 돌려 구멍을 넓힌다. **E)** 기관 튜브를 삽관한다.

및 성문하협착 여부를 관찰한다. 필요하면 CT나 MRI로 기도의 협착 여부를 확인한다.[14]

(1) 발관 방법

성인에게는 보통 유창튜브(fenestrated tube)를 삽입하고 튜브의 입구를 마개로 막아 편안한 호흡이 가능한지

표 65-3. **발관을 지연시키거나 어렵게 하는 요인들**

기관절개를 해야 하는 원래 상황의 지속
기관절개술 후 합병증
구(stoma) 주위의 육아조직
기관전벽의 전위
기관점막의 부종
성문하협착
기관연화증
특별한 병변이 없는 발관곤란증
기관절개술에 대한 심리적 의존성
발관 후 상기도 저항을 견디지 못함

확인한다. 환자가 며칠 동안 각성과 수면 상태에서 모두 자유로운 호흡이 가능하면 발관을 한다. 소아에게는 육아조직을 형성할 수 있기 때문에 보통 유창튜브를 사용하지 않는다. 소아에서는 점차로 작은 튜브를 사용하다가 마지막으로 가장 작은 크기의 튜브를 막고 편안한 호흡이 가능한지 살핀다. 보통 12시간 이상 혹은 수면 중 막은 채 두어도 이상이 없을 때 발관한다.

(2) 발관 곤란증

소아에서 주로 문제가 되며 원래 기도폐쇄의 원인이 완전히 해결되지 않았거나, 기관절개술로 인하여 새로운 문제가 발생했거나, 특히 소아의 경우 위와 같은 원인 없이도 오랫동안 기관절개 상태로 지내서 심리적으로 캐뉼라에 매우 의존한 경우 등이다. 그러므로 소아의 경우에는 가능한 한 10일 이내에 발관을 시도하는 것이 바람직하다. (표 65-3)은 발관을 지연시키거나 어렵게 하는 요인들이다.[35] 절개 입구의 위쪽에 발생하는 육아종[28]과 기관협착, 성문하협착 등이 가장 흔한 병변들이다. 이때 레이저 등의 고식적 방법으로 해결하기 어려우면 Roger[34] 등이 시도했던 수술적 발관(surgical decannulation)이 매우 효과적인 치료방법이 될 수 있다.

7. 기관절개술의 대치 방법

1) 윤상갑상막절개술(cricothyroidotomy)(그림 65-10)

급성기도폐색으로 인한 호흡곤란이 발생하여 매우 응급한 상황에서 윤상갑상막에 절개를 가하여 기도를 확보하는 방법이다. 윤상갑상막이 피부에 가까이 있어 조금만 박리해도 기도가 노출되며 비교적 표준화된 술기를 쉽게 교육시킬 수 있다. 보통 12세 만의 소아, 후두의 염증이나 외상 환자, 이 술식으로 인해 종양이 절단될 위험성이 있는 환자에서는 금기가 된다. 수술 시에 필요한 가장 기본적인 기구들은 11 또는 15번 수술용 칼과 칼 손잡이(knife handle), 강직형 흡인기(rigid suction tip), 적절한 크기의 기관절개용 또는 기관삽관용 튜브 등이며 그 밖에 Curved mosquito forceps, Tracheal hook, Trousseoaus dilator 등이 있으면 더욱 용이하게 수술을 할 수 있다. 술식은, 오른손잡이 술자의 경우 환자의 오른편에 서서 왼손으로 갑상연골을 감싸 쥐고 검지손가락으로 윤상연골과 윤상갑상막을 촉지한다. 갑상연골의 중간 높이에서 윤상연골에 이르는 부위의 정중앙에 수직 또는 수평 절개를 하고 윤상갑상막을 확인한다. 윤상갑상막에 수평절개를 가한 후 수술용 칼 손잡이를 넣어 수직으로 돌리거나 Trousseous dilator를 이용하여 넓힌 후 기관튜브를 삽입한다. 일단 기도가 개방되고 캐뉼라를 삽입하면 성문하 조직손상, 윤상연골의 연골막염, 성문하협착 등의 합병증을 예방하기 위해 24시간 내에 정상적인 기관절개술로 전환하는 것이 좋다.[26]

2) 경피적 확장 기관절개술(percutaneous dilational tracheostomy)

Toye와 Weinstein[38]가 전통적인 기관절개술을 대신하여 최소한 침습적으로 시행할 수 있는 방법으로 처음으로 기술하였으나 최근에야 제대로 시행할 수 있는 용구(kit)가 개발되어 사용되고 있다. 기관에 구멍을 뚫을 바늘과 캐뉼라, 유도철사(guide wire) 및 확장기(dilator) 등의

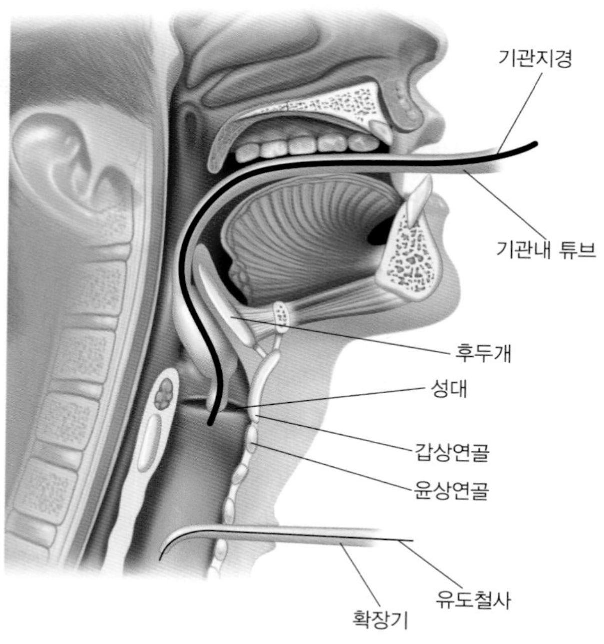

■ 그림 65-11. **경피적 확장 기관절개술**

기구가 필요하다.[20,40] 장점으로는 수술 시간이 짧고 출혈이 적으며, 기관 박리가 적어 수술창상 치유가 빠르고 중환자실에서 수술실로 환자를 옮기지 않고 환자 옆에서 시행할 수 있다.[11] 하지만, 잘못된 통로로 삽입되거나 확인하지 않고 확장기나 튜브를 삽입하여 기관의 측벽이나 후벽을 천공하는 등의 합병증이 보고되고 있다.[31,39] 내시경하 경피적 확장 기관절개술을 시행하면 이러한 합병증을 감소시킬 수 있다는 보고도 있다(그림 65-11).[21]

참고문헌

1. 이범재,조재식,유철진 등. 오연이 예상되는 두경부 환자에 대한 일시적 기관개창술. 한이인지 1991;34:331-337
2. 이형식, 김현수, 심용택 등 기관피부누공에 대한 임상적 고찰
3. 대한기관식도과학회지 1995;1:142-145
4. 정필상, 이정구, 정필섭 등. Superiorly based flap을 이용한 기관절개술. 대한기관식도과학회지 1995;1:129-134
5. 대한마취통증의학회. 마취통증의학. 제3판. 대한민국 서울시: 도서출판 여문각; 2014. p. 178-181.
6. Arcand P, Granger J. Pediatric tracheostomies: changing trends. J Otolaryngol 1988;17:121-124
7. Berg LF, Mafee MF, Campos M, et al. Mechanisms of pneumothorax following tracheal intubation. Ann Otol Rhinol Laryngol 1988;97:500-505
8. Bernholz LP, Vail S, Berlet A. Management of tracheocutaneous fistula. Arch Otolaryngol Head Neck Surg 1992;118:869-871
9. Bishop JB, Bostwick J, Nahai F, Persistent tracheostomy stoma. Am J Surg 1980;140:709-710
10. Bjork VO. Partial resection of the only remaining lung with the aid of respirator treatmetnt. J Thorac Cardiovasc Surg 1960;39:179-188
11. Bradley PJ. Management of the obstructed airway and tracheostomy. In: Kerr AG, ed. Scott-Brown's Otolaryngology. Bath: Bath Press 1944, pp.1-20
12. Cole IE. Elective percutaneous (rapitrac) tracheotomy: results of prospective trial. Laryngoscope 1994;104:1271-1275
13. Conley JJ. Tracheostomy complications. In: Conley JJ, ed. Complications of Head and Neck Surgery. Philadelphia: WB Saunders,1979, pp.274-292
14. Cooper JD. Tracheo-innominate artery fistula. Annal Thoracic Surg 1977,p24,pp.439-447
15. Deskin RW. Pediatric tracheotomy. In: Bailey BJ, Johnson JT, Newlands SD, eds. Head and Neck Surgery: Otolaryngology, 4th ed. Philadelphia: Lippincott Williams & Wilkins, 2006, pp. 1147-1155
16. Deutsch ES. Early tracheostomy tube change in children. Arch Otolaryngol Head Neck Surg 1998;124:1237-1238
17. Drake AF. Controversies in upper airway obstruction. In: Bailey BJ, Johnson JT, Newlands SD, eds. Head and Neck Surgery: Otolaryngology, 4th ed. Philadelphia: Lippincot Williams & Wilkins,2006, pp.786-813
18. Drucker C, Wolff AP. Fiberoptic identification of the obscured trache. Laryngoscope 1989;99:456
19. Eiachar I, Goldsher M, Joachims HZ, et al. Superioly based trachostomal flap to counteract tracheal stenosis: experimental study. Laryngoscope 1981;91:976-981
20. Eliachar I, Oringher SH. Performance and management of long term tracheostomy. Operative tech Otolaryngol Head Neck Surg 1990;1;56-63
21. Goldenberg D, Bhatti N. Management of the impaired airway in the adult. In: Cummings CW, Fredrickson JM, Harker LA, et al, eds. Otolaryngology-Head and Neck Surgery, 2nd ed. St. Louis: Mosby Year Book,2005,p.2441-2453
22. Goldenberg D, Golz A, Huri A, et al. Percutaneous dilational tracheotomy versus surgical tracheotomy: our experience. Otolaryngol Head Neck surg 2003;128:358-363
23. Goldstein SI, Breda SD, Schneider KL. Surgical complications of bed-

side tracheotomy in an otolaryngology residency program. Laryngoscope 1987;97:1407-1410

24. Gross ND, Cohen JI, Andersen PE, et al. Defatting Tracheotomy in Morbidly Obese Patients. Laryngoscope 2002;112:1940-1944
25. Jones JW, Reynolds M, Hewitt RL, et al. Tracheo-innominate artery erosion. Annals Aurg 1976;184:194-204
26. Josep H, Jani P, Preece J. Pediatric tracheostomy: persistent tracheocutaneous fistula. Int J Pediatr Otorhinolaryngol 1991;22:231-236
27. Kost KM. Advanced Airway Management—Intubation and Tracheotomy. In: Johnson JT, Rosen CA,Bailey BJ. Bailey's Head and Neck Surgery: Otolaryngology, 5th ed. Philadelphia: Lippincott Williams & Wilkins,2014, pp. 909-944
28. Kuriloff DB, Setzen M, Prtnoy W, et al. Laryngotracheal injury following cricothyroidotomy. Laryngoscope 1989;99:125-130
29. Merritt RM, Bent JP, Smith RJH. Suprastomal granulation tissue and pediatric tracheostomy decannulation. Laryngoscope 1997;107:868-871
30. Messerklinger W. Surgery of the trachea, In:Naumann HH, ed. Head and Neck Surgery. Philadelphia: WB Saunders,1980, pp 291-301
31. Peperzak KA, Vallejo MC Flexible Fiberoptic Bronchoscope Intubation. In: Orebaugh SL, Bigeleisen PE. Atlas of airway management: techniques and tools, 2nd ed. Philadelphia: Lippincott Williams & Wilkins,2012, pp. 178-190
32. Powell DM, Price PD, Forrest LA. Review of percutaneous tracheostomy. Laryngoscope 1998;108:170-177
33. Reardon RF, Carleton SC, Brown III CA. Direct Laryngoscopy. In: Walls, RM, Murphy MF. Manual of Emergency Airway Management, 4th ed. Philadelphia: Lippincott Williams & Wilkins,2012, pp. 121-138
34. Reily H, Sasaki CT. Tracheotomy complications. In: Krespi YP, Ossoff RH, eds. Complications in Head and Neck Surgery. Philadelphia: WB Saunders,1993, pp. 257-274
35. Rogers JH. Tracheostomy and decannulation. In : Kerr AG, ed. Scott-Brown's Otolaryngology. Bath: Bath Press,1994, pp.1-16
36. Seid AB, Glukman JL. Tracheostomy. In: Paparella MM, Shumrick DA, Glukman JL, et al, eds. Otolaryngology, 3rd ed. Philadelphia: WB Saunders,1991,pp.2429-2437
37. Shaw HJ, Stylis SC, Rosen G. Elective tracheostomy in head and neck surgery. J Laryngol Otol 1974;88:599-614]
38. Thomas JL.Awake intubation. Indications, techniques and a review of 25 patients. Anaesthesia. 1969;24:28-35.
39. Toye FI, Weinstein JD. A percutaneous tracheostomy device. Surgery 1969;65:384-389
40. Wang MB, Berke GS, Ward PH, et al. Early experience with percutaneous tracheostomy. Laryngoscope 1992;102:157-162
41. Weissler MC. Tracheotomy and intubation. In: Bailey BJ, Johnson JT, Newlands SD, eds. Head and Neck Surgery: Otolaryngology, 4th ed. Philadelphia: Lippincott Williams & Wilkins,2006,pp.785-801
42. Wetmore R, Handler S, Potsic W. Pediatric tracheostomy: experiences during the decade. Ann Otol Rhinol Laryngol 1982;91:628-632
43. Yanagisawa E, Hausfeld J. Larynx: tracheotomy. In:Lee JH, ed. Essential Otolaryngology, 6th ed. New York: Medical Examination Publishing Company, pp.840-847

CHAPTER

66

이비인후과 수술의 마취

이비인후과학 Otorhinolaryngology - Head and Neck Surgery

서정화

이비인후과 수술을 위한 마취에는 수술 수기와 관련된 특별한 요구사항을 알아야 하고, 수술 부위의 해부학적 및 생리학적 지식이 있어야 한다. 특히 상기도 확보가 중요하며, 기관 내 삽관을 한 후에도 기도의 개방성과 마취기와의 연결을 계속 감시하여야 한다. 인후두 및 경부의 조작으로 인하여 심부정맥이 발생할 수 있으며, 내시경이나 상기도 수술 후에는 부종이나 출혈 등의 위험성이 있으므로 기관 내 튜브의 발관에 세심한 주의를 기울여야 한다.

I 마취 전 환자 평가

모든 마취가 수술 전 평가로부터 시작된다고 할 수 있을 정도로 수술 전 환자와의 면담은 중요하다. 수술 전 평가에는 병력, 최근 약물 치료의 기왕력, 신체 검사, 검사 결과의 분석 등이 포함된다(표 66-1).

1. 병력(동반 질환)

고혈압은 마취와 수술 중 환자에게 영향을 주는 흔한 순환기 질환으로, 울혈성 심부전, 관상동맥질환, 뇌허혈, 신기능이상 등과 같은 주요 장기 합병증의 동반 여부를 마취 전에 반드시 확인하여야 한다. 조절되고 있지 않은 고혈압 환자는 마취 중 혈압이 증가할 뿐만 아니라 저혈압과 심근허혈이 발생할 가능성이 높다. 항고혈압제로 잘 치료되고 있는 환자가 마취에 가장 적합한 대상이며, 항고혈압제는 수술 당일까지 계속 투여하도록 한다.

수술 중 심근경색의 재발은 대부분 수술 후 48-72시간 내에 발생한다. 심근경색 재발의 빈도는 과거 심근경색 발생 후 경과된 기간과 밀접한 관계가 있으며, 심근경색 발생 후 6개월 이내에 수술을 시행할 경우 심근경색 재발의 빈도가 증가한다고 알려져 있다.[16,21,22] 하지만 최근에는 적극적인 치료와 마취 및 수술 후 환자간호, 심장혈관에 대한 평가방법 발달로 인해 위험성이 감소하여[18] 이러한 기간이 예전만큼 중요한 의미를 지니고 있지는 않다. 미국

표 66-1. 마취 전 점검사항

연령 :	성별 :
신장 :	체중 :
진단 :	
예정수술 :	
vital sign :	
금식상태 :	
이학적검사 :	
과거의 수술과 마취	
마취에 관한 환자의 만족감 :	
마취와 관련한 합병증 : 인후통	
회복지연 또는 수술 중 각성	
악성 고열증의 징후 : 고열, 심한 근육통 등	
의식회복 후 근무력증세 : pseudocholinesterase 부족증	
마취의 어려움과 관련한 가족력	
약물 :	
현재 복용 중인 모든 약물 :	
스테로이드 복용력 :	
약물 알레르기 및 부작용 :	
항암요법 :	
각 기관별 검사	
심혈관계 : 고혈압, 심장질환, 관상동맥질환, 심잡음	
호흡기계 : 흡연, 천식, 기침	
간담도계: 간염, 황달	
신장과 요로계 : 혈뇨, 단백뇨, 당뇨	
혈액계 : 빈혈, 혈액응고 장애	
내분비계 : 당뇨, 갑상선질환, 부신피질질환	
신경계 : 뇌졸중, 마비증세, 간질	
기도 : 코골이, 호흡곤란, 경부강직, 악관절의 운동범위 제한, 개구 정도	
치과 : 손상되거나 흔들리는 치아	
임신 여부 :	
마취에 대한 바람이나 두려움 :	
전신마취 혹은 국소마취, 전투약, 오심, 수술 중 각성	
ASA 신체등급	
마취의 위험도 및 계획	

ASA: American Sociery of Anesthesiologists

심장학회(American Heart Association)는 비심장 수술을 받는 환자에서 최근 6주 이내에 심근경색이 발생한 환자에게 수술 후 심근경색 재발 위험성이 높으며, 6주 이후에는 그 당시 환자의 심혈관 상태가 위험요인이 된다고 보고하였다.[6] 최근 증가하고 있는 관상동맥 스텐트 시술의 경우 관상동맥 혈전증으로 인한 수술 후 사망과 과량 출혈의 위험성으로 인하여 bare-metal 스텐트 시술 후 4주 이상 경과한 후 비심장 수술을 시행하여야 한다.[11]

가역성 기관지 수축, 상기도 감염, 기도 분비물이 많은 환자는 수술 전 치료가 매우 유익하다. 천식 환자는 수술 전 수액 공급, 기관지 확장 요법, 항생제 투여 등이 도움이 되며, 기관지 확장제는 수술 전 기관지 경련의 가역성 인자를 해소하는 데 도움이 된다. 일반적으로 상기도 감염이 있는 환자의 계획 수술은 연기하는 것이 바람직하며, 흡연력이 있는 경우 폐역학과 점막 섬모 활동이 정상으로 회복되기 위해서 최소 4–8주간 금연 기간이 필요하다.

당뇨 환자의 수술 중 이환율은 수술 전 심혈관계, 신장의 기능 부전과 같은 종말기관 (end-organ)의 손상과 관련이 있다. 자율신경병증은 수술 중 저혈압과 흡인성 폐렴의 위험성을 증가시키고, 관절아교조직 이상은 경추 신전 장애와 상처 치유를 지연시킬 수 있으며, 감염의 위험성을 증가시킨다. 당뇨 환자는 수술 전후에 혈당을 적절히 조절하여 고혈당과 저혈당을 피하는 것이 중요하다. 또한 당뇨 환자는 죽상경화증과 이와 관련된 합병증의 발생 빈도가 높기 때문에, 현재 증상이 없더라도 통증의 동반이 없는 심근경색과 심혈관계 불안정 발생의 위험성이 매우 높아 수술 전 면밀한 평가가 필요하다.[10]

2. 복용 중인 약제 확인

최근에 복용한 약물들은 수술 중에 투여되는 약물과의 상호작용으로 인해 부작용을 초래할 수 있으므로 수술 전 평가에서 상세하게 재조사되어야 한다. 항고혈압제, 항부정맥제, 항협심증제, digitalis, 이뇨제, 항경련제, 호르몬 제제들은 수술기간 중에도 계속 투여하여야 한다. 정신과 약제 중에서 삼환계 항우울제 및 monoamine oxidase (MAO) 억제제는 마취약제와 바람직하지 못한 상호작용을 일으킬 수 있기 때문에, MAO 억제제는 수술 2주일 전에 중단하는 것이 좋다. 그 외 알코올 중독과 benzodiazepine, 아편양제제(opioid)의 복용 여부도 확인해야 한다.

항응고제를 복용하는 경우 수술 중 혈액응고 장애를 일으킬 수 있으므로 적절한 처치가 필요하다.[2] 수술 전에 복용 여부를 확인해야 할 항응고제로는 와파린, 헤파린, 항혈소판제제가 있으며, 항혈소판제제의 종류로는 비스테로이드소염진통제(cyclooxygenase-1 차단제)와 아스피린, thienopyridine (ticlopidine, clopidogrel), 혈소판 glycoprotein Ⅱ/Ⅲa 길항제(abciximab, tirofiban) 등이 있다.

와파린은 혈액응고 인자 Ⅱ, Ⅶ, Ⅸ, Ⅹ과 C단백, S단백을 차단한다. Warfarin을 복용하고 있는 환자들의 경우 PT/INR (prothrombin time/internation normalized ratio)이 정상으로 회복되기 위해서 수술 전 5-7일 정도의 복용 중단 기간이 필요하며, 수술 전에 INR이 최소한 1.4 이하로 유지되어야 한다. 헤파린은 수술 4시간 전에 중단하여야 하고, 최소한 1시간 전에는 반드시 중단하여야 한다.

항혈소판제제 중 ticlopidine은 수술 전 14일, clopidogrel은 수술 전 7일, abciximab은 수술 전 48시간, tiriofiban은 수술 전 8시간 정도의 복용 중단 기간이 필요하다. 아스피린의 복용 중단 기간에 관해서는 다양한 기준이 제시되고 있다. 아스피린은 thromboxane A2 합성에 필요한 혈소판 cyclooxygenase를 비가역적으로 억제하여 혈소판응집 및 부착에 강력한 촉진제로 작용하는 thromboxane 생성을 억제한다. 혈소판 재생에는 7일 정도의 기간이 필요하기 때문에 이론상으로 7일 정도의 수술 전 복용 중단 기간이 필요하다. 아스피린 단독 복용이 수술 중 출혈에 큰 영향이 없다는 의견도 있지만, 이와는 반대로 수술 전 3일 내지 7일간의 복용 중단 기간이 필요하다는 지침도 제시되었다. 하지만 저용량의 아스피린을 복용하고 있는 경우에는 수술 전 2일 정도의 복용 중단 기간을 가지면 충분할 것이다. 항혈소판제제를 포함한 여러 항응고제를 동시에 복용하고 있는 경우나 노인, 여성 환자들은 특히 수술에 따른 출혈의 위험성이 증가될 수 있으므로 주의하여야 하며, 수술 전 혈소판 기능을 평가하는 지표로 출혈시간(bleeding time)은 부정확하다고 알려져 있다.

표 66-2. ASA가 정한 신체상태 등급

등급	신체상태
1	전신질환이 없는 건강한 환자
2	수술질환이나 동반질환으로 경도나 중등도의 전신질환을 가진 환자
3	일상생활을 제약하는 고도의 전신질환을 가진 환자
4	생명을 위협할 정도의 심한 전신질환을 가진 환자
5	수술에 관계없이 24시간 내 사망률이 50%인 사망전기 환자
6	환자의 죽음이 선언되고 장기기증 목적으로 수술을 받는 환자
응급수술(E)	환자가 응급수술을 요할 때 환자의 등급 뒤에 'E'를 붙인다

3. 수술 전 예비검사

수술과 마취 전에 증상이 없는 질환을 찾아내기 위하여 술 전 예비검사를 시행한다. 수술 전 예비검사를 통하여 환자의 치료나 결과에 영향을 주는 새로운 질환이 밝혀지는 경우는 드물기 때문에, 환자의 병력과 신체검사에서 양성인 사항들을 기준으로 적응이 되는 검사를 실시하는 것이 이상적이다. 하지만 환자가 수술 전날 또는 당일 아침에 입원하는 경우가 흔하기 때문에 병력 조사와 신체 검사를 실시하기 전에 환자의 나이와 계획된 수술의 복잡한 정도를 고려하지 않고 관례적인 통상 검사를 실시하는 것이 일반적이다.

4. 신체상태 분류

미국 마취과학회(ASA)가 채택하여 사용하는 신체상태 분류법이[1] 가장 보편적으로 사용된다(표 66-2). 이것은 계획된 수술과 관계없이 외과적 질환이나 다른 내과적 질환으로부터 초래된 전신 장애를 기초로 환자의 건강 상태를 분류한 방법이다.

신체상태 분류법이 마취의 위험을 측정하기 위한 직접적인 지표는 아니지만, 마취에 따른 이환율과 사망률을 판단하는 가장 보편적인 측정법으로 이용되고 있다. 수술 중 심정지는 신체상태 등급이 나쁜 경우에 더 많이 발생하며, 그 외 수술의 위험은 특수 수술 조작, 외과의사의 숙련도, 의료시설과 장비, 마취제의 선택과 마취 기술에 의해서도 결정된다.

II 마취전투약

마취와 수술 환자에게 전투약(premedication)을 하는 이유는 환자의 진정, 불안 해소, 혈역학적 안정, 위내용물의 흡인 감소, 통증 제거, 수술 후 오심과 구토의 예방 등이 있다. 이 중에서 마취전투약의 가장 주된 목적은 환자의 불안을 해소하는 것이라고 할 수 있다. Midazolam, diazepam, lorazepam과 같은 benzodiazepine 제제는 과도한 진정과 심폐 억제를 유발하지 않는 용량에서 선택적으로 불안을 해소하며, 선행성 기억상실 효과를 지니고 있기 때문에 전투약제로 가장 널리 이용되고 있으며, 보통 마취유도 1–2시간 전에 투여한다. 환자가 통증을 호소하는 경우에는 benzodiazepine 대신 morphine을 근육주사하기도 하며, 환자를 수술대로 옮길 때 통증을 최소화하기 위하여 충분한 용량을 사용하는 것이 좋다.

전신마취하의 두경부나 기관지 내시경 수술에서 구강 내 분비물을 감소시켜 수술 시야를 좋게 하기 위해 타액분비 억제제를 흔히 투여한다. 수술실로 이동하기 직전에 항콜린제를 근육 주사하면 마취 전에 구강과 인후두부 건조와 같은 불편함이 발생하는 것을 최소화할 수 있다. 중추신경계 작용 없이 단순하게 타액분비 억제 효과만을 원한다면 glycopyrrolate가 가장 적합하다. 마취유도 중 반사성 서맥(reflex bradycardia)의 발생을 예방하기 위하여 atropine이나 glycopyrrolate와 같은 미주신경 억제제를 사용하기도 한다. Droperidol이나 ondansetron과 같은 전투약제는 수술 후 오심과 구토의 빈도를 감소시킬 목적으로 사용한다.[8]

정규 수술의 경우 위액의 용량을 최소화하기 위해 최소한 6–8시간의 금식 기간을 두고 있지만 마취유도 중 위산에 의한 흡인의 위험성은 항상 존재한다. 고형식은 위배출에 보통 12시간 이상의 시간이 소요되며, 맑은 액체는 12–20분에 50%가 배출된다.[5] 따라서 수술 당일 아침에 맑은 액체의 섭취로 인하여 위액량이 증가될 가능성은 없지만, 비만이나 임신, 당뇨, 위장관 질환, 기도 유지에 문제가 있을 것으로 예상되는 환자들의 경우 주의해야 한다. 위내용물의 폐흡인 가능성을 줄이기 위하여 H2 길항제가 전투약제로 널리 사용되고 있으며, 응급수술인 경우 마취유도 15–30분 전에 sodium citrate와 같은 제산제를 경구 투여하면 위액의 pH를 효과적으로 높일 수 있다. Metoclopramide를 경구 혹은 정맥으로 투여하면 선택적으로 상부 위식도의 운동성이 증가되어 위배출 속도가 빨라지고 유문괄약근이 이완되기 때문에 위액량을 감소시킬 수 있다.

III 마취약제

마취제란 환자의 의식을 소실시키고 수술 중 통증 자극에 대한 반응을 없애는 약제로서, 약제에 따라 기억 상실, 진통 효과, 근육 이완 효과, 자율신경 반사 조절 등에 차이가 있다. 흡입마취제는 대기압하에서 액체 상태로 존재하고 쉽게 기화되어 폐순환을 통하여 빠르게 흡수 또는 제거된다. 정맥마취제는 환자의 의식을 없앨 수는 있지만, 기억소실, 진통, 근육이완 효과를 얻기 위해서는 다른 약제의 도움이 필요하다. 약제의 효과 발현은 약제 주사 후 뇌에서 필요한 농도에 도달하기까지 소요되는 시간에 의해 영향을 받으며, 약제의 작용 시간은 간과 신장의 대사와 배설에 좌우된다.

1. 흡입마취제

흔히 사용되는 흡입마취제로는 아산화질소(N_2O), halothane, enflurane, isoflurane, sevoflurane, desflurane 등이 있다. 과거에 사용되던 흡입마취제의 대부분은 가연성이 있었으나 현재 널리 사용되는 흡입마취제는 임상농도에서 폭발성이 거의 없다. 흡입마취제의 용량은 보통 분압 혹은 농도(vol%)로 표시한다. 흡입마취의 과정은 마취유도, 마취유지, 마취회복의 세 단계로 나눈다. 폐를 통해 흡수, 배출되는 흡입마취제의 주 작용 부위는 뇌이며, 모든 흡입마취제는 심근 억제, 전신혈관 확장, 교감신경의 억제를 포함하는 순환계의 기능변화를 일으킨다. 또한 아산화질소를 제외한 모든 흡입마취제는 투여용량에 비례하여 호흡억제를 일으킨다.

아산화질소는 비인화성의 무색, 무취의 기체로 산소나 다른 인화물질과 혼합되면 연소 작용을 도와준다. 아산화질소 단독으로는 적절한 외과적 마취 심도를 얻기 힘들며, 진통 및 의식 소실, 근육 이완 효과를 얻기 위해서는 다른 흡입마취제와 함께 사용하여야 한다. 아산화질소는 체내 조직에의 용해도가 매우 낮기 때문에 체내의 장관, 중이, 뇌실(cerebral ventricle), 기흉, 공기색전 등과 같은 폐쇄 공기체강으로 이동하여 체강의 가스 용적을 증가시킨다. 이비인후과 수술과 관련하여, 아산화질소는 고막성형술 도중 이식편을 전이시킬 수 있으며, 레이저 내시경 수술 중 고농도의 산소와 같이 투여하였을 때 폭발을 일으킬 수 있다.

Halothane의 대표적인 합병증은 간기능 장애인데, 발생 빈도는 낮지만 전격성으로 진행될 경우 사망률이 매우 높다. 흡입마취제는 그 자체 대사물 혹은 대사과정에서 생성된 중간산물에 의하여 간, 신장 등에 독성을 일으킬 수 있으나 기전은 아직 확실치 않다. 수술 후 간 기능의 저하는 흡입마취제 투여 외에도 만성 간질환, 바이러스성 간염, 영양실조, 패혈증, 용혈, 수술 후의 간내 담즙 정체, 다른 약물 등에 의해 영향을 받을 수 있고, 마취나 수술 중 간 혈류량의 감소, 저산소증, 과이산화탄소 혈증 및 대량수혈 등도 간손상에 영향을 줄 수 있으므로 흡입마취제에 의한 간손상의 원인을 정확히 감별진단하는 것은 매우 힘들다.

Enflurane은 할로겐 원소로 인하여 비정상적인 경련을 유발할 수 있으므로 간질 병력이 있는 환자에서 특히 주의하여야 하며, 임상적 투여 용량보다 과량 투여하거나 신기능이 저하된 경우에는 대사산물인 fluoride에 의해 신독성을 유발할 가능성이 있다. Isoflurane은 enflurane과 분자량은 같으나 구조식이 다른 이성체로 심혈관계의 안전성이 높다. Isoflurane은 체내에서 약 0.2%만 대사되는데, 이것은 enflurane의 1/10, halothane의 1/100에 해당되는 것으로 간독성을 거의 유발하지 않는다.

Desflurane은 순환계에 미치는 영향이 isoflurane과 비슷하지만 심박출량이 보다 더 잘 유지되고, 마취유도 및 각성이 빠르고 대사율이 극히 낮아서 혈청 내 대사산물(trifluoroacetic acid)의 농도가 isoflurane의 1/10에 불과하다. Sevoflurane도 마취유도와 각성이 빠르며, 순환계에 미치는 영향은 isoflurane과 비슷하다.

2. 정맥마취제

정맥마취제의 사용이 날로 증가하고 있는 이유는 투여가 쉽고 환자가 잘 받아들일 수 있으며 비교적 안전하고 마취 회복이 만족할 만하기 때문이다. 현재 정맥마취에 사용되는 약물의 종류를 약리학적 특성에 따라 분류하면 (표 66-3)과 같다.

Barbiturate 제제는 진정과 최면 효과는 현저하지만 진통 효과는 전혀 없고 기억상실 효과가 미약하다. Opioid 제제는 진통 효과는 뛰어나지만 최면 효과가 빈약하

표 66-3. 정맥마취제의 분류

Barbiturates	Thiopental
	Thiamylal
	Methohexital
Nonbarbiturates	
Nonopioids	Etomidate
	Propofol
	Ketamine
	Benzodiazepine
Opioids	Morphine
	Meperidine
	Fentanyl
	Sufentanil
	Alfentanil

고 기억상실 효과가 거의 없다. Benzodiazepine 제제는 기억상실 효과는 우수하지만 진통 효과가 없고 최면효과가 다양하다. Ketamine은 진통, 최면 효과는 좋지만 각성시 환각 작용이 있는 단점이 있다. Etomidate는 최면효과는 좋지만 진통 효과가 없고 기억상실 작용이 빈약하며, propofol은 barbiturate와 비슷한 특성을 가지고 있다. 일반적으로 사용하는 정맥마취제의 용량 및 특성을 (표 66-4)에 요약하였다.

전신마취의 유도에 흔히 사용되는 barbiturate 제제로는 현재 thiobarbiturate인 thiopental과 thiamylal, oxybarbiturate인 methohexital이 있다. 협조가 안 되는 소아 환자의 경우 methohexital (20–30 mg/kg)을 직장투여하면 유용하다. Thiopental은 최면작용이 빠르고 작용시간이 짧으며 항경련 작용이 있다. 진통 작용은 없지만 빠른 시간 내에 흥분기를 거치지 않고 무의식 상태를 유도할 수 있기 때문에 전신 마취의 유도제로(3–6 mg/kg) 널리 사용되고 있다. 통증이 적고 짧은 수술, 즉 정형외과 및 산부인과 소수술, 전신마취하 검사 등에 사용되기도 하며, 아산화질소나 소량의 진통제를 혼용하면 더 좋은 결과를 얻을 수 있다. Thiopental은 정맥주사 후 약 30초 내의 짧은 시간에 최대 뇌 흡수가 이루어지며, 작용시간은 생체전환이나 배설에 의하지 않고 근육과 지방으로의 재분포에 의하여 결정되므로 투여 후 20–30분 내에 뇌와 혈장의 농도가 급격히 떨어진다. Thiopental은 물이나 생리식염수에 잘 녹으며, 임상에서 사용되고 있는 2.5% 용액은 알칼리성이 매우 강하므로(pH 10 이상) 정맥 외로 주사될 경우 조직 손상이 발생할 수 있다. 약물투여 후 무의식 상태가 되면 상기도가 폐쇄되어 저산소혈증이 발생할 수 있으므로 기도유지 및 산소 보조호흡이 가끔 필요하다. Thiopental은 말초 혈관을 확장시켜 혈류 저류, 정맥환류량 감소, 심박출량과 혈압 감소를 일으키므로 저혈량성 쇼크 환자에게는 사용량을 줄여야 한다.

Carboxylated imidazole 유도체인 etomidate는 thiopental과 비슷한 진정 최면제로 진통작용은 없지만

표 66-4. 정맥마취제의 용량과 특성

종류	유도	유지	진정(반복 주사)	주사 시 통증
Propofol	1.0–2.5 mg/kg	50–150 μg/kg/min	25–75 μg/kg/min	+++
Ketamine	0.5–2.0 mg/kg 4–6 mg/kg*	0.5–1 mg/kg, prn	0.2–0.8 mg/kg, 반복 2–4 mg/kg*	++
Midazolam	0.05 – 0.15 mg/kg	0.05 mg/kg, prn 1.0 μg/kg/min	0.5–1.0 mg, 반복 0.07 mg/kg*	–
Diazepam	0.3–0.5 mg/kg	0.1 mg/kg, prn	2 mg, 반복	+++
Lorazepam	0.1 mg/kg	0.02 mg/kg, prn	0.25 mg, 반복	++

유도용량에서 심혈관억제와 호흡억제가 아주 미약하다는 것이 가장 큰 장점이다. 간이나 혈장에 들어 있는 esterase에 의해 신속하게 대사되며, 소변으로 대부분 배설되고 일부는 담즙으로 배설된다. 마취유도 용량인 0.2–0.6 mg/kg을 정맥주사하면 1분 이내에 의식이 소실되며 작용시간은 3–12분 정도로 thiopental보다 회복이 다소 빠르다. 주사제 내에 유기 용매제로 35% propylene glycol이 들어 있어서 정맥주사 시 통증이 propofol보다 심한 편이며, 마취유도시 약 1/3의 환자에서 불수의적인 간대성 근경련운동(myoclonic movement)이 발생한다.

Alkyl phenol 유도체인 propofol은 thiopental과 작용이 유사한 진정 최면제이다. 물에 잘 용해되지 않으며, 상품화된 1% propofol은 10% soybean oil, 2.25% glycerol, 1.2% egg phosphatide의 유탁액(emulsion)으로 구성되어 있다. 실온 보관이 가능하며 5% 포도당액이나 생리식염수에 희석하여 사용할 수 있다. 주로 간에서 대사되고 신장을 통해 배설되지만 신장이나 간질환에 의해서 크게 영향을 받지 않는다. 마취유도 용량인 1–2.5 mg/kg을 정맥주사하면 1분 이내에 의식이 소실되고 약 5–10분 후에 깨어난다. Propofol은 최면효과 이외에도 진정효과, 기억상실 효과가 있다. Propofol은 심근을 억제하고 전신혈관저항을 감소시켜 평균동맥압을 약 30% 정도 감소시키므로 노인환자나 저혈량증 환자의 마취유도에는 주의해야 한다. 마취유도 중 무호흡의 빈도는 thiopental과 비슷하며 마약류를 전처치한 경우에는 거의 모든 환자에서 일시적으로 무호흡이 발생된다. 정맥 주사 시 통증과 간대성 근경련, 딸꾹질이 발생하며 혈전성 정맥염이 드물게 일어날 수 있다. 다른 정맥마취제에 비해 propofol은 오심, 구토의 빈도 및 중추신경계에 대한 잔여 효과가 적고 신속하고 완전하게 의식이 회복되기 때문에 외래환자의 수술이나 간단한 시술의 마취에 가장 적합한 약제이다.

Phencyclidine계 유도체인 ketamine은 물에 잘 녹고, 주사 시 통증과 조직 자극이 없다. 환자는 눈을 뜬 채로 있어 깨어있는 것처럼 보이지만 기억이나 의식이 전혀 없는 강경상태(cataleptic state), 즉 해리성 상태(dissociative anesthesia)를 보이는 특성을 가지고 있고 각성 후에도 환각이 지속되는 단점이 있다. Ketamine 투여 후에는 혈압 상승 및 빈맥과 같은 순환계 자극 증상이 나타나고, 기도 분비물이 증가하게 된다. Ketamine은 진통작용은 강력하지만 내장성 통증을 효과적으로 차단하지는 못한다. 마취유도 용량인 2 mg/kg 정도에서 호흡 억제는 큰 문제가 되지 않지만 과량을 투여하는 경우나 노인에서는 기도 유지에 주의하여야 한다. 마취 유도 시 2 mg/kg의 용량을 60초 이상에 걸쳐서 서서히 정맥주사하면 30–40초 후에 환자의 의식이 소실되어 수술이 가능해지며, 마취 유지를 위하여 마취 유도 용량의 1/3–1/2를 수술자극에 대한 반응에 따라 추가 투여한다. 정맥확보가 어려운 경우에는 근육주사(4–6 mg/kg)로도 마취유도가 가능하며, 3–5분 내에 수술을 시작할 수 있다.

Benzodiazepine 제제인 diazepam, lorazepam, midazolam은 진정과 최면 작용 이외에도 선행성 기억상실 효과가 있기 때문에 마취 전처치제로 매우 유용하며, 부분마취 중에 diazepam(5–10 mg)이나 midazolam(1–2.5 mg)을 정맥주사하면 환자를 효과적으로 진정시킬 수 있다. 그 외에도 정맥마취 유도제로도 이용되며, 항경련 작용과 근육이완 작용을 지니고 있다. 호흡계와 순환계에 대한 억제작용은 thiopental에 비하여 매우 적은 반면 의식소실과 회복이 상당히 느리다.

Diazepam은 물에 녹지 않으며, 주사제에 propylene glycol과 sodium benzoate와 같은 유기 용매제가 포함되어 있어서 주사 시 통증과 정맥 자극이 심하다. 주로 간에서 대사되며 성인에서 소실 반감기가 매우 길다(약 20–40시간). 경구투여로 잘 흡수되며 근육주사는 약물흡수를 예측하기 곤란하므로 피하는 것이 좋다. Diazepam은 경미한 진정에서부터 심한 혼수상태까지 이르는 중추신경계 억제 작용과 기억상실, 골격근 이완작용을 지니고 있다. 또한 국소마취제의 독성, 알코올 금단, 자간지속(status epilepticus)으로 인해 발생한 경련의 치료에도 diazepam

(0.1 mg/kg)을 정맥주사하면 효과적이다. 정맥주사 시 중등도의 호흡억제가 있으며 특히 마약과 동시 사용하면 호흡억제가 더 심해지므로 주의해야 한다. 부작용으로는 주사시 정맥 자극으로 인한 혈전증, 정맥염이 있다.

Lorazepam은 물에는 잘 녹지 않으나 유기용매제인 propylene glycol에는 잘 녹는다. 주사 시 통증과 정맥염을 일으키지만 diazepam보다는 덜하다. Diazepam보다 5–10배 강력하며, 근육주사에 의해서도 잘 흡수된다. 간에서 대부분 대사되어 불활성 대사산물이 소변으로 배설되며 소실반감기는 10–20시간이다. 지방용해도가 낮아 diazepam에 비하여 중추신경계 효과 발현이 느리고 지속시간은 더 길기 때문에 외래환자의 마취나 빠른 각성이 필요한 경우에는 적합하지 못하다. 정맥주사시 진정효과는 diazepam 10 mg과 lorazepam 2 mg이 비슷하며, 선행성 기억상실 효과가 diazepam보다 뛰어나다. 심혈관계와 호흡계에 미치는 영향은 diazepam과 비슷하다.

Midazolam은 물에 잘 녹는 imidazobenzodiazepine 유도체로 주사 시 통증이 없으며, 효과가 빠르고 작용시간이 비교적 짧은 것이 장점이다. 경구투여보다 정맥 혹은 근육주사하며, 정맥주사 시에는 3–5분 경에, 근육주사 시에는 15–30분 경에 최대효과가 나타나고, 소실반감기는 2–4시간이다. Diazepam보다 2–4배 강력하며, 용량에 비례하여 진정효과, 기억상실, 호흡억제가 나타난다.

Flumazenil은 benzodiazepine 제제에 대한 특수 길항제로, 정맥마취 후 환자를 각성시킬 때나 사고에 의하여 과량 투여되었을 때 benzodiazepine 제제에 의한 진정, 최면효과를 길항시킬 목적으로 사용한다. Flumazenil 0.1–0.2 mg을 1–2분마다 반복적으로 정맥주사하여 총용량 3 mg까지 투여하며, 작용시간이 약 20분으로 짧아 다시 진정작용이 발생할 수 있다.

3. Opioid 제제

Opioid 제제는 현재 수술 전후의 진통, 심부전 환자의 마취 유도와 마취 유지, 반사적 교감신경계 작용의 억제, 마취 유지 중 흡입마취제의 보조 목적으로 사용된다. Opioid 제제는 중추신경계에 있는 특수한 opioid 수용체와 결합하여 작용을 나타내는 모든 약물을 포함하며 여러 가지 분류방법이 있다(표 66-5). 작용제로는 morphine, meperidine, fentanyl, sufentanil, alfentanil 등이 있고, 작용/길항제로는 nalbuphine, butorphanol, buprenorphine, pentazocine 등이 있으며, 순수한 길항제로는 naloxone이 있다. Opioid 제제는 진통작용 외에도 축동, 호흡억제, 변비, 배뇨억제, 소양증 등과 같은 부작용을 일으킨다. 일반적으로 심혈관 기능을 억제시키지 않는 것으로 알려져 있으나 가끔 중등도의 말초혈관 확장에 의하여 저혈압과 심박출량의 감소가 일어나기도 한다. Meperidine을 제외한 opioid 제제는 연수의 미주신경핵의 자극으로 서맥이 동반된다.

표 66-5. Opioid 제제의 분류

자연산	Morphine Codein Papaverine Thebaine
반합성	Heroin Dihydromorphone/morphinone Thebaine 유도체 : buprenorphine
합성	Morphine 계통 : levorphanol, metorphanol Diphenylpropylamine : methadone Benzomorphine 계통 : pentazocine Phenylpiperidine 계통 meperidine, fentanyl, sufentanil, alfentanil, remifentanil

Morphine은 마취 전처치제 및 수술 후 통증조절 목적으로 근주, 정주, 경막외 또는 경막 내로 투여된다. 지방용해도가 비교적 낮고 작용시간이 비교적 길며, 간과 신장에서 대사되어 담즙과 요로 배설된다. Morphine은 심박동율이나 수축력에는 영향이 없지만, histamine 분비와 말초혈관 확장, 통증의 감소에 따른 교감신경 활성 저하로 혈압이 하강하고 심박수도 감소하므로, 저혈량증

환자에게 투여할 때에는 주의하여야 한다. 호흡 억제를 일으키며, 특히 노인이나 허약한 환자에게는 소량을 투여하여도 급작스러운 무호흡을 일으킬 수 있으므로 주의하여야 한다. 진통작용 외에 중추신경계의 작용으로 진정, 불쾌감, 소양증 등이 발생할 수 있으며 naloxone에 의하여 길항된다. 연수의 화학수용체를 자극하여 오심, 구토가 발생하고, 방광괄약근의 긴장이 증가되어 자발적 배뇨장애가 발생할 수 있다. 연동 운동을 감소시키고 유문부 괄약을 증가시켜 위와 장 내용물의 배출 시간이 지연되며, Oddi 괄약근의 경련을 일으켜 담도의 압력이 증가될 수 있다. 축동을 일으키며 내성, 중독, 의존성을 나타낸다.

Meperidine (demerol, pethidine)은 지방용해성 합성 opioid로 구조적으로는 atropine과 비슷하다. 역가는 morphine의 약 1/10로 통증에 따라 3-4시간 간격으로 정주 또는 근주한다. 마취 전처치제나 수술 후 통증 및 오한을 조절할 목적으로 사용한다. Meperidine은 마약제의 모든 부작용이 지니고 있으며, belladonna alkaloid와의 구조적 유사성으로 인하여 빈맥, 구내건조, 이상황홀감(euphoria)이 발생할 수 있다. 주로 간에서 대사되며 신부전증 환자의 경우 활성 대사산물의 일종인 normeperidine이 증가하게 되어 발작과 같은 신경독성 증상이 발생할 수 있다. Monoamine oxidase 차단제를 복용하고 있는 환자에게 투여하면 고혈압, 빈맥, 환각, 발작, 초고열을 동반하는 치명적인 흥분 상태가 발생할 수 있으므로 주의를 요한다.

Fentanyl은 morphine보다 50-100배 강력한 합성 opioid로서 morphine과는 달리 지방용해도가 매우 커서 작용 발현이 빠르고 작용 시간이 비교적 짧은 특성이 있다. 혈뇌장벽을 쉽게 통과하여 정맥주사 후 3-5분 내에 최대효과가 발생한다. 간에 의해 대사, 제거되므로 간혈류량이 감소된 경우에는 fentanyl의 작용시간이 증가될 수 있다. 서맥이나 교감신경계 흥분이 감소하는 등 간접적인 요인에 의하여 심혈관 억제가 일어나며, histamine을 유리하지 않기 때문에 대량 사용이 가능하다. 소량(3-5 μg/kg)의 fentanyl을 마취유도 1-3분 전에 정맥주사하면 후두경하 기관 내 삽관에 따른 혈압상승과 빈맥을 예방할 수 있다.

Sufentanil은 fentanyl보다 5-10배 강력하고 histamine을 유리하지 않으며 다량을 사용하더라도 심혈관기능을 억제하지 않아 심장마취에 주로 이용되고 있다. Alfentanil은 작용시간이 빠르며 강도는 fentanyl의 약 1/4 정도이다. 혈장 내 반감기는 빠른 재분포에 의하여 1.5시간으로 지속적 주입에 적합하며, 환자가 빨리 깨어나야 할 경우나 아주 짧은 수술의 마취에 적합하다. Remifentanil은 비특이성 혈장 esterse에 의하여 대사되기 때문에 최종제거 반감기가 10분 이내로 회복이 빠르다. 주입종료 후 혈장 내 약제의 농도가 50%에 도달하는 시간(context-sensitive half-time)은 주입하였던 시간에 관계없이 3분 정도로 반복 투여나 장시간의 주입에도 축적 작용이 없다는 것이 장점이다.

Butorphanol, nalbuphine, buprenorphine은 opioid 촉진작용과 길항작용을 공유하는 약제로 제한된 진통 효과로 인하여 마취 유도나 마취 유지에는 적합하지 않다. 하지만 순수한 촉진제에 비하여 호흡 억제 없이 진통 효과를 얻을 수 있기 때문에 수술 후 진통 조절에 많이 이용되고 있다.

Naloxone은 opioid 길항제로서 opioid 제제 투여 후 발생하는 오심, 소양증, 호흡 억제 등의 부작용을 치료하는 데 사용된다. 하지만 mu, delta, kappa 수용체에 모두 비선택적으로 작용하기 때문에 진통효과도 역전시킬 수 있다. 소량(0.1 mg)을 분할 정맥주사하여야 급작스러운 역전에 의한 불쾌감, 심한 통증, 흥분, 심혈관 자극, 폐부종을 피할 수 있으며, 2 mg 이상 사용은 피하는 것이 좋다. 작용시간이 opioid 제제보다 짧기 때문에 충분한 양의 길항제를 투여하지 않으면 다시 opioid 제제의 부작용이 발생할 수 있으므로(renarcotization) 주의하여야 한다.

4. 근이완제

근이완제는 기관 내 삽관 및 마취 중 흡입마취제의 근이완작용을 항진시키고 외과적 수술을 용이하게 하기 위하여 사용하며, 장기간 인공호흡기를 사용할 때 호흡을 조절할 목적으로도 이용된다. 근이완제를 의식이 있는 환자에게 사용하면 심한 정신적 고통이 따르기 때문에 반드시 무의식 상태에서 사용하여야 한다.

근이완제는 신경근 접합부의 접합후막에 존재하는 nicotine성 콜린 수용체에 작용하며, 신경근 전달과정의 차단양상에 따라 탈분극성(depolarizing)과 비탈분극성(nondepolarizing) 근이완제로 분류된다. 탈분극성 근이완제(비경쟁적 차단제)는 acetylcholine과 유사하게 수용체에 강하게 결합하여 접합후막에 탈분극현상을 일으키나 용이하게 분해되지 않아 신경근 전달이 차단되게 된다. 비탈분극성 근이완제(경쟁적 차단제)는 수용체에 acetylcholine과 경쟁적으로 결합하여 신경자극으로 인하여 신경말단에서 유리된 acetylcholine과 수용체의 접촉을 방해한다. 그 결과 수용체의 이온통로가 열리지 못하고 탈분극현상이 일어나지 않아 신경근 전달과정이 차단되게 되며, 수용체와 약하게 결합하기 때문에 수용체 주위의 acetylcholine 농도가 증가하면 비탈분극성 근이완제에 의한 근이완작용이 길항되게 된다.

Succinylcholine은 탈분극성 근이완제로, 투여 후 근육의 속상수축(fasciculation)이 특징적으로 발생한다. 작용발현이 빠르며 혈장 cholinesterase에 의하여 분해되고 작용시간이 5–10분으로 짧기 때문에 신속한 기관 내 삽관(1–1.5 mg/kg)이 필요할 때 용이하게 사용할 수 있다. Succinylcholine을 투여하여 생기는 탈분극은 혈장 내의 칼륨을 0.5 mEq/L 정도 상승시킨다. 수술 전 칼륨치가 정상인 건강한 환자에서는 문제가 되지 않으나 화상 및 심한 근손상, 뇌척수손상, 중증 신장장애 환자에서는 acetylcholine 또는 succinylcholine에 대한 수용체의 감수성이 증가되어 있기 때문에 탈분극 시 많은 칼륨을 세포 밖으로 내보내 과칼륨혈증을 야기시키므로 주의를 하여야 한다.

Atracurium은 benzylisoquinoline 구조를 가지고 있는 근이완제로 pH–의존성 Hoffman 분해와 비특이적 혈장 ester 분해의 두가지 과정으로 서서히 분해되어 신장으로는 거의 배설되지 않기 때문에 신부전 환자에게 널리 사용되고 있다. 충분한 근이완이 30–40분간 지속되며 histamine을 분비시킨다. Mivacurium은 benzylisoquinoline 유도체로 혈장 cholinesterase에 의해 분해되며 histamine을 분비한다. 다른 근이완제에 비하여 발현시간이나 회복이 빠른 편으로 짧은 수술의 마취에 적합하다.

Pancuronium은 작용시간이 약 90분 정도이며, 간에서 대사되어 신장으로 주로 배설된다. 미주신경 차단으로 동맥압과 맥박이 상승하기 때문에 halothane이나 cocaine, epinephrine을 포함하는 국소마취제 용액을 같이 투여하였을 때 심방성 및 심실성 부정빈맥이 발생할 수 있다. Vecuronium은 pancuronium과 구조적으로 유사하지만 빈맥이 발생하지 않으며 작용시간이 pancuronium의 1/2 정도이다. Vecuronium은 2분 내에 삽관이 충분할 정도로 발현시간이 빠르다. 주로 간에서 대사되고 약 25%는 신장으로 배설되며, 추가 사용에도 축적작용이 일어나지 않는 장점이 있다. Rocuronium의 임상적 특징은 vecuronium과 유사하지만 작용시간이 빨라 0.9–1.2 mg/kg의 용량으로 60–90초 이내에 기관 내 삽관을 실시할 수 있다. 정맥 주사할 때 통증이 있으며, 간에서 대부분이 제거되며 10% 이하에서 소변으로 제거된다.

근이완제의 효과를 길항시키기 위하여 neostigmine, pyridostigmine 등과 같은 항cholinesterase를 투여하면, 신경근 접합부의 연접후 nicotine성 수용체에 결합할 수 있는 acetylcholine의 양이 증가하게 되어 신경근 전달이 개선된다. 하지만 동시에 부교감신경절의 muscarine성 수용체에 결합할 수 있는 acetylcholine의 양도 증가하여 그 결과 서맥, 타액분비 과다, 기관지 수축, 소화관 운동 증가와 같은 muscarine성 반응이 발생하게 된다. 이때 항콜린성 약제인 atropine이나 glycopyrrolate를 항cholinesterase 투여 전이나 동시에 투여하면 muscarine성 반응의 발생을 효과적으로 예방할 수 있다. 항cholinesterase는 근이완 상태 또는 길항제의 종류에 따라 길항작용이 다르게 나타나기 때문에 신경자극에 의한 연축반응을 보면서 근이완 상태를 파악하고 길항시키는 것이 바람직하다. 2008년부터 임상에서 사용되고 있는 sugammadex는 비탈분극성 근이완제와 직접 결합하여 약물을 비활성화시켜 근이완을 역전시키기 때문에 항cholinesterase에 비해 약효가 강하고 신속하며, acetylcholine의 농도 증가로 인해 muscarine성 반응이 항진되어 발생하는 각종 부작용을 유발하지 않는다. 또한 용량을 증가시키면 깊은 근이완 상태도 신속하게 역전시킬 수 있다.

5. 국소마취제

국소마취제는 신경세포막에 있는 나트륨 통로를 차단함으로서 신경전도를 억제한다. 국소마취제는 cocaine, tetracaine과 같은 ester형 마취제와 lidocaine, mepivacaine, bupivacaine, etidocaine과 같은 amide형 마취제로 분류할 수 있으며, 대사 및 안전성, 과민 반응을 일으킬 수 있는 가능성의 측면에서 서로 차이가 있다. Ester형 마취제는 혈장에서 cholinesterase에 의해 대사되며 가수분해로 생긴 para-aminobenzoic acid가 소수의 환자에서 과민 반응을 일으킨다. Amide계 약제들은 간에서 효소에 의하여 대사되며 과민 반응이 극히 드물다. 조직의 산증은 국소마취제의 효과를 감소시키기 때문에 농양 등과 같이 염증이 있는 부위에 주사한 경우에는 마취효과가 감소할 수 있다.

Cocaine은 국소마취제 중 유일하게 합성제제가 아닌 자연산이다. 혈관을 수축시켜 출혈감소, 울혈된 점막을 수축시키는데 이러한 혈관수축작용은 cocaine이 신경말단에서 norepinephrine의 재흡수를 방지하기 때문이다. 따라서 두경부와 같이 혈관이 풍부한 부위에서 출혈을 감소시키는 효과가 뛰어나기 때문에 코, 후두, 인두, 하부기관지 점막의 표면마취 및 혈관수축제로 널리 사용되고 있다. 1-10% 용액으로 사용되고 있으며, 1% 용액은 각막의 마취에 적합하고, 4-5% 용액은 코, 입, 목 점막의 마취에 적합하다. Cocaine은 혈압상승, 관상동맥 수축, 심근허혈, 심부정맥 등을 일으킬 수 있기 때문에 심혈관계 질환이 있는 환자에게는 사용하지 않아야 한다. 전달 또는 침윤 마취 시 전신중독 반응이 흔하고 대부분의 국소마취제와는 달리 습관적 중독이 되기 쉬우며 고압멸균을 할 수 없기 때문에 무균 용액을 만들기 어려운 단점이 있다.

Tetracaine은 표면마취 효과가 뛰어나기 때문에 인두와 기관지의 표면마취에 많이 사용되지만, cocaine과는 달리 혈관수축 작용은 없다. 기관지에서 흡수가 매우 빠르고 혈중에서 분해 속도가 느리기 때문에 치명적인 전신중독 반응이 발생할 수 있다.

Lidocaine (xylocaine)은 경도의 혈관확장 작용이 있기 때문에 혈관수축제인 epinephrine이나 phenylephrine을 첨가하여 사용한다. 마취발현이 빠르고 국소자극 증상이 없으며, cocaine보다는 약하지만 표면마취 효과가 있고 과민 반응이 거의 없다. Lidocaine 정맥주사는 항부정맥, 항경련, 진통효과가 있다. Mepivacaine은 독성이나 차단의 양상은 lidocaine과 유사하나, 혈관 확장 능력이 낮고 작용시간이 20% 정도 길며, 1-4%의 농도로 국소마취와 표면마취에 사용된다.

Bupivacaine은 발현시간이 느리고, 작용시간이 길며, lidocaine이나 mepivacaine보다 약 2-3배 정도 진통효과가 길다. 다른 국소마취제와 달리 낮은 농도에서 운동신경을 거의 차단하지 않고 감각신경을 차단하는 특성이 있다. 말초신경 차단 시 작용지속 시간은 4-6시간 이상이며, 수술 종료 시 피부 절개부위 주위에 국소침윤하여 수

표 66-6. 국소마취제를 1회 주입할 때 최대 권장 허용량

약제	농도	임상사용	최대 권장 허용량(70kg 성인)
Lidocaine	0.5–1.0 1.0–1.5 4.0	침윤마취 말초신경차단 표면마취	300 mg, 500 mg (epinephrine 첨가)
Bupivacaine	0.25 0.25–5.0	침윤마취 말초신경차단	175 mg, 225 mg (epinephrine 첨가)
Tetracaine	1.0–2.0	표면마취	100 mg
Cocaine	4.0–10.0	표면마취	150 mg

술 후 통증을 조절할 목적으로도 사용된다. Bupivacaine과 lidocaine 모두 심장의 나트륨통로를 차단하여 전도를 억제하지만, bupivacaine은 lidocaine에 비하여 심근수축 억제효과가 강하여 심장독성의 위험성이 크다. Levobupivacaine은 bupivacaine의 이성체(enantiomer)로 bupivacaine보다 부정맥 발생과 중추신경계에 미치는 영향이 적다. 임상적으로 bupivacaine과 거의 유사한 운동, 감각신경 차단을 보이지만 지속시간은 좀 더 길다.

Ropivacaine은 mepivacaine, bupivacaine과 구조가 유사하다. 발현시간은 bupivacaine과 비슷하나 bupivacaine에 비해 운동신경 차단의 강도가 낮고 작용시간이 약간 짧으며 심장독성이 적다. Etidocaine은 lidocaine과 구조적으로 비슷하나 효능이 강하고 작용시간이 길다. Bupivacaine에 비하여 독성이 크지 않으며 운동차단이 강하게 나타난다.

Epinephrine은 이비인후과 수술에서 지혈과 국소마취제의 흡수를 감소시킬 목적으로 주로 lidocaine에 혼합하여 사용하고 있다. 국소마취제의 흡수가 감소되면 국소마취제의 작용시간이 연장되고 독성반응이 감소하게 된다. Epinephrine은 총 200 μg (약 1.5 μg/kg)까지 안전하며, 이 용량을 초과하면 epinephrine에 의한 독성 위험성이 증가하게 된다. 1 ml 앰플에 1 mg이 들어있는 1:1,000 epinephrine 0.2 ml를 국소마취제 40 ml에 혼합하면 1:200,000의 농도가 되며 1:1000 epinephrine 0.2 ml를 국소마취제 20 ml에 혼합하면 1:100,000의 농도가 되고 전체량은 둘 다 200 μg이 된다. Epinephrine의 독성증상으로 심계항진, 두통, 고혈압, 빈맥, 부정맥 등이 있으며, halothane을 사용할 때에는 epinephrine 투여 시 부정맥의 발생빈도가 증가한다. 고혈압이나 부정맥, 갑상선중독증, 관상동맥질환 환자에게 국소마취제를 사용할 때에는 혈관수축제로 epinephrine을 사용하지 않도록 한다. 이때 epinephrine 대신에 phenylephrine을 사용할 수 있으며, phenylephrine 50 μg/ml는 epinephrine 5 μg/ml와 동일한 역가를 나타내고, 최대 허용량은 2 mg이다.

국소마취제를 일회주입할 때 최대 허용량은 (표 66-6)과 같다. 하지만 국소마취제의 부작용은 주사 부위와 환자의 전신상태와 밀접한 관계가 있으므로, (표 66-6)에 표시한 최대 허용 용량을 참고로 하여 마취의 종류와 환자 개개인의 전신상태에 따라 차등 적용하는 것이 바람직하다.

국소마취제로 인한 부작용의 대부분은 약제의 과민반응보다는 약제가 혈관 내로 직접 주사되거나 과도한 용량의 약제 투여로 인하여 국소마취제의 혈중농도가 높아져서 발생하게 된다. 이때 투여 총량뿐만 아니라 투여 경로, 약제의 농도, 혈관수축제 사용 여부, 투여 속도가 모두 혈중농도 상승에 관여하며, 피하주사에 비하여 점막으로 투여하는 경우에는 약제의 흡수가 더 빠르기 때문에 독성반응의 빈도가 더 높다. 이를 예방하는 최선의 방법은 약제를 가장 낮은 농도로 필요한 최소량만을 혈액의 역류

여부를 확인하면서 여러 번에 나누어서 주사하는 것이다. Epinephrine을 첨가하면 혈관 내 흡수가 줄어 국소마취제의 최고 혈장농도를 감소시킬 수 있다. 또한 국소마취제를 투여할 때에는 전신 독성 증상의 발생 여부를 항상 주의 깊게 확인하여야 하며, 산소, 흡입기, 기도유지 장비와 기본적인 약물을 포함한 심폐소생술 장비를 준비하고 있어야 한다.

국소마취제의 전신적 독성은 중추신경계와 심혈관계의 반응으로 나타난다. 국소마취제의 혈중농도가 높아지면 중추신경계의 증상으로 이명, 어지러움, 혼돈, 불명료언어(slurred speech)와 같은 증상이 초기에 나타난 후 이어서 발작과 같은 중추신경계의 흥분 증상이 발생하게 되며, 더 진행되면 중추신경계가 억제되어 무의식, 호흡억제, 사망에까지 이를 수 있다. 그 외 중추신경계 중독의 초기 징후로 오한, 근육경련, 얼굴과 사지에서 나타나는 떨림(tremor)이 있다.

심혈관계 독성은 중추신경계 독성보다 더 높은 혈중농도에서 발생하기 때문에 실수로 과다한 용량의 국소마취제가 혈관으로 직접 주사되는 경우 외에는 잘 볼 수 없지만, 일단 발생하면 심각하고 치료가 어렵다. 국소마취제는 나트륨 통로를 차단하여 심근의 탈분극을 억제하기 때문에 모든 국소마취제의 투여량에 비례하여 심근수축력이 억제된다. 국소마취제의 혈중농도가 높아지면 초기에는 중추신경계의 흥분으로 인하여 교감신경계가 활성화되어 심박수, 혈압, 심박출량이 상승하지만, 혈중농도가 더 증가하게 되면 심근 억제, 심박출량 감소, 저혈압, 말초혈관 확장, 서맥, 심근 전도 장애, 심혈관계 허탈과 같은 증상이 차례로 발생하게 된다.

국소마취제로 인한 중추신경계나 심혈관계의 부작용은 즉시 치료하면 그 결과는 매우 양호하다. 중추신경계의 경미한 증상을 보이는 환자는 산소를 투여하는 것으로 충분하다. 발작이 발생한 경우에는 100% 산소로 과환기를 시행하여야 하며, 발작이 지속되면 midazolam 1-3 mg이나 thiopental 25-50 mg을 정맥주사한다. 만일 발작으로 인하여 환기가 적절하지 않은 경우에는 succinylcholine을 20-40 mg 정맥주사한 후, 구인두 기도유지기(oropharyngeal airway) 또는 기관 내 삽관으로 보조환기를 시작한다. 저혈압은 수액과 승압제로 치료하며, 심실성 빈맥이나 전기기계해리(electromechanical dissociation)와 같은 치명적인 심혈관 독성 증상이 발생하면 심폐소생술을 실시하여야 한다.

Ⅳ 수술 중 환자 감시

최근에 마취기가 개선되고 비침습적으로 환기 상태와 산소포화도를 감시할 수 있는 장비가 발달함에 따라 과거에는 수술이 불가능하였던 환자들도 안전하게 마취를 시행할 수 있게 되었다. 조직의 산소포화도는 맥박산소계측기(pulse oximeter)를 이용하여 비침습적으로 측정하며, 환기상태는 이산화탄소분압측정기(capnometer)를 이용하여 감시한다.

1. 맥박산소계측기

맥박산소계측기는 수술 중에 필수적인 감시장치이다. 맥박산소계측기는 분광광도계(spectrophotometer)와 혈량측정법(plethyosmography)을 동시에 이용하여 동맥혈의 산소포화도를 측정하는 장치이다. 광원을 손가락이나 귓볼 등에 부착한 후 두 개의 광파장, 즉 환원 헤모글로빈에 잘 흡수되는 660 nm의 적색광과 산화 헤모글로빈에 잘 흡수되는 940 nm의 적외선을 조직에 투과시켜 흡광도의 차이로 산소포화도를 얻을 수 있다. 하지만 심한 저체온이나 혈액순환 장애에서와 같이 박동 파장이 없거나 동맥혈 산소포화도가 70% 이하에서는 신뢰도가 떨어지며, 주위의 빛이나 감지기의 움직임으로 인해 측정이 방해받을 수 있다. 맥박산소계측기는 산소포화도뿐만 아니라 조직관류의 정도와 심박수에 관한 정보도 제공한다. 맥박산소계측기는 비록 동맥혈 산소분압(PaO2)을 직접 측정하는 것이 아니지만, 임상적으로 사용하기 간편하고 맥박산소포화도가 70-100% 사이에서는 2-3%의 오차만 있기 때문에 동맥혈 산소포화도를 정확히 예측할 수 있다.

2. 호기말 이산화탄소분압

호기말 이산화탄소분압(end-tidal carbon dioxide; $ETCO_2$)을 측정하는 이산화탄소분압측정기는 측정방법에 따라 적외선 흡수방법, 질량분광광도계(mass spectrophotometer) 등이 있다. 질량분광광도계는 전자광선을 이용하여 CO_2 농도와 분압을 측정하는 방법으로 장비의 가격이 비싼 단점이 있다. 적외선 흡수방법은 쉽게 이용할 수 있는 방법으로, CO_2가 특정 파장의 적외선(2,600 nm와 4,300 nm)을 흡수하는 원리를 이용한 것이다. 이산화탄소분압측정기는 폐포환기를 평가하는 데 가장 유용한 동맥혈 CO_2 분압($PaCO_2$) 및 폐포 CO_2 분압($PACO_2$)을 감시하기 위해 호기말 CO_2 분압을 지속적으로 감시하는 방법으로, 마취 중 적절한 환기 상태를 평가하는데 필수적인 장비이다. 호기말 CO_2 분압과 파형을 측정하여 CO_2 생성, 순환 상태 및 폐포환기 상태의 적절함을 알 수 있을 뿐만 아니라 식도 내 삽관, 호흡회로의 단절과 꼬임, 폐포사강의 증가, 폐색전 등을 초기에 진단하는데 유용한 감시장치이다.

 기도 관리

1. 기도 평가

기도 평가를 통하여 기도유지 및 기관 내 삽관의 난이도를 예견할 수 있기 때문에, 안전한 마취유도를 위해서 수술 전에 반드시 체계적인 기도 평가가 선행되어야 한다. 기관 내 삽관이나 마스크로 호흡이 어려울 것이 예상되면, 각성 상태로 국소마취하에서 직접 후두경이나 굴곡형 후두경을 이용하여 자발호흡을 유지하면서 기관 내 삽관을 시행하거나 기관절개술을 시행하여야 한다. 수술 전 기도평가는 환자의 병력에서 기도유지와 관련된 정보를 얻는 것부터 시작된다. 기관내삽관의 기왕력이 있다면 그에 따른 문제나 합병증 유무, 두경부 수술이나 외상의 과거력, 기도 병변의 과거력을 파악해야 한다. 또한 기도에 대한 신체검사를 통하여 경부, 하악골, 구강의 구조와 운동성을 체계적으로 평가해야 한다. 기관 내 삽관의 난이도를 예상할 수 있는 일반적인 검사방법에는 다음과 같은 것들이 있다.[5,12,19]

첫째, 환자의 머리를 중립의 위치에 두고 입을 최대한 벌리게 하면서 혀를 내밀게 한다. 이때 구강으로 본 인두의 시야에서 혀에 의해 인두가 가려지는 정도에 따라 기도를 분류하여 직접후두경을 통한 기관 내 삽관의 난이도를 예측할 수 있다. 즉 목젖이 보이면 1등급으로 분류하고 편도와 목젖의 기저부가 혀의 기저부에 의해 보이지 않으면 2등급, 연구개만 보이면 3등급, 연구개도 보이지 않으면 4등급으로 분류한다. 입을 벌리는 정도도 동시에 관찰한다. 악관절의 관절염이나 개구장애(trismus) 등으로 인하여 입을 벌리기 어렵거나 개구시 문치 사이가 4 cm (2횡지) 이하인 경우에는 기관 내 삽관의 어려움이 예상된다.

둘째, 환자를 검사자를 바라보게 앉힌 후 머리를 뒤로 제껴서 환추후두(atlanto-occipital) 관절을 최대한 신전시켜 환추후두관절의 신전성을 검사한다. 정상 각도인 35°의 2/3 이하인 경우 기관 내 삽관의 어려움이 예상된다. 목의 움직임을 방해하는 관절염이나 다른 병변도 확인한다. 목을 신전하였을 때 척추 기저동맥 부전증이나 경추신경압박으로 어지러움증이나 이상감각이 있는지도 동시에 확인한다.

셋째, 앙와위에서 환자 머리를 최대한 신전시켰을 때 갑상연골 절흔에서 턱끝(mentum)까지의 거리를 측정하여 하악골 앞 공간(anterior mandibular space)을 평가한다. 턱이 들어가고 목이 짧은 환자에서 갑상선과 턱끝 거리가 6 cm 이하이면 기관 내 삽관의 어려움이 예상된다. 그 외 기관 내 삽관에 영향을 줄 수 있는 병변, 예를 들어 목부위의 종괴나 기관편위 등이 있는지 살펴봐야 하며, 경비 기관 내 삽관을 계획하였다면 비골절이나 비폐쇄, 비중격만곡, 잦은 비출혈 유무도 검사하여야 한다.

술 전 치아검사로 흔들리는 치아, 의치, 결손치아, 치주염 등을 확인하여야 한다. 의치는 고정된 것인지 혹은 제거할 수 있는 것인지 반드시 확인한다. 앞니의 결손 및 골절이 있는 경우에 후두경 날에 의해 치아가 손상될 수 있으며, 돌출된 상절치는 후두경적 시야를 확보하는데 방해가 되고 후두경 날에 의해 손상을 받기 쉽다.

기술적으로 기관 내 삽관의 어려움은 후두경으로 성문을 직접 관찰할 수 있는 정도에 따라 분류할 수 있다. Cormack와 Lehane은 직접후두경 검사법으로 성문개구부의 시야를 관찰한 후 기관내삽관의 곤란정도를 4등급으로 분류하였으며, 1등급은 성문이 대부분 보일 때, 2등급은 성문의 후방만 보일 때, 3등급은 후두개만 보일 때, 4등급은 후두개도 보이지 않을 때로 분류하였다.[5]

2. 기관 내 삽관

경구 기관 내 삽관을 시행할 때 환자의 후두부에 베개를 넣어 8–10 cm 정도 머리를 높이고, 환추후두관절을 신전하여 구강, 인두, 후두의 축, 즉 입술에서 성문까지 일직선이 되게 만든다. 왼손으로 후두경을 붙잡고 후두경의 날을 환자 입의 오른쪽으로 넣어서 치아 손상에 주의하면서 후두경 날을 전진시켜 중심 쪽으로 삽입하여 후두개를 확인한다. 후두경 날을 후두개계곡(vallecula)으로 전진시킨다. 직형날을 사용하는 방법은 같지만 날의 끝이 후두개의 밑에서 직접 후두개를 들어올리는 점이 다르다. 기관내 튜브를 환자 입의 오른쪽에서 오른손으로 연필을 쥐듯이 잡고 성문을 향해 삽입한다. 경비 기관 내 삽관을 시도할 때에는 Magill 삽관겸자를 후두경과 같이 입안에 넣어서 코를 통해 들어온 기관 내 튜브를 성문 쪽으로 유도한다. 튜브의 커프가 성대를 1–2 cm 지나 보이지 않을 때 삽관을 멈추어 튜브의 끝이 성대와 기관 분기부 중간에 위치하도록 한다. 기낭이 있는 튜브가 기관 중앙에 위치한다면 기낭에 공기를 빠르게 주입하는 동안 흉골상절

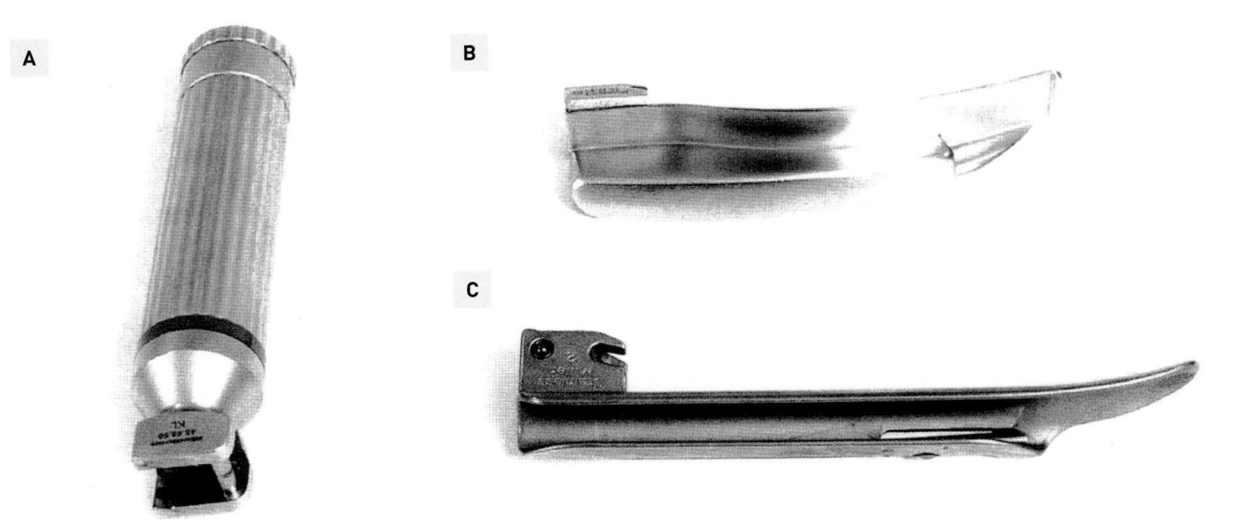

■ 그림 66-1. **후두경의 종류.** **A)** 후두경 손잡이. **B)** 곡형 후두경 날(Macintosh blade). **C)** 직형 후두경 날(Miller blade).

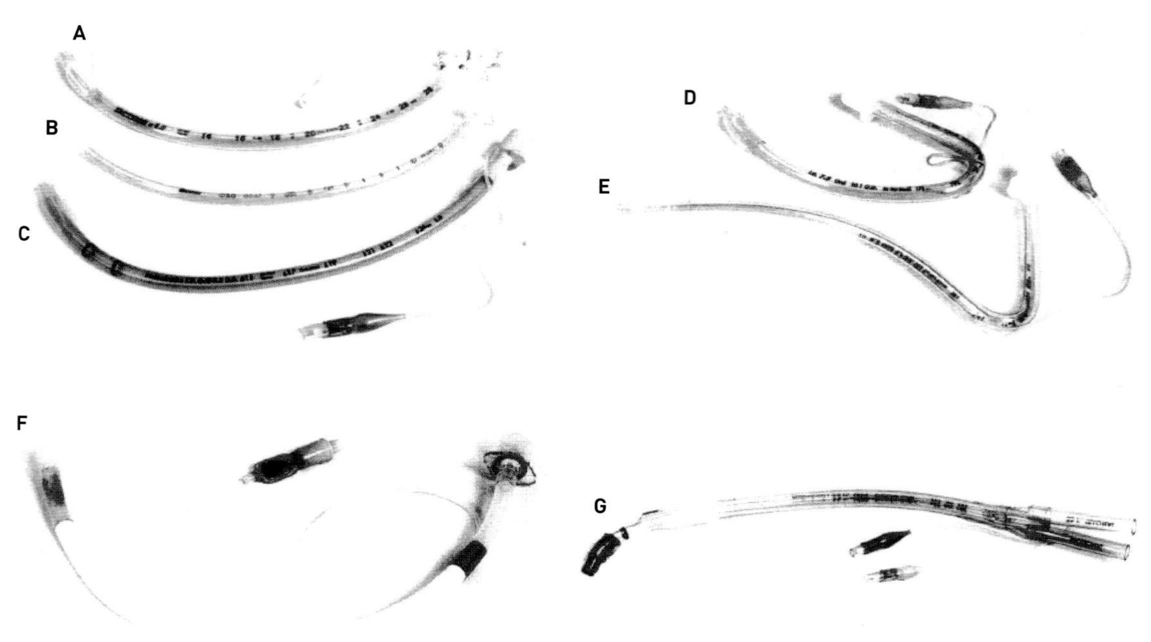

■ 그림 66-2. **기관내 튜브의 종류.** **A)** 단순 기관내 튜브로 투명한 polyvinyl chloride (PVC) 재질이며 고용량 저압력의 기낭으로 구성된다. **B)** 기낭이 없는 소아용 단순 기관내 튜브이다. **C)** Armord 혹은 anode 튜브로 꺾이고 찌그러지는 것을 방지하기 위해 용수철로 보강되어 있다. **D)** Right angle endotracheal (RAE) tube로 머리나 목 수술 시 꼬이거나 쉽게 움직이지 않게 되어 있다. **E)** 경비 기관내 튜브로 경비 기관 내 삽관에 시용된다. **F)** 실리콘 튜브로 레이저 수술에 이용된다. **G)** 이중관 기관지 내 튜브(double lumen endobronchial tube)로 한쪽 폐환기가 필요할 때 사용한다.

흔 (suprasternal notch)을 촉진하면 기낭 팽창을 쉽게 알 수 있다. 후두경 날은 곡형날(Macintosh)과 직형날(Miller)이 있으며 날의 길이에 따라 번호를 붙인다(그림 66-1). 성인환자는 곡형날 중 Macintosh 3번, 직형날은 Miller 2, 3번이 적당하다.

기관 내 튜브는 대개 재질이 polyvinyl chloride (PVC)이며, 기관 분기부에서 튜브의 위치를 확인할 수 있도록 방사선 불투과성 물질로 되어 있다(그림 66-2). 길이는 cm로 표시되고 내경은 mm로 표시되어 있다. 대부분의 성인 남자는 기낭이 달린 내경 7.5–8.0 mm 튜브를 사용하며, 여자는 7.0–7.5 mm 크기를 사용한다. 2–14세의 소아에서는 다음과 같은 공식을 사용하여 튜브의 크기를 선택하여 사용한다.

기관 내 튜브의 내경 = 4.5 + 나이(년)/4

기관 내 삽관 길이 = 12 + 나이(년)/2

병적 혹은 해부학적 요인으로 경구 기관 내 삽관의 어려움이 예상되는 경우 경비 기관 내 삽관, 각성 기관 내 삽관, 굴곡형 후두경을 이용한 기관 내 삽관, 광봉(light wand)을 이용한 기관 내 삽관, 역행성 기관 내 삽관 등 여러 가지 다른 방법을 시도해 볼 수 있다. 경비 기관 내 삽관은 입을 충분히 벌릴 수 없거나, 구강 또는 악안면 수술, 장기간의 기관 내 삽관이 예상될 때 이용된다. 그러나 비폐쇄, 응고장애, 후인두농양, 기저부 두개골 골절 환자에게는 이 방법을 사용하지 않는다. 경구 기관 내 삽관에 비하여 튜브를 안정적으로 고정할 수 있으며, 튜브가 꺾일 위험이 적고, 의식 있는 환자에게 편안하며, 구강 및 인두의 분

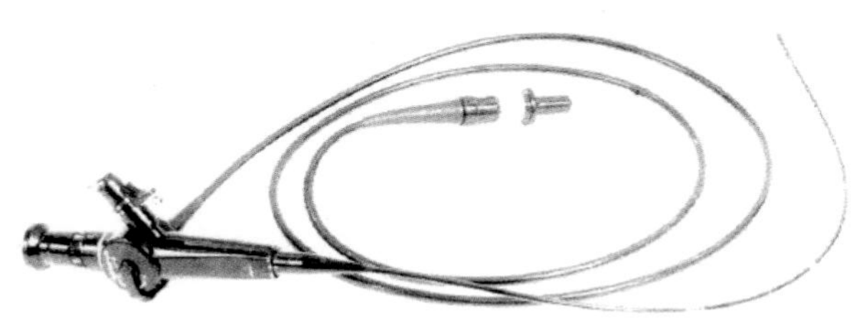

■ 그림 66-3. **굴곡형 후두경.** 삽입관의 길이는 50-60 cm 이며, 성인용의 내경은 4-6 mm이고 소아용은 3.5 mm 이다. 굴곡형 후두경은 기관 내 삽관 목적이나 기관 내 튜브의 위치를 확인하는 데 이용된다.

■ 그림 66-4. **광봉.** 전지 케이스, 연성 봉(flexible shaft), 전구의 세 부분으로 구성된다. 하악골과 설골 사이의 거리를 측정하여 그 길이 정도의 부분에서 또는 기낭의 근위부에서 봉을 하키스틱 모양이 되도록 구부린다.

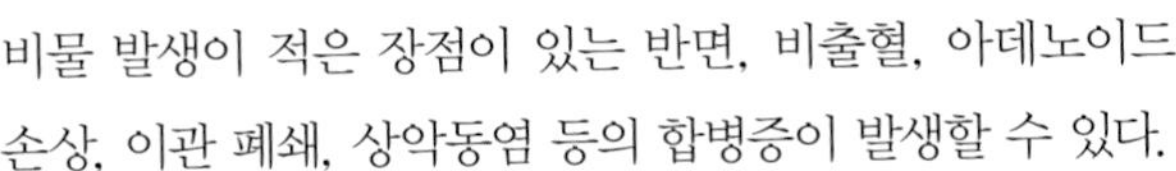

비물 발생이 적은 장점이 있는 반면, 비출혈, 아데노이드 손상, 이관 폐쇄, 상악동염 등의 합병증이 발생할 수 있다.

굴곡형 후두경을 이용한 기관 내 삽관은 해부학적 이상으로 성문 개구부가 보이지 않거나 경추가 불안한 환자에게 이용된다. 국소마취 후 굴곡형 후두경을 기관 내 튜브에 넣어 성문개구부가 보일 때까지 진입시킨 후 기관에 삽입된 굴곡형 후두경을 따라 기관내 튜브를 기관내로 밀어 넣는다(그림 66-3). 의식이 있는 환자는 조직의 긴장이 유지되어 혀 및 후두개가 처지지 않기 때문에 성대의 시야가 방해받지 않으며, 또한 소리를 내거나 혀를 내밀어 협조할 수도 있으므로 무의식 상태보다는 각성 상태에서 쉽게 기관내삽관을 시행할 수 있다.

광봉은 빛을 내는 유연한 장치로, 끝을 구부려 하키스틱처럼 만들어 기관 내 튜브 속에 넣고 혀를 앞쪽으로 당겨서 혀의 중앙을 따라 광봉을 통과시킨다(그림 66-4). 방안의 조명을 어둡게 하면 기관의 입구가 목의 중앙으로부터 수직으로 비치는 빛에 의해서 표시가 되므로 광봉을 길잡이로 하여 튜브를 기관 내로 삽입시킨다. 경추의 불안전한 골절이나 선천적인 기형 환자에서 사용할 수 있으나 맹목적 기관 내 삽관법이기 때문에 상기도에 종양, 감염, 폴립, 손상, 이물질 등이 있는 경우에는 사용에 주의를 기울여야 한다.

역행성 기관 내 삽관법은 윤상갑상막을 통하여 인두 방향으로 유도자를 넣고, 이 유도자를 입이나 코로 꺼내어 유도자를 따라 기관내 튜브를 진입시키는 방법이다. Tuohy 바늘을 통하여 경막외 카테터를 삽입하거나 16 G 주사침을 통하여 중심정맥 카테터를 윤상갑상막을 통하여 상부 인두 쪽으로 밀어 넣는다.

Ⅵ 자가진정통증조절법

국소마취로 수술받는 환자들은 수술 부위의 통증을 국소마취제로 제거하는 것만큼 적절한 진정 상태를 유지하는 것이 필요하다. 진정은 효과적이면서도 안전해야 하며, 동시에 환자 자신이 만족해야 한다. 하지만 환자에 따라 진정제에 대한 약역학 및 약동학적 요소가 다르고, 환자가 요구하는 진정의 정도가 다를 뿐 아니라, 약물에 의한 진정의 정도를 정확히 파악하기 어렵고, 수술 중 주위 상황이 계속 변화하여 진정 상태를 방해하기 때문에 적절한 진정 상태를 유지하는 것은 매우 힘들다.

환자 스스로 약제를 주입하는 방법은 수술 후 통증치료의 발전으로 시작되었다. 전통적인 진통제의 근육주사 대신 환자 스스로 소량의 약제를 반복 주입하여 원하는 진통효과를 얻는 자가통증조절법(patient-controlled analgesia, PCA)은 진통제의 총 사용량을 줄일 수 있고 환자에게 더 안전할 뿐만 아니라 환자의 만족도도 높일 수 있는 방법이다. 최근에는 이를 응용하여 환자 스스로 진정상태를 조절하는 방법 즉 자가진정조절법(patient-controlled sedation, PCS)이 도입되었다. 자가통증조절법에서는 opioid계 진통제가 주로 사용되었으나, 자가진정조절법에서는 benzodiazepine계 약제와 propofol이 사용되며 불완전한 국소마취를 보완하기 위해 opioid계 약제가 첨가되기도 한다. 이 경우 자가진정통증조절법(patient-controlled sedation and analgesia, PCSA)이라고 부를 수 있다.

이상적인 진정제는 심혈관계와 호흡의 억제 효과가 적고, 진정 깊이를 신속하게 조절할 수 있고, 진정제 투여 중단 후 빠르고 확실한 회복이 뒤따라 주어야 하며, 환자가 수술에 협조할 수 있고, 불안 억제 및 기억 상실 효과가 있어야 한다. 현재 흔히 쓰이는 약제로는 midazolam과[23] propofol을[9] 들 수 있다. benzodiazepine계 약물인 midazolam은 깊은 진정 효과가 발생하기 전에 만족할 만한 불안억제 효과가 나타나며 기억상실 효과도 뛰어나다. Propofol은 진정 작용이 나타내는 농도에서 통증억제의 효과는 없지만 약제의 발현시간이 신속하여 빠르게 변하는 수술실 환경에서 과다한 진정에 이르지 않고 약물을 조절할 수 있어 최근에는 midazolam보다 자가진정조절법에서 더 유용하게 사용되고 있다. 또한 propofol은 시술 종료 후 기억 및 진정상태의 회복이 빠르며, opioid 제제와 함께 사용하였을 때 적절한 진통 효과를 유지할 수 있다.

자가통증조절장치는 기저용량, 잠금시간, 일회 투여량을 조절할 수 있으며, 잠금시간을 설정하여 일정 기간이 경과될 때까지는 추가량이 들어갈 수 없게 되어 있다. 따라서 과다한 진정과 진통을 예방할 수 있고, 일회 투여량을 조절하여 부적절한 진정과 진통을 방지할 수 있다. 진정통증조절법에서 약제는 지속적인 정주와 자가 조절이 가능한 단추를 부착한 지속주입기를 이용하여 수술 시작 전에 주입을 시작한다. 혈중 농도를 유지하기 위해 일정량의 약제를 처음에 일회 주입하는 방법과 잠금 시간을 조절하여 처음부터 환자 스스로 용량을 조절하는 방법이 있다. 환자의 나이, 체중, 성별, 의학적 신체 상태 등에 따라 투여량을 다르게 적용하여야 한다.

자가진정통증조절법을 적용할 수 있는 시술은 국소마취하에 수술을 할 수 있는 수술이어야 하고 수술 종류와 수술 시간이 적당해야 한다. 중재적 방사선과 시술, 위장관 및 기관지 내시경 시술, 비뇨기과 및 부인과, 이비인후과, 성형외과, 치과의 여러 수술 등에 적용 가능하다. 이비인후과 영역에서는 비중격 성형술, 내시경을 이용한 부비동염 수술, 고실성형술 등에 이용될 수 있다.

환자의 진정 정도에 따라 여러 가지 합병증이 나타날 수 있다. 호흡억제에 의한 저산소증, 기도폐쇄, 심혈관계 억제, 부적절한 진통에 의한 불안 증가 및 수술 시 갑작스러운 움직임으로 시술에 어려움이 있을 수 있다. 이러한 합병증에 대처하기 위해 항상 맥박산소포화도, 혈압계, 심전도 등을 감시하며 적절한 진정 정도를 파악해야 한다.

Ⅶ 이비인후과 수술시 마취관리

1. 귀수술 마취관리

수술실에서 환자의 자세와 마취기, 수술용 기계, 인원의 배치는 (그림 66-5)에 도시하였다. 귀수술을 위한 마취에서 염두에 두어야 할 것은 안면신경을 보존하여야 하는 것과 외과의사가 epinephrine을 사용한다는 것, 그리고 중이수술을 할 때에 아산화질소 사용을 중지하여야 한다는 것이다.

수술 후 오심과 구토, 현기증은 중이수술의 대표적인 부작용이다. H2 차단제 또는 metoclopramide는 수술 후 오심과 구토를 예방하는 데 도움이 되며, 5-hydroxy-triptamine 차단제인 ondansetron, granisetron, palonosetron, ramosetron도 효과적이다. 마취유도제나 유지제로 propofol 사용은 수술 후 오심과 구토의 위

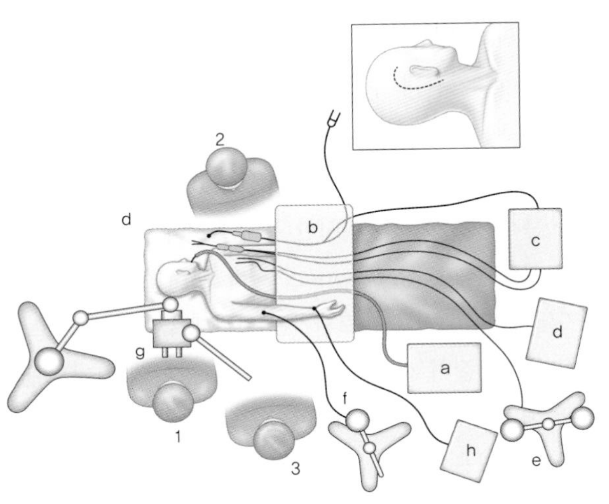

■ 그림 66-5. **수술실에서 귀수술 환자의 자세와 기계, 인원의 배치.** 환자는 앙와위 자세에서 머리를 외과의사의 반대쪽으로 돌린다. (1: 외과의사, 2 : 마취과의사, 3 : 간호사, a : 마취기, b : 수술기구용 테이블, c : 미세지혈기, d : 흡입기(suction), e : 세척, f : 정주용수액, g : 수술용 현미경, h : 동맥로)

험성을 줄이고 각성 시 환자를 조용히 유지하는 데 도움이 된다. 마약성 진통제는 오심과 구토를 악화시킨다.

전신마취제로 아산화질소의 사용을 줄이면 오심과 구토를 감소시킬 수 있다. 아산화질소는 불용성이기 때문에 폐쇄 공기강으로 확산되어 그 용적과 압력을 증가시킨다. 귀수술과 관련하여 이관의 기능이상이 동반된 경우 아산화질소가 중이로 확산되면 고막 이식편이 이동될 수 있다. 또한 이식편을 위치시킨 후 아산화질소 투여를 갑자기 중단하면 내이에 큰 음압이 걸릴 수 있으며 그 결과 이식편의 함몰과 수술 후 오심과 구토, 통증이 발생할 수 있다. 아산화질소는 고실성형술 동안 사용을 피하는 것이 좋으며, 만일 사용하더라도 농도가 50%를 넘지 않아야 하며 고막이식을 시행하기 약 15분 전에는 아산화질소 투여를 중단하여야 한다.

다른 종류의 수술과는 달리 중이 수술 중 출혈은 보통 혈역학적으로 큰 의미가 없지만 현미경 수술시야를 방해할 수 있다는 점에서 출혈을 감소시키려는 노력이 시도되고 있다. 수술시야의 출혈을 조절하는 방법으로는 1:200,000 농도의 epinephrine을 국소침윤하는 방법과 10–15°의 두부거상 자세가 흔히 사용된다. 유도저혈압 마취방법도 논란은 있지만 출혈 감소에 도움이 될 수 있다. 유도저혈압은 흡입마취제나 sodium nitroprusside, alpha 차단제, beta 차단제(labetalol, esmolol) 등의 약제를 사용하여 실시하며, 수축기 혈압을 80–85 mmHg 정도로 유지하는 것이 적당하다. 유도저혈압과 두부거상 체위를 동시에 실시하면 출혈 감소에는 효과적이지만 중심정맥압이 감소한 상태에서 수술시야가 심장 부위보다 높기 때문에 공기색전증의 위험성이 증가하게 된다. 유도저혈압의 부작용으로는 주요 장기기능의 손상, 중추신경계 혈전증, 신혈관 혈전증, 현기증, 마취회복의 지연 등이 있다.

정상 귀에서는 안면신경을 쉽게 확인할 수 있지만 환부 귀에서는 정확히 확인하기 힘들기 때문에 신경 및 해당 신경의 근육지배를 외부 신경자극을 통하여 감시, 확인하여야 한다. 즉 말초신경자극에 대한 반응을 할 수 있어야 하며, 척골신경을 말초신경 자극기로 자극하였을 때 정상반응의 10–20% 수준 이상이 되도록 근이완제 사용을 조절하여야 한다. 따라서 장시간 작용하는 근육이완제는 사용하지 않고 흡입마취제로 마취 심도를 깊게 유지하는 것이 바람직하다. 하지만 전신상태가 나쁜 환자는 고농도의 흡입마취제로 인한 심근억제 효과를 견디지 못할 수 있으므로 근육이완제를 사용하기 전에 이러한 장단점과 위험성을 충분히 고려하여야 한다.

귀수술을 위해 두경부를 반대쪽으로 심하게 신전시키는 경우에는 상완신경총이나 경추에 손상을 줄 수 있으며 경동맥 혈류가 제한된 환자들은 목의 위치에 의해 혈류 감소의 위험이 증가하게 된다.

2. 머리 및 목 수술 마취관리

두경부의 암수술을 받을 환자들은 장기간의 과도한 흡연과 음주력이 있고 폐 및 간기능 부전을 동반하는 경우가 많으며, 후두절제술을 받을 환자 중 일부는 두경부 방사선치료로 인하여 후두개 섬유화, 후두 부종, 개구장애가 있을 수 있다. 또한 후두 및 구인두의 종괴로 인하여 부분적인 기도폐쇄가 있을 수 있기 때문에 기도 확보가 중요하며, 기도 확보가 어려운 경우에는 각성하 기관 내 삽관 또는 기관절개술을 고려하여야 한다.

근치적 두경부 수술 시에는 다음과 같은 합병증을 염두에 두어야 한다. 직경이 굵은 경부 정맥을 통하여 공기가 들어가 공기색전증이 발생할 수 있으며 심한 경우에는 혈역학적 이상이 동반된다. 공기색전증 발견에는 Doppler 장치가 예민하며 호기말 질소나 이산화탄소 농도의 지속적 감시로도 가능하다. 경동맥동의 조작에 의해 미주신경 반사가 일어나 서맥, 저혈압, 심정지가 발생할 수 있으며 우측 성상신경절이 손상을 받으면 QT 간격이 증가하여 (torsades de pointes)라 알려진 심실성 빈맥을 유발할 수 있다.[13] 수술 중 반회후두신경이 양측으로 손상 받으면 수술 후에 심한 호흡곤란이 발생할 수 있다.

3. 미세후두경수술 마취관리

현미경하에서 실시하는 미세후두경 수술의 마취는 깨끗하고 좋은 수술 시야를 제공하고 환자의 기도를 보호하고 적절한 환기와 산소화를 유지하며, 기도 분비물이나 반사를 최소화하고 마취로부터 빠른 각성과 기도반사의 회복이 우선되어야 한다. 일반적으로 수술 시간이 짧기 때문에 수술 후 환자의 빠른 각성을 위해서 마취전투약을 피하는 것이 좋으며, midazolam과 같은 진정제 투여가 필요할 경우에는 수술실에서 소량씩 환자의 반응을 관찰하면서 투여하는 것이 안전하다. 기도분비물 억제제가 도움이 되기도 한다.

후두, 기관, 기관지의 내시경 수술 중에는 안전을 위해서 맥박산소계측기와 이산화탄소분압측정기로 환자의 산소포화도와 환기상태를 감시하여야 한다. 수술 중 후두의 시야를 확보하고 혈액으로부터 기도를 보호하기 위하여 기낭이 달린 내경이 작은 기관내 튜브를 삽입한다. 일부 시술에서는 기관내 튜브를 사용하지 않는 경우도 있으며, 이때 마취는 정맥마취제와 근육이완제로 유지하고, 산소화와 환기는 환기형 후두경(ventilating laryngoscope)이나 분사기를 통하여 실시한다. 수술시야 확보를 위해 고빈도 제트환기(high frequency jet ventilation)를 사용하기도 한다. 고빈도 제트환기는 기관내 튜브 삽관으로 양압환기를 적절히 시행할 수 없는 응급상황에서 기도관리를 위해 사용되기도 한다. 고빈도 제트환기는 고압의 제트가스 유량을 이용하여 폐의 해부학적 사강보다 적은 호흡용적을 분당 60회 내지 150회의 빠른 빈도로 성문 위쪽이나 아래에 위치한 분사기를 통하여 공급하는 방법이다. 분사기를 통하여 산소를 고속으로 분사하여 기도 안으로 흐르게 하면 환자의 폐는 대기와 분사 주입된 산소가 혼합되어 환기된다. 제트환기법은 수술시야가 좋다는 장점이 있지만 폐쇄성 기도병변이 있는 경우에 기도 내로 분사가 어렵기 때문에 저환기가 초래되거나 호기장애로 인해 폐의 압손상이 발생할 위험이 있다. 또한 제트 분사를 정확히 하지 않을 경우에도 위팽창이나 기흉과 같은 압손상이 발생할 수 있다. 따라서 수술 조작에 의한 호기의 폐쇄나 성대의 큰 종양이 있을 경우에는 적합하지 않으며, 심한 비만, 기포성 폐기종(bullous emphysema), 소아 환자에게는 사용하면 안 된다. 제트환기법은 환기 중 혈액이나 종양조직이 폐로 들어갈 수 있으므로 각별히 주의하여야 한다. 고빈도 제트환기법에 의한 환기의 적절성은 동맥혈가스분압과 흉곽의 왕복운동을 관찰하여 평가하지만 환기를 감시하는 데 어려움이 있어 저환기를 발견하지 못할 가능성이 높다.

수술후두경을 사용하는 미세성대수술 마취 중에는 충분한 근이완과 마취깊이로 성대의 움직임, 연하, 기침이 발생하지 않도록 하여야 한다. 수술 시간이 짧아 근이완제로는 succinylcholine을 지속주입하거나 rocuronium을 사용하고 sugammadex로 근이완을 역전시킬 수 있다. 후두의 자극은 고혈압, 빈맥, 부정맥을 유발할 수 있다. Fentanyl 1–2 μg/kg와 병용하여 lidocaine을 국소 도포하거나 정맥주사하면 교감신경계의 반응을 억제할 수 있으며, β–차단제 사용이 도움이 될 수 있다.

4. 상기도의 레이저 수술 마취관리

레이저는 평행하게 진행하는 단색의 응집된 광선으로 이를 이용한 수술은 정교하고 수술후 부종이나 통증을 최소화하며 지혈효과를 제공하고 창상치유가 빠르다. 상기도와 기관의 수술에는 CO_2 레이저와 Nd:YAG(neodymium–yttrium–aluminum–garnet) 레이저가 흔히 사용되는데 파장 길이가 10,600 nm로 지속적인 파장인 CO_2 레이저는 방사되면서 물에 강하게 흡수되고 조직의 표면을 200 nm까지 기화시킬 수 있어서 성대와 후두의 병변제거에 더 적합하다.

레이저는 공기를 통하여 전달되며 평평한 금속 면에서 반사되므로 특히 눈의 손상을 조심해야 하며, 안구에 노출되었을 경우 CO_2 레이저는 각막에 궤양과 흉터를 남기게 된다. 환자는 눈에 안연고를 넣고 테이프를 붙인 후 촉촉한 거즈 또는 금속성 안구보호대를 씌워서 눈을 보호하며, 얼굴과 머리, 목을 젖은 거즈로 감싸면 발화의 위험을 감소시킬 수 있다. 의료진은 레이저 종류에 따라 그에 알맞은 보호 안경을 착용하여야 한다. CO_2 레이저와 관련된 장파는 투명한 보호안경(일반적인 안경)으로 차단할 수 있으며, Nd:YAG와 아르곤 레이저와 같은 단파장 레이저는 각각 초록색 및 오렌지색의 특수한 보호 안경을 착용하여야 한다.

레이저 후두경 수술의 가장 큰 위험은 기도 화재이다. 레이저 광선이 기관내 튜브에 발사되면 기관내 튜브를 뚫고 산소에 의해 점화되어 불이 나고 연기의 흡인으로 화학적 손상, 기관지경련, 부종, 폐부전까지 발생할 수 있다. 통상적으로 흔히 사용되는 PVC 튜브는 레이저 빛을 반사시키지 않고 열을 정체시키거나 이동시키지 않으므로 목표 조직 외의 다른 조직에는 큰 손상을 주지 않는다. 하지만 레이저에 과다하게 노출되거나 레이저의 출력밀도가 높을 때는 발화되어 폐독성이 있는 염화수소나 다른 독성물질이 생성될 수 있다. 붉은 고무튜브는 투명하지 않으므로 튜브 내 화재의 발견이 힘들어 광범위한 손상을 일으킬 수 있으며, 일산화탄소 가스를 발생시킨다. 따라서 레이저에 반응하지 않는 재질의 기관내 튜브를 사용하는 것이 안전하며, 비인화성 레이저 튜브(teflon이 코팅된 알루미늄테이프로 감은 실리콘 튜브, 이중으로 기낭이 있으면서 금속이 입혀진 실리콘 튜브)를 사용하거나 일반 붉은 고무 튜브에 알루미늄 혹은 동으로 된 테이프를 감아 사용하고 있다. 하지만 금속 테이프는 레이저 빛을 반사시키거나 거친 표면으로 인해 점막에 손상을 줄 수 있다. 비인화성 레이저 튜브도 기도점막에 손상을 줄 수 있으며, 같은 외경을 가진 일반 튜브보다 굵으므로 환기 시 저항이 발생하게 된다. 레이저용 튜브도 기낭은 고무재질이므로 레이저선이 닿는 경우에는 녹거나 인화될 수 있기 때문에 화재의 위험성이 완전히 없다고는 할 수 없다. 따라서 기관 내 튜브의 기낭은 공기 대신에 식염수로 채워야 하며, methylene blue나 다른 생체 호환성 조영제를 식염수에 추가하면 기낭 파열 시 판별이 용이하다. 아울러 식염수 거즈로 튜브와 수술 부위 주위를 감싸야 한다. 충분히 모든 준비를 하였다고 하더라도 고출력의 레이저 광선을 한 곳에 조준하여 오랫동안 조사하면 기관 내 튜브가 발화될 수 있다. 임상적으로 허용 가능한 낮은 출력밀도로 레이저를 사용하는 것도 기도 내 화재 발생을 줄이는 데 도움이 될 것이다. 제트환기를 할 경우에는 기도에 튜브와 같은 인화성 물질이 없으므로 화재의 위험성은 줄어들지만 고농도의 산소와 기도 주위의 인화성 물질의 발화로 인하여 기도 화재의 가능성은 남아 있다.

기도 화재가 발생하면 즉시 환기를 멈추고 산소 투여를 중단하고 연소된 기관내 튜브나 내시경 등 발화 가능성이 있는 모든 원인을 제거하여야 한다. 기관내 튜브를 제거한 후 산소농도를 낮게 하여 마스크로 환기를 유지하며 기관내 튜브를 재삽관한 경우에는 찬 생리식염수로 인두를 세척한다. 기관지경을 이용하여 기도의 손상을 검사하고 조직파편을 제거한다. 기도 화상 후에는 부종으로 인하여 기도가 폐쇄될 가능성이 높으므로 기관내삽관을 다시 시행해야 하며, 가습 가스와 스테로이드, 항생제를 투여하고 흉부 X-선 촬영, 산소포화도감시, 심전도감시, 동맥혈가스분석을 실시한다. 경우에 따라서는 기관절개술이나 기관폐세척(bronchopulmonary lavage), 굴곡형 기관지경 검사가 필요할 수 있으며, 기도 손상이 심하면 기관내삽관과 기계적 환기가 장기간 필요하게 된다.[15,20]

발화를 방지하기 위해서 맥박산소계측기로 산소포화도를 감시하면서 산소 농도를 30% 이하로 가능한 한 적게 투여하여야 한다. 아산화질소도 발화를 촉진시켜 지속적인 연소를 가능하게 하는 산화제이기 때문에 공기(질소)-산소, 헬륨-산소 혼합가스를 사용하는 것이 좋다.[3,14] 질소에 비하여 헬륨은 열전도율이 높기 때문에 기관 내 튜브 발화가 수 초 정도 지연되고, 점도가 낮기 때문에 와류가 적고 내경이 작은 기관 내 튜브를 통한 공기 흐름에 대한 저항이 적은 장점이 있지만 헬륨이 사용될 지라도 흡입산소 농도는 40%를 초과하지 않도록 한다. 이와 같이 마취 중 가스의 발화를 최소화하면서도 환자의 산소화는 충분히 제공하는 것이 이상적이지만 레이저 수술을 받는 환자들은 전신상태가 나쁜 경우가 많기 때문에 이 두 가지 목적을 동시에 달성하는 것은 매우 어렵다. 따라서 동맥혈산소포화도를 올리기 위해 높은 산소 농도가 요구될 때에는 환자가 산소로 환기되는 동안 일시적으로 레이저 절제를 중단해야 한다. 동맥혈 산소포화도가 증가하면 레이저 절제를 다시 시작하기 전에 흡입산소 농도를 재확인하고 절제를 시작해야 한다. 기도 내 화재를 예방하기 위해서는 레이저를 임상적으로 허용 가능한 낮은 출력 밀도로 사용하여야 한다.

그 외 레이저의 위험으로는 조직의 기화로 인한 대기오염, 실수로 인한 주위 조직의 손상, 정맥혈 가스색전증 등이 있다. 레이저에 의하여 조직이 기화되면 미세한 알갱이가 연기 형태로 발생하며, 휘발성 흡입마취제도 기도 화재에 노출될 경우 독성물질로 분해될 수 있다. 이 연기 속에는 발암성 바이러스 입자나 formaldehyde와 같은 독성물질을 내포하고 있어 폐손상이 초래될 수 있다. 이 입자들이 대기로 방출되면 환자나 수술실 근무자의 노출된 피부로 확산되게 된다. 일반적인 마스크로는 흡입을 막을 수 없기 때문에 레이저 수술 동안에는 특수 안면 마스크를 착용하는 것이 바람직하며, 수술 조작 시 매연 흡인기를 가능하면 소작되는 조직 가까이 놓아야 한다.

마취는 일반적인 흡입마취나 propofol을 이용한 전정맥마취방법(total intravenous anesthesia)을 사용할 수 있으며, 시술 중 환자가 움직이지 않아야 한다. 만약 상기도폐쇄가 심하면 국소마취 후 각성하에 기관절개를 시행하는 것이 기도유지에 안전한 방법이다. 후두와 기관지의 레이저 수술 후에는 기관지 경련이나 후두경련이 발생할 수 있으며, 수술 후 부종의 감소를 위해 머리올림자세를 취하고 가습 산소를 투여하여야 한다. 스테로이드 투여가 부종감소에 도움이 되기도 한다. 제트환기를 했다면 수술 후 2시간 동안 기흉의 발생이나 호흡부전을 주의 깊게 관찰하여야 한다.

5. 편도절제술 마취관리

편도절제술은 건강한 소아와 젊은 성인에서 흔히 시행되고 있지만, 환자가 상기도폐쇄나 부정맥, 수면무호흡증후군, 급성 편도주위농양 등의 증상을 동반하는 등 마취관리 측면에 많은 위험성이 따르는 시술이다. 수술 전 평가를 통하여 마취유도 중 기도폐쇄의 발생 가능성을 충분히 평가하여야 한다. 즉 연하곤란, 수면무호흡, 주간졸림, 코골이 등과 같은 과거력이 있으면 마스크환기 및 기관 내 삽관이 어려울 것으로 예상되며, 편도가 커서 기도를 막고 있으면 마취유도 중 기도폐쇄가 발생할 가능성이 높다. 수술 후 편도출혈은 적절히 치료하지 않으면 이환율이 매우 높은 응급상황이기 때문에 혈액응고 상태에 대한 사전 지식이 필수적이다. 대부분의 환자에서 잦은 상기도 감염의 과거력이 있으므로 최근 흉부 X선 소견을 반드시 확인하여야 한다. 마취전처치제로 atropine이나 glycopyrrolate와 같은 타액분비억제제를 투여하기도 하며, 수면무호흡이나 기도폐쇄의 징후가 있는 아이들에게는 진정제의 전투약은 피해야 한다.

마취의 목표는 산소화 및 환기, 수술 중 인두근 긴장과 후두 반사의 억제, 수술 후 기도반응의 신속한 회복이다. 편도주위에 lidocaine을 주사하면 수술 부위로부터 오는 구심성 자극을 감소시킬 수 있지만 기도 감각이 저하되기 때문에 흡인성 폐렴의 위험성이 증가한다. 얕은 전신마취에서는 인두 자극으로 수술 중 부정맥이 발생할 수 있다.

수술 후 합병증은 출혈, 호흡기계 문제, 오심과 구토이다. 출혈이 발생하면 환자가 대부분 삼키게 되고 오심 및 구토가 유발될 수 있으므로 마취에서 각성되기 전에 비위관을 삽입하여 위내용물을 충분히 흡인하는 것이 좋다. 그 외에도 수술 후 오심과 구토를 줄이기 위해 meperidine과 아산화질소의 사용을 피하고 수액을 충분히 보충해 주어야 하며, dexamethasone이나 ondansetron과 같은 항구토제를 사용하는 것도 도움이 된다. 기관 내 튜브 발관 후 삼킨 혈액의 폐흡인을 방지하기 위하여, 기관 내 튜브의 발관은 환자가 각성되고 방어적 기도반사가 돌아온 후에 시행되어야 한다. 편도절제술 후 출혈이 있는 환자는 삼킨 혈액이 폐로 흡인될 가능성이 있으므로 회복실에서 환자는 경도의 하지거상 자세에서 옆으로 눕힌 상태로 관찰하여야 한다. 출혈로 인하여 재수술을 시행할 경우 마취유도 중 심한 저혈압이 발생할 수 있으므로 주의하여야 한다.

VIII 마취회복실에서의 환자관리

전신마취로부터 환자가 깨어날 때의 임상징후는 마취가 깊어지는 각 단계의 반대로 나타나게 되므로 마취회복실(postanesthesia care unit, PACU)에서 환자의 산소화(산소포화도) 및 환기상태(호흡수, 기도유지), 순환상태(심전도, 혈압, 맥박)를 집중 감시하여야 한다.

마취 직후에 초래될 수 있는 가장 흔한 합병증은 저산소혈증이며 그 원인으로는 기도폐쇄, 후두경련, 기도 내 분비물 저류, 흡입마취제 또는 근육이완제의 잔류효과 등에 의한 저환기, 환기관류 불균형, 심박출량의 감소, 산소 소모량의 증가 등이 있다. 모든 마취제는 심박출량과 말초혈관 저항을 감소시킬 가능성이 있으며 그 결과 폐의 환기관류 불균형이 증가하여 PaO_2가 감소되게 된다. 따라서 수술 종류나 기간에 상관없이 수술 후 환자들은 모두 안면 마스크를 통하여 산소를 최소한 30–35% 농도로 투여받아야 한다. 흡입가스는 가습기를 통하여 가습하는 것이 바람직하며, 특히 기도가 과민한 경우에는 반드시 흡입가스를 가습하여 투여하여야 한다. 맥박산소계측기로 동맥혈 헤모글로빈 산소포화도를 감시하면 PaO_2의 감소를 조기에 감지할 수 있다. 산소 투여에도 불구하고 저산소혈증이 계속된다면 다시 기관내삽관을 시행하여야 한다.

마취 후에 의식이 명료하지 못한 환자들은 혀가 구강 뒤로 쳐져서 기도폐쇄가 발생할 수 있으며, 드물지만 후두경련 혹은 상기도 손상으로 인한 부종 때문에 후두폐쇄가 발생할 있다. 상기도 폐쇄가 발생한 경우에는 머리를 신전하고 하악골을 거상하면 혀에 붙어 있는 근육이 신전되어 인두에 붙어있던 혀가 앞으로 들어올려지게 되어 기도를 효과적으로 유지할 수 있으며, 경우에 따라서 비인두 혹은 구인두 기도유지기를 삽입하기도 한다. 적절한 머리위치와 기도유지기를 사용하여도 기도폐쇄가 지속되면 기관 내 삽관을 다시 시행하여야 한다. 마취유도시 기관 내 삽관이 힘들었던 경우에는 기관내 튜브를 유지한 채 환자를 회복실로 옮긴 후, 완전히 각성되고 자발호흡이 충분한 것을 확인하고 발관하여야 한다. 그리고 기관내 튜브를 발관할 때에는 반드시 재삽관에 대한 철저한 준비가 있어야 한다.

마취약제로부터의 회복은 투여 용량, 마지막 주입된 후

로부터의 시간, 약제의 지방 용해도, 간 해독작용, 신장의 배설능력에 따라 좌우된다. 마취 후 근육이완제가 충분히 길항되지 않았거나 마약제를 다량 투여한 경우에는 회복실에서 호흡억제가 발생할 수 있기 때문에 근이완제나 마약제의 잔여효과를 확인하는 것이 중요하며, 필요한 경우에는 anticholinesterase, sugammadex나 naloxone과 같은 길항제를 소량 추가로 투여하고 지속적으로 관찰하여야 한다.

환자를 마취회복실에서 일정한 기간 동안 관찰한 후, 마취에서 회복되어 기도폐쇄나 심한 저혈압이 발생할 위험이 없다고 판단되면 병실로 보낼 수 있다. 일반적인 마취회복실 퇴실 기준은 다음과 같다. 1) 활력징후가 안정되어야 한다. 2) 의식상태가 수술 전 수준으로 회복되어야 한다. 3) 수술 후 통증이 적절히 조절되어야 한다. 4) 수술 후 발생한 여러 합병증에 대한 처치가 모두 끝나야 한다. 5) 오심과 구토에 대하여 적절한 처치를 시행하여야 한다. 6) 배출관(drain)과 튜브가 적절히 작동하여야 한다. 7) 수술 부위의 출혈에 대한 처치를 시행하였거나 출혈이 멈추어야 한다. 8) 수술 후 의사 처치 지시가 적절히 수행되었는지 확인한다. 9) 필요한 검사 결과를 확인한다.

외래수술 환자의 퇴실과 귀가는 환자가 의식이 있고 정상적인 행동을 한다고 하여 완전히 회복되었다고 할 수 없으며, 다음과 같은 사항을 추가적으로 고려해야 한다. 즉 환자가 안정되었을 뿐만 아니라 다른 사람의 보조를 받지 않고 혼자 거리를 걸어 다닐 수 있어야 한다. 또한 오심, 구토, 어지러움 증상이 없으며, 배뇨장애가 없어야 한다. 수술 후 통증이 없어야 하며, 수술과 연관된 부작용이 없어야 한다. 외래수술 환자는 전신상태가 좋아도 24-48시간 동안은 정신 상태나 사고력이 둔해질 수 있으므로 이 기간 동안에는 중요한 결정이나 자동차 운전, 복잡한 기계조작은 피하는 것이 좋다.

IX 마취 합병증과 사망률

마취 사망률은 최근 30년간 1/2,680에서 1/10,000로 감소하였다.[7] 수술 기법의 발달 및 노령인구의 증가로 인하여 전신상태가 나쁜 환자의 대수술이 증가되고 있음에도 불구하고 최근 마취와 관련된 사망률은 감소하고 있는 추세이다. 이는 마취사망의 수술 전 요인에 대한 지식의 증가, 동맥경화성 심장질환, 심근경색증 같은 질환의 정도를 암시하는 예시 지표들의 이용, 마취 중 환자의 생리기능을 더욱 정확하게 판단할 수 있는 감시장치의 사용, 마취제 및 다른 약제들에 대한 약역학 및 약동학적 지식 증가, 마취와 관련된 약리유전학의 지식 발달 등에 기인하고 있다. 마취와 관련된 사망률은 매우 다양하게 보고되고 있는데, 이것은 보고 지역, 마취제의 종류, 사망시간의 범위, 단순히 마취에 국한시키거나 마취와 연관된 요인까지 포함시킨 경우 등이 보고자에 따라 다르기 때문이다.

마취 사망의 원인은 악성고열증이나 마취약제에 대한 과민반응과 같은 환자 자체에 의한 경우보다 의사의 실수 및 기계적 요인으로 인한 경우가 대부분으로 이들 사망의 50-90%는 예방할 수 있다고 한다.[4] 마취 사망의 원인은 마취제 선택의 잘못, 독성, 비정상적인 감수성, 마취제 투여에 있어서의 과오, 마취 감독의 불충분, 수술 후 환자 관리의 잘못, 그 외 사소한 이유 등과 같이 매우 다양하며, 기계적 요인은 각종 감시장치와 경보장치의 발달로 감소하고 있다.

환자가 사망하지는 않지만 저산소성 뇌손상이 발생하게 되면 장기간 입원으로 인한 의료비용의 부담이 문제가 된다. 저산소성 뇌손상은 기도확보 실패 및 마취기 호흡회로의 단절 등으로 인한 단기간의 무산소증뿐만 아니라 전신상태가 나쁜 환자의 대수술에서 기존의 감시장치로 쉽게 측정할 수 없을 정도의 경미한 저산소증(suboxygenation)이 장기간 지속되는 경우에도 발생할 수 있다.

마취 후 환자들이 불평하는 것은 보통 경미한 부작용들로, 발생 빈도는 환자의 상태 및 마취기법과 수술방법에 따라 다양하다.[17] 전신마취 후 흔한 부작용으로는 두통(2–60%), 인후통(6–38%), succinylcholine 투여 후 근육통(0–100%), 오심과 구토(27–70%), 정맥약제 투여후 혈관 부작용(1–11%) 등이 있다.

마취 중 수술자세 및 환자보호가 적절치 않으면 여러 가지 부작용이 발생할 수 있다. 말초신경은 마취 중에 신장(stretch)이나 압박에 의하여 손상을 받을 수 있는데, 주로 상완신경총의 분지, 척골신경, 요골신경, 총비골신경, 안면신경이 손상받기 쉽다. 상완신경총은 머리를 반대 방향으로 굴곡시키고 어깨를 밑으로 당기면 긴장이 가해질 수 있으며, 특히 팔을 과외전, 신전, 외회전할 때는 상완신경총이 크게 신장된다. 어깨에 보조기를 부적절하게 받쳐주면 상완신경총이 압박될 수 있다. 척골, 요골, 총비골신경은 표재성이므로 뼈에 의하여 또는 묶는 띠, 수술대 등에 눌리거나 뼈의 융기부 때문에 신장되어 손상을 받기 쉬우며, 특히 쇄석위나 측와위 같은 자세에서는 이들 신경은 쉽게 손상을 받을 수 있다.

각막손상은 소독 및 수술 중 안구보호 조치를 적절히 하지 않는 경우에 발생하며 반드시 안검을 닫아 각막손상을 예방하여야 한다. 후두경 조작 중 과도하게 힘을 가하거나 두부신전을 하였을 때 턱과 목에 통증이 발생할 수 있으며, 후두경 시술과 관련하여 치아와 입술에 경미한 손상이 발생할 수 있다. 하지만 적절한 보호조치와 주의를 기울인 경우에도 신경손상 등과 같은 부작용이 발생할 수 있으므로 수술 전에 환자에게 이에 관하여 반드시 설명해 주어야 한다.

마취 후 흥분 및 불안이 오랫동안 지속될 수 있는데 그 원인은 대개 통증, 저혈량증, 저산소증이며, 다른 원인이 확인되기 전까지는 저산소증에 대한 치료를 시행하는 것이 안전하다. 또한 저혈압, 요저류, 수술후 폐합병증, 황달 발생 여부를 주의 깊게 감시하여야 한다.

참고문헌

1. American Society of Anesthesiologists: New classification of physical status, (Anesthesiology) 1963; 24: 111
2. Broadman LM: Non-steroidal anti-inflammatory drugs, antiplatelet medications and spinal axis anesthesia, (Best Pract Res Clin Anaesthesiol) 2005; 19: 47-58
3. Chilcoat RT, Byles PH, Kellman RM: The hazard of nitrous oxide during laser endoscopic surgery, (Anesthesiology) 1983; 59: 258
4. Cooper JB, Newbower RS, Kitz RJ: An analysis of major errors and equipment failures in anesthesia management considerations for prevention and detection, (Anesthesiology) 1984; 60: 34-42
5. Cormack RS, Lehane J: Difficult tracheal intubation in obstetrics,(Anaesthesia) 1984; 39: 1105-1101
6. Eagle KA, Berger PB, Calkins H, et al: ACC/AHA guideline update for perioperative cardiovascular evaluation for noncardiac surgery--executive summary: a report of the American College of Cardiology/ American Heart Association Task Force on Practice Guidelines (Committee to Update the 1996 Guidelines on Perioperative Cardiovascular Evaluation for Noncardiac Surgery), (J Am Coll Cardiol) 2002; 39: 542-553
7. Feely TW, Macario A: The postanesthesia care unit. In Miller RD (eds): (Anesthesia), 5th ed. Philadelphia, Churchil Livingstone, 2000, p2302-2322
8. Fujii Y, Saitoh Y, Tanaka H, et al: Combination of granisetron and droperidol in the prevention of nausea and vomiting after middle ear surgery, (J Clin Anesth) 1999; 11: 108-112
9. Grattidge P: Patient-controlled sedation using propofol in day surgery, (Anaesthesia) 1992; 47: 683-685
10. Haffner SM, Lehto S, Ronnemaa T, et al: Mortality from coronary heart disease in subjects with type 2 diabetes and in nondiabetic subjects with and without prior myocardial infarction, (N Engl J Med) 1998; 339: 229-234
11. Kaluza GL, Joseph J, Lee JR, et al: Catastrophic outcomes of noncardiac surgery soon after coronary stenting, (J Am Coll Cardiol.) 2000; 35: 1288-1294
12. Mallampati SR: Recognition of the difficult airway. In Benumof JL (eds): (Airway Management Principles and Practice), 1th ed. Philadelphia, Mosby, 1996, p126-142
13. Otteni JC, Pottecher T, Bronner G, et al: Prolongation of the Q-T interval and sudden cardiac arrest following right radical neck dissection, (Anesthesiology) 1983; 59: 358-361
14. Pashayan AG, Gravenstein JS: Helium retards endotracheal tube fires from carbon dioxide lasers, (Anesthesiology) 1985; 62: 274-277
15. Rampil IJ: Anesthesia for laser surgery. In Miller RD (eds):(Anesthesia), 5th ed. Philadelphia, Churchil Livingstone, 2000, p2199-2212
16. Rao TL, Jacobs KH, El-Etr AA: Reinfarction following anesthesia in patients with myocardial infarction, (Anesthesiology) 1983; 59: 449-505

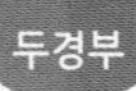

17. Riding JE: Minor complications of general anesthesia, (Br J Anaesth) 1975; 47: 91-101
18. Rivers SP, Scher LA, Gupta SK, et al: Safety of peripheral vascular surgery after recent acute myocardial infarction, (J Vasc Surg) 1990; 11: 70-75
19. Samsoon GL, Young JR: Difficult tracheal intubation: a retrospective study, (Anaesthesia) 1987; 42: 487-490
20. Schramm VL, Mattox DE, Stool SE: Acute management of laser-ignited intratracheal explosion, (Larygoscope) 1981; 91: 1417-1426
21. Shah KB, Kleinman BS, Sami H, et al: Reevaluation of perioperative myocardial infarction in patients with prior myocardial infarction undergoing noncardiac operations, (Anesth Analg) 1990; 71: 231-235
22. Tarhan S, Moffitt EA, Taylor WF, et al: Myocardial infarction after general anesthesia, (JAMA) 1972; 220: 1451-1454
23. Zacharias M, Hunter KM, Luyk NH: Patient-controlled sedation using midazolam, (Br J Oral Maxillfac Surg) 1994; 32: 168-173

찾아보기

한글

ㄱ

ㄴ

ㄷ

ㄹ

ㅁ

ㅅ

ㅇ

ㅈ

ㅋ

ㅌ

ㅍ

ㅎ

영문

A

B

C

D

E

F

G

H

I

J

K

L

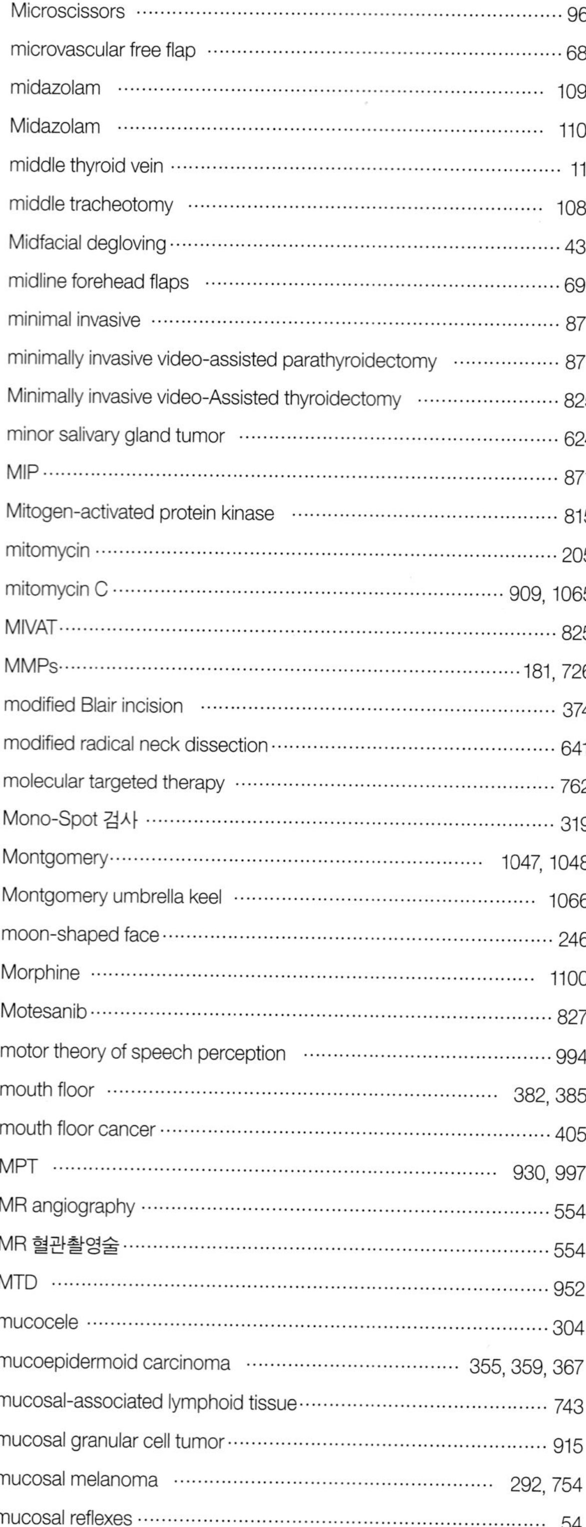

N

O

P

Q

R

S

T

U

V

W

X

Y

Z

기타